संख्यात्मक अभियोग्यता

पूर्ण हल सहित

प्रतियोगी परीक्षाओं के लिए

विभिन्न प्रतियोगी परीक्षाओं जैसे-

- बैंक पी०ओ०, विशिष्ट अधिकारी परीक्षा
- एस०एस०सी० प्रारम्भिक परीक्षा
- रेलवे भर्ती बोर्ड परीक्षा
- एम०बी०ए० परीक्षा
- होटल मैनेजमैन्ट परीक्षा
- पुलिस सब-इंस्पेक्टर परीक्षा
- नवोदय विद्यालय परीक्षा

आदि के लिए सर्वोत्तम पुस्तक

डॉ. आर. एस. अग्रवाल
दीपक अग्रवाल
विकास अग्रवाल

S. CHAND
PUBLISHING

एस चन्द एण्ड कम्पनी लिमिटेड
(ISO 9001 Certified Company)

एस चन्द एण्ड कम्पनी लिमिटेड

S. CHAND
PUBLISHING

(ISO 9001 Certified Company)

Head Office: D-92, Sector–2, Noida 201301, U.P. (India), Ph. 91-120-4682700

Registered Office: A-27, 2nd Floor, Mohan Co-operative Industrial Estate, New Delhi – 110 044, Phone: 011-49731800

www.schandpublishing.com; e-mail: info@schandpublishing.com

Marketing Offices:

चेन्नई : Ph: 23632120, chennai@schandpublishing.com

गुवाहाटी : Ph: 2738811, 2735640 guwahati@schandpublishing.com

हैदराबाद : Ph: 40186018, hyderabad@schandpublishing.com

जालंधर : Ph: 4645630, jalandhar@schandpublishing.com

कोलकाता : Ph: 23357458, 23353914, kolkata@schandpublishing.com

लखनऊ : Ph: 4003633, lucknow@schandpublishing.com

मुम्बई : Ph: 25000297, mumbai@schandpublishing.com

पटना : Ph: 2260011, patna@schandpublishing.com

प्रथम संस्करण 2007

पुनः मुद्रित 2007, 2008, 2009 (Twice), 2010 (Twice), 2011 (Four Times), 2012, 2013 (Thrice), 2014 (Thrice), 2015 (Thrice), 2016

संशोधित संस्करण 2018

संशोधित संस्करण 2025

पुनः मुद्रित 2025

ISBN : 978-93-5870-266-8

Product Code: H4SAB49QAPT40HIZX25O

भारत में,

विकास पब्लिशिंग हाउस प्राइवेट लिमिटेड, प्लाट नं. 20/4, साइट-4, इंडस्ट्रियल एरिया, साहिबाबाद, गाजियाबाद-201010
द्वारा मुद्रित एवं एस चंद एण्ड कम्पनी लिमिटेड, ए-27, द्वितीय तल, मोहन कोऑपरेटिव इंडस्ट्रियल एस्टेट, नई दिल्ली-110 044 द्वारा प्रकाशित।

संशोधित संस्करण

संख्यात्मक अभियोग्यता पिछले कई दशकों से प्रतियोगी परीक्षाओं में समुचित सफलता प्राप्त करने हेतु एक सर्वश्रेष्ठ पुस्तक रही है। इस पुस्तक में सभी प्रकार के वस्तुनिष्ठ प्रश्नों का अपार संकलन एवं उनके संक्षिप्त विधि से हल प्रस्तुत किए गए हैं। परन्तु पिछले कुछ वर्षों में परीक्षाओं के पाठ्यक्रमों में काफी बदलाव हुए हैं। इसे ध्यान में रखते हुए इस संस्करण को तैयार किया गया है। आशा है कि नवीनतम शैली पर आधारित यह पुस्तक छात्रों के लिए विभिन्न परीक्षाओं में सफल होने में सहायक सिद्ध होगी।

पुस्तक में सुधार लाने हेतु आपके विचार सादर आमंत्रित हैं।

लेखकगण

भूमिका

संख्यात्मक अभियोग्यता की विशेष परीक्षा हेतु यह पुस्तक अद्वितीय है। बाजार में उपलब्ध अधिकतम पुस्तकों में केवल कुछ प्रश्नों का संकलन देकर उनके उत्तर दे दिए गए हैं। परन्तु इन उत्तरों की प्राप्ति हेतु संक्षिप्त विधि से प्रश्न हल करने की विधियाँ नहीं समझाई गई हैं। इन परीक्षाओं में सफलता प्राप्ति हेतु प्रश्नों को अल्प समय में संक्षिप्त विधि से हल करके उनका उचित उत्तर प्राप्त करना विशेष महत्वपूर्ण है।

इस पुस्तक में सभी प्रकार के वस्तुनिष्ठ प्रश्नों का अपार संकलन एवं उनके संक्षिप्त विधि से हल प्रस्तुत किए गए हैं। साथ ही विभिन्न परीक्षाओं में गत वर्षों से पूछे गए प्रश्न स्मृति के आधार पर संकलित एवं सम्मिलित किए गए हैं।

पुस्तक के प्रकाशन में किए गए प्रयासों के लिए हम निदेशक श्री रविन्द्र कुमार गुप्ता जी के हार्दिक आभारी हैं।

पुस्तक में सुधार लाने हेतु आपके विचार सादर आमंत्रित हैं।

लेखकगण

विषय सूची

1 संख्याएँ (NUMBERS)

सामान्य नियम

किसी संख्या को लिखने के लिए दस अंकों का प्रयोग किया जाता है।
ये अंक हैं **0, 1, 2, 3, 4, 5, 6, 7, 8, 9**
किसी संख्या को लिखने के लिए हम दायीं ओर से बायीं ओर क्रमशः इकाई, दहाई, सैकड़ा, हजार, दस हजार, लाख, दस-लाख, करोड़, दस करोड़ आदि स्थान लेते हैं जैसा नीचे तालिका में दिखाया गया है।

साधित उदाहरण

प्रश्न 1. 8609712534 को शब्दों में लिखिये.

हल: स्थानों की तालिका बनाकर लिखने पर:

अरब	दस-करोड़	करोड़	दस-लाख	लाख	दस-हजार	हजार	सैकड़ा	दहाई	इकाई
8	6	0	9	7	1	2	5	3	4

'आठ अरब साठ करोड़ सतानवे लाख बारह हजार पाँच सौ चौंतीस.'

प्रश्न 2. निम्नलिखित संख्याओं को अंकों में लिखिये:

(i) नौ करोड़ चार लाख चार हजार एक **(ii) तेरह करोड़ आठ लाख नौ हजार तीन सौ पाँच**
(iii) तीन लाख चालीस **(iv) एक अरब चार हजार छः**

हल: स्थानों की तालिका बनाकर संख्याओं को लिखने पर:

	अरब	दस-करोड़	करोड़	दस-लाख	लाख	दस-हजार	हजार	सैकड़ा	दहाई	इकाई	संख्या (अंकों में)
(i)			9	0	4	0	4	0	0	1	90404001
(ii)		1	3	0	8	0	9	3	0	5	130809305
(iii)					3	0	0	0	4	0	300040
(iv)	1	0	0	0	0	0	4	0	0	6	1000004006

दी गई संख्या में अंकों का जातीय तथा स्थानीय मान

दी गई संख्या में किसी अंक का जातीय मान:

एक दी गई संख्या में किसी अंक का जातीय मान उस अंक का अपना मान है चाहे वह संख्या में किसी भी स्थान पर हो.

उदाहरण: संख्या 53479 में:

(i) 9 का जातीय मान 9 है; *(ii)* 7 का जातीय मान 7 है; *(iii)* 4 का जातीय मान 4 है;
(iv) 3 का जातीय मान 3 है; *(iv)* 5 का जातीय मान 5 है;

दी गई संख्या में किसी अंक का स्थानीय मान

एक दी गई संख्या में:

(i) इकाई अंक का स्थानीय मान = (इकाई अंक) × 1.
(ii) दहाई अंक का स्थानीय मान = (दहाई अंक) × 10.
(iii) सैकड़े के अंक का स्थानीय मान = (सैकड़े का अंक) × 100 आदि आदि.

प्रश्न 3: 7843569 में अंक 6, 3, 8 तथा 7 में से प्रत्येक का स्थानीय मान लिखिये.

हल: संख्या 7843569 में:

(*i*) 6 का स्थानीय मान = (6 × 10) = 60.
(*ii*) 3 का स्थानीय मान = (3 × 1000) = 3000.
(*iii*) 8 का स्थानीय मान = (8 × 100000) = 800000.
(*iv*) 7 का स्थानीय मान = (7 × 1000000) = 7000000.

सम संख्याएँ: जो पूर्ण संख्या 2 से पूर्णतया विभक्त हो, उसे **सम संख्या** कहते हैं.

जैसे: 2, 4, 6, 8, 10, 12, 14, 16, 18, 20 आदि सभी सम संख्याएँ है.

विषम-संख्याएँ: जो पूर्ण संख्या 2 से पूर्णतया विभक्त न हो, उसे **विषम संख्या** कहते हैं.

जैसे: 1, 3, 5, 7, 9, 11, 13, 15, 17 आदि सभी विषम संख्याएँ हैं.

अभाज्य संख्याएँ: जिस पूर्ण संख्या के केवल दो गुणनखण्ड हों, उसे अभाज्य संख्या कहते है.

जैसे: 2, 3, 5, 7, 11, 13, 17, 19, 23, 29, 31, 37, 41, 43, 47, 53, 59, 61, 67, 71, 73, 79, 83, 89, 97 आदि अभाज्य संख्याएँ हैं.

100 से बड़ी संख्या की जाँच करना कि वह अभाज्य है या नहीं:

विधि: माना p एक दिया गया पूर्णांक है तथा n वह छोटे से छोटा पूर्णांक है, जिससे $n^2 > p$.

(*i*) यदि n तथा n से छोटी प्रत्येक अभाज्य संख्या में से कोई भी p को विभक्त नहीं करे, तो p एक अभाज्य संख्या होगी.

(*ii*) यदि n अथवा n से छोटी अभाज्य संख्याओं में से एक भी p को विभक्त करे तो p एक अभाज्य संख्या नहीं है.

प्रश्न 4. जाँच कीजिए कि निम्नलिखित में से कौन-कौन सी अभाज्य संख्याएँ हैं:

(*i*) 173 (*ii*) 341 (*iii*) 437 (*iv*) 811

हल: (*i*) हम जानते हैं कि $(14)^2 > 173$.
14 से छोटी अभाज्य संख्याएँ हैं: 2, 3, 5, 7, 11, तथा 13
स्पष्ट है कि 173 इनमें से किसी भी संख्या से पूर्णतया विभक्त नहीं होती.
अत: 173 एक अभाज्य संख्या है.

(*ii*) हम जानते हैं कि $(19)^2 > 341$.
19 से छोटी अभाज्य संख्याएँ हैं: 2, 3, 5, 7, 11, 13, 17.
स्पष्ट है कि 341 इनमें से 11 से पूर्णतया विभक्त होती है.
अत: 341 एक अभाज्य संख्या नहीं है.

(*iii*) हम जानते हैं कि $(21)^2 > 437$.
21 से छोटी अभाज्य संख्याएँ हैं: 2, 3, 5, 7, 11, 13, 17, 19.
इनमें से 437 स्पष्टतया 19 से विभक्त होती है.
अत: 437 एक अभाज्य संख्या नहीं है.

(*iv*) हम जानते हैं कि $(29)^2 > 811$.
29 से छोटी अभाज्य संख्याएँ हैं: 2, 3, 5, 7, 11, 13, 17, 19, 23.
भाग देने से ज्ञात होगा कि 811 इनमें से किसी भी संख्या से विभक्त नहीं होती.
अत: 811 एक अभाज्य संख्या है

किसी दी गई संख्या से विभक्त होने के नियम

I. 2 से विभक्त होने का नियम

एक दी गई संख्या 2 से विभक्त तभी होगी जबकि इसका इकाई अंक 0, 2, 4, 6 तथा 8 में से कोई हो.

उदाहरण: 53680, 692382, 813674, 357966, 913758 में से प्रत्येक 2 से विभक्त होगी क्योंकि इनके इकाई अंक क्रमश: 0, 2, 4, 6, 8 हैं.

II. 3 से विभक्त होने का नियम

एक दी गई संख्या 3 से विभक्त केवल तभी होगी जबकि इसके अंकों का योग 3 से पूर्णतया विभक्त हो.

जैसे: (*i*) 9876531 के अंकों का योग = 39, जो 3 से पूर्णतया विभक्त होती है.
अत: दी गई संख्या 3 से विभक्त होगी.

(*ii*) 8965723 के अंकों का योग = 40, जो 3 से पूर्णतया विभक्त नहीं होती.
अत: दी गई संख्या 3 से विभक्त नहीं होती.

III. 9 से विभक्त होने का नियम

एक दी गई संख्या 9 से पूर्णतया विभक्त तभी होगी जबकि इसके अंकों का योग 9 से विभक्त हो.

जैसे: (*i*) संख्या 678591 के अंकों का योग = 36, जो 9 से पूर्णतया विभक्त होती है.
अत: दी गई संख्या 9 से पूर्णतया विभक्त होगी.

(*ii*) संख्या 786499 के अंकों का योग = 43, जो 9 से पूर्णतया विभक्त नहीं होती.
अत: दी गई संख्या 9 से पूर्णतया विभक्त नहीं होती.

IV. 5 से विभक्त होने का नियम

एक दी गई संख्या 5 से विभक्त तभी होगी जबकि इसका इकाई अंक 0 अथवा 5 हो.

जैसे: 2357980 तथा 379845 में से प्रत्येक 5 से पूर्णतया विभक्त होगी, क्योंकि इनके इकाई अंक क्रमश: 0 तथा 5 हैं.

V. 4 से विभक्त होने का नियम

एक दी गई संख्या 4 से विभक्त तभी होगी जबकि इसके दहाई तथा इकाई अंकों से बनी संख्या 4 से पूर्णतया विभक्त हो.

उदाहरण: (*i*) संख्या 63571920 के दहाई तथा इकाई अंकों से बनी संख्या 20 है, जो 4 से पूर्णतया विभक्त होती है. अत: दी गई संख्या 4 से विभक्त होगी.

(*ii*) संख्या 53761942 के दहाई तथा इकाई अंकों से बनी संख्या 42 है, जो 4 से पूर्णतया विभक्त नहीं होती, अत: दी गई संख्या 4 से विभक्त नहीं होगी

VI. 8 से विभक्त होने का नियम

कोई दी गई संख्या 8 से विभक्त तभी होगी जबकि उसके सैकड़े, दहाई और इकाई अंकों से बनी संख्या 8 से पूर्णतया विभक्त हो.

उदाहरण: (*i*) संख्या 3578464 के सैंकड़े, दहाई तथा इकाई अंकों से बनी संख्या 464 है, जो 8 से पूर्णतया विभक्त होती है.
अत: ती गई संख्या 8 से पूर्णतया विभक्त होगी.

(*ii*) संख्या 3574846 के सैंकड़े, दहाई तथा इकाई अंकों से बनी संख्या 846 है, जो 8 से पूर्णतया विभक्त नहीं होती.
अत: दी गई संख्या 8 से पूर्णतया विभक्त नहीं होती.

VII. 11 से विभक्त होने का नियम

कोई दी गई संख्या 11 से तभी विभक्त होगी जबकि इकाई अंक से बायीं ओर चलने पर सम-स्थानों के अंकों के योग तथा विषम-स्थानों के अंकों के योग का अन्तर 0 हो अथवा 11 से विभक्त हो.

उदाहरण: (*i*) 1361052 में (सम स्थानों के अंकों का योग) – (विषम स्थानों के अंकों का योग)
$= (5 + 1 + 3) - (2 + 0 + 6 + 1) = 0$.
अत: दी गई संख्या 11 से विभक्त होगी.

(*ii*) 10864195 में (सम स्थानों के अंकों का योग) – (विषम स्थानों के अंकों का योग)
$= (9 + 4 + 8 + 1) - (5 + 1 + 6 + 0) = 10$, जो 11 से विभक्त नहीं होता.
अत: दी गई संख्या 11 से विभक्त नहीं होगी.

सह अभाज्य संख्याएँ: दो संख्याएँ a तथा b सह अभाज्य होंगी यदि उनका महत्तम समापवर्त्तक 1 हो.

जैसे: (2, 3), (3, 4), (4, 7), (5, 9) आदि सह अभाज्य संख्याओं के जोड़े हैं.

एक विशेष नियम: एक दी गई संख्या p दो संख्याओं a तथा b में से प्रत्येक से पूर्णतया विभक्त हो, जहाँ a तथा b सह-अभाज्य हैं, तब संख्या p, संख्या ab से भी पूर्णतया विभक्त होगी.

प्रश्न 5. यदि कोई संख्या 4 तथा 6 दोनों में से प्रत्येक से विभक्त हो, तो क्या यह संख्या 24 से विभक्त होगी. विवेचना कीजिए.

हल: नहीं, उदाहरण हेतु 36 लीजिए.
यह 4 तथा 6 में से प्रत्येक से पूर्णतया विभक्त होती है.
परन्तु 36 को 24 पूर्णतया विभक्त नहीं करता.
ध्यान रहे 4 तथा 6 सह-अभाज्य संख्याएँ नहीं हैं.

प्रश्न 6. बिना भाग दिए, सिद्ध कीजिए कि 2179782 पूर्णतया 66 से विभक्त होती है.

हल: स्पष्ट है कि $66 = (2 \times 3 \times 11)$, जहाँ 2, 3, 11 का महत्तम समापवर्त्तक 1 है. दी गई संख्या = 2179782.

(*i*) दी गई संख्या का इकाई अंक 2 है, अत: यह 2 से विभक्त होगी.

(*ii*) दी गई संख्या के अंकों का योग = 36, जो 3 से विभक्त होती है।
अतः दी गई संख्या 3 से विभक्त होगी।

(*iii*) दी गई संख्या में: (सम स्थानों का योग) – (विषम स्थानों का योग) = (8 + 9 + 1) – (2 + 7 + 7 + 2) = 0.
अतः दी गई संख्या 11 से विभक्त होगी।

∴ दी गई संख्या 2, 3, 11 में से प्रत्येक से विभक्त होती है, अतः यह 66 से विभक्त होगी।

कुछ विशेष परिणाम

(*i*) प्रत्येक सम संख्या का वर्ग एक सम संख्या होती है।

(*ii*) प्रत्येक विषम संख्या का वर्ग एक विषम संख्या होती है।

(*iii*) किसी संख्या का वर्ग करने पर इकाई के स्थान पर 2, 3, 7 में से कोई भी अंक कदापि नहीं आयेगा।

(*iv*) $(1 + 2 + 3 + 4 + ... n) = \frac{1}{2}\, n(n + 1)$.

(*v*) (1 + 3 + 5 + 7 + ... n पदों तक) $= n^2$.

(*vi*) (2 + 4 + 6 + 8 + ... n पदों तक) $= n(n + 1)$.

(*vii*) यदि $a, a + d, a, + 2d, a + 3d, ...$ एक समान्तर श्रेणी हो, तो इसका **n वाँ पद = $a + (n - 1)d$.**

तथा **n पदों का योग = $\frac{n}{2}\,.\,[2a + (n - 1)d]$.**

(*viii*) एक गुणोत्तर श्रेणी $a, ar, ar^2, ar^3, ...$ में **n वाँ पद = ar^{n-1}.**

तथा **n पदों का योग** $= \begin{cases} \dfrac{a(r^n - 1)}{(r - 1)}, & \text{जबकि } r > 1. \\ \dfrac{a(1 - r^n)}{(1 - r)}, & \text{जबकि } r < 1. \end{cases}$

कुछ विशेष सूत्र

(*i*) $(a + b)^2 = a^2 + b^2 + 2ab$

(*ii*) $(a - b)^2 = a^2 + b^2 - 2ab$

(*iii*) $(a + b)^2 + (a - b)^2 = 2(a^2 + b^2)$

(*iv*) $(a + b)^2 - (a - b)^2 = 4ab$

(*v*) $(a^2 - b^2) = (a + b)(a - b)$

(*vi*) $(a + b)^3 = a^3 + b^3 + 3ab(a + b)$

(*vii*) $(a - b)^3 = a^3 - b^3 - 3ab(a - b)$

(*viii*) $(a^3 + b^3) = (a + b)(a^2 + b^2 - ab)$

(*ix*) $(a^3 - b^3) = (a - b)(a^2 + b^2 + ab)$

(*x*) यदि $a + b + c = 0$ हो, तो $a^3 + b^3 + c^3 = 3abc$.

(*xi*) $(a^3 + b^3 + c^3 - 3abc) = (a + b + c)(a^2 + b^2 + c^2 - ab - bc - ca)$.

भाग पर आधारित सूत्र

माना संख्या a को को संख्या b से भाग देने पर भागफल $= q$ तथा शेषफल $= r$. तब, $a = bq + r$, **जहाँ** $0 \le r < b$.

भाज्य = (भाजक × भागफल) + शेषफल

सूत्र: (*i*) भाज्य = (भाजक × भागफल) + शेषफल

(*ii*) भाजक $= \dfrac{(\text{भाज्य} - \text{शेषफल})}{\text{भागफल}}$

(*iii*) भागफल $= \dfrac{(\text{भाज्य} - \text{शेषफल})}{\text{भाजक}}$

$b\,)\,a\,($ q
....
r

यहाँ भाज्य $= a$,
भाजक $= b$,
भागफल $= q$,
शेषफल $= r$.

संक्षिप्त विधि से गुणा करना

I. किसी संख्या को 9, 99, 999, 9999 आदि से गुणा करना

प्रश्न 7. संक्षिप्त विधि से निम्नलिखित गुणनफल ज्ञात कीजिए:

(*i*) 3876 × 9 (*ii*) 9863 × 99 (*iii*) 65873 × 999 (*iv*) 10586 × 99999

हल: (*i*) $3876 \times 9 = 3876 \times (10 - 1) = (3876 \times 10) - (3876 \times 1) = (38760 - 3876) = 34884.$

(*ii*) $9863 \times 99 = 9863 \times (100 - 1) = (9863 \times 100) - (9863 \times 1) = (986300 - 9863) = 976437.$

(*iii*) $65873 \times 999 = 65873 \times (1000 - 1) = (65873 \times 1000) - (65873 \times 1) = (65873000 - 65873) = 65807127.$

(*iv*) $10586 \times 99999 = 10586 \times (100000 - 1) = (10586 \times 100000) - (10586 \times 1) = (1058600000 - 10586)$
$= 1058589414.$

किसी संख्या को 5 की किसी घात से गुणा करना

संक्षिप्त विधि: 5^n को लिखें: $\left(\frac{10}{2}\right)^n = \frac{10^n}{2^n}.$

अत: दी गई संख्या को 10^n से गुणा करके गुणनफल को 2^n से भाग दें.

प्रश्न 8. संक्षिप्त विधि से निम्न गुणनफल ज्ञात कीजिए:

(*i*) 7946 × 125 (*ii*) 72469 × 625 (*iii*) 13246 × 3125

हल: (*i*) $7946 \times 125 = 7946 \times 5^3 = 7946 \times \left(\frac{10}{2}\right)^3 = \frac{7946 \times (10)^3}{2^3} = \frac{7946 \times 1000}{8} = \frac{7946000}{8} = 993250.$

(*ii*) $72469 \times 625 = 72469 \times 5^4 = 72469 \times \left(\frac{10}{2}\right)^4 = \frac{72469 \times 10^4}{2^4} = \frac{724690000}{16} = 45293125.$

(*iii*) $13246 \times 3125 = 13246 \times 5^5 = 13246 \times \left(\frac{10}{2}\right)^5 = \frac{13246 \times (10)^5}{2^5} = \frac{1324600000}{32} = 41393750.$

वितरण नियम: (*i*) $a \,.\, (b + c) = ab + ac$ (*ii*) $a \,.\, (b - c) = ab - ac$

प्रश्न 9. निम्नलिखित का मान ज्ञात कीजिए:

(*i*) 8965 × 974 + 8965 × 26 = ? (*ii*) 9764 × 837 – 9764 × 737 = ?

हल: वितरण नियम द्वारा:

(*i*) $8965 \times 974 + 8965 \times 26 = 8965 \times (974 + 26) = 8965 \times 1000 = 8965000.$ $[\because (ab + ac) = a(b + c)]$

(*ii*) $9764 \times 837 - 9764 \times 737 = 9764 \times (837 - 737) = 9764 \times 100 = 976400.$ $[\because (ab - ac) = a(b - c)]$

प्रश्न 10. संक्षिप्त विधि द्वारा निम्नलिखित के मान ज्ञात कीजिए:

(*i*) 1805 × 1805 (*ii*) 1996 × 1996 (*iii*) 981 × 981 – 419 × 419

हल: स्पष्ट है कि:

(*i*) $1805 \times 1805 = (1805)^2 = (1800 + 5)^2 = (1800)^2 + 5^2 + 2 \times 1800 \times 5 = 3240000 + 25 + 18000 = 3258025.$
$[\because (a + b)^2 = a^2 + b^2 + 2ab]$

(*ii*) $1996 \times 1996 = (1996)^2 = (2000 - 4)^2 = (2000)^2 + 4^2 - 2 \times 2000 \times 4 = 4000000 + 16 - 16000 = 3984016.$
$[\because (a - b)^2 = a^2 + b^2 - 2ab]$

(*iii*) $981 \times 981 - 419 \times 419 = (981)^2 - (419)^2 = (981 + 419)(981 - 419) = (1400 \times 562) = 786800.$
$[\because (a^2 - b^2) = (a + b)(a - b)]$

प्रश्न 11. सरल विधि से (213 × 213 + 187 × 187) का मान ज्ञात कीजिए:

हल: हम जानते हैं कि $(a^2 + b^2) = \frac{1}{2}[(a + b)^2 + (a - b)^2].$

$\therefore (213)^2 + (187)^2 = \frac{1}{2} \times [(213 + 187)^2 + (213 - 187)^2] = \frac{1}{2} \times [(400)^2 + (26)^2]$

$= \frac{1}{2} \times [160000 + 676] = \frac{160676}{2} = 80338.$

प्रश्न 12. सरल कीजिए: $\frac{(947+396)^2 - (947-396)^2}{947 \times 396}.$

हल: दिया गया व्यंजक $= \frac{(a+b)^2 - (a-b)^2}{ab}$, जहाँ $a = 947$ तथा $b = 396$

$= \frac{4ab}{ab} = 4.$ $[\because (a + b)^2 - (a - b)^2 = 4ab]$

प्रश्न 13. सरल कीजिए: $\dfrac{(846+487)^2+(846-487)^2}{846\times846+487\times487}$.

हल: दिया गया व्यंजक $= \dfrac{(a+b)^2+(a-b)^2}{a^2+b^2}$, जहाँ $a = 846$ तथा $b = 487$

$= \dfrac{2(a^2+b^2)}{(a^2+b^2)} = 2.$ **[$\because$ $(a+b)^2+(a-b)^2 = 2(a^2+b^2)$]**

प्रश्न 14. सरल कीजिए:

(*i*) $\dfrac{641\times641\times641+359\times359\times359}{641\times641-641\times359+359\times359}$ (*ii*) $\dfrac{597\times597\times597-276\times276\times276}{597\times597+597\times276+276\times276}$.

हल: (*i*) दिया गया व्यंजक $= \dfrac{(641)^3+(359)^3}{(641)^2-(641\times359)+(359)^2} = \dfrac{(a^3+b^3)}{(a^2-ab+b^2)}$, जहाँ $a = 641$ तथा $b = 359$

$= \dfrac{(a+b)(a^2-ab+b^2)}{(a^2-ab+b^2)} = (a+b) = (641+359) = 1000.$

(*ii*) दिया गया व्यंजक $= \dfrac{(a^3-b^3)}{(a^2+ab+b^2)}$, जहाँ $a = 597$ तथा $b = 276$

$= \dfrac{(a-b)(a^2+ab+b^2)}{(a^2+ab+b^2)} = (a-b) = (597-276) = 321.$

प्रश्न 15. 16075 को किसी संख्या से भाग देने पर भागफल = 167 तथा शेषफल = 43 हो, तो भाजक ज्ञात कीजिए.

हल: भाजक $= \dfrac{(\text{भाज्य} - \text{शेषफल})}{\text{भागफल}} = \dfrac{(16075-43)}{167} = \dfrac{16032}{167} = 96.$

प्रश्न 16. 4000 में से कौन सी छोटी से छोटी संख्या घटाई जाये कि शेष बची संख्या 19 से पूर्णतया विभक्त हो जाये?

हल: 4000 को 19 से भाग देने पर शेषफल = 10.

$\therefore$ घटाई जाने वाली अभीष्ट संख्या = 10.

प्रश्न 17. 3607 के समीपतम वह कौन-सी संख्या है जो 21 से पूर्णतया विभक्त होती है?

हल: 3607 को 21 से भाग देने पर शेषफल = 16.

$\therefore$ अभीष्ट संख्या $= 3607 + (21 - 16) = 3612.$

प्रश्न 18. किसी संख्या को 342 से भाग देने पर शेषफल 47 प्राप्त होता है. इस संख्या को 18 से भाग देने पर कितना शेषफल प्राप्त होगा?

हल: माना दी गई संख्या को 342 से भाग देने पर भागफल = K तथा शेषफल = 47.

$\because$ संख्या $= 342K + 47 = (18\times19K + 18\times2 + 11) = 18\times(19K+2) + 11.$

अत: इस संख्या को 18 से भाग देने पर शेषफल = 11.

प्रश्न 19. (568 × 236 × 479 × 512) में इकाई अंक क्या होगा?

हल: दी गई संख्याओं के इकाई अंकों का गुणनफल $= (8\times6\times9\times2) = 864.$

अत: अभीष्ट अंक = 4.

प्रश्न 20. $(2137)^{754}$ में इकाई अंक क्या होगा? **[एस०एस०सी० परीक्षा, 2013]**

हल: अभीष्ट अंक $= (7)^{754}$ में इकाई अंक $= (7^4)^{188} . 7^2$ का इकाई अंक $= (1\times49)$ का इकाई अंक = 9.

[$\because$ 7^4 का इकाई अंक $= 1 \Rightarrow (7^4)^{188}$ का इकाई अंक = 1]

अत: $(2137)^{754}$ में इकाई अंक = 9.

प्रश्न 21. $(3^{57}\times6^{41}\times7^{63})$ के गुणनफल में इकाई अंक क्या होगा?

हल: 3^4 का इकाई अंक $= 1 \Rightarrow 3^{56} = (3^4)^{14}$ का इकाई अंक $= 1 \Rightarrow 3^{57}$ का इकाई अंक $= (1\times3) = 3.$

6^{41} का इकाई अंक = 6.

7^4 का इकाई अंक $= 1 \Rightarrow 7^{60} = (7^4)^{15}$ का इकाई अंक $= 1 \Rightarrow 7^{63}$ का इकाई अंक $= (1\times7\times7\times7)$ का इकाई अंक = 3.

$\therefore$ अभीष्ट अंक $= (3\times6\times3)$ का इकाई अंक 4.

प्रश्नमाला 1

निम्नलिखित में से प्रत्येक प्रश्न में ठीक उत्तर को चिह्नांकित (✓) कीजिए:

1. 487623 में 7 के स्थानीय व जातीय मान में कितना अन्तर है?
(a) 623 (b) 7616
(c) 6993 (d) इनमें से कोई नहीं

2. 527435 में 7 तथा 3 के स्थानीय मानों का अन्तर कितना है? (रेलवे परीक्षा, 2011)
(a) 4 (b) 45
(c) 430 (d) 6970

3. 974873 में 7 के स्थानीय मानों का अन्तर कितना है?
(a) 0 (b) 4870
(c) 69930 (d) इनमें से कोई नहीं

4. 7^{105} का इकाई अंक कितना है? (एस०एस०सी० परीक्षा, 2015)
(a) 5 (b) 7
(c) 9 (d) 1

5. $(7^{71} \times 6^{59} \times 3^{65})$ का इकाई अंक कितना है? (जीवन बीमा निगम परीक्षा, 2013)
(a) 1 (b) 2
(c) 4 (d) 6

6. $(7^{95} - 3^{58})$ का इकाई अंक कितना है? (जनरल बीमा परीक्षा, 2013)
(a) 0 (b) 4
(c) 6 (d) 7

7. $(81 \times 82 \times 83 \times ... \times 89)$ का इकाई अंक कितना है? (एस०एस०सी० परीक्षा, 2013)
(a) 0 (b) 2
(c) 6 (d) 8

8. $(274 \times 318 \times 577 \times 313)$ का इकाई अंक कितना है?
(a) 2 (b) 3
(c) 4 (d) 5

9. $(3127)^{173}$ का इकाई अंक कितना है?
(a) 1 (b) 3
(c) 7 (d) 9

10. $(2464)^{1793} \times (615)^{317} \times (131)^{491}$ का इकाई अंक कितना है? (एस०एस०सी० परीक्षा, 2014)
(a) 0 (b) 2
(c) 3 (d) 5

11. यदि $(459 \times 46 \times 28^* \times 484)$ का इकाई अंक 2 हो, तो * के स्थान पर क्या अंक होगा?
(a) 3 (b) 5
(c) 7 (d) इनमें से कोई नहीं

12. $7589 - ? = 3434$ (बैंक पी०ओ० परीक्षा, 2013)
(a) 721 (b) 3246
(c) 4155 (d) 11023
(e) इनमें से कोई नहीं

13. $397 \times 397 + 104 \times 104 + 2 \times 397 \times 104 = ?$
(a) 250001 (b) 251001
(c) 260101 (d) 261001

14. $186 \times 186 + 159 \times 159 - 2 \times 186 \times 159 = ?$
(a) 729 (b) 1039
(c) 2019 (d) 7029

15. $\{(475 + 425)^2 - 4 \times 475 \times 425\} = ?$
(a) 2500 (b) 3160
(c) 3500 (d) 3600

16. $\frac{(856+167)^2+(856-167)^2}{(856\times856+167\times167)} = ?$
(a) 1 (b) 2
(c) 689 (d) 1023

17. $\frac{(469+174)^2-(469-174)^2}{(469\times174)} = ?$
(a) 2 (b) 4
(c) 295 (d) 643

18. $(51 + 52 + 53 + ... + 100) = ?$
(a) 2525 (b) 2975
(c) 3225 (d) 3775

19. $(11^2 + 12^2 + 13^2 + 14^2 + ... + 20^2) = ?$
(a) 385 (b) 2485
(c) 2870 (d) 3255

20. $(2^2 + 4^2 + 6^2 + ... + 20^2) = ?$
(a) 770 (b) 1155
(c) 1540 (d) 385×385

21. प्रथम 45 प्राकृत संख्याओं का योग कितना है?
(a) 1035 (b) 1280
(c) 2070 (d) 2140

22. 1 से 31 के बीच की सभी सम प्राकृत संख्याओं का योग कितना है?
(a) 16 (b) 128
(c) 240 (d) 512

23. तीन अंकों वाली कितनी संख्याएँ 6 से पूर्णतया विभक्त होती हैं?
(a) 149 (b) 150
(c) 151 (d) 166

24. 200 से 600 के बीच में कितनी संख्याएँ 4, 5 तथा 6 से पूर्णतया विभक्त होती हैं?
(a) 5 (b) 6
(c) 7 (d) 8

25. सबसे छोटी अभाज्य संख्या है:
(a) 0 (b) 1
(c) 2 (d) 3

26. ऐसी कितनी सम संख्याएँ हैं जो अभाज्य हों? (रेलवे परीक्षा, 2010)

(*a*) 0 (*b*) 1
(*c*) 2 (*d*) इनमें से कोई नहीं

27. निम्नलिखित में से कितनी संख्याएँ 132 से विभक्त होती हैं?
264, 396, 462, 792, 968, 2178, 5184, 6336
(होटल मैनेजमैन्ट परीक्षा, 2012)
(*a*) 4 (*b*) 5
(*c*) 6 (*d*) 7

28. यदि 653xy ऐसी संख्या हो जो 80 से पूर्णतया विभक्त हो, तो $x + y = ?$
(*a*) 2 (*b*) 3
(*c*) 4 (*d*) 6

29. दो क्रमागत विषम संख्याओं के वर्गों का अन्तर निम्न में से किससे विभक्त होगा? (एम०बी०ए० परीक्षा, 2013)
(*a*) 3 (*b*) 6
(*c*) 7 (*d*) 8

30. यदि x एक विषम पूर्णांक हो, तो:
(एम० सी० ए० परीक्षा, 2015)
(*a*) $(5x - 2)$ एक समपूर्णांक है
(*b*) $(5x^2 + 2)$ एक विषम पूर्णांक है
(c) $(5x^2 + 3)$ एक विषम पूर्णांक है
(*d*) इनमें से कोई नहीं

31. 1 से 200 के बीच में कितने पूर्णांक ऐसे हैं जो 2 तथा 3 दोनों से विभक्त हों? (रेलवे परीक्षा, 2014)
(*a*) 25 (*b*) 27
(*c*) 29 (*d*) 33

32. निम्न में से अभाज्य संख्या कौन-सी है?
(रेलवे परीक्षा, 2014)
(*a*) 117 (*b*) 119
(*c*) 143 (*d*) इनमें से कोई नहीं

33. $5746320819 \times 125 = ?$
(*a*) 718290102375 (*b*) 728490301375
(*c*) 748290103375 (*d*) 798290102975

34. 100 से 150 के बीच तथा इन दोनों सहित कुल कितने पूर्णांक हैं जो न ही 3 से तथा न ही 5 से विभक्त हों?
(*a*) 26 (*b*) 27
(*c*) 28 (*d*) 33
(मैनेजमैन्ट परीक्षा, 2014)

35. $(x^n - a^n)$ पूर्णतया $(x - a)$ से विभक्त होगा सत्य है
(एम०बी०ए० परीक्षा, 2016)
(*a*) सभी प्राकृत संख्याओं n के लिए
(*b*) केवल सम संख्याओं n के लिए
(c) केवल विषम संख्याओं n के लिए
(*d*) केवल अभाज्य संख्याओं n के लिए

36. दो संख्याओं का योग 1365 है. इनमें से बड़ी संख्या को छोटी से भाग देने पर भागफल = 4 तथा शेषफल = 15. छोटी संख्या कौन-सी है?
(*a*) 240 (*b*) 270
(*c*) 295 (*d*) 360

37. $8888 + 888 + 88 + 8 = ?$ (रेलवे परीक्षा, 2015)
(*a*) 9072 (*b*) 9784
(*c*) 9792 (*d*) इनमें से कोई नहीं

38. छः अंकों की बड़ी से बड़ी संख्या में छोटी से छोटी कौन-सी संख्या जोड़ी जाये कि योगफल 327 से पूर्णतया विभक्त हो जाये? (एस०एस०सी० परीक्षा, 2015)
(*a*) 194 (*b*) 264
(*c*) 292 (*d*) 294

39. $? \times |a| \times |b| = -ab.$ (बैंक पी०ओ० परीक्षा, 2015)
(*a*) 0 (*b*) −1
(*c*) 1 (*d*) इनमें से कोई नहीं

40. * का छोटे से छोटा मान क्या होगा जिससे संख्या 6735*1 पूर्णतया 9 से विभक्त हो? (रेलवे परीक्षा, 2015)
(*a*) 4 (*b*) 5
(*c*) 7 (*d*) 9

41. भाग के एक प्रश्न में शेषफल = 6 है. यदि भाजक, भागफल का 5 गुना हो तथा शेषफल के तिगुने में 2 जोड़ने पर प्राप्त हो, तो भाज्य कितना है? (एम०सी०ए० परीक्षा, 2015)
(*a*) 40 (*b*) 42
(*c*) 80 (*d*) 86

42. किसी संख्या को 68 से भाग देने पर भागफल 269 तथा शेषफल शून्य है. इस संख्या को 67 से भाग देंगे तो शेषफल क्या होगा? (एस०एस०सी० परीक्षा, 2015)
(*a*) 0 (*b*) 1
(*c*) 2 (*d*) 3

43. 1000 से छोटी कितनी संख्याएँ ऐसी हैं जो 10 तथा 13 दोनों की गुणज हैं? (एस०एस०सी० परीक्षा, 2015)
(*a*) 6 (*b*) 7
(*c*) 8 (*d*) 9

44. किसी संख्या को 5 से भाग देने पर शेष 3 बचता है. इस संख्या के वर्ग को 5 से भाग देने पर शेष क्या बचेगा?
(*a*) 0 (*b*) 1
(*c*) 2 (*d*) 4
(एस०एस०सी० परीक्षा, 2015)

45. यदि n एक प्राकृत संख्या हो, तो $(n^3 - n)$ को विभक्त करने वाली सबसे बड़ी संख्या कौन सी है?
(*a*) 2 (*b*) 3
(*c*) 6 (*d*) 12
(एस०एस०सी० परीक्षा, 2015)

46. यदि $(1^2 + 2^2 + 3^2 + ... + 20^2) = 2870$ हो, तो $(2^2 + 4^2 + 6^2 + ... + 40^2)$ का मान क्या होगा?
(*a*) 2870 (*b*) 5740
(*c*) 11480 (*d*) 28700
(एस०एस० सी० परीक्षा, 2015)

47. 5000 से अधिक कौन-सी छोटी से छोटी संख्या है जो 73 से पूर्णतया विभक्त हो? (रेलवे परीक्षा, 2015)
(*a*) 5009 (*b*) 5037
(*c*) 5073 (*d*) 5099

48. अंक H का छोटे से छोटा मान क्या होगा जिससे संख्या $9H + H8 + H6 = 230$?

(a) 3 (b) 4
(c) 5 (d) 9
(e) इनमें से कोई नहीं **(बैंक पी०ओ० परीक्षा, 2014)**

49. पाँच अंकों की बड़ी से बड़ी तथा छोटी से छोटी संख्याओं का योग क्या होगा? **(एम०सी०ए० परीक्षा, 2015)**

(a) 11110 (b) 10999
(c) 109999 (d) 1111110

50. अनन्त श्रेणी 1, 2, 3,4 , 1, 2, 3, 4, 1, 2, 3, 4, ... का 98 वाँ पद क्या होगा? **(एम०सी०ए० परीक्षा, 2015)**

(a) 1 (b) 2
(c) 3 (d) 4

51. यदि $x = \frac{2}{5}y + 3$ हो, तब x में 1 से 2 तक वृद्धि होने पर: **(एम०सी०ए० परीक्षा, 2015)**

(a) y में -5 से $-\frac{5}{2}$ तक वृद्धि होगी
(b) y में $\frac{2}{5}$ से 5 तक वृद्धि होगी
(c) y में $\frac{5}{2}$ से 5 तक वृद्धि होगी
(d) y में -5 से $-\frac{5}{2}$ तक कमी होगी

52. 2^{31} को 5 से भाग देने पर शेषफल क्या होगा?

(a) 1 (b) 2
(c) 3 (d) 4

53. यदि n एक ऋणात्मक पूर्णांक हो, तो निम्न में से सबसे छोटा कौन-सा है? **(एम०बी०ए० परीक्षा, 2012)**

(a) 0 (b) $-n$
(c) $2n$ (d) n^2

54. यदि a तथा b दो विषम संख्याएँ हों, तो निम्नलिखित में से सम संख्या कौन सी है?

(a) $a + b$ (b) $a + b + 1$
(c) ab (d) $ab + 2$

55. दो क्रमागत सम पूर्णांकों के वर्गों का अन्तर निम्न में से किससे सदैव विभक्त होगा?

(a) 3 (b) 6
(c) 7 (d) 4

(एम०बी०ए० परीक्षा, 2013)

56. तीन अंकों की एक संख्या में से इसके अंकों का योग घटाने पर प्राप्त संख्या

(a) 6 से सदैव विभक्त होगी
(b) 9 से सदैव विभक्त होगी
(c) 6 तथा 9 दोनों से विभक्त होगी
(d) 6 तथा 9 दोनों में से किसी से भी विभक्त नहीं होगी

57. यदि 5*2 तीन अंकों की ऐसी संख्या हो जो 6 से विभक्त हो, तो * का न्यूनतम मान होगा

(a) 2 (b) 3
(c) 6 (d) 7

58. यदि 34 x 68 एक ऐसी संख्या हो जो 9 से विभक्त हो तो x का छोटे से छोटा मान होगा

(a) 3 (b) 4
(c) 5 (d) 6

59. वह सबसे बड़ी संख्या $23a68b$ ज्ञात कीजिए, जो 3 से विभाज्य है लेकिन 9 से विभाज्य नहीं है। **(एसएससी सीजीएल परीक्षा, 2022)**

(a) 238689 (b) 239685 (c) 239688 (d) 237687

60. यदि 48 k 2048 p 6 एक ऐसी संख्या है जो 99 से विभाज्य है, तो $(k \times p)$ का मान क्या होगा? **(एसएससी सीजीएल परीक्षा, 2022)**

(a) 2 (b) 6 (c) 4 (d) 0

61. वह छोटी से छोटी संख्या कौन सी है जिसे 3627 में जोड़ने पर प्राप्त योग 4, 5, 6 और 8 से पूर्णत: विभाज्य होगा? **(एसएससी सीजीएल परीक्षा, 2022)**

(a) 93 (b) 39 (c) 27 (d) 72

62. निम्नलिखित में से कौन सी सबसे छोटी संख्या है जो कि एक पूर्ण वर्ग है और संख्याओं 6, 8 और 15 प्रत्येक से विभाज्य है? **(एसएससी सीजीएल परीक्षा, 2022)**

(a) 225 (b) 121 (c) 3600 (d) 576

63. 400 और 500 के बीच की उन संख्याओं का योग क्या है जिन्हें 6, 12 और 16 से विभाजित करने पर कोई शेषफल नहीं बचता है? **(एसएससी सीजीएल परीक्षा, 2022)**

(a) 912 (b) 1024 (c) 960 (d) 480

64. यदि नौ अंकों वाली संख्या $485x3678y$, 72 से विभाज्य है, तो x के सबसे छोटे मान के लिए $(2y - 3x)$ का मान क्या होगा? **(एसएससी सीजीएल परीक्षा, 2022)**

(a) 9 (b) 11 (c) 8 (d) 6

65. यदि 10 अंकों की एक संख्या $54726x79y6$, 72 से विभाज्य है, तो y के न्यूनतम मान के लिए, $5x - 3y$ का मान क्या होगा। **(एसएससी सीजीएल परीक्षा, 2022)**

(a) 17 (b) 23 (c) 16 (d) 19

66. पहली 20 विषम प्राकृतिक संख्याओं का योग क्या है? **(एनसीएचएम जेईई 2021)**

(a) 100 (b) 200 (c) 300 (d) 400

67. एक धनात्मक पूर्णांक जब q से विभाजित होता है तो शेषफल 21 बचता है। जब उस संख्या की दोगुनी संख्या को q से विभाजित किया जाता है, तो शेषफल 13 होता है। फिर q है: **(एनसीएचएम जेईई 2021)**

(a) 21 (b) 29 (c) 39 (d) 37

68. इकाई के स्थान पर $(7^{95} - 3^{58})$ द्वारा दर्शाई गई संख्या का अंक है: **(जेआईपीएमएटी पेपर 2021)**

(a) 2 (b) 3 (c) 5 (d) 4

69. यदि x और y दो विषम धनात्मक पूर्णांक हैं, तो निम्नलिखित में से एक विषम संख्या नहीं है? (एनसीएचएम जेईई 2021)

(a) xy (b) x^{2y}
(c) $(x+y)^y$ (d) $(xy)^y$

70. दो धनात्मक पूर्णांकों के वर्गों का योग 130 है और उनके वर्गों का अंतर 32 है। संख्या का योग है? (एनसीएचएम जेईई 2021)

(a) 13 (b) 14 (c) 15 (d) 16

71. किसी अभाज्य संख्या p के लिए कौन-सा विकल्प हमेशा एक सम संख्या होता है? (एचएसईई पेपर 2021)

(a) p^2+1 (b) $2p+3$
(c) $2p+1$ (d) $p^{2p}-2p$

72. 3 अंकों की कितनी संख्याएँ हैं, जिनके अंकों का गुणनफल 2 से अधिक लेकिन 7 से कम है? (सीएटी 2020)

(a) 21 (b) 12 (c) 16 (d) 28

73. सभी 4 अंकों की सम प्राकृत संख्याओं का माध्य 'aabb' के रूप में, जहाँ $a>0$ है। (सीएटी 2020)

(a) 5050 (b) 4864 (c) 5544 (d) 4466

74. एक संख्या इस प्रकार ज्ञात कीजिए कि जब संख्या के 3 गुना से 7 घटाया जाता है, तो परिणाम संख्या के दोगुने से 9 अधिक होता है। (एनसीएचएम जेईई 2020)

(a) 10 (b) 12 (c) 14 (d) 16

75. 99! के अंत में शून्य की संख्या है– (एचएसईई पेपर 2019)

(a) 2 (b) 12 (c) 22 (d) 32

76. $(91+92+93+......+110)$ किसके बराबर है? [एसएससी सीजीएल परीक्षा, 2017]

(a) 4020 (b) 2010 (c) 6030 (d) 8040

77. जब 2143 को 38 से विभाजित किया जाता है, तो भागफल क्या होगा? [एसएससी सीजीएल परीक्षा, 2017]

(a) 56 (b) 55 (c) 57 (d) 54

78. 3401 से कौन-सी न्यूनतम संख्या घटाई जानी चाहिए, ताकि योग 11 से पूरी तरह विभाज्य हो जाए? [एसएससी सीजीएल परीक्षा, 2017]

(a) 3 (b) 1 (c) 2 (d) 0

79. कौन-सी सबसे छोटी संख्या को 100 में जोड़ा जाना चाहिए, ताकि परिणामी संख्या 6 से पूरी तरह से विभाज्य हो? [एसएससी मल्टी-टास्किंग स्टाफ परीक्षा, 2017]

(a) 2 (b) 3 (c) 5 (d) 4

80. दिए गए मानों में से कौन-सा 15 से विभाज्य है? [एसएससी मल्टी-टास्किंग स्टाफ परीक्षा, 2017]

(a) 2365 (b) 1375 (c) 4365 (d) 2275

81. 108 में से कितने गुणक अभाज्य संख्याएँ हैं? [एसएससी सीएपीएफ एएसआई और दिल्ली पुलिस एसआई ऑन लाइन परीक्षा, 2017]

(a) 2 (b) 3 (c) 5 (d) 6

82. दो संख्याओं का गुणनफल 231 है और पहली संख्या 21 है। दूसरी संख्या क्या है? [एसएससी मल्टी-टास्किंग स्टाफ परीक्षा, 2017]

(a) 31 (b) 7 (c) 11 (d) 21

83. दो धनात्मक संख्याओं का गुणनफल 1152 है। यदि एक संख्या दूसरे से दो गुना है, तो दोनों संख्याओं का योग क्या होगा? [एसएससी मल्टी-टास्किंग स्टाफ परीक्षा, 2017]

(a) 68 (b) 72 (c) 76 (d) 80

84. कितनी 3 अंकों की संख्याएँ 4 से पूरी तरह विभाज्य हैं? [एसएससी सीएचएसएल (10+2) टियर-2 सीबीई परीक्षा, 2018]

(a) 225 (b) 224 (c) 223 (d) 222

85. दो अंकों की सबसे बड़ी संख्या क्या है जिसे जब 6 और 5 से विभाजित किया जाता है तो प्रत्येक स्थिति में शेषफल 1 बचता है? [एसएससी एमटीएस परीक्षा, 2019]

(a) 61 (b) 93 (c) 91 (d) 97

86. x का मान क्या है ताकि सात अंकों की संख्या $8439x53$ 99 से विभाज्य हो? [एसएससी सीजीएल परीक्षा, 2019]

(a) 9 (b) 4 (c) 3 (d) 6

87. 2001 तक दो धनात्मक संख्याएँ भिन्न होती हैं। जब बड़ी संख्या को छोटी संख्या से विभाजित किया जाता है, तो भागफल 9 होता है और शेषफल 41 होता है। बड़ी संख्या के अंकों का योग क्या है? [एसएससी सीजीएल टियर-2 सीबीई परीक्षा, 2018, 2019]

(a) 15 (b) 11 (c) 10 (d) 14

88. दिया गया x एक पूर्णांक है, जब $(6x+3)^2$ को 9 से विभाजित किया जाता है तो शेषफल क्या होगा? [एसएससी सीएचएसएल (10+2) टियर-1 परीक्षा, 2019]

(a) 3 (b) 2 (c) 1 (d) 0

89. 1000 से कम प्राकृतिक संख्याएँ कितनी हैं जो 7 में से 5 से विभाज्य है लेकिन 35 से नहीं? [एसएससी सीएपीएफ के एसआई, दिल्ली पुलिस एसआई और सीआईएसएफ एएसआई परीक्षा, 2019]

(a) 285 (b) 313 (c) 341 (d) 243

90. 58 और 68 के बीच सभी अभाज्य संख्याओं का योग है– [एसएससी सीएचएसएल (10+2) परीक्षा, 2017]

(a) 179 (b) 178 (c) 187 (d) 183

91. तीन क्रमागत विषम संख्याओं का योग हमेशा विभाज्य होता है ______। [एसएससी सीएपीएफ की एएसआई और दिल्ली पुलिस एसआई परीक्षा, 2017]

(a) 3 (b) 9 (c) 15 (d) 21

92. 1 और 100 के बीच, जो 7 का गुणक है सभी प्राकृतिक संख्याओं का योग क्या है? [एसएससी मल्टी-टास्किंग स्टाफ परीक्षा, 2017]

(a) 735 (b) 675 (c) 745 (d) 705

93. निम्नलिखित में से कौन सा/से कथन सत्य है/हैं?

I. 72 के सकारात्मक गुणनखंडों की कुल संख्या 12 है।
II. पहली 20 विषम संख्याओं का योग 400 है।
III. दो अंकों की सबसे बड़ी अभाज्य संख्या 97 है।

[एसएससी-सीजीएल टियर-2 सीबीई परीक्षा, 2018]

(a) केवल I और II (b) केवल II और III
(c) केवल I और III (d) सभी सत्य हैं।

94. abba एक ऐसी 4 अंकीय संख्या है जो 4 से विभाज्य है और $a < b$ है। ऐसी कितनी संख्याएँ हैं?
[एसएससी सीजीएल परीक्षा, 26/07/2023] (Shift-01)
(a) 10 (b) 8 (c) 12 (d) 6

95. एक 9-अंकीय संख्या है 846523X7Y जो 9 से विभाज्य है, और Y-X = 6 है। तब, $\sqrt{2X+4Y}$ का मान ज्ञात कीजिए।
[एसएससी सीजीएल परीक्षा, 26/07/2023] (Shift-02)
(a) 4 (b) 2 (c) 6 (d) 8

96. किसी संख्या को 45 से विभाजित करने पर शेषफल 21 आता है। संख्या को 15 से विभाजित करने पर शेषफल क्या होगा?
[एसएससी सीजीएल परीक्षा, 26/07/2023] (Shift-03)
(a) 6 (b) 5 (c) 3 (d) 0

97. निम्नलिखित में से 5 अंकों की सबसे छोटी संख्या कौन-सी है जो 526 से पूर्णत: विभाज्य है?
[एसएससी सीजीएल परीक्षा, 27/07/2023] (Shift-01)
(a) 10520 (b) 11046 (c) 10516 (d) 10426

98. एक 6 अंकीय संख्या में अंक क्रमागत प्राकृत संख्याओं के रूप में है। यह संख्या सदैव .... से विभाज्य होगी। -
[एसएससी सीजीएल परीक्षा, 27/07/2023] (Shift-02)
(a) 4 (b) 5 (c) 2 (d) 3

99. निम्नलिखित में से कितनी संख्याएँ 3 से विभाज्य हैं लेकिन 9 से नहीं?
5826, 5964, 6039, 6336, 6489, 6564, 6867 and 6960
[एसएससी सीजीएल परीक्षा, 27/07/2023] (Shift-03)
(a) 5 (b) 3 (c) 4 (d) 6

100. चार अंकों की सबसे बड़ी संख्या जो 17 और 36 से पूर्णत: विभाज्य हो, वह है:
[एसएससी एमटीएस परीक्षा, 27/07/2023] (Shift-01)
(a) 7956 (b) 9180 (c) 9792 (d) 8568

101. दो संख्याओं का अनुपात 5:3 है और इन दोनों संख्याओं के बीच का अंतर 34 है। दोनों संख्याओं में से छोटी संख्या ज्ञात कीजिए। [एसएससी एमटीएस परीक्षा, 13/09/2023] (Shift-01)
(a) 51 (b) 85 (c) 68 (d) 34

102. यदि किसी संख्या का $\frac{5}{6}$, उस संख्या के $\frac{7}{5}$ से 10 कम है। तो संख्या है [एसएससी एमटीएस परीक्षा, 13/09/2023] (Shift-01)
(a) 72 (b) 96 (c) 60 (d) 84

103. सबसे छोटी अभाज्य और सबसे छोटी भाज्य संख्या का गुणनफल है [एसएससी जीडी परीक्षा, 26/02/2024] (Shift-01)
(a) 10 (b) 6 (c) 8 (d) 4

104. पहली 97 प्राकृतिक संख्याओं का औसत ज्ञात कीजिए?
[एसएससी जीडी परीक्षा, 05/09/2024] (Shift-01)
(a) 47 (b) 48
(c) 49 (d) 50

105. यदि $(a-b) = 11$ और $ab = 24$ तो (a^2+b^2) का मान क्या है?
(एस.एस.सी. सी.एच.एस.एल. (10+2) ग्रेड-टियर. I सी.बी.ई. परीक्षा, 2017)
(a) 169 (b) 37
(c) 73 (d) 48

106. $6^{256} - 4^{256}$ का यूनिट अंक क्या है?
(एस.एस.सी. मैट्रिक स्तर मल्टी टास्किंग स्टाफ परीक्षा, 2017)
(a) 7 (b) 0
(c) 1 (d) 4

107. 100 से पूर्णत: विभाज्य 5 अंकों की सबसे बड़ी संख्या है
(दिल्ली अधीनस्थ सेवा चयन बोर्ड स्टेनोग्राफर ग्रेड-III परीक्षा, 2017
(a) 99898 (b) 99800
(c) 99900 (d) 99999

108. सबसे बड़ी भिन्न कौन-सी है?
(दिल्ली अधीनस्थ सेवा चयन बोर्ड स्टेनोग्राफर ग्रेड-III परीक्षा, 2017)
(a) $\frac{217}{339}$ (b) $\frac{221}{335}$
(c) $\frac{222}{339}$ (d) $\frac{214}{335}$

उत्तरमाला

1. (c)	2. (d)	3. (c)	4. (b)	5. (c)	6. (b)	7. (a)	8. (a)	9. (c)	10. (a)
11. (d)	12. (c)	13. (b)	14. (a)	15. (a)	16. (b)	17. (b)	18. (d)	19. (b)	20. (c)
21. (a)	22. (c)	23. (b)	24. (b)	25. (c)	26. (c)	27. (a)	28. (a)	29. (d)	30. (b)
31. (d)	32. (d)	33. (a)	34. (b)	35. (b)	36. (b)	37. (d)	38. (d)	39. (b)	40. (d)
41. (d)	42. (b)	43. (b)	44. (d)	45. (c)	46. (c)	47. (b)	48. (e)	49. (c)	50. (b)
51. (a)	52. (c)	53. (c)	54. (a)	55. (d)	56. (b)	57. (a)	58. (d)	59. (b)	60. (d)
61. (a)	62. (c)	63. (a)	64. (c)	65. (c)	66. (d)	67. (b)	68. (d)	69. (c)	70. (d)
71. (d)	72. (a)	73. (c)	74. (d)	75. (c)	76. (b)	77. (a)	78. (c)	79. (a)	80. (c)
81. (a)	82. (c)	83. (b)	84. (a)	85. (c)	86. (b)	87. (d)	88. (d)	89. (b)	90. (c)
91. (a)	92. (a)	93. (a)	94. (b)	95. (c)	96. (a)	97. (a)	98. (d)	99. (c)	100. (c)
101. (a)	102. (d)	103. (d)	104. (c)	105. (a)	106. (b)	107. (c)	108. (b)		

दिये गये प्रश्नों के हल

1. अभीष्ट अन्तर $= (7000 - 7) = 6993$.

2. अभीष्ट अन्तर $= (7000 - 30) = 6970$.

3. अभीष्ट अन्तर $= (70000 - 70) = 69930$.

4. 7^4 का इकाई अंक $= 1$. अब, $7^{105} = (7^4)^{26} \times 7$.
$\therefore$ $(7^4)^{26}$ का इकाई अंक $= 1$.
$(7^4)^{26} \times 7$ का इकाई अंक $= 7$.
अत: अभीष्ट अंक $= 7$.

5. 7^4 का इकाई अंक $= 1$. अत: $7^{71} = (7^4)^{17} \times 7^3$
$\therefore$ 7^{71} का इकाई अंक $= 1 \times 3 = 3$.
6^{59} का इकाई अंक $= 6$
3^4 का इकाई अंक $= 1$. अत: $3^{65} = (3^4)^{16} \times 3$
$\therefore$ 3^{65} का इकाई अंक $= 3$.
$(7^{71} \times 6^{59} \times 3^{65})$ का इकाई अंक $= (3 \times 6 \times 3)$ का इकाई अंक $= 4$.

6. 7^4 का इकाई अंक $= 1$. अत: $7^{95} = (7^4)^{23} \times 7^3$
$\therefore$ $(7^4)^{23}$ का इकाई अंक $= 1$
$\Rightarrow$ $(7^4)^{23} \times 7^3$ का इकाई अंक $= (1 \times 3) = 3$.
$\Rightarrow$ 7^{95} का इकाई अंक $= 3$.
3^4 का इकाई अंक $= 1 \Rightarrow 3^{58} = (3^4)^{14} \times 3^2$
$\Rightarrow$ 3^{58} का इकाई अंक $= 1 \times 9 = 9$.
$\therefore$ $(7^{95} - 3^{58})$ का इकाई अंक $= (13 - 9) = 4$.

7. अभीष्ट अंक $= (1 \times 2 \times 3 \times 4 \times 5 \times 6 \times 7 \times 8 \times 9)$ का इकाई अंक $= 0$.

8. अभीष्ट अंक $= (4 \times 8 \times 7 \times 3)$ का इकाई अंक $= 2$.

9. अभीष्ट अंक $= 7^{173}$ का इकाई अंक $= (7^4)^{43} \times 7$ का इकाई अंक $= (1 \times 7) = 7$.

10. $(2464)^{1793}$ का इकाई अंक $= 4^{1793}$ का इकाई अंक $= (4^2)^{896} \times 4$ का इकाई अंक $= 6 \times 4$ का इकाई अंक $= 4$.
$(615)^{317}$ का इकाई अंक $= (5)^{317}$ का इकाई अंक $= 5$.
$(131)^{491}$ का इकाई अंक $= (1)^{491}$ का इकाई अंक $= 1$.
$\therefore$ अभीष्ट इकाई अंक $= (4 \times 5 \times 1)$ का इकाई अंक $= 0$.

11. $(9 \times 6 \times 4) = 216$. दिये गये गुणनफल के इकाई अंक में 2 प्राप्त करने के लिए इसे 2 से गुणा करना होगा.
अत: अभीष्ट अंक $= 2$.

12. माना $7589 - x = 3434$. तब, $x = 7589 - 3434 = 4155$.

13. दिया गया व्यंजक $= a^2 + b^2 + 2ab$, जहां $a = 397$ तथा $b = 104$
$= (a + b)^2 = (397 + 104)^2 = (501)^2 = (500 + 1)^2$
$= (500)^2 + 1^2 + 2 \times 500 \times 1$
$= 250000 + 1 + 1000 = 251001$.

14. दिया गया व्यंजक $= a^2 + b^2 - 2ab$, जहां $a = 186$ तथा $b = 159$
$= (a - b)^2 = (186 - 159)^2 = (27)^2 = 729$.

15. दिया गया व्यंजक $= (a + b)^2 - 4ab$, जहां $a = 475$ तथा $b = 425$
$= (a - b)^2 = (475 - 425)^2 = (50)^2 = 2500$.

16. माना $a = 856$, $b = 167$. तब, दिया गया व्यंजक
$$= \frac{(a+b)^2+(a-b)^2}{(a^2+b^2)} = \frac{2(a^2+b^2)}{(a^2+b^2)} = 2.$$

17. माना $a = 469$, $b = 174$. तब, दिया गया व्यंजक
$$= \frac{(a+b)^2-(a-b)^2}{ab} = \frac{4ab}{ab} = 4.$$
$[\because\ (a + b)^2 - (a - b)^2 = 4ab]$

18. $(1 + 2 + 3 + ... n) = \frac{1}{2}\ n(n + 1)$.
$\therefore$ $(51 + 52 + 53 + ... + 100) = (1 + 2 + ... + 50 + 51 + 52 + ... + 100) - (1 + 2 + 3 + ... + 50)$
$$= \left(\frac{100\times101}{2} - \frac{50\times51}{2}\right) = (5050 - 1275) = 3775.$$

19. $(1^2 + 2^2 + ... + n^2) = \frac{1}{6}\ n(n + 1)(2n + 1)$.
$\therefore (11^2 + 12^2 + 13^2 + ... + 20^2)$
$= (1^2 + 2^2 + ... + 10^2 + 11^2 + ... + 20^2) - (1^2 + 2^2 + ... + 10^2)$
$= \left(\frac{1}{6}\times20\times21\times41\right) - \left(\frac{1}{6}\times10\times11\times21\right) = (2870 - 385)$
$= 2485$.

20. $(2^2 + 4^2 + 6^2 + ... + 20^2)$
$= (2 \times 1)^2 + (2 \times 2)^2 + (2 \times 3)^2 + ... + (2 \times 10)^2$
$= (2^2 \times 1^2) + (2^2 \times 2^2) + (2^2 \times 3^2) + ... + (2^2 \times 10^2)$
$= 2^2 \times \{1^2 + 2^2 + 3^2 + ... + 10^2\} = \left[4\times\frac{1}{6}\times10\times11\times21\right]$
$= 1540. \left[\because 1^2+2^2+...+n^2 = \frac{1}{6}\ n(n+1)(2n+1)\right]$

21. हम जानते हैं कि $1 + 2 + 3 + ... + n = \frac{1}{2}\ n(n + 1)$.
$\therefore$ $(1 + 2 + 3 + ... + 45) = \frac{1}{2} \times 45 \times (45 + 1)$
$= \left(\frac{1}{2}\times45\times46\right) = 45 \times 23 = 1035$.

22. अभीष्ट योग $= 2 + 4 + 6 + 8 + ... + 30$
$= 2\,(1 + 2 + 3 + 4 + ... + 15) = \left(2\times\frac{15\times16}{2}\right) = 240$.

23. अभीष्ट संख्याएँ हैं 102, 108, 114, ..., 996.
यह एक समान्तर श्रेणी है जिसमें $a = 102$ तथा $d = 6$.
$\therefore$ $a + (n - 1)d = 996 \Leftrightarrow 102 + (n - 1) \times 6 = 996$
$\Leftrightarrow$ $6(n - 1) = 894 \Leftrightarrow (n - 1) = 149 \Leftrightarrow n = 150$.

24. 4, 5, 6 का लघुत्तम समापवर्त्य $= (2 \times 2 \times 5 \times 3) = 60$.
अत: अभीष्ट संख्याएँ 240, 300, 360, 420, 480, 540 हैं.
स्पष्ट है कि ये 6 संख्याएँ हैं.

25. सबसे छोटी अभाज्य संख्या 2 है.

26. केवल एक समसंख्या 2 ऐसी है जो अभाज्य है.

27. स्पष्ट है कि $9 + 6 + 8 = 23$, जो 3 से विभक्त नहीं होता.
462 तथा 2178 में से कोई भी 4 से विभक्त नहीं होता.
5184 स्पष्टतया 11 से विभक्त नहीं होता.
शेष 4 संख्याओं में से सभी प्रत्येक 3, 4, 11 से विभक्त होती हैं.

28. $80 = 2 \times 5 \times 8$.

चूँकि $653\,xy$ विभक्त होता है 5 से तथा 2 से. अत: $y = 0$.

$\therefore$ $653\,x\,0$ को 8 से विभक्त होना चाहिए.

अर्थात् संख्या $3x0$ को 8 से विभक्त होना चाहिए. अत: $x = 2$.

$\therefore$ $x = 2$ तथा $y = 0 \Rightarrow x + y = (2 + 0) = 2$.

29. माना दो क्रमागत विषम संख्याएँ $(2m + 1)$ तथा $(2m + 3)$ हैं.

तब, $(2m + 3)^2 - (2m + 1)^2 = (4m + 4)(2m + 3 - 2m - 1) = 8(m + 1)$, जो कि सदैव 8 से विभक्त हनेगा.

30. माना $x = (2n + 1)$. तब

(*a*) $(5x - 2) = 5(2n + 1) - 2 = (10n + 3)$, जो समपूर्णांक नहीं है.

(*b*) $(5x^2 + 2) = 5(2n + 1)^2 + 2 = 5(4n^2 + 4n + 1) + 2 = (20n^2 + 20n + 7)$, जो विषम पूर्णांक है.

31. अभीष्ट पूर्णांक $= 6, 12, 18, ..., 198$.

यह एक स०श्रे० है जिसमें $a = 6, d = 6$ तथा $l = 198$.

माना n वाँ पद $= 198$. तब, $a + (n - 1)d = 198 \Leftrightarrow 6 + (n - 1) \times 6 = 198 \Leftrightarrow (n - 1) = \frac{192}{6} = 32 \Leftrightarrow n = 33$.

32. 117 विभक्त होती है 3 से; 119 विभक्त होती है 7 से तथा 143 विभक्त होती है 11 से.

अत: दी गई सख्याओं में से कोई भी अभाज्य संख्या नहीं है.

33. $5746320819 \times 125 = \frac{5746320819 \times 1000}{8} = \frac{5746320819000}{8}$

$= 718290102375$.

34. 3 से विभक्त होने वाली संख्याएँ $= 102, 105, ..., 150$.

माना इनकी संख्या $= n$.

तब, $102 + (n - 1) \times 3 = 150 \Leftrightarrow (n - 1) = \frac{48}{3} = 16 \Leftrightarrow n = 17$.

5 से विभक्त होने वाली संख्याएँ $= 100, 105, ..., 150$.

माना इनकी संख्या $= m$.

तब, $100 + (m - 1) \times 5 = 150 \Leftrightarrow (m - 1) = 10 \Leftrightarrow m = 11$.

3 तथा 5 दोनों से विभक्त होने वाली संख्याएँ = 15 से विभक्त होने वाली संख्याएँ $= 105, 120, 135, ..., 150$.

माना इनकी संख्या $= p$.

$105 + (p - 1) \times 15 = 150 \Leftrightarrow p - 1 = 3 \Leftrightarrow p = 4$.

3 से अथवा 5 से विभक्त होने वाली संख्याएँ $= (17 + 11 - 4) = 24$.

इनमें से किसी से भी विभक्त न होने वाली संख्याएँ $= (51 - 24) = 27$.

35. $(x^n - a^n)$ पूर्णतया $(x - a)$ से विभक्त होगा सभी प्राकृत संख्याओं n के लिए सत्य है.

36. माना छोटी संख्या $= x$ तथा बड़ी संख्या $= (1365 - x)$. अब $(1365 - x)$ को x से भाग देने पर भागफल $= 4$ तथा शेषफल $= 15$.

$\therefore (1365 - x) = 4x + 15 \Leftrightarrow 5x = 1350 \Leftrightarrow x = 270$.

अत: अभीष्ट सख्या $= 270$.

37.

$$\begin{array}{r} 8888 \\ 888 \\ 88 \\ 8 \\ \hline 9872 \end{array}$$

38. 999999 को 327 से भग देने पर शेषफल $= 33$.

अत: जोड़ी जाने वाली अभीष्ट संख्या $= (327 - 33) = 294$.

39. स्पष्ट है कि $? = -1$.

40. $6 + 7 + 3 + 5 + x + 1 = (22 + x)$. अत: x का न्यूनतम मान $= 5$ जिससे $(22 + x)$, 9 से पूर्णतया विभक्त हो.

41. भाजक $= (6 \times 3) + 2 = 20$. अत: $5 \times$ भागफल $= 20 \Rightarrow$ भागफल $= 4$.

भाज्य = (भाजक × भागफल) + शेषफल $= (20 \times 4) + 6 = 86$.

42. संख्या $= 68 \times 269 = (67 + 1) \times 269 = (67 \times 269) + (269)$

$= (67 \times 269) + (67 \times 4) + 1 = (67 \times 273) + 1$.

अत: अभीष्ट शेषफल $= 1$.

43. स्पष्ट है कि इनमें से प्रत्येक संख्या $(10 \times 13) = 130$ की गुणज होगी.

अत: ये संख्याएँ हैं 130, 260, 390, 520, 650, 780, 910.

स्पष्ट है कि ये संख्याएँ सात हैं.

44. माना $x = 5q + 3$. तब, $x^2 = (5q + 3)^2 = 25q^2 + 30q + 9 = 5(5q^2 + 6q + 1) + 4$.

अत: x^2 को 5 से भाग देने पर शेषफल $= 4$.

45. स्पष्ट है कि $(2^3 - 2) = 6$ ऐसी सबसे बड़ी संख्या है जो हर n के मान के लिए $(n^3 - n)$ को विभक्त करेगी.

46. $2^2 + 4^2 + 6^2 + ... + 40^2$

$= (2 \times 1)^2 + (2 \times 2)^2 + (2 \times 3)^2 + ... + (2 \times 20)^2$

$= 2^2 \times 1^2 + 2^2 \times 2^2 + 2^2 \times 3^2 + ... + 2^2 \times (20)^2$

$= 4 \times \{1^2 + 2^2 + ... + (20)^2\} = (4 \times 2870) = 11480$.

47. 5000 को 73 से भाग देने पर शेषफल $= 36$.

$\therefore$ अभीष्ट संख्या $= 5000 + (73 - 36) = 5037$.

48. $(90 + H) + (10H + 8) + (10H + 6) = 230 \Leftrightarrow 21H + 104 = 230 \Leftrightarrow 21H = 126 \Leftrightarrow H = 6$.

49. अभीष्ट योग $= (99999 + 10000) = 109999$.

50. इस श्रेणी का 96 वाँ पद $= 4$, 97 वाँ पद $= 1$, 98 वाँ पद $= 2$.

51. $y = \frac{5}{2}(x - 3)$. अत: $(x = 1 \Rightarrow y = -5)$ तथा $\left(x = 2 \Rightarrow y = -\frac{5}{2}\right)$

अत: x के मान में 1 से 2 तक वृद्धि होने पर y के मान में -5 से $-\frac{5}{2}$ तक वृद्धि होगी.

52. $2^{10} = 1024$. अत: $(2^{10} \times 2^{10} \times 2^{10})$ का इकाई अंक $= (4 \times 4 \times 4)$ का इकाई अंक $= 4$.

$\therefore$ 2^{30} का इकाई अंक $= 4 \Rightarrow 2^{31}$ का इकाई अंक $= 8$.

अब, 8 को 5 से विभक्त करने पर शेषफल $= 3$.

अत: अभीष्ट शेषफल $= 3$.

53. यदि n एक ऋणात्मक पूर्णांक है तो दिये गये पूर्णांकों में $2n$ सबसे छोटा है.

54. यदि a तथा b विषम संख्याएँ हों, तो $(a + b)$ एक समसंख्या होगी.

55. माना दो क्रमागत सम पूर्णांक $2x$ तथा $(2x + 2)$ हैं. तब,

$(2x + 2)^2 - (2x)^2 = (2x + 2 + 2x)(2x + 2 - 2x) = 2(4x + 2) = 4(2x + 1)$, जो सदैव 4 से विभक्त होगा.

56. माना एक संख्या का इकाई अंक $= z$, दहाई अंक $= y$ तथा सैंकड़ का अंक $= x$.

तब, संख्या $= (100x + 10y + z)$

$\therefore \quad (100x + 10y + z) - (x + y + z) = 99x + 9y = 9(11x + y)$,

जो सदैव 9 से विभक्त होगी।

57. स्पष्ट है कि संख्या $5x2$ सदैव 2 से विभक्त होगी।

इसे 3 से विभक्त होने के लिए $5 + x + 2$ को 3 से विभक्त होना चाहिए।

अतः $x = 2$.

58. $3 + 4 + x + 6 + 8 = 21 + x$.

अतः दी गई संख्या को 9 से विभक्त होने के लिए, $x = 6$.

59. विकल्पों द्वारा जाँच करने पर हमें प्राप्त होता है

(a) $2 + 3 + 8 + 6 + 8 + 9 = 36$

(3 और 9 दोनों से विभाज्य)

(b) $2 + 3 + 9 + 6 + 8 + 5 = 33$

(3 से विभाज्य लेकिन 9 से नहीं)

60. दी गई संख्या 99 से विभाज्य है, यदि यह 11 और 9 दोनों से विभाज्य है।

अब, हमारे पास है,

$4 + 8 + k + 2 + 0 + 4 + 8 + p + 6 = 32 + k + p$

यदि $k + p = 4$ या 13, तो 9 से विभाज्य संख्या।

11 के विभाज्य के लिए, हमारे पास है

$(4 + k + 0 + 8 + 6) - (8 + 2 + 4 + p) = 0$

या 11 का गुणज

$\Rightarrow \quad 18 + k - 14 - p = 0$ या 11 का गुणज

$\Rightarrow \quad k - p = -4$ या 7

अब, यदि $k + p = 4$ और $k - p = -4$

हमारे पास है, $2k = 0$

$\Rightarrow \quad k = 0$ (संभव)

इसीलिए, $p = 4$ (संभव)

फिर से, यदि $k + p = 4$ और $k - p = 7$

$\Rightarrow \quad 2k = 11 \Rightarrow k = 5.5$ (संभव नहीं)

फिर से, यदि $k + p = 13$ और $k - p = 7$

$\Rightarrow \quad 2k = 20 \Rightarrow k = 10$ (संभव नहीं)

इसीलिए, $k \times p = 0 \times 4 = 0$

61. 4, 5, 6 और 8 का ल.स. = 120

जब, 3627 को 120 से विभाजित किया जाता है, तो शेष 27 प्राप्त होता है।

$\therefore$ अभीष्ट संख्या $= 120 - 27 = 93$

62. 6, 8 और 15 का ल.स. = 120

विकल्पों से, 3600, 120 से विभाज्य है।

63. 6, 12 और 16 का ल.स. = 48.

400 और 500 के बीच की संख्या, जो 48 से विभाज्य है

= 432 और 480

$\therefore$ अभीष्ट योग = 912

64. नौ अंकों की संख्या $485x3678y$, 72 से विभाज्य है, यदि यह 9 और 8 दोनों से विभाज्य है।

यदि $y = 4$

$\therefore$ 784, 8 से विभाज्य है।

अब, $4 + 8 + 5 + x + 3 + 6 + 7 + 8 + 4 = 45 + x$, 9 से विभाज्य है।

$\Rightarrow \quad x = 0$

अब, $2y - 3x = 2 \times 4 - 3 \times 0 = 8$.

65. दी गई संख्या 72 से विभाज्य है।

$\therefore$ यह 9 और 8 दोनों से विभाज्य है जब $x = 3$, संख्या 8 से विभाज्य है।

अब, $(5 + 4 + 7 + ? + 6 + x + 7 + 9 + 3 + 6)$, 9 से निभाज्न है।

$\Rightarrow \quad (49 + x)$, 9 से विभाज्य है।

जब $x = 5$, तो, यह 9 से विभाज्य है।

अब, $5x - 3y = 5 \times 5 = 3 \times 3 = 25 - 9 = 16$

66. पहली n और विषम प्राकृतिक संख्याओं का योग $= n^2$

$\therefore$ पहली 20 प्राकृतिक विषम संख्याओं का योग $= 20^2 = 400$

67. शेष 42 यानी 21 से दोगुना होना चाहिए।

लेकिन शेषफल 13 है जिसका अर्थ है कि q है।

$42 - 13 = 29$

68. $7^{95} = (7^4)^{23} \times 7^3 = 1 \times 3 = 3$ इकाई अंक है।

$3^{58} = (3^4)^{14} \times 3^2 = 1 \times 9 = 9$ इकाई अंक है।

$\therefore \quad 13 - 9 = 4$ उत्तर है।

69. विषम + विषम = सम रूप

तीसरे विकल्प में किसी भी संख्या के घात सम होने पर वह संख्या सम होगी।

अतः तीसरा विकल्प उत्तर है।

70. $x^2 + y^2 = 130 \quad \ldots(i)$

$x^2 - y^2 = 32 \quad \ldots(ii)$

(i) और (ii) को जोड़ने से हमें मिलता है,

$2x^2 = 162$

$\Rightarrow \quad x^2 = 81$

$\Rightarrow \quad x = \pm 9$

$\therefore \quad x = 9$ (धनात्मक पूर्णांक के रूप में दिया गया है)

इसी प्रकार घटाने पर हमें मिलता है,

$2y^2 = 98$

$y^2 = 49$

$\Rightarrow \quad y = \pm 7$

$\therefore \quad y = 7$ (क्योंकि y धनात्मक है)

$\therefore \quad x + y = 9 + 7 = 16$ उत्तर है।

71. यदि हम (d) विकल्प में p को 2 के रूप में लेते हैं, तो $2^{2p} - 2p = 2^4 - 4 = 12$ हो जाएगा और इस प्रकार मिश्रित संख्या बन जायेगी। p को 2 के रूप में रखने पर शेष विकल्प अभाज्य रहेंगे। इसलिए विकल्प (d) उत्तर है।

72. संख्याएँ 113, 131, 311 हैं

114, 141, 411

115, 151, 511

116, 161, 611

122, 212, 221

इसके अलावा 123, 132, 213, 231, 312, 321 तो कुल 21 संख्याएँ

73. माना (i) $a = 1$

संख्याएँ 1100, 1122, 1144, 1166, 1188 हैं।

औसत 1144 है।

(ii) $a = 2$

संख्याएँ 2200, 2222, 2244, 2266, 2288 हैं।

औसत 2244 है।

इसी तरह हम a 3, 4, 5, 6 , 7, 8, 9 के रूप में लेंगे।

तो अंतिम औसत निम्नलिखित का औसत होगा।

1144, 2214, 3344, 4444, 5544, 6644, 7744, 8844, 9944

अत: उत्तर 5544 है।

74. $3x - 7 = 2x + 9 \Rightarrow x = 16$

75. 99! में शून्य की संख्या $= \left[\frac{99}{5}\right] + \left[\frac{99}{25}\right] = 19 + 3 = 22$

विकल्प (c) उत्तर है।

76. आवश्यक राशि $\Sigma 110 - \Sigma 90$ है।

$$= \frac{110 \times 111}{2} - \frac{90 \times 91}{2}$$
$$= 55 \times 111 - 45 \times 91$$
$$= 6105 - 4095 = 2010$$

77. $2143 = 38 \times 56 + 15$

$\therefore$ 56 भागफल है।

78. 11)3401(309

33
101
99
2

$\therefore$ 2 घटाना चाहिए।

79. जैसा कि $6 \times 17 = 102$

$\therefore$ 2 जोड़ा जाना चाहिए।

अत: विकल्प (a) उत्तर है।

80. विकल्प (c) को छोड़कर शेष में अंकों का योग 16 है, जो 3 से विभाज्य नहीं है। विकल्प (c) में अंकों का योग 18 है। इसके अलावा इकाई अंक 5 है।

$\therefore$ यह 3 और 5 दोनों में विभाज्य है।

अत: 15 से।

81. $108 = 2^2 \times 3^3$

दो प्रमुख गुणनखंड 2 और 3 हैं।

82. पहली $\times$ दूसरी संख्या $= 231$

$21 \times x = 231$

$$x = \frac{231}{21} = 11$$

$\therefore$ विकल्प (c) सही उत्तर है।

83. माना कि पहली संख्या x है।

दूसरी संख्या $2x$ है।

$\therefore \quad 2x \times x = 1152$

$2x^2 = 1152$

$x^2 = 576$

$\Rightarrow \quad x = 24$

$\therefore$ योग $= x + 2x = 24 + 48 = 72$

84. माना 4 से विभाज्य पहली 3 अंकों की संख्या 100 है और अंतिम 996 है।

$\therefore \quad \frac{996 - 100}{4} + 1 = \frac{896}{4} + 1 = 224 + 1 = 225$ उत्तर है।

85. 6 और 5 का ल.स. = 30

$\therefore$ संख्या 30k + 1 होनी चाहिए

$\therefore$ 91 इसका उत्तर है।

86. जब x को 4 से प्रतिस्थापित किया जाता है, तो संख्या 9 और 11 दोनों से विभाज्य होती है। चूँकि अंकों का योग 9 से विभाज्य है और विषम और सम स्थानों के अंकों के योग का अंतर शून्य है।

87. मान लें कि एक संख्या $= x$

$\therefore$ दूसरी संख्या $= x + 2001$

$\therefore \quad x)x + 2001(9$

41

$\therefore \quad x + 2001 = x \times 9 + 41$

$\Rightarrow \quad 8x = 1960$

$x = 245$

$\therefore$ बड़ी संख्या $= 245 + 2001 = 2246$

$\therefore$ इसके अंकों का योग $2 + 2 + 4 + 6 = 14$ है।

88. $(6x + 3)^2 = 36x^2 + 9 + 36x$

$\therefore \quad \frac{36x^2 + 36x + 9}{9} = \frac{9(4x^2 + 4x + 3)}{9}$ के शेष रूप में 0 देंगे।

89. 5 से विभाज्यता $= \frac{1000}{5} = 200$ लेकिन 1000 को बाहर रखा जाना चाहिए।

$\therefore$ 5 से विभाज्यता $= 200 - 1 = 199$

7 से विभाज्यता $= \frac{1000}{7} = 142$

35 से विभाज्यता $= \frac{1000}{35} = 28$

$\therefore$ अभीष्ट संख्या $= 199 + 142 - 28 = 313$

90. अभाज्य संख्याएँ 59, 61, 67 हैं।

$\Rightarrow 59 + 61 + 67$ का योग $= 187$ है।

91. $x + x + 2 + 4 = 3x + 6 = 3(x + 2)$

यह संख्या 3 से विभाज्य है।

92. संख्याएँ $7 \times 2, 7 \times 1 \ldots 7 \times 14$ हैं।

$\therefore \quad 7(1 + 2 \ldots 14)$

$= 7 \times \dfrac{14 \times 5}{2} = 7 \times 7 \times 15 = 49 \times 15 = 735$

93. I. $72 = 2^3 \times 3^2$

$\therefore$ गुणनखंड $(3 + 1)(2 + 1) = 4 \times 3 = 12$ हैं।

$\therefore$ पहला विकल्प सत्य है।

II. पहली 20 विषम संख्याओं का योग $20^2 = 400$ है।

$\therefore$ II भी सत्य है।

III. दो अंकों की सबसे बड़ी अभाज्य संख्या 97 सत्य है अतः सभी सत्य हैं।

$\therefore$ विकल्प (*d*)

94. चूंकि दी गई संख्या

'abba' 4 से विभाज्य है। इसलिए 'a' का मान 2, 4, 6 और 8 होना चाहिए।

A B

$2 \to (3,9) = 32,52,72,92 = 4$

$4 \to (5,9) = 64,84 = 2$

$6 \to (7,9) = 76,96 = 2$

$8 \to (9) = 0$

कुल संभव = (4 + 2 + 2) = 8

95. 9 की विभाज्यता नियम द्वारा,

$X + Y = 10$ ... (i)

प्रश्नानुसार, $Y - X = 6$ ... (ii)

(i) और (ii) को हल करने पर, हमें मिलता है– $Y = 8$ & $X = 2$

$\therefore \sqrt{2x + 4y} = \sqrt{36} = 6$

96. हम जानते हैं,

भाज्य = भाजक × भागफल + शेषफल

माना, भागफल = q

तब

$\dfrac{45 + q + 21}{15} = \dfrac{21}{15} = 6$ शेष

97.

```
526)10000(19
    526
    4740
    4734
       6
```

अब ⇒ $526 - 6 = 520$

$\therefore$ अभीष्ट संख्या = 10000 + 520 = 10520.

98. क्रमागत अंकों वाली 6 अंकों की संख्या सदैव '3' से विभाज्य होती है।

99. 3 और 9 की विभाज्यता नियम द्वारा।

इसलिए, वे संख्याएँ जो 3 से विभाज्य हैं लेकिन 9 से नहीं, 5826ए 5964, 6564, 6960 हैं।

100. (17, 36) का ल.स.प = 612

जब 4 अंकों की सबसे बड़ी संख्या 9999 को 612 से विभाजित किया जाता है, तो अनुस्मारक 207 होता है।

$\therefore$ अभीष्ट संख्या $9999 - 207 = 9792$

101. माना कि दो संख्याएँ क्रमशः 5x और 3x हैं

अब, प्रश्नानुसार

$5x - 3x = 34 \Rightarrow 2x = 34 \Rightarrow x = 17$

$\therefore$ छोटी संख्या = $17 \times 3 = 51$

102. माना संख्या = x

अब, प्रश्नानुसार

$\dfrac{5}{6}x + 10 = x$

$\Rightarrow \quad x - \dfrac{5}{6}x = 10$

$\Rightarrow \quad \dfrac{x}{6} = 10$

$\Rightarrow \quad x = 60$

$\Rightarrow$ अभीष्ट संख्या $\dfrac{7}{5} \times 60 = 84$

103. सबसे छोटी अभाज्य संख्या = 2

सबसे छोटा सम्मिश्र = 4

गुणनफल = 4×2 = 8

104. दिया गया

प्रथम 97 प्राकृत संख्याएँ 1, 2, 3, 4, ... 97 हैं

प्रयुक्त सूत्र:

औसत= (पहला पद + अंतिम पद)/2

गणना:

प्रथम 97 प्राकृतिक संख्याएँ 1, 2, 3, 4, ... 97 हैं

⇒ औसत = (पहला पद + अंतिम पद)/2

⇒ औसत = (1+97)/2

⇒ औसत = 98/2 ⇒ 49

प्रथम 97 संख्याओं का औसत 49 है।

105. दिया गया है $a - b = 11$ एवं $ab = 24$

$\therefore \quad (a-b)^2 = 11^2 \quad \Rightarrow \quad a^2 + b^2 - 2ab = 121$

$\Rightarrow \quad a^2 + b^2 - 2 \times 24 = 121$

$\Rightarrow \quad a^2 + b^2 = 121 + 48 = 169$

106. 6^{256} का इकाई अंक = 6

4^{256} का इकाई अंक =6

$\therefore \quad 6^{256} - 4^{256}$ का यूनिट अंक $= 6 - 6 = 0$

107. 100 से विभाज्य 5 अंकों की सबसे बड़ी संख्या = 99900

108. $\dfrac{217}{339} < \dfrac{222}{339}; \dfrac{214}{335} < \dfrac{221}{335}$

स्पष्टतः, $\dfrac{222}{339} < \dfrac{221}{335}$

2 महत्तम समापवर्तक तथा लघुत्तम समापवर्त्य (HCF AND LCM)

सामान्य नियम

गुणनखण्ड तथा गुणज:
यदि संख्या a, संख्या b को पूर्णतया विभक्त कर दे, तो a को b का गुणनखण्ड कहते हैं तथा b को a का गुणज कहते हैं.
जैसे: (i) 6, संख्या 24 का गुणनखण्ड है. अत: संख्या 24, संख्या 6 का गुणज है.
(ii) 24 के सभी गुणनखण्ड हैं: 1, 2, 3, 4, 6, 8, 12, 24.

महत्तम समापवर्तक (म०स०):
दो या दो से अधिक संख्याओं का म०स० वह बड़ी संख्या है, जो प्रत्येक दी गई संख्या को पूर्णतया विभक्त करे.

साधित उदाहरण

प्रश्न 1. 32 तथा 56 का महत्तम समापवर्तक ज्ञात करें:
हल: 32 के गुणनखण्ड हैं: 1, 2, 4, 8, 16, 32.
56 के गुणनखण्ड हैं: 1, 2, 4, 7, 8, 14, 28, 56.
32 तथा 56 के उभयनिष्ठ गुणनखण्ड हैं: 1, 2, 4, 8 तथा इनमें सबसे बड़ा है = 8.
अत: अभीष्ट म०स० = 8.

गुणनखण्डों द्वारा म०स०:
प्रत्येक दी गई संख्या को अभाज्य गुणनखण्डों के गुणनफल के रूप में लिख लें. उभयनिष्ठ अभाज्य गुणनखण्डों की छोटी से छोटी घातों वाले गुणनखण्डों का गुणनफल ही दी गई संख्याओं का म०स० होगा.

प्रश्न 2. $(2^3 \times 5^3 \times 7^2)$, $(2^2 \times 3^5 \times 5^2 \times 7^4)$ तथा $(2^3 \times 3^2 \times 5 \times 7^3)$ का म०स० ज्ञात कीजिए.
हल: इन संख्याओं में उभयनिष्ठ अभाज्य गुणनखण्ड 2, 5, 7 हैं.
$\therefore$ अभीष्ट म०स० $= (2^2 \times 5 \times 7^2) = (4 \times 5 \times 49) = 980$.

प्रश्न 3. 216, 288, 720 का म०स० ज्ञात कीजिए.
हल: $216 = (2^3 \times 3^3)$, $288 = (2^5 \times 3^2)$ तथा $720 = (2^4 \times 5 \times 3^2)$.
इनमें उभयनिष्ठ अभाज्य गुणनखण्ड हैं 2 तथा 3.
दी गई संख्याओं का म०स० $= (2^3 \times 3^2) = (8 \times 9) = 72$.

प्रश्न 4. 1056, 1584 तथा 2178 का म०स० ज्ञात कीजिए.
हल: $1056 = (2^5 \times 3 \times 11)$, $1584 = (2^4 \times 3^2 \times 11)$ तथा $2178 = (2 \times 3^2 \times 11^2)$.
$\therefore$ दी गई संख्याओं का म०स० $= (2^3 \times 3^2) = (8 \times 9) = 72$.

लम्बी भाग द्वारा म०स० ज्ञात करने की विधि:
माना दो संख्याओं a तथा b का म०स० ज्ञात करना है, जबकि इनमें b बड़ा है. अब, b को a से भाग देने पर माना शेषफल R_1 प्राप्त होता है. अब, a को R_1 से भाग देने पर माना शेषफल R_2 प्राप्त होता है. अब, R_1 को R_2 से भाग देते हैं. इसी प्रकार इस क्रिया को तब तक दोहराते रहते हैं जब तक कि शेषफल शून्य प्राप्त हो.
तब, अन्तिम भाजक ही a तथा b का म०स० होगा.

दो से अधिक संख्याओं का म०स० ज्ञात करना:

यदि दो से अधिक संख्याओं का म०स० ज्ञात करना हो तो पहले इनमें से किन्ही दो संख्याओं का म०स० ज्ञात करें. इस म०स० तथा तीसरी संख्या का म०स०, इन तीन संख्याओं का म०स० होगा. इसी प्रकार, इस म०स० तथा चौथी संख्या का म०स०, इन चार संख्याओं का म०स० होगा.

प्रश्न 5. 712 तथा 4094 का म०स० ज्ञात करें.

हल:

```
712) 4094 (5
     3560
     534) 712 (1
          534
          178) 534 (3
               534
                ×
```

अत: 712 तथा 4094 का म०स० = 178.

प्रश्न 6. 336, 1584 तथा 1872 का म०स० ज्ञात कीजिए.

हल: पहले हम 336 तथा 1584 का म०स० ज्ञात करेंगे.

```
336) 1584 (4
     1344
     240) 336 (1
          240
           96) 240 (3
               192
                48) 96 (2
                    96
                     ×
```

```
48) 1872 (39
    144
     432
     432
      ×
```

अत: 336 तथा 1584 का म०स० = 48.

अब, 48 तथा 1872 का म०स० ज्ञात करेंगे.

∴ अभीष्ट म०स० = 48.

सह अभाज्य संख्याएँ:

ऐसी दो संख्याएँ a तथा b सहअभाज्य कहलाती हैं जिनका म०स० 1 हो.

जैसे: (2, 9), (8, 11), (12, 13), (16, 19) आदि सह अभाज्य संख्याओं के जोड़े हैं.

प्रश्न 7. एक कमरा 15 मी० 17 सेमी० लम्बा तथा 9 मी० 2 सेमी० चौड़ा है. इस कमरे के फर्श पर बराबर आकार की वर्गाकार टाईलें कम से कम कितनी लगेंगी?

हल: कमरे की लम्बाई = 1517 सेमी० तथा चौड़ाई = 902 सेमी०.

टाईलों की संख्या कम से कम होने के लिए प्रत्येक वर्गाकार टाईल का आकार बड़े से बड़ा होना चाहिए.

प्रत्येक वर्गाकार टाइल की भुजा

= 1517 सेमी०, 902 सेमी० का म०स० = 41 सेमी०.

प्रत्येक टाईल का क्षेत्रफल = (41 × 41) वर्ग सेमी०.

टाईलों की संख्या $= \left(\dfrac{1517 \times 902}{41 \times 41}\right) = 814.$

```
902) 1517 (1
     902
     615) 902 (1
          615
          287) 615 (2
               574
                41) 287 (7
                    287
                     ×
```

प्रश्न 8. वह बड़ी से बड़ी संख्या ज्ञात करो जिससे 804 तथा 1745 को भाग देने पर क्रमश: 5 तथा 6 शेष बचे.

हल: अभीष्ट संख्या = (804 – 5) तथा (1745 – 6) का म०स०

```
799) 1739 (2
     1598
     141) 799 (5
          705
          94) 141 (1
              94
              47) 94 (2
                  94
                   ×
```

= 799 तथा 1739 का म०स०
= 47.

प्रश्न 9. वह बड़ी से बड़ी संख्या ज्ञात करो जिससे 639, 712, 1525 को भाग देने पर क्रमशः 10, 9, 8 शेष बचे.

हल: अभीष्ट संख्या = (639 – 10), (712 – 9), (1525 – 8) का म०स०
= 629, 703, 1517 का म०स० = 37.

प्रश्न 10. वह बड़ी से बड़ी संख्या ज्ञात करो जिससे 590, 908, 1014 को भाग देने पर प्रत्येक दशा में समान शेष बचे.

हल: अभीष्ट संख्या = (908 – 590), (1014 – 908), (1014 – 590) का म०स० **(ध्यान दें)**
= 318, 106, 424 का म०स० = 106.

प्रश्न 11. वह बड़ी से बड़ी संख्या ज्ञात करो जिससे 62, 132 तथा 237 को भाग देने पर प्रत्येक दशा में समान शेष बचे.

हल: अभीष्ट संख्या = (132 – 62), (237 – 132), (237 – 62) का म०स०
= 70, 105, 175 का म०स० = 35.

प्रश्न 12. वह बड़ी से बड़ी नाप ज्ञात करो जो 7 मीटर, 3 मी० 85 सेमी० तथा 12 मी० 95 सेमी० की लम्बाइयों को पूर्णतया नाप सके.

हल: अभीष्ट लम्बाई = 700 सेमी0, 385 सेमी०, 1295 सेमी० का म०स० = 35 सेमी०.

प्रश्न 13. $\frac{437}{529}$ को सरलतम रूप में व्यक्त कीजिए.

हल: 437 तथा 529 का म०स० = 23.

$$\therefore \quad \frac{437}{529} = \frac{437 \div 23}{529 \div 23} = \frac{19}{23}.$$

अतः दी गई भिन्न का सरलतम रूप = $\frac{19}{23}$.

प्रश्न 14. दो संख्याओं का योग 721 तथा म०स० 103 है. सभी सम्भव जोड़े ज्ञात कीजिए.

हल: माना अभीष्ट संख्याएँ $103a$ तथा $103b$ हैं, जहाँ a तथा b सहअभाज्य हैं.
तब, $103a + 103b = 721 \Leftrightarrow 103(a + b) = 721 \Leftrightarrow (a + b) = 7$.
अतः (a, b) के संभव जोड़े (1, 6), (2, 5), (3, 4) हैं.
अभीष्ट संख्याओं के जोड़े हैं:
$(103 \times 1, 103 \times 6), (103 \times 2, 103 \times 5), (103 \times 3, 103 \times 4)$
अर्थात् (103, 618), (206, 515), (309, 412) हैं.

प्रश्न 15. दो संख्याओं का गुणनफल 19712 तथा महत्तम समापवर्तक 16 है. यदि प्रत्येक संख्या तीन अंकों की हो, तो संख्याएँ ज्ञात कीजिए.

हल: माना अभीष्ट संख्याएँ $16a$ तथा $16b$ हैं, जहाँ a तथा b सहअभाज्य हैं.
तब, $16a \times 16b = 19712 \Leftrightarrow ab = 77$.
(a, b) के संभव जोड़े (1, 77) तथा (7, 11) हैं.
अभीष्ट संख्याओं के संभव जोड़े $(16 \times 1, 16 \times 77)$ तथा $(16 \times 7, 16 \times 11)$
अर्थात् (16, 1232) अथवा (112, 176) हैं.
अतः तीन-तीन अंकों वाली अभीष्ट संख्याएँ (112, 176) हैं.

लघुत्तम समापवर्त्य (ल०स०):
वह छोटी से छोटी संख्या जो प्रत्येक दी गई संख्या द्वारा पूर्णतया विभक्त हो जाये, दी गई संख्या का लघुत्तम समापवर्त्य कहलाती है.
गुणनखण्डों द्वारा लघुत्तम समापवर्त्यः
प्रत्येक दी गई संख्या को अभाज्य गुणनखण्डों के गुणनफल के रूप में व्यक्त करें. इन संख्याओं के सभी अभाज्य गुणनखण्डों के सबसे बडे घातांकों वाली संख्याओं का गुणनफल ही अभीष्ट लघुत्तम समापवर्त्य होगा.

प्रश्न 16. $(2^2 \times 3 \times 5^3 \times 7 \times 11)$, $(2^3 \times 3^2 \times 5^2 \times 7)$ तथा $\{2 \times 3^3 \times 5 \times (11)^2\}$ का लघुत्तम समापवर्त्य ज्ञात कीजिए.

हल: अभीष्ट ल०स० = 2, 3, 5, 7, 11 की अधिकतम घातों वाली संख्याओं का गुणनफल

$= [2^3 \times 3^3 \times 5^3 \times 7 \times (11)^2]$.

प्रश्न 17. 72, 108 तथा 2100 का लघुत्तम समापवर्त्य ज्ञात कीजिए.

हल: $72 = (2^3 \times 3^2)$, $108 = (2^2 \times 3^3)$ तथा $2100 = (2^2 \times 3 \times 5^2 \times 7)$.

$\therefore$ अभीष्ट ल०स० $= (2^3 \times 3^3 \times 5^2 \times 7) = 37800$.

संक्षिप्त विधि द्वारा ल०स०.

प्रश्न 18. 16, 24, 36, 54 का ल०स० ज्ञात कीजिए.

हल:

2	16 – 24 – 36 – 54
2	8 – 12 – 18 – 27
2	4 – 6 – 9 – 27
3	2 – 3 – 9 – 27
3	2 – 1 – 3 – 9
	2 – 1 – 1 – 3

$\therefore$ अभीष्ट ल०स० $= (2 \times 2 \times 2 \times 3 \times 3 \times 2 \times 3) = 432$.

विशेष परिणामः दो संख्याओं का गुणनफल = (इनका म०स०) × (इनका ल०स०)

प्रश्न 19. दो संख्याओं का ल०स० 2520 तथा म०स० 12 है. इनमें से एक संख्या 504 हो, तो दूसरी संख्या ज्ञात कीजिए.

हल: (पहली संख्या) × (दूसरी संख्या) = (ल०स०) × (म०स०)

$\therefore$ दूसरी संख्या $= \left(\frac{2520 \times 12}{504}\right) = 60$.

प्रश्न 20. वह छोटी से छोटी संख्या ज्ञात करो जो 16, 24, 30, 42 में से प्रत्येक से पूर्णतया विभक्त हो जाये.

हल: अभीष्ट संख्या

= 16, 24, 30, 42 का ल०स०

$= (2 \times 2 \times 2 \times 3 \times 2 \times 5 \times 7)$

= 1680.

2	16 – 24 – 30 – 42
2	8 – 12 – 15 – 21
2	4 – 6 – 15 – 21
3	2 – 3 – 15 – 21
	2 – 1 – 5 – 7

प्रश्न 21. वह छोटी से छोटी संख्या ज्ञात करो जिसे 15, 18, 27, 35 से भाग देने पर प्रत्येक दशा में 9 शेष बचे.

हल: अभीष्ट संख्या

= (15, 18, 27, 35 का ल०स०) + 9

$= (3 \times 3 \times 5 \times 2 \times 3 \times 7) + 9$

= (1890 + 9) = 1899.

3	15 – 18 – 27 – 35
3	5 – 6 – 9 – 35
5	5 – 2 – 3 – 35
	1 – 2 – 3 – 7

प्रश्न 22. वह छोटी से छोटी संख्या ज्ञात करो जिसमें से 7 घटाने पर शेष बची संख्या 20, 28, 35, 105 में से प्रत्येक से पूर्णतया विभक्त हो जाये.

हल: अभीष्ट संख्या

= (20, 28, 35, 105 का ल०स०) + 7

$= (2 \times 2 \times 5 \times 7 \times 3) + 7$

$= (420 + 7)$

$= 427.$

$$\begin{array}{r|l} 2 & 20 - 28 - 35 - 105 \\ \hline 2 & 10 - 14 - 35 - 105 \\ \hline 5 & 5 - 7 - 35 - 105 \\ \hline 7 & 1 - 7 - 7 - 21 \\ \hline & 1 - 1 - 1 - 3 \end{array}$$

प्रश्न 23. वह छोटी से छोटी संख्या ज्ञात करो जिसमें 13 जोड़ने पर प्राप्त संख्या 30, 45, 65, 78 में से प्रत्येक से पूर्णतया विभक्त हो जाये.

हल: अभीष्ट संख्या

= (30, 45, 65, 78 का ल०स०) – 13

$= (5 \times 13 \times 3 \times 2 \times 3) - 13$

$= (1170 - 13)$

$= 1157.$

प्रश्न 24. वह छोटी से छोटी संख्या ज्ञात करो जिसे 35, 45, 55 से भाग देने पर क्रमशः 17, 27 तथा 37 शेष बचें.

हल: यहाँ प्रत्येक भाजक तथा उसके शेषफल में समान अन्तर 18 है.

अतः अभीष्ट संख्या

= (35, 45, 55 का ल०स०) – 18

$= (5 \times 7 \times 9 \times 11) - 18 = (3465 - 18) = 3447.$

$$\begin{array}{r|l} 5 & 35 - 45 - 55 \\ \hline & 7 - 9 - 11 \end{array}$$

प्रश्न 25. वह छोटी से छोटी संख्या ज्ञात करो जिसे 9, 15, 21, 27 से भाग देने पर प्रत्येक दशा में 1 शेष बचे परन्तु 11 से भाग देने पर शेष कुछ न बचे.

हल: 9, 15, 21, 27 का ल०स० $= (3 \times 3 \times 5 \times 7 \times 3) = 945.$

माना अभीष्ट संख्या $= 945K + 1$, जो 11 का गुणज है.

$K = 1$ रखने पर प्राप्त संख्या = 946, जो 11 का गुणज है.

अतः अभीष्ट संख्या = 946.

$$\begin{array}{r|l} 3 & 9 - 15 - 21 - 27 \\ \hline 3 & 3 - 5 - 7 - 9 \\ \hline & 1 - 5 - 7 - 3 \end{array}$$

प्रश्न 26. पाँच अंकों की वह बड़ी से बड़ी संख्या ज्ञात करो जो 12, 15, 18, 27 में से प्रत्येक से पूर्णतया विभक्त हो.

हल: 12, 15, 18, 27 का ल०स० $= (3 \times 3 \times 2 \times 2 \times 5 \times 3) = 540.$

पाँच अंकों की बड़ी से बड़ी संख्या = 99999.

अब, 99999 को 540 से भाग देने पर शेषफल = 99.

अतः अभीष्ट संख्या = (99999 – 99) = 99900.

$$\begin{array}{r|l} 3 & 12 - 15 - 18 - 27 \\ \hline 3 & 4 - 5 - 6 - 9 \\ \hline 2 & 4 - 5 - 2 - 3 \\ \hline & 2 - 5 - 1 - 3 \end{array}$$

प्रश्न 27. चार अंकों की वह बड़ी से बड़ी संख्या ज्ञात करो जिसे 12, 18, 21, 28 में से प्रत्येक से भाग देने पर हर दशा में 5 शेष बचे.

हल: 12, 18, 21, 28 का ल०स० $= (2 \times 2 \times 7 \times 3 \times 3) = 252.$

चार अंकों की बड़ी से बड़ी संख्या = 9999.

9999 को 252 से भाग देने पर शेषफल = 171.

$\therefore$ अभीष्ट संख्या = (9999 – 171) + 5 = 9833.

$$\begin{array}{r|l} 2 & 12 - 18 - 21 - 28 \\ \hline 2 & 6 - 9 - 21 - 14 \\ \hline 7 & 3 - 9 - 21 - 7 \\ \hline 3 & 3 - 9 - 3 - 1 \\ \hline & 1 - 3 - 1 - 1 \end{array}$$

प्रश्न 28. चार अंकों की वह बड़ी से बड़ी संख्या ज्ञात करो जिसे 15, 18, 21, 24 से भाग देने पर क्रमशः 9, 12, 15, 18 शेष बचें.

हल: 15, 18, 21, 24 का ल०स० $= (3 \times 2 \times 5 \times 3 \times 7 \times 4) = 2520.$

चार अंकों की बड़ी से बड़ी संख्या = 9999.

अब, 9999 को 2520 से भाग देने पर शेषफल = 2439.

2520 से भाग होने वाली चार अंकों की बड़ी से बड़ी संख्या = (9999 – 2439) = 7560.

प्रत्येक भाजक तथा संगत शेषफल में समान अन्तर = 6.

$\therefore$ अभीष्ट संख्या = (7560 – 6) = 7554.

$$\begin{array}{r|l} 3 & 15 - 18 - 21 - 24 \\ \hline 2 & 5 - 6 - 7 - 8 \\ \hline & 5 - 3 - 7 - 4 \end{array}$$

प्रश्न 29. तीन अंकों की ऐसी दो संख्याएँ ज्ञात करो जिनका महत्तम समापवर्तक 80 तथा लघुत्तम समापवर्त्य 5760 हो.

हल: माना अभीष्ट संख्याएँ $80a$ तथा $80b$ हैं जहाँ a, b सह अभाज्य हैं.

तब, $80a \times 80b = 80 \times 5760 \Leftrightarrow ab = 72.$

$\therefore$ $(a = 1, b = 72)$ अथवा $(a = 8, b = 9)$

संख्याओं के संभव जोड़े $(80 \times 1, 80 \times 72)$ तथा $(80 \times 8, 80 \times 9)$.

इनमें तीन अंकों वाली संख्याएँ 640 तथा 720 हैं.

भिन्नों का महत्तम समापवर्तक तथा लघुत्तम समापवर्त्य:

(*i*) भिन्नों का म०स० $= \dfrac{\text{अंशों का म० स०}}{\text{हरों का म० स०}}$.

(*ii*) भिन्नों का ल०स० $= \dfrac{\text{अंशों का ल० स०}}{\text{हरों का ल० स०}}$.

प्रश्न 30. $\dfrac{3}{8}, \dfrac{5}{12}$ **तथा** $\dfrac{9}{16}$ **का म०स० तथा ल०स० ज्ञात कीजिए**

हल: दी गई भिन्नों का म०स० $= \dfrac{(3, 5, 9 \text{ का ल० स०})}{(18, 12, 16 \text{ का ल० स०})} = \dfrac{1}{48}$.

दी गई भिन्नों का ल०स० $= \dfrac{(3, 5, 9, \text{ का ल० स०})}{(8, 12, 16, \text{ का ल० स०})} = \dfrac{45}{5}$.

प्रश्नमाला 2

निम्नलिखित में से प्रत्येक प्रश्न में ठीक उत्तर को चिह्नांकित (√) कीजिए:

1. $\dfrac{391}{667}$ का सरलतम रूप निम्न में से कौन-सा है?

(*a*) $\dfrac{19}{23}$ (*b*) $\dfrac{15}{19}$

(*c*) $\dfrac{17}{29}$ (*d*) $\dfrac{23}{31}$

2. $\dfrac{1485}{4356}$ का सरलतम रूप निम्न में से कौन-सा है?

(*a*) $\dfrac{17}{54}$ (*b*) $\dfrac{15}{44}$

(*c*) $\dfrac{21}{44}$ (*d*) $\dfrac{31}{64}$

3. $\dfrac{128352}{238368}$ का सरलतम रूप निम्न में से कौन-सा है?

(इन्दिरा गाँधी वि०वि० परीक्षा, 2014)

(*a*) $\dfrac{3}{4}$ (*b*) $\dfrac{5}{13}$

(*c*) $\dfrac{7}{13}$ (*d*) $\dfrac{9}{13}$

4. 36 तथा 84 का महत्तम समापवर्तक कितना है?

(रेलवे परीक्षा, 2013)

(*a*) 4 (*b*) 6

(*c*) 12 (*d*) 18

5. 204, 1190 तथा 1445 का महत्तम समापवर्तक कितना है?

(*a*) 17 (*b*) 18

(*c*) 19 (*d*) 21

6. 2923 तथा 3239 का महत्तम समापवर्तक कितना है?

(*a*) 37 (*b*) 47

(*c*) 73 (*d*) 79

7. 2324 तथा 8148 का महत्तम समापवर्तक कितना है?

(*a*) 28 (*b*) 38

(*c*) 69 (*d*) 84

8. 280, 455 तथा 735 का महत्तम समापवर्तक कितना है?

(*a*) 7 (*b*) 14

(*c*) 21 (*d*) 35

9. निम्नलिखित जोड़ों में से कौन-सी संख्याएँ सह-अभाज्य हैं?

(*a*) (21, 35) (*b*) (16, 62)

(*c*) (23, 92) (*d*) (18, 25)

10. $\dfrac{(a^3 - b^3)}{(a^2 + ab + b^2)}$ का महत्तम समापवर्तक क्या है?

(*a*) $\dfrac{7}{90}$ (*b*) $\dfrac{7}{45}$

(*c*) $\dfrac{14}{45}$ (*d*) $\dfrac{7}{675}$

11. $\dfrac{9}{10}, \dfrac{12}{25}, \dfrac{18}{35}, \dfrac{21}{40}$ का महत्तम समापवर्तक क्या है?

(*a*) $\dfrac{3}{5}$ (*b*) $\dfrac{3}{1400}$

(*c*) $\dfrac{63}{700}$ (*d*) $\dfrac{252}{5}$

12. 1·75, 5·6 तथा 7 का महत्तम समापवर्तक क्या है?

(*a*) 0·07 (*b*) 0·7

(*c*) 3·5 (*d*) 0·35

13. 1·08, 0·36 तथा 0·9 का महत्तम समापवर्तक क्या है?
(होटल मैनेजमैन्ट परीक्षा, 2012)
(*a*) 0·03 (*b*) 0·9
(*c*) 0·18 (*d*) 0·108

14. 0·54, 1·8, 7·2 का महत्तम समापवर्तक कितना है?
(*a*) 1·8 (*b*) 0·18
(*c*) 0·018 (*d*) 18

15. $(2^3 \times 3^2 \times 5^3 \times 7^2)$, $(2^2 \times 3 \times 5^2 \times 7)$ तथा $(3^4 \times 5^4 \times 2)$ का महत्तम समापवर्तक क्या है?
(*a*) $(2 \times 3 \times 5^2)$ (*b*) $(2 \times 3 \times 5^2 \times 7)$
(*c*) $(2^3 \times 3^4 \times 5^4)$ (*d*) $(2^3 \times 3^4 \times 5^4 \times 7^2)$

16. दो संख्याओं का अनुपात 15 : 11 है तथा उनका महत्तम समापवर्तक 13 है. ये संख्याएँ कौन-सी हैं?
(*a*) 75 तथा 55 (*b*) 105 तथा 77
(*c*) 195 तथा 143 (*d*) 28 तथा 24

17. तीन संख्याएँ 1 : 2 : 3 के अनुपात में हैं तथा इनका महत्तम समापवर्तक 12 है. ये संख्याएँ कौन-सी हैं?
(*a*) 12, 24, 36 (*b*) 4, 8, 12
(*c*) 36, 72, 108 (*d*) 24, 48, 72

18. दो संख्याओं का योग 216 तथा महत्तम समापवर्तक 27 है. ये संख्याएँ कौन-सी हैं?
(*a*) 27, 189 (*b*) 154, 162
(*c*) 108, 108 (*d*) 81, 189

19. दो अंकों वाली दो संख्याओं का गुणनफल 2028 है तथा इनका महत्तम समापवर्तक 13 है. ये संख्याएँ कौन-सी हैं?
(*a*) 26, 78 (*b*) 39, 52
(*c*) 13, 156 (*d*) 36, 68

20. दो संख्याओं का अन्तर 12 तथा महत्तम समापवर्तक 12 है. ये संख्याएँ कौन-सी हैं?
(*a*) 66, 78 (*b*) 70, 82
(*c*) 84, 96 (*d*) 94, 106

21. तीन लकड़ी के शहतीर क्रमशः 36 मीटर, 54 मीटर तथा 63 मीटर लम्बे हैं. इन्हें बराबर लम्बाई के छोटे-छोटे गुटकों में विभक्त किया जाना है. प्रत्येक गुटके की अधिकतम लम्बाई कितनी है?
(*a*) 9 मीटर (*b*) 18 मीटर
(*c*) 4·5 मीटर (*d*) 51 मीटर

22. तीन ड्रमों में क्रमशः 2527 लीटर, 1653 लीटर तथा 2261 लीटर दूध है. वह बडे से बड़े किस माप का डिब्बा होगा जो प्रत्येक ड्रम के दूध को डिब्बों की पूर्ण संख्या में नाप दे?
(*a*) 19 लीटर (*b*) 26 लीटर
(*c*) 29 लीटर (*d*) 31 लीटर

23. 24, 36, 40 का लघुत्तम समापवर्त्य कितना है?
(रेलवे परीक्षा, 2013)
(*a*) 120 (*b*) 240
(*c*) 360 (*d*) 480

24. 22, 54,108, 135, 198 का लघुत्तम समापवर्त्य कितना है?
(*a*) 330 (*b*) 1980
(*c*) 5940 (*d*) 11880

25. वह बड़ी से बड़ी कौन-सी संख्या है जिससे 43, 91, 183 को भाग देने पर प्रत्येक दशा में समान शेष बचे?
(जीवन बीमा निगम परीक्षा, 2013)
(*a*) 4 (*b*) 7
(*c*) 9 (*d*) 13

26. यदि N वह बड़ी से बड़ी संख्या हो जिससे 1305, 4665 तथा 6905 को भाग देने पर प्रत्येक दशा में समान शेष बचे, तो N के अंकों का योग कितना है?
(एस०एस०सी० परीक्षा, 2014)
(*a*) 4 (*b*) 5
(*c*) 6 (*d*) 8

27. वह बड़ी से बड़ी संख्या कौन-सी है जिससे 187, 233 तथा 279 को भाग देने पर प्रत्येक दशा में समान शेष बचे?
(*a*) 30 (*b*) 36
(*c*) 46 (*d*) 56

28. वह बड़ी से बड़ी संख्या कौन-सी है जिससे 1356, 1868 तथा 2764 को भाग देने पर प्रत्येक दशा में 12 शेष बचे?
(*a*) 64 (*b*) 124
(*c*) 156 (*d*) 260

29. वह बड़ी से बड़ी संख्या कौन-सी है. जिससे 1661 तथा 2040 को भाग देने पर क्रमशः 10 और 8 शेष बचे?
(*a*) 127 (*b*) 123
(*c*) 235 (*d*) 305

30. वह बड़ी से बड़ी संख्या कौन-सी है जिससे 1657 तथा 2037 को भाग देने पर क्रमशः 6 और 5 शेष बचे?
(रेलवे परीक्षा, 2014)
(*a*) 123 (*b*) 127
(*c*) 235 (*d*) 305

31. निम्नलिखित में से कौन-सी भिन्न सबसे बड़ी है?
(इन्दिरा गाँधी वि०वि० परीक्षा, 2013)
(*a*) $\frac{7}{8}$ (*b*) $\frac{13}{16}$
(*c*) $\frac{31}{40}$ (*d*) $\frac{63}{80}$

32. पाँच घण्टियाँ क्रमशः 6, 8, 12, 18, 45 सेकंडों के अन्तराल पर बजती है. यदि वे प्रातः 7 बजे एक साथ बजना आरम्भ करें, तो वे पुनः कितनी देर बाद इकट्ठी बजेंगी?
(*a*) 3 मिनट (*b*) 6 मिनट
(*c*) $7\frac{1}{2}$ मिनट (*d*) 1 मिनट 19 सेकंड

33. छः घण्टियाँ एक साथ बजनी आरम्भ हुई. यदि ये घण्टियाँ 2, 4, 6, 8, 10, 12 सेकंड के अन्तराल से बजें, तो 30 मिनट में ये कितनी बार इकट्ठी बजेंगी?
(*a*) 4 (*b*) 10
(*c*) 15 (*d*) 16

34. तीन विभिन्न चौराहों पर यातायात की बत्तियाँ क्रमशः 48 सेकंड, 72 सेकंड तथा 108 सेकंड के बाद बदलती रहती हैं. यदि ये 8 : 20 : 00 बजे एक साथ बदलें तो पुनः एक साथ कितने

बजे बदलेंगी?

(*a*) 8 : 27 : 24 बजे (*b*) 8 : 27 : 12 बजे
(*c*) 8 : 27 : 36 बजे (*d*) 8 : 27 : 48 बजे

35. 12 किमी० लम्बे वृत्ताकार मार्ग पर तीन धावक *A*, *B*, *C* एक ही समय पर, एक ही बिन्दु से तथा एक ही दिशा में क्रमशः 3 किमी०, 7 किमी० व 13 किमी० प्रतिघण्टा की चाल से चलते हैं. कितने घण्टे के उपरान्त वे एक साथ मिलेंगे?

(*a*) 16 घण्टे (*b*) 12 घण्टे
(*c*) 28 घण्टे (*d*) 24 घण्टे

36. तीन धावकों *A*, *B*, *C* ने एक ही समय पर, एक ही बिन्दु से तथा एक ही दिशा में एक वृत्ताकार मार्ग पर भागना आरम्भ किया. यदि *A* एक चक्कर 242 सै० में, *B* एक चक्कर 308 सैकण्ड में तथा *C* एक चक्कर 198 सैकण्ड में पूरा करे, तो कितने समय बाद पुनः वे प्रारम्भिक बिन्दु पर मिलेंगे? **(एस०एस०सी० परीक्षा, 2013)**

(*a*) 26 मिनट 18 सै० (*b*) 42 मिनट 36 सै०
(*c*) 45 मिनट (*d*) 46 मिनट 12 सै०

37. चार विद्युत-चलित भोंपू क्रमशः 30 मिनट बाद, 1 घण्टे बाद, $1\frac{1}{2}$ घण्टे बाद तथा $1\frac{3}{4}$ घण्टे बाद बजते हैं. ये सब एक साथ 12 बजे दोपहर को बजे. इसके बाद ये पुनः एक साथ अगले दिन कितने बजे बजेंगे?

(*a*) रात को 12 बजे (*b*) प्रातः 3 बजे
(*c*) प्रातः 6 बजे (*d*) प्रातः 9 बजे

38. पाँच अंकों की वह छोटी से छोटी संख्या कौन-सी है जो 12, 15 तथा 18 से पूर्णतया विभक्त हो जाये?

(*a*) 10010 (*b*) 10015
(*c*) 10020 (*d*) 10080

39. चार अंकों की वह बड़ी से बड़ी संख्या कौन-सी है जो 15, 25, 40 तथा 75 से पूर्णतया विभक्त हो जाये? **(एस०एस०सी० परीक्षा, 2010)**

(*a*) 9000 (*b*) 9400
(*c*) 9600 (*d*) 9800

40. 2497 में वह छोटी से छोटी कौन-सी संख्या जोड़ी जाये कि प्राप्त योग 3, 4, 5, 6 में से प्रत्येक से पूर्णतया विभक्त हो जाये? **(होटल मैनेजमैन्ट परीक्षा, 2013)**

(*a*) 3 (*b*) 13
(*c*) 23 (*d*) 33

41. वह छोटी से छोटी कौन-सी संख्या है जिसमें से 7 घटाने पर प्राप्त संख्या 12, 16, 18, 21 तथा 28 में से प्रत्येक से पूर्णतया विभक्त हो जाये? **(जीवन बीमा निगम परीक्षा, 2013)**

(*a*) 1008 (*b*) 1015
(*c*) 1022 (*d*) 1032

42. वह छोटी से छोटी कौन-सी संख्या है जिसमें 5 जोड़ने पर प्राप्त संख्या 24, 32, 36 तथा 54 में से प्रत्येक से पूर्णतया विभक्त हो जाये?

(*a*) 427 (*b*) 859
(*c*) 869 (*d*) 4320

43. तीन अंकों की वह बड़ी से बड़ी संख्या कौन-सी होगी जिसे 6, 9 तथा 12 से भाग देने पर प्रत्येक दशा में 3 शेष बचे?

(*a*) 975 (*b*) 996
(*c*) 939 (*d*) 903

44. वह छोटी से छोटी संख्या कौन-सी है जिसे 8, 9, 12 तथा 15 से भाग देने पर प्रत्येक दशा में 1 शेष बचे?

(*a*) 179 (*b*) 181
(*c*) 359 (*d*) 361

45. वह छोटी से छोटी संख्या कौन-सी है जिसे 16, 18, 20 तथा 25 से भाग देने पर प्रत्येक दशा में 4 शेष बचे, परन्तु 7 से पूर्णतया विभक्त हो जाये? **(जनरल बीमा परीक्षा, 2013)**

(*a*) 17004 (*b*) 18000
(*c*) 18002 (*d*) 18004

46. वह छोटी से छोटी संख्या कौन-सी है जिसे 5, 6, 7, 8 से भाग देने पर प्रत्येक दशा में 3 शेष बचे तथा 9 से पूर्णतया विभक्त हो? **(जीवन बीमा निगम परीक्षा, 2013)**

(*a*) 1677 (*b*) 1683
(*c*) 2523 (*d*) 3363

47. वह छोटी से छोटी संख्या कौन-सी है जिसे 48, 60, 72, 108, 140 से भाग देने पर क्रमशः 38, 50, 62, 98, 130 शेष बचे?

(*a*) 11115
(*b*) 15110
(*c*) 15120
(*d*) 15210

48. दो संख्याओं का लघुत्तम समापवर्त्य उनके महत्तम समापवर्तक से 45 गुना है. यदि एक संख्या 125 हो तथा लघुत्तम समापवर्त्य एवं महत्तम समापवर्तक का योग 1150 हो, तो दूसरी संख्या कितनी है?

(*a*) 215 (*b*) 220
(*c*) 225 (*d*) 235

49. वह कौन-सी बड़ी से बड़ी संख्या है, जो 210, 315, 147, 168 में से प्रत्येक को पूर्णतया विभक्त कर दे?

(*a*) 4410 (*b*) 441
(*c*) 21 (*d*) 7

50. वह कौन-सी सबसे छोटी संख्या है जिसे 3, 5, 6, 8, 10, 12 से भाग देने पर प्रत्येक दशा में शेष 2 बचे, परन्तु 13 से भाग देने पर शेष कुछ न बचे? **(एस०एस०सी० परीक्षा, 2015)**

(*a*) 312 (*b*) 962
(*c*) 1562 (*d*) 1586

51. वह कौन-सी बड़ी से बड़ी संख्या है जिससे 307 और 330 को भाग देने पर क्रमशः 3 और 7 शेष बचते हैं? **(एस०एस०सी० परीक्षा, 2015)**

(*a*) 19 (*b*) 16
(*c*) 17 (*d*) 23

52. दो संख्याओं का ल०स० 30 तथा म०स० 5 है. उनमें से एक संख्या 10 है, तो दूसरी संख्या क्या होगी?

(*a*) 20 (*b*) 25
(*c*) 15 (*d*) 5

53. दो संख्याओं का लघुत्तम समापवर्त्य (ल.स.) उनके महत्तम समापवर्तक (म.स.) का 56 गुना है, उनके म.स. और ल.स. का योग 1710 है। यदि दो संख्याओं में से एक 240 है, तो दूसरी संख्या कौन-सी है? **[एसएससी सीजीएल परीक्षा, 2022]**

(*a*) 210 (*b*) 171 (*c*) 57 (*d*) 1680

54. दो धनात्मक पूर्णांक संख्याओं का लघुत्तम समापवर्त्य (ल.स.) बड़ी संख्या का दोगुना है और उन दोनों संख्याओं का महत्तम समापवर्तक (म.स.) 3 है। छोटी संख्या ज्ञात कीजिए। **[एसएससी सीजीएल परीक्षा, 2022]**

(*a*) 6 (*b*) 10 (*c*) 9 (*d*) 8

55. एक टायर में दो पंक्चर है। पहला पंचर अकेले 45 मिनट में और दूसरा पंचर अकेले 90 मिनट में टायर को पिचका देता है। यदि हवा एक नियत दर से बाहर निकलती है, तो दोनों पंक्चर एक साथ मिलकर टायर को पिचकाने में कितना समय (मिनटों में) लेंगे? **[एसएससी सीजीएल परीक्षा, 2022]**

(*a*) 30 (*b*) 45 (*c*) 15 (*d*) 40

56. दो संख्याओं के ल.स. और म.स. क्रमशः 90 और 15 है। यदि दोनों संख्याओं का योग 75 है, तो वही संख्या ज्ञात कीजिए। **[एसएससी सीजीएल परीक्षा, 2022]**

(*a*) 75 (*b*) 90 (*c*) 45 (*d*) 60

57. उस न्यूनतम संख्या को ज्ञात कीजिए जिसे जब 24, 30, 54 से विभाजित किया जाता है, तो प्रत्येक स्थिति में शेषफल के रूप में 5 बच जाता है। **[एनसीएचएम जेईई 2021]**

(*a*) 1000 (*b*) 1035 (*c*) 1065 (d) 1085

58. $\frac{9}{10}, \frac{12}{25}, \frac{18}{35}, \frac{21}{40}$ का म.स. ज्ञात करें। **[जेआईपीएमएटी 2021]**

(*a*) $\frac{3}{5}$ (*b*) $\frac{252}{5}$ (*c*) $\frac{63}{700}$ (*d*) $\frac{3}{1400}$

59. दो संख्याओं के ल.स. और म.स. क्रमशः 84 और 21 हैं। यदि दो संख्याओं का अनुपात 1:4 है, तो दो संख्याओं में से बड़ी संख्या क्या है? **[सीएमएटी पेपर 2020]**

(*a*) 28 (*b*) 48 (*c*) 88 (*d*) 84

60. दो संख्याओं का गुणनफल 4025 है और उनका ल.स. 25 है। उनका म.स. का ज्ञात करें। **[एनसीएचएमसीटी जेईई 2020]**

(*a*) 131 (*b*) 141 (*c*) 151 (*d*) 161

61. दो संख्याओं का योग 135 है और उनका म.स. 9 है। संख्याओं के ऐसे कितने जोड़े हो सकते हैं? **[सीएमएटी पेपर 2020]**

(*a*) 2 (*b*) 5 (*c*) 4 (*d*) 6

62. तीन इलेक्ट्रॉनिक उपकरण प्रत्येक 30, 60 और 105 मिनट के बाद क्रमशः बीप की आवाज करते हैं। यह दिया गया है कि सभी उपकरणों ने दोपहर 3:00 बजे एक साथ बीप किया। वे फिर से एक साथ कब बीप करेंगे? **[एचएसईई पेपर 2018]**

(*a*) 7:00 सायं (*b*) 8:00 सायं
(*c*) 9:00 सायं (*d*) 10:00 सायं

63. 2923 और 3239 का म.स. क्या है? **[एनसीएचएमसीटी जेईई 2020]**

(*a*) 37 (*b*) 47 (*c*) 73 (*d*) 79

64. यदि दो संख्याओं का अनुपात 5 : 6 है और उनका ल.स. 480 है, तो उनका म.स. है– **[एनसीएचएमसीटी जेईई 2020]**

(*a*) 20 (*b*) 16 (*c*) 6 (*d*) 5

65. जब 13511, 13903 और 14589 को सबसे बड़ी संख्या '*n*' से विभाजित किया जाता है, तो प्रत्येक स्थिति में शेष '*m*' होता है। $(n + m)$ का मान क्या है? **[सीएलएटी पेपर 2018]**

(*a*) 183 (*b*) 182 (*c*) 181 (*d*) 179

66. दो संख्याओं का योग 528 है और उनका म.स. 33 है। उपरोक्त शर्त को पूरा करने वाली संख्याओं के जोड़े की संख्या है– **[एमएटी सितंबर 2018]**

(*a*) 4 (*b*) 6 (*c*) 10 (*d*) 12

67. तीन पहिये क्रमशः प्रति मिनट 40, 24 और 16 एक चक्कर पूरा कर सकते हैं। प्रत्येक पहिये पर एक हरा धब्बा होता है जो शून्य समय पर जमीन को छूता है। कितने समय के बाद, ये सभी धब्बे एक साथ फिर से जमीन को छू लेंगे? **[एआईएलईटी 2019]**

(*a*) 7.5 सेकंड (*b*) 7 सेकंड
(*c*) 7.5 मिनट (*d*) 7 मिनट

68. 1.5 मीटर और 1.2 मीटर लंबाई के दो पाइपों को पाइप की कोई अतिरिक्त लंबाई छोड़े बिना समान टुकड़ों में काटा जाना है। समान आकार के पाइप के टुकड़ों की सबसे बड़ी लंबाई जिसे इन दो लंबाई से काटा जा सकता है, क्या होगी? **[एसएससी सीजीएल टियर-2 सीबीई परीक्षा, 2017]**

(*a*) 0.13 मीटर (*b*) 0.4 मीटर
(*c*) 0.3 मीटर (*d*) 0.41 मीटर

69. $2^3 \times 3^4$ और $2^5 \times 3^2$ का म.स. क्या है? **[एसएससी एमटीएस परीक्षा, 2019]**

(*a*) $2^5 \times 3^3$ (*b*) $2^3 \times 3^4$
(*c*) $2^3 \times 3^2$ (*d*) $2^5 \times 3^4$

70. $\frac{4}{5}, \frac{6}{8}, \frac{8}{25}$ का म.स. क्या है?

[एसएससी सीएएफपीएस एसआई, दिल्ली पुलिस एसआई और सीआईएसएफ एएसआई परीक्षा, 2020]

(*a*) $\frac{1}{5}$ (*b*) $\frac{1}{100}$ (*c*) $\frac{1}{200}$ (*d*) $\frac{1}{50}$

71. दो संख्याओं का म.स. 21 है और उनका ल.स. म.स. का 221 गुना है। यदि एक संख्या 200 और 300 के बीच है, तो दूसरी संख्या के अंकों का योग क्या होगा? **[एसएससी सीजीएल टियर-2 सीबीई परीक्षा, 2018, 2019]**

(*a*) 14 (*b*) 17 (*c*) 18 (*d*) 15

72. दो संख्याओं का गुणनफल 6845 है। यदि संख्याओं का म.स. 37 है, तो बड़ी संख्या है– **[एसएससी एमटीएस (गैर-तकनीकी) परीक्षा, 2019]**

(*a*) 111 (*b*) 37 (*c*) 148 (*d*) 185

73. यदि दो संख्याओं का ल.स. 231 है, उनका म.स. 11 है और संख्या 77 में से एक है, तो अन्य संख्या क्या है?

[एसएससी एमटीएस (गैर-तकनीकी) परीक्षा, 2019]

(*a*) 47 (*b*) 37 (*c*) 57 (*d*) 33

74. 1812 में 7, 11 और 14 से विभाज्य बनाने के लिए न्यूनतम मान क्या जोड़ा जाना चाहिए?

[एसएससी सीएचएसएल टियर-1 सीबीई परीक्षा, 2017]

(*a*) 12 (*b*) 36 (*c*) 72 (*d*) 154

75. तीन संख्याओं का अनुपात 3 : 4 : 5 है और उनका ल.स. 4200 है। उनका म.स. है– **[एसएससी सीएपीएफ एनआईए, एसएसएफ कॉन्स्टेबल (जीडी) परीक्षा, 2019]**

(*a*) 60 (*b*) 20 (*c*) 70 (*d*) 15

76. यदि दो संख्याओं का लघुत्तम समापवर्त्य (LCM) और महत्तम समापवर्तक (HCF) क्रमशः 12 और 2 है, तो इन संख्याओं का मध्यानुपाती ज्ञात करें। **[एसएससी सीजीएल, 2023] (Shift-01)**

(*a*) $2\sqrt{6}$ (*b*) $\sqrt{14}$ (*c*) 2 (*d*) $\sqrt{6}$

77. 15, 24, 35 और 54 का LCM ज्ञात कीजिए

[एसएससी सीपीओ, 2023] (Shift-01)

(*a*) 5670 (*b*) 7560 (*c*) 7650 (*d*) 6570

78. दो संख्याओं का HCF और LCM क्रमशः 5 और 175 हैं। यदि दो संख्याओं का अनुपात 5:7 है, तो दोनों संख्याओं में से बड़ी संख्या कौन सी है?

(*a*) 35 (*b*) 25 (*c*) 45 (*d*) 75

79. दो संख्याओं का गुणनफल 726 है और उनका HCF 11 है, तो उनका LCM है:

(*a*) 58 (*b*) 68 (*c*) 66 (*d*) 76

80. दो संख्याएँ 3:4 के अनुपात में हैं। उनके HCF और LCM का गुणनफल 2700 है। संख्याओं का योग है:

[एसएससी एमटीएस, 2023] (Shift-01)

(*a*) 60 (*b*) 105 (*c*) 15 (*d*) 45

81. दो संख्याएँ 13:15 के अनुपात में हैं। यदि उनका HCF 3 है, तो इन दोनों संख्याओं के बीच अंतर क्या है?

(*a*) 4 (*b*) 2 (*c*) 8 (*d*) 6

82. दो संख्याओं का महत्तम समापवर्तक और लघुत्तम समापवर्त्य क्रमशः 5 और 175 है। यदि दो संख्याओं का अनुपात 5:7 है, तो दोनों संख्याओं में से बड़ी संख्या है।

[एसएससी जीडी, 2023] (Shift-01)

(*a*) 35 (*b*) 25
(*c*) 45 (*d*) 75

83. दो संख्याओं का लघुत्तम समापवर्त्य 4104 है और महत्तम समापवर्तक 9 है। यदि संख्याओं में से एक संख्या 171 है, तब दूसरी संख्या ज्ञात कीजिए।

[एसएससी जीडी, 2023] (Shift-01)

(*a*) 218 (*b*) 215 (*c*) 220 (*d*) 216

84. तीन विभिन्न संख्याओं का लघुत्तम समापवर्त्य (*L.C.M*) 364 है। निम्नलिखित में से कौन सी संख्या, उनका महत्तम समापवर्तक (*H.C.F*) नहीं हो सकती?

[दिल्ली मेट्रो रेल कॉर्पोरेशन सी.आर.ए. परीक्षा, 2017]

(*a*) 14 (*b*) 36 (*c*) 91 (*d*) 13

85. दो अभाज्य संख्याओं x और y; $(x > y)$ का लघुत्तम समापवर्त्य (*LCM*) 209 है। $(y+3x)$ का मान ज्ञात करें।

[दिल्ली मेट्रो रेल कॉर्पोरेशन सी.आर.ए. परीक्षा, 2017]

(*a*) 64 (*b*) 68 (*c*) 70 (*d*) 66

86. 29 का सबसे छोटा अपवर्त्य ज्ञात करें जिसे 27, 30 और 33 से विभाजित करने पर क्रमशः 12, 15 और 18 शेषफल बचता है।

[दिल्ली मेट्रो रेल कॉर्पोरेशन सी.आर.ए. परीक्षा, 2017]

(*a*) 68295 (*b*) 68315
(*c*) 68450 (*d*) 68300

87. 18522 के अपवर्तकों की संख्या ज्ञात करें।

[दिल्ली मेट्रो रेल कॉर्पोरेशन सी.आर.ए. परीक्षा, 2017]

(*a*) 32 (*b*) 30
(*c*) 36 (*d*) 34

88. 7056 के विभाजकों का गुणनफल है:

[दिल्ली मेट्रो रेल कॉर्पोरेशन सी.आर.ए. परीक्षा, 2017]

(*a*) $(84)^{46}$ (*b*) $(84)^{45}$
(*c*) $(84)^{47}$ (*d*) $(84)^{48}$

89. दो संख्याओं का लघुत्तम समापवर्त्य उनके महत्तम समापवर्तक का 50 गुना है। यदि उनमें से एक संख्या 800 है और महत्तम समावर्तक और लघुत्तम समापवर्त्य का योगफल 2040 है, तो दूसरी संख्या क्या है?

[दिल्ली मेट्रो रेल कॉर्पोरेशन सी.आर.ए. परीक्षा, 2017]

(*a*) 175 (*b*) 125 (*c*) 100 (*d*) 150

निर्देशः निम्नलिखित प्रश्न के बाद तीन कथन दिए गए हैं। आपको प्रश्न और तीनों कथनों में दी गई जानकारी का अध्ययन करना होगा और तय करना होगा कि किस कथन/किन कथनों में दी गई जानकारी प्रश्न का उत्तर देने के लिए आवश्यक और पर्याप्त है।

90. दो धनात्मक संख्याएँ हैं। सबसे छोटी संख्या क्या है?

I. दो संख्याओं का ल.स. उनके म.स. का 24 गुना है।
II. दोनों संख्याओं के म.स. एवं ल.स. का योग 400 है।
III. बड़ी संख्या 128 है।

(*a*) केवल कथन I एवं III प्रश्न का उत्तर देने के लिए पर्याप्त हैं।
(*b*) केवल कथन I एवं II प्रश्न का उत्तर देने के लिए पर्याप्त हैं।
(*c*) केवल कथन II एवं या तो कथन I या कथन III प्रश्न का उत्तर देने के लिए पर्याप्त है।
(*d*) केवल कथन III एवं या तो कथन I या कथन II प्रश्न का उत्तर देने के लिए पर्याप्त हैं।
(*e*) तीनों कथनों से ही प्रश्न का उत्तर दिया जा सकता है।

[आई.बी.पी.एस. बैंक क्लर्क सी.डब्लू.ई. मुख्य परीक्षा, 2017]

91. 1.5 मीटर और 1.2 मीटर लंबे दो पाइपों का बराबर टुकड़ों में इस प्रकार काटा जाना है कि दोनों पाइपों का कोई हिस्सा शेष न बचे। दोनों पाइपों में से समान आकार के काटे जाने वाले इन टुकड़ों की अधिकतम लंबाई बताइए।

[एस.एस.सी. संयुक्त स्नातक स्तर ग्रेड-टियर-II (सी.बी.ई.) परीक्षा, 2017]

(*a*) 0.13 मीटर (*b*) 0.4 मीटर
(*c*) 0.3 मीटर (*d*) 0.41 मीटर

92. तीन इलेक्ट्रॉनिक यंत्र प्रत्येक क्रमशः 48 सेकंड, 72 सेकंड और 108 सेकंड के बाद बजते है। वे तीनों एक साथ पूर्वाह्न 10 बजे बीप करते हैं। वह समय बताएँ जब वे अगली बार एक साथ बजेंगे।

[एस.एस.सी. संयुक्त स्नातक स्तर ग्रेड-टियर-II (सी.बी.ई.) परीक्षा, 2017]

(*a*) 10 : 07 : 12 बजे
(*b*) 10 : 07 : 24 बजे
(*c*) 10 : 07 : 36 बजे
(*d*) 10 : 07 : 48 बजे

93. 5, 15 और 20 के ल.स. अ. और. म.स.अ. के बीच अनुपात है

[दिल्ली अधीनस्थ सेवा चयन बोर्ड स्टेनोग्राफर ग्रेड-III परीक्षा, 2017]

(*a*) 8 : 1 (*b*) 14 : 3
(*c*) 12 : 2 (*d*) 12 : 1

उत्तरमाला

1. (*c*)	**2.** (*b*)	**3.** (*c*)	**4.** (*c*)	**5.** (*a*)	**6.** (*d*)	**7.** (*a*)	**8.** (*d*)	**9.** (*d*)	**10.** (*a*)
11. (*b*)	**12.** (*d*)	**13.** (*c*)	**14.** (*b*)	**15.** (*a*)	**16.** (*c*)	**17.** (*a*)	**18.** (*a*)	**19.** (*b*)	**20.** (*c*)
21. (*a*)	**22.** (*a*)	**23.** (*c*)	**24.** (*c*)	**25.** (*a*)	**26.** (*a*)	**27.** (*c*)	**28.** (*a*)	**29.** (*a*)	**30.** (*b*)
31. (*a*)	**32.** (*b*)	**33.** (*d*)	**34.** (*b*)	**35.** (*b*)	**36.** (*d*)	**37.** (*d*)	**38.** (*d*)	**39.** (*c*)	**40.** (*c*)
41. (*b*)	**42.** (*b*)	**43.** (*a*)	**44.** (*d*)	**45.** (*d*)	**46.** (*b*)	**47.** (*b*)	**48.** (*c*)	**49.** (*c*)	**50.** (*b*)
51. (*a*)	**52.** (*c*)	**53.** (*a*)	**54.** (*a*)	**55.** (*a*)	**56.** (*c*)	**57.** (*d*)	**58.** (*d*)	**59.** (*d*)	**60.** (*d*)
61. (*c*)	**62.** (*d*)	**63.** (*d*)	**64.** (*b*)	**65.** (*a*)	**66.** (*a*)	**67.** (*a*)	**68.** (*c*)	**69.** (*c*)	**70.** (*b*)
71. (*d*)	**72.** (*d*)	**73.** (*d*)	**74.** (*b*)	**75.** (*c*)	**76.** (*d*)	**77.** (*b*)	**78.** (*c*)	**79.** (*c*)	**80.** (*b*)
81. (*d*)	**82.** (*a*)	**83.** (*d*)	**84.** (*b*)	**85.** (*b*)	**86.** (*a*)	**87.** (*a*)	**88.** (*b*)	**89.** (*c*)	**90.** (*e*)
91. (*c*)	**92.** (*a*)	**93.** (*d*)							

दिये गये प्रश्नों के हल

1.

391) 667 (1
391
276) 391 (1
276
115) 276 (2
230
46) 115 (2
92
23) 46 (2
46
×

अतः 391 तथा 667 का म०स० = 23.

$$\therefore \quad \frac{391}{667} = \frac{391 \div 23}{667 \div 23} = \frac{17}{29}.$$

2.

1485) 4356 (2
2970
1386) 1485 (1
1386
99) 1386 (14
99
396
396
×

अतः 1485 तथा 4356 का म०स० = 99.

$$\therefore \quad \frac{1485}{4356} = \frac{1485 \div 99}{4356 \div 99} = \frac{15}{44}.$$

3.

128352) 238368 (2
128352
110016) 128352 (1
110016
18336) 110016 (6
110016
×

अतः 128352 तथा 238368 का म०स० = 18336.

$$\therefore \quad \frac{128352}{238368} = \frac{128352 \div 18336}{238368 \div 18336} = \frac{7}{13}.$$

4. $36 = 2 \times 2 \times 3 \times 3 = 2^2 \times 3^2$
$84 = 2 \times 2 \times 3 \times 7 = 2^2 \times 3 \times 7$
$\therefore$ म०स० $= 2^2 \times 3 = (4 \times 3) = 12$.

5. $204 = (2^2 \times 3 \times 17),\ 1190 = (2 \times \times 7 \times 17)$
तथा $1445 = (5 \times 17^2)$.
$\therefore$ म०स० = 17

6. स्वयं ज्ञात करें, म० स० = 79.

7. स्वयं ज्ञात करें, म० स० = 28.

8. $280 = (2^3 \times 5 \times 7),\ 455 = 4\,(5 \times 13 \times 7),\ 735 = (3 \times 5 \times 7^2)$
$\therefore$ म०स० $= (5 \times 7) = 35$.

9. चूँकि 18 तथा 25 का म०स० 1 है, अतः 18 तथा 25 अभाज्य संख्याएँ हैं।

10. म०स० $= \dfrac{7, 14, 7 \text{ का म०स०}}{9, 15, 10 \text{ का ल०स०}} = \dfrac{7}{90}.$

5	9 – 5 – 10
	9 – 1 – 2

ल०स० $= (5 \times 9 \times 2) = 90.$

11. म०स० $= \dfrac{9, 12, 18, 21 \text{ का म०स०}}{10, 25, 35, 40 \text{ का ल०स०}} = \dfrac{3}{1400}.$

5	10 – 25 – 35 – 40
2	2 – 5 – 7 – 8
	1 – 5 – 7 – 4

ल०स० $= (5 \times 2 \times 5 \times 7 \times 4) = 1400.$

12. $1.75 = \dfrac{175}{100} = \dfrac{7}{4}, 5{\cdot}6 = \dfrac{56}{10} = \dfrac{28}{5}, 7 = \dfrac{7}{1}.$

$\therefore$ म०स० $= \dfrac{7, 28, 7 \text{ का म०स०}}{4, 5, 1 \text{ का ल०स०}} = \dfrac{7}{20} = 0.35.$

13. $1.08 = \dfrac{108}{100} = \dfrac{27}{25}, 0{\cdot}36 = \dfrac{36}{100} = \dfrac{9}{25}, 0{\cdot}9 = \dfrac{9}{10}.$

$\therefore$ म०स० $= \dfrac{27, 9, 9 \text{ का म०स०}}{25, 25, 10 \text{ का ल०स०}} = \dfrac{9}{50} = 0.18.$

14. $0.54 = \dfrac{54}{100} = \dfrac{27}{50}, 1{\cdot}8 = \dfrac{18}{10} = \dfrac{9}{5}, 7{\cdot}2 = \dfrac{72}{10} = \dfrac{36}{5}.$

$\therefore$ म०स० $= \dfrac{27, 9, 36 \text{ का म०स०}}{50, 5, 5 \text{ का ल०स०}} = \dfrac{9}{50} = 0.18.$

15. $(2^3 \times 3^2 \times 5^3 \times 7^2)$, $(2^2 \times 3 \times 5^2 \times 7)$ तथा $(3^4 \times 5^4 \times 2)$ का म०स० $= (2 \times 3 \times 5^2).$

16. माना अभीष्ट संख्याएँ $15x$ तथा $11x$ हैं।
तब, इनका महत्तम समापवर्तक $= x$. अत: $x = 13$.
$\therefore$ अभीष्ट संख्याएँ $= (15 \times 13)$ तथा (11×13), *i.e.* 195 तथा 143 हैं।

17. माना अभीष्ट संख्याएँ x, $2x$ तथा $3x$ हैं।
तब, इनका महत्तम समापवर्तक $= x$. अत: $x = 12$.
$\therefore$ अभीष्ट संख्याएँ 12, 24, 36 हैं।

18. माना अभीष्ट संख्याएँ $27a$ तथा $27b$ हैं।
तब, $27a + 27b = 216 \Leftrightarrow a + b = 8$.
अब सहअभाज्य संख्याएँ जिनका योग 8 है, (1, 7) तथा (3, 5) हैं।
$\therefore$ सम्भव संख्याएँ $(27 \times 1, 27 \times 7)$ तथा $(27 \times 3, 27 \times 5)$ अर्थात् (27, 189) अथवा (81, 135) हैं।
इनमें से दी गई संख्याएँ (27, 189) हैं।

19. माना अभीष्ट संख्याएँ $13a$ तथा $13b$ हैं।
तब, $13a \times 13b = 2028 \Leftrightarrow ab = 12$. तब (a, b) के संभव मान (1, 12) तथा (3, 4) हैं।
सम्भव संख्याएँ $(13 \times 1, 13 \times 12)$, $(13 \times 3, 13 \times 4)$ अर्थात् (13, 156) अथवा (39, 52) हैं।
इनमें से दो अंकों वाली संख्याएँ 39 तथा 52 हैं।

20. दी गई संख्याओं में से ऐसी संख्याएँ जिनका अन्तर 12 तथा महत्तम समापवर्तक 12 हैं, होंगी 84 तथा 96.

21. अभीष्ट लम्बाई = 36 मी०, 54 मी०, 63 मी० का महत्तम समापवर्तक = 9 मीटर.

22. अभीष्ट नाप = (2527 लीटर, 1653 लीटर, 2261 लीटर) का महत्तम समापवर्तक = 19 लीटर.

23.

4	24 – 36 – 40
2	6 – 9 – 10
3	3 – 9 – 5
	1 – 3 – 5

$\therefore$ लघुत्तम समापवर्त्य $= (4 \times 2 \times 3 \times 3 \times 5) = 360.$

24.

2	22 – 54 – 108 – 135 – 198
9	11 – 27 – 54 – 135 – 99
3	11 – 3 – 6 – 15 – 11
11	11 – 1 – 2 – 5 – 11
	1 – 1 – 2 – 5 – 1

$\therefore$ लघुत्तम समापवर्त्य $= (2 \times 9 \times 3 \times 11 \times 2 \times 5) = 5940.$

25. अभीष्ट संख्या $= (91 - 43), (183 - 91)$ तथा $(183 - 43)$ का म०स० = 48, 92, 140 का म०स० = 4.

26. $N = (4665 - 1305), (6905 - 4665)$ तथा $(6905 - 1305)$ का म०स० = 3360, 2240, 5600 का म०स० = 1120.
N के अंकों का योग $= (1 + 1 + 2 + 0) = 4.$

27. अभीष्ट संख्या $= (233 - 187), (279 - 233), (279 - 187)$ का म०स० = 46, 46, 92 का म०स० = 46.

28. अभीष्ट संख्या $= (1356 - 12), (1868 - 12), (2764 - 12)$ का म०स० = 1344, 1856, 2752 का म०स० = 64.

29. अभीष्ट संख्या $= (1661 - 10)$ तथा $(2040 - 8)$ का म०स० = 1651 तथा 2032 का म०स० = 127.

30. अभीष्ट संख्या $= (1657 - 6)$ तथा $(2037 - 5)$ का म०स० = 1651 तथा 2032 का म०स० = 127.

31. 8, 16, 40, 80 का ल०स० = 80.

$$\frac{7}{8} = \left(\frac{7}{8} \times \frac{10}{10}\right) = \frac{70}{80}, \frac{13}{16} = \frac{13}{16} \times \frac{5}{5} = \frac{65}{80}, \frac{31}{40} = \frac{31}{40} \times \frac{2}{2} = \frac{62}{80}, \frac{63}{80}$$

$\dfrac{70}{80}, \dfrac{65}{80}, \dfrac{62}{80}, \dfrac{63}{80}$ में से सबसे बड़ी है $\dfrac{70}{80}$ अर्थात् $\dfrac{7}{8}$.

32. अभीष्ट समय = [(6, 8, 12, 18, 45) का ल०स०] सैकण्ड = 360 सैकण्ड = 6 मिनट के बाद.

33. 2, 4, 6, 8, 10, 12 का ल०स० $= (2 \times 2 \times 3 \times 2 \times 5) = 120.$
अत: प्रत्येक 120 सै० अर्थात् 2 मिनट बाद घण्टियाँ इकट्ठी बजेंगी.
$\therefore$ 30 मिनट में वे $\left[\left(\dfrac{30}{2} + 1\right)\right]$ बार इकट्ठी बजेंगी, अर्थात् 16 बार.

2	2 – 4 – 6 – 8 – 10 – 12
2	1 – 2 – 3 – 4 – 5 – 6

3	1 – 1 – 3 – 2 – 5 – 3
	1 – 1 – 1 – 2 – 5 – 1

34. वह समय जिसके बाद बतियाँ पुन: इकट्ठी बदलेंगी
= (48, 72, 108 का ल०स०) सैकण्ड
= (12 × 3 × 2 × 2 × 3) सै० = 432 सै०
= 7 मिनट 12 सैकण्ड.

12	48 – 72 – 108
3	4 – 6 – 9
2	4 – 2 – 3
	2 – 1 – 3

अत: इन बतियों में पुन: इकट्ठा परिवर्तन होगा = 8 : 27 : 12 बजे.

35. 12 किमी० दूरी तय करने में *A, B, C* द्वारा लिया गया समय क्रमश: $\frac{12}{3}$ घण्टे, $\frac{12}{7}$ घण्टे तथा $\frac{12}{13}$ घण्टे हैं.

$\therefore$ अभीष्ट समय = $\left(\frac{12}{3}, \frac{12}{7}, \frac{12}{13}\right)$ घण्टे

= $\left(\frac{12, 12, 12}{3, 7, 13}\right)$ घण्टे = 12 घण्टे.

36. पुन: प्रारम्भिक बिन्दु पर मिलने का अन्तराल
= (252 सै०, 308 सै०, 198 सै०) का ल०स०
= (3 × 11 × 2 × 7 × 2 × 3) सै०
= 2772 सै० = 46 मिनट 12 सै०.

3	252 – 308 – 198
11	84 – 308 – 66
2	84 – 28 – 6
7	42 – 14 – 3
2	6 – 2 – 3
3	3 – 1 – 3
	1 – 1 – 1

37. पुन: एक साथ बजने का अन्तराल
= (30 मिनट, 60 मिनट, 90 मिनट, 105 मिनट) का ल०स०
= (15 × 2 × 2 × 3 × 7) मिनट = 1260 मिनट
= 21 घण्टे.

15	30 – 60 – 90 – 105
2	2 – 4 – 6 – 7
	1 – 2 – 3 – 7

अत: वे एक साथ दोपहर 12 बजे के 21 घण्टे बाद अर्थात् अगले दिन प्रात: 9 बजे बजेंगे.

38. 5 अंकों की सबसे छोटी संख्या = 10000.
12, 15, 18 का ल०स० = (3 × 2 × 2 × 5 × 3) = 180.

180) 10000 (55
900
1000
900
100

अब, 10000 को 180 से भाग देने पर शेषफल = 100.
अत: अभीष्ट संख्या = 10000 + (180 – 100) = 10080.

39. चार अंकों की सबसे बड़ी संख्या = 9999.
15, 25, 40, 75 का ल०स० = (5 × 3 × 5 × 8) = 600.

5	15 – 25 – 40 – 75
3	3 – 5 – 8 – 15
5	1 – 5 – 8 – 5
	1 – 1 – 8 – 1

9999 को 600 से भाग देने पर शेषफल = 399.
$\therefore$ अभीष्ट संख्या = (9999 – 399) = 9600.

40. 3, 4, 5, 6 का ल०स० = (3 × 2 × 2 × 5) = 60.
2497 को 60 से भाग देने पर शेषफल = 37.
$\therefore$ अभीष्ट संख्या = (60 – 37) = 23.

60) 2497 (41
240
97
60
37

41. अभीष्ट संख्या = [(12, 16, 18, 21, 28) का ल०स०] + 7
= (3 × 2 × 2 × 7 × 4 × 3) + 7
= (1008 + 7) = 1015.

3	12 – 16 – 18 – 21 – 28
2	4 – 16 – 6 – 7 – 28
2	2 – 8 – 3 – 7 – 14
7	1 – 4 – 3 – 7 – 7
	1 – 4 – 3 – 1 – 1

42. अभीष्ट संख्या = (24, 32, 36, 54 का ल०स०) – 5
= (2 × 2 × 3 × 2 × 3 × 4 × 3) – 5 = (864 – 5) = 859.

2	24 – 32 – 36 – 54
2	12 – 16 – 18 – 27
3	6 – 8 – 9 – 27
2	2 – 8 – 3 – 9
3	1 – 4 – 3 – 9
	1 – 4 – 1 – 3

43. तीन अंकों की बड़ी से बड़ी संख्या = 999.
6, 9, 12 का ल०स० = (3 × 2 × 3 × 2) = 36.

36) 999 (27
72
279
252
27

999 को 36 से भाग देने पर शेषफल = 27.

अतः अभीष्ट संख्या $= (999 - 27) + 3 = 975.$

44. अभीष्ट संख्या $=$ (8, 9, 12, 15 का ल०स०) $+ 1$
$= (2 \times 2 \times 3 \times 2 \times 3 \times 5) + 1$
$= 361.$

2	8 – 9 – 12 – 15
2	4 – 9 – 6 – 15
3	2 – 9 – 3 – 15
	2 – 3 – 1 – 5

45. 16, 18, 20, 25 का ल०स० $= (5 \times 2 \times 2 \times 4 \times 9 \times 5) = 3600.$
अभीष्ट संख्या $= 3600K + 4.$
K का कम से कम वह मान जिससे $(3600K + 4)$,

5	16 – 18 – 20 – 25
2	16 – 18 – 4 – 5
2	8 – 9 – 2 – 5
	4 – 9 – 1 – 5

7 से पूर्णतया विभक्त हो वह है $K = 5.$
$\therefore$ अभीष्ट संख्या $= (3600 \times 5 + 4) = 18004.$

46. 5, 6, 7, 8 का ल०स० $= 840.$
माना अभीष्ट संख्या $= 840K + 3.$
K का छोटे से छोटा मान जिससे $(840K + 3)$, 9 से पूर्णतया विभक्त हो वह है $K = 2.$
$\therefore$ अभीष्ट संख्या $= (840 \times 2 + 3) = 1683.$

47. यहाँ $(48 - 38) = (60 - 50) = (72 - 62) = (108 - 98)$
$= (140 - 130) = 10.$
$\therefore$ अभीष्ट संख्या $=$ (48, 60, 72, 108, 140 का ल०स०) $- 10$
$= (15120 - 10) = 15110.$

48. माना म०स० $= x$ तथा ल०स० $= 45x.$
तब, $x + 45x = 1150 \Leftrightarrow 46x = 1150 \Leftrightarrow x = 25.$
अतः म०स० $= 25$ तथा ल०स० $= (45 \times 25) = 1125.$
$\therefore$ दूसरी संख्या $= \dfrac{(25 \times 1125)}{125} = 225.$

49. $210 = (2 \times 3 \times 5 \times 7)$, $315 = (3^2 \times 5 \times 7)$, $147 = (7^2 \times 3)$, $168 = (2^3 \times 3 \times 7).$
$\therefore$ अभीष्ट संख्या
$=$ 210, 315, 147, 168 का म०स०
$= (3 \times 7) = 21.$

50. 3, 5, 6, 8, 10, 12 का ल०स० $= (3 \times 2 \times 2 \times 5 \times 2) = 120.$
माना अभीष्ट संख्या $= 120K + 2.$

3	3 – 5 – 6 – 8 – 10 – 12
2	1 – 5 – 2 – 8 – 10 – 4
2	1 – 5 – 1 – 4 – 5 – 2
5	1 – 5 – 1 – 2 – 5 – 1
	1 – 1 – 1 – 2 – 1 – 1

अब, $K = 8$ रखने से प्राप्त संख्या 962 ऐसी है, जो 13 से पूर्णतया विभक्त होती है.

51. अभीष्ट संख्या $= (307 - 3), (330 - 7)$ का म०स०
$= 304, 323$ का म०स० $= 19.$

```
304 ) 323 ( 1
      304
      ----
       19 ) 304 ( 16
            19
            ---
            114
            114
            ---
             ×
```

52. दूसरी संख्या $= \left(\dfrac{30 \times 5}{10}\right) = 15.$

53. माना म.स. $= x$ और ल.स. $= 56x$
अब प्रश्न के अनुसार,
$57x = 1710 \Rightarrow x = 30$
$\therefore$ म.स. $= 30$ और ल.स. $= 56 \times 30$
$\because$ अन्य संख्या $= \dfrac{\text{ल. स.} \times \text{म. स.}}{\text{पहली संख्या}}$
$= \dfrac{30 \times 56 \times 30}{240} = 210$

54. माना बड़ी संख्या $= x$
ल.स. $= 2x$, म.स. $= 3$
$\because$ ल.स.$\times$ म.स. $=$ छोटी संख्या $\times$ बड़ी संख्या
$\Rightarrow$ $2x \times 3 =$ छोटी संख्या $\times x$
$\Rightarrow$ छोटी संख्या $= 6$

55. अभीष्ट समय $= \dfrac{1}{\dfrac{1}{45} + \dfrac{1}{90}}$
$= \dfrac{1}{\dfrac{3}{90}} = 30$ मिनट

56. माना दो संख्याएँ p और q हैं।
$p + q = 75$ ...(i)
दोनों पक्षों का वर्ग करने पर, हमें प्राप्त होता है
$(p + q)^2 = (75)^2$
$\Rightarrow$ $p^2 + q^2 + 2pq = 5625$
$\Rightarrow$ $p^2 + q^2 = 5625 - 2 \times 90 \times 15$
$\Rightarrow$ $p^2 + q^2 = 5625 - 2700 \Rightarrow p^2 + q^2 = 2925$
अब, $(p - q)^2 = p^2 + q^2 - 2pq$
$\Rightarrow$ $(p - q)^2 = 2925 + 2 \times 90 \times 15$
$\Rightarrow$ $(p - q)^2 = 2925 - 2700$
$\Rightarrow$ $(p - q)^2 = 225$
$\Rightarrow$ $p - q = \sqrt{225} = 15$ ...(ii)
(i) और (ii), को जोड़ने पर हमें प्राप्त होता है $p = 45$,
$\Rightarrow$ $q = 30$
$\therefore$ बड़ी संख्या $= 45$

57. 24, 30 और 54 का लघुत्तम समापवर्त्य है

$1080 + 5 = 1085$ उत्तर है।

58. $\frac{9}{10}, \frac{12}{25}, \frac{18}{35}, \frac{21}{40}$ का म.स. $= \frac{(9, 12, 18, 21) \text{ का म.स.}}{(10, 25, 35, 40) \text{ का ल.स.}}$

$= \frac{3}{1400}$

59. पहली संख्या × दूसरी संख्या = म.स. × ल.स.

$\therefore \quad 4k \times k = 84 \times 21$

$k^2 = \frac{84 \times 21}{4} = 21 \times 21 = 441$

$\Rightarrow \quad k = 21$

$\therefore$ बड़ी संख्या $= 4k = 4 \times 21 = 84$

60. पहली संख्या × दूसरी संख्या = म.स. × ल.स.

$4025 =$ म.स. $\times 25$

$\Rightarrow$ म.स. $= \frac{4025}{25} = 161$

61. माना संख्याएँ $9a$ और $9b$ हैं।

$9a + 9b = 135$

$9(a + b) = 135 \Rightarrow \quad a + b = 15$

इसलिए जोड़े हैं (1, 14) (2, 13) (3, 12) (4, 11) (5, 10) (6, 9) (7, 8)

लेकिन इन 7 जोड़ों में से 3 जोड़ों (3, 12) (5, 10) (6, 9) को खारिज कर दिया जाता है क्योंकि ये सह-अभाज्य नहीं हैं और म.स. को बदल देंगे।

$\therefore$ 4 जोड़े (1, 14) (2, 13) (4, 11) (7, 8) संभव हैं।

62. 30, 60, 105 का लघुत्तम समापवर्त्य = 420 मिनट

घंटों में यह है $\frac{420}{60} = 7$

$\therefore$ वे फिर से $3 + 7 = 10$ बजे बीप करेंगे।

63.
```
2923 ) 3239 ( 1
       2923
       ----
        316 ) 2923 ( 9
              2844
              ----
                79 ) 316 ( 4
                     316
                     ---
                      ×
```

इसलिए 79 म.स. है।

64. माना संख्याओं का म.स. k है।

$\therefore \quad 5k \times 6k = 480 \times k$

$\Rightarrow \quad k = \frac{480}{5 \times 6} = 16$

65. वह बड़ी संख्या जो तीनों संख्याओं को विभाजित करने पर समान शेषफल देती है, तीन संख्याओं के धनात्मक अंतर का म.स. होता है।

अर्थात् तीनों संख्याओं का म.स.

13903	14589	14589
− 13511	− 13903	− 13511
392	686	1075

यानी 392, 686 और 1078 का म.स. 98 है। जब हम 3 में से किसी भी संख्या 13511 को 98 से विभाजित करते हैं तो हमें शेषफल के रूप में 85 प्राप्त होता है।

$\therefore \quad m = 98$

$n = 85$

$\therefore \quad m + n = 98 + 85 = 183$ उत्तर है।

66. माना संख्याएँ $33a$ और $33b$ हैं।

$\therefore \quad 33a + 33b = 528$

$\Rightarrow \quad 33(a + b) = 528$

$a + b = \frac{528}{33} = 16$

अतः सहअभाज्य युग्म है (1, 15) (3, 13) (5, 11) (7, 9)

अतः उत्तर 4 युग्म है।

67. अभीष्ट समय उनमें से प्रत्येक द्वारा एक चक्कर करने में लिए गए समय का लघुत्तम समापवर्त्य है।

अर्थात् $\frac{60}{40}, \frac{60}{24}$ और $\frac{60}{16}$ का ल.स.

$\frac{(60, 60, 60) \text{ का ल.स.}}{(40, 24, 16) \text{ का म.स.}} = \frac{60}{8} = \frac{15}{2} = 7.5$ सेकंड

68. 1.5 और 1.2 का म.स. 0.3 है।

69. संख्याएँ $= 2^3 \times 3^4$ और $2^5 \times 3^2$ हैं।

$\therefore$ म.स. $2^3 \times 3^2$ है।

70. संख्याएँ $\frac{4}{5}, \frac{6}{8}, \frac{8}{25}$ हैं।

भिन्नों का म.स. $= \frac{\text{अंश का म.स.}}{\text{हर का ल.स.}}$

$= \frac{4, 6, 8 \text{ का म.स.}}{5, 8, 25 \text{ का ल.स.}} = \frac{2}{200} = \frac{1}{100}$

71. म.स. = 21 और ल.स. $= 21 \times 221$

माना संख्याएँ $21x$ और $21y$ हैं।

$21x \times 21y = 21 \times 21 \times 221$

$\therefore \quad xy = \frac{21 \times 21 \times 221}{21 \times 21} = 221$

$xy = 221 = 17 \times 13$

$\therefore$ संख्याएँ $17 \times 21, 13 \times 21$ हैं।

संख्याएँ 273 और 347 हैं।

$\therefore$ अंकों का योग $3 + 4 + 7 = 15$ उत्तर है।

72. संख्याएँ $37x$ और $37y$ हैं।

$37x \times 37y = 6845$

$xy = \frac{6845}{37 \times 37} = 5$

$\therefore \quad 37 \times 1, 37 \times 5$ संख्याएँ हैं।

$\therefore$ बड़ी संख्या 185 है।

73. ल.स. × म.स. = पहली संख्या × दूसरी संख्या।

$231 \times 11 = 77 \times$ दूसरी संख्या

$\therefore$ दूसरी संख्या $= \frac{231 \times 11}{77} = 33$

74. 7, 11, 14 का लघुत्तम समापवर्त्य 154 है।

अब

$$\begin{array}{r|l} 154 & 1812 \; | \; 11 \\ & 154 \\ & \overline{272} \\ & 154 \\ & \overline{118} \end{array}$$

$\therefore$ सबसे कम जोड़ी गई संख्या = 154 – 118 = 36

75. माना संख्याएँ $3x, 4x, 5x$ हैं।

$\therefore$ ल.स. = $3 \times 4 \times 5x = 60x$

$60x = 4200$

$\Rightarrow \quad x = 70$

$\therefore$ म.स. = 70

76. हम यह जानते हैं

ल.स.प × म.स.प = पहली संख्या × दूसरी संख्या

पहला नंबर × दूसरा नंबर = 12 × 2 = 24

मध्यानुपाती $= \sqrt{24} = 2\sqrt{6}$

77. 15, 24, 35 और 54 का ल.स.म

$15 = 3 \times 5$

$24 = 2 \times 2 \times 2 \times 3$

$35 = 7 \times 5$

$54 = 2 \times 3 \times 3 \times 3$

$\therefore$ लसप = $2 \times 2 \times 2 \times 3 \times 3 \times 3 \times 7 \times 5 = 7560$

78. माना दो संख्याएँ क्रमशः 5x और 7x हैं

अब,

$\because$ म.स.प × ल.स.म = पहली संख्या × दूसरी संख्या

$\Rightarrow \quad 5 \times 175 = 5x \times 7x$

$\Rightarrow \quad x^2 = 25$

$\Rightarrow \quad x = 5$

$\therefore$ बड़ी संख्या = $7x = 35$

79. $\because$ म.स.प × ल.स.म = पहला नंबर × दूसरा नंबर

11 × ल.स.म. = 726

$\Rightarrow$ ल.स.म = $\frac{726}{11} = 66$

80. माना दो संख्याएँ क्रमशः $3x$ और $4x$ हैं

$\because$ म.स.प × ल.स.म = $3x \times 4x$

$\Rightarrow \quad 12x^2 = 2700$

$\Rightarrow \quad x^2 = 225$

$\Rightarrow \quad x = 15$

$\therefore$ अभीष्ट योग = $3x + 4x = 7 \times 15 = 105$

81. माना दो संख्याएं $13x$ और $15x$ ग्रहणशीलता हैं

$\because$ म.स.प = 3 = x

$\therefore$ अभीष्ट अंतर = $15x - 13x$

$= 2x = 2 \times 3 = 6$

82. दिया गया: दो संख्याओं का HCF और LCM 5 और 175 हैं। दोनों संख्याओं का अनुपात 5 : 7 है।

प्रयुक्त सूत्र: लसप = $N_1 \times N_2$/HCF

गणना:

$\Rightarrow \quad 175 = 5x \times 7x/5$

$\Rightarrow \quad 35x^2 = 875$

$\Rightarrow \quad x^2 = 25$

$\Rightarrow \quad x = 5$

सबसे बड़ी संख्या = $7x = 7 * 5 = 35$

$\therefore$ सही उत्तर 35 है।

83. दिया गया

ल.स.म = 4104, म.स.प = 9, संख्याओं में से एक = 171

प्रयुक्त अवधारणा:

ल.स.म × म.स.ग = संख्याओं का गुणाफल

गणना:

ल.स.म × म.स.प = संख्याओं का गुणनफल

$\Rightarrow$ 4104 × 9 = 171 × अन्य संख्या

$\Rightarrow$ अन्य संख्या = 4104 × 9/171 = 216

अत: अभीष्ट मान 216 है।

84. दिया गया है, लघुत्तम समापवर्त्य =364

$364 \div 14 = 26$

अत: 364 को 14 से भाग देने पर शेषफल = 0

$364 \div 91 = 4$

अत: 364 को 91 से भाग देने पर शेषफल = 0

$364 \div 13 = 28$

अत: 364 को 13 से भाग देने पर शेषफल = 0

364 को 36 से भाग देने पर शेषफल $\neq 0$

$\therefore$ 36, दी गई तीन विभिन्न संख्याओं का म.स. नही हो सकता

85. दिया गया है

दो संख्याओं x और y का ल.स. 209 है

$209 = 11 \times 19$

$\therefore \quad x = 19; y = 11$

$y + 3x = 11 + 3 \times 19 = 11 + 57 = 68$

86. दिया है भाजक एवं संगत शेषफल का अंतर समान है। अत: $27 - 12 = 15;$

$30 - 15 = 15; 33 - 18 = 15$

27, 30 एवं 33 का ल.स. $= 3 \times 9 \times 10 \times 11$

$= 2970$

अभीष्ट संख्या $= 2970k - 15$ जो 29 का अपवर्त्य है।

$k = 23$ के लिए,

$\therefore$ अभीष्ट संख्या $= 2970 \times 23 - 15$

$= 68310 - 15 = 68295$

87. 18522 का ल.स. $= 2 \times 2^3 \times 7^3$

$\therefore$ 18522 के अपवर्तकों की संख्या

$= (1+1)(3+1)(3+1)$

$= 2 \times 4 \times 4 = 32$

88.

2	7056
2	3528
2	1764
2	882
3	441
3	147
7	49
	7

$\therefore$ 7056 का ल.स. $= 2^4 \times 3^2 \times 7^2$

$\therefore$ भाजकों की संख्या $= (4+1)(2+1)(2+1)$
$= 5 \times 3 \times 3 = 45$

$\therefore$ अभीष्ट गुणनफल $= (7056)^{\frac{45}{2}} = \left((84)^2\right)^{\frac{45}{2}} = (84)^{45}$

89. माना गया है, म.स. $= r$

$\therefore$ ल.स. $= 50r$

दिये गये प्रश्न के अनुसार $50r + r = 2040$

$\Rightarrow 51r = 2040 \quad \Rightarrow r = \frac{2040}{51} = 40$

$\therefore$ ल.स. $= 40 \times 50 = 2000$

पहली संख्या × दूसरी संख्या = ल.स. × म.स.

$\Rightarrow$ दूसरी संख्या $= \frac{2000 \times 40}{800} = 100 \quad = 100$

90. कथन I से माना, म.स. $= r$

ल.स. $= 24r$

कथन I एव II से $24r + r = 400$

$\Rightarrow 25r = 400 \quad \Rightarrow r = \frac{400}{25} = 16$

$\therefore$ म.स. $= 16$

ल.स. $= 24 \times 16 = 384$

कथन I, II एवं III से, पहली संख्या × दूसरी संख्या = म.स. × ल.स.

$\Rightarrow 128 \times$ दूसरी संख्या $= 16 \times 384$

$\Rightarrow$ दूसरी संख्या $= \frac{16 \times 384}{128} = 48$

91. दो पाइपों की अधिकतम लंबाई =1.5 मीटर एवं 1.2 मीटर

द्रष्टव्यः

```
12)15(1
  -12
    3)12(4
     -12
       ×
```

$\therefore$ 1.5 एवं 1.2 मीटर का म.स. = 0.3 मीटर

अतः, प्रत्येक टुकड़े की अधिकतम लंबाई = 0.3 मीटर

92. 48, 72 एवं 108 सेकंड का ल.स.

2	48, 72, 108
2	24, 36, 54
2	12, 18, 27
3	6, 9, 27
3	2, 3, 9
	2, 1, 3

$\therefore$ ल.स. $= 2 \times 2 \times 2 \times 2 \times 3 \times 3 \times 3$ = 432 सेकंड
= 7 मिनट 12 सेकंड

अतः अगली बार तीन इलेक्ट्रॉनिक यंत्र एक साथ 10 : 7: 12 बजे बजेंगे

93. 5, 15 एवं 20 का म.स. = 5

इनका ल.स. = $3 \times 4 \times 5 = 60$

$\therefore$ अभीष्ट अनुपात =60 : 5 = 12 : 1

3 दशमलव भिन्नें (DECIMAL FRACTIONS)

सामान्य नियम

दशमलव भिन्नें: ऐसी भिन्नात्मक संख्याएँ जिनके हर 10 की घात में हों, दशमलव भिन्नें कहलाती हैं।

जैसे: $\frac{3}{10}, \frac{9}{100}, \frac{17}{1000}$ आदि.

इन्हें हम लिखते हैं: $\frac{3}{10} = \cdot 3$, $\frac{9}{100} = \cdot 09$ तथा $\frac{17}{1000} = \cdot 017$.

$\frac{1}{10} = .1$ तथा इसे कहते हैं, 'दशमलव 1'. इसी प्रकार $\frac{2}{10} = \cdot 2, \frac{3}{10} = \cdot 3, \ldots, \frac{9}{10} = \cdot 9$.

$\frac{1}{100} = .01$ तथा इसे कहते हैं, 'दशमलव शून्य एक'. इसी प्रकार:

$\frac{2}{100} = \cdot 02, \frac{3}{100} = \cdot 03, \frac{9}{100} = \cdot 09, \frac{11}{100} = \cdot 11, \frac{12}{100} = \cdot 12, \ldots, \frac{99}{100} = \cdot 99$.

$\frac{1}{1000} = \cdot 001$ तथा इसे कहते हैं, 'दशमलव शून्य-शून्य एक'. इसी प्रकार:

$\frac{2}{1000} = .002, \frac{9}{1000} = .009, \frac{11}{1000} = .011, \frac{17}{1000} = .017, \ldots, \frac{99}{1000} = .099, \frac{101}{1000} = .101,$

$\frac{503}{1000} = .503, \frac{999}{1000} = .999$.

दशमलव भिन्न को साधारण भिन्न में बदलना:

नियम: दी गई दशमलव भिन्न को अंश में लिखें तथा हर में दशमलव बिन्दु के नीचे 1 के साथ उतनी शून्य लगायें जितने दशमलव बिन्दु के बाद के अंक हैं।

अब दशमलव बिन्दु को हटाकर प्राप्त संख्या को सरलतम रूप में लिखें।

उदाहरण 1. नीचे दी गई प्रत्येक दशमलव भिन्न को साधारण भिन्न में बदलो:

(i) 0.6 (ii) 3.64 (iii) 0.9075 (iv) 0.00056

हल: (i) $0.6 = \frac{6}{10} = \frac{3}{5}$. (ii) $3.64 = \frac{364}{100} = \frac{91}{25} = 3\frac{16}{25}$.

(iii) $0.9075 = \frac{9075}{10000} = \frac{363}{400}$. (iv) $.00056 = \frac{56}{100000} = \frac{7}{12500}$.

टिप्पणी 1. दशमलव बिन्दु के बाद के अंकों के अन्त में कितनी ही शून्य लगा दें, संख्या के मान में परिवर्तन नहीं होता। जैसे: 0.6 = 0.60 = 0.600 आदि.

टिप्पणी 2. यदि किसी भिन्न के अंश तथा हर में दशमलव स्थानों की संख्या समान हो, तो हम अंश तथा हर दोनों में से दशमलव बिन्दु हटा देते हैं।

उदाहरण 2. सरल करो: (i) $\frac{1\cdot 38}{2\cdot 53}$ (ii) $\frac{\cdot 355}{\cdot 426}$ (iii) $\frac{\cdot 25}{\cdot 0125}$

हल: (i) $\frac{1\cdot 38}{2\cdot 53} = \frac{138}{253} = \frac{6}{11}$. [अंश तथा हर को 138 व 253 के म०स० 23 से भाग देने पर]

(ii) $\frac{\cdot 355}{\cdot 426} = \frac{355}{426} = \frac{5}{6}$. [अंश तथा हर को 355 व 426 के म०स० 71 से भाग देने पर]

(iii) $\frac{\cdot 25}{\cdot 0125} = \frac{\cdot 2500}{\cdot 0125} = \frac{2500}{125} = 20$.

दशमलव भिन्नों को जोड़ना तथा घटाना

नियम: दी गई दशमलव भिन्नों को इस प्रकार लिखा जाता है कि दशमलव बिन्दु एक दूसरे के ऊपर नीचे रहे। अब इन संख्याओं को उसी प्रकार जोड़ा अथवा घटाया जाता है, जैसे साधारण संख्याओं को। उत्तर में दशमलव बिन्दु ठीक ऊपर लिये गये बिन्दुओं के नीचे लगाते हैं।

उदाहरण 3. निम्नलिखित के मान ज्ञात करो:

(i) 539 + 53.9 + 5.39 + .539 + .00539 + .6 = ? **(ii) 0.735 + 2.67 + 3.8 + 16.982 + 0.03457 = ?**

(iii) 63.061 – 19.9678 = ?

हल: जोड़ने के नियम को ध्यान रखें।

(i)
```
   539.0
    53.9
     5.39
     0.539
     0.00539
+    0.6
---------------
   599.43439
```

(ii)
```
    0.735
    2.67
    3.8
   16.982
+   0.03457
------------
   24.22157
```

(iii)
```
   63.0610
–  19.9678
-----------
   43.0932
```

दशमलव भिन्न की पूर्णांक से गुणा:

नियम: बिना दशमलव बिन्दु का ध्यान रखे इस संख्या को दिये गये पूर्णांक से गुणा करने पर प्राप्त गुणनफल में दशमलव बिन्दु उतने अंकों से पहले लगायें जितने कि दी गई दशमलव भिन्न वाली संख्या में हैं।

उदाहरण 4. मान ज्ञात कीजिए: (i) 26.5387 × 15 (ii) 0.00685 × 126

हल: (i) गुणा करने पर: 265387 × 15 = 3980805.

परन्तु दी गई संख्या में दशमलव के 4 स्थान हैं, अत: गुणनफल में भी 4 स्थान होंगे.

∴ 26.5387 × 15 = 398.0805.

(ii) गुणा करने पर: 685 × 126 = 86310.

परन्तु दी गई संख्या में दशमलव के 5 स्थान हैं, अत: गुणनफल में भी 5 स्थान होंगे.

∴ 0.00685 × 126 = 0.86310.

दशमलव भिन्नों की गुणा:

नियम: दी गई संख्याओं को बिना दशमलव बिन्दु के गुणा कर लेते हैं। गुणनफल में दशमलव बिन्दु उतने स्थानों पूर्व लेते हैं, जितना कि दी गई भिन्नों के दशमलव स्थानों का योग है।

उदाहरण 5. मान ज्ञात कीजिए: (i) 6.785 × 3.09 (ii) 1.01 × 2.4 × 0.003

हल: (i) बिना दशमलव बिन्दुओं के दी गई संख्याओं का गुणनफल लेने पर: 6785 × 309 = 2096565.

दी गई संख्याओं में दशमलव स्थानों का योग = (3 + 2) = 5.

अत: गुणनफल में 5 अंकों पूर्व दशमलव बिन्दु लगायें.

∴ 6.785 × 3.09 = 20.96565.

(ii) बिना दशमलव बिन्दुओं के दी गई संख्याओं का गुणनफल लेने पर: 101 × 24 × 3 = 7272.

दी गई संख्याओं में दशमलव स्थानों का योग = (2 + 1 + 3) = 6.

अत: गुणनफल में 6 अंकों पूर्व दशमलव बिन्दु लगायें.

∴ 1.01 × 2.4 × 0.003 = 0.007272.

दशमलव भिन्न को एक पूर्णांक से भाग देना:

नियम: दशमलव भिन्न को बिना दशमलव का ध्यान रखे दिये गये पूर्णांक से भाग दें तथा भागफल में उतने स्थानों से पूर्व दशमलव बिन्दु लगायें जितने दशमलव स्थान दी गई भिन्न में हैं।

उदाहरण 6. सरल कीजिए: (i) .0221 ÷ 17 (ii) 1.311 ÷ 23

हल: (i) बिना दशमलव बिन्दुओं के भाग देने पर: 221 ÷ 17 = 13.

दी गई भिन्न में दशमलव के चार स्थान हैं, अत: भागफल में भी दशमलव के चार स्थान होंगे.

∴ 0.0221 ÷ 17 = 0.0013.

(ii) बिना दशमलव बिन्दुओं के भाग देने पर: 1311 ÷ 23 = 57.

दी गई भिन्न में दशमलव के तीन स्थान हैं, अत: भागफल में भी दशमलव के तीन स्थान होंगे.

∴ 1.311 ÷ 23 = 0.057.

दशमलव भिन्न को दशमलव भिन्न से भाग देना:

नियम: भाज्य तथा भाजक प्रत्येक को 10 की ऐसी घात से गुणा करेंगे कि भाजक एक पूर्णांक बन जाये। अब उपरोक्त विधि से भाग देंगे।

उदाहरण 7. ***(i)* 0.0252 को 0.018 से भाग दीजिए.** ***(ii)* 73.2935 को 15.05 से भाग दीजिए.**

हल: *(i)* $\frac{0.0252}{0.018} = \frac{0.0252\times1000}{0.018\times1000} = \frac{25.2}{18} = 1.4.$ *(ii)* $\frac{73.2935}{15.05} = \frac{73.2935\times100}{15.05\times100} = \frac{7329.35}{1505} = 4.87.$

दशमलव भिन्नों के महत्तम समापवर्तक तथा लघुत्तम समापवर्त्य ज्ञात करना:

नियम: दी गई भिन्नों में, यदि आवश्यक हो तो शून्य लगाकर, दशमलव अंक बराबर कर लें। बिना दशमलव बिन्दु का ध्यान रखे, इन संख्याओं के महत्तम समापवर्तक अथवा लघुत्तम समापवर्त्य ज्ञात करके उतने स्थानों पूर्व दशमलव बिन्दु लगायें, जितने दशमलव स्थान प्रत्येक संख्या में हैं।

उदाहरण 8. 0.27, 1.8 तथा 3.6 का महत्तम समापवर्तक तथा लघुत्तम समापवर्त्य ज्ञात करें.

हल: दशमलव स्थान बराबर लेने पर हम दी गई संख्याओं को लिख सकते हैं: 0.27, 1.80 तथा 3.60.

बिना दशमलव बिन्दु के ये संख्याएँ हैं: 27, 180 तथा 360.

इन संख्याओं का महत्तम समापवर्तक = 9 तथा लघुत्तम समापवर्त्य = 1080.

दशमलव के दो स्थान लेने पर:

दी गई संख्याओं का महत्तम समापवर्तक = 0.09 तथा लघुत्तम समापवर्त्य = 10.8.

पुनरावृत्त दशमलव भिन्नें: यदि किसी दशमलव भिन्न में दशमलव के एक अथवा अधिक अंकों की लगातार पुनरावृत्ति हो तो ऐसी भिन्नें पुनरावृत्त दशमलव भिन्नें कहलाती हैं। ऐसी भिन्नों को व्यक्त करने के लिए पुनरावृत्त अंकों के सबसे पहले तथा अन्तिम अंक के ऊपर बिन्दु लगाते हैं अथवा पुनरावृत्त अंकों पर रेखा खींच देते हैं।

उदाहरणार्थ: *(i)* $\frac{2}{3} = 0.6666\ldots = 0.\dot{6} = 0.\overline{6}$.

(ii) $\frac{22}{7} = 3.142857142857\ldots = 3.\dot{1}4285\dot{7} = 3.\overline{142857}$.

(iii) $\frac{17}{90} = .1888\ldots = 0.1\dot{8} = 0.1\overline{8}.$

शुद्ध-पुनरावृत्त दशमलव भिन्न: ऐसी भिन्न जिसमें दशमलव बिन्दु के बाद के सभी अंकों की पुनरावृत्ति हो, शुद्ध पुनरावृत्त दशमलव भिन्न कहलाती है। जैसे: $0\cdot\overline{3}, 3\cdot\overline{142857}$ आदि.

शुद्ध-पुनरावृत्त दशमलव भिन्न को साधारण भिन्न में बदलना:

नियम: शुद्ध पुनरावृत्त दशमलव भिन्न को बिना दशमलव बिन्दु के अंश में लिखें तथा हर में 9 उतनी बार लें जितने अंकों की पुनरावृत्ति होती है।

उदाहरण 9. निम्नलिखित दशमलव भिन्नों को साधारण भिन्नों में बदलें:

***(i)* 0.3333 ....** ***(ii)* 0.676767.....** ***(iii)* 0.32513251.....**

हल: *(i)* $0.3333\ldots = 0.\overline{3} = \frac{3}{9} = \frac{1}{3}$. *(ii)* $0.676767\ldots = 0.\overline{67} = \frac{67}{99}$. *(iii)* $0.32513251\ldots = 0.\overline{3251} = \frac{3251}{9999}$.

मिश्रित-पुनरावृत्त दशमलव भिन्न: ऐसी भिन्न जिसमें दशमलव बिन्दु के बाद के कुछ अंकों की पुनरावृति नहीं होती तथा कुछ अंकों की पुनरावृत्ति होती है, मिश्रित-पुनरावृत्त दशमलव भिन्न कहलाती है।

मिश्रित-पुनरावृत्त दशमलव भिन्न को साधारण भिन्न में बदलना:

नियम: एक बार पुनरावृत्त भाग में से अपुनरावृत्त भाग घटाकर अंश में लेते हैं तथा हर में जितने पुनरावृत्त अंक हैं उतनी बार 9 लेकर उनके आगे उतनी शून्य लगाते हैं जितने अपुनरावृत्त अंक हैं।

उदाहरण 10. निम्नलिखित दशमलव भिन्नों को साधारण भिन्नों में बदलो:

***(i)* $0.1\overline{8}$** ***(ii)* $0.57\overline{6}$** ***(iii)* $0.12\overline{54}$** ***(iv)* $3.00\overline{72}$**

हल: *(i)* $0.1\overline{8} = \frac{(18-1)}{90} = \frac{17}{90}$. *(ii)* $0.57\overline{6} = \frac{(576-57)}{900} = \frac{519}{900}$.

(iii) $0.12\overline{54} = \frac{(1254-12)}{9900} = \frac{1242}{9900} = \frac{69}{550}$. *(iv)* $3.00\overline{72} = 3 + 0.00\overline{72} = 3 + \frac{(72-00)}{9900} = 3 + \frac{2}{275} = 3\frac{2}{275}$.

साधित उदाहरण

प्रश्न 1. संख्याओं 7.70, .07, .77, .007, 7.0007 को आरोही क्रम में लिखिए.

हल: स्पष्ट है कि $7.70 < .07 < .77 < 7.0007 < 7.70$.

प्रश्न 2. $\frac{4}{13}, \frac{7}{29}, \frac{13}{53}, \frac{123}{500}$ **को आरोही क्रम में लिखिए.**

हल: प्रत्येक दी गई संख्या को दशमलव भिन्न में बदलने पर:

$$\frac{4}{13} = 0.307,\ \frac{7}{29} = 0.241,\ \frac{13}{53} = 0.245,\ \frac{123}{500} = 0.246.$$

स्पष्ट है कि $0.241 < 0.245 < 0.246 < 0.307$.

अतः $\frac{7}{29} < \frac{13}{53} < \frac{123}{500} < \frac{4}{13}$.

प्रश्न 3. $\frac{2}{7}, \frac{3}{8}, \frac{5}{11}, \frac{9}{16}$ **को अवरोही क्रम में लिखिए.**

हल: प्रत्येक दी गई संख्या को दशमलव भिन्न में बदलने पर:

$$\frac{2}{7} = 0.285,\ \frac{3}{8} = 0.375,\ \frac{5}{11} = 0.454,\ \frac{9}{26} = 0.562.$$

स्पष्ट है कि $0.562 > 0.454 > 0.375 > 0.285$.

अतः $\frac{9}{16} > \frac{5}{11} > \frac{3}{8} > \frac{2}{7}$.

प्रश्न 4. $2\cdot\overline{47} + 3\cdot\overline{53} + 0\cdot\overline{05} = ?$

हल: दिया गया व्यंजक $= 2 + 0\cdot\overline{47} + 3 + 0\cdot\overline{53} + 0\cdot\overline{05} = 5 + \frac{47}{99} + \frac{53}{99} + \frac{5}{99} = 5 + \frac{(47+53+5)}{99} = 5 + \frac{105}{99}$

$$= 5 + 1\frac{6}{99} = 5 + 1 + \frac{6}{99} = 6 + \frac{6}{99} = 6\cdot\overline{06}.$$

प्रश्न 5. सरल कीजिए: $\frac{(.538 \times .538 - .462 \times .462)}{(1 - .924)}$.

हल: दिया गया व्यंजक $= \frac{(.538)^2 - (.462)^2}{.076} = \frac{(.538 + .462)(.538 - .462)}{.076} = \frac{1 \times 0.076}{0.076} = 1.$

प्रश्न 6. सरल कीजिए: $\left(\frac{6.431 \times 6.431 \times 6.431 + .569 \times .569 \times .569}{6.431 \times 6.431 - 6.431 \times .569 + .569 \times .569}\right)$

हल: दिया गया व्यंजक $= \frac{(6.431)^3 + (.569)^3}{(6.431)^2 - 6.431 \times .569 + (.569)^2} = \frac{(a^3 + b^3)}{(a^2 - ab + b^2)}$, जहाँ $a = 6.431$, $b = .569$

$$= \frac{(a+b)(a^2 - ab + b^2)}{(a^2 - ab + b^2)} = (a + b) = (6.431 + .569) = 7.$$

प्रश्न 7. सरल कीजिए: $\left(\frac{2.719 \times 2.719 \times 2.719 - 1.674 \times 1.674 \times 1.674}{2.719 \times 2.719 + 2.719 \times 1.674 + 1.674 \times 1.674}\right)$

हल: दिया गया व्यंजक $= \frac{\{(2\cdot719)^3 - (1\cdot674)^3\}}{(2\cdot719)^2 + 2\cdot719 \times 1\cdot674 + (1\cdot674)^2} = \frac{(a^3 - b^3)}{(a^2 + ab + b^2)}$, जहाँ $a = 2.719$, $b = 1.674$

$$= (a - b) = (2.719 - 1.674) = 1.045.$$

प्रश्नमाला 3

नीचे दिये गये प्रश्नों में ठीक उत्तर के सामने ठीक का चिह्न (✓) लगायें:

1. $6202.5 + 620.25 + 62.025 + 6.2025 + 0.62025 = ?$

(जीवन बीमा निगम परीक्षा, 2013)

(*a*) 689.159775 (*b*) 6891.59775
(*c*) 68915.9775 (*d*) 689159.775

2. नीचे प्रश्नावाचक चिह्न के स्थान पर लगभग कौन-सी संख्या होगी? $9876 \div 24.96 + 215.005 - ? = 309.99$

(बैंक पी०ओ० परीक्षा, 2013)

(*a*) 295 (*b*) 300
(*c*) 310 (*d*) 315
(*e*) 395

3. नीचे प्रश्नवाचक चिह्न के स्थान पर लगभग कौन-सी संख्या होगी? $957 \div 318.65 \times 16.22 + ? = 17.99 \times 5$

(एम०बी०ए० परीक्षा, 2012)

(*a*) 42 (*b*) 46
(*c*) 48 (*d*) 50
(*e*) 52

4. यदि $213 \times 16 = 3408$ हो, तो 1.6×21.3 का मान क्या होगा?

(*a*) 0.3408 (*b*) 3.408
(*c*) 34.08 (*d*) 340.8

5. यदि $168 \times 32 = 5376$ हो, तो $5.376 \div 16.8 = ?$

(*a*) 0.032 (*b*) 0.32
(*c*) 3.2 (*d*) 32

6. यदि $52416 \div 312 = 168$ हो, तो $52.416 \div 0.0168 = ?$

(*a*) 3.12 (*b*) 312
(*c*) 3120 (*d*) इनमे से कोई नहीं

7. यदि $\frac{547.527}{0.0082} = x$ हो, तो $\frac{547527}{82}$ का मान क्या होगा?

(*a*) $\frac{x}{10}$ (*b*) $10x$
(*c*) $100x$ (*d*) इनमें से कोई नहीं

8. $892.7 - 573.07 - 95.007 = ?$

(*a*) 224.623 (*b*) 224.777
(*c*) 233.523 (*d*) 414.637

9. $3889 + 12.952 - ? = 3854.002$

(बैंक पी०ओ० परीक्षा, 2012)

(*a*) 47.095 (*b*) 47.752
(*c*) 47.932 (*d*) 47.95

10. $832.58 - 242.31 = 779.84 - ?$

(*a*) 179.57 (*b*) 199.57
(*c*) 295.05 (*d*) इनमें से कोई नहीं

11. $138.009 + 341.981 - 146.305 = 123.6 + ?$

(*a*) 120.085 (*b*) 120.85
(*c*) 220.085 (*d*) इनमें से कोई नहीं

12. $3 \times 0.3 \times 0.03 \times 0.003 \times 30 = ?$

(होटल मैनेजमैन्ट परीक्षा, 2012)

(*a*) 0.0000243 (*b*) 0.000243
(*c*) 0.00243 (*d*) 0.0243

13. $0.34\overline{67} + 0.13\overline{33} = ?$ (होटल मैनेजमैन्ट परीक्षा, 2012)

(*a*) $0.4\bar{8}$ (*b*) $0.\overline{48}$
(*c*) $0.48\overline{01}$ (*d*) 0.48

14. $8.3\bar{1} + 0.\bar{6} + 0.00\bar{2} = ?$ (एस०एस०सी० परीक्षा, 2013)

(*a*) $8{\cdot}9\overline{12}$ (*b*) $8{\cdot}\overline{912}$
(*c*) $8{\cdot}\overline{979}$ (*d*) 8.98

15. 0.393939 ...... किस भिन्न के बराबर है?

(होटल मैनेजमैन्ट परीक्षा, 2014, 05)

(*a*) $\frac{39}{100}$ (*b*) $\frac{39}{100}$
(*c*) $\frac{39}{99}$ (*d*) $\frac{93}{100}$

16. यदि $47.2506 = 4A + \frac{7}{B} + 2C + \frac{5}{D} + 6E$ हो, तो $(5A + 3B + 6C + D + 3E)$ का मान है:

(*a*) 53.6003 (*b*) 53.603
(*c*) 153.6003 (*d*) 213.0003

(एस०एस०सी० परीक्षा, 2013)

17. $\frac{0{\cdot}009}{?} = 0.01$

(*a*) .0009 (*b*) 0.9
(*c*) .9 (*d*) 9

18. $.04 \times ? = .000016$

(*a*) 0.0004 (*b*) 0.04
(*c*) 4 (*d*) इनमें से कोई नहीं

19. यदि $(1^3 + 2^3 + ... + 9^3) = 2025$ हो, तो $[(0.11)^3 + (0.22)^3 + ... + (0.99)^3]$ का लगभग मान क्या होगा?

(*a*) 0.2695 (*b*) 0.3695
(*c*) 2.695 (*d*) 3.695

(एस०एस०सी० परीक्षा, 2013)

20. $\frac{0.0203 \times 2.92}{0.0073 \times 14.5 \times 0.7} = ?$

(*a*) 0.8 (*b*) 1.45
(*c*) 2.40 (*d*) 3.25

21. $\frac{8}{9}, \frac{9}{12}, \frac{7}{8}, \frac{5}{6}, \frac{17}{20}$ को चढ़ते क्रम में लिखने परन्तु आरम्भ से चौथा कौन-सा होगा?

(*a*) $\frac{5}{6}$ (*b*) $\frac{7}{8}$

(*c*) $\frac{8}{9}$ (*d*) $\frac{9}{12}$

(*e*) $\frac{17}{20}$

22. निम्न में से घटते क्रम में कौन-सी भिन्नें हैं?

(रेलवे परीक्षा, 2012)

(*a*) $\frac{5}{9}, \frac{8}{15}, \frac{11}{17}, \frac{7}{11}$ (*b*) $\frac{5}{9}, \frac{7}{11}, \frac{8}{15}, \frac{11}{17}$

(*c*) $\frac{11}{17}, \frac{7}{11}, \frac{5}{9}, \frac{8}{15}$ (*d*) $\frac{11}{17}, \frac{7}{11}, \frac{8}{15}, \frac{5}{9}$

23. निम्न में से चढ़ते क्रम में कौन-सी भिन्नें हैं?

(सी०डी०एस० परीक्षा, 2015)

(*a*) $\frac{16}{19}, \frac{17}{22}, \frac{11}{14}$ (*b*) $\frac{17}{22}, \frac{11}{14}, \frac{16}{19}$

(*c*) $\frac{11}{14}, \frac{16}{19}, \frac{17}{22}$ (*d*) $\frac{16}{19}, \frac{11}{14}, \frac{17}{22}$

24. $\frac{7}{13}, \frac{8}{15}, \frac{11}{13}, \frac{14}{33}$ में से सबसे छोटी भिन्न कौन-सी है?

(एस०एस०सी० परीक्षा, 2012)

(*a*) $\frac{7}{13}$ (*b*) $\frac{8}{15}$

(*c*) $\frac{11}{13}$ (*d*) $\frac{14}{33}$

25. $\frac{4}{5}, \frac{5}{7}, \frac{7}{9}, \frac{7}{6}$ में से सबसे छोटी भिन्न कौन-सी है?

(*a*) $\frac{4}{5}$ (*b*) $\frac{5}{7}$

(*c*) $\frac{7}{9}$ (*d*) $\frac{7}{6}$

26. निम्न में से कौन-सी भिन्न सबसे छोटी है?

(एम०बी०ए० परीक्षा, 2012)

(*a*) $\frac{75}{151}$ (*b*) $\frac{111}{221}$

(*c*) $\frac{113}{225}$ (*d*) $\frac{333}{998}$

27. निम्न में से कौन-सी भिन्न सबसे छोटी है?

(*a*) $\frac{7}{8}$ (*b*) $\frac{13}{16}$

(*c*) $\frac{15}{19}$ (*d*) $\frac{17}{21}$

28. $\frac{(2.3)^3 - 0.027}{(2.3)^2 + 0.69 + 0.09}$ का मान है:

(एम०बी०ए० परीक्षा, 2013)

(*a*) 2 (*b*) 2.273

(*c*) 2.327 (*d*) 3

29. $\frac{0.943 \times 0.943 - 0.943 \times 0.057 + 0.057 \times 0.057}{0.943 \times 0.943 \times 0.943 + 0.057 \times 0.057 \times 0.057}$ का मान है:

(एम०बी०ए० परीक्षा, 2015)

(*a*) 0.32 (*b*) 0.886

(*c*) 1.1286 (*d*) इनमें से कोई नहीं

30. $\left(\frac{0.125 + 0.027}{0.5 \times 0.5 + 0.09 - 0.15}\right)$ का मान है:

(एस०एस०सी० परीक्षा, 2012)

(*a*) 0.08 (*b*) 0.2

(*c*) 0.8 (*d*) 1

31. $\left(\frac{10.3 \times 10.3 \times 10.3 - 1}{10.3 \times 10.3 + 10.3 + 1}\right)$ का मान है:

(एस०एस०सी० परीक्षा, 2014)

(*a*) 9.3 (*b*) 10.3

(*c*) 11.3 (*d*) 12.3

32. $\left\{\frac{8(3.75)^3 + 1}{(7.5)^2 - 6.5}\right\}$ का मान है: (एस०एस०सी० परीक्षा, 2013)

(*a*) $\frac{9}{5}$ (*b*) 2.75

(*c*) 4.75 (*d*) 8.5

33. $\frac{(0.96)^3 - (0.1)^3}{(0.96)^2 + 0.096 + (0.1)^2}$ का मान है:

(एस०एस०सी० परीक्षा, 2014)

(*a*) 0.86 (*b*) 0.95

(*c*) 0.97 (*d*) 1.06

34. $\frac{(2.697 - 0.498)^2 + (2.697 + 0.498)^2}{2.697 \times 2.697 + 0.498 \times 0.498}$ का मान है:

(*a*) 0.5 (*b*) 2

(*c*) 2.199 (*d*) 3.195

35. $\frac{(0.137 + 0.098)^2 - (0.137 - 0.098)^2}{0.137 \times 0.098}$ का मान है:

(*a*) 0.039 (*b*) 0.235

(*c*) 0.25 (*d*) 4

36. $\left(\frac{1.49 \times 14.9 - 0.51 \times 5.1}{14.9 - 5.1}\right)$ का मान है:

(एस०एस०सी० परीक्षा, 2014)

(*a*) 0.2 (*b*) 2

(*c*) 20 (*d*) 22

37. $\dfrac{(0.6)^4-(0.5)^4}{(0.6)^2+(0.5)^2}=?$

(*a*) 0.1 (*b*) 0.11
(*c*) 1.1 (*d*) 11

38. $\dfrac{(8.6\times5.3+8.6\times4.7)}{(4.3\times9.7-4.3\times8.7)}=?$

(*a*) 3.3 (*b*) 6.847
(*c*) 13.9 (*d*) 20

39. $\dfrac{(36.54)^2-(3.46)^2}{?}=40$

(*a*) 3.308 (*b*) 4
(*c*) 33.08 (*d*) 330.8

40. $\dfrac{4.2\times4.2-1.9\times1.9}{2.3\times6.1}=?$

(*a*) 0.5 (*b*) 1
(*c*) 1.9 (*d*) 4.2

41. $\dfrac{.896\times.753+.896\times.247}{.8\times.057+.8\times.943}=?$

(*a*) 11.2 (*b*) 112
(*c*) .112 (*d*) 1.12

42. यदि $1.125\times10^n=0.001125$ हो, तो n का मान होगा:
(*a*) – 4 (*b*) – 3
(*c*) – 2 (*d*) – 1

43. 1.75, 5.6 तथा 7 का महत्तम समापवर्तक क्या होगा?
(*a*) 0.7 (*b*) 0.07
(*c*) 3.5 (*d*) 0.35

44. 1.08, 0.36 तथा 0.9 का महत्तम समापवर्तक क्या होगा?
(जनरल बीमा परीक्षा, 2013)
(*a*) 0.03 (*b*) 0.9
(*c*) 0.18 (*d*) 0.108

45. 3, 2.7 तथा .09 का लघुत्तम समापवर्त्य क्या है?
(*a*) 2.7 (*b*) 0.27
(*c*) 0.027 (*d*) 27

46. 0.54, 1.8 तथा 7.2 का लघुत्तम समापवर्त्य क्या है?
(*a*) 21.60 (*b*) 2.16
(*c*) 216 (*d*) 0.216

47. 1 सैकण्ड, 1 घण्टे का कितना दशमलव भाग है?
(*a*) 0.0025 (*b*) 0.0256
(*c*) 0.00027 (*d*) 0.000126

48. यदि 1 लीटर पानी का भार 1 किग्रा० हो, तो 0.1 ग्राम पानी का आयतन कितने घन मिली-लीटर है?
(*a*) 0.1 (*b*) 1
(*c*) 10 (*d*) 100

49. यदि $a=4.36, b=2.39$ तथा $c=1.97$ हो, तो $a^3-b^3-c^3-3abc$ का मान होगा:
(*a*) 0 (*b*) 1
(*c*) 2.39 (*d*) 3.94
(एस०एस०सी० परीक्षा, 2012)

50. यदि $a=0.25, b=-0.05, c=0.5$, तो $\dfrac{a^2-b^2-c^2-2bc}{a^2+b^2+2ab-c^2}$ का मान क्या होगा?

(*a*) $\dfrac{1}{2}$ (*b*) $\dfrac{2}{3}$

(*c*) – 0.2 (*d*) 0
(एस०एस०सी० परीक्षा, 2014)

51. $\dfrac{1}{250}=?$ **(नवोदय विद्यालय परीक्षा, 2015)**

(*a*) 0.4 (*b*) 0.04
(*c*) 0.004 (*d*) 0.0004

52. $(0.25+0.50\div0.25)\times\dfrac{4}{9}$ का मान क्या है?
(नवोदय विद्यालय परीक्षा, 2015)

(*a*) 1 (*b*) $\dfrac{9}{4}$

(*c*) $\dfrac{4}{9}$ (*d*) $\dfrac{4}{3}$

53. $\left(2+\dfrac{1}{10}+\dfrac{1}{100}+\dfrac{1}{1000}\right)=?$
(नवोदय विद्यालय परीक्षा, 2014)

(*a*) 2.111 (*b*) 2.011
(*c*) 2.064 (*d*) 2.044

54. $\left(\dfrac{1\cdot001}{10\cdot01}+\dfrac{1001}{100\cdot1}\right)$ का मान है:
(जवाहर नवोदय विद्यालय परीक्षा, 2010)

(*a*) 1.10 (*b*) 10.10
(*c*) 10.01 (*d*) 101

55. तीन व्यक्तियों ने ₹ 3, ₹ 5.25 तथा ₹ 6.75 के कुछ संतरे खरीदे, एक संतरे का अधिकतम मूल्य क्या हो सकता है?
(जवाहर नवोदय विद्यालय परीक्षा, 2012)
(*a*) 25 पैसे (*b*) 75 पैसे
(*c*) 1 रु० (*d*) 1.25 रु०

56. 5.125 को भिन्न के रूप में लिखेंगे:
(जवाहर नवोदय विद्यालय परीक्षा, 2013)

(*a*) $5\dfrac{1}{125}$ (*b*) $5\dfrac{1}{8}$

(*c*) $5\dfrac{1}{25}$ (*d*) $51\dfrac{1}{4}$

57. यदि 3.003 तथा 2.050 के अन्तर को उनके योग में जोड़ें तो प्राप्त होगा:

(*a*) 5.053 (*b*) 5.100
(*c*) 6.006 (*d*) 5.953

(जवाहर नवोदय विद्यालय परीक्षा, 2010)

58. $4.5 - (3.2 \div 0.8 \times 5) + 3 \times 4 \div 6$ का मान है।
(*a*) −13.5 (*b*) 4.2 (*c*) − 8.5 (*d*) 5.7
[एसएससी सीजीएल टियर-I सीबीई परीक्षा, 2019]

59. $3.8 - (4.2 \div 0.7 \times 3) + 5 \times 2 \div 0.5$ का मान है।
(*a*) 5.8 (*b*) 18.4 (*c*) 21.8 (*d*) 15.6
[एसएससी सीजीएल टियर-I सीबीई परीक्षा, 2019]

60. $415.9 \div 4.02 + 13.04 \times 28.978$ लगभग है:
(*a*) 480 (*b*) 470 (*c*) 410 (*d*) 490
[आईबीपीएस पीओ प्री 2019]

61. यदि $14.35 - (1.956 - x) - 83.92 = 3.858$ है, तो x का मान क्या है? [एसएससी सीजीएल टियर-I सीबीई परीक्षा, 2017]
(*a*) −92.456 (*b*) 75.384
(*c*) 71.472 (*d*) 104.084

62. $\dfrac{5.6 \times 0.36 + 0.42 \times 3.2}{0.8 \times 2.1}$ का मान क्या है?
[एसएससी सीजीएल टियर-II सीबीई परीक्षा, 2018]
(*a*) 2 (*b*) 1 (*c*) 3 (*d*) $\dfrac{3}{2}$

63. $(767 \div 6)$ का ?% = 7.889^2 [आईबीपीएस पीओ प्री 2019]
(*a*) 25 (*b*) 60 (*c*) 40 (*d*) 50

64. $319.89 - 15.03 \times 3.692 = 1039.88 \div ?$
(*a*) 6 (*b*) 8 (*c*) 4 (*d*) 2
[आईबीपीएस पीओ प्री 2019]

65. $5376.124 \div 11.956 \div ? = 55$ [एसबीआई क्लर्क 2018]
(*a*) 8 (*b*) 6 (*c*) 10 (*d*) 12

66. $124.001 \times 14.001 \div 3.4999 + 2^2 = ?$
[एसबीआई क्लर्क 2018]
(*a*) 500
(*b*) 450
(*c*) 525
(*d*) इनमें से कोई नहीं

67. $7.2 + (8.4 \div 0.12 \times 0.2) - 5 \times 3 \div 0.05 + 3$ का मान है–
[एसएससी सीजीएल टियर-I सीबीई परीक्षा, 2019]
(*a*) − 75.8 (*b*) − 275.8
(*c*) 21.2 (*d*) − 175.8

68. $5.8 + (7.4 \div 3.7 \times 5) - 6 \times 2 \div 2.5$ का मान है–
[एसएससी सीजीएल टियर-I सीबीई परीक्षा, 2019]
(*a*) 12 (*b*) 11 (*c*) 10 (*d*) 9

उत्तरमाला

1. (*b*)	2. (*b*)	3. (*a*)	4. (*c*)	5. (*b*)	6. (*c*)	7. (*a*)	8. (*a*)	9. (*d*)	10. (*d*)
11. (*d*)	12. (*c*)	13. (*c*)	14. (*d*)	15. (*c*)	16. (*c*)	17. (*b*)	18. (*a*)	19. (*c*)	20. (*a*)
21. (*b*)	22. (*c*)	23. (*b*)	24. (*d*)	25. (*b*)	26. (*d*)	27. (*c*)	28. (*a*)	29. (*d*)	30. (*c*)
31. (*a*)	32. (*d*)	33. (*a*)	34. (*b*)	35. (*d*)	36. (*b*)	37. (*b*)	38. (*d*)	39. (*c*)	40. (*b*)
41. (*d*)	42. (*b*)	43. (*d*)	44. (*c*)	45. (*d*)	46. (*a*)	47. (*c*)	48. (*d*)	49. (*a*)	50. (*b*)
51. (*c*)	52. (*a*)	53. (*a*)	54. (*b*)	55. (*b*)	56. (*b*)	57. (*c*)	58. (*a*)	59. (*a*)	60. (*a*)
61. (*b*)	62. (*a*)	63. (*d*)	64. (*c*)	65. (*a*)	66. (*a*)	67. (*b*)	68. (*b*)		

दिये गये प्रश्नों के हल

1.
6202.5
620.25
62.025
6.2025
0.62025
―――――
6891.59775

2. $\dfrac{9875}{25} + 215 - x = 310$

$\Leftrightarrow \quad x = \dfrac{9875}{25} + 215 - 310 = 395 + 215 - 310 = 300.$

3. $\dfrac{957}{319} \times 16 + x = 18 \times 5 \Leftrightarrow (3 \times 16) + x = 90$

$\Leftrightarrow x = (90 - 48) = 42.$

4. गुणनफल में दशमलव के स्थानों की संख्या $= (1 + 1) = 2.$
$\therefore \quad 213 \times 16 = 3408 \Leftrightarrow 1.6 \times 21.3 = 34.08.$

5. भागफल में दशमलव के स्थानों की संख्या $= (3 - 1) = 2.$

अब, $\dfrac{5376}{168} = 32 \Leftrightarrow \dfrac{5{\cdot}376}{16{\cdot}8} = 0.32.$

6. $\dfrac{52.416}{0.0168} = \dfrac{52.416 \times 10^4}{0.0168 \times 10^4} = \dfrac{524160}{168} = 3120.$

7. $\dfrac{547.527}{0.0082} = \dfrac{547.527 \times 10^4}{0.0082 \times 10^4} = \dfrac{5475270}{82} = \dfrac{547527}{82} \times 10$

$\therefore \quad x = \dfrac{547527}{82} \times 10 \Leftrightarrow \dfrac{547527}{82} = \dfrac{x}{10}.$

8. $892.7 - (573.07 + 95.007) = (892.7 - 668.077) = 224.623.$

9. $3889 + 12.952 - x = 3854.002$

$\Leftrightarrow\ x = 3889 + 12.952 - 3854.002$

$\Leftrightarrow\ x = 3901.952 - 3854.002 = 47.95.$

10. $832.58 - 242.31 = 779.84 - x \Leftrightarrow 590.27 = 779.84 - x$

$\Leftrightarrow\ x = (779.84 - 590.27) = 189.57.$

11. $138.009 + 341.981 - 146.305 = 123.6 + x$

$\Leftrightarrow\ x = (138.009 + 341.981) - (146.305 + 123.6)$

$= (479.99) - (269.905) = 210.085.$

12. बिना दशमलव बिन्दु के गुणनफल $= (3 \times 3 \times 3 \times 3 \times 30) = 2430.$

दशमलव बिन्दु के स्थानों का योग $= (1 + 2 + 3) = 6.$

$\therefore$ अभीष्ट गुणनफल $= 0.002430 = 0.00243.$

13. $0{\cdot}34\overline{67} + 0{\cdot}13\overline{33} = \dfrac{(3467-34)}{9900} + \dfrac{(1333-13)}{9900}$

$= \dfrac{(3433+1320)}{9900} = \dfrac{4753}{9900} = 0{\cdot}48\overline{01}.$

14. $8{\cdot}3\bar{1} + 0{\cdot}\bar{6} + 0{\cdot}00\bar{2} = 8 + 0{\cdot}3\bar{1} + 0{\cdot}\bar{6} + 0{\cdot}00\bar{2}$

$= 8 + \dfrac{(31-3)}{90} + \dfrac{6}{9} + \dfrac{(2-0)}{900} = 8 + \dfrac{28}{90} + \dfrac{6}{9} + \dfrac{2}{900}$

$= 8 + \dfrac{(280+600+2)}{900} = 8 + \dfrac{882}{900} = 8{\cdot}98.$

15. $0.393939\ldots = 0{\cdot}\overline{39} = \dfrac{39}{99}.$

16. $4A + \dfrac{7}{B} + 2C + \dfrac{5}{D} + 6E = 47.2506$

$= 40 + 7 + 0.2 + 0.05 + 0.0006$

$\Rightarrow\ 4A = 40,\ \dfrac{7}{B} = 7,\ 2C = 0.2,\ \dfrac{5}{D} = 0.05,\ 6E = 0.0006$

$\Rightarrow\ A = 10, B = 1, C = 0.1, D = 100, E = 0.0001$

$\Rightarrow\ 5A + 3B + 6C + D + 3E = 50 + (3 \times 1) + (6 \times 0.1) + 100 + (3 \times 0.0001) = 153.6003.$

17. माना $\dfrac{0{\cdot}009}{x} = 0{\cdot}01 \Leftrightarrow x = \dfrac{0{\cdot}009}{0{\cdot}010} = \dfrac{9}{10} = 0.9.$

18. माना $.04 \times x = .000016$

$\Leftrightarrow\ x = \dfrac{{\cdot}000016}{{\cdot}04} = \dfrac{0{\cdot}000016}{4} \times 100 = \dfrac{0{\cdot}0016}{4} = 0.0004.$

19. दिया गया व्यंजक $= (0.11)^3 \times (1^3 + 2^3 + 3^3 + \ldots + 9^3)$

$= (0.11 \times 0.11 \times 0.11 \times 2025)$

$= 0.001331 \times 2025 = 2.695275 \simeq 2.695.$

20. अंश में दशमलव स्थानों का योग = 6 = हर में दशमलव स्थानों का योग

दिया गया व्यंजक $= \dfrac{203 \times 292}{73 \times 145 \times 7} = \dfrac{4}{5} = 0.8.$

21. प्रत्येक को दशमलव भिन्न में बदलने पर:

$\dfrac{8}{9} = 0{\cdot}88,\ \dfrac{9}{12} = 0{\cdot}75,\ \dfrac{7}{8} = 0{\cdot}875,\ \dfrac{5}{6} = 0{\cdot}833,\ \dfrac{17}{20} = 0.85$

$0.75 < 0.833 < 0.85 < 0.875 < 0.88 \Leftrightarrow \dfrac{9}{12} < \dfrac{5}{6} < \dfrac{17}{20} < \dfrac{7}{8} < \dfrac{8}{9}$

अत: आरम्भ से चौथा $= \dfrac{7}{8}.$

22. $\dfrac{5}{9} = 0{\cdot}555,\ \dfrac{8}{15} = 0{\cdot}533\ldots,\ \dfrac{11}{17} = 0{\cdot}647,\ \dfrac{7}{11} = 0{\cdot}636\ldots$

$0.647 > 0.636 > 0.555 > 0.533 \Leftrightarrow \dfrac{11}{17} > \dfrac{7}{11} > \dfrac{5}{9} > \dfrac{8}{15}.$

23. $\dfrac{16}{19} = 0{\cdot}84,\ \dfrac{17}{22} = 0{\cdot}772,\ \dfrac{11}{14} = 0{\cdot}785.$

$\therefore\ 0.772 < 0.785 < 0.84 \Leftrightarrow \dfrac{17}{22} < \dfrac{11}{14} < \dfrac{16}{19}.$

24. $\dfrac{7}{13} = 0{\cdot}538,\ \dfrac{8}{15} = 0{\cdot}533\ldots,\ \dfrac{11}{13} = 0{\cdot}846,\ \dfrac{14}{33} = 0{\cdot}424$

अत: सबसे छोटी भिन्न $\dfrac{14}{33}$ है.

25. $\dfrac{4}{5} = 0{\cdot}8,\ \dfrac{5}{7} = 0{\cdot}714,\ \dfrac{7}{9} = 0{\cdot}777,\ \dfrac{7}{6} = 1{\cdot}16$

अत: सबसे छोटी भिन्न $\dfrac{5}{7}$ है.

26. $\dfrac{75}{151} = 0{\cdot}496,\ \dfrac{111}{221} = 0{\cdot}50226,\ \dfrac{113}{225} = 0{\cdot}50222,$

$\dfrac{333}{998} = 0{\cdot}333\ldots$

अत: सबसे छोटी $\dfrac{333}{998}$ है.

27. $\dfrac{7}{8} = 0{\cdot}875,\ \dfrac{13}{16} = 0{\cdot}8125,\ \dfrac{15}{19} = 0{\cdot}789,\ \dfrac{17}{21} = 0{\cdot}8095$

स्पष्ट है कि इनमें सबसे छोटी भिन्न $\dfrac{15}{19}$ है.

28. दिया गया व्यंजक $= \dfrac{(2{\cdot}3)^3 - (0{\cdot}3)^3}{(2{\cdot}3)^2 + 2{\cdot}3 \times 0{\cdot}3 + (0{\cdot}3)^2} = \dfrac{(a^3 - b^3)}{(a^2 + ab + b^2)},$

जहाँ $a = 2.3,\ b = 0.3$

$= (a - b) = (2.3 - 0.3) = 2.$

29. दिया गया व्यंजक $= \dfrac{(a^2 - ab + b^2)}{(a^3 + b^3)} = \dfrac{(a^2 - ab + b^2)}{(a^2 - ab + b^2)(a + b)}$

$= \dfrac{1}{(a+b)} = \dfrac{1}{(0{\cdot}943 + 0{\cdot}057)} = 1.$

30. दिया गया व्यंजक $= \dfrac{(0{\cdot}5)^3 + (0{\cdot}3)^3}{(0{\cdot}5)^2 - 0{\cdot}5 \times 0{\cdot}3 + (0{\cdot}3)^2} = \dfrac{(a^3 + b^3)}{(a^2 - ab + b^2)},$

जहाँ $a = 0.5,\ b = 0.3$

$= \dfrac{(a+b)(a^2 - ab + b^2)}{(a^2 - ab + b^2)} = (a + b)$

$= (0.5 + 0.3) = 0.8.$

31. दिया गया व्यंजक $= \dfrac{(10{\cdot}3)^3 - 1^3}{(10{\cdot}3)^2 + (10{\cdot}3 \times 1) + 1^2} = \dfrac{(a^3 - b^3)}{(a^2 + ab + b^2)},$

जहाँ $a = 10.3,\ b = 1$

$= \dfrac{(a-b)(a^2 + ab + b^2)}{(a^2 + ab + b^2)}$

$= (a - b) = (10.3 - 1) = 9.3.$

32. दिया गया व्यंजक $= \dfrac{(2\times3\cdot75)^3+1^3}{(7\cdot5)^2-6\cdot5} = \dfrac{(7\cdot5)^3+1^3}{(7\cdot5)^2-7\cdot5\times1+1^2}$

$= \dfrac{(a^3+b^3)}{(a^2-ab+b^2)} = (a+b) = (7.5+1) = 8.5.$

33. दिया गया व्यंजक $= \dfrac{(0\cdot96)^3-(0\cdot1)^3}{(0\cdot96)^2+0\cdot96\times0\cdot1+(0\cdot1)^2}$

$= \dfrac{(a^3-b^3)}{(a^2+ab+b^2)} = \dfrac{(a-b)(a^2+ab+b^2)}{(a^2+ab+b^2)}$

$= (a-b) = (0.96-0.1) = 0.86.$

34. दिया गया व्यंजक $= \dfrac{(a-b)^2+(a+b)^2}{(a^2+b^2)} = \dfrac{2(a^2+b^2)}{(a^2+b^2)} = 2.$

35. दिया गया व्यंजक $= \dfrac{(a+b)^2-(a-b)^2}{ab} = \dfrac{4ab}{ab} = 4.$

36. दिया गया व्यंजक $= \dfrac{10(1\cdot49\times14\cdot9-0\cdot51\times5\cdot1)}{10(14\cdot9-5\cdot1)}$

$= \dfrac{(14\cdot9\times14\cdot9-5\cdot1\times5\cdot1)}{10(14\cdot9-5\cdot1)} = \dfrac{(14\cdot9)^2-(5\cdot1)^2}{10\times(14\cdot9-5\cdot1)}$

$= \dfrac{(14\cdot9+5\cdot1)(14\cdot9-5\cdot1)}{10\times(14\cdot9-5\cdot1)} = \dfrac{20}{10} = 2.$

37. दिया गया व्यंजक $= \dfrac{(a^4-b^4)}{(a^2+b^2)} = (a^2-b^2) = (a+b)(a-b)$

$= (0.6+0.5)(0.6-0.5) = (1.1\times0.1) = 0.11.$

38. दिया गया व्यंजक $= \dfrac{8\cdot6\times(5\cdot3+4\cdot7)}{4\cdot3\times(9\cdot7-8\cdot7)} = \dfrac{8\cdot6\times10}{4\cdot3\times1}$

$= (2\times10) = 20.$

39. माना $\dfrac{(36\cdot54)^2-(3\cdot46)^2}{x} = 40.$ तब,

$x = \dfrac{(36\cdot54)^2-(3\cdot46)^2}{40} = \dfrac{(36\cdot54+3\cdot46)(36\cdot54-3\cdot46)}{40}$

$\therefore \quad x = \dfrac{40\times33\cdot08}{40} = 33.08.$

40. दिया गया व्यंजक $= \dfrac{(4\cdot2)^2-(1\cdot9)^2}{2\cdot3\times6\cdot1} = \dfrac{(4\cdot2+1\cdot9)(4\cdot2-1\cdot9)}{2\cdot3\times6\cdot1}$

$= \dfrac{6\cdot1\times2\cdot3}{2\cdot3\times6\cdot1} = 1.$

41. दिया गया व्यंजक $= \dfrac{\cdot896\times(\cdot753+\cdot247)}{\cdot8\times(\cdot057+\cdot943)} = \dfrac{\cdot896\times1}{\cdot8\times1}$

$= \dfrac{\cdot896}{\cdot8} = \dfrac{896}{800} = \dfrac{112}{100} = 1.12.$

42. $10^n = \dfrac{0\cdot001125}{1\cdot125} = \dfrac{1\cdot125}{1125} = \dfrac{1\cdot125\times10^3}{1125\times10^3} = \dfrac{1125}{1125\times10^3} = \dfrac{1}{10^3}$

$= 10^{-3} \Leftrightarrow n = -3.$

43. दशमलव के दो स्थानों तक लिखने पर दी गई संख्याएँ हैं 1.75, 5.60 तथा 7.00.

अब, 175, 560 तथा 700 का महत्तम समापवर्तक = 35.

$\therefore$ दी गई संख्याओं का महत्तम समापवर्तक

= 0.35 (दशमलव के 2 स्थान लेने पर)

44. दशमलव के दो स्थानों तक लिखने पर दी गई संख्याएँ हैं 1.08, 0.36 तथा 0.90.

अब 108, 36 तथा 90 का महत्तम समापवर्तक = 18.

$\therefore$ दी गई संख्याओं का महत्तम समापवर्तक = 0.18.

45. दी गई संख्याएँ हैं 3.00, 2.70 तथा 0.09 (दशमलव के 2 स्थानों तक)

बिना दशमलव के ये संख्याएँ हैं 300, 270 तथा 9.

300, 270, 9 का लघुत्तम समापवर्त्य = 2700.

$\therefore$ दी गई संख्याओं का लघुत्तम समापवर्त्य = 27.00 अर्थात् 27.

46. दी गई संख्याएँ हैं: 0.54, 1.80 तथा 7.20 (दशमलव के 2 स्थानों तक)

बिना दशमलव बिन्दु के, ये संख्याएँ हैं 54, 180, 720.

54, 180, 720 का लघुत्तम समापवर्त्य = 2160.43

$\therefore$ दी गई संख्याओं का लघुत्तम समापवर्त्य = 21.60.

47. अभीष्ट भाग $= \dfrac{1}{60\times60} = \dfrac{1}{3600} = .00027.$

48. 1000 ग्राम भार वाले पानी का आयतन = 1000 घन सेमी०.

1 ग्राम भार वाले पानी का आयतन

= 1 घन सेमी० = 1000 घन मिलीमीटर.

$\dfrac{1}{10}$ ग्राम भार वाले पानी का आयतन $= \left(\dfrac{1}{10}\times1000\right)$

= 100 घन मिलीमीटर.

49. $a = 4.36,\ -b = -2.39,\ -c = -1.97$

$\Rightarrow a + (-b) + (-c) = 0$

$\therefore\ a^3 + (-b)^3 + (-c)^3 - 3a \times (-b) \times (-c) = 0$

$\Leftrightarrow a^3 - b^3 - c^3 - 3abc = 0.$

50. $\dfrac{a^2-b^2-c^2-2bc}{a^2+b^2+2ab-c^2} = \dfrac{a^2-(b^2+c^2+2bc)}{(a^2+b^2+2ab)-c^2}$

$= \dfrac{a^2-(b+c)^2}{(a+b)^2-c^2} = \dfrac{(a+b+c)(a-b-c)}{(a+b+c)(a+b-c)}$

$= \dfrac{a-b-c}{a+b-c} = \dfrac{0\cdot25+0\cdot05-0\cdot5}{0\cdot25-0\cdot05-0\cdot5} = \dfrac{0\cdot3-0\cdot5}{0\cdot25-0\cdot55} = \dfrac{-0\cdot2}{-0\cdot3} = \dfrac{2}{3}.$

51. 250)1000(.004

1000

×

$\therefore \quad \dfrac{1}{250} = 0.004$

52. $(0.25+0.50\div0.25)\times\dfrac{4}{9} = \left(0\cdot25+\dfrac{0\cdot50}{0\cdot25}\right)\times\dfrac{4}{9} = \left(\dfrac{25}{100}+2\right)\times\dfrac{4}{9}$

$= \left(\dfrac{1}{4}+2\right)\times\dfrac{4}{9} = \left(\dfrac{9}{4}\times\dfrac{4}{9}\right) = 1.$

53. $\left(2+\frac{1}{10}+\frac{1}{100}+\frac{1}{1000}\right) = (2 + 0.1 + 0.01 + 0.001) = 2.111.$

54. $\left(\frac{1\cdot001}{10\cdot01}+\frac{1001}{100\cdot1}\right)=\left(\frac{1\cdot001}{10\cdot010}+\frac{10010}{1001}\right)$

$=\left(\frac{1001}{10010}+\frac{10010}{1001}\right)=\left(\frac{1}{10}+10\right) = 10.10.$

55. ₹ 3.00, ₹ 5.25, ₹ 6.75 को बिना दशमलव के 300, 525, 675.
अब, 300, 525, 675 का महत्तम समापवर्तक = 75.
अत: एक संतरे का अधिकतम मूल्य = 75 पैसे

56. $5.125 = 5 + 0.125 = 5 + \frac{125}{1000} = 5+\frac{1}{8} = 5\frac{1}{8}.$

57. $(3.003 + 2.050) + (3.003 - 2.050) = 5.053 + 0.953 = 6.006.$

58. $4.5 - (3.2 \div 0.8 \times 5) + 3 \times 4 \div 6$

$= 4.5-\left[3.2\times\frac{10}{8}\times5\right]+3\times4\times\frac{1}{6}$

$= 4.5 - (20) + 2$

$= 6.5 - 20 = - 13.5$

अत: विकल्प (a) है।

59. $3.8 - (4.2 \div 0.7 \times 3) + 5 \times 2 \div 0.5$

$= 3.8-\left[\frac{4.2\times1}{0.7}\times3\right]+\frac{5\times2\times10}{5}$

$= 3.8 - (6 \times 3) + 20$

$= 23.8 - 18 = 5.8$

अत: विकल्प (a) है।

60. $416 \div 4 + 13 \times 29$

$= 416\times\frac{1}{4}+377 = 104 + 377 = 481 \approx 480$

61. $14.35 - (1.956 - x) - 83.92 - 3.858$

$= 14.35 - 1.956 + x - 83.92 - 3.858$

$\Rightarrow x - 71.526 = 3.858$

$x = 71.526 + 3.858 = 75.384$

62. $\frac{5.6\times0.36+0.42\times3.2}{0.8\times2.1}$

$=\frac{\frac{56}{10}\times\frac{36}{100}+\frac{42}{100}\times\frac{32}{10}}{\frac{8}{10}\times\frac{2.1}{10}}$

$=\frac{\frac{1}{1000}[56\times36+42\times32]}{\frac{1}{100}\,8\times21}$

$=\frac{1}{1000}\times\frac{100}{1}\left[\frac{8\times7\times3\times12+3\times2\times7\times8\times4}{8\times21}\right]$

$=\frac{1}{10}\left[8\times21\frac{(12+2\times4)}{8\times21}\right]=\frac{1}{10}\times(12+8)=\frac{1}{10}\times20=2$

63. $x\%$ का $(767 \div 6) = 8^2$

$x\%$ का $128 = 64$

$\frac{x}{100} \times 128 = 64$

$\Rightarrow x = \frac{64\times100}{128} = 50$

64. $319.89 - 15.03 \times 3.6925 = 1039.88 \div ?$

$320 - 15 \times 3.7 = 1040 \div x$

$\frac{1040}{x} = 265$

$\Rightarrow x = \frac{1040}{265} \approx 4$

65. $5376.124 \div 11.956 \div x = 55$

$5376 \div 12 \div x = 55$

$5376 \times \frac{1}{12}\times\frac{1}{x} = 55$

$\Rightarrow x = 56376 \times \frac{1}{12}\times\frac{1}{55}$

$= 448 \times \frac{1}{55} \approx 8.1 = 8$

66. $124.001 \times 14.001 \div 3.4999 + 2^2 = x$

$124 \times 14 \times \frac{1}{3.5} + 4 = x$

$\Rightarrow x = 124 \times 14 \times \frac{1}{3.5} + 4$

$= 124 \times 4 + 4$

$= 496 + 4 = 500$

67. $7.2 + (8.4 \div 0.12 \times 0.2) - 5 \times 3 \div 0.05 + 3$

$= 7.2+\left[\frac{8.4\times1}{0.12}\times0.2\right]-\frac{5\times3\times1}{0.05}+3$

$= 7.2+14-\frac{5\times3\times100}{5}+3$

$= 7.2 + 14 - 300 + 3$

$= 24.2 - 300 = - 275.8$

68. $5.8 + (7.4 \div 3.7 \times 5) - 6 \times 2 \div 2.5$

$= 5.8+\left(\frac{7.4\times1}{3.7}\times5\right)-\frac{6\times2\times1}{2.5}$

$= 5.8+(10)-\frac{6\times2\times10}{25}$

$= 5.8+10-\frac{24}{5}$

$= 15.8 - 4.8 = 11$

4 समान्तर, गुणोत्तर तथा हरात्मक श्रेढ़ियाँ (ARITHMETIC, GEOMETRIC AND HARMONIC PROGRESSIONS)

सामान्य नियम

समान्तर श्रेढ़ी (A.P.) तथा समान्तर श्रेणी:

संख्याएँ $a, (a+d), (a+2d), (a+3d), ...$ आदि समान्तर श्रेढ़ी में कहलाती हैं, जिसका **प्रथम पद** $= a$ **तथा सार्वअन्तर** $= d$.

इन्हें जोड़ने पर: $a + (a+d) + (a+2d) + ...$ **समान्तर श्रेणी** कहलाती है, जिसका प्रथम पद $= a$ तथा सार्वअन्तर $= d$.

समान्तर माध्य: यदि a, b, c समान्तर श्रेढ़ी में हों, तो b को a तथा c का समान्तर माध्य कहते हैं।

समान्तर श्रेणी के सूत्र

I. समान्तर श्रेणी $a + (a+d) + (a+2d) + ...$ का

(i) n वाँ पद, $t_n = a + (n-1)d$ (ii) प्रथम n पदों का योग, $S_n = \frac{n}{2}\{2a + (n-1)d\}$.

(iii) यदि $t_n = l =$ अन्तिम पद हो, तो $S_n = \frac{n}{2}(a + l)$

II. a तथा b का समान्तर माध्य $= \frac{1}{2}(a+b)$.

III. **कुछ विशेष योगफल**

(i) $(1 + 2 + 3 + ... + n) = \frac{1}{2}n(n+1)$ (ii) $(1^2 + 2^2 + 3^2 + ... + n^2) = \frac{1}{6}n(n+1)(2n+1)$

(iii) $(1^3 + 2^3 + 3^3 + ... + n^3) = \left\{\frac{1}{2}n(n+1)\right\}^2$.

गुणोत्तर श्रेढ़ी (G.P.) तथा गुणोत्तर श्रेणी

संख्या $a, ar, ar^2, ar^3, ...$ आदि गुणोत्तर श्रेढ़ी में कहलाती हैं, जिसका **प्रथम पद** $= a$ **तथा सार्वअनुपात** $= r$.

इन्हें जोड़ने पर $(a + ar + ar^2 + ar^3 + ...)$ गुणोत्तर श्रेणी प्राप्त होती है, जिसका प्रथम पद $= a$ तथा सार्वअनुपात $= r$.

गुणोत्तर माध्य: यदि a, b, c गुणोत्तर श्रेढ़ी में हों, तो b को a तथा c का गुणोत्तर माध्य कहते हैं।

गुणोत्तर श्रेणी के सूत्र

I. गुणोत्तर श्रेणी $a + ar + ar^2 + ar^3 + ...$ का

(i) n वाँ पद, $t_n = ar^{n-1}$ (ii) प्रथम n पदों का योग, $S_n = \begin{cases} \frac{a(r^n - 1)}{(r-1)}, & r > 1 \\ \frac{a(1-r^n)}{(1-r)}, & r < 1 \end{cases}$

II. अनन्त गुणोत्तर श्रेणी $(a + ar + ar^2 + ... \infty)$ का योग, $S = \frac{a}{(1-r)}$.

III. a तथा b का गुणोत्तर माध्य, $G.M. = \sqrt{ab}$.

IV. **कुछ विशेष परिणाम:**

(i) तीन संख्याएँ गुणोत्तर श्रेढ़ी में $\frac{a}{r}, a, ar$ लेते हैं. (ii) चार संख्याएँ गुणोत्तर श्रेढ़ी में $\frac{a}{r^3}, \frac{a}{r}, ar, ar^3$ लेते हैं.

हरात्मक श्रेणी (H.P.):

तीन संख्याएँ a, b, c हरात्मक श्रेढ़ी में होती हैं, यदि $\frac{1}{a}, \frac{1}{b}, \frac{1}{c}$ समान्तर श्रेढ़ी में हों।

साधित उदाहरण

प्रश्न 1. समान्तर श्रेढ़ी 5, 8, 11, 14, ... का n वाँ तथा 20 वाँ पद ज्ञात कीजिए.

हल: दी गई स० श्रेणी० में $a = 5$ तथा $d = (8 - 5) = 3$.

$\therefore$ nवाँ पद, $t_n = a + (n-1)d = 5 + (n-1) \times 3 = (3n + 2)$.

20वाँ पद, $t_{20} = (3 \times 20 + 2) = 62$.

प्रश्न 2. समान्तर श्रेढ़ी 2, – 1, – 4, – 7, ... का n वाँ तथा 15 वाँ पद ज्ञात कीजिए.

हल: दी गई स०श्रे० में $a = 2$ तथा $d = (-1 - 2) = -3$.

$\therefore$ nवाँ पद, $t_n = a + (n-1)d = 2 + (n-1) \times (-3) = (5 - 3n)$.

15वाँ पद, $t_{15} = (5 - 3 \times 15) = -40$.

प्रश्न 3. समान्तर श्रेढ़ी 4, 9, 14, 19, ... का कौन-सा पद 109 है?

हल: दी गई स०श्रे० में $a = 4, d = (9 - 4) = 5$ तथा माना $t_n = 109$.

अब, $t_n = 109 \Leftrightarrow a + (n-1)d = 109 \Leftrightarrow 4 + (n-1) \times 5 = 109 \Leftrightarrow n = 22$.

अत: दी गई श्रेढ़ी का 22वाँ पद 109 है.

प्रश्न 4. समान्तर श्रेढ़ी 5, 8, 11, 14, ..., 320 में कुल कितने पद हैं? इन पदों का योग भी ज्ञात कीजिए.

हल: दी गई समान्तर श्रेढ़ी में $a = 5,\ d = (8 - 5) = 3$ तथा माना इसमें कुल n पद हैं.

तब, $t_n = 320 \Leftrightarrow a + (n-1)d = 320 \Leftrightarrow 5 + (n-1) \times 3 = 320 \Leftrightarrow n = 106$.

अत: इस श्रेढ़ी में कुल 106 पद हैं तथा $l = 320$.

इन पदों का योग $= \dfrac{n}{2}(a+l) = \dfrac{106}{2} \times (5 + 320) = (53 \times 325) = 17225$.

प्रश्न 5. $(8^2 + 9^2 + 10^2 + 11^2 + ... + 50^2) = ?$

हल: अभीष्ट योग $= (1^2 + 2^2 + ... + 7^2 + 8^2 + ... + 50^2) - (1^2 + 2^2 + ... + 7^2)$

$$= \left(\frac{1}{6} \times 50 \times 51 \times 101\right) - \left(\frac{1}{6} \times 7 \times 8 \times 15\right) \qquad \left[\because (1^2 + 2^2 + ... + n^2) = \frac{1}{6}n(n+1)(2n+1)\right]$$

$= (42925 - 140) = 42785$.

प्रश्न 6. 7 से विभक्त होने वाली 100 से 1000 के बीच के सभी पूर्णांकों का योग ज्ञात करें.

हल: अभीष्ट योग $= (105 + 112 + 119 + ... + 994)$.

माना इनकी संख्या n है. तब, $a + (n-1)d = 994 \Leftrightarrow 105 + (n-1) \times 7 = 994 \Leftrightarrow n = 128$.

$\therefore$ अभीष्ट योग $= \dfrac{n}{2}(a+l) = \dfrac{128}{2} \times (105 + 994) = 70336$.

प्रश्न 7. यदि $1 + 6 + 11 + 16 + ... + x = 148$ हो, तो x का मान ज्ञात कीजिए.

हल: यह एक स०श्रे० है जिसमें $a = 1, d = 5$, माना $t_n = x$. दिया है $S_n = 148$.

अब, $S_n = 148 \Leftrightarrow \dfrac{n}{2} \times [2a + (n-1) \times d] = 148$

$\Leftrightarrow \dfrac{n}{2} \times [2 \times 1 + (n-1) \times 5] = 148 \Leftrightarrow 5n^2 - 3n - 296 = 0$

$\Leftrightarrow (n-8)(5n+37) = 0 \Leftrightarrow n = 8$.

$\therefore$ $x = n$ वाँ पद $= 8$ वाँ पद $= \{1 + (8-1) \times 5\} = 36$.

अत: $x = 36$.

प्रश्न 8. एक समान्तर श्रेढ़ी का प्रथम, द्वितीय तथा अन्तिम पद क्रमश: 4, 7 तथा 31 हैं. इसके पदों की संख्या कितनी है?

हल: यहाँ $a = 4, d = (7 - 4) = 3$ तथा $l = 31$.

माना पदों की संख्या $= n$. तब, $a + (n-1)d = 31 \Leftrightarrow 4 + (n-1) \times 3 = 31 \Leftrightarrow n = 10$.

अत: कुल पदों की संख्या = 10.

प्रश्न 9. गुणोत्तर श्रेढ़ी 3, 6, 12, 24, ... का व्यापक पद तथा 9वाँ पद ज्ञात कीजिए.

हल: इस गु० श्रे० में $a = 3$ तथा $r = \dfrac{6}{3} = 2$.

$\therefore$ व्यापक पद, n वाँ पद $= t_n = ar^{n-1} = (3 \times 2^{n-1})$

$\therefore$ 9 वाँ पद $= 3 \times 2^{(9-1)} = (3 \times 2^8) = (3 \times 256) = 768.$

प्रश्न 10. गुणोत्तर श्रेढ़ी 5, 10, 20, 40, ... का कौन-सा पद 5120 है?

हल: इस गु०श्रे० में $a = 5$ तथा $r = \frac{10}{5} = 2.$

माना n वाँ पद, $t_n = 5120$

तब, $ar^{n-1} = 5120 \Leftrightarrow 5 \times 2^{n-1} = 5120 \Leftrightarrow 2^{n-1} = 1024 = 2^{10} \Leftrightarrow n - 1 = 10 \Leftrightarrow n = 11.$

अतः दी गई श्रेढ़ी का 11 वाँ पद = 5120.

प्रश्न 11. श्रेढ़ी $\sqrt{3}, \sqrt{6}, 2\sqrt{3}$, ... का n वाँ पद क्या है? (यू०पी०एस०सी० परीक्षा 2014)

हल: यह एक गु०श्रे० है जिसमें $a = \sqrt{3}$ तथा $r = \sqrt{2}$.

$\therefore$ n वाँ पद $= ar^{n-1} = \sqrt{3} \times \left(\sqrt{2}\right)^{n-1}$.

प्रश्न 12. तीन संख्याएँ गुणोत्तर श्रेढ़ी में हैं जिनका योग 35 तथा गुणनफल 1000 है. ये संख्याएँ ज्ञात कीजिए.

हल: माना अभीष्ट संख्याएँ $\frac{a}{r}, a, ar$ हैं. तब, $\frac{a}{r} \times a \times ar = 1000 \Leftrightarrow a^3 = 1000 = (10)^3 \Leftrightarrow a = 10.$

तथा $\frac{a}{r} + a + ar = 35 \Leftrightarrow \frac{10}{r} + 10 + 10r = 35 \Leftrightarrow 10(1 + r + r^2) = 35r \Leftrightarrow 2(1 + r + r^2) = 7r$

$$\Leftrightarrow 2r^2 - 5r + 2 = 0 \Leftrightarrow (2r - 1)(r - 2) = 0 \Leftrightarrow r = \frac{1}{2} \text{ अथवा } r = 2.$$

$\therefore$ अभीष्ट संख्याएँ हैं 20, 10, 5 अथवा 5, 10, 20.

प्रश्न 13. गु०श्रे० $1 - \frac{1}{3} + \frac{1}{3^2} - \frac{1}{3^3} + \ldots$ का अनन्त पदों तक योग ज्ञात कीजिए.

हल: यहाँ $a = 1$ तथा $r = -\frac{1}{3}$.

$$\therefore S_\infty = \frac{a}{(1-r)} = \frac{1}{\left(1+\frac{1}{3}\right)} = \frac{3}{4}.$$

प्रश्न 14. श्रेढ़ी $\left(\frac{2}{5} + \frac{3}{5^2} + \frac{2}{5^3} + \frac{3}{5^4} + \ldots\infty\right)$ का मान ज्ञात कीजिए.

हल: अभीष्ट योग $= \left(\frac{2}{5} + \frac{2}{5^3} + \frac{2}{5^5} + \ldots\infty\right) + \left(\frac{3}{5^2} + \frac{3}{5^4} + \ldots\infty\right)$

$$= \frac{\left(\frac{2}{5}\right)}{\left(1-\frac{1}{25}\right)} + \frac{\left(\frac{3}{25}\right)}{\left(1-\frac{1}{25}\right)} = \left(\frac{2}{5} \times \frac{25}{24}\right) + \left(\frac{3}{25} \times \frac{25}{24}\right) = \left(\frac{5}{12} + \frac{1}{8}\right) = \frac{13}{24}.$$

अतः अभीष्ट योग $= \frac{13}{24}$.

प्रश्न 15. एक अनन्त गुणोत्तर श्रेढ़ी का योग 8 है. यदि इसका दूसरा पद 2 हो, तो प्रथम पद ज्ञात कीजिए.

हल: माना प्रथम पद $= a$ तथा सार्वअनुपात $= r$. तब $ar = 2$ ...(i) तथा $\frac{a}{(1-r)} = 8$ ...(ii)

(ii) में $r = \frac{2}{a}$ रखने पर: $\frac{a^2}{(a-2)} = 8 \Leftrightarrow (a^2 - 8a + 16) = 0 \Leftrightarrow (a - 4)^2 = 0 \Leftrightarrow a = 4.$

अतः अभीष्ट प्रथम पद = 4.

प्रश्न 16. $a^3 b$ तथा ab^3 का गुणोत्तर माध्य क्या होगा?

हल: अभीष्ट गु०मा० $= \sqrt{a^3b \times ab^3} = \sqrt{a^4b^4} = a^2b^2.$

प्रश्न 17. **दो धनात्मक संख्याएँ *a* तथा *b* दी गई हैं. सिद्ध कीजिए कि (*a* तथा *b* का समान्तर माध्य) ≥ (*a* तथा *b* का गुणोत्तर माध्य).**

हल: स०मा० $= \frac{1}{2}(a+b)$ तथा गु०मा० $= \sqrt{ab}$.

अब, $\frac{a+b}{2} - \sqrt{ab} = \frac{1}{2}\left[a+b-2\sqrt{a}\sqrt{b}\right] = \frac{1}{2}\left(\sqrt{a}-\sqrt{b}\right)^2 \geq 0 \Rightarrow \frac{a+b}{2} \geq \sqrt{ab}$

⇒ (स०मा०) ≥ (गु०मा०).

प्रश्न 18. **हरात्मक श्रेढ़ी $\frac{2}{5}, \frac{4}{15}, \frac{1}{5}$, ... का 9 वाँ पद क्या होगा?**

हल: संगत समान्तर श्रेढ़ी $\frac{5}{2}, \frac{15}{4}, \frac{5}{1}$ है.

इसमें $a = \frac{5}{2}$ तथा $d = \left(\frac{15}{4} - \frac{5}{2}\right) = \frac{5}{4}$.

$\therefore t_9 =$ 9 वाँ पद $= a + 8d = \frac{5}{2} + 8 \times \frac{5}{4} = \frac{5}{2} + 10 = \frac{25}{2}$.

$\therefore$ दी गई हरात्मक श्रेढ़ी का 9 वाँ पद $= \frac{2}{25}$.

प्रश्नमाला 4

निम्नलिखित में से प्रत्येक प्रश्न में ठीक उत्तर को चिह्नांकित (✓) कीजिए:

1. श्रेढ़ी 4, 9, 14, 19, ... का कौन-सा पद 109 है?
(*a*) 18 वाँ (*b*) 22 वाँ
(*c*) 14 वाँ (*d*) 16 वाँ

2. श्रेढ़ी 7, 10, 13, ... का कौन-सा पद 151 है?
(*a*) 50 वाँ (*b*) 45 वाँ
(*c*) 49 वाँ (*d*) 55 वाँ

3. श्रेढ़ी 1 + 3 + 5 + 7 + ... + 73 + 75 में कुल कितने पद हैं? (एस०एस०सी० परीक्षा, 2014)
(*a*) 28 (*b*) 30
(*c*) 36 (*d*) 38

4. श्रेढ़ी 201, 208, 215, ... , 369 में कुल कितने पद हैं? (बी०बी०एस० परीक्षा, 2014)
(*a*) 22 (*b*) 23
(*c*) 24 (*d*) 25

5. 3 तथा 200 के बीच 7 से विभक्त होने वाली कितनी प्राकृत संख्याएँ हैं? (एस०एस०सी० परीक्षा, 2013)
(*a*) 27 (*b*) 28
(*c*) 29 (*d*) 36

6. 51 से 100 तक की प्राकृत संख्याओं का योग कितना है? (एस०एस०सी० परीक्षा, 2014)
(*a*) 3775 (*b*) 4025
(*c*) 4275 (*d*) 5050

7. 100 से कम सभी सम प्राकृत संख्याओं का योग कितना है? (एम०बी०ए० परीक्षा, 2015)
(*a*) 2272 (*b*) 2352
(*c*) 2450 (*d*) 2468

8. (1 + 2 + 3 + ... + 49 + 50 + 49 + 48 + ... + 3 + 2 + 1) = ? (एस०एस०सी० परीक्षा, 2013)
(*a*) 1250 (*b*) 2500
(*c*) 2525 (*d*) 5000

9. यदि $a, a-2, 3a$ समान्तर श्रेढ़ी में हों, तो a = ? (रेलवे परीक्षा, 2014)
(*a*) −3 (*b*) −2
(*c*) 2 (*d*) 3

10. दो अंकों की सभी संख्याओं का कुल योग कितना है? (एस०एस०सी० परीक्षा, 2015)
(*a*) 4905 (*b*) 4945
(*c*) 4950 (*d*) 4995

11. 2 अथवा 5 से विभक्त होने वाली 1 से 100 तक की सभी प्राकृत संख्याओं का योग कितना है? (रेलवे परीक्षा, 2013)
(*a*) 3010 (*b*) 3000
(*c*) 3050 (*d*) 3150

12. 6 से पूर्णतया विभक्त होने वाली तीन अंकों की कितनी संख्याएँ हैं? (जीवन बीमा निगम परीक्षा, 2013; एस०एस०सी० परीक्षा, 2015)
(*a*) 149 (*b*) 150
(*c*) 151 (*d*) 166

13. $(1^3 + 2^3 + 3^3 + ... + 15^3) - (1 + 2 + 3 + ... + 15)$ का मान है: (मैनेजमैन्ट परीक्षा, 2011)

(*a*) 12280 (*b*) 13280
(*c*) 14280 (*d*) 14400

14. एक समान्तर श्रेणी का प्रथम पद 6 तथा सार्वअन्तर 5 है. इसका 11 वाँ पद कितना होगा? **(होटल मैनेजमैन्ट परीक्षा, 2013)**
(*a*) 5 (*b*) 41
(*c*) 46 (*d*) 56
(*e*) इनमें से कोई नहीं

15. 10 से 200 के बीच में 7 से पूर्णतया विभक्त होने वाली कितनी संख्याएँ हैं? **(होटल मैनेजमैन्ट परीक्षा, 2013)**
(*a*) 21 (*b*) 23
(*c*) 25 (*d*) 27
(*e*) इनमें से कोई नहीं

16. 200 से 600 के बीच कितनी संख्याएँ हैं जो 4, 5 तथा 6 से पूर्णतया विभक्त हों? **(होटल मैनेजमैन्ट परीक्षा, 2012)**
(*a*) 5 (*b*) 6 (*c*) 7 (*d*) 8

17. 21 से 61 के बीच सभी सम प्राकृत संख्याओं का योग कितना है? **(सी०डी०एस० परीक्षा, 2013)**
(*a*) 820 (*b*) 840
(*c*) 860 (*d*) 872

18. $\dfrac{1+3+5+...+3983}{1992} = ?$ **(एम०बी०ए० परीक्षा, 2012)**
(*a*) 1989 (*b*) 1990
(*c*) 1992 (*d*) 1994
(*e*) 1998

19. श्रेढ़ी 5, 10, 20, 40, ... का कौन-सा पद 1280 है? **(बी०बी०एस० परीक्षा, 2014)**
(*a*) 8 वाँ (*b*) 9 वाँ
(*c*) 10 वाँ (*d*) 11 वाँ

20. यदि $(K-2), (2K+1), (6K+3)$ गुणोत्तर श्रेढ़ी में हों, तो $K = ?$ **(एम०बी०ए० परीक्षा, 2015)**
(*a*) -2 (*b*) 0
(*c*) 3 (*d*) 7

21. एक गुणोत्तर श्रेणी के प्रथम 8 पदों का योग 6560 तथा सार्वअनुपात 3 है. इस श्रेणी का प्रथम पद क्या है? **(एस०एस०सी० परीक्षा, 2013)**
(*a*) 2 (*b*) 3
(*c*) 4 (*d*) 6

22. 1 के घनमूल होते हैं: **(रेलवे परीक्षा, 2014)**
(*a*) समान्तर श्रेढ़ी में (*b*) गुणोत्तर श्रेढ़ी में
(*c*) हरात्मक श्रेढ़ी में (*d*) इनमें से किसी में नहीं

23. n का छोटे से छोटा ऐसा मान कौन-सा है जिससे $(1 + 3 + 3^2 + ... + 3^n)$ का मान 2000 से अधिक हो?
(*a*) 5 (*b*) 6 (*c*) 7 (*d*) 8
(एस०एस०सी० परीक्षा, 2010)

24. तीन संख्याएँ गुणोत्तर श्रेढ़ी में हैं. उनका योग 28 तथा गुणनफल 512 है. ये संख्याएँ हैं: **(मैनेजमैन्ट परीक्षा, 2011)**
(*a*) 2, 6, 8 (*b*) 2, 8, 18
(*c*) 4, 8, 16 (*d*) 6, 9, 13

25. श्रेणी $3 + 9 + 27 + ...$ के कितने पदों का योग 363 है?
(*a*) 5 (*b*) 6 (*c*) 7 (*d*) 8

26. एक गुणोत्तर श्रेणी का चौथा पद 54 तथा नौवाँ पद 13122 है. इसका 7 वाँ पद क्या होगा?
(*a*) 729 (*b*) 1458
(*c*) 4374 (*d*) इनमें से कोई नहीं

27. एक गुणोत्तर श्रेढ़ी का तीसरा पद 4 है. इसके प्रथम पाँच पदों का गुणनफल क्या होगा?
(*a*) 1024 (*b*) 512
(*c*) 2048 (*d*) आँकड़े अपर्याप्त

28. यदि दो संख्याओं का समान्तर माध्य 5 तथा गुणोत्तर माध्य 4 हो, तो ये संख्याएँ हैं: **(मैनेजमैन्ट परीक्षा, 2014)**
(*a*) 2, 8 (*b*) 3, 8 (*c*) 4, 6 (*d*) 4, 7

29. तीन संख्याएँ गुणोत्तर श्रेढ़ी में हैं जिनका योग 21 है. यदि इन संख्याओं के वर्गों का योग 189 हो, तो इनमें सबसे बड़ी संख्या क्या है?
(*a*) 9 (*b*) 12 (*c*) 21 (*d*) 33

30. एक सीमित गुणोत्तर श्रेणी का सार्वअनुपात 3 तथा अन्तिम पद 486 है. यदि इन पदों का योग 728 हो, तो प्रथम पद क्या है?
(*a*) 2 (*b*) 8
(*c*) 12 (*d*) 16

31. $\left(\dfrac{1}{10} + \dfrac{1}{10^2} + \dfrac{1}{10^3} + \dfrac{1}{10^4} + \dfrac{1}{10^5}\right)$ का मान कितना है?
(*a*) $\dfrac{1}{10^5}$ (*b*) $\dfrac{1}{10^{12}}$
(*c*) $\dfrac{1}{10^{15}}$ (*d*) इनमें से कोई नहीं

32. एक पेन्टिग शो देखने वाले दर्शकों की संख्या प्रतिदिन पहले दिन से दुगुनी हो जाती है. यदि यह शो सोमवार को चालू हुआ हो तथा शनिवार को दर्शकों की संख्या 6400 हो, तो पहले दिन दर्शकों की संख्या कितनी थी?
(*a*) 100 (*b*) 200 (*c*) 80 (*d*) 800
(मैनेजमैन्ट परीक्षा, 2014)

33. अनन्त श्रेणी $\left(1 + \dfrac{3}{4} + \dfrac{9}{16} + ...\infty\right)$ का योग कितना है?
(*a*) 1 (*b*) 3
(*c*) 4 (*d*) $\dfrac{16}{3}$
(*e*) अनन्त

34. अनन्त श्रेणी $\left(5 + 1 + \dfrac{1}{5} + ...\infty\right)$ का योग कितना है? **(एम०बी०ए० परीक्षा, 2012)**
(*a*) 6·2 (*b*) 6·25 (*c*) 7·2 (*d*) 7·5
(*e*) 8

35. $(6^{1/2} . 6^{1/4} . 6^{1/8} ... \infty)$ का मान कितना है?
(*a*) 6 (*b*) $6^{3/2}$
(*c*) 6^2 (*d*) इनमे से कोई नहीं

36. एक अनन्त गुणोत्तर श्रेणी का योग 8 है तथा इसका दूसरा पद 2 है. इस श्रेणी का प्रथम पद कितना है?

(a) 16 (b) 8

(c) 4 (d) इनमें से कोई नहीं

37. यदि a तथा c का गुणोत्तर माध्य b हो, तो $\frac{(a^2-b^2+c^2)}{(a^{-2}-b^{-2}+c^{-2})}$ का मान कितना है? **(सी०डी०एस० परीक्षा, 2012)**

(a) b^{-4} (b) b^4

(c) $\frac{b^3}{a^3}$ (d) $\frac{a^3}{b^3}$

38. 6 तथा 24 का गुणोत्तर माध्य कितना है?

(a) 4 (b) 8 (c) 12 (d) 15

39. हरात्मक श्रेढ़ी $\frac{3}{2}, \frac{6}{5}, 1, \ldots$ का 16 वाँ पद क्या है?

(a) $\frac{6}{19}$ (b) $\frac{6}{13}$

(c) $\frac{3}{19}$ (d) $\frac{3}{11}$

40. अंकगणितीय श्रेणी $(A.P.)$ 98, 91, 84, ... के पदों की संख्या ज्ञात करें, जिन्हें शून्य योगफल के लिए अवश्य लिया जाना चाहिए। **[दिल्ली मेट्रो रेल कॉर्पोरेशन सी.आर.ए. परीक्षा, 2017]**

(a) 31 (b) 29

(c) 15 (d) 14

41. यदि a, b, c किसी ज्यामितीय श्रेणी $(G.P.)$ के क्रमशः x वां, y वां और z वां पद हैं, तो $(y-z)\log a+(z-x)\log b+(x-y)\log c$ का मान है: **[दिल्ली मेट्रो रेल कॉर्पोरेशन सी.आर.ए. परीक्षा, 2017]**

(a) 1 (b) 2

(c) 0 (d) 3

42. $2^1+2^2+2^3+\ldots+2^n=?$ **[दिल्ली मेट्रो रेल कॉर्पोरेशन सी.आर.ए. परीक्षा, 2017]**

(a) $2\left(2\frac{n}{2}-1\right)$ (b) $2(2^n-1)$

(c) $2(2^n-1-1)$ (d) $2(2^n+1)$

उत्तरमाला

1. (b)	2. (c)	3. (d)	4. (d)	5. (b)	6. (a)	7. (c)	8. (b)	9. (b)	10. (a)
11. (c)	12. (b)	13. (c)	14. (d)	15. (d)	16. (b)	17. (a)	18. (c)	19. (b)	20. (d)
21. (a)	22. (b)	23. (d)	24. (c)	25. (a)	26. (b)	27. (a)	28. (a)	29. (b)	30. (a)
31. (d)	32. (b)	33. (c)	34. (b)	35. (a)	36. (c)	37. (a)	38. (c)	39. (a)	40. (b)
41. (c)	42. (b)								

दिये गये प्रश्नों के हल

1. यह एक समान्तर श्रेढ़ी है जिसमें $a=4, d=(9-4)=5$.

माना $t_n=109$. तब, $a+(n-1)d=109$

$\Leftrightarrow 4+(n-1)\times 5=109 \Leftrightarrow 5n=110 \Leftrightarrow n=22$.

अतः अभीष्ट पद = 22 वाँ.

2. यहाँ $a=7,\ d=3$ तथा $t_n=151$.

$\therefore\ a+(n-1)d=151 \Leftrightarrow 7+3(n-1)=151 \Leftrightarrow n=49$.

3. यहाँ $a=1, d=2$ तथा $t_n=75$.

$\therefore\ a+(n-1)d=75 \Leftrightarrow 1+2(n-1)=75 \Leftrightarrow n=38$.

अतः कुल पदों की संख्या = 38.

4. यहाँ $a=201, d=7$ तथा $t_n=369$.

$\therefore a+(n-1)d=369 \Leftrightarrow 210+(n-1)\times 7=369 \Leftrightarrow n=25$.

अतः कुल पदों की संख्या = 25.

5. ये संख्याएँ हैं 7, 14, 21, 28, ..., 196.

यहाँ $a=7,\ d=7$ तथा $t_n=196$.

$\therefore\ a+(n-1)d=196 \Leftrightarrow 7+(n-1)\times 7=196 \Leftrightarrow n=28$.

6. $S_n=51+52+53+\ldots+100$.

यहाँ $a=51,\ d=1$ तथा $n=50$.

$\therefore\quad S_n=\frac{n}{2}\times[2a+(n-1)d]=\frac{50}{2}\times[2\times 51+(50-1)\times 1]$

$=25\times(102+49)=(25\times 151)=3775$.

अतः अभीष्ट योग = 3775.

7. $S_n=2+4+6+8+\ldots+98$.

यहाँ $a=2,\ d=2,\ t_n=98$.

$\therefore\quad a+(n-1)d=28 \Leftrightarrow 2+(n-1)\times 2=98 \Leftrightarrow n=49$.

$S_n=\frac{n}{2}\times[2a+(n-1)d]=\frac{49}{2}\times[2\times 2+(49-1)\times 2]=2450$.

8. $S=2(1+2+3+\ldots.+49)+50$

$=2\times\frac{1}{2}\times 49\times(49+1)+50=2500$.

$\left[\because\ (1+2+3+\ldots+n)=\frac{1}{2}n(n+1)\right]$

9. चूँकि $a, a-2, 3a$ स०श्रे० में हैं,

अतः $(a-2)-a=3a-(a-2) \Leftrightarrow 2a+2=-2 \Leftrightarrow 2a=-4$ $\Leftrightarrow a=-2$.

10. $S_n=(10+11+12+\ldots+99)$.

यह एक स०श्रे० है जिसमें $a=10,\ d=1, l=99$ तथा $t_n=99$.

$a+(n-1)d=99 \Leftrightarrow 10+(n-1)\times 1=99 \Leftrightarrow n=90$.

$\therefore\quad S_n=\frac{n}{2}(a+l)=\frac{90}{2}\times(10+99)=(45\times 109)=4905$.

अतः अभीष्ट योग = 4905.

11. अभीष्ट योग
$= (2+4+6+...+100)+(5+10+15+...+100) - (10+20+...+100)$
$= \frac{50}{2}\times(2+100)+\frac{20}{2}\times(5+100)-\frac{10}{2}\times(10+100)$
$= (2550+1050-550) = 3050.$

12. अभीष्ट संख्याएँ हैं 102, 108, 114, 120, ... , 996.
यह एक स०श्रे० है जिसमें $a = 102,\ d = 6,\ t_n = 996.$
$a+(n-1)d = 996 \Leftrightarrow 102+6\times(n-1) = 996 \Leftrightarrow n = 150.$
अत: इन संख्याओं की अभीष्ट संख्या = 150.

13. अभीष्ट परिणाम $= \left\{\frac{15\times(15+1)}{2}\right\}^2 - \left\{\frac{15\times(15+1)}{2}\right\}$
$\left[\because (1^3+2^3+...+n^3) = \left\{\frac{n(n+1)}{2}\right\}^2 \text{ तथा } (1+2+...+n) = \frac{1}{2}n(n+1)\right]$
$= (120)^2 - 120 = 120\times(120-1) = 120\times 119 = 14280.$

14. यहाँ $a = 6$ तथा $d = 5$.
$\therefore$ 11वाँ पद $= a+(11-1)d = 6+10\times5 = 56.$

15. अभीष्ट संख्याएँ हैं 14, 21, 28, 35, ..., 196.
यहाँ $a = 14,\ d = 7,\ t_n = l = 196$
$a+(n-1)d = 196 \Leftrightarrow 14+(n-1)\times7 = 196$
$\Leftrightarrow n = 27.$
अन: इन संख्याओं की संख्या = 27.

16. 4, 5, 6 का ल०स० $= (2\times2\times5\times3) = 60.$
अत: अभी संख्याएँ 60 से विभक्त होंगी.
$\therefore$ ये संख्याएँ हैं 240, 300, 360, 420, 480, 540.
इनकी संख्या 6 है.

17. अभीष्ट संख्याएँ 22, 24, 26, ... , 60.
इनमें $a = 22,\ d = 2,\ t_n = l = 60.$
$\therefore\ a+(n-1)d = 60 \Leftrightarrow 22+(n-1)\times2 = 60$
$\Leftrightarrow\ n = 20.$
अत: अभीष्ट योग $= \frac{n}{2}(a+l) = \frac{20}{2}\times(22+60) = 820.$

18. $1+3+5+...+3983$ में $a = 1,\ d = 2$ तथा $t_n = l = 3983.$
$a+(n-1)d = 3983 \Leftrightarrow 1+(n-1)\times2 = 3983 \Leftrightarrow n = 1992.$
$\therefore (1+3+5+...+3983) = \frac{n}{2}(a+l) = \frac{1992}{2}(1+3983)$
$= (1992\times1992)$
अत: अभीष्ट मान $= \frac{1992\times1992}{1992} = 1992.$

19. यह एक गुणोत्तर श्रेढ़ी है जिसमें $a = 5$ तथा $r = 2$.
माना n वाँ पद = 1280. तब, $ar^{n-1} = 1280.$
$\therefore 5\times2^{n-1} = 1280 \Leftrightarrow 2^{n-1} = 256 = 2^8 \Leftrightarrow n-1 = 8 \Leftrightarrow n = 9.$
अत: अभीष्ट पद = 9 वाँ.

20. $\frac{2K+1}{K-2} = \frac{6K+3}{2K+1} \Leftrightarrow (2K+1)^2 = (6K+3)(K-2)$
$\Leftrightarrow 4K^2+4K+1 = 6K^2-9K-6 \Leftrightarrow 2K^2-13K-7 = 0$
$\Leftrightarrow (K-7)(2K+1) = 0 \Leftrightarrow K = 7$ अथवा $K = -\frac{1}{2}.$

21. माना प्रथम पद $= a$. तब, $S_n = \frac{a(r^n-1)}{(r-1)}$. यहाँ $r = 3$ तथा $n = 8$.
$\therefore\ \frac{a(3^8-1)}{(3-1)} = 6560 \Leftrightarrow a = \frac{6560\times2}{6560} \Leftrightarrow a = 2.$

22. 1 के घनमूल $1, \omega, \omega^2$ हैं जो गुणोत्तर श्रेढ़ी में हैं.

23. $1+\frac{1\times(3^n-1)}{(3-1)} > 2000 \Rightarrow 3^n-1 > 2\times1999$
$\Rightarrow 3^n > 3999 \Rightarrow n = 8.$

24. माना अभीष्ट संख्या $\frac{a}{r}, a, ar$ हैं. तब,
$\frac{a}{r}\times a\times ar = 512 \Leftrightarrow a^3 = 8^3 \Leftrightarrow a = 8.$
$\frac{8}{r}+8+8r = 28 \Leftrightarrow \frac{8}{r}+8r = 20 \Leftrightarrow 8r^2-20r+8 = 0$
$\Leftrightarrow 8r^2-16r-4r+8 = 0 \Leftrightarrow 8r(r-2)-4(r-2) = 0$
$\Leftrightarrow (r-2)(8r-4) = 0 \Leftrightarrow r = 2$ या $\frac{1}{2}$.
$\therefore$ संख्याएँ हैं 4, 8, 16.

25. यह एक गुणोत्तर श्रेणी है जिसमें $a = 3,\ r = 3$ तथा $S_n = 363.$
$S_n = \frac{a(r^n-1)}{(r-1)} \Leftrightarrow \frac{3\times(3^n-1)}{(3-1)} = 363 \Leftrightarrow 3^n-1 = \frac{363\times2}{3}$
$= 242 \Leftrightarrow 3^n = 243 = 3^5 \Leftrightarrow n = 5.$

26. माना दी गई गुणोत्तर श्रेणी का पहला पद $= a$ तथा सार्वअनुपात $= r$.
तब, $ar^3 = 54$ तथा $ar^8 = 13122.$
भाग देने पर, $\frac{ar^8}{ar^3} = \frac{13122}{54} \Leftrightarrow r^5 = 243 = 3^5 \Leftrightarrow r = 3.$
$\therefore\ a\times3^3 = 54 \Leftrightarrow 27a = 54 \Leftrightarrow a = 2.$
$\therefore$ 7वाँ पद $= ar^6 = (2\times3^6) = 1458.$

27. माना दी गई गुणोत्तर श्रेढ़ी का प्रथम पद a तथा सार्वअनुपात r है.
तब, तीसरा पद $ar^2 = 4$.
प्रथम पाँच पदों का गुणनफल $= a\times ar\times ar^2\times ar^3\times ar^4 = a^5r^{10}$
$= (ar^2)^5 = 4^5 = 1024.$

28. माना अभीष्ट संख्याएँ a तथा b हैं. तब, $\left(\frac{a+b}{2} = 5 \Rightarrow a+b = 10\right)$
तथा $\sqrt{ab} = 4 \Rightarrow ab = 16$
$\therefore (b-a)^2 = (b+a)^2-4ab = (10)^2-4\times16$
$= (100-64) = 36 \Rightarrow b-a = 6.$
$b+a = 10$ तथा $b-a = 6$ को हल करने पर $a = 2,\ b = 8.$
अत: अभीष्ट संख्या 2, 8 है.

29. माना अभीष्ट संख्याएँ $\frac{a}{r}$, a तथा ar हैं.
$\therefore\ \frac{a}{r}+a+ar = 21$ ...(i)
$\frac{a^2}{r^2}+a^2+a^2r^2 = 189$ ...(ii)
(i) का वर्ग करने पर:
$\left(\frac{a^2}{r^2}+a^2+a^2r^2\right)+2\left(\frac{a^2}{r}+a^2r+a^2\right) = 441$

$\Leftrightarrow \left(\frac{a^2}{r^2}+a^2+a^2r^2\right)+2a\left(\frac{a}{r}+a+ar\right)=441$

$\Leftrightarrow 189+2a\times 21=441 \Leftrightarrow 42a=252 \Leftrightarrow a=6.$

अब (i) में $a=6$ रखने पर

$\frac{6}{r}+6+6r=21 \Leftrightarrow \frac{1}{r}+r=\frac{5}{2} \Leftrightarrow \frac{r^2+1}{r}=\frac{5}{2}$

$\Leftrightarrow 2r^2-5r+2=0 \Leftrightarrow (r-2)(2r-1)=0 \Leftrightarrow r=2$ अथवा $\frac{1}{2}$

$\therefore$ अभीष्ट संख्याएँ 3, 6, 12 हैं जिनमें सबसे बड़ी संख्या 12 है.

30. माना दी गई गु० श्रेणी $a, ar, ..., ar^{n-1}$ है. तब, $r=3$ तथा $ar^{n-1}=486$

$\therefore \quad r=3 \Rightarrow a\times 3^{n-1}=486$

$\frac{a(r^n-1)}{(r-1)}=728 \Rightarrow \frac{a(3^n-1)}{2}=728$

$\Rightarrow a\times 3^{n-1}\times 3-a=1456 \Rightarrow a=(486\times 3-1456)=2.$

अत: प्रथम पद $=2$.

31. यह एक गुणोत्तर श्रेढ़ी है जिसमें $a=\frac{1}{10}$ तथा $r=\frac{1}{10}$.

दिये गये 5 पदों का योग

$=\frac{a(1-r^5)}{(1-r)}=\frac{1}{10}\times\frac{\left(1-\frac{1}{10^5}\right)}{\left(1-\frac{1}{10}\right)}=\frac{(10^5-1)}{10^6}\times\frac{10}{9}=\frac{(10^5-1)}{9\times 10^5}.$

32. यह एक गुणोत्तर श्रेढ़ी $a, 2a, 4a, ...$ है जिसका छठा पद 6400 है.

$\therefore \quad a\times 2^5=6400 \Leftrightarrow 32a=6400 \Leftrightarrow a=200.$

अत: पहले दिन दर्शकों की संख्या 200 थी.

33. यहाँ $a=1$ तथा $r=\frac{3}{4}$.

अत: अनन्त श्रेणी का योग $=\frac{a}{(1-r)}=\frac{1}{\left(1-\frac{3}{4}\right)}=4.$

34. अभीष्ट योग $=\frac{a}{(1-r)}=\frac{5}{\left(1-\frac{1}{5}\right)}=\frac{25}{4}=6\cdot 25.$

35. दिया गया गुणनफल $=6^{\left(\frac{1}{2}+\frac{1}{4}+\frac{1}{8}+...\infty\right)}$.

अब, $\left(\frac{1}{2}+\frac{1}{4}+\frac{1}{8}+...\infty\right)$ एक अनन्त गुणोत्तर श्रेणी है जिसमें

$a=\frac{1}{2}$ तथा $r=\frac{1}{2}$.

$\therefore \left(\frac{1}{2}+\frac{1}{4}+\frac{1}{8}+...\infty\right)=\frac{a}{(1-r)}=\frac{\left(\frac{1}{2}\right)}{\left(1-\frac{1}{2}\right)}=\frac{\left(\frac{1}{2}\right)}{\left(\frac{1}{2}\right)}=1.$

अत: अभीष्ट मान $=6^1=6.$

36. यहाँ $\frac{a}{(1-r)}=8$ तथा $ar=2 \Rightarrow r=\frac{2}{a}$.

37. चूँकि a तथा c का गुणोत्तर माध्य b है, अत: $b^2=ac$.

$\therefore \quad \frac{(a^2-b^2+c^2)}{(a^{-2}-b^{-2}+c^{-2})}=\frac{(a^2-ac+c^2)}{\left(\frac{1}{a^2}-\frac{1}{ac}+\frac{1}{c^2}\right)}=\frac{a^2c^2(a^2-ac+c^2)}{(c^2-ac+a^2)}$

$=a^2c^2=b^4.$

38. 6 तथा 24 का गु० माध्य $=\sqrt{6\times 24}=\sqrt{144}=12.$

39. स्पष्ट है कि $\frac{2}{3},\frac{5}{6},1$ समान्तर श्रेढ़ी में हैं, जिसमें $a=\frac{2}{3}$ तथा $d=\frac{1}{6}$.

इस समान्तर श्रेढ़ी का 16 वाँ पद

$=a+(16-1)d=\frac{2}{3}+\left(15\times\frac{1}{6}\right)=\frac{2}{3}+\frac{5}{2}=\frac{19}{6}.$

अत: दी गई हरात्मक श्रेढ़ी का 16 वाँ पद $=\frac{6}{19}$.

40. (b) दी गई अंकगणितीय श्रेणी में $a=98, d=91-98=-7$

दिया गया है, योगफल $(S_n)=0$

$\therefore \quad S_n=\frac{n}{2}[2a+(n-1)d]$

$\Rightarrow \quad 0=\frac{n}{2}[2\times 98+(n-1)\times -7]$

$\Rightarrow \quad 196=(n-1)7 \quad \Rightarrow \quad n-1=\frac{196}{7}=28$

$\Rightarrow \quad n=28+1=29$

अत:, इस श्रेणी में कुल 29 पद हैं।

41. माना, गुणोत्तर श्रेणी (GP) का प्रथम पद $=A$ एवं सार्व अनुपात $=R$

$\therefore a=AR^{x-1} \Rightarrow \log a=\log A+(x-1)\log R$

$b=AR^{y-1} \Rightarrow \log b=\log A+(y-1)\log R$

$c=AR^{z-1} \Rightarrow \log c=\log A+(z-1)\log R$

दिया है, $(y-z)\log a+(z-x)\log b+(x-y)\log c$

$=(y-z)\{\log A+(x-1)\log R\}+(z-x)$

$\{\log A+(y-1)\log R\}+(x-y)\{\log A+(z-1)\log R\}$

$=\log A(y-z+z-x+x-y)+\log$

$R((y-z)(x-1)+(z-x)(y-1)+(x-y)(z-1))=0$

42. दिया गया है, $2^1+2^2+2^3+\_\_\_\_\_\_\_+2^n$

यह एक गुणोत्तर श्रेणी (GP) है।

जहाँ $a=2, r=2$

$\therefore \quad S_n=\frac{a(r^n-1)}{r-1}=\frac{2(2^n-1)}{2-1}=2(2^n-1)$

5 सरलीकरण (SIMPLIFICATION)

सामान्य नियम

ध्यान रहे कि विभिन्न संक्रियाओं को केवल निम्न क्रमानुसार लेते हैं:

(*i*) रेखा-कोष्ठक (*ii*) कोष्ठक (*iii*) का (*iv*) भाग (*v*) गुणा (*vi*) जोड़ (*vii*) घटा

सरलीकरण में पहले छोटे कोष्ठक ( ), फिर मंझले कोष्ठक { } तथा अन्त में बड़े कोष्ठक [ ] को हटाया जाता है.

साधित उदाहरण

प्रश्न 1. **4004 – 4000 ÷ 10 को हल कीजिए.**

हल: दिया गया व्यंजक $= 4004 - \frac{4000}{10}$ ['भाग' को हल करने पर]

$= 4004 - 400 = 3604.$

प्रश्न 2. **$36 \div 4$ का $\frac{1}{2} + \frac{3}{4} \times 1\frac{1}{2} = ?$**

हल: दिया गया व्यंजक $= 36 \div 4$ का $\frac{1}{2} + \frac{3}{4} \times \frac{3}{2}$

$= 36 \div 2 + \frac{3}{4} \times \frac{3}{2}$ ['का' हटाने पर]

$= 18 + \frac{3}{4} \times \frac{3}{2}$ [÷ हटाने पर]

$= 18 + \frac{9}{8}$ [× हटाने पर]

$= \frac{144+9}{8} = \frac{153}{8} = 19\frac{1}{8}.$

प्रश्न 3. **$b - [b - (a+b) - \{b - (b - \overline{a-b}) - 2a\}$ का मान ज्ञात करें.** (होटल मैनेजमैन्ट परीक्षा, 2012)

हल: दिया गया व्यंजक

$= b - [b - (a+b) - \{b - (b - \overline{a-b})\} - 2a]$

$= b - [b - (a+b) - \{b - (b - a + b)\} - 2a]$ [रेखा कोष्ठक हटाने पर]

$= b - [b - a - b - \{b - (2b - a)\} - 2a]$

$= b - [-a - \{-b + a\} - 2a]$ [छोटा कोष्ठक हटाने पर]

$= b - [-a + b - a - 2a]$ [मंझला कोष्ठक हटाने पर]

$= b - [-4a + b]$

$= b + 4a - b$

$= 4a.$

प्रश्न 4. **$7 - [5 - \{6 - (5 - \overline{4-3})\}]$ का मान ज्ञात कीजिए.**

हल: दिया गया व्यंजक $= 7 - [5 - \{6 - (5 - 1)\}]$ [रेखा कोष्ठक हटाने पर]

$= 7 - [5 - \{6 - 4\}]$ [छोटा कोष्ठक हटाने पर]

$= 7 - [5 - 2]$ [मंझला कोष्ठक हटाने पर]

$= 7 - 3 = 4.$ [बड़ा कोष्ठक हटाने पर]

प्रश्न 5. $1 \div [1 + 1 \div \{1 + 1 \div (1 + 1 \div 2)\}]$ को हल कीजिए.

हलः दिया गया व्यंजक $= 1 \div \left[1+1\div\left\{1+1\div\left(1+\frac{1}{2}\right)\right\}\right] = 1 \div \left[1+1\div\left\{1+1\div\frac{3}{2}\right\}\right]$

[छोटा कोष्ठक हटाने पर]

$= 1 \div \left[1+1\div\left\{1+1\times\frac{2}{3}\right\}\right] = 1 \div \left[1+1\div\left\{1+\frac{2}{3}\right\}\right] = 1 \div \left[1+1\div\frac{5}{3}\right]$ [मंझला कोष्ठक हटाने पर]

$= 1 \div \left[1+1\times\frac{3}{5}\right] = 1 \div \left[1+\frac{3}{5}\right] = 1 \div \frac{8}{5} = 1\times\frac{5}{8} = \frac{5}{8}.$ [बड़ा कोष्ठक हटाने पर]

प्रश्न 6. $4\frac{1}{2} + 3\frac{1}{6} + ? + 2\frac{1}{3} = 13\frac{2}{5}.$

हलः माना $\frac{9}{2} + \frac{19}{6} + x + \frac{7}{3} = \frac{67}{5}.$

तब, $\frac{27+19+6x+14}{6} = \frac{67}{5} \Leftrightarrow \frac{60+6x}{6} = \frac{67}{5} \Leftrightarrow 5(60 + 6x) = (67 \times 6) \Leftrightarrow 300 + 30x = 402$

$\Leftrightarrow 30x = 102 \Leftrightarrow x = \frac{102}{30} = \frac{17}{5} = 3\frac{2}{5}.$

प्रश्न 7. $\dfrac{1}{3+\dfrac{1}{3+\dfrac{1}{3-\dfrac{1}{3}}}}$ का मान ज्ञात कीजिए.

हलः दिया गया व्यंजक $= \dfrac{1}{3+\dfrac{1}{3+\dfrac{1}{\frac{8}{3}}}} = \dfrac{1}{3+\dfrac{1}{3+\frac{3}{8}}} = \dfrac{1}{3+\dfrac{1}{\frac{27}{8}}} = \dfrac{1}{3+\frac{8}{27}} = \dfrac{1}{\frac{89}{27}} = \frac{27}{89}.$

प्रश्न 8. यदि $\dfrac{2x}{1+\dfrac{1}{1+\dfrac{x}{1-x}}} = 1$ हो, तो x का मान ज्ञात कीजिए.

हलः $\dfrac{2x}{1+\dfrac{1}{1+\dfrac{x}{1-x}}} = 1 \Leftrightarrow \dfrac{2x}{1+\dfrac{1}{\frac{1-x+x}{1-x}}} = 1 \Leftrightarrow \dfrac{2x}{1+\frac{1-x}{1}} = 1 \Leftrightarrow \dfrac{2x}{2-x} = 1 \Leftrightarrow 2x = 2 - x \Leftrightarrow 3x = 2 \Leftrightarrow x = \frac{2}{3}$

प्रश्न 9. यदि $\frac{a}{b} = \frac{3}{4}$ तथा $8a + 5b = 22$ हो, तो a का मान ज्ञात कीजिए.

हलः $\frac{a}{b} = \frac{3}{4} \Rightarrow b = \frac{4a}{3}.$

$\therefore \quad 8a + 5b = 22 \Leftrightarrow 8a + 5\times\frac{4a}{3} = 22 \Leftrightarrow 8a + \frac{20a}{3} = 22 \Leftrightarrow 24a + 20a = 66 \Leftrightarrow 44a = 66 \Leftrightarrow a = \frac{66}{44} = \frac{3}{2}.$

प्रश्न 10. यदि $\frac{a}{b} = \frac{6}{5}$ हो, तो $\frac{a^2+b^2}{a^2-b^2} = ?$

हलः $\dfrac{a^2+b^2}{a^2-b^2} = \dfrac{\frac{a^2}{b^2}+1}{\frac{a^2}{b^2}-1}$ [अंश तथा हर को b^2 से भाग देने पर]

$$= \frac{\left(\frac{a}{b}\right)^2+1}{\left(\frac{a}{b}\right)^2-1} = \frac{\left(\frac{6}{5}\right)^2+1}{\left(\frac{6}{5}\right)^2-1} = \frac{\frac{36}{25}+1}{\frac{36}{25}-1} = \frac{\frac{36+25}{25}}{\frac{36-25}{25}} = \frac{61}{11} = 5\frac{6}{11}.$$

प्रश्न 11. $\left(\frac{2}{5}+\frac{2}{5^3}+\frac{2}{5^5}+....\infty\right)+\left(\frac{3}{5^2}+\frac{3}{5^4}+....\infty\right)$ **का मान ज्ञात कीजिए.**

हलः दिया गया व्यंजक $= \frac{2}{3}\times\frac{3}{4}\times\frac{4}{5}\times\frac{5}{6}\times....\times\frac{98}{99}\times\frac{99}{100} = \frac{2}{100} = \frac{1}{50}.$

प्रश्न 12. $\frac{1}{2\times3}+\frac{1}{3\times4}+\frac{1}{4\times5}+\frac{1}{5\times6}+....+\frac{1}{9\times10}$ **का मान ज्ञात कीजिए.**

हलः दिया गया व्यंजक $=\left(\frac{1}{2}-\frac{1}{3}\right)+\left(\frac{1}{3}-\frac{1}{4}\right)+\left(\frac{1}{4}-\frac{1}{5}\right)+....+\left(\frac{1}{9}-\frac{1}{10}\right) = \left(\frac{1}{2}-\frac{1}{10}\right) = \frac{4}{10} = \frac{2}{5}.$

प्रश्न 13. एक व्यक्ति अपने वेतन का $\frac{2}{5}$ मकान किराये में, $\frac{3}{10}$ खाने पर तथा $\frac{1}{8}$ यात्रा पर खर्च करने के बाद ₹ 1400 बचाता है. वह खाने पर कितना करता है

हलः माना कुल वेतन = ₹ x.

तब, $x-\left(\frac{2}{5}x+\frac{3}{10}x+\frac{1}{8}x\right)=1400 \Leftrightarrow x-\left(\frac{16x+12x+5x}{40}\right)=1400$

$\Leftrightarrow x-\frac{33}{40}x=1400 \Leftrightarrow \frac{40x-33x}{40}=1400 \Leftrightarrow 7x=(40\times1400) \Leftrightarrow x=8000.$

खाने पर खर्च $=\frac{3}{10}x=$ ₹$\left(\frac{3}{10}\times8000\right)=$ ₹ 2400.

प्रश्न 14. किरण के पास ₹ 100 तथा ₹ 50 वाले कुल 85 नोट हैं जिनका कुल मूल्य ₹ 5000 हैं. इनमें ₹ 50 वाले कितने नोट हैं?

हलः माना ₹ 50 के नोट $= x$. तब, ₹ 100 के नोट $= (85-x)$.

$\therefore$ $50\times x+100\times(85-x)=5000 \Leftrightarrow 50x=8500-5000 \Leftrightarrow 50x=3500 \Leftrightarrow x=70.$

अतः ₹ 50 के नोटों की संख्या = 70.

प्रश्न 15. 16 पैन तथा 19 पैन्सिलों का कुल मूल्य ₹ 134 है, जबकि 19 पैन तथा 16 पैन्सिलों का कुल मूल्य ₹ 146 है. एक पैन का मूल्य कितना है?

हलः माना प्रत्येक पैन का मूल्य = ₹ x तथा प्रत्येक पैन्सिल का मूल्य = ₹ y.

तब, $16x+19y=134$ ...(i) $19x+16y=146$ ...(ii)

(i) तथा (ii) को जोड़ने पर:

$35(x+y)=280 \Rightarrow x+y=8$ ...(iii)

(ii) को (i) में से घटाने पर:

$-3x+3y=-12 \Rightarrow x-y=4$ ...(iv)

(iii) तथा (iv) को जोड़ने पर, $2x=12 \Leftrightarrow x=6$.

अतः एक पैन का मूल्य = ₹ 6.

प्रश्न 16. दो मित्रों A तथा B के पास कुछ धन है. यदि A, B को ₹ 30 दे दे, तो B के पास A से दुगुना धन होगा. परन्तु यदि B, A को ₹ 10 दे दे, तो A के पास B से तिगुना हो जायेगा. प्रत्येक के पास कितना धन है?

हलः माना A के पास ₹ x तथा B के पास ₹ y हैं.

तब, $2(x-30)=y+30 \Rightarrow 2x-y=90$ ...(i)

$x+10=3(y-10) \Rightarrow x-3y=-40$ ...(ii)

इन्हें हल करने पर, $x=62$ तथा $y=34$.

अतः A के पास ₹ 62 तथा B के पास ₹ 34 हैं.

प्रश्न 17. $\dfrac{(75983\times75983-45983\times45983)}{30000}$ **का मान ज्ञात करें.**

हल: दिया गया व्यंजक $=\dfrac{(75983)^2-(45983)^2}{(75983-45983)}=\dfrac{a^2-b^2}{a-b}$, जहाँ $a=75983$ तथा $b=45983$

$=(a+b)=(75983+45983)=121966.$

अत: अभीष्ट मान $=121966.$

प्रश्न 18. $\left(\dfrac{343\times343\times343-113\times113\times113}{343\times343+343\times113+113\times113}\right)$ **का मान ज्ञात करें.**

हल: दिया गया व्यंजक $=\dfrac{(a^3-b^3)}{(a^2+ab+b^2)}$, जहाँ $a=343$ तथा $b=113$

$=(a-b)=(343-113)=230.$

अत: अभीष्ट मान $=230.$

प्रश्न 19. किसी सम्पत्ति के $\frac{4}{5}$ भाग का मूल्य ₹ 16800 है. इस सम्पत्ति के $\frac{3}{7}$ भाग का मूल्य क्या होगा?

हल: माना सम्पत्ति का कुल मूल्य = ₹ x.

तब, $\dfrac{4}{5}\times x=16800 \Leftrightarrow x=\left(16800\times\dfrac{5}{4}\right)=21000.$

$\therefore$ सम्पत्ति का कुल मूल्य = ₹ 21000.

सम्पत्ति के $\dfrac{3}{7}$ भाग का मूल्य = ₹ 21000 का $\dfrac{3}{7}$ = ₹ $\left(21000\times\dfrac{3}{7}\right)$ = ₹ 9000.

अत: अभीष्ट मूल्य = ₹ 9000.

प्रश्न 20. यदि $a*b*c=\dfrac{a+b}{c}$ हो, तो $(a*b*c)*a*b=?$

हल: $(a*b*c)*a*b=\left(\dfrac{a+b}{c}\right)*a*b=d*a*b$, जहाँ $\dfrac{a+b}{c}=d$

$=\dfrac{d+a}{b}=\dfrac{d}{b}+\dfrac{a}{b}=\dfrac{a+b}{cb}+\dfrac{a}{b}$ $\left[\because d=\dfrac{a+b}{c}\right]$

$=\dfrac{a+b+ac}{cb}=\dfrac{a+b+ac}{bc}$

प्रश्नमाला 5

निम्नलिखित प्रश्नों में से प्रत्येक में ठीक उत्तर को चिह्नांकित (√) कीजिए:

1. $5\frac{2}{5}+8\frac{1}{4}-6\frac{1}{3}=?$ (रेलवे परीक्षा, 2015)

(a) $6\frac{19}{60}$ (b) $7\frac{1}{3}$ (c) $7\frac{19}{60}$ (d) $4\frac{19}{60}$

2. $1\frac{8}{9}+3\frac{2}{7}-2\frac{1}{7}+11\frac{1}{6}=?$ (बैंक पी०ओ० परीक्षा, 2015)

(a) $7\frac{12}{223}$ (b) $14\frac{25}{223}$ (c) $14\frac{25}{126}$ (d) $7\frac{11}{126}$

3. $9-1\frac{2}{9}$ का $3\frac{3}{11}\sqrt{}\,5\frac{1}{7}$ का $\frac{7}{9}=?$

(एस०एस०सी० परीक्षा, 2012)

(a) $1\frac{1}{4}$ (b) 8 (c) $8\frac{32}{81}$ (d) 9

4. $\dfrac{2}{3}\times\dfrac{3}{\frac{5}{6}\div\frac{2}{3}\text{ का }1\frac{1}{4}}=?$

(a) $\frac{n}{2}$ (b) $\frac{2}{3}$ (c) 1 (d) 2

5. $\dfrac{\frac{5}{3}\times\frac{7}{51}\text{ का }\frac{17}{5}-\frac{1}{3}}{\frac{2}{9}\times\frac{5}{7}\text{ का }\frac{28}{5}-\frac{2}{3}}=?$

(a) $\frac{1}{4}$ (b) $\frac{1}{2}$ (c) 2 (d) 4

6. $\dfrac{(2+3)\times5+3\div\frac{1}{2}}{6+5\times4\div\frac{4}{5}}=?$ (रेलवे परीक्षा, 2014)

(a) 1 (b) 1·3
(c) 6 (d) इनमें से कोई नहीं

7. $5\frac{1}{3}-3\frac{2}{3}\div1\frac{1}{3}\div?+3\frac{1}{5}\div1\frac{1}{5}=7$

(a) $1\frac{1}{2}$ (b) $2\frac{1}{3}$
(c) $3\frac{1}{4}$ (d) इनमें से कोई नहीं

8. $\frac{5}{6}\div\frac{6}{7}\times?-\frac{8}{9}\div1\frac{3}{5}+\frac{3}{4}\times3\frac{1}{3}=2\frac{7}{9}$

(a) $1\frac{8}{r}$ (b) $\frac{1}{2}$
(c) 1 (d) इनमें से कोई नहीं

9. $\frac{3}{8}$ का $168\times15\div5+?=549\div9+235$

(a) 107 (b) 174
(c) 189 (d) 296
(e) इनमें से कोई नहीं

10. $\frac{3}{4}\sqrt{2\frac{1}{4}}$ का $\frac{2}{3}-\dfrac{\frac{1}{2}-\frac{1}{3}}{\frac{1}{2}+\frac{1}{3}}\times3\frac{1}{3}+\frac{5}{6}=?$

(a) $\frac{7}{18}$ (b) $\frac{49}{54}$ (c) $\frac{2}{3}$ (d) $\frac{1}{6}$

11. $5-\left[\frac{3}{4}+\left\{2\frac{1}{2}-\left(0\cdot5+\overline{\frac{1}{6}-\frac{1}{7}}\right)\right\}\right]=?$

(a) $1\frac{19}{84}$ (b) $2\frac{61}{84}$ (c) $2\frac{23}{84}$ (d) $2\frac{47}{84}$

12. $\dfrac{3\frac{1}{4}-\frac{4}{5}\text{ का }\frac{5}{6}}{4\frac{1}{3}\div\frac{1}{5}-\left(\frac{3}{10}+21\frac{1}{5}\right)}=?$

(a) $\frac{1}{6}$ (b) $2\frac{7}{12}$ (c) $15\frac{1}{2}$ (d) $21\frac{1}{2}$

13. $\dfrac{7\frac{1}{2}-5\frac{3}{4}}{3\frac{1}{2}+?}\div\dfrac{\frac{1}{2}+1\frac{1}{4}}{1\frac{1}{5}+3\frac{1}{2}}=0\cdot6$

(a) $4\frac{1}{3}$ (b) $4\frac{1}{2}$
(c) $4\frac{2}{3}$ (d) इनमें से कोई नहीं

14. $\frac{1}{2}+\left\{4\frac{3}{4}-\left(3\frac{1}{6}-2\frac{1}{3}\right)\right\}=?$

(एस०एस०सी० परीक्षा, 2013)

(a) $1\frac{1}{4}$ (b) $1\frac{2}{3}$ (c) $3\frac{2}{3}$ (d) $4\frac{5}{12}$

15. $5\frac{3}{x}\times3\frac{1}{2}=19$ में x का मान क्या होगा?

(एस०एस०सी० परीक्षा, 2015)

(a) 7 (b) 4 (c) 6 (d) 2

16. $\left(999\frac{1}{7}+999\frac{2}{7}+999\frac{3}{7}+999\frac{4}{7}+999\frac{5}{7}+999\frac{6}{7}\right)$ का मान है:

(a) 2997 (b) 5979 (c) 5994 (d) 5997

17. $\left(999\frac{995}{999}\times999\right)$ का मान है:

(एस०एस०सी० परीक्षा, 2013)

(a) 990809 (b) 998996 (c) 998999 (d) 999824

18. $$\dfrac{\left(1+\frac{1}{1+1/100}\right)\left(1+\frac{1}{1+1/100}\right)-\left(1-\frac{1}{1+1/100}\right)\left(1-\frac{1}{1+1/100}\right)}{\left(1+\frac{1}{1+1/100}\right)+\left(1-\frac{1}{1+1/100}\right)}=?$$

(एस०एस०सी० परीक्षा, 2013)

(a) 100 (b) $\frac{200}{101}$ (c) 200 (d) $\frac{202}{100}$

19. $\left(1+\frac{1}{x+1}\right)\left(1+\frac{1}{x+2}\right)\left(1+\frac{1}{x+3}\right)\left(1+\frac{1}{x+4}\right)=?$

(एम०बी०ए० परीक्षा, 2013)

(a) $\frac{x+5}{x+1}$ (b) $\left(x+\frac{1}{x+5}\right)$
(c) $\frac{1}{(x+5)}$ (d) $\left(1+\frac{1}{x+5}\right)$

20. $\left(\frac{1}{6}+\frac{1}{12}+\frac{1}{20}+\frac{1}{30}+\frac{1}{42}+\frac{1}{56}\right)=?$

(a) $\frac{31}{168}$ (b) $\frac{25}{168}$
(c) $\frac{5}{16}$ (d) $\frac{3}{8}$
(e) इनमें से कोई नहीं

21. $\left(1+\frac{1}{2}\right)\left(1+\frac{1}{3}\right)\left(1+\frac{1}{4}\right)\ldots\ldots\left(1+\frac{1}{120}\right)=?$

(एस०एस०सी० परीक्षा, 2013)

(a) 30 (b) 40·5 (c) 60·5 (d) 12

22. $\left(1-\frac{1}{2}\right)\left(1-\frac{1}{3}\right)\left(1-\frac{1}{4}\right).....\left(1-\frac{1}{n}\right)=?$

(एस०एस०सी० परीक्षा, 2014)

(a) $\frac{1}{n}$ (b) $\frac{2}{n}$

(c) $\frac{2(n-1)}{n}$ (d) $\frac{2}{n(n+1)}$

23. $\left(1-\frac{1}{3}\right)\left(1-\frac{1}{4}\right)\left(1-\frac{1}{5}\right).....\left(1-\frac{1}{50}\right)=?$

(रेलवे परीक्षा, 2015)

(a) $\frac{1}{25}$ (b) $\frac{2}{31}$

(c) $\frac{3}{75}$ (d) इनमें से कोई नहीं

24. $\left(2-\frac{1}{3}\right)\left(2-\frac{3}{5}\right)\left(2-\frac{5}{7}\right)......\left(2-\frac{999}{1001}\right)=?$

(मैनेजमैन्ट परीक्षा, 2015)

(a) $\frac{991}{1001}$ (b) $\frac{1003}{3}$

(c) $\frac{1001}{3}$ (d) इनमें से कोई नहीं

25. $\frac{1}{(\sqrt{3}+\sqrt{4})}+\frac{1}{(\sqrt{4}+\sqrt{5})}+\frac{1}{(\sqrt{5}+\sqrt{6})}+\frac{1}{(\sqrt{6}+\sqrt{7})}+\frac{1}{(\sqrt{7}+\sqrt{8})}+\frac{1}{(\sqrt{8}+\sqrt{9})}=?$

(a) $\sqrt{3}$ (b) $3\sqrt{3}$

(c) $\left(3-\sqrt{3}\right)$ (d) $\left(5-\sqrt{5}\right)$

(एस०एस०सी० परीक्षा, 2015)

26. $\frac{1}{(\sqrt{100}-\sqrt{99})}-\frac{1}{(\sqrt{99}-\sqrt{98})}+\frac{1}{(\sqrt{98}-\sqrt{97})}-......-\frac{1}{(\sqrt{2}-\sqrt{1})}$ का मान है:

(a) 0 (b) 9 (c) 10 (d) 11

(एस०एस०सी० परीक्षा, 2015)

27. $\frac{1}{1\cdot2\cdot3}+\frac{1}{2\cdot3\cdot4}+\frac{1}{3\cdot4\cdot5}+\frac{1}{4\cdot5\cdot6}=?$

(a) $\frac{7}{30}$ (b) $\frac{11}{30}$

(c) $\frac{13}{30}$ (d) $\frac{17}{30}$

28. $\frac{3}{1^2.2^2}+\frac{5}{2^2\cdot3^2}+\frac{7}{3^2\cdot4^2}+\frac{9}{4^2\cdot5^2}+\frac{11}{5^2\cdot6^2}+\frac{13}{6^2\cdot7^2}+\frac{15}{7^2\cdot8^2}+\frac{17}{8^2\cdot9^2}+\frac{19}{9^2\cdot10^2}$

का मान कितना है?

(a) $\frac{1}{100}$ (b) $\frac{99}{100}$

(c) $\frac{101}{100}$ (d) 1

(एस०एस०सी० परीक्षा, 2014)

29. यदि $(1^2 + 2^2 + 3^2 + 4^2 + ... + 20^2) = 2870$ हो, तो $(2^2 + 4^2 + 6^2 + ... + 40^2)$ का मान क्या होगा?

(a) 5740 (b) 11480

(c) 28700 (d) इनमें से कोई नहीं

(एस०एस०सी० परीक्षा, 2015)

30. $7^{2\cdot3}\times49^{4\cdot7}\times63^{3\cdot4}\times81^{5\cdot85}=63\ ?$

(बैंक पी०ओ० परीक्षा, 2015)

(a) 16·25 (b) 15·1 (c) 13·4 (d) 18·9

31. $\frac{7^{n+4}-7\times7^n}{7\times7^{n+3}}+7^{-3}$ का मान क्या होगा?

(a) 0 (b) 1 (c) 7 (d) $\frac{1}{7}$

32. यदि $a+\frac{1}{a}=6$ हो, तो $a^4+\frac{1}{a^4}$ का मान क्या होगा?

(रेलवे परीक्षा, 2016)

(a) 1154 (b) 1158 (c) 1160 (d) 1164

33. यदि $a=\frac{\sqrt{5}+1}{\sqrt{5}-1}$ तथा $b=\frac{\sqrt{5}-1}{\sqrt{5}+1}$ तथा $\sqrt{5}=2{\cdot}236$ हो, तो $\frac{(a^2+ab+b^2)}{(a^2-ab+b^2)}$ का मान क्या होगा?

(a) 0·75 (b) 1·33 (c) 0·6 (d) 1·66

(रेलवे परीक्षा, 2016)

34. यदि $x=\frac{\sqrt{5}+\sqrt{3}}{\sqrt{5}-\sqrt{3}}$ तथा $y=\frac{\sqrt{5}-\sqrt{3}}{\sqrt{5}+\sqrt{3}}$ हो, तो $(x+y)$ का मान क्या होगा?

(एस०एस०सी० परीक्षा, 2015)

(a) 8 (b) 16

(c) $2\sqrt{15}$ (d) $2(\sqrt{5}+\sqrt{3})$

35. यदि $\frac{a}{b}=\frac{4}{3}$ हो, तो $\frac{6a+4b}{6a-5b}=?$

(a) – 1 (b) 3

(c) 4 (d) 5

36. यदि $\frac{x}{y}=\frac{4}{5}$ हो, तो $\left(\frac{4}{7}+\frac{2y-x}{2y+x}\right)=?$

(रेलवे परीक्षा, 2013)

(a) $\frac{3}{7}$ (b) 1 (c) $1\frac{1}{7}$ (d) 2

37. यदि $\frac{x}{2y}=\frac{6}{7}$ हो, तो $\frac{x-y}{x+y}+\frac{14}{19}=?$

(a) $\frac{13}{19}$ (b) $\frac{15}{19}$ (c) 1 (d) $1\frac{1}{19}$

38. यदि $\frac{a}{b}=\frac{4}{5}$ तथा $\frac{b}{c}=\frac{15}{16}$ हो, तो $\frac{c^2-a^2}{c^2+a^2}=?$

(a) $\frac{1}{7}$ (b) $\frac{7}{25}$

(c) $\frac{3}{4}$ (d) इनमें से कोई नहीं

39. यदि $\frac{a}{3}=\frac{b}{4}=\frac{c}{7}$, तब $\frac{a+b+c}{c}$ का मान है:

(a) $\frac{1}{\sqrt{7}}$ (b) $\sqrt{2}$

(c) 2 (d) 7

40. यदि $(2a+3b)(2c-3d)=(2a-3b)(2c+3d)$ हो, तो:

(a) $\frac{a}{b}=\frac{c}{d}$ (b) $\frac{a}{d}=\frac{c}{b}$

(c) $\frac{a}{b}=\frac{d}{c}$ (d) $\frac{b}{a}=\frac{c}{d}$

41. यदि $(a+b+2c+3d)(a-b-2c+3d)=(a-b+2c-3d)(a+b-2c-3d)$ हो, तो $2bc$ का मान होगा:

(मैनेजमैन्ट परीक्षा, 2013)

(a) $\frac{3}{2}$ (b) $\frac{3a}{2d}$

(c) $3ad$ (d) a^2d^2

42. यदि $\frac{2a+b}{a+4b}=3$ हो, तो $\frac{a+b}{a+2b}$ का मान क्या होगा?

(a) $\frac{2}{7}$ (b) $\frac{5}{9}$ (c) $\frac{10}{7}$ (d) $\frac{10}{9}$

43. यदि $\frac{A}{B}=7$ हो, तो $\frac{A+B}{A-B}=?$

(a) $\frac{1}{3}$ (b) $\frac{2}{3}$ (c) $1\frac{1}{3}$ (d) $\frac{7}{8}$

44. यदि a, b, c पूर्णांक हों, $a^2+b^2=45$ तथा $b^2+c^2=40$ हो, तो

(a) $a=2,\ b=6,\ c=3$ (b) $a=3,\ b=2,\ c=6$

(c) $a=5,\ b=4,\ c=3$ (d) इनमें से कोई नहीं

45. यदि $4x+5y=83$ तथा $\frac{3x}{2y}=\frac{21}{22}$, तब, $y-x=?$

(a) 3 (b) 4 (c) 7 (d) 11

46. यदि $3x-5y=5$ तथा $\frac{x}{x+y}=\frac{5}{7}$, तो $(x-y)=?$

(बैंक पी०ओ० परीक्षा, 2012)

(a) 3 (b) 4

(c) 6 (d) 9

47. यदि $2x+y=17$, $y+2z=15$ तथा $x+y=9$ हो, तो $4x+3y+z=?$

(a) 41 (b) 43

(c) 45 (d) 42

48. यदि $\frac{a}{x}+\frac{y}{b}=1$ तथा $\frac{b}{y}+\frac{z}{c}=1$ हो, तो $\left(\frac{x}{a}+\frac{c}{z}\right)=?$

(a) 0 (b) $\frac{b}{y}$

(c) 1 (d) $\frac{y}{b}$

49. यदि $2x+3y=31$, $y-z=4$ तथा $x+2z=11$, हो, तो $x+y+z=?$

(बैंक पी०ओ० परीक्षा, 2013)

(a) 12 (b) 13

(c) 15 (d) 16

50. यदि $2x+y=15$, $2y+z=25$ तथा $2z+x=26$, तब, $z=?$

(a) 4 (b) 7

(c) 9 (d) 11

51. यदि $3x-4y+z=7$, $2x-z+3y=19$, $x+2y+2z=24$ हो, तो $z=?$

(a) 4 (b) 5

(c) 6 (d) 8

52. यदि $a+b=5$ तथा $3a+2b=20$ हो, तो $(3a+b)=?$

(a) 10 (b) 15

(c) 20 (d) 25

53. $\dfrac{2}{2+\dfrac{2}{3+\dfrac{2}{3+\dfrac{2}{3}}}\times 0.39}=?$ **(एस०एस०सी० परीक्षा, 2014)**

(a) $\frac{1}{3}$ (b) 2

(c) 6 (d) इनमें से कोई नहीं

54. यदि $2=x+\dfrac{1}{1+\dfrac{1}{3+\dfrac{1}{4}}}$ हो, तो x का मान है:

(एस०एस०सी० परीक्षा, 2013)

(a) $\frac{12}{17}$ (b) $\frac{13}{17}$

(c) $1\frac{1}{17}$ (d) $1\frac{4}{17}$

55. यदि $2+\cfrac{1}{x+\cfrac{1}{y+\cfrac{1}{z}}}=\frac{37}{13}$ तथा x, y, z प्राकृत संख्याएँ हों, तो

(a) $x=1,\ y=2,\ z=5$ (b) $x=1,\ y=5,\ z=2$
(c) $x=5,\ y=2,\ z=11$ (d) $x=11,\ y=2,\ z=5$

56. यदि $\cfrac{2x}{1+\cfrac{1}{1+\cfrac{x}{1-x}}}=1$ हो, तो x का मान क्या होगा?

(a) $\frac{1}{3}$ (b) $\frac{2}{3}$
(c) $\frac{3}{5}$ (d) $\frac{5}{3}$

57. $\dfrac{\left(\frac{3}{5}\right)^3-\left(\frac{2}{5}\right)^3}{\left(\frac{3}{5}\right)^2-\left(\frac{2}{5}\right)^2}=?$

(a) $\frac{1}{5}$ (b) $\frac{19}{25}$
(c) $\frac{21}{25}$ (d) 1

58. $\dfrac{\left(3\frac{2}{3}\right)^2-\left(2\frac{1}{2}\right)^2}{\left(4\frac{3}{4}\right)^2-\left(3\frac{1}{3}\right)^2}\div\dfrac{3\frac{2}{3}-2\frac{1}{2}}{4\frac{3}{4}-3\frac{1}{3}}=?$

(a) $\frac{37}{97}$ (b) $\frac{74}{97}$
(c) $1\frac{23}{74}$ (d) इनमें से कोई नहीं

59. $\left(\dfrac{458\times458\times458-239\times239\times239}{458\times458+239\times239+458\times239}\right)=?$

(रेलवे परीक्षा, 2015)

(a) 697 (b) 219
(c) 447 (d) 349

60. $\left(\dfrac{785\times785\times785+435\times435\times435}{785\times785+435\times435-785\times435}\right)=?$

(a) 350 (b) 785
(c) 1220 (d) 1320

61. $\left(\dfrac{147\times147+147\times143+143\times143}{147\times147\times147-143\times143\times143}\right)=?$

(a) $\frac{1}{4}$ (b) 290
(c) $\frac{1}{290}$ (d) 4

62. $\dfrac{(x-y)^3+(y-z)^3+(z-z)^3}{9(x-y)(y-z)(z-x)}$ का मान है:

(a) 0 (b) $\frac{1}{3}$
(c) $\frac{1}{9}$ (d) 1

63. $\dfrac{(13)^3+7^3}{(13)^2+7^2-?}=20$

(a) 6
(b) 20
(c) 91
(d) इनमें से कोई नहीं

64. उबाल बिन्दु पर पानी का ताप 212°F अथवा 100°C होता है. पानी के जमाव बिन्दु पर इसका ताप 32°F अथवा 0°C होता है. यदि किसी दिन जलवायु का तापमान 35° हो, तो यह निम्न में से किसके बराबर होगा? **(रेलवे परीक्षा, 2010)**

(a) 85°F (b) 90°F (c) 95°F (d) 99°F

65. 225 मीटर लम्बी रोड के बराबर में बराबर-बराबर दूरी पर 26 पेड़ लगाये गये हैं. इस दूरी के आरम्भ में तथा अन्त में पेड़ लगाये गये हैं. दो क्रमागत पेड़ों के बीच की दूरी कितनी है? **(रेलवे परीक्षा, 2012)**

(a) 8 मीटर (b) 9 मीटर
(c) 10 मीटर (d) 15 मीटर

66. एक बाग में पेड़ों की 10 पंक्तियाँ तथा 12 कतारे हैं. दो पेड़ों के बीच 2 मीटर का फासला है तथा बाहर चारों ओर 1–1 मीटर का फासला छोड़ा गया है. बाग की लम्बाई कितनी है?

(a) 20 मीटर (b) 22 मीटर
(c) 24 मीटर (d) 26 मीटर

67. किसी संख्या में 7 जोड़कर योगफल को 5 से गुणा करने के बाद प्राप्त गुणनफल को 9 से भाग देकर भागफल में से 3 घटाने पर शेषफल 12 प्राप्त होता है. वह संख्या है:

(a) 20 (b) 30
(c) 40 (d) 60

68. राहुल का राष्ट्रीय बचत पत्रों में जमा धन का एक तिहाई उसके भविष्य निधि खाते में जमा धन का आधा है. यदि उसकी कुल बचत ₹ 150000 हो, तो उसके भविष्य निधि खाते में कितना धन है?

(a) ₹ 30000 (b) ₹ 50000
(c) ₹ 60000 (d) ₹ 90000

69. एक कम्पनी की आय हर वर्ष दुगुनी हो जाती है. यदि इसकी वर्तमान आय 4 लाख रुपये हो, तो 5 वर्ष बाद इसकी वार्षिक आय कितनी होगी? **(बैंक पी०ओ० परीक्षा, 2013)**

(a) ₹ 1·24 करोड़ (b) ₹ 1·28 करोड़
(c) ₹ 2·52 करोड़ (d) ₹ 2·56 करोड़
(e) इनमें से कोई नहीं

70. एक विद्यालय में खेल दिवस में प्रत्येक कतार में 30 छात्रों को

खड़ा करें तो 16 कतारें बनती हैं. यदि प्रत्येक कतार में 24 छात्रों को खड़ा करें, तो कितनी कतारें बनेंगी?

(होटल मैनेजमैन्ट परीक्षा, 2012)

(*a*) 20 (*b*) 22
(*c*) 29 (*d*) 45

71. एक विद्यालय के प्रत्येक सैक्शन में 24 छात्र हैं. नये छात्र आने से तीन नये सैक्शन चालू कर दिये गये हैं. अब, 16 सैक्शन हैं तथा प्रत्येक सैक्शन में 21 छात्र हैं. नये छात्र कितने हैं?

(*a*) 14 (*b*) 24
(*c*) 48 (*d*) 114

72. द्रविड़ को एक टैस्ट में अंग्रेजी के प्राप्तांक, इतिहास के प्राप्तांकों का ढाई गुना है. यदि दोनों विषयों में उसके कुल प्राप्तांक 140 हों, तो उसके अगजी के प्राप्तांक कितने हैं?

(*a*) 40 (*b*) 75
(*c*) 90 (*d*) 100

73. एक व्यक्ति ने स्थान *A* से *B* तक 3·5 किमी० की यात्रा की. इसमें उसने $1\frac{2}{3}$ किमी० दूरी साईकिल द्वारा, $1\frac{1}{6}$ किमी० स्कूटर द्वारा तथा शेष पैदल तय की. कुल दूरी का कितना भाग उसने पैदल तय किया? **(एस०एस०सी० परीक्षा, 2013)**

(*a*) $\frac{3}{19}$ (*b*) $\frac{4}{19}$
(*c*) $\frac{5}{6}$ (*d*) $\frac{4}{21}$

74. कुछ धन *A, B, C* में वितरित किया गया है. यदि *A* तथा *B* को कुल धन का क्रमशः $\frac{3}{16}$ तथा $\frac{1}{4}$ मिला हो तथा *C* को ₹ 81 मिले हों, तो *B* को कितना धन मिलेगा?

(*a*) ₹ 30 (*b*) ₹ 32
(*c*) ₹ 36 (*d*) ₹ 40

75. जब एक गेंद कुछ ऊँचाई से गिरती है तो यह धरती से टकराकर उस ऊँचाई के $\frac{3}{4}$ भाग तक उछलती है. यदि किसी गेंद को 32 मीटर ऊँचाई से गिराया जाये तो अपने तीसरे उछाल में यह कितनी ऊँचाई तय करेगी?

(एस०एस०सी० परीक्षा, 2010)

(*a*) 13 मीटर (*b*) $13\frac{1}{2}$ मीटर
(*c*) $14\frac{1}{2}$ मीटर (*d*) इनमें से कोई नहीं

76. एक कार्यालय में कुल स्टाफ का $\frac{3}{4}$ भाग न ही टाईप जानता है तथा न ही शार्टहैन्ड. यद्यपि $\frac{1}{5}$ भाग टाईप जानता है तथा $\frac{1}{3}$ भाग शार्टहैन्ड. कुल स्टाफ का कितना भाग दोनों जानता है?

(*a*) $\frac{1}{5}$ (*b*) $\frac{3}{40}$
(*c*) $\frac{13}{40}$ (*d*) $\frac{17}{60}$

77. यदि $a * b = \frac{ab}{a+b}$ हो तो $3 * \{3 * (-1)\}$ का मान क्या होगा? **(एम०बी०ए० परीक्षा, 2012)**

(*a*) -3 (*b*) $-\frac{3}{2}$
(*c*) -1 (*d*) $\frac{2}{3}$

78. यदि $a * b = a^2 + 2b$ हो तथा $4 * (3 * p) = 50$ हो, तो p का मान क्या होगा?

(*a*) 4 (*b*) 7
(*c*) 8 (*d*) $12\frac{1}{2}$

79. यदि $x * y = 3x + 2y$ हो, तो $2 * 3 + 3 * 4 = ?$

(एस०एस०सी० परीक्षा, 2015)

(*a*) 18 (*b*) 29
(*c*) 32 (*d*) 38

80. यदि $x * y = \frac{x+y}{y}$ हो, तो $(2 * 3) * 4 = ?$

(एम०सी०ए० परीक्षा, 2015)

(*a*) $\frac{9}{4}$ (*b*) $\frac{17}{12}$
(*c*) $\frac{3}{4}$ (*d*) इनमें से कोई नहीं

81. यदि $* a = (a^2 - 2)$ हो, तो $* (* 5) = ?$

(एम०बी०ए० परीक्षा, 2012)

(*a*) 23 (*b*) 529
(*c*) 527 (*d*) 621

82. यदि $a * b = a^2 + ab + b^2$ हो, तो $2 * 3 = ?$

(*a*) 6 (*b*) 9
(*c*) 19 (*d*) 29

83. यदि $a * b = 2(a + b)$ हो, तो $5 * 2 = ?$

(एम०बी०ए० परीक्षा, 2012)

(*a*) 3 (*b*) 10
(*c*) 14 (*d*) 20

84. यदि $a * b = a + b + ab$ हो, तो $3 * 4 - 2 * 3 = ?$

(एस०एस०सी० परीक्षा, 2012)

(*a*) 6 (*b*) 8
(*c*) 10 (*d*) 12

85. यदि $x * y = x^2 + y^2 + xy + 1$ हो, तो $(1 * 2) * 3 = ?$

(एस०एस०सी० परीक्षा, 2013)

(*a*) 6 (*b*) 19 (*c*) 82 (*d*) 98

86. यदि $x * y = (x + y)^2 . (y - 2)$ हो, तो $7 * 5 = ?$

(एस०एस०सी० परीक्षा, 2011)

(*a*) 175 (*b*) 205

(c) 213 (d) 432

87. $\dfrac{(x-y)^3+(y-z)^3+(z-x)^3}{(x^2-y^2)^3+(y^2-z^2)^3+(z^2-x^2)^3}=?$

(सी०डी०एस० परीक्षा, 2014)

(a) 0 (b) 1

(c) $\dfrac{2}{(x+y+z)}$ (d) $\dfrac{1}{(x+y)(y+z)(z+x)}$

88. यदि $A+B+C=0$ हो, तो $\left(\dfrac{A^2}{BC}+\dfrac{B^2}{CA}+\dfrac{C^2}{AB}\right)=?$

(सी०डी०एस० परीक्षा, 2012)

(a) 0 (b) 1

(c) 2 (d) 3

89. यदि $(x+y)^2-z^2=4$, $(y+z)^2-x^2=9$ तथा $(z+x)^2-y^2=36$ हो, तो $x+y+z=?$ (सी०डी०एस० परीक्षा, 2014)

(a) 0 (b) ± 1

(c) ± 3 (d) ± 7

90. $(x-y)^3+(y-z)^3+(z-x)^3-3(x-y)(y-z)(z-x)=?$

(सी०डी०एस० परीक्षा, 2014)

(a) 0 (b) 1

(c) 2 (d) 3

91. यदि $(x-4)^3+(x-9)^3+(x-8)^3=3(x-4)(x-9)(x-8)$ हो, तो $x=?$

(a) 7 (b) 8 (c) 9 (d) 21

92. यदि $x+y+z=0$ तथा $xyz\neq 0$ हो, तो

$\left(\dfrac{1}{x^2+y^2-z^2}+\dfrac{1}{y^2+z^2-x^2}+\dfrac{1}{z^2+x^2-y^2}\right)=?$

(सी०डी०एस० परीक्षा, 2015)

(a) -1 (b) 0

(c) $\dfrac{1}{2}$ (d) 1

93. यदि $a^2=by+cz$, $b^2=cz+ax$, $c^2=ax+by$ हो, तो $\left(\dfrac{x}{a+x}+\dfrac{y}{b+y}+\dfrac{z}{c+z}\right)=?$

(सी०डी०एस० परीक्षा, 2014)

(a) -1 (b) 0

(c) 1 (d) इनमें से कोई नहीं

94. यदि $y+\dfrac{1}{z}=1$ तथा $x+\dfrac{1}{y}=1$ हो, तो $xyz=?$

(सी०डी०एस० परीक्षा, 2015)

(a) -1 (b) 0

(c) $\dfrac{1}{2}$ (d) 1

95. यदि $5\sqrt{3}+\sqrt{75}=17.32$ है, तो $14\sqrt{3}+\sqrt{108}$ का मान ज्ञात करें। [एसएससी सीजीएल टीयर-I सीबीएसई परीक्षा 2022]

(a) 33.86 (b) 34.64 (c) 35.64 (d) 32.46

96. $\sqrt{478+160-314\times 8}=?$ [आरबीआई प्री 2020]

(a) 224 (b) 176 (c) 144 (d) 112

97. $\sqrt[3]{216}\times\sqrt[3]{50+75}=x$ [आरबीआई प्री 2020]

(a) 54 (b) 30 (c) 48 (d) 50

98. $\sqrt{\left(2\dfrac{1}{4}\div 1\dfrac{1}{4}\right)\div\dfrac{1}{5}}=?$ [नाबार्ड 2019]

(a) 5 (b) 3 (c) 4 (d) 2

99. $\sqrt{\sqrt{44944}+\sqrt{52441}}$ [नाबार्ड 2019]

(a) 312 (b) 21 (c) 484 (d) 440

100. 16800 को एक पूर्ण वर्ग बनाने के लिए उसमें से कौन-सी सबसे छोटी संख्या घटाई जानी चाहिए?

[एसएससी मल्टी-टास्किंग स्टाफ परीक्षा 2017]

(a) 169 (b) 219 (c) 159 (d) 249

101. वह सबसे छोटा मान क्या है जिसे 709 में जोड़ा जाने पर, परिणामी एक पूर्ण वर्ग हो?

[एसएससी सीएपीएफ एएसआई, दिल्ली पुलिस एसआई परीक्षा 2017]

(a) 8 (b) 12 (c) 20 (d) 32

102. N के किस मान के लिए 270N एक पूर्ण वर्ग होगा, जहाँ 270N एक 4-अंकीय संख्या है?

[एसएससी सीएपीएफ एएसआई, दिल्ली पुलिस एसआई परीक्षा 2017]

(a) 1 (b) 6 (c) 4 (d) 9

103. यदि तीन लगातार प्राकृतिक संख्याओं के योग का वर्ग उनके वर्गों के योग से 292 अधिक है, तो तीन संख्याओं में सबसे छोटी संख्या कौन सी है?

[एसएससी सीजीएल टियर-I (सीबीएसई) परीक्षा, 2017]

(a) 5 (b) 6 (c) 7 (d) 8

104. चार अंकों की सबसे बड़ी संख्या कौन-सी है जो एक पूर्ण वर्ग है?

[एसएससी सीएपीएफ एएसआई और दिल्ली पुलिस एसआई परीक्षा पेपर-I, 2017]

(a) 9704 (b) 9801 (c) 9901 (d) 9999

105. वह छोटी से छोटी संख्या कौन-सी है जिसे 69120 से गुणा करके एक पूर्ण घन बनाया जा सकता है?

[एसएससी सीएचएसएल (10+2) टीयर-I सीबीएसई परीक्षा, 2018]

(a) 10 (b) 50 (c) 25 (d) 5

106. 27 दशमलव स्थानों वाली संख्या के घनमूल में दशमलव स्थानों की संख्या क्या है?

[एसएससी सीएचएसएल (10+2) टीयर-I सीबीएसई परीक्षा, 2018]

(a) 3 (b) 6 (c) 9 (d) 27

107. निम्नलिखित को अवरोही क्रम में व्यवस्थित करें:

$\sqrt[4]{5}$, $\sqrt[3]{4}$ और $\sqrt[4]{6}$

[एसएससी सीएचएसएल (10+2) टीयर-I सीबीएसई परीक्षा, 2018]

(a) $\sqrt[4]{6}>\sqrt[3]{4}>\sqrt[4]{5}$ (b) $\sqrt[4]{6}>\sqrt[4]{4}>\sqrt[3]{4}$

(c) $\sqrt[3]{4}>\sqrt[4]{5}>\sqrt[4]{6}$ (d) $\sqrt[3]{4}>\sqrt[4]{6}>\sqrt[4]{5}$

108. यदि $\dfrac{1}{N}=\dfrac{(\sqrt{6}+\sqrt{5})}{(\sqrt{6}-\sqrt{5})}$ तो N का मान क्या है?

[एसएससी सीएपीएफ की एएसआई और दिल्ली पुलिस एसआई परीक्षा 2017]

(a) $6-\sqrt{30}$ (b) $6+\sqrt{30}$
(c) $11-2\sqrt{30}$ (d) $11+2\sqrt{5}$

109. $\left[\frac{12}{\sqrt{5}+\sqrt{3}}+\frac{18}{(\sqrt{5}-\sqrt{3})}\right]$ का मान क्या है?

[एसएससी सीजीएल टीयर-I सीबीएसई परीक्षा 2017]

(a) $15(\sqrt{5}-\sqrt{3})$ (b) $3(5\sqrt{5}+\sqrt{3})$
(c) $15(\sqrt{5}+\sqrt{3})$ (d) $3(3\sqrt{5}+\sqrt{3})$

110. $\sqrt{729}+\sqrt{72.9}+\sqrt{7.29}$? का मान क्या है?

[एसएससी सीएचएसएल (10+2) टीयर-I सीबीएसई परीक्षा 2018]

(a) 40.5 (b) 45.6 (c) 33.5 (d) 38.23

111. $\sqrt{1+\frac{1}{2^2}+\frac{1}{3^2}}+\sqrt{1+\frac{1}{3^2}+\frac{1}{4^2}}+\sqrt{1+\frac{1}{4^2}+\frac{1}{5^2}}$ का मान क्या है?

[एसएससी सीएपीएफ एएसआई और दिल्ली पुलिस एसआई परीक्षा 2017]

(a) $\frac{18}{5}$ (b) $\frac{4}{3}$
(c) $\frac{7}{3}$ (d) $\frac{33}{10}$

112. $\frac{(\sqrt{5}+2)}{(\sqrt{5}-2)}$ का वर्गमूल क्या है?

[एसएससी सीएचएसएल (10+2) टीयर-I सीबीएसई परीक्षा 2018]

(a) $\sqrt{5}-\sqrt{4}$ (b) $\sqrt{5}+2$
(c) $5+\sqrt{2}$ (d) 7

113. $\left[(\sqrt{529})+(\sqrt{5.29})+[(0.0529)]\right]$ का मान क्या है?

[एसएससी सीएचएसएल (10+2) टीयर-I सीबीएसई परीक्षा 2018]

(a) 25.323 (b) 25.53
(c) 23.253 (d) 23.53

114. $[19+4\sqrt{21}]$ का धनात्मक वर्गमूल क्या है?

[एसएससी सीएचएसएल (10+2) टीयर-I सीबीएसई परीक्षा 2018]

(a) $\sqrt{7}+2\sqrt{3}$ (b) $\sqrt{3}+2\sqrt{7}$
(c) $\sqrt{2}+3\sqrt{7}$ (d) $\sqrt{7}+3\sqrt{3}$

115. मान लीजिए $x=\sqrt[6]{27}-\sqrt{6\frac{3}{4}}$ और $y=\frac{\sqrt{45}+\sqrt{605}+\sqrt{245}}{\sqrt{80}+\sqrt{125}}$, हो तो x^2+y^2 का मान ज्ञात कीजिए।

[एसएससी सीजीएल टियर-II (सीबीएसई) परीक्षा-2018-2019]

(a) $\frac{223}{36}$ (b) $\frac{221}{36}$ (c) $\frac{221}{9}$ (d) $\frac{227}{9}$

116. $\sqrt{10+\sqrt{25+\sqrt{108+\sqrt{154+\sqrt{225}}}}}$ का मान है–

(a) 4 (b) 6 (c) 8 (d) 10

117. $\sqrt{41-\sqrt{21+\sqrt{19-\sqrt{9}}}}$ का मूल्यांकन करें।

(a) 3 (b) 5 (c) 6 (d) 6.4

118. $\sqrt{176+\sqrt{2401}}$ बराबर है–

(a) 14 (b) 15 (c) 18 (d) 24

119. $\left(\sqrt{\frac{225}{729}}-\sqrt{\frac{25}{144}}\right)\div\sqrt{\frac{16}{81}}=?$

(a) $\frac{1}{48}$ (b) $\frac{5}{48}$
(c) $\frac{5}{16}$ (d) इनमें से कोई नहीं

120. (272^2-128^2) का वर्गमूल है–

(a) 144 (b) 200 (c) 240 (d) 256

121. यदि $x * y = x+y+\sqrt{xy}$, तो 6 * 24 का मान है–

(a) 41 (b) 42 (c) 43 (d) 44

122. यदि $y = 5$, तो $10y\sqrt{y^3-y}$ का मान क्या है?

(a) $50\sqrt{2}$ (b) 100 (c) $200\sqrt{5}$ (d) 500

123. $\sqrt{110\frac{1}{4}}=?$

(a) 10.25 (b) 10.5
(c) 11.5 (d) 19.5

124. दो अंकों वाली कितनी संख्याएँ इस गुण को संतुष्ट करती हैं: दो अंकों की संख्या के वर्ग का अंतिम अंक (इकाई का अंक) 8 है?

(a) 1 (b) 2
(c) 3 (d) इनमें से कोई नहीं

125. उन्नीसवीं शताब्दी के पूर्वार्द्ध में पैदा हुआ एक व्यक्ति वर्ष x^2 में x वर्ष का था। उनका जन्म हुआ था– [एमबीए, 2011]

(a) 1806 (b) 1812
(c) 1825 (d) 1836

126. सबसे छोटी प्राकृतिक संख्या जो एक पूर्ण वर्ग है और जो 3 समान अंकों में समाप्त होती है, स्थित है–

(a) 1000 और 2000 (b) 2000 और 3000
(c) 3000 और 4000 (d) 4000 और 5000

127. यदि $\sqrt{.00000676}=.0026$, 67,60,000 का वर्गमूल है–

(a) $\frac{1}{26}$ (b) 26 (c) 260 (d) 2600

128. निर्देश निम्नलिखित प्रश्न में प्रश्नवाचक चिह्न '?' के स्थान पर कितना मान आएगा?

250 × 24 ÷ 12 + 6 + 18 के 3 का 2 = ?

(a) 416 (b) 612 (c) 614 (d) 610
(e) 510

129. 36 × 9 + 4 × 3 – 70 × 4 + 144 ÷ 24 = ? ÷ 48

(a) 2970 (b) 2897 (c) 2766 (d) 2876
(e) 2976

130. 2500 का 20% – 1200 का 22.5% = 1140 का 15% + (?)

(a) 47 (b) 59 (c) 65 (d) 49
(e) 63

131. $840 \div 14 + 6 \times 9 + 11 - 3 + ? = 187$
(a) 56 (b) 60 (c) 34 (d) 28
(e) 65

132. $15 \times 100 - 10 \times 800 + 60 \div 6 = ? \times 50 \div 10$
(a) −1198 (b) 1298 (c) −1298 (d) −1289
(e) −1239

133. $45 \times 3 + 7 + ? + 36 \div 6 \times 9 = 100$
(a) 96 (b) 100 (c) 120 (d) 110
(e) -96

134. $85 - 5 \times [20 \times (120 - 110)] \div 10 + 40 = ?$
(a) 24 (b) 23 (c) 22 (d) 21
(e) 25

135. 50 का 30% − 250 का 55% = ? + (200 − 99 × 2) ÷ 4
(a) 123 (b) 133 (c) 135 (d) −123
(e) −133

136. $(953 + 487 - 220) \div 5 = 482 - 62 + ?$
(a) −165 (b) −196 (c) −176 (d) −162
(e) इनमें से कोई नहीं

137. $48 \times 27 + 115 \times 62 + 79 \times 23 = ? - \sqrt{256}$
(a) 10159 (b) 11519 (c) 12259 (d) 11219
(e) 10259

138. $\sqrt{289} \times 5 - 60 + 8^2 = 3^3 + 45 - ?$
(a) −25 (b) 17 (c) −17 (d) −15
(e) 19

139. $(843 + 237) \div 180 + 16^2 = ?$
(a) 284 (b) 272 (c) 292 (d) 282
(e) 262

140. $\sqrt{729} \times 6 + 15 \times 450$ का 50% − 366 ÷ 3 = ?
(a) 2088 (b) 3415 (c) 3375 (d) 2812
(e) 3130

141. $12\frac{2}{3} \div 6\frac{1}{3} + 7\frac{1}{7} \times \frac{2}{5} - 12$ का 12.5% = ?
(a) 3.15 (b) 3.35 (c) 3.65 (d) 4.25
(e) 4.75

142. 420 का 48% + 470 का 32% = ? का 11%
(a) 3200 (b) 3000 (c) 3300 (d) 3500
(e) 2800

143. सरलीकृत कीजिए। $\frac{256x^4 - 16y^4}{(80x^2 - 20yA^2)(16x^2 + 4y^2)}$
[एसएससी सीजीएल परीक्षा 25/07/2023 (Shift-02)]
(a) 5 (b) $\frac{1}{20}$ (c) $\frac{1}{5}$ (d) $\frac{2}{5}$

144. निम्नलिखित व्यंजक को सरल कीजिए। $\frac{x^2 - 2x - 63}{x^2 + 14x + 49}$
[एसएससी सीजीएल परीक्षा 25/07/2023 (Shift-03)]
(a) $\frac{x+9}{x+7}$ (b) $\frac{x-7}{x+7}$ (c) $\frac{x+7}{x-7}$ (d) $\frac{x-9}{x+7}$

145. $100 \div 10 - [-2 + \{-9 + (3 - 6 \text{ of } 2)\}]$
[एसएससी सीजीएल परीक्षा 25/07/2023 (Shift-03)]
(a) -6 (b) 20 (c) 30 (d) 0

146. व्यंजक $\frac{s^2 + t^2 + 2st - u^2}{s^2 - t^2 - 2tu - u^2}$, का मान ज्ञात कीजिए, यदि $(s + t + u) \neq 0$- दिया गया हो।
[एसएससी सीजीएल परीक्षा 25/07/2023 (Shift-04)]
(a) $\frac{s+t-u}{s-t-u}$ (b) $\frac{s+t+u}{s-t+u}$ (c) $\frac{s-t-u}{s+t-u}$ (d) $\frac{s-t+u}{s+t+u}$

147. $-7p - [3q - \{8p - (4q - 10p)\}] = ?$
[एसएससी सीजीएल परीक्षा 25/07/2023 (Shift-04)]
(a) $p-11q$ (b) $11p-7q$ (c) $9p-12q$ (d) $12p-9q$

148. दिए गए व्यंजक का मान ज्ञात कीजिए: 147÷7×1+3-[18 -{15-(7-7-2)}]
[एसएससी सीजीएल परीक्षा 26/07/2023 (Shift-04)]
(a) 5 (b) 6 (c) 4 (d) 3

149. निम्नलिखित व्यंजक को सरल कीजिए।
$120 \div 15 \text{ of } 4 + [11 \times 4 \div 4 \text{ of } \{4 \times 2 - (8 - 11)\}]$
[एसएससी सीजीएल परीक्षा 26/07/2023 (Shift-04)]
(a) $\frac{120}{61}$ (b) $\frac{61}{120}$ (c) 3 (d) -3

150. निम्नलिखित व्यंजक को सरल कीजिए।
$$\left\{\frac{120 \times 120 \times 120 - 100 \times 100 \times 100}{120 \times 120 + 120 \times 100 + 100 \times 100}\right\}$$
[एसएससी सीजीएल परीक्षा 26/07/2023 (Shift-04)]
(a) 20 (b) 25 (c) 10 (d) 15

151. निर्देश $1\frac{3}{4} + 1\frac{5}{7} \div 2\frac{3}{7} \times 2\frac{3}{7}$ का मान ज्ञात कीजिए।
[एसएससी सीजीएल परीक्षा 27/07/2023 (Shift-02)]
(a) $1\frac{11}{28}$ (b) $2\frac{13}{28}$ (c) $3\frac{13}{28}$ (d) $4\frac{23}{28}$

152. निम्नलिखित व्यंजक का मान ज्ञात कीजिए।
$$\frac{7.35 \times 7.35 - 2.25 \times 2.25}{0.24}$$
[एसएससी सीजीएल परीक्षा 27/07/2023 (Shift-03)]
(a) 204 (b) 320 (c) 225 (d) 304

153. $\frac{\left(3\frac{1}{3} - 2\frac{1}{2}\right) \div 1\frac{1}{4} \text{ का } \frac{1}{2}}{\frac{1}{3} + \frac{1}{9} \text{ का } \frac{1}{5}}$ का $\frac{0.04}{0.05}$ का मूल्यांकन करें।
[एसएससी सीपीओ परीक्षा 03/10/2023 (Shift-01)]
(a) 0.3 (b) 5 (c) 3 (d) 0.03

154. 11×11+11÷11-11×11+11+11×11-11-11×11 का मूल्यांकन करें
[एसएससी एमटीएस परीक्षा 01/09/2023 (Shift-01)]
(a) 1 (b) 11 (c) 121 (d) 0

155. (13÷13 of 13+13)/(13÷13× 13+13) का सरलीकरण करें।
[एसएससी एमटीएस परीक्षा 13/09/2023 (Shift-01)]
(a) $\frac{1}{26}$ (b) $\frac{15}{26}$ (c) $\frac{13}{96}$ (d) $\frac{85}{169}$

156. यदि $6\frac{1}{2} \times 2\frac{4}{5} \div x = \frac{7}{10}$, तो ग का मान ज्ञात करें।
[एसएससी एमटीएस परीक्षा 13/09/2023 (Shift-01)]
(a) 26 (b) 6 (c) 32 (d) 12

157. यदि $3\frac{1}{3} \div 6\frac{3}{7} \times 1\frac{1}{2} \times 3\frac{1}{7} = (p)^{1/2}$ है, तो 'p' का मान क्या है?

[एसएससी जीडी परीक्षा 06/03/2024 (Shift-01)]

(a) $\frac{22}{9}$ (b) $\frac{22}{3}$

(c) $\frac{484}{3}$ (d) $\frac{484}{81}$

158. $\left[18 \text{ का } \frac{1}{4}\div\frac{6}{5}+\left(\frac{1}{8}+\frac{7}{4}\right)\right]\times\frac{1}{15}$ का मान ज्ञात कीजिए।

[एसएससी जीडी परीक्षा 05/03/2024 (Shift-01)]

(a) 3/8 (b) 6/7 (c) 5/8 (d) 4/5

159. निम्नलिखित व्यंजक को सरल कीजिए।

[2 का 1800÷10×[45÷(17-2)] + [-2(1+2)].

[एसएससी जीडी परीक्षा 29/02/2024 (Shift-01)]

(a) –2160 (b) $33\frac{1}{3}$ (c) 0 (d) 1074

निर्देश (160-164): निम्नलिखित प्रत्येक प्रश्न में प्रश्नचिह्न (?) के स्थान पर लगभग क्या मान आएगा? (आपसे यथा तथ्य गणना अपेक्षित नहीं है।)

160. 369.87 का 68.67% ÷ 15.01 = 221 ÷ ?

(a) 7 (b) 18 (c) 13 (d) 21
(e) 10

161. (6274 ÷ 6.14) का ?% = 646.51 – 241.58

(a) 60 (b) 45 (c) 39 (d) 65
(e) 74

162. 1056 × ? ÷ 3 = 576.73 × 202

(a) 360 (b) 295 (c) 412 (d) 381
(e) 330

163. $768 \div 11.82 \times \sqrt{168} - 42 = ?$

(a) 745 (b) 910 (c) 980 (d) 790
(e) 760

164. $\sqrt{?} \times 124.03 - 19.07 \times 5.98 = 131$

[आई.बी.पी.एस. बैंक क्लर्क सी.डब्लू.ई. मुख्य परीक्षा, 2017]

(a) 17 (b) 21 (c) 16 (d) 11
(e) 4

निर्देश (165-177): निम्नलिखित प्रत्येक प्रश्न में प्रश्न चिह्न (?) के स्थान पर क्या मान आएगा ?

165. $2^? \times \sqrt{1024} = 209 \div 38 \times 2 - 7$

(a) –4 (b) 2
(c) –3 (d) 3
(e) इनमें से कोई नहीं

166. $97 - 238 \div 14 = ? \div 5$

(a) 580 (b) 400 (c) 500 (d) 360
(e) 450

167. $6 + 144 \div 4.8 \div 0.6 = ?$

(a) 92 (b) 56 (c) 75 (d) 84
(e) 76

168. 480 का $50\% + 12^2 = ?$

(a) 337 (b) 315
(c) 384 (d) 349
(e) इनमें से कोई नहीं

169. $2^7 \div 2^{-3} \times 4^2 \times (256)^{-1} = ?$

(a) 32 (b) 64 (c) 8 (d) 16
(e) 128

170. $\sqrt{? \times 6^2} = (5^2 \times 2)$ का 60%

(a) 54 (b) 32 (c) 40 (d) 34
(e) 25

171. $(17 \times 10 - 19 \times 5) \div 5 = ?$

(a) 24 (b) 32 (c) 18 (d) 15
(e) 16

172. $(1 - 7 \div 5 \times 3.5)$ का $\frac{4}{5} = ?$

(a) 7-2 (b) 5-2 (c) 8-4 (d) 9-6
(e) 0-952

173. $512^{\frac{1}{3}} \times 12^2 \div (288 \div 4 - 5) = ?$

(a) 22 (b) 18 (c) 12 (d) 24
(e) 16

174. $\left(7\frac{1}{7} = 7\right) \times 2 = ?$

[NIACL सहायक प्रारंभिक परीक्षा, 2017]

(a) $29\frac{1}{7}$ (b) $26\frac{2}{7}$ (c) $21\frac{3}{7}$ (d) $25\frac{5}{7}$

(e) $28\frac{2}{7}$

175. यदि $2apq = (p+q)^2 - (p-q)^2$, तो a का मान क्या है ?

(a) 2 (b) 1
(c) 4 (d) 8

[एस.एस.सी. सी.एच.एस.एल. (10+2) ग्रेड-टियर-I (सी.बी.ई.) परीक्षा, 2017]

176. यदि $7 + 3x > 3 + 2x$ और $x + 3(x-7) < 5 - x$; तो x का क्या मान होगा ?

(a) –5 (b) 5
(c) 6 (d) –6

[एस.एस.सी. सी.एच.एस.एल. (10+2) ग्रेड-टियर-I (सी.बी.ई.) परीक्षा, 2017]

177. यदि $6088 \times ? = 7610$ हो, तो '?' का मान क्या होगा?

(a) $\frac{5}{4}$ (b) $\frac{4}{5}$

(c) $\frac{6}{7}$ (d) $\frac{7}{6}$

[एस.एस.सी. सी.एच.एस.एल. (10+2) ग्रेड-टियर-I (सी.बी.ई.) परीक्षा, 2017]

उत्तरमाला

1. (c)	2. (c)	3. (b)	4. (d)	5. (c)	6. (a)	7. (d)	8. (b)	9. (a)	10. (c)
11. (c)	12. (c)	13. (a)	14. (d)	15. (a)	16. (d)	17. (b)	18. (b)	19. (a)	20. (d)
21. (c)	22. (a)	23. (a)	24. (b)	25. (c)	26. (b)	27. (a)	28. (b)	29. (b)	30. (b)
31. (b)	32. (a)	33. (b)	34. (a)	35. (c)	36. (b)	37. (c)	38. (b)	39. (c)	40. (a)
41. (c)	42. (d)	43. (c)	44. (b)	45. (b)	46. (a)	47. (d)	48. (c)	49. (c)	50. (d)
51. (b)	52. (d)	53. (d)	54. (d)	55. (b)	56. (b)	57. (b)	58. (b)	59. (b)	60. (c)
61. (a)	62. (b)	63. (c)	64. (c)	65. (b)	66. (c)	67. (a)	68. (c)	69. (b)	70. (a)
71. (b)	72. (d)	73. (d)	74. (d)	75. (b)	76. (d)	77. (a)	78. (a)	79. (b)	80. (b)
81. (c)	82. (c)	83. (c)	84. (b)	85. (d)	86. (d)	87. (d)	88. (d)	89. (d)	90. (a)
91. (a)	92. (b)	93. (c)	94. (a)	95. (b)	96. (c)	97. (b)	98. (b)	99. (b)	100. (c)
101. (c)	102. (c)	103. (b)	104. (b)	105. (c)	106. (c)	107. (d)	108. (c)	109. (b)	110. (d)
111. (d)	112. (b)	113. (b)	114. (a)	115. (a)	116. (a)	117. (c)	118. (b)	119. (c)	120. (c)
121. (b)	122. (d)	123. (b)	124. (d)	125. (a)	126. (a)	127. (d)	128. (c)	129. (e)	130. (b)
131. (e)	132. (b)	133. (e)	134. (e)	135. (d)	136. (c)	137. (e)	138. (c)	139. (e)	140. (b)
141. (b)	142. (a)	143. (c)	144. (d)	145. (c)	146. (a)	147. (b)	148. (c)	149. (c)	150. (a)
151. (c)	152. (a)	153. (c)	154. (a)	155. (d)	156. (a)	157. (d)	158. (a)	159. (d)	160. (c)
161. (c)	162. (e)	163. (d)	164. (e)	165. (c)	166. (b)	167. (b)	168. (c)	169. (b)	170. (e)
171. (d)	172. (e)	173. (b)	174. (e)	175. (a)	176. (b)	177. (a)			

दिये गये प्रश्नों के हल

1. दिया गया व्यंजक

$$= \frac{27}{5} + \frac{33}{4} - \frac{19}{3} = \frac{(324+495-380)}{60} = \frac{439}{60} = 7\frac{19}{60}.$$

2. दिया गया व्यंजक $= \frac{17}{9} + \frac{23}{7} - \frac{15}{7} + \frac{67}{6} = \frac{17}{9} + \frac{67}{6} + \frac{8}{7}$

$$= \frac{34+201}{18} + \frac{8}{7} = \frac{235}{18} + \frac{8}{7}$$

$$= \frac{1645+144}{126} = \frac{1789}{126} = 14\frac{25}{126}.$$

3. दिया गया व्यंजक $= 9 - \frac{11}{9}$ का $\frac{36}{11} \div \frac{36}{7}$ का $\frac{7}{9}$

$$= 9 - 4 \div 4 = (9-1) = 8.$$

4. दिया गया व्यंजक $= \frac{2}{3} \times \frac{3}{\frac{5}{6} \div \frac{2}{3} \text{ का } \frac{5}{4}} = \frac{2}{3} \times \frac{3}{\frac{5}{6} \div \frac{5}{6}} = \frac{2}{3} \times \frac{3}{1}$

$$= 2.$$

5. दिया गया व्यंजक $= \dfrac{\frac{5}{3} \times \frac{7}{51} \text{ का } \frac{17}{5} - \frac{1}{3}}{\frac{2}{9} \times \frac{5}{7} \text{ का } \frac{28}{5} - \frac{2}{3}} = \dfrac{\frac{5}{3} \times \frac{7}{15} - \frac{1}{3}}{\frac{2}{9} \times 4 - \frac{2}{3}}$

$$= \frac{\frac{7}{9} - \frac{1}{3}}{\frac{8}{9} - \frac{2}{3}} = \frac{\left(\frac{4}{9}\right)}{\left(\frac{2}{9}\right)} = \left(\frac{4}{9} \times \frac{9}{2}\right) = 2.$$

6. दिया गया व्यंजक $= \dfrac{5 \times 5 + 3 \times 2}{6 + 5 \times 4 \times \frac{5}{4}} = \dfrac{25+6}{6+25} = \dfrac{31}{31} = 1.$

7. माना $\frac{16}{3} - \frac{11}{3} \div \frac{4}{3} \div x + \frac{16}{5} \div \frac{6}{5} = 7.$

तब, $\frac{16}{3} - \frac{11}{3} \times \frac{3}{4} \times \frac{1}{x} + \frac{16}{5} \times \frac{5}{6} = 7$

$$\Leftrightarrow \frac{16}{3} - \frac{11}{4x} + \frac{8}{3} = 7 \Leftrightarrow \frac{11}{4x} = (8-7) = 1$$

$$\Leftrightarrow 4x = 11 \Leftrightarrow x = \frac{11}{4} = 2\frac{3}{4}.$$

8. माना $\frac{5}{6} \div \frac{6}{7} \times x - \frac{8}{9} \div \frac{8}{5} + \frac{3}{4} \times \frac{10}{3} = \frac{25}{9}$

$$\Leftrightarrow \frac{5}{6} \times \frac{7}{6} \times x - \frac{8}{9} \times \frac{5}{8} + \frac{3}{4} \times \frac{10}{3} = \frac{25}{9}$$

$$\Leftrightarrow \frac{35x}{36} - \frac{5}{9} + \frac{5}{2} = \frac{25}{9}$$

$$\Leftrightarrow \frac{35x}{36} = \frac{25}{9} + \frac{5}{9} - \frac{5}{2} = \frac{30}{9} - \frac{5}{2} = \frac{10}{3} - \frac{5}{2} = \frac{5}{6}$$

$$\Leftrightarrow \frac{35x}{36} = \frac{5}{6} \Leftrightarrow x = \left(\frac{5}{6} \times \frac{36}{35}\right) = \frac{6}{7}.$$

9. माना $\frac{3}{8}$ का $168 \times 15 \div 5 + x = 549 \div 9 + 235$

$$\Leftrightarrow 63 \times \frac{15}{5} + x = \frac{549}{9} + 235 \Leftrightarrow 189 + x = 61 + 235$$

$$\Leftrightarrow x = (296 - 189) = 107.$$

10. दिया गया व्यंजक $= \frac{3}{4} \div \frac{9}{4}$ का $\frac{2}{3} - \left(\frac{1}{6} \times \frac{6}{5}\right) \times \frac{10}{3} + \frac{5}{6}$

$$= \frac{3}{4} \div \frac{3}{2} - \frac{1}{5} \times \frac{10}{3} + \frac{5}{6} = \frac{3}{4} \times \frac{2}{3} - \frac{1}{5} \times \frac{10}{3} + \frac{5}{6}$$

$$= \frac{1}{2} - \frac{2}{3} + \frac{5}{6} = \frac{3-4+5}{6} = \frac{4}{6} = \frac{2}{3}$$

11. दिया गया व्यंजक

$$=5-\left[\frac{3}{4}+\left\{\frac{5}{2}-\left(\frac{1}{2}+\frac{1}{42}\right)\right\}\right]=5-\left[\frac{3}{4}+\left[\frac{5}{2}-\frac{22}{42}\right]\right]$$

$$=5-\left[\frac{3}{4}+\left(\frac{5}{2}-\frac{11}{21}\right)\right]=5-\left[\frac{3}{4}+\frac{(105-22)}{42}\right]$$

$$=5-\left[\frac{3}{4}+\frac{83}{42}\right]$$

$$=5-\left(\frac{63+166}{84}\right)=\left(5-\frac{229}{84}\right)=\frac{(420-229)}{84}.$$

$$=\frac{191}{84}=2\frac{23}{84}$$

12. दिया गया व्यंजक

$$=\frac{\frac{13}{4}-\frac{2}{3}}{\left(\frac{13}{3}\times\frac{5}{1}\right)-\left(\frac{3}{10}+\frac{106}{5}\right)}$$

$$=\frac{\left(\frac{31}{12}\right)}{\left(\frac{65}{3}-\frac{215}{10}\right)}=\frac{\left(\frac{31}{12}\right)}{\left(\frac{65}{3}-\frac{43}{2}\right)}$$

$$=\frac{\left(\frac{31}{12}\right)}{\frac{(130-129)}{6}}=\left(\frac{31}{12}\times\frac{6}{1}\right)=\frac{31}{2}=15\frac{1}{2}.$$

13. माना $\dfrac{\frac{15}{2}-\frac{23}{4}}{\frac{7}{2}+x}\div\dfrac{\frac{1}{2}+\frac{5}{4}}{\frac{6}{5}+\frac{7}{2}}=\dfrac{3}{5}\Leftrightarrow\dfrac{\left(\frac{7}{4}\right)}{\left(\frac{7+2x}{2}\right)}\div\dfrac{\left(\frac{7}{4}\right)}{\left(\frac{47}{10}\right)}=\dfrac{3}{5}$

$$\Leftrightarrow\left\{\frac{7}{4}\times\frac{2}{(7+2x)}\right\}\div\left\{\left(\frac{7}{4}\times\frac{10}{47}\right)\right\}=\frac{3}{5}\Leftrightarrow\frac{7}{2(7+2x)}\times\frac{94}{35}=\frac{3}{5}$$

$$\Leftrightarrow\frac{47}{5(7+2x)}=\frac{3}{5}\Leftrightarrow 21+6x=47\Leftrightarrow 6x=26.$$

$$\Leftrightarrow x=\frac{13}{3}=4\frac{1}{3}$$

14. दिया गया व्यंजक $=\dfrac{1}{2}+\left\{\dfrac{19}{4}-\left(\dfrac{19}{6}-\dfrac{7}{3}\right)\right\}=\dfrac{1}{2}+\left\{\dfrac{19}{4}-\dfrac{5}{6}\right\}$

$$=\frac{1}{2}+\frac{(57-10)}{12}$$

$$=\left(\frac{1}{2}+\frac{47}{12}\right)=\frac{(6+47)}{12}=\frac{53}{12}=4\frac{5}{12}.$$

15. $5\dfrac{3}{x}\times 3\dfrac{1}{2}=19\quad\Leftrightarrow\dfrac{5x+3}{x}\times\dfrac{7}{2}=19\Leftrightarrow\dfrac{5x+3}{x}=\left(19\times\dfrac{2}{7}\right)$

$$\Leftrightarrow 35x+21=38x$$
$$\Leftrightarrow 3x=21$$
$$\Leftrightarrow x=7.$$

16. दिया गया व्यंजक

$$=\left(999+\frac{1}{7}\right)+\left(999+\frac{2}{7}\right)+....+\left(999+\frac{6}{7}\right)$$

$$=(999\times 6)+\left(\frac{1}{7}+\frac{2}{7}+\frac{3}{7}+\frac{4}{7}+\frac{5}{7}+\frac{6}{7}\right)=\left(5994+\frac{21}{7}\right)$$

$$=5997.$$

17. दिया गया व्यंजक $=\left(999+\dfrac{995}{999}\right)\times 999$

$$=(999\times 999)+\left(\frac{995}{999}\times 999\right)$$
$$=\{(1000-1)\times 999\}+995$$
$$=(999000-999)+995$$
$$=(998001+995)=998996.$$

18. दिया गया व्यंजक $=\dfrac{(a^2-b^2)}{(a+b)}=(a-b),$

जहाँ $a=\left(1+\dfrac{1}{1+1/100}\right)$ तथा $b=\left(1-\dfrac{1}{1+1/100}\right)$

$$=\left(1+\frac{1}{1+1/100}\right)-\left(1-\frac{1}{1+1/100}\right)$$

$$=\frac{2}{1+\frac{1}{100}}=\frac{200}{(100+1)}=\frac{200}{101}.$$

19. दिया गया व्यंजक

$$=\frac{(x+2)}{(x+1)}\times\frac{(x+3)}{(x+2)}\times\frac{(x+4)}{(x+3)}\times\frac{(x+5)}{(x+4)}=\frac{(x+5)}{(x+1)}$$

20. दिया गया व्यंजक

$$=\left(\frac{1}{2}-\frac{1}{3}\right)+\left(\frac{1}{3}-\frac{1}{4}\right)+\left(\frac{1}{4}-\frac{1}{5}\right)+\left(\frac{1}{5}-\frac{1}{6}\right)$$
$$+\left(\frac{1}{6}-\frac{1}{7}\right)+\left(\frac{1}{7}-\frac{1}{8}\right)=\left(\frac{1}{2}-\frac{1}{8}\right)=\frac{3}{8}$$

21. दिया गया व्यंजक $=\dfrac{3}{2}\times\dfrac{4}{3}\times\dfrac{5}{4}\times\dfrac{6}{5}\times\ldots\times\dfrac{120}{119}\times\dfrac{121}{120}=\dfrac{121}{2}$

$$=60.5.$$

22. दिया गया व्यंजक $=\dfrac{1}{2}\times\dfrac{2}{3}\times\dfrac{3}{4}\times\dfrac{4}{5}\times\ldots\times\dfrac{(n-1)}{n}=\dfrac{1}{n}.$

23. दिया गया व्यंजक $=\dfrac{2}{3}\times\dfrac{3}{4}\times\dfrac{4}{5}\times\ldots\times\dfrac{49}{50}=\dfrac{2}{50}=\dfrac{1}{25}.$

24. दिया गया व्यंजक $=\dfrac{5}{3}\times\dfrac{7}{5}\times\dfrac{9}{7}\times\ldots\times\dfrac{1003}{1001}=\dfrac{1003}{3}.$

25. $\dfrac{1}{(\sqrt{4}+\sqrt{3})}=\dfrac{1}{(\sqrt{4}+\sqrt{3})}\times\dfrac{(\sqrt{4}-\sqrt{3})}{(\sqrt{4}-\sqrt{3})}=(\sqrt{4}-\sqrt{3}).$

इसी प्रकार

$$\frac{1}{(\sqrt{4}+\sqrt{5})}=(\sqrt{5}-\sqrt{4});\ \frac{1}{(\sqrt{5}+\sqrt{6})}=(\sqrt{6}-\sqrt{5});$$

$$\frac{1}{(\sqrt{6}+\sqrt{7})}=(\sqrt{7}-\sqrt{6});$$

$\dfrac{1}{(\sqrt{7}+\sqrt{8})}=(\sqrt{8}-\sqrt{7})$ तथा $\dfrac{1}{(\sqrt{8}+\sqrt{9})}=(\sqrt{9}-\sqrt{8}).$

$\therefore$ दिया गया व्यंजक

$$= \left(\sqrt{4}-\sqrt{3}\right)+\left(\sqrt{5}-\sqrt{4}\right)+\left(\sqrt{6}-\sqrt{5}\right)+\left(\sqrt{7}-\sqrt{6}\right)+\left(\sqrt{8}-\sqrt{7}\right)+\left(\sqrt{9}-\sqrt{8}\right)$$

$$= \left(\sqrt{9}-\sqrt{3}\right) = \left(3-\sqrt{3}\right).$$

26. $$\frac{1}{\left(\sqrt{100}-\sqrt{99}\right)} = \frac{1}{\left(\sqrt{100}-\sqrt{99}\right)} \times \frac{\left(\sqrt{100}+\sqrt{99}\right)}{\left(\sqrt{100}+\sqrt{99}\right)} = \left(\sqrt{100}+\sqrt{99}\right).$$

इसी प्रकार,

$$\frac{1}{\left(\sqrt{99}-\sqrt{98}\right)} = \frac{1}{\left(\sqrt{99}-\sqrt{98}\right)} \times \frac{\left(\sqrt{99}+\sqrt{98}\right)}{\left(\sqrt{99}+\sqrt{98}\right)} \text{ आदि.} = \left(\sqrt{99}+\sqrt{98}\right)$$

$\therefore$ दिया गया व्यंजक

$$= \left(\sqrt{100}+\sqrt{99}\right)-\left(\sqrt{99}+\sqrt{98}\right)+\left(\sqrt{98}+\sqrt{97}\right)-\ldots-\left(\sqrt{2}+\sqrt{1}\right)$$

$$= \left(\sqrt{100}-\sqrt{1}\right) = (10-1) = 9.$$

27. दिया गया व्यंजक $= \dfrac{(4\cdot5\cdot6+5\cdot6+2\cdot6+2\cdot3)}{1\cdot2\cdot3\cdot4\cdot5\cdot6}$

$$= \frac{(120+30+12+6)}{720} = \frac{168}{720} = \frac{7}{30}.$$

28. दिया गया व्यंजक

$$= \left(\frac{1}{1^2}-\frac{1}{2^2}\right)+\left(\frac{1}{2^2}-\frac{1}{3^2}\right)+\left(\frac{1}{3^2}-\frac{1}{4^2}\right)+\ldots+\left(\frac{1}{9^2}-\frac{1}{10^2}\right)$$

$$= \left(\frac{1}{1^2}-\frac{1}{10^2}\right) = \left(1-\frac{1}{100}\right) = \frac{99}{100}.$$

29. $(2^2+4^2+6^2+\ldots+40^2) = \{(2\times1)^2+(2\times2)^2+(2\times3)^2+(2\times4)^2+\ldots+(2\times20)^2\}$

$$= 2^2\times(1^2+2^2+3^2+\ldots+20^2) = (4\times2870) = 11480.$$

30. बायाँ पक्ष $= 7^{2\cdot3}\times(7^2)^{4\cdot7}\times(63)^{3\cdot4}\times(9^2)^{5\cdot85}$

$$= (7^{2\cdot3}\times7^{9\cdot4})\times(63)^{3\cdot4}\times9^{11\cdot70}$$

$$= 7^{11\cdot7}\times9^{11\cdot7}\times(63)^{3\cdot4} = (7\times9)^{11\cdot7}\times63^{3\cdot4}$$

$$= (63)^{11\cdot7}\times(63)^{3\cdot4} = (63)^{(11\cdot7+3\cdot4)} = (63)^{15\cdot1}.$$

31. दिया गया व्यंजक $= \dfrac{7^{n+4}-7^{n+1}}{7^{n+4}}+\dfrac{1}{7^3} = \dfrac{7^{n+1}(7^3-1)}{7^{n+1}(7^3)}+\dfrac{1}{7^3}$

$$= \frac{(7^3-1)}{7^3}+\frac{1}{7^3} = \frac{(7^3-1+1)}{7^3} = \frac{7^3}{7^3} = 1.$$

32. $$\left(a+\frac{1}{a}\right) = 6 \Leftrightarrow \left(a+\frac{1}{a}\right)^2 = 36 \Leftrightarrow a^2+\frac{1}{a^2}+2 = 36$$

$$\Leftrightarrow \left(a^2+\frac{1}{a^2}\right) = 34 \Leftrightarrow \left(a^2+\frac{1}{a^2}\right)^2 = (34)^2$$

$$\Leftrightarrow \left(a^4+\frac{1}{a^4}+2\right) = 1156 \Leftrightarrow \left(a^4+\frac{1}{a^4}\right) = 1154.$$

33. $$a = \frac{(\sqrt{5}+1)}{(\sqrt{5}-1)}\times\frac{(\sqrt{5}+1)}{(\sqrt{5}+1)} = \frac{(\sqrt{5}+1)^2}{(5-1)} = \frac{6+2\sqrt{5}}{4} = \frac{3+\sqrt{5}}{2}.$$

$$b = \frac{(\sqrt{5}-1)}{(\sqrt{5}+1)}\times\frac{(\sqrt{5}-1)}{(\sqrt{5}-1)} = \frac{(\sqrt{5}-1)^2}{(5-1)} = \frac{6-2\sqrt{5}}{4} = \frac{3-\sqrt{5}}{2}.$$

$$\therefore (a+b) = \frac{(3+\sqrt{5})}{2}+\frac{(3-\sqrt{5})}{2} = \frac{6}{2} = 3,\ (a-b) = \sqrt{5}$$

तथा $ab = 1$.

$$\frac{(a^2+ab+b^2)}{(a^2-ab+b^2)} = \frac{(a+b)^2-ab}{(a-b)^2+ab} = \frac{3^2-1}{\left(\sqrt{5}\right)^2+1} = \frac{9-1}{5+1} = \frac{8}{6} = \frac{4}{3} = 1.33.$$

34. $$(x+y) = \frac{(\sqrt{5}+\sqrt{3})}{(\sqrt{5}-\sqrt{3})}+\frac{(\sqrt{5}-\sqrt{3})}{(\sqrt{5}+\sqrt{3})} = \frac{(\sqrt{5}+\sqrt{3})^2+(\sqrt{5}-\sqrt{3})^2}{(5-3)}$$

$$= \frac{\text{ü}\left\{\left(\sqrt{\ }\right)^2+\left(\sqrt{\ }\right)^2\right\}}{2} = (5+3) = 8.$$

35. माना $\dfrac{a}{4} = \dfrac{b}{3} = K$. तब, $a = 4K$ तथा $b = 3K$.

$$\therefore \frac{6a+4b}{6a-5b} = \frac{24K+12K}{24K-15K} = \frac{36K}{9K} = 4.$$

36. माना $\dfrac{x}{4} = \dfrac{y}{5} = K$. तब, $x = 4K$ तथा $y = 5K$.

$$\therefore \frac{2y-x}{2y+x} = \frac{10K-4K}{10K+4K} = \frac{6K}{14K} = \frac{3}{7}.$$

$$\therefore \left(\frac{4}{7}+\frac{2y-x}{2y+x}\right) = \left(\frac{4}{7}+\frac{3}{7}\right) = 1.$$

37. माना $\dfrac{x}{6} = \dfrac{2y}{7} = K$. तब, $x = 6K$ तथा $y = \dfrac{7K}{2}$.

$$\therefore \frac{x-y}{x+y} = \frac{6K-\frac{7K}{2}}{6K+\frac{7K}{2}} = \frac{5K}{19K} = \frac{5}{19}.$$

अत: $$\left(\frac{x-y}{x+y}+\frac{14}{19}\right) = \left(\frac{5}{19}+\frac{14}{19}\right) = 1.$$

38. $$\frac{a}{c} = \left(\frac{a}{b}\times\frac{b}{c}\right) = \left(\frac{4}{5}\times\frac{15}{16}\right) = \frac{3}{4} \Rightarrow \frac{a}{3} = \frac{c}{4} = K$$

$\Rightarrow a = 3K, c = 4K.$

$$\therefore \frac{c^2-a^2}{c^2+a^2} = \frac{16K^2-9K^2}{16K^2+9K^2} = \frac{7K^2}{25K^2} = \frac{7}{25}.$$

39. माना $\dfrac{a}{3} = \dfrac{b}{4} = \dfrac{c}{7} = K$. तब, $a = 3K$, $b = 4K$ तथा $c = 7K$.

$$\therefore \frac{a+b+c}{c} = \frac{3K+4K+7K}{7K} = \frac{14K}{7K} = 2.$$

40. $\dfrac{2a+3b}{2a-3b}=\dfrac{2c+3d}{2c-3d}$

$\Rightarrow \dfrac{(2a+3b)+(2a-3b)}{(2a+3b)-(2a-3b)}=\dfrac{(2c+3d)+(2c-3d)}{(2c+3d)-(2c-3d)}$

$\Rightarrow \dfrac{4a}{6b}=\dfrac{4c}{6d}\Rightarrow \dfrac{a}{b}=\dfrac{c}{d}$.

41. $\dfrac{(a+b+2c+3d)}{(a+b-2c-3d)}=\dfrac{(a-b+2c-3d)}{(a-b-2c+3d)}$

$\Rightarrow \dfrac{(a+b+2c+3d)+(a+b-2c-3d)}{(a+b+2c+3d)-(a+b-2c-3d)}=\dfrac{(a-b+2c-3d)+(a-b-2c+3d)}{(a-b+2c-3d)-(a-b-2c+3d)}$

$\Rightarrow \dfrac{2(a+b)}{2(2c+3d)}=\dfrac{2(a-b)}{2(2c-3d)}\Rightarrow \dfrac{a+b}{2c+3d}=\dfrac{a-b}{2c-3d}$

$\Rightarrow \dfrac{a+b}{a-b}=\dfrac{2c+3d}{2c-3d}$

$\Rightarrow \dfrac{(a+b)+(a-b)}{(a+b)-(a-b)}=\dfrac{(2c+3d)+(2c-3d)}{(2c+3d)-(2c-3d)}$

$\Rightarrow \dfrac{2a}{2b}=\dfrac{4c}{6d}\Rightarrow \dfrac{a}{b}=\dfrac{2c}{3d}$

$\Rightarrow 2bc=3ad$.

42. $\dfrac{2a+b}{a+4b}=3\Rightarrow 2a+b=3a+12b\Rightarrow a=-11b$.

$\therefore \dfrac{a+b}{a+2b}=\dfrac{-11b+b}{-11b+2b}=\dfrac{-10b}{-9b}=\dfrac{10}{9}$.

43. $\dfrac{A}{B}=\dfrac{7}{1}\Rightarrow \dfrac{A+B}{A-B}=\dfrac{7+1}{7-1}=\dfrac{8}{6}=\dfrac{4}{3}=1\dfrac{1}{3}$

44. $(a^2-c^2)=(a^2+b^2)-(b^2+c^2)=(45-40)=5$.

$\Rightarrow (a+c)(a-c)=5\Rightarrow a+c=5$ तथा $a-c=1$.

$\therefore a=3, c=2$.

अब, $a^2+b^2=45$ में $a=3$ रखने पर $b^2=36\Leftrightarrow b=6$.

अतः $a=3, b=6, c=2$.

45. $\dfrac{3x}{21}=\dfrac{2y}{22}=K\Rightarrow x=7K,\ y=11K$.

$\therefore 4x+5y=83\Rightarrow 28K+55K=83\Rightarrow 83K=83\Rightarrow K=1$.

$\therefore x=7,\ y=11$. अतः $(y-x)=(11-7)=4$.

46. माना $\dfrac{x}{5}=\dfrac{x+y}{7}=K$. तब, $x=5K,\ x+y=7K\Rightarrow y=2K$.

$\therefore 3x-5y=5\Rightarrow 15K-10K=5\Rightarrow 5K=5\Rightarrow K=1$.

$\therefore x=5,\ y=2$. अतः $x-y=(5-2)=3$.

47. $2x+y=17$ तथा $x+y=9$ को हल करने पर, $x=8$ तथा $y=1$.

$\therefore y+2z=15\Rightarrow 2z=14\Rightarrow z=7$.

अतः $4x+3y+z=4\times 8+3\times 1+7=42$.

48. $\dfrac{a}{x}+\dfrac{y}{b}=1\Rightarrow \dfrac{a}{x}=\left(1-\dfrac{y}{b}\right)=\dfrac{(b-y)}{b}\Rightarrow \dfrac{x}{a}=\dfrac{b}{(b-y)}$.

$\dfrac{b}{y}+\dfrac{z}{c}=1\Rightarrow \dfrac{z}{c}=\left(1-\dfrac{b}{y}\right)=\dfrac{(y-b)}{y}\Rightarrow \dfrac{c}{z}=\dfrac{y}{(y-b)}$.

$\therefore \left(\dfrac{x}{a}+\dfrac{c}{z}\right)=\dfrac{b}{(b-y)}+\dfrac{y}{(y-b)}=\dfrac{b}{(b-y)}-\dfrac{y}{(b-y)}=\dfrac{(b-y)}{(b-y)}$

$=1$.

49. माना $z=K$. तब, $y-z=4\Rightarrow y-K=4\Rightarrow y=(K+4)$.

$x+2z=11\Rightarrow x+2K=11\Rightarrow x=(11-2K)$.

$2x+3y=31\Rightarrow 2(11-2K)+3(K+4)=31\Rightarrow K=3$.

$\therefore y=7,\ x=(11-6)=5$ तथा $z=3$.

अतः $x+y+z=(5+7+3)=15$.

50. माना $z=K$. तब, $2y+z=25\Rightarrow 2y+K=25$

$\Rightarrow y=\dfrac{1}{2}(25-K)$.

$2z+x=26\Rightarrow 2K+x=26\Rightarrow x=(26-2K)$.

$\therefore 2x+y=15\Rightarrow 2(26-2K)+\dfrac{1}{2}(25-K)=15$

$\Rightarrow \dfrac{9K}{2}=\left(37+\dfrac{25}{2}\right)=\dfrac{(74+25)}{2}=\dfrac{99}{2}\Rightarrow K=11$.

$\therefore z=11$.

51. $2x+3y=19+z$ ...(*i*)

$x+2y=24-2z$ ...(*ii*)

(*ii*) को 2 से गुणा करके (*i*) घटाने पर

$y=(29-5z)$ ...(*iii*)

(*i*) को 2 से तथा (*ii*) को 3 से गुणा करके घटाने पर:

$x=-34+8z$ ...(*iv*)

... $3x-4y+z=7\Rightarrow 3(-34+8z)-4(29-5z)+z=7$

$\Rightarrow 45z=(7+102+116)=225\Rightarrow z=5$.

52. $a+b=5$ तथा $3a+2b=20$ को हल करने पर $a=10$, $b=-5$.

$\therefore (3a+b)=(3\times 10-5)=25$.

53. दिया गया व्यंजक =

$$\dfrac{2}{2+\dfrac{2}{3+\dfrac{2}{\left(\dfrac{11}{3}\right)}}\times 0\cdot 39}=\dfrac{2}{2+\dfrac{2}{3+\dfrac{6}{11}}\times 0\cdot 39}$$

$$=\dfrac{2}{2+\dfrac{2}{\left(\dfrac{39}{11}\right)}\times 0\cdot 39}=\dfrac{2}{2+\dfrac{22}{39}\times 0\cdot 39}=\dfrac{2}{2+\dfrac{22}{100}}=\dfrac{2}{\dfrac{222}{100}}$$

$$=\dfrac{200}{222}=\dfrac{100}{111}$$

54. दायाँ पक्ष $=x+\dfrac{1}{1+\dfrac{1}{\left(\dfrac{13}{4}\right)}}=x+\dfrac{1}{1+\dfrac{4}{13}}=x+\dfrac{1}{\left(\dfrac{17}{13}\right)}=x+\dfrac{13}{17}$.

$\therefore x+\dfrac{13}{17}=2\Leftrightarrow x=\left(2-\dfrac{13}{17}\right)=\dfrac{(34-13)}{17}=\dfrac{21}{17}=1\dfrac{4}{17}$.

55. $2+\dfrac{1}{x+\dfrac{1}{y+\dfrac{1}{z}}}=2+\dfrac{11}{13} \Leftrightarrow \dfrac{1}{x+\dfrac{1}{y+\dfrac{1}{z}}}=\dfrac{11}{13}$

$\Leftrightarrow \quad x+\dfrac{1}{y+\dfrac{1}{z}}=\dfrac{13}{11}=1+\dfrac{2}{11} \Leftrightarrow x=1, \dfrac{1}{y+\dfrac{1}{z}}=\dfrac{2}{11}$

$\Leftrightarrow \quad x=1,\ y+\dfrac{1}{z}=\dfrac{11}{2}=5+\dfrac{1}{2} \Leftrightarrow x=1,\ y=5,\ \dfrac{1}{z}=\dfrac{1}{2}$

$\Leftrightarrow x=1,\ y=5,\ z=2.$

56. $\dfrac{2x}{1+\dfrac{1}{\left(\dfrac{1-x+x}{1-x}\right)}}=1 \Leftrightarrow \dfrac{2x}{1+(1-x)}=1 \Leftrightarrow 2x=2-x$

$\Leftrightarrow 3x=2 \Leftrightarrow x=\dfrac{2}{3}.$

57. दिया गया व्यंजक $=\dfrac{(a^3-b^3)}{(a^2-b^2)}=\dfrac{(a-b)(a^2+ab+b^2)}{(a-b)(a+b)}$,

जहाँ $a=\dfrac{3}{5}, b=\dfrac{2}{5}$

$=\dfrac{(a^2+ab+b^2)}{(a+b)}=\dfrac{\left(\dfrac{9}{25}+\dfrac{6}{25}+\dfrac{4}{25}\right)}{1}=\dfrac{19}{25}.$

58. दिया गया व्यंजक $=\dfrac{\left(\dfrac{11}{3}\right)^2-\left(\dfrac{5}{2}\right)^2}{\left(\dfrac{19}{4}\right)^2-\left(\dfrac{10}{3}\right)^2} \div \dfrac{\left(\dfrac{11}{3}-\dfrac{5}{2}\right)}{\left(\dfrac{19}{4}-\dfrac{10}{3}\right)}$

$=\dfrac{\left(\dfrac{11}{3}+\dfrac{5}{2}\right)\left(\dfrac{11}{3}-\dfrac{5}{2}\right)}{\left(\dfrac{19}{4}+\dfrac{10}{3}\right)\left(\dfrac{19}{4}-\dfrac{10}{3}\right)} \times \dfrac{\left(\dfrac{19}{4}-\dfrac{10}{3}\right)}{\left(\dfrac{11}{3}-\dfrac{5}{2}\right)}$

$=\dfrac{\left(\dfrac{11}{3}+\dfrac{5}{2}\right)}{\left(\dfrac{19}{4}+\dfrac{10}{3}\right)}=\dfrac{\left(\dfrac{22+15}{6}\right)}{\left(\dfrac{57+40}{12}\right)}=\left(\dfrac{37}{6}\times\dfrac{12}{97}\right)=\dfrac{74}{97}$

59. दिया गया व्यंजक $=\dfrac{(a^3-b^3)}{(a^2+b^2+ab)}=\dfrac{(a-b)(a^2+b^2+ab)}{(a^2+b^2+ab)}$,

जहाँ $a=458$ तथा $b=239$

$=(a-b)=(458-239)=219.$

60. दिया गया व्यंजक $=\dfrac{(a^3+b^3)}{(a^2+b^2-ab)}=\dfrac{(a+b)(a^2+b^2-ab)}{(a^2+b^2-ab)}$,

जहाँ $a=785,\ b=435$

$=(a+b)=(785+435)=1220.$

61. दिया गया व्यंजक $=\dfrac{(a^2+ab+b^2)}{(a^3-b^3)}$,

जहाँ $a=147$ तथा $b=143$

$=\dfrac{(a^2+ab+b^2)}{(a-b)(a^2+ab+b^2)}=\dfrac{1}{(a-b)}=\dfrac{1}{(147-143)}=\dfrac{1}{4}.$

62. $(x-y)=a,\ (y-z)=b,\ (z-x)=c$ रखने पर $a+b+c=0.$
$\therefore \quad a^3+b^3+c^3=3abc = 3(x-y)(y-z)(z-x).$

अत: दिया गया व्यंजक $=\dfrac{3(x-y)(y-z)(z-x)}{9(x-y)(y-z)(z-x)}=\dfrac{1}{3}.$

63. माना $\dfrac{(13)^3+(7)^3}{(13)^2+7^2-x}=20.$ तब $\dfrac{(13)^3+7^3}{20}=(13)^2+7^2-x$

$\Leftrightarrow \quad \dfrac{(13)^3+7^3}{(13+7)}=(13)^2+7^2-x$

$\Leftrightarrow (13)^2+7^2-13\times 7=(13)^2+7^2-x \Leftrightarrow x=91.$

64. माना F° तथा C° क्रमश: फारनहीट तथा सैन्टीग्रेड तापमान के माप हैं. तब, $\dfrac{F-32}{(212-32)}=\dfrac{C-0}{(100-0)} \Leftrightarrow \dfrac{F-32}{180}=\dfrac{C}{100}.$

यदि $C=35$ हो, तो $F=\left(\dfrac{35}{100}\times 180\right)+32=(63+32)=95.$

65. 26 पेड़ों के बीच में 25 बराबर फसले हैं.
अत: दो पेड़ों के बीच की दूरी $=\dfrac{225}{25}$ मीटर = 9 मीटर.

66. प्रत्येक पंक्ति में 12 पेड़ हैं.
पहले तथा अन्तिम पेड़ के बीच फासला
= (11 × 2) मीटर = 22 मीटर.
तथा एक-एक मीटर अन्त में दोनों ओर छोड़ा गया है.
∴ कुल लम्बाई = 24 मीटर.

67. माना अभीष्ट संख्या = x. तब
$\dfrac{5(x+7)}{9}-3=12 \Leftrightarrow \dfrac{5(x+7)}{9}=15 \Leftrightarrow (x+7)=\dfrac{15\times 9}{5}=27$

$\Leftrightarrow x=20.$

68. माना भविष्य निधि खाते में जमा धन = ₹ x.
तब, राष्ट्रीय बचत पत्रों में जमा धन = ₹$(150000-x)$.
$\therefore \quad \dfrac{1}{3}(150000-x)=\dfrac{1}{2}x \Leftrightarrow 300000-2x=3x$
$\Leftrightarrow 5x=300000 \Leftrightarrow x=60000.$
अत: भविष्य निधि खाते में जमा धन = ₹ 60000.

69. 1 वर्ष बाद आय = ₹(2 × 4) लाख.
2 वर्ष बाद आय = ₹ 2 × (2 × 4) लाख = ₹ (2^2 × 4) लाख.
5 वर्ष बाद आय = ₹(2^5 × 4) लाख = ₹ 128 लाख
= ₹ 1.28 करोड़.

70. कुल छात्रों की संख्या = (30 × 16) = 480.
प्रत्येक कतार में छात्रों की संख्या = 24.
तब, कतारों की संख्या $=\dfrac{480}{24}=20.$

71. पहले सैक्शनों की संख्या = (16 – 3) = 13.
पहले कुल छात्रों की संख्या = (24 × 13) = 312.
अब, कुल छात्रों की संख्या = (21 × 16) = 336.
नये छात्रों की संख्या = (336 – 312) = 24.

72. माना इतिहास में प्राप्तांक = x. तब,
अंग्रेजी में प्राप्तांक $=\dfrac{5x}{2}.$

$\therefore \quad x+\dfrac{5x}{2}=140 \Leftrightarrow 7x=280 \Leftrightarrow x=40.$

अत: अंग्रेजी में प्राप्तांक $= \left(\frac{5}{2}\times 40\right) = 100.$

73. पैदल तय की गई यात्रा $= \left\{\frac{7}{2} - \left(\frac{5}{3} + \frac{7}{6}\right)\right\}$ किमी०

$= \left(\frac{7}{2} - \frac{17}{6}\right)$ किमी० $= \frac{4}{6}$ किमी० $= \frac{2}{3}$ किमी०.

$\therefore$ अभीष्ट भाग $= \frac{\left(\frac{2}{3}\right)}{\left(\frac{7}{2}\right)} = \left(\frac{2}{3}\times\frac{2}{7}\right) = \frac{4}{21}.$

74. माना कुल धन = ₹ x.

तब, A का भाग $= \frac{3}{16}$ ₹ x तथा B का भाग = ₹ $\frac{x}{4}$.

$\therefore$ C का भाग = ₹ $\left\{x - \left(\frac{3x}{16} + \frac{x}{4}\right)\right\}$ = ₹ $\left(x - \frac{7x}{16}\right)$

= ₹ $\frac{9x}{16}$.

$\therefore$ $\frac{9x}{16} = 81 \Leftrightarrow x = \left(81\times\frac{16}{9}\right) = 144.$

अत: B का धन = ₹ $\left(\frac{1}{4}\times 144\right)$ = ₹36.

75. तीसरे उछाल में ऊँचाई $= \left\{32\times\left(\frac{3}{4}\right)^3\right\}$ मीटर

$= \left(32\times\frac{27}{64}\right)$ मीटर $= 13\frac{1}{2}$ मीटर.

76. माना कुल स्टाफ $= x$.

माना A = उन व्यक्तियों का समुच्चय जो टाईप जानते हैं. तथा B = उन व्यक्तियों का समुच्चय जो शार्ट हैन्ड जानते हैं.

$n(A\cup B) = \left(x - \frac{3x}{4}\right) = \frac{x}{4},\ n(A) = \frac{x}{5}$ तथा $n(B) = \frac{x}{3}$.

$\therefore$ $n(A\cap B) = n(A) + n(B) - n(A\cup B)$

$= \left(\frac{x}{5} + \frac{x}{3} - \frac{x}{4}\right) = \frac{(12x + 20x - 15x)}{60} = \frac{17x}{60}$.

अत: अभीष्ट भाग $= \frac{17}{60}$.

77. $3 * (-1) = \frac{3\times(-1)}{3+(-1)} = \frac{-3}{2} \Rightarrow 3*\{3*(-1)\}$

$= 3*\left(\frac{-3}{2}\right) = \frac{3\times\left(\frac{-3}{2}\right)}{3+\left(\frac{-3}{2}\right)} = \left(\frac{-9}{2}\times\frac{2}{3}\right)$

$= -3.$

78. $3*p = 3^2 + 2p = (9 + 2p).$

$\Rightarrow$ $4 * (3*p) = 4 * (9 + 2p) = 4^2 + 2(9 + 2p) = 34 + 4p$

$\Rightarrow$ $34 + 4p = 50 \Rightarrow 4p = 16 \Rightarrow p = 4.$

79. $2 * 3 = (3\times 2) + (2\times 3) = 6 + 6 = 12$

तथा $3 * 4 = 3\times 3 + 2\times 4 = 17.$

अत: $2 * 3 + 3 * 4 = 12 + 17 = 29.$

80. $(2 * 3) = \frac{2+3}{3} = \frac{5}{3} \Rightarrow (2*3) * 4 = \frac{5}{3} * 4 = \frac{\frac{5}{3}+4}{4} = \frac{17}{12}.$

81. $(*5) = (5^2 - 2) = 23 \Rightarrow *(*5) = *(23) = \{(23)^2 - 2\}$
$= (529 - 2) = 527.$

82. $2 * 3 = 2^2 + 2\times 3 + 3^2 = 4 + 6 + 9 = 19.$

83. $5 * 2 = 2(5 + 2) = 2\times 7 = 14.$

84. $3 * 4 = 3 + 4 + 3\times 4 = 19$ तथा $2 * 3 = 2 + 3 + 2\times 3 = 11.$

$\therefore$ $3 * 4 - 2 * 3 = 19 - 11 = 8.$

85. $1 * 2 = 1^2 + 2^2 + 1\times 2 + 1 = 8.$

$\therefore$ $(1 * 2) * 3 = 8 * 3 = 8^2 + 3^2 + 8\times 3 + 1 = 98.$

86. $7 * 5 = (7 + 5)^2 . (5 - 2) = (12)^2 . 3 = (144\times 3) = 432.$

87. हम जानते हैं $a + b + c = 0 \Rightarrow a^3 + b^3 + c^3 = 3abc.$

$\therefore$ दिया गया व्यंजक

$= \frac{3(x-y)(y-z)(z-x)}{3(x^2-y^2)(y^2-z^2)(z^2-x^2)} = \frac{1}{(x+y)(y+z)(z+x)}.$

88. $A + B + C = 0 \Rightarrow A^3 + B^3 + C^3 = 3ABC.$

$\therefore$ $\left(\frac{A^2}{BC} + \frac{B^2}{CA} + \frac{C^2}{AB}\right) = \frac{A^3+B^3+C^3}{ABC} = \frac{3ABC}{ABC} = 3.$

89. $(x + y + z)(x + y - z) = 4,\ (x + y + z)(y + z - x) = 9$

तथा $(x + y + z)(z + x - y) = 36.$

माना $x + y + z = a.$ तब, $x + y - z = \frac{4}{a},\ y + z - x = \frac{9}{a}$

तथा $z + x - y = \frac{36}{a}.$

$\therefore$ $2(x + y + z) - (x + y + z)$

$= \frac{4}{a} + \frac{9}{a} + \frac{36}{a} = \frac{49}{a} \Rightarrow x + y + z = \frac{49}{a}$

$\Rightarrow$ $a^2 = 49 \Rightarrow a = \pm 7 \Rightarrow x + y + z = \pm 7.$

90. $a + b + c = 0 \Rightarrow a^3 + b^3 + c^3 = 3abc$

$\Rightarrow$ $a^3 + b^3 + c^3 - 3abc = 0.$

अब, $x - y = a,\ y - z = b,\ z - x = c$ रखने पर, दिया गया व्यंजक $= 0.$

91. यदि $a^3 + b^3 + c^3 = 3abc$ हो, तो $a + b + c = 0.$

$\therefore$ $x - 4 + x - 9 + x - 8 = 0 \Leftrightarrow 3x - 21 = 0$

$\Leftrightarrow 3x = 21 \Leftrightarrow x = 7.$

92. $x + y + z = 0 \Rightarrow x + y = -z \Rightarrow (x + y)^2 = z^2$

$\Rightarrow x^2 + y^2 - z^2 = -2xy.$

$x + y + z = 0 \Rightarrow y + z = -x \Rightarrow (y + z)^2 = x^2$

$\Rightarrow y^2 + z^2 - x^2 = -2yz.$

$x + y + z = 0 \Rightarrow z + x = -y \Rightarrow (z + x)^2 = y^2$

$\Rightarrow z^2 + x^2 - y^2 = -2zx.$

$\therefore$ दिया गया व्यंजक

$= \left(\frac{1}{-2xy} + \frac{1}{-2yz} + \frac{1}{-2zx}\right) = -\frac{1}{2}.\left(\frac{1}{xy} + \frac{1}{yz} + \frac{1}{zx}\right)$

$= -\frac{1}{2}.\frac{(z+x+y)}{xyz} = \frac{-(x+y+z)}{2xyz} = 0.$

93. $\left(\frac{x}{a+x} + \frac{y}{b+y} + \frac{z}{c+z}\right) = \left(\frac{ax}{a^2+ax} + \frac{by}{b^2+by} + \frac{cz}{c^2+cz}\right)$

$$= \left(\frac{ax}{ax+by+cz} + \frac{by}{ax+by+cz} + \frac{cz}{ax+by+cz}\right)$$

[$\therefore$ $a^2 = by + cz$ आदि]

$$= \frac{(ax+by+cz)}{(ax+by+cz)} = 1.$$

94. $y + \frac{1}{z} = 1 \Rightarrow y = \left(1 - \frac{1}{z}\right) = \frac{(z-1)}{z}.$

$$x + \frac{1}{y} = 1 \Rightarrow x = \left(1 - \frac{1}{y}\right) = \frac{(y-1)}{y} = \frac{\left(\frac{z-1}{z} - 1\right)}{\left(\frac{z-1}{z}\right)} = \frac{-1}{z-1}.$$

$$\therefore \quad xyz = \frac{-1}{(z-1)} \cdot \frac{(z-1)}{z} \cdot z = -1.$$

95. $5\sqrt{3} + 75 = 17.32$

$\Rightarrow \quad 5\sqrt{3} + 5\sqrt{3} = 17.32$

$= 10\sqrt{3} = 17.32$

$= \sqrt{3} = \frac{17.32}{10} = 1.732$

$= 14\sqrt{3} + \sqrt{108} = 14\sqrt{3} + 6\sqrt{3}$

$= 20\sqrt{3} = 20 \times 1.732 = 34.64$

96. $\sqrt{478 + 160 - 314} \times 8 = x$

$\sqrt{324} \times 8 = x$

$18 \times 8 = x \Rightarrow \quad x = 144$

97. $\sqrt[3]{216} \times \sqrt[3]{50 + 75} = x$

$x = \sqrt[3]{216} \times \sqrt[3]{125} = 6 \times 5 = 30$

98. $\sqrt{\left(\frac{9}{4} \times \frac{4}{5}\right) \times \frac{5}{1}} = \sqrt{\frac{9}{5} \times \frac{5}{1}} = \sqrt{9} = 3$

99. $\sqrt{\sqrt{44944} + \sqrt{52441}} = \sqrt{212 + 229} = \sqrt{441} = 21$

100.

```
        129
   1 | 168 00
     | 1
  22 | 68
     | 44
 249 |  2400
     |  2241
     |   159
```

चूँकि शेषफल 159 है। इसलिए 16800 को एक पूर्ण वर्ग बनाने के लिए 159 घटाना चाहिए।

101. हम जानते हैं कि

$26^2 = 676$

और $27^2 = 729$

इसे एक पूर्ण वर्ग बनाने के लिए $729 - 709 = 20$ जोड़ा जाना है।

102. हिट एंड ट्रायल द्वारा

$52^2 = 2704$

$\therefore$ N को 4 से बदला जाना चाहिए।

103. माना संख्याएँ x, x + 1 और x + 2 हैं

$\therefore \quad (x + x + 1 + x + 2)^2 - [x^2 + (x + 1)^2 + (x + 2)^2] = 292$

$(3x + 3)^2 - (3x^2 + 6x + 5) = 292$

$(9x^2 + 9 + 18x) - (3x^2 + 6x + 5) = 292$

$9x^2 + 9 + 18x - 3x^2 - 6x - 5 = 292$

$6x^2 + 12x - 288 = 0$

$\Rightarrow \quad 6(x^2 + 2x - 48) = 0$

$x^2 + 2x - 48 = 0$

$x^2 + 8x - 6x - 48 = 0$

$x(x + 8) - 6x - 48 = 0$

$x(x + 8) - 6(x + 8) = 0$

$(x + 8)(x - 6) = 0$

$\Rightarrow \quad x = 6$

104. संख्याएँ 5, 6, 7 हैं

पाँच अंकों का सबसे छोटा पूर्ण वर्ग $100^2 = 10000$ है।

इससे पहले $99^2 = 9801$ चार अंकों का सबसे बड़ा पूर्ण वर्ग है।

105. 69120 का अभाज्य गुणनखंड $2^9 \times 3^3 \times 5$ है।

इसलिए, हमें पूर्ण घन बनाने के लिए दो 5 की आवश्यकता है।

$\therefore \quad 5 \times 5 = 25$ उत्तर है।

106. यह होगा 27 का $\frac{1}{3} = \frac{27}{3} = 9$

107. 4 और 3 का लघुत्तम समापवर्त्य 12 है

$\sqrt[4]{5} = \sqrt[4\times3]{5^3} = \sqrt[12]{125}$

$\sqrt[3]{4} = \sqrt[3\times4]{4^4} = \sqrt[12]{256}$

$\sqrt[4]{6} = \sqrt[4\times3]{6^3} = \sqrt[12]{216}$

$\therefore$ अवरोही क्रम है

$\sqrt[3]{4} > \sqrt[4]{6} > \sqrt[4]{5}$

अतः विकल्प (*d*) सही उत्तर है।

108. $\frac{1}{N} = \frac{\sqrt{6} + \sqrt{5}}{\sqrt{6} - \sqrt{5}}$

$N = \frac{\sqrt{6} - \sqrt{5}}{\sqrt{6} + \sqrt{5}} \times \frac{(\sqrt{6} - \sqrt{5})}{\sqrt{6} - \sqrt{5}}$

$= \frac{(\sqrt{6} - \sqrt{5})^2}{(\sqrt{6})^2 - (\sqrt{5})^2} = \frac{6 + 5 - 2\sqrt{30}}{6 - 5} = 11 - 2\sqrt{30}$

109. $\frac{12}{\sqrt{5} + \sqrt{3}} + \frac{18}{\sqrt{5} - \sqrt{3}}$

$\frac{12(\sqrt{5} - \sqrt{3}) + 18(\sqrt{5} + \sqrt{3})}{(\sqrt{5} + \sqrt{3})(\sqrt{5} - \sqrt{3})}$

$\frac{12\sqrt{5} - 12\sqrt{3} + 18\sqrt{5} + 18\sqrt{3}}{5 - 3}$

$= \frac{30\sqrt{5} + 6\sqrt{3}}{2} = \frac{2(15\sqrt{5} + 3\sqrt{3})}{2}$

$= 3\sqrt{3} + 15\sqrt{5} = 3(\sqrt{3} + 5\sqrt{5})$

अतः विकल्प (b) सही उत्तर है।

110. $\sqrt{729} = 27$

$\sqrt{72.9} = 8.53$

$\sqrt{7.29} = 2.7$

$\therefore \quad \sqrt{729} + \sqrt{72.9} + \sqrt{7.29}$

$27 + 8.53 + 2.70 = 38.23$

111. $\sqrt{1+\frac{1}{2^2}+\frac{1}{3^2}} + \sqrt{1+\frac{1}{3^2}+\frac{1}{4^2}} + \sqrt{1+\frac{1}{4^2}+\frac{1}{5^2}}$

$= \sqrt{1+\frac{1}{4}+\frac{1}{9}} + \sqrt{1+\frac{1}{9}+\frac{1}{16}} + \sqrt{1+\frac{1}{16}+\frac{1}{25}}$

$= \sqrt{\frac{36+9+9}{36}} + \sqrt{\frac{144+16+9}{144}} + \sqrt{\frac{400+25+16}{400}}$

$= \sqrt{\frac{49}{36}} + \sqrt{\frac{169}{144}} + \sqrt{\frac{441}{400}} = \frac{7}{6} + \frac{13}{12} + \frac{21}{20}$

$= \frac{70+65+63}{60} = \frac{198}{60} = \frac{33}{10}$

112. $\frac{\sqrt{5}+2}{\sqrt{5}-2} = \frac{\sqrt{5}+2}{\sqrt{5}-2} \times \frac{\sqrt{5}+2}{\sqrt{5}+2}$

$= \frac{(\sqrt{5}+2)^2}{5-4} = \frac{(\sqrt{5}+2)^2}{1}$

$= 5 + 4 + 4\sqrt{5} = 9 + 4\sqrt{5}$

हम हिंट के रूप इस प्रकार लेते हैं माना $2ab = 4\sqrt{5}$

$ab = 2\sqrt{5}$

माना $a = 2$

$b = \sqrt{5}$

$\therefore \quad 9 + 4\sqrt{5} = (\sqrt{5})^2 + (2)^2 + 2 \times 2\sqrt{5}$

$= (\sqrt{5}+2)^2$

वर्गमूल $x = \sqrt{(\sqrt{5}+2)^2}$ = ü("+)

113. $\sqrt{529} = 23$

$\sqrt{5.29} = 2.3$

$\sqrt{.0529} = .23$

$\therefore \quad \sqrt{529} + \sqrt{5.29} + \sqrt{0.0529} = 23 + 2.3 + .23 = 25.53$

114. $19 + 4\sqrt{21}$

माना $2ab = 4\sqrt{21}$

$ab = 2\sqrt{21}$

माना $a = 2\sqrt{3}$

$b = \sqrt{7}$

$19 + 4\sqrt{21} = (2\sqrt{3})^2 + (\sqrt{7})^2 + 2 \times 2\sqrt{3} \times 7$

$= (2\sqrt{3} + \sqrt{7})^2$

$\sqrt{19 + 4\sqrt{21}} = \sqrt{(2\sqrt{3}+\sqrt{7})^2} = 2\sqrt{3} + \sqrt{7}$

115. $x = \sqrt[6]{27} - \sqrt{\frac{27}{4}}$

$= 27^{\frac{1}{6}} - \frac{3\sqrt{3}}{2} = (3^3)^{\frac{1}{6}} - \frac{3\sqrt{3}}{2} = 3^{\frac{1}{2}} - \frac{3\sqrt{3}}{2}$

$= \frac{\sqrt{3}}{1} - \frac{3\sqrt{3}}{2} = \frac{2\sqrt{3} - 3\sqrt{3}}{2} = \frac{-\sqrt{3}}{2}$

$y = \frac{\sqrt{45} + \sqrt{605} + \sqrt{245}}{\sqrt{80} + \sqrt{125}}$

$= \frac{3\sqrt{5} + 11\sqrt{5} + 7\sqrt{5}}{4\sqrt{5} + 5\sqrt{5}} = \frac{21\sqrt{5}}{9\sqrt{5}} = \frac{21}{9} = \frac{7}{3}$

$x^2 + y^2 = \left(\frac{-\sqrt{3}}{2}\right)^2 + \left(\frac{7}{3}\right)^2 = \frac{3}{4} + \frac{49}{9}$

$= \frac{27+196}{36} = \frac{223}{36}$

116. दिया गया व्यंजक $= \sqrt{10 + \sqrt{25 + \sqrt{108 + \sqrt{154 + 15}}}}$

$= \sqrt{10 + \sqrt{25 + \sqrt{108 + 169}}}$

$= \sqrt{10 + \sqrt{25 + \sqrt{108 + 13}}}$

$= \frac{2y-x}{2y+x} = \frac{10K-4K}{10K+4K} = \frac{6K}{14K} = \frac{3}{7}$

$= \sqrt{10 + \sqrt{25 + 11}} = \sqrt{10 + \sqrt{36}}$

$= \sqrt{10 + 6} = \sqrt{16} = 4.$

117. दिया गया व्यंजक $= \sqrt{41 - \sqrt{21 + \sqrt{19 - 3}}}$

$= \sqrt{41 - \sqrt{21 + \sqrt{16}}} = \sqrt{41 - \sqrt{21 + 4}}$

$= \sqrt{41 - \sqrt{25}} = \sqrt{41 - 5} = \sqrt{36} = 6.$

118. दिया गया व्यंजक $= \sqrt{176}$ ℵ49 $\sqrt{225}$ 15.

119. दिया गया व्यंजक $= \left(\frac{\sqrt{225}}{\sqrt{729}} - \frac{\sqrt{25}}{\sqrt{144}}\right) \div \frac{\sqrt{16}}{\sqrt{81}}$

$= \left(\frac{15}{27} - \frac{5}{12}\right) \div \frac{4}{9} = \left(\frac{15}{108} \times \frac{9}{4}\right) = \frac{5}{16}.$

120. $\sqrt{(272)^2 - (128)^2} = \sqrt{(272+128)(272-128)}$

$= \sqrt{400 \times 144} = \sqrt{57600} = 240$

121. $6 * 24 = 6 + 24 + \sqrt{6 \times 24} = 30 + \sqrt{144}$

$= 30 + 12 = 42.$

122. $10y\sqrt{y^3 - y^2} = 10 \times 5\sqrt{5^3 \times 5^2}$

$= 50 \times \sqrt{125 - 25} = 50 \times \sqrt{100}$

$= 50 \times 10 = 500.$

123. $\sqrt{110\frac{1}{4}} = \sqrt{\frac{441}{4}} = \frac{\sqrt{441}}{\sqrt{4}} = \frac{21}{2} = 10.5.$

124. 8 से समाप्त होने वाली संख्या कभी भी पूर्ण वर्ग नहीं हो सकती।

125. स्पष्ट है, आदमी का जन्म 1800 और 1850 के बीच हुआ था।

1800 और 1850 के बीच एकमात्र पूर्ण वर्ग संख्या 1849 है। और, $1849 = (43)^2$.

अत: आदमी 1849 में 43 साल का था। इस प्रकार, उसका जन्म (1849 – 43) = 1806.

126. ऐसी सबसे छोटी संख्या $1444[= (38)^2]$ है। यह 1000 से 2000 के बीच होता है।

127. $\sqrt{6760000} = \sqrt{0.00000676 \times 10^{12}} = \sqrt{0.00000676} \times \sqrt{10^{12}}$

$= .0026 \times 10^6 = 2600.$

128. $250 \times 24 \div 12 + 6 + 2$ of 3 of 18

$= 250 \times 24 \div 12 + 6 + 108$

$= 250 \times 2 + 6 + 108$

$= 500 + 114 = 614$

129. हमारे पास.

$36 \times 9 + 4 \times 3 - 70 \times 4 + 144 \div 24 = ? \div 48$

$\Rightarrow 36 \times 9 + 4 \times 3 - 70 \times 4 + 6 = ? \div 48$

$\Rightarrow 324 + 12 - 280 + 6 = ? \div 48$

$\Rightarrow 62 = ? \div 48$

$\Rightarrow ? \div 62 \times 48$

$\Rightarrow ? \div 2976$

130. हमारे पास.

20% of 2500 –22.5% of 1200 = 15% of 1140 + (?)

$\Rightarrow 500 - 270 = 171 + ?$

$\Rightarrow 500 - 270 - 171 = ?$

$\Rightarrow ? = 59$

131. हमारे पास.

$840 \div 14 + 6 \times 9 + 11 - 3 + ? = 187$

$\Rightarrow 60 + 6 \times 9 + 11 - 3 + ? = 187$

$\Rightarrow 60 + 54 + 11 - 3 + ? = 187$

$\Rightarrow 125 + ? = 187 + 3$

$\Rightarrow 125 + ? = 190$

$\Rightarrow ? = 190 - 125$

$\Rightarrow ? = 65$

132. हमारे पास.

$15 \times 100 - 10 \times 800 + 60 \div 6 = ? \times 50 \div 10$

$\Rightarrow 15 \times 100 - 10 \times 800 + 10 = ? \times 5$

$\Rightarrow 1500 - 8000 + 10 = ? \times 5$

$\Rightarrow -6490 = ? \times 5$

$\Rightarrow ? = -\frac{6490}{5}$

$\Rightarrow ? = -1298$

133. हमारे पास.

$45 \times 3 + 7 + ? + 36 \div 6 \times 9 = 100$

$\Rightarrow 45 \times 3 + 7 + ? + 6 \times 9 = 100$

$\Rightarrow 135 + 7 + ? + 54 = 100$

$\Rightarrow 196 + ? = 100$

$\Rightarrow ? = 100 - 196$

$\Rightarrow ? = -96$

134. हमारे पास.

$85 - 5 \times [20 \times (120 - 110)] \div 10 + 40 = ?$

$\Rightarrow 85 - 5 \times [20 \times 10] \div 10 + 40 = ?$

$\Rightarrow 85 - 5 \times 200 \div 10 + 40 = ?$

$\Rightarrow 85 - 5 \times 20 + 40 = ?$

$\Rightarrow 85 - 100 + 40 = ?$

$\Rightarrow 125 - 100 = ?$

$\Rightarrow ? = 25$

135. हमारे पास.

30% of 50 – 55% of 250 = ? + (200 – 99 × 2) ÷ 4

$\Rightarrow 15 - 137.5 = ? + (200 - 99 \times 2) \div 4$

$\Rightarrow 15 - 137.5 = ? + 2 \div 4$

$\Rightarrow 15 - 137.5 = ? + 0.5$

$\Rightarrow 15 - 137.5 - 0.5 = ?$

$\Rightarrow ? = -123$

136. हमारे पास.

$(953 + 487 - 220) \div 5 = 482 - 62 + ?$

$\Rightarrow 1220 \div 5 = 482 - 62 + ?$

$\Rightarrow 244 = 482 - 62 + ?$

$\Rightarrow 244 + 62 - 482 = ?$

$\Rightarrow -176 = ?$

137. हमारे पास.

$48 \times 27 + 115 \times 62 + 79 \times 23 = ? - \sqrt{256}$

$\Rightarrow 1296 + 7130 + 1817 = ? - \sqrt{256}$

$\Rightarrow 1296 + 7130 + 1817 = ? - 16$

$\Rightarrow 1296 + 7130 + 1817 + 16 = ?$

$\Rightarrow ? = 10259$

138. हमारे पास.

$\Rightarrow \sqrt{289} \times 5 - 60 + 8^2 = 3^3 + 45 - ?$

$\Rightarrow 17 \times 5 - 60 + 64 = 27 + 45 - ?$

$\Rightarrow 85 - 60 + 64 = 72 - ?$

$\Rightarrow 89 = 72 - ?$

$\Rightarrow -17$

139. हमारे पास.

$\Rightarrow (843 + 237) \div 180 + 16^2 = ?$

$\Rightarrow (1080) \div 180 + 256 = ?$

$\Rightarrow 1080 \div 180 + 256 = ?$

$\Rightarrow 6 + 256 = ?$

$\Rightarrow ? = 262$

140. हमारे पास.

$\sqrt{729} \times 6 + 15 \times 50\%$ of $450 - 366 \div 3 = ?$

$\Rightarrow 27 \times 6 + 15 \times \frac{50}{100} \times 450 - 366 \div 3 = ?$

$\Rightarrow 27 \times 6 + 15 \times 225 - 122 = ?$

$\Rightarrow 162 + 3375 - 122 = ?$

$\Rightarrow 3375 - 122 = ?$

$\Rightarrow ? = 3415$

141. $12\frac{2}{3} \div 6\frac{1}{3} + 7\frac{1}{7} \times \frac{2}{5} - 12.5\%$ of $12 = ?$

$\Rightarrow \frac{38}{3} \div \frac{19}{3} + \frac{50}{7} \times \frac{2}{5} - \frac{125}{1000} \times 12 = ?$

$\Rightarrow \frac{38}{3} \div \frac{19}{3} + \frac{50}{7} \times \frac{2}{5} - \frac{3}{2} = ?$

$\Rightarrow ? = \frac{38}{3} \times \frac{3}{19} + \frac{2}{7} - \frac{3}{2}$

$\Rightarrow ? = 2 + \frac{20}{7} - \frac{3}{2}$

$\Rightarrow ? = \frac{34}{7} - \frac{3}{2}$

$\Rightarrow ? = \frac{68-21}{14} = \frac{47}{14} = 3.35$

142. 48% of 420 + 32% of 470 = 11% of ?

$\Rightarrow \frac{48}{100} \times 420 + \frac{32}{100} \times (420+50) = \frac{11}{100} \times ?$

$\Rightarrow \frac{48}{100} \times 420 + \frac{32}{100} \times 420 + \frac{32}{100} \times 50 = \frac{11}{100} \times ?$

$\Rightarrow \frac{420}{100}(48+32) + \frac{32}{100} \times 50 = \frac{11}{100} \times ?$

$\Rightarrow 420 \times 80 + 32 \times 50 = 11 \times ?$

$\Rightarrow 33600 + 1600 = 11 \times ?$

$\Rightarrow 35200 = 11 \times ?$

$\Rightarrow ? = 3200$

143. $y = 0$ रखने पर, हमें प्राप्त होता है

$$\frac{256x^4 - 16y^4}{(80x^2 - 20y^2)(16x^2 + 4y^2)}$$

$$= \frac{256x^4}{80x^2 \times 16x^2} = \frac{1}{5}$$

144. $\frac{x^2 - 2x - 63}{x^2 + 14x + 49} = \frac{x^2 - (9x - 7x) - 63}{(x+7)^2}$

$$= \frac{(x-9)(x+7)}{(x+7)^2} = \frac{x-9}{x+7}$$

145. 100 ÷ 10 – [–2 + {–9 + {3 – 2 का 6)}]
= 10 – [–2 + {–9 – 9}]
= 10 – {–2 – 18} = 30

146. $\frac{s^2 + t^2 + 2st - u^2}{s^2 - t^2 - 2tu - u^2} = \frac{(s+t)^2 - u^2}{s^2 - (t+u)^2}$

$$= \frac{(s+t+u)(s+t-u)}{(s-t-u)(s+t+u)} = \frac{s+t-u}{s-t-u}$$

147. –7p – [3q – {8p – (4q - 10p)}]
= –7p – [3q – {8p – 4q + 10p}]
= –7p – [3q + 4q – 18p]
= 11p – 7q

148. 14 ÷ 7 × 1 + 3 – [18 - {15 – (7 - 7 - 2)}]
= 2 + 3 – [18 – {15 + 2}]
= 5 – [18 – 17]
= 4

149. 120÷4 का 15+[11×4÷{4×2-(8-11) का 4}
= 2 + [44 ÷ (11) का 4]
= 2 + [1] = 3

150. $\because \frac{a^3 - b^3}{a^2 + ab + b^2} = \frac{(a-b)(a^2 + ab + b^2)}{(a^2 + b^2 + ab)}$

= (a – b)

जहाँ a = 120, b = 100

$\therefore \frac{120 \times 120 \times 120 - 100 \times 100 \times 100}{120 \times 120 + 120 \times 100 + 100 \times 100}$

= (120 – 100) = 20

151. हमारे पास है

$\therefore 1\frac{3}{4} + 1\frac{5}{7} \div 2\frac{3}{7} \times 2\frac{3}{7}$

$= \frac{7}{4} + \frac{12}{7} \div \frac{17}{7} \times \frac{17}{7} = \frac{7}{4} + \frac{12}{7} \times \frac{7}{17} \times \frac{17}{7}$

$= \frac{7}{4} + \frac{12}{7} = \frac{49+28}{28}$

$= \frac{97}{28} = 3\frac{13}{28}$

152. $\frac{7.35 \times 7.35 - 2.25 \times 2.25}{0.24}$

$= \frac{(7.35)^2 - (2.25)^2}{0.24}$

$= \sqrt{1369} + \sqrt{.0615 + x}$

$= \sqrt{(x-1)(y+2)} = 7,$

153. $\frac{\left(3\frac{1}{3} - 2\frac{1}{2}\right) \div 1\frac{1}{4} \text{ का } \frac{1}{2}}{\frac{1}{3} + \frac{1}{9} \text{ का } \frac{1}{5}}$ का $\frac{0.04}{0.05}$

$= \frac{\left(\frac{10}{3} - \frac{5}{2}\right) \div \frac{5}{4} \text{ का } \frac{1}{2}}{\frac{1}{3} + \frac{1}{45}}$ का $\frac{4}{5}$

$= \frac{\frac{5}{6} \div \frac{5}{8}}{\frac{16}{45}}$ का $\frac{4}{5}$

$= \frac{4 \times 45}{3 \times 16}$ का $\frac{4}{5}$

$= \frac{15}{4}$ का $\frac{4}{5} = 3$

154. 11 × 11 + 11 ÷ 11 – 11 × 11 + 11 + 11 × 11 – 11 – 11 × 11
= 11 × 11 + 1 – 121 + 11 + 121 – 11 – 121
= 1

155. $\frac{(13 \div 13 \text{ of } 13 + 13)}{13 \div 13 \times 13 + 13}$

$= \frac{13 \div 169 + 13}{1 \times 13 + 13}$

$$= \frac{\frac{1}{13}+13}{26}$$

$$= \frac{170}{13\times 26} = \frac{85}{169}$$

156. $6\frac{1}{2}\times 2\frac{4}{5}\div \quad = \frac{7}{10}$

$$\Rightarrow \frac{13}{2}\times\frac{14}{5}\div x = \frac{7}{10}$$

$$\Rightarrow \frac{91}{5}\div x = \frac{7}{10}$$

$$\Rightarrow \frac{91}{x} = \frac{7}{12}$$

$$\Rightarrow x = 26$$

157. $\frac{10}{3}\div\frac{45}{7}\times\frac{3}{2}\times\frac{22}{7} = p^{1/2}$

$$\frac{10}{3}\times\frac{7}{45}\times\frac{3}{2}\times\frac{22}{7} = p^{1/2}$$

$$\frac{22}{9} = p^{1/2}$$

$$p = \frac{484}{81}$$

158. $=\left[\frac{1}{4}\times 18\div\left(\frac{6}{5}\right)+\left(\frac{1}{8}+\frac{7}{4}\right)\right]\times\frac{1}{15}$

$$=\left[\frac{5}{2}\div\frac{6}{5}+\left(\frac{15}{8}\right)\right]\times\frac{1}{15}$$

$$=\left[\frac{9}{2}\times\frac{5}{6}+\left(\frac{15}{8}\right)\right]\times\frac{1}{15}$$

$$=\left[\frac{15}{4}+\frac{15}{8}\right]\times\frac{1}{15}$$

$$=\frac{45}{8}\times\frac{1}{15}=\frac{3}{8}$$

159. $1800\div 10\times 2$ का $\left[45\div(17-2)\right]+\left[-2(1+2)\right]$

$= 1800\div 2$ का $10\times\left[45\div 15\right]+\left[-6\right]$

$$= 1800\div 10\times 6-6$$

$$= \frac{1800\times 6}{10}-6$$

$$= 1080-6$$

$$= 1074$$

160. $\frac{69\times 370}{15\times 100} = \frac{221}{?} \quad \Rightarrow \frac{1702}{100} = \frac{221}{?}$

$$\Rightarrow 1702\times ? = 22100 \quad \Rightarrow ? = \frac{22100}{1700}\approx 13$$

161. $\frac{?}{100}\times(6274\div 6) = 647-242$

$$\Rightarrow \frac{?}{100}\times 1046 = 405 \quad \Rightarrow ? = \frac{40500}{1045} = 39$$

162. $1056\times\frac{?}{3} = 577\times 202 \Rightarrow 352\times ? = 577\times 200$

$$\Rightarrow ? = \frac{577\times 200}{352}\approx 328$$

$\therefore$ अभीष्ट उत्तर $=330$

163. $? = \frac{768}{12}\times\sqrt{169}-42$

$$= 64\times 13-42 = 832-42 = 790$$

164. $\sqrt{?}\times 124-19\times 6 = 131$

$$\Rightarrow \sqrt{?}\times 124-114 = 131 \Rightarrow \sqrt{?}\times 124 = 131+114$$

$$\Rightarrow \sqrt{?}\times 124 = 245 \quad \Rightarrow \sqrt{?} = 2 \quad \Rightarrow ? = 4$$

165. $2^x\times\sqrt{1024} = 209\div 38\times 2-7;$

$$2^x\times 32 = 5.5\times 2-7$$

$$\Rightarrow 2^x\times 32 = 11-7 = 4$$

$$\Rightarrow 2^x = \frac{4}{32} = \frac{1}{8} \Rightarrow 2^x = 2^{-3}$$

$$\Rightarrow x = -3$$

166. $97-\frac{238}{14} = \frac{?}{5}$

$$\Rightarrow 97-17 = \frac{?}{5} \quad \Rightarrow \frac{?}{5} = 80$$

$$\Rightarrow ? = 80\times 5 = 400$$

167. $? = 6+\frac{144}{4.8\times 0.6} = 6+\frac{144\times 100}{48\times 6} = 6+50 = 56$

168. $? = \frac{50}{100}\times 480+12^2 = 240+144 = 384$

169. $? = \frac{2^7\times 2^3\times 2^4}{256} = \frac{2^{14}}{2^8} = 2^6 = 64$

170. $\sqrt{?\times 6^2} = \frac{60}{100}\times 25\times 2$

$$\Rightarrow \sqrt{?\times 6^2} = 30 \Rightarrow ?\times 6^2 = 30\times 30$$

$$\Rightarrow ? = \frac{30\times 30}{6\times 6} = 5\times 5 = 25$$

171. $? = (17\times 10-19\times 5)\div 5$

$$= (170-95)\div 5 = 75\div 5 = 15$$

172. $? = \frac{4}{5}\times(1.7\div 5\times 3.5)$

$$= \frac{4}{5}\times\left(\frac{1.7}{5}\times 3.5\right) = \frac{4}{5}\times 1.19 = 0.952$$

173. $? = (512)^{\frac{1}{3}}\times 12^2\div(288\div 4.5)$

$= (8^3)^{\frac{1}{3}} \times 12 \times 12 \div (64) = \frac{8 \times 12 \times 12}{64} = 18$

174. $? = \left(7\frac{1}{7} + 7\right) \times 2$

$= \left(\frac{50}{7} + 7\right) \times 2 = \left(\frac{50+49}{7}\right) \times 2 = \frac{99 \times 2}{7}$

$= \frac{198}{7} = 28\frac{2}{7}$

175. दिया है, $2apq = (p+q)^2 - (p-q)^2$,

$\Rightarrow \quad 2apq = p^2 + q^2 + 2pq - (p^2 + q^2 - 2pq)$

$\left[\because (p+q)^2 = p^2 + q^2 + 2pq \right.$
और $\left.(p-q)^2 = p^2 + q^2 - 2pq\right]$

$\Rightarrow \quad 2apq = p^2 + q^2 + 2pq - p^2 - q^2 + 2pq$

$\Rightarrow \quad 2apq = 4pq$

$\Rightarrow \quad a = \frac{4pq}{2pq} = 2$ अतः, a का मान 2 है।

176. दिया है, $7 + 3x > 3 + 2x$

$\Rightarrow \quad 3x - 2x > 3 - 7 \Rightarrow x > -4$ ..(*i*)

और $x + 3(x-7) < 5 - x$

$\Rightarrow \quad x + 3x - 21 < 5 - x \Rightarrow 3x + 2x < 21 + 5$

$\Rightarrow \quad 5x < 26 \Rightarrow x < \frac{26}{5} \Rightarrow x < 5.2$ .....(ii)

(*i*) और (*ii*) के अनुसार $\therefore -4 < x < 5.2$

177. यदि $6088 \times ? = 7610$

$\Rightarrow \quad ? = \frac{7610}{6088} = \frac{1522 \times 5}{1522 \times 4} = \frac{5}{4}$

6

वर्गमूल तथा घनमूल
(SQUARE ROOT AND CUBE ROOT)

सामान्य नियम

वर्गमूल: किसी संख्या का वर्गमूचल वह संख्या है. जिसे अपने से गुणा करने पर, दी गई संख्या प्राप्त हो. x के वर्गमूल को $\sqrt{x}$ से व्यक्त करते हैं.

जैसे: (*i*) $\sqrt{9} = 3$ (*ii*) $\sqrt{36} = 6$ (*iii*) $\sqrt{121} = 11$ (*iv*) $\sqrt{289} = 17$

घनमूल: किसी संख्या x का घनमूल y होगा, यदि $y^3 = x$ हो. x के घनमूल का $\sqrt[3]{x}$ से व्यक्त करते हैं.

जैसे: (*i*) $\sqrt[3]{64} = 4$ (*ii*) $\sqrt[3]{216} = 6$ (*iii*) $\sqrt[3]{729} = 9$.

साधित उदाहरण

प्रश्न 1. $\sqrt{5625}$ का मान ज्ञात करें. (रेलवे, 2015)

5	5625
5	1125
5	225
5	45
3	9
	3

हल: $5625 = (5^2 \times 5^2 \times 3^2)$

$\Leftrightarrow \sqrt{5625} = (5 \times 5 \times 3) = 75.$

प्रश्न 2. 6084 का वर्ग मूल ज्ञात कीजिए.

हल: $6084 = (2 \times 2 \times 3 \times 3 \times 13 \times 13) = (2^2 \times 3^2 \times 13^2)$

$\Leftrightarrow \sqrt{6084} = (2 \times 3 \times 13) = 78.$

प्रश्न 3. $\sqrt{117649}$ का मान ज्ञात कीजिए.

हल:

```
   3 | 11 76 49 (343
     | 9
     |-------
  64 | 2 76
     | 2 56
     |-------
 683 |   20 49
     |   20 49
     |-------
     |      ×
```

अत: $\sqrt{117649} = 343.$

प्रश्न 4. $\sqrt{2036329}$ का मान ज्ञात कीजिए.

हल:

```
    1 | 2 03 63 29 (1427
      | 1
      |----------
   24 | 1 03
      |   96
      |----------
  282 |    7 63
      |    5 64
      |----------
 2847 |    1 99 29
      |    1 99 29
      |----------
      |         ×
```

$\therefore \sqrt{2036329} = 1427.$

दशमलव भिन्नों के वर्गमूलः

दिये गये दशमलव भिन्न में यदि दशमलव बिन्दु के बाद अंकों की संख्या विषम हो, तो अन्त में एक शून्य और लगा देते हैं. अब दायीं ओर से ही दो-दो अंकों के जोड़े बनाते हैं तथा ऊपर दी गई विधि से ही वर्गमूल ज्ञात करते हैं,

प्रश्न 5. $\sqrt{176{\cdot}252176}$ **का मान ज्ञात कीजिए.**

हलः

$$\begin{array}{r|l}
1 & \overline{1}\ \overline{76}{\cdot}\overline{25}\ \overline{21}\ \overline{76}\,(13{\cdot}276 \\
 & 1 \\
23 & 76 \\
 & 69 \\
262 & 7\ 25 \\
 & 5\ 24 \\
2647 & 2\ 01\ 21 \\
 & 1\ 85\ 29 \\
26546 & 15\ 92\ 76 \\
 & 15\ 92\ 76 \\
 & \times
\end{array}$$

अतः $\sqrt{176{\cdot}252176} = 13{\cdot}276.$

प्रश्न 6. $\sqrt{{\cdot}9}$ **का मान दशमलव के तीन स्थानों तक ज्ञात कीजिए.**

हलः दी गई संख्या में दशमलव के सम-स्थान बनाने के लिए हम लिखते हैं, ${\cdot}9 = {\cdot}90$. अब, निम्न प्रकार से वर्गमूल ज्ञात करते हैं.

$$\begin{array}{r|l}
9 & 0{\cdot}\overline{90}\,({\cdot}948 \\
 & 81 \\
184 & 900 \\
 & 736 \\
1888 & 16400 \\
 & 15104 \\
 & \times
\end{array}$$

$\therefore\ \sqrt{0{\cdot}9} = 0{\cdot}948.$

प्रश्न 7. $\sqrt{\dfrac{{\cdot}049\times{\cdot}016\times{\cdot}09}{{\cdot}81\times{\cdot}036\times{\cdot}064}}$ **का मान ज्ञात कीजिए.**

हलः दिये गये वर्गमूल के अंश में दशमलव स्थानों का योग $= (3+3+2) = 8$ तथा हर में दशमलव स्थानों का योग$= (2+3+3) = 8$. अतः हम दशमलव बिन्दुओं को हटा सकते हैं.

$\therefore$ दिया गया व्यंजक $= \sqrt{\left(\dfrac{49\times16\times9}{81\times36\times64}\right)} = \sqrt{\dfrac{49}{36\times36}} = \dfrac{7}{36}.$

दो विशेष सूत्रः $\sqrt{ab} = \left(\sqrt{a}\times\sqrt{b}\right)$ तथा $\sqrt{\dfrac{a}{b}} = \dfrac{\sqrt{a}}{\sqrt{b}}.$

प्रश्न 8. (*i*) $\sqrt{98}\times\sqrt{72} = ?$ (*ii*) $\sqrt{\dfrac{162}{288}} = ?$

हलः (*i*) $\sqrt{98}\times\sqrt{72} = \sqrt{98\times72} = \sqrt{49\times2\times2\times36} = \sqrt{7^2\times2^2\times6^2} = (7\times2\times6) = 84.$

(*ii*) $\sqrt{\dfrac{162}{288}} = \sqrt{\dfrac{81}{144}} = \dfrac{\sqrt{81}}{\sqrt{144}} = \dfrac{9}{12} = \dfrac{3}{4}.$

प्रश्न 9. $\sqrt{\dfrac{3}{7}}$ **का मान दशमलव के तीन स्थानों तक ज्ञात करें.**

हलः $\sqrt{\dfrac{3}{7}} = \dfrac{\sqrt{3}}{\sqrt{7}}\times\dfrac{\sqrt{7}}{\sqrt{7}} = \dfrac{\sqrt{21}}{7}.$

अब, $\sqrt{21}$ का मान दशमलव के तीन स्थानों तक ज्ञात करेंगें.

4	21 (4·582
	16
85	500
	425
908	7500
	7264
9162	23600
	18324

$\therefore \quad \sqrt{21} = 4{\cdot}582.$

अतः $\sqrt{\frac{3}{7}} = \frac{\sqrt{21}}{7} = \frac{4{\cdot}582}{7} = {\cdot}654.$

प्रश्न 10. यदि $\sqrt{3} = 1{\cdot}732$ तथा $\sqrt{3} = 1{\cdot}414$ हो, तो $\left(\frac{\sqrt{3}+\sqrt{2}}{\sqrt{3}-\sqrt{2}}\right)$ का वर्गमूल ज्ञात कीजिए.

हलः $\frac{(\sqrt{3}+\sqrt{2})}{(\sqrt{3}-\sqrt{2})} = \frac{(\sqrt{3}+\sqrt{2})}{(\sqrt{3}-\sqrt{2})} \times \frac{(\sqrt{3}+\sqrt{2})}{(\sqrt{3}+\sqrt{2})} = \frac{(\sqrt{3}+\sqrt{2})^2}{(3-2)} = (\sqrt{3}+\sqrt{2})^2.$

$\therefore$ अभीष्ट वर्गमूल $= (\sqrt{3}+\sqrt{2}) = (1{\cdot}732 + 1{\cdot}414) = 3{\cdot}146.$

प्रश्न 11. वह छोटी से छोटी संख्या ज्ञात कीजिए जो 16, 36, 44, 60 में से प्रत्येक से पूर्णतया विभक्त हो जाये तथा एक पूर्ण वर्ग हो.

हलः 16, 36, 44, 60 का ल० स० $= (4 \times 3 \times 4 \times 3 \times 11 \times 5)$
$= (4^2 \times 3^2 \times 11 \times 5).$

$\therefore$ अभीष्ट पूर्ण वर्ग $= (4^2 \times 3^2 \times 11^2 \times 5^2) = 435600.$

4	16 – 36 – 44 – 60
3	4 – 9 – 11 – 15
	4 – 3 – 11 – 5

प्रश्न 12. चार अंकों की वह छोटी से छोटी संख्या ज्ञात करो जो पूर्ण वर्ग हो. (एस० एस० सी० परीक्षा, 2014)

हलः चार अंकों की छोटी से छोटी संख्या = 1000.

$\therefore$ अभीष्ट संख्या $= (32)^2 = 1024.$

3	$\overline{10}\ \overline{00}$ (31
	9
61	1 00
	61
	39

घनमूल ज्ञात करने की विधिः

दी गई संख्या को अभाज्य गुणनखण्ड़ों के गुणनफल के रूप में व्यक्त करें. एक ही प्रकार के प्रत्येक तीन गुणनखण्ड़ों में से एक गुणनखण्ड लेकर बने गुणनखण्ड़ों का गुणनफल ही अभीष्ट घनमूल हैं.

प्रश्न 13. 21952 का घनमूल ज्ञात करें.

हलः 21952 का अभाज्य गुणनखण्ड़ों के गुणनफल के रूप में व्यक्त करने परः

$21952 = (2^3 \times 2^3 \times 7^3) \Leftrightarrow \sqrt[3]{21952} = (2 \times 2 \times 7) = 28.$

प्रश्न 14. (0·000064) का घनमूल ज्ञात करें.

हलः $0{\cdot}000064 = \frac{64}{10^6}.$

$\therefore \quad \sqrt[3]{0{\cdot}000064} = \frac{\sqrt[3]{64}}{\sqrt[3]{10^6}} = \frac{\sqrt[3]{4\times4\times4}}{\sqrt[3]{10^2\times10^2\times10^2}} = \frac{4}{10^2} = \frac{4}{100} = {\cdot}04.$

प्रश्न 15. 21600 को किस छोटी से छोटी संख्या से गुणा करें कि इस प्रकार प्राप्त गुणनफल एक पूर्ण घन हो?

हलः $21600 = (2^3 \times 2^2 \times 3^3 \times 5^2).$

स्पष्ट है कि दी गई है कि दी गई है कि दी गई संख्या को पूर्ण घन बनाने के लिए इसे (2×5) अर्थात् 10 से गुणा करना होगा.

प्रश्नमाला 6

निम्नलिखित प्रश्नों में से प्रत्येक में ठीक उत्तर को चिह्नांकित (✓) कीजिए:

1. $\sqrt{53824} = ?$ (बैंक पी०ओ० परीक्षा, 2013)
(a) 202 (b) 232
(c) 242 (d) 332

2. $\sqrt{64009} = ?$ (रेलवे परीक्षा, 2013)
(a) 253 (b) 347
(c) 363 (d) 803

3. $\sqrt{0{\cdot}000441} = ?$ (एस०एस०सी० परीक्षा, 2012)
(a) 0.00021 (b) 0.0021
(c) 0.021 (d) 0.21

4. $\sqrt{0{\cdot}00004761} = ?$ (सी० बी० आई० परीक्षा, 2013)
(a) 0.00069 (b) 0.0069
(c) 0.069 (d) 0.0609

5. $\sqrt{1{\cdot}5625} = ?$ (बैंक पी०ओ० परीक्षा, 2013)
(a) 1.05 (b) 1.25
(c) 1.45 (d) 1.55

6. $\sqrt{0{\cdot}16} = ?$
(a) 0.004 (b) 0.04
(c) 0.4 (d) 4

7. $\sqrt{110\frac{1}{4}} = ?$
(a) 10.25 (b) 10.5
(c) 11.5 (d) 19.5

8. $\sqrt{176 + \sqrt{2401}} = ?$
(a) 14 (b) 15
(c) 18 (d) 24

9. $\sqrt{\frac{0{\cdot}361}{0{\cdot}00169}} = ?$
(a) $\frac{1{\cdot}9}{13}$ (b) $\frac{19}{13}$
(c) $\frac{1{\cdot}9}{130}$ (d) $\frac{190}{13}$

10. $\sqrt{\frac{48{\cdot}4}{0{\cdot}289}} = ?$ (एस०एस०सी० परीक्षा, 2014)
(a) $1\frac{5}{17}$ (b) $12\frac{1}{17}$
(c) $12\frac{16}{17}$ (d) $129\frac{7}{17}$

11. $\sqrt{\frac{{\cdot}081 \times {\cdot}484}{{\cdot}0064 \times 6{\cdot}25}} = ?$
(a) 0.9 (b) 0.99
(c) 9 (d) 99

12. $\sqrt{\frac{0{\cdot}204 \times 42}{0{\cdot}07 \times 3{\cdot}4}} = ?$
(a) $\frac{1}{6}$ (b) 6
(c) 0.6 (d) 0.06

13. $\sqrt{\frac{0{\cdot}081 \times 0{\cdot}324 \times 4{\cdot}624}{1{\cdot}5625 \times 0{\cdot}0289 \times 72{\cdot}9 \times 64}} = ?$
(a) 0.024 (b) 0.24
(c) 2.4 (d) 24

14. $\sqrt{\frac{9{\cdot}5 \times {\cdot}085}{{\cdot}0017 \times {\cdot}19}} = ?$
(a) .05 (b) 5
(c) 50 (d) 500

15. $\sqrt{0{\cdot}121} = ?$ (रेलवे परीक्षा, 2015)
(a) 0.011 (b) 0.11
(c) 1.1 (d) 0.347

16. $\sqrt{0{\cdot}064} = ?$
(a) 0.008 (b) 0.08
(c) 0.8 (d) 0.252

17. $\sqrt{\frac{0{\cdot}16}{0{\cdot}4}} = ?$
(a) 0.02 (b) 0.2
(c) 0.63 (d) इनमें से कोई नहीं

18. $\sqrt{104976} = (?)^2$ (बैंक पी० ओ० परीक्षा, 2015)
(a) 28 (b) 18
(c) 12 (d) 225
(e) 324

19. $\sqrt{\frac{48{\cdot}4}{0{\cdot}289}} = ?$ (एस०एस०सी० परीक्षा, 2014)
(a) $1\frac{5}{17}$ (b) $12\frac{1}{17}$
(c) $12\frac{16}{17}$ (d) $129\frac{7}{17}$

20. $\sqrt{50} \times \sqrt{98} = ?$
(a) 63.75 (b) 65.95
(c) 70 (d) 70.25

21. $\sqrt{0{\cdot}01 + \sqrt{0{\cdot}0064}} = ?$
(a) 0.03 (b) 0.3
(c) 0.42 (d) इनमें से कोई नहीं

22. $\sqrt{{\cdot}0025} \times \sqrt{2{\cdot}25} \times \sqrt{{\cdot}0001} = ?$
(a) .000075 (b) .0075

(c) .075 (d) इनमें से कोई नहीं

23. $\sqrt{\dfrac{9\cdot5\times0\cdot0085\times18\cdot9}{0\cdot0017\times1\cdot9\times2\cdot1}}=?$

(a) 0.15 (b) 0.5
(c) 15 (d) 250

24. $\sqrt{10+\sqrt{25+\sqrt{108+\sqrt{154+\sqrt{225}}}}}=?$

(a) 4 (b) 6
(c) 8 (d) 10

25. $\sqrt{\dfrac{25}{81}-\dfrac{1}{9}}=?$ **(होटल मैनेजमैन्ट परीक्षा, 2012)**

(a) $\dfrac{2}{3}$ (b) $\dfrac{4}{9}$
(c) $\dfrac{16}{81}$ (d) $\dfrac{25}{81}$

26. यदि $\sqrt{1+\dfrac{x}{169}}=\dfrac{14}{13}$ हो, तो x का मान कितना है?

(a) 1 (b) 13
(c) 27 (d) इनमें से कोई नहीं

27. यदि $\sqrt{1+\dfrac{55}{729}}=\left(1+\dfrac{x}{27}\right)$ हो, तो x का मान कितना है?

(a) 1 (b) 3
(c) 5 (d) 7

28. $\sqrt{1\cdot0816}=?$

(a) 0.14 (b) 1.4
(c) 1.004 (d) 1.04

29. $\sqrt{0\cdot009}=?$

(a) 0.03 (b) 0.3
(c) 0.094 (d) इनमें से कोई नहीं

30. $\sqrt{0\cdot4}=?$

(a) 0.2 (b) 0.02
(c) 0.613 (d) 0.632

31. यदि $\sqrt{3^n}=729$ हो तो n का मान है:

(एस०एस०सी० परीक्षा, 2013)

(a) 6 (b) 8
(c) 10 (d) 12

32. $\sqrt{0\cdot01}+\sqrt{0\cdot81}+\sqrt{1\cdot21}+\sqrt{0\cdot0009}=?$

(a) 2.03 (b) 2.1
(c) 2.11 (d) 2.13

33. $\dfrac{\sqrt{?}}{200}=.02$

(a) 0.4 (b) 1.6
(c) 4 (d) 16

34. $\sqrt{\dfrac{?}{3136}}=\dfrac{1}{2}$

(a) 28 (b) 56
(c) 784 (d) 1568

35. $\sqrt{?}-3=19$

(a) 22 (b) 441
(c) 529 (d) इनमें से कोई नहीं

36. $\sqrt{75\cdot24+?}=8.71$

(a) 0.6241 (b) 6.241
(c) 62.41 (d) इनमें से कोई नहीं

37. $\sqrt{\dfrac{1694}{?}}+14=25$

(a) 11 (b) 12
(c) 14 (d) 22

38. $\sqrt{\dfrac{\cdot0196}{?}}=0.2$

(a) 0.49 (b) 0.7
(c) 4.9 (d) इनमें से कोई नहीं

39. $\sqrt{0\cdot0169\times?}=1.3$ **(होटल मैनेजमैन्ट परीक्षा, 2011)**

(a) 10 (b) 100
(c) 1000 (d) इनमें से कोई नहीं

40. $\left\{\dfrac{1}{\sqrt{12-\sqrt{140}}}-\dfrac{1}{\sqrt{8-\sqrt{60}}}-\dfrac{2}{\sqrt{10+\sqrt{84}}}\right\}$ का मान है:

(एस०एस०सी० परीक्षा, 2015)

(a) 0 (b) 1
(c) 2 (d) 3

41. यदि $a=\dfrac{\sqrt{5}+1}{\sqrt{5}-1}$ तथा $b=\dfrac{\sqrt{5}-1}{\sqrt{5}+1}$, तो $\dfrac{a^2+ab+b^2}{a^2-ab+b^2}$ का मान क्या होगा? **(एस०एस०सी० परीक्षा, 2015)**

(a) $\dfrac{3}{4}$ (b) $\dfrac{4}{3}$
(c) $\dfrac{3}{5}$ (d) $\dfrac{5}{3}$

42. यदि $\sqrt{16-6\sqrt{7}}=a+b\sqrt{7}$ हो, तो b का मान है:

(एस० डी० एस०परीक्षा, 2015)

(a) -2 (b) -1
(c) $-\dfrac{3}{2}$ (d) $-\dfrac{1}{2}$

43. $\dfrac{(3+\sqrt{6})}{5\sqrt{3}-2\sqrt{12}-\sqrt{32}+\sqrt{50}}=?$

(a) 3 (b) $3\sqrt{2}$
(c) 6 (d) इनमें से कोई नहीं

44. यदि $x=\left(7-4\sqrt{3}\right)$ हो, तो $\left(x+\frac{1}{x}\right)$ का मान है:

(एस०एस०सी० परीक्षा, 2010)

(a) $3\sqrt{3}$ (b) $8\sqrt{3}$

(c) 14 (d) $14+8\sqrt{3}$

45. यदि $\frac{5+2\sqrt{3}}{7+4\sqrt{3}}=a+b\sqrt{3}$ हो, तो (रेलवे परीक्षा, 2011)

(a) $a=-11, b=-6$ (b) $a=-11, b=6$

(c) $a=11, b=-6$ (d) $a=6, b=11$

46. यदि $x=\frac{\sqrt{3}+1}{\sqrt{3}-1}$ तथा $y=\frac{\sqrt{3}-1}{\sqrt{3}+1}$ हो, तो (x^2+y^2) का मान कितना है? (एस०एस०सी० परीक्षा, 2013)

(a) 10 (b) 13

(c) 14 (d) 15

47. $\left(7+3\sqrt{5}\right)\left(7-3\sqrt{5}\right)$ का वर्गमूल कितना है?

(एस०एस०सी० परीक्षा, 2014)

(a) $\sqrt{5}$ (b) 2

(c) 4 (d) $3\sqrt{5}$

48. $\left(\sqrt{3}-\frac{1}{\sqrt{3}}\right)^2=?$

(a) $\frac{3}{4}$ (b) $\frac{4}{\sqrt{3}}$

(c) $\frac{4}{3}$ (d) इनमें से कोई नहीं

49. $\left(\sqrt{2}+\frac{1}{\sqrt{2}}\right)^2=?$

(a) $2\frac{1}{2}$ (b) $3\frac{1}{2}$

(c) $4\frac{1}{2}$ (d) $5\frac{1}{2}$

50. $\left(\sqrt{12}+\sqrt{18}\right), \left(\sqrt{3}+\sqrt{2}\right)$ से कितना अधिक है?

(एस०एस०सी० परीक्षा, 2019)

(a) $\left(\sqrt{2}-4\sqrt{3}\right)$ (b) $\left(\sqrt{3}+2\sqrt{2}\right)$

(c) $2\left(\sqrt{3}-\sqrt{2}\right)$ (d) $3\left(\sqrt{3}-\sqrt{2}\right)$

51. यदि $\sqrt{18225}=135$ हो, तो $\sqrt{182\cdot25}+\sqrt{1\cdot8225}+\sqrt{0\cdot018225}+\sqrt{0\cdot00018225}$ का मान कितना है?

(a) 1.49985 (b) 14.9985

(c) 149.985 (d) 1499.85

52. यदि $\sqrt{13}=3\cdot605$ तथा $\sqrt{130}=11\cdot40$ हो, तो $\sqrt{1\cdot3}+\sqrt{1300}+\sqrt{0\cdot013}$ का मान कितना है?

(a) 36.164 (b) 36.304

(c) 37.164 (d) 37.304

53. यदि $\sqrt{841}=29$, तो $(\sqrt{841}+\sqrt{8\cdot41}+\sqrt{0\cdot0841}+\sqrt{0\cdot000841})$ का मान है:

(a) 322.19 (b) 32.219

(c) 34.179 (d) 31.129

54. यदि $\sqrt{6084}=78$, तो $\sqrt{60\cdot84}+\sqrt{0\cdot6084}+\sqrt{0\cdot006084}+\sqrt{0\cdot00006084}=?$ (जीवन बीमा निगम परीक्षा, 2013)

(a) 0.86658 (b) 8.6658

(c) 86.658 (d) 866.58

55. यदि $\sqrt{1296}=36$, तो $(\sqrt{12\cdot96}+\sqrt{0\cdot1296}+\sqrt{0\cdot001296}+\sqrt{0\cdot00001296})$ का मान क्या है?

(रेलवे परीक्षा, 2012)

(a) 0.39996 (b) 3.6996

(c) 3.9996 (d) 39.996

56. $\frac{\sqrt{32}+\sqrt{48}}{\sqrt{8}+\sqrt{12}}=?$ (रेलवे परीक्षा, 2015)

(a) $\sqrt{2}$ (b) 2

(c) 4 (d) 8

57. यदि $\frac{1120}{\sqrt{P}}=80$ हो, तो P का मान है:

(सी०बी०आई० परीक्षा, 2013)

(a) 14 (b) 140

(c) 196 (d) 225

58. यदि $a=\sqrt{3+\sqrt{3+\sqrt{3+.....}}}$, तो निम्न में से सत्य कथन कौन-सा है? (एम०बी०ए० परीक्षा, 2015)

(a) $a=3$ (b) $3<a<4$

(c) $a>3$ (d) $2<a<3$

59. $\sqrt{6+\sqrt{6+\sqrt{6+....}}}=?$ (एस०एस०सी० परीक्षा, 2012)

(a) 2 (b) 3

(c) 4 (d) 5

60. $\sqrt{12+\sqrt{12+\sqrt{12+....}}}=?$

(a) 3 (b) 4

(c) 6 (d) 6 से अधिक

61. यदि $\sqrt{x+\sqrt{x+\sqrt{x+...}}}\ \infty=4$ हो, तो x का मान कितना है? (सी०डी०एस० परीक्षा, 2013)

(a) 8 (b) 12

(c) 16 (d) 20

62. $\frac{1}{(\sqrt{9}-\sqrt{8})}-\frac{1}{(\sqrt{8}-\sqrt{7})}+\frac{1}{(\sqrt{7}-\sqrt{6})}$

$$-\frac{1}{(\sqrt{6}-\sqrt{5})}+\frac{1}{(\sqrt{5}-\sqrt{4})}=?$$

(*a*) 0 (*b*) $\frac{1}{3}$

(*c*) 1 (*d*) 5

63. $\frac{8}{?}=\frac{?}{12\frac{1}{2}}$ **(होटल मैनेजमैन्ट परीक्षा, 2013)**

(*a*) $1\frac{1}{2}$ (*b*) 4

(*c*) 10 (*d*) 64

64. $\frac{4\frac{1}{2}}{?}=\frac{?}{32}$ **(होटल मैनेजमैन्ट परीक्षा, 2010)**

(*a*) 1 (*b*) 7

(*c*) $7\frac{1}{2}$ (*d*) इनमें से कोई नहीं

65. $\frac{?}{\sqrt{128}}=\frac{\sqrt{162}}{?}$

(*a*) 12 (*b*) 14

(*c*) 144 (*d*) 196

66. $\left(\frac{?}{15}\right)\times\left(\frac{?}{135}\right)=1$ **(एस०एस०सी० परीक्षा, 2012)**

(*a*) 15 (*b*) 25

(*c*) 35 (*d*) 45

67. वह छोटी से छोटी संख्या कौन-सी होगी जो पूर्ण वर्ग हो तथा 10, 12, 15, 18 में से प्रत्येक से पूर्णतया विभक्त हो?

(*a*) 360 (*b*) 400

(*c*) 900 (*d*) 1600

68. वह छोटी से छोटी संख्या कौन-सी होगी जो पूर्ण वर्ग हो तथा 21, 36, 66 में से प्रत्येक से पूर्णतया विभक्त हो?

(सी०बी०आई० परीक्षा, 2013)

(*a*) 213444 (*b*) 214344

(*c*) 214434 (*d*) 231444

69. वह छोटी से छोटी संख्या कौन-सी है जिससे 5808 को गुणा करने पर प्राप्त गुणनफल एक पूर्ण वर्ग हो?

(*a*) 2 (*b*) 3

(*c*) 7 (*d*) 11

70. वह छोटी से छोटी संख्या कौन-सी है जिससे 1470 को भाग देने पर प्राप्त भागफल एक पूर्ण वर्ग हो?

(*a*) 5 (*b*) 6

(*c*) 15 (*d*) 30

71. 549162 में से छोटी से छोटी कौन-सी संख्या घटाई जाये कि शेष बची संख्या एक पूर्ण वर्ग हो?

(*a*) 28 (*b*) 36

(*c*) 62 (*d*) 81

72. 0.000326 में से छोटी से छोटी कौन-सी संख्या घटाई जाये कि शेष बची संख्या एक पूर्ण वर्ग हो?

(*a*) 0.000002 (*b*) 0.000004

(*c*) 0.02 (*d*) 0.04

(एस०एस०सी० परीक्षा, 2013)

73. 680621 में छोटी से छोटी कौन-सी संख्या जोड़ी जाये कि योगफल एक पूर्ण वर्ग हो? **(एस०एस०सी० परीक्षा, 2012)**

(*a*) 4 (*b*) 5

(*c*) 6 (*d*) 8

74. चार अंकों की बड़ी से बड़ी वह कौन-सी संख्या है जो कि पूर्ण वर्ग हो? **(होटल मैनेजमैन्ट परीक्षा, 2013)**

(*a*) 9000 (*b*) 9801

(*c*) 9900 (*d*) 9981

75. चार अंकों की छोटी से छोटी वह कौन-सी संख्या है जो कि पूर्ण वर्ग हो?

(*a*) 1000 (*b*) 1016

(*c*) 1024 (*d*) 1036

76. एक सैनिक अफसर अपने 36581 सिपाहियों को एक ठोस वर्ग के रूप में खड़ा करना चाहता है. वर्ग बनने के बाद कुछ सैनिक बच जाते है, कितने सैनिक बचते हैं?

(*a*) 65 (*b*) 81

(*c*) 100 (*d*) 112

77. छात्रों के एक समूह में प्रत्येक छात्र से उतने ही पैसे लिए गये जितने इस समूह में छात्र थे. यदि कुल धन 59.29 रु० इकट्ठा हुआ हो, तो समूह में कितने छात्र थे?

(*a*) 67 (*b*) 77

(*c*) 57 (*d*) 87

78. एक व्यक्ति ने अपने बाग में 15376 सेब के पौधे इस प्रकार लगाये कि प्रत्येक पंक्ति में उतने पौधे हैं जितनी पंक्तियाँ हैं. पंक्तियों की संख्या कितनी है?

(*a*) 124 (*b*) 126

(*c*) 134 (*d*) 144

79. $\sqrt[3]{4\frac{12}{125}}=?$

(*a*) $1\frac{2}{5}$ (*b*) $1\frac{3}{5}$

(*c*) $1\frac{4}{5}$ (*d*) $2\frac{2}{5}$

80. $\sqrt[3]{0\cdot000216}=?$

(*a*) .6 (*b*) .06

(*c*) .006 (*d*) इनमें से कोई नहीं

81. $\sqrt[3]{\left(\sqrt{\cdot000064}\right)}=?$

(*a*) .02 (*b*) .2

(*c*) 2 (*d*) इनमें से कोई नहीं

82. $\sqrt[3]{\cdot000001} = ?$
(a) 0.1 (b) 0.01
(c) 0.001 (d) 0.0001

83. 675 को किस छोटी से छोटी संख्या से भाग किया जाये कि भागफल एक पूर्ण घन हो?
(a) 5 (b) 6
(c) 7 (d) 8

84. 3600 को किस छोटी से छोटी संख्या से भाग किया जाये कि भागफल एक पूर्ण घन हो?
(a) 9 (b) 50
(c) 300 (d) 450

85. चार अंकों की बड़ी से बड़ी संख्या जो पूर्ण घन हो, कौन-सी होगी?
(a) 9999 (b) 9261
(c) 8000 (d) इनमें से कोई नहीं

86. किसी संख्या के वर्ग का $\frac{3}{5}$ यदि 126.15 हो, तो वह संख्या क्या है? (एस०एस०सी० परीक्षा, 2015)
(a) 210.25 (b) 75.69
(c) 14.5 (d) 145

87. यदि $\sqrt{2^x} = 256$, तो $x = ?$
(a) 18 (b) 16
(c) 20 (d) 24

88. 2203 में सबसे छोटी कौन-सी संख्या जोड़ी जाये कि योगफल एक पूर्ण वर्ग हो?
(a) 1 (b) 3
(c) 6 (d) 8
(एस०एस०सी० परीक्षा, 2015)

89. यदि $5\sqrt{3}+\sqrt{75}$ = 17.32 है, तो $14\sqrt{3}+\sqrt{108}$ का मान ज्ञात करें। [एसएससी सीजीएल टीयर-I सीबीएसई परीक्षा 2022]
(a) 33.86 (b) 34.64 (c) 35.64 (d) 32.46

90. $\sqrt{478+160-314} \times 8 = ?$ [आरबीआई प्री 2020]
(a) 224 (b) 176 (c) 144 (d) 112

91. $\sqrt[3]{216} \times \sqrt[3]{50+75} = x$ [आरबीआई प्री 2020]
(a) 54 (b) 30 (c) 48 (d) 50

92. $\sqrt{\left(2\frac{1}{4} \div 1\frac{1}{4}\right) \div \frac{1}{5}} = ?$ [नाबार्ड 2019]
(a) 5 (b) 3 (c) 4 (d) 2

93. $\sqrt{\sqrt{44944}+\sqrt{52441}}$ [नाबार्ड 2019]
(a) 312 (b) 21 (c) 484 (d) 440

94. 16800 को एक पूर्ण वर्ग बनाने के लिए उसमें से कौन-सी सबसे छोटी संख्या घटाई जानी चाहिए? [एसएससी मल्टी-टास्किंग स्टाफ परीक्षा 2017]
(a) 169 (b) 219 (c) 159 (d) 249

95. वह सबसे छोटा मान क्या है जिसे 709 में जोड़ा जाने पर, परिणामी एक पूर्ण वर्ग हो? [एसएससी सीएपीएफ एसआई, दिल्ली पुलिस एसआई परीक्षा 2017]
(a) 8 (b) 12 (c) 20 (d) 32

96. N के किस मान के लिए 270N एक पूर्ण वर्ग होगा, जहाँ 270N एक 4-अंकीय संख्या है? [एसएससी सीएपीएफ एसआई, दिल्ली पुलिस एसआई परीक्षा 2017]
(a) 1 (b) 6 (c) 4 (d) 9

97. यदि तीन लगातार प्राकृतिक संख्याओं के योग का वर्ग उनके वर्गों के योग से 292 अधिक है, तो तीन संख्याओं में सबसे छोटी संख्या कौन सी है? [एसएससी सीजीएल टियर-I (सीबीएसई) परीक्षा, 2017]
(a) 5 (b) 6 (c) 7 (d) 8

98. चार अंकों की सबसे बड़ी संख्या कौन-सी है जो एक पूर्ण वर्ग है? [एसएससी सीएपीएफ एसआई और दिल्ली पुलिस एसआई परीक्षा पेपर-I, 2017]
(a) 9704 (b) 9801 (c) 9901 (d) 9999

99. वह छोटी से छोटी संख्या कौन-सी है जिसे 69120 से गुणा करके एक पूर्ण घन बनाया जा सकता है? [एसएससी सीएचएसएल (10+2) टीयर-I सीबीएसई परीक्षा, 2018]
(a) 10 (b) 50 (c) 25 (d) 5

100. 27 दशमलव स्थानों वाली संख्या के घनमूल में दशमलव स्थानों की संख्या क्या है? [एसएससी सीएचएसएल (10+2) टीयर-I सीबीएसई परीक्षा, 2018]
(a) 3 (b) 6 (c) 9 (d) 27

101. निम्नलिखित को अवरोही क्रम में व्यवस्थित करें:
$\sqrt[4]{5}, \sqrt[3]{4}$ और $\sqrt[4]{6}$
[एसएससी सीएचएसएल (10+2) टीयर-I सीबीएसई परीक्षा, 2018]
(a) $\sqrt[4]{6} > \sqrt[3]{4} > \sqrt[4]{5}$ (b) $\sqrt[4]{6} > \sqrt[4]{4} > \sqrt[3]{4}$
(c) $\sqrt[3]{4} > \sqrt[4]{5} > \sqrt[4]{6}$ (d) $\sqrt[3]{4} > \sqrt[4]{6} > \sqrt[4]{5}$

102. यदि $\frac{1}{N} = \frac{(\sqrt{6}+\sqrt{5})}{(\sqrt{6}-\sqrt{5})}$ तो N का मान क्या है?
[एसएससी सीएपीएफ की एसआई और दिल्ली पुलिस एसआई परीक्षा 2017]
(a) $6-\sqrt{30}$ (b) $6+\sqrt{30}$
(c) $11-2\sqrt{30}$ (d) $11+2\sqrt{5}$

103. $\left[\frac{12}{\sqrt{5}+\sqrt{3}} + \frac{18}{(\sqrt{5}-\sqrt{3})}\right]$ का मान क्या है?
[एसएससी सीजीएल टीयर-I सीबीएसई परीक्षा 2017]
(a) $15(\sqrt{5}-\sqrt{3})$ (b) $3(5\sqrt{5}+\sqrt{3})$
(c) $15(\sqrt{5}+\sqrt{3})$ (d) $3(3\sqrt{5}+\sqrt{3})$

104. $\sqrt{729}+\sqrt{72.9}+\sqrt{7.29}$? का मान क्या है?
[एसएससी सीएचएसएल (10+2) टीयर-I सीबीएसई परीक्षा 2018]
(a) 40.5 (b) 45.6 (c) 33.5 (d) 38.23

105. $\sqrt{1+\frac{1}{2^2}+\frac{1}{3^2}}+\sqrt{1+\frac{1}{3^2}+\frac{1}{4^2}}+\sqrt{1+\frac{1}{4^2}+\frac{1}{5^2}}$ का मान क्या है?
[एसएससी सीएपीएफ एसआई और दिल्ली पुलिस एसआई परीक्षा 2017]
(a) $\frac{18}{5}$ (b) $\frac{4}{3}$ (c) $\frac{7}{3}$ (d) $\frac{33}{10}$

106. $\dfrac{(\sqrt{5}+2)}{(\sqrt{5}-2)}$ का वर्गमूल क्या है?

[एसएससी सीएचएसएल (10+2) टीयर-I सीबीएसई परीक्षा 2018]

(a) $\sqrt{5}-\sqrt{4}$ (b) $\sqrt{5}+2$

(c) $5+\sqrt{2}$ (d) 7

107. $\left[\left(\sqrt{529}\right)+\left(\sqrt{5.29}\right)+\left[(0.0529)\right]\right.$ का मान क्या है?

[एसएससी सीएचएसएल (10+2) टीयर-I सीबीएसई परीक्षा 2018]

(a) 25.323 (b) 25.53

(c) 23.253 (d) 23.53

108. $[19+4\sqrt{21}]$का धनात्मक वर्गमूल क्या है?

[एसएससी सीएचएसएल (10+2) टीयर-I सीबीएसई परीक्षा 2018]

(a) $\sqrt{7}+2\sqrt{3}$ (b) $\sqrt{3}+2\sqrt{7}$

(c) $\sqrt{\hat{Y}}+\sqrt{\ }$ (d) $\sqrt{7}+3\sqrt{3}$

109. मान लीजिए $x=\sqrt[6]{27}-\sqrt{6\frac{3}{4}}$ और $y=\dfrac{\sqrt{45}+\sqrt{605}+\sqrt{245}}{\sqrt{80}+\sqrt{125}}$, हो तो x^2+y^2 का मान ज्ञात कीजिए।

[एसएससी सीजीएल टियर-II (सीबीएसई) परीक्षा-2018-2019]

(a) $\dfrac{223}{36}$ (b) $\dfrac{221}{36}$ (c) $\dfrac{221}{9}$ (d) $\dfrac{227}{9}$

110. किसी सेना के जनरल 36562 सैनिकों से एक वर्गाकार व्यूह बनाना चाहते हैं। व्यूह की रचना करने के बाद कुछ सैनिक बच गए। बचे हुए सैनिकों की संख्या क्या थी?

(a) 36 (b) 65

(c) 81 (d) 97

(एस.एस.सी. संयुक्त स्नातक स्तर ग्रेड-टियर-II (सी.बी.ई.) परीक्षा, 2017)

उत्तरमाला

1. (b)	**2.** (a)	**3.** (d)	**4.** (b)	**5.** (b)	**6.** (c)	**7.** (b)	**8.** (b)	**9.** (d)	**10.** (c)
11. (b)	**12.** (b)	**13.** (a)	**14.** (c)	**15.** (d)	**16.** (d)	**17.** (c)	**18.** (b)	**19.** (c)	**20.** (c)
21. (b)	**22.** (d)	**23.** (c)	**24.** (a)	**25.** (b)	**26.** (c)	**27.** (a)	**28.** (d)	**29.** (c)	**30.** (d)
31. (d)	**32.** (d)	**33.** (d)	**34.** (c)	**35.** (d)	**36.** (a)	**37.** (c)	**38.** (a)	**39.** (b)	**40.** (a)
41. (b)	**42.** (b)	**43.** (d)	**44.** (c)	**45.** (c)	**46.** (c)	**47.** (b)	**48.** (c)	**49.** (c)	**50.** (b)
51. (b)	**52.** (d)	**53.** (b)	**54.** (b)	**55.** (c)	**56.** (b)	**57.** (c)	**58.** (d)	**59.** (b)	**60.** (b)
61. (b)	**62.** (d)	**63.** (c)	**64.** (d)	**65.** (c)	**66.** (d)	**67.** (c)	**68.** (a)	**69.** (b)	**70.** (d)
71. (d)	**72.** (a)	**73.** (a)	**74.** (b)	**75.** (c)	**76.** (c)	**77.** (b)	**78.** (a)	**79.** (b)	**80.** (b)
81. (a)	**82.** (a)	**83.** (a)	**84.** (d)	**85.** (b)	**86.** (c)	**87.** (b)	**88.** (c)	**89.** (b)	**90.** (c)
91. (b)	**92.** (b)	**93.** (b)	**94.** (c)	**95.** (c)	**96.** (c)	**97.** (b)	**98.** (b)	**99.** (c)	**100.** (c)
101. (d)	**102.** (c)	**103.** (b)	**104.** (d)	**105.** (d)	**106.** (b)	**107.** (b)	**108.** (c)	**109.** (a)	**110.** (c)

दिये गये प्रश्नों के हल

1.

```
  2 | 5 38 24(232
    | 4
 43 | 1 38
    | 1 29
462 |    9 24
    |    9 24
    |     ×
```

$\therefore\quad \sqrt{53824}=232.$

2.

```
  2 | 6 40 09(253
    | 4
 45 | 2 40
    | 2 25
503 |   15 09
    |   15 09
    |     ×
```

$\therefore\quad \sqrt{64009}=253.$

3. $\sqrt{0\cdot000441}=\sqrt{\dfrac{441}{1000000}}=\dfrac{\sqrt{441}}{\sqrt{1000000}}=\dfrac{21}{1000}$

$=.021.$

4. $\sqrt{0\cdot00004761}=\sqrt{\dfrac{4761}{100000000}}=\dfrac{\sqrt{4761}}{\sqrt{100000000}}$

$=\dfrac{69}{10000}=0.0069.$

```
  6 | 47 61(69
    | 36
129 | 11 61
    | 11 61
    |   ×
```

5. $\sqrt{1\cdot5625}=\sqrt{\dfrac{15625}{10000}}=\dfrac{\sqrt{15625}}{\sqrt{10000}}=\dfrac{125}{100}=1.25.$

```
  1 | 1 56 25(125
    | 1
 22 |   56
    |   44
245 |   12 25
    |   12 25
    |     ×
```

6. $\sqrt{0\cdot16}=\sqrt{\frac{16}{100}}=\frac{\sqrt{16}}{\sqrt{100}}=\frac{4}{10}=0.4.$

7. $\sqrt{110\frac{1}{4}}=\sqrt{\frac{441}{4}}=\frac{\sqrt{441}}{\sqrt{4}}=\frac{21}{2}=10.5.$

$$\begin{array}{r|l} 2 & \overline{4}\,\overline{41}\,(21 \\ & 4 \\ \hline 41 & 41 \\ & 41 \\ \hline & \times \end{array}$$

8. $\sqrt{176+\sqrt{2401}}=\sqrt{176+49}=\sqrt{225}=15.$

$$\begin{array}{r|l} 4 & \overline{24}\,\overline{01}\,(49 \\ & 16 \\ \hline 89 & 8\,01 \\ & 8\,01 \\ \hline & \times \end{array}$$

9. $\sqrt{\frac{0\cdot361}{0\cdot00169}}=\sqrt{\frac{0\cdot36100}{0\cdot00169}}=\sqrt{\frac{36100}{169}}=\frac{\sqrt{36100}}{\sqrt{169}}=\frac{190}{13}$

$$\begin{array}{r|l} 1 & \overline{3}\,\overline{61}\,\overline{00}\,(190 \\ & 1 \\ \hline 29 & 2\,61 \\ & 2\,61 \\ \hline & \times\ 00 \\ & \quad 00 \\ \hline & \times \end{array}$$

10. $\sqrt{\frac{48\cdot4}{0\cdot289}}=\sqrt{\frac{48\cdot400}{0\cdot289}}=\sqrt{\frac{48400}{289}}=\frac{\sqrt{48400}}{\sqrt{289}}=\frac{220}{17}=12\frac{16}{17}.$

$$\begin{array}{r|l} 2 & \overline{4}\,\overline{84}\,(22 \\ & 4 \\ \hline 42 & 84 \\ & 84 \\ \hline & \times \end{array} \qquad \begin{array}{r|l} 1 & \overline{2}\,\overline{89}\,(17 \\ & 1 \\ \hline 27 & 1\,89 \\ & 1\,89 \\ \hline & \times \end{array}$$

11. वर्गमूल में व्यंजक के अंश में दशमलव स्थानों का योग $=(3+3)=6$ तथा हर में दशमलव स्थानों का योग $=(4+2)=6.$

$\therefore$ दिया गया व्यंजक $=\sqrt{\frac{81\times484}{64\times625}}=\frac{9\times22}{8\times25}=\frac{99}{100}=0.99.$

$$\begin{array}{r|l} 2 & \overline{4}\,\overline{84}\,(22 \\ & 4 \\ \hline 42 & 84 \\ & 84 \\ \hline & \times \end{array}$$

12. वर्गमूल में व्यंजक के अंश में दशमलव स्थान $=3$ तथा हर में दशमलव स्थानों का योग $=(2+1)=3.$

$\therefore$ दिया गया व्यंजक $=\sqrt{\frac{204\times42}{7\times34}}=\sqrt{6\times6}$
$=6.$

13. वर्गमूल में व्यंजक के अंश में दशमलव स्थानों का योग $=(3+3+3)=9.$

तथा हर में दशमलव स्थानों का योग $=(4+4+1)=9.$

$\therefore$ दिया गया व्यंजक $=\sqrt{\frac{81\times324\times4624}{15625\times289\times729\times64}}$

$$\begin{array}{r|l} 1 & 324\,(18 \\ & 1 \\ \hline 28 & 224 \\ & 224 \\ \hline & \times \end{array} \qquad \begin{array}{r|l} 6 & \overline{46}\,\overline{24}\,(68 \\ & 36 \\ \hline 128 & 10\,24 \\ & 10\,24 \\ \hline & \times \end{array}$$

$$\begin{array}{r|l} 1 & \overline{1}\,\overline{56}\,\overline{25}\,(125 \\ & 1 \\ \hline 22 & 56 \\ & 44 \\ \hline 245 & 12\,25 \\ & 12\,25 \\ \hline & \times \end{array} \qquad \begin{array}{r|l} 1 & \overline{2}\,\overline{89}\,(17 \\ & 1 \\ \hline 27 & 1\,89 \\ & 1\,89 \\ \hline & \times \end{array} \qquad \begin{array}{r|l} 2 & \overline{7}\,\overline{29}\,(27 \\ & 4 \\ \hline 47 & 3\,29 \\ & 3\,29 \\ \hline & \times \end{array}$$

$\therefore$ दिया गया व्यंजक $=\left(\frac{9\times18\times68}{125\times17\times27\times8}\right)=\frac{3}{125}=0.024.$

14. $\sqrt{\frac{9\cdot5\times\cdot085}{\cdot0017\times\cdot19}}=\sqrt{\frac{9\cdot5\times\cdot08500}{\cdot0017\times\cdot19}}=\sqrt{\frac{95\times8500}{17\times19}}$
$=\sqrt{5\times500}=\sqrt{2500}=50.$

15. $\sqrt{0\cdot121}=\sqrt{0\cdot1210}=\sqrt{\frac{1210}{10000}}$
$=\frac{\sqrt{1210}}{\sqrt{10000}}=\frac{\sqrt{1210}}{100}=\frac{34\cdot7}{100}=0.347.$

$$\begin{array}{r|l} 3 & \overline{12}\,\overline{10}\,(34\cdot7 \\ & 9 \\ \hline 64 & 3\,10 \\ & 2\,56 \\ \hline 687 & 54\,00 \\ & 48\,09 \\ \hline & \times \end{array}$$

16. $\sqrt{0\cdot064}=\sqrt{0\cdot0640}=\sqrt{\frac{640}{10000}}=\frac{\sqrt{640}}{\sqrt{10000}}$
$=\frac{\sqrt{640}}{100}=\frac{25\cdot2}{100}=0.252.$

$$\begin{array}{r|l} 2 & \overline{6}\,\overline{40}\,(25\cdot2 \\ & 4 \\ \hline 45 & 2\,40 \\ & 2\,25 \\ \hline 502 & 15\,00 \\ & 10\,04 \\ \hline \end{array}$$

17. $\sqrt{\frac{0\cdot16}{0\cdot4}}=\sqrt{\frac{0\cdot16}{0\cdot40}}=\sqrt{\frac{16}{40}}=\frac{\sqrt{16}}{\sqrt{40}}=\frac{4}{2\sqrt{10}}=\frac{2}{\sqrt{10}}\times\frac{\sqrt{10}}{\sqrt{10}}$
$=\frac{2}{10}\times\sqrt{10}=\frac{1}{5}\times3.16=0.63.$

$$\begin{array}{r|l} 3 & \overline{10}\,(3{\cdot}16 \\ & 9 \\ \hline 61 & 100 \\ & 61 \\ \hline 626 & 3900 \\ & 3756 \\ \hline \end{array}$$

18. माना $\sqrt{104976} = x^2$.

तब, $x^2 = 324 \Leftrightarrow x = \sqrt{104976} = (9 \times 2) = 18.$

$$\begin{array}{r|l} 3 & \overline{10}\,\overline{49}\,\overline{76}\,(324 \\ & 9 \\ \hline 62 & 1\,49 \\ & 1\,24 \\ \hline 644 & 25\,76 \\ & 25\,76 \\ \hline & \times \end{array}$$

19. दिया गया व्यंजक

$$= \sqrt{\frac{48{\cdot}400}{0{\cdot}289}} = \sqrt{\frac{48400}{289}} = \frac{\sqrt{48400}}{\sqrt{289}} = \frac{220}{17} = 12\frac{16}{17}.$$

20. $\sqrt{50} \times \sqrt{98} = \sqrt{50 \times 98} = \sqrt{50 \times 2 \times 49} = \sqrt{100 \times 49}$

$= (10 \times 7) = 70.$

21. $\sqrt{0{\cdot}0064} = \sqrt{\frac{64}{10000}} = \frac{\sqrt{64}}{\sqrt{10000}} = \frac{8}{100} = 0.08.$

$\therefore \quad \sqrt{0{\cdot}01 + \sqrt{0{\cdot}0064}} = \sqrt{0{\cdot}01 + 0{\cdot}08} = \sqrt{0{\cdot}09}$

$= \sqrt{\frac{9}{100}} = \frac{\sqrt{9}}{\sqrt{100}} = \frac{3}{10} = 0.3.$

22. दिया गया व्यंजक $= \sqrt{\frac{25}{10000}} \times \sqrt{\frac{225}{100}} \times \sqrt{\frac{1}{10000}}$

$= \frac{\sqrt{25}}{\sqrt{10000}} \times \frac{\sqrt{225}}{\sqrt{100}} \times \frac{\sqrt{1}}{\sqrt{10000}}$

$= \frac{5}{100} \times \frac{15}{10} \times \frac{1}{100} = \frac{75}{100000} = .00075.$

23. वर्गमूल में व्यंजक के अंश में दशमलव स्थानों का योग

$= (1 + 4 + 1) = 6$ तथा हर में

दशमलव स्थानों का योग $= (4 + 1 + 1) = 6.$

$\therefore$ दिया गया व्यंजक $= \sqrt{\frac{95 \times 85 \times 189}{17 \times 19 \times 21}} = \sqrt{5 \times 5 \times 9}$

$= (5 \times 3) = 15.$

24. दिया गया व्यंजक $= \sqrt{10 + \sqrt{25 + \sqrt{108 + \sqrt{154 + 15}}}}$

$= \sqrt{10 + \sqrt{25 + \sqrt{108 + \sqrt{169}}}}$

$= \sqrt{10 + \sqrt{25 + \sqrt{108 + 13}}}$

$= \sqrt{10 + \sqrt{25 + \sqrt{121}}} = \sqrt{10 + \sqrt{25 + 11}}$

$= \sqrt{10 + \sqrt{36}} = \sqrt{10 + 6} = \sqrt{16} = 4.$

25. $\sqrt{\frac{25}{81} - \frac{1}{9}} = \sqrt{\frac{25 - 9}{81}} = \sqrt{\frac{16}{81}} = \frac{4}{9}.$

26. $\left(1 + \frac{x}{169}\right) = \left(\frac{14}{13}\right)^2 \Leftrightarrow \left(1 + \frac{x}{169}\right) = \frac{196}{169}$

$\Leftrightarrow \frac{x}{169} = \left(\frac{196}{169} - 1\right) = \frac{(196 - 169)}{169}$

$\Leftrightarrow \frac{x}{169} = \frac{27}{169} \Leftrightarrow x = \left(\frac{27}{169} \times 169\right) = 27.$

27. $\sqrt{\frac{729 + 55}{729}} = \left(1 + \frac{x}{27}\right) \Leftrightarrow \sqrt{\frac{784}{729}} = \left(1 + \frac{x}{27}\right) \Leftrightarrow \frac{28}{27} = 1 + \frac{x}{27}$

$\Leftrightarrow \frac{x}{27} = \left(\frac{28}{27} - 1\right) = \frac{1}{27} \Leftrightarrow x = 1.$

28. $\sqrt{1{\cdot}0816} = \sqrt{\frac{10816}{10000}} = \frac{\sqrt{10816}}{10000} = \frac{104}{100} = 1.04.$

$$\begin{array}{r|l} 1 & \overline{1}\,\overline{08}\,\overline{16}\,(104 \\ & 1 \\ \hline 204 & 08\,16 \\ & 8\,16 \\ \hline & \times \end{array}$$

29. $\sqrt{0{\cdot}009} = \sqrt{0{\cdot}0090} = \sqrt{\frac{90}{10000}} = \frac{\sqrt{90}}{\sqrt{10000}} = \frac{9{\cdot}4}{100} = 0.094.$

$$\begin{array}{r|l} 9 & 90\,(9{\cdot}4 \\ & 81 \\ \hline 184 & 900 \\ & 736 \\ \hline \end{array}$$

30. $\sqrt{0{\cdot}4} = \sqrt{0{\cdot}40} = \sqrt{\frac{40}{100}} = \frac{\sqrt{40}}{\sqrt{100}} = \frac{\sqrt{40}}{10} = \frac{6{\cdot}32}{10} = 0.632.$

$$\begin{array}{r|l} 6 & 40\,(6{\cdot}32 \\ & 36 \\ \hline 123 & 400 \\ & 369 \\ \hline 1262 & 3100 \\ & 2524 \\ \hline \end{array}$$

31. $\sqrt{3^n} = 729 = 3^6 \Leftrightarrow 3^n = (3^6)^2 \Leftrightarrow 3^n = 3^{12} \Leftrightarrow n = 12.$

32. दिया गया व्यंजक $= \sqrt{\frac{1}{100}} + \sqrt{\frac{81}{100}} + \sqrt{\frac{121}{100}} + \sqrt{\frac{9}{10000}}$

$= \frac{1}{10} + \frac{9}{10} + \frac{11}{10} + \frac{3}{100}$

$= (0.1 + 0.9 + 1.1 + 0.03) = 2.13.$

33. माना $\frac{\sqrt{x}}{200} = .02.$ तब, $\sqrt{x} = (200 \times .02)$

$= \left(200 \times \frac{2}{100}\right) = 4 \Leftrightarrow x = 16.$

34. माना $\sqrt{\frac{x}{3136}} = \frac{1}{2} \Leftrightarrow \frac{x}{3136} = \frac{1}{4} \Leftrightarrow x = \left(3136 \times \frac{1}{4}\right) = 784.$

35. माना $\sqrt{x}-3=19 \Leftrightarrow \sqrt{x}=22 \Leftrightarrow x=(22)^2=484.$

36. माना $\sqrt{75\cdot24+x}=8.71 \Leftrightarrow 75.24+x=(8.71)^2=75.8641$

$\Leftrightarrow x=(75.8641-75.24)=0.6241.$

37. माना $\sqrt{\frac{1694}{x}}+14=25 \Leftrightarrow \sqrt{\frac{1694}{x}}=(25-14)=11$

$\Leftrightarrow \frac{1694}{x}=(11)^2=121 \Leftrightarrow 121x=1694 \Leftrightarrow x=14.$

38. माना $\sqrt{\frac{\cdot0196}{x}}=\cdot2 \Leftrightarrow \frac{\cdot0196}{x}=(\cdot2)^2=\cdot04 \Leftrightarrow \cdot04x=\cdot0196$

$\Leftrightarrow x=\frac{\cdot0196}{\cdot0400}=\frac{196}{400}=\frac{49}{100}=0.49.$

39. माना $\sqrt{0\cdot0169\times x}=1.3 \Leftrightarrow 0.0169\times x=(1.3)^2=1.69$

$\Leftrightarrow x=\frac{1\cdot69}{\cdot0169}=\frac{1\cdot6900}{\cdot0169}=\frac{16900}{169}=100.$

40. $(12-\sqrt{140})=(7+5-\sqrt{4\times7\times5})$

$=\left\{(\sqrt{7})^2+(\sqrt{5})^2-2\times\sqrt{7}\times\sqrt{5}\right\}=(\sqrt{7}-\sqrt{5})^2$

$(8-\sqrt{60})=(5+3-\sqrt{4\times5\times3})$

$=\left\{(\sqrt{5})^2+(\sqrt{3})^2-2\times\sqrt{5}\times\sqrt{3}\right\}=(\sqrt{5}-\sqrt{3})^2$

$(10+\sqrt{84})=(7+3+\sqrt{4\times7\times3})$

$=\left\{(\sqrt{7})^2+(\sqrt{3})^2+2\times\sqrt{7}\times\sqrt{3}\right\}=(\sqrt{7}+\sqrt{3})^2$

$\therefore$ दिया गया व्यंजक $=\frac{1}{(\sqrt{7}-\sqrt{5})}-\frac{1}{(\sqrt{5}-\sqrt{3})}-\frac{2}{(\sqrt{7}+\sqrt{3})}$

$=\frac{1}{(\sqrt{7}-\sqrt{5})}\times\frac{(\sqrt{7}+\sqrt{5})}{(\sqrt{7}+\sqrt{5})}-\frac{1}{(\sqrt{5}-\sqrt{3})}\times\frac{(\sqrt{5}+\sqrt{3})}{(\sqrt{5}+\sqrt{3})}-\frac{2}{(\sqrt{7}+\sqrt{3})}\times\frac{(\sqrt{7}-\sqrt{3})}{(\sqrt{7}-\sqrt{3})}$

$=\frac{(\sqrt{7}+\sqrt{5})}{2}-\frac{(\sqrt{5}+\sqrt{3})}{2}-\frac{2\times(\sqrt{7}-\sqrt{3})}{4}$

$=\frac{1}{2}\cdot\left\{(\sqrt{7}+\sqrt{5})-(\sqrt{5}+\sqrt{3})-(\sqrt{7}-\sqrt{3})\right\}=\left(\frac{1}{2}\times0\right)$

$=0.$

41. $(a+b)=\frac{\sqrt{5}+1}{\sqrt{5}-1}+\frac{\sqrt{5}-1}{\sqrt{5}+1}=\frac{(\sqrt{5}+1)^2+(\sqrt{5}-1)^2}{(5-1)}$

$=\frac{2\left\{(\sqrt{5})^2+1^2\right\}}{4}=3.$

$(a-b)=\frac{\sqrt{5}+1}{\sqrt{5}-1}-\frac{\sqrt{5}-1}{\sqrt{5}+1}=\frac{(\sqrt{5}+1)^2-(\sqrt{5}-1)^2}{(5-1)}$

$=\frac{4\times\sqrt{5}\times1}{4}=\sqrt{5}.$

$ab=1.$

$\therefore \frac{(a^2+ab+b^2)}{(a^2-ab+b^2)}=\frac{(a+b)^2-ab}{(a-b)^2+ab}=\frac{3^2-1}{(\sqrt{5})^2+1}$

$=\frac{(9-1)}{6}=\frac{8}{6}=\frac{4}{3}.$

42. $(16-6\sqrt{7})=(9+7-2\times3\times\sqrt{7})$

$=\left[3^2+(\sqrt{7})^2-2\times3\times\sqrt{7}\right]=(3-\sqrt{7})^2$

$\Leftrightarrow \sqrt{16-6\sqrt{7}}=(3-\sqrt{7})=a+b\sqrt{7} \Leftrightarrow b=-1.$

43. दिया गया व्यंजक $=\frac{(3+\sqrt{6})}{5\sqrt{3}-2\sqrt{4\times3}-\sqrt{16\times2}+\sqrt{25\times2}}$

$=\frac{(3+\sqrt{6})}{5\sqrt{3}-4\sqrt{3}-4\sqrt{2}+5\sqrt{2}}=\frac{(3+\sqrt{6})}{(\sqrt{3}+\sqrt{2})}\times\frac{(\sqrt{3}-\sqrt{2})}{(\sqrt{3}-\sqrt{2})}$

$=(3\sqrt{3}-3\sqrt{2}+\sqrt{18}-\sqrt{12})=(3\sqrt{3}-3\sqrt{2}+\sqrt{9\times2}-\sqrt{4\times3})$

$=3\sqrt{3}-3\sqrt{2}+3\sqrt{2}-2\sqrt{3}=\sqrt{3}.$

44. $\frac{1}{x}=\frac{1}{(7-4\sqrt{3})}=\frac{1}{(7-4\sqrt{3})}\times\frac{(7+4\sqrt{3})}{(7+4\sqrt{3})}$

$=\frac{(7+4\sqrt{3})}{49-48}=(7+4\sqrt{3}).$

$\therefore \left(x+\frac{1}{x}\right)=(7-4\sqrt{3})+(7+4\sqrt{3})=14.$

45. $\frac{5+2\sqrt{3}}{7+4\sqrt{3}}=\frac{(5+2\sqrt{3})}{(7+4\sqrt{3})}\times\frac{(7-4\sqrt{3})}{(7-4\sqrt{3})}$

$=\frac{35-6\sqrt{3}-24}{(49-48)}=(11-6\sqrt{3}).$

$\therefore a+b\sqrt{3}=(11-6\sqrt{3})$

$\Leftrightarrow a=11, b=-6.$

46. $(x+y)=\frac{\sqrt{3}+1}{\sqrt{3}-1}+\frac{\sqrt{3}-1}{\sqrt{3}+1}=\frac{(\sqrt{3}+1)^2+(\sqrt{3}-1)^2}{(3-1)}$

$=\frac{2\left[(\sqrt{3})^2+1^2\right]}{2}=(3+1)=4.$

$xy=\frac{(\sqrt{3}+1)}{(\sqrt{3}-1)}\times\frac{(\sqrt{3}-1)}{(\sqrt{3}+1)}=1.$

$(x^2+y^2)=(x+y)^2-2xy=(4)^2-(2\times1)$

$=(16-2)=14.$

47. $(7+3\sqrt{5})(7-3\sqrt{5})=(7)^2-(3\sqrt{5})^2=(49-45)=4.$

अत: अभीष्ट वर्गमूल $=\sqrt{4}=2.$

48. $\left(\sqrt{3}-\frac{1}{\sqrt{3}}\right)^2=\left(\sqrt{3}\right)^2+\left(\frac{1}{\sqrt{3}}\right)^2-2\times\sqrt{3}\times\frac{1}{\sqrt{3}}$
$=\left(3+\frac{1}{3}-2\right)=1\frac{1}{3}=\frac{4}{3}.$

49. $\left(\sqrt{2}+\frac{1}{\sqrt{2}}\right)^2=\left(\sqrt{2}\right)^2+\left(\frac{1}{\sqrt{2}}\right)^2+2\times\sqrt{2}\times\frac{1}{\sqrt{2}}$
$=\left(2+\frac{1}{2}+2\right)=4\frac{1}{2}.$

50. $\left(\sqrt{12}+\sqrt{18}\right)-\left(\sqrt{3}+\sqrt{2}\right)=\left(\sqrt{4\times3}+\sqrt{9\times2}\right)-\left(\sqrt{3}+\sqrt{2}\right)$
$=\left(2\sqrt{3}+3\sqrt{2}-\sqrt{3}-\sqrt{2}\right)$
$=\left(\sqrt{3}+2\sqrt{2}\right).$

51. दिया गया व्यंजक
$=\sqrt{\frac{18225}{100}}+\sqrt{\frac{18225}{10000}}+\sqrt{\frac{18225}{1000000}}+\sqrt{\frac{18225}{100000000}}$
$=\left(\frac{135}{10}+\frac{135}{100}+\frac{135}{1000}+\frac{135}{10000}\right)$
$=(13.5+1.35+0.135+0.0135)=14.9985.$

52. दिया गया व्यंजक $=\sqrt{1{\cdot}30}+\sqrt{1300}+\sqrt{0{\cdot}0130}$
$=\sqrt{\frac{130}{100}}+\sqrt{13\times100}+\sqrt{\frac{130}{10000}}=\frac{\sqrt{130}}{\sqrt{100}}+10\times\sqrt{13}+\frac{\sqrt{130}}{\sqrt{10000}}$
$=\frac{\sqrt{130}}{10}+10\times\sqrt{13}+\frac{\sqrt{130}}{100}=\frac{11{\cdot}40}{10}+10\times3{\cdot}605+\frac{11{\cdot}40}{100}$
$=(1.140+36.05+0.1140)=(1.14+36.05+0.114)=37.304.$

53. दिया गया व्यंजक $=\sqrt{841}+\sqrt{\frac{841}{100}}+\sqrt{\frac{841}{10000}}+\sqrt{\frac{841}{1000000}}$
$=\sqrt{841}+\frac{\sqrt{841}}{10}+\frac{\sqrt{841}}{100}+\frac{\sqrt{841}}{1000}$
$=\left(29+\frac{29}{10}+\frac{29}{100}+\frac{29}{1000}\right)$
$=(29+2.9+0.29+0.029)=32.219.$

54. दिया गया व्यंजक
$=\sqrt{\frac{6084}{100}}+\sqrt{\frac{6084}{10000}}+\sqrt{\frac{6084}{1000000}}+\sqrt{\frac{6084}{100000000}}$
$=\frac{\sqrt{6084}}{\sqrt{100}}+\frac{\sqrt{6084}}{\sqrt{10000}}+\frac{\sqrt{6084}}{\sqrt{1000000}}+\frac{\sqrt{6084}}{\sqrt{100000000}}$
$=\left(\frac{78}{10}+\frac{78}{100}+\frac{78}{1000}+\frac{78}{10000}\right)$
$=(7.8+0.78+0.078+0.0078)=8.6658.$

55. दिया गया व्यंजक
$=\sqrt{\frac{1296}{100}}+\sqrt{\frac{1296}{10000}}+\sqrt{\frac{1296}{1000000}}+\sqrt{\frac{1296}{100000000}}$
$=\frac{\sqrt{1296}}{\sqrt{100}}+\frac{\sqrt{1296}}{\sqrt{10000}}+\frac{\sqrt{1296}}{\sqrt{1000000}}+\frac{\sqrt{1296}}{\sqrt{100000000}}$
$=\left(\frac{36}{10}+\frac{36}{100}+\frac{36}{1000}+\frac{36}{10000}\right)$
$=(3.6+0.36+0.036+0.0036)=3.9996.$

56. $\frac{\sqrt{32}+\sqrt{48}}{\sqrt{8}+\sqrt{12}}=\frac{\sqrt{16\times2}+\sqrt{16\times3}}{\sqrt{4\times2}+\sqrt{4\times3}}=\frac{4\sqrt{2}+4\sqrt{3}}{2\sqrt{2}+2\sqrt{3}}=\frac{4\left(\sqrt{2}+\sqrt{3}\right)}{2\left(\sqrt{2}+\sqrt{3}\right)}$
$=2.$

57. $\frac{(1120)^2}{P}=(80)^2\Leftrightarrow P=\frac{(1120)^2}{(80)^2}=\left(\frac{1120\times1120}{80\times80}\right)$
$=(14\times14)=196.$

58. $a=\sqrt{3+a}\Leftrightarrow a^2=(3+a)\Leftrightarrow a^2-a-3=0$
$\Leftrightarrow a=\frac{1+\sqrt{1+12}}{2}=\frac{1+\sqrt{13}}{2}\Leftrightarrow a==2.3.$
अत: $2<a<3.$

59. माना दिया गया व्यंजक $=a.$
तब, $a=\sqrt{6+a}\Leftrightarrow a^2=(6+a)\Leftrightarrow a^2-a-6=0$
$\Leftrightarrow(a-3)(a+2)=0\Leftrightarrow a=3\ [\because a\neq-2].$

60. माना दिया गया व्यंजक $=a.$
तब, $a=\sqrt{12+a}\Leftrightarrow a^2=a+12\Leftrightarrow a^2-a-12=0$
$\Leftrightarrow(a-4)(a+3)=0\Leftrightarrow a=4.$

61. दिया गया व्यंजक $=\sqrt{x+4}.$
$\therefore\quad\sqrt{x+4}=4\Leftrightarrow x+4=16\Leftrightarrow x=12.$

62. $\frac{1}{\left(\sqrt{9}-\sqrt{8}\right)}=\frac{1}{\left(\sqrt{9}-\sqrt{8}\right)}\times\frac{\left(\sqrt{9}+\sqrt{8}\right)}{\left(\sqrt{9}+\sqrt{8}\right)}=\frac{\left(\sqrt{9}+\sqrt{8}\right)}{(9-8)}$
$=\left(\sqrt{9}+\sqrt{8}\right).$

$\frac{1}{\left(\sqrt{8}-\sqrt{7}\right)}=\frac{1}{\left(\sqrt{8}-\sqrt{7}\right)}\times\frac{\left(\sqrt{8}+\sqrt{7}\right)}{\left(\sqrt{8}+\sqrt{7}\right)}=\left(\sqrt{8}+\sqrt{7}\right),$
$\frac{1}{\left(\sqrt{7}-\sqrt{6}\right)}=\left(\sqrt{7}+\sqrt{6}\right),$

$\frac{1}{\left(\sqrt{6}-\sqrt{5}\right)}=\left(\sqrt{6}+\sqrt{5}\right)$ तथा $\frac{1}{\left(\sqrt{5}-\sqrt{4}\right)}=\left(\sqrt{5}+\sqrt{4}\right).$

$\therefore$ दिया गया व्यंजक
$=\left(\sqrt{9}+\sqrt{8}\right)-\left(\sqrt{8}+\sqrt{7}\right)+\left(\sqrt{7}+\sqrt{6}\right)$
$-\left(\sqrt{6}+\sqrt{5}\right)+\left(\sqrt{5}+\sqrt{4}\right)$
$=\left(\sqrt{9}+\sqrt{4}\right)=(3+2)=5.$

63. माना $\frac{8}{x}=\frac{x}{\left(\frac{25}{2}\right)}\Leftrightarrow x^2=\left(8\times\frac{25}{2}\right)=100\Leftrightarrow x=\sqrt{100}=10.$

64. माना $\frac{\left(\frac{9}{2}\right)}{x}=\frac{x}{32}\Leftrightarrow x^2=\left(32\times\frac{9}{2}\right)=144\Leftrightarrow x=\sqrt{144}=12.$

65. माना $\frac{x}{\sqrt{128}}=\frac{\sqrt{162}}{x}\Leftrightarrow x^2=\sqrt{128}\times\sqrt{162}$
$=\sqrt{128\times162}=\sqrt{64\times2\times81\times2}$
$\Leftrightarrow x=(8\times2\times9)=144.$

66. माना $\frac{x}{15}\times\frac{x}{135}=1\Leftrightarrow x^2=(15\times135)=(15\times15\times3\times3)$
$\Leftrightarrow x=(15\times3)=45.$

67. 10, 12, 15, 18 का ल०स० $= 180 = 2^2 \times 3^2 \times 5$.

इसे पूर्ण वर्ग बनाने के लिए 5 से गुणा करना होगा.

अभीष्ट संख्या $= (2^2 \times 3^2 \times 5^2) = (180 \times 5) = 900$.

2	10 – 12 – 15 – 18
3	5 – 6 – 15 – 9
5	5 – 2 – 5 – 3
	1 – 2 – 1 – 3

68. 21, 36, 66 का ल०स० $= (6 \times 6 \times 7 \times 11)$.

इसे पूर्ण वर्ग बनाने के लिए 77 से गुणा करना होगा.

अभीष्ट संख्या $= (6^2 \times 7^2 \times 11^2) = 213444$.

3	21 – 36 – 66
2	7 – 12 – 22
	7 – 6 – 11

69. $5808 = 2^2 \times 2^2 \times 3 \times 11^2$.

$\therefore$ अभीष्ट संख्या $= 3$.

2	5808
2	2904
2	1452
2	726
3	363
11	121
	11

70. $1470 = (7 \times 7 \times 30)$. अत: पूर्ण वर्ग बनाने के लिए इसे 30 से भाग देना होगा.

71.

7	$\overline{54}\,\overline{91}\,\overline{62}$ (741
	49
144	5 91
	5 76
1481	15 62
	14 81
	81

अत: घटाई जाने वाली अभीष्ट संख्य $= 81$.

72. $0.000326 = \frac{326}{10^6}$

अत: घटाई जाने वाली अभीष्ट संख्या

$= \frac{2}{10^6}$

$= \frac{2}{1000000}$

$= 0.000002$.

1	$\overline{3}\,\overline{26}$ (18
	1
28	2 26
	2 24
	2

73.

8	$\overline{68}\,\overline{06}\,\overline{21}$ (824
	64
162	4 06
	3 24
1644	82 21
	65 76
	16 45

$\therefore$ जोड़ी जाने वाली संख्या $= (825)^2 - 680621$

$= (680625 - 680621) = 4$.

74. चार अंकों की बड़ी से बड़ी संख्या $= 9999$.

$\therefore$ अभीष्ट संख्या $= (9999 - 198) = 9801$.

9	$\overline{99}\,\overline{99}$ (99
	81
189	18 99
	17 01
	1 98

75. चार अंकों की छोटी से छोटी संख्या $= 1000$.

$\therefore$ अभीष्ट संख्या $= (32)^2 = 1024$.

3	$\overline{10}\,\overline{00}$ (31
	9
61	1 00
	61
	39

76.

1	$\overline{3}\,\overline{65}\,\overline{81}$ (191
	1
29	2 65
	2 61
381	4 81
	3 81
	1 00

बचे सैनिकों की संख्या $= 100$.

77. समूह में छात्रों की संख्या $= \sqrt{5929} = 77$.

78. पँक्तियों की संख्या $= \sqrt{15376} = 124$.

79. $\sqrt[3]{4\frac{12}{125}} = \sqrt[3]{\frac{512}{125}} = \frac{\sqrt[3]{512}}{\sqrt[3]{125}} = \frac{(8\times8\times8)^{\frac{1}{3}}}{(5\times5\times5)^{\frac{1}{3}}} = \frac{8}{5} = 1\frac{3}{5}$.

80. $\sqrt[3]{\cdot000216} = \sqrt[3]{\frac{216}{10^6}} = \frac{\sqrt[3]{216}}{\sqrt[3]{10^6}} = \frac{(6\times6\times6)^{\frac{1}{3}}}{(10^2\times10^2\times10^2)^{\frac{1}{3}}}$

$= \frac{6}{10^2} = \frac{6}{100} = .06$.

81. $\sqrt{\cdot000064} = \sqrt{\frac{64}{10^6}} = \frac{\sqrt{64}}{\sqrt{10^6}} = \frac{8}{10^3} = \frac{8}{1000} = .008$.

अभीष्ट मान $= \sqrt[3]{\cdot008} = \sqrt[3]{\frac{8}{1000}} = \frac{\sqrt[3]{8}}{\sqrt[3]{1000}} = \frac{(2\times2\times2)^{\frac{1}{3}}}{(10\times10\times10)^{\frac{1}{3}}} = \frac{2}{10}$

$= 0.2$.

82. $\sqrt[3]{\cdot 000001} = \left(\frac{1}{1000000}\right)^{\frac{1}{3}} = \left(\frac{1}{10^6}\right)^{\frac{1}{3}} = \frac{1}{10^2} = \frac{1}{100} = .01.$

83. $675 = 5 \times 5 \times 3 \times 3 \times 3 = 3^3 \times 5^2$.
इसे पूर्ण घन बनाने के लिए 5 से गुणा करना होगा.

84. $3600 = 5^2 \times 2^3 \times 3^2 \times 2$.
इसे पूर्ण घन बनाने के लिए $(5^2 \times 3^2 \times 2)$ अर्थात् 450 से भाग देना होगा.

85. स्पष्ट है कि दी गई संख्याओं में से 9261 अभीष्ट संख्या है.

86. $\frac{3}{5}x^2 = 126.15 \Leftrightarrow x^2 = \left(126.15 \times \frac{5}{3}\right) = 210.25$

$$\Leftrightarrow x = \sqrt{210 \cdot 25} = 14.5.$$

87. $\sqrt{2^x} = 256 = 2^8$

वर्ग करने पर, $2^x = (2^8)^2 = 2^{16} \Rightarrow x = 16$

88.

4	$\overline{22}\,\overline{03}$ (46
	16
86	6 03
	5 16
	87

$\therefore$ अभीष्ट संख्या $= (47)^2 - 2203 = (2209 - 2203) = 6.$

89. $5\sqrt{3} + 75 = 17.32$

$\Rightarrow \quad 5\sqrt{3} + 5\sqrt{3} = 17.32$

$= 10\sqrt{3} = 17.32$

$= \sqrt{3} = \frac{17.32}{10} = 1.732$

$= 14\sqrt{3} + \sqrt{108} = 14\sqrt{3} + 6\sqrt{3}$

$= 20\sqrt{3} = 20 \times 1.732 = 34.64$

90. $\sqrt{478 + 160 - 314} \times 8 = x$

$\sqrt{324} \times 8 = x$

$18 \times 8 = x \Rightarrow x = 144$

91. $\sqrt[3]{216} \times \sqrt[3]{50 + 75} = x$

$x = \sqrt[3]{216} \times \sqrt[3]{125} = 6 \times 5 = 30$

92. $\sqrt{\left(\frac{9}{4} \times \frac{4}{5}\right) \times \frac{5}{1}} = \sqrt{\frac{9}{5} \times \frac{5}{1}} = \sqrt{9} = 3$

93. $\sqrt{\sqrt{44944} + \sqrt{52441}} = \sqrt{212 + 229} = \sqrt{441} = 21$

94.

	129
1	168 00
	1
22	68
	44
249	2400
	2241
	159

चूँकि शेषफल 159 है। इसलिए 16800 को एक पूर्ण वर्ग बनाने के लिए 159 घटाना चाहिए।

95. हम जानते हैं कि

$26^2 = 676$

और $27^2 = 729$

इसे एक पूर्ण वर्ग बनाने के लिए $729 - 709 = 20$ जोड़ा जाना है।

96. हिट एंड ट्रायल द्वारा

$52^2 = 2704$

$\therefore$ N को 4 से बदला जाना चाहिए।

97. माना संख्याएँ x, $x + 1$ और $x + 2$ हैं

$\therefore \quad (x + x + 1 + x + 2)^2 - [x^2 + (x + 1)^2 + (x + 2)^2] = 292$

$(3x + 3)^2 - (3x^2 + 6x + 5) = 292$

$(9x^2 + 9 + 18x) - (3x^2 + 6x + 5) = 292$

$9x^2 + 9 + 18x - 3x^2 - 6x - 5 = 292$

$6x^2 + 12x - 288 = 0$

$\Rightarrow \quad 6(x^2 + 2x - 48) = 0$

$x^2 + 2x - 48 = 0$

$x^2 + 8x - 6x - 48 = 0$

$x(x + 8) - 6x - 48 = 0$

$x(x + 8) - 6(x + 8) = 0$

$(x + 8)(x - 6) = 0$

$\Rightarrow \quad x = 6$

98. संख्याएँ 5, 6, 7 हैं

पाँच अंकों का सबसे छोटा पूर्ण वर्ग $100^2 = 10000$ है।

इससे पहले $99^2 = 9801$ चार अंकों का सबसे बड़ा पूर्ण वर्ग है।

99. 69120 का अभाज्य गुणनखंड $2^9 \times 3^3 \times 5$ है।

इसलिए, हमें पूर्ण घन बनाने के लिए दो 5 की आवश्यकता है।

$\therefore \quad 5 \times 5 = 25$ उत्तर है।

100. यह होगा 27 का $\frac{1}{3} = \frac{27}{3} = 9$

101. 4 और 3 का लघुत्तम समापवर्त्य 12 है

$\sqrt[4]{5} = \sqrt[4\times3]{5^3} = \sqrt[12]{125}$

$\sqrt[3]{4} = \sqrt[3\times4]{4^4} = \sqrt[12]{256}$

$\sqrt[4]{6} = \sqrt[4\times3]{6^3} = \sqrt[12]{216}$

$\therefore$ अवरोही क्रम है

$\sqrt[3]{4} > \sqrt[4]{6} > \sqrt[4]{5}$

अत: विकल्प (d) सही उत्तर है।

102. $\frac{1}{N} = \frac{\sqrt{6} + \sqrt{5}}{\sqrt{6} - \sqrt{5}}$

$N = \frac{\sqrt{6} - \sqrt{5}}{\sqrt{6} + \sqrt{5}} \times \frac{(\sqrt{6} - \sqrt{5})}{\sqrt{6} - \sqrt{5}}$

$= \frac{(\sqrt{6} - \sqrt{5})^2}{(\sqrt{6})^2 - (\sqrt{5})^2} = \frac{6 + 5 - 2\sqrt{30}}{6 - 5} = 11 - 2\sqrt{30}$

103. $\frac{12}{\sqrt{5}+\sqrt{3}}+\frac{18}{\sqrt{5}-\sqrt{3}}$

$\frac{12(\sqrt{5}-\sqrt{3})+18(\sqrt{5}+\sqrt{3})}{(\sqrt{5}+\sqrt{3})(\sqrt{5}-\sqrt{3})}$

$\frac{12\sqrt{5}-12\sqrt{3}+18\sqrt{5}+18\sqrt{3}}{5-3}$

$=\frac{30\sqrt{5}+6\sqrt{3}}{2}=\frac{2(15\sqrt{5}+3\sqrt{3})}{2}$

$=3\sqrt{3}+15\sqrt{5}=3(\sqrt{3}+5\sqrt{5})$

अतः विकल्प (b) सही उत्तर है।

104. $\sqrt{729}=27$

$\sqrt{72.9}=8.53$

$\sqrt{7.29}=2.7$

$\therefore\quad \sqrt{729}+\sqrt{72.9}+\sqrt{7.29}$

$27+8.53+2.70=38.23$

105. $\sqrt{1+\frac{1}{2^2}+\frac{1}{3^2}}+\sqrt{1+\frac{1}{3^2}+\frac{1}{4^2}}+\sqrt{1+\frac{1}{4^2}+\frac{1}{5^2}}$

$=\sqrt{1+\frac{1}{4}+\frac{1}{9}}+\sqrt{1+\frac{1}{9}+\frac{1}{16}}+\sqrt{1+\frac{1}{16}+\frac{1}{25}}$

$=\sqrt{\frac{36+9+9}{36}}+\sqrt{\frac{144+16+9}{144}}+\sqrt{\frac{400+25+16}{400}}$

$=\sqrt{\frac{49}{36}}+\sqrt{\frac{169}{144}}+\sqrt{\frac{441}{400}}=\frac{7}{6}+\frac{13}{12}+\frac{21}{20}$

$=\frac{70+65+63}{60}=\frac{198}{60}=\frac{33}{10}$

106. $\frac{\sqrt{5}+2}{\sqrt{5}-2}=\frac{\sqrt{5}+2}{\sqrt{5}-2}\times\frac{\sqrt{5}+2}{\sqrt{5}+2}$

$=\frac{(\sqrt{5}+2)^2}{5-4}=\frac{(\sqrt{5}+2)^2}{1}$

$=5+4+4\sqrt{5}=9+4\sqrt{5}$

हम हिंट के रूप इस प्रकार लेते हैं माना $2ab=4\sqrt{5}$

$ab=2\sqrt{5}$

माना $a=2$

$b=\sqrt{5}$

$\therefore\quad 9+4\sqrt{5}=(\sqrt{5})^2+(2)^2+2\times2\sqrt{5}$

$=(\sqrt{5}+2)^2$

वर्गमूल $x=\sqrt{(\sqrt{5}+2)^2}$

$=\sqrt{5}+2$

107. $\sqrt{529}=23$

$\sqrt{5.29}=2.3$

$\sqrt{.0529}=.23$

$\therefore\quad \sqrt{529}+\sqrt{5.29}+\sqrt{0.0529}=23+2.3+.23=25.53$

108. $19+4\sqrt{21}$

माना $2ab=4\sqrt{21}$

$ab=2\sqrt{21}$

माना $a=2\sqrt{3}$

$b=\sqrt{7}$

$19+4\sqrt{21}=(2\sqrt{3})^2+(\sqrt{7})^2+2\times2\sqrt{3}\times7$

$=(2\sqrt{3}+\sqrt{7})^2$

$\sqrt{19+4\sqrt{21}}=\sqrt{(2\sqrt{3}+\sqrt{7})^2}=2\sqrt{3}+\sqrt{7}$

109. $x=\sqrt[6]{27}-\sqrt{\frac{27}{4}}$

$=27^{\frac{1}{6}}-\frac{3\sqrt{3}}{2}=(3^3)^{\frac{1}{6}}-\frac{3\sqrt{3}}{2}=3^{\frac{1}{2}}-\frac{3\sqrt{3}}{2}$

$=\frac{\sqrt{3}}{1}-\frac{3\sqrt{3}}{2}=\frac{2\sqrt{3}-3\sqrt{3}}{2}=\frac{-\sqrt{3}}{2}$

$y=\frac{\sqrt{45}+\sqrt{605}+\sqrt{245}}{\sqrt{80}+\sqrt{125}}$

$=\frac{3\sqrt{5}+11\sqrt{5}+7\sqrt{5}}{4\sqrt{5}+5\sqrt{5}}=\frac{21\sqrt{5}}{9\sqrt{5}}=\frac{21}{9}=\frac{7}{3}$

$x^2+y^2=\left(\frac{-\sqrt{3}}{2}\right)^2+\left(\frac{7}{3}\right)^2=\frac{3}{4}+\frac{49}{9}$

$=\frac{27+196}{36}=\frac{223}{36}$

110. सबसे पहले हम 36562 का वर्गमूल निकालेंगे

	3 65 62	191
1	1	
29	265	
9	261	
381	462	
1	381	
382	81	

अतः शेष सैनिकों की संख्या =81

7 औसत (AVERAGE)

सामान्य नियम

(*i*) **औसत** $= \dfrac{\textbf{(दिये गये परिमाणों का योग)}}{\textbf{(परिमाणों की संख्या)}}$

(*ii*) माना कोई व्यक्ति एक निश्चित दूरी x किमी०/घण्टा की चाल से तथा इतनी ही दूरी y किमी०/घण्टा की चाल से तय करता है. तब,

पूरी यात्रा में औसत चाल $= \dfrac{2xy}{(x+y)}$ किमी०/घण्टा.

साधित उदाहरण

प्रश्न 1. रमेश के हिन्दी, अंग्रेजी तथा गणित में प्राप्तांक क्रमशः 53, 47 तथा 74 हैं. उसके औसत प्राप्तांक कितने हैं?

हल: औसत प्राप्तांक $= \dfrac{(53+47+74)}{3} = \dfrac{174}{3} = 58.$

प्रश्न 2. एक रिक्शा चालक की एक सप्ताह के दिनों में आय क्रमशः ₹ 56 , ₹ 48, ₹ 72, ₹ 50, ₹ 63, ₹ 35 तथा ₹ 47 रही. इस सप्ताह की उसकी औसत दैनिक आय क्या है?

हल: रिक्शा चालक की 7 दिन की कुल आय = ₹ (56 + 48 + 72 + 50 + 63 + 35 + 47) = ₹ 371.

$\therefore$ उसकी औसत दैनिक आय = ₹ $\dfrac{371}{7}$ = ₹ 53.

प्रश्न 3. एक चरवाहे ने 12 भेड़ें तथा 8 बकरियाँ कुल ₹ 18600 में खरीदीं. यदि एक भेड़ का औसत मूल्य ₹ 1260 हो, तो एक बकरी का औसत मूल्य क्या होगा?

हल: 12 भेड़ें तथा 8 बकरियों को कुल मूल्य = ₹ 18600.

12 भेड़ों का कुल मूल्य = ₹ (1260 × 12) = ₹ 15120.

8 बकरियों का कुल मूल्य = ₹ (18600 – 15120) = ₹ 3480.

एक बकरी का औसत मूल्य = ₹ $\dfrac{3480}{8}$ = ₹ 435.

प्रश्न 4. एक कक्षा के 32 छात्रों का औसत भार 40·5 किग्रा० है. यदि अध्यापक का भार भी सम्मिलित कर लिया जाये, तो औसत भार में 500 ग्राम की वृद्धि होती है. अध्यापक का भार ज्ञात कीजिए.

हल: 32 छात्रों का कुल भार = (40·5 × 32) किग्रा० = 1296 किग्रा०.

32 छात्रों तथा अध्यापक का औसत भार = (40·5 + 0·5) किग्रा० = 41 किग्रा०.

32 छात्रों तथा अध्यापक का कुल भार = (41 × 33) किग्रा० = 1353 किग्रा०.

अध्यापक का भार = (1353 – 1296) किग्रा० = 57 किग्रा०.

प्रश्न 5. एक नाव के 10 नाविकों में से 58 किग्रा० के भार वाले एक नाविक के स्थान पर नया व्यक्ति आ जाने से इनके औसत भार में 1·2 किग्रा० की वृद्धि हो जाती है. नये नाविक का भार कितना है?

हल: भार में कुल वृद्धि = (10 × 1·2) किग्रा० = 12 किग्रा०.

अतः नये नाविक का भार = (58 + 12) किग्रा० = 70 किग्रा०.

प्रश्न 6. आठ व्यक्तियों की एक समिति में 35 वर्ष तथा 45 वर्ष के दो सदस्यों के स्थान पर दो स्त्रियों के लिये जाने पर समिति के सदस्यों की औसत आयु में 2 वर्ष की वृद्धि हो जाती है. इन दो स्त्रियों की औसत आयु कितनी है?

हलः आयु में कुल वृद्धि = (2×8) वर्ष = 16 वर्ष.

दोनों स्त्रियों की आयु का योग = $(35 + 45 + 16)$ वर्ष = 96 वर्ष.

इन दोनों स्त्रियों की औसत आयु = $\frac{96}{2}$ वर्ष = 48 वर्ष.

प्रश्न 7. 11 परिणामों का औसत 60 है. यदि प्रथम छः परिणामों का औसत 59 हो तथा अन्तिम छः का औसत 62 हो, तो छठा परिणाम ज्ञात कीजिए.

हलः 11 परिणामों का कुल परिमाण = $(60 \times 11) = 660$.

प्रथम 6 परिणामों का कुल परिमाण = $(59 \times 6) = 354$.

अन्तिम 6 परिणामों का कुल परिमाण = $(62 \times 6) = 372$.

अतः छठा परिणाम = $(354 + 372 - 660) = 66$.

प्रश्न 8. किसी वर्ष में एक परिवार का प्रथम 3 माह का औसत मासिक खर्च ₹ 8400, अगले 4 माह का औसत मासिक खर्च ₹ 10080 तथा अन्तिम 5 माह का औसत मासिक खर्च ₹ 10608 है. यदि वर्ष के अन्त में उसकी कुल बचत ₹ 8640 हो, तो उसकी पूरे वर्ष की औसत मासिक आय ज्ञात कीजिए.

हलः प्रथम 3 माह का कुल खर्च = ₹ (8400×3) = ₹ 25200.

अगले 4 माह का कुल खर्च = ₹ (10080×4) = ₹ 40320.

अगले 5 माह का कुल खर्च = ₹ (10608×5) = ₹ 53040.

12 माह का कुल खर्च = ₹ $(25200 + 40320 + 53040)$ = ₹ 118560.

कुल बचत = ₹ 8640.

12 माह की कुल आय = ₹ $(118560 + 8640)$ = ₹ 127200.

परिवार की औसत मासिक आय = ₹ $\frac{127200}{12}$ = ₹ 10600.

प्रश्न 9. एक कक्षा के 24 छात्रों में से 6 की औसत ऊँचाई 1 मीटर 15 सेमी० है; 8 की औसत ऊँचाई 1 मीटर 5 सेमी० है तथा शेष छात्रों की औसत ऊँचाई 1 मीटर 11 सेमी० है. इन सभी छात्रों की औसत ऊँचाई कितनी है?

हलः 24 छात्रों की ऊँचाई का कुल योग = $[(1{\cdot}15 \times 6) + (1{\cdot}05 \times 8) + (1{\cdot}11 \times 10)]$ मीटर = 26·40 मीटर.

$\therefore$ इन छात्रों की औसत ऊँचाई = $\frac{26{\cdot}40}{24}$ मीटर = 1·10 मीटर.

प्रश्न 10. 6 सदस्यों के एक परिवार की औसत आयु 27 वर्ष है. यदि सबसे छोटे सदस्य की आयु 7 वर्ष हो, तो परिवार के अन्य सदस्यों की औसत आयु, सबसे छोटे सदस्य के जन्म पर क्या थी?

हलः 6 सदस्यों की कुल आयु का योग = (27×6) वर्ष = 162 वर्ष.

7 वर्ष पूर्व सभी सदस्यों की कुल आयु = $\{162 - (6 \times 7)\}$ वर्ष = 120 वर्ष.

उस समय सबसे छोटे सदस्य का जन्म नहीं हुआ था, अतः परिवार में 5 सदस्य थे, जिनकी आयु का योग 120 वर्ष था.

$\therefore$ उस समय परिवार की औसत आयु = $\frac{120}{5}$ वर्ष = 24 वर्ष.

प्रश्नमाला 7A

निम्नलिखित प्रश्नों में से प्रत्येक में ठीक उत्तर को चिह्नांकित (✓) कीजिए:

1. प्रथम नौ अभाज्य संख्याओं का औसत क्या है? (सी०बी०आई० परीक्षा, 2013)

(a) 9 (b) 11

(c) $11\frac{1}{9}$ (d) $11\frac{2}{9}$

2. प्रथम पाँच 3 के गुणजों का औसत क्या है?

(a) 3 (b) 9

(c) 12 (d) 15

3. प्रथम 50 प्राकृत संख्याओं का औसत क्या है? (एस०एस०सी० परीक्षा, 2013)

(a) 12·25 (b) 21·25

(c) 25 (d) 25·5

4. 100 तक की सभी विषम प्राकृत संख्याओं का औसत क्या है?

(a) 49 (b) 49·5

(c) 50 (d) 51

5. 100 तक की सभी सम प्राकृत संख्याओं का औसत क्या है?

(a) 50 (b) 51

(c) 52 (d) 52·5

6. $1^2, 2^2, 3^2, 4^2, 5^2, 6^2, 7^2$ का औसत क्या है?

(a) 40 (b) 20

(c) 30 (d) 10

7. $n, (n+1), (n+2), (n+3), (n+4), (n+5)$ का औसत क्या है? (एम०बी०ए० परीक्षा, 2013)

(a) $(n+2)$ (b) $\left(n+\frac{5}{2}\right)$

(c) $3(2n+5)$ (d) $\left(n+\frac{7}{2}\right)$

8. यदि a, b, c का औसत M हो, तथा $(ab+bc+ca)=0$ हो, तो a^2, b^2, c^2 का औसत क्या होगा? (एम०बी०ए० परीक्षा, 2013)

(a) M^2 (b) $3M^2$

(c) $6M^2$ (d) $9M^2$

9. यदि चार संख्याओं a, b, c, d का औसत A हो, तो $a, b, c, d, \frac{3A}{2}$ का औसत क्या होगा? (एस०एस०सी० परीक्षा, 2010)

(a) $\frac{A}{2}$ (b) $2A$

(c) $\frac{5A}{2}$ (d) $\frac{11A}{10}$

10. यदि A, B, C, D, E पाँच क्रमागत विषम संख्यायें हों, तो इनका औसत क्या होगा?

(a) B (b) C

(c) D (d) E

11. यदि a, b, c, d, e पाँच क्रमागत विषम संख्यायें हो, तो इनका औसत क्या होगा?

(a) $\frac{1}{5}(\ \ +4)$ (b) $\frac{1}{5}(abcde)$

(c) $5(a+b+c+d+e)$

(d) इनमें से कोई नहीं

12. यदि a तथा b का औसत $\frac{(a^{n+1}+b^{n+1})}{(u^n+b^n)}$ हो, तो n का मान क्या होगा? (एम०बी०ए० परीक्षा, 2012)

(a) 0 (b) 1

(c) 2 (d) 4

13. यदि 3, 11, 7, 9, 15, 13, 8, 19, 17, 21, 14 तथा x का औसत 12 हो, तो x का मान क्या होगा? (एस०एस०सी० परीक्षा, 2013)

(a) 3 (b) 7

(c) 17 (d) 31

14. 7 क्रमागत संख्याओं का औसत 20 है. इनमें सबसे बड़ी संख्या कौन-सी है? (एस०एस०सी० परीक्षा, 2010)

(a) 20 (b) 22

(c) 23 (d) 24

15. तीन संख्याओं में से पहली संख्या दूसरी से दुगुनी है तथा दूसरी संख्या तीसरी से तिगुनी है. यदि इन तीनों संख्याओं का औसत 10 हो, तो सबसे बड़ी संख्या क्या है? (पुलिस सब-इन्सपैक्टर परीक्षा, 2015)

(a) 12 (b) 15

(c) 18 (d) 30

16. तीन संख्याओं में से दूसरी संख्या पहली से दुगुनी तथा तीसरी से तिगुनी है. यदि तीनों संख्याओं का औसत 44 हो, तो सबसे बड़ी संख्या क्या है? (एस०एस०सी० परीक्षा, 2012)

(a) 24 (b) 36

(c) 72 (d) 108

17. तीन संख्याओं में से पहली संख्या दूसरी से 3 गुनी है तथा तीसरी संख्या पहली से 5 गुनी है. यदि तीनों संख्याओं का औसत 57 हो, तो सबसे बड़ी तथा सबसे छोटी संख्याओं का अन्तर क्या होगा?

(a) 9 (b) 18

(c) 135 (d) 126

18. आठ संख्याओं का औसत 20 है. इनमें से पहली दो संख्याओं का औसत $15\frac{1}{2}$ है तथा अगली तीन संख्याओं का औसत $21\frac{1}{3}$ है. यदि छठी संख्या सातवीं तथा आठवीं संख्या से क्रमशः 4 तथा 7 कम हो, तो आठवीं संख्या क्या है? (एस०एस०सी० परीक्षा, 2014)

(*a*) 25 (*b*) 22
(*c*) 27 (*d*) 18

19. पाँच संख्याओं का औसत 18 है. एक संख्या निकाल देने पर औसत 16 रह जाती है. निकाली गई संख्या क्या है?

(एम०बी०ए० परीक्षा, 2014)

(*a*) 25 (*b*) 26
(*c*) 27 (*d*) 30

20. पाँच क्रमागत संख्याओं का औसत *n* है. यदि इसके आगे की दो संख्यायें भी ले ली जायें तो सभी संख्याओं के औसत में

(मैनेजमैन्ट परीक्षा, 2015)

(*a*) 1 की वृद्धि होती है (*b*) 2 की वृद्धि होती है
(*c*) 1·4 की वृद्धि होती है (*d*) कोई वृद्धि नहीं होती

21. पाँच क्रमागत विषम संख्याओं का औसत 61 है. इनमें सबसे बड़ी तथा सबसे छोटी संख्या का अन्तर कितना है?

(बैंक पी०ओ० परीक्षा, 2013)

(*a*) 2 (*b*) 5
(*c*) 8
(*d*) ज्ञात नहीं किया जा सकता
(*e*) इनमें से कोई नहीं

22. तीन लड़कों की औसत आयु 16 वर्ष है. यदि इनकी आयु का अनुपात 4 : 5 : 7 हो, तो सबसे छोटे लड़के की आयु कितनी है? **(एम०बी०ए० परीक्षा, 2013)**

(*a*) 8 वर्ष (*b*) 9 वर्ष
(*c*) 12 वर्ष (*d*) 16 वर्ष

23. एक कक्षा में 30 छात्र हैं. इनमें से 10 छात्रों की औसत आयु 12·5 वर्ष है तथा शेष 20 छात्रों की औसत आयु 13·1 वर्ष है. कक्षा के सभी छात्रों की औसत आयु कितनी है?

(एस०एस०सी० परीक्षा, 2013)

(*a*) 12·5 वर्ष (*b*) 12·7 वर्ष
(*c*) 12·8 वर्ष (*d*) 12·9 वर्ष

24. एक कक्षा के दो अनुभागों का औसत प्राप्तांक 28 है. इनमें से अनुभाग *A* के 25 विद्यार्थियों का औसत प्राप्तांक 30 है. यदि अनुभाग *B* में 20 विद्यार्थी हों, तो इस अनुभाग का औसत प्राप्तांक कितना है? **(एस०एस०सी० परीक्षा, 2013)**

(*a*) 25·5 (*b*) 27·5
(*c*) 29 (*d*) 33

25. 30 परिणामों का औसत 20 है तथा दूसरे 20 परिणामों का औसत 30 है. सभी परिणामों का औसत क्या है?

(एस०एस०सी० परीक्षा, 2013)

(*a*) 24 (*b*) 25
(*c*) 48 (*d*) 50

26. 25 लड़कों की औसत ऊँचाई 1·4 मीटर है. इनमें से 5 लड़कों के छोड़कर जाने पर औसत ऊँचाई 0·15 मीटर बढ़ जाती है. छोड़कर जाने वाले 5 लड़कों की औसत ऊँचाई कितनी है?

(एस०एस०सी० परीक्षा, 2013)

(*a*) 0·9 मीटर (*b*) 0·8 मीटर
(*c*) 0·95 मीटर (*d*) 1·05 मीटर

27. एक कक्षा के 24 छात्रों का औसत भार 35 किग्रा० है. यदि इस कक्षा के अध्यापक का भार भी सम्मिलित कर लिया जाये तो औसत भार में 400 ग्राम की वृद्धि हो जाती है. अध्यापक का भार कितना है? **(एस०एस०सी० परीक्षा, 2013)**

(*a*) 45 किग्रा० (*b*) 50 किग्रा०
(*c*) 53 किग्रा० (*d*) 55 किग्रा०

28. एक क्रिकेट खिलाड़ी की 10 मैचों की औसत रन संख्या 38·9 थी. यदि पहले 6 मैचों की औसत रन संख्या 42 हो, तो अन्तिम चार मैचों की औसत रन संख्या कितनी है?

(इन्दिरा गाँधी वि० विद्यालय परीक्षा, 2014)

(*a*) 33·25 (*b*) 33·5
(*c*) 34·25 (*d*) 35

29. एक क्रिकेट खिलाड़ी की 10 पारियों की औसत रन संख्या 32 थी. अगली पारी में वह कितने रन बनाये कि उसकी औसत रन संख्या में 4 रनों की वृद्धि हो?

(एस०एस०सी० परीक्षा, 2014)

(*a*) 70 (*b*) 76
(*c*) 82 (*d*) 84

30. एक कक्षा के विद्यार्थियों की औसत आयु 15·8 वर्ष है. इस कक्षा में लड़कों की औसत आयु 16·4 वर्ष है तथा लड़कियों की औसत आयु 15·4 वर्ष है. लड़के तथा लड़कियों की संख्या का अनुपात क्या है?

(*a*) 1 : 2 (*b*) 2 : 3
(*c*) 3 : 4 (*d*) 3 : 5

31. क्रिकेट की एक टीम में 11 खिलाड़ियों की औसत आयु 23 वर्ष है. इनमें से तीन-तीन खिलाड़ियों के तीन समूह बनाये गये हैं, जिनकी औसत आयु क्रमशः 21 वर्ष, 24 वर्ष तथा 26 वर्ष हैं. इन टीमों में कप्तान तथा सबसे छोटा खिलाड़ी सम्मिलित नहीं है. यदि टीम का कप्तान सबसे छोटे खिलाड़ी से 8 वर्ष बड़ा हो, तो कप्तान की आयु कितनी है?

(जीवन बीमा निगम परीक्षा, 2013)

(*a*) 21 वर्ष (*b*) 23 वर्ष
(*c*) 24 वर्ष (*d*) 26 वर्ष

32. एक परिवार के 6 लड़कों की औसत आयु 8 वर्ष है. इन लड़कों तथा इनके माता-पिता की औसत आयु 22 वर्ष है. यदि इनके पिता की आयु इनकी माता की आयु से 8 वर्ष अधिक हो, तो

माता की आयु कितनी है? (एस०एस०सी० परीक्षा, 2013)

(*a*) 44 वर्ष (*b*) 52 वर्ष
(*c*) 60 वर्ष (*d*) 68 वर्ष

33. एक विद्यालय में 10 अध्यापकों में से एक अध्यापक के सेवा-निवृत्त होने पर 25 वर्ष के अध्यापक ने उसका स्थान लिया. इससे इन अध्यापकों की औसत आयु 3 वर्ष कम हो गई. सेवा-निवृत्त होने वाले अध्यापक की आयु कितनी थी? (एस०एस०सी० परीक्षा, 2013)

(*a*) 50 वर्ष (*b*) 55 वर्ष
(*c*) 58 वर्ष (*d*) 60 वर्ष

34. 120 छात्रों का औसत प्राप्तांक 35 था. यदि उत्तीर्ण छात्रों का औसत प्राप्तांक 39 हो तथा अनुत्तीर्ण छात्रों का औसत प्राप्तांक 15 हो, तो उत्तीर्ण छात्रों की संख्या कितनी है? (एम०बी०ए० परीक्षा, 2015)

(*a*) 100 (*b*) 110
(*c*) 120 (*d*) 150

35. एक परिवार में दादा-दादी, माता-पिता तथा 3 बच्चे हैं. दादा-दादी की औसत आयु 67 वर्ष है, माता-पिता की औसत आयु 35 वर्ष है तथा बच्चों की औसत आयु 6 वर्ष है. परिवार की औसत आयु कितनी है?

(*a*) $28\frac{4}{7}$ वर्ष (*b*) $31\frac{5}{7}$ वर्ष
(*c*) $32\frac{1}{7}$ वर्ष (*d*) इनमें से कोई नहीं

36. 11 परिणामों का औसत 60 है. यदि पहले पाँच परिणामों का औसत 58 हो तथा अन्तिम पाँच परिणामों का औसत 56 हो, तो छठा परिणाम क्या है?

(*a*) 85 (*b*) 90
(*c*) 100 (*d*) 110

37. एक क्रिकेट खिलाड़ी की 10 पारियों की एक निश्चित औसत रन संख्या थी. 11 वीं पारी में उसने 108 रन बना कर अपने औसत रन संख्या में 6 की वृद्धि कर ली. उसकी नई औसत रन संख्या क्या है? (जनरल बीमा परीक्षा, 2013)

(*a*) 48 रन (*b*) 52 रन
(*c*) 55 रन (*d*) 60 रन

38. 11 संख्याओं का औसत 10·9 है. यदि पहली 6 संख्याओं का औसत 10·5 हो तथा अन्तिम 6 संख्याओं का औसत 11·4 हो, तो मध्य संख्या कितनी है?

(*a*) 11 (*b*) 11·3
(*c*) 11·4 (*d*) 11·5

39. किसी वर्ष में एक व्यक्ति की औसत मासिक आय ₹ 3400 है. यदि इस व्यक्ति की पहले 8 माह की औसत मासिक आय ₹ 3160 है तथा अन्तिम 5 माह की औसत मासिक आय ₹ 4120 हो, तो उस व्यक्ति की 8वें माह की आय कितनी है? (एस०एस०सी० परीक्षा, 2013)

(*a*) ₹ 4880 (*b*) ₹ 5080
(*c*) ₹ 5180 (*d*) ₹ 6080

40. 20 छात्रों की एक कक्षा में एक 30 किग्रा० भार वाले छात्र के स्थान पर नया छात्र लेने से इनके औसत भार में 0·75 किग्रा० की वृद्धि हो गई. नए छात्र का भार कितना है? (एस०एस०सी० परीक्षा, 2010)

(*a*) 35 किग्रा० (*b*) 40 किग्रा०
(*c*) 45 किग्रा० (*d*) 50 किग्रा०

41. तीन वर्ष पहले, 5 सदस्यों वाले एक परिवार की औसत आयु 17 वर्ष थी. तत्पश्चात् एक बच्चे का जन्म होने के उपरान्त आज भी परिवार की औसत आयु उतनी ही है. बच्चे की वर्तान आयु क्या है? (एस०एस०सी० परीक्षा, 2014)

(*a*) 3 वर्ष (*b*) 2 वर्ष
(*c*) 1½ वर्ष (*d*) 1 वर्ष

42. एक बल्लेबाज ने 20 पारियाँ खेलीं. पहली चार पारियों में उसने 20·8 औसत रन बनाये, अगली छः पारियों में उसने 33 औसत रन बनाये; अगली सात पारियों में उसने 17·5 औसत रन बनाये तथा अन्तिम तीन पारियों में उसने कोई रन नहीं बनाया. उसकी औसत रन संख्या प्रति पारी कितनी है? (होटल मैनेजमैन्ट परीक्षा, 2012)

(*a*) 20·19 (*b*) 21·3
(*c*) 22·01 (*d*) 23·9
(*e*) 23·95

43. एक पाठशाला में एक कक्षा के तीन अनुभाग हैं जिनमें क्रमशः 38, 42 तथा 40 छात्र हैं. इन अनुभागों में छात्रों की औसत आयु क्रमशः 15·3 वर्ष, 16·5 वर्ष तथा 15·9 वर्ष है. पूरी कक्षा की औसत आयु कितनी है?

(*a*) 15·81 वर्ष (*b*) 15·92 वर्ष
(*c*) 15·96 वर्ष (*d*) इनमें से कोई नहीं

44. 8 व्यक्तियो ने एक तीरंदाजी प्रतियोगिता में भाग लिया. सर्वोत्तम तीरंदाज ने 85 अंक प्राप्त किये. यदि उसने 92 अंक प्राप्त कर लिये होते तो टीम का औसत प्राप्तांक 84 होता. टीम के प्राप्तांक कितने हैं?

(*a*) 588 (*b*) 645
(*c*) 665 (*d*) 672

45. 10 छात्राओं की औसत आयु 14 वर्ष है तथा 12 छात्रों की औसत आयु 16 वर्ष है. 10 छात्राओं तथा 6 छात्रों की औसत आयु 14·5 वर्ष है. शेष 6 छात्रों की औसत आयु कितनी है?

(*a*) $15\frac{2}{3}$ वर्ष (*b*) $16\frac{1}{3}$ वर्ष

(c) $16\frac{2}{3}$ वर्ष (d) $16\frac{1}{2}$ वर्ष

(e) इनमें से कोई नहीं

46. 2, 4, 6, 8, ..., $2n$ का औसत मान है:

(a) n (b) $(n+1)$

(c) $2n(n+1)$ (d) $\frac{1}{2}n(n+1)$

47. 1, 2, 4, 8, 16, ..., 2^n का औसत मान है:

(a) $\frac{(2^n-1)}{(n+1)}$ (b) $\frac{(2^n+1)}{n}$

(c) $\frac{(2^n-1)}{n}$ (d) $\frac{(2^{n+1}-1)}{n+1}$

48. P और उसके तीन दोस्तों का औसत भार 55 किग्रा है। यदि P अपने तीन दोस्तों के औसत भार से 4 किग्रा अधिक है, तो P का भार (किग्रा में) क्या है?

[एसएससी-सीजीएल परीक्षा 2022]

(a) 60 (b) 54 (c) 58 (d) 62

49. प्रथम छः अभाज्य संख्याओं का औसत क्या होगा?

[एसएससी-सीजीएल परीक्षा 2022]

(a) 6 (b) $6\frac{5}{6}$ (c) $9\frac{1}{3}$ (d) 7

50. एक कक्षा के अंग्रेजी का परीक्षाफल तैयार करते समय एक छात्र के अंक 57 के स्थान पर 95 दर्ज किए गए, जिसके परिणामस्वरूप औसत अंक में 0.95 की वृद्धि हुई। कक्षा में कितने विद्यार्थी थे? [एसएससी-सीजीएल परीक्षा 2022]

(a) 57 (b) 37 (c) 40 (d) 45

51. मार्च के महीने में दलीप ने प्रतिदिन औसतन ₹ 501 की कमाई की। पहले 18 दिनों में उसकी औसत कमाई ₹ 495 थी और बाद के 15 दिनों में उसकी औसत कमाई ₹ 505 थी। 18 मार्च को, उसने 17 मार्च को अर्जित की गई कमाई से 50 अधिक कमाया। 18 मार्च को उसने कितना (₹ में) कमाया?

[एसएससी-सीजीएल परीक्षा 2022]

(a) 498 (b) 501 (c) 500 (d) 502

52. एक प्लंबर रास बिहारी ने जनवरी के महीने में प्रतिदिन औसतन ₹ 925 कमाए। उसने पहले दिनों के दौरान औसतन ₹ 881 प्रतिदिन और बाद के 20 दिनों के दौरान ₹ 915 प्रतिदिन की कमाई की। 12 जनवरी से 20 जनवरी तक उसकी प्रतिदिन की औसत आय (₹ में) क्या थी?

[एसएससी-सीजीएल परीक्षा 2022]

(a) 800 (b) 805

(c) 875 (d) 795

53. रमेश एक दुकान से 30 रुपये में 15 पत्रिकाएँ और दूसरी दुकान से 38 रुपये में 25 पत्रिकाएँ लाया। उसने प्रति पत्रिका औसत कीमत कितनी चुकाई? [एनसीएचएम जेईई 2021]

(a) 25 (b) 30 (c) 35 (d) 33

54. एक क्रिकेट टीम में, ग्यारह खिलाड़ियों की औसत आयु 28 वर्ष है। इनमें से तीन खिलाड़ियों के तीन समूहों की औसत आयु क्रमशः 25 वर्ष, 28 वर्ष और 30 वर्ष है। यदि इन समूहों में कप्तान और सबसे कम उम्र के खिलाड़ी को शामिल नहीं किया जाता है और कप्तान सबसे कम उम्र के खिलाड़ी से ग्यारह वर्ष बड़ा है, तो कप्तान की उम्र क्या है?

[एनसीएचएमजेईई 2021]

(a) 33 साल (b) 34 साल (c) 35 साल (d) 36 साल

55. पाँच वर्ष पहले, A, B, C और D की औसत आयु 45 वर्ष थी। वर्तमान समूह में X को शामिल करने पर, उनकी वर्तमान औसत आयु 49 वर्ष हो जाती है। X की वर्तमान आयु क्या है? [सीएमएटी 2021]

(a) 40 साल (b) 45 साल (c) 49 साल (d) 48 साल

56. एक विद्यार्थी के चार परीक्षाओं में औसत 40 अंक हैं। उसे पाँचवीं परीक्षा में कितने अंक प्राप्त करने चाहिए ताकि पाँच परीक्षाओं में उसका औसत 45 हो जाए? (एचएसईई 2021)

(a) 45 (b) 60 (c) 65 (d) 90

57. परिवार के 9 सदस्यों के एक समूह की औसत आयु 22 वर्ष है। लवगीर सबसे छोटा है और उसकी उम्र 6 साल है। लवगीर के जन्म से ठीक पहले परिवार की औसत आयु कितनी थी? (आईपीएम रोहतक 2020)

(a) 18 (b) 7 (c) 20 (d) 24

58. 100 छात्रों का औसत भार 32 किग्रा है। पहले 49 छात्रों का औसत वजन 30 किलोग्राम है, और अंतिम 50 छात्रों का औसत वजन 34 किलोग्राम है। 50वें छात्र का वजन (किग्रा में) कितना है? [एसएससी सीजीएल टीयर-I सीबीई परीक्षा, 2017]

(a) 25 (b) 30 (c) 32 (d) 33

59. 100 और 200 के बीच सभी संख्याओं का औसत क्या है जो 13 से विभाज्य है?

[एसएससी सीजीएल टियर-II सीबीई परीक्षा, 2018]

(a) 147.5 (b) 145.5 (c) 143.5 (d) 149.5

60. 50 विद्यार्थियों की एक कक्षा में 22 लड़कियाँ हैं जिन्होंने परीक्षा में औसतन 35 अंक प्राप्त किए। यदि कक्षा का औसत 42 है तो लड़कों के औसत अंक कितने हैं?

[एसएससी सीजीएल टियर-II सीबीई परीक्षा, 2018]

(a) 50 (b) 52.5 (c) 47.5 (d) 55

61. 50 विद्यार्थियों की एक कक्षा में 40% लड़कियाँ हैं। लड़कों का औसत वजन 62 किग्रा और लड़कियों का 58 किग्रा है। पूरी कक्षा का औसत वजन (किग्रा में) क्या है?

[एसएससी एसआई दिल्ली पुलिस, सीएपीएफएस और एएसआई (सीआईएसएफ) परीक्षा, 2019]

(a) 60.4 (b) 60.2 (c) 60.8 (d) 60.6

62. ग्यारह संख्याओं का औसत 54 है। पहली चार संख्याओं का औसत 48 है और अगली चार संख्याओं का औसत पहली

चार के औसत से 25% अधिक है। नौवीं संख्या 11वीं संख्या से 8 अधिक है और दसवीं संख्या 11वीं संख्या से 4 अधिक है। 9वीं और 10वीं संख्या का औसत क्या है?

[एसएससी सीजीएल टियर-I सीबीई परीक्षा, 2019]

(*a*) 54 (*b*) 52.6
(*c*) 56 (*d*) 54.4

63. तीन संख्याएँ ऐसी हैं कि यदि उनमें से किन्हीं दो के औसत को तीसरी संख्या में जोड़ दिया जाए, तो योग क्रमशः 164, 158 और 132 प्राप्त होता है। मूल तीन संख्याओं का औसत क्या है? [एसएससी सीजीएल टियर-I सीबीई परीक्षा, 2019]

(*a*) $75\frac{2}{3}$ (*b*) 74
(*c*) 76 (*d*) $75\frac{1}{3}$

64. चार अलग-अलग संख्याएँ दी गई हैं, पहली तीन संख्याओं का औसत चौथी संख्या का चार गुना है और चारों संख्याओं का औसत 52 है। पहली तीन संख्याओं का औसत क्या है?

[एसएससी सीएचएसएल (10+2) टियर-I परीक्षा, 2019]

(*a*) 39 (*b*) 65 (*c*) 70 (*d*) 64

65. *n* संख्याओं का औसत 36 है। यदि प्रत्येक 75% संख्या में 6 की वृद्धि की जाती है और शेष संख्याओं में से प्रत्येक में 9 की कमी की जाती है, तो संख्याओं का नया औसत है:

[एसएससी सीएचएसएल (10+2) टियर-I परीक्षा, 2019]

(*a*) 37.125 (*b*) 33.75 (*c*) 38.25 (*d*) 36.25

66. ग्यारह संख्याओं का औसत 68 है। पहली चार संख्याओं का औसत 78 है और अगली चार संख्याओं का औसत 63 है। नौवीं संख्या ग्यारहवीं संख्या की दोगुनी है और दसवीं संख्या ग्यारहवीं संख्या से 4 कम है। नौवीं और ग्यारहवीं संख्या का औसत ज्ञात कीजिए।

[एसएससी सीएपीएफएस एसआई दिल्ली पुलिस, और (सीआईएसएफ) एएसआई परीक्षा, 2019]

(*a*) 72.6 (*b*) 70.1 (*c*) 72.2 (*d*) 70.5

67. 27 संख्याओं का औसत शून्य है। उनमें से अधिकतम कितने शून्य से अधिक हो सकते हैं?

[एसएससी सीजीएल टियर-I सीबीई परीक्षा, 2019]

(*a*) 0 (*b*) 15 (*c*) 26 (*d*) 20

68. प्रथम दस अभाज्य संख्याओं और दो अंकों की प्रथम दस अभाज्य संख्याओं के औसत का अंतर है–

[एसएससी सीएचएसएल (10+2) टियर-I परीक्षा, 2019]

(*a*) 14.5 (*b*) 16.5 (*c*) 12.5 (*d*) 13.5

69. 21 संख्याओं की एक शृंखला का औसत 43 के बराबर है। उनमें से पहली ग्यारह संख्याओं का औसत 33 है। अंतिम ग्यारह संख्याओं का औसत 53 है। शृंखला की ग्यारहवीं संख्या है: [एसएससी सीएचएसएल (10+2) टियर-I परीक्षा, 2019]

(*a*) 43 (*b*) 47 (*c*) 33 (*d*) 46

70. 45 परिणामों का औसत 27 निकाला गया लेकिन बाद में पता चला कि गलती से 39 की गणना करते समय 93 ले लिया गया था, तो सही औसत क्या होगा?

[एसएससी सीएपीएफएसए एसआई दिल्ली पुलिस, 2017]

(*a*) 25.8 (*b*) 26.8 (*c*) 27.2 (*d*) 28.2

71. 50 छात्रों की एक कक्षा में 60% लड़के हैं। लड़कों के औसत अंक 62 और लड़कियों के 68 हैं। पूरी कक्षा के औसत अंक क्या हैं? [एसएससी सीजीएल टियर-I सीबीई परीक्षा, 2019]

(*a*) 64.8 (*b*) 64.4 (*c*) 65.2 (*d*) 64.6

72. एक कक्षा में 90 छात्र हैं, लेकिन उनमें से 70% गाँव A से हैं और अन्य गाँव B से हैं। एक परीक्षा में गाँव B के छात्रों का औसत स्कोर गाँव A से 20% अधिक है। यदि सभी विद्यार्थियों के औसत अंक 53 हैं, तो गाँव B के विद्यार्थियों के औसत अंक क्या हैं?

[एसएससी सीएचएसएल (10+2) टियर-I परीक्षा, 2019]

(*a*) 54 (*b*) 60 (*c*) 64 (*d*) 50

73. कक्षा A और B में छात्रों की कुल संख्या 96 है। A में छात्रों की संख्या B की तुलना में 40% अधिक है। B में छात्रों का औसत वजन (किग्रा में) कक्षा की तुलना में 50% अधिक है। यदि A और B में सभी छात्रों का एक साथ औसत वजन 58 किलोग्राम है, तो B में छात्रों का औसत वजन कितना है?

[एसएससी सीएचएसएल (10+2) टीयर-I परीक्षा, 2019]

(*a*) 72 किग्रा (*b*) 60 किग्रा
(*c*) 48 किग्रा (*d*) 66 किग्रा

74. एक परीक्षा में 42 छात्रों के औसत अंक 69 हैं। लड़कों और लड़कियों की संख्या के बीच अनुपात 10:11 है। लड़कों के औसत अंक लड़कियों की तुलना में 20% अधिक हैं। लड़कों के औसत अंक ज्ञात कीजिए।

[एसएससी सीएपीएफएस एसआईई दिल्ली पुलिस, और (सीआईएसएफ) एएसआई परीक्षा, 2019]

(*a*) 75.6 (*b*) 73.5 (*c*) 82.8 (*d*) 75.2

75. एक कक्षा में कुछ विद्यार्थियों का औसत भार 58.4 किग्रा था। जब 62.8 किग्रा औसत भार वाले 5 विद्यार्थी कक्षा में शामिल हुए, तो कक्षा के सभी विद्यार्थियों के औसत भार में 0.55 किग्रा की वृद्धि हुई। प्रारंभ में कक्षा में विद्यार्थियों की संख्या थी– [एसएससी सीजीएल (सीबीई) टियर-I परीक्षा, 2020]

(*a*) 40 (*b*) 25 (*c*) 30 (*d*) 35

76. एक होटल में 10 स्टाफ सदस्य हैं। इनका औसत वजन 50 किग्रा है। जब एक स्टाफ सदस्य होटल छोड़ता है, तो औसत वजन 49 किग्रा हो जाता है। यदि एक नया स्टाफ सदस्य शामिल होता है तो औसत वजन 52 किग्रा हो जाता है। होटल छोड़ने वाले और होटल में शामिल होने वाले स्टाफ सदस्य के वजन के बीच अंतर ज्ञात कीजिए।

(*a*) 25 kg/ किग्रा (*b*) 35 kg/ किग्रा
(*c*) 20 kg/ किग्रा (*d*) 18 kg/ किग्रा
(*e*) 27 kg/ किग्रा

77. लड़कों और लड़कियों की एक कक्षा में, लड़कों द्वारा प्राप्त औसत अंक 90 हैं। यदि पूरी कक्षा का औसत 92 है, तथा लड़कों और लड़कियों की संख्याओं का अनुपात 3 : 2 है, तो

लड़कियों द्वारा प्राप्त अंकों का औसत क्या है?

(*a*) 97 (*b*) 94 (*c*) 96 (*d*) 95
(*e*) इनमें से कोई नहीं

78. पाँच क्रमागत विषम संख्याओं की शृंखला की दूसरी सबसे छोटी संख्या, पाँच क्रमागत सम संख्याओं की शृंखला की तीसरी सबसे बड़ी संख्या के 5/12 गुने से चार अधिक है। यदि पाँच क्रमागत सम संख्याओं की शृंखला का औसत 60 है, तो दोनों शृंखलाओं की अधिकतम संख्या का अंतर ज्ञात कीजिए।

(*a*) 37 (*b*) 27 (*c*) 33 (*d*) 29
(*e*) 31

79. 'P' और 'R' का कुल औसत मासिक व्यय 6932 रुपए है। 'P' का मासिक व्यय उसकी मासिक बचत से 40% अधिक है। 'Q' की मासिक आय, 'P' की तुलना में 4.166% अधिक है जबकि 'Q' अपनी मासिक आय का 68% बचाता है। यदि 'R' की मासिक बचत, 'Q' की तुलना में 15% अधिक है और 'R' की मासिक बचत तथा मासिक व्यय का अनुपात क्रमशः 3 : 2 है, तो 'R' का वार्षिक व्यय ज्ञात करें।

(*a*) ₹1, 08, 612 (*b*) ₹1,09, 944
(*c*) ₹1,11, 276 (*d*) ₹1,12, 608
(*e*) ₹1,13, 544

80. 7 पेपरों (प्रत्येक 100 अंकों का) की एक परीक्षा में गणित के 3 पेपर, अंग्रेजी के 2 पेपर और हिंदी के 2 पेपर थे। D को गणित, अंग्रेजी और हिंदी में क्रमशः 45, 55 और 60 औसत अंक प्राप्त होते हैं। प्रति पेपर औसत अंक क्या हैं?

[एसएससी सीजीएल परीक्षा, 2023 (Shift-04)]

(*a*) 56.5 (*b*) 52.1 (*c*) 55.6 (*d*) 54.1

81. 32 और 69 के बीच की सभी अभाज्य संख्याओं का औसत .... होगा। **[एसएससी सीजीएल परीक्षा, 2023 (Shift-03)]**

(*a*) 52.5 (*b*) 60 (*c*) 51 (*d*) 56.5

82. 37 विद्यार्थियों की एक कक्षा में 22 लड़कियाँ हैं। इन लड़कियों का औसत वजन 46 किलोग्राम है और पूरी कक्षा का औसत वजन 50 किलोग्राम है। उस कक्षा में लड़कों का औसत वजन (किलो में) क्या है? (दो दशमलव स्थानों तक पूर्णांकित)

[एसएससी एमटीएस परीक्षा, 2023 (Shift-01)]

(*a*) 60.74 (*b*) 55.87 (*c*) 61.35 (*d*) 58.25

83. एक कक्षा में 20 छात्रों का औसत वजन 55 किलोग्राम है। यदि कक्षा शिक्षक का वजन शामिल किया जाता है, तो औसत 0.5 किलोग्राम बढ़ जाता है। कक्षा शिक्षक का वजन है:

[एसएससी एमटीएस परीक्षा, 2023 (Shift-01)]

(*a*) 67.2 किग्रा (*b*) 63.5 किग्रा (*c*) 65.5 किग्रा (*d*) 68.4 किग्रा

84. 74 व्यक्तियों की औसत आय 5,200 रुपये है और एक प्रबंधक की आय 6,000 रुपये है। तो पूरे समूह की औसत आय ज्ञात कीजिए। (दशमलव के दो स्थानों तक मान लीजिए)

[एसएससी जीडी परीक्षा, 2024 (Shift-01)]

(*a*) ₹ 5,210.66 (*b*) ₹ 6,200.16
(*c*) ₹ 5,360.86 (*d*) ₹ 5,510.66

85. 50 संख्याओं का औसत 45 है। बाद में देखा गया कि दो संख्याएँ क्रमशः 21 और 91 के बजाय गलती से 12 और 19 पढ़ ली गयी हैं। सही औसत ज्ञात कीजिये।

[एसएससी जीडी परीक्षा, 2024 (Shift-01)]

(*a*) 48.15 (*b*) 47.45 (*c*) 46.62 (*d*) 45.52

86. पांच क्रमिक विषम संख्याओं का औसत 21 है। उनमें से सबसे छोटी संख्या ज्ञात करें।

(दिल्ली मेट्रो रेल कॉर्पोरेशन सी.आर.ए. परीक्षा, 2017)

(*a*) 21 (*b*) 17 (*c*) 19 (*d*) 13

87. जब 21वर्ष और 23 वर्ष की आयु वाले दो व्यक्तियों के बदले दो नए व्यक्तियों को शामिल किया जाता है, तो 8 व्यक्तियों की औसत आयु में 2 वर्ष की वृद्धि हो जाती है। नए व्यक्तियों की औसत आयु कितनी है?

(दिल्ली मेट्रो रेल कॉर्पोरेशन सी.आर.ए. परीक्षा, 2017)

(*a*) 34 वर्ष (*b*) 32 वर्ष (*c*) 30 वर्ष (*d*) 28 वर्ष

88. एक क्रिकेट मैच के पहले 30 ओवर में रन रेट 5.2 रन/ओवर था। शेष 20 ओवरों में 280 रन के लक्ष्य तक पहुँचने के लिए अपेक्षित रन रेट क्या होगा?

(एस.एस.सी. सी.एच.एस.एल. (10+2) ग्रेड-टियर-I (सी.बी.ई.) परीक्षा, 2017)

(*a*) 6.8 (*b*) 7.4 (*c*) 6.2 (*d*) 5.6

89. 25 क्रमागत विषम पूर्णांकों का औसत 55 है। इन पूर्णांकों की सर्वोच्च संख्या क्या है?

(एस.एस.सी. सी.एच.एस.एल. (10+2) ग्रेड-टियर-I सी.बी.ई. परीक्षा, 2017)

(*a*) 79 (*b*) 105 (*c*) 155 (*d*) 109

90. किसी बल्लेबाज का 12 पारियों का एक निश्चित औसत है। 13वीं पारी में वह 96 रन बनाता है जिसके चलते उसके औसत में 5 रनों की वृद्धि हो जाती है। 13वीं पारी के बाद उसका औसत क्या होगा?

(एस.एस.सी. संयुक्त स्नातक स्तर ग्रेड-टियर-II (सी.बी.ई.) परीक्षा, 2017)

(*a*) 28 (*b*) 32 (*c*) 36 (*d*) 42

91. 8 व्यक्तियों का एक दल शुटिंग प्रतियोगिता में भाग लेता है। सर्वोत्तम खिलाड़ी को 85 अंक मिलते हैं। यदि उसने 92 अंक प्राप्त किए होते तो उस दल का औसत स्कोर 84 हो जाता। उस दल द्वारा प्राप्त किए गए अंक बताइए।

(एस.एस.सी. संयुक्त स्नातक स्तर ग्रेड-टियर-II (सी.बी.ई.) परीक्षा, 2017)

(*a*) 672 (*b*) 665 (*c*) 645 (*d*) 588

92. एक पुस्ताकाध्यक्ष अपने पुस्तकालय के लिए 60 कहानी की पुस्तकें खरीदता है। लेकिन उसे ज्ञात होता है कि यदि वह ₹ 336 और खर्च करता है तो वह 4 अतिरिक्त पुस्तकें क्रय कर सकता है और ऐसा करने पर प्रति पुस्तक की समग्र औसत कीमत ₹ 1 कम हो जाएगी। प्रत्येक पुस्तक की पहले की औसत कीमत बताइए।

(एस.एस.सी. संयुक्त स्नातक स्तर ग्रेड-टियर-II (सी.बी.ई.) परीक्षा, 2017)

(a) 84 रुपए (b) 83 रुपए
(c) 68 रुपए (d) 100 रुपए

93. एक परीक्षा में, जॉन के अंग्रेजी, गणित, हिंदी और ड्राईंग में औसत प्राप्तांक 50 थे। उसके गणित, विज्ञान, समाज-विज्ञान तथा क्राफ्ट में औसत प्राप्तांक 70 थे। यदि जॉन के सभी 7 विषयों के प्राप्तांकों का औसत 58 रहा हो, तो गणित के प्राप्तांक कितने थे?

(एस.एस.सी. संयुक्त स्नातक स्तर ग्रेड-टियर-II (सी.बी.ई.) परीक्षा, 2017)

(a) 50 (b) 52 (c) 60 (d) 74

उत्तरमाला

1. (c)	2. (b)	3. (d)	4. (c)	5. (b)	6. (b)	7. (b)	8. (b)	9. (d)	10. (b)
11. (d)	12. (a)	13. (b)	14. (c)	15. (c)	16. (c)	17. (d)	18. (a)	19. (b)	20. (a)
21. (c)	22. (c)	23. (d)	24. (a)	25. (a)	26. (b)	27. (a)	28. (c)	29. (b)	30. (b)
31. (c)	32. (c)	33. (b)	34. (a)	35. (b)	36. (b)	37. (a)	38. (d)	39. (b)	40. (c)
41. (b)	42. (a)	43. (b)	44. (c)	45. (c)	46. (b)	47. (d)	48. (c)	49. (b)	50. (c)
51. (d)	52. (b)	53. (c)	54. (c)	55. (b)	56. (c)	57. (a)	58. (b)	59. (d)	60. (c)
61. (a)	62. (c)	63. (a)	64. (d)	65. (c)	66. (d)	67. (c)	68. (d)	69. (a)	70. (a)
71. (b)	72. (d)	73. (a)	74. (a)	75. (d)	76. (c)	77. (d)	78. (d)	79. (d)	80. (b)
81. (c)	82. (b)	83. (c)	84. (a)	85. (c)	86. (b)	87. (c)	88. (c)	89. (a)	90. (c)
91. (b)	92. (d)	93. (d)							

दिये गये प्रश्नों के हल

1. अभीष्ट औसत
$$= \frac{(2+3+5+7+11+13+17+19+23)}{9} = \frac{100}{9} = 11\frac{1}{9}.$$

2. अभीष्ट औसत $= \frac{3(1+2+3+4+5)}{5} = \frac{45}{5} = 9.$

3. प्रथम n प्राकृत संख्याओं का योग $= \frac{n(n+1)}{2}.$

प्रथम 50 प्राकृत संख्याओं का योग $= \frac{(50\times51)}{2} = 1275.$

प्रथम 50 प्राकृत संख्याओं का औसत $= \frac{1275}{50} = \frac{51}{2} = 25{\cdot}5.$

4. दी गई संख्यायें हैं 1, 3, 5, 7, 9, ..., 97, 99.
यह एक समान्तर श्रेणी है जिसमें $a = 1, d = 2$ तथा $l = 99.$
माना इसमे n पद हैं. तब, nवाँ पद
$$= a + (n-1)d = 1 + 2(n-1) = (2n-1)$$
$\therefore \quad (2n-1) = 99 \Leftrightarrow n = 50.$

n पदों का योग $= \frac{n}{2}(a+l) = \frac{50}{2} \times (1 + 99) = 2500.$

अभीष्ट औसत $= \frac{2500}{50} = 50.$

5. दी गई संख्यायें हैं 2, 4, 6, 8, 10, ..., 98, 100.
यह एक समान्तर श्रेणी है जिसमें $a = 2, d = 2$ तथा $l = 100.$
माना इसमें n पद हैं. तब, n वाँ पद $= a + (n-1)d = 2 + (n-1) \times 2 = 2n.$
$\therefore \quad 2n = 100 \Leftrightarrow n = 50.$

50 पदों का योग $= \frac{50}{2} \times (2 + 100) = (50 \times 51) = 2550.$

अभीष्ट औसत $= \frac{2550}{50} = 51.$

6. $(1^2+2^2+3^2+...+n^2) = \frac{n(n+1)(2n+1)}{6}.$

इसमें $n = 7$ रखने पर, $(1^2 + 2^2 + 3^2 + ... + 7^2)$
$$= \frac{(7\times8\times15)}{6} = 140.$$

अभीष्ट औसत $= \frac{\text{ü}}{7} = 20.$

7. अभीष्ट औसत $= \frac{n+(n+1)+(n+2)+(n+3)+(n+4)+(n+5)}{6}$
$$= \left(\frac{6n+15}{6}\right) = \left(n+\frac{5}{2}\right).$$

8. $\frac{a+b+c}{3} = M \Leftrightarrow (a+b+c) = 3M \Leftrightarrow (a+b+c)^2 = 9M^2$

$\Leftrightarrow (a^2+b^2+c^2) + 2(ab+bc+ca) = 9M^2$

$\Leftrightarrow (a^2+b^2+c^2) = 9M^2 \Leftrightarrow \frac{(a^2+b^2+c^2)}{3} = 3M^2$

$[\because ab + bc + ca = 0]$

अत: a^2, b^2, c^2 का औसत $= 3M^2.$

9. दिया है: $\frac{a+b+c+d}{4} = A \Leftrightarrow (a+b+c+d) = 4A.$

$a, b, c, d, \frac{3A}{2}$ का औसत
$$= \frac{\left(a+b+c+d+\frac{3A}{2}\right)}{5} = \frac{\left(4A+\frac{3A}{2}\right)}{5} = \frac{11A}{10}.$$

10. चूँकि A, B, C, D, E क्रमागत विषम संख्यायें हैं, अत:

$B = A+2,\ C = A+4,\ D = A+6$ तथा $E = A+8$.

$\therefore$ इनका औसत $= \dfrac{A+(A+2)+(A+4)+(A+6)+(A+8)}{5}$

$= \dfrac{(5A+20)}{5} = (A+4) = C.$

11. चूँकि a, b, c, d, e पाँच क्रमागत विषम संख्यायें हैं, अत:
$b = a+2, c = a+4,\ d = a+6,\ e = a+8.$

$\therefore$ इनका औसत $= \dfrac{a+(a+2)+(a+4)+(a+6)+(a+8)}{5}$

$= \dfrac{(5a+20)}{5} = (a+4).$

12. स्पष्ट है कि $\dfrac{a+b}{2} = \dfrac{(a^{n+1}+b^{n+1})}{(a^n+b^n)}.$

अत: $(a^{n+1} + ab^n + a^nb + b^{n+1}) = 2a^{n+1} + 2b^{n+1}$
$\Leftrightarrow (a^{n+1} + b^{n+1}) = (ab^n + a^nb) \Leftrightarrow (a^{n+1} - a^nb) = (ab^n - b^{n+1})$
$\Leftrightarrow a^n(a-b) = b^n(a-b) \Leftrightarrow a^n = b^n \Leftrightarrow n = 0.$

13. दी गई 12 संख्याओं का योग $= (137 + x)$.

$\therefore \dfrac{137+x}{12} = 12 \Leftrightarrow 137 + x = 144 \Leftrightarrow x = 7.$

14. माना अभीष्ट संख्यायें $x, (x+1), (x+2), (x+3), (x+4), (x+5)$ तथा $(x+6)$ हैं.

इनका योग $= (7x+21)$. अत: $\dfrac{7x+21}{7} = 20$

$\Leftrightarrow 7x + 21 = 140 \Leftrightarrow 7x = 119 \Leftrightarrow x = 17.$

अत: सबसे बड़ी संख्या $= 23$.

15. माना तीसरी संख्या $= x$. तब,
दूसरी संख्या $= 3x$ तथा पहली संख्या $= 6x$.
तीनों संख्याओं का कुल योग $= (3 \times 10) = 30$.
$\therefore\ 6x + 3x + x = 30 \Leftrightarrow 10x = 30 \Leftrightarrow x = 3.$
सबसे बड़ी संख्या $= 6x = (6 \times 3) = 18$.

16. माना पहली संख्या $= x$. तब, दूसरी संख्या $= 2x$.

$2x = 3 \times$ (तीसरी संख्या). अत: तीसरी संख्या $= \dfrac{2x}{3}$.

तीनों संख्याओं का कुल योग $= (3 \times 44) = 132$.

$\therefore\ x + 2x + \dfrac{2x}{3} = 132 \Leftrightarrow 11x = 396 \Leftrightarrow x = 36.$

सबसे बड़ी संख्या $= 2x = (2 \times 36) = 72$.

17. माना दूसरी संख्या $= x$. तब,
पहली संख्या $= 3x$ तथा तीसरी संख्या $= 15x$.
तीनों सख्याओं का कुल योग $= (3 \times 57) = 171$.
$\therefore\ x + 3x + 15x = 171 \Leftrightarrow 19x = 171 \Leftrightarrow x = 9.$
अभीष्ट अन्तर $= (15x - x) = 14x = (14 \times 9) = 126$.

18. 8 संख्याओं का कुल योग $= (20 \times 8) = 160$.

पहली 2 संख्याओं का कुल योग $= \left(\dfrac{31}{2} \times 2\right) = 31$.

अगली 3 संख्याओं का कुल योग $= \left(\dfrac{64}{3} \times 3\right) = 64$.

माना छठी संख्या $= x$. तब,
सातवीं संख्या $= (x+4)$ तथा आठवीं संख्या $= (x+7)$.
$\therefore\ 31 + 64 + x + (x+4) + (x+7) = 160$
$\Leftrightarrow 3x + 106 = 160 \Leftrightarrow 3x = 54 \Leftrightarrow x = 18.$
अत: आठवीं संख्या $= (x+7) = (18+7) = 25$.

19. 5 संख्याओं का कुल योग $= (18 \times 5) = 90$.
4 संख्याओं का कुल योग $= (16 \times 4) = 64$.
निकाली गई संख्या $= (90 - 64) = 26$.

20. माना दी गई संख्यायें $x, (x+1), (x+2), (x+3)$ तथा $(x+4)$ हैं.

तब, $\dfrac{x+(x+1)+(x+2)+(x+3)+(x+4)}{5} = n$

$\Leftrightarrow \dfrac{5(x+2)}{5} = n \Leftrightarrow n = (x+2).$

आगे की दो और संख्यायें लेने पर, औसत

$= \dfrac{(5x+10)+(x+5)+(x+6)}{7} = \dfrac{7(x+3)}{7} = (x+3).$

स्पष्ट है कि औसत में 1 की वृद्धि होती है.

21. माना 5 क्रमागत विषम संख्यायें
$x, (x+2), (x+4), (x+6), (x+8)$ हैं.
तब, (सबसे बड़ी संख्या) – (सबसे छोटी संख्या)
$= (x+8) - x = 8.$

22. तीनों लड़कों की कुल आयु $= (16 \times 3)$ वर्ष $= 48$ वर्ष.
माना इनकी आयु क्रमश: $4x, 5x$ तथा $7x$ वर्ष हैं.
तब, $(4x + 5x + 7x) = 48 \Leftrightarrow 16x = 48 \Leftrightarrow x = 3.$
सबसे छोटे लड़के की आयु $= 4x = (4 \times 3)$ वर्ष $= 12$ वर्ष.

23. 10 छात्रों की कुल आयु $= (12.5 \times 10)$ वर्ष $= 125$ वर्ष.
20 छात्रों की कुल आयु $= (13.1 \times 20)$ वर्ष $= 262$ वर्ष.
30 छात्रों की कुल आयु $= (125 + 262)$ वर्ष $= 387$ वर्ष.

इन छात्रों की औसत आयु $= \dfrac{387}{30}$ वर्ष $= 12.9$ वर्ष.

24. कुल विद्यार्थियों की संख्या $= (25 + 20) = 45$.
कुल प्राप्तांकों का योग $= (28 \times 45) = 1260$.
अनुभाग A के विद्यार्थियों के प्राप्तांकों का योग $= (30 \times 25) = 750$.
अनुभाग B के विद्यार्थियों के प्राप्तांकों का योग
$= (1260 - 750) = 510.$

अनुभाग B के विद्यार्थियों के औसत प्राप्तांक $= \dfrac{510}{20} = 25.5$.

25. 30 परिणामों का कुल योग $= (20 \times 30) = 600$.
20 परिणामों का कुल योग $= (30 \times 20) = 600$.
50 परिणामों का कुल योग $= (600 + 600) = 1200$.

इन परिणामों का औसत $= \dfrac{1200}{50} = 24$.

26. 25 लड़कों की ऊँचाई का योग $= (1.4 \times 25)$ मीटर $= 35$ मीटर.
20 लड़कों की औसत ऊँचाई $= (1.4 + 0.15)$ मीटर $= 1.55$ मीटर.
20 लड़कों की ऊँचाई का योग $= (1.55 \times 20)$ मीटर
$= 31$ मीटर.
5 लड़कों की ऊँचाई का योग $= (35 - 31)$ मीटर $= 4$ मीटर.

इन 5 लड़कों की औसत ऊँचाई $= \dfrac{4}{5}$ मीटर $= 0.8$ मीटर.

27. 24 छात्रों का कुल भार = (35 × 24) किग्रा० = 840 किग्रा०.
(24 छात्र + 1 अध्यापक) का औसत भार = 35.4 किग्रा०.
(24 छात्र + 1 अध्यापक) का कुल भार
= (35.4 × 25) किग्रा० = 885 किग्रा०.
अध्यापक का भार = (885 – 840) किग्रा० = 45 किग्रा०.

28. 10 मैचों की कुल रन संख्या = (38.9 × 10) = 389.
पहले 6 मैचों की कुल रन संख्या = (42 × 6) = 252.
अन्तिम 4 मैचों की कुल रन संख्या = (389 – 252) = 137.
अन्तिम 4 मैचों की औसत रन संख्या = $\frac{137}{4}$ = 34.25.

29. 10 पारियों की कुल रन संख्या = (32 × 10) = 320.
11 पारियों की औसत रन संख्या = (32 + 4) = 36.
11 पारियों की कुल रन संख्या = (36 × 11) = 396.
अभीष्ट रनों की संख्या = (396 – 320) = 76.

30. माना इस कक्षा में x लड़के तथा y लड़कियाँ हैं.
तब, इनकी कुल आयु का योग = $15.8 \times (x + y)$ वर्ष.
लड़कों की आयु का योग = $16.4\,x$ वर्ष.
लड़कियों की आयु का योग = $15.4\,y$ वर्ष.
$\therefore \quad 15.8\,(x + y) = 16.4x + 15.4\,y$
$\Leftrightarrow \quad 15.8\,x + 15.8y = 16.4x + 15.4y$
$\Leftrightarrow \quad 0.6x = 0.4y \quad \Leftrightarrow \quad \frac{x}{y} = \frac{0{\cdot}4}{0{\cdot}6} = \frac{2}{3}.$
अत: अभीष्ट अनुपात = 2 : 3.

31. माना कप्तान की आयु = x वर्ष. तब, सबसे छोटे खिलाड़ी की आयु = $(x – 8)$ वर्ष.
कुल 11 खिलाड़ियों की आयु का योग = (23 × 11) वर्ष
= 253 वर्ष.
9 खिलाड़ियों की आयु का योग
= {(21 × 3) + (24 × 3) + (26 × 3)} वर्ष = 213 वर्ष.
$\therefore\ 213 + x + (x – 8) = 253 \Leftrightarrow 2x = 48 \Leftrightarrow x = 24.$
अत: कप्तान की आयु = 24 वर्ष.

32. 6 लड़कों की आयु का योग = (8 × 6) वर्ष = 48 वर्ष.
(6 लड़कों + माता + पिता) की आयु का योग
= (22 × 8) वर्ष = 176 वर्ष.
माना माता की आयु = x वर्ष. तब, पिता की आयु = $(x + 8)$ वर्ष.
$\therefore \quad 48 + x + (x + 8) = 176 \Leftrightarrow 2x = 120 \Leftrightarrow x = 60.$
अत: माता की आयु = 60 वर्ष.

33. कुल आयु जो कम हुई = (10 × 3) वर्ष = 30 वर्ष.
नये अध्यापक की आयु = 25 वर्ष.
सेवा-निवृत्त होने वाले अध्यापक की आयु = (30 + 25) वर्ष
= 55 वर्ष.

34. 120 छात्रों के प्राप्तांकों का कुल योग = (35 × 120) = 4200.
माना उत्तीर्ण छात्रों की संख्या = x. तब,
अनुत्तीर्ण छात्रों की संख्या = $(120 – x)$.
$\therefore\ 39x + (120 – x) \times 15 = 4200$
$\Leftrightarrow 24x = (4200 – 1800) = 2400 \Leftrightarrow x = 100.$
अत: उत्तीर्ण छात्रों की संख्या = 100.

35. दादा-दादी की आयु का योग = (67 × 2) वर्ष = 134 वर्ष.
माता-पिता की आयु का योग = (35 × 2) वर्ष = 70 वर्ष.
3 बच्चों की आयु का योग = (6 × 3) वर्ष = 18 वर्ष.
परिवार के 7 सदस्यों की आयु का योग
= (134 + 70 + 18) वर्ष = 222 वर्ष.
$\therefore$ अभीष्ट औसत आयु = $\frac{222}{7}$ वर्ष = $31\frac{5}{7}$ वर्ष.

36. 11 परिणामों का कुल योग = (60 × 11) = 660.
पहले 5 परिणामों का कुल योग = (58 × 5) = 290.
अन्तिम 5 परिणामों का कुल योग = (56 × 5) = 280.
$\therefore$ छठा परिणाम = [660 – (290 + 280)] = (660 – 570) = 90.

37. माना 10 पारियों की औसत रन संख्या = x.
तब, 11 पारियों की औसत रन संख्या = $(x + 6)$.
$\therefore \quad 11 \times (x + 6) – 10x = 108 \Leftrightarrow x = 42.$
अत: 11 पारियों की औसत रन संख्या
= $(x + 6)$ = (42 + 6) रन = 48 रन.

38. 11 संख्याओं का कुल योग = (10.9 × 11) = 119.9.
मध्य संख्या = [(10.5 × 6) + (11.4 × 6) – 119.9]
= (63 + 68.4 – 119.9) = 11.5.

39. 12 माह की कुल आय = (3400 × 12) = ₹ 40800.
$\therefore$ 8वें माह की आय = ₹ [(3160 × 8) + (4120 × 5) – 40800]
= ₹ (25280 + 20600 – 40800)
= ₹ (45880 – 40800) = ₹ 5080.

40. भार में कुल वृद्धि = (0.75 × 20) किग्रा० = 15 किग्रा०.
नए छात्र का भार = (30 + 15) किग्रा० = 45 किग्रा०.

41. माना बच्चे की वर्तमान आयु = x वर्ष.
3 वर्ष पहले परिवार के 5 सदस्यों की आयु का योग
= (17 × 5) वर्ष
= 85 वर्ष.
स्पष्ट है कि $(3 – x)$ वर्ष तक परिवार में 5 सदस्य रहे तथा बाद के x वर्ष तक 6 सदस्य रहे
6 सदस्यों की वर्तमान आयु का योग = $[85 + 5(3 – x) + 6x]$ वर्ष
= $(100 + x)$ वर्ष.
6 सदस्यों की वर्तमान औसत आयु = 17 वर्ष.
6 सदस्यों की वर्तमान आयु का योग = (17 × 6) वर्ष = 102 वर्ष.
$\therefore \quad 100 + x = 102 \Leftrightarrow x = 2.$
अत: बच्चे की वर्तमान आयु = 2 वर्ष.

42. 20 पारियों की कुल रन संख्या
= [(20.8 × 4) + (33 × 6) + (17.5 × 7) + 0 × 3)] रन
= 403.7 रन.
अभीष्ट औसत रन संख्या = $\frac{403{\cdot}7}{20}$ = 20.19.

43. कुल छात्रों की संख्या = (38 + 42 + 40) = 120.
कुल आयु का योग = (38 × 15.3 + 42 × 16.5 + 40 × 15.9) वर्ष
= 1910.4 वर्ष.
अभीष्ट औसत आयु = $\frac{1910{\cdot}4}{120}$ वर्ष = 15.92 वर्ष.

44. टीम का औसत प्राप्तांक = 84.

टीम के कुल प्राप्तांक = $(84 \times 8) = 672$.

इसमें सर्वोत्तम तीरंदाज के अंक = 92.

शेष 7 व्यक्तियों के अंकों का योग = $(672 - 92) = 580$.

टीम के 8 व्यक्तियों के कुल प्राप्तांक = $(580 + 85) = 665$.

45. 10 छात्राओं तथा 12 छात्रों की आयु का योग

= $[(10 \times 14) + (12 \times 16)]$ वर्ष = 332 वर्ष.

10 छात्राओं तथा 6 छात्रों की आयु का योग

= (14.5×16) वर्ष = 232 वर्ष.

शेष 6 छात्रों की आयु का योग = $(332 - 232)$ वर्ष = 100 वर्ष.

इन 6 छात्रों की औसत आयु = $\frac{100}{6}$ वर्ष = $\frac{50}{3}$ वर्ष = $16\frac{2}{3}$ वर्ष.

46. औसत मान = $\frac{2+4+6+8+...+2n}{n} = \frac{2(1+2+3+...+n)}{n}$

$$= 2\,\frac{n(n+1)}{2} \cdot \frac{1}{n} = (n+1).$$

47. यह एक गुणोतर श्रेणी है जिसमें $a = 1$,

$r = 2$ तथा पदों की संख्या = $(n + 1)$.

इन पदों का योग = $\frac{a(r^{n+1}-1)}{(r-1)} = \frac{1\times(2^{n+1}-1)}{(2-1)} = (2^{n+1} - 1)$.

$\therefore$ अभीष्ट औसत = $\frac{(2^{n+1}-1)}{n+1}$.

48. P + 3 दोस्तों का कुल वजन = $55 \times 4 = 220$ किग्रा.

माना 3 मित्रों का औसत भार = A

3 दोस्तों का कुल वजन = $3A$

P का कुल भार = $A + 4$

अब हमारे पास है:

$$A + 4 + 3A = 220 \Rightarrow 4A = 216 \Rightarrow A = 54$$

अब, P का भार = $54 + 4 = 58$

49. पहली 6 अभाज्य संख्या का औसत

$$= \frac{2+3+5+7+11+13}{6} = \frac{41}{6} = 6\frac{5}{6}$$

50. माना विद्यार्थियों की संख्या = x

औसत स्कोर = y

$\therefore$ मूल औसत = xy

$\Rightarrow \frac{xy+95-57}{x} = (y+0.95)$

$\Rightarrow xy + 38 = xy + 0.95x$

$\Rightarrow 0.95x = 38$

$\Rightarrow x = \frac{3800}{95} = 40$

51. मार्च की कुल कमाई = 31 × ₹ 501 = ₹ 15.531

33 दिनों की कुल कमाई = $495 \times 18 + 15 \times 505$

= 8910 + 7575 = ₹ 16485

माना 17 मार्च की कमाई = ₹x

और 18 मार्च की कमाई = ₹$(x + 50)$

अब प्रश्न के अनुसार,

$2x + 50 = 16485 - 15531$

$\Rightarrow 2x = 954 - 50$

$\Rightarrow 2x = 904 \Rightarrow x = 452$

$\therefore$ 18 मार्च की कमाई = 452 + 50 = ₹ 502

52. जनवरी की कुल कमाई = 925 × 31 = ₹ 28.675

पहले 20 दिनों और अंतिम 20 दिनों की कुल कमाई

= $881 \times 20 + 915 \times 20$

= 17620 + 18300 = ₹ 35920

12 जनवरी से 20 जनवरी तक औसत आय

= $\frac{35920 - 28675}{9} = \frac{7245}{9}$ = ₹ 805

53. 15 पत्रिकाओं का कुल मूल्य = 15 × 30 = ₹ 450

25 पत्रिकाओं का कुल मूल्य = 25 × 38 = ₹ 950

$\therefore$ (15 + 25) का कुल मूल्य = 40 पत्रिकाएँ

= 450 + 950 = ₹ 1400

$\therefore$ 40 पत्रिकाओं की औसत लागत = $\frac{1400}{40}$ = ₹35

54. कप्तान और सबसे कम उम्र के खिलाड़ी की आयु का योग

= $[(28 \times 11) - (25 \times 3) + (28 \times 3) + (30 \times 3)]$ वर्ष

= $(308 - 249)$ वर्ष = 59 वर्ष

माना सबसे छोटे खिलाड़ी की आयु x वर्ष है।

तब, कप्तान की आयु = $(x + 11)$ वर्ष है।

$\therefore x + (x + 11) = 59 \Rightarrow 2x = 48 \Rightarrow x = 24$

तो कप्तान की उम्र = 24 + 11 = 35 वर्ष

55. पाँच साल पहले A, B, C और D की कुल उम्र थी

= $4 \times 45 = 200$ वर्ष

प्रत्येक की वर्तमान आयु में 5 वर्ष की वृद्धि की जाएगी।

इसलिए, A, B, C और D की कुल आयु

= $180 + 4 \times 5 = 200$ वर्ष

A, B, C, D और X की कुल वर्तमान आयु है।

= $49 \times 5 = 245$ वर्ष

$\therefore$ X की आयु = $245 - 200 = 45$ वर्ष

56. पहली 4 परीक्षाओं का योग = $40 \times 4 = 160$

आवश्यक कुल 5 परीक्षाएँ = $45 \times 5 = 225$

$\therefore$ पाँचवीं परीक्षा के आवश्यक अंक = $225 - 160 = 65$

57. परिवार की वर्तमान कुल आयु = $9 \times 22 = 198$

छह साल पहले, परिवार की कुल आयु

= $198 - 6 \times 9 = 144$

अत: 144 वर्ष 8 सदस्यों की कुल आयु है क्योंकि लवगीर का जन्म 6 वर्ष पहले हुआ था।

∴ लवगीर को छोड़कर 8 सदस्यों की औसत आयु

$= \frac{144}{8} = 18$

58. 100 विद्यार्थियों का कुल भार $= 100 \times 32 = 3200$ किग्रा

अंतिम 49 छात्रों का कुल वजन $= 49 \times 30 = 1470$

पिछले 50वें छात्रों का कुल वजन $= 50 \times 34 = 1700$

∴ 50वें विद्यार्थी का भार

$= 3200 - 1470 - 1700 = 3200 - 3170 = 30$ किग्रा

59. आशीष्ट संख्याएँ – $13 \times 8, 13 \times 4 \ldots 13 \times 15$

$= 104, 113, 130 \ldots 195$

$= 13\,(8 + 9 \ldots 15)$

∴ 8 गुणज हैं

∴ औसत चौथे और पाँचवें गुणक का मध्य बिंदु होगा

अर्थात् 13×11 और 13×12

$$\frac{143 + 155}{2} = \frac{299}{2} = 149.5$$

60. लड़कों की संख्या $= 50 - 22 = 28$

लड़कों का औसत

$$= \frac{50 \times 42 - 22 \times 35}{28} = \frac{2100 - 770}{28} = \frac{1330}{28} = 47.5$$

61. लड़कियों की संख्या $= 50$ का $40\% = 20$

लड़कों की संख्या $= 50 - 20 = 30$

औसत वजन $= \sqrt[3]{4} > \sqrt[4]{6} > \sqrt[4]{5}$

$$= \sqrt[4]{6} = \sqrt[4\times3]{6^3} = \sqrt[12]{216} = 60.4 \text{ किग्रा}$$

62. 11 अंक का योग $= 11 \times 54 = 594$

पहली 4 संख्याओं का योग $= 4 \times 48 = 192$

अगली 4 का योग $= 4\,(1.25 \times 48)$

$$= 4\left(\frac{5}{4} \times 48\right) = 4 \times 60 = 240$$

अंतिम 3 का योग $= 594 - 192 - 240$

$= 594 - 432 = 162$

∴ अब, माना 11वीं संख्या $= k$

∴ 10वीं संख्या $= k + 4$

∴ 9वीं संख्या $= k + 8 + k + k + 4 + k + 8 = 162$

$3k + 12 = 162$

$3k = 150$

$\Rightarrow k = 50$

∴ 9वीं संख्या $= 58$

10वीं संख्या $= 54$

∴ आवश्यक औसत $= \frac{58 + 54}{2} = \frac{112}{2} = 56$

63. माना संख्याएँ x, y और z हैं।

$\frac{x + y}{2} + z = 164$

$x + y + 2z = 328$ …(i)

इसी प्रकार $y + z + 2x = 316$ …(ii)

$z + x + 2y = 264$ …(iii)

(i), (ii) और (iii) को जोड़ने पर हम पाते हैं

$4x + 4y + 4z = 908$

∴ $4(x + y + z) = 908$

$x + y + z = \frac{908}{4} = 227$

x, y और z का औसत $= \frac{227}{3} = 75\frac{2}{3}$

64. कुल 4 संख्याएँ $= 4 \times 52 = 208$

$= \frac{\text{I} + \text{II} + \text{III}}{3} = 4\,\text{IV}$

$\text{I} + \text{II} + \text{III} = 12\,\text{IV}$

$\text{I} + \text{II} + \text{III} + \text{IV} = 208$

ऊपर से, $12\,\text{IV} + \text{IV} = 208$

∴ $13\,\text{IV} = 208$

$\Rightarrow \text{IV} = \frac{208}{13} = 16$

∴ $\frac{\text{I} + \text{II} + \text{III}}{3} = 4 \times 16 = 64$

∴ औसत $= 64$

65. शुद्ध वृद्धि $= 75\%\, n \times 6 - 25\%\, n \times 9$

$4.5\,n - 2.25\,n = 2.25\,n$

∴ औसत वृद्धि $= \frac{2.25\,n}{n} = 2.25$

∴ नया औसत $= 36 + 2.25 = 38.25$

66. सभी 11 का योग $= 11 \times 68 = 748$

4 के पहले सेट का योग $= 78 \times 4 = 312$

4 के अगले सेट का योग $= 63 \times 4 = 252$

अंतिम 3 का योग $= 748 - 312 - 252 = 184$

माना 11वीं संख्या $= x$

∴ 9वीं संख्या $= 2x$

10वीं संख्या $= x - 4$

$x + 2x + x - 4 = 184$

$4x - 4 = 184$

$4x = 188$

$x = \frac{188}{4} = 47$

11वीं संख्या $= 47$

9वीं संख्या $= 2 \times 47 = 94$

∴ औसत $= \frac{47 + 94}{2} = \frac{141}{2} = 70.5$

67. औसत के रूप में $= \dfrac{\text{योग}}{\text{प्रेक्षणों की संख्या}}$

$\therefore$ औसत 0 होने के लिए, योग 0 होना चाहिए।

इसलिए शून्य से अधिकतम 26 संख्याएँ हो सकती हैं और 27 संख्याएँ सभी 26 संख्याओं के योग के बराबर होनी चाहिए लेकिन एक ऋणात्मक चिह्न के साथ।

68. प्रथम दस अभाज्य संख्याएँ हैं

$= 2, 3, 5, 7, 11, 13, 17, 19, 23, 29$

$\therefore$ औसत $= \dfrac{\text{योग}}{10} = \dfrac{129}{10} = 12.9$

पहले दस दो अंकों की अभाज्य संख्याएँ

$= 11, 13, 17, 19, 23, 29, 31, 37, 41, 43$

औसत $= \dfrac{\text{योग}}{10} = \dfrac{264}{10} = 26.4$

$\therefore$ अंतर $= 26.4 - 12.9 = 13.5$

69. 11वीं संख्या $= 11 \times 33 + 11 \times 53 - 21 \times 43$

$= 363 + 583 - 903 = 43$

70. सही औसत $= \dfrac{45 \times 27 - 93 + 39}{45}$

$= \dfrac{45 \times 27}{45} + \dfrac{(-93+39)}{45} = 27\dfrac{54}{45}$

$= 27 - 1.2 = 25.8$

71. लड़के = 50 का 60% = 30

लड़कियाँ $= 50 - 30 = 20$

कक्षा के कुल अंक $= 30 \times 62 + 20 \times 68$

$= 1860 + 1360 = 3220$

$\therefore$ औसत $= \dfrac{3220}{50} = 64.4$

72. गाँव A के छात्र = 90 का 70% = 63

गाँव B के छात्र $= 90 - 63 = 27$

माना गाँव A के छात्रों का औसत स्कोर $= k$

$\therefore$ गाँव B के छात्रों का औसत स्कोर $= 1.2k$

$\therefore \quad \dfrac{63 \times k + 1.2k \times 27}{90} = 53$

$63k + 32.4k = 90 \times 53$

$95.4k = 4770$

$k = \dfrac{4770}{95.4} = 50$

73. माना कक्षा B में विद्यार्थी $= k$

कक्षा A में विद्यार्थी $= 1.4k$

$\therefore \quad k + 1.48k = 96$

$2.4k = 96$

$k = \dfrac{96}{24} = 40$

मान लीजिए कक्षा A का औसत भार $= x$ है।

$\therefore$ कक्षा B का औसत भार $= 1.5x$ है।

$\Rightarrow \dfrac{x \times 56 \times 1.5x \times 40}{96} = 58$

$56x + 60x = 96 \times 58$

$116x = 5568$

$x = \dfrac{5568}{116} = 48$ किग्रा

$\therefore$ B का औसत वजन $= 1.5 \times 48 = 72$ किग्रा

74. माना लड़कों की संख्या $= 10x$

$\therefore$ लड़कियों की संख्या $= 11x$

$= \dfrac{10x \times 1.2k + 11x \times k}{10x + 17x} = 69$

$= \dfrac{12xk + 11xk}{21x} = 69$

$\Rightarrow \dfrac{23k}{21} = 69 \Rightarrow k = \dfrac{69 \times 21}{23} = 63$

लड़कों के औसत अंक $= 1.2 \times 63 = 75.6$

75. शुरुआत में छात्रों की संख्या n होने दें।

प्रश्न के अनुसार,

$\dfrac{58.4 \times n + 62.8 \times 5}{(n+5)} = (58.4 + 0.55)$

$58.4n + 314.0 = 58.95\,(n+5)$

$58.4n + 314 = 58.95n + 294.75$

$58.95n - 58.40n = 314 - 294.35$

$.55n = 19.25$

$n = \dfrac{19.25}{.55} = \dfrac{1925}{55} = 35$

76. होटल में सभी स्टाफ सदस्यों का कुल वजन $= 10 \times 50 = 500$ किग्रा

जब एक स्टाफ सदस्य चला जाता है, तो शेष 9 स्टाफ सदस्यों का कुल वजन $= 9 \times 49 = 441$ किग्रा

छोड़ने वाले सदस्य का वजन $= 500 - 441 = 59$ किलो

जब एक स्टाफ सदस्य शामिल होता है, तो 10 स्टाफ सदस्यों का कुल वजन $= 10 \times 52 = 520$ किलोग्राम

नए शामिल होने वाले स्टाफ सदस्य का वजन $= 520 - 441 = 79$ किग्रा

$\because$ आवश्यक अंतर $= 79 - 59 = 20$ किग्रा

77. माना कि लड़के और लड़कियों की संख्या क्रमशः $3x$ और $2x$ है।

लड़कों द्वारा प्राप्त कुल अंक $= 90 \times 3x = 270x$

कक्षा द्वारा प्राप्त कुल अंक $= 92 \times 5x = 460x$

लड़कियों द्वारा प्राप्त कुल अंक $= 460x - 270x = 190x$

$\Rightarrow$ आवश्यक औसत $= \dfrac{190x}{2x} = 95$

78. माना सम संख्या श्रृंखला $x, x+2, x+4, x+6$ और है $x+8$ और विषम संख्या श्रृंखला $y, y+2, y+4, y+6$ और $y+8$ हैं

अब, प्रश्न के अनुसार

सम संख्या श्रृंखला का औसत $= 60$

$\therefore \quad \dfrac{x + x + 8}{2} = 60 \quad \Rightarrow \quad x = 56$

अब,

$y+2=4+\frac{5}{12}(x+4)$

$\Rightarrow y+2=29 \quad \Rightarrow \quad y=27$

अब, आवश्यक अंतर $=(x+8)-(y+8)$

$=56-27=29$

79. P के लिए मासिक बचत करें $=₹100a$

मासिक व्यय $=100a \times \frac{7}{5}=₹140a$

मासिक व्यय $=240a$

Q के लिए,

मासिक आय $=240\times\frac{25}{24}=₹250a$

मासिक बचत $=250a\times\frac{68}{100}=₹170a$

मासिक व्यय $=250a-170a=80a$

R के लिए,

मासिक बचत $=17a\times\frac{23}{20}=₹195.5a$

मासिक व्यय $=\frac{3}{2}\times ₹195.5a$

$=₹293.25a$

अब, प्रश्न के अनुसार,

$140a+293.25a=6932\times 2$

$\Rightarrow 433.25a=13864$

$\Rightarrow a=32$

$\therefore$ R का वार्षिक व्यय $=293.25\times 32\times 12$

$=₹1,12,608$

80. कुल मिलाकर औसत

	गणित	अंग्रेजी	हिन्दी
संख्या →	3	: 2 :	2
औसत →	45	: 55 :	60

कुल मिलाकर औसत

$=45+\frac{10\times2+15\times2}{7}=52.1$

81. अभाज्य संख्या 32 से 69 के बीच

37, 41, 43, 47, 53, 59, 61, 67

$\therefore$ औसत

$=\frac{37+41+43+47+53+59+61+67}{8}$

$=\frac{408}{8}=51$

82. लड़कों का कुल वजन

$=37\times 50-22\times 46$

$=1850-1012$

$=838$

$\therefore$ लड़कों का औसत वजन

$=\frac{838}{15}=55.87$

83. पूरी कक्षा का कुल वजन $=20\times 55=1100$

शिक्षक सहित कक्षा का कुल भार

$=21\times 55.5=1165.05$

अभीष्ट औसत $=1165.05-1100=65.5$

84. 74 व्यक्तियों की कुल आय

$=74\times 5200=₹384,800$

पूरे समूह की कुल आय $=3,84,800+6,000=₹390,800$

$\therefore$ अभीष्ट औसत $=390,800/75$

$\therefore$ ₹ 5,210.66

85. कुल योग $=45\times 50=2250$

कुल योग में सुधार $=(21+91)-(12+19)=81$

सही कुल योग

$=2250+81=2331$

$\therefore$ सही औसत

$=2331/50=46.62$

86. दिया गया है, पाँच क्रमिक विषम संख्याओं का औसत =21

$\therefore$ पाँच क्रमिक विषम संख्याएँ =17, 19, 21, 23, 25

अतः इनमें से सबसे छोटी संख्या =17

87. उम्र में कुल वृद्धि $=8\times2=16$ वर्ष

दो नए व्यक्तियों की उम्रों का योग $=(21+23+2\times8)$

वर्ष = 60 वर्ष

$\therefore$ नए व्यक्तियों की औसत आयु $=\frac{60}{2}=30$ वर्ष

88. पहले 30 ओवरों में रन रेट 5.2 रन/ओवर

30 ओवरों में बनाए गए रन $=30\times5.2=156$

शेष 20 ओवरों में बनाए गए रन $=280-156=124$

$\therefore$ अपेक्षित रन रेट $=\frac{124}{20}=6.2$

89. 25 क्रमागत विषम संख्याओं का औसत = 55

$\therefore$ मध्य की यानी तेरहवीं संख्या =55

अतः सर्वोच्च संख्या $=55+2\times12=55+24=79$

90. माना, 13 पारियों के बाद औसत रन $=r$

प्रश्न के अनुसार, $(r-5)\times12+96=r\times13$

$\Rightarrow 12r-60+96=13r \Rightarrow 13r-12r=36 \Rightarrow r=36$

91. दल द्वारा प्राप्त कुल अंक $=84\times8-(92-85)$

$=672-7=665$

92. माना, पहले की औसत कीमत $=P$ रुपए

प्रश्नानुसार, $60P+336=(P-1)64$

$\Rightarrow 60P+336=64P-64$

$\Rightarrow 64P-60P=336+64$

$\Rightarrow 4P=400$

$\Rightarrow P=\frac{400}{4}=100$ रुपए

93. गणित के प्राप्तांक $=50\times4+70\times4-58\times7$

$=200+280-406=480-406=74$

प्रश्नमाला 7B

निर्देश: प्रश्न संख्या *1* से *9* तक प्रत्येक में एक कथन/प्रश्न तथा दो कथन *I* तथा *II* दिये गये हैं. इन कथनों को पढ़कर इनका उत्तर:

(a) दीजिए यदि दिये गये प्रश्न का उत्तर देने के लिए *I* पर्याप्त हो तथा *II* पर्याप्त न हो;

(b) दीजिए यदि दिये गये प्रश्न का उत्तर देने के लिए *II* पर्याप्त हो तथा *I* पर्याप्त न हो;

(c) दीजिए यदि दिये गये प्रश्न का उत्तर देने के लिए *I* भी पर्याप्त हो तथा *II* भी पर्याप्त हो;

(d) दीजिए यदि दिये गये प्रश्न का उत्तर देने के लिए *I* तथा *II* दोनों मिलकर भी पर्याप्त न हो;

(e) दीजिए यदि दिये गये प्रश्न का उत्तर *I* तथा *II* दोनों को मिलाकर बना हो.

1. किसी विभाग में कार्यरत 50 कर्मचारियों की औसत आयु 30 वर्ष है. अगले वर्ष 10 कर्मचारी सेवानिवृत्त हो जायेंगे. अगले वर्ष औसत आयु क्या होगी? **(बैंक पी०ओ० परीक्षा, 2013)**

I. सेवानिवृत्ति की आयु 60 वर्ष है.

II. विभाग में 100 कर्मचारी कार्यरत हैं.

2. *A, B, C, D* की वर्तमान आयु का योग 96 वर्ष है. *B* की वर्तमान आयु कितनी है?

I. *A, B, D* की औसत आयु 20 वर्ष है.

II. *C* तथा *D* की औसत आयु 25 वर्ष है.

3. *P, Q, R, S* की औसत आयु 30 वर्ष है. *R* की आयु कितनी है? **(बैंक पी०ओ० परीक्षा, 2013)**

I. *P* तथा *R* की आयु का योग 60 वर्ष है.

II. *S* की आयु *R* की आयु से 10 वर्ष कम है.

4. 10 वर्ष बाद *C* की आयु कितनी होगी?

I. 5 वर्ष पूर्व *A* तथा *B* की औसत आयु 15 वर्ष थी.

II. *A, B, C* की वर्तमान औसत आयु 20 वर्ष है.

5. अध्यापक तथा विद्यार्थियों की औसत आयु, विद्यार्थियों की औसत आयु से 3 वर्ष अधिक है. अध्यापक की आयु कितनी है? **(बैंक पी०ओ० परीक्षा, 2010)**

I. कक्षा में 11 छात्र हैं.

II. अध्यापक तथा छात्रों की औसत आयु 14 वर्ष है.

6. दिये गये समूह में कितने बच्चे हैं? **(बैंक पी०ओ० परीक्षा, 2011)**

I. समूह के बच्चों की औसत आयु 15 वर्ष है. इस समूह के सभी बच्चों की आयु का योग 240 वर्ष है.

II. इस समूह के सभी बच्चों तथा अध्यापक की आयु का योग 264 वर्ष है अध्यापक की आयु बच्चों की औसत आयु से 9 वर्ष अधिक है.

7. एक टीम में 3 नये सदस्यों का औसत भार कितना है?

I. नये सदस्यों के आने से टीम के औसत भार में 20 किग्रा० की वृद्धि हो जाती है.

II. तीन नये सदस्य जिन तीन पुराने सदस्यों के स्थान पर लिये गये हैं उनके भार क्रमशः 64 किग्रा०, 75 किग्रा० तथा 66 किग्रा० थे.

8. शेष कक्षा का औसत भार कितना है?

I. कक्षा के 46 में से 30 छात्रों का औसत भार 22·5 किग्रा० है तथा शेष छात्रों का औसत भार 29·125 किग्रा० है. एक बच्चे का 40 किग्रा० से अधिक भार है, उसे सम्मिलित नहीं किया गया है.

II. 46 बच्चों की कक्षा का औसत भार 23·5 किग्रा० है. एक 46 किग्रा० भार के बच्चे के भार को छोड़ दिया गया है.

9. तीन पैनलों *A, B, C* में से *A* द्वारा प्रतिदिन कितने अभ्यर्थियों का साक्षात्कार किया गया?

I. औसतन तीन पैनल प्रतिदिन 15 अभ्यर्थियों का साक्षात्कार लेते हैं.

II. तीनों पैनलों द्वारा 45 अभ्यर्थियों का साक्षात्कार प्रतिदिन लिया जाता है, जिसमें पैनल *A* के अभ्यर्थियों की संख्या पैनल *C* के अभ्यर्थियों से 2 अधिक तथा पैनल *B* के अभ्यर्थियों से एक अधिक है.

निर्देश (प्रश्न 10-12) : नीचे दिये गये प्रश्नों में प्रत्येक प्रश्न के साथ तीन कथन दिये गये हैं. ज्ञात करना है कि दिये गये प्रश्न का उत्तर देने हेतु कौन-कौन से कथन अनिवार्य हैं?

10. तरुण ने अंग्रेजी में कितने अंक प्राप्त किये? **(बैंक पी०ओ० परीक्षा, 2010)**

I. अंग्रेजी सहित चार विषयों में तरुण के औसत प्राप्तांक 60 हैं.

II. अंग्रेजी तथा गणित में उसने कुल 170 अंक प्राप्त किये.

III. गणित तथा विज्ञान में उसने कुल 180 अंक प्राप्त किये.

(*a*) केवल I तथा II (*b*) केवल II तथा III

(*c*) केवल I तथा III (*d*) I, II, III सभी

(*e*) इनमें से कोई नहीं

11. सोमवार से बुधवार तक औसत तापमान 37°C था तथा मंगलवार से बृहस्पतिवार तक औसत तापमान 34° था. बृहस्पतिवार को तापमान कितना था?

I. बृहस्पतिवार को तापमान सोमवार के तापमान का $\frac{4}{5}$ था.

II. सोमवार तथा बृहस्पतिवार का औसत तापमान 40·5°C था.

III. सोमवार तथा बृहस्पतिवार के तापमान का अन्तर 9°C था.

(*a*) केवल I तथा II

(*b*) केवल II तथा III

(*c*) I अथवा II

(*d*) I तथा (II अथवा III)

(*e*) तीनों में से कोई दो

12. क्रिकेट के 11 खिलाड़ियों की औसत आयु 28 वर्ष है. कप्तान की आयु कितनी है?

I. कप्तान सबसे छोटे खिलाड़ी से 11 वर्ष बड़ा है.

II. कप्तान को छोड़कर शेष 10 खिलाड़ियों की औसत आयु 27·3 वर्ष है.

III. कप्तान तथा सबसे छोटे खिलाड़ी को छोड़कर शेष खिलाड़ियों के तीन-तीन के समूहों की औसत आयु क्रमशः 25 वर्ष, 28 वर्ष तथा 30 वर्ष है.

(*a*) तीनों में से कोई दो

(*b*) I, II तथा III सभी

(*c*) केवल II अथवा (केवल I तथा III)

(*d*) केवल II तथा III

(*e*) इनमें से कोई नहीं

निर्देश: नीचे दिये प्रश्न में एक प्रश्न के साथ तीन कथन दिये गये हैं. इनमें से निरर्थक कथन ही मुख्य प्रश्न का उत्तर होगा.

13. 15 कर्मचारियों का औसत वेतन कितना है?

(बैंक पी०ओ० परीक्षा, 2011)

I. इनमें 7 क्लर्कों का औसत वेतन ₹ 8500 है.

II. इनमें 5 अफसरों का औसत वेतन ₹ 10000 है.

III. इनमें 3 निम्न-स्तर कर्मचारियों का औसत वेतन ₹ 2500 है.

(*a*) कोई नहीं

(*b*) केवल I

(*c*) केवल II

(*d*) केवल III

(*e*) इस प्रश्न का उत्तर संभव नहीं

उत्तरमाला

1. (*a*) **2.** (*d*) **3.** (*d*) **4.** (*e*) **5.** (*e*) **6.** (*a*) **7.** (*d*) **8.** (*b*) **9.** (*b*) **10.** (*e*)
11. (*c*) **12.** (*c*) **13.** (*a*)

दिये गये प्रश्नों के हल

1. अगले वर्ष 50 कर्मचारियों की आयु का योग

$= [(50 \times 30) + 50]$ वर्ष $= 1550$ वर्ष.

I से, अगले वर्ष 10 कर्मचारियों की आयु का योग

$= (60 \times 10)$ वर्ष $= 600$ वर्ष.

अगले वर्ष, 40 कर्मचारियों की आयु का योग

$= (1550 - 600)$ वर्ष $= 950$ वर्ष.

अगले वर्ष इनकी औसत आयु $= \frac{950}{40}$ वर्ष.

$\therefore$ दिये गये प्रश्न के उत्तर के लिए I पर्याप्त है तथा II पर्याप्त नहीं.

अतः सही उत्तर (*a*) है.

2. $A + B + C + D = 96$ वर्ष ...(*i*)

I से, $A + B + D = (20 \times 3) = 60$ वर्ष ...(*ii*)

II से, $C + D = (25 \times 2) = 50$ वर्ष ...(*iii*)

स्पष्ट है कि (*i*), (*ii*), (*iii*) से भी B की आयु ज्ञात नहीं की जा सकती.

अतः सही उत्तर (*d*) है.

3. $P + Q + R + S = (30 \times 4)$ वर्ष $= 120$ वर्ष ...(*i*)

I से, $P + R = 60$ वर्ष ...(*ii*)

II से, $R - S = 10$ वर्ष ...(*iii*)

स्पष्ट है कि (*i*), (*ii*), (*iii*) से भी R की आयु ज्ञात नहीं की जा सकती.

अतः सही उत्तर (*d*) है.

4. I से, $(A + B)$ की वर्तमान आयु $= [(15 \times 2) + (5 \times 2)]$ वर्ष $= 40$ वर्ष $\Rightarrow A + B = 40$ ...(*i*)

II से, $(A + B + C)$ की वर्तमान आयु $= (20 \times 3)$ वर्ष $= 60$ वर्ष $\Rightarrow A + B + C = 60$ ...(*ii*)

(*i*) तथा (*ii*) से, $C = 20$.

10 वर्ष बाद C की आयु $= (20 + 10)$ वर्ष $= 30$ वर्ष.

अतः सही उत्तर (*e*) है.

5. II तथा I से:

(11 छात्र + अध्यापक) की औसत आयु = 14 वर्ष.

$\Rightarrow$ (11 छात्र + अध्यापक) की कुल आयु $= (14 \times 12)$ वर्ष $= 168$ वर्ष.

11 छात्रों की औसत आयु $= (14 - 3)$ वर्ष $= 11$ वर्ष.

11 छात्रों की कुल आयु $= (11 \times 11)$ वर्ष $= 121$ वर्ष.

अध्यापक की आयु $= (168 - 121)$ वर्ष $= 47$ वर्ष.

अतः सही उत्तर (*e*) है.

6. माना समूह में बच्चों की संख्या $= x$.

I से, औसत आयु = 15 वर्ष.

$\therefore$ कुल आयु $= (15x)$ वर्ष

$\therefore 15x = 240 \Leftrightarrow x = 16$.

अतः इस समूह में 16 बच्चे हैं.

II से, x बच्चों तथा 1 अध्यापक की आयु की योग = 264 वर्ष.

अध्यापक की आयु = (15 + 9) वर्ष = 24 वर्ष.

x बच्चों की आयु का योग = (264 – 24) वर्ष = 240 वर्ष.

इससे x का मान ज्ञात नहीं किया जा सकता.

अत: सही उत्तर (*a*) है.

7. माना टीम में सदस्यों की संख्या = x.

I. तीन पुराने सदस्यों के स्थान पर नये सदस्य आने पर भार में कुल वृद्धि = $(20x)$ किग्रा०.

II. तीन नये सदस्यों का कुल भार = $(64 + 75 + 66 + 20x)$ किग्रा० = $(205 + 20x)$ किग्रा०.

$$\text{अभीष्ट औसत} = \left(\frac{205+20x}{3}\right) \text{ किग्रा०.}$$

स्पष्ट है कि यह उत्तर प्राप्त करने हेतु x का जानना आवश्यक है.

अत: सही उत्तर (*d*) है.

8. I. 46 बच्चों का कुल भार

$= \{(22{\cdot}50 \times 30) + (29{\cdot}125 \times 16)\}$ किग्रा० = 1141 किग्रा०.

छोड़ा गया भार बिल्कुल सही नहीं है, अत: शेष कक्षा का औसत भार ज्ञात नहीं किया जा सकता.

II. 45 बच्चों का कुल भार = $[(23{\cdot}5 \times 46) - 46]$ किग्रा०

= 1035 किग्रा०.

$$\text{45 बच्चों का औसत भार} = \left(\frac{1035}{45}\right) \text{ किग्रा०} = 23 \text{ किग्रा०.}$$

$\therefore$ II में दिये गये आँकड़े दिये गये प्रश्न हेतु पर्याप्त हैं, जबकि I के आँकड़े पर्याप्त नहीं.

अत: सही उत्तर (*b*) है.

9. I से, तीनों पैनलों द्वारा साक्षात्कार किये गये कुल अभ्यर्थियों की संख्या = (15 × 3) = 45.

II से, माना C द्वारा x साक्षात्कार लिया गया.

तब A द्वारा साक्षात्कार किये अभ्यर्थियों की संख्या = $(x + 2)$.

B द्वारा साक्षात्कार किये गये अभ्यर्थियों की संख्या = $(x + 1)$.

$\therefore \quad x + (x + 2) + (x + 1) = 45 \Leftrightarrow 3x = 42 \Leftrightarrow x = 14.$

$\therefore \quad A$ द्वारा साक्षात्कार किये गये अभ्यर्थियों की संख्या = 16.

अत: सही उत्तर (*b*) है.

10. I से, चारों विषयों में कुल प्राप्तांक = (60 × 4) = 240.

II से, $E + M = 170$

III से, $M + S = 180$

$\therefore$ (*a*), (*b*), (*c*), (*d*) में से कोई सत्य नहीं है.

अत: सही उत्तर (*e*) है.

11. सोम + मंगल + बुध = (37 × 3) = 111

$\Rightarrow \quad M + T + W = 111 \quad \ldots(i)$

मंगल + बुध + बृहस्प0 = (34 × 3) = 102

$\Rightarrow T + W + Th = 102 \quad \ldots(ii)$

I से, $\quad Th = \frac{4}{5}M \Rightarrow M = \frac{5}{4}Th \quad \ldots(iii)$

(*iii*) का (*i*) में प्रयोग करने पर, $\frac{5}{4}Th + T + W = 111 \quad \ldots(iv)$

(*iv*) में से (*ii*) घटाने पर: $\frac{1}{4}Th = 9 \Rightarrow Th = 36.$

अत: केवल I से उत्तर प्राप्त हुआ.

II से, $M + Th = (40{\cdot}5 \times 2) = 81 \Rightarrow M + Th = 81 \quad \ldots(v)$

(*i*) में से (*ii*) घटाने पर, $M - Th = 9 \quad \ldots(vi)$

(*v*) तथा (*vi*) को हल करने पर, $Th = 36$.

अत: केवल II से उत्तर प्राप्त हुआ.

III से, $M - Th = 9$

III को अन्य के साथ मिलाकर भी उत्तर प्राप्त नहीं होता.

अत: सही उत्तर (*c*) है.

12. 11 खिलाड़ियों की कुल आयु का योग = (28 × 11) वर्ष = 308 वर्ष.

I से, $C = Y + 11 \Leftrightarrow C - Y = 11 \quad \ldots(i)$

II से, कप्तान को छोड़कर शेष 10 खिलाड़ियों की कुल आयु

= (27·3 × 10) वर्ष = 273 वर्ष.

$\therefore$ कप्तान की आयु = (308 – 273) वर्ष = 35 वर्ष.

अत: $C = 35$.

इसे (*i*) में रखने पर, $Y = 24$. अत: केवल II से उत्तर प्राप्त हुआ.

III से, 9 खिलाड़ियों की कुल आयु का योग

= [(25 × 3) + (28 × 3) + (30 × 3)] वर्ष = 249 वर्ष.

$\therefore C + Y = (308 - 249) \Leftrightarrow C + Y = 59 \quad \ldots(ii)$

अत: (*i*) तथा (*ii*) से $C = 35$.

$\therefore$ I तथा III से उत्तर प्राप्त हुआ.

अत: सही उत्तर (*c*) है.

13. I से, 7 क्लर्कों का कुल वेतन = ₹ (8500 × 7) = ₹ 59500.

II से, 5 अफसरों का कुल वेतन = ₹ (10000 × 5) = ₹ 50000.

III से, 3 निम्न-स्तर कर्मचारियों का कुल वेतन = ₹ (2500 × 3) = ₹ 7500.

15 कर्मचारियों का कुल वेतन = ₹ (59500 + 50000 + 7500)

= ₹ 117000.

$$\text{औसत वेतन} = ₹\ \frac{117000}{15} = ₹\ 7800.$$

सभी दिये गये कथन आवश्यक हैं. कोई भी कथन निरर्थक नहीं है.

अत: सही उत्तर (*a*) है.

8 संख्याओं पर आधारित प्रश्न
(PROBLEMS ON NUMBERS)

साधित उदाहरण

प्रश्न 1. किसी संख्या का 30% यदि 12.6 हो, तो संख्या ज्ञात कीजिए.

हल: माना अभीष्ट संख्या $= x$. तब x का 30% $= 12{\cdot}6$.

$$\therefore \quad \left(x \times \frac{30}{100}\right) = 12{\cdot}6 \Leftrightarrow x = \left(12{\cdot}6 \times \frac{100}{30}\right) = 42.$$

अत: अभीष्ट संख्या = 42.

प्रश्न 2. किसी संख्या का 40%, संख्या के $\frac{3}{5}$ भाग से 15 कम है. इस संख्या का 80% क्या होगा?

हल: माना अभीष्ट संख्या $= x$. तब, $\frac{3x}{5} - (x \text{ का } 40\%) = 15$.

$$\therefore \quad \frac{3x}{5} - \left(x \times \frac{40}{100}\right) = 15 \Leftrightarrow \left(\frac{3x}{5} - \frac{2x}{5}\right) = 15 \Leftrightarrow \frac{x}{5} = 15 \Leftrightarrow x = 75.$$

$\therefore$ दी गई संख्या का 80% = (75 का 80%) $= \left(75 \times \frac{80}{100}\right) = 60.$

प्रश्न 3. किसी संख्या को 783 से भाग देने पर 48 शेष बचता है. उसी संख्या को 29 से भाग देने पर शेषफल क्या होगा?

हल: माना दी गई संख्या को 783 से भाग देने पर भागफल $= Q$ तथा शेषफल = 48.

तब, दी गई संख्या $= (783\,Q + 48) = (29 \times 27Q) + (29 \times 1) + 19 = 29 \times (27Q + 1) + 19.$

अत: दी गई संख्या को 29 से भाग देने पर शेषफल = 19.

प्रश्न 4. दो संख्याओं का योग 32 तथा गुणनफल 252 है. इन संख्याओं का अन्तर ज्ञात कीजिए.

हल: माना अभीष्ट संख्याएँ a तथा b हैं. तब, $(a + b) = 32$ तथा $ab = 252$.

$$\therefore \quad (a - b) = \sqrt{(a+b)^2 - 4ab} = \sqrt{(32)^2 - (4 \times 252)} = \sqrt{1024 - 1008} = \sqrt{16} = 4.$$

अत: अभीष्ट अन्तर = 4.

प्रश्न 5. दो संख्याएँ 5 : 7 के अनुपात में हैं. प्रत्येक संख्या में 8 जोड़ने पर नई संख्याओं का अनुपात 3 : 4 हो जाता है. मूल संख्याएँ ज्ञात कीजिए.

हल: माना अभीष्ट संख्याएँ $5x$ तथा $7x$ हैं.

तब, $\frac{5x+8}{7x+8} = \frac{3}{4} \Leftrightarrow 4(5x + 8) = 3(7x + 8) \Leftrightarrow x = 8.$

अत: अभीष्ट संख्याएँ 40 तथा 56 हैं.

प्रश्न 6. तीन संख्याएँ 4 : 5 : 6 के अनुपात में हैं तथा इनका औसत 25 है. संख्याएँ ज्ञात कीजिए.

हल: दी गई संख्याओं का योग $= (25 \times 3) = 75$.

माना दी गई संख्याएँ $4x$, $5x$ तथा $6x$ हैं.

तब, $(4x + 5x + 6x) = 75 \Leftrightarrow 15x = 75 \Leftrightarrow x = 5.$

अत: अभीष्ट संख्याएँ हैं 20, 25 तथा 30.

प्रश्न 7. दो संख्याओं का योग 22 है तथा इनके वर्गों का योग 250 है. संख्याएँ ज्ञात कीजिए.

हल: माना अभीष्ट संख्याएँ x तथा $(22 - x)$ हैं.

तब, $x^2 + (22 - x)^2 = 250 \Leftrightarrow 2x^2 - 44x + 484 = 250 \Leftrightarrow 2x^2 - 44x + 234 = 0 \Leftrightarrow x^2 - 22x + 117 = 0$

$\Leftrightarrow (x - 13)(x - 9) = 0 \Leftrightarrow x = 13$ अथवा $x = 9$.

अत: अभीष्ट संख्याएँ 13 तथा 9 हैं.

प्रश्न 8. किसी भिन्न का हर उसके अंश से 11 अधिक है. इस भिन्न के अंश तथा हर में से प्रत्येक में 8 जोड़ने पर $\frac{3}{4}$ प्राप्त होता है. भिन्न ज्ञात कीजिए.

हल: माना दी गई भिन्न का अंश $= x$ तथा हर $= (x + 11)$.

तब, $\frac{x+8}{(x+11)+8} = \frac{3}{4} \Rightarrow \frac{x+8}{x+19} = \frac{3}{4} \Leftrightarrow 4x + 32 = 3x + 57 \Leftrightarrow x = 25.$

अत: अभीष्ट भिन्न $= \frac{25}{36}$.

प्रश्न 9. एक संख्या दो अंकों से बनी है. इसके अंकों का अन्तर 1 है. इस संख्या के अंकों को पलटने से प्राप्त संख्या मूल संख्या से 9 कम है. मूल संख्या ज्ञात कीजिए. (बैंक पी०ओ० परीक्षा, 2015)

हल: स्पष्ट है कि दी गई संख्या में दहाई का अंक इकाई के अंक से बड़ा है.

माना दहाई का अंक $= x$. तब, इकाई का अंक $= (x - 1)$.

$$[10x + (x - 1)] - [10(x - 1) + x] = 9 \Leftrightarrow (11x - 1) - (11x - 10) = 9.$$

स्पष्ट है कि x का मान ज्ञात नहीं किया जा सकता.

अत: मूल संख्या ज्ञात नहीं की जा सकती.

प्रश्न 10. दो अंकों की एक संख्या अंकों के योग से तिगुनी है. यदि संख्या में 45 जोड़ दिये जायें तो अंक पलट जाते हैं. संख्या ज्ञात कीजिए.

हल: माना दी गई संख्या का दहाई अंक $= x$ तथा इकाई अंक $= y$.

तब, $10x + y = 3(x + y) \Leftrightarrow 7x - 2y = 0$ ...(i)

$10x + y + 45 = 10y + x \Leftrightarrow 9(y - x) = 45 \Leftrightarrow y - x = 5$ ...(ii)

अब, (i) तथा (ii) को हल करने पर $x = 2$ तथा $y = 7$.

अत: अभीष्ट संख्या = 27.

प्रश्नमाला 8A

1. किसी संख्या तथा उसके $\frac{3}{5}$ वें भाग का अन्तर 50 है. वह संख्या कौन-सी है? (बैंक पी०ओ० परीक्षा, 2013)

(a) 75 (b) 100 (c) 125 (d) इनमें से कोई नहीं

2. एक संख्या का $\frac{5}{7}$ का $\frac{2}{3}$ का $\frac{3}{4}$ यदि 15 हो, तो उस संख्या का आधा कितना होगा? (बैंक पी०ओ० परीक्षा, 2014)

(a) 21 (b) 25 (c) 26 (d) 42 (e) इनमें से कोई नहीं

3. एक संख्या का नौवाँ भाग अपने दसवें भाग से 4 अधिक है. वह संख्या कौन-सी है? (पुलिस सब-इन्सपैक्टर परीक्षा, 2014)

(a) 320 (b) 360 (c) 400 (d) 440

4. एक संख्या को 11 से गुणा करने पर प्राप्त संख्या 180 से उतनी अधिक हो जाती है जितनी वह संख्या 180 से कम थी. वह संख्या कौन-सी है? (बैंक पी०ओ० परीक्षा, 2014)

(a) 25 (b) 30 (c) 40 (d) 45 (e) इनमें से कोई नहीं

5. एक संख्या के दुगुने में 9 जोड़ने से प्राप्त संख्या का तीन गुना 75 है. वह संख्या कौन-सी है?

(a) 3·5 (b) 6 (c) 8 (d) इनमें से कोई नहीं

6. किसी धनात्मक पूर्णांक का वर्ग अपने 5 गुने से 14 अधिक है. वह पूर्णांक क्या है? (बैंक पी०ओ० परीक्षा, 2014)

(a) 2 (b) 4 (c) 7 (d) ज्ञात नहीं किया जा सकता (e) इनमें से कोई नहीं

7. किसी धनात्मक पूर्णांक का 15 गुना इस पूर्णांक के वर्ग से 16 कम है. पूर्णांक क्या है? (बैंक पी०ओ० परीक्षा, 2013)

(a) 12 (b) 15 (c) 16 (d) ज्ञात नहीं किया जा सकता (e) इनमें से कोई नहीं

8. किसी संख्या का 23 गुना अपने वर्ग के दुगुने से 63 अधिक है. वह संख्या कौन-सी है? (बैंक पी०ओ० परीक्षा, 2014)

(a) 8 अथवा $\frac{7}{2}$ (b) 7 अथवा $\frac{9}{2}$ (c) 9 अथवा $\frac{3}{2}$ (d) 10 अथवा $\frac{1}{2}$ (e) 11 अथवा $\frac{5}{2}$

9. एक संख्या के वर्ग का दुगुना संख्या के 11 गुने से 21 अधिक है. वह संख्या क्या है? **(बैंक पी०ओ० परीक्षा, 2014)**

(*a*) $\frac{9}{2}$ अथवा -4 (*b*) 3 अथवा $-\frac{7}{2}$

(*c*) 7 अथवा $-\frac{3}{2}$ (*d*) 4 अथवा $-\frac{5}{2}$

(*e*) इनमें से कोई नहीं

10. किसी धनात्मक संख्या में से 4 घटाने पर यह अपने व्युत्क्रम का 21 गुना हो जाती है. वह संख्या क्या है?

(*a*) 5 (*b*) 4

(*c*) 7 (*d*) 8

(*e*) इनमें से कोई नहीं

11. एक प्राकृत संख्या के वर्ग के तिगुने में से संख्या का चार गुना घटाने पर संख्या से 50 अधिक प्राप्त होता है. वह संख्या क्या है? **(एस०एस०सी० परीक्षा, 2013)**

(*a*) 4 (*b*) 5

(*c*) 6 (*d*) 10

12. ऐसी संख्या कौन-सी है जिसे 15 से गुणा करने पर इसमें 196 की वृद्धि हो जाती है? **(जीवन बीमा निगम परीक्षा, 2013)**

(*a*) 14 (*b*) 20

(*c*) 26 (*d*) 28

13. एक संख्या को 4 से भाग देने पर प्राप्त भागफल दी गई संख्या से 21 कम है. वह संख्या क्या है?

(*a*) 18 (*b*) 20

(*c*) 28 (*d*) 38

14. यदि किसी संख्या में से 4 घटाकर शेषफल को 6 से भाग दें तो 8 प्राप्त होता है. उस संख्या में से 2 घटाने पर प्राप्त शेषफल को 5 से भाग देने पर प्राप्त संख्या क्या होगी?

(*a*) $9\frac{2}{3}$ (*b*) 10

(*c*) $10\frac{1}{5}$ (*d*) $11\frac{1}{5}$

(*e*) इनमें से कोई नहीं

15. किसी संख्या का दुगुना करके उसमें 20 जोड़ने पर वही संख्या प्राप्त होती है जो दी गई संख्या को 8 से गुणा करके गुणनफल में से 4 घटाने पर प्राप्त होती है. मूल संख्या क्या है? **(एस०एस०सी० परीक्षा, 2010)**

(*a*) 2 (*b*) 3

(*c*) 4 (*d*) 6

16. यदि किसी संख्या के दो-तिहाई में से 50 घटाने पर प्राप्त संख्या मूल संख्या के एक-चौथाई में 40 जोड़ने से प्राप्त संख्या के बराबर हो, तो मूल संख्या क्या है? **(रेलवे परीक्षा, 2012)**

(*a*) 174 (*b*) 216

(*c*) 246 (*d*) 336

17. किसी धनात्मक पूर्णांक का 20 गुना इस पूर्णांक के वर्ग से 96 कम है. वह पूर्णांक क्या है? **(बैंक पी०ओ० परीक्षा, 2013)**

(*a*) 20 (*b*) 24

(*c*) 30 (*d*) ज्ञात नहीं किया जा सकता

(*e*) इनमें से कोई नहीं

18. किसी धनात्मक पूर्णांक तथा इसके वर्ग का योग 182 है. वह पूर्णांक क्या है?

(*a*) 15 (*b*) 26

(*c*) 28 (*d*) 91

(*e*) इनमें से कोई नहीं

19. किसी धनात्मक संख्या का दो-तिहाई तथा इस संख्या के व्युत्क्रम का $\frac{25}{216}$ परस्पर बराबर हैं. वह संख्या कौन-सी है?

(*a*) $\frac{5}{12}$ (*b*) $\frac{12}{5}$

(*c*) $\frac{25}{144}$ (*d*) $\frac{144}{25}$

(*e*) इनमें से कोई नहीं

20. एक धनात्मक संख्या तथा इसके व्युत्क्रम का योग इस संख्या तथा इसके व्युत्क्रम के अन्तर का तीन गुना है. वह संख्या क्या है?

(*a*) $\sqrt{2}$ (*b*) $\sqrt{3}$

(*c*) $\frac{1}{\sqrt{2}}$ (*d*) $\frac{1}{\sqrt{3}}$

21. वह कौन-सी संख्या है जिसके तीसरे भाग को उसके आठवें भाग से गुणा करने पर 864 प्राप्त हो? **(जीवन बीमा निगम परीक्षा, 2013)**

(*a*) 144 (*b*) 216

(*c*) 256 (*d*) 324

22. किसी प्राकृत संख्या में उसका व्युत्क्रम जोड़ने पर 34 का $\frac{1}{8}$ प्राप्त होता है. उस संख्या तथा उसके वर्गमूल का गुणनफल क्या होगा?

(*a*) 8 (*b*) 27

(*c*) 32 (*d*) इनमें से कोई नहीं

23. किसी संख्या के आधे तथा पाँचवें भाग का योग इस संख्या के एक-तिहाई से $7\frac{1}{3}$ अधिक है. वह संख्या क्या है?

(*a*) 15 (*b*) 18

(*c*) 20 (*d*) 30

24. किसी संख्या के एक-तिहाई के तीन-चौथाई का पाँचवाँ भाग 24 है. इस संख्या का 10% कितना होगा?

(*a*) 24 (*b*) 34

(*c*) 48 (*d*) 470

(*e*) इनमें से कोई नहीं

25. कौन-सी संख्या ऐसी है जिसे 17 से गुणा करने पर इसमें 640 की वृद्धि हो जाती है?
(a) 36 (b) 40
(c) 42 (d) इनमें से कोई नहीं

26. किसी संख्या में $2\frac{1}{2}$ जोड़कर प्राप्त योगफल को $4\frac{1}{2}$ से गुणा करके प्राप्त गुणनफल में 3 जोड़ने से प्राप्त संख्या को $1\frac{1}{5}$ से भाग देने पर, 25 प्राप्त होता है. वह संख्या क्या है?
(रेलवे परीक्षा, 2012)
(a) $2\frac{1}{2}$ (b) $3\frac{1}{2}$
(c) $4\frac{1}{2}$ (d) $5\frac{1}{2}$
(e) इनमें से कोई नहीं

27. किसी संख्या में से 30 घटाने पर यह अपनी एक-चौथाई रह जाती है. वह संख्या क्या है?
(a) 40 (b) 60
(c) 80 (d) 90
(e) इनमें से कोई नहीं

28. तीन क्रमागत धन पूर्णांकों का योग 87 है. इनमें सबसे बड़ा पूर्णांक कौन-सा है? (होटल मैनेजमैन्ट परीक्षा, 2013)
(a) 26 (b) 28
(c) 29 (d) 30

29. चार क्रमागत समपूर्णांकों का योग 1284 है. इनमें सबसे बड़ा पूर्णांक कौन-सा है? (एस०एस०सी० परीक्षा, 2012)
(a) 320 (b) 322
(c) 324 (d) 326

30. एक संख्या का $\frac{1}{5}$ दूसरी संख्या के $\frac{5}{8}$ के बराबर है. यदि पहली संख्या में 35 जोड़ दें तो वह दूसरी संख्या का चार गुना हो जाता है. दूसरी संख्या क्या है?
(a) 25 (b) 40
(c) 70 (d) 125

31. दो संख्याओं का अन्तर बड़ी संख्या के 20% के बराबर है. यदि छोटी संख्या 12 हो, तो बड़ी संख्या क्या होगी?
(a) 15 (b) 16
(c) 18 (d) 20

32. दो संख्याओं का योग 25 तथा अन्तर 13 है. इनका गुणनफल कितना है? (जीवन बीमा निगम परीक्षा, 2013)
(a) 104 (b) 114
(c) 315 (d) 325

33. दो संख्याओं का गुणनफल 9375 है तथा बड़ी संख्या को छोटी संख्या से भाग देने पर भागफल 15 प्राप्त है. इन संख्याओं का योग कितना है? (एस०एस०सी० परीक्षा, 2014)
(a) 380 (b) 395
(c) 400 (d) 425

34. दो संख्याओं का गुणनफल 11520 है तथा उनका भागफल $\frac{9}{5}$ है. इन संख्याओं का अन्तर कितना है?
(एस०एस०सी० परीक्षा, 2012)
(a) 60 (b) 64
(c) 70 (d) 74

35. दो संख्याओं का गुणनफल 192 तथा योगफल 28 है. इनमें से छोटी संख्या क्या है?
(a) 12 (b) 14
(c) 16 (d) 18
(e) इनमें से कोई नहीं

36. यदि दो संख्याओं का योगफल 42 तथा गुणनफल 437 हो, तो इन संख्याओं का अन्तर कितना होगा?
(एस०एस०सी० परीक्षा, 2013)
(a) 3 (b) 4
(c) 5 (d) 7

37. दो क्रमागत सम संख्याओं के वर्गों का अन्तर 84 है. इन संख्याओं का योग क्या होगा? (एस०एस०सी० परीक्षा, 2013)
(a) 34 (b) 38
(c) 42 (d) 46

38. दो संख्याओं का योगफल 12 तथा गुणनफल 35 है. इनके व्युत्क्रमों का योग क्या होगा?
(a) $\frac{35}{12}$ (b) $\frac{12}{35}$
(c) $\frac{1}{5}$ (d) $\frac{5}{21}$

39. यदि दो संख्याओं का योगफल 3 तथा इनके वर्गों का योग 12 हो, तो इन संख्याओं का गुणनफल क्या होगा?
(a) $-\frac{2}{3}$ (b) $-\frac{3}{2}$
(c) $\frac{2}{3}$ (d) $\frac{3}{2}$

40. तीन क्रमागत प्राकृत संख्याओं के वर्गों का योग 2030 है. इनमें बीच वाली संख्या कौन-सी होगी?
(एस०एस०सी० परीक्षा, 2013)
(a) 25 (b) 26
(c) 27 (d) 28

41. वे दो संख्याएँ कौन-सी हैं जिनमें बड़ी में से छोटी घटाने पर तथा बड़ी को छोटी से भाग देने पर प्रत्येक दशा में 5 प्राप्त हो? (बैंक पी०ओ० परीक्षा, 2014)
(a) 12 तथा 7 (b) 11 तथा 6
(c) 15 तथा $\frac{15}{2}$ (d) $\frac{25}{4}$ तथा $\frac{5}{4}$

42. दो संख्याएँ ऐसी हैं कि पहली के दुगुने तथा दूसरी के तिगुने का योग 39 है, जबकि पहली के तिगुने तथा दूसरी का योग 36 है. इनमें से बड़ी संख्या कौन-सी है?

(*a*) 6 (*b*) 8
(*c*) 9 (*d*) 12

43. दो धन पूर्णांकों का गुणनफल 120 है तथा इनके वर्गों का योग 289 है. इन संख्याओं का योग कितना है? **(रेलवे परीक्षा, 2014)**
(*a*) 20 (*b*) 23
(*c*) 169 (*d*) इनमें से कोई नहीं

44. दो धन पूर्णांकों का अन्तर 3 है तथा इन पूर्णांकों के वर्गों का योग 369 है. इन पूर्णांकों का योग कितना है? **(एस०एस०सी० परीक्षा, 2013)**
(*a*) 25 (*b*) 27
(*c*) 33 (*d*) 81

45. यदि दो संख्याओं का योग 22 हो तथा इनके वर्गों का योग 404 हो, तो इन संख्याओं का गुणनफल क्या होगा?
(*a*) 40 (*b*) 44
(*c*) 80 (*d*) 88

46. दो संख्याओं का गुणनफल 45 है तथा इनके वर्गों का योग 106 है. ये संख्याएँ हैं: **(रेलवे ग्रेड परीक्षा, 2012)**
(*a*) 5 तथा 3 (*b*) 9 तथा 5
(*c*) 19 तथा 5 (*d*) 45 तथा 1

47. दो संख्याओं के वर्गों का योग 3341 है तथा इन संख्याओं के वर्गों का अन्तर 891 है. ये संख्याएँ हैं:
(*a*) 36, 25 (*b*) 46, 25
(*c*) 46, 35 (*d*) इनमें से कोई नहीं

48. तीन संख्याओं के वर्गों का योग 138 है तथा सभी संभव जोड़ों के गुणनफलों का योग 131 है. इन संख्याओं का योग कितना है?
(*a*) 20
(*b*) 30
(*c*) 40
(*d*) इनमें से कोई नहीं

49. दो संख्याओं का अनुपात 4 : 7 है. प्रत्येक संख्या में 8 जोड़ने पर नई संख्याओं का अनुपात 3 : 5 हो जाता है. इनमें से बड़ी संख्या कौन-सी है?
(*a*) 91 (*b*) 98
(*c*) 112 (*d*) 126

50. तीन संख्याओं का योग 68 है. यदि पहली तथा दूसरी संख्याओं का अनुपात 2 : 3 तथा दूसरी और तीसरी संख्याओं का अनुपात 5 : 3 हो, तो दूसरी संख्या क्या होगी?
(*a*) 30 (*b*) 28
(*c*) 20 (*d*) 24

51. तीन संख्याएँ 4 : 5 : 6 के अनुपात में हैं तथा उनका औसत 25 है. इनमें से सबसे बड़ी संख्या कौन-सी है?
(*a*) 30 (*b*) 32
(*c*) 36 (*d*) 42

52. तीन संख्याएँ 3 : 4 : 6 के अनुपात में हैं तथा उनका गुणनफल 1944 है. इनमें से सबसे बड़ी संख्या कौन-सी है?
(*a*) 6 (*b*) 12
(*c*) 18 (*d*) इनमें से कोई नहीं

53. दो संख्याओं का अनुपात 3 : 4 है. यदि बड़ी संख्या का वर्ग छोटी संख्या के वर्ग के 8 गुने से 224 कम हो, तो ये संख्याएँ हैं:
(*a*) 6, 8 (*b*) 12, 16
(*c*) 15, 20 (*d*) इनमें से कोई नहीं

54. यदि 243 को तीन भागों में इस प्रकार बाँटा जाये कि प्रथम भाग का आधा, दूसरे भाग का एक-तिहाई तथा तीसरे भाग का एक चौथाई बराबर हों, तो सबसे बड़ा भाग कितना है?
(*a*) 74 (*b*) 86
(*c*) 92 (*d*) 108

55. यदि 3 के तीन क्रमागत गुणजों का योग 90 हो, तो इनमें से सबसे बड़ी संख्या क्या होगी?
(*a*) 27 (*b*) 24 (*c*) 39 (*d*) 33

56. 31 को दो भागों में इस प्रकार विभक्त किया गया है कि पहले भाग के 5 गुने तथा दूसरे भाग के 7 गुने का योग 181 है. दूसरा भाग क्या है?
(*a*) 13 (*b*) 14
(*c*) 17 (*d*) 18

57. तीन संख्याओं में से पहली दो का योग 45 है, दूसरी तथा तीसरी का योग 55 है तथा तीसरी संख्या और पहली संख्या के तिगुने का योग 90 है. तीसरी संख्या क्या है?
(*a*) 20 (*b*) 25
(*c*) 30 (*d*) 33
(*e*) इनमें से कोई नहीं

58. दो अंकों की एक संख्या अपने अंकों के योग से तिगुनी है. यदि संख्या में 45 जोड़ दिया जाये तो अंक पलट जाते हैं. वह संख्या कौन-सी है? **(जीवन बीमा निगम परीक्षा, 2013)**
(*a*) 23 (*b*) 27
(*c*) 32 (*d*) 72

59. दो अंकों से बनी एक संख्या के अंकों का योग 7 है. यदि अंक पलट दिये जायें तो नई संख्या पहली संख्या से 27 कम है. दी गई संख्या के अंकों का अन्तर कितना है? **(एस०एस०सी० परीक्षा, 2013)**
(*a*) 1 (*b*) 2
(*c*) 3 (*d*) 4

60. दो अंकों से बनी एक संख्या में इकाई अंक दहाई अंक का एक-तिहाई है. इस संख्या में तथा अंक पलटने से बनी संख्या में अन्तर 36 है. वह संख्या कौन-सी है?
(*a*) 64 (*b*) 73
(*c*) 84 (*d*) ज्ञात नहीं की जा सकती
(*e*) इनमें से कोई नहीं

61. वह संख्या ज्ञात कीजिए जिसके सातवें भाग को उसके ग्यारहवें भाग से गुणा करने पर 1232 प्राप्त होता है? **(पीयू एमबीए 2021)**
(a) 400 (b) 308 (c) 315 (d) 325

62. चार क्रमिक सम संख्याओं ए ठए ब और क का योग 180 है। अगली चार क्रमागत सम संख्याओं के समुच्चय का योग क्या है? **(एनसीएचएमसीटी जेईई 2020)**
(a) 214 (b) 204 (c) 193 (d) 212

63. दो अंकों की एक संख्या का दो गुना, उसके अंकों को उलट कर प्राप्त संख्या का 9 गुना है और अंकों का योग 9 है। संख्या है? **(एनसीएचएमसीटी जेईई 2020)**

(*a*) 72 (*b*) 54 (*c*) 63 (*d*) 81

64. सुमित गुणा कर रहा था, लेकिन गलती से गुणक के रूप में 25 के बजाय उसने 34 ले लिया। अब, इस गलती के कारण, परिणाम सही परिणाम से 405 अधिक था। उस परिणाम को ज्ञात कीजिए जिस पर सुमित पहुँचा था? **(एसएनएपी 2018)**

(*a*) 1620 (*b*) 1530 (*c*) 1450 (*d*) 1350

65. क्रमागत 6 विषम संख्याएँ हैं। अंतिम तीन संख्याओं के औसत का वर्ग पहली दो संख्याओं के गुणनफल से 386 अधिक है। पहली विषम संख्या का मान क्या है? **(आईबीपीएस पीओ प्रारंभिक 2019)**

(*a*) 25 (*b*) 23 (*c*) 27 (*d*) 9

66. एक संख्या ऐसी है कि जब उसे 3 से गुणा किया जाता है, तो वह दूसरी संख्या देती है जो 116 से उतनी ही अधिक होती है जितनी मूल संख्या स्वयं 116 से कम होती है। मूल संख्या का 40% क्या है? **(आईबीपीएस पीओ प्रारंभिक 2019)**

(*a*) 23.2 (*b*) 24.8 (*c*) 20 (*d*) 20.8

67. मिस्टर जोस कुछ अंडे खरीदता है। अंडों को घर लाने के बाद, वह दो को सड़ा हुआ पाता है और उन्हें फेंक देता है। बचे हुए अंडों में से $\frac{5}{9}$ हिस्सा वह अपने फ्रिज में रख देता है, और बाकी को अपनी माँ के घर ले आता है। वह दो अंडे पकाती है और बाकी अपने फ्रिज में रख देती है। यदि उसके फ्रिज में पाँच से अधिक अंडे नहीं आ सकते हैं, तो मिस्टर जोस द्वारा अधिकतम कितने अंडे खरीदे जा सकते हैं? **(एक्सएटी 2021)**

(*a*) 9 (*b*) 29 (*c*) 20 (*d*) 11

68. वह संख्या ज्ञात कीजिए जो 49 से उतनी ही अधिक है जितनी 95 से कम है। **(एसएससी सीएचएसएल 2018)**

(*a*) 96 (*b*) 51 (*c*) 68 (*d*) 72

69. एक चारागाह में कुछ गड़ेरिये और उनकी कुछ भेड़ें हैं। लोगों और भेड़ों सहित सिरों की संख्या 60 है और कुल पैरों की संख्या 168 है। भेड़ों की संख्या कितनी है ? **(दिल्ली मेट्रो रेल कॉर्पोरेशन सी.आर.ए. परीक्षा, 2017)**

(*a*) 16 (*b*) 18
(*c*) 20 (*d*) 24

70. प्रथम 11 प्राकृत संख्याओं के वर्गों का योगफल कितना होता है? **(दिल्ली मेट्रो रेल कॉर्पोरेशन सी.आर.ए. परीक्षा, 2017)**

(*a*) 506 (*b*) 512
(*c*) 510 (*d*) 508

निर्देश: प्रश्न के बाद तीन कथन दिए गए हैं। आपको प्रश्न और तीनों कथनों में दी गई जानकारी का अध्ययन करना होगा और तय करना होगा कि किस कथन/किन कथनों में दी गई जानकारी प्रश्न का उत्तर देने के लिए आवश्यक और पर्याप्त है।

71. A एवं B दो धनात्मक पूर्णांक संख्याएँ हैं। A एवं B के घनों का योगफल क्या है?

I. A एवं B का योगफल 14 है।
II. A एवं B के वर्गों का योगफल 106 है।
III. A का मान B के मान से 4 कम है।

(आई.बी.पी.एस. बैंक क्लर्क सी.डब्लू.ई. मुख्य परीक्षा, 2017)

(*a*) केवल कथन I एवं III प्रश्न का उत्तर देने के लिए पर्याप्त हैं।
(*b*) केवल कथन I एवं II प्रश्न का उत्तर देने के लिए पर्याप्त हैं।
(*c*) केवल कथन II एवं या तो कथन I या कथन III प्रश्न का उत्तर देने के लिए पर्याप्त हैं।
(*d*) केवल कथन III एवं या तो कथन I या कथन II प्रश्न का उत्तर देने के लिए पर्याप्त हैं।
(*e*) तीनों कथनों में से कोई दो कथन प्रश्न का उत्तर देने के लिए पर्याप्त है।

72. A, B एवं C का औसत वजन 20किग्रा है। A का वजन B के वजन का चार गुना हैं एवं C का वजन A के वजन से 21 किग्रा कम है। का वजन क्या है ? (किग्रा. में) **(NIACL सहायक प्रारंभिक परीक्षा, 2017)**

(*a*) 40 (*b*) 24
(*c*) 36 (*d*) 32
(*e*) 28

73. एक दो अंकीय संख्या (x) का इकाई का अंक 5 है। जब उस संख्या x में से 27 घटाया जाता है तो इस प्रकार बनी दो अंकीय संख्या के अंक परस्पर बदल जाते हैं। x का मान क्या है ? **(NIACL सहायक प्रारंभिक परीक्षा, 2017)**

(*a*) 55 (*b*) 35
(*c*) 85 (*d*) 65

74. 11 कुर्सियों एवं 8 मेजों की कुल कीमत 9450 रुपए है। यदि एक कुर्सी की कीमत एक मेज की कीमत का एक तिहाई हो तो 6 कुर्सियों की कुल कीमत क्या है ? **(NIACL सहायक प्रारंभिक परीक्षा, 2017)**

(*a*) 1960 रुपए (*b*) 1540 रुपए
(*c*) 1580 रुपए (*d*) 1620 रुपए
(*e*) दिए गए विकल्पों के अलावा

75. एक विद्यालय के $\frac{7}{9}$ भाग लड़कों एवं $\frac{8}{13}$ भाग लड़कियों ने एक मैराथन में भाग लिया। यदि भाग लेने वाले विद्यार्थियों की संख्या 238 है जिनमें 112 लड़कियों की संख्या के मध्य क्या अंतर है? **(NIACL सहायक प्रारंभिक परीक्षा, 2017)**

(*a*) 20 (*b*) 35
(*c*) 40 (*d*) 30
(*e*) दिए गए विकल्पों के अलावा

76. 38 से एक संख्या को विभाजित करने पर, हमें 90 भागफल के रूप में और 19 शेष के रूप में मिलता है। वह संख्या क्या है?

(एस.एस.सी. सी.एच.एस.एल. (10+2) ग्रेड-टियर-I (सी.बी.ई.) परीक्षा, 2017)

(*a*) 3401 (*b*) 3382
(*c*) 3458 (*d*) 3439

77. दो अंकों की एक संख्या के अंकों का गुणनफल 24 है। यदि हम उस संख्या में 45 जोड़ दें, तो प्राप्त की गई नई संख्या वह संख्या होती है जिसमें अंकों की अदला-बदली हुई। वह मूल संख्या क्या है?

(एस.एस.सी. सी.एच.एस.एल. (10+2) ग्रेड-टियर-I सी.बी.ई. परीक्षा, 2017,)

(*a*) 54 (*b*) 83
(*c*) 38 (*d*) 45

78. बहन 25 घंटे में 50 केक बना सकती है। बहन और माँ साथ मिलकर 15 घंटे में 75 केक बना सकती हैं। माँ 15 घंटे में कितने केक बना सकती है?

(एस.एस.सी. सी.एच.एस.एल. (10+2) ग्रेड-टियर-I सी.बी.ई. परीक्षा, 2017,)

(*a*) 25 (*b*) 45
(*c*) 20 (*d*) 10

79. वह सबसे छोटी संख्या, जिसे 756896 में जोड़ने पर प्राप्त संख्या 11 का गुणज हो, है

(एस.एस.सी. संयुक्त स्नातक स्तर ग्रेड-टियर-II (सी.बी.ई.) परीक्षा, 2017)

(*a*) 1 (*b*) 2
(*c*) 3 (*d*) 5

80. दो संख्याओं का गुणनफल 48 है। इसमें से यदि एक संख्या एक तिपहिया साइकिल के पहियों की संख्या से, किसी पक्षी के पंखों की संख्या और आपकी हाथ की अंगुलियों की संख्या की 2 गुना के योग को, भाग देने से प्राप्त संख्या के बराबर है तो दूसरी संख्या क्या होगी?

(एस.एस.सी. संयुक्त स्नातक स्तर ग्रेड-टियर-II (सी.बी.ई.) परीक्षा, 2017)

(*a*) 9 (*b*) 10
(*c*) 12 (*d*) 18

उत्तरमाला

1. (*c*) **2.** (*a*) **3.** (*b*) **4.** (*b*) **5.** (*c*) **6.** (*c*) **7.** (*c*) **8.** (*b*) **9.** (*c*) **10.** (*c*)
11. (*b*) **12.** (*a*) **13.** (*c*) **14.** (*b*) **15.** (*c*) **16.** (*b*) **17.** (*b*) **18.** (*e*) **19.** (*a*) **20.** (*a*)
21. (*a*) **22.** (*a*) **23.** (*c*) **24.** (*c*) **25.** (*b*) **26.** (*b*) **27.** (*a*) **28.** (*d*) **29.** (*c*) **30.** (*b*)
31. (*a*) **32.** (*b*) **33.** (*c*) **34.** (*b*) **35.** (*a*) **36.** (*b*) **37.** (*c*) **38.** (*b*) **39.** (*b*) **40.** (*b*)
41. (*d*) **42.** (*c*) **43.** (*b*) **44.** (*b*) **45.** (*a*) **46.** (*b*) **47.** (*c*) **48.** (*a*) **49.** (*c*) **50.** (*a*)
51. (*a*) **52.** (*c*) **53.** (*a*) **54.** (*d*) **55.** (*d*) **56.** (*a*) **57.** (*c*) **58.** (*b*) **59.** (*c*) **60.** (*e*)
61. (*b*) **62.** (*d*) **63.** (*d*) **64.** (*b*) **65.** (*b*) **66.** (*a*) **67.** (*d*) **68.** (*d*) **69.** (*d*) **70.** (*a*)
71. (*e*) **72.** (*c*) **73.** (*c*) **74.** (*d*) **75.** (*a*) **76.** (*d*) **77.** (*c*) **78.** (*b*) **79.** (*c*) **80.** (*c*)

दिये गये प्रश्नों के हल

1. माना अभीष्ट संख्या $= x$. तब,

$$\left(x - \frac{3x}{5}\right) = 50 \Leftrightarrow 2x = 250 \Leftrightarrow x = 125.$$

2. माना अभीष्ट संख्या $= x$.

तब, x का $\frac{5}{7}$ का $\frac{2}{3}$ का $\frac{3}{4} = 15 \Leftrightarrow x$ का $\frac{5}{14} = 15$

$$\Leftrightarrow \frac{5x}{14} = 15 \Leftrightarrow x = \left(15 \times \frac{14}{5}\right) = 42 \Leftrightarrow \frac{x}{2} = 21.$$

3. माना अभीष्ट संख्या $= x$. तब,

$$\frac{x}{9} - \frac{x}{10} = 4 \Leftrightarrow (10x - 9x) = 360 \Leftrightarrow x = 360.$$

4. माना अभीष्ट संख्या $= x$. तब,

$$(11x - 180) = (180 - x) \Leftrightarrow 12x = 360 \Leftrightarrow x = 30.$$

5. माना अभीष्ट संख्या $= x$. तब,

$$3(2x + 9) = 75 \Leftrightarrow 2x + 9 = 25 \Leftrightarrow 2x = 16 \Leftrightarrow x = 8.$$

6. माना अभीष्ट धनात्मक पूर्णांक $= x$. तब,

$$x^2 - 5x = 14 \Leftrightarrow x^2 - 5x - 14 = 0 \Leftrightarrow (x - 7)(x + 2) = 0$$

$$\Leftrightarrow x = 7 \qquad [\because x \neq -2]$$

7. माना अभीष्ट धनात्मक पूर्णांक $= x$. तब,

$$x^2 - 15x = 16 \Leftrightarrow x^2 - 15x - 16 = 0 \Leftrightarrow (x - 16)(x + 1) = 0$$

$$\Leftrightarrow x = 16 \qquad [\because x \neq -1]$$

8. माना अभीष्ट संख्या $= x$. तब,

$$23x - 2x^2 = 63 \Leftrightarrow 2x^2 - 23x + 63 = 0$$

$\Leftrightarrow (x - 7)(2x - 9) = 0 \Leftrightarrow x = 7$ अथवा $x = \frac{9}{2}$.

9. माना अभीष्ट संख्या $= x$. तब,

$$2x^2 - 11x = 21 \Leftrightarrow 2x^2 - 11x - 21 = 0$$

$\Leftrightarrow (x - 7)(2x + 3) = 0 \Leftrightarrow x = 7$ अथवा $x = -\frac{3}{2}$.

10. माना अभीष्ट धनात्मक संख्या $= x$. तब,

$$(x - 4) = \frac{21}{x} \Leftrightarrow x^2 - 4x - 21 = 0 \Leftrightarrow (x - 7)(x + 3) = 0$$

$$\Leftrightarrow x = 7. \qquad [\because x \neq -3]$$

11. माना अभीष्ट प्राकृत संख्या $= x$. तब,

$$3x^2 - 4x = x + 50 \Leftrightarrow 3x^2 - 5x - 50 = 0$$

$$\Leftrightarrow (x - 5)(3x + 10) = 0 \Leftrightarrow x = 5. \qquad \left[\because x \neq -\frac{10}{3}\right]$$

12. माना अभीष्ट संख्या $= x$. तब,

$$15x - x = 196 \Leftrightarrow 14x = 196 \Leftrightarrow x = 14.$$

13. माना अभीष्ट संख्या $= x$. तब,

$$\frac{x}{4} = (x - 21) \Leftrightarrow x = 4x - 84 \Leftrightarrow 3x = 84 \Leftrightarrow x = 28.$$

14. माना दी गई संख्या $= x$. तब, $\frac{x-4}{6} = 8 \Leftrightarrow x = (48 + 4) = 52.$

$\therefore$ अभीष्ट संख्या $= \frac{(52-2)}{5} = 10.$

15. माना मूल संख्या $= x$. तब,

$(2x + 20) = (8x - 4) \Leftrightarrow 6x = 24 \Leftrightarrow x = 4.$

16. माना मूल संख्या $= x$. तब,

$\left(\frac{2x}{3} - 50\right) = \left(\frac{x}{4} + 40\right) \Leftrightarrow \left(\frac{2x}{3} - \frac{x}{4}\right) = 90$

$\Leftrightarrow 5x = (90 \times 12) \Leftrightarrow x = 216.$

17. माना अभीष्ट धनात्मक पूर्णांक $= x$. तब,
$x^2 - 20x = 96 \Leftrightarrow x^2 - 20x - 96 = 0 \Leftrightarrow (x - 24)(x + 4) = 0$
$\Leftrightarrow x = 24.$ $[\because x \neq -4]$

18. माना अभीष्ट धनात्मक पूर्णांक $= x$. तब, $x + x^2 = 182.$
$\therefore x^2 + x - 182 = 0 \Leftrightarrow (x + 14)(x - 13) = 0 \Leftrightarrow x = 13.$
$[\because x \neq -14]$

19. माना अभीष्ट संख्या $= x$. तब,

$\frac{2x}{3} = \frac{25}{216} \cdot \frac{1}{x} \Leftrightarrow 432x^2 = 75$

$\Leftrightarrow \quad x^2 = \frac{75}{432} = \frac{25}{144} \Leftrightarrow x = \sqrt{\frac{25}{144}} = \frac{5}{12}.$

20. माना अभीष्ट संख्या $= x$. तब,

$x + \frac{1}{x} = 3\left(x - \frac{1}{x}\right) \Leftrightarrow 2x = \frac{4}{x} \Leftrightarrow 2x^2 - 4 = 0$

$\Leftrightarrow 2(x^2 - 2) = 0 \Leftrightarrow x^2 - 2 = 0 \Leftrightarrow x^2 = 2 \Leftrightarrow x = \sqrt{2}.$

21. माना अभीष्ट संख्या $= x$. तब,

$\frac{x}{3} \times \frac{x}{8} = 864 \Leftrightarrow x^2 = (864 \times 24)$

$\Leftrightarrow \quad x = \sqrt{864 \times 24} = \sqrt{36 \times 24 \times 24} = (6 \times 24) = 144.$

22. माना दी गई प्राकृत संख्या $= x$. तब,

$x + \frac{1}{x} = \left(34 \times \frac{1}{8}\right) = \frac{17}{4} \Leftrightarrow \frac{(x^2 \;\; 1)}{x} = \frac{17}{4}$

$\Leftrightarrow 4x^2 + 4 = 17x \Leftrightarrow 4x^2 - 17x + 4 = 0$

$\Leftrightarrow (x - 4)(4x - 1) = 0 \Leftrightarrow x = 4.$ $\left[\because x \neq \frac{1}{4}\right]$

अतः अभीष्ट संख्या $= x \times \sqrt{x} = (4 \times 2) = 8.$

23. माना अभीष्ट संख्या $= x$. तब,

$\left(\frac{x}{2} + \frac{x}{5}\right) = \frac{x}{3} + \frac{22}{3} \Leftrightarrow \left(\frac{7x}{10} - \frac{x}{3}\right) = \frac{22}{3}$

$\Leftrightarrow \quad 11x = \left(\frac{22}{3} \times 30\right) = 220 \Leftrightarrow x = 20.$

24. माना अभीष्ट संख्या $= x$. तब, x का $\frac{1}{3}$ का $\frac{3}{4}$ का $\frac{1}{5} = 24$

$\Leftrightarrow \frac{x}{20} = 24 \Leftrightarrow x = 480.$

इस संख्या का $10\% = x$ का $\frac{10}{100} = \left(480 \times \frac{1}{10}\right) = 48.$

25. माना अभीष्ट संख्या $= x$. तब,
$17x = x + 640 \Leftrightarrow 16x = 640 \Leftrightarrow x = 40.$

26. माना अभीष्ट संख्या $= x$. तब,

$\left\{\left\{\left(x + \frac{5}{2}\right) \times \frac{9}{2}\right\} + 3\right\} \div \frac{6}{5} = 25 \Leftrightarrow \left\{\frac{(2x+5) \times 9}{4} + 3\right\} \times \frac{5}{6} = 25$

$\Leftrightarrow \frac{(18x+45+12)}{4} \times \frac{5}{6} = 25 \quad \Leftrightarrow (18x+57) = \left(25 \times \frac{24}{5}\right)$

$\Leftrightarrow 18x + 57 = 120 \Leftrightarrow 18x = 63 \Leftrightarrow x = \frac{7}{2} = 3\frac{1}{2}.$

27. माना अभीष्ट संख्या $= x$. तब,

$(x - 30) = \frac{x}{4} \Leftrightarrow 4x - 120 = x \Leftrightarrow 3x = 120 \Leftrightarrow x = 40.$

28. माना तीन क्रमागत धनपूर्णांक $x, (x + 1)$ तथा $(x + 2)$ हैं. तब, $x + (x + 1) + (x + 2) = 87 \Leftrightarrow 3x = 84 \Leftrightarrow x = 28.$
अतः इनमें सबसे बड़ा धनपूर्णांक $= (x + 2) = (28 + 2) = 30.$

29. माना अभीष्ट क्रमागत समपूर्णांक $x, (x + 2), (x + 4)$ तथा $(x + 6)$ हैं.
तब, $\quad x + (x + 2) + (x + 4) + (x + 6) = 1284$
$\Leftrightarrow \quad 4x = 1272 \quad \Leftrightarrow \quad x = 318.$
अतः इनमें सबसे बड़ा धनपूर्णांक $= (x + 6) = (318 + 6) = 324.$

30. माना अभीष्ट संख्याएँ x तथा y हैं. तब,

$\frac{1}{5}x = \frac{5}{8}y \Leftrightarrow x = \left(5 \times \frac{5}{8}\right)y = \frac{25y}{8}.$

$x + 35 = 4y \Leftrightarrow \frac{25y}{8} + 35 = 4y \Leftrightarrow \left(4y - \frac{25y}{8}\right) = 35$

$\Leftrightarrow 7y = (35 \times 8) \Leftrightarrow y = 40.$ अतः दूसरी संख्या $= 40.$

31. माना अभीष्ट संख्याएँ 12 तथा y हैं. तब,

$y - 12 = y$ का $20\% \Leftrightarrow y - 12 = \frac{y}{5} \Leftrightarrow 5y - 60 = y$

$\Leftrightarrow 4y = 60 \Leftrightarrow y = 15.$

अतः बड़ी संख्या $= 15.$

32. माना अभीष्ट संख्याएँ a तथा b हैं. तब,
$(a + b) = 25$ तथा $(a - b) = 13.$

$\therefore \quad 4ab = (a + b)^2 - (a - b)^2 = (25)^2 - (13)^2$

$= (625 - 169) = 456 \Leftrightarrow ab = \frac{456}{4} = 114.$

33. माना अभीष्ट संख्याएँ a तथा b हैं. तब, $ab = 9375$ तथा $\frac{a}{b} = 15.$

$\therefore (15b) \times b = 9375 \Leftrightarrow 15b^2 = 9375 \Leftrightarrow b^2 = 625$

$\Leftrightarrow \quad b = \sqrt{625} = 25.$
$a = (15 \times b) = (15 \times 25) = 375.$
अभीष्ट योग $= (a + b) = (375 + 25) = 400.$

34. माना अभीष्ट संख्याएँ a तथा b हैं. तब, $ab = 11520$ तथा $\frac{a}{b} = \frac{9}{5}.$

$\therefore \quad \left(ab \times \frac{a}{b}\right) = \left(11520 \times \frac{9}{5}\right) \Leftrightarrow a^2 = (2304 \times 9)$

$\Leftrightarrow \quad a = \sqrt{2304 \times 9} = (48 \times 3) = 144.$

अतः $a = 144$ तथा $b = \left(\frac{5}{9} \times a\right) = \left(\frac{5}{9} \times 144\right) = 80.$

$\therefore$ अभीष्ट अन्तर $= (a - b) = (144 - 80) = 64.$

35. माना दी गई संख्याएँ x तथा $(28-x)$ हैं. तब,
$x(28-x)=192 \Leftrightarrow x^2-28x+192=0$
$\Leftrightarrow (x-16)(x-12)=0 \Leftrightarrow x=16$ अथवा 12.
अत: छोटी संख्या = 12.

36. माना अभीष्ट संख्याएँ a तथा b हैं. तब,
$(a+b)=42$ तथा $ab=437$.
$\therefore (a-b)=\sqrt{(a+b)^2-4ab}=\sqrt{(42)^2-4\times437}$
$=\sqrt{1764-1748}=\sqrt{16}=4$.

37. माना क्रमागत समसंख्याएं x तथा $(x+2)$ हैं. तब, $(x+2)^2-x^2=84 \Leftrightarrow 4x+4=84 \Leftrightarrow 4x=80 \Leftrightarrow x=20$.
$\therefore$ अभीष्ट योग $=x+(x+2)=(20+22)=42$.

38. माना अभीष्ट संख्याएँ a तथा b हैं. तब, $a+b=12$ तथा $ab=35$.
$(a-b)=\sqrt{(a+b)^2-4ab}=\sqrt{(12)^2-4\times35}$
$=\sqrt{144-140}=\sqrt{4}=2$.
$a+b=12$ तथा $a-b=2 \Leftrightarrow a=7$ तथा $b=5$.
अभीष्ट योग $=\left(\frac{1}{a}+\frac{1}{b}\right)=\left(\frac{1}{7}+\frac{1}{5}\right)=\frac{12}{35}$.

39. माना दी गई संख्याएँ a तथा b हैं. तब,
$(a+b)=3$ तथा $(a^2+b^2)=12$.
$(a+b)^2=(a^2+b^2)+2ab \Leftrightarrow (3\times3)=12+2ab \Leftrightarrow ab=-\frac{3}{2}$.

40. माना तीन क्रमागत प्राकृत संख्याएँ $x, (x+1)$ तथा $(x+2)$ हैं. तब,
$x^2+(x+1)^2+(x+2)^2=2030 \Leftrightarrow 3x^2+6x-2025=0$
$\Leftrightarrow x^2+2x-675=0 \Leftrightarrow (x+27)(x-25)=0 \Leftrightarrow x=25$
$[\because x\neq-27]$
$\therefore$ मध्य संख्या $=(x+1)=26$.

41. माना अभीष्ट संख्याएँ a तथा b हैं, जहाँ $a>b$. तब, $a-b=5$ तथा
$\frac{a}{b}=5 \Leftrightarrow a=5+b$ तथा $b=\frac{a}{5}$.
$\therefore a=\left(5+\frac{a}{5}\right) \Leftrightarrow \frac{4a}{5}=5 \Leftrightarrow a=\left(5\times\frac{5}{4}\right)=\frac{25}{4}$.
$b=\frac{a}{5}=\left(\frac{25}{4}\times\frac{1}{5}\right)=\frac{5}{4}$.
अत: अभीष्ट संख्याएँ $\frac{25}{4}$ तथा $\frac{5}{4}$ हैं.

42. माना दी गई संख्याएँ a तथा b हैं. तब,
$2a+3b=39$ ...(i) तथा $3a+2b=36$ ...(ii)
(i) तथा (ii) को जोड़ने पर
$5(a+b)=75 \Leftrightarrow a+b=15$. ...(iii)
(i) को (ii) में से घटाने पर, $a-b=-3$ ...(iv)
(iii) तथा (iv) को हल करने पर, $a=6$ तथा $b=9$.
अत: बड़ी संख्या = 9.

43. माना अभीष्ट धनपूर्णांक a तथा b हैं. तब, $ab=120$ तथा $(a^2+b^2)=289$.
$\therefore (a+b)=\sqrt{(a^2+b^2)+2ab}=\sqrt{289+(2\times120)}$
$=\sqrt{289+240}=\sqrt{529}=23$.
अत: अभीष्ट संख्याओं का योग = 23.

44. माना दिये गये धनपूर्णांक x तथा $(x-3)$ हैं. तब,
$x^2+(x-3)^2=369 \Leftrightarrow 2x^2-6x-360=0$
$\Leftrightarrow x^2-3x-180=0 \Leftrightarrow (x-15)(x+12)=0 \Leftrightarrow x=15$
$[\because x\neq-12]$
$\therefore$ इन पूर्णांकों का योग $=x+(x-3)=(2x-3)=(30-3)=27$.

45. माना दी गई संख्याएँ a तथा b हैं. तब,
$(a+b)=22$ तथा $(a^2+b^2)=404$.
$(a+b)^2=(a^2+b^2)+2ab$
$\Leftrightarrow ab=\frac{1}{2}\cdot\{(a+b)^2-(a^2+b^2)\}=\frac{1}{2}\cdot\{(22)^2-404\}$
$\Leftrightarrow ab=\frac{1}{2}\cdot(484-404)=40$.
$\therefore$ अभीष्ट गुणनफल = 40.

46. माना अभीष्ट संख्याएँ a तथा b हैं. तब,
$ab=45$ तथा $(a^2+b^2)=106$.
$(a+b)^2=(a^2+b^2)+2ab=(106+2\times45)=196$
$\Leftrightarrow (a+b)=14$.
$(a-b)^2=(a^2+b^2)-2ab=(106-2\times45)=16$
$\Leftrightarrow (a-b)=4$.
$(a+b)=14$ तथा $(a-b)=4$ को हल करने पर,
$a=9$ तथा $b=5$.
अत: अभीष्ट संख्याएँ 9 तथा 5 हैं.

47. माना अभीष्ट संख्याएँ a तथा b हैं. तब, $(a^2+b^2)=3341$ तथा $(a^2-b^2)=891$.
$\therefore 2a^2=(a^2+b^2)+(a^2-b^2)=(3341+891)=4232 \Leftrightarrow a^2=2116 \Leftrightarrow a=\sqrt{2116}=46$.
$2b^2=(a^2+b^2)-(a^2-b^2)=(3341-891)=2450 \Leftrightarrow b^2=1225$
$\Leftrightarrow b=\sqrt{1225}=35$.
अत: $a=46$ तथा $b=35$.

48. माना अभीष्ट संख्याएँ a, b, c हैं. तब, $(a^2+b^2+c^2)=138$ तथा $(ab+bc+ca)=131$.
$(a+b+c)^2=(a^2+b^2+c^2)+2(ab+bc+ca)$
$=(138+2\times131)=400$.
$\therefore (a+b+c)=\sqrt{400}=20$.

49. माना अभीष्ट संख्याएँ $4x$ तथा $7x$ हैं. तब, $\frac{4x+8}{7x+8}=\frac{3}{5}$.
$\therefore 5(4x+8)=3(7x+8) \Leftrightarrow x=16$.
अत: बड़ी संख्या $=7x=(7\times16)=112$.

50. माना अभीष्ट संख्याएँ a, b, c हैं. तब $(a+b+c)=68$.
$a:b=2:3$ तथा $b:c=5:3=\left(\frac{3}{5}\times5\right):\left(\frac{3}{5}\times3\right)=3:\frac{9}{5}$
$\Leftrightarrow a:b:c=2:3:\frac{9}{5}=10:15:9$.
अत: दूसरी संख्या $=\left(68\times\frac{15}{34}\right)=30$.

51. माना दी गई संख्याएँ $4x, 5x$ तथा $6x$ हैं.
इनका योग $=(25\times3)=75$.
$\therefore (4x+5x+6x)=75 \Leftrightarrow 15x=75 \Leftrightarrow x=5$.
अत: अभीष्ट संख्या $=6x=(6\times5)=30$.

52. माना दी गई संख्याएँ $3x, 4x$ तथा $6x$ हैं. तब,
$(3x\times4x\times6x)=1944$.

$\therefore\ 72x^3 = 1944 \Leftrightarrow x^3 = \frac{1944}{72} = 27 = (3 \times 3 \times 3) \Leftrightarrow x = 3.$

अत: अभीष्ट संख्या $= 6x = (6 \times 3) = 18.$

53. माना दी गई संख्याएँ $3x$ तथा $4x$ हैं. तब,

$8 \times (3x)^2 - (4x)^2 = 224 \Leftrightarrow 72x^2 - 16x^2 = 224$

$\Leftrightarrow\ 56x^2 = 224 \Leftrightarrow x^2 = 4 \Leftrightarrow x = 2.$

अत: अभीष्ट संख्याएँ $= 3x, 4x = 6, 8.$

54. माना $\frac{A}{2} = \frac{B}{3} = \frac{C}{4} = K.$ तब, $A = 2K,\ B = 3K$ तथा $C = 4K.$

$A + B + C = 243 \Leftrightarrow (2K + 3K + 4K) = 243$

$\Leftrightarrow\ 9K = 243 \Leftrightarrow K = 27.$

$\therefore\ A = (2 \times 27) = 54,\ B = (3 \times 27) = 81$

तथा $C = (4 \times 27) = 108.$

अत: अभीष्ट भाग $= 108.$

55. माना 3 के तीन क्रमागत गुणज $3x, 3(x+1)$ तथा $3(x+2)$ हैं.

तब, $3x + (3x+3) + (3x+6) = 90 \Leftrightarrow 9x = 81 \Leftrightarrow x = 9.$

$\therefore$ अभीष्ट संख्या $= 3(x+2) = 3(9+2) = 33.$

56. माना अभीष्ट भाग x तथा $(31 - x)$ हैं.

तब, $5x + 7(31 - x) = 181 \Leftrightarrow 2x = (217 - 181) = 36 \Leftrightarrow x = 18.$

अत: दूसरा भाग $= (31 - 18) = 13.$

57. माना दी गई संख्याएँ a, b, c हैं. तब,

$a + b = 45,\ b + c = 55,\ c + 3a = 90.$

जोड़ने पर $4a + 2b + 2c = 190 \Leftrightarrow 2a + b + c = 95.$

$\therefore\ (2a + b + c) - (b + c) = (95 - 55) = 40 \Leftrightarrow 2a = 40$

$\Leftrightarrow\ a = 20.$

अब, $c + 3a = 90 \Leftrightarrow c + (3 \times 20) = 90 \Leftrightarrow c = 30.$

58. माना अभीष्ट संख्या का दहाई अंक $= x$ तथा इकाई अंक $= y$. तब,

$10x + y = 3(x + y) \Leftrightarrow 7x - 2y = 0$ ...(i)

तथा $(10x + y) + 45 = (10y + x) \Leftrightarrow 9(y - x) = 45$

$\Leftrightarrow\ y - x = 5$ ...(ii)

अब, (i) तथा (ii) को हल करने पर $x = 2$ तथा $y = 7.$

अत: अभीष्ट संख्या $= 27.$

59. माना अभीष्ट संख्या का दहाई अंक $= x$ तथा इकाई अंक $= y.$

तब $x + y = 7$ ...(i)

$(10x + y) - (10y + x) = 27 \Leftrightarrow 9(x - y) = 27 \Leftrightarrow x - y = 3$ ...(ii)

अब, (i) तथा (ii) को हल करने पर, $x = 5$ तथा $y = 2.$

अंकों का अभीष्ट अन्तर $= (5 - 2) = 3.$

60. माना दहाई अंक $= x$ तथा इकाई अंक $= \frac{x}{3}$. तब,

यह संख्या $= \left(10x + \frac{x}{3}\right) = \frac{31x}{3}.$

अंक पलटने के बाद संख्या $= \left(\frac{10x}{3} + x\right) = \frac{13x}{3}.$

$\therefore\ \left(\frac{31x}{3} - \frac{13x}{3}\right) = 36 \Leftrightarrow (31x - 13x) = 108$

$\Leftrightarrow 18x = 108 \Leftrightarrow x = 6.$

$\therefore$ दहाई अंक $= 6$, इकाई अंक $= \frac{6}{3} = 2$. अत: अभीष्ट संख्या $= 62.$

61. माना संख्या है $= x$

प्रश्न के अनुसार,

$\frac{x}{7} \times \frac{x}{11} = 1232$

$x^2 = 1232 \times 7 \times 11 = 11 \times 112 \times 7 \times 11$

$= 11 \times 16 \times 7 \times 7 \times 11$

$= 11 \times 11 \times 4 \times 4 \times 7 \times 7$

$\Rightarrow\ x = 11 \times 4 \times 7 = 308$

62. औसत $\frac{180}{4} = 45$ है जो दूसरी और तीसरी संख्या का औसत होगा।

$\therefore$ संख्याएँ 42, 44, 46, 48 हैं।

अगली चार संख्याएँ 50, 52, 54 और 56 हैं।

और योग $= 50 + 52 + 54 + 56 = 212$

63. दिया गया है कि $a + b = 9$ ... (i)

माना इकाई के स्थान पर अंक $= a$

दहाई का स्थान $= b$

$\therefore$ संख्या $= 10b + b$

उलटने पर $= 10a + b$

प्रश्न के अनुसार,

$2(10b + a) = 9(10a + b)$

$20b + 2a = 90a + 9b$ ... (ii)

$11b = 88a \Rightarrow b = 8a$

$\therefore$ अंक 1 और 8 हैं। संख्या 81 है।

64. मान लीजिए कि संख्याओं में से एक $= x$ है।

$\therefore\ 34x - 25x = 405$

$9x = 405 \Rightarrow x = 45$

उत्तर $= 45 \times 34 = 1530$

65. माना संख्याएँ $x, x+2, x+4, x+6, x+8, x+10$ हैं।

प्रश्न के अनुसार,

$$\left[\frac{x+6+x+8+x+10}{3}\right]^2 = 386 + x(x+2)$$

$$\left[\frac{3x+24}{3}\right]^2 = 386 + x^2 + 2x$$

$$(x+8)^2 = 386 + x^2 + 2x$$

$$x^2 + 64 + 16x = x^2 + 2x + 386$$

$$\Rightarrow\ 14x = 322$$

$$x = \frac{322}{14} = 23$$

66. माना संख्या $= x$

$\therefore\ 3x - 116 = 116 - x \Rightarrow x = 58$

तो 58 का 40% = 23.2 उत्तर है।

67. माना 2 अंडे फेंकने के बाद k

$\therefore\ k - \frac{5}{9}k = \frac{4}{9}k$ अंडे माँ के घर लाए जाते हैं।

$\therefore$ k होना चाहिए $= 9, 18, 27, ...$

माना $k=9$ क्योंकि यह फ्रिज में 5 से ज्यादा अंडे न रखने की शर्त को उचित सिद्ध करेगा।

$\therefore$ अंडों की संख्या $=11$

68. माना संख्या $=x$

$x-49=95-x \Rightarrow 2x=95+49=144$

$x=72$

69. माना, भेड़ों की संख्या $=p$

$\therefore$ गड़ेरियों की संख्या $=60-p$ दिए गये प्रश्न के अनुसार पैरों की कुल संख्या $=168$

$\therefore 4p+2(60-p)=168$

$\Rightarrow 4p+120-2p=168$

$\Rightarrow 2p=168-120=48 \Rightarrow p=\frac{48}{2}=24$

70. दिया है, प्रथम प्राकृत संख्याएँ $=11$

$\therefore 1^2+2^2+3^2+...+11^2$

$=\frac{11(11+1)(22+1)}{6}$

$\left[\because 1^2+2^3+3^2+...+n^2=\frac{n(n+1)(2n+1)}{6}\right]$

$=\frac{11\times12\times23}{6}=506$

71. कथन I एवं II से, $a+b=14..(i)$

$a^2+b^2=106...(ii)$

$\Rightarrow (a+b)^2=a^2+b^2+2ab \Rightarrow (14)^2=106+2ab$

$\Rightarrow 196=106+2ab \Rightarrow 2ab=196-106=90$

$\Rightarrow ab=45$

$\therefore (a-b)^2=(a+b)^2-4ab=(14)^2-4\times45$

$=196-180=16$

$\Rightarrow \Rightarrow a-b=\sqrt{16}=4....(iii)$ या, $b-a=4$

$\therefore$ समीकरण (i) $+(iii)$ से, $a+b+a-b=14+4$ या

$a+b-a+b=18 \quad \therefore 2a=18 \Rightarrow a=9$ या $2b=18$

$\Rightarrow b=9 \quad \therefore a+b=14 \Rightarrow 9+b=14$

$\Rightarrow b=5$ जब $b=9, a=5$

$\therefore a^3+b^3=9^3+5^3=729+125=854$

कथन I एवं III से, $a=b-4$

$\therefore b-4+b=14 \Rightarrow 2b=18 \Rightarrow b=9$

$\therefore a=9-4=5 \quad \therefore a^3+b^3=5^3+9^3$

$=125+729=854$

कथन II एवं III से, $a=b-4$

$\therefore (b-4)^2+b^2=106 \Rightarrow b^2-8b+16+b^2=106$

$\Rightarrow 2b^2-8b=106-16 \Rightarrow 2b^2-8b-90=0$

$\Rightarrow b^2-4b-45=0 \Rightarrow b^2-9b+5b-45=0$

$\Rightarrow b(b-9)+5(b-9)=0 \Rightarrow (b-9)(b+5)=0$

$\Rightarrow b=9$ और $b\neq-5$

$\therefore a=9-4=5 \quad \therefore a^3+b^3=5^3+9^3=854$

अतः तीनों कथनों में से कोई दो कथन प्रश्न का उत्तर देने के लिए पर्याप्त है।

72. प्रश्न के अनुसार, $\frac{A}{B}=\frac{4}{1}$

$\Rightarrow A=4B \Rightarrow B=\frac{A}{4}$; $C=(A-21)$ किग्रा.

$\therefore A+B+C=3\times20$; $A+\frac{A}{4}+A-21=3\times20$

$\Rightarrow \frac{4A+A+4A}{4}=60+21=81$

$\Rightarrow 9A=81\times4 \Rightarrow A=\frac{81\times4}{9}=36$ किग्रा.

73. माना, दहाई का अंक $=y$. $\therefore$ संख्या $(x)=10y+5$

दिए गए प्रश्न के अनुसार, $10y+5-27=50+y$

$\Rightarrow 10y-y=50+22 \Rightarrow 9y=72 \Rightarrow y=\frac{72}{9}=8$

$\therefore$ संख्या $(x)=10y+5=10\times8+5=85$

74. माना, एक कुर्सी की कीमत = ₹ y

$\therefore$ एक मेज की कीमत = ₹ $3y$

$\therefore$ 11 कुर्सियों एवं 8 मेजों की कीमत

$=11y+24y=$ ₹$35y$

प्रश्नानुसार, $35y=9450$

$\Rightarrow y=\frac{9450}{35}=$ ₹270

$\therefore$ 6 कुर्सियों की कीमत = ₹ $(6\times270)=$ ₹ 1620

75. मैराथन में भाग लेने वाले लड़कियों की संख्या $=112$

$\therefore$ मैराथन में भाग लेने वाले लड़कों की संख्या

$=238-112=126$

विद्यालय में लड़कों की संख्या $=\frac{126\times9}{7}=162$

और विद्यालय में लड़कियों की संख्या $=\frac{112\times13}{8}=182$

$\therefore$ अभीष्ट अंतर $=182-162=20$

76. भाज्य = भाजक × भागफल + शेषफल

$=38\times90+19=3420+19=3439$

77. माना, द्विअंकीय संख्या $=10a+b$

दिये गए प्रश्न के अनुसार, $ab=24$ ...(i)

एवं $10a+b+45=10b+a$

$\Rightarrow 10b+a-10a-b=45 \Rightarrow 9b-9a=45$

$\Rightarrow 9(b-a)=45 \Rightarrow b-a=\frac{45}{9}=5$ ......(ii)

$\therefore (a+b)^2=(b-a)^2+4ab=5^2+4\times24$

$=25+96=121 \Rightarrow a+b=\sqrt{121}=11$ ....(iii)

समीकरण $(ii)+(iii)$ से, $b-a+a+b=5+11$

$\Rightarrow\ 2b=16 \Rightarrow b=8 \quad \therefore \quad ab=24 \Rightarrow 8a=24$

$\Rightarrow\ a=\frac{24}{8}=3$

$\therefore$ मूल संख्या $=10a+b \ =10\times3+8=38$

78. बहन 25 घंटे में 50 केक बना सकती है

$\therefore$ बहन द्वारा 1 घंटे में बनाए गए केकों की संख्या

$=\frac{50}{25}=2$

माँ + बहन द्वारा 1 घंटे में बनाए गए केकों की संख्या

$=\frac{75}{15}=5$

माँ द्वारा 1 घंटे में बनाए गए केकों की संख्या $=5-2=3$

अतः, माँ द्वारा 15 घंटे में बनाए गए केकों की संख्या $=3\times15=45$

79. विषम स्थान के अंकों का योग $=6+8+5=19$

सम स्थान के अंकों का योग $=9+6+7=22$

$\therefore$ अभीष्ट संख्या $=22-19=3$

80. दिये गये प्रश्न के अनुसार

पहली संख्या $=\frac{2+2\times5}{3}=\frac{12}{3}=4$

$\therefore$ दूसरी संख्या $=\frac{48}{4}=12$

प्रश्नमाला 8B

निर्देश (प्रश्न 1-6): प्रश्न संख्या *1* से *10* तक प्रत्येक में एक कथन/प्रश्न तथा दो कथन *I* तथा *II* दिये गये हैं. इन कथनों को पढ़कर इनका उत्तर:

(a) दीजिए यदि दिये गये प्रश्न का उत्तर देने के लिए *I* पर्याप्त हो तथा *II* पर्याप्त न हो;

(b) दीजिए यदि दिये गये प्रश्न का उत्तर देने के लिए *II* पर्याप्त हो तथा *I* पर्याप्त न हो;

(c) दीजिए यदि दिये गये प्रश्न का उत्तर देने के लिए *I* भी पर्याप्त हो तथा *II* भी पर्याप्त हो;

(d) दीजिए यदि दिये गये प्रश्न का उत्तर देने के लिए *I* तथा *II* दोनों मिलकर भी पर्याप्त न हो;

(e) दीजिए यदि दिये गये प्रश्न का उत्तर *I* तथा *II* दोनों को मिलाकर बना हो.

1. दो अंकों की संख्या कौन सी है? **(बैंक पी०ओ० परीक्षा, 2013)**

I. दोनों अंकों का अन्तर 9 है.

II. दोनों अंकों का योग अंकों के अन्तर के बराबर है.

2. दो अंकों की संख्या के अंकों का अन्तर कितना है?

I. संख्या के अंकों का योग 8 है.

II. उस संख्या का पाँचवाँ भाग, 44 के आधे से 15 कम है.

3. दो संख्याओं के बीच क्या अनुपात है?

I. दोनों संख्याओं का योग उनके अन्तर का दुगुना है.

II. छोटी संख्या 6 है.

4. 9 से बड़ी दो अंकों की संख्या कौन सी है?

I. संख्या 51 का गुणज है.

II. संख्या के अंकों का योग 6 है.

5. दो अंकों की संख्या के अंकों का अन्तर 4 है. इकाई अंक कितना है?

I. दी गई संख्या तथा अंक पलटने से प्राप्त संख्या का अन्तर 36 है.

II. संख्या के अंकों का योग 12 है.

6. वह संख्या क्या है?

I. इसके अंकों का योग 8 तथा अनुपात 1 : 3 है.

II. अंकों का गुणनफल 12 तथा भागफल 3 है.

निर्देश (प्रश्न 7-10): नीचे दिये गये प्रत्येक प्रश्न में एक प्रश्न के साथ तीन कथन दिये गये हैं. यह ज्ञात करना है कि इस प्रश्न का उत्तर ज्ञात करने हेतु कौन-कौन से कथन अनिवार्य हैं.

7. दो अंकों की संख्या कौन सी है?

I. इस संख्या के अंकों का योग 7 है.

II. इस संख्या तथा इसके अंक पलटने से बनी संख्या का अन्तर 9 है.

III. दहाई अंक इकाई अंक से बड़ा है.

(a) केवल I तथा II (b) केवल II तथा III

(c) केवल I तथा III (d) I, II तथा III सभी

(e) इनमें से कोई नहीं

8. दो अंकों की संख्या के अंकों का योग कितना है?

I. संख्या के दहाई तथा इकाई अंकों का अनुपात 3 : 2 है.

II. अंक पलटने से प्राप्त संख्या मूल संख्या से 18 कम है.

III. अंकों का गुणनफल 24 है.

(a) तीन में से कोई दो

(b) (I तथा II) अथवा (I तथा III)

(c) I, II, III तीनों

(d) केवल I तथा II

(e) इनमें से कोई नहीं

9. दो संख्याओं का योग कितना है?

I. बड़ी संख्या छोटी संख्या से 6 बड़ी है.

II. छोटी संख्या का 40% बड़ी संख्या के 30% के बराबर है.

III. बड़ी संख्या के आधे तथा छोटी संख्या के एक-तिहाई का अनुपात 2 : 1 है.

(*a*) केवल I तथा II (*b*) केवल I तथा III
(*c*) I, II, III तीनों (*d*) तीनों में से कोई दो
(*e*) इनमें से कोई नहीं

10. दो अंकों की संख्या कौन सी है?

I. इस संख्या तथा अंकों को पलटने से प्राप्त संख्या का अन्तर 27 है.

II. अंकों का अन्तर 3 है.

III. इकाई अंक दहाई अंक से 3 कम है.

(*a*) केवल I तथा II (*b*) केवल I तथा III
(*c*) I, II, III तीनों (*d*) I तथा (II अथवा III)
(*e*) I, II, III तीनों से भी उत्तर पाना संभव नहीं

उत्तरमाला

1. (*e*) **2.** (*e*) **3.** (*a*) **4.** (*e*) **5.** (*b*) **6.** (*b*) **7.** (*e*) **8.** (*b*) **9.** (*e*) **10.** (*c*)

दिये गये प्रश्नों के हल

1. माना दहाई अंक $= x$ तथा इकाई अंक $= y$.
I से, $x - y = 9$
II से, $x + y = x - y$
I तथा II से $x - y = 9$ तथा $x + y = 9$
$\therefore \quad 2x = 18 \Leftrightarrow x = 9$ तथा $y = 0$.
अभीष्ट संख्या $= 90$.
अतः I तथा II दोनों से ही उत्तर प्राप्त हुआ.
अतः सही उत्तर (*e*) है.

2. माना दहाई अंक $= x$ तथा इकाई अंक $= y$.
I से, $x + y = 8$ ...(*i*)
II से, $\left(\frac{1}{2} \times 44\right) - \frac{(10x + y)}{5} = 15 \Leftrightarrow 10x + y = 35$ ...(*ii*)
(*i*) तथा (*ii*) को हल करने पर $x = 3, y = 5$.
अतः I तथा II दोनों से ही अभीष्ट संख्या प्राप्त हुई.
अतः सही उत्तर (*e*) है.

3. माना संख्याएँ x तथा y हैं. तब,
I से, $(x + y) = 2(x - y) \Leftrightarrow x = 3y \Leftrightarrow \frac{x}{y} = \frac{3}{1} \Leftrightarrow x : y = 3 : 1$.
अतः केवल I से ही दोनों संख्याओं का अनुपात ज्ञात हो गया.
II से उत्तर प्राप्त नहीं होता. अतः सही उत्तर (*a*) है.

4. माना संख्या $= 10a + b$.
I से, $10a + b = 51 \times c$, जहाँ $c = 1, 2, 3, ...$
II से, $a + b = 6$
$c = 1$ लेकर II की सहायता से a, b के मान $a = 5, b = 1$.
अतः संख्या $= 51$.
$\therefore$ I तथा II दोनों से ही उत्तर प्राप्त हुआ.
अतः सही उत्तर (*e*) है.

5. माना दहाई अंक $= x$ तथा इकाई अंक $= y$.
तब, $x - y = \pm 4$ ...(*i*)
I से, $(10x + y) - (10y + x) = 36 \Leftrightarrow x - y = 4$ ...(*ii*)
II से, $x + y = 12$ ...(*iii*)
(*i*) तथा (*iii*) से x, y के मान ज्ञात किये जा सकते हैं जिससे अभीष्ट संख्या प्राप्त होगी.
अतः केवल II से उत्तर प्राप्त होता है.
केवल I से उत्तर प्राप्त नहीं होगा.
अतः सही उत्तर (*b*) है.

6. माना दहाई अंक $= x$ तथा इकाई अंक $= y$. तब,
I से, $x + y = 8$ तथा $\frac{x}{y} = \frac{1}{3}$
II से, $xy = 12$ तथा $\frac{x}{y} = \frac{3}{1}$
II से, $x^2 = 36 \Leftrightarrow x = 6$. अतः $3y = 6 \Leftrightarrow y = 2$.
दिये गये प्रश्न के उत्तर के क लिए II पर्याप्त है तथा I अकेला पर्याप्त नहीं है. अतः सही उत्तर (*b*) है.

7. माना दहाई अंक $= x$ तथा इकाई अंक $= y$.
I से, $x + y = 7$
II से, $(10x + y) - (10y + x) = 9 \Leftrightarrow x - y = 1$
III से, $x - y = 1$.
$\therefore$ (I तथा II) तथा (I तथा III) दोनों ही उत्तर देते हैं.
अतः सही उत्तर (*e*) है.

8. I से, माना दहाई अंक $= 3x$ तथा इकाई अंक $= 2x$. अंकों का योग $= 5x$.
II से, $(30x + 2x) - (20x + 3x) = 18 \Leftrightarrow x = 2$.
III से, $(3x \times 2x) = 24 \Leftrightarrow x^2 = 4 \Leftrightarrow x = 2$.
अतः (I तथा II) अथवा (I तथा III) से उत्तर प्राप्त होगा.
अतः सही उत्तर (*b*) है.

9. माना अभीष्ट संख्याएँ x तथा y हैं, जहाँ $x > y$.
I से, $x - y = 6$ ...(*i*)
II से, $\frac{30x}{100} = \frac{40y}{100} \Leftrightarrow 3x - 4y = 0$ ...(*ii*)
III से, $\frac{\left(\frac{x}{2}\right)}{\left(\frac{y}{3}\right)} = \frac{2}{1} \Leftrightarrow \frac{3x}{2y} = \frac{2}{1} \Leftrightarrow 3x - 4y = 4$
(I तथा II) अथवा (I तथा III) से उत्तर प्राप्त होगा.
अतः अभीष्ट उत्तर (*e*) है.

10. माना दहाई अंक $= x$ तथा इकाई अंक $= y$. तब,
I से, $(10x + y) - (10y + x) = 27 \Leftrightarrow x - y = 3$
II से, $x - y = 3$ III से, $x - y = 3$.
अतः तीनों को साथ लेने पर भी उत्तर प्राप्त नहीं होगा.
अतः सही उत्तर (*e*) है.

9 आयु सम्बन्धी प्रश्न
(PROBLEMS ON AGES)

साधित उदाहरण

प्रश्न 1. एक व्यक्ति की आयु अपने पुत्र की आयु से दुगुनी है. बीस वर्ष पूर्व पिता की आयु पुत्र की आयु का 12 गुना थी. उनकी वर्तमान आयु ज्ञात कीजिए. (एम०बी०ए० परीक्षा, 2013)

हल: माना पुत्र की वर्तमान आयु $= x$ वर्ष. तब, पिता की वर्तमान आयु $= 2x$ वर्ष.

20 वर्ष पूर्व, पुत्र की आयु $= (x - 20)$ वर्ष तथा पिता की आयु $= (2x - 20)$ वर्ष.

$\therefore \quad 12(x - 20) = (2x - 20) \Leftrightarrow 10x = 220 \Leftrightarrow x = 22.$

अतः पुत्र की वर्तमान आयु $= 22$ वर्ष तथा पिता की वर्तमान आयु $= 44$ वर्ष.

प्रश्न 2. एक व्यक्ति अपने पुत्र से 28 वर्ष बड़ा है. 3 वर्ष बाद उसकी आयु अपने पुत्र की आयु से दुगुनी होगी. पुत्र की वर्तमान आयु कितनी है?

हल: माना पुत्र की वर्तमान आयु $= x$ वर्ष. तब, पिता की वर्तमान आयु $= (x + 28)$ वर्ष.

3 वर्ष बाद, पुत्र की आयु $= (x + 3)$ वर्ष तथा पिता की आयु $= (x + 31)$ वर्ष.

$\therefore \quad 2(x + 3) = x + 31 \Leftrightarrow x = 25.$

अतः पुत्र की वर्तमान आयु $= 25$ वर्ष.

प्रश्न 3. एक व्यक्ति तथा उसके पुत्र की वर्तमान आयु का अनुपात 7 : 2 है. दस वर्ष बाद इनकी आयु का अनुपात 9 : 4 होगा. पिता की वर्तमान आयु कितनी है? (एस०एस०सी० परीक्षा, 2012)

हल: माना पिता की वर्तमान आयु $= 7x$ वर्ष तथा पुत्र की वर्तमान आयु $= 2x$ वर्ष.

$\therefore \quad \frac{7x+10}{2x+10} = \frac{9}{4} \Leftrightarrow 28x + 40 = 18x + 90 \Leftrightarrow 10x = 50 \Leftrightarrow x = 5.$

अतः पिता की वर्तमान आयु $= (7 \times 5)$ वर्ष $= 35$ वर्ष.

प्रश्न 4. 8 वर्ष पूर्व सुनील की आयु अपने पुत्र की आयु का चार गुना थी. आठ वर्ष बाद सुनील की आयु अपने पुत्र की आयु से दुगुनी होगी. उनकी वर्तमान आयु ज्ञात कीजिए.

हल: माना पुत्र की वर्तमान आयु $= x$ वर्ष $\Leftrightarrow$ 8 वर्ष पूर्व पुत्र की आयु $= (x - 8)$ वर्ष.

8 वर्ष पूर्व सुनील की आयु $= 4(x - 8)$ वर्ष $= (4x - 32)$ वर्ष.

अब, सुनील की आयु $= (4x - 32 + 8)$ वर्ष $= (4x - 24)$ वर्ष.

8 वर्ष बाद, सुनील की आयु $= (4x - 24 + 8)$ वर्ष $= (4x - 16)$ वर्ष तथा पुत्र की आयु $= (x + 8)$ वर्ष.

$\therefore \quad 4x - 16 = 2(x + 8) \Leftrightarrow 2x = 32 \Leftrightarrow x = 16.$

पुत्र की वर्तमान आयु $= 16$ वर्ष तथा सुनील की वर्तमान आयु $= (4 \times 16 - 24)$ वर्ष $= 40$ वर्ष.

प्रश्न 5. 10 वर्ष पूर्व सचिन की आयु अजय की आयु से दुगुनी थी. दस वर्ष बाद सचिन की आयु 40 वर्ष होगी. अजय की वर्तमान आयु कितनी है? (मैनेजमैन्ट परीक्षा, 2015)

हल: सचिन की वर्तमान आयु $= (40 - 10)$ वर्ष $= 30$ वर्ष.

10 वर्ष पूर्व सचिन की आयु $= (30 - 10)$ वर्ष $= 20$ वर्ष.

10 वर्ष पूर्व अजय की आयु $= \frac{1}{2} \times 20$ वर्ष $= 10$ वर्ष.

अजय की वर्तमान आयु $= (10 + 10)$ वर्ष $= 20$ वर्ष.

प्रश्न 6. एक पिता की आयु पुत्र की आयु के तीन गुने से 3 वर्ष अधिक है. यदि 3 वर्ष बाद पिता की आयु पुत्र की आयु के दुगुने से 10 वर्ष अधिक हो, तो पुत्र की वर्तमान आयु ज्ञात कीजिए.

हल: माना पुत्र की वर्तमान आयु $= x$ वर्ष तथा पिता की वर्तमान आयु $= (3x + 3)$ वर्ष.

3 वर्ष बाद पुत्र की आयु $= (x + 3)$ वर्ष.

3 वर्ष बाद पिता की आयु $= (3x + 3 + 3)$ वर्ष $= (3x + 6)$ वर्ष.

$\therefore \quad (3x + 6) = 2(x + 3) + 10 \Leftrightarrow x = 10.$

अतः पुत्र की वर्तमान आयु = 10 वर्ष.

प्रश्न 7. 6 वर्ष बाद अजय की आयु उसके पिता की आयु का $\frac{3}{7}$ होगी. दस वर्ष पहले उनकी आयु का अनुपात 1 : 5 था. अजय के पिता की वर्तमान आयु क्या है?

हलः माना 10 वर्ष पहले अजय की आयु $= x$ वर्ष तथा 10 वर्ष पहले उनके पिता की आयु $= 5x$ वर्ष.

अजय की वर्तमान आयु $= (x + 10)$ वर्ष तथा उनके पिता की वर्तमान आयु $= (5x + 10)$ वर्ष.

6 वर्ष बाद अजय की आयु $= (x + 16)$ वर्ष.

6 वर्ष बाद उनके पिता की आयु $= (5x + 16)$ वर्ष.

$\therefore \quad (x + 16) = \frac{3}{7}(5x + 16) \Leftrightarrow 7(x + 16) = 3(5x + 16) \Leftrightarrow 8x = 64 \Leftrightarrow x = 8.$

$\therefore$ अजय के पिता की वर्तमान आयु $= (5 \times 8 + 10)$ वर्ष $= 50$ वर्ष.

प्रश्न 8. अंकित और अमित की आयु का गुणनफल 240 है. यदि अमित की आयु का दुगुना अंकित की आयु से 4 वर्ष अधिक हो, तो अमित की आयु ज्ञात कीजिए.

हलः माना अंकित की आयु $= x$ वर्ष तथा अमित की आयु $= \frac{240}{x}$ वर्ष.

तब, $2 \times \left(\frac{240}{x}\right) = x + 4 \Leftrightarrow \frac{480}{x} = x + 4 \Leftrightarrow x^2 + 4x - 480 = 0 \Leftrightarrow (x + 24)(x - 20) = 0 \Leftrightarrow x = 20. \quad [\because x \neq -24]$

$\therefore$ अमित की आयु $= \left(\frac{240}{20}\right)$ वर्ष $= 12$ वर्ष.

प्रश्नमाला 9A

नीचे दिये गये प्रत्येक प्रश्न में ठीक उत्तर के सामने ठीक का चिह्न (✓) लगायें:

1. सचिन राहुल से 4 वर्ष छोटा है. इनकी वर्तमान आयु का अनुपात 7 : 9 है. सचिन की वर्तमान आयु कितनी है? **(बैंक पी०ओ० परीक्षा, 2013)**

(*a*) 16 वर्ष (*b*) 18 वर्ष
(*c*) 28 वर्ष (*d*) ज्ञात नहीं की जा सकती
(*e*) इनमें से कोई नहीं

2. एक व्यक्ति अपने पुत्र से 24 वर्ष बड़ा है. 2 वर्ष बाद उसकी आयु अपने पुत्र की आयु का दुगुना होगी. पुत्र की वर्तमान आयु कितनी है? **(रेलवे परीक्षा, 2013)**

(*a*) 14 वर्ष (*b*) 18 वर्ष
(*c*) 20 वर्ष (*d*) 22 वर्ष

3. 10 वर्ष पूर्व एक व्यक्ति की आयु अपने पुत्र की आयु की तिगुनी थी. 10 वर्ष बाद पिता की आयु पुत्र की आयु का दुगुना होगी. उनकी वर्तमान आयु का अनुपात क्या है? **(जीवन बीमा निगम परीक्षा, 2013)**

(*a*) 13 : 4 (*b*) 9 : 2
(*c*) 7 : 3 (*d*) 5 : 2

4. रश्मि तथा मीना की वर्तमान आयु का अनुपात 5 : 7 है. 5 वर्ष बाद इनकी आयु का अनुपात 3 : 4 होगा. मीना की वर्तमान आयु कितनी है? **(बैंक पी०ओ० परीक्षा, 2015)**

(*a*) 24 वर्ष (*b*) 30 वर्ष
(*c*) 40 वर्ष (*d*) ज्ञात नहीं की जा सकती
(*e*) इनमें से कोई नहीं

5. दो भाइयों *A* तथा *B* की वर्तमान आयु का अनुपात 1 : 2 है. 5 वर्ष पूर्व इनकी आयु का अनुपात 1 : 3 था. 5 वर्ष बाद इनकी आयु का अनुपात क्या होगा? **(एस०एस०सी० परीक्षा, 2012)**

(*a*) 1 : 4 (*b*) 2 : 3
(*c*) 3 : 5 (*d*) 5 : 6

6. 6 वर्ष पूर्व कुनाल तथा रोहित की आयु का अनुपात 6 : 5 था. चार वर्ष बाद इनकी आयु का अनुपात 11 : 10 होगा. रोहित की वर्तमान आयु कितनी है? **(बैंक पी०ओ० परीक्षा, 2014)**

(*a*) 16 वर्ष (*b*) 18 वर्ष
(*c*) 20 वर्ष (*d*) ज्ञात नहीं की जा सकती
(*e*) इनमें से कोई नहीं

7. 18 वर्ष पूर्व एक व्यक्ति की आयु उनके पुत्र की आयु से तिगुनी थी. अब उस व्यक्ति की आयु अपने पुत्र की आयु से दुगुनी है. पिता तथा पुत्र की वर्तमान आयु का योग क्या होगा? **(एस०एस०सी० परीक्षा, 2013)**

(*a*) 54 वर्ष (*b*) 72 वर्ष
(*c*) 105 वर्ष (*d*) 108 वर्ष

8. एक व्यक्ति से उसकी आयु पूछने पर उसने बताया, 'मेरी 3 वर्ष बाद की आयु को 3 से गुणा करने पर प्राप्त संख्या में से 3 वर्ष पूर्व की आयु का तिगुना घटाने पर मेरी वर्तमान आयु प्राप्त होगी'. उस व्यक्ति की वर्तमान आयु कितनी है? **(एस०एस०सी० परीक्षा, 2014)**

(*a*) 18 वर्ष (*b*) 20 वर्ष
(*c*) 24 वर्ष (*d*) 32 वर्ष

9. एक व्यक्ति की आयु अपनी पुत्री की आयु की दुगुनी है. 20 वर्ष पूर्व पिता की आयु उस समय पुत्री की आयु का 12 गुना थी. पिता की वर्तमान आयु कितनी है? **(होटल मैनेजमैन्ट परीक्षा, 2014)**

(*a*) 22 वर्ष (*b*) 32 वर्ष
(*c*) 44 वर्ष (*d*) 45 वर्ष

10. एक व्यक्ति की वर्तमान आयु अपनी माता की आयु का $\frac{2}{5}$ है. 8 वर्ष बाद इस व्यक्ति की आयु उस समय अपनी माता की आयु की आधी होगी. इस समय उसकी माता की आयु कितनी है? **(इन्दिरा गाँधी वि०वि० परीक्षा, 2014)**

(*a*) 32 वर्ष (*b*) 36 वर्ष
(*c*) 40 वर्ष (*d*) 48 वर्ष

11. तीन व्यक्तियों की वर्तमान आयु का अनुपात 4 : 7 : 9 है. 8 वर्ष पूर्व इनकी आयु का योग 56 वर्ष था. इनकी वर्तमान आयु क्रमशः कितनी-कितनी है? **(एम०बी०ए० परीक्षा, 2012)**

(*a*) 8 वर्ष, 20 वर्ष, 28 वर्ष
(*b*) 16 वर्ष, 28 वर्ष, 36 वर्ष
(*c*) 20 वर्ष, 35 वर्ष, 45 वर्ष
(*d*) इनमें से कोई नहीं

12. अनिता ने 6 वर्ष पूर्व शादी की. अब उसकी आयु उसकी शादी के समय की आयु का $\frac{5}{4}$ गुना है. उनके पुत्र की आयु उसकी आयु का $\frac{1}{10}$ है. उनके पुत्र की आयु कितनी है? **(एम०बी०ए० परीक्षा, 2014)**

(*a*) 2 वर्ष (*b*) 3 वर्ष
(*c*) 4 वर्ष (*d*) 5 वर्ष

13. 16 वर्ष पूर्व तान्या के दादा की आयु उसकी आयु का 8 गुना थी. 8 वर्ष बाद दादा की आयु पोती की आयु का तीन गुना होगी. 8 वर्ष पूर्व तान्या तथा उनके दादा की आयु का अनुपात कितना था? **(एस०एस०सी० परीक्षा, 2013)**

(*a*) 1 : 2 (*b*) 1 : 5
(*c*) 3 : 8 (*d*) इनमें से कोई नहीं

14. समीर तथा आनन्द की वर्तमान आयु का अनुपात 5 : 4 है. 3 वर्ष बाद इनकी आयु का अनुपात 11 : 9 होगा. आनन्द की वर्तमान आयु कितनी है? **(बैंक पी०ओ० परीक्षा, 2013)**

(*a*) 24 वर्ष (*b*) 27 वर्ष
(*c*) 40 वर्ष (*d*) ज्ञात नहीं की जा सकती
(*e*) इनमें से कोई नहीं

15. नीलम तथा शान की वर्तमान आयु का अनुपात 5 : 6 है. यदि नीलम की एक-तिहाई आयु तथा शान की आधी आयु का अनुपात 5 : 9 हो, तो शान की वर्तमान आयु कितनी है? **(बैंक पी०ओ० परीक्षा, 2012)**

(*a*) 25 वर्ष (*b*) 30 वर्ष
(*c*) 36 वर्ष (*d*) ज्ञात नहीं की जा सकती
(*e*) इनमें से कोई नहीं

16. एक व्यक्ति की वर्तमान आयु उनके पुत्र की वर्तमान आयु के तिगुने से 3 वर्ष अधिक है. 3 वर्ष बाद, उस व्यक्ति की आयु उनके पुत्र की आयु के दुगुने से 10 वर्ष अधिक होगी. उस व्यक्ति की वर्तमान आयु कितनी है? **(एस०एस०सी० परीक्षा, 2013)**

(*a*) 36 वर्ष (*b*) 33 वर्ष
(*c*) 42 वर्ष (*d*) ज्ञात नहीं की जा सकती
(*e*) इनमें से कोई नहीं

17. एक व्यक्ति और उनके पुत्र की आयु का योग 45 वर्ष है. पाँच वर्ष पूर्व इनकी आयु का गुणनफल उस समय उस व्यक्ति की आयु का 4 गुना था. पिता तथा पुत्र की आयु हैं क्रमशः: **(एम०बी०ए० परीक्षा, 2015)**

(*a*) 35 वर्ष, 10 वर्ष (*b*) 36 वर्ष, 9 वर्ष
(*c*) 39 वर्ष, 6 वर्ष (*d*) इनमें से कोई नहीं

18. जयेश, अनिल से उतना छोटा है जितना वह प्रशान्त से बड़ा है. यदि अनिल तथा प्रशान्त की आयु का योग 48 वर्ष हो, तो जयेश की वर्तमान आयु क्या है?

(*a*) 20 वर्ष (*b*) 24 वर्ष
(*c*) 30 वर्ष (*d*) इनमें से कोई नहीं

19. पिता व पुत्र की आयु का अनुपात 7 : 3 है. इनकी आयु का गुणनफल 756 है. छः वर्ष बाद इनकी आयु का अनुपात क्या होगा?

(*a*) 5 : 2 (*b*) 2 : 1
(*c*) 11 : 7 (*d*) 13 : 9

20. 6 वर्ष पूर्व सुशील की आयु, अनिल की आयु से तिगुनी थी. 6 वर्ष बाद सुशील की आयु, अनिल की आयु का $\frac{5}{3}$ होगी. अनिल की वर्तमान आयु कितनी है?

(*a*) 12 वर्ष (*b*) 15 वर्ष
(*c*) 18 वर्ष (*d*) 24 वर्ष

21. यदि गुलजार की वर्तमान आयु में से 6 घटाकर शेषफल को 18 से भाग दें तो अनूप की आयु प्राप्त होती है. महेश की आयु 5 वर्ष है तथा अनूप महेश से 2 वर्ष छोटा है. गुलजार की वर्तमान आयु कितनी है?

(*a*) 60 वर्ष (*b*) 48 वर्ष
(*c*) 84 वर्ष (*d*) 64 वर्ष

22. श्याम की आयु अपने पिता की आयु से आधी है. 20 वर्ष बाद उनके पिता की आयु श्याम की आयु का डेढ़ गुना होगी. श्याम के पिता की वर्तमान आयु कितनी है?

(*a*) 30 वर्ष (*b*) 36 वर्ष
(*c*) 40 वर्ष (*d*) 42 वर्ष

23. *A* तथा *B* की वर्तमान आयु 5 : 3 के अनुपात में है. *A* की 4 वर्ष पहले की आयु तथा *B* की चार वर्ष बाद की आयु का अनुपात 1 : 1 है. *A* की 4 वर्ष बाद की आयु तथा *B* की चार वर्ष पहले की आयु का अनुपात क्या होगा?

(*a*) 1 : 3 (*b*) 2 : 1
(*c*) 3 : 1 (*d*) 4 : 1
(*e*) इनमें से कोई नहीं

24. एक व्यक्ति तथा उसकी पत्नी की आयु का अनुपात 4 : 3 है. चार वर्ष बाद यह अनुपात 9 : 7 होगा. यदि शादी के समय इनकी आयु का अनुपात 5 : 3 हो, तो शादी कितने वर्ष पहले हुई थी?
(बैंक पी०ओ० परीक्षा, 2012)
(*a*) 8 वर्ष (*b*) 10 वर्ष
(*c*) 12 वर्ष (*d*) 15 वर्ष

25. A की वर्तमान आयु B की वर्तमान आयु से 3 वर्ष कम है। 5 वर्ष पहले B की आयु और 4 वर्ष बाद A की आयु का अनुपात 3 :4 है, तो A की वर्तमान आयु (वर्ष में) ज्ञात कीजिए।
[आईपी बीबीए 2019]
(*a*) 20 (*b*) 17 (*c*) 23 (*d*) 26

26. जॉन कियारा से 3 वर्ष छोटे हैं। जिस वक्त दोनों ने शादी की उस वक्त कियारा और जॉन दोनों की आयु का योग 45 वर्ष था। जॉन की शादी के समय जॉन के छोटे भाई सैम की आयु क्या थी, अगर सैम जॉन से 5 वर्ष छोटा था? (वर्षों में)
[पीयू एलएलबी 3 वर्ष 2021]
(*a*) 17 (*b*) 15 (*c*) 16 (*d*) 18

27. 10 वर्ष पहले, A और B की आयु का अनुपात 13:17 था। अब से 17 वर्ष बाद, आयु का अनुपात 10:11 हो जाएगा। B की वर्तमान आयु है? **[आईपी बीबीए 2020]**
(*a*) 23 वर्ष (*b*) 40 वर्ष (*c*) 27 वर्ष (*d*) 44 वर्ष

28. दो व्यक्तियों की आयु के बीच का अंतर 10 वर्ष है। पंद्रह वर्ष पहले बड़े की आयु छोटे की दोगुनी थी। बड़े व्यक्ति की वर्तमान आयु है **[एनसीएचएमसीटी जेईई 2020]**
(*a*) 35 वर्ष (*b*) 25 वर्ष (*c*) 55 वर्ष (*d*) 45 वर्ष

29. सिमरन और स्मृति की वर्तमान आयु के बीच क्रमशः 3:7 का अनुपात है। 4 वर्ष बाद स्मृति की आयु 39 वर्ष होगी, 4 वर्ष पूर्व सिमरन की आयु क्या थी? **[एनसीएचएमसीटी जेईई 2020]**
(*a*) 12 वर्ष (*b*) 13 वर्ष (*c*) 19 वर्ष (*d*) 11 वर्ष

30. पिता की आयु अपने पुत्र की आयु की नौ गुनी है और माता की आयु पुत्र की आयु की आठ गुनी है। पिता और माता की आयु का योग 51 वर्ष है। पुत्र की आयु क्या है?
[एनसीएचएमसीटी जेईई 2020]
(*a*) 7 वर्ष (*b*) 5 वर्ष
(*c*) 4 वर्ष (*d*) 3 वर्ष

31. P, Q और R की वर्तमान आयु का अनुपात 3 : 4 : 5 है। 4 वर्ष बाद, तीनों की औसत आयु 24 वर्ष होगी। 6 वर्ष पहले Q और R की आयु में कितना अंतर था? **[एमएच-सीईटी 2020]**
(*a*) 5 वर्ष (*b*) 6 वर्ष (*c*) 8 वर्ष (*d*) 10 वर्ष
(*e*) 12 वर्ष

32. पाँच वर्ष पहले A, B, C और D की औसत आयु 45 वर्ष थी। X को वर्तमान समूह में शामिल करने पर उनका वर्तमान औसत 49 वर्ष में बदल जाता है। X की वर्तमान आयु क्या है?
[सीएमएटी पेपर 2020]
(*a*) 40 वर्ष (*b*) 45 वर्ष (*c*) 49 वर्ष (*d*) 48 वर्ष

33. A, B से दो वर्ष बड़ा है, जिसकी आयु C से दोगुनी है। यदि A, B और C की कुल आयु 27 है, तो B की आयु कितनी है?
[एनसीएचएमजेईई 2016]
(*a*) 7 (*b*) 8 (*c*) 9 (*d*) 10

34. छह वर्ष पहले, ऐली की आयु बाली की आयु की 4 गुना थी, और कैली की आयु बेली की आयु की 2 गुना थी। यदि ऐली की वर्तमान आयु कैली की वर्तमान आयु का 1.5 गुना है, तो बेली की वर्तमान आयु है– **[एचएसईई पेपर 2019]**
(*a*) 3 वर्ष (*b*) 12 वर्ष
(*c*) 6 वर्ष (*d*) 9 वर्ष

35. बीना अभि से उतनी ही छोटी है जितनी वह चिया से बड़ी है। 4 वर्ष बाद अभि की आयु 12 वर्ष बाद चिया की आयु के बराबर होगी। बीना, अभि से कितने वर्ष छोटी है?
[एसबीआई पीओ प्रारंभिक 2019]
(*a*) 8 (*b*) 6 (*c*) 2 (*d*) 3
(*e*) 4

36. A और B की वर्तमान आयु का अनुपात 1: 3 है तथा A और C की वर्तमान आयु का अनुपात 2: 3 है। A और C की वर्तमान आयु के बीच का अंतर 2 वर्ष है। 14 वर्ष बाद, आयु का योग ज्ञात कीजिए।
(*a*) 70 (*b*) 64 (*c*) 60 (*d*) 56
(*e*) 68

37. माता की वर्तमान आयु उसके पुत्र की वर्तमान आयु की चार गुनी है। 8 वर्ष बाद, माता और पुत्र की आयु का अनुपात 16: 5 हो जाता है। यदि ग, पुत्र की वर्तमान आयु का वर्ग है, तो (ग . 2) का मान क्या होगा?
(a) 450 (*b*) 481
(*c*) 486 (*d*) 485
(*e*) 480

38. किसी परिवार में दादी-दादा, माता-पिता और पोते-पोतियां है। यदि दादा-दादी की औसत आयु 76 वर्ष है, माता-पिता की औसत आयु 40 वर्ष है और तीन पोते-पोतियों की औसत आयु 10 वर्ष है, तो परिवार की औसत आयु कितनी है?
(दिल्ली मेट्रो रेल कॉर्पोरेशन सी.आर.ए. परीक्षा, 2017)
(*a*) $36\frac{3}{7}$ वर्ष (*b*) $36\frac{2}{7}$ वर्ष
(*c*) $37\frac{2}{7}$ वर्ष (*d*) $37\frac{3}{7}$ वर्ष

39. आज से 17 वर्ष बाद राम की उम्र उसकी वर्तमान उम्र के दोगुने से 6 वर्ष कम होगी। विवियन एवं अमित की वर्तमान उम्रों का अनुपात क्रमशः 21 : 19 है। यदि 31 वर्ष बाद अमित की उम्र राम की वर्तमान उम्र के तिगुने के बराबर होगी, तो 4 वर्ष बाद विवियन की उम्र क्या होगी? (वर्षों में)
(आई.बी.पी.एस. बैंक क्लर्क सी.डब्ल्यू.ई. मुख्य परीक्षा, 2017)
(*a*) 44 (*b*) 45
(*c*) 46 (*d*) 48
(*e*) दिए गए विकल्पों से अन्य

उत्तरमाला

1. (e)	2. (d)	3. (c)	4. (e)	5. (c)	6. (a)	7. (d)	8. (a)	9. (c)	10. (c)
11. (b)	12. (b)	13. (d)	14. (a)	15. (d)	16. (b)	17. (b)	18. (b)	19. (b)	20. (a)
21. (a)	22. (c)	23. (c)	24. (c)	25. (a)	26. (c)	27. (c)	28. (a)	29. (c)	30. (d)
31. (a)	32. (b)	33. (d)	34. (d)	35. (e)	36. (b)	37. (c)	38. (d)	39. (c)	

दिये गये प्रश्नों के हल

1. माना सचिन तथा राहुल की वर्तमान आयु क्रमशः $7x$ वर्ष तथा $9x$ वर्ष हैं.
तब, $(9x - 7x) = 4 \Leftrightarrow 2x = 4 \Leftrightarrow x = 2.$
सचिन की वर्तमान आयु $= (7 \times 2)$ वर्ष $= 14$ वर्ष.

2. माना पुत्र की वर्तमान आयु $= x$ वर्ष तथा पिता की वर्तमान आयु $= (x + 24)$ वर्ष.
2 वर्ष बाद पिता की आयु $= (x + 26)$ वर्ष तथा पुत्र की आयु $= (x + 2)$ वर्ष.
$\therefore \quad (x + 26) = 2(x + 2) \Leftrightarrow x = 22.$
अतः पुत्र की वर्तमान आयु $= 22$ वर्ष.

3. माना पुत्र की वर्तमान आयु $= x$ वर्ष. तब, 10 वर्ष पूर्व पुत्र की आयु $= (x - 10)$ वर्ष.
10 वर्ष पूर्व पिता की आयु $= 3(x - 10)$ वर्ष $\Leftrightarrow$ पिता की वर्तमान आयु $= (3x - 30 + 10)$ वर्ष $= (3x - 20)$ वर्ष.
10 वर्ष बाद पुत्र की आयु $= (x + 10)$ वर्ष तथा 10 वर्ष बाद पिता की आयु $= (3x - 20 + 10)$ वर्ष $= (3x - 10)$ वर्ष.
$\therefore \quad (3x - 10) = 2(x + 10) \Leftrightarrow x = 30.$
अतः पुत्र की वर्तमान आयु $= 30$ वर्ष तथा पिता की वर्तमान आयु $= (3 \times 30 - 20)$ वर्ष $= 70$ वर्ष.
पिता तथा पुत्र की वर्तमान आयु का अनुपात $= 70 : 30 = 7 : 3.$

4. माना रश्मि की वर्तमान आयु $= 5x$ वर्ष तथा मीना की वर्तमान आयु $= 7x$ वर्ष.
$$\frac{5x+5}{7x+5} = \frac{3}{4} \Leftrightarrow 20x + 20 = 21x + 15 \Leftrightarrow x = 5.$$
मीना की वर्तमान आयु $= (7 \times 5)$ वर्ष $= 35$ वर्ष.

5. माना A की वर्तमान आयु $= x$ वर्ष तथा B की वर्तमान आयु $= 2x$ वर्ष.
5 वर्ष पूर्व इनकी आयु क्रमशः $(x - 5)$ वर्ष तथा $(2x - 5)$ वर्ष थी.
$$\therefore \quad \frac{x-5}{2x-5} = \frac{1}{3} \Leftrightarrow 3x - 15 = 2x - 5 \Leftrightarrow x = 10.$$
5 वर्ष बाद इनकी आयु का अनुपात
$= (x + 5) : (2x + 5) = (10 + 5) : (20 + 5) = 15 : 25 = 3 : 5.$

6. माना 6 वर्ष पूर्व कुनाल की आयु $= 6x$ वर्ष तथा रोहित की आयु $= 5x$ वर्ष थी.
इनकी वर्तमान आयु क्रमशः $(6x + 6)$ वर्ष तथा $(5x + 6)$ वर्ष है.
चार वर्ष बाद इनकी आयु क्रमशः $(6x + 10)$ वर्ष तथा $(5x + 10)$ वर्ष होगी.
$$\therefore \frac{6x+10}{5x+10} = \frac{11}{10} \Leftrightarrow 60x + 100 = 55x + 110$$
$\Leftrightarrow 5x = 10 \Leftrightarrow x = 2.$
रोहित की वर्तमान आयु $= (5 \times 2 + 6)$ वर्ष $= 16$ वर्ष.

7. माना पुत्र की वर्तमान आयु $= x$ वर्ष. तब, 18 वर्ष पूर्व पुत्र की आयु $= (x - 18)$ वर्ष.
18 वर्ष पूर्व व्यक्ति की आयु $= 3(x - 18)$ वर्ष $\Leftrightarrow$ व्यक्ति की वर्तमान आयु $= (3x - 54 + 18)$ वर्ष $= (3x - 36)$ वर्ष.
$\therefore \quad (3x - 36) = 2x \Leftrightarrow x = 36.$
पिता तथा पुत्र की वर्तमान आयु का योग $= (3 \times 36 - 36) + 36 = 108$ वर्ष.

8. माना व्यक्ति की वर्तमान आयु $= x$ वर्ष.
$3(x + 3) - 3(x - 3) = x \Leftrightarrow x = 18.$
अतः उस व्यक्ति की वर्तमान आयु $= 18$ वर्ष.

9. माना पुत्री की वर्तमान आयु $= x$ वर्ष.
तब, पिता की वर्तमान आयु $= 2x$ वर्ष.
20 वर्ष पूर्व पुत्री की आयु $= (x - 20)$ वर्ष तथा पिता की आयु $= (2x - 20)$ वर्ष.
$\therefore \quad (2x - 20) = 12\,(x - 20) \Leftrightarrow 10x = 220 \Leftrightarrow x = 22.$
अतः पिता की वर्तमान आयु $= 44$ वर्ष.

10. माना माता की वर्तमान आयु $= x$ वर्ष. तब,
व्यक्ति की वर्तमान आयु $= \frac{2x}{5}$ वर्ष.
8 वर्ष बाद माता की आयु $= (x + 8)$ वर्ष तथा व्यक्ति की आयु $= \left(\frac{2x}{5}+8\right)$ वर्ष.
$$\therefore \quad \left(\frac{2x}{5}+8\right) = \frac{1}{2}(x+8) \Leftrightarrow x+8 = \frac{4x}{5}+16$$
$$\Leftrightarrow \left(x-\frac{4x}{5}\right) = 8 \Leftrightarrow \frac{x}{5} = 8 \Leftrightarrow x = 40.$$
अतः माता की वर्तमान आयु $= 40$ वर्ष.

11. माना इन व्यक्तियों की वर्तमान आयु क्रमशः $4x$ वर्ष, $7x$ वर्ष तथा $9x$ वर्ष हैं. तब,
$(4x - 8) + (7x - 8) + (9x - 8) = 56 \Leftrightarrow 20x = 80 \Leftrightarrow x = 4.$
$\therefore$ इन व्यक्तियों की वर्तमान आयु क्रमशः 16 वर्ष, 28 वर्ष तथा 36 वर्ष हैं.

12. माना अनिता की वर्तमान आयु $= x$ वर्ष. शादी के समय अनिता की आयु $= (x - 6)$ वर्ष.
$$\therefore \quad x = \frac{5}{4}\,(x - 6) \Leftrightarrow 4x = 5x - 30 \Leftrightarrow x = 30.$$
अतः अनिता की वर्तमान आयु $= 30$ वर्ष.

उनके पुत्र की आयु $= \left(\frac{1}{10}\times 30\right)$ वर्ष $= 3$ वर्ष.

13. माना तान्या की वर्तमान आयु $= x$ वर्ष. तब, 16 वर्ष पूर्व तान्या की आयु $= (x-16)$ वर्ष.

16 वर्ष पूर्व तान्या के दादा की आयु $= 8(x-16)$ वर्ष.

तान्या के दादा की वर्तमान आयु $= [8(x-16)+16]$ वर्ष $= (8x-112)$ वर्ष.

8 वर्ष बाद तान्या की आयु $= (x+8)$ वर्ष तथा दादा की आयु $= (8x-112+8)$ वर्ष $= (8x-104)$ वर्ष.

$$(8x-104) = 3(x+8) \Leftrightarrow 5x = 128 \Leftrightarrow x = \frac{128}{5}.$$

$$\frac{\text{8 वर्ष पूर्व तान्या की आयु}}{\text{8 वर्ष पूर्व दादा की आयु}} = \frac{(x-8)}{(8x-120)}$$

$$= \frac{\left(\frac{128}{5}-8\right)}{\left(8\times\frac{128}{5}-120\right)} = \frac{\left(\frac{88}{5}\right)}{\left(\frac{424}{5}\right)} = \frac{88}{424} = \frac{11}{53}.$$

$\therefore$ अभीष्ट अनुपात $= 11 : 53$.

14. माना समीर की वर्तमान आयु $= 5x$ वर्ष तथा आनन्द की वर्तमान आयु $= 4x$ वर्ष.

तब, $\frac{5x+3}{4x+3} = \frac{11}{9} \Leftrightarrow 45x + 27 = 44x + 33 \Leftrightarrow x = 6.$

$\therefore$ आनन्द की वर्तमान आयु $= (4\times 6)$ वर्ष $= 24$ वर्ष.

15. माना नीलम की वर्तमान आयु $= 5x$ वर्ष तथा शान की वर्तमान आयु $= 6x$ वर्ष.

$$\left(\frac{1}{3}\times 5x\right) : \left(\frac{1}{2}\times 6x\right) = 5 : 9 \Leftrightarrow 5 : 9 = 5 : 9.$$

अत: शान की वर्तमान आयु ज्ञात नहीं की जा सकती.

16. माना पुत्र की वर्तमान आयु $= x$ वर्ष. तब,

व्यक्ति की वर्तमान आयु $= (3x+3)$ वर्ष.

$$(3x+6) = 2(x+3) + 10 \Leftrightarrow x = 10.$$

$\therefore$ व्यक्ति की वर्तमान आयु $= (3\times 10+3)$ वर्ष $= 33$ वर्ष.

17. माना व्यक्ति की वर्तमान आयु $= x$ वर्ष तथा पुत्र की वर्तमान आयु $= (45-x)$ वर्ष.

5 वर्ष पूर्व व्यक्ति की आयु $= (x-5)$ वर्ष. 5 वर्ष पूर्व पुत्र की आयु $= (45-x-5)$ वर्ष

$(x-5)(45-x-5) = 4(x-5) \Leftrightarrow (40-x) = 4 \Leftrightarrow x = 36.$

$\therefore$ व्यक्ति की वर्तमान आयु $= 36$ वर्ष तथा पुत्र की वर्तमान आयु $= 9$ वर्ष.

18. $(A-J) = (J-P)$ तथा $A+P = 48$.

$\Leftrightarrow A + P = 2J$ तथा $A+P = 48 \Leftrightarrow 2J = 48 \Leftrightarrow J = 24.$

अत: जयेश की वर्तमान आयु $= 24$ वर्ष.

19. माना पिता की आयु $= 7x$ वर्ष तथा पुत्र की आयु $= 3x$ वर्ष.

तब, $7x \times 3x = 756 \Leftrightarrow x^2 = 36 \Leftrightarrow x = 6.$

छ: वर्ष बाद इनकी आयु का अनुपात $= (7x+6) : (3x+6) = (7\times 6+6) : (3\times 6+6) = 48 : 24 = 2 : 1.$

20. माना 6 वर्ष पूर्व अनिल की आयु $= x$ वर्ष तथा सुशील की आयु $= 3x$ वर्ष.

अब, अनिल की आयु $= (x+6)$ वर्ष तथा अब, सुशील की आयु $= (3x+6)$ वर्ष.

$$\therefore \quad (3x+6)+6 = \frac{5}{3}[(x+6)+6]$$

$\Leftrightarrow 3(3x+12) = 5(x+12) \Leftrightarrow 4x = 24 \Leftrightarrow x = 6.$

अनिल की वर्तमान आयु $= (6+6)$ वर्ष $= 12$ वर्ष.

21. अनूप की आयु $= (5-2)$ वर्ष $= 3$ वर्ष.

माना गुलजार की वर्तमान आयु $= x$ वर्ष. तब,

$$\frac{(x-6)}{18} = 3 \Leftrightarrow x = 60.$$

अत: गुलजार की वर्तमान आयु $= 60$ वर्ष.

22. माना श्याम के पिता की आयु $= x$ वर्ष. तब, श्याम की आयु $= \frac{x}{2}$ वर्ष. $(x+20) = \frac{3}{2}\left(\frac{x}{2}+20\right) \Leftrightarrow (2x+40) = \frac{3x}{2}+60$

$$\Leftrightarrow \frac{x}{2} = 20 \Leftrightarrow x = 40.$$

श्याम के पिता की आयु $= 40$ वर्ष.

23. माना A की वर्तमान आयु $= 5x$ वर्ष तथा B की वर्तमान आयु $= 3x$ वर्ष.

तब, $\frac{5x-4}{3x+4} = \frac{1}{1} \Leftrightarrow 5x - 4 = 3x + 4 \Leftrightarrow 2x = 8 \Leftrightarrow x = 4.$

अभीष्ट अनुपात $= \frac{(5x+4)}{(3x-4)} = \frac{(5\times 4+4)}{(3\times 4-4)} = \frac{24}{8} = \frac{3}{1} = 3:1.$

24. माना उस व्यक्ति की वर्तमान आयु $= 4x$ वर्ष तथा उसकी पत्नी की वर्तमान आयु $= 3x$ वर्ष.

$\therefore \quad \frac{4x+4}{3x+4} = \frac{9}{7} \Leftrightarrow 28x + 28 = 27x + 36 \Leftrightarrow x = 8.$

$\therefore$ व्यक्ति की वर्तमान आयु $= 32$ वर्ष तथा पत्नी की वर्तमान आयु $= 24$ वर्ष.

माना उनकी शादी y वर्ष पूर्व हुई.

तब, $\frac{32-y}{24-y} = \frac{5}{3} \Leftrightarrow 3(32-y) = 5(24-y)$

$\Leftrightarrow 2y = 24 \Leftrightarrow y = 12.$

अत: उनकी शादी 12 वर्ष पहले हुई.

25. माना A की वर्तमान आयु $= x$

B की वर्तमान आयु $= x+3$

प्रश्न के अनुसार,

$$\frac{x+3-5}{x+4} = \frac{3}{4}$$

$$\frac{x-2}{x+4} = \frac{3}{4}$$

$$4x - 8 = 3x + 12$$

$$4x - 3x = 12 + 8$$

$$\Rightarrow \quad x = 20$$

26. माना विवाह के समय,

जॉन = x
किआरा = $x+3$
सैम = $x-5$
इसलिए $x+x+3=45$
$2x=42 \Rightarrow x=21$
$\therefore$ विवाह के समय सैम की आयु = $21-5=16$

27. 10 वर्ष पहले
A की आयु = $13x$
B की आयु = $17x$
वर्तमान में
A की आयु = $13x+10$
B की आयु = $17x+10$
17 वर्ष बाद
A की आयु = $13x+10+17=13x+27$
B की आयु = $17x+10+17=17x+27$
प्रश्न के अनुसार,
$$\frac{13x+27}{17x+27}=\frac{10}{11}$$
$11(13x+27)=10(17x+27)$
$143x+297=170x+270$
$170x-143x=297-270$
$27x=27$
$\Rightarrow x=1$
$\therefore$ B की वर्तमान आयु = $17x+10$
$=17\times1+10=17+10=27$ वर्ष

28. वर्तमान में
माना छोटे की आयु = k
बड़े की आयु = $k+10$
15 वर्ष पहले
छोटे की आयु = $k-15$
बड़े की आयु = $k+10-15$
प्रश्न के अनुसार,
$k-5=2(k-15)$
$k-5=2k-30$
$\Rightarrow k=25$
अत: ज्येष्ठ की वर्तमान आयु
$=k+10=25+10=35$ वर्ष

29. माना सिमरन की वर्तमान आयु = $3k$
$\therefore$ स्मृति की वर्तमान आयु = $7k$
4 वर्ष बाद
सिमरन की आयु = $3k+4$
स्मृति की आयु = $7k+4$
प्रश्न के अनुसार,
$7k+4=39$
$7k=35$
$\Rightarrow k=5$
सिमरन की अभीष्ट आयु
$=3k+4=3\times5+4$
$=15+4$
$=19$ वर्ष

30. माना पुत्र की आयु = k
$\therefore$ पिता की आयु = $9k$
माता की आयु = $8k$
प्रश्न के अनुसार,
$9k+8k=51$
$17k=51$
$\Rightarrow k=3$
$\therefore$ पुत्र की आयु = 3 वर्ष

31. माना P की वर्तमान आयु = $3k$
$Q=4k$
$R=5k$
4 वर्ष बाद
$P=3k+4$
$Q=4k+4$
$R=3k+4$
प्रश्न के अनुसार,
$3k+4+4k+4+5k+4=24\times3=72$
$12k+12=72$
$12k=60$
$\Rightarrow k=5$ वर्ष
Q की वर्तमान आयु = $4k=20$
R की वर्तमान आयु = $5k=25$
6 वर्ष पहले,
Q की आयु = $20-6=14$
R की आयु = $25-6=19$
अंतर = $19-14=5$

32. वर्तमान में
A, B, C, D की औसत आयु = $45+5=50$ वर्ष
$A+B+C+D$ का योग = $50\times4=200$
$A+B+C+D+X$ का योग = $49\times5=245$ वर्ष
$\therefore$ X की आयु = $245-200=45$ वर्ष

33. माना C की आयु = x
$\therefore$ B की आयु = $2x$
A की आयु = $2x+2$
प्रश्न के अनुसार,
$A+B+C=27$
यानी, $2x+2+2x+x=27$
$5x+2=27$
$5x=25$
$x=5$
$\therefore$ B की आयु $2x=2\times5=10$ वर्ष

34. छह वर्ष पहले,
बेली = x
ऐली = $4x$
कैली = $2x$
वर्तमान में
बेली = $x+6$
ऐली = $4x+6$
कैली = $2x+6$
प्रश्न के अनुसार,
$4x+6=1.5(2x+6)$
$4x+6=3x+9$
$4x-3x=9-6$
$x=3$
$\therefore$ बेली की वर्तमान आयु = $x+6=9$ वर्ष

35. माना बीना की आयु $= x$
अभि की आयु $= x + k$
चिया की आयु $= x - k$
प्रश्न के अनुसार,
$x + k + 4 = x - k + 12$
$2k = 8$
$\Rightarrow k = 4$
$\therefore$ बीना अभि से 4 वर्ष छोटी है।

36. $A : B = 1 : 3$
$A : C = 2 : 3$
$\therefore A : B : C = 2 : 6 : 3$
अब, प्रश्न के अनुसार
$3x - 2x = 2$
$\Rightarrow x = 1$
अब,
A की आयु $= 2x = 4$ वर्ष.
B की आयु $= 6x = 12$ वर्ष.
C की आयु $= 3x = 6$ वर्ष.
14 साल बाद,
A की आयु $= 4 + 14 = 18$ वर्ष
B की आयु $= 12 + 14 = 26$ वर्ष
C की आयु $= 6 + 14 = 20$ वर्ष
$\therefore$ आवश्यक राशि $= 18 + 26 + 20 = 64$ वर्ष

37. माना पुत्र की वर्तमान आयु $= p$
माँ की वर्तमान आयु $= 4p$
अब, प्रश्न के अनुसार

$$\frac{4p+8}{p+8} = \frac{16}{5}$$

$\Rightarrow 20p + 40 = 16p + 128$
$\Rightarrow 4p = 88$
$\Rightarrow p = 22$
$\therefore x = p^2 = 484$
$\therefore x + 2 = 484 + 2 = 486$

38. परिवार की औसत आयु $= \dfrac{2 \times 76 \times 2 \times 40 + 3 \times 10}{7}$

$$= \frac{152 + 80 + 30}{7} = \frac{262}{7} = 37\frac{3}{7} \text{ वर्ष}$$

39. माना, राम की वर्तमान उम्र $= a$
दिए गए प्रश्न के अनुसार $a + 17 = 2a - 6$
$\Rightarrow 2a - a = 17 + 6 \Rightarrow a = 23$ वर्ष
विवियन की वर्तमान उम्र $21b$ वर्ष
अमित की वर्तमान उम्र $19b$ वष
प्रश्नानुसार, $19b + 31 = 3 \times 23$
$\Rightarrow 19b = 69 - 31 \Rightarrow 19b = 38$
$\Rightarrow y = \dfrac{38}{19} = 2$
$\therefore$ 4 वर्ष बाद विवियन की उम्र $= 21b + 4$
$= (21 \times 2 + 4)$ वर्ष
$= 46$ वर्ष

प्रश्नमाला 9B

निर्देश: प्रश्न संख्या *1* से *10* तक प्रत्येक में एक कथन/प्रश्न तथा दो कथन *I* तथा *II* दिये गये हैं. इन कथनों को पढ़कर इनका उत्तर:

(a) दीजिए यदि दिये गये प्रश्न का उत्तर देने के लिए *I* पर्याप्त हो तथा *II* पर्याप्त न हो;
(b) दीजिए यदि दिये गये प्रश्न का उत्तर देने के लिए *II* पर्याप्त हो तथा *I* पर्याप्त न हो;
(c) दीजिए यदि दिये गये प्रश्न का उत्तर देने के लिए *I* भी पर्याप्त हो तथा *II* भी पर्याप्त हो;
(d) दीजिए यदि दिये गये प्रश्न का उत्तर देने के लिए *I* तथा *II* दोनों मिलकर भी पर्याप्त न हो;
(e) दीजिए यदि दिये गये प्रश्न का उत्तर *I* तथा *II* दोनों को मिलाकर बना हो.

1. रेखा की वर्तमान आयु कितनी है? **(बैंक पी०ओ० परीक्षा, 2014)**
I. रेखा की वर्तमान आयु उनके बेटे की वर्तमान आयु की 5 गुनी है.
II. दो वर्ष बाद रेखा की आयु उसकी बेटी की आयु की 3 गुनी होगी.

2. चन्दा की आयु कितनी है? **(बैंक पी०ओ० परीक्षा, 2015)**
I. वह नन्दा से 5 वर्ष छोटी है.
II. चन्दा और नन्दा की आयु का अनुपात 6 : 7 है.

3. राम की वर्तमान आयु कितनी है? **(बैंक पी०ओ० परीक्षा, 2015)**
I. राम की वर्तमान आयु सुमन की वर्तमान आयु का दुगुना है.
II. 5 वर्ष बाद सुमन की आयु राम की वर्तमान आयु का $\dfrac{3}{4}$ होगी.

4. सोनिया की वर्तमान आयु कितनी है? **(बैंक पी०ओ० परीक्षा, 2013)**
I. सोनिया की वर्तमान आयु दीपक की वर्तमान आयु का 5 गुना है.
II. 5 वर्ष पूर्व उसकी आयु दीपक की उस समय की आयु का 25 गुना थी.

5. दिव्या की आयु श्रुति की आयु से दुगुनी है. उनकी आयु में कितना अन्तर है? **(बैंक पी०ओ० परीक्षा, 2013)**
I. 5 वर्ष बाद उनकी आयु का अनुपात 9 : 5 होगा.
II. 10 वर्ष पूर्व उनकी आयु का अनुपात 3 : 1 था.

6. पिता तथा पुत्र की आयु का अनुपात कितना है?
I. उनकी आयु का योग 50 वर्ष है.
II. उनकी आयु के योग का तिगुना पिता की आयु का 5 गुना है.

7. A तथा B की औसत आयु कितनी है?
I. A की आयु के पाँचवें भाग तथा B की आयु के चौथे भाग का अनुपात 1 : 2 है.
II. उनकी आयु का गुणनफल B की आयु का 20 गुना है.

8. C की वर्तमान आयु कितनी है?
I. 3 वर्ष पूर्व A तथा B की औसत आयु 18 वर्ष थी.
II. अब C के आने से, औसत आयु 22 वर्ष हो जाती है.

9. किसी विभाग में कार्यरत कर्मचारियों की औसत आयु 30 वर्ष है. अगले वर्ष 10 कर्मचारी सेवा-निवृत्त हो जायेंगें. अगले वर्ष औसत आयु कितनी होगी?
I. सेवा-निवृत्ति की आयु 60 वर्ष है.
II. विभाग में कुल 50 कर्मचारी हैं.

10. P, Q, R की आयु का योग 96 वर्ष है. Q की आयु कितनी है?
I. P, R से 6 वर्ष बड़ा है.
II. Q तथा R की आयु का योग 56 वर्ष है.

निर्देश (प्रश्न 11–15): नीचे दिये प्रत्येक प्रश्न में प्रत्येक प्रश्न के साथ तीन कथन दिये गये हैं. ज्ञात करना है कि दिये गये प्रश्न का उत्तर पाने के लिए इनमें से कौन-कौन से कथन आवश्यक हैं.

11. A की वर्तमान आयु कितनी है?
I. A तथा B की आयु का योग 21 वर्ष है.
II. A तथा B की आयु का अन्तर 5 वर्ष है.
III. A तथा B की आयु का गुणनफल 104 वर्ष है.
(*a*) केवल I तथा II (*b*) केवल II तथा III
(*c*) केवल I तथा III (*d*) तीनों में से कोई दो
(*e*) इनमें से कोई नहीं

12. तान्या की वर्तमान आयु कितनी है?
(बैंक पी०ओ० परीक्षा, 2014)
I. तान्या तथा उनके भाई राहुल की वर्तमान आयु का अनुपात 3 : 4 है.
II. 5 वर्ष बाद तान्या और राहुल की आयु का अनुपात 4 : 5 होगा.
III. राहुल तान्या से 5 वर्ष बड़ा है.
(*a*) केवल I तथा II (*b*) केवल II तथा III
(*c*) केवल I तथा III (*d*) I, II, III तीनों
(*e*) तीनों में से कोई नहीं

13. Y तथा X की आयु में कितना अन्तर है?
I. X तथा Y की आयु का अनुपात 2 : 3 है.
II. Y की आयु X की आयु से 50% अधिक है.
III. X की आयु का $\frac{1}{4}$, Y की आयु के $\frac{1}{6}$ के बराबर है.
(*a*) I, II, III सभी (*b*) तीनों में से कोई नहीं
(*c*) III तथा (I अथवा II)
(*d*) केवल I तथा II
(*e*) दिये गये सभी कथनों से भी उत्तर संभव नहीं

14. अरुण की वर्तमान आयु कितनी है?
(एम०बी०ए० परीक्षा, 2012)
I. 5 वर्ष पूर्व अरुण की आयु उसकी बेटी की आयु से दुगुनी थी.
II. अरुण तथा उनके बेटे की वर्तमान आयु 11:6 के अनुपात में हैं.
III. 5 वर्ष बाद, अरुण और उनके बेटे की आयु का अनुपात 12:7 होगा.
(*a*) केवल I तथा II (*b*) केवल II तथा III
(*c*) केवल I तथा III (*d*) तीनों में से कोई दो
(*e*) इनमें से कोई नहीं

15. रवि की वर्तमान आयु कितनी है?
I. रवि की वर्तमान आयु उनके पुत्र की आयु से आधी है.
II. 5 वर्ष बाद, रवि तथा उनके पिता की आयु का अनुपात 6 : 11 होगा.
III. रवि अपने भाई से 5 वर्ष छोटा है.
(*a*) केवल I तथा II (*b*) केवल II तथा III
(*c*) केवल I तथा III (*d*) I, II, III तीनों
(*e*) तीनों कथनों से भी उत्तर संभव नहीं है

निर्देश (प्रश्न 16–18): नीचे दिये प्रत्येक प्रश्न में प्रश्न के साथ तीन कथन दिये गये हैं. इनमें से कौन सा कथन निरर्थक है, यह छाँटना होगा. यही इस प्रश्न का उत्तर होगा.

16. अन्ना तथा उसकी माता की वर्तमान आयु का अनुपात कितना होगा?
I. अन्ना उसकी माता तथा उनके पिता की आयु का योग 62 वर्ष है.
II. 5 वर्ष पूर्व अन्ना की आयु उनके पिता की आयु का $\frac{1}{5}$ थी.
III. 2 वर्ष पूर्व अन्ना तथा उनके पिता की आयु का योग 36 वर्ष था.
(*a*) केवल I अथवा II (*b*) केवल II अथवा III
(*c*) केवल III (*d*) केवल I अथवा III
(*e*) I, II, III तीनों चाहियें

17. 5 वर्ष बाद सजल और काजल की आयु का अनुपात क्या होगा?
I. सजल की वर्तमान आयु काजल की वर्तमान आयु से 5 वर्ष अधिक है.
II. काजल की वर्तमान आयु 20 वर्ष है.
III. काजल तथा सजल की वर्तमान आयु का अनुपात 5 : 6 है.
(*a*) केवल I अथवा II अथवा III
(*b*) केवल II (*c*) केवल III
(*d*) केवल I अथवा III (*e*) केवल II अथवा III

18. आयुष तथा दीपक की आयु में कितना अन्तर है?

I. आयुष की वर्तमान आयु तथा 8 वर्ष बाद की आयु का अनुपात 4 : 5 है.

II. आयुष तथा दीपक की वर्तमान आयु का अनुपात 4 : 3 है.

III. दीपक की वर्तमान आयु तथा 4 वर्ष पूर्व आयु का अनुपात 6 : 5 है.

(*a*) I, II, III में से कोई नहीं
(*b*) केवल I अथवा III
(*c*) तीनों में से कोई एक
(*d*) I, II, III सभी आवश्यक हैं
(*e*) I, II, III तीनों से भी उत्तर प्राप्त नहीं हो सकता

उत्तरमाला

1. (*d*)	**2.** (*e*)	**3.** (*e*)	**4.** (*e*)	**5.** (*c*)	**6.** (*c*)	**7.** (*e*)	**8.** (*e*)	**9.** (*e*)	**10.** (*e*)
11. (*d*)	**12.** (*e*)	**13.** (*e*)	**14.** (*d*)	**15.** (*a*)	**16.** (*e*)	**17.** (*a*)	**18.** (*c*)		

दिये गये प्रश्नों के हल

1. माना रेखा की वर्तमान आयु $= x$ वर्ष.
I से, $x = 5y$, जहाँ बेटे की वर्तमान आयु $= y$ वर्ष.
II से, $x + 2 = 3z$, जहाँ बेटी की 2 वर्ष बाद आयु $= z$ वर्ष.
स्पष्ट है कि दोनों से भी x का मान ज्ञात नहीं किया जा सकता.
अतः अभीष्ट उत्तर (*d*) है.

2. माना चन्दा की आयु $= x$ वर्ष.
I से, नन्दा की आयु $= (x + 5)$ वर्ष.
II से, $\dfrac{x}{x+5} = \dfrac{6}{7} \Leftrightarrow 7x = 6x + 30 \Leftrightarrow x = 30.$
अतः I तथा II दोनों से अभीष्ट उत्तर प्राप्त होता है.
अतः सही उत्तर (*e*) है.

3. माना राम की वर्तमान आयु $= x$ वर्ष तथा सुमन की वर्तमान आयु $= y$ वर्ष.
I से, $x = 2y \Leftrightarrow x - 2y = 0$
II से, $y + 5 = \dfrac{3}{4}x \Leftrightarrow 3x - 4y = 20.$
इन दोनों को हल करके राम की वर्तमान आयु x निकाली जा सकती है.
अतः सही उत्तर (*e*) है.

4. माना सोनिया की वर्तमान आयु $= x$ वर्ष.
I से, दीपक की वर्तमान आयु $= \dfrac{x}{5}$ वर्ष.
II से, 5 वर्ष पूर्व सोनिया की आयु = 5 वर्ष पूर्व दीपक की आयु का 25 गुना
$\therefore \quad (x - 5) = 25\left(\dfrac{x}{5} - 5\right) \Leftrightarrow 5(x - 25) = x - 5$
$\Leftrightarrow 4x = 120 \Leftrightarrow x = 30.$
$\therefore$ I तथा II से सोनिया की वर्तमान आयु ज्ञात हुई.
अतः अभीष्ट उत्तर (*e*) है.

5. माना श्रुति की आयु $= x$ वर्ष तथा दिव्या की आयु $= 2x$ वर्ष.
I से, $\dfrac{\text{5 वर्ष बाद दिव्या की आयु}}{\text{5 वर्ष बाद श्रुति की आयु}} = \dfrac{9}{5} \Leftrightarrow \dfrac{2x+5}{x+5} = \dfrac{9}{5}$
$\Leftrightarrow 10x + 25 = 9x + 45 \Leftrightarrow x = 20.$
$\therefore$ उनकी आयु का अन्तर $= (2 \times 20 - 20)$ वर्ष $= 20$ वर्ष.
अतः केवल I से उत्तर प्राप्त होगा.
II से, $\dfrac{2x-10}{x-10} = \dfrac{3}{1} \Leftrightarrow 3x - 30 = 2x - 10 \Leftrightarrow x = 20.$
इससे उनकी आयु का अन्तर ज्ञात हो सकता है.
अतः केवल II से उत्तर प्राप्त होगा.
अतः सही उत्तर (*c*) है.

6. माना पिता की आयु $= x$ वर्ष तथा पुत्र की आयु $= y$ वर्ष.
I से, $x + y = 50 \quad \Leftrightarrow x + y = 50$ ...(*i*)
II से, $3(x + y) = 5y \Leftrightarrow 3x - 2y = 0$ ...(*ii*)
(*i*) को 2 से गुणा करके (*ii*) में जोड़ने पर $5x = 100 \Leftrightarrow x = 20.$
$\therefore \quad x = 20$ तथा $y = 30.$
अतः दिये गये प्रश्न के उत्तर के लिए I तथा II दोनों आवश्यक हैं.
अतः सही उत्तर (*c*) है.

7. I से, $\dfrac{A}{5} : \dfrac{B}{4} = 1:2 \Leftrightarrow \dfrac{\left(\dfrac{A}{5}\right)}{\left(\dfrac{B}{4}\right)} = \dfrac{1}{2} \Leftrightarrow \dfrac{4A}{5B} = \dfrac{1}{2} \Leftrightarrow \dfrac{A}{B} = \dfrac{5}{8}$
II से, $AB = 20B$
I से, माना A की आयु $= 5x$ वर्ष तथा B की आयु $= 8x$ वर्ष.
II से, $5x \times 8x = 20 \times 8x \Leftrightarrow x = 4.$
$\therefore A$ तथा B की औसत आयु $= \dfrac{5x+8x}{2} = \dfrac{13x}{2} = \dfrac{13 \times 4}{2}$
$= 26$ वर्ष.
अतः I तथा II दोनों को मिलाकर उत्तर प्राप्त हुआ.
अतः सही उत्तर (*e*) है.

8. I से, $(A + B)$ की 3 वर्ष पूर्व कुल आयु $= (18 \times 2)$ वर्ष $= 36$ वर्ष.
$(A + B)$ की वर्तमान कुल आयु $= (36 + 3 \times 2)$ वर्ष $= 42$ वर्ष.
II से, $(A + B + C)$ की कुल आयु $= (22 \times 3)$ वर्ष $= 66$ वर्ष.
I तथा II से, C की वर्तमान आयु $= (66 - 42)$ वर्ष $= 24$ वर्ष.
अतः सही उत्तर (*e*) है.

9. II से, कुल कर्मचारी $= 50$, इनकी औसत आयु $= 30$ वर्ष.
इनकी आयु का योग $= (50 \times 30)$ वर्ष $= 1500$ वर्ष.
अगले वर्ष कुल कर्मचारी $= 40.$
II तथा I से, इनकी औसत आयु $= (1500 + 40 - 60 \times 10)$ वर्ष $= 940$ वर्ष.

अगले वर्ष औसत आयु $= \frac{940}{40}$ वर्ष $= 23\frac{1}{2}$ वर्ष.

$\therefore$ I तथा II दोनों से उत्तर प्राप्त होगा.

अतः सही उत्तर (e) है.

10. दिया है: $P + Q + R = 96$ ...(i)

I से, $P = R + 6$ ...(ii)

II से, $Q + R = 56$ ...(iii)

(iii) में से (i) घटाने पर $P = 40$.

(ii) में $P = 40$ रखने पर, $R = 34$.

(iii) में $R = 34$ रखने पर, $Q = 22$.

अतः I तथा II दोनों को मिलाकर उत्तर प्राप्त होता है.

अतः सही उत्तर (e) है.

11. I से, $A + B = 21$

II से, $A - B = 5$

III से, $AB = 104$

इनमें से प्रत्येक दो को हल करने पर A का मान ज्ञात होगा.

अतः सही उत्तर (d) है.

12. I. माना तान्या तथा राहुल की वर्तमान आयु क्रमशः $3x$ वर्ष तथा $4x$ वर्ष है.

II. $(3x + 5) : (4x + 5) = 4 : 5$.

III. राहुल की आयु − तान्या की आयु + 5

I तथा II से, $\frac{3x+5}{4x+5} = \frac{4}{5} \Leftrightarrow 15x + 25 = 16x + 20 \Leftrightarrow x = 5$.

$\therefore$ तान्या की आयु $= (3 \times 5)$ वर्ष $= 15$ वर्ष.

अतः I तथा II से उत्तर प्राप्त होता है.

I तथा III से $4x = 3x + 5 \Leftrightarrow x = 5$.

$\therefore$ तान्या की आयु $= (3 \times 5)$ वर्ष $= 15$ वर्ष.

अतः I तथा III से उत्तर प्राप्त होता है.

केवल III से : माना तान्या की आयु $= t$ वर्ष.

तब, राहुल की आयु $= (t + 5)$ वर्ष.

II तथा III से, $\frac{t}{t+5} = \frac{4}{5}$. इससे t का मान प्राप्त होगा.

इस प्रकार II तथा III से भी उत्तर प्राप्त होता है.

अतः सही उत्तर (e) है.

13. I से, $X : Y = 2 : 3 \Leftrightarrow \frac{X}{Y} = \frac{2}{3} \Leftrightarrow 3X = 2Y$.

II से, $Y = \frac{150}{100} X \Leftrightarrow Y = \frac{3X}{2} \Leftrightarrow 3X = 2Y$.

III से, $\frac{1}{4} X = \frac{1}{6} Y \Leftrightarrow 6X = 4Y \Leftrightarrow 3X = 2Y$.

इस प्रकार I, II, III तीनों से भी उत्तर प्राप्त नहीं होता.

अतः सही उत्तर (e) है.

14. II से, माना अरुण की वर्तमान आयु

$= 11x$ वर्ष तथा उनके पुत्र की वर्तमान आयु $= 6x$ वर्ष.

I तथा II से, 5 वर्ष पूर्व, अरुण की आयु

$= 2 \times$ उसके पुत्र की आयु

$\therefore$ $(11x - 5) = 2 \times (6x - 5) \Leftrightarrow x = 5$.

इससे अरुण की वर्तमान आयु $= (11 \times 5)$ वर्ष $= 55$ वर्ष.

III से, 5 वर्ष बाद, $\frac{\text{अरुण की आयु}}{\text{उसके पुत्र की आयु}} = \frac{12}{7}$

I तथा III से, $\frac{11x+5}{61x+5} = \frac{12}{7} \Leftrightarrow 77x + 35 = 72x + 60$

$\Leftrightarrow 5x = 25 \Leftrightarrow x = 5$.

इससे अरुण की वर्तमान आयु $= 55$ वर्ष.

अतः सही उत्तर (d) है.

15. I. माना रवि की वर्तमान आयु $= x$ वर्ष. तब, उनके पिता की वर्तमान आयु $= 2x$ वर्ष.

II. z 5 वर्ष बाद, $\frac{\text{रवि की आयु}}{\text{उसके पिता की आयु}} = \frac{6}{11}$.

$\therefore$ I तथा II से, $\frac{x+5}{2x+5} = \frac{6}{11} \Leftrightarrow 11x + 55 = 12x + 30 \Leftrightarrow x = 25$.

इससे रवि की वर्तमान आयु $= 25$ वर्ष.

अतः सही उत्तर (a) है.

16. I से, $A + M + F = 62$. ...(i)

II से, $(A - 5) = \frac{1}{5}(F - 5) \Rightarrow 5A - F = 20$ ...(ii)

III से, $(A - 2) + (F - 2) = 36 \Rightarrow A + F = 40$ ...(iii)

(ii) तथा (iii) से A तथा F का मान निकाल कर (i) में रख कर M का मान ज्ञात करते हैं.

... दिये गये प्रश्न के उत्तर के लिए I, II, III तीनों आवश्यक हैं.

अतः सही उत्तर (e) है.

17. स्पष्ट है कि किन्हीं दो कथनों से उत्तर प्राप्त होगा तथा तीसरा निरर्थक है.

अतः सही उत्तर (a) है.

18. स्पष्ट है कि किन्हीं दो कथनों से उत्तर प्राप्त होगा तथा तीसरा निरर्थक है.

अतः सही उत्तर (c) है.

10 घातांक तथा करणी (SURDS AND INDICES)

सामान्य नियम

करणीः मानाa एक परिमेय संख्या है तथा n एक धन-पूर्णांक है.

यदि a का n वाँ मूल एक अपरिमेय राशि हो तो $a^{1/n} = \sqrt[n]{a}$ को घात n की करणी कहा जाता है.

उदाहरणः (i) $\sqrt{3} = 3^{\frac{1}{2}}$, एक द्वितीय घात की करणी है. (ii) $\sqrt[4]{5} = 5^{\frac{1}{4}}$, एक करणी है जिसकी घात 4 है.

घातांक के नियम (Laws of Indices):

(i) $a^m \times a^n = a^{m+n}$ (ii) $(a^m) \div (a^n) = a^{m-n}$ (iii) $(a^m)^n = a^{mn}$

(iv) $(ab)^n = (a^n \times b^n)$ (v) $\left(\frac{a}{b}\right)^n = \frac{a^n}{b^n}$ (vi) $a^0 = 1$

करणी के नियम (Laws of Surds):

(i) $\left(\sqrt[n]{a}\right)^n = \left(a^{1/n}\right)^n = a$ (ii) $\sqrt[n]{ab} = \sqrt[n]{a}\,.\,\sqrt[n]{b}$ (iii) $\sqrt[n]{\frac{a}{b}} = \frac{\sqrt[n]{a}}{\sqrt[n]{b}}$

(iv) $\left(\sqrt[n]{a}\right)^m = \sqrt[n]{a^m}$ (v) $\sqrt[m]{\sqrt[n]{a}} = \sqrt[mn]{a}$

साधित उदाहरण

प्रश्न 1. सरल कीजिएः (i) $(243)^{\frac{3}{5}}$ (ii) $\left(\frac{1}{16}\right)^{-\frac{5}{4}}$ (iii) $(32)^{-\frac{1}{5}}$

हलः (i) $(243)^{\frac{3}{5}} = (3^5)^{\frac{3}{5}} = 3^{\left(5\times\frac{3}{5}\right)} = 3^3 = 27.$

(ii) $\left(\frac{1}{16}\right)^{-\frac{5}{4}} = \left(\frac{1}{2^4}\right)^{-\frac{5}{4}} = (2^{-4})^{-\frac{5}{4}} = 2^{(-4)\times\left(-\frac{5}{4}\right)} = 2^5 = 32.$

(iii) $(32)^{-\frac{1}{5}} = (2^5)^{-\frac{1}{5}} = 2^{\left(-\frac{1}{5}\right)\times 5} = 2^{-1} = \frac{1}{2}.$

प्रश्न 2. सरल कीजिएः $\left(\frac{x^a}{x^b}\right)^{(a^2+ab+b^2)} \times \left(\frac{x^b}{x^c}\right)^{(b^2+bc+c^2)} \times \left(\frac{x^c}{x^a}\right)^{(c^2+ca+a^2)}.$

हलः दिया गया व्यंजक

$$= \{x^{(a-b)}\}^{(a^2+ab+b^2)} \times \{x^{(b-c)}\}^{(b^2+bc+c^2)} \times \{x^{(c-a)}\}^{(c^2+ca+a^2)}$$

$$= x^{(a-b)(a^2+ab+b^2)} \times x^{(b-c)(b^2+bc+c^2)} \times x^{(c-a)(c^2+ca+a^2)}$$

$$= x^{(a^3-b^3)} \times x^{(b^3-c^3)} \times x^{(c^3-a^3)} = x^{\{(a^3-b^3)+(b^3-c^3)+(c^3-a^3)\}} = x^0 = 1.$$

प्रश्न 3. ज्ञात करें कि $\sqrt{2}$ तथा $\sqrt[3]{3}$ में से कौन-सा बड़ा है?

हलः दी गई करणी क्रमशः घात 2 और 3 की हैं. इनका लघुत्तम समापवर्त्य = 6.

अतः प्रत्येक को घात 6 की करणी में बदलने पर:

$$\sqrt{2} = (2^{\frac{1}{2}}) = 2^{\left(\frac{1}{2}\times\frac{3}{3}\right)} = 2^{\frac{3}{6}} = (2^3)^{\frac{1}{6}} = (8)^{\frac{1}{6}} = \sqrt[6]{8}$$

$$\sqrt[3]{3}=(3^{\frac{1}{3}})=3^{\left(\frac{1}{3}\times\frac{2}{2}\right)}=3^{\frac{2}{6}}=(3^2)^{\frac{1}{6}}=(9)^{\frac{1}{6}}=\sqrt[6]{9}$$

स्पष्ट है कि $\sqrt[4]{9} > \sqrt[6]{8}$ अतः $\sqrt[3]{3} > \sqrt{2}$.

प्रश्न 4. $\sqrt[4]{6}, \sqrt{2}$ तथा $\sqrt[3]{4}$ को आरोही क्रम में लिखिये.

हल: दी गई करणी क्रमशः घात 4, 2 तथा 3 की हैं. इनका लघुत्तम समापवर्त्य = 12.

प्रत्येक करणी को घात 12 की करणी में बदलने पर:

$$\sqrt[4]{6}=6^{\frac{1}{4}}=6^{\left(\frac{1}{4}\times\frac{3}{3}\right)}=6^{\left(\frac{3}{12}\right)}=(6^3)^{\frac{1}{12}}=(216)^{\frac{1}{12}}=\sqrt[12]{216}$$

$$\sqrt{2}=2^{\frac{1}{2}}=2^{\left(\frac{1}{2}\times\frac{6}{6}\right)}=2^{\left(\frac{6}{12}\right)}=(2^6)^{\frac{1}{12}}=(64)^{\frac{1}{12}}=\sqrt[12]{64}$$

$$\sqrt[3]{4}=4^{\frac{1}{3}}=4^{\left(\frac{1}{3}\times\frac{4}{4}\right)}=4^{\left(\frac{4}{12}\right)}=(4^4)^{\frac{1}{12}}=(256)^{\frac{1}{12}}=\sqrt[12]{256}$$

स्पष्ट है कि $\sqrt[12]{64}<\sqrt[12]{216}<\sqrt[12]{256}$. अतः $\sqrt{2}<\sqrt[4]{6}<\sqrt[3]{4}$.

प्रश्न 5. $\dfrac{6^{\frac{2}{3}}\times\sqrt[3]{6^7}}{\sqrt[3]{6^6}}$ को सरल करें.

हल: दिया गया व्यंजक $=\dfrac{\sqrt[3]{6^2}\times\sqrt[3]{6^7}}{\sqrt[3]{6^6}}=\dfrac{\sqrt[3]{6^2\times6^7}}{\sqrt[3]{6^6}}=\dfrac{\sqrt[3]{6^9}}{\sqrt[3]{6^6}}=\dfrac{(6^9)^{\frac{1}{3}}}{(6^6)^{\frac{1}{3}}}=\dfrac{6^{\left(9\times\frac{1}{3}\right)}}{6^{\left(6\times\frac{1}{3}\right)}}=\dfrac{6^3}{6^2}=6^{(3-2)}=6^1=6.$

प्रश्न 6. $\dfrac{(243)^{\frac{n}{5}}.3^{2n+1}}{9^n\times3^{n-1}}$ को सरल करें.

हल: दिया गया व्यंजक $=\dfrac{(243)^{\frac{n}{5}}\times3^{2n+1}}{9^n\times3^{(n-1)}}=\dfrac{(3^5)^{\frac{n}{5}}\times3^{2n+1}}{(3^2)^n\times3^{(n-1)}}=\dfrac{3^{\left(5\times\frac{n}{5}\right)}\times3^{(2n+1)}}{3^{2n}\times3^{(n-1)}}=\dfrac{3^{(n+2n+1)}}{3^{(2n+n-1)}}=\dfrac{3^{(3n+1)}}{3^{(3n-1)}}=3^{\{(3n+1)-(3n-1)\}}=3^2=9.$

प्रश्नमाला 10

निम्नलिखित प्रश्नों में से प्रत्येक में ठीक उत्तर के सामने सही का निशान (✓) लगायें:

1. $(16)^{\frac{3}{4}}$ बराबर है **(एस० एस० सी० परीक्षा, 2010)**

(a) $2\sqrt{2}$ (b) $4\sqrt{2}$
(c) 8 (d) 16

2. $(8)^{\frac{2}{3}}$ बराबर है: **(एस० एस० सी० परीक्षा, 2010)**

(a) $3\frac{1}{3}$ (b) 4
(c) $5\frac{1}{2}$ (d) $21\frac{1}{3}$

3. $(256)^{\frac{5}{4}}$ बराबर है:

(a) 512 (b) 984
(c) 1024 (d) 1032

4. $(\sqrt{8})^{\frac{1}{3}}$ बराबर है:

(a) 2 (b) 4
(c) $\sqrt{2}$ (d) 8

5. $\left(\dfrac{81}{169}\right)^{-\frac{1}{2}}$ का मान है:

(a) $\dfrac{3}{169}$ (b) $\dfrac{9}{169}$
(c) $\dfrac{9}{13}$ (d) $\dfrac{13}{9}$

6. $\left(\dfrac{8}{125}\right)^{-\frac{4}{3}}$ का मान है: **(एस० एस० सी. परीक्षा, 2010)**

(a) $\dfrac{16}{625}$ (b) $\dfrac{625}{32}$
(c) $\dfrac{625}{16}$ (d) $\dfrac{625}{8}$

7. $\left(\dfrac{32}{243}\right)^{-\frac{4}{5}}$ का मान है:

(a) $\dfrac{4}{9}$ (b) $\dfrac{9}{4}$ (c) $\dfrac{16}{81}$ (d) $\dfrac{81}{16}$

8. $\left(\frac{-1}{216}\right)^{-\frac{2}{3}}$ का मान है: **(एम०बी०ए० परीक्षा, 1998)**

(*a*) 36 (*b*) − 36

(*c*) $\frac{1}{36}$ (*d*) $-\frac{1}{36}$

9. $\left(\frac{1}{216}\right)^{-\frac{2}{3}} \div \left(\frac{1}{27}\right)^{-\frac{4}{3}} = ?$

(*a*) $\frac{3}{4}$ (*b*) $\frac{2}{3}$

(*c*) $\frac{4}{9}$ (*d*) $\frac{1}{8}$

10. $\frac{1}{(216)^{-\frac{2}{3}}} + \frac{1}{(256)^{-\frac{3}{4}}} + \frac{1}{(32)^{-\frac{1}{5}}}$ का मान है:

(*a*) 102 (*b*) 105

(*c*) 107 (*d*) 109

11. $\{(10)^{150} \div (10)^{146}\}$ का मान है:

(*a*) 1000 (*b*) 10000

(*c*) 100000 (*d*) 10^6

12. $(1000)^7 \div 10^{18} = ?$ **(बैंक पी० ओ० परीक्षा, 2013)**

(*a*) 10 (*b*) 100

(*c*) 1000 (*d*) 10000

13. यदि $\sqrt{2^n} = 64$ हो, तो *n* का मान है:

(*a*) 2 (*b*) 4

(*c*) 6 (*d*) 12

14. $(256)^{0\cdot16} \times (256)^{0\cdot09} = ?$

(एस० एस० सी० परीक्षा, 2014)

(*a*) 4 (*b*) 16

(*c*) 64 (*d*) 256·25

15. $(25)^{7\cdot5} \times (5)^{2\cdot5} \div (125)^{1\cdot5} = 5^?$

(बैंक पी० ओ० परीक्षा, 2013)

(*a*) 8·5 (*b*) 13

(*c*) 16 (*d*) 17·5

16. $(18)^{3\cdot5} \div (27)^{3\cdot5} \times 6^{3\cdot5} = 2^?$

(बैंक पी० ओ० परीक्षा, 2013)

(*a*) 3·5 (*b*) 4·5

(*c*) 6 (*d*) 7

17. $(17)^{3\cdot5} \times (17)^? = 17^8$ **(बैंक पी० ओ० परीक्षा 2014)**

(*a*) 2·29 (*b*) 2·75

(*c*) 4·25 (*d*) 4·5

18. $(64)^{-\frac{1}{2}} - (-32)^{-\frac{4}{5}} = ?$ **(बैंक पी० ओ० परीक्षा 2012)**

(*a*) $\frac{1}{8}$ (*b*) $\frac{3}{8}$

(*c*) $\frac{1}{16}$ (*d*) $\frac{3}{16}$

19. $(0\cdot00032)^{\frac{3}{5}} = ?$

(*a*) 0·008 (*b*) 0·08

(*c*) 0·8 (*d*) इनमें से कोई नहीं

20. $(5)^{24} \times (8)^{16} \times (25)^{12} = 10^?$

(*a*) 24 (*b*) 48

(*c*) 60 (*d*) इनमें से कोई नहीं

21. $(8^{-25} - 8^{-26}) = ?$

(*a*) 7×8^{-25} (*b*) 7×8^{-26}

(*c*) 8×8^{-26} (*d*) इनमें से कोई नहीं

22. $\sqrt[3]{-8 \times \sqrt[4]{16}} = ?$

(*a*) − 4 (*b*) − 2

(*c*) 2 (*d*) 4

23. $\frac{2^5 \times 9^2}{8^2 \times 3^5} = ?$ **(इन्दिरा गाँधी वि०वि० परीक्षा, 2013)**

(*a*) $\frac{1}{8}$ (*b*) $\frac{3}{2}$

(*c*) $\frac{2}{3}$ (*d*) $\frac{1}{6}$

24. यदि $3^{(x-y)} = 27$ तथा $3^{(x+y)} = 243$ हो, तो *x* का मान है:

(रेलवे परीक्षा, 2013)

(*a*) 0 (*b*) 2

(*c*) 4 (*d*) 6

25. $(5^7 \times 5^4 \div 5^8)$ का मान है: **(रेलवे परीक्षा, 2013)**

(*a*) 25 (*b*) 50

(*c*) 75 (*d*) 125

26. $(0\cdot00032)^{0\cdot6}$ का मान क्या है? **(रेलवे परीक्षा, 2012)**

(*a*) 0·0008 (*b*) 0·008

(*c*) 0·08 (*d*) 0·8

(*e*) इनमें से कोई नहीं

27. $[5(8^{1/3} + 27^{1/3})^3]^{\frac{1}{4}}$ का मान है:

(इन्दिरा गाँधी वि०वि० परीक्षा, 2014)

(*a*) 5 (*b*) 25

(*c*) 125 (*d*) 625

28. $\frac{(625)^{6\cdot25} \times (25)^{2\cdot6}}{(625)^{6\cdot75} \times (5)^{1\cdot2}}$ का मान है:

(एस०एस०सी० परीक्षा, 2013)

(*a*) 0·25 (*b*) 6·25

(*c*) 25 (*d*) 625

29. $\frac{(6\cdot25)^{\frac{1}{2}} \times (0\cdot0144)^{\frac{1}{2}} + 1}{(\cdot027)^{\frac{1}{3}} \times (81)^{\frac{1}{4}}}$ का मान है:

(एस०एस०सी० परीक्षा, 2012)

(a) 0·14 (b) 1

(c) 1·4 (d) $1\cdot\overline{4}$

30. $(64)^{\frac{2}{3}} \times \left(\frac{1}{4}\right)^{2}$ का मान है: **(एस०एस०सी० परीक्षा, 2010)**

(a) $\frac{1}{16}$ (b) $\frac{1}{2}$

(c) 1 (d) 2

31. $(0\cdot01024)^{\frac{1}{5}}$ का मान है: **(एस०एस०सी० परीक्षा, 2010)**

(a) 0·00004 (b) 0·04

(c) 0·4 (d) 4

32. यदि $2^{(x+13)} = 4^{(x+2)}$ हो, तो x का मान है: **(एस०एस०सी० परीक्षा, 1999)**

(a) 2 (b) 7

(c) 8 (d) 9

33. यदि $\left(\frac{1}{5}\right)^{3x} = 0\cdot008$ हो, तो $(0\cdot25)^x$ का मान होगा?

(a) 0·0625 (b) 0·125

(c) 0·25 (d) 1

34. $\frac{(5)^{0\cdot25} \times (125)^{0\cdot25}}{(256)^{0\cdot10} \times (256)^{0\cdot15}}$ का मान है:

(a) $\frac{25}{16}$ (b) $\frac{25}{2}$

(c) $\frac{5}{4}$ (d) $\frac{\sqrt{5}}{2}$

35. यदि $(64)^{(2x-5)} = 4 \times 8^{(x-4)}$ हो, तो x का मान है: **(एस०एस०सी० परीक्षा, 2012)**

(a) $\frac{10}{7}$ (b) 2

(c) $\frac{20}{9}$ (d) 11

36. $9^x - 10 \times 3^x + 9 = 0$ को हल करने पर x के मान क्या होंगे?

(a) 1 (b) 1 तथा 2

(c) 0 तथा 2 (d) −2 तथा 2

37. $\left(\frac{x^b}{x^c}\right)^{(b+c-a)} \cdot \left(\frac{x^c}{x^a}\right)^{(c+a-b)} \cdot \left(\frac{x^a}{x^b}\right)^{(a+b-c)} = ?$

(जीवन बीमा निगम परीक्षा 2013)

(a) x^{abc} (b) 1

(c) $x^{(ab+bc+ca)}$ (d) $x^{(a+b+c)}$

38. यदि $\left(\frac{a}{b}\right)^{x-1} = \left(\frac{b}{a}\right)^{x-3}$ हो, तो x का मान होगा: **(आई०एम०टी० परीक्षा, 2012)**

(a) 4 (b) 5

(c) 9 (d) इनमें से कोई नहीं

39. $\frac{1}{1+x^{(b-a)}+x^{(c-a)}} + \frac{1}{1+x^{(a-b)}+x^{(c-b)}} + \frac{1}{1+x^{(b-c)}+x^{(a-c)}} = ?$

(एम०बी०ए० परीक्षा, 2013)

(a) 0 (b) 1

(c) x^{a-b-c} (d) इनमें से कोई नहीं

40. $\frac{1}{1+a^{(n-m)}} + \frac{1}{1+a^{(m-n)}}$ का मान है:

(a) 0 (b) $\frac{1}{2}$

(c) 1 (d) a^{m+n}

41. यदि $abc = 1$ हो, तो $\left(\frac{1}{1+a+b^{-1}} + \frac{1}{1+b+c^{-1}} + \frac{1}{1+c+a^{-1}}\right)$ का मान है:

(a) 0 (b) 1

(c) $\frac{1}{ab}$ (d) ab

42. $\left(\frac{x^a}{x^b}\right)^{(a+b)} \cdot \left(\frac{x^b}{x^c}\right)^{(b+c)} \cdot \left(\frac{x^c}{x^a}\right)^{(c+a)} = ?$

(a) 0 (b) x^{abc}

(c) $x^{(a+b+c)}$ (d) 1

43. $\left(\frac{x^a}{x^b}\right)^{\frac{1}{ab}} \cdot \left(\frac{x^b}{x^c}\right)^{\frac{1}{bc}} \cdot \left(\frac{x^c}{x^a}\right)^{\frac{1}{ca}} = ?$

(a) 1 (b) $x^{\frac{1}{abc}}$

(c) $x^{\frac{1}{(ab+bc+ca)}}$ (d) इनमें से कोई नहीं

44. यदि a, b, c वास्तविक संख्याएँ हों, तो $\sqrt{a^{-1}b} \cdot \sqrt{b^{-1}c} \cdot \sqrt{c^{-1}a}$ बराबर है:

(a) abc (b) $\sqrt{abc}$

(c) $\frac{1}{abc}$ (d) 1

45. यदि $\left(\frac{9}{4}\right)^{x} \cdot \left(\frac{8}{27}\right)^{(x-1)} = \frac{2}{3}$ हो, तो x का मान है:

(a) 1 (b) 2

(c) 3 (d) 4

46. यदि $x = 2 - \sqrt{3}$, तो $x^3 - x^{-3}$ का मान है–

[एसएससी सीएचएसएल (10+2) टियर-I परीक्षा, 2019]

(a) $\frac{x-4}{y-4}=\frac{3}{4}$ (b) $\frac{A+B+C}{3}$ (c) $\frac{13x+27}{17x+27}=\frac{10}{11}$ (d) $30\sqrt{2}$

47. यदि $3^{\sqrt{x}}+4^{\sqrt{x}}=5^{\sqrt{x}}$ तो ग का मान है–

[एसएससी सीएचएसएल (10+2) टियर-I परीक्षा, 2019]

(a) 4 (b) 2 (c) 8 (d) 10

48. यदि $x=2+\sqrt{3}$ तो x^3+x^{-3} का मान है–

[एसएससी सीएचएसएल (10+2) टियर-I परीक्षा, 2019]

(a) 52 (b) 53

(c) $-52\sqrt{3}$ (d) $52\sqrt{3}$

49. यदि $4^{(x+y)}=256$ और $(256)^{(x-y)}=4$ है, तो x और y के मान क्या है?

[एसएससी सीजीएल टियर-I सीबीई परीक्षा, 2017]

(a) $\frac{17}{8},\frac{15}{8}$ (b) $\frac{17}{4},\frac{15}{4}$ (c) $\frac{9}{17},\frac{15}{17}$ (d) $\frac{8}{17},\frac{8}{15}$

50. $\sqrt{5\sqrt{5\sqrt{5\sqrt{5}}}}$ का मान ज्ञात कीजिए।

[एसएससी सीएचएसएल (10+2) टियर-I परीक्षा, 2018]

(a) $5^{\frac{1}{16}}$ (b) $5^{\frac{15}{32}}$ (c) $5^{\frac{15}{16}}$ (d) $5^{\frac{1}{32}}$

उत्तरमाला

1. (c)	**2.** (b)	**3.** (c)	**4.** (c)	**5.** (d)	**6.** (c)	**7.** (d)	**8.** (a)	**9.** (c)	**10.** (a)
11. (b)	**12.** (c)	**13.** (d)	**14.** (a)	**15.** (b)	**16.** (d)	**17.** (d)	**18.** (c)	**19.** (a)	**20.** (b)
21. (b)	**22.** (a)	**23.** (d)	**24.** (c)	**25.** (d)	**26.** (b)	**27.** (a)	**28.** (c)	**29.** (d)	**30.** (c)
31. (c)	**32.** (d)	**33.** (c)	**34.** (c)	**35.** (c)	**36.** (c)	**37.** (b)	**38.** (d)	**39.** (b)	**40.** (c)
41. (b)	**42.** (d)	**43.** (a)	**44.** (d)	**45.** (d)	**46.** (a)	**47.** (a)	**48.** (a)	**49.** (a)	**50.** (c)

दिये गये प्रश्नों के हल

1. $(16)^{\frac{3}{4}}=(2^4)^{\frac{3}{4}}=2^{\left(4\times\frac{3}{4}\right)}=2^3=8.$

2. $(8)^{\frac{2}{3}}=(2^3)^{\frac{2}{3}}=2^{\left(3\times\frac{2}{3}\right)}=2^2=4.$

3. $(256)^{\frac{5}{4}}=(4^4)^{\frac{5}{4}}=4^{\left(4\times\frac{5}{4}\right)}=4^5=1024.$

4. $(\sqrt{8})^{\frac{1}{3}}=\{(2^3)^{\frac{1}{2}}\}^{\frac{1}{3}}=2^{\left(\frac{3}{2}\times\frac{1}{3}\right)}=2^{\left(\frac{1}{2}\right)}=\sqrt{2}.$

5. $\left(\frac{81}{169}\right)^{-\frac{1}{2}}=\left\{\left(\frac{9}{13}\right)^2\right\}^{-\frac{1}{2}}=\left(\frac{9}{13}\right)^{\left\{(2)\times\left(-\frac{1}{2}\right)\right\}}=\left(\frac{9}{13}\right)^{-1}=\frac{13}{9}$

6. $\left(\frac{8}{125}\right)^{-\frac{4}{3}}=\left\{\left(\frac{2}{5}\right)^3\right\}^{-\frac{4}{3}}=\left(\frac{2}{5}\right)^{3\times\left(-\frac{4}{3}\right)}=\left(\frac{2}{5}\right)^{-4}=\left(\frac{5}{2}\right)^4=\frac{625}{16}.$

7. $\left(\frac{32}{243}\right)^{-\frac{4}{5}}=\left\{\left(\frac{2}{3}\right)^5\right\}^{-\frac{4}{5}}=\left(\frac{2}{3}\right)^{5\times\frac{(-4)}{5}}=\left(\frac{2}{3}\right)^{(-4)}$

$=\left(\frac{3}{2}\right)^4=\frac{3^4}{2^4}=\frac{81}{16}.$

8. $\left(-\frac{1}{216}\right)^{-\frac{2}{3}}=\left\{\left(-\frac{1}{6}\right)^3\right\}^{-\frac{2}{3}}=\left(-\frac{1}{6}\right)^{\left\{3\times\frac{(-2)}{3}\right\}}=\left(-\frac{1}{6}\right)^{-2}$

$=(-6)^2=36.$

9. $\left(\frac{1}{216}\right)^{-\frac{2}{3}}=(216)^{\frac{2}{3}}=(6^3)^{\frac{2}{3}}=6^{\left(3\times\frac{2}{3}\right)}=6^2=36.$

$\left(\frac{1}{27}\right)^{-\frac{4}{3}}=(27)^{\frac{4}{3}}=(3^3)^{\frac{4}{3}}=3^{\left(3\times\frac{4}{3}\right)}=3^4=81.$

$\therefore\quad \left(\frac{1}{216}\right)^{-\frac{2}{3}}\div\left(\frac{1}{27}\right)^{-\frac{4}{3}}=\frac{36}{81}=\frac{4}{9}.$

10. $\frac{1}{(216)^{-\frac{2}{3}}}=(216)^{\frac{2}{3}}=(6^3)^{\frac{2}{3}}=6^{\left(3\times\frac{2}{3}\right)}=6^2=36.$

$\frac{1}{(256)^{-\frac{3}{4}}}=(256)^{\frac{3}{4}}=(4^4)^{\frac{3}{4}}=4^{\left(4\times\frac{3}{4}\right)}=4^3=64.$

$\frac{1}{(32)^{-\frac{1}{5}}}=(32)^{\frac{1}{5}}=(2^5)^{\frac{1}{5}}=2^{\left(5\times\frac{1}{5}\right)}=2.$

$\therefore$ दिया गया व्यंजक $=(36+64+2)=102.$

11. $(10)^{150}\div(10)^{146}=\frac{(10)^{150}}{(10)^{146}}=(10)^{(150-146)}=10^4=10000.$

12. $(1000)^7\div10^{18}=(10^3)^7\div10^{18}=(10)^{21}\div10^{18}=\frac{(10)^{21}}{(10)^{18}}$

$=(10)^{(21-18)}=10^3=1000.$

13. $\sqrt{2^n}=64=2^6\Leftrightarrow2^{\frac{n}{2}}=2^6\Leftrightarrow\frac{n}{2}=6\Leftrightarrow n=12.$

14. $(256)^{0\cdot16}\times(256)^{0\cdot09}=(256)^{(0\cdot16+0\cdot09)}=(256)^{0\cdot25}=(256)^{\left(\frac{25}{100}\right)}$

$=(256)^{\frac{1}{4}}=(4^4)^{\frac{1}{4}}=4^{\left(4\times\frac{1}{4}\right)}$

$=4^1=4.$

15. बायाँ पक्ष $=\frac{(25)^{7\cdot5}\times(5)^{2\cdot5}}{(125)^{1\cdot5}}=\frac{(5^2)^{7\cdot5}\times(5)^{2\cdot5}}{(5^3)^{1\cdot5}}=\frac{5^{(2\times7\cdot5)}\times5^{2\cdot5}}{5^{(3\times1\cdot5)}}$

$=\frac{5^{15}\times5^{2\cdot5}}{5^{4\cdot5}}=5^{(15+2\cdot5-4\cdot5)}=5^{13}.$

अत: अभीष्ट संख्या = 13.

16. $(18)^{3.5} \div (27)^{3.5} \times 6^{3.5} = \dfrac{(18)^{3.5}}{(27)^{3.5}} \times (6)^{3.5} = \left(\dfrac{18 \times 6}{27}\right)^{3.5}$
$= (4)^{3.5} = (2^2)^{3.5} = 2^{(2 \times 3.5)} = 2^7.$

अत: अभीष्ट संख्या = 7.

17. माना $(17)^{3.5} \times (17)^x = 17^8$. तब $(17)^{(3.5+x)} = 17^8$.
$\therefore \quad 3.5 + x = 8 \Leftrightarrow x = (8 - 3.5) = 4.5.$

18. $(64)^{-\frac{1}{2}} = \dfrac{1}{(64)^{\frac{1}{2}}} = \dfrac{1}{(8^2)^{\frac{1}{2}}} = \dfrac{1}{8^{\left(2 \times \frac{1}{2}\right)}} = \dfrac{1}{8^1} = \dfrac{1}{8}.$

$(-32)^{-\frac{4}{5}} = \left\{(-2)^5\right\}^{-\frac{4}{5}} = (-2)^{\left\{5 \times \frac{(-4)}{5}\right\}} = (-2)^{-4} = \dfrac{1}{(-2)^4} = \dfrac{1}{16}.$

$\therefore$ अभीष्ट मान $= \left(\dfrac{1}{8} - \dfrac{1}{16}\right) = \dfrac{1}{16}.$

19. $(0.00032)^{\frac{3}{5}} = \left\{(.2)^5\right\}^{\frac{3}{5}} = (.2)^{\left(5 \times \frac{3}{5}\right)}$
$= (.2)^3 = (0.2 \times 0.2 \times 0.2) = 0.008.$

20. $(5)^{24} \times (8)^{16} \times (25)^{12} = (5)^{24} \times (2^3)^{16} \times (5^2)^{12} = (5)^{24} \times 2^{48} \times 5^{24}$
$= 5^{48} \times 2^{48} = (5 \times 2)^{48} = 10^{48}.$

अत: अभीष्ट मान = 48.

21. $(8^{-25} - 8^{-26}) = (8^{-26} \times 8 - 8^{-26}) = 8^{-26}(8 - 1) = 7 \times 8^{-26}.$

22. $\sqrt[3]{-8} \times \sqrt[4]{16} = \{(-2)^3\}^{\frac{1}{3}} \times (2^4)^{\frac{1}{4}} = (-2)^{\left(3 \times \frac{1}{3}\right)} \times 2^{\left(4 \times \frac{1}{4}\right)}$
$= (-2)^1 \times 2^1 = -4.$

23. $\dfrac{2^5 \times 9^2}{8^2 \times 3^5} = \dfrac{2^5 \times (3^2)^2}{(2^3)^2 \times 3^5} = \dfrac{2^5 \times 3^4}{2^6 \times 3^5} = \dfrac{1}{2^{(6-5)} \times 3^{(5-4)}} = \dfrac{1}{(2 \times 3)} = \dfrac{1}{6}.$

24. $3^{(x-y)} = 27 \Leftrightarrow 3^{(x-y)} = 3^3 \Leftrightarrow x - y = 3$ ...(*i*)
$3^{(x+y)} = 243 \Leftrightarrow 3^{(x+y)} = 3^5 \Leftrightarrow x + y = 5$ ...(*ii*)
(*i*) तथा (*ii*) को हल करने पर $x = 4$.

25. $(5^7 \times 5^4 \div 5^8) = \dfrac{5^{(7+4)}}{5^8} = 5^{(11-8)} = 5^3 = 125.$

26. $(0.00032)^{0.6} = \{(0.2)^5\}^{\frac{6}{10}} = \{(0.2)^5\}^{\frac{3}{5}} = (0.2)^{\left(5 \times \frac{3}{5}\right)}$
$= (0.2)^3 = 0.008.$

27. दिया गया व्यंजक $= [5\{(2^3)^{\frac{1}{3}} + (3^3)^{\frac{1}{3}}\}^3]^{\frac{1}{4}} = [5(2+3)^3]^{\frac{1}{4}} = (5 \times 5^3)^{\frac{1}{4}}$
$= (5^4)^{\frac{1}{4}} = 5^{\left(4 \times \frac{1}{4}\right)} = 5^1 = 5.$

28. दिया गया व्यंजक $= \dfrac{(5^4)^{6.25} \times (5^2)^{2.6}}{(5^4)^{6.75} \times (5)^{1.2}} = \dfrac{5^{(4 \times 6.25)} \times 5^{(2 \times 2.6)}}{5^{(4 \times 6.75)} \times (5)^{1.2}}$
$= \dfrac{(5)^{25} \times (5)^{5.2}}{(5)^{27} \times (5)^{1.2}} = \dfrac{5^{(5.2-1.2)}}{5^{(27-25)}} = \dfrac{5^4}{5^2} = 5^{(4-2)} = 5^2 = 25.$

29. दिया गया व्यंजक
$= \dfrac{\{(2.5)^2\}^{\frac{1}{2}} \times \{(0.12)^2\}^{\frac{1}{2}} + 1}{\{(0.3)^3\}^{\frac{1}{3}} \times (3^4)^{\frac{1}{4}}} = \dfrac{(2.5)^{\left(2 \times \frac{1}{2}\right)} \times (0.12)^{\left(2 \times \frac{1}{2}\right)} + 1}{(0.3)^{\left(3 \times \frac{1}{3}\right)} \times 3^{\left(4 \times \frac{1}{4}\right)}}$
$= \dfrac{(2.5) \times (0.12) + 1}{(0.3 \times 3)} = \dfrac{0.300 + 1}{0.9} = \dfrac{1.3}{0.9} = \dfrac{13}{9} = 1.\bar{4}.$

30. दिया गया व्यंजक $= (4^3)^{-\frac{2}{3}} \times (4)^2 = 4^{3 \times \left(-\frac{2}{3}\right)} \times 4^2$
$= 4^{-2} \times 4^2 = 4^{(-2+2)} = 4^0 = 1.$

31. $(0.01024)^{\frac{1}{5}} = \{(0.4)^5\}^{\frac{1}{5}} = (0.4)^{\left(5 \times \frac{1}{5}\right)} = (0.4)^1 = 0.4.$

32. $2^{(x+13)} = 4^{(x+2)} \Leftrightarrow 2^{(x+13)} = 2^{2(x+2)} \Leftrightarrow 2^{(x+13)} = 2^{(2x+4)}$
$\Leftrightarrow (x + 13) = (2x + 4) \Leftrightarrow x = 9.$

33. $\left(\dfrac{1}{5}\right)^{3x} = 0.008 \Leftrightarrow \{(0.2)^3\}^x = 0.008$
$\Leftrightarrow (0.008)^x = (0.008)^1 \Leftrightarrow x = 1.$
$\therefore \quad (0.25)^x = (0.25)^1 = 0.25.$

34. दिया गया व्यंजक $= \dfrac{(5)^{0.25} \times (5^3)^{0.25}}{(2^8)^{0.10} \times (2^8)^{0.15}} = \dfrac{(5)^{0.25} \times 5^{(3 \times 0.25)}}{2^{(8 \times 0.10)} \times 2^{(8 \times 0.15)}}$
$= \dfrac{5^{(0.25)} \times 5^{(0.75)}}{2^{(0.80)} \times 2^{1.2}} = \dfrac{5^{(0.25+0.75)}}{2^{(0.8+1.2)}} = \dfrac{5^1}{2^2} = \dfrac{5}{4}.$

35. $(64)^{(2x-5)} = 4 \times 8^{(x-4)} \Leftrightarrow (2^6)^{(2x-5)} = 2^2 \times (2^3)^{(x-4)}$
$\Leftrightarrow 2^{6(2x-5)} = 2^2 \times 2^{(3x-12)} \Leftrightarrow 2^{(12x-30)} = 2^{(3x-12+2)}$
$\Leftrightarrow 2^{(12x-30)} = 2^{(3x-10)} \Leftrightarrow 12x - 30 = 3x - 10 \Leftrightarrow 9x = 20$
$\Leftrightarrow x = \dfrac{20}{9}.$

36. $3^{2x} - 10 \times 3^x + 9 = 0 \Leftrightarrow y^2 - 10y + 9 = 0$, जहाँ $3^x = y$
$\Leftrightarrow (y - 9)(y - 1) = 0 \Leftrightarrow y = 9$ अथवा $y = 1$
$\Leftrightarrow 3^x = 9 = 3^2$ अथवा $3^x = 1 = 3^0 \Leftrightarrow x = 2$ अथवा $x = 0$.

37. दिया गया व्यंजक $= x^{(b-c)(b+c-a)} . x^{(c-a)(c+a-b)} . x^{(a-b)(a+b-c)}$
$= x^{(b-c)(b+c)-a(b-c)} . x^{(c-a)(c+a)-b(c-a)} . x^{(a-b)(a+b)-c(a-b)}$
$= x^{(b^2-c^2)} . x^{-a(b-c)} . x^{(c^2-a^2)} . x^{-b(c-a)} . x^{(a^2-b^2)} . x^{-c(a-b)}$
$= x^{(b^2-c^2+c^2-a^2+a^2-b^2)} . x^{-a(b-c)-b(c-a)-c(a-b)}$
$= x^0 \times x^0 = (1 \times 1) = 1.$

38. $\left(\dfrac{a}{b}\right)^{x-1} = \left(\dfrac{b}{a}\right)^{x-3} \Leftrightarrow \left(\dfrac{a}{b}\right)^{(x-1)} = \left(\dfrac{a}{b}\right)^{(3-x)}$
$\Leftrightarrow (x - 1) = (3 - x) \Leftrightarrow 2x = 4 \Leftrightarrow x = 2.$

39. दिया गया व्यंजक $= \dfrac{1}{1 + \dfrac{x^b}{x^a} + \dfrac{x^c}{x^a}} + \dfrac{1}{1 + \dfrac{x^a}{x^b} + \dfrac{x^c}{x^b}} + \dfrac{1}{1 + \dfrac{x^b}{x^c} + \dfrac{x^a}{x^c}}$
$= \dfrac{x^a}{(x^a + x^b + x^c)} + \dfrac{x^b}{(x^a + x^b + x^c)} + \dfrac{x^c}{(x^a + x^b + x^c)}$
$= \dfrac{(x^a + x^b + x^c)}{(x^a + x^b + x^c)} = 1.$

40. दिया गया व्यंजक
$= \dfrac{1}{1 + \dfrac{a^n}{a^m}} + \dfrac{1}{1 + \dfrac{a^m}{a^n}} = \dfrac{a^m}{(a^m + a^n)} + \dfrac{a^n}{(a^m + a^n)} = \dfrac{(a^m + a^n)}{(a^m + a^n)} = 1.$

41. दिया गया व्यंजक $= \dfrac{1}{1+a+b^{-1}} + \dfrac{b^{-1}}{b^{-1}+1+b^{-1}c^{-1}} + \dfrac{a}{a+ac+1}$

$$= \frac{1}{1+a+b^{-1}} + \frac{a}{1+a+b^{-1}} + \frac{b^{-1}}{1+a+b^{-1}}$$

$$= \frac{(1+a+b^{-1})}{(1+a+b^{-1})} = 1.$$

$[\because abc = 1 \Rightarrow ac = b^{-1}$ तथा $(cb)^{-1} = a \Leftrightarrow b^{-1}c^{-1} = a]$

42. दिया गया व्यंजक $= \{x^{(a-b)}\}^{(a+b)} . \{x^{(b-c)}\}^{(b+c)} . \{x^{(c-a)}\}^{(c+a)}$

$= x^{(a-b)(a+b)} . x^{(b-c)(b+c)} . x^{(c-a)(c+a)}$

$= x^{(a^2-b^2)} . x^{(b^2-c^2)} . x^{(c^2-a^2)} = x^{(a^2-b^2+b^2-c^2+c^2-a^2)} = x^0$

$= 1.$

43. दिया गया व्यंजक

$$= x^{\frac{(a-b)}{ab}} . x^{\frac{(b-c)}{bc}} . x^{\frac{(c-a)}{ca}} = x^{\left(\frac{1}{b}-\frac{1}{a}\right)} . x^{\left(\frac{1}{c}-\frac{1}{b}\right)} . x^{\left(\frac{1}{a}-\frac{1}{c}\right)}$$

$$= x^{\left(\frac{1}{b}-\frac{1}{a}+\frac{1}{c}-\frac{1}{b}+\frac{1}{a}-\frac{1}{c}\right)} = x^0 = 1.$$

44. $\sqrt{a^{-1}b} . \sqrt{b^{-1}c} . \sqrt{c^{-1}a} = \sqrt{(a^{-1}b).(b^{-1}c).(c^{-1}a)} = \sqrt{1} = 1.$

45. $\left(\dfrac{9}{4}\right)^x . \left(\dfrac{8}{27}\right)^{(x-1)} = \dfrac{2}{3} \Leftrightarrow \left\{\left(\dfrac{3}{2}\right)^2\right\}^x . \left\{\left(\dfrac{2}{3}\right)^3\right\}^{(x-1)} = \dfrac{2}{3}$

$$\Leftrightarrow \left(\frac{3}{2}\right)^{2x} . \left(\frac{2}{3}\right)^{(3x-3)} = \frac{2}{3}\left(\frac{2}{3}\right)^{(3x-3)} = \frac{2}{3} . \left(\frac{2}{3}\right)^{2x}$$

$$\Leftrightarrow \left(\frac{2}{3}\right)^{(3x-3)} = \left(\frac{2}{3}\right)^{(2x+1)} \Leftrightarrow (3x-3) = (2x+1) \Leftrightarrow x = 4.$$

46. $x = 2 - \sqrt{3}$

$$\frac{1}{x} = \frac{1}{2-\sqrt{3}} = \frac{1}{2-\sqrt{3}} \times \frac{2+\sqrt{3}}{2+\sqrt{3}}$$

$$= \frac{2+\sqrt{3}}{2^2-(\sqrt{3})^2} = \frac{2+\sqrt{3}}{4-3} = 2+\sqrt{3}$$

$$\left(x-\frac{1}{x}\right)^3 = x^3 - \frac{1}{x^3} - 3x \times \frac{1}{x}\left(x-\frac{1}{x}\right)$$

$$(2-\sqrt{3}-2-\sqrt{3})^3 = x^3 - \frac{1}{x^3} - 3(2-\sqrt{3}-2-\sqrt{3})$$

$$(-2\sqrt{3})^3 = x^3 - \frac{1}{x^3} - 3(-2\sqrt{3})$$

$$-24\sqrt{3} = x^3 - \frac{1}{x^3} + 6\sqrt{3}$$

$$-24\sqrt{3} - 6\sqrt{3} = x^3 - \frac{1}{x^3}$$

$$x^3 - \frac{1}{x^3} = -30\sqrt{3}$$

47. $3^{\sqrt{x}} + 4^{\sqrt{x}} = 5^{\sqrt{x}}$

हम जानते हैं

$3^2 + 4^2 = 5^2$

$\therefore \sqrt{x} = 2$

$\Rightarrow x = 4$

48. $x = 2 + \sqrt{3}$

$$\frac{1}{x} = \frac{1}{2+\sqrt{3}}$$

$$= \frac{1}{2+\sqrt{3}} \times \frac{2-\sqrt{3}}{2-\sqrt{3}} = \frac{2-\sqrt{3}}{4-3} = 2-\sqrt{3}$$

$$\left(x+\frac{1}{x}\right)^3 = x^3 + \frac{1}{x^3} + 3x \times \frac{1}{x}\left(x+\frac{1}{x}\right)$$

$$(2+\sqrt{3}+2-\sqrt{3})^3 = x^3 + \frac{1}{x^3} + 3(2+\sqrt{3}+2-\sqrt{3})$$

$$(4)^3 = x^3 + \frac{1}{x^3} + 3 \times 4$$

$$64 = x^3 + \frac{1}{x^3} + 12$$

$$x^3 + \frac{1}{x^3} = 64 - 12 = 52$$

49. $4^{x+y} = 256$

$4^{x+y} = 4^4$

$x + y = 4$ ... (i)

$(256)^{x-y} = 4$

$(4^4)^{x-y} = 4$

$4^{(4x-4y)} = 4^1$

$4x - 4y = 1$ ... (ii)

(i) और (ii) को हल करने पर हम पाते हैं $x = \dfrac{17}{8}, y = \dfrac{15}{8}$

50. $\sqrt{5\sqrt{5\sqrt{5\sqrt{5}}}}$

$$= 5^{\frac{1}{2}} \times \left(5^{\frac{1}{2}}\right)^{\frac{1}{2}} \times \left(5^{\frac{1}{4}}\right)^{\frac{1}{4}} \times \left(5^{\frac{1}{8}}\right)^{\frac{1}{2}}$$

$$= 5^{\frac{1}{2}} . 5^{\frac{1}{4}} . 5^{\frac{1}{8}} . 5^{\frac{1}{10}}$$

$$= 5^{\frac{1}{2}+\frac{1}{4}+\frac{1}{8}+\frac{1}{16}} = 5^{\frac{8+4+2+1}{16}} = 5^{\frac{15}{16}}$$

11 लघुगणक (LOGARITHMS)

सामान्य नियम

लघुगणक का आविष्कार स्कॉटलैण्ड के महान गणितज्ञ नैपियर ने किया.

परिभाषा: माना a एक धनात्मक वास्तविक संख्या ऐसी है कि $a \neq 1$ तथा n एक परिमेय संख्या है.

यदि $a^n = x$ हो, तो हम कहते हैं कि **लघु $_a x = n$.** यहाँ संख्या a को आधार कहते हैं.

स्पष्ट है कि, $\quad a^n = x \Leftrightarrow$ **लघु** $_a x = n.$

उदाहरण 1. (i) $2^3 = 8 \Leftrightarrow$ लघु $_2 8 = 3$ (ii) $10^2 = 100 \Leftrightarrow$ लघु $_{10}100 = 2$

(iii) $9^{1/2} = 3 \Leftrightarrow$ लघु $_9 3 = \frac{1}{2}$ (iv) $2^{-4} = \frac{1}{16} \Leftrightarrow$ लघु $_2\left(\frac{1}{16}\right) = -4.$

उदाहरण 2. (i) लघु $_3 243 = 5 \Leftrightarrow 3^5 = 243$ (ii) लघु $_{10}(0{\cdot}1) = -1 \Leftrightarrow 10^{-1} = 0{\cdot}1$

लघुगणक के नियम:

(i) लघु $_a(mn) =$ (लघु $_a m$) + (लघु $_a n$) (ii) लघु $_a\left(\frac{m}{n}\right) =$ (लघु $_a m$) − (लघु $_a n$)

(iii) लघु $_a(m^n) = n$(लघु $_a m$) (iv) लघु $_a a = 1$

(v) लघु $_a 1 = 0$ (vi) लघु $_a m = \frac{\text{लघु}_b m}{\text{लघु}_b a} = \frac{\text{लघु}\, m}{\text{लघु}\, a}$

साधित उदाहरण

प्रश्न 1. निम्नलिखित के मान ज्ञात कीजिये:

(i) लघु $_3 81$ (ii) लघु $_7\left(\frac{1}{343}\right)$ (iii) लघु $_{100}(0{\cdot}01)$

हल: (i) माना लघु $_3 81 = x$. तब, $3^x = 81 = 3^4 \Leftrightarrow x = 4.$

अत: लघु $_3 81 = 4.$

(ii) माना लघु $_7\left(\frac{1}{343}\right) = x$. तब, $7^x = \frac{1}{343} = \frac{1}{7^3} = 7^{-3} \Leftrightarrow x = -3.$

अत: लघु $_7\left(\frac{1}{343}\right) = -3.$

(iii) माना लघु $_{100}(0{\cdot}01) = x$. तब, $(100)^x = 0.01 = \frac{1}{100} = (100)^{-1} \Leftrightarrow x = -1.$

अत: लघु $_{100}(0{\cdot}01) = -1.$

प्रश्न 2. यदि लघु $_{\sqrt{8}} x = \frac{10}{3}$ हो, तो x का मान ज्ञात कीजिये.

हल: लघु $_{\sqrt{8}} x = \frac{10}{3} \Leftrightarrow x = (\sqrt{8})^{\frac{10}{3}} = (8^{1/2})^{\frac{10}{3}} = 8^{\left(\frac{1}{2}\times\frac{10}{3}\right)} = 8^{5/3} = (2^3)^{\frac{5}{3}} \Leftrightarrow x = 2^{\left(3\times\frac{5}{3}\right)} = 2^5 = 32.$

अत: $x = 32.$

प्रश्न 3. यदि लघु $_{10}2 = 0{\cdot}3010$ हो, तो लघु $_{10}50$ का मान ज्ञात कीजिये.

हल: लघु $_{10}50 =$ लघु $_{10}\left(\frac{100}{2}\right) =$ लघु $_{10}100 -$ लघु $_{10}2 =$ लघु $_{10}(10^2) -$ लघु $_{10}2$

$= 2$ (लघु $_2 2$) – लघु $_{10} 2 = (2 \times 1) - (0{\cdot}3010) = 1{\cdot}699.$

प्रश्न 4. यदि लघु 2 = 0·3010 तथा लघु 3 = 0·4771 हो (*i*) लघु 25 तथा (*ii*) लघु 4·5 के मान ज्ञात कीजिये.

हल: (*i*) लघु 25 = लघु $\left(\frac{100}{4}\right)$ = लघु 100 – लघु 4 = लघु (10^2) – लघु (2^2)

= 2 (लघु 10) – 2 (लघु 2) = $(2 \times 1) - (2 \times 0{\cdot}3010) = 1{\cdot}3980.$

(*ii*) लघु 4·5 = लघु $\left(\frac{9}{2}\right)$ = लघु 9 – लघु 2 = लघु (3^2) – लघु 2 = 2 (लघु 3) – लघु 2

$= (2 \times 0{\cdot}4771) - (0{\cdot}3010) = (0{\cdot}9542 - 0{\cdot}3010) = 0{\cdot}6532.$

$\therefore$ लघु 4·5 = 0·6532.

प्रश्न 5. $\left(\text{लघु}\frac{75}{16} - 2\,\text{लघु}\frac{5}{9} + \text{लघु}\frac{32}{243}\right)$ **का मान क्या होगा?**

हल: दिया गया व्यंजक = लघु $\frac{75}{16}$ – लघु $\left(\frac{5}{9}\right)^2$ + लघु $\frac{32}{243}$ = लघु $\frac{75}{16}$ – लघु $\frac{25}{81}$ + लघु $\frac{32}{243}$

= लघु $\left(\frac{75}{16} \times \frac{32}{243} \times \frac{81}{25}\right)$ = लघु 2.

अत: दिया गया व्यंजक = लघु 2.

प्रश्न 6. $\left\{\frac{1}{\text{लघु}_{ab}(abc)} + \frac{1}{\text{लघु}_{bc}(abc)} + \frac{1}{\text{लघु}_{ca}(abc)}\right\}$ **का मान कितना है?**

हल: दिया गया व्यंजक = $\frac{1}{\frac{\text{लघु}\,(abc)}{\text{लघु}\,(ab)}} + \frac{1}{\frac{\text{लघु}\,(abc)}{\text{लघु}\,(bc)}} + \frac{1}{\frac{\text{लघु}\,(abc)}{\text{लघु}\,(ca)}} = \frac{\text{लघु}\,(ab)}{\text{लघु}\,(abc)} + \frac{\text{लघु}\,(bc)}{\text{लघु}\,(abc)} + \frac{\text{लघु}\,(ca)}{\text{लघु}\,(abc)}$

$= \frac{\text{लघु}\,(ab) + \text{लघु}\,(bc) + \text{लघु}\,(ca)}{\text{लघु}\,(abc)} = \frac{\text{लघु}\,(ab \times bc \times ca)}{\text{लघु}\,(abc)} = \frac{\text{लघु}\,(abc)^2}{\text{लघु}\,(abc)} = \frac{2[\text{लघु}\,(abc)]}{\text{लघु}\,(abc)} = 2$

प्रश्न 7. यदि लघु $_{10}3$ + लघु $_{10}(4x+1)$ = लघु $_{10}(x+1) + 1$ हो, तो x का मान ज्ञात कीजिये.

हल: लघु $_{10}3$ + लघु $_{10}(4x+1)$ = लघु $_{10}(x+1)$ + लघु $_{10}10$ [$\because$ 1 = लघु $_{10}10$]

$\Leftrightarrow$ लघु $_{10}\{3(4x+1)\}$ = लघु $_{10}\{10(x+1)\}$ $\Leftrightarrow$ लघु $_{10}(12x+3)$ = लघु $_{10}(10x+10)$

$\Leftrightarrow 12x + 3 = 10x + 10 \Leftrightarrow 2x = 7 \Leftrightarrow x = \frac{7}{2} = 3{\cdot}5.$

अत: x का अभीष्ट मान = 3·5.

प्रश्नमाला 11A

निम्नलिखित प्रश्नों में से प्रत्येक में ठीक उत्तर को चिह्नांकित (✓) कीजिए:

1. लघु$_2 16$ का मान है: **(एम०बी०ए० परीक्षा, 2013)**

(*a*) $\frac{1}{8}$ (*b*) 4 (*c*) 8 (*d*) 16

2. लघु $_{\sqrt{2}}32$ का मान है:

(*a*) $\frac{5}{2}$ (*b*) 5 (*c*) 10 (*d*) $\frac{1}{10}$

3. लघु $5\left(\frac{1}{125}\right)$ का मान है:

(*a*) 3 (*b*) –3 (*c*) $\frac{1}{3}$ (*d*) $-\frac{1}{3}$

4. लघु $_{343}7$ का मान है:

(*a*) $\frac{1}{3}$ (*b*) –3 (*c*) $-\frac{1}{3}$ (*d*) 3

5. लघु $_{10}(0.0001)$ का मान है:

(*a*) $\frac{1}{4}$ (*b*) $-\frac{1}{4}$ (*c*) –4 (*d*) 4

6. लघु $_{(0.01)}1000$ का मान है:

(*a*) $\frac{1}{3}$ (*b*) $-\frac{1}{3}$

(c) $\frac{3}{2}$ (d) $-\frac{3}{2}$

7. लघु $_2(0.0625)$ का मान है:
(a) −4 (b) −2
(c) 0.25 (d) 0.5

8. $\frac{\text{लघु}\sqrt{9}}{\text{लघु}\,9}$ का मान है: (बी०बी०एस० परीक्षा, 2014)
(a) $\frac{1}{3}$ (b) $\frac{1}{2}$
(c) 1 (d) 2

9. लघु $_{3\sqrt{2}}\left(\frac{1}{18}\right)$ का मान है: (मैनेजमैन्ट परीक्षा, 2015)
(a) $\sqrt{2}$ (b) $\sqrt{3}$
(c) −2 (d) 2

10. लघु $_{2\sqrt{3}}(1728)$ का मान है:
(a) 3 (b) 5
(c) 6 (d) 9

11. लघु $\left(-\frac{1}{3}\right)^{81}$ का मान है:
(a) −27 (b) −4
(c) 4 (d) 27

12. यदि $a^x = b^y$ हो, तो $\frac{x}{y}$ निम्न में से किसके बराबर होगा? (होटल मैनेजमैन्ट परीक्षा, 2011)
(a) लघु $\left(\frac{a}{b}\right)$ (b) $\frac{\text{लघु}\,a}{\text{लघु}\,b}$
(c) $\frac{\text{लघु}\,b}{\text{लघु}\,a}$ (d) इनमें से कोई नहीं

13. यदि लघु $_{10}2 = 0.301$ हो, तो लघु $_{10}50$ का मान क्या होगा?
(a) 0.699 (b) 1.301
(c) 1.699 (d) 2.301

14. यदि लघु $_{10}2 = 0.3010$ हो, तो लघु $_5 512$ का मान क्या है? (मैनेजमैन्ट परीक्षा, 2012)
(a) 2.870 (b) 2.967
(c) 3.876 (d) 3.912

15. यदि लघु $3 = 0.477$ तथा $(1000)^x = 3$, तब x का मान है: (एस० एस० सी० परीक्षा, 2010)
(a) 0.0159 (b) 0.0477
(c) 0.159 (d) 10

16. यदि लघु $_{10}2 = 0.3010$ हो, तो लघु $_{10}25$ का मान है:
(a) 0.6020 (b) 1.2040
(c) 1.3980 (d) 1.5050

17. यदि लघु $_{10}2 = 0.3010$ हो, तो लघु $_{10}80$ का मान है:
(a) 1.6020 (b) 1.9030
(c) 3.9030 (d) इनमें से कोई नहीं

18. यदि लघु $_{10}2 = 0.3010$ तथा लघु $_{10}7 = 0.8451$ हो, तो लघु $_{10}2.8$ का मान है: (एस० एस० सी० परीक्षा, 1999)
(a) 0.4471 (b) 1.4471
(c) 2.4471 (d) इनमें से कोई नहीं

19. यदि लघु $_{10}2 = 0.3010$ तथा लघु $_{10}3 = 0.4771$ हो, तो लघु $_{10}1.5$ का मान है:
(a) 0.1761 (b) 0.7116
(c) 0.7161 (d) 0.7611

20. (लघु $_{10}125 +$ लघु $_{10}8$) का मान है:
(a) $\frac{1}{3}$ (b) 0.064
(c) 3 (d) −3

21. (लघु $_9 27 +$ लघु $_8 32$) का मान है:
(a) $\frac{7}{2}$ (b) $\frac{19}{6}$
(c) 4 (d) 7

22. (लघु $_5 3$) × (लघु $_3 625$) का मान है:
(a) 1 (b) 2
(c) 3 (d) 4

23. (लघु $_5 5$) (लघु $_4 9$) (लघु $_3 2$) का मान है:
(a) 1 (b) $\frac{3}{2}$
(c) 2 (d) 5

24. 2 लघु $_{10}5 +$ लघु $_{10}8 - \frac{1}{2}$ लघु $_{10}4$ का मान है:
(a) 2 (b) 4
(c) 2 + 2 लघु $_{10}2$ (d) 4 − 4 लघु $_{10}2$

25. ($^1/_3$ लघु $_{10}125 - 2$ लघु $_{10}4 +$ लघु $_{10}32$) का मान है:
(a) 0 (b) $\frac{4}{5}$
(c) 1 (d) 2

26. लघु $_2$(लघु $_5 625$) का मान है:
(a) 2 (b) 5
(c) 10 (d) 15

27. लघु $_2$लघु $_2$लघु $_3$लघु $_3(27^3)$ का मान है:
(a) 0 (b) 1
(c) 2 (d) 3

28. यदि लघु $2 = x$, लघु $3 = y$ तथा लघु $7 = z$ हो, तो लघु $\left(4\times\sqrt[3]{63}\right)$ का मान है: (एस० एस० सी० परीक्षा, 1998)
(a) $2x + \frac{2}{3}y - \frac{1}{3}z$ (b) $2x + \frac{2}{3}y + \frac{1}{3}z$
(c) $2x - \frac{2}{3}y + \frac{1}{3}z$ (d) $-2x + \frac{2}{3}y + \frac{1}{3}z$

29. लघु 360 बराबर है: (एस० एस० सी० परीक्षा, 1998)
(a) 2 लघु 2 + 3 लघु 3 (b) 3 लघु 2 + 2 लघु 3
(c) 3 लघु 2 + 2 लघु 3 − लघु 5

(d) 3 लघु 2 + 2 लघु 3 + लघु 5

30. यदि लघु $_4x$ + लघु $_2x = 6$ हो, तो x का मान है:

(a) 2 (b) 4
(c) 8 (d) 16

31. यदि log 3 log $(3^x - 2)$ और log $(3^x + 4)$ समान्तर श्रेणी में है, तो x बराबर है- **(आईआईएफटी, 2012)**

(a) $\frac{8}{3}$ (b) log 3^8 (c) log 2^3 (d) 8

32. यदि $\log_{10}a = p$ और $\log_{10}b = q$ है, तो $\log_{10}(a^p b^q)$ किसके बराबर है? **(सीडीएसए 2012)**

(a) $p^2 + q^2$ (b) $p^2 - q^2$ (c) p^2q^2 (d) $\frac{p^2}{q^2}$

33. $\log_2 16$ का मान है-

(a) $\frac{1}{8}$ (b) 4 (c) 8 (d) 16

34. $\log_{343} 7$ का मान है-

(a) $\frac{1}{3}$ (b) -3 (c) $-\frac{1}{3}$ (d) 3

35. $\log_5 \frac{(125)(625)}{25}$ का मान बराबर है- **(एम.बी.ए.ए 2011)**

(a) 725 (b) 5 (c) 3125 (d) 6

36. $\log_{\sqrt{2}} 32$ का मान है-

(a) $\frac{5}{2}$ (b) 5 (c) 10 (d) $\frac{1}{10}$

37. यदि $\log x - 5 \log 3 = -2$ तो x बराबर है- **(एम.बी.ए.ए 2011)**

(a) 0.8 (b) 0.81
(c) 1.25 (d) 2.43

38. यदि $\log_{10}2 = a$ और $\log_{10}3 = b$ तो $\log_5 12$ बराबर है- **(एम.बी.ए.ए 2010)**

(a) $\frac{a+b}{1+a}$ (b) $\frac{2a+b}{1+a}$ (c) $\frac{a+2b}{1+a}$ (d) $\frac{2a+b}{1-a}$

39. यदि $\log 2 = x$, $\log 3 = y$ और $\log 7 = z$ तो $(4.\sqrt[3]{63})$ का मान है-

(a) $2x + \frac{2}{3}y - \frac{1}{3}z$ (b) $2x + \frac{2}{3}y + \frac{1}{3}z$

(c) $2x - \frac{2}{3}y + \frac{1}{3}z$ (d) $-2x + \frac{2}{3}y + \frac{1}{3}z$

40. यदि $\log_4 x + \log_2 x = 6$ तो x बराबर है-

(a) 2 (b) 4 (c) 8 (d) 16

41. यदि $\log_{10}(x^2 - 6x + 10) = 0$ तो x बराबर है-

(a) 1 (b) 2 (c) 3 (d) 4

42. यदि $\log_{10} x + \log_{10} y = 3$ और $\log_{10} x - \log_{10} y = 1$ हो, तो x और y क्रमशः हैं-

(a) 10 और 100 (b) 100 और 10
(c) 1000 और 100 (d) 100 और 1000

43. यदि $\log_{10} x + \log_{10} 5 = 2$ तो x बराबर है-

(a) 15 (b) 20 (c) 25 (d) 100

44. $\frac{1}{\log_a b} \times \frac{1}{\log_b c} \times \frac{1}{\log_c a}$ बराबर है- **(होटल प्रबंधन, 2010)**

(a) $a + b + c$ (b) abc (c) 0 (d) 1

45. यदि $\log_a m = x$ तो $\log_{\frac{1}{a}}\left(\frac{1}{m}\right)$ बराबर है-

(a) $-\frac{1}{x}$ (b) $\frac{1}{x}$ (c) $-x$ (d) x

46. यदि $\log_3 x + \log_9 x^2 + \log_{27} x^3 = 9$ तो x बराबर है- **(एम.बी.ए.ए 2010)**

(a) 3 (b) 9
(c) 27 (d) इनमें से कोई नहीं

47. यदि $a = \log_8 225$ और $b = \log_2 15$ है, तो a, b के संदर्भ में है- **(एम.बी.ए., 2010)**

(a) $\frac{b}{2}$ (b) $\frac{2b}{3}$ (c) b (d) $\frac{3b}{2}$

48. यदि $\log 27 = 1.431$ है, तो $\log 9$ का मान है-

(a) 0.934 (b) 0.945 (c) 0.954 (d) 0.958

49. यदि $\log_{10} 2 = 0.3010$ तो $\log_2 10$ का मान है-

(a) $\frac{699}{301}$ (b) $\frac{1000}{301}$ (c) 0.3010 (d) 0.6990

50. यदि $\log_{10} 2 = 0.3010$ तो $\log_{10} 5$ का मान है-

(a) 0.3241 (b) 0.6911 (c) 0.6990 (d) 0.7525

51. यदि $\log_{10} 2 = 0.3010$ तो $\log_{10} 80$ का मान है-

(a) 1.6020 (b) 1.9030
(c) 3.9030 (d) इनमें से कोई नहीं

52. $\log_{10}(.0001)$ का मान है-

(a) $\frac{1}{4}$ (b) $-\frac{1}{4}$ (c) -4 (d) 4

53. $\log_{.01}(1000)$ का मान है-

(a) $\frac{1}{3}$ (b) $-\frac{1}{3}$ (c) $\frac{3}{2}$ (d) $-\frac{3}{2}$

54. $[\log_{10}(5 \log_{10} 100)]^2$ का मान क्या है? **(एम.बी.ए.ए 2010)**

(a) 1 (b) 2 (c) 10 (d) 25

उत्तरमाला

1. (b)	2. (c)	3. (b)	4. (a)	5. (c)	6. (d)	7. (a)	8. (b)	9. (c)	10. (c)
11. (b)	12. (c)	13. (c)	14. (c)	15. (c)	16. (c)	17. (b)	18. (a)	19. (a)	20. (c)
21. (b)	22. (d)	23. (a)	24. (a)	25. (c)	26. (a)	27. (a)	28. (b)	29. (d)	30. (d)
31. (c)	32. (a)	33. (b)	34. (a)	35. (b)	36. (c)	37. (d)	38. (d)	39. (b)	40. (d)
41. (c)	42. (b)	43. (b)	44. (d)	45. (d)	46. (c)	47. (b)	48. (c)	49. (b)	50. (c)
51. (b)	52. (c)	53. (d)	54. (a)						

दिये गये प्रश्नों के हल

1. माना $\text{लघु}_2 16 = x$. तब, $2^x = 16 = 2^4 \Leftrightarrow x = 4$.

2. माना $\text{लघु}_{\sqrt{2}} 32 = x$. तब,

$$\left(\sqrt{2}\right)^x = 32 = 2^5 \Leftrightarrow \left(2^{1/2}\right)^x = 2^5 \Leftrightarrow \frac{1}{2}x = 5 \Leftrightarrow x = 10.$$

3. माना $\text{लघु}\left(\frac{}{125}\right) = x$. तब, $5^x = \frac{1}{125} = \frac{1}{5^3} = 5^{-3} \Leftrightarrow x = -3$.

4. माना $\text{लघु}_{343} 7 = x$. तब, $(343)^x = 7 \Leftrightarrow (7^3)^x = 7^1 \Leftrightarrow 7^{3x} = 7^1 \Leftrightarrow$ $3x = 1 \Leftrightarrow x = \frac{1}{3}$.

5. माना $\text{लघु}_{10}(0.0001) = x$. तब, $10^x = 0.0001$

$$= \frac{1}{10000} = \frac{1}{10^4} = 10^{-4} \Leftrightarrow x = -4.$$

6. माना $\text{लघु}_{(0.01)} 1000 = x$. तब, $(0.01)^x = 1000$

$$\Leftrightarrow \left(\frac{1}{100}\right)^x = 1000 \Leftrightarrow \left(\frac{1}{10^2}\right)^x = 10^3 \Leftrightarrow (10^{-2})^x = 10^3$$

$$\Leftrightarrow (10)^{-2x} = 10^3 \Leftrightarrow -2x = 3 \Leftrightarrow x = -\frac{3}{2}.$$

7. माना $\text{लघु}_2(0.0625) = x$. तब, $2^x = 0.0625$

$$= \frac{625}{10000} = \frac{1}{16} = \frac{1}{2^4} = 2^{-4}.$$

$\therefore \quad x = -4.$

8. $$\frac{\text{लघु}\sqrt{9}}{\text{लघु} 9} = \frac{\text{लघु}\ (9)^{\frac{1}{2}}}{\text{लघु}\ 9} = \frac{\frac{1}{2}\ (\text{लघु}\ 9)}{(\text{लघु}\ 9)} = \frac{1}{2}.$$

9. माना $\text{लघु}_{3\sqrt{2}}\left(\frac{1}{18}\right) = x$. तब,

$$\left(3\sqrt{2}\right)^x = \frac{1}{18} = \frac{1}{\left(3\sqrt{2}\right)^2} = \left(3\sqrt{2}\right)^{-2} \Leftrightarrow x = -2.$$

10. माना $\text{लघु}_{2\sqrt{3}}(1728) = x$. तब,

$$\left(2\sqrt{3}\right)^x = 1728 = (12)^3 = \left\{\left(2\sqrt{3}\right)^2\right\}^3 = \left(2\sqrt{3}\right)^6 \Leftrightarrow x = 6.$$

11. माना $\text{लघु}\left(-\frac{1}{3}\right)^{81} = x$. तब, $\left(-\frac{1}{3}\right)^x = 81 = (-3)^4 = \left(-\frac{1}{3}\right)^{-4}$

$$\Leftrightarrow x = -4.$$

12. $a^x = b^y \Leftrightarrow x\ (\text{लघु}\ a) = y\ (\text{लघु}\ b) \Leftrightarrow \frac{x}{y} = \frac{\text{लघु}\ b}{\text{लघु}\ a}$.

13. $\text{लघु}_{10} 50 = \text{लघु}_{10}\left(\frac{100}{2}\right) = (\text{लघु}_{10} 100) - (\text{लघु}_{10} 2)$

$$= \text{लघु}_{10}(10)^2 - (\text{लघु}_{10} 2) - 2(\text{लघु}_{10} 10) - (\text{लघु}_{10} 2)$$

$$= (2 \times 1) - (0.301) = 1.699.$$

14. $\text{लघु}_5 512$

$$= \frac{\text{लघु}\ 512}{\text{लघु}\ 5} = \frac{\text{लघु}\ 512}{\text{लघु}\left(\frac{10}{2}\right)} = \frac{\text{लघु}\ 2^9}{(\text{लघु}\ 10 - \text{लघु}\ 2)} = \frac{9(\text{लघु}\ 2)}{(1 - \text{लघु}\ 2)}$$

$$= \frac{9 \times 0{\cdot}3010}{(1 - 0{\cdot}3010)} = \frac{2{\cdot}7090}{0{\cdot}6990} = \frac{27090}{6990} = 3.876.$$

15. $(1000)^x = 3 \Leftrightarrow x\ \text{लघु}_{10} 1000 = \text{लघु}_{10} 10^3$

$$\Leftrightarrow x = \frac{\text{लघु}_{10} 3}{\text{लघु}_{10} 1000} = \frac{\text{लघु}_{10} 3}{\text{लघु}_{10}(10)^3}$$

$$\Leftrightarrow x = \frac{\text{लघु}_{10} 3}{3(\text{लघु}_{10} 10)} = \frac{\text{लघु}_{10} 3}{3} = \frac{0{\cdot}477}{3} = 0.159.$$

16. $\text{लघु}_{10} 25 = \text{लघु}_{10}\left(\frac{100}{4}\right) = \text{लघु}_{10} 100 - \text{लघु}_{10} 4$

$$= \text{लघु}_{10}(10)^2 - \text{लघु}_{10} 4$$

$$= 2\ \text{लघु}_{10}(10) - \text{लघु}_{10}(2^2) = 2 - 2\ \text{लघु}_{10} 2$$

$$= 2 - (2 \times 0.3010) = 2 - 0.6020 = 1.3980.$$

17. $\text{लघु}_{10} 80 = \text{लघु}_{10}\left(\frac{160}{2}\right) = \text{लघु}_{10}(160) - \text{लघु}_{10} 2$

$$= \text{लघु}_{10}(16 \times 10) - \text{लघु}_{10} 2$$

$$= \text{लघु}_{10} 16 + \text{लघु}_{10} 10 - \text{लघु}_{10} 2$$

$$= \text{लघु}_{10}(2^4) + 1 - \text{लघु}_{10} 2$$

$= 4\ \text{लघु}_{10} 2 + 1 - \text{लघु}_{10} 2 = (3\ \text{लघु}_{10} 2) + 1 = (3 \times 0.3010) + 1 = 1.9030.$

18. $\text{लघु}_{10}(2.8) = \text{लघु}_{10}\left(\frac{7 \times 2^2}{10}\right)$

$$= \text{लघु}_{10} 7 + \text{लघु}_{10} 2^2 - \text{लघु}_{10} 10$$

$$= \text{लघु}_{10} 7 + 2\ \text{लघु}_{10} 2 - 1$$

$$= (0.8451 + 2 \times 0.3010 - 1) = 0.4471.$$

19. $\text{लघु}_{10}(1.5) = \text{लघु}_{10}\left(\frac{15}{10}\right) = \text{लघु}_{10}\left(\frac{3}{2}\right)$

$$= (\text{लघु}_{10} 3) - (\text{लघु}_{10} 2) = (0.4771 - 0.3010) = 0.1761.$$

20. $\text{लघु}_{10} 125 + \text{लघु}_{10} 8 = \text{लघु}_{10}\left(\frac{1000}{8}\right) + \text{लघु}_{10} 8$

$= लघु_{10}(1000) - लघु_{10}8 + लघु_{10}8$

$= लघु_{10}(10^3) = 3 लघु_{10}10 = (3 \times 1) = 3.$

21. माना $लघु_9 27 = x$. तब, $9^x = 27 \Leftrightarrow (3^2)^x = 3^3 \Leftrightarrow 3^{2x} = 3^3$

$\Leftrightarrow 2x = 3 \Leftrightarrow x = \frac{3}{2}.$

पुन: माना $लघु_8 32 = y$. तब, $8^y = 32 \Leftrightarrow (2^3)^y = 2^5 \Leftrightarrow 2^{3y} = 2^5$

$\Leftrightarrow 3y = 5 \Leftrightarrow y = \frac{5}{3}.$

$\therefore \quad (लघु_9 27 + लघु_8 32) = (x + y) = \left(\frac{3}{2}+\frac{5}{3}\right) = \frac{19}{6}.$

22. $(लघु_5 3) \times (लघु_3 625)$

$= \frac{लघु 3}{लघु 5} \times \frac{लघु 625}{लघु 3} = \frac{लघु 625}{लघु 5} \times \frac{लघु 5^4}{लघु 5} \times \frac{4(लघु 5)}{(लघु 5)} = 4.$

23. $(लघु_5 5)(लघु_4 9)(लघु_3 2)$

$= \frac{लघु 5}{लघु 5} \times \frac{लघु 9}{लघु 4} \times \frac{लघु 2}{लघु 3} = \frac{लघु 3^2}{लघु 2^2} \times \frac{लघु 2}{लघु 3} = \frac{2(लघु 3)}{2(लघु 2)} \times \frac{लघु 2}{लघु 3}$

$= 1.$

24. $2 लघु_{10}5 + लघु_{10}8 - \frac{1}{2} लघु_{10}4$

$= लघु_{10}(5^2) + लघु_{10}8 - लघु_{10}(4)^{1/2}$

$= लघु_{10}25 + लघु_{10}8 - लघु_{10}2 = लघु \frac{(25 \times 8)}{2}$

$= लघु_{10}100 = लघु_{10}(10)^2 = 2 लघु_{10}10 = (2 \times 1) = 2.$

25. $\frac{1}{3} लघु_{10}125 - 2 लघु_{10}4 + लघु_{10}32$

$= लघु_{10}(125)^{1/3} - लघु_{10}(4^2) + लघु_{10}(32)$

$= लघु_{10}5 - लघु_{10}16 + लघु_{10}32$

$= लघु_{10}\left(\frac{5}{16} \times 32\right) = लघु_{10}10 = 1.$

26. $लघु_2(लघु_5 625) = लघु_2[लघु_5(5^4)] = लघु_2(4 लघु_5 5)$

$= लघु_2(4 \times 1)$

$= लघु_2 4 = लघु_5(2^2) = 2 लघु_2 2 = (2 \times 1)$

$= 2.$

27. $लघु_2 लघु_2 लघु_3 लघु_3 (3^9) = लघु_2 लघु_2 लघु_3 (9 लघु 3)$

$= लघु_2 लघु_2 लघु_3 9$

$= लघु_2 लघु_2 (लघु_3 3^2)$

$= लघु_2 लघु_2 (2 लघु_3 3) = लघु_2 लघु_2 (2) = लघु_2 1 = 0.$

28. $लघु \left(4 \times \sqrt[3]{63}\right) = लघु \left(2^2 \times \sqrt[3]{3^2 \times 7}\right)$

$= लघु (2^2) + लघु (3^2 \times 7)^{1/3}$

$= 2 लघु 2 + \frac{1}{3} \{2 लघु 3 + लघु 7\}$

$= 2 लघु 2 + \frac{2}{3} लघु 3 + \frac{1}{3} लघु 7 = 2x + \frac{2}{3}y + \frac{1}{3}z.$

29. $लघु 360 = लघु (3 \times 3 \times 2 \times 2 \times 10) = लघु (3^2 \times 2^2 \times 10)$

$= 2 लघु 3 + 2 लघु 2 + लघु 10$

$= 2 लघु 3 + 2 लघु 2 + लघु (5 \times 2)$

$= 2 लघु 3 + 2 लघु 2 + लघु 5 + लघु 2$

$= 2 लघु 3 + 3 लघु 2 + लघु 5.$

30. $लघु_4 x + लघु_2 x = 6 \Leftrightarrow \frac{लघु x}{लघु 4} + \frac{लघु x}{लघु 2} = 6 \Leftrightarrow \frac{लघु x}{2 लघु 2} + \frac{लघु x}{लघु 2} = 6$

$\Leftrightarrow \left(\frac{1}{2}+1\right)\frac{लघु x}{लघु 2} = 6 \Leftrightarrow \frac{3}{2}\frac{लघु x}{लघु 2} = 6 \Leftrightarrow \frac{लघु x}{लघु 2} = \left(6 \times \frac{2}{3}\right)$

$= 4.$

$\Leftrightarrow लघु x = 4 लघु 2 = लघु (2^4) = लघु 16 \Leftrightarrow x = 16.$

31. समान्तर श्रेणी में सार्व अनुपात बराबर होते हैं

$\log (3^x - 2) - \log 3 = \log (3^x + 4) - \log (3^x - 2)$

$\frac{\log (3^x - 2)}{\log 3} = \frac{\log(3^x + 4)}{\log(3^x - 2)} \quad \left(\therefore \log a - \log b = \log \frac{a}{b}\right)$

$\frac{\log 3^x}{\log 2 \log 3} = \frac{x \log 3 \log 4 \log 2}{x \log 3}$

$\frac{x \log 3}{\log 2 \log 3} = \frac{x \log 3 \log 4 \log 2}{x \log 2}$

$\frac{x}{\log 2} = \log 4 \log 2$

$x = \log 4 \log 2 \log 2$

$x = \log 8$

$x = \log 2^3$

32. दिया है $\log_{10} a = p, \log_{10} b = q$

$\log_{10}(a^p b^q) = \log_{10} a^p + \log_{10} b^q$

$= p\log_{10} a + q\log_{10} b = p^2 + q^2$

33. $\log_2 16 = \log_2 2^4 = 4 \log_2 2 = 4.$

34. $\log_{343} 7 = \log_{7^3} 7 = \frac{1}{3}\log_7 7 = \frac{1}{3}.$

35. $\log_5\left(\frac{125 \times 625}{25}\right) = \log_5\left(\frac{5^3 \times 5^4}{5^2}\right) = \log_5 5^5$

$= 5 \log_5 5 = 5.$

36. $\log_{\sqrt{2}} 32 = \log_{2^{1/2}} 2^5 = \frac{5}{\left(\frac{1}{2}\right)}\log_2 2 = 5 \times 2 = 10.$

37. $\log x - 5 \log 3 = -2 \Rightarrow \log x - \log 3^5 = -2$

$\Rightarrow \log\left(\frac{x}{3^5}\right) = -2 \Rightarrow \frac{x}{243} = 10^{-2} = \frac{1}{100}$

$\Rightarrow x = \frac{243}{100} = 2.43$

38. $\log_5 12 = \log_5 (3 \times 4) = \log_5 3 + \log_5 4 = \log_5 3 + 2 \log_5 2$

$= \frac{\log_{10} 3}{\log_{10} 5} + \frac{2 \log_{10} 2}{\log_{10} 5}$

$= \frac{\log_{10} 3}{\log_{10} 10 - \log_{10} 2} + \frac{2 \log_{10} 2}{\log_{10} 10 - \log_{10} 2}$

$= \frac{b}{1-a} + \frac{2a}{1-a} = \frac{2a+b}{1-a}.$

39. $\log (4 \cdot \sqrt[3]{63}) = \log 4 + \log (\sqrt[3]{63})$

$= \log 4 + \log(63)^{1/3} = \log(2^2) + \log(7 \times 3^2)^{1/3}$

$= 2\log 2 + \frac{1}{3}\log 7 + \frac{2}{3}\log 3 = 2x + \frac{1}{3}z + \frac{2}{3}y.$

40. $\log_4 x + \log_2 x = 6 \Leftrightarrow \frac{\log x}{\log 4} + \frac{\log x}{\log 2} = 6$

$\Leftrightarrow \frac{\log x}{2\log 2} + \frac{\log x}{\log 2} = 6$

$\Leftrightarrow 3\log x = 12\log 2 \Leftrightarrow \log x = 4\log 2$

$\Leftrightarrow \log x = \log(2^4) = \log 16 \Leftrightarrow x = 16.$

41. $\log_{10}(x^2 - 6x + 10) = 0 \Rightarrow (x^2 - 6x + 10) = 10^0 = 1$

$\Rightarrow x^2 - 6x + 9 = 0$

$\Rightarrow (x-3)^2 = 0 \Rightarrow x = 3.$

42. $\log_{10} x + \log_{10} y = 3$ ...(*i*)

$\log_{10} x - \log_{10} y = 1$ ...(*ii*)

(*i*) और (*ii*) को जोड़ने पर प्राप्त होता है

$2\log_{10} x = 4$ or $\log_{10} x = 2$

$\Rightarrow \therefore x = 10^2 = 100.$

फिर $\log_{10} y = 3 - \log_{10} x = 3 - 2 = 1$

$\Rightarrow \quad y = 10^1 = 10.$

अत: $x = 100, y = 10.$

दूसरी विधि:

$\log_{10} x + \log_{10} y = 3 \Rightarrow \log_{10}(xy) = 3$

$\Rightarrow \quad xy = 10^3 = 1000.$

$\log_{10} x - \log_{10} y = 1$

$\Rightarrow \log_{10}\left(\frac{x}{y}\right) = 1 \Rightarrow \frac{x}{y} = 10^1 = 10$

$\Rightarrow x = 10y \Rightarrow 10y.y = 1000$

$\Rightarrow 10y^2 = 1000 \Rightarrow y^2 = 100 \Rightarrow y = 10.$

$\therefore x = 10y = 10 \times 10 = 100.$

43. $\log_{10} x + \log_{10} 5 = 2 \Rightarrow \log_{10} 5x = 2$

$\Rightarrow 5x = 10^2 = 100 \Rightarrow x = 20.$

44. दिया गया व्यंजक $= \left(\frac{\log a}{\log b} \times \frac{\log b}{\log c} \times \frac{\log c}{\log a}\right) = 1.$

45. $\log_{\frac{1}{a}}\left(\frac{1}{m}\right) = \log_{a^{-1}} m^{-1} = \frac{-1}{-1}\log_a m = \log_a m = x.$

46. $\log_3 x + \log_a x^2 + \log_{27} x^3 = 9 \Rightarrow \log_3 x + \log_{3^2} x^2 + \log_{3^3} x^3 = 9$

$\Rightarrow \log_3 x + \frac{2}{2}\log_3 x + \frac{3}{3}\log_3 x = 9 \Rightarrow 3\log_3 x = 9$

$\Rightarrow \log_3 x = 3 \Rightarrow x = 3^3 = 27.$

47. $a = \log_8 225 = \log_{2^3}(15^2) = \frac{2}{3}\log_2 15 = \frac{2b}{3}.$

48. $\log 27 = 1.431$

$\Rightarrow \log(3^3) = 1.431 \Rightarrow 3\log 3 = 1.431 \Rightarrow \log 3 = 0.477.$

$\therefore \log 9 = \log(3^2) = 2\log 3 = (2 \times 0.477) = 0.954.$

49. $\log_2 10 = \frac{1}{\log_{10} 2} = \frac{1}{0.3010} = \frac{10000}{3010} = \frac{1000}{301}.$

50. $\log_{10} 5 = \log_{10}\left(\frac{10}{2}\right) = \log_{10} 10 - \log_{10} 2$

$= 1 - \log_{10} 2 = (1 - 0.3010) = 0.6990.$

51. $\log_{10} 80 = \log_{10}(8 \times 10) = \log_{10} 8 + \log_{10} 10 = \log_{10}(2^3) + 1$
$= 3\log_{10} 2 + 1 = (3 \times 0.3010) + 1 = 1.9030.$

52. $\log_{10}(.0001) = \log_{10}\left(\frac{1}{10000}\right) = \log_{10}\left(\frac{1}{10^4}\right) = \log_{10} 10^{-4}$
$= -4\log_{10} 10 = -4.$

53. $\log_{.01}(1000) = \log_{10^{-2}}(10^3) = -\frac{3}{2}\log_{10} 10 = -\frac{3}{2}.$

54. $[\log_{10}(5\log_{10} 100)]^2 = [\log_{10}\{5\log_{10}(10)^2\}]^2 = [\log_{10}(5 \times 2)]^2 = (\log_{10} 10)^2 = 1.$

12 प्रतिशतता (PERCENTAGE)

आवश्यक तथ्य एवं सूत्र

I. (*i*) **प्रतिशतता:** प्रतिशत वह भिन्न है जिसका हर 100 हो.

(*ii*) x प्रतिशत का अर्थ है, **किसी वस्तु के 100 बराबर भागों में से x भाग.** इसे $x\%$ से व्यक्त करते हैं.

स्पष्ट है कि, $x\% = \frac{x}{100}$.

उदाहरण: (*i*) $24\% = \frac{24}{100} = \frac{6}{25}$ (*ii*) $0.8\% = \frac{0 \cdot 8}{100} = \frac{8}{1000} = \frac{1}{125}$

(*iii*) **भिन्न $\frac{a}{b}$ को प्रतिशत में व्यक्त करने के लिए सूत्र:**

$$\frac{a}{b} = \left(\frac{a}{b} \times 100\right)\%.$$

उदाहरण: (*i*) $\frac{5}{8} = \left(\frac{5}{8} \times 100\right)\% = \frac{125}{2}\% = 62\frac{1}{2}\%$. (*ii*) $0 \cdot 4 = \frac{4}{10} = \left(\frac{4}{10} \times 100\right)\% = 40\%$.

II. दो आवश्यक नियम (संक्षिप्त विधि):

(*i*) यदि A का मान B से $R\%$ अधिक हो, तो

$$\textbf{B का मान A से कम है} = \left\{\frac{R}{(100+R)} \times 100\right\}\%.$$

(*ii*) यदि A का मान B से $R\%$ कम हो, तो

$$\textbf{B का मान A से अधिक है} = \left\{\frac{R}{(100-R)} \times 100\right\}\%.$$

III. दो आवश्यक नियम (संक्षिप्त विधि):

(*i*) किसी वस्तु के भाव में $R\%$ वृद्धि हो जाने पर इस मद पर खर्च न बढ़े, इसके लिए

$$\textbf{वस्तु की खपत में कमी} = \left\{\frac{R}{(100+R)} \times 100\right\}\%.$$

(*ii*) किसी वस्तु के भाव में $R\%$ कमी आ जाने पर इस मद पर खर्च कम न हो, इसके लिए

$$\textbf{वस्तु की खपत में वृद्धि} = \left\{\frac{R}{(100-R)} \times 100\right\}\%.$$

IV. जनसंख्या पर आधारित प्रश्नों के लिए सूत्र:

माना किसी शहर की जनसंख्या P है तथा यह $R\%$ वार्षिक दर से बढ़ती है. तब,

(*i*) n वर्ष बाद जनसंख्या $= P\left(1+\frac{R}{100}\right)^n$.

(*ii*) n वर्ष पूर्व जनसंख्या $= \frac{P}{\left(1+\frac{R}{100}\right)^n}$.

(*iii*) माना किसी शहर की जनसंख्या P थी तथा इसमें पहले, दूसरे व तीसरे वर्ष में क्रमश: $R_1\%$, $R_2\%$ तथा $R_3\%$ वृद्धि होती है।

तब, 3 वर्ष बाद जनसंख्या $= P\left(1+\frac{R_1}{100}\right)\left(1+\frac{R_2}{100}\right)\left(1+\frac{R_3}{100}\right).$

V. मशीनों के अवमूल्यन पर आधारित प्रश्नों के लिए सूत्र:

माना किसी मशीन का वर्तमान मूल्य P है तथा इसके अवमूल्यन (*Depreciation*) की दर $R\%$ वार्षिक है. तब,

(*i*) n वर्ष बाद मशीन का मूल्य $= P\left(1-\frac{R}{100}\right)^n.$

(*ii*) n वर्ष पूर्व मशीन का मूल्य $= \frac{P}{\left(1-\frac{R}{100}\right)^n}.$

साधित उदाहरण

प्रश्न 1. निम्नलिखित में से प्रत्येक को भिन्न के रूप में लिखिये:

(*i*) 45% **(*ii*) 124%** **(*iii*) 0·6%** **(*iv*) 0·08%**

हल: (*i*) $45\% = \frac{45}{100} = \frac{9}{20}.$ (*ii*) $124\% = \frac{124}{100} = \frac{31}{25} = 1\frac{6}{25}.$

(*iii*) $0{\cdot}6\% = \frac{0{\cdot}6}{100} = \frac{6}{1000} = \frac{3}{500}.$ (*iv*) $0{\cdot}08\% = \frac{0{\cdot}08}{100} = \frac{8}{10000} = \frac{1}{1250}.$

प्रश्न 2. निम्नलिखित में से प्रत्येक को दशमलव भिन्न में बदलिये:

(*i*) 36% **(*ii*) 4%** **(*iii*) 0·5%** **(*iv*) 0·02%**

हल: (*i*) $36\% = \frac{36}{100} = 0{\cdot}36.$ (*ii*) $4\% = \frac{4}{100} = 0{\cdot}04.$

(*iii*) $0{\cdot}5\% = \frac{0{\cdot}5}{100} = \frac{5}{1000} = \frac{1}{200}.$ (*iv*) $0{\cdot}02\% = \frac{0{\cdot}02}{100} = 0{\cdot}0002.$

प्रश्न 3. निम्नलिखित में से प्रत्येक को दर प्रतिशत में बदलें:

(*i*) $\frac{17}{56}$ **(*ii*) $5\frac{3}{4}$** **(*iii*) 0·006** **(*iv*) 3**

हल: (*i*) $\frac{17}{56} = \left(\frac{17}{56}\times 100\right)\% = \frac{425}{14}\% = 30\frac{5}{14}\%.$ (*ii*) $5\frac{3}{4} = \left(\frac{23}{4}\times 100\right)\% = 575\%.$

(*iii*) $0{\cdot}006 = \frac{6}{1000} = \left(\frac{6}{1000}\times 100\right)\% = 0{\cdot}6\%.$ (*iv*) $3 = \frac{3}{1} = \left(\frac{3}{1}\times 100\right)\% = 300\%.$

प्रश्न 4. ज्ञात कीजिए कि:

(*i*) 72 का कितने प्रतिशत 9 है? **(*ii*) 8 का कितने प्रतिशत 48 है?**

(*iii*) 3·2 किग्रा० का कितने प्रतिशत 8 ग्राम है? **(*iv*) 8·4 लीटर का कितने प्रतिशत 140 मिलीमीटर है?**

हल: (*i*) माना 72 का $x\% = 9$. तब, $\left(72\times\frac{x}{100}\right) = 9 \Leftrightarrow x = \frac{(100\times 9)}{72} = \frac{25}{2} = 12\frac{1}{2}\%.$

(*ii*) माना 8 का $x\% = 48$. तब, $\left(8\times\frac{x}{100}\right) = 48 \Leftrightarrow x = \frac{(48\times 100)}{8} = 600\%.$

(*iii*) माना 3·2 किग्रा० का $x\% = 8$ ग्राम.

तब, $(3{\cdot}2\times 1000)$ ग्राम $\times \frac{x}{100} = 8$ ग्राम $\Leftrightarrow x = \left(\frac{8\times 100}{3{\cdot}2\times 1000}\right) = \frac{1}{4} = 0{\cdot}25\%.$

(*iv*) माना 8·4 लीटर का $x\% = 140$ मिलीमीटर $\Leftrightarrow$ 8·4 लीटर का $\frac{x}{100} = \frac{140}{1000}$ लीटर $\Leftrightarrow x = \left(\frac{140}{1000}\times\frac{100}{8{\cdot}4}\right) = \frac{5}{3} = 1\frac{2}{3}\%.$

प्रश्न 5. 5 : 8 = ? %

हल: $5:8=\frac{5}{8}=\left(\frac{5}{8}\times 100\right)\%=\frac{125}{2}\%=62\frac{1}{2}\%.$

प्रश्न 6. 20% का 30% किस भिन्न के बराबर है?

हल: 20% का 30% $=\left(\frac{20}{100}\text{ का }\frac{30}{100}\right)=\frac{6}{100}=\frac{3}{50}.$

प्रश्न 7. ₹ 873 का $16\frac{2}{3}$% क्या होगा?

हल: ₹ 873 का ₹$16\frac{2}{3}\%$ = ₹$\left(873\times\frac{50}{3}\times\frac{1}{100}\right)$ = ₹$\frac{291}{2}$ = ₹ 145·50.

प्रश्न 8. किसी भिन्न के अंश में 20% वृद्धि करने तथा इसके हर में 10% कमी करने से $\frac{16}{21}$ प्राप्त होता है. भिन्न क्या है?

(एम०बी०ए० परीक्षा, 2013)

हल: माना अभीष्ट भिन्न $=\frac{x}{y}$. तब, $\frac{x\text{ का }120\%}{y\text{ का }90\%}=\frac{16}{21}\Leftrightarrow\frac{\left(x\times\frac{120}{100}\right)}{\left(y\times\frac{90}{100}\right)}=\frac{16}{21}\Leftrightarrow\frac{120x}{90y}=\frac{16}{21}\Leftrightarrow\frac{x}{y}=\left(\frac{16}{21}\times\frac{90}{120}\right)=\frac{4}{7}.$

अतः अभीष्ट भिन्न $=\frac{4}{7}$.

प्रश्न 9. मोहित के वेतन में 10% कमी कर दी गई. इस कम किये गये वेतन में 10% वृद्धि कर देने पर मोहित को कितने प्रतिशत लाभ अथवा हानि हुई?

हल: माना प्रारम्भिक वेतन = ₹ 100.

10% कमी करके 10% वृद्धि करने पर वेतन = (100 का 90% का 110%) = ₹ $\left(100\times\frac{90}{100}\times\frac{110}{100}\right)$ = ₹ 99.

∴ हानि = (100 − 99)% = 1%.

प्रश्न 10. एक वस्तु की कर की दर में 20% कमी कर दी गई तथा इसकी खपत में 20% वृद्धि कर दी गई. धन प्राप्ति पर क्या प्रभाव पड़ा?

हल: माना प्रारम्भिक खपत = x इकाई तथा कर की दर = ₹ y प्रति इकाई.

∴ धन प्राप्ति = ₹ (xy).

नई खपत = (x इकाई का 120%) = $\left(x\times\frac{120}{100}\right)$ इकाई = $\frac{6x}{5}$ इकाई.

नई कर की दर = ₹$\left(y\times\frac{80}{100}\right)$ प्रति इकाई = ₹$\frac{4y}{5}$ प्रति इकाई.

अब धन प्राप्ति = ₹$\left(\frac{6x}{5}\times\frac{4y}{5}\right)$ = ₹$\frac{24xy}{25}$.

धन प्राप्ति में कमी = ₹$\left(xy-\frac{24xy}{25}\right)$ = ₹$\frac{xy}{25}$.

धन प्राप्ति में कमी % = $\left(\frac{xy}{25}\times\frac{1}{xy}\times 100\right)\%=4\%.$

प्रश्न 11. मोहन को एक परीक्षा में उत्तीर्ण होने के लिए 36% अंक प्राप्त करने थे. उसने 24% अंक प्राप्त किये तथा उसे 9 अंकों से अनुत्तीर्ण घोषित कर दिय गया. पूर्णांक ज्ञात कीजिए.

हल: माना पूर्णांक = x. तब, (x का 24%) + 9 = (x का 36%) $\Leftrightarrow\left(x\times\frac{24}{100}\right)+9=\left(x\times\frac{36}{100}\right)$

$$\Leftrightarrow\left(\frac{9x}{25}-\frac{6x}{25}\right)=9\Leftrightarrow 3x=225\Leftrightarrow x=75.$$

अतः पूर्णांक = 75.

प्रश्न 12. एक परीक्षा में एक विद्यार्थी ने 30% अंक प्राप्त किये तथा वह 85 अंकों से अनुत्तीर्ण रहा. इसी परीक्षा में दूसरे विद्यार्थी ने 44% अंक प्राप्त किये तथा उसने उतीर्ण होने के लिए न्यूनतम अंकों से 34 अंक अधिक प्राप्त किये. पूर्णांक तथा उतीर्ण होने के लिए न्यूनतम अंक ज्ञात कीजिए.

हल: माना पूर्णांक $= x$. तब, (x का 30%) + 85 = (x का 44%) − 34

$$\Leftrightarrow \left(x\times\frac{44}{100}\right)-\left(x\times\frac{30}{100}\right)=(85+34)\Leftrightarrow\frac{14x}{100}=119\Leftrightarrow x=\frac{(119\times100)}{14}=850.$$

अतः पूर्णांक $= 850$.

प्रश्न 13. एक कस्बे की जनसंख्या 176400 है. यदि इसमें 5% वार्षिक दर से वृद्धि हो, तो

(*i*) 2 वर्ष बाद इस कस्बे की जनसंख्या क्या होगी?

(*ii*) 2 वर्ष पूर्व इस कस्बे की जनसंख्या कितनी थी?

हल: (*i*) 2 वर्ष बाद कस्बे की जनसंख्या $=\left\{176400\times\left(1+\frac{5}{100}\right)^2\right\}=\left(176400\times\frac{21}{20}\times\frac{21}{20}\right)=194481.$

(*ii*) 2 वर्ष पूर्व कस्बे की जनसंख्या $=\frac{176400}{\left(1+\frac{5}{100}\right)^2}=\left(176400\times\frac{20}{21}\times\frac{20}{21}\right)=160000.$

प्रश्न 14. 2 वर्ष पूर्व एक गाँव की जनसंख्या 9375 थी. प्रतिवर्ष 4% व्यक्ति गाँव छोड़कर शहर चले जाने से अब जनसंख्या कितनी है?

हल: वर्तमान जनसंख्या $=\left\{9375\times\left(1-\frac{4}{100}\right)^2\right\}=\left(9375\times\frac{24}{25}\times\frac{24}{25}\right)=8640.$

प्रश्न 15. एक मशीन का वर्तमान मूल्य ₹ 729000 है. यदि अवमूल्यन की दर 10% वार्षिक हो, तो

(*i*) 3 वर्ष बाद इस मशीन का मूल्य क्या होगा?

(*ii*) 3 वर्ष पूर्व इस मशीन का मूल्य क्या था?

हल: (*i*) 3 वर्ष बाद मशीन का मूल्य $=₹P\left(1-\frac{R}{100}\right)^n=\left\{729000\times\left(1-\frac{10}{100}\right)^3\right\}=₹\left(729000\times\frac{9}{10}\times\frac{9}{10}\times\frac{9}{10}\right)=₹\ 531441.$

(*ii*) 3 वर्ष पूर्व मशीन का मूल्य $=\frac{P}{\left(1-\frac{R}{100}\right)^n}=\frac{729000}{\left(1-\frac{10}{100}\right)^3}=\frac{729000}{\left(\frac{9}{10}\right)^3}=₹\left(729000\times\frac{10}{9}\times\frac{10}{9}\times\frac{10}{9}\right)=₹\ 1000000.$

प्रश्न 16. एक मशीन अभी खरीदी गई है. इसका प्रतिवर्ष 10% वार्षिक दर से अवमूल्यन हो जाता है. यदि 3 वर्ष बाद इसका मूल्य ₹ 87480 हो, तो मशीन का क्रय मूल्य ज्ञात कीजिए.

हल: माना मशीन का क्रय-मूल्य = ₹ x. तब,

$$x\left(1-\frac{10}{100}\right)^3=87480\Leftrightarrow x\times\frac{9}{10}\times\frac{9}{10}\times\frac{9}{10}=87480\Leftrightarrow x=\left(87480\times\frac{10}{9}\times\frac{10}{9}\times\frac{10}{9}\right)=120000.$$

अतः मशीन का क्रय-मूल्य = ₹ 120000.

प्रश्न 17. एक चुनाव में दो उम्मीदवार थे. एक उम्मीदवार ने कुल मतों का 43% मत प्राप्त किये तथा वह 3360 मतों से हार गया. कुल मतों की संख्या ज्ञात कीजिए.

हल: माना कुल मतों की संख्या $= x$.

हारे हुए उम्मीदवार द्वारा प्राप्त मत = 43%, जीते हुए उम्मीदवार द्वारा प्राप्त मत = 57%.

$\therefore$ (x का 57%) − (x का 43%) = 3360 $\Leftrightarrow\left(\frac{57x}{100}-\frac{43x}{100}\right)=3360$

$$\Leftrightarrow(57x-43x)=336000\Leftrightarrow14x=336000\Leftrightarrow x=24000.$$

अतः कुल मतों की संख्या = 24000.

प्रश्न 18. एक चुनाव में दो उम्मीदवार थे. इसमें कुल मतदाताओं में से 5% ने अपना मत प्रयोग नहीं किया. सफल उम्मीदवार कुल मतों का 48% मत लेकर 1500 मतों से विजयी रहा. प्रत्येक उम्मीदवार को कितने मत मिले?

हल: माना कुल मतों की संख्या = 100.

मत जो डाले गये = (100 – 5) = 95.

सफल उम्मीदवार को मिले मतों की संख्या = 48.

असफल उम्मीदवार को मिले मतों की संख्या = (95 – 48) = 47.

यदि अन्तर 1 है, तो सफल उम्मीदवार को मिलते हैं = 48.

यदि अन्तर 1500 है, तो सफल उम्मीदवार को मिलते हैं $=\left(\frac{48}{1}\times 1500\right)=72000$.

पराजित उम्मीदवार को मिले मतों की संख्या = (72000 – 1500) = 70500.

प्रश्न 19. एक चुनाव में दो उम्मीदवार थे. इस चुनाव में मतदाता सूची के कुल 10% मतों का प्रयोग नहीं किया गया तथा 60 मतों को अवैध घोषित कर दिया गया. सफल उम्मीदवार 308 मतों से जीता तथा इसने मतदाता सूची के कुल मतों के 47% मत प्राप्त किये. प्रत्येक उम्मीदवार को कितने वैध मत मिले?

हल: माना कुल मतों की संख्या = x.

डाले गये मतों की संख्या = (x का 90%) $=\frac{9x}{10}$.

वैध मत $=\left(\frac{9x}{10}-60\right)$.

सफल उम्मीदवार के मत = (x का 47%) $=\frac{47x}{100}$.

असफल उम्मीदवार के मत $=\left(\frac{9x}{10}-60-\frac{47x}{100}\right)$.

$$\therefore \quad \frac{9x}{10}-60-\frac{47x}{100}+308=\frac{47x}{100} \Leftrightarrow \left(\frac{94x}{100}-\frac{9x}{10}\right)=248 \Leftrightarrow 4x=24800 \Leftrightarrow x=6200.$$

सफल उम्मीदवार के मत $=\left(\frac{47}{100}\times 6200\right)=2914$.

असफल उम्मीदवार के मत = (2914 – 308) = 2606.

प्रश्नमाला 12

नीचे दिये गये प्रत्येक प्रश्न में ठीक उत्तर को चिह्नांकित (✓) कीजिए:

1. (1360 का 22·5%) + (225 का 136%) = ?
(a) 572 (b) 612
(c) 596 (d) 624

2. यदि 1400 का x% = 119, तो x बराबर है: **(रेलवे परीक्षा, 2014)**
(a) 17 (b) 28 (c) 8·5 (d) 7·5

3. (240 का 35%) + (280 का 55%) = (714 का ?) **(बैंक पी०ओ० परीक्षा, 2014)**
(a) $\frac{1}{3}$ (b) $\frac{2}{3}$
(c) $\frac{4}{3}$ (d) 3
(e) इनमें से कोई नहीं

4. (1500 का 45%) + (1700 का 35%) = (3175 का ?%) **(बैंक पी०ओ० परीक्षा, 2021)**
(a) 30 (b) 35
(c) 45 (d) इनमें से कोई नहीं

5. (320 का 125%) + (125 का ?%) = 440 **(बैंक पी०ओ० परीक्षा, 2014)**
(a) 32 (b) 42
(c) 46 (d) 50

6. (400 का 39·5%) + (350 का ?%) = 242 **(बैंक पी०ओ० परीक्षा, 2014)**
(a) 16 (b) 20
(c) 18 (d) 24

7. (360 का ?%) = 129·6 **(बैंक पी०ओ० परीक्षा, 2014)**
(a) 36 (b) 64
(c) 72 (d) 77

8. (130 का ?%) = 11·7
(a) 0·09 (b) 0·9 (c) 9 (d) 90

9. (50 का 860%) + (860 का 50%) = ? **(रिजर्व बैंक परीक्षा, 2013)**
(a) 430 (b) 516
(c) 860 (d) 960

10. $3\frac{4}{7}$ का 63% बराबर है:
(a) 2·25 (b) 2·4
(c) 2·5 (d) 2·75

11. अनुपात 5 : 4 को प्रतिशत के रूप में व्यक्त करें।
(a) 12.5% (b) 40% (c) 80% (d) 125%

12. 3.5 को प्रतिशत के रूप में व्यक्त किया जा सकता है–
(a) 0.35% (b) 3.5% (c) 35% (d) 350%

13. जब भिन्न के रूप में व्यक्त किया जाता है तो 64% का अर्थ होगा–
(a) $\frac{16}{25}$ (b) $\frac{9}{64}$ (c) $\frac{8}{81}$ (d) $\frac{12}{121}$

14. 245 का 36% – 210 का 40% = 10 – ? (बैंक पी.ओ.ए 2010)
(a) 4.2 (b) 4.9 (c) 5.6 (d) 6.8
(e) इनमें से कोई नहीं

15. 300 का 45% + $\sqrt{?}$ = 750 का 56% – 250 का 10%
(आर.आर.बी.ए 2019)
(a) 60 (b) 130 (c) 260 (d) 67600

16. 578 का 15% + 644 का 22.5% = ? (बैंक पी.ओ.ए 2010)
(a) 231.4 (b) 231.6 (c) 231.8 (d) 233.6
(e) इनमें से कोई नहीं

17. 56 का 140% + 140 का 56% = ? (बैंक पी.ओ.ए 2019)
(a) 78.4 (b) 87.4 (c) 156.6 (d) 158.6
(e) इनमें से कोई नहीं

18. हल करें: [(?) का 180%] ÷ 2 = 504
[भारतीय रेलवे ग्रेड 'डी' परीक्षा, 2014]
(a) 400 (b) 480 (c) 560 (d) 600

19. दिए गए व्यंजक में (?) के स्थान पर क्या आएगा:
y का x%, (?) का y% है–
[भारतीय रेलवे ग्रेड 'डी' परीक्षा, 2014]
(a) x (b) $100x$ (c) $\frac{x}{100}$ (d) $\frac{y}{100}$

20. ₹ 312 का $66\frac{2}{3}$% ₹ 200 से कितना अधिक है?
[एसएससी-सीएचएसएल (10+2) परीक्षा, 2015]
(a) ₹ 96 (b) ₹ 4 (c) ₹ 8 (d) ₹ 104

21. हल करें:
1200.11 का 105.27% + 2360.85 का 11.80% = (?) का 21.99% + 140.29
[आईबीपीएस-बैंक विशेष अधिकारी (आईटी) परीक्षा, 2015]
(a) 500 (b) 240 (c) 310 (d) 550

22. हल करें: (250 का 550%) ÷ 275 = (?)
[(यूआईआईसीएल) सहायक (ऑनलाइन) परीक्षा, 2015]
(a) 15 (b) 1.5
(c) 0.5 (d) इनमें से कोई नहीं

23. 825 का 32% + 1440 का 25% = 1025 – (?)
[एनआईसीएल-एएओ परीक्षा 2015]
(a) 456 (b) 206 (c) 223 (d) 401

24. ? + 651 का 30.01% ÷ 59.98 का 25.05% = 135
[आईबीपीएस-बैंक पीओ/एमटी परीक्षा, 2015]
(a) 68 (b) 140 (c) 122 (d) 128.5

25. $\frac{4}{3}$ के 25% का $\frac{18}{19}$ का 57 = ?
[आईबीपीएस-आरआरबी अधिकारी सहायक (ऑनलाइन) परीक्षा, 2015]
(a) 36 (b) 8 (c) 18 (d) 12

26. 1239.96 का ?% + 449.95 का 59.87% = 579.05
[आईबीपीएस-पीओ (प्री.) परीक्षा, 2015]
(a) 35 (b) 15 (c) 25 (d) 20

27. (555 का 12%) + (666 का 15%) = ?
[एसबीआई जूनियर एसोसिएट्स (प्री.) परीक्षा, 2016]
(a) 166.5 (b) 167.5 (c) 168.5
(d) इनमें से कोई नहीं

28. 420 का 85% + 1080 का ?% = 735
[एसबीआई जूनियर एसोसिएट्स (प्री.) परीक्षा, 2016]
(a) 25 (b) 30 (c) 35 (d) 40

29. 1225 का 30% – 555 का 64% = ?
[एसबीआई जूनियर एसोसिएट्स (प्री.) परीक्षा, 2016]
(a) 10.7 (b) 12.3
(c) 13.4 (d) इनमें से कोई नहीं

30. 14 का 14% + 28 का 28% + 96 का 92% – 85 का 15% = ?
[डीएमआरसी-(सीआरए) परीक्षा, 2016]
(a) 8.37 (b) 85.37
(c) 89.37 (d) इनमें से कोई नहीं

31. यदि A का 18 प्रतिशत, B के 40 प्रतिशत के बराबर है, तो A : B का अनुपात कितना है?
[एसएससी जीडी, 06/03/2024 (Shift-01)]
(a) 10:9 (b) 20:9 (c) 9:11 (d) 11:9

32. एक संख्या में पहले 20% तथा पुन: 20% की वृद्धि की गई. बढ़ी हुई संख्या को कितने प्रतिशत कम कर दिया जाये ताकि वह प्रारम्भिक संख्या के बराबर हो जाये?
(एस०एस०सी० परीक्षा, 2014)
(a) $19\frac{11}{31}$% (b) $30\frac{5}{9}$%
(c) 40% (d) 44%

33. चावल के मूल्य में 2% कमी कर दी गई. जिस धनराशि से पहले 49 किग्रा० चावल खरीदा जा सकता था, उससे अब कितना चावल खरीदा जा सकेगा?
(एस०एस०सी० परीक्षा, 2014)
(a) 48 किग्रा० (b) 49 किग्रा०
(c) 50 किग्रा० (d) 51 किग्रा०

34. चावल के दामों में 20% कमी होने पर ₹ 385 में पहले से 3·5 किग्रा० अधिक चावल मिलता है. पहले चावल की दर प्रति किग्रा० क्या थी? **(एस०एस०सी० परीक्षा, 2013)**

(a) ₹ 20 (b) ₹ 22·50
(c) ₹ 25 (d) ₹ 27·50

35. एक दुकानदार द्वारा बेचे गये गेहूँ में 10% घटिया गेहूँ है. ऐसे 150 किग्रा० गेहूँ में बढ़िया गेहूँ कितना मिलाया जाये कि उसमें घटिया गेहूँ केवल 5% रहे? **(बैंक पी०ओ० परीक्षा, 2013)**

(a) 50 किग्रा० (b) 85 किग्रा०
(c) 135 किग्रा० (d) 150 किग्रा०
(e) इनमें से कोई नहीं

36. पंखों के दामों में 20% गिरावट आने से इनकी बिक्री में 40% की वृद्धि हो गई. धन की आवक में इसका क्या प्रभाव पड़ा? **(रेलवे परीक्षा, 2013)**

(a) 12% कमी (b) 12% वृद्धि
(c) 30% वृद्धि (d) 40% कमी

37. एक वस्तु के मूल्य में 10% कमी कर देने के बाद इसे मूल रूप में लाने के लिए कितने प्रतिशत वृद्धि करनी होगी?

(a) 10% (b) 11%
(c) $9\frac{1}{11}\%$ (d) $11\frac{1}{9}\%$

(एस०एस०सी० परीक्षा, 2021)

38. एक व्यक्ति ने एक घर ₹ 500000 में खरीदकर किराये पर दे दिया. वह प्रतिवर्ष कुल किराये का $12\frac{1}{2}\%$ मरम्मत आदि के लिए रखता है तथा ₹ 1660 प्रति वर्ष गृह-कर देता है. इस प्रकार उसे प्रतिवर्ष अपनी लागत का 10% धन मिल जाता है. घर का मासिक किराया कितना है?

(a) ₹ 2460 (b) ₹ 2500 (c) ₹ 4920 (d) ₹ 5000

39. रमेश अपनी आय का 20% बचत कर सकता है. 2 वर्ष बाद उसकी आय में 20% वृद्धि होने के बाद भी वह पहले जितनी ही बचत कर सकता है. उसके खर्च में कितने प्रतिशत वृद्धि हुई? **(रेलवे परीक्षा, 2012)**

(a) 20% (b) 23%
(c) 25% (d) 30%
(e) इनमें से कोई नहीं

40. 405 मिठाइयाँ कुछ बच्चों को इस प्रकार वितरित की गईं कि प्रत्येक बच्चे को मिलने वाली मिठाइयों की संख्या कुल बच्चों की संख्या का 20% थी. प्रत्येक बच्चे को कितनी मिठाइयाँ मिलीं? **(बैंक पी०ओ० परीक्षा, 2013)**

(a) 9 (b) 15
(c) 18 (d) 45
(e) इनमें से कोई नहीं

41. एक परीक्षा में 640 छात्र तथा 360 छात्रायें सम्मिलित हुए. इसमें 60% छात्र तथा 80% छात्राऐं सफल रहे. कितने प्रतिशत फेल हुए? **(एस०एस०सी० परीक्षा, 2013)**

(a) 20% (b) 30·5% (c) 32·8% (d) 60%

42. एक परीक्षा में पूरी कक्षा के औसत अंक 80 थे. इनमें से 10% विद्यार्थियों ने 95 अंक प्राप्त किये तथा 20% ने 90 अंक प्राप्त किये. शेष विद्यार्थियों का औसत प्राप्तांक क्या था? **(मैट्रो रेल कार्पोरेशन परीक्षा, 2013)**

(a) 65·5 (b) 72·5 (c) 75 (d) 85

43. एक परीक्षा में 35% विद्यार्थी उतीर्ण हुए तथा 455 अनुत्तीर्ण. इस परीक्षा में कुल कितने विद्यार्थी बैठे? **(एस०एस०सी० परीक्षा, 2021)**

(a) 490 (b) 700 (c) 845 (d) 1300

44. एक परीक्षा में कुल परीक्षार्थियों का $37\frac{1}{2}\%$ लड़कियाँ थीं. कुल $62\frac{1}{2}\%$ लड़कियाँ तथा 75% लड़के उतीर्ण हुए. यदि 342 लड़कियाँ अनुत्तीर्ण हुई हों, तो कितने लड़के अनुत्तीर्ण हुए? **(एस०एस०सी० परीक्षा, 2013)**

(a) 350 (b) 360 (c) 370 (d) 380

45. एक परीक्षा में सफलता के लिए कुल अंकों के 33% अंक चाहिये. एक विद्यार्थी ने 125 अंक प्राप्त किये तथा वह 40 अंकों से अनुत्तीर्ण रहा. कुल पूर्णांक कितने हैं? **(सी०बी०आई० परीक्षा, 2013)**

(a) 300 (b) 500 (c) 800 (d) 1000

46. एक परीक्षा में 1100 लड़के तथा 700 लड़कियाँ बैठे. इनमें से 42% लड़के तथा 30% लड़कियाँ उतीर्ण हुए. कितने प्रतिशत छात्र अनुत्तीर्ण हुए?

(a) 58% (b) $62\frac{2}{3}\%$ (c) 64% (d) 78%

47. दो विद्यार्थी एक परीक्षा में बैठे. इनमें से एक विद्यार्थी ने दूसरे से 9 अंक अधिक प्राप्त किये तथा इसके प्राप्तांक छोनों के कुल प्राप्तांकों का 56% है. उनके प्राप्तांक हैं: **(एस०एस०सी० परीक्षा, 2014)**

(a) 39, 30 (b) 41, 32 (c) 42, 33 (d) 43, 34

48. एक देश की वर्तमान जनसंख्या 10 करोड़ है तथा अनुमान लगाया गया है कि 3 वर्ष बाद यह जनसंख्या बढ़कर 13·31 करोड़ हो जायेगी. वृद्धि की वार्षिक दर क्या है?

(a) 8% (b) 10% (c) 12·7% (d) 15%

49. अब जन्म दर 32 प्रति हजार है तथा संगत मृत्यु-दर 11 प्रति हजार है. शुद्ध जनसंख्या विकास दर कितने प्रतिशत है?

(a) 0·0021% (b) 0·021% (c) 2·1% (d) 21%

50. ₹ 72900 मूल्य की भूमि पर ₹ 133100 मूल्य का भवन बनाया गया है. यदि भूमि के मूल्य में 10% वार्षिक दर से वृद्धि हो तथा भवन के मूल्य में 10% वार्षिक दर से अवमूल्यन हो, तो कितने वर्ष बाद दोनों के मूल्य बराबर होंगे?

(a) $1\frac{1}{2}$ वर्ष (b) 2 वर्ष (c) $2\frac{1}{2}$ वर्ष (d) 3 वर्ष

51. एक कस्बे की जनसंख्या में प्रतिवर्ष 5% की वृद्धि होती है. यदि वर्ष 2005 में इसकी जनसंख्या 92610 हो, तो वर्ष 2002 में इसकी जनसंख्या कितनी थी?

(*a*) 84000 (*b*) 80000 (*c*) 80600 (*d*) 85260

52. यदि A का वेतन B के वेतन से 20% अधिक है, तो B का वेतन A के वेतन से कितने प्रतिशत कम है?

(*a*) 20% (*b*) 18% (*c*) $16\frac{2}{3}$% (*d*) 25%

53. यदि A का वेतन B के वेतन से 25% कम है, तो B का वेतन A के वेतन से कितने प्रतिशत अधिक है?

(*a*) 25% (*b*) 30% (*c*) 27·5% (*d*) $33\frac{1}{3}$%

54. एक चुनाव में दो उम्मीदवार थे. एक उम्मीदवार ने कुल डाले गये मतों के 30% मत प्राप्त किये तथा वह 16000 मतों से हार गया. कुल डाले गये मतों की संख्या कितनी थी?

(रेलवे परीक्षा, 2012)

(*a*) 24000 (*b*) 28000 (*c*) 30000 (*d*) 40000

55. एक चुनाव में दो उम्मीदवार थे. एक उम्मीदवार ने कुल मतों के 60% मत प्राप्त किये तथा वह 14000 मतों से चुनाव जीत गया. इस उम्मीदवार को कुल कितने मत मिले?

(एस०एस०सी० परीक्षा, 2014)

(*a*) 28000 (*b*) 32000 (*c*) 42000 (*d*) 46000

56. एक चुनाव में दो उम्मीदवारों में से एक ने कुल वैध मतों के 55% मत प्राप्त किये तथा 20% मत अवैध घोषित कर दिये गये. यदि कुल मतों की संख्या 7500 हो, तो दूसरे उम्मीदवार ने कुल कितने वैध मत प्राप्त किये? **(रेलवे परीक्षा, 2013)**

(*a*) 2700 (*b*) 2900 (*c*) 3000 (*d*) 3100

57. एक चुनाव में दो उम्मीदवार थे. इस चुनाव में 8% मतदाताओं ने अपने मत का प्रयोग नहीं किया. जीतने वाले उम्मीदवार ने कुल मतों के 48% मत प्राप्त करके दूसरे उम्मीदवार को 1100 मतों से पराजित कर दिया. इस चुनाव में कुल कितने मतदाता थे? **(एस०एस०सी० परीक्षा, 2013)**

(*a*) 21000 (*b*) 22000 (*c*) 23500 (*d*) 27500

58. एक चुनाव में दो उम्मीदवार थे. इसमें 75% मतदाताओं ने अपने मताधिकार का प्रयोग किया तथा इनमें से 2% मतों को अवैध घोषित कर दिया गया. एक उम्मीदवार ने 9261 मत प्राप्त किये, जो वैध मतों के 75% थे. मतदाता सूची में कुल कितने मतदाता थे? **(एस०एस०सी० परीक्षा, 2013)**

(*a*) 16000 (*b*) 16400 (*c*) 16800 (*d*) 18000

59. एक चुनाव में दो उम्मीदवार थे. इसमें मतदाता सूची में से 10% मतदाताओं ने अपने मताधिकार का प्रयोग नहीं किया तथा कुल डाले गये मतों के 10% मत अवैध घोषित कर दिये गये. सफल उम्मीदवार कुल वैध मतों के 54% मत प्राप्त करके 1620 मतों से जीत गया. मतदाता सूची में कुल कितने मतदाता थे? **(एस०एस०सी० परीक्षा, 2013)**

(*a*) 25000 (*b*) 33000 (*c*) 35000 (*d*) 40000

60. एक चुनाव में 30% मतदाताओं ने A को मत दिया तथा शेष के 60% मतदाताओं ने B को मत दिया. शेष मतदाताओं ने अपने मत का प्रयोग नहीं किया. यदि A को मत देने वालों तथा अपने मत का प्रयोग न करने वालों की संख्या का अन्तर 1200 हो, तो कितने मतदाताओं को इस चुनाव में मत देने का अधिकार था?

(*a*) 10000 (*b*) 45000 (*c*) 60000 (*d*) 72000

61. यदि A की आय का 5%= B की आय का 15% तथा B की आय का 10% = C की आय का 20% हो तथा C की आय ₹ 2000 हो, तो A, B, C की कुल आय होगी:

(एम०बी०ए० परीक्षा, 2013)

(*a*) ₹6000 (*b*) ₹9000 (*c*) ₹12000 (*d*) ₹18000

62. एक खुदरा विक्रेता ने अंकित मूल्य पर 30% की छूट पर एक मेज खरीदा। उसने उस मेज को एक ग्राहक को ₹ 4830 में बेच दिया एवं अपने क्रय मूल्य पर 50% का लाभ अर्जित किया। मेज का आरंभिक अंकित मूल्य क्या था?

(NIACL सहायक प्रारंभिक परीक्षा, 2017)

(*a*) ₹ 4200 (*b*) ₹ 5200
(*c*) ₹ 4800 (*d*) ₹ 4500
(*e*) दिए गए विकल्पों के अलावा

63. दो संख्याएँ एक तीसरी संख्या की तुलना में 10% और 25% कम हैं। दूसरी संख्या को पहली संख्या के बराबर करने के लिए कितने प्रतिशत से बढ़ाना होगा?

(एस.एस.सी. सी.एच.एस.एल. (10+2) ग्रेड-टियर-I (सी.बी.ई.) परीक्षा, 2017)

(*a*) 16.67 प्रतिशत (*b*) 20 प्रतिशत
(*c*) 15 प्रतिशत (*d*) 60 प्रतिशत

64. अपने मासिक वेतन में से, ऋद्धि 34% विविध मदों मे खर्च करती है। शेष वेतन में से $\frac{1}{6}$ भाग वह भाई को, $\frac{2}{3}$ भाग अपनी बहन को एवं शेष बचत करती है। यदि उसके द्वारा अपनी बहन एवं भाई को दी गई धनराशि का अंतर 10260 रुपए हो, तो ऋद्धि की बचत क्या थी?

(एस.बी.आइ. पी.ओ. ऑनलाइन प्रारंभिक परीक्षा, 2017)

(*a*) ₹ 3,740 (*b*) ₹ 3,420
(*c*) ₹ 4,230 (*d*) ₹ 3,230
(*e*) दिए गए विकल्पों से अन्य

65. एक इंजीनियरिंग छात्र के उत्तीर्ण होने लिए 25 प्रतिशत अंक प्राप्त करने होते हैं। उसे 47 अंक मिलते हैं और वह 43 अंकों से अनुत्तीर्ण हो जाता है। उस परीक्षा के अधिकतम अंक कितने होंगे?

(एस.एस.सी. सी.एच.एस.एल. (10+2) ग्रेड-टियर-I सी.बी.ई. परीक्षा, 2017)

(*a*) 385 (*b*) 410 (*c*) 360 (*d*) 435

66. यदि एक दुकानदार ₹ 960 में एक वस्तु बेचता है, जिसका अंकित मूल्य ₹ 1200 है, तो वह कितने छूट की पेशकश कर रहा है?

(एस.एस.सी. सी.एच.एस.एल. (10+2) ग्रेड-टियर- I सी.बी.ई. परीक्षा, 2017)

(*a*) 25 प्रतिशत (*b*) 12 प्रतिशत
(*c*) 20 प्रतिशत (*d*) 28 प्रतिशत

67. विभिन्न स्कूलों के कुछ विद्यार्थी (केवल लड़के और लड़कियाँ) ओलंपियाड परीक्षा में शामिल हुए। 20% लड़के और 15% लड़कियाँ परीक्षा में अनुत्तीर्ण हो गए। परीक्षा उत्तीर्ण करने

वाले लड़कों की संख्या, परीक्षा उत्तीर्ण करने वाली लड़कियों की संख्या से 70 अधिक थी। कुल 90 विद्यार्थी अनुत्तीर्ण हुए। परीक्षा में शामिल होने वाले विद्यार्थियों की संख्या ज्ञात कीजिए। (एसएससी-सीजीएल परीक्षा 2022)

(*a*) 350 (*b*) 420 (*c*) 400 (*d*) 500

68. A, B से 25% अधिक है, और B, C से 40% कम है। यदि C, D से 20% अधिक है, तो A, D से कितना प्रतिशत कम है?

(एसएससी-सीजीएल परीक्षा 2022)

(*a*) 12% (*b*) 10% (*c*) 11% (*d*) 9%

69. अंकिता का भार उसके दादी के भार से 20% कम है। दादी का भार उनके पति से 26 किग्रा. कम है, जिनका भार 81 किग्रा. है। यदि अंकिता का भाई अंकिता से 8 किग्रा. भारी है, तो अंकिता के भाई का भार (किग्रा. में) कितना है?

(एसएससी-सीजीएल परीक्षा 2022)

(*a*) 60 (*b*) 19 (*c*) 36 (*d*) 52

70. गेहूँ की कीमत में 15% की कमी एक गृहिणी को ₹ 2,720 में 6 किग्रा. अधिक गेहूँ खरीदने में सक्षम बनाती है। गेहूँ की प्रति किग्रा. घटी हुई कीमत (₹ में) कितनी है?

(एसएससी-सीजीएल परीक्षा 2022)

(*a*) 68 (*b*) 75 (*c*) 65 (*d*) 70

71. गाँव की वर्तमान जनसंख्या 6200 है। यदि पुरुषों की संख्या में 12% की वृद्धि होती है और महिलाओं की संख्या में 16% की वृद्धि होती है, तो जनसंख्या 7072 हो जाएगी। गाँव में महिलाओं की वर्तमान जनसंख्या कितनी है?

[एनसीएचएम जेईई 2021]

(*a*) 3200 (*b*) 3300 (*c*) 3400 (*d*) 3500

72. एक कर्मचारी के वेतन में पहले 5% की वृद्धि की जाती है और फिर 5% की कमी की जाती है। उसके वेतन में शुद्ध परिवर्तन क्या है? [एनसीएचएम जेईई 2021]

(*a*) वेतन में 1% की वृद्धि
(*b*) वेतन में 0.25% की कमी
(*c*) वेतन में कोई बदलाव नहीं
(*d*) वेतन में 1% की कमी

73. यदि रवि की आय, राम की आय से 20% अधिक है, तो राम की आय, रवि की आय से कितने प्रतिशत कम है?

[एनसीएचएम जेईई 2021]

(*a*) 16.66% (*b*) 20.6% (*c*) 24.6% (*d*) 28.6%

74. यदि किसी आयत की लंबाई 10% बढ़ा दी जाए और उसकी चौड़ाई 10% कम कर दी जाए, तो उसके क्षेत्रफल में परिवर्तन होगा– [एनसीएचएम जेईई 2021]

(*a*) 1% वृद्धि (*b*) 1% की कमी
(*c*) 10% वृद्धि (*d*) कोई बदलाव नहीं

75. यदि एक आयत प्राप्त करने के लिए एक वर्ग की एक भुजा को 20% बढ़ाया जाता है और दूसरी भुजा को 20% घटाया जाता है, तो इस आयत का क्षेत्रफल वर्ग के क्षेत्रफल का कितना प्रतिशत होगा? (एसएनएपी 2020)

(*a*) 96% (*b*) 4%
(*c*) 60% (*d*) इनमें से कोई नहीं

76. एक चुनाव में 8% मतदाताओं ने वोट नहीं डाला। इस चुनाव में केवल दो उम्मीदवार थे। विजेता को कुल मतों का 48% प्राप्त हुआ और उसने अपने प्रतिद्वंद्वी को 1200 मतों से पराजित किया। चुनाव में मतदाताओं की कुल संख्या ज्ञात कीजिए?

[एमएच-सीईटी 2020]

(*a*) 20000 (*b*) 30000 (*c*) 35000 (*d*) 25000
(*e*) 36000

77. एक परीक्षा में 25% अंक प्राप्त करने वाला एक उम्मीदवार 30 अंकों से अनुत्तीर्ण हो जाता है जबकि एक अन्य उम्मीदवार जो 50% अंक प्राप्त करता है, उत्तीर्ण होने के लिए अभीष्ट अंक से 20 अंक अधिक प्राप्त करता है। पास प्रतिशत है–

[जिपमैट पेपर 2021]

(*a*) 30% (*b*) 33% (*c*) 35% (*d*) 40%

78. टॉम का वेतन जॉन के वेतन का 150% है। जॉन का वेतन स्टीव के वेतन का 80% है। स्टीव के वेतन का टॉम के वेतन से कितना अनुपात है? [सीएमएटी 2021]

(*a*) 4 : 5 (*b*) 5 : 4 (*c*) 6 : 5 (*d*) 5 : 6.

79. एक कारखाने में तीन प्रकार की मशीनें B_1, B_2 और B_3 हैं जो कुल उत्पादों का क्रमश: 20%, 15% और 32% उत्पादन करती हैं। इसके अलावा, मशीनें B_1, B_2 और B_3 क्रमश: 3%, 7% और 2% दोषपूर्ण उत्पादों का उत्पादन करती हैं। गैर-दोषपूर्ण उत्पादों का प्रतिशत ज्ञात कीजिए। [आईपीएम रोहतक 2020]

(*a*) 18% (*b*) 30% (*c*) 53% (*d*) 64%

80. एक क्रिकेट मैच में, टीम 'X' को कुल स्कोर का 70% प्राप्त होता है और टीम T को 72 रनों से हरा देती है। विजेता द्वारा बनाए गए रनों की कुल संख्या कितनी है?

[आरबीआई सहायक प्रारंभिक 2020]

(*a*) 260 रन (*b*) 190 रन (*c*) 182 रन (*d*) 126 रन

81. एक समिति द्वारा किए गए एक सर्वे में यह पाया गया कि 5000 लोगों को अखबार पढ़ने की आदत है। एक महीने के बाद, इस संख्या में 5% की वृद्धि हुई। और अगले महीने में 10% की और वृद्धि हुई। 2 महीने बाद अखबार पढ़ने वालों की कुल संख्या कितनी है?

[नाबार्ड प्रारंभिक विकास सहायक 2019]

(*a*) 5279 (*b*) 5109 (*c*) 5775 (*d*) 5625

82. एक परीक्षा में अनु ने 26% अंक प्राप्त किए, उसी परीक्षा में बिन्नी ने 60% अंक प्राप्त किए और अनु से 51 अंक अधिक प्राप्त किए। परीक्षा में कुल कितने अंक थे?

[एलआईसी एएओ प्री 2019]

(*a*) दिए गए विकल्पों में से कोई नहीं
(*b*) 180
(*c*) निर्धारित नहीं किया जा सकता है
(*d*) 150
(*e*) 200

83. एक से बड़ी संख्या के सन्दर्भ में स्वयं और इसके व्युत्क्रम का अंतर स्वयं और इसके व्युत्क्रम के योग का 25% होता है। संख्या की चौथी घात उसके वर्ग से कितने प्रतिशत अधिक (एक दशमलव स्थान सही) है?

[एसएससी सीएचएसएल (10+2) टियर-I परीक्षा, 2019]

(a) 57.8 (b) 62.5 (c) 64.5 (d) 66.7

84. यदि PHOTOGRAPH शब्द की वर्तनी 'PH' के स्थान पर 'F' से लिखी जाए, तो अक्षरों की संख्या में कितने प्रतिशत की कमी होगी?

[एसएससी सीएपीएफ की एसआई, दिल्ली पुलिस एसआई और सीआईएसएफ एएसआई परीक्षा, 2019]

(a) 25% (b) 10% (c) 20% (d) 18%

85. एक खाद्य तेल की कीमत में 25% की वृद्धि हुई है। बजट बनाए रखने के लिए सुषमा इस तेल की खपत को 20% कम कर देती हैं। इस खाद्य तेल के कारण व्यय में वृद्धि ..... है।

[एसएससी सीपीओ, एसआई, एएसआई ऑनलाइन परीक्षा, 2020]

(a) 0 (b) 1 (c) 2 (d) 3

86. जब किसी संख्या में 40 की वृद्धि की जाती है तो वह स्वयं का 125% हो जाता है। संख्या क्या है?

[एसएससी सीजीएल टियर-II सीबीई परीक्षा, 2018]

(a) 200 (b) 60 (c) 160 (d) 100

87. एक संख्या में 30% की वृद्धि की जाती है, फिर 25% की कमी की जाती है, और फिर 25% की वृद्धि की जाती है। संख्या में शुद्ध वृद्धि/कमी प्रतिशत क्या है (निकटतम पूर्णांक तक सही प्राप्त करें)?

[एसएससी सीएचएसएल (10+2) टियर-I परीक्षा, 2019]

(a) 20% की कमी (b) 22% की वृद्धि
(c) 21% की कमी (d) 21% की वृद्धि

88. एक संख्या में पहले $16\frac{2}{3}$% की वृद्धि की जाती है और फिर 238 प्राप्त करने के लिए 15% की कमी की जाती है। उस संख्या का 37.5% क्या है? [एसएससी एमटीएस परीक्षा, 2019]

(a) 150 (b) 75 (c) 120 (d) 90

89. A, B से 15% अधिक है। B, A से कितने प्रतिशत कम है (दशमलव के दो स्थानों तक प्राप्त करें)?

[एसएससी एमटीएस (गैर-तकनीकी) स्टाफ परीक्षा, 2019]

(a) 9.17% (b) 10.14%
(c) 13.04% (d) 6.14%

90. A, B से 40% अधिक है और B, C से 60% कम है। यदि C, D से 60% अधिक है, तो निम्नलिखित में से कौन सा विकल्प सही है? [एसएससी सीएपीएफ एसआई दिल्ली पुलिस एसआई और सीआईएसएफ एएसआई परीक्षा, 2020]

(a) C, B से 60% अधिक है
(b) A, C से 54% कम है
(c) B, D से 36% कम है
(d) D, A से 10.4% अधिक है

91. यदि किसी संख्या के 62% और 80% के बीच का अंतर 198 है, तो संख्या के 92% और 56% के बीच का अंतर होगा-

[एसएससी सीजीएल सीबीई टियर-I परीक्षा, 2020]

(a) 1100 (b) 360 (c) 3564 (d) 396

92. A और B का मासिक वेतन मिलाकर ₹ 40000 है। A अपने वेतन का 85% और B अपने वेतन का 95% खर्च करता है। यदि अब उनकी बचत समान है, तो A का वेतन (₹ में) है-

[एसएससी सीजीएल टियर-I परीक्षा, 2020]

(a) ₹10000 (b) ₹12000 (c) ₹16000 (d) ₹18000

93. एक फर्म में पुरुष कर्मचारियों का औसत वेतन ₹ 5200 और महिलाओं का ₹ 4200 था। सभी कर्मचारियों का औसत वेतन ₹ 5000 था। महिला कर्मचारियों का प्रतिशत कितना है?

[एसएससी सीजीएल टियर-I सीबीई परीक्षा, 2020]

(a) 80% (b) 20% (c) 40% (d) 30%

94. एक व्यक्ति की वार्षिक आय में 5 लाख रुपये की वृद्धि हुई है लेकिन उसकी आय पर लगने वाला कर 12% से घटाकर 10% कर दिया गया है। वह अब ₹ 10000 अधिक आयकर का भुगतान करता है। उसकी बढ़ी हुई आय (लाख रुपये में) कितनी है? [एसएससी सीजीएल टियर-II सीबीई परीक्षा, 2018]

(a) 20 (b) 25 (c) 15 (d) 10

95. एक व्यक्ति की वार्षिक आय में 2 लाख रुपये की वृद्धि हुई है, लेकिन उसकी आय पर लगने वाला कर 20% से घटाकर 16% कर दिया गया है। वह अब पहले जितना ही टैक्स चुकाते हैं। उसकी बढ़ी हुई आय (लाख रुपये में) कितनी है?

[एसएससी सीजीएल टियर-II सीबीई परीक्षा, 2018]

(a) 8 (b) 10 (c) 12 (d) 6

96. यदि A की आय B की आय से 40% अधिक है, तो B की आय A की आय से कितने प्रतिशत कम है?

[एसएससी एसआई दिल्ली पुलिस सीएपीएफ और एएसआई (सीआईएसएफ) परीक्षा, 2019]

(a) $27\frac{4}{7}$% (b) $28\frac{5}{7}$% (c) $27\frac{5}{7}$% (d) $28\frac{4}{7}$%

97. राजू की आय उसके व्यय से 20% अधिक है। यदि उसकी आय में 60% की वृद्धि होती है और उसके व्यय में 70% की वृद्धि होती है, तो उसकी बचत में कितने प्रतिशत की वृद्धि/कमी होगी? [एसएससी सीजीएल टियर-I सीबीई परीक्षा, 2019]

(a) यह 10% से घट जाती है
(b) यह 2% से घट जाती है
(c) यह 10% से बढ़ जाती है
(d) यह 2% से बढ़ जाती है

98. A की आय B की तुलना में 40% अधिक है। यदि A की आय में 25% की वृद्धि होती है और B की आय में 40% की वृद्धि होती है, तो A और B की संयुक्त आय में प्रतिशत वृद्धि है-

[एसएससी सीजीएल टियर-I सीबीई परीक्षा, 2019]

(a) 31.25 (b) 34.5 (c) 28.25 (d) 24.5

99. राघव अपनी आय का 80% खर्च करता है। यदि उसकी आय में 12% की वृद्धि होती है और बचत में 10% की कमी आती

है, तो उसके व्यय में कितने प्रतिशत की वृद्धि होगी?
[एसएससी सीजीएल टियर-II सीबीई परीक्षा, 2018, 2019]
(a) 20.5 (b) 16 (c) 17.5 (d) 22

100. बसीर के काम के घंटे प्रति दिन 15% बढ़ाए गए और प्रति घंटे उनकी मजदूरी में 20% की वृद्धि हुई। उसकी दैनिक आय में कितने प्रतिशत की वृद्धि हुई?
[एसएससी सीजीएल टियर-II सीबीई परीक्षा, 2018, 2019]
(a) 40 (b) 38 (c) 35 (d) 36

101. *A* और *B* के वेतन का योग ₹42,000 है। *A* अपने वेतन का 75% और *B* अपने वेतन का 90% खर्च करता है। अब उनकी बचत समान है। *A* का वेतन (₹ 1 में) कितना है?
[एसएससी सीएचएसएल (10+2) टियर-I परीक्षा, 2019]
(a) 18000 (b) 12000 (c) 30000 (d) 15000

102. राज्य विद्युत बोर्ड बिजली के बिलों पर 15% की छूट देता है। यदि इसे देय तिथि से पहले भुगतान किया जाता है, तो एक व्यक्ति को ₹ 54 की छूट मिलती है। वास्तविक बिल की राशि थी: **[एसएससी-सीएचएसएल (102) परीक्षा, 2015]**
(a) ₹ 362 (b) ₹ 359 (c) ₹ 360 (d) ₹ 361

103. एक परीक्षा में न्यूनतम उत्तीर्ण प्रतिशत क्या है?
[आईडीबीआई बैंक कार्यकारी अधिकारी परीक्षा, 2015]
I. रमन ने टेस्ट में 25% अंक प्राप्त किए और सुनील ने 288 अंक प्राप्त किए जो रमन से 128 अधिक हैं।
II. रमन ने न्यूनतम उत्तीर्ण अंकों से 64 अंक कम प्राप्त किए।

104. एक गांव में एक चुनाव में 60% वोट पड़े। *A* और *B* प्रतियोगी थे। *A* 600 मतों से जीता। यदि *B* को 40% अधिक मत प्राप्त होते, तो उनके बीच बराबरी होती। गाँव में मान्यता प्राप्त मतदाताओं की संख्या ज्ञात कीजिए।
[आरबीआई अधिकारी जीआर. 'बी' (प्रथम चरण) ऑनलाइन परीक्षा, 2014]
(a) 4500 (b) 2800 (c) 3500 (d) 3600

105. एक परीक्षा में 96% छात्र उत्तीर्ण हुए और 500 छात्र अनुत्तीर्ण हुए। परीक्षा में कितने छात्र उपस्थित हुए?
[ईएसआईसी-यूडीसी परीक्षा, 2016]
(a) 14000 (b) 12500 (c) 12000 (d) 13500

106. मधुर का वर्तमान वेतन ₹ 3500 है। अगले वर्ष यह 10% बढ़ जाएगा। वेतन वृद्धि के बाद मधुर का वेतन क्या होगा?
[ईएसआईसी-यूडीसी परीक्षा, 2016]
(a) ₹ 3850 (b) ₹ 3950 (c) ₹ 4000 (d) ₹ 3900

107. नागराज अपनी आय का 10% बचा सकता था। लेकिन 2 साल बाद, जब उसकी आय में 20% की वृद्धि हुई, तो वह पहले की तरह ही उतनी ही राशि बचा सका। उसके व्यय में कितने प्रतिशत की वृद्धि हुई है? **[सीडीएस, 2016]**
(a) $22\frac{2}{9}\%$ (b) $23\frac{1}{3}\%$ (c) $24\frac{2}{9}\%$ (d) $25\frac{2}{9}\%$

108. एक वस्तु का अंकित मूल्य ₹ 2400 है। दुकानदार ग्राहक को $x\%$ और 15% की क्रमिक छूट देता है। यदि ग्राहक वस्तु के लिए ₹ 1876.8 का भुगतान करता है तो x का मान ज्ञात कीजिए?
[डीएमआरसी-(सीआरए) परीक्षा, 2016]
(a) 9% (b) 8% (c) 12% (d) 11%

109. बैडमिंटन या टेबल टेनिस या दोनों खेल खेलने वाले कुल 85 बच्चों में से, समूह में लड़कियों की कुल संख्या, समूह में लड़कों की कुल संख्या का 70% है। केवल बैडमिंटन खेलने वाले लड़कों की संख्या लड़कों की संख्या का 50% है और बैडमिंटन खेलने वाले लड़कों की कुल संख्या लड़कों की कुल संख्या का 60% है। केवल टेबल टेनिस खेलने वाले बच्चों की संख्या कुल बच्चों की संख्या का 40% है और कुल 12 बच्चे बैडमिंटन और टेबल टेनिस दोनों खेलते हैं। केवल बैडमिंटन खेलने वाली लड़कियों की संख्या कितनी है?
[डीएमआरसी-(सीआरए) परीक्षा, 2016]
(a) 16 (b) 14
(c) 17 (d) इनमें से कोई नहीं

110. नंदिनी बसु ने एक वस्तु ₹ 5844 में खरीदी। उसने एक मैकेनिक को ₹ 156 उसकी खराबी दूर करने के लिए दिए। फिर उसने इसे ₹ 5700 में बेच दिया। उसकी हानि प्रतिशत क्या थी?
[ईएसआई-यूडीसी परीक्षा, 2016]
(a) 5% (b) 5.5% (c) 2.5% (d) 2.46%

111. ₹ 1250 के क्रय मूल्य की एक कलाई घड़ी शरील द्वारा ₹ 1500 में बेची गई। लाभ प्रतिशत क्या था?
[ईएसआईसी-यूडीसी परीक्षा, 2016]
(a) 21% (b) 24% (c) 25% (d) 20%

112. रमन ने एक परीक्षा में 456 अंक प्राप्त किए और सीता ने समान परीक्षा में 54% अंक प्राप्त किए जो रमन से 24 अंक कम है। यदि परीक्षा में न्यूनतम उत्तीर्ण अंक 34% हैं, तो रमन ने न्यूनतम उत्तीर्ण अंकों से कितने अधिक अंक प्राप्त किए?
(a) 180 (b) 190 (c) 184 (d) 196
(e) इनमें से कोई नहीं

113. रवि शुरू में अपनी मासिक आय का 20% बचाता था। हाल ही में उसकी मासिक आय में 25% की वृद्धि हुई। उसकी नॉमिनल बचत में भी 5% की वृद्धि हुई। रवि वर्तमान में अपनी वर्तमान नॉमिनल आय का कितना प्रतिशत बचाता है?
[एसएससी सीजीएल, 26/07/2023 (Shift-01)]
(a) 25% (b) 20% (c) 15% (d) 16.8%

114. यदि, एक प्रतियोगी परीक्षा में, सैम द्वारा प्राप्त अंक, पीटर द्वारा प्राप्त अंकों से 19% कम हैं, तो ज्ञात कीजिए कि पीटर द्वारा प्राप्त अंक, सैम द्वारा प्राप्त अंकों से कितने प्रतिशत अधिक है? (दो दशमलव स्थानों तक सही)
[एसएससी सीजीएल, 26/07/2023 (Shift-02)]
(a) 28.64% (b) 22.25% (c) 21.50% (d) 23.46%

115. एक पिता अपनी मासिक आय का 8% अपने दोनों बेटों को पॉकेट मनी के रूप में देता है। बड़े बेटे को दोनों बेटों को दी जाने वाली कुल राशि का 85% मिलता है। वह राशि का 90% खर्च करता है और ₹17 बचाता है। पिता की मासिक आय कितनी है? **[एसएससी सीजीएल, 26/07/2023 (Shift-03)]**
(a) Rs. 5,000 (b) Rs. 4,500

(*c*) Rs. 3,500 (*d*) Rs. 2,500

116. यदि पेट्रोल की कीमत में 81% की वृद्धि हो जाती है, तो पेट्रोल पर होने वाले व्यय के अपरिवर्तित रहने के लिए उपभोक्ता द्वारा पेट्रोल की खपत में कितने प्रतिशत की कमी की जानी चाहिए? (दो दशमलव स्थानों तक सही)

[एसएससी सीजीएल, 27/07/2023 (Shift-01)]

(*a*) 40.45% (*b*) 41.25% (*c*) 43.12% (*d*) 44.75%

117. एक संख्या में पहले 10% की वृद्धि की जाती है और फिर 20% की वृद्धि की जाती है। इस प्रकार प्राप्त संख्या में अब 12% की कमी हो गई है। मूल संख्या में शुद्ध वृद्धि या कमी प्रतिशत क्या है?

[एसएससी सीपीओ, 03/10/2023 (Shift-01)]

(*a*) 16.16% वृद्धि (*b*) 14.14% कमी
(*c*) 11.11% कमी (*d*) 12.12% वृद्धि

118. एक आदमी अपने वेतन का 72% खर्च करता है और प्रति माह ₹5,740 बचाता है। उसके वार्षिक वेतन का 10% (में) क्या है? [एसएससी सीपीओ, 03/10/2023 (Shift-01)]

(a) ₹21600 (*b*) ₹24600 (*c*) ₹20500 (*d*) ₹28400

119. एक शहर की जनसंख्या 3,52,314 है। यह प्रतिवर्ष 15% की दर से बढ़ती है। 2 वर्ष पहले इसकी जनसंख्या कितनी थी?

[एसएससी जीडी, 01/09/2023 (Shift-01)]

(*a*) 3,02,400 (*b*) 3,06,360
(*c*) 2,66,400 (*d*) 2,56,400

120. यदि पहली संख्या तीसरी संख्या से 20% कम है और दूसरी से तीसरी संख्या का अनुपात 7:10 है, तो पहली और तीसरी संख्या का औसत दूसरी संख्या से कितने प्रतिशत अधिक है? [एसएससी एमटीएस, 13/09/2023 (Shift-01)]

(*a*) $26\frac{4}{7}$ (*b*) $28\frac{2}{7}$ (*c*) $28\frac{4}{7}$ (*d*) $24\frac{2}{7}$

121. एक परिवार अपनी मासिक आय का 20% घर के किराये पर खर्च करता है। शेष राशि में से, परिवार 50% घरेलू खर्च और 20% बच्चों की शिक्षा पर खर्च करता है। यदि ऐसा करने के बाद, इसकी मासिक बचत 26,600 है, तो परिवार की कुल मासिक आय क्या है?

[एसएससी एमटीएस, 13/09/2023 (Shift-01)]

(*a*) ₹25,000 (*b*) ₹27,500 (*c*) ₹30,000 (*d*) ₹28,000

122. दो उम्मीदवारों के बीच एक चुनाव में, जो 75% वोट प्राप्त करता है, वह 520 वोटों के बहुमत से निर्वाचित होता है। डाले गए वोटों की कुल संख्या क्या है?

[एसएससी जीडी, 06/03/2024 (Shift-01)]

(*a*) 1040 (*b*) 1604 (*c*) 1314 (*d*) 1212

उत्तरमाला

1. (b)	2. (c)	3. (a)	4. (d)	5. (a)	6. (d)	7. (a)	8. (c)	9. (c)	10. (a)
11. (d)	12. (d)	13. (a)	14. (e)	15. (d)	16. (b)	17. (e)	18. (c)	19. (a)	20. (c)
21. (d)	22. (d)	23. (d)	24. (c)	25. (c)	26. (c)	27. (a)	28. (c)	29. (b)	30. (b)
31. (b)	32. (b)	33. (c)	34. (d)	35. (d)	36. (b)	37. (d)	38. (c)	39. (c)	40. (a)
41. (c)	42. (c)	43. (b)	44. (d)	45. (b)	46. (b)	47. (c)	48. (b)	49. (c)	50. (d)
51. (b)	52. (c)	53. (d)	54. (d)	55. (c)	56. (a)	57. (d)	58. (c)	59. (a)	60. (c)
61. (d)	62. (e)	63. (b)	64. (b)	65. (c)	66. (c)	67. (d)	68. (b)	69. (d)	70. (a)
71. (a)	72. (b)	73. (a)	74. (b)	75. (a)	76. (b)	77. (d)	78. (d)	79. (d)	80. (d)
81. (c)	82. (d)	83. (d)	84. (c)	85. (a)	86. (c)	87. (b)	88. (d)	89. (c)	90. (c)
91. (d)	92. (a)	93. (b)	94. (b)	95. (b)	96. (d)	97. (c)	98. (a)	99. (c)	100. (b)
101. (b)	102. (c)	103. (e)	104. (c)	105. (b)	106. (a)	107. (a)	108. (b)	109. (b)	110. (a)
111. (d)	112. (c)	113. (d)	114. (d)	115. (d)	116. (d)	117. (a)	118. (b)	119. (c)	120. (c)
121. (b)	122. (a)								

दिये गये प्रश्नों के हल

1. $\left(1360\times\frac{22\cdot5}{100}\right)+\left(225\times\frac{136}{100}\right)=(306+306)=612.$

2. $\left(1400\times\frac{x}{100}\right)=119\Leftrightarrow 14x=119\Leftrightarrow 2x=17\Leftrightarrow x=8.5.$

3. $\left(240\times\frac{35}{100}\right)+\left(280\times\frac{55}{100}\right)=(714\times x)$

$\Leftrightarrow 714x=(84+154)=238\Leftrightarrow x=\frac{238}{714}=\frac{1}{3}.$

4. $\left(1500\times\frac{45}{100}\right)+\left(1700\times\frac{35}{100}\right)=\left(3175\times\frac{x}{100}\right)$

$\Leftrightarrow\frac{127x}{4}=(675+595)=1270\Leftrightarrow x=\frac{(1270\times4)}{127}=40.$

5. $\left(320\times\frac{125}{100}\right)+\left(125\times\frac{x}{100}\right)=440\Leftrightarrow\frac{5x}{4}=(440-400)=40$

$\Leftrightarrow x=\frac{(40\times4)}{5}=32.$

6. $\left(400\times\frac{39\cdot5}{100}\right)+\left(350\times\frac{x}{100}\right)=242$

$\Leftrightarrow\frac{7x}{2}=(242-158)=84\Leftrightarrow x=\frac{(84\times2)}{7}=24.$

7. $\left(360\times\frac{x}{100}\right)=129\cdot6\Leftrightarrow 3\cdot6x=129\cdot6\Leftrightarrow x=\frac{129\cdot6}{3\cdot6}=36.$

8. $\left(130\times\frac{x}{100}\right)=11\cdot7\Leftrightarrow 13x=117\Leftrightarrow x=9.$

9. $\left(50\times\frac{860}{100}\right)+\left(860\times\frac{50}{100}\right)=(430+430)=860.$

10. $\left(\frac{25}{7}\times\frac{63}{100}\right)=\frac{9}{4}=2.25.$

11. $5:4=\frac{5}{4}=\left(\frac{5}{4}\times100\right)\%=125\%.$

12. $3.5=\left(\frac{35}{10}\times100\right)\%=350\%.$

13. $64\%=\frac{64}{100}=\frac{16}{25}.$

14. माना 245 का $36\%-210$ का $40\%=10-x.$

तो, $\left(\frac{36}{100}\times245\right)-\left(\frac{40}{100}\times210\right)=10-x$

$\Rightarrow 88.20-84=10-x$

$\Rightarrow 10-x=4.20\Rightarrow x=5.8.$

15. माना 300 का $45\%+\sqrt{x}=750$ का $56\%-250$ का 10%

तो, $\left(\frac{45}{100}\times300\right)+\sqrt{x}=\left(\frac{56}{100}\times750\right)-\left(\frac{10}{100}\times250\right)$

$\Rightarrow\quad 135+\sqrt{x}=420-25$

$\Rightarrow\quad \sqrt{x}=260$

$\Rightarrow\quad x=(260)^2=67600.$

16. 578 का $15\%+644$ का 22.5%

$=\left(\frac{15}{100}\times578\right)+\left(\frac{225}{10}\times\frac{1}{100}\times644\right)$

$=86.7+144.9=231.6.$

17. 56 का $140\%+140$ का $56\%=\left(\frac{140}{100}\times56\right)+\left(\frac{56}{100}\times140\right)$

$=78.4+78.4=156.8.$

18. दिया गया (? का $180\%)\div2=504$

$\Rightarrow\left(?\times\frac{180}{100}\right)\div2=504$

$\Rightarrow ?\times\frac{180}{100}=504\times2$

$\Rightarrow ?\times\frac{180}{100}=1008$

$=?=\frac{1008\times100}{180}=560$

19. y का $x\%=\frac{xy}{100}$ ...(i)

और x का $y\%=\frac{xy}{100}$ ... (ii)

(i) और *(ii)*

y का $x\%=x$ का $y\%$

20. ₹ 312/- का $66\frac{2}{3}\%$ ₹ 200 से ₹ x अधिक है

प्रश्न के अनुसार अभीष्ट अंतर

$=₹\left(312\times\frac{200}{3}\%-200\right)=\left(312\times\frac{200}{3\times100}-200\right)$

$=₹\left(312\times\frac{200}{300}-200\right)$

$\Rightarrow ₹\,x=₹\,(208-200)=₹\,8/-$

21. 1200.11 का 105.27% + 2360.85 का 11.80%

= (?) का 21.99% + 1420.99

1200 का 105% + 2360 का 12% = (?) का 22% + 1421

$\frac{105\times1200}{100}+\frac{12\times2360}{100}=\frac{22\times?}{100}+1421$

या, $\frac{22\times(?)}{100}=1260+283.20-1421$

$\Rightarrow\frac{22\times(?)}{100}=1543-1421\Rightarrow\frac{22\times(?)}{100}=121$

$\therefore ?=\frac{122\times100}{22}=\frac{122\times50}{11}=\frac{6100}{11}=554.5\approx550$

22. दिया गया है (250 का 550%) ÷ 275 = (?)

$(?)=\frac{550\times250}{100}\div275\Rightarrow(?)=(55\times25)\div275$

$\Rightarrow(?)=\frac{55\times25}{275}=5$

23. 825 का 32% + 1440 का 25% = 1025 – (?)

(?) = [1025 – (825 का 32%) – (1440 का 25%)]

$\Rightarrow 1025 - \left(\frac{32 \times 825}{100}\right) - \left(\frac{25 \times 1440}{100}\right)$

= (1025 – 264 – 360) = 401

24. दिया है (?) + (651 का 30.01%) ÷ (59.98 का 25.05%) = 135

⇒ (?) + (650 का 30%) ÷ (60 का 25%) = 135

$\Rightarrow (?) + \left(\frac{30 \times 650}{100}\right) \div \left(\frac{25 \times 60}{100}\right) = 135$

⇒ (?) + (195 ÷ 15) = 135

⇒ (?) + 13 = 135 ⇒ (?) = (135 – 13) = 122

25. दिया हुआ है:

$\frac{4}{3}$ का 25% × $\frac{18}{19}$ का 57 = ?

$? = \left[\left(\frac{25}{100} \times \frac{4}{3}\right) \times \left(\frac{18}{19} \times 57\right)\right]$

$= \left(\frac{1}{4} \times \frac{4}{3}\right) \times \left(\frac{18}{19} \times 57\right) = 18$

26. दिया हुआ है:

[(?) 1239.96 का %] + [449.95 का 59.87%] = 579.05

⇒ [(?) 1240 का %] + [450 का 60%] = 580

$\Rightarrow \left(\frac{(?) \times 1240}{100}\right) + \left(\frac{60 \times 450}{100}\right) = 580$

$\Rightarrow \left(\frac{(?) \times 1240}{100}\right) + 270 = 580$

$\Rightarrow \left(\frac{(?) \times 1240}{100}\right) = (580 - 270)$

$\Rightarrow \left(\frac{(?) \times 1240}{100}\right) = 310$

$\Rightarrow (?) = \left(\frac{310 \times 100}{1240}\right) \Rightarrow (?) = 25\%$

27. 555 का 12% + 666 का 15%

$\Rightarrow (?) = \left(\frac{12}{100} \times 555\right) + \left(\frac{15}{100} \times 666\right)$

= (66.6 + 99.9) = 166.5

28. दिया हुआ है

(420 का 85%) + (1080 का ?%) = 735

$\Rightarrow \left(\frac{85 \times 420}{100}\right) + \left(\frac{(?) \times 1080}{100}\right) = 735$

$\Rightarrow 357 + \left(\frac{(?) + 1080}{100}\right) = 735$

$\Rightarrow \left(\frac{(?) \times 1080}{100}\right) = (735 - 357) = 378$

$\Rightarrow (?) = \frac{378 \times 100}{1080} = 35$

29. 1225 का 30% – 555 का 64% = (?)

$\left(\frac{30}{100} \times 1225\right) - \left(\frac{64}{100} \times 555\right)$

= (367.5 – 355.2) = 12.3

30. यह दिया गया है कि,

(14 का 14%) + (28 का 28%) + (96 का 92%) – (85 का 15%) = (?)

$(?) = \left(\frac{14 \times 14}{100}\right) + \left(\frac{28 \times 28}{100}\right) + \left(\frac{92 \times 96}{100}\right) - \left(\frac{15 \times 85}{100}\right)$

= (1.96 + 7.84 + 88.32 – 12.75)

= (98.12 – 12.75)

= 85.37

31. हमारे पास 0·18A = 0·4B है

$\Rightarrow \frac{A}{B} = 0.4/0.18 = 20/9$

= 20:9

32. माना प्रारम्भिक संख्या = x.

नई संख्या = x का 120% का 120%

$= \left(x \times \frac{120}{100} \times \frac{120}{100}\right) = \frac{36x}{25}.$

वांछित कमी $= \left(\frac{36x}{25} - x\right) = \frac{11x}{25}.$

$\frac{36x}{25}$ पर कमी $= \frac{11x}{25}$ ⇔ कमी % $= \left(\frac{11x}{25} \times \frac{25}{36x} \times 100\right)\%$

$= 30\frac{5}{9}\%.$

33. माना पहले चावल का भाव = ₹ x प्रति किग्रा०.

तब, 49 किग्रा० चावल का मूल्य = ₹ $49x$.

नया भाव = (₹ x का 98%) = ₹$\left(x \times \frac{98}{100}\right)$ किग्रा०

= ₹ $\frac{49x}{50}$ किग्रा०.

अब, ₹ $\frac{49x}{50}$ में प्राप्त होगा चावल = 1 किग्रा०.

₹ $49x$ में प्राप्त होगा चावल $= \left(1 \times \frac{50}{49x} \times 49x\right)$ किग्रा०

= 50 किग्रा०.

34. माना पहले चावल की दर = ₹ x प्रति किग्रा०.

पहले ₹ 385 में प्राप्त चावल की मात्रा $= \frac{385}{x}$ किग्रा०.

नई दर = ₹$\left(x \times \frac{80}{100}\right)$ प्रति किग्रा० = ₹ $\frac{4x}{5}$ प्रति किग्रा०.

अब, ₹ 385 में प्राप्त चावल की मात्रा $= \frac{385}{(4x/5)}$ किग्रा०

$= \frac{1925}{4x}$ किग्रा०.

$\therefore \frac{1925}{4x} - \frac{385}{x} = \frac{7}{2} \Leftrightarrow \frac{(1925 - 1540)}{4x} = \frac{7}{2}$

⇔ $14x = 385$ ⇔ $2x = 55$ ⇔ $x = 27 \cdot 50$.

अतः पहले चावल की दर = ₹ 27.50 प्रति किग्रा०.

35. 150 किग्रा० गेहूँ में घटिया गेहूँ की मात्रा

$$= \left(150 \times \frac{10}{100}\right) \text{ किग्रा०} = 15 \text{ किग्रा०}.$$

माना इसमें बढ़िया गेहूँ x किग्रा० मिलाया जाये.

तब, घटिया गेहूँ का % $= \left\{\frac{15}{(150+x)} \times 100\right\}$%.

$$\therefore \quad \frac{1500}{(150+x)} = 5 \Leftrightarrow 150 + x = 300 \Leftrightarrow x = 150.$$

अतः मिलाई जाने वाली बढ़िया गेहूँ की मात्रा = 150 किग्रा०.

36. माना पहले x पंखे, ₹ y प्रति पंखे की दर से बिकते थे.
तब, कुल धन प्राप्ति = ₹ (xy).
अब, बिकने वाले पंखों की संख्या = (x का 140%)

$$= \left(x \times \frac{140}{100}\right) = \frac{7x}{5}.$$

अब, प्रत्येक पंखे का मूल्य = (₹ y का 80%)

$$= ₹\left(y \times \frac{80}{100}\right) = ₹\frac{4y}{5}.$$

अब, कुल धन प्राप्ति $= ₹\left(\frac{7x}{5} \times \frac{4y}{5}\right) = ₹\frac{28xy}{25}$.

धन प्राप्ति में वृद्धि $= ₹\left(\frac{28xy}{25} - xy\right) = ₹\frac{3xy}{25}$.

$\therefore$ वृद्धि % $= \left(\frac{3xy}{25} \times \frac{1}{xy} \times 100\right)\% = 12\%$.

37. माना प्रारम्भिक मूल्य = ₹ 100.
10% कमी करने पर मूल्य = ₹ 90.
इसे मूल रूप में लाने के लिए मूल्य होना चाहिए = ₹ 100.
$\therefore$ ₹ 90 पर वृद्धि = ₹ 10.

₹ 100 पर वृद्धि $= \left(\frac{10}{90} \times 100\right)\% = 11\frac{1}{9}\%$.

38. माना घर का मासिक किराया = ₹ x. तब, वार्षिक किराया = ₹ $12x$.

वार्षिक खर्च $= ₹\left[\left(12x \text{ का } \frac{25}{2 \times 100}\right) + 1660\right]$

$$= ₹\left(\frac{3x}{2} + 1660\right).$$

$$12x - \left(\frac{3x}{2} + 1660\right) = (₹\ 500000 \text{ का } 10\%) = 50000$$

$$\Leftrightarrow \frac{21x}{2} = 51660 \Leftrightarrow x = \frac{(51660 \times 2)}{21} = 4920.$$

अतः मासिक किराया = ₹ 4920.

39. माना पहले आय = ₹ x. तब,

खर्च $= ₹\left(x \times \frac{80}{100}\right) = ₹\frac{4x}{5}$.

$\therefore$ बचत $= ₹\left(x - \frac{4x}{5}\right) = ₹\frac{x}{5}$.

2 वर्ष बाद आय = ₹ x का 120%

$$= ₹\left(x \times \frac{120}{100}\right) = ₹\frac{6x}{5}.$$

अब, बचत $= ₹\frac{x}{5}$. अतः अब, खर्च $= \left(\frac{6x}{5} - \frac{x}{5}\right) = ₹x$.

खर्च में वृद्धि $= ₹\left(x - \frac{4x}{5}\right) = ₹\frac{x}{5}$.

खर्च में वृद्धि % $= \left(\frac{x}{5} \times \frac{5}{4x} \times 100\right)\% = 25\%$.

40. माना कुल बच्चों की संख्या $= x$.

प्रत्येक बच्चे को मिली मिठाइयों की संख्या $= \left(x \text{ का } \frac{20}{100}\right) = \frac{x}{5}$.

$\therefore$ कुल मिठाइयों की संख्या $= \left(x \times \frac{x}{5}\right) = \frac{x^2}{5}$.

$$\therefore \quad \frac{x^2}{5} = 405 \Leftrightarrow x^2 = 2025 \Leftrightarrow x = \sqrt{2025} = 45.$$

प्रत्येक बच्चे को मिली मिठाइयों की संख्या $= \left(\frac{45}{5}\right) = 9$.

41. कुल विद्यार्थियों की संख्या = (640 + 360) = 1000.
फेल होने वालों की संख्या = (640 का 40%) + (360 का 20%)

$$= \left(640 \times \frac{40}{100}\right) + \left(360 \times \frac{20}{100}\right) = (256 + 72) = 328.$$

$\therefore$ फेल % $= \left(\frac{328}{1000} \times 100\right)\% = 32.8\%$.

42. माना कुल विद्यार्थियों की संख्या $= x$. तब, कुल अंक $= 80x$.
माना अभीष्ट औसत प्राप्तांक $= y$.
तब, (x का 10%) × 95 + (x का 20%) × 90 + (x का 70%) × y $= 80x$

$$\Leftrightarrow \left(x \times \frac{10}{100} \times 95\right) + \left(x \times \frac{20}{100} \times 90\right) + \left(x \times \frac{70}{100} \times y\right) = 80x$$

$$\Leftrightarrow 9{\cdot}5x + 18x + \frac{7xy}{10} = 80x \Leftrightarrow \frac{7y}{10} = (80 - 27{\cdot}5) = 52{\cdot}5$$

$$\Leftrightarrow 7y = 525 \Leftrightarrow y = 75.$$

$\therefore$ अभीष्ट औसत प्राप्तांक = 75.

43. माना कुल परीक्षार्थी $= x$.
अनुत्तीर्ण हुए विद्यार्थी = (100 − 35)% = 65%.
$\therefore$ x का 65% = 455

$$\Leftrightarrow \left(x \times \frac{65}{100}\right) = 455 \Leftrightarrow x = \left(455 \times \frac{100}{65}\right) = 700.$$

अतः कुल परीक्षार्थी = 700.

44. माना कुल परीक्षार्थी $= x$. तब,

लड़कियाँ $= \left(x \times \frac{75}{2 \times 100}\right) = \frac{3x}{8}$, लड़के $= \left(x - \frac{3x}{8}\right) = \frac{5x}{8}$.

अनुत्तीर्ण लड़कियाँ $= \left(100 - \frac{125}{2}\right)\% = \frac{75}{2}\%$.

$\therefore$ $\frac{3x}{8}$ का $\frac{75}{2}\% = 342 \Leftrightarrow \frac{3x}{8} \times \frac{75}{2 \times 100} = 342$

$\Leftrightarrow \frac{9x}{64} = 342 \Leftrightarrow x = \frac{(342 \times 64)}{9} = 2432.$

अनुत्तीर्ण लड़कों का $\% = (100 - 75)\% = 25\%$.

अनुत्तीर्ण लड़कों की संख्या

$= \left(\frac{5x}{8} \text{ का } 25\%\right) = \left(\frac{5x}{8} \times \frac{25}{100}\right) = \frac{5x}{32} = \left(\frac{5}{32} \times 2432\right) = 380.$

45. माना पूर्णांक $= x$. तब, x का $33\% = (125 + 40)$

$\Leftrightarrow x \times \frac{33}{100} = 165 \Leftrightarrow x = \frac{(165 \times 100)}{33} = 500.$

अतः पूर्णांक $= 500$.

46. कुल परीक्षार्थियों की संख्या $= (1100 + 700) = 1800$.

अनुत्तीर्ण की संख्या $= (1100$ का $58\%) + (700$ का $70\%)$

$= \left(1100 \times \frac{58}{100}\right) + \left(700 \times \frac{70}{100}\right) = (638 + 490) = 1128.$

अनुत्तीर्ण परीक्षार्थियों का $\% = \left(\frac{1128}{1800} \times 100\right)\% = 62\frac{2}{3}\%.$

47. माना इन छात्रों के प्राप्तांक x तथा y हैं. तब,

$x - y = 9.$ ...(*i*)

$x = (x + y)$ का $56\% \Leftrightarrow (x + y) \times \frac{56}{100} = x$

$\Leftrightarrow 11x - 14y = 0$ ...(*ii*)

अब (*i*) तथा (*ii*) को हल करने पर $x = 42, y = 33$.

अतः प्राप्तांक हैं 42 तथा 33.

48. माना वृद्धि की दर $= R\%$ वार्षिक. तब,

$(10 \text{ करोड़}) \times \left(1 + \frac{R}{100}\right)^3 = (13 \cdot 31 \text{ करोड़})$

$\Leftrightarrow \left(1 + \frac{R}{100}\right)^3 = \frac{13 \cdot 31}{10} = \frac{1331}{1000} = \left(\frac{11}{10}\right)^3 \Leftrightarrow \left(1 + \frac{R}{100}\right) = \frac{11}{10}$

$\Leftrightarrow \frac{R}{100} = \left(\frac{11}{10} - 1\right) = \frac{1}{10} \Leftrightarrow R = \left(100 \times \frac{1}{10}\right) = 10.$

अतः अभीष्ट दर $= 10\%$ वार्षिक.

49. जन्म दर $= \left(\frac{32}{1000} \times 100\right)\% = 3 \cdot 2\%$ वार्षिक.

मृत्यु दर $= \left(\frac{11}{1000} \times 100\right)\% = 1 \cdot 1\%$ वार्षिक.

शुद्ध जनसंख्या विकास दर $= (3 \cdot 2 - 1 \cdot 1)\%$ वार्षिक $= 2.1\%$ वार्षिक.

50. माना n वर्ष बाद दोनों के मूल्य बराबर होंगे. तब,

$72900 \times \left(1 + \frac{10}{100}\right)^n = 133100 \times \left(1 - \frac{10}{100}\right)^n$

$\Leftrightarrow \left(\frac{11}{10}\right)^n = \left(\frac{133100}{72900}\right)\left(\frac{9}{10}\right)^n \Leftrightarrow \left(\frac{11}{9}\right)^n = \frac{1331}{729} = \left(\frac{11}{9}\right)^3$

$\Leftrightarrow n = 3.$

$\therefore$ अभीष्ट समय $= 3$ वर्ष.

51. वर्ष 2002 में जनसंख्या

$= \frac{92610}{\left(1 + \frac{5}{100}\right)^3} = \left(92610 \times \frac{20}{21} \times \frac{20}{21} \times \frac{20}{21}\right) = 80000.$

52. **संक्षिप्त विधि:**

B का वेतन A के वेतन से कम है

$= \left\{\frac{R}{(100 + R)} \times 100\right\}\% = \left(\frac{20}{120} \times 100\right)\% = 16\frac{2}{3}\%.$

53. B का वेतन A के वेतन से अधिक है

$= \left\{\frac{R}{(100 - R)} \times 100\right\}\% = \left(\frac{25}{75} \times 100\right)\% = 33\frac{1}{3}\%.$

54. माना डाले गये मतों की संख्या $= x$.

तब, $(x$ का $70\%) - (x$ का $30\%) = 16000$

$\Leftrightarrow \left(x \times \frac{70}{100}\right) - \left(x \times \frac{30}{100}\right) = 16000$

$\Leftrightarrow (7x - 3x) = 160000 \Leftrightarrow 4x = 160000 \Leftrightarrow x = 40000.$

अतः डाले गये मतों की संख्या $= 40000$.

55. माना कुल मतों की संख्या $= x$.

जीतने वाले उम्मीदवार को मिले मत

$= (x$ का $60\%) = \left(x \times \frac{60}{100}\right) = \frac{3x}{5}.$

हारने वाले उम्मीदवार को मिले मत

$= (x$ का $40\%) = \left(x \times \frac{40}{100}\right) = \frac{2x}{5}.$

$\therefore \left(\frac{3x}{5} - \frac{2x}{5}\right) = 14000 \Leftrightarrow x = (14000 \times 5) = 70000.$

अतः जीतने वाले उम्मीदवार को मिले मतों की संख्या

$= \left(\frac{3}{5} \times 70000\right) = 42000.$

56. कुल मत $= 7500$.

वैध मत $= \left(7500 \times \frac{80}{100}\right) = 6000.$

एक उम्मीदवार को पड़े मत $= \left(6000 \times \frac{55}{100}\right) = 3300.$

दूसरे उम्मीदवार को पड़े मत $= (6000 - 3300) = 2700$.

57. माना कुल मत $= x$.

डाले गये मत $= \left(x \times \frac{92}{100}\right) = \frac{23x}{25}.$

जीतने वाले उम्मीदवार को पड़े मत $= \left(x \times \frac{48}{100}\right) = \frac{12x}{25}.$

हारने वाले उम्मीदवार को पड़े मत $= \left(\frac{23x}{25} - \frac{12x}{25}\right) = \frac{11x}{25}.$

$\therefore \frac{12x}{25} - \frac{11x}{25} = 1100 \Leftrightarrow x = (1100 \times 25) = 27500.$

अत: कुल मत = 27500.

58. माना सूची के अनुसार मतदाताओं की संख्या = x.

डाले गये मत = $\left(x \times \frac{75}{100}\right) = \frac{3x}{4}$.

वैध मत = $\left(\frac{3x}{4} \times \frac{98}{100}\right) = \frac{147x}{200}$.

$\therefore \quad \left(\frac{147x}{200} \text{ का } 75\%\right) = 9261 \Leftrightarrow \left(\frac{147x}{200} \times \frac{75}{100}\right) = 9261$

$\Leftrightarrow 441x = (9261 \times 800) \Leftrightarrow x = \frac{(9261 \times 800)}{441} = 16800.$

अत: कुल मतदाता = 16800.

59. माना सूची के अनुसार मतदाताओं की संख्या = x.

डाले गये मत = $\left(x \times \frac{90}{100}\right) = \frac{9x}{10}$.

वैध मत = $\left(\frac{9x}{10} \text{ का } 90\%\right) = \left(\frac{9x}{10} \times \frac{90}{100}\right) = \frac{81x}{100}$.

$\left(\frac{81x}{100} \times \frac{54}{100}\right) - \left(\frac{81x}{100} \times \frac{46}{100}\right) = 1620$

$\Leftrightarrow \left(\frac{81x}{100} \times \frac{8}{100}\right) = 1620 \Leftrightarrow x = \left(\frac{1620 \times 2500}{162}\right) = 25000.$

$\therefore$ कुल मतदाता = 25000.

60. माना मत देने का अधिकार x मतदाताओं को था.

A को मत देने वालों की संख्या = $\left(x \times \frac{30}{100}\right) = \frac{3x}{10}$.

B को मत देने वालों की संख्या = (x का 70%) का 60%

$= \left(x \times \frac{70}{100} \times \frac{60}{100}\right) = \frac{21x}{50}$.

मत न देने वालों की संख्या

$= x - \left(\frac{3x}{10} + \frac{21x}{50}\right) = \left(x - \frac{36x}{50}\right) = \frac{14x}{50} = \frac{7x}{25}$.

$\frac{3x}{10} - \frac{7x}{25} = 1200 \Leftrightarrow (30x - 28x) = 120000 \Leftrightarrow x = 60000.$

$\therefore$ मत देने का अधिकार था 60000 मतदाताओं को.

61. B की आय का $\frac{10}{100}$ = C की आय का $\frac{20}{100}$

$= ₹\, 2000$ का $\frac{1}{5} = ₹\, 400.$

$\Leftrightarrow B$ की आय का $₹\frac{1}{10} = 400 \Leftrightarrow B$ की आय = ₹ 4000.

अब, A की आय का $\frac{5}{100} = B$ की आय का

$\frac{15}{100} = ₹\left(4000 \times \frac{15}{100}\right) = ₹600.$

$\Leftrightarrow$ A की आय का $\frac{1}{20} = ₹600$

$\Leftrightarrow$ A की आय = ₹(600 × 20) = ₹12000.

अत: $(A + B + C)$ की कुल आय

= ₹(12000 + 4000 + 2000) = ₹18000.

62. माना, मेज का अंकित मूल्य = ₹ t

प्रश्नानुसार, 30% छूट के बाद, विक्रय मूल्य

$= ₹\frac{70t}{100} = ₹\frac{7t}{10}$

खुदरा विक्रेता के लिए,

क्रय मूल्य = $₹\left(4830 \times \frac{100}{150}\right) = ₹\, 3220$

प्रश्नानुसार

$\Rightarrow \quad \frac{7t}{10} = ₹\, 3220 \quad \Rightarrow \quad t = \frac{32200}{7} = ₹\, 4600$

63. माना, तीसरी संख्या =100

$\therefore$ पहली संख्या = $100 - 10 = 90$

दूसरी संख्या = $100 - 25 = 75$

अभीष्ट अतंर = 90−75=15

$\therefore$ प्रतिशत वृद्धि = $\frac{15}{75} \times 100 = 20\%$

64. $\therefore \left(\frac{2}{3} - \frac{1}{6}\right) \equiv 10260$

$\Rightarrow \quad \frac{1}{2} \equiv 10260 \qquad \therefore \quad \frac{1}{6} \equiv \frac{10260 \times 2}{6} = ₹\, 3420$

65. माना, परीक्षा के अधिकतम अंक = s प्रश्नानुसार,

s का 25 प्रतिशत = 47+43

$\Rightarrow \quad \frac{s \times 25}{100} = 90 \quad \Rightarrow \quad \frac{s}{4} = 90 \quad \Rightarrow \quad s = 4 \times 90 = 360$

66. छूट = ₹ (1200−960) = ₹ 240

यदि छूट की दर = $y\%$ हो, तो 1200 का $y\%$ =240

$\Rightarrow \quad \frac{1200 \times y}{100} = 240 \quad \Rightarrow \quad 12y = 240$

$\Rightarrow \quad y = \frac{240}{12} = 20\%$

67. परीक्षा में बैठने वाले लड़कों की संख्या = x

परीक्षा में बैठने वाली लड़कियों की संख्या = y

अब प्रश्न के अनुसार,

$\frac{4x}{5} - \frac{17y}{20} = 70$

$16x - 17y = 1400 \qquad \ldots(i)$

और $\frac{20x}{100} + \frac{15y}{100} = 90$

$\Rightarrow \frac{x}{5}+\frac{3y}{20}=90$

$\Rightarrow 4x+3y=1800$ ...(ii)

(ii) को 4 से गुणा करने पर और (i) और (ii) को घटाने पर हमें प्राप्त होता है

$-29y=-5800 \Rightarrow y=200$

समीकरण (ii) से,

$x=\frac{1800-3y}{4}=\frac{1200}{4}=300$

अब, कुल उपस्थित छात्रों की संख्या = 500

68. माना $D=x$

$C=\frac{6x}{5}$ $\quad B=\frac{6x}{5}\times\frac{60}{100}=\frac{18x}{125}$

$A=\frac{18x}{25}\times\frac{125}{100}=\frac{9x}{10}$

$\therefore$ अभीष्ट प्रतिशत $=\frac{x-\frac{9x}{10}}{x}\times 100$

$=\frac{x}{10}\times 100=10\%$

69. दादी के पति का वजन = 81 किग्रा.

दादी का वजन = 81 – 26 = 55 किग्रा.

अंकिता का वजन $=55\times\frac{80}{100}=44$ किग्रा.

अंकिता के भाई का वजन = 44 + 8 = 52 किग्रा.

70. माना प्रति किग्रा. गेहूँ का प्रारंभिक मूल्य = ₹ x

$\frac{2770\times 20}{17x}-\frac{2720}{x}=6 \Rightarrow \frac{3\times 2700}{17x}=6$

$\Rightarrow x=$ ₹ 80

$\therefore$ घटाई गई कीमत $=\frac{80\times 17}{20}=$ ₹ 68

71. माना पुरुषों की संख्या $=x$

$\therefore$ महिलाओं की संख्या $=6200-x$

$\therefore$ x का 112% + $(6200-x)$ का 116% = 7072

$\frac{112}{100}x+\frac{116}{100}(6200-x)=7072$

$112x+116\times 6200-116x=707200$

$112x+719200-116x=707200$

$4x=719200-707200$

$4x=12000$

$x=3000$

$\therefore$ महिला = 6200 – 3000 = 3200

72. माना मूल वेतन = ₹ 100

नया अंतिम वेतन = 95% (₹ 100 का 105%)

$=\frac{95}{100}\times\frac{105}{100}\times 100=$ ₹ 99.75

$\therefore$ कमी = 0.25%

73. अभीष्ट प्रतिशत $=\frac{20}{100+20}\times 100=\frac{20}{120}\times 100=16.66\%$

74. माना लम्बाई = 200

चौड़ाई = 100

$\therefore$ क्षेत्रफल = 200 × 100 = 20000

नई लम्बाई = 200 का 110% = 220

नई चौड़ाई = 100 का 90% = 90

नया क्षेत्रफल = 220 × 90 = ₹19800

$\therefore$ कमी % $=\frac{20000-19800}{20000}\times 100=\frac{200}{20000}\times 100=1\%$

75. माना वर्ग की भुजा = 100 मी

$\therefore$ क्षेत्रफल = 100 × 100 = 10000 वर्ग मीटर

नई एक भुजा = 100 का 120% = 120 मी

नई दूसरी भुजा = 100 का 80% = 80 मी

नया क्षेत्रफल = 120 × 80 = 9600 वर्ग मीटर

$\therefore$ क्षेत्रफल में कमी = 10000 – 9600 = 400 वर्ग मीटर

$\therefore$ % कमी $=\frac{400}{10000}\times 100=4\%$

$\therefore$ नया क्षेत्रफल = 100% – 4% = 96%

76. माना कुल मत $=x$

डाले गए वोट $=x-8\%\,x=92\%\,x$

विजेता के वोट $=48\%\,x$

हारने वाले के वोट $=48\%\,x-1200$

$\therefore$ डाले गए वोट = विजेता + हारने वाला

$92\%\,x=48\%\,x+48\%\,x-1200$

$92\%\,x=96\%\,x-1200$

$4\%\,x=1200$

$\Rightarrow x=\frac{1200}{4}\times 100=30000$

77. माना कुल अंक $=x$

पहले उम्मीदवार के अंक $=25\%\,x$

$\therefore$ उत्तीर्ण अंक $=25\%\,x+30$ ...(i)

साथ ही उत्तीर्ण अंक $=50\%\,x-20$ ...(ii)

(i) और (ii)

$25\%\,x+30=50\%\,x-20$

$50\%\,x-25\%\,x=30+20=50$

$25\%\,x=50$

$\Rightarrow x=\frac{50}{25}\times 100=200$

$\therefore$ उत्तीर्ण अंक = 200 का 50% – 20 = 100 – 20 = 80

$\therefore$ पास % $=\frac{80}{200}\times 100=40\%$

78. माना स्टीव का वेतन = 100

तो जॉन का वेतन = 100 का 80% = 80

टॉम का वेतन = 80 का 150%

$=\frac{150}{100}\times 80=120$

अभीष्ट अनुपात = 100 : 120 = 5 : 6

79. माना कुल उत्पादन $= x$

$\therefore$ B_1 का उत्पादन $= 20\% x$

B_2 का उत्पादन $= 15\% x$

B_3 का उत्पादन $= 32\% x$

गैर दोषपूर्ण उत्पादन

$= x$ के 20% का 97%

x के 15% का $+ 93\% + x$ के 32% का 98%

$= 64.71\% x = \approx 64\%$

80. माना कुल प्राप्तांक $= x$

विजेता स्कोर $= 70\% x$

हारने वाला स्कोर $= x - 70\% x = 30\% x$

प्रश्न के अनुसार,

$$70\% x - 30\% x = 72$$

$$40\% x = 72$$

$$\Rightarrow \quad x = \frac{72}{40} \times 100 = 180$$

$\therefore$ विजेता स्कोर $= 180$ का $70\% = 126$

81. दो वर्ष बाद कुल संख्या

$= (5000$ का $105\%)$ का 110%

$$= \frac{110}{100} \times \frac{105}{100} \times 5000 = 5775$$

82. माना कुल अंक $= x$

प्रश्न के अनुसार

$$60\% x - 26\% x = 51$$

$$34\% x = 51$$

$$x = \frac{51}{34} \times 100 = 150$$

83. माना संख्या $= x$

परस्पर $= \frac{1}{x}$

प्रश्न के अनुसार,

$$\left(x - \frac{1}{x}\right) = 25\%\left(x + \frac{1}{x}\right)$$

$$x - \frac{1}{x} = \frac{1}{4}\left(x + \frac{1}{x}\right)$$

$$\Rightarrow \quad 4\left(x - \frac{1}{x}\right) = \left(x + \frac{1}{x}\right)$$

$$4x - \frac{4}{x} = x + \frac{1}{x}$$

$$4x - x = \frac{4}{x} + \frac{1}{x}$$

$$3x = \frac{5}{x}$$

$$3x^2 = 5$$

$$\Rightarrow \quad x^2 = \frac{5}{3}$$

$$\therefore \quad x^4 = \left(\frac{5}{3}\right)^2 = \frac{25}{9}$$

$$\therefore \quad \text{अभीष्ट \%} = \frac{\frac{25}{9} - \frac{5}{3}}{\frac{5}{3}} \times 100$$

$$= \frac{10}{9} \times \frac{3}{5} \times 100$$

$$= \frac{2}{3} \times 100 = 66.67\% \approx 66.7\%$$

84. Photograph को Fotograf में बदला जाता है।

अत: प्रारंभिक अक्षर $= 10$

अंतिम अक्षर $= 8$

$\therefore$ % कमी $= \frac{2}{10} \times 100 = 20\%$

85. व्यय $=$ मूल्य $\times$ उपभोग

माना कीमत $= x$

खपत $= y$

व्यय $= xy$

नई कीमत $= x + 25\% x$

$$= x + \frac{1}{4}x = \frac{5}{4}x$$

नई खपत $= y - 20\% y$

$$= y - \frac{1}{5}y = \frac{4}{5}y$$

नया खर्च $= \frac{5}{4}x \times \frac{4}{5}y = xy$

तो कोई बदलाव नही। इसलिए 0%

86. माना संख्या $= x$

$$x + 40 = 125\% x$$

$$x + 40 = \frac{125}{100}x$$

$$x + 40 = \frac{5}{4}x$$

$$\Rightarrow \quad \frac{5}{4}x - x = 40$$

$$\frac{x}{4} = 40$$

$$x = 160$$

87. माना संख्या $= 100$

अंतिम संख्या $= 100 \times \frac{130}{100} \times \frac{75}{100} \times \frac{125}{100} = 121.875 \approx 122$

$$\therefore \quad \text{वृद्धि} = \frac{122 - 100}{100} \times 100$$

$$= \frac{22}{100} \times 100 = 22\%$$

88. माना संख्या $= x$

वृद्धि $= 16\frac{2}{3}\% x = \frac{1}{6}x$

$\therefore$ नई संख्या $= x + \frac{x}{6} = \frac{7x}{6}$

$$\frac{7}{6}x - \frac{15}{100} \times \frac{7}{6}x = 238$$

$$\frac{7}{6}x\left[1 - \frac{15}{100}\right] = 238$$

$\frac{7}{6}x \times \frac{17}{20} = 238$

$\frac{119x}{120} = 238$

$\therefore \quad x = \frac{238 \times 120}{119} = 240$

अब x का 37.5% $= \frac{37.5}{100} \times 240 = \frac{3}{8} \times 240 = 90$

89. अभीष्ट % $= \frac{15}{100+15} \times 100 = \frac{15}{115} \times 100 = \frac{3}{23} \times 100$

$= \frac{300}{23}\% = 13.04\%$

90. माना B = 100 है

$\therefore \quad A = 140$

$40\% \ C = B = 100$

$C = \frac{100 \times 100}{40} = 250$

$D + 60\% \ D = C = 250$

$\frac{160}{100} D = 250$

$\Rightarrow \quad D = \frac{250 \times 100}{160} = 156.25$

$\therefore \quad B = 100$

$D = 156.25$

अभीष्ट % $= \frac{156.25 - 100}{156.25} \times 100 = 36\%$

91. माना संख्या $= x$

$\therefore \quad 80\% \ x - 62\% \ x = 198$

$\Rightarrow \quad 18\% \ x = 198$

$\frac{18}{100} x = 198$

$x = \frac{198 \times 100}{18} = 1100$

$92\% \ x - 56\% \ x = 36\% x$

$= \frac{36}{100} \times 1100 = 396$

92. माना A का वेतन $= x$

B का वेतन $= y$

A का व्यय $= 85\% \ x$

$\therefore$ A की बचत $= x - 85\% \ x$

$= x - \frac{85}{100}x = \frac{15}{100}x = 15\% \ x$

B का व्यय $= 95\% \ y$

$\therefore$ B की बचत $= y - 95\% \ y = 5\% \ y$

$\therefore \quad 15\% \ x = 5\% \ y$

$\frac{x}{y} = \frac{5\%}{15\%} = \frac{1}{3}$

$x : y = 1 : 3$

माना $x = k$

$y = 3k$

$k + 3k = 40000$

$4k = 40000$

$\Rightarrow \quad k = 10000$

93. माना पुरुष कर्मचारी $= x$

महिला कर्मचारी $= y$

$\therefore \quad \frac{5200x + 4200y}{x + y} = 5000$

$5200x + 4200y = 5000\ (x + y)$

$5200x + 4200y = 5000x + 5000y$

$5200x - 5000x = 5000y - 4200y$

$200x = 800y$

$x = 4y$

माना $y = k$

$\therefore \quad x = 4k$

कुल $= 5k$

$\therefore$ स्त्री $= \frac{k}{5k} \times 100 = 20\%$

94. माना मूल आय $= x$ लाख

नई आय $= x + 5$

$(x + 5) \times 10\% - x \times 12\% = 0.1$ ($\because$ 10000 = 0.1 लाख)

$(x + 5) \times 0.1 - 0.12x = 0.1$

$0.1x + 0.5 - 0.12x = 0.1$

$0.02\ x = 0.4$

$\Rightarrow x = \frac{0.4}{.02} = \frac{4}{2} \times 10 = 20$ लाख

$\therefore$ आय में वृद्धि $= 20 + 5 = 25$ लाख

95. माना मूल आय $= x$ लाख

अब आय $= x + 2$

$(x + 2) \times 16\% = x \times 20\%$

$0.16x + 0.32 = 0.2x$

$.04x = 0.32$

$x = \frac{0.32}{0.04} = \frac{32}{4} = 8$ लाख

$\therefore$ अब आय $= 8 + 2 = 10$ लाख

96. अभीष्ट प्रतिशत $= \frac{40}{140} \times 100$

$= \frac{2}{7} \times 100 = 28\frac{4}{7}\%$

97. माना व्यय $= 100$

आय $= 120$

बचत $= 120 - 100 =$ ₹ 20

नई आय $= 1.6 \times 120 =$ ₹ 192

नया खर्च $= 1.7 \times 100 =$ ₹ 170

$\therefore$ बचत $192 - 170 = 22$

$\therefore$ % वृद्धि $= \frac{22 - 20}{20} \times 100 = \frac{2}{20} \times 100 = 10\%$

98. माना B की आय $= 100$

A की आय $= 140$

कुल आय $= 100 + 140 =$ ₹240

A की नई आय $= 140$ का 125%

$= \frac{5}{4} \times 140 = 175$

B की नई आय $= 100$ का $140\% = 140$

नया कुल $= 175 + 140 = 315$

$\therefore$ % वृद्धि $= \frac{315-240}{240} \times 100 = \frac{75}{240} \times 100 = \frac{5}{16} \times 100$

$= 31.25\%$

99. आय $= 100$

व्यय $= 80$

बचत $= 100 - 80 =$ ₹20

नई आय $= 112$

नई बचत $= 20 - 20$ का $10\% = 20 - 2 =$ ₹18

नया खर्च $= 112 - 18 = 94$

$\therefore$ % व्यय में वृद्धि $= \frac{94-80}{80} \times 100$

$= \frac{14}{80} \times 100 = 17.5\%$

100. माना मूल कार्य घंटे $= x$

मूल मजदूरी/घंटा $= y$

$\therefore$ मूल आय $= xy$

नये काम के घंटे $= 1.15\,x$

$\therefore$ नई कमाई $= 1.15x \times 1.2y = 1.38\,xy$

$\therefore$ % वृद्धि $= \frac{1.38xy - xy}{xy} \times 100$

$= \frac{0.38xy}{xy} \times 100 = 38\%$

101. माना A का वेतन $= x$

B का वेतन $= y$

$x - 75\%\,x = y - 90\%\,y$

$25\%\,x = 10\%\,y$

$\frac{x}{y} = \frac{10\%}{25\%} = \frac{2}{5}$

माना $x = 2k$

$y = 5k$

$\therefore\ 2k + 5k = 42000$

$7k = 42000$

$k = 6000$

$\therefore$ A का वेतन $= 2 \times 6000 =$ ₹ 12000

102. माना वास्तविक बिल की राशि ₹ x है।

प्रश्न के अनुसार, x का $15\% =$ ₹ 54

$= \frac{x \times 15}{100} = 54$

$x = \frac{54 \times 100}{15} =$ ₹ 360

103. कथन I

माना परीक्षा के लिए अधिकतम अंक x है।

रमन ने $288 - 128 = 160$ अंक प्राप्त किए।

प्रश्न के अनुसार x का $25\% = 160$

$\Rightarrow x = \frac{160 \times 100}{25} = 640$

कथन II : माना न्यूनतम उत्तीर्ण प्रतिशत y है

रमन द्वारा प्राप्त अंक $= 460$

न्यूनतम उत्तीर्ण अंक $= 160 + 64 = 224$

प्रश्न के अनुसार 640 का $y\% = 224$

$y = \frac{224 \times 100}{640} = 35\%$

कथन I और II दोनों एक साथ अभीष्ट है।

इसलिए विकल्प (e) सही है।

104. ग्राम में मान्यताप्राप्त मतदाताओं की संख्या x हो, तो

A मतों से चुनाव जीता $= 600$

B को 40% अधिक वोट मिले

उम्मीदवार B के लिए

$\because 40\% = 300$

$\therefore 100\% = \frac{300}{40} \times 100 = 750$

B को मिले वोट $= 750$

$\therefore$ A को मिले वोट $= 750 + 600 = 1350$

प्रश्न के अनुसार,

चुनाव में खर्च हुए वोटों की संख्या 60%

$x = 1350 + 750 = 2100$

$\Rightarrow \frac{60x}{100} = 2100$

$\Rightarrow x = \frac{2100 \times 100}{60} = 3500$

105. माना परीक्षा में बैठने वाले छात्रों की संख्या x है।

उत्तीर्ण प्रतिशत $= 96\%$

असफल प्रतिशत $= 4\%$

दी गई जानकारी के अनुसार हमें मिलता है

असफल छात्र $\Rightarrow 4\%$

$\therefore x$ का $4\% = 500$

$\Rightarrow \left(\frac{x \times 4}{100}\right) = 500$

$\Rightarrow x = \left(\frac{500 \times 100}{4}\right) = 12500$

106. $\because$ कृष्णा का वर्तमान वेतन $=$ ₹ 3500

वेतन में 10% की वृद्धि

कृष्णा का बढ़ा वेतन

$= \left(\frac{3500 \times 110}{100}\right) =$ ₹ 3,850

107. माना उसकी आय ₹ 100 है।

बचत $=$ ₹ 10

व्यय $=$ ₹ 90

आय में वृद्धि $=$ ₹ 120

बढ़ा हुआ खर्च $=$ ₹ 110

खर्च में बढ़ोत्तरी

$= \frac{110-90}{90} \times 100$

$= \frac{200}{9} = 22\frac{2}{9}\%$

108. एक वस्तु का अंकित मूल्य = ₹ 2400

दी गई जानकारी के अनुसार

2400 × (100 – x)% का 85% = 1876.80

$\Rightarrow 2400 \times \frac{100-x}{100} \times \frac{85}{100} = 1876.80$

$\Rightarrow (100-x) = \frac{1876.80 \times 100 \times 100}{2400 \times 85}$

$\Rightarrow (100-x) = \frac{18768000}{204000}$

$\Rightarrow (100-x) = 92$

$\Rightarrow x = 100 - 92 = 8\%$

109. लड़के: लड़कियाँ – 10 : 7

∴ लड़के $= \frac{10}{17} \times 85 = 50$

लड़कियाँ = (85 – 50) = 35

केवल बैडमिंटन खेलने वाले लड़के 50 में से 50%

$= \frac{50 \times 50}{100} = 25$

बैडमिंटन खेलने वाले लड़के

$= \frac{60 \times 50}{100} = 30$

जो बच्चे केवल टेबल टेनिस खेलते हैं

$= \frac{85 \times 40}{100} = 34$

बैडमिंटन और टेबल टेनिस खेलने वाले बच्चे = 12

केवल टेबल टेनिस खेलने वाले लड़के = 50 – 30 = 20

∴ केवल टेबल टेनिस खेलने वाली लड़कियाँ = 34 – 20 = 14

बैडमिंटन और टेबल टेनिस खेलने वाली लड़कियाँ

= 12 – (30 – 25) = 12 – 30 + 25 = 37 – 30 = 7

∴ केवल बैडमिंटन खेलने वाली लड़कियाँ

= 35 – 14 – 7 = 35 – 21 = 14

110. वस्तु का वास्तविक क्रय मूल्य

= ₹ (5844 + 156)

= ₹ 6000

विक्रय मूल्य = ₹ 5700

हानि = ₹ (6000 – 5700) = ₹ 300

हानि प्रतिशत $= \frac{300}{6000} \times 100 = 5\%$

111. कलाई घड़ी का क्रय मूल्य = ₹ 1250

कलाई घड़ी का विक्रय मूल्य = ₹ 1500

लाभ प्रतिशत $= \left(\frac{1500-1250}{1250}\right) \times 100$

$= \frac{250}{1250} \times 100 = \frac{25000}{1250} = 20\%$

112. माना कुल अंक = x

अब, प्रश्नानुसार

$456 - \frac{54}{100} \times x = 24$

$\Rightarrow \frac{54x}{100} = 432 \Rightarrow x = 800$

∴ न्यूनतम उत्तीर्ण अंक $= \frac{800 \times 34}{100} = 272$

∴ आवश्यक अंतर = 456 – 272 = 184

113. मान लीजिए आंतरिक आय = 100

	आय	बचत
आरंभिक	100	20
	↓ +25%	↓ +5%
नया	125	21

∴ अभीष्ट %

$= \frac{21}{125} \times 100\% = 16.8\%$

114. पीटर के अंक = 100 सैम अंक = 8

∴ अभीष्ट % $= \frac{(100-81)}{81} \times 100$

= 23.46%

115. माना पिता का वेतन = a

अब, प्रश्नानुसार

$a \times \frac{8}{100} \times \frac{85}{100} \times \frac{10}{100} = 17$

⇒ a = 2500

116.

	आरंभिक	नया
मूल्य →	100	181

∴ अभीष्ट%

$= \frac{81}{181} \times 100\% = 44.75\%$

117. माना मूल संख्या x है

अब, प्रश्नानुसार

संख्या $= x \times \frac{110}{100} \times \frac{120}{100} \times \frac{88}{100} = 1.1616x$

अगली वृद्धि $= \frac{1.1616x - x}{x} \times 100$

= 16.16%

118. माना पुरुषों का मासिक वेतन ₹x है

$x \times \frac{100-72}{100} = 5740$

$\Rightarrow x \times \frac{28}{100} = 5740$

⇒ x = ₹20,500

अब, वार्षिक वेतन का 10%

$= 20500 \times 12 \frac{10}{100}$

= ₹24600

119. अभीष्ट जनसंख्या

$= 352314 \times \frac{100}{115} \times \frac{100}{115}$

$= 266,400$

120. माना कि दूसरी और तीसरी संख्या क्रमशः 7x और 10x है।

पहली संख्या $= 10x \times \frac{80}{100} = 8x$

पहली और तीसरी संख्या का औसत $= \frac{8x+10x}{2} = 9x$

अब, अभीष्ट % $= \frac{9x-7x}{7x} \times 100 = 28\frac{4}{7}\%$

121. मान लीजिए कुल मासिक आय है = ₹100

घर के किराये पर खर्च की गई राशि $= 100 \times \frac{20}{100} = 20$

अब, प्रश्नानुसार

घर और बच्चों की शिक्षा पर खर्च की गई राशि

$$80 \times \frac{(50+20)}{100} = 80 \times \frac{70}{100} = 56$$

कुल मासिक आय

$$= \frac{6600}{80-56} \times 100 = 27,500$$

122. मान लीजिए कि कुल वोट 100a हैं

विजयी उम्मीदवारों के वोट = 100a का 75% = 75a

हारने वाले उम्मीदवारों के वोट = 100a – 75a = 25a

अब, प्रश्न के अनुसार,

75a - 25a = 520

⇒ 50a = 520

⇒ a = 10.4

प्राप्त मतों की संख्या = 10.4 × 100 = 1040

13 लाभ तथा हानि (PROFIT AND LOSS)

सामान्य नियम

(*i*) **क्रय-मूल्यः** जिस मूल्य पर कोई वस्तु खरीदी जाती है, वह मूल्य इस वस्तु का क्रय-मूल्य कहलाता है।

(*ii*) **विक्रय-मूल्यः** जिस मूल्य पर कोई वस्तु बेची जाती है, वह मूल्य इस वस्तु का विक्रय-मूल्य कहा जाता है।

(*iii*) **लाभ = (विक्रय मूल्य) – (क्रय मूल्य)**

(*iv*) **हानि = (क्रय-मूल्य) – (विक्रय-मूल्य)**

नोटः लाभ अथवा हानि सदैव क्रय-मूल्य पर गिने जाते हैं।

(*v*) यदि क्रय-मूल्य = ₹ x तथा लाभ = 20%, तो विक्रय-मूल्य = (₹ x का 120%).

(*vi*) यदि क्रय-मूल्य = ₹ x तथा हानि = 20%, तो विक्रय-मूल्य = (₹ x का 80%).

(*vii*) लाभ % = $\left(\frac{\text{लाभ}}{\text{क्रय-मूल्य}}\times 100\right)$% तथा हानि % = $\left(\frac{\text{हानि}}{\text{क्रय-मूल्य}}\times 100\right)$%.

(*viii*) यदि विक्रय मूल्य = ₹ x तथा लाभ = 20%, तो क्रय-मूल्य = ₹$\left(\frac{100}{120}\times x\right)$.

(*ix*) यदि विक्रय मूल्य = ₹ x तथा हानि = 20%, तो क्रय-मूल्य = ₹$\left(\frac{100}{80}\times x\right)$.

(*x*) बट्टा सदैव अंकित मूल्य पर होता है।

(*xi*) एक व्यक्ति ने अपने दो घोड़ों में से प्रत्येक को ₹ 10870 में बेचकर एक पर 16% लाभ तथा दूसरे पर 16% हानि उठाई। पूरे लेन देन में उसे कितने प्रतिशत लाभ अथवा हानि हुई?

संक्षिप्त विधिः ऐसे प्रश्नों में सदैव हानि होती है, विक्रय-मूल्य अस्तित्वहीन है।

सूत्र हैः हानि % = $\left(\frac{\text{उभयनिष्ठ लाभ तथा हानि \%}}{10}\right)^2$ %

अतः ऊपर दिये गये प्रश्न में, हानि % = $\left(\frac{16}{10}\right)^2$ % = $(1\cdot6)^2$% = 2·56%.

(*xii*) यदि कोई दुकानदार अपनी वस्तुयें क्रय-मूल्य पर बेचता है परन्तु त्रुटिपूर्ण बाट का प्रयोग करता है, तो

लाभ % = $\left\{\frac{\text{त्रुटि}}{(\text{सही मान}).(\text{त्रुटि})}\times 100\right\}$ %.

साधित उदाहरण

प्रश्न 1. एक व्यक्ति किसी वस्तु को ₹ 55 में खरीद कर ₹ 57·20 में बेच देता है. उसका लाभ प्रतिशत ज्ञात कीजिए.

हलः वस्तु का क्रय-मूल्य = ₹ 55 तथा विक्रय-मूल्य = ₹ 57·20.

∴ लाभ = ₹ (57·20 – 55)

= ₹ 2·20.

अतः लाभ % = $\left(\frac{2\cdot20}{55}\times 100\right)$% = 4%.

प्रश्न 2. एक रेडियो ₹ 980 में खरीदा जाता है तथा ₹ 931 में बेचा जाता है. इस पर हानि प्रतिशत ज्ञात कीजिए.

हलः रेडियो का क्रय-मूल्य = ₹ 980 तथा विक्रय-मूल्य = ₹ 931.

∴ हानि = ₹ (980 – 931) = ₹ 49.

अतः हानि % = $\left(\frac{49}{980} \times 100\right)\% = 5\%$.

प्रश्न 3. विक्रय मूल्य ज्ञात कीजिए, जबकि
(*i*) क्रय-मूल्य = ₹ 225 तथा लाभ = 20%. (*ii*) क्रय-मूल्य = ₹ 402 तथा हानि = 15%.

हलः (*i*) विक्रय मूल्य = ₹ $\left(\frac{120}{100} \times 225\right)$ = ₹ 270 (*ii*) विक्रय मूल्य = ₹$\left(\frac{85}{100} \times 402\right)$ = ₹ 341·70.

प्रश्न 4. क्रय-मूल्य ज्ञात कीजिए, जबकि
(*i*) विक्रय-मूल्य = ₹ 203 तथा लाभ = 16%.
(*ii*) विक्रय-मूल्य = ₹ 517 तथा हानि = 12%.

हलः (*i*) क्रय मूल्य = ₹$\left(\frac{100}{116} \times 203\right)$ = ₹ 175 (*ii*) क्रय मूल्य = ₹$\left(\frac{100}{88} \times 517\right)$ = ₹ 587·50.

प्रश्न 5. राम ने एक घोड़ा ₹ 8250 में खरीद कर 4% लाभ पर बेच दिया. घोड़े का विक्रय मूल्य क्या होगा?

हलः घोड़े का विक्रय मूल्य = ₹ 8250 का 104% = ₹$\left(8250 \times \frac{104}{100}\right)$ = ₹ 8580.

प्रश्न 6. किशन ने एक कुर्सी ₹ 490 में खरीद कर 5% हानि पर बेच दी. कुर्सी का विक्रय मूल्य ज्ञात कीजिए.

हलः कुर्सी का विक्रय-मूल्य = ₹ 490 का 95% = ₹$\left(490 \times \frac{95}{100}\right)$ = ₹ 465·50.

प्रश्न 7. एक मेज को ₹ 517 में बेचने से 10% लाभ होता है. मेज का क्रय-मूल्य ज्ञात कीजिए.

हलः मेज का क्रय-मूल्य = ₹$\left(\frac{100}{110} \times 517\right)$ = ₹ 470.

प्रश्न 8. एक हीटर को ₹ 585 में बेचने से 10% हानि होती है. हीटर का क्रय मूल्य ज्ञात कीजिए.

हलः हीटर का क्रय-मूल्य = ₹$\left(\frac{100}{90} \times 585\right)$ = ₹ 650.

प्रश्न 9. एक घड़ी को ₹ 1440 में बचने पर एक व्यक्ति को 10% हानि होती है. वह इसे कितने रुपये में बेचे कि उसे 15% लाभ हो?

हलः **संक्षिप्त विधिः** माना अभीष्ट विक्रय-मूल्य = ₹ x.

(100 – हानि%) : (प्रथम वि०मू०) = (100 + लाभ%) : x

$\Leftrightarrow$ (100 – 10) : 1440 = (100 + 15) : $x \Leftrightarrow x = \frac{(1440 \times 115)}{90}$ = ₹ 1840.

अतः अभीष्ट विक्रय-मूल्य = ₹ 1840.

प्रश्न 10. एक साईकिल को ₹ 2070 में बेचने से एक व्यक्ति को 15% लाभ होता है. वह इसे कितने रुपये में बेचे कि उसे 25% लाभ हो?

हलः **संक्षिप्त विधिः अभीष्ट** विक्रय-मूल्य = ₹ x.

(100 + लाभ%) : (प्रथम वि०मू०) = (100 + दूसरा लाभ%) : x

$\Leftrightarrow$ (100 + 15) : 2070 = (100 + 25) : $x \Leftrightarrow x = \frac{(2070 \times 125)}{115}$ = ₹ 2250.

अतः अभीष्ट विक्रय-मूल्य = ₹ 2250.

प्रश्न 11. किसी वस्तु को ₹ 1024 में बेचने से एक दुकानदार को 20% हानि होती है. इस वस्तु को ₹ 1472 में बेचने से उसे कितने प्रतिशत लाभ होगा?

हलः **संक्षिप्त विधिः** माना अभीष्ट लाभ = x%. तब

(100 – 20) : 1024 = (100 + x) : 1472 $\Leftrightarrow$ 1024 × (100 + x) = 80 × 1472

$$\Leftrightarrow (100 + x) = \frac{(80 \times 1472)}{1024} = 115 \Leftrightarrow x = 15\%.$$

अतः अभीष्ट लाभ = 15%.

प्रश्न 12. **A ने एक रेडियो B को 20% लाभ पर बेचा, B ने इसे C को 10% हानि पर बेच दिया तथा C ने इसे D को 5% लाभ पर बेच दिया. यदि D ने इसका मूल्य ₹ 1814.40 दिया हो, तो A ने रेडियो कितने रुपये में खरीदा?**

हलः **संक्षिप्त विधिः** माना A ने रेडियो ₹ x में खरीदा. तब, x का 120% का 90% का 105% = 1814.40

$$\Leftrightarrow \quad x \times \frac{120}{100} \times \frac{90}{100} \times \frac{105}{100} = 1814.0 \Leftrightarrow x \times \frac{6}{5} \times \frac{9}{10} \times \frac{21}{20} = 1814.40$$

$$\Leftrightarrow \quad x = \left(1814.40 \times \frac{5}{6} \times \frac{10}{9} \times \frac{20}{21}\right) = 1600.$$

अतः A ने यह रेड़ियो ₹ 1600 में खरीदा.

प्रश्न 13. **एक व्यक्ति ने अपने दो मकानों में से प्रत्येक को ₹ 467958 का बेचा. एक पर उसे 12% लाभ तथा दूसरे पर 12% हानि हुई. उसे कुल पर कितने प्रतिशत लाभ अथवा हानि हुई?**

हलः **संक्षिप्त विधिः** ऐसे प्रश्नों में सदैव हानि होती है, विक्रय-मूल्य अस्तित्वहीन है.

सूत्रः $$\text{हानि } \% = \left(\frac{\text{उभयनिष्ठ लाभ तथा हानि}\%}{10}\right)^2 \% = \left(\frac{12}{10}\right)^2 \% = (1.2)\% = 1.44\%.$$

प्रश्न 14. **एक दुकानदार ने 80 किग्रा० चावल ₹ 13.50 प्रति किग्रा० की दर से तथा 120 किग्रा० ₹ 16 प्रति किग्रा० की दर से खरीद कर मिला दिया. वह मिश्रण को किस भाव बेचे कि उसे 16% लाभ हो?**

हलः 200 किग्रा० चावल का क्रय-मूल्य = ₹ $(80 \times 13.50 + 120 \times 16)$ = ₹ 3000.

200 किग्रा० चावल का विक्रय-मूल्य = ₹ 3000 का 116% = ₹$\left(3000 \times \frac{116}{100}\right)$ = ₹ 3480.

चावल का ब्रिकी-दर = ₹ $\frac{3480}{200}$ किग्रा० = ₹17.40 किग्रा०.

प्रश्न 15. **हरि ने 25 किग्रा० चाय ₹ 48 प्रति किग्रा० की दर से तथा 35 किग्रा० चाय ₹ 60 प्रति किग्रा० की दर से खरीदी. इन दोनों को मिलाकर बने मिश्रण को ₹ 57.75 प्रति किग्रा० की दर से बेचने पर उसे कितने प्रतिशत लाभ अथवा हानि होगी?**

हलः (25 + 35) किग्रा० मिश्रण का क्रय-मूल्य = ₹ $(25 \times 48 + 35 \times 60)$ = ₹ 3300.

इस मिश्रण का विक्रय-मूल्य = ₹ (57.75×60) = ₹ 3465.

$$\text{लाभ } \% = \left(\frac{165}{3300} \times 100\right)\% = 5\%.$$

प्रश्न 16. **यदि 12 वस्तुओं का क्रय-मूल्य 9 वस्तुओं के विक्रय-मूल्य के बराबर हो, तो लाभ प्रतिशत ज्ञात कीजिए.**

हलः माना प्रत्येक वस्तु का क्रय-मूल्य = ₹ 1. तब, 9 वस्तुओं का क्रय-मूल्य = ₹ 9.

9 वस्तुओं का विक्रय-मूल्य = 12 वस्तुओं का क्रय मूल्य = ₹ 12.

∴ ₹ 9 पर लाभ = ₹ 3 $\Leftrightarrow$ लाभ % = $\left(\frac{3}{9} \times 100\right)\% = 33\frac{1}{3}\%$.

प्रश्न 17. **एक फल विक्रेता ने ₹ 5 के 6 की दर से केले खरीद कर ₹ 3 के की दर से बेच दिये. उसका लाभ अथवा हानि प्रतिशत ज्ञात कीजिए.**

हलः माना उसने केले खरीदे = 5, 6, 3, 4 का लघु० समा०= 60.

60 केलों का क्रय मूल्य = ₹$\left(\frac{5}{6} \times 60\right)$ = ₹ 50 तथा विक्रय-मूल्य = ₹$\left(\frac{3}{4} \times 60\right)$ = ₹ 45.

हानि = ₹(50 – 45) = ₹ 5 $\Leftrightarrow$ हानि% = $\left(\frac{5}{50} \times 100\right)\% = 10\%$.

प्रश्न 18. **एक दुकानदार अंकित मूल्य पर 10% की छूट देता है. 8% लाभ कमाने के लिए अंकित मूल्य, क्रय-मूल्य से कितने प्रतिशत अधिक रखना होगा?**

हलः यदि क्रय मूल्य = ₹ 100 तो विक्रय-मूल्य = ₹ 108.

माना अंकित मूल्य = ₹ x.

तब, x का 90% = 108 $\Leftrightarrow \left(x \times \frac{90}{100}\right) = 108 \Leftrightarrow x = \left(108 \times \frac{100}{90}\right) = 120.$

अतः अंकित मूल्य क्रय मूल्य से 20% अधिक रखना होगा.

प्रश्न 25. एक कमीज का अंकित मूल्य ₹ 150 है. दो क्रमागत बट्टे देने के बाद इसका मूल्य ₹ 105 है. यदि दूसरा बट्टा 12·5% हो, तो पहला बट्टा कितना है?

हल: माना पहला बट्टा = x%. तब, ₹ 150 का $(100-x)$% का 87·5% = 105

$$\Leftrightarrow 150 \times \frac{(100-x)}{100} \times \frac{87 \cdot 5}{100} = 105 \Leftrightarrow (100-x) = \left(\frac{105 \times 200}{262 \cdot 5}\right) = 80 \Leftrightarrow x = 20.$$

अतः पहला बट्टा = 20%.

प्रश्नमाला 13A

निम्नलिखित प्रश्नों में से प्रत्येक में ठीक उत्तर को चिह्नांकित (✓) कीजिए:

1. पुनीत ने एक पुराना स्कूटर ₹ 4700 में खरीदकर ₹ 800 इसकी मरम्मत में लगाये. यदि वह इसे अब ₹ 5800 में बेचे, तो उसको कितने प्रतिशत लाभ होगा? **(रेलवे परीक्षा, 2013)**

(*a*) $4\frac{4}{7}$% (*b*) $5\frac{5}{11}$%
(*c*) 10% (*d*) 12%

2. एक दुकानदार ने 70 किग्रा० आलू ₹ 420 में खरीदकर, ₹ 6·50 प्रति किग्रा० की दर से बेच दिये. उसका लाभ प्रतिशत कितना है? **(एस० एस० सी० परीक्षा, 2013)**

(*a*) $4\frac{1}{6}$% (*b*) $6\frac{1}{4}$%
(*c*) $8\frac{1}{3}$% (*d*) 20%

3. किसी वस्तु को ₹ 425 में बेचने से उतना ही लाभ होता है जितनी इसे ₹ 355 में बेचने से हानि. इस वस्तु का क्रय-मूल्य कितना है? **(एम०बी०ए० परीक्षा, 2015)**

(*a*) ₹ 385 (*b*) ₹ 390 (*c*) ₹ 395 (*d*) ₹ 400

4. किसी वस्तु को ₹ 100 में बेचने से एक दुकानदार को ₹ 15 लाभ होता है. उसका लाभ प्रतिशत कितना है?

(*a*) 15% (*b*) $12\frac{2}{3}$%
(*c*) $17\frac{1}{4}$% (*d*) $17\frac{11}{17}$%

5. एक सोफे को ₹ 19800 में बेचने से 10% लाभ होता है. इसका क्रय-मूल्य कितना है?

(*a*) ₹ 18000 (*b*) ₹ 17820
(*c*) ₹ 21780 (*d*) इनमें से कोई नहीं

6. किसी वस्तु को ₹ 69·60 में बेचने से 25% हानि होती है. इस वस्तु का क्रय-मूल्य कितना है?

(*a*) ₹ 86·40 (*b*) ₹ 86
(*c*) ₹ 52·20 (*d*) ₹ 92·80

7. एक खिलौने को ₹ 21·60 में बेचने से 10% हानि होती है. इस पर 20% लाभ कमाने के लिए विक्रय-मूल्य क्या होगा?

(*a*) ₹ 24 (*b*) ₹ 25·92
(*c*) ₹ 28·80 (*d*) इनमें से कोई नहीं

8. यदि एक रेडियो सैट ₹ 1120 में बेचा जाये तो 40% लाभ होता है. 60% लाभ कमाने के लिए इसे कितने में बेचा जायेगा? **(बैंक पी०ओ० परीक्षा, 2014)**

(*a*) ₹ 1180 (*b*) ₹ 1260 (*c*) ₹ 1290 (*d*) ₹ 1320
(*e*) इनमें से कोई नहीं

9. यदि 16 वस्तुओं का विक्रय-मूल्य 20 वस्तुओं के क्रय मूल्य के बराबर हो, तो विक्रेता को: **(सब इन्सपैक्टर परीक्षा, 2014)**

(*a*) 4% हानि होगी (*b*) 20% लाभ होगा
(*c*) 20% हानि होगी (*d*) 25% लाभ होगा

10. किसी वस्तु के लागत मूल्य और विक्रय मूल्य का अनुपात 20 : 21 है। उस पर प्राप्त होने वाला लाभ प्रतिशत बताइए। **(एस.एस.सी. संयुक्त स्नातक स्तर ग्रेड-टियर-II (सी.बी.ई.) परीक्षा, 2017)**

(*a*) 7 (*b*) 5 (*c*) 6 (*d*) 4

11. लागत मूल्य और विक्रय मूल्य का अनुपात 25 : 26 है। मुनाफे का प्रतिशत होगा **(एस.एस.सी. संयुक्त स्नातक स्तर ग्रेड-टियर-II (सी.बी.ई.) परीक्षा, 2017)**

(*a*) 26% (*b*) 25% (*c*) 1% (*d*) 4%

12. एक फल विक्रेता 80 संतरे बेचकर 95 संतरों का मूल्य वसूल करता है। उसका प्रतिशत लाभ क्या है? **[एसएससी सीजीएल परीक्षा, 2022]**

(*a*) 18.75% (*b*) 20.75% (*c*) 21.25% (*d*) 24.25%

13. एक व्यक्ति के वेतन में 50% की वृद्धि हुई और बाद में 50% की कमी हुई। उसे कितना प्रतिशत हानि या लाभ हुआ? **[एसएससी सीजीएल परीक्षा, 2022]**

(*a*) 50% का लाभ (*b*) 25% की हानि

(c) 30% की हानि (d) 50% का लाभ

14. एक मोबाइल फोन को ₹59,620 में बेचने पर प्राप्त लाभ 8.4% है। मोबाइल फोन का क्रय मूल्य (₹ में)कितना है?

[एसएससी सीजीएल परीक्षा, 2022]

(a) 2,000 (b) 45,000 (c) 50,000 (d) 55,000

15. 8% और 12% की दो लगातार छूट एक एकल छूट के बराबर हैं:

[सीएमएटी पेपर 2021]

(a) 22% (b) 19.04% (c) 20% (d) 20.96%

16. 100 केले ₹400 की दर से खरीदे गए और ₹160 प्रति दर्जन की दर से बेचे गए। लाभ या हानि का प्रतिशत है–

[एनसीएचएम जेईई 2021]

(a) 10% लाभ (b) 25% लाभ (c) 10% हानि (d) 25% हानि

17. एक वस्तु को उसके अंकित मूल्य (एम.आर.पी.) पर 15% की छूट देकर ₹680 में बेचा जाता है। अंकित मूल्य ज्ञात कीजिए।

[एनसीएचएम जेईई 2021]

(a) ₹ 500 (b) ₹ 600 (a) ₹ 700 (d) ₹ 800

18. एक दुकानदार 1 किग्रा के लिए 900 ग्राम का बाट प्रयोग करता है। उसके द्वारा अर्जित प्रतिशत लाभ है–

[एचएसईई पेपर 2020]

(a) 9.6 (b) 10.5 (c) 11.11 (d) 12.5

19. एक व्यक्ति ने एक रुपये में 25 पेन खरीदे और एक रुपये में 15 पर बेच दिया। उसका लाभ प्रतिशत क्या है?

[एसएससी सीएचएसएल (10+2) टियर-I परीक्षा, 2019]

(a) $16\frac{2}{3}\%$ (b) $33\frac{1}{3}\%$ (c) $66\frac{2}{3}\%$ (d) 40%

20. एक गिलास का विक्रय मूल्य ₹1965 है और हानि प्रतिशत 25% है। यदि विक्रय मूल्य ₹3013 है, तो लाभ प्रतिशत क्या होगा?

[एसएससी सीजीएल टियर-I सीबीई परीक्षा, 2018]

(a) 13 (b) 10.4 (c) 15 (d) 20

21. लागत मूल्य और विक्रय मूल्य के बीच का अंतर ₹221 है। यदि लाभ प्रतिशत 17% है, तो लागत मूल्य (₹ में) क्या है?

[एसएससी सीजीएल टियर-I सीबीई परीक्षा, 2018]

(a) 1079 (b) 1300 (c) 1521 (d) 1724

22. एक पंखे का विक्रय मूल्य ₹4644 है। यदि लाभ प्रतिशत 29% है, तो पंखे का लागत मूल्य (₹ में) क्या है?

[एसएससी सीजीएल टियर-I सीबीई परीक्षा, 2018]

(a) 5900 (b) 3500 (c) 3800 (d) 3600

23. दो वस्तुओं को ₹800 में बेचने पर, एक व्यक्ति को तीन वस्तुओं के क्रय मूल्य का लाभ होता है। लाभ प्रतिशत है–

[एसएससी सीजीएल टियर-II सीबीई परीक्षा, 2018]

(a) 125 (b) 140 (c) 120 (d) 150

24. एक वस्तु का क्रय मूल्य ₹18000 है। यदि लाभ 32% है, तो उसका विक्रय मूल्य क्या है?

[एसएससी एमटीएस (गैर-तकनीकी) स्टाफ परीक्षा, 2019]

(a) ₹2288 (b) ₹2376 (c) ₹2456 (d) ₹2496

25. एक वस्तु का क्रय मूल्य ₹480 है। इसे 12.5% लाभ पर बेचा जाता है, वस्तु का विक्रय मूल्य क्या होगा?

[एसएससी एमटीएस (गैर-तकनीकी) स्टाफ परीक्षा, 2019]

(a) ₹500 (b) ₹560 (c) ₹540 (d) ₹492.5

26. एक वस्तु को $14\frac{2}{7}\%$ लाभ पर बेचा जाता है। विक्रय मूल्य का लागत मूल्य से अनुपात क्या है?

[एसएससी एमटीएस परीक्षा, 2019]

(a) 7 : 5 (b) 8 : 7 (c) 8 : 5 (d) 7 : 6

27. एक वस्तु का विक्रय मूल्य लागत मूल्य का $\frac{8}{7}$ है। लाभ प्रतिशत क्या है?

[एसएससी एमटीएस परीक्षा, 2019]

(a) $\frac{100}{9}$ (b) $\frac{100}{11}$ (c) $\frac{100}{8}$ (d) $\frac{100}{7}$

28. 36 मोबाइल बेचने पर, एक मोबाइल विक्रेता को चार मोबाइलों के विक्रय मूल्य के बराबर हानि हुई। हानि प्रतिशत है–

[एसएससी एमटीएस (गैर-तकनीकी) स्टाफ परीक्षा, 2019]

(a) 10% (b) 12.50% (c) 8.50% (d) 8%

29. एक बॉक्स को ₹75 में खरीदा जाता है और 8% के लाभ पर बेचा जाता है। इसका विक्रय मूल्य ज्ञात कीजिए

[भारतीय रेलवे जीआर. 'डी' परीक्षा, 2014]

(a) 81 (b) 82 (c) 89 (d) 86

30. संतरे को 5 रुपये में 10 रुपये में खरीदा जाता है और 6 रुपये में 15 रुपये में बेचा जाता है। लाभ प्रतिशत है–

[भारतीय रेलवे जीआर. 'डी' परीक्षा, 2014]

(a) 50% (b) 40% (c) 35% (d) 25%

31. यदि 28 संतरों का क्रय मूल्य 24 संतरों के विक्रय मूल्य के बराबर है, तो लाभ प्रतिशत है।

[एसएससी सीजीएल परीक्षा, 27/07/2023 (Shift-03)]

(a) $16\frac{2}{3}\%$ (b) $16\frac{1}{3}\%$

(c) $18\frac{2}{3}\%$ (d) $18\frac{1}{3}\%$

32. एक वस्तु को 55 रुपये में बेचने पर 10% का लाभ होता है। उसे 58 रुपये में बेचने पर लाभ होता है

[एसएससी जीडी परीक्षा, 26/02/2024 (Shift-01)]

(a) 13% (b) 6% (c) 16% (d) 3%

33. एक दुकानदार अंकित मूल्य पर 5% बट्टा देकर प्रत्येक साड़ी ₹ 266 में बेचता है. यदि वह बट्टा नहीं देता तो उसे क्रय-मूल्य पर 12% लाभ होता. प्रत्येक साड़ी का क्रय-मूल्य क्या होगा?

(बैंक पीoओo परीक्षा, 1999)

(a) ₹ 240 (b) ₹ 260

(c) ₹ 280 (d) आँकड़े अपर्याप्त

(e) इनमें से कोई नहीं

34. कुनाल ने एक सूटकेस उसके अंकित मूल्य के 15% बट्टे पर खरीदा. उसने सूटकेस के अंकित मूल्य पर 20% लाभ पाकर ₹ 2880 में बेच दिया. उसने सूटकेस कितने रुपये में खरीदा?

(a) ₹ 2040 (b) ₹ 2400

(c) ₹ 2604 (d) ₹ 2640

35. यदि किसी वस्तु के अंकित मूल्य पर 10% कमीशन दिया जाये, तो विक्रेता को 20% लाभ होता है. यदि यह कमीशन बढ़ा कर 20% कर दिया जाये, तो लाभ प्रतिशत कितना होगा?

(*a*) $6\frac{2}{3}\%$ (*b*) $7\frac{1}{4}\%$

(*c*) $12\frac{1}{2}\%$ (*d*) $13\frac{1}{3}\%$

36. एक व्यक्ति ने एक घर तथा एक दुकान प्रत्येक ₹ 1 लाख में बेचे. इससे घर के बेचने पर 20% हानि हुई तथा दुकान के बेचने से 20% लाभ हुआ. कुल सौदे में उसे कितने प्रतिशत लाभ अथवा हानि हुई?

(*a*) न लाभ, न हानि (*b*) $\frac{1}{12}$ लाख की हानि

(*c*) $\frac{1}{18}$ लाख की हानि (*d*) $\frac{1}{24}$ लाख का लाभ

37. एक व्यापारी अपनी वस्तुओं का $\frac{2}{3}$ स्टॉक 20% लाभ पर तथा शेष 14% लाभ पर बेचता है. उस व्यापारी को कुल सौदे में कितने प्रतिशत लाभ होता है?

(*a*) 12% (*b*) 17% (*c*) 18% (*d*) 20%

38. एक व्यक्ति को दो घोड़ों में से प्रत्येक को ₹ 4000 में बेचने पर न लाभ हुआ, न हानि. यदि एक घोड़े पर 25% लाभ हुआ हो, तो दूसरे पर कितने प्रतिशत हानि होगी?

(*a*) $16\frac{2}{3}\%$ (*b*) $18\frac{2}{9}\%$

(*c*) 25% (*d*) इनमें से कोई नहीं

39. एक व्यक्ति दो फ्लैट ₹ 1·995 लाख प्रति फ्लैट की दर से खरीदता है. एक पर वह 5% लाभ कमाता है. जबकि दूसरे पर उसे 5% हानि होती है. सारे सौदे में उसे कितने प्रतिशत लाभ अथवा हानि होती है?

(*a*) 0·25% हानि (*b*) 0·25% लाभ

(*c*) 2·5% हानि (*d*) 25% हानि

40. राहुल ने एक स्कूटर इसके वि० मूल्य के $\frac{13}{15}$ भाग में खरीदा तथा इसके विक्रय मूल्य से 12% अधिक में बेचा. उसने इस पर लाभ कमाया:

(*a*) 20% (*b*) $29\frac{3}{13}\%$

(*c*) 30% (*d*) $38\frac{1}{13}\%$

41. एक व्यक्ति ने 90 दीवार घड़ियाँ खरीदीं. इनमें से 40 घड़ियाँ 10% लाभ पर तथा 50 घड़ियाँ 20% लाभ पर बेच दीं. यदि वह सभी घड़ियों को 15% लाभ पर बेचता, तो उसे ₹ 40 कम मिलते. प्रत्येक दीवार घड़ी का क्रय-मूल्य कितना है?

(होटल मैनेजमैन्ट परीक्षा, 2013)

(*a*) ₹ 50 (*b*) ₹ 60

(*c*) ₹ 80 (*d*) ₹ 90

42. एक व्यक्ति को अपनी एक पूँजी पर 15% लाभ होता है तथा दूसरी पूँजी पर 10% हानि होती है. यदि इन पूँजियों का अनुपात 3 : 5 हो, तो इन दोनों पूँजियों को इक्कट्ठा लेने पर उसे कितना लाभ अथवा हानि होती है?

(*a*) $6\frac{1}{4}\%$ हानि (*b*) $13\frac{1}{8}\%$ लाभ

(*c*) $13\frac{1}{8}\%$ हानि (*d*) इनमें से कोई नहीं

43. एक वस्तु ₹ 144 में बेची गई. यदि लाभ प्रतिशत का संख्यात्मक मान क्रय मूल्य के बराबर हो, तो वस्तु का क्रय-मूल्य क्या है?

(*a*) ₹ 72 (*b*) ₹ 80

(*c*) ₹ 90 (*d*) ₹ 100

44. दो घड़ियाँ *A* तथा *B* कुल ₹ 840 में खरीदी गईं. एक घड़ी को 16% लाभ पर तथा दूसरी को 12% हानि पर बेचने से कुल मिलाकर न तो लाभ होता है, न हानि. घड़ियों के क्रय-मूल्य हैं क्रमश:

(*a*) ₹ 360, ₹ 480 (*b*) ₹ 480, ₹ 360

(*c*) ₹ 380, ₹ 460 (*d*) ₹ 400, ₹ 440

45. एक कुर्सी 7% हानि पर तथा एक मेज 17% लाभ पर बेचने से एक व्यक्ति को ₹ 296 का लाभ होता है. यदि वह कुर्सी को 7% लाभ पर तथा मेज को 12% लाभ पर बेचे तो उसे ₹ 400 का लाभ होता है. एक मेज का वास्तविक मूल्य क्या है?

(*a*) ₹ 1600 (*b*) ₹ 1800

(*c*) ₹ 2200 (*d*) ₹ 2400

46. एक दुकानदार अपने सामान को 2·5% बट्टे पर बेचता है. यदि एक साईकिल का अंकित मूल्य ₹ 650 हो, तो इसका विक्रय-मूल्य कितना होगा?

(इन्दिरा गाँधी यूनिवर्सिटी परीक्षा, 2014)

(*a*) ₹ 633·25 (*b*) ₹ 633·75

(*c*) ₹ 634 (*d*) ₹ 635

47. एक फुटकर विक्रेता अपनी वस्तुओं को क्रय-मूल्य से 50% अधिक अंकित करता है तथा अंकित मूल्य पर 2% की छूट देता है. इस प्रकार उसका लाभ प्रतिशत कितना है?

(इन्दिरा गाँधी यूनिवर्सिटी परीक्षा, 2014)

(*a*) 12·5% (*b*) 15%

(*c*) 20% (*d*) 25%

48. एक व्यापारी अपनी वस्तुओं पर क्रय-मूल्य से 20% अधिक मूल्य अंकित करता है तथा अंकित मूल्य पर 5% बट्टा देता है. उसे कितने प्रतिशत लाभ होता है?

(एस०एस०सी० परीक्षा, 2013)

(*a*) 14% (*b*) 16%

(*c*) 18% (*d*) 20%

49. एक वस्तु के अंकित मूल्य पर 14% बट्टा देकर इसे ₹ 387 में बेचा जाता है. इस वस्तु का अंकित मूल्य कितना है?

(एस०एस०सी० परीक्षा, 2013)

(*a*) ₹ 427 (*b*) ₹ 440

(*c*) ₹ 450 (*d*) ₹ 500

50. एक साईकिल का अंकित मूल्य ₹ 1100 है तथा इस पर 10% का बट्टा देकर भी विक्रेता 10% लाभ कमाता है. इस साईकिल का क्रय-मूल्य कितना है?
(एस०एस०सी० परीक्षा, 2013)

(*a*) ₹ 891 (*b*) ₹ 900
(*c*) ₹ 1089 (*d*) ₹ 1100

51. एक व्यापारी किसी वस्तु का मूल्य क्रय-मूल्य से 10% अधिक अंकित करता है. इस पर कुछ बट्टा देकर वह इसे बेचता है तथा 1% हानि उठाता है. वह इस पर कितना प्रतिशत बट्टा देता है? (एस०एस०सी० परीक्षा, 2013)

(*a*) 9% (*b*) 10%
(*c*) 10·5% (*d*) 11%

52. एक व्यापारी अपनी वस्तुओं के अंकित मूल्य पर 10% बट्टा देता है. एक वस्तु का क्रय-मूल्य ₹ 900 है. इस पर 10% लाभ प्राप्त करने के लिए कितना मूल्य अंकित करना होगा?
(एस०एस०सी० परीक्षा, 2013)

(*a*) ₹ 1100 (*b*) ₹ 1175
(*c*) ₹ 1250 (*d*) ₹ 1275

53. तीन क्रमागत बट्टों 10%, 20% तथा 25% के समकक्ष एक बट्टा क्या होगा?

(*a*) 45% (*b*) 46%
(*c*) 55% (*d*) 60%

54. एक वस्तु का अंकित मूल्य ₹ 240 है. इस पर दो क्रमागत बट्टे 10% तथा 5% देने के बाद इसका विक्रय-मूल्य कितना होगा? (एस०एस०सी० परीक्षा, 2013)

(*a*) ₹ 204 (*b*) ₹ 205.20
(*c*) ₹ 225 (*d*) ₹ 225.72

55. एक वस्तु का अंकित मूल्य ₹ 500 है. यह वस्तु 20% तथा 10% के दो क्रमागत बट्टों पर बेची जाती है. इस वस्तु का विक्रय-मूल्य क्या होगा? (एस०एस०सी० परीक्षा, 2013)

(*a*) ₹ 350 (*b*) ₹ 360
(*c*) ₹ 375 (*d*) ₹ 400

56. एक दुकानदार अपनी वस्तुओं पर क्रय मूल्य से 35% अधिक मूल्य अंकित करता है. 8% लाभ पाने हेतु उसे कितने प्रतिशत बट्टा देना होगा?

(*a*) 20% (*b*) 27%
(*c*) 31% (*d*) 43%

57. एक व्यापारी अपनी वस्तुओं पर क्रय-मूल्य से 20% अधिक मूल्य अंकित करता है. वह आधी वस्तुयें अंकित मूल्य पर, एक-चौथाई 20% बट्टे पर तथा शेष वस्तुयें 40% बट्टे पर बेच देता है. उसका लाभ प्रतिशत कितना है?

(*a*) 2% (*b*) 4·5%
(*c*) 13·5 (*d*) 15%

(एस०एस०सी० परीक्षा, 2014)

58. एक वस्तु को सूची-मूल्य पर 10% छूट देकर बेचने पर ₹ 70 लाभ होता है। इस वस्तु का क्रय-मूल्य कितना है?

(*a*) ₹ 200 (*b*) ₹ 350
(*c*) ₹ 700 (*d*) ज्ञात नहीं किया जा सकता

(बैंक पी०ओ० परीक्षा, 2013)

59. एक दुकानदार ने कोई वस्तु सूची-मूल्य पर 5% छूट देकर बेची तथा इससे 23·5% लाभ कमाया. यदि कोई छूट न दी जाती तो लाभ प्रतिशत क्या होता?

(बैंक पी०ओ० परीक्षा, 2012)

(*a*) 24·5% (*b*) 28·5%
(*c*) 30% (*d*) आँकड़े अपर्याप्त

60. एक दुकानदार ने एक टी०वी० सैट 8% बट्टे पर ₹ 17940 में बेचकर 19·6% लाभ कमाया. यदि कोई बट्टा नहीं दिया जाता तो उसे कितने प्रतिशत लाभ होता?

(बैंक पी०ओ० परीक्षा, 2013)

(*a*) 24·8% (*b*) 25%
(*c*) 26·4% (*d*) इनमें से कोई नहीं

61. यदि किसी वस्तु के सूची मूल्य पर 10% छूट दी जाती है तो विक्रेता को 20% लाभ होता है. यदि यह छूट बढ़ा कर 20% कर दी जाये, तो लाभ प्रतिशत क्या होगा?

(*a*) $6\frac{2}{3}\%$ (*b*) $7\frac{1}{4}\%$
(*c*) $12\frac{1}{2}\%$ (*d*) $13\frac{1}{3}\%$

62. एक वस्तु के मूल्य में 30% वृद्धि कर दी जाती है. इस पर 10%, 10% के दो क्रमागत बट्टे देने के बाद वस्तु के मूल्य में: (एस०एस०सी० परीक्षा, 2013)

(*a*) 5·3% की कमी हो जायेगी
(*b*) 3% की वृद्धि हो जायेगी
(*c*) 5·3% की वृद्धि हो जायेगी
(*d*) 10% की वृद्धि हो जायेगी

63. एक दुकानदार अपनी वस्तुओं पर इस प्रकार मूल्य अंकित करता है कि उसे 25% लाभ हो. यदि वह अंकित मूल्य पर 16% का बट्टा दे तो उसका वास्तविक लाभ कितने प्रतिशत होगा? (एस०एस०सी० परीक्षा, 2013)

(*a*) 5% (*b*) 9%
(*c*) 16% (*d*) 25%

64. किसी वस्तु का क्रय-मूल्य अंकित मूल्य का 64% है. 12% का बट्टा देने के बाद लाभ प्रतिशत क्या होगा?

(*a*) 37·5% (*b*) 48%
(*c*) 50·5% (*d*) 52%

65. ₹ 1200 मूल्य के एक रेडियो का कितना मूल्य अंकित किया जाये कि 20% बट्टा देने के बाद भी 25% का लाभ हो?

(*a*) ₹ 1675 (*b*) ₹ 1875
(*c*) ₹ 1900 (*d*) ₹ 2025
(*e*) इनमें से कोई नहीं

66. एक पुस्तक विक्रेता एक पुस्तक के छपे हुए मूल्य पर 10% छूट देने के बाद 12% लाभ कमाता है. पुस्तक के क्रय-मूल्य तथा छपे हुए मूल्य में क्या अनुपात है?

(*a*) 45 : 56 (*b*) 50 : 61
(*c*) 55 : 69 (*d*) 99 : 125

67. किसी वस्तु के अंकित मूल्य के $\frac{2}{5}$ मूल्य पर बेचने से 25% हानि होती है. अंकित मूल्य तथा क्रय मूल्य का अनुपात क्या होगा? **(एस०एस०सी० परीक्षा, 2013)**

(*a*) 2 : 3 (*b*) 5 : 2
(*c*) 8 : 15 (*d*) 15 : 8

68. एक वी0सी0आर0 का अंकित मूल्य ₹ 12000 है. यदि इस पर तीन क्रमागत बट्टे 15%, 10% तथा 5% दिये जायें तो इसका मूल्य ग्राहक को कितना देना होगा? **(होटल मैनेजमैन्ट परीक्षा, 2012)**

(*a*) ₹ 8400 (*b*) ₹ 8721
(*c*) ₹ 8856 (*d*) इनमें से कोई नहीं

69. एक व्यापारी अपनी वस्तुओं के अंकित मूल्य पर 4% बट्टा देता है तथा 15 वस्तुयें खरीदने पर 1 वस्तु मुफ्त देता है. इस प्रकार उसे 35% लाभ होता है. प्रत्येक वस्तु का अंकित मूल्य उसके क्रय मूल्य से कितने प्रतिशत अधिक है?

(*a*) 20% (*b*) 39%
(*c*) 40% (*d*) 50%

70. एक पंखे का सूची-मूल्य ₹ 1500 है तथा सूची मूल्य पर 20% बट्टा दिया जाता है. ग्राहक को कितने प्रतिशत और बट्टा दिया जाये कि उसे पंखे के लिए ₹ 1104 देने पड़ें? **(एस०एस०सी० परीक्षा, 2012)**

(*a*) 8% (*b*) 10%
(*c*) 12% (*d*) 15%

71. 12% तथा 5% के दो क्रमागत बट्टे देने के बाद किसी वस्तु का विक्रय-मूल्य ₹ 209 है. वस्तु का अंकित मूल्य कितना है?

(*a*) ₹ 226 (*b*) ₹ 250
(*c*) ₹ 252 (*d*) ₹ 269

72. ₹ 100000 के बिल पर एक 40% बट्टा दिया जाये अथवा 36% तथा 4% के दो क्रमागत बट्टे दिये जायें, तो दोनों में कितना अन्तर होगा?

(*a*) कोई नहीं (*b*) ₹ 1440
(*c*) ₹ 1960 (*d*) ₹ 2500

73. किसी बिल पर 35% का बट्टा तथा 20%, 20% के दो क्रमागत बट्टे देने पर दोनों में ₹ 22 का अन्तर है. बिल कितने रुपये का है? **(बैंक पी०ओ० परीक्षा, 1999)**

(*a*) ₹ 1100 (*b*) ₹ 2200
(*c*) ₹ 2000 (*d*) आँकड़े अपर्याप्त

74. एक शोरूम पर किसी वस्तु का सूची मूल्य ₹ 2000 है तथा यह 20% तथा 10% के दो क्रमागत बट्टों पर बेची जाती है. इसका विक्रय मूल्य कितना होगा? **(एस०एस०सी० परीक्षा, 2014)**

(*a*) ₹ 1400 (*b*) ₹ 1440
(*c*) ₹ 1520 (*d*) ₹ 1700

75. जतिन ने एक फ्रिज इसके अंकित मूल्य के 20% बट्टे पर खरीदा. यदि उसने इसे 25% बट्टे पर खरीदा होता, तो उसे ₹ 500 कम देने पड़ते. उसने फ्रिज कितने रुपये का खरीदा?

(*a*) ₹ 8000 (*b*) ₹ 10000
(*c*) ₹ 12500 (*d*) ₹ 15000

76. दो दुकानदारों के पास एक जैसी सिलाई मशीनें हैं. प्रत्येक इसका मूल्य ₹ 700 अंकित करता है. एक दुकानदार इस पर 30% तथा 6% के दो क्रमागत बट्टे देता है, जबकि दूसरा दुकानदार इस पर 20% तथा 16% के दो क्रमागत बट्टे देता है. दोनों के मूल्यों में अन्तर कितना है?

(*a*) ₹ 9·80 (*b*) ₹ 16·80
(*c*) ₹ 22·40 (*d*) ₹ 36·40

77. एक दुकानदार रेडियो के सूची मूल्य पर 20% बट्टा देता है. बट्टे के बाद प्राप्त होने वाले मूल्य पर वह 12% बट्टा देता है. यदि इस रेडियो का विक्रय मूल्य ₹ 704 हो, तो इसका सूची-मूल्य क्या होगा? **(रेलवे परीक्षा, 2012)**

(*a*) ₹ 844·80 (*b*) ₹ 929·28
(*c*) ₹ 1000 (*d*) ₹ 1044·80

78. किसी वस्तु का क्रय-मूल्य से कितने प्रतिशत अधिक अंकित मूल्य होना चाहिए जिस पर 5% बट्टा देकर भी 33% लाभ हो? **(एम०बी०ए० परीक्षा, 2014)**

(*a*) 38% (*b*) 40%
(*c*) 43% (*d*) 48%

79. एक वस्तु पर x% बट्टा देकर इसे ₹ y में बेचा जाता है. इसका सूची-मूल्य क्या है?

(*a*) $\frac{100y}{(100-x)}$ (*b*) $\frac{100y}{(1-x)}$
(*c*) $\frac{100y}{\left(1-\frac{x}{100}\right)}$ (*d*) इनमें से कोई नहीं

80. सूची-मूल्य पर 20% बट्टा देने पर किसी वस्तु का विक्रय-मूल्य ₹ 24 होता है. यदि सूची मूल्य पर 30% बट्टा दें तो विक्रय-मूल्य क्या होगा?

(*a*) ₹ 18 (*b*) ₹ 20
(*c*) ₹ 21 (*d*) ₹ 27

81. किसी वस्तु को ₹ 125 में बेचने पर, किसी व्यक्ति को ₹ 10 का लाभ होता है। उसका लाभ प्रतिशत कितना है? **(दिल्ली मेट्रो रेल कॉर्पोरेशन सी.आर.ए. परीक्षा, 2017)**

(*a*) $15\frac{1}{4}$% (*b*) $8\frac{15}{23}$%

(*c*) 15% (*d*) $8\frac{16}{23}\%$

82. एक दुकानदार 15 प्रतिशत के लाभ पर एक ट्रांजिस्टर को ₹966 में बेचता है और दूसरे ट्रांजिस्टर को 5 प्रतिशत की हानि पर ₹1060 में बेचता है। उसका कुल लाभ या हानि प्रतिशत कितना है?

(दिल्ली मेट्रो रेल कॉर्पोरेशन सी.आर.ए. परीक्षा, 2017)

(*a*) 3.2% हानि (*b*) 3.3% लाभ
(*c*) 3.4% लाभ (*d*) 3.6% लाभ

83. एक छाते को ₹300 पर बेचने पर दुकानदार को 20 प्रतिशत का लाभ होता है। निकासी विक्रय (क्लियरेंस सेल) के दौरान, दुकानदार ने अंकित मूल्य पर 10 प्रतिशत की छूट दी। बिक्री के दौरान उसे कितने प्रतिशत का लाभ हुआ?

(दिल्ली मेट्रो रेल कॉर्पोरेशन सी.आर.ए. परीक्षा, 2017)

(*a*) 8 (*b*) 7
(*c*) 10 (*d*) 9

84. एक दुकानदार 10 प्रतिशत की बेईमानी क्रय के समय करता है और ऐसे बटखरों का इस्तेमाल करता है, जो बराबर के बटखरे से 10 प्रतिशत कम है। उसके द्वारा कुल अर्जित लाभ कितना होगा?

(दिल्ली मेट्रो रेल कॉर्पोरेशन सी.आर.ए. परीक्षा, 2017)

(*a*) 10% (*b*) 21%
(*c*) 20% (*d*) 11%

85. रमन एक मशीन को ₹ 39 लाख में घाटे में बेचता है। यदि उसने उसे 49 लाख रुपए में बेचा होता, तो उसका लाभ उसके घाटे का तीन गुना होता। मशीन का क्रय मूल्य क्या है?

(एस.एस.सी. सी.एच.एस.एल. (10+2) ग्रेड-टियर-I (सी.बी.ई.) परीक्षा, 2017)

(*a*) ₹ 46.5 लाख (*b*) ₹ 62 लाख
(*c*) ₹ 36.5 लाख (*d*) ₹ 41.5 लाख

86. एक वस्तु पर 40% छूट की पेशकश की गई है। एक प्रोमो कोड लागू करके ग्राहक 10% नकद वापस जीतता है। उसको मिली प्रभावी छूट क्या है?

(एस.एस.सी. सी.एच.एस.एल. (10+2) ग्रेड-टियर-I (सी.बी.ई.) परीक्षा, 2017)

(*a*) 50.6 प्रतिशत (*b*) 46 प्रतिशत
(*c*) 50 प्रतिशत (*d*) 14 प्रतिशत

87. एक व्यक्ति ने दो वस्तुओं को बेचा-वस्तु *A* को 40% लाभ पर एवं वस्तु *B* को 20% हानि पर। संपूर्ण लेन-देन में उसे 18 रुपए का लाभ हुआ। यदि वस्तु *A* का क्रय मूल्य वस्तु *B* से ₹140 कम हो तो वस्तु *B* का क्रय मूल्य क्या है?

(एस.बी.आइ. पी.ओ. ऑनलाइन प्रारंभिक परीक्षा, 2017)

(*a*) ₹ 380 (*b*) ₹ 280
(*c*) ₹ 340 (*d*) ₹ 375
(*e*) ₹ 370

88. एक दुकानदार प्लास्टिक के सभी खिलौनों पर 15% की छूट देता है। वह उन ग्राहकों को और 4% की छूट देता है जो नकद भुगतान करते हैं। किसी ₹ 200 के खिलोने के लिए एक ग्राहक को कितनी नकद राशि (₹ में) देनी होगी?

(*a*) 133.7 (*b*) 129.8 (*c*) 163.2 (*d*) 153.3

(एस.एस.सी. संयुक्त स्नातक स्तर ग्रेड-टियर-II (सी.बी.ई.) परीक्षा, 2017)

89. एक फोटोग्राफर कैमरे के विज्ञाप्ति मूल्य पर 10% छूट देता है। 20% लाभ प्राप्त करने के लिए ₹ 600 की लागत वाले कैमरे के लिए कितना मूल्य (₹ में) अंकित किया जाना चाहिए?

(एस.एस.सी. संयुक्त स्नातक स्तर ग्रेड-टियर-II (सी.बी.ई.) परीक्षा, 2017)

(*a*) 650 (*b*) 800
(*c*) 700 (*d*) 850

90. एक डिनर सेट का मूल्य ₹ 1500 अंकित किया जाता है। ग्राहक इसके लिए ₹ 1173 अदा करता है। यदि ग्राहक को अनुक्रम में दो छूटें दी जाती हैं और छूट की प्रथम दर 15% है तो छूट की दूसरी दर कितनी थी?

(एस.एस.सी. संयुक्त स्नातक स्तर ग्रेड-टियर-II (सी.बी.ई.) परीक्षा, 2017)

(*a*) 15% (*b*) 7%
(*c*) 9% (*d*) 8%

91. एक बेईमान व्यापारी गलत बाटों का प्रयोग करके अपनी वस्तुओं को क्रय और विक्रय करते समय दोनों बार $x\%$ तक बेइमानी करता है। उसकी लागत पर प्राप्त लाभ प्रतिशत क्या होगा?

(एस.एस.सी. संयुक्त स्नातक स्तर ग्रेड-टियर-II (सी.बी.ई.) परीक्षा, 2017)

(*a*) $2x\%$ (*b*) $\left(\frac{10}{x}+x^2\right)\%$
(*c*) इनमें से कोई नहीं (*d*) $\left(x+\frac{x^2}{100}\right)\%$

92. एक दुकानदार ₹ 150 प्रति किलोग्राम की दर से एक वस्तु खरीदता है। उसमें से 15% वस्तु नष्ट हो गई। 20% लाभ प्राप्त करने के लिए उसे शेष वस्तु किस कीमत (प्रति किलोग्राम) पर बेचनी चाहिए?

(एस.एस.सी. संयुक्त स्नातक स्तर ग्रेड-टियर-II (सी.बी.ई.) परीक्षा, 2017)

(*a*) ₹ $208\frac{15}{17}$ (*b*) ₹ $207\frac{13}{17}$
(*c*) ₹ $205\frac{5}{17}$ (*d*) ₹ $211\frac{13}{17}$

93. A ने एक मोबाइल फोन B को 25% के लाभ पर बेचा, B ने इसे C को 10% की हानि पर बेच दिया। यदि C ने इसके लिए ₹ 5,625 का भुगतान किया, तो A ने फोन के लिए (₹

में) कितना भुगतान किया था? [एसएससी सीजीएल परीक्षा, 2022]

(*a*) 4,500 (*b*) 4,800 (*c*) 5,100 (*d*) 5,000

94. एक वस्तु का मूल्य ₹ 400 है। फैस्टिवल सेल के दौरान कंपनी 10% के डिस्काउंट कूपन के साथ वस्तु के नियमित मूल्य पर x% की छूट प्रदान करती है। सेल की छूट और छूट कूपन दोनों का उपयोग करने के बाद वस्तु का मूल्य ₹ 216 है। x का मान ज्ञात कीजिए। [एसएससी सीजीएल परीक्षा, 2022]

(*a*) 30 (*b*) 40 (*c*) 35 (*d*) 25

95. एक दुकानदार किसी मशीन पर 18% की छूट देते हुए उसे ₹ 48380 में बेचता है। यदि वह छूट नहीं देता है, तो उसे 18% का लाभ प्राप्त होता। मशीन का क्रय मूल्य (₹ में) क्या है? [एसएससी सीजीएल परीक्षा, 2022]

(*a*) 50,000 (*b*) 48,500
(*c*) 55,000 (*d*) 59,000

96. केले के मूल्य में 20% की कमी होने पर ग्राहक ₹ 80 में 6 केले अधिक खरीद सकता है। केले के प्रति दर्जन मूल्य में हुई कमी (₹ में) ज्ञात कीजिए। [एसएससी सीजीएल परीक्षा, 2022]

(*a*) 32 (*b*) 35 (*c*) 36 (*d*) 40

97. एक व्यक्ति ने एक पुस्तक को इसके मूल्य पर 31% की छूट पर खरीदा। यदि छूट न दी जाती, तो उसे ₹ 2,480 अधिक का भुगतान करना पड़ता। पुस्तक के लिए उसने कितना भुगतान (₹ में) किया? [एसएससी सीजीएल परीक्षा, 2022]

(*a*) 5.520 (*b*) 8.000 (*c*) 4.560 (*d*) 7.000

98. एक वस्तु किसी निश्चित कीमत पर बेची जाती है। यदि इसे इस मूल्य के 70% पर बेचा जाता है, तो 10% की हानि होती है। मूल विक्रय पर बेचने पर प्रतिशत क्या है? [एसएससी सीजीएल परीक्षा, 2022]

(*a*) $\frac{100}{7}$% (*b*) $\frac{50}{7}$% (*c*) $\frac{300}{7}$% (*d*) $\frac{200}{7}$%

99. एक दुकानदार एक वस्तु पर क्रय से x% अधिक मूल्य अंकित करता है और मूल्य पर 30% की छूट देकर उसे बेचता है। यदि उसे 4.8% की हानि होती है, तो x का मान क्या है? [एसएससी सीजीएल परीक्षा, 2022]

(*a*) 36 (*b*) 40 (*c*) 35 (*d*) 30

100. किसी सब्जी विक्रेता ने 1 किग्रा. आलू ₹ 25 में बेचा और 25% लाभ अर्जित किया। शाम को उसने केवल 10% लाभ पर आलू बेचना शुरू कर दिया। शाम को उसने आलू को किस कीमत पर (₹ में) प्रति किग्रा. पर बेचा? [एसएससी सीजीएल परीक्षा, 2022]

(*a*) 20 (*b*) 21 (*c*) 22 (*d*) 24

101. एक दुकानदार लागत मूल्य पर चावल बेचने का दावा करता है। वह चावल को 25% लाभ पर बेचने के इरादे से झूठे वजन का उपयोग करता है। एक ग्राहक को चावल बेचने के बाद, उसे पता चलता है कि ग्राहक ने जितना भुगतान करना चाहिए था उससे 10% कम भुगतान किया है। दुकानदार द्वारा अर्जित वास्तविक लाभ प्रतिशत क्या है? [सीएमएटी पेपर 2021]

(*a*) 6.25% (*b*) 10% (*c*) 12.5% (*d*) 15%

102. अमन एक वस्तु को इसके मूल्य से 20% कम पर खरीदता है और इसे इसके मूल्य से 20% अधिक पर बेचता है। उसका लाभ या हानि प्रतिशत है– [एनसीएचएम जेईई 2021]

(*a*) कोई लाभ नहीं, कोई हानि नहीं
(*b*) 25% से कम लाभ
(*c*) 25% से अधिक हानि
(*d*) 50% लाभ

103. पॉल ने एक मशीन को अंकित मूल्य पर 29% की छूट के साथ ₹ 42,600 में बेचा और 6.5% का लाभ कमाया। यदि मशीन को अंकित मूल्य पर बिना किसी छूट के बेचा जाता तो कितना प्रतिशत लाभ होता? [आईबीपीएस क्लर्क प्रारंभिक 2019]

(*a*) 65 (*b*) 52 (*c*) 69
(*d*) दिए गए विकल्पों के अलावा अन्य

104. यदि कोई दुकानदार किसी वस्तु के क्रय मूल्य पर 50% अधिक मूल्य अंकित करता है और यदि अंकित मूल्य पर 12% की छूट दी जाती है और दुकानदार को ₹ 256 का लाभ होता है, तो वस्तु का वास्तविक लागत मूल्य क्या होगा? (₹ में) [आईबीपीएस आरआरबी ग्रामीण 2019]

(*a*) 1000 (*b*) 800 (*c*) 750 (*d*) 1200

105. एक वस्तु को ₹ 5400 में बेचने पर अर्जित प्रतिशत लाभ उसी वस्तु को ₹ 3600 में बेचने पर हुई हानि के प्रतिशत के बराबर है। यदि वस्तु को ₹ 5000 में बेचा जाता है तो लाभ प्रतिशत क्या होगा? [एलआईसी एएओ (प्री.) 2019]

(*a*) 11.11% (*b*) 12.5% (*c*) 15% (*d*) 9.66

106. यदि एक स्टाल ₹200 में एक पिज्जा बेचता है तो उसे 20% हानि होती है। यदि वह 10% लाभ कमाना चाहता है तो उसे किस मूल्य (₹ में) पर बेचना चाहिए? [एसएससी सीजीएल टियर-II सीबीई परीक्षा, 2018]

(*a*) 250 (*b*) 300 (*c*) 275 (*d*) 325

107. एक पुराना दोपहिया डीलर एक स्कूटर को ₹46,000 में बेचता है और कुछ हानि करता है। यदि उसने इसे ₹58,000 में बेचा होता तो उसका लाभ उसकी हानि का दुगुना होता। स्कूटर का क्रय मूल्य (₹ में) क्या था? [एसएससी सीजीएल टियर-II सीबीई परीक्षा, 2018]

(*a*) 52,000 (*b*) 54,000 (*c*) 48,000 (*d*) 50,000

108. एक वस्तु एक निश्चित मूल्य पर बेची जाती है। यदि इसे इस मूल्य के $33\frac{1}{3}$% पर बेचा जाता है, तो $33\frac{1}{3}$% की हानि होती है। मूल विक्रय मूल्य के 60% पर बेचे जाने पर लाभ प्रतिशत क्या है? [एसएससी सीजीएल टियर-II सीबीई परीक्षा, 2018]

(*a*) 20 (*b*) 30 (*c*) $33\frac{1}{3}$ (*d*) $17\frac{1}{3}$

109. एक वस्तु को ₹ 2,300 में बेचने पर, रेखा को 25% का लाभ होता है। यदि वह इसे ₹ 1955 में बेचती है, तो उसका हानि/लाभ प्रतिशत है– **[एसएससी सीजीएल टियर-I सीबीई परीक्षा, 2019]**

(*a*) हानि, 6.5% (*b*) लाभ, 6.5%
(*c*) लाभ, 6.25% (*d*) हानि, 6.25%

110. एक व्यक्ति ने एक वाहन ₹4,90,828 में खरीदा और उसे ₹5,52,920 में बेच दिया। इस वाहन पर अर्जित लाभ का प्रतिशत क्या है (दो दशमलव स्थानों तक सही)? **[एसएससी सीजीएल टियर-I परीक्षा, 2019]**

(*a*) 15.51% (*b*) 11.55% (*c*) 19.55% (*d*) 12.65%

111. एक वस्तु को ₹144 में बेचने पर, एक दुकानदार को 28% की हानि होती है। हानि को 14% तक कम करने के लिए विक्रय मूल्य क्या होना चाहिए? **[एसएससी सीजीएल टियर-I परीक्षा, 2019]**

(*a*) ₹156 (*b*) ₹182 (*c*) ₹172 (*d*) ₹180

112. एक डीलर ने 6% के लाभ के साथ 6 सिलाई मशीनें ₹63,000 में बेचीं। यदि वह 15% लाभ अर्जित करना चाहता है तो उसे ऐसी 8 सिलाई मशीनें कितने में बेचनी चाहिए? **[एसएससी सीजीएल टियर-I परीक्षा, 2020]**

(*a*) ₹69,300 (*b*) ₹92,400 (*c*) ₹88,200 (*d*) ₹92,000

113. यदि किसी वस्तु के लाभ और विक्रय मूल्य का अनुपात 1 : 5 है, तो उस वस्तु के विक्रय मूल्य और क्रय मूल्य के बीच का अनुपात है: **[एसएससी सीजीएल टियर-I परीक्षा, 2019]**

(*a*) 3 : 2 (*b*) 4 : 3 (*c*) 5 : 4 (*d*) 6 : 5

114. एक सौदे में, एक दुकानदार लागत मूल्य पर 400% लाभ का परीक्षण करता है। यदि लागत मूल्य में 100% की वृद्धि होती है, तो विक्रय मूल्य समान रहता है, नए लाभ और विक्रय मूल्य के बीच का अनुपात क्या है? **[एसएससी एमटीएस (गैर-तकनीकी) स्टाफ परीक्षा, 2019]**

(*a*) 1 : 3 (*b*) 2 : 5 (*c*) 3 : 5 (*d*) 1 : 2

115. 56 कुर्सियाँ बेचने पर मोहन 6 कुर्सियों के विक्रय मूल्य के बराबर लाभ अर्जित करता है। लाभ प्रतिशत क्या है? **[एसएससी सीएचएसएल (10+2) टीयर-I सीबीई परीक्षा, 2018]**

(*a*) 9.28 (*b*) 10.71 (*c*) 12 (*d*) 13.7

116. एक निश्चित वस्तु पर लाभ 150% है। यदि लागत मूल्य में 25% की वृद्धि होती है तो नया लाभ मार्जिन (% में) क्या होगा? **[एसएससी सीजीएल टियर-II सीबीई परीक्षा, 2018]**

(*a*) 25 (*b*) 50 (*c*) 100 (*d*) 75

117. कुछ फल ₹ 100 में 11 की दर से और इतने ही फल ₹ 100 में 9 की दर से खरीदे गए। यदि सभी फलों को ₹ 100 में 100 की दर से बेचा जाता है, तो पूरे सौदे में लाभ या हानि प्रतिशत क्या है? **[एसएससी सीजीएल टियर-II सीबीई परीक्षा, 2019]**

(*a*) लाभ, 5% (*b*) हानि 5% (*c*) लाभ 1% (*d*) हानि, 1%

118. एक व्यक्ति ने एक वस्तु को 8% की हानि पर बेचा। यदि उसने इसे 10.5% के लाभ पर बेचा होता, तो उसे ₹37 और प्राप्त होते। वस्तु का क्रय मूल्य क्या है? **[एसएससी सीएचएसएल (10+2) टियर-I परीक्षा, 2019]**

(*a*) ₹200 (*b*) ₹250 (*c*) ₹240 (*d*) ₹210

119. एक व्यापारी अपने माल पर क्रय मूल्य से 40% अधिक मूल्य अंकित करता है। वह अंकित मूल्य पर 70% माल बेचता है और बाकी वह अंकित मूल्य पर 40% छूट देकर बेचता है। उसका लाभ प्रतिशत है– **[एसएससी सीएचएसएल (10+2) टियर-I परीक्षा, 2019]**

(*a*) 23.4 (*b*) 24.2 (*c*) 23.2 (*d*) 24.4

120. एक व्यक्ति अपने माल पर लागत मूल्य से x% अधिक मूल्य अंकित करता है और अंकित मूल्य पर 30% की छूट देता है। यदि उसका लाभ 5% है, तो x का मान होगा– **[एसएससी सीजीएल टियर-II सीबीई परीक्षा, 2019]**

(*a*) 50 (*b*) 60 (*c*) 45 (*d*) 35

121. एक दुकानदार अपने सामान पर क्रय मूल्य से 25% अधिक मूल्य अंकित करता है। वह तीन-चौथाई माल अंकित मूल्य पर बेचता है और शेष को अंकित मूल्य पर 40% छूट पर बेचता है। उसका लाभ/हानि प्रतिशत है– **[एसएससी सीजीएल टियर-I सीबीई परीक्षा, 2019]**

(*a*) हानि, 8.75% (*b*) हानि, 12.5%
(*c*) लाभ 10.5% (*d*) लाभ, 12.5%

122. एक वस्तु का अंकित मूल्य ₹2600 है, जो उसके क्रय मूल्य से 30% अधिक है। यदि लाभ 45% है, तो वस्तु का विक्रय मूल्य क्या होगा? **[एसएससी एमटीएस (गैर-तकनीकी) स्टाफ परीक्षा, 2019]**

(*a*) ₹3100 (*b*) ₹3900 (*c*) ₹2700 (*d*) ₹2900

123. अभी ने ₹624 में दो वस्तुएँ खरीदीं। उसने एक को 14% की हानि पर और दूसरे को 14% के लाभ पर बेचा। यदि दोनों वस्तुओं का विक्रय मूल्य बराबर है, तो उनके क्रय मूल्यों के बीच का अंतर (₹ में) है– **[एसएससी सीजीएल टियर-I सीबीई परीक्षा, 2019]**

(*a*) 89.64 (*b*) 87.36 (*c*) 89.84 (*d*) 88.84

124. दो वस्तुओं का क्रय मूल्य समान है। उनमें से एक वस्तु को 15% के लाभ पर बेचा जाता है और दूसरी को 12% के लाभ पर बेचा जाता है। यदि उनके विक्रय मूल्य का अंतर ₹ 18 है, तो प्रत्येक वस्तु का क्रय मूल्य क्या है? **[एसएससी एमटीएस (गैर-तकनीकी) स्टाफ परीक्षा, 2019]**

(*a*) ₹570 (*b*) ₹690 (*c*) ₹400 (*d*) ₹600

125. विनय चीनी पर 4% कम करने का दावा करता है और 1 किलो के बजाय 620 ग्राम वजन का उपयोग करता है। कुल लाभ प्रतिशत क्या है? **[एसएससी सीएचएसएल (10+2) टीयर-I सीबीई परीक्षा, 2018]**

(*a*) 44.24 (*b*) 34.14 (*c*) 35.41 (*d*) 54.84

126. एक व्यक्ति ने ₹2500 में 25 वस्तुएँ बेचीं और उसे 10% की हानि हुई। 20% का लाभ कमाने के लिए उसे ₹2400 में कितनी वस्तुएँ बेचनी चाहिए? **[एसएससी सीजीएल टियर-II सीबीई परीक्षा, 2019]**

(*a*) 15 (*b*) 20 (*c*) 16 (*d*) 18

127. एक विक्रेता ने ₹2400 में 40 दर्जन फल खरीदे। इनमें से 30 फल सड़ कर फेंक दिए गए। 25% का लाभ कमाने के लिए उसे शेष फलों को प्रति दर्जन किस दर पर बेचना चाहिए?

[एसएससी सीजीएल (10+2) टियर-I परीक्षा, 2019]

(a) ₹84 (b) ₹72 (c) ₹90 (d) ₹80

128. एक आदमी ने ₹3,000 प्रत्येक के लिए तीन वस्तुएँ खरीदीं। उसने वस्तुओं को क्रमशः 15% लाभ 10% लाभ और 15% हानि पर बेचा। उसके द्वारा अर्जित कुल प्रतिशत लाभ/हानि है–

[एसएससी सीएचएसएल (10+2) टियर-I परीक्षा, 2019]

(a) 3.33% लाभ (b) 3% हानि
(c) 4% हानि (d) न लाभ न हानि

129. आदित्य, एक व्यापारी, खुदरा विक्रेता को 20% छूट पर एक वस्तु बेचता है, लेकिन डिलीवरी और पैकेजिंग के लिए छूट वाली कीमत पर 10% शुल्क लेता है। खुदरा विक्रेता इसे ₹ 2046 अधिक में बेचता है, जिससे 25% का लाभ अर्जित होता है। व्यापारी ने वस्तु को किस कीमत पर अंकित किया था?

[आईबीपीएस आरआरबी अधिकारी ग्रेड 'बी' परीक्षा, 2015]

(a) ₹ 9400 (b) ₹ 9000 (c) ₹ 8000 (d) ₹ 9300

130. धार ने ₹ 8000 की कुल लागत पर दो वस्तुएँ A और B खरीदीं। उसने वस्तु A को 20% लाभ पर और वस्तु B को 12% हानि पर बेचा। इस पूरे सौदे में उन्हें न तो कोई लाभ हुआ और न ही कोई हानि। 25% का समग्र लाभ कमाने के लिए धार को वस्तु B को किस कीमत पर बेचना चाहिए था?

[आरबीआई जीआर. 'बी' (प्रथम चरण) परीक्षा, 2015]

(a) ₹ 5200 (b) ₹ 5800 (c) ₹ 6400 (d) ₹ 6200

131. एक डीलर ने लागत मूल्य से 40% अधिक वस्तु की कीमत अंकित की। उसने एक विशेष ग्राहक को 20% और 25% की लगातार दो छूट दी। परिणामस्वरूप उसे ₹448 की हानि हुई। उक्त ग्राहक को उसने किस कीमत पर वस्तु बेची?

[आईबीपीएस-बैंक स्पे. अधिकारी (आईटी) परीक्षा, 2015]

(a) ₹ 2,416 (b) ₹ 2,352 (c) ₹ 2,268 (d) ₹ 2,152

132. अंकित मूल्य लागत मूल्य से 10% अधिक है। अंकित मूल्य पर 10% की छूट दी जाती है। इस प्रकार की बिक्री में विक्रेता– [एसएससी सीएचएसएल (10 + 2) परीक्षा, 2015]

(a) लाभ 2% (b) कोई हानि नहीं, कोई लाभ नहीं
(c) लाभ 1% (d) हानि 1%

133. किसी वस्तु को ₹ 5520 में बेचने पर अर्जित लाभ उसी वस्तु को ₹ 4080 में बेचने पर हुई हानि के बराबर है। यदि वस्तु को ₹ 6000 में बेचा जाता है, तो लाभ प्रतिशत क्या होगा?

[(यूआईआईसीएल) असिस्टेंट (ऑनलाइन) परीक्षा, 2015]

(a) 20 (b) 12 (c) 25 (d) 15

134. राजलानी ने एक मशीन को अंकित मूल्य पर 8% की छूट के साथ ₹ 22, 000 में बेचा और 22% का लाभ कमाया। यदि मशीन को अंकित मूल्य पर बिना किसी छूट के बेचा जाता तो लाभ प्रतिशत क्या होता? [एनआईसीएल-एएओ परीक्षा, 2015]

(a) 36 1/3 (b) 30 2/3 (c) 27 1/3 (d) 33 1/3

135. एक वस्तु ₹ X में खरीदी गई और ₹ Y में बेची गई, जिससे 20% का लाभ हुआ। यदि X का मान 15% कम होता और Y का मूल्य ₹ 76 कम होता, तो 30% का लाभ अर्जित होता। 'X' का मान क्या था?

[आईबीपीएस आरआरबी अधिकारी जीआर. 'बी' परीक्षा, 2015]

(a) ₹ 640 (b) ₹ 400 (c) ₹ 600 (d) ₹ 800

136. एक व्यापारी के पास 600 किग्रा चावल है, जिसका एक भाग वह 15% लाभ पर और शेष भाग 20% हानि पर बेचता है। कुल मिलाकर, उसे कुल 6% की हानि होती है। उसने 20% हानि पर कितने चावल बेचे?

[आईबीपीएस-बैंक पीओ/एमटी परीक्षा, 2015]

(a) 250 किग्रा (b) 320 किग्रा (c) 420 किग्रा (d) 360 किग्रा

137. जब एक वस्तु को ₹ 696 में बेचा गया, तो अर्जित लाभ का प्रतिशत P% था। जब उसी वस्तु को ₹ 841 में बेचा गया, तो अर्जित लाभ का प्रतिशत $(p + 25\%)$ था। p का मान क्या है?

[आईबीपीएस-आरआरबी अधिकारी सहायक (ऑनलाइन) परीक्षा, 2015]

(a) 10 (b) 25 (c) 15 (d) 20

138. रजा ने ₹ 6810 में एक साइकिल खरीदी। उसने 13.5% वैट का भुगतान किया था। साइकिल का सूची मूल्य था–

[एसएससी-सीएचएसएल (10+2) परीक्षा, 2015]

(a) ₹ 6696.50 (b) ₹ 6140
(c) ₹ 5970.50 (d) ₹ 6000

139. श्रीनिवास ने एक वस्तु को ₹ 6800 में बेचा और उसे हानि हुई। यदि उसने वस्तु को ₹ 7850 में बेचा होता, तो उसका लाभ उसके द्वारा की गई हानि की राशि के आधे के बराबर होता। उसे 20% लाभ प्राप्त करने के लिए वस्तु को किस कीमत पर बेचना चाहिए? [आईबीपीएस-बैंक पीओ (प्री.) परीक्षा, 2015]

(a) ₹ 7500 (b) ₹ 9000 (c) ₹ 10680 (d) ₹ 9600

140. सुब्रतो ने एक वस्तु को उसके अंकित मूल्य पर 12% की छूट देकर ₹ 528 में बेचा। वस्तु का अंकित मूल्य क्या था?

[ईएसआईसी-यूडीसी परीक्षा, 2016]

(a) ₹ 600 (b) ₹ 700 (c) ₹ 650 (d) ₹ 590

141. संजय ने 12% की छूट देने के बाद एक शर्ट बेचकर 8% का लाभ कमाया। यदि कमीज का अंकित मूल्य ₹ 1080 है, तो उसका क्रय मूल्य ज्ञात कीजिए।

[एसबीआई जूनियर एसोसिएट्स (प्री.) परीक्षा, 2016]

(a) 890 (b) 780 (c) 880 (d) 900

142. एक वस्तु का बिक्री कर सहित विक्रय मूल्य ₹ 1232 है। बिक्री कर की दर 10% है। यदि दुकानदार ने 12% का लाभ कमाया है, तो वस्तु का क्रय मूल्य है–

[डीएमआरसी-ट्रेन ऑपरेटर (स्टेशन कंट.) परीक्षा, 2016]

(a) ₹ 900 (b) ₹ 950 (c) ₹ 1000 (d) ₹ 1120

143. एक मशीन का मूल्य उस वर्ष की शुरुआत में उसके मूल्य पर 10% की दर से हर साल घटता है। यदि मशीन का वर्तमान मूल्य ₹ 729 है, तो इसकी कीमत तीन वर्ष पहले थी–

[सीएलएटी, 2016]

(a) ₹ 947.70 (b) ₹ 1000 (c) ₹ 750.87 (d) ₹ 800

144. मीना कुमारी एक दुकान पर जाती है और 12% बिक्री कर सहित ₹ 5,225 की कीमत वाली एक साड़ी खरीदती है। दुकानदार उसे छूट देता है, ताकि बिक्री कर के बराबर राशि से कीमत कम हो जाए। कीमत (निकटतम मूल्य से) कितनी कम हो गई है?

[आईबीपीएस-बैंक स्पेशलिस्ट ऑफिसर (मार्के.जी) परीक्षा, 2016]

(a) ₹ 615 (b) ₹ 650 (c) ₹ 560 (d) ₹ 580

145. एक कुर्सी को ₹ 752 में बेचने पर अर्जित लाभ उसी कुर्सी को ₹ 400 में बेचने पर हुई हानि का 1.2 गुना है। कुर्सी का क्रय मूल्य क्या है?

[डीएमआरसी-कस्टो. रिले. असिस्टेंट (सीआरए) परीक्षा, 2016]

(*a*) ₹ 540 (*b*) ₹ 592
(*c*) ₹ 560 (*d*) इनमें से कोई नहीं

146. एक प्रकाशक खुदरा विक्रेता को 5 प्रति पर पुस्तकों की प्रतियाँ बेचता है लेकिन 24 प्रतियों को 24 के रूप में गिनने की अनुमति देता है। यदि खुदरा विक्रेता 25 प्रतियों में से प्रत्येक को 6 पर बेचता है, तो उसका लाभ प्रतिशत क्या होगा?

[डीएमआरसी इंजीनियर (इलेक्ट्रॉनिक्स) परीक्षा, 2016]

(*a*) 20% (*b*) 24% (*c*) 25% (*d*) 40%

147. सुप्रिया ने एक वॉशिंग मशीन ₹ 8500 में बेची। इस सौदे में उसे 15% की हानि हुई। उसने वाशिंग मशीन किस कीमत पर खरीदी थी? **[ईएसआईसी-यूडीसी परीक्षा, 2016]**

(*a*) ₹ 10000 (*b*) ₹ 1200 (*c*) ₹ 11000 (*d*) ₹ 10500

148. एक साइकिल की कीमत 1150 अंकित है। अंकित मूल्य पर 15% की छूट देने के बाद एक दुकानदार 15% का लाभ अर्जित करता है। साइकिल का क्रय मूल्य ज्ञात कीजिए।

[ईएसआईसी-यूडीसी परीक्षा, 2016]

(*a*) ₹ 900 (*b*) ₹ 1000 (*c*) ₹ 850 (*d*) ₹ 950

149. दो कमीजों A और B का औसत क्रय मूल्य 400 रुपए है और इन कमीजों पर लाभ प्रतिशत क्रमशः 10% और 20% है। यदि इन कमीजों का कुल विक्रय मूल्य 928 रुपए है, तो कमीज B का क्रय मूल्य ज्ञात कीजिए।

(a) ₹360 (b) ₹320
(c) ₹480 (d) ₹420
(e) इनमें से कोई नहीं

150. एक पेंटिंग को ₹1,498 में बेचने पर, इसे ₹1,300 पर बेचने पर हुई हानि से 25% अधिक लाभ होता है। 25% का लाभ प्राप्त करने के लिए, विक्रय मूल्य क्या होगा?

[एसएससी सीजीएल परीक्षा, 27/07/2023 (Shift-01)]

(*a*) ₹1,735 (*b*) ₹1,335 (*c*) ₹1,388 (*d*) ₹1,388

151. एक बेईमान व्यापारी किसी वस्तु को क्रय मूल्य से 15% हानि पर बेचता है, लेकिन 25 ग्राम के स्थान पर 20 ग्राम वजन का उपयोग करता है। उसका लाभ या हानि प्रतिशत क्या होगा? **[एसएससी सीजीएल परीक्षा, 27/07/2023 (Shift-02)]**

(*a*) 6.25% लाभ (*b*) 6.50% लाभ
(*c*) 7.55% हानि (*d*) 5.25% हानि

152. एक बेईमान व्यापारी अपने सामान को 22% हानि के साथ बेचने की घोषणा करता है, लेकिन 35% हल्के वजन का उपयोग करता है। उसके लाभ या हानि का प्रतिशत क्या है?

[एसएससी सीपीओ परीक्षा, 03/10/2023 (Shift-01)]

(a) 20% हानि (b) 13% लाभ (c) 13% हानि (d) 20% लाभ

153. पहली शर्ट दूसरी शर्ट के विक्रय मूल्य से दोगुने पर बेची जाती है। पहली शर्ट 8% लाभ पर बेची जाती है और दूसरी शर्ट 3% हानि पर बेची जाती है। शर्ट पर कुल प्रतिशत लाभ क्या है (दो दशमलव स्थानों तक पूर्णांकित)?

[एसएससी सीपीओ परीक्षा, 03/10/2023 (Shift-01)]

(*a*) 4.86% (*b*) 4.07% (*c*) 4.60% (*d*) 3.86%

154. यदि मूल्य मद में 70% की वृद्धि की जाती है और फिर इस अंकित मूल्य पर 5% और 20% की योजना छूट की अनुमति दी जाती है। यदि कीमत का भुगतान नकद में किया जाता है और 20% की अतिरिक्त छूट की अनुमति है तो उसका लाभ प्रतिशत क्या है?

[एसएससी एमटीएस परीक्षा, 01/09/2023 (Shift-01)]

(*a*) 2.25% (*b*) 4.36% (*c*) 3.25% (*d*) 3.36%

155. एक वस्तु का लागत मूल्य 14,350 है। यदि इसे 5,6807 पर बेचा जाता है तो लाभ प्रतिशत (1 दशमलव स्थान तक पूर्णांकित) क्या है

[एसएससी एमटीएस परीक्षा, 01/09/2023 (Shift-01)]

(*a*) 28.5% (*b*) 40.7% (*c*) 36.8% (*d*) 30.6%

156. राजू ने 10% लाभ पर रवि को एक वस्तु बेची। रवि ने उस वस्तु को 10% हानि पर रामू को बेच दिया। यदि रामन ने रवि को 1,485 का भुगतान किया, तो राजू का रवि को विक्रय मूल्य ज्ञात कीजिए।

[एसएससी एमटीएस परीक्षा, 01/09/2023 (Shift-01)]

(*a*) ₹1,200 (*b*) ₹1,500 (*c*) ₹1,650 (*d*) ₹1,600

157. एक कैलकुलेटर को ₹1,080 में बेचने पर 10% की हानि होती है, यदि वस्तु ₹1,350 में बेची जाती है, तो लेनदेन में शुद्ध परिणाम है:

[एसएससी एमटीएस परीक्षा, 13/09/2023 (Shift-01)]

(*a*) $12\frac{1}{2}$% हानि (*b*) 12% लाभ
(*c*) $12\frac{1}{2}$% लाभ (*d*) 12% हानि

158. कुछ संतरे ₹150 प्रति सैकड़ा पर खरीदे गए और ₹24 प्रति दर्जन संतरे बेचे गए। इससे ₹1,000 का लाभ हुआ। कितने संतरे खरीदे गए? **[एसएससी एमटीएस परीक्षा, 13/09/2023 (Shift-01)]**

(*a*) 3000 (*b*) 2500 (*c*) 1500 (*d*) 2000

उत्तरमाला

1. (b)	2. (c)	3. (b)	4. (d)	5. (a)	6. (d)	7. (c)	8. (e)	9. (d)	10. (b)
11. (d)	12. (a)	13. (b)	14. (d)	15. (b)	16. (b)	17. (d)	18. (c)	19. (c)	20. (c)
21. (b)	22. (d)	23. (d)	24. (b)	25. (c)	26. (b)	27. (d)	28. (a)	29. (a)	30. (d)
31. (a)	32. (c)	33. (e)	34. (a)	35. (a)	36. (b)	37. (c)	38. (a)	39. (a)	40. (b)
41. (c)	42. (d)	43. (b)	44. (a)	45. (d)	46. (b)	47. (a)	48. (a)	49. (c)	50. (b)
51. (b)	52. (a)	53. (b)	54. (b)	55. (b)	56. (a)	57. (a)	58. (d)	59. (c)	60. (d)
61. (a)	62. (c)	63. (a)	64. (a)	65. (b)	66. (a)	67. (d)	68. (b)	69. (d)	70. (a)
71. (b)	72. (b)	73. (b)	74. (b)	75. (b)	76. (a)	77. (c)	78. (b)	79. (a)	80. (c)
81. (d)	82. (d)	83. (a)	84. (b)	85. (d)	86. (b)	87. (c)	88. (c)	89. (b)	90. (d)
91. (c)	92. (d)	93. (d)	94. (b)	95. (a)	96. (a)	97. (a)	98. (d)	99. (a)	100. (c)
101. (c)	102. (d)	103. (d)	104. (b)	105. (a)	106. (c)	107. (d)	108. (a)	109. (c)	110. (d)
111. (c)	112. (d)	113. (c)	114. (c)	115. (c)	116. (c)	117. (d)	118. (a)	119. (c)	120. (a)
121. (d)	122. (d)	123. (b)	124. (d)	125. (d)	126. (d)	127. (d)	128. (a)	129. (d)	130. (c)
131. (b)	132. (d)	133. (c)	134. (d)	135. (d)	136. (d)	137. (d)	138. (d)	139. (c)	140. (a)
141. (c)	142. (c)	143. (b)	144. (c)	145. (c)	146. (c)	147. (a)	148. (c)	149. (c)	150. (a)
151. (a)	152. (d)	153. (b)	154. (d)	155. (d)	156. (c)	157. (c)	158. (d)		

दिये गये प्रश्नों के हल

1. स्कूटर पर कुल लागत $= ₹\ (4700 + 800) = ₹\ 5500$ तथा विक्रय मूल्य $= ₹\ 5800$.

अतः लाभ $= (5800 - 5500)$

$= ₹\ 300$. लाभ %

$$= \left(\frac{300}{5500} \times 100\right)\% = \frac{60}{11}\% = 5\frac{5}{11}\%.$$

2. क्रय मूल्य $= ₹\ 420$, विक्रय मूल्य $= ₹\left(70 \times \frac{13}{2}\right) = ₹\ 455$.

$\therefore$ लाभ $= ₹\ (455 - 420) = ₹\ 35$ अतः लाभ %

$$= \left(\frac{35}{420} \times 100\right)\% = \frac{25}{3}\% = 8\frac{1}{3}\%.$$

3. माना क्रय मूल्य $= ₹\ x$.

तब, $(425 - x) = (x - 355) \Leftrightarrow 2x = (425 + 355)$

$\Leftrightarrow 2x = 780 \Leftrightarrow x = 390.$

अतः वस्तु का क्रय मूल्य $= ₹\ 390$.

4. क्रय-मूल्य $= ₹(100 - 15) = ₹\ 85$.

अतः लाभ % $= \left(\frac{15}{85} \times 100\right)\% = \frac{300}{17}\% = 17\frac{11}{17}\%.$

5. माना क्रय-मूल्य $= ₹\ x$ तब, x का $110\% = ₹\ 19800$.

$\therefore \left(x \times \frac{110}{100}\right) = 19800 \Leftrightarrow x = \left(19800 \times \frac{100}{110}\right) = ₹\ 18000.$

6. माना क्रय-मूल्य $= ₹\ x$. तब, x का $75\% = ₹\ 69{\cdot}60$.

$\therefore \left(x \times \frac{75}{100}\right) = 69{\cdot}60 \Leftrightarrow x = \left(\frac{69{\cdot}60 \times 100}{75}\right) = ₹\ 92{\cdot}80.$

7. माना क्रय-मूल्य $= ₹\ x$. तब, x का $90\% = 21{\cdot}60$.

$\therefore \left(x \times \frac{90}{100}\right) = 21{\cdot}60 \Leftrightarrow x = \left(\frac{21{\cdot}60 \times 100}{90}\right) = ₹\ 24$

$\Leftrightarrow$ क्रय-मूल्य $= ₹\ 24$.

लाभ % = 20. अतः विक्रय-मूल्य

$= (₹\ 24$ का $120\%) = ₹\left(24 \times \frac{120}{100}\right) = ₹\ 28{\cdot}80.$

8. माना क्रय मूल्य $= ₹\ x$. तब, x का $140\% = 1120$.

$\therefore \left(x \times \frac{140}{100}\right) = 1120 \Leftrightarrow x = \left(\frac{1120 \times 100}{140}\right) = ₹\ 800.$

अब, क्रय-मूल्य $= ₹\ 800$ तथा लाभ $= 60\%$.

$\therefore$ विक्रय-मूल्य $= ₹\left(800 \times \frac{160}{100}\right) = ₹\ 1280.$

9. माना प्रत्येक वस्तु का क्रय-मूल्य $= ₹\ 1$.

तब, 16 वस्तुओं का क्रय-मूल्य $= ₹\ 16$.

16 वस्तुओं का विक्रय-मूल्य = 20 वस्तुओं का क्रय-मूल्य $= ₹\ 20$.

₹ 16 पर लाभ $= ₹\ 4$

$\Leftrightarrow$ लाभ % $= \left(\frac{4}{16} \times 100\right)\% = 25\%.$

10. वस्तु का लागत का मूल्य $= ₹\ 20r$

विक्रय मूल्य $= ₹\ 21r$

$\therefore$ लाभ प्रतिशत $= \frac{(21r - 20r)}{20r} \times 100 = \frac{100}{20} = 5\%$

11. लाभ % $= \frac{26 - 25}{25} \times 100 = \frac{100}{25} = 4\%$

12. हमारे पास है,

95 संतरों का क्रय मूल्य = 80 संतरों का विक्रय मूल्य

$\Rightarrow \frac{\text{क्रय मूल्य}}{\text{विक्रय मूल्य}} = \frac{80}{95} \Rightarrow \frac{\text{क्रय मूल्य}}{\text{विक्रय मूल्य}} = \frac{16}{19}$

अब लाभ प्रतिशत $= \frac{3}{16} \times 100 = 18.75\%$

13. मान लीजिए व्यक्ति का प्रारंभिक वेतन $= ₹\ x$

$\therefore$ नया वेतन $= x \times \frac{150}{100} \times \frac{50}{100} = \frac{75x}{100} = \frac{3x}{4}$

$\therefore$ प्रतिशत हानि $= \dfrac{x - \frac{3x}{4}}{x} \times 100 = 25\%$

14. क्रय मूल्य $= \dfrac{\text{विक्रय मूल्य}}{(100 + \text{लाभ})} \times 100$

$= \dfrac{59,620}{100+8.4} \times 100 = \dfrac{59620}{108.4} \times 100 = ₹\ 55000$

15. माना अंकित मूल्य = ₹ 100

तब, नेट विक्रय मूल्य = (100 – 8)% का (100 – 12)% 100 का

= 100 के 88% का 92% = 80.96

$\therefore$ अभीष्ट छूट = (100 – 80.96)% = 19.04%

16. 100 केले का क्रय मूल्य = ₹400

1 केले का क्रय मूल्य $= \dfrac{400}{100} = ₹4$

12 केलों का विक्रय मूल्य = 60

1 केले का विक्रय मूल्य $= \dfrac{60}{12} = ₹5$

$\therefore$ लाभ % $= \dfrac{1}{4} \times 100 = 25\%$

17. माना बाजार मूल्य = x

छूट = 15% x

$\therefore\ x - 15\%\ x = 680$

$85\%\ x = 680 = \dfrac{680}{85} \times 100 = ₹800$

18. लाभ % $= \left[\dfrac{\text{त्रुटि}}{\text{सही मूल्य - त्रुटि}} \times 100\right]\%$

$= \dfrac{100}{1000-100} \times 100 = \dfrac{100}{900} \times 100 = \dfrac{1}{9} \times 100 = 11.11\%$

19. 1 पेन का क्रय मूल्य $= ₹\dfrac{1}{25}$

1 पेन का विक्रय मूल्य $= ₹\dfrac{1}{15}$

$\therefore$ लाभ% $= \dfrac{\frac{1}{15} - \frac{1}{25}}{\frac{1}{25}} \times 100$

$= \dfrac{\frac{5-3}{75}}{\frac{1}{25}} \times 100 = \dfrac{2}{75} \times \dfrac{25}{1} \times 100 = 66\dfrac{2}{3}\%$

20. काँच का क्रय मूल्य $= 1965 \times \dfrac{100}{75} = \dfrac{1965 \times 4}{3}$

$= 655 \times 4 = 2620$

विक्रय मूल्य = 3013

$\therefore$ लाभ % $= \dfrac{3013 - 2620}{2620} \times 100 = \dfrac{393}{2620} \times 100 = 15\%$

21. चूँकि लाभ हमेशा क्रय मूल्य पर होता है।

$\therefore$ क्रय मूल्य का 17% = 221

क्रय मूल्य $= \dfrac{221}{17} \times 100 = ₹1300$

22. क्रय मूल्य $= 4644 \times \dfrac{100}{129} = ₹3600$

23. 2 वस्तुओं का विक्रय मूल्य = 2 वस्तुओं का क्रय मूल्य + 3 वस्तुओं का क्रय मूल्य

$\therefore$ लाभ % $= \dfrac{3}{2} \times 100 = 150\%$

24. विक्रय मूल्य $= 1800 \times \dfrac{132}{100} = ₹\ 2376$

25. विक्रय मूल्य $= 480 \times \dfrac{100+1.25}{100} = 480 \times \dfrac{112.5}{100}$

$= 480 \times \dfrac{9}{8} = ₹\ 540$

26. माना क्रय मूल्य = x

विक्रय मूल्य $= x \times \dfrac{100 + 14\frac{2}{7}}{100} = x \times \dfrac{8}{7} = \dfrac{8}{7}x$

$\therefore$ विक्रय मूल्य का अभीष्ट अनुपात : क्रय मूल्य

$= \dfrac{8}{7}x : x = 8x : 7x = 8 : 7$

27. माना क्रय मूल्य = $7x$

विक्रय मूल्य $= \dfrac{8}{7} \times 7x = 8x$

$\therefore$ लाभ% $= \dfrac{8x - 7x}{7x} \times 100 = \dfrac{x}{7x} \times 100 = \dfrac{100}{7}\%$

28. 36 मोबाइल का विक्रय मूल्य = 36 मोबाइल का विक्रय मूल्य – 4 का विक्रय मूल्य

36 का विक्रय मूल्य + 4 का विक्रय मूल्य

= 36 का क्रय मूल्य

40 का विक्रय मूल्य = 40 का क्रय मूल्य – 4 का क्रय मूल्य

$\therefore$ हानि % $= \dfrac{4}{40} \times 100 = 10\%$

29. डिब्बे का क्रय मूल्य = ₹ 75

लाभ % = 8%

अब, अपेक्षित विक्रय मूल्य या विक्रय मूल्य

$= (108\% \text{ of } ₹\ 75) = ₹\left(\dfrac{75 \times 108}{100}\right) = ₹\ 81$

30. मान लीजिए, (5 और 6 का एलसीएम)

= 30 संतरे खरीदे गए।

$\therefore$ 30 संतरों का क्रय मूल्य $= \dfrac{10}{5} \times 30 = ₹\ 60$

उनके विक्रय मूल्य $= \dfrac{15}{6} \times 30 = ₹\ 75$

लाभ = ₹ (75 – 60) = ₹ 15

$\therefore$ लाभ प्रतिशत $= \left(\dfrac{15}{60}\right) \times 100 = 25\%$

31. हमारे पास है,

28 संतरे × लागत मूल्य = 24 संतरे × लागत मूल्य

$\Rightarrow \dfrac{\text{विक्रय मूल्य}}{\text{लागत मूल्य}} = \dfrac{6}{7}$

$\therefore$ लाभ % = $\frac{1}{6}\times 100\% = 16\frac{2}{3}\%$

32. $\Rightarrow$ लागत मूल्य × (100 + 10/100) = 35

$\Rightarrow$ लागत मूल्य × (11/10) = 55

$\Rightarrow$ लागत मूल्य = 55 × (10/11)

$\Rightarrow$ लागत मूल्य = ₹50

$\Rightarrow$ लाभ = (58 - 50)/50 × 100 = 16%

33. 1 साड़ी का विक्रय-मूल्य = ₹ 266. माना प्रत्येक साड़ी का अंकित मूल्य = ₹ x.

तब, $\frac{95x}{100} = 266 \Leftrightarrow x = \frac{(266\times 100)}{95} = 280.$

बट्टा न देने पर, विक्रय-मूल्य = अंकित मूल्य = ₹ 280, लाभ = 12%.

$\therefore$ क्रय-मूल्य = ₹$\left(\frac{100}{112}\times 280\right)$ = ₹ 250.

34. माना अंकित मूल्य = ₹ x. तब,

क्रय-मूल्य = ₹ x का 85% = ₹$\left(x\times\frac{85}{100}\right)$ = ₹$\frac{17x}{20}$.

वि० मूल्य = ₹$\left(x\times\frac{120}{100}\right)$ = ₹$\frac{6x}{5}$.

$\therefore \frac{6x}{5} = 2880 \Leftrightarrow x = \frac{(2880\times 5)}{6} = 2400.$

अत: क्रय-मूल्य = ₹$\left(\frac{17}{20}\times 2400\right)$ = ₹ 2040.

35. माना अंकित मूल्य = ₹ 100. तब,

विक्रय मूल्य = ₹ 90 लाभ अर्जित = 20%.

$\therefore$ क्रय-मूल्य = ₹$\left(\frac{100}{120}\times 90\right)$ = ₹ 75.

अब, कमीशन = ₹ 20 अत: विक्रय-मूल्य

= ₹(100 – 20) = ₹80.

इस प्रकार, क्रय-मूल्य = ₹ 75 तथा विक्रय-मूल्य = ₹ 80.

$\therefore$ लाभ % = $\left(\frac{5}{75}\times 100\right)\% = \frac{20}{3}\% = 6\frac{2}{3}\%.$

36. कुल विक्रय- मूल्य = ₹ 2 लाख.

घर का क्रय-मूल्य = ₹$\left(\frac{100}{80}\times 1\right)$ लाख = ₹$\frac{5}{4}$ लाख.

दुकान का क्रय-मूल्य = ₹$\left(\frac{100}{120}\times 1\right)$ लाख = ₹$\frac{5}{6}$ लाख.

कुल क्रय-मूल्य = ₹$\left(\frac{5}{4}+\frac{5}{6}\right)$ लाख = ₹$\frac{25}{12}$ लाख.

हानि = ₹$\left(\frac{25}{12}-2\right)$ लाख = ₹$\frac{1}{12}$ लाख.

37. माना पूरे स्टॉक का क्रय-मूल्य = ₹ x,

$\frac{2}{3}$ स्टाक का क्रय-मूल्य = ₹$\frac{2x}{3}$,

$\frac{1}{3}$ स्टॉक का क्रय-मूल्य = ₹$\frac{x}{3}$.

पूरे स्टॉक का वि० मूल्य = ₹$\left(\frac{2x}{3}\times\frac{120}{100}\right)$ + ₹$\left(\frac{x}{3}\times\frac{114}{100}\right)$

= ₹$\left(\frac{4x}{5}+\frac{19x}{50}\right)$ = ₹$\frac{59x}{50}$.

$\therefore$ लाभ = ₹$\left(\frac{59x}{50}-x\right)$ = ₹$\frac{9x}{50}$.

अत: लाभ % = $\left(\frac{9x}{50}\times\frac{1}{x}\times 100\right)\% = 18\%.$

38. कुल वि० मूल्य = ₹ 8000 तथा कुल क्रय-मूल्य = ₹ 8000.

पहले घोड़े का वि० मूल्य = ₹ 4000. इस पर लाभ = 25%.

$\therefore$ पहले घोड़े का क्रय-मूल्य = ₹$\left(\frac{100}{125}\times 4000\right)$ = ₹ 3200.

दूसरे घोड़े का क्रय-मूल्य = ₹ (8000 – 3200) = ₹ 4800.

दूसरे घोड़े का विक्रय-मूल्य = ₹ 4000.

दूसरे घोड़े पर हानि % = $\left(\frac{800}{4800}\times 100\right)\% = 16\frac{2}{3}\%.$

39. हानि % = $\left(\frac{5}{10}\right)^2\% = \frac{1}{4}\% = 0{\cdot}25\%.$

40. माना वि० मूल्य = ₹ x. तब, क्रय-मूल्य = ₹$\frac{13x}{15}$.

इससे प्राप्त धन = ₹ x का 112%

= ₹$\left(x\times\frac{112}{100}\right)$ = ₹$\frac{28x}{25}$.

लाभ = ₹$\left(\frac{28x}{25}-\frac{13x}{15}\right)$ = ₹$\frac{19x}{75}$.

लाभ % = $\left(\frac{19}{75}\times\frac{15}{13}\times 100\right)\% = \frac{380}{13}\% = 29\frac{3}{13}\%.$

41. माना प्रत्येक दीवार घड़ी का क्रय-मूल्य = ₹ x. तब,

90 घड़ियों का क्रय-मूल्य = ₹ $90x$.

$\left(40x\times\frac{110}{100}\right)+\left(50x\times\frac{120}{100}\right)$ – ($90x$ का 115%) = 40

$\Leftrightarrow 44x + 60x - 103{\cdot}5x = 40 \Leftrightarrow 0{\cdot}5x = 40 \Leftrightarrow x = 80.$

$\therefore$ प्रत्येक दीवार घड़ी का क्रय-मूल्य = ₹ 80.

42. माना अभीष्ट पूँजियाँ ₹ $3x$ तथा ₹ $5x$ हैं.

पहली पूँजी से प्राप्त धन = ₹$\left(3x\times\frac{115}{100}\right)$ = ₹$\frac{69x}{20}$.

दूसरी पूँजी से प्राप्त धन = ₹$\left(5x\times\frac{90}{100}\right)$ = ₹$\frac{9x}{2}$.

कुल ₹ $8x$ से प्राप्त धन = ₹$\left(\frac{69x}{20}+\frac{9x}{2}\right)$ = ₹$\frac{159x}{20}$.

$\therefore$ ₹ $8x$ पर हानि = ₹$\left(8x-\frac{159x}{20}\right)$ = ₹$\frac{x}{20}$.

हानि % = $\left(\frac{x}{20}\times\frac{1}{8x}\times 100\right)\% = \frac{5}{8}\% = 0{\cdot}625\%.$

43. माना क्रय-मूल्य = ₹ x. तब, लाभ = x%.

$\therefore$ विक्रय मूल्य = ₹ x का $(100 + x)$%

$= ₹ \left\{x \times \frac{(100+x)}{100}\right\}.$

$\therefore \quad x \times \frac{(100 \quad x)}{100} = 144 \Leftrightarrow x^2 + 100\,x = 14400$

$\Leftrightarrow x^2 + 100x - 14400 = 0 \Leftrightarrow x^2 + 180x - 80x - 14400 = 0$
$\Leftrightarrow (x + 180)(x - 80) = 0 \Leftrightarrow x = 80.$

44. माना घड़ियों के क्रय-मूल्य क्रमशः ₹ x तथा ₹$(840 - x)$ हैं. तब,
(x का 116%) + {($840 - x$) का 88%} = 840
$\Leftrightarrow 116x + 73920 - 88x = 84000 \Leftrightarrow 28x = 10080 \Leftrightarrow x = 360.$
अत: इन घड़ियों के क्रय-मूल्य क्रमशः ₹ 360 तथा ₹ 480 हैं.

45. माना कुर्सी का क्रय-मूल्य = ₹ x
तथा मेज का क्रय-मूल्य = ₹ y.
तब, (y का 17%) – (x का 7%) = 296
$\Leftrightarrow \quad 17y - 7x = 29600 \quad ...(i)$
(y का 12%) + (x का 7%) = 400
$\Leftrightarrow \quad 12y + 7x = 40000 \quad ...(ii)$
(*i*) तथा (*ii*) को हल करने पर, $y = 2400$.
अत: 1 मेज का क्रय-मूल्य = ₹ 2400.

46. अंकित मूल्य = ₹ 650 ⇔ बट्टा = (₹ 650 का 2·5%)
$= ₹\left(650 \times \frac{2{\cdot}5}{100}\right) = ₹\ 16{\cdot}25.$

∴ विक्रय-मूल्य = ₹(650 – 16·25) = ₹ 633·75.

47. माना क्रय-मूल्य = ₹ 100 तब, अंकित मूल्य = ₹ 150.
विक्रय-मूल्य = (₹ 150 का 75%) $= ₹\left(150 \times \frac{75}{100}\right)$

$= ₹\frac{225}{2} = ₹\ 112{\cdot}50.$

∴ लाभ % = 12·5%.

48. माना क्रय-मूल्य = ₹ 100. तब, अंकित मूल्य = ₹ 120.
विक्रय-मूल्य = (₹ 120 का 95%)
$= ₹\left(120 \times \frac{95}{100}\right) = ₹\ 114.$

∴ लाभ % = 14%.

49. माना वस्तु का अंकित मूल्य = ₹ x.
तब, ₹ x का 86% = 387
$\Leftrightarrow \left(x \times \frac{86}{100}\right) = 387 \Leftrightarrow x = \left(387 \times \frac{100}{86}\right) = 450.$

अत: वस्तु का अंकित मूल्य = ₹ 450.

50. माना क्रय मूल्य = ₹ x. तब,
विक्रय-मूल्य $= ₹\left(x \times \frac{110}{100}\right) = ₹\frac{11x}{10}.$

परन्तु, विक्रय-मूल्य = $\left(₹1100 \text{ का } \frac{90}{100}\right) = ₹\ 990.$

$\therefore \quad \frac{11x}{10} = 990 \Leftrightarrow x = 900.$

अत: साईकिल का क्रय-मूल्य = ₹ 900.

51. माना क्रय-मूल्य = ₹ 100. तब, अंकित मूल्य = ₹ 110. माना बट्टा = x%.
तब, विक्रय-मूल्य
$= \left\{₹110 \text{ का } \frac{(100-x)}{100}\right\} = ₹\frac{(1100-11x)}{10}.$

परन्तु विक्रय-मूल्य = ₹(100 – 1) = ₹ 99.
$\therefore \quad \frac{1100-11x}{10} = 99 \Leftrightarrow 1100 - 11x = 990$

$\Leftrightarrow 11x = 110 \Leftrightarrow x = 10.$
अत: बट्टा = 10%

52. क्रय-मूल्य = ₹ 900
⇔ विक्रय-मूल्य $= ₹\left(900 \times \frac{110}{100}\right) = ₹\ 990.$

माना अंकित मूल्य = ₹ x. तब,
विक्रय-मूल्य = (₹ x का 90%) $= ₹\left(x \times \frac{90}{100}\right) = ₹\frac{x}{10}.$

$\therefore \quad \frac{9x}{10} = 990 \Leftrightarrow x = ₹\ 1100.$

53. माना क्रय मूल्य = ₹ 100.
तब, विक्रय मूल्य = ₹ 100 का 90% का 80% का 75%
$= ₹\left(100 \times \frac{90}{100} \times \frac{80}{100} \times \frac{75}{100}\right) = ₹\ 54.$

∴ ₹100 पर बट्टा = (100 – 54)% = 46%.

54. विक्रय-मूल्य = ₹(₹ 240 का 90% का 95%)
$= ₹\left(240 \times \frac{90}{100} \times \frac{95}{100}\right) = ₹\ 205{\cdot}20.$

55. विक्रय-मूल्य = ₹(₹ 500 का 80% का 90%)
$= ₹\left(500 \times \frac{80}{100} \times \frac{90}{100}\right) = ₹\ 360.$

56. माना क्रय मूल्य = ₹ 100 तब, विक्रय-मूल्य
= ₹ 108 तथा अंकित मूल्य = ₹ 135.
∴ ₹ 135 पर बट्टा = ₹(135 – 108) = ₹ 27
⇔ बट्टा % $= \left(\frac{27}{135} \times 100\right)\% = 20\%.$

57. माना कुल वस्तु का क्रय-मूल्य = ₹ 100. तब,
इसका अंकित मूल्य = ₹ 120.
$\frac{1}{2}$ वस्तुओं का क्रय-मूल्य = ₹ 50
⇒ इन वस्तुओं का वि० मूल्य = ₹ 60.
$\frac{1}{4}$ वस्तुओं का क्रय-मूल्य = ₹ 25
⇒ इनका अंकित मूल्य $= ₹\left(25 \times \frac{120}{100}\right) = ₹\ 30.$

⇒ इनका विक्रय मूल्य = (₹ 30 का 80%) = ₹ 24.
शेष वस्तुओं का क्रय-मूल्य = ₹ 25
⇒ इनका अंकित मूल्य $= ₹\left(25 \times \frac{120}{100}\right) = ₹\ 30.$

⇒ इनका विक्रय मूल्य = (₹ 30 का 60%) = ₹ 18.
अत: कुल विक्रय-मूल्य = ₹(60 + 24 + 18) = ₹ 102.
लाभ % = 2%.

58. चूँकि सूची-मूल्य ज्ञात नहीं है, अंत: क्रय-मूल्य ज्ञात नहीं किया जा सकता.

अत: उत्तर (*d*) सही है.

59. माना क्रय-मूल्य = ₹ 100. तो, विक्रय-मूल्य = ₹ 123.50.

यदि सूची-मूल्य = ₹ x, तो विक्रय-मूल्य

$$= ₹\left(x \times \frac{95}{100}\right) = ₹\frac{19x}{20}.$$

$$\therefore \quad \frac{19x}{20} = 123{\cdot}50 \Leftrightarrow x = \frac{(123{\cdot}50 \times 20)}{19} = 130.$$

अत, क्रय-मूल्य = ₹ 100, छूट = कोई नहीं,

तब वि० मूल्य = ₹ 130.

अत: लाभ = 30%.

60. माना अंकित मूल्य = ₹ x. तब,

$$₹\frac{92x}{100} = 17940 \Leftrightarrow x = \left(17940 \times \frac{100}{92}\right) = ₹\ 19500.$$

$$\text{क्रय-मूल्य} = ₹\left(\frac{100}{119{\cdot}6} \times 17940\right) = ₹\ 15000.$$

अब, क्रय-मूल्य = 15000, छूट = कोई नहीं.

तब, वि० मूल्य = ₹ 19500.

$$\text{अत: लाभ} = \left(\frac{4500}{15000} \times 100\right)\% = 30\%.$$

61. माना सूची मूल्य = ₹ 100. तब,

$$\text{विक्रय-मूल्य} = ₹\left(100 \times \frac{90}{100}\right) = ₹\ 90.$$

इस पर अर्जित लाभ = 20%.

$$\therefore \quad \text{क्रय-मूल्य} = ₹\left(\frac{100}{120} \times 90\right) = ₹\ 75.$$

अब, छूट = 20% $\Leftrightarrow$ विक्रय-मूल्य = ₹(100 – 20) = ₹ 80.

∴ अब, क्रय-मूल्य = ₹ 75 तथा वि० मूल्य = ₹ 80.

$$\text{अत: लाभ \%} = \left(\frac{5}{75} \times 100\right)\% = 6\frac{2}{3}\%.$$

62. माना प्रारंभिक मूल्य = ₹ 100. तब, अंकित मूल्य = ₹ 130.

∴ विक्रय-मूल्य = (₹ 130 का 90% का 90%)

$$= ₹\left(130 \times \frac{90}{100} \times \frac{90}{100}\right) = ₹\ 105.30.$$

अत: वस्तु के मूल्य में 5.3% की वृद्धि हो जायेगी.

63. माना क्रय-मूल्य = ₹ 100. तब, अंकित मूल्य = ₹ 125.

बट्टे के बाद विक्रय-मूल्य = (₹ 125 का 84%)

$$= ₹\left(125 \times \frac{84}{100}\right) = ₹\ 105.$$

∴ लाभ % = 5%.

64. माना अंकित मूल्य = ₹ 100. तब, क्रय-मूल्य = ₹ 64.

वस्तु का विक्रय-मूल्य = ₹ 88.

$$\therefore \quad \text{लाभ \%} = \left(\frac{24}{64} \aleph 100\right)\% \quad \frac{75}{2}\% \quad 37\frac{1}{2}\%.$$

65. क्रय-मूल्य = ₹ 1200 $\Leftrightarrow$ विक्रय-मूल्य = (₹ 1200 का 125%)

$$= ₹\left(1200 \times \frac{125}{100}\right) = ₹\ 1500.$$

माना अंकित मूल्य = ₹ x. तब, ₹ x का 80% = 1500

$$\Leftrightarrow \quad \left(x \times \frac{80}{100}\right) = 1500.$$

$$\therefore \quad x = ₹\left(1500 \times \frac{100}{80}\right) = ₹\ 1875.$$

अत: अंकित मूल्य = ₹ 1875.

66. यदि क्रय मूल्य ₹ 100 है, तो विक्रय-मूल्य = ₹ 112.

माना पुस्तक पर छपा मूल्य = ₹ x

तब, x का 90% = 112

$$\Leftrightarrow \left(x \times \frac{90}{100}\right) = 112 \Leftrightarrow x = \left(112 \times \frac{100}{90}\right) = \frac{1120}{9}.$$

$$\text{अभीष्ट अनुपात} = 100 : \frac{1120}{9} = 900 : 1120 = 45 : 56.$$

67. माना क्रय-मूल्य = ₹ 100. तब,

विक्रय-मूल्य = ₹(100 – 25) = ₹ 75.

$\frac{2}{5}$ × (अंकित मूल्य) = विक्रय- मूल्य

$\Leftrightarrow \frac{2}{5}$ × (अंकित मूल्य) = ₹ 75.

$$\therefore \quad \text{अंकित मूल्य} = ₹\left(75 \times \frac{5}{2}\right) = ₹\frac{375}{2}.$$

(अंकित मूल्य) : (क्रय-मूल्य)

$$= \frac{375}{2} : 100 = 375 : 200 = 15 : 8.$$

68. वी०सी०आर० का वि०मूल्य = ₹ 12000 का 85% का 90% का

$$95\% = ₹\left(12000 \times \frac{85}{100} \times \frac{90}{100} \times \frac{95}{100}\right) = ₹\ 8721.$$

अत: ग्राहक को इसके लिए ₹ 8721 देना होगा.

69. माना प्रत्येक वस्तु का क्रय-मूल्य = ₹ 100. तब, 16 वस्तुओं का क्रय-मूल्य = ₹ 1600.

15 वस्तुओं का विक्रय-मूल्य = ₹ 1600 का 135%

$$= ₹\left(1600 \times \frac{135}{100}\right) = ₹\ 2160.$$

$$\text{प्रत्येक वस्तु का वि०मूल्य} = ₹\left(\frac{2160}{15}\right) = ₹\ 144.$$

यदि वि० मूल्य ₹ 96 है, तो अंकित मूल्य = ₹ 100.

यदि वि० मूल्य ₹ 144 है, तो अंकित मूल्य

$$= ₹\left(\frac{100}{96} \times 144\right) = ₹\ 150.$$

अत: अंकित मूल्य = क्रय मूल्य से 50% अधिक.

70. पहले बट्टे के बाद मूल्य = (₹ 1500 का 80%)

$$= ₹\left(1500 \times \frac{80}{100}\right) = ₹\ 1200.$$

माना दूसरा बट्टा = x%.

तब, दूसरे बट्टे के बाद मूल्य = ₹ 1200 का $(100 - x)$%

$$= ₹\left\{1200 \times \frac{(100 - x)}{100}\right\} = ₹(1200 - 12x).$$

$$\therefore 1200 - 12x = 1104 \Leftrightarrow 12x = (1200 - 1104) = 96 \Leftrightarrow x = 8.$$

अत: दूसरा बट्टा = 8%.

71. माना अंकित मूल्य = ₹ x.

तब, विक्रय-मूल्य = (₹ x का 88% का 95%)

$$= ₹\left(x \times \frac{88}{100} \times \frac{95}{100}\right) = ₹\frac{209x}{250}.$$

$$\therefore \quad \frac{209x}{250} = 209 \Leftrightarrow x = \frac{(209 \times 250)}{209} = ₹\ 250.$$

अत: वस्तु का अंकित मूल्य = ₹ 250.

72. पहली दशा में देय धन = ₹(100000 का 60%)

$$= ₹\left(100000 \times \frac{60}{100}\right) = ₹\ 60000.$$

दूसरी दशा में देय धन = (₹ 100000 का 64% का 96%)

$$= ₹\left(100000 \times \frac{64}{100} \times \frac{96}{100}\right) = ₹\ 61440.$$

दोनों में अन्तर = ₹(61440 – 60000) = ₹ 1440.

73. माना कुल बिल ₹ x का है.

तब, पहली दशा में देय धन

$$= (₹\ x \text{ का } 65\%) = ₹\left(x \times \frac{65}{100}\right) = ₹\frac{13x}{20}.$$

दूसरी दशा में देय धन = (₹ x का 80% का 80%)

$$= ₹\left(x \times \frac{80}{100} \times \frac{80}{100}\right) = ₹\frac{16x}{25}.$$

$$\therefore \quad \frac{13x}{20} - \frac{16x}{25} = 22 \Leftrightarrow (65x - 64x) = 2200 \Leftrightarrow x = 2200.$$

अत: बिल ₹ 2200 का है.

74. उस वस्तु का विक्रय-मूल्य = ₹ 2000 का 80% का 90% = $₹\left(2000 \times \frac{80}{100} \times \frac{90}{100}\right) = ₹\ 1440.$

75. माना अंकित मूल्य = ₹ x.

तब, (x का 80%) – (x का 75%) = 500

$$\Leftrightarrow \left(x \times \frac{80}{100}\right) - \left(x \times \frac{75}{100}\right) = 500 \Leftrightarrow \left(\frac{4x}{5} - \frac{3x}{4}\right) = 500$$

$$\Leftrightarrow x = 10000.$$

∴ अंकित मूल्य = ₹ 10000.

फ्रिज का क्रय मूल्य = (₹ 10000 का 80%)

$$= ₹\left(10000 \times \frac{80}{100}\right) = ₹\ 8000.$$

76. पहले दुकानदार का वि० मूल्य = ₹ 700 का 70% का 94%

$$= ₹\left(700 \times \frac{70}{100} \times \frac{94}{100}\right) = ₹\ 460{\cdot}60.$$

दूसरे दुकानदार का वि० मूल्य = ₹ 700 का 80% का 84%

$$= ₹\left(700 \times \frac{80}{100} \times \frac{84}{100}\right) = ₹\ 470{\cdot}40.$$

दोनों के मूल्यों में अन्तर = ₹(470·40 – 460·60) = ₹ 9·80.

77. माना सूची-मूल्य = ₹ x.

तब, विक्रय-मूल्य = (₹ x का 80% का 88%)

$$= ₹\left(x \times \frac{80}{100} \times \frac{88}{100}\right) = ₹\frac{88x}{125}.$$

$$\therefore \quad \frac{88x}{125} = 704 \Leftrightarrow x = \frac{(704 \times 125)}{88} = ₹\ 1000.$$

78. माना क्रय-मूल्य = ₹ 100 तथा अंकित मूल्य = ₹$(100 + x)$.

तब, विक्रय-मूल्य = $(100 + x)$ का 95%

$$= ₹\left\{(100 + x) \times \frac{95}{100}\right\} = ₹\frac{19(100 + x)}{20}.$$

$$\therefore \quad \frac{19(100 + x)}{20} = 133 \Leftrightarrow 1900 + 19x = 2660$$

$$\Leftrightarrow 19x = 760 \Leftrightarrow x = 40.$$

अत: अभीष्ट मान = 40%.

79. माना सूची-मूल्य = z. तब, z का $(100 - x)\% = y$

$$\Leftrightarrow z \times \frac{(100 - x)}{100} = y \Leftrightarrow z = \frac{100y}{(100 - x)}.$$

80. माना सूची-मूल्य = ₹ x. तब,

$$\frac{80x}{100} = 24 \Leftrightarrow x = \frac{(24 \times 100)}{80} = 30.$$

अभीष्ट वि० मूल्य = ₹ 30 का 70% = $₹\left(30 \times \frac{70}{100}\right) = ₹\ 21.$

81. वस्तु का क्रय मूल्य = ₹(125 – 10) = ₹ 115

$$\therefore \text{ लाभ \%} = \frac{\text{लाभ}}{\text{क्रय मूल्य}} \times 100 = \frac{10}{ü} \times ü$$

$$= \frac{200}{23} = 8\frac{16}{23}\%$$

82. विक्रय मूल्य = ₹ 966

पहले ट्रांजिस्टर का क्रय मूल्य $= ₹\left(\frac{100}{115} \times 966\right) = ₹\ 840$

दूसरे ट्रांजिस्टर का क्रय मूल्य $= \left(\frac{100}{95} \times 1060\right)$

$$= ₹\frac{21200}{19}$$

दोनों ट्रांजिस्टर का कुल क्रय मूल्य $= ₹\left(840 + \frac{21200}{19}\right)$

$$= ₹\left(\frac{15960 + 21200}{19}\right) = ₹\frac{37160}{19}$$

दोनों ट्रांजिस्टर का कुल विक्रय मूल्य = ₹ (1060 + 966)

= ₹ 2026

$$\text{लाभ} = ₹\left(2026 - \frac{37160}{19}\right) = ₹\left(\frac{38494 - 37160}{19}\right)$$

$$= ₹\frac{1334}{19}$$

$$\therefore \text{ लाभ \%} = \frac{\frac{1334}{19}}{\frac{37160}{19}} \times 100 = \frac{133400}{37160} = 3.6$$

83. छाता का क्रय मूल्य $= ₹\left(\frac{100}{120} \times 300\right) = ₹\ 250$

10% की छूट के बाद, छाते का विक्रय मूल्य $= ₹\left(\frac{300\times 90}{100}\right)$

$= ₹\ 270$

$\therefore$ लाभ $= (270 - 250) = ₹\ 20$

$\therefore$ लाभ प्रतिशत $= \frac{20}{250}\times 100 = 8\%$

84. अभीष्ट लाभ %

$= \left(10+10+\frac{10\times 10}{100}\right)\% = (20+1)\% = 21\%$

85. माना, मशीन का क्रय मूल्य $= a$ लाख रुपए

हानि = ₹ $(a-39)$लाख

लाभ = ₹$(49-a)$ लाख

दिये गए प्रश्न के अनुसार, $(49-a) = 3(a-39)$

$\Rightarrow 49-a = 3a-17 \Rightarrow 3a+a = 117+49$

$\Rightarrow 4a = 166$

$\Rightarrow a = ₹\frac{166}{4} = 41.5$ लाख

86. प्रभावी छूट $= \left(a+b-\frac{ab}{100}\right)\%$

$= \left(40+10-\frac{40\times 10}{100}\right)\% = (50-4)\% = 46\%$

87. वस्तु B का मूल्य $= ₹\ x$ (माना)

$\therefore$ वस्तु A का मूल्य $= (x-140)$

दिये गए प्रश्न के अनुसार, $\frac{40}{100}(x-140)-\frac{20x}{100} = 18$

$\Rightarrow \frac{2x}{5}-56-\frac{x}{5} = 18 \quad \Rightarrow \frac{x}{5} = 56+18 = 74$

$\Rightarrow x = 74\times 5 = ₹370$

88. 15% एवं 4% की प्रभावी छूट $= \left(15+4-\frac{15\times 4}{100}\right)\%$

$= (19-0.6)\% = 18.4\%$

$\therefore$ अभीष्ट विक्रय मूल्य = 200 का $(100-18.4)\%$

$= \left(\frac{200\times 81.6}{100}\right)$ ₹ = ₹ 163.2

89. कैमरे का मूल्य $= ₹\ x$ (माना)

दिये गए प्रश्न के अनुसार x का $(100-10)\% = 600$ का 120%

$\Rightarrow x\times 90 = 600\times 120$

$\Rightarrow x = \frac{600\times 120}{90} = ₹800$

90. दिए गये प्रश्न के अनुसार

पहली छूट = 15%

पहली छूट के बाद डिनर सेट का विक्रय मूल्य = 1500 का $(100-15)\% = \left(\frac{1500\times 85}{100}\right)$ ₹

$= ₹\ 1275$

दूसरी छूट, = ₹ $(1275-1173) =$ ₹ 102

दूसरी छूट $= x\%$ (माना) $\therefore \frac{1275\times x}{100} = 102$

$\Rightarrow \quad x = \frac{102\times 100}{1275} = 8\%$

91. प्रत्येक वस्तु का क्रय मूल्य = ₹ 1 (माना)

बेईमानी का प्रतिशत =10% (यहाँ $x\% = 10\%$)

$\therefore$ वास्तविक क्रय मूल्य $= \frac{100}{110} = \frac{10}{11}$ ₹

$\therefore$ पुनः व्यापारी 100 वस्तुओं के क्रय मूल्य पर 90 वस्तुएँ बेचता है।

$\therefore$ वास्तविक विक्रय मूल्य $= \frac{100}{90} = ₹\frac{10}{9}$

अतः लाभ % $= \frac{\frac{10}{9}-\frac{10}{11}\times 100}{\frac{10}{11}}$

$= \frac{20}{99}\times\frac{11}{10}\times 100 = \frac{200}{9} = 22\frac{2}{9}\%$

92. माना, दुकानदार 100 किग्रा वस्तु खरीदता है।

$\therefore$ 100 किग्रा वस्तु का क्रय मूल्य = ₹ (150×100)

= ₹ 15000

15% वस्तुएँ नष्ट हो गई। बची हुई वस्तुएँ =100 - 15 = 85

$\therefore$ 85 किग्रा वस्तु का विक्रय मूल्य $= \left(\frac{15000\times 120}{100}\right)$

= ₹ 18000

$\therefore$ 1 किग्रा. वस्तु का विक्रय मूल्य = ₹ $\left(\frac{18000}{85}\right)$

$= \frac{3600}{17} = ₹\ 211\frac{13}{17}$

93. A द्वारा भुगतान की गई राशि

$= 5625\times\frac{100}{125}\times\frac{100}{90} = ₹\ 5{,}000$

94. हमारे पास है, क्रय मूल्य = ₹ 400 और विक्रय मूल्य = 216

छूट = 400 − 216 = ₹ 184

अब, $\frac{184}{400}\times 100 = 46\%$

अब प्रश्नों के अनुसार,

$x+10-\frac{10x}{100} = 46 \quad \Rightarrow \frac{90x}{100} = 36 \Rightarrow x = 40\%$

95. माना कि अंकित मूल्य = ₹ x

छूट = 18%

$\Rightarrow$ विक्रय मूल्य $= \frac{82x}{100} \Rightarrow 48,380 = \frac{82x}{100}$

$\Rightarrow x =$ ₹ 59000

यदि वह छूट की पेशकश नहीं करता है, तो

विक्रय मूल्य = ₹ 59000

क्रय मूल्य $= \frac{59,000 \times 100}{118} =$ ₹50,000

96. माना प्रारंभिक मूल्य = ₹ x

घटाई गई कीमत $= \frac{4x}{3}$

अब प्रश्न के अनुसार,

$\frac{80 \times 5}{4x} - \frac{80}{x} = 6$

$\Rightarrow \frac{20}{x} = 6 \Rightarrow x = \frac{10}{3}$

$\therefore$ अब, केले के भाव प्रति दर्जन

$= \frac{4}{5} \times \frac{10}{3} \times 12 =$ ₹ 32

97. माना मूद्रित मूल्य = ₹ x

छूट के बाद मूल्य $= \frac{69x}{100}$

अब प्रश्न के अनुसार,

$x = -\frac{69x}{100} = 2480$

$\frac{31x}{100} = 2480 \Rightarrow x = 8,000$

भरी गई राशि $= \frac{69 \times 8000}{100} =$ ₹ 5520

98. माना मूल्य विक्रय मूल्य = ₹ x

अब, नया विक्रय मूल्य $= \frac{7x}{10}$

हानि = 10%

क्रय मूल्य $= \frac{7x}{10 \times 90} \times 100 = \frac{7x}{9}$

अब लाभ% $= \frac{x - \frac{7x}{9}}{\frac{7x}{9}} \times 100 = \frac{2x}{7x} \times 100 = \frac{200}{7}\%$

99. माना क्रय मूल्य = ₹ 100

अंकित मूल्य $= \frac{100 \times (100 + x)}{100} =$ ₹ $(100 + x)$

विक्रय मूल्य $= \frac{(100 + x) \times 70}{100} = \frac{700 + 7x}{10}$

हानि प्रतिशत $= \frac{100 - \frac{700 + 7x}{10}}{100} \times 100$

$\Rightarrow 4.8 = \frac{300 - 3x}{10}$

$\Rightarrow 7x = 300 - 48 \Rightarrow 7x = 252 \Rightarrow x = 36$

100. विक्रय मूल्य = ₹ 25

लाभ = 25%

क्रय मूल्य $= \frac{25}{125} \times 100 =$ ₹ 20

लाभ = 10%

अब, विक्रय मूल्य $= \frac{20 \times 110}{100} =$ ₹ 22

101. आइए जानें कि वह किस वजन का उपयोग कर रहा है

लाभ % $= \frac{\text{त्रुटि}}{\text{सही मूल्य - त्रुटि}} \times 100$

$25\% = \frac{x}{1000 - x}$

$\frac{25}{100} = \frac{x}{1000 - x}$

$\frac{1}{4} = \frac{x}{1000 - x}$

$1000 - x = 4x$

$5x = 1000 \Rightarrow x = 200$

$\therefore$ वह 800 ग्राम का बाट प्रयोग कर रहा है। ग्राहक 10% कम भुगतान कर रहा है। इसका मतलब है कि वह 900 ग्राम के लिए भुगतान कर रहा है।

$\therefore$ प्रत्येक 800 ग्राम पर उसे 100 ग्राम का लाभ हो रहा है।

$\therefore$ लाभ % $= \frac{100}{800} \times 100 = 12.5\%$

102. माना वस्तु का मूल्य = ₹100

$\therefore$ वस्तु का क्रय मूल्य = 100 − 20 = ₹80

वस्तु का विक्रय मूल्य = 100 + 20 = ₹120

$\therefore$ लाभ % $= \frac{120 - 80}{80} \times 100 = \frac{40}{80} \times 100 = \frac{1}{2} \times 100 = 50\%$

103. माना अंकित मूल्य = x

$\therefore$ $x - 29\% x = 42600$

$71\% x = 42600$

$\therefore$ $x = \frac{42600}{71} \times 100 =$ ₹60000

$\therefore$ अंकित मूल्य = 60000

अब विक्रय मूल्य = 42600

लाभ = 6.25%

$\therefore$ क्रय मूल्य $= \frac{42600 \times 100}{100 + 6.25} = \frac{42600 \times 100}{106.25} = 40000$

अब क्रय मूल्य = 40000

नये के रूप में विक्रय मूल्य = अंकित मूल्य

$\therefore$ विक्रय मूल्य = 60000

$\therefore$ नया लाभ % $= \frac{60000 - 40000}{40000} \times 100 = \frac{20000}{40000} \times 100$

$= \frac{1}{2} \times 100 = 50\%$

104. माना क्रय मूल्य = ₹100

विक्रय मूल्य = ₹150

छूट = 150 का 12% = ₹18

∴ विक्रय मूल्य = 150 – 18 = ₹132

∴ लाभ = 132 – 100 = ₹32

इसलिए यदि लाभ ₹32 है तो क्रय मूल्य = 100

यदि लाभ 256 है तो क्रय मूल्य = $\frac{100}{32} \times 256$ = ₹800

105. चूँकि लाभ और हानि% की गणना हमेशा क्रय मूल्य पर की जाती है।

∴ $5400 - x = 3600 + x \Rightarrow 2x = 5400 - 3600 = 1800$

∴ $x = 900$

∴ क्रय मूल्य = 3600 + 900 = 4500

तो लाभ % = $\frac{500}{4500} \times 100 = \frac{1}{9} \times 100 = 11\frac{1}{9}\% = 11.11\%$

106. पिज्जा का क्रय मूल्य = $200 \times \frac{100}{80}$ = ₹250

लाभ = 10%

∴ विक्रय मूल्य = $250 \times \frac{110}{100}$ = ₹275

107. माना क्रय मूल्य = x

∴ हानि = $x - 46000$

लाभ = $58000 - x$

$(58000 - x) = 2(x - 46000)$

$58000 - x = 2x - 92000$

$58000 + 92000 = 2x + x$

$3x = 150000$

⇒ x = ₹50000

108. माना निश्चित कीमत = x

विक्रय मूल्य = $\frac{1}{3}x$

हानि = $33.33\% = \frac{1}{3}$

∴ क्रय मूल्य = $\frac{1}{3}x \times \frac{1}{1-\frac{1}{3}} = \frac{1}{3}x \times \frac{3}{2} = \frac{x}{2}$

∴ विक्रय मूल्य = $\frac{3}{5}x$

लाभ% = $\frac{\frac{3}{5}x - \frac{x}{2}}{\frac{x}{2}} \times 100 = \frac{\frac{6x-5x}{10}}{\frac{x}{2}} \times 100$

$= \frac{x}{10} \times \frac{2}{x} \times 100 = 20\%$

109. क्रय मूल्य = $2300 \times \frac{100}{125}$ = ₹ 1840

विक्रय मूल्य = ₹ 1955

∴ लाभ% = $\frac{1955 - 1840}{1840} \times 11 = 6.25\%$

110. लाभ % = $\frac{552920 - 490828}{490828} \times 100$

$= \frac{62092}{490828} \times 100 = 12.65\%$

111. क्रय मूल्य = $\frac{144 \times 100}{100 - 28} = \frac{144 \times 100}{72}$ = ₹ 200

हानि = 14%

∴ विक्रय मूल्य = $200 \times \frac{100 - 14}{100} = 200 \times \frac{86}{100}$ = ₹ 172

112. 1 सिलाई मशीन का विक्रय मूल्य = $\frac{63000}{6} = 10500$

लाभ = 5%

∴ 1 सिलाई मशीन का क्रय मूल्य = $\frac{10500 \times 100}{105} = 10000$

लाभ = 15%

∴ 1 सिलाई मशीन का क्रय मूल्य = $\frac{10000 \times 115}{100} = 11500$

∴ 8 सिलाई मशीन का क्रय मूल्य = 8 × 11500 = ₹ 92000

113. माना विक्रय मूल्य = $5x$

लाभ = x

$5x$ का क्रय मूल्य = $5x : 4x = 5 : 4$

114. माना क्रय मूल्य = k

विक्रय मूल्य = $5k$

नया क्रय मूल्य = $2k$

∴ नया लाभ = $5k - 2k = 3k$

तो अभीष्ट अनुपात = $3k : 5k = 3 : 5$

115. 56 का विक्रय मूल्य = 56 का क्रय मूल्य + 6 का विक्रय मूल्य

56 का विक्रय मूल्य = 6 का विक्रय मूल्य = 56 का क्रय मूल्य

56 का विक्रय मूल्य = 56 का क्रय मूल्य

56 का विक्रय मूल्य = 50 का क्रय मूल्य + 6 का क्रय मूल्य

लाभ% = $\frac{6}{50} \times 100 = 12\%$

116. माना क्रय मूल्य = 100

P = 150%

∴ विक्रय मूल्य = $100 \times \frac{100 + 150}{100} = 100 \times \frac{250}{100}$

अब क्रय मूल्य = 125

∴ लाभ % = $\frac{250 - 125}{125} \times 100$

$= \frac{125}{125} \times 100 = 100\%$

117. 9, 11 का लघुत्तम समापवर्त्य 99 है।

तो मान लीजिए कि पहली किस्म को 99 की संख्या में खरीदा जाता है और इसी तरह दूसरी किस्म को खरीदा जाता है।

11 का क्रय मूल्य = 100

1 का क्रय मूल्य = $\frac{100}{11}$

99 का क्रय मूल्य = $\frac{100}{11} \times 99 = 990$

9 का क्रय मूल्य = 100

99 का क्रय मूल्य $= \frac{100}{11} \times 99 =$ ₹ 1100

10 का विक्रय मूल्य = ₹100

1 का विक्रय मूल्य $= \frac{100}{10}$

(99 + 99) का विक्रय मूल्य $= \frac{100}{10} \times 198 =$ ₹ 1980

∴ कुल क्रय मूल्य = 900 + 1100 = ₹ 2000

कुल विक्रय मूल्य = ₹ 1980

∴ हानि = 2000 − 1980 = ₹ 20

∴ हानि % $= \frac{20}{2000} \times 100 = 1\%$

118. क्योंकि लाभ और हानि क्रय मूल्य पर हैं।

∴ $10.5\% x - (-8\% x) = 37$

$18.5\% x = 37$

⇒ $x = \frac{37}{18.5} \times 100 =$ ₹ 200

119. माना क्रय मूल्य = ₹100

∴ अंकित मूल्य = ₹140

70% माल की कीमत = ₹ 70

70% माल का विक्रय मूल्य = ₹ 98

30% माल का क्रय मूल्य = ₹ 30

30% माल का विक्रय मूल्य $= \frac{0.6 \times 140}{100} \times 30 = 25.2$

∴ कुल विक्रय मूल्य = 98 + 25.2 = 123.2

∴ लाभ% $= \frac{123.2 - 100}{100} \times 100 = \frac{23.2}{100} \times 100 = 23.2\%$

120. माना क्रय मूल्य = 100

निश्चित विक्रय मूल्य = 105

निश्चित विक्रय मूल्य अंकित मूल्य पर 30% की छूट के बाद है।

∴ अंकित मूल्य − 30% अंकित मूल्य = 105

70% अंकित मूल्य = 105

∴ अंकित मूल्य $= \frac{105}{70} \times 100 =$ ₹ 150

∴ $x = \frac{150 - 100}{100} \times 100 = 50\%$

121. माना कुल माल = 100

तथा 1 वस्तु का क्रय मूल्य = ₹ 1

100 वस्तुओं का क्रय मूल्य = ₹ 100

100 वस्तुओं का औसत मूल्य = ₹ 125

1 वस्तु का अंकित मूल्य = ₹ 1.25

अब 75 वस्तुओं का विक्रय मूल्य = 1.25 × 75 = ₹ 93.75

25 वस्तुओं का विक्रय मूल्य = 25 × 1.25 × 6 = 18.75

∴ 100 वस्तुओं का कुल विक्रय मूल्य = 93.75 + 18.7 = 112.5

∴ लाभ % $= \frac{112.5 - 100}{100} \times 100 = 12.5\%$

122. क्रय मूल्य + 30% क्रय मूल्य = 2600

130% क्रय मूल्य = 2600

क्रय मूल्य $= \frac{2600}{130} \times 100 = 20 \times 100 =$ ₹ 2000

P = 45%

∴ विक्रय मूल्य $= 2000 \times \frac{145}{100} =$ ₹ 2900

123. माना I का क्रय मूल्य = x

II का विक्रय मूल्य = $624 - x$

∴ $\frac{x \times 86}{100} = (624 - x) \times \frac{114}{100}$

$86x = 114\,(624 - x)$

$86x = 114 \times 624 - 114x$

$86x + 114x = 114 \times 624$

$200x = 114 \times 624$

$x = \frac{114 \times 624}{200} = 355.68$

∴ II का क्रय मूल्य = 624 − 355.68 = 268.32

∴ अभीष्ट अंतर = 355.68 − 268.32 = 87.36

124. माना प्रत्येक वस्तु का क्रय मूल्य = x

∴ I का विक्रय मूल्य $= x \times \frac{115}{100} = 1.15x$

II का विक्रय मूल्य $= x \times \frac{112}{100} = 1.12x$

प्रश्न के अनुसार,

$1.15x - 1.24 = 18$

$.03x = 18 \Rightarrow x = 600$

125. माना 1000 ग्राम का क्रय मूल्य = ₹ 1000

हानि = 4%

1000 ग्राम का विक्रय मूल्य = ₹ 960

620 ग्राम का क्रय मूल्य = ₹ 620

∴ लाभ $= \frac{960 - 620}{620} \times 100 = \frac{340}{620} \times 100 = 54.84\%$

126. 25 वस्तुओं का विक्रय मूल्य = 2500

1 वस्तु का विक्रय मूल्य = ₹100

हानि = 10%

∴ 1 वस्तु का क्रय मूल्य $= 100 \times \frac{100}{90} = \frac{1000}{9}$

हानि = 20%

1 वस्तु का विक्रय मूल्य $= \frac{1000}{9} \times \frac{120}{100} = \frac{1200}{9} = \frac{400}{3}$

∴ 2400 में वह 2400400 $\frac{2400}{400} \times 3 = 18$ वस्तुएँ बेच सका

127. 480 फलों का क्रय मूल्य = 2400

लाभ = 25%

∴ विक्रय मूल्य $= 2400 \times \frac{125}{100} =$ ₹ 3000

फल का मुनाफा = 480 − 30 = 450

∴ 12 फलों का विक्रय मूल्य $= \frac{3000}{450} \times 12 =$ ₹80

128. पहली पर लाभ $= \frac{3000 \times 5}{100} = ₹450$

दूसरी पर लाभ $= \frac{3000 \times 10}{100} = ₹300$

तीसरी पर हानि $= \frac{15 \times 3000}{100} = ₹450$

$\therefore$ शुद्ध लाभ $= 450 + 300 - 450 = ₹300$

$\therefore$ कुल क्रय मूल्य $= 9000$

$\therefore$ लाभ % $= \frac{300}{9000} \times 100 = 3.33\%$

129. माना समय का अंकित मूल्य ₹ $100\,x$ है।

छूट % = 20%

डिलीवरी और पैकेजिंग के लिए शुल्क

= रियायती मूल्य पर 10%

तब, $100x \xrightarrow{-20\%} 80x \xrightarrow{+10\%} 88x$

$\therefore\ 88x + 88x \times \frac{25}{100} - 88x = 2046$

$\Rightarrow 110x - 88x = 2046$

$\Rightarrow 22x = 2046$

$\Rightarrow x = 93$

अत:, $100x = 93 \times 100 = 9300$

$\therefore$ अंकित मूल्य = ₹ 9300

130. दो वस्तुओं A और B का क्रय मूल्य = ₹ 8000

B का क्रय मूल्य $= \frac{20}{32} \times 8000 = 5000$

A का क्रय मूल्य $= \frac{12}{32} \times 8000 = 3000$

चूँकि, उसने वस्तु A को 20% लाभ पर बेचा,

अत: A का विक्रय मूल्य $= \left[\text{क्रय मूल्य} \times \frac{(100 + \text{लाभ}\%)}{100}\right]$

$= 3000 \times \frac{120}{100} = ₹\ 3600$

चूँकि वस्तु B को 12% हानि पर बेचा गया, इसलिए,

वस्तु B का विक्रय मूल्य $= \left[\text{क्रय मूल्य} \times \frac{(100 - \text{हानि}\%)}{100}\right]$

$= \frac{5000 \times 88}{100} = ₹\ 4400$

धार 25% का समग्र लाभ कमाना चाहता है।

दोनों वस्तुओं का कुल विक्रय मूल्य

$= 8000 + \frac{8000 \times 25}{100} = 10000$

वस्तु B का विक्रय मूल्य = ₹ (10000 – 3600) = ₹ 6400

131. माना लागत मूल्य ₹ 100 है।

क्रय मूल्य	अंकित मूल्य			विक्रय मूल्य
100	140	छूट का 20% $= \frac{20 \times 140}{100} = 28$ ₹ (140 – 28) = ₹ 112	छूट का 25% $= \frac{25 \times 112}{100} = 28$ ₹ (112 – 28) = ₹ 84	₹ 84

हानि = 100 – 84 = 16%

$\because$ यदि ₹ 16 की हानि हो, तो क्रय मूल्य ₹ 100

$\therefore$ यदि ₹ 448 की हानि हो, तो क्रय मूल्य $= \frac{100}{16} \times 448$

$= 28 \times 100 = ₹\ 2800$

$\therefore$ विक्रय मूल्य $= \frac{2800 \times 84}{100} = ₹\ 2352$

132. माना वस्तु का क्रय मूल्य ₹ x

$\therefore$ अंकित मूल्य = ₹ 110

पर 100% बट्टा = 10%

विक्रय मूल्य $= \frac{110 \times 90}{100} = ₹\ 99$ अर्थात् 1% हानि

133. वस्तु का क्रय मूल्य $= ₹\left(\frac{5520 + 4080}{2}\right) = ₹\ \frac{9600}{2} = ₹4800$

जब विक्रय मूल्य = ₹ 6000 तब

लाभ = ₹ (6000 – 4800) = ₹ 1200

$\therefore$ लाभ प्रतिशत $= \frac{1200}{4800} \times 100 = 25\%$

134. मशीन का अंकित मूल्य = ₹ 22000

विक्रय मूल्य $= ₹\left(22000 - \frac{8 \times 22000}{100}\right) = ₹\ 20240$

लाभ $= 22\frac{2}{3}\% = \frac{68}{3}\%$

माना मशीन का लागत मूल्य ₹ x है।

$x + \frac{68}{3}\%$ का $x = ₹\ 20240$

$\Rightarrow x + \frac{68x}{300} = ₹20240$

$\Rightarrow \frac{368x}{300} = ₹20240$

$\Rightarrow x = ₹\left(\frac{20240 \times 300}{368}\right) = ₹\ 16500$

लाभ % जब मशीन को बिना छूट के बेचा गया

$= \frac{22000 - 16500}{16500} \times 100 = 33\frac{1}{3}\%$

135. वस्तु का क्रय मूल्य ₹ X है।

और विक्रय मूल्य = ₹ Y.

दिया गया है, Y = ₹ 1.2X

यदि वस्तु का क्रय मूल्य 15% कम

तब, क्रय मूल्य = 0.85 × X = ₹ 0.85 X

प्रश्नों के अनुसार,

$0.85X \times \frac{130}{100} = 1.2X - 76$

$\frac{85X}{100} \times \frac{130}{100} = \frac{12X}{10} - 76$

$\frac{11050}{10000} = \frac{12X}{10} - 76$

$11.05X = 12X - 760$

$0.95X = 760$

$\therefore X = \frac{760}{0.95} =$ ₹ 800

∴ वस्तु का क्रय मूल्य ₹ 800

136. मान लीजिए कि 20% हानि पर बेचे गए चावल की मात्रा x किग्रा है।

∴ 15% लाभ पर बेचे गए चावल की मात्रा = $(600 - x)$ किग्रा

पूरे लेनदेन पर उसे कुल मिलाकर 6% की हानि होती है।

प्रश्न के अनुसार,

$(600 - x) \times \frac{115}{100} + \frac{x \times 80}{100} = \frac{600 \times 94}{100}$

$\Rightarrow 115 \times 600 - 115x + 80x = 600 \times 94$

$\Rightarrow 69000 - 35x = 56400 \Rightarrow 35x = 12600$

$\Rightarrow x = \frac{12600}{35} = 360$ किग्रा

137. एक वस्तु का विक्रय मूल्य ₹ 696 है जब लाभ = P%

एक वस्तु का विक्रय मूल्य 841 है जब

लाभ = P + 25%

बिक्री मूल्य में अंतर = ₹ (841 – 696) = ₹ 145

लाभ प्रतिशत का अंतर = P + 25% – p = 25%

∴ माना वस्तु का क्रय मूल्य ₹ x हो, तो

x का 25% = 145

$\Rightarrow x \times \frac{25}{100} =$ ₹ 145 $\Rightarrow x = \frac{145 \times 100}{25} =$ ₹ 580

∴ लाभ = बिक्री मूल्य - लागत मूल्य = ₹ (696 – 580) = ₹ 116

लाभ = p%

$\therefore 580 \times \frac{p}{100} = 116 \Rightarrow p = \frac{116 \times 100}{580} = 20\%$

138. वैट % = 13.5%

लागत मूल्य (वैट सहित) = ₹ 6810

∴ सूची मूल्य = $\frac{6810}{113.5} \times 100 =$ ₹ 6000

139. माना एक वस्तु का क्रय मूल्य x है।

तब, हानि = $(6800 - x)$

पुन:, लाभ = $(7850 - x)$

दी गई जानकारी के अनुसार हमें मिलता है।

अब, $(7850 - x) = \frac{(6800 - x)}{2}$

$15700 - 2x = 6800 - x$

$x = 15700 - 6800 = 8900$

यदि लाभ % = 20% तब

∴ विक्रय मूल्य = $\frac{8900 \times 120}{100} =$ ₹ 10680

140. माना वस्तु का अंकित मूल्य ₹ x है।

प्रश्न के अनुसार, $\frac{x \times 88}{100} = 528$

$\Rightarrow x = \frac{528 \times 100}{88} =$ ₹ 600

141. शर्ट का अंकित मूल्य = ₹ 1080

शर्ट का विक्रय मूल्य = ₹ 1080 – $\frac{1080 \times 12}{100}$

= ₹ (1080 – 129.60) = ₹ 950.40

माना शर्ट का क्रय मूल्य ₹ x है।

$\therefore x + \frac{x \times 8}{100} = 950.40 \Rightarrow \frac{108x}{100} = 950.40$

$x = 950.40 \times \frac{100}{108} =$ ₹ 880

142. माना वस्तु का क्रय मूल्य ₹ x है।

लाभ = 12%

बिक्री कर की दर = 10%

एक वस्तु का बिक्री कर सहित विक्रय मूल्य = ₹ 1232

प्रश्न के अनुसार,

$\frac{112x}{100} + \frac{112x \times 10}{10000} = 1232 \Rightarrow \frac{1120x + 112x}{1000} = 1232$

$\Rightarrow 1232x = 1232 \times 1000 \Rightarrow x =$ ₹ 1000

143. दिया गया है, मशीन का वर्तमान मूल्य = ₹ 729

मूल्यह्रास की दर = 10%

∴ तीन नर्ष पहले का मूल्य = $\frac{P}{(1-r)^3} = \frac{729}{\left(1 - \frac{10}{100}\right)^3} = \frac{729}{\left(\frac{9}{10}\right)^3}$

$= \frac{729 \times 10 \times 10 \times 10}{9 \times 9 \times 9} =$ ₹ 1000

अत: तीन वर्ष पूर्व मशीन की कीमत ₹ 1000 थी।

144. बिक्री कर सहित साड़ी का मूल्य = ₹ 5225

बिक्री कर के बिना लागत मूल्य

$= \frac{5,225}{112} \times 100 = 4,665$

कीमत घटी है = ₹ (5,225 – 4,665) = 560

145. माना कुर्सी का क्रय मूल्य ₹ x है।

प्रश्न के अनुसार,

$752 - a = (a - 400) \times 1.2$

$\Rightarrow 752 - a = 1.2a - 480$

$\Rightarrow 1.2a + a = 752 + 480$

$\Rightarrow 2.2a = 1232$

$\Rightarrow a = \frac{1232}{2.2} =$ ₹ 560

146. प्रत्येक प्रति का क्रय मूल्य = ₹ 5

24 प्रतियों का क्रय मूल्य = ₹ (24 × 5) = ₹ 120

25 प्रतियों का विक्रय मूल्य = ₹ (25 × 6) = ₹ 150

लाभ = ₹ (150 – 120) = ₹ 30

लाभ प्रतिशत = $\frac{30}{120} \times 100 = 25\%$

147. वाशिंग मशीन का विक्रय मूल्य = ₹ 8500

हानि % = 15%

वाशिंग मशीन का क्रय मूल्य = ₹ $\left(\frac{100}{85} \times 8500\right)$ = ₹ 10000

148. साइकिल का अंकित मूल्य = ₹ 1150

छूट प्रतिशत = 15%

विक्रय मूल्य $= 1150 - \frac{1150 \times 15}{100} =$ ₹(1150 − 172.5) = ₹ 977.5

माना साइकिल का क्रय मूल्य ₹ x है।

दी गई जानकारी के अनुसार,

$x + 15\%$ का x = ₹ 977.5 $\Rightarrow \frac{115x}{100} = 977.5$

$x = \frac{977.5 \times 100}{115}$ x = ₹ 850

149. दो शर्ट का कुल क्रय मूल्य = 400 × 2 = ₹800

माना कि शर्ट A का लागत मूल्य = ₹x

शर्ट B का क्रय मूल्य = ₹$(800 - x)$

अब, शर्ट A का विक्रय मूल्य $= x \times 110\% = \frac{11x}{10}$

और शर्ट B का विक्रय मूल्य $= (800 - x) \times 120\% = \frac{6(800-x)}{5}$

प्रश्न के अनुसार

$$\frac{11x}{\frac{10 + 6(800-x)}{5}} = 928$$

$\Rightarrow 11x + 12(800 - x) = 9280$

$\Rightarrow 11x - 12x = 9280 - 9600 \Rightarrow x = 320$

शर्ट B का क्रय मूल्य = 800 − 320 = ₹480

150. माना, हानि = 4x और लाभ = 5x

अब, प्रश्नानुसार

1498 − 5x − 1300 + 4x

$\Rightarrow$ 9x = 198 − 1300 = 198 $\Rightarrow$ x = 22

$\therefore$ लागत मूल्य = 1300 + 4 × 22 = ₹1388

$25\% = \frac{1}{4}$

$\therefore$ विक्रय मूल्य $= 1398 \times \frac{5}{4} =$ ₹1735

151. $\frac{\text{विक्रय मूल्य}}{\text{लागत मूल्य}} = \frac{17}{20} \times \frac{25}{20} = \frac{17}{16}$

लाभ = 17 − 16 = 1

लाभ% $\frac{1}{16} \times 100\% = 6.25\%$

152.

100 ———— 78

650 ———— 1000

लागत मूल्य65   78लागत मूल्य

13

अब, लाभ% $= \frac{13}{65} \times 100 = 20\%$

153. हमारे पास है

$x = 108$

$y = 97$

अब, आवश्यक% $= \frac{100(x+y) + 2xy}{200 + x + y}$

$= \frac{100(108+97) + 2 \times 108 \times 97}{200 + 108 + 97}$

$= \frac{20500 + 20952}{405} = \frac{41452}{405}$

= 102.35

अब, कुल लाभ % = (102.35 - 100) × 2

= 4.7%

154. प्रारंभिक कीमत = 100

नई कीमत = 170

अब, छूट = 20% और 5%

$= 20 + 5 - \frac{20 \times 5}{100} = 24$

अब, छूट = 20%

$\therefore$ कुल छूट $= 24 + 20 - \frac{24 \times 20}{100}$

= 39.2%

विक्रय मूल्य $= \frac{170 \times (100 - 39.2)}{100} = \frac{170 \times 60.8}{100}$

= 103.36

लाभ% = 3.36%

155. लाभ% $= \frac{5680 - 4350}{4350} \times 100$

$= \frac{1330}{4350} \times 100$

= 30.6%

156. लागत मूल्य $= 1485 \times \frac{100}{110} \times \frac{100}{90}$

= ₹1500

अब, आवश्यक विक्रय मूल्य $= 1500 \times \frac{110}{100} =$ ₹1650

157. विक्रय मूल्य $= \frac{1080}{90} \times 100 =$ ₹1200

लागत मूल्य = ₹1350

लाभ $= \frac{1350 - 1200}{1200} \times 100$

$= \frac{150}{1200} \times 100$

$= 12\frac{1}{2}\%$ लाभ

158. खरीदे गए संतरे की संख्या = ₹x

1 संतरे का लागत मूल्य $= \frac{150x}{100} =$ ₹$1.5x$

1 संतरे का विक्रय मूल्य $= \frac{24}{12} =$ ₹$2x$

लाभ = 2x - 1.5x = 1000

$\Rightarrow$ 0.5x = 1000

$\Rightarrow$ x = 2000

प्रश्नमाला 13B

निर्देश: प्रश्न संख्या 1 से 12 तक प्रत्येक में एक कथन/प्रश्न तथा दो कथन I तथा II दिये गये हैं. इन कथनों को पढ़कर इनका उत्तर:

(a) दीजिए यदि दिये गये प्रश्न का उत्तर देने के लिए I पर्याप्त हो तथा II पर्याप्तन हो;

(b) दीजिए यदि दिये गये प्रश्न का उत्तर देने के लिए II पर्याप्त हो तथा I पर्याप्त न हो;

(c) दीजिए यदि दिये गये प्रश्न का उत्तर देने के लिए I भी पर्याप्त हो तथा II भी पर्याप्त हो;

(d) दीजिए यदि दिये गये प्रश्न का उत्तर देने के लिए I तथा II दोनों मिलकर भी पर्याप्त न हो;

(e) दीजिए यदि दिये गये प्रश्न का उत्तर I तथा II दोनों को मिलाकर बना हो.

1. कितने रुपये लाभ हुआ? **(बैंक पी०ओ० परीक्षा, 2014)**

I. विक्रय मूल्य क्रय मूल्य से 14% अधिक है.

II. सूची-मूल्य पर 5% बट्टा देय है.

2. एक अलमारी बेचने से आनन्द ने कितना लाभ कमाया?

I. उसने अलमारी सूची मूल्य पर 40% बट्टे पर खरीदी.

II. उसने इसे सूची मूल्य से 20% अधिक पर बेचा.

3. कितने प्रतिशत लाभ होगा यदि 10% बट्टा दिया जाये? **(बैंक पी०ओ० परीक्षा, 2015)**

I. किसी वस्तु का क्रय-मूल्य ₹ x तथा सूची-मूल्य ₹ y है.

II. यदि बट्टा न दिया जाता तो लाभ 30% होता.

4. किसी वस्तु को 20% लाभ पर बेचकर कितना लाभ होगा? **(बैंक पी०ओ० परीक्षा, 2013)**

I. इस वस्तु के क्रय-मूल्य तथा विक्रय मूल्य का अन्तर ₹ 40 है.

II. इस वस्तु का विक्रय-मूल्य क्रय-मूल्य का 120% है.

5. किसी वस्तु का क्रय-मूल्य कितना है?

I. इस वस्तु पर लाभ क्रय-मूल्य का एक-तिहाई है.

II. वस्तु का विक्रय-मूल्य ₹ 400 है.

6. किसी वस्तु को बेचने पर कितनी हानि होती है?

I. वस्तु का क्रय-मूल्य ₹ 300 है.

II. इस वस्तु के विक्रय-मूल्य पर 25% हानि हुई.

7. किसी वस्तु को बेचने से कितने प्रतिशत लाभ हुआ? **(बैंक पी०ओ० परीक्षा, 2013)**

I. वस्तु के बेचने पर ₹ 50 लाभ हुआ.

II. यदि इसे ₹ 310 में बेचा जाता, तो लाभ ₹ 70 होता.

8. चावल की बिक्री दर प्रति किग्रा० कितनी होगी?

I. 50 किग्रा० चावल ₹ 3350 का खरीदा गया तथा ₹ 150 इसकी ढुलाई पर खर्च किये गये.

II. इस पर 5% लाभ कमाया गया.

9. एक व्यक्ति दो प्रकार के चावल (X तथा Y) मिलाकर मिश्रण को ₹ 17 प्रति किग्रा० की दर से बेचता है. उसका लाभ प्रतिशत कितना है? **(एम०बी०ए० परीक्षा, 2012)**

I. X की दर ₹ 20 प्रति किग्रा० है.

II. Y की दर ₹ 13 प्रति किग्रा० है.

10. कैसेट का क्रय मूल्य क्या होगा?

I. इसे ₹ 69 के स्थान पर ₹ 78 में बेचने से दुगुने प्रतिशत लाभ होता है.

II. यदि कैसेट का मूल्य क्रय-मूल्य से 20% अधिक अंकित करें तथा अंकित मूल्य पर 10% बट्टा दें, तो विक्रेता को 8% लाभ होता है.

11. रिचर्ड द्वारा खरीदे गये सूटकेस का क्रय-मूल्य क्या होगा? **(बैंक पी०ओ० परीक्षा, 2012)**

I. इसके अंकित मूल्य पर रिचर्ड को 20% छूट मिली.

II. रिचर्ड ने इसे ₹ 2000 में बेचकर अंकित मूल्य पर 25% लाभ कमाया.

12. एक केले का मूल्य क्या होगा?

I. एक व्यक्ति 14 केले तथा 35 सन्तरे ₹ 84 में खरीद सकता है.

II. केलों के मूल्य पर 50% कटौती मिलने से, ₹ 12 में 4 केले तथा 5 सन्तरे खरीदे जा सकते हैं.

निर्देश (प्रश्न 13–18) : नीचे दिये गये प्रत्येक प्रश्न में प्रश्न के साथ तीन कथन दिये गये हैं. यह निश्चित करना है कि दिये गये कथनों में से किन-किन कथनों से दिये गये प्रश्न का उत्तर प्राप्त होगा.

13. कितनी वस्तुयें बिकी? **(बैंक पी०ओ० परीक्षा, 2012)**

I. ₹ 1596 कुल लाभ हुआ.

II. प्रत्येक वस्तु का क्रय मूल्य ₹ 632 था.

III. प्रत्येक वस्तु का विक्रय मूल्य ₹ 765 था.

(a) तीनों में से कोई दो (b) केवल I तथा II

(c) केवल II तथा III (d) I, II, III तीनों

(e) सभी कथनों से भी दिये गये प्रश्न का उत्तर ज्ञात नहीं हो सकता

14. कुल कितना लाभ हुआ? **(बैंक पी०ओ० परीक्षा, 2013)**

I. अंकित मूल्य पर 10% बट्टा दिया गया.

II. यदि बट्टा नहीं दिया जाता, तो लाभ 30% होता.

III. विक्रय-मूल्य क्रय मूल्य से 20% अधिक है.

(a) I, II, III सभी (b) तीनों में से कोई दो

(c) III तथा (I अथवा II) (d) I तथा (II अथवा III)

(e) तीनों कथनों से भी उत्तर संभव नहीं

15. घड़ी का क्रय-मूल्य कितना था?

I. दुकानदार ने घड़ी का मूल्य क्रय मूल्य से 20% अधिक अंकित किया.

II. अंकित मूल्य पर 15% बट्टा देकर दुकानदार घड़ी को ₹ 408 में बेचता है.

III. यदि कोई बट्टा नहीं होता तो दुकानदार को 20% लाभ होता.

(a) I तथा (II अथवा III) (b) II तथा (I अथवा III)

(c) III तथा (I अथवा II) (d) केवल I तथा II

(e) तीनों में से कोई दो

16. मनिक को कितना लाभ हुआ?

I. उसे अंकित मूल्य पर 15% बट्टा मिला।

II. उसने इस वस्तु को ₹ 3060 में बेच दिया।

III. उसने अंकित मूल्य पर 2% लाभ प्राप्त किया।

(a) केवल I तथा II (b) केवल II तथा III

(c) केवल I अथवा (II तथा III)

(d) I, II, III तीनों

(e) I, II, III से भी उत्तर प्राप्त नहीं होता

17. कोई वस्तु बेचने पर कितने प्रतिशत लाभ हुआ?

(बैंक पी०ओ० परीक्षा, 2012)

I. अंकित मूल्य पर 5% बट्टा दिया गया है।

II. यदि बट्टा नहीं दिया जाता, तो 20% लाभ होता।

III. वस्तु का क्रय-मूल्य ₹ 5000 है।

(a) केवल I तथा II (b) केवल II तथा III

(c) केवल I तथा III (d) I, II, III तीनों

(e) इनमें से कोई नहीं

18. कितने प्रतिशत बट्टा दिया गया?

(बैंक पी०ओ० परीक्षा, 2013)

I. एक अलमारी को ₹ 12350 में बेचने पर 23·5% लाभ हुआ।

II. यदि बट्टा नहीं दिया जाता तो लाभ 30% होता।

III. अल्मारी का क्रय-मूल्य ₹ 10000 है।

(a) केवल I तथा II (b) केवल II तथा III

(c) केवल I तथा III (d) तीनों में से कोई दो

(e) इनमें से कोई नहीं

निर्देश (प्रश्न 19–20) : नीचे दिये गये प्रश्नों में प्रत्येक प्रश्न के साथ तीन कथन दिये गये हैं, जो कथन दिये गये प्रश्न के उत्तर हेतु आवश्यक नहीं वह निरर्थक है. प्रत्येक प्रश्न में निरर्थक कथन ज्ञात कीजिए.

19. एक दुकानदार ने वस्तुयें बेचकर कितने प्रतिशत लाभ कमाया?

I. वस्तु का अंकित मूल्य क्रय-मूल्य का 130% है।

II. प्रत्येक वस्तु का क्रय-मूल्य ₹ 550 है।

III. अंकित मूल्य पर 10% बट्टा दिया जाता है।

(a) केवल I (b) केवल II

(c) केवल III (d) I, II, III तीनों आवश्यक हैं

(e) दिये गये सभी कथनों से भी उत्तर संभव नहीं है

20. एक सूटकेस का अंकित मूल्य कितना है?

I. यदि 15% बट्टा दिया जाये तो लाभ 10·5% होता है।

II. सूटकेस का क्रय मूल्य ₹ 1500 है।

III. सूटन्केस का अंकित मूल्य क्रय मूल्य से 30% अधिक है।

(a) केवल I (b) केवल I अथवा III

(c) तीनों में से कोई एक (d) I, II, III तीनों आवश्यक हैं

(e) इनमें से कोई नहीं

उत्तरमाला

1. (d)	2. (d)	3. (a)	4. (a)	5. (e)	6. (e)	7. (b)	8. (e)	9. (e)	10. (a)
11. (e)	12. (d)	13. (d)	14. (e)	15. (a)	16. (d)	17. (a)	18. (e)	19. (b)	20. (b)

दिये गये प्रश्नों के हल

1. माना सूची मूल्य = ₹ x.

II से, विक्रय मूल्य = ₹ x का 95% = ₹ $\left(x \times \frac{95}{100}\right)$

$= ₹ \frac{19x}{20}$.

I तथा II से, यदि वि० मूल्य ₹ 114 है, तो क्रय मूल्य = ₹ 100.

यदि वि० मूल्य ₹ $\frac{19x}{20}$ है,

तो क्रय मूल्य = ₹ $\left(\frac{100}{114} \times \frac{19x}{20}\right) = ₹ \frac{5x}{6}$.

स्पष्ट है कि I तथा II से भी लाभ ज्ञात नहीं किया जा सकता।

∴ सही उत्तर (d) है।

2. माना सूची मूल्य = ₹ x.

I से, क्रय मूल्य = ₹ x का 60% = ₹ $\left(x \times \frac{60}{100}\right) = ₹ \frac{3x}{5}$.

II से, विक्रय मूल्य = ₹ x का 120% = ₹ $\left(x \times \frac{120}{100}\right)$

$= ₹ \frac{6x}{5}$.

स्पष्ट है कि I तथा II से भी लाभ ज्ञात नहीं किया जा सकता।

∴ सही उत्तर (d) है।

3. I से, क्रय-मूल्य = ₹ x,

विक्रय मूल्य = ₹ y का 90% = ₹ $\left(y \times \frac{90}{100}\right) = ₹ \frac{9y}{10}$.

स्पष्ट है कि इससे लाभ % ज्ञात हो जायेगा।

केवल II से लाभ % ज्ञात नहीं किया जा सकता।

∴ सही उत्तर (a) है।

4. लाभ = 20%.

I से लाभ = ₹ 40.

II से वि० मूल्य = $\left(\text{क्रय मूल्य का } \frac{120}{100}\right)$

माना क्रय-मूल्य = ₹ x. तब वि०मू० = ₹ $\frac{120x}{100} = \frac{6x}{5}$.

लाभ = ₹ $\left(\frac{6x}{5} - x\right)$, जो ज्ञात न हो सकेगा।

∴ सही उत्तर (a) है।

5. माना क्रय-मूल्य = ₹ x.

I से, लाभ = ₹ $\frac{x}{3}$.

वि० मूल्य = ₹ $\left(x+\frac{x}{3}\right)$ = ₹ $\frac{4x}{3}$.

II से, $\frac{4x}{3} = 400 \Leftrightarrow x = \left(400\times\frac{3}{4}\right) = 300.$

अत: क्रय-मूल्य = ₹ 300.

इस प्रकार, I तथा II दोनों से उत्तर प्राप्त हुआ.

∴ सही उत्तर (*e*) है.

6. II से, माना विक्रय-मूल्य = ₹ x, हानि = x का 25% = ₹ $\left(x\times\frac{25}{100}\right)$

= ₹ $\frac{x}{4}$.

∴ क्रय मूल्य = ₹ $\left(x+\frac{x}{4}\right)$ = ₹ $\frac{x}{}$.

I से क्रय मूल्य = ₹ 300.

I तथा II से $\frac{5x}{4} = 300 \Leftrightarrow x = 240.$

∴ हानि = ₹ $\frac{240}{4}$ = ₹ 60.

∴ सही उत्तर (*e*) है.

7. II से, वि०मू० = ₹ 310, लाभ = ₹ 70 ⇒ क्रय मू० = ₹(310 − 70) = ₹ 240.

∴ लाभ % = $\left(\frac{70}{240}\times 100\right)\%$

अत: केवल II से उत्तर प्राप्त हुआ.

केवल I से उत्तर प्राप्त नहीं हो सकता.

∴ सही उत्तर (*b*) है.

8. I से, 50 किग्रा० चावल का क्रय मूल्य

= ₹(3350 + 150) = ₹3500.

1 किग्रा० चावल का क्रय मूल्य = ₹ $\frac{3500}{50}$ = ₹ 70.

II से, लाभ = 5%

⇒ वि० मूल्य = ₹ 70 का 105% = ₹ $\left(70\times\frac{105}{100}\right)$

= ₹ 73·50.

अत: उत्तर प्राप्त करने हेतु I तथा II दोनों चाहियें.

∴ सही उत्तर (*e*) है.

9. X तथा Y किस अनुपात में हैं, यह नहीं दिया गया है.

∴ सही उत्तर (*e*) है.

10. माना क्रय-मूल्य = ₹ x. तब,

I से, $\frac{(78-x)}{x}\times 100 = 2\times\frac{(69-x)}{x}\times 100$

$\Leftrightarrow 78 - x = 138 - 2x \Leftrightarrow x = 60.$

∴ केवल I से उत्तर प्राप्त होगा.

II से, अंकित मूल्य = ₹ $\left(x\times\frac{120}{100}\right)$ = ₹ $\frac{6x}{5}$

विक्रय मूल्य = $\frac{6x}{5}$ का 90% = ₹ $\left(\frac{6x}{5}\times\frac{90}{100}\right)$ = ₹ $\frac{27x}{25}$.

∴ x का 108% = $\frac{27x}{25} \Leftrightarrow \left(x\times\frac{108}{100}\right) = \frac{27x}{25}$,

इससे x ज्ञात नहीं होगा.

∴ सही उत्तर (*a*) है.

11. माना अंकित मूल्य = ₹ x.

I से, क्रय-मूल्य = ₹ x का 80%

= ₹ $\left(x\times\frac{80}{100}\right)$ = ₹ $\frac{4x}{5}$.

II से, विक्रय-मूल्य = ₹ 2000,

वि०मू० = ₹ x का 125% = ₹ $\left(\;\times\frac{125}{100}\right)$ = ₹ $\frac{5x}{4}$.

∴ $\frac{5x}{4} = 2000 \Leftrightarrow x = \left(2000\times\frac{4}{5}\right) = 1600.$

∴ क्रय-मूल्य = ₹ $\frac{4x}{5}$ = ₹ $\left(\frac{4}{5}\times 1600\right)$ = ₹ 1280.

अत: I तथा II से, दिये गये प्रश्न का उत्तर प्राप्त होगा.

∴ सही उत्तर (*e*) है.

12. माना एक केले का मूल्य = ₹ x तथा 1 सन्तरे का मूल्य = ₹ y.

I से, $14x + 35y = 84 \Rightarrow 2x + 5y = 12$ ...(*i*)

II से, $4\times\frac{x}{2} + 5y = 12 \Rightarrow 2x + 5y = 12$ ...(*ii*)

स्पष्ट है कि I तथा II से भी x तथा y के मान ज्ञात नहीं किये जा सकते.

∴ सही उत्तर (*d*) है.

13. I से, कुल लाभ = ₹ 1596.

II से, प्रत्येक वस्तु का क्रय-मूल्य = ₹ 632.

III से, प्रत्येक वस्तु का विक्रय-मूल्य = ₹ 765.

माना कुल वस्तुओं की संख्या = x.

तब, $(765x - 632x) = 1596 \Leftrightarrow 133x = 1596$

$\Leftrightarrow x = \frac{1596}{133} = 12.$

∴ दिये गये प्रश्न का उत्तर प्राप्त करने हेतु I, II, III तीनों चाहिये.

∴ सही उत्तर (*d*) है.

14. माना अंकित मूल्य = ₹ x.

I से, विक्रय-मूल्य = ₹ x का 90%

= ₹ $\left(x\times\frac{90}{100}\right)$ = ₹ $\frac{9x}{10}$.

II से, यदि वि० मूल्य = ₹ x, तो लाभ = 30%.

∴ क्रय मूल्य = ₹ $\left(x\times\frac{100}{30}\right)$ = ₹ $\frac{10x}{13}$.

III से, लाभ = 20%

∴ I, II, III तीनों से भी लाभ ज्ञात नहीं किया सकता.

∴ सही उत्तर (*e*) है.

15. माना क्रय-मूल्य = ₹ x.

I से, अंकित-मूल्य = ₹ x का 120%

$= ₹\left(x \times \frac{120}{100}\right) = ₹\frac{6x}{5}$.

II से, विक्रय-मूल्य = अंकित मूल्य का 85%

$= ₹\left(\frac{6x}{5} \times \frac{85}{100}\right) = ₹\frac{51x}{50}$ (I से)

$\therefore \frac{51x}{50} = 408 \Leftrightarrow x = \left(408 \times \frac{50}{51}\right) = 400$.

अत: I तथा II से उत्तर प्राप्त हुआ.

III से, यदि बट्टा नहीं दिया जाता, तो वि०मूल्य

$=$ अंकित मूल्य $= ₹\frac{6x}{5}$ (I से)

$\therefore$ I तथा III से उत्तर प्राप्त होता है.

अत: I तथा (II अथवा III) से उत्तर प्राप्त होता है.

$\therefore$ सही उत्तर (*a*) है.

16. माना अंकित मूल्य = ₹ x.

I से, क्रय-मूल्य = ₹ x का 85%

$= ₹\left(x \times \frac{85}{100}\right) = ₹\frac{17x}{20}$.

II से, विक्रय-मूल्य = ₹ 3060.

III से, x का $102\% = 3060 \Leftrightarrow x \times \frac{102}{100} = 3060$

$\Leftrightarrow x = \left(3060 \times \frac{100}{102}\right) \Leftrightarrow x = 3000$.

$\therefore$ क्रय-मूल्य $= ₹\frac{17x}{20} = ₹\left(\frac{17}{20} \times 3000\right) = ₹ 2550$.

$\therefore$ लाभ $= ₹(3060 - 2550) = ₹ 510$.

अत: I, II, III तीनों से ही उत्तर प्राप्त होता है.

$\therefore$ सही उत्तर (*d*) है.

17. I से, माना अंकित मूल्य = ₹ x. तब,

विक्रय-मूल्य = (x का 95%) $= ₹\left(x \times \frac{95}{100}\right) = ₹\frac{19x}{20}$.

II से, वि० मूल्य = ₹ x तथा लाभ = 20%.

$\therefore$ क्रय-मूल्य $= ₹\left(x \times \frac{100}{120}\right) = ₹\frac{5x}{6}$.

$\therefore$ लाभ $= \left(\frac{19x}{20} - \frac{5x}{6}\right) = \frac{(57x - 50x)}{60} = \frac{7x}{60}$.

$\therefore$ लाभ% $= \left(\frac{7x}{60} \times \frac{6}{5x} \times 100\right)\% = 14\%$.

अत: I, II से ही उत्तर प्राप्त होता है.

$\therefore$ सही उत्तर (*a*) है.

18. I से, वि० मूल्य = ₹ 12350, लाभ = 23·5%.

$\therefore$ क्रय-मूल्य $= \left(\frac{100}{123 \cdot 5} \times 12350\right) = ₹ 10000$.

I से, अंकित मूल्य = क्रय-मूल्य का 130%

$= (₹ 10000$ का $130\%) = ₹\left(10000 \times \frac{130}{100}\right) = ₹ 13000$.

I तथा II से, बट्टा $= ₹(13000 - 12350) = ₹ 650$.

बट्टा % $= \left(\frac{650}{13000} \times 100\right)\% = 5\%$.

अत: I तथा II से उत्तर प्राप्त होगा.

III से, क्रय-मूल्य = ₹ 10000.

$\therefore$ II तथा III से उत्तर प्राप्त होगा.

$\therefore$ सही उत्तर (*e*) है.

19. I से, माना क्रय-मूल्य = ₹ x. तब,

अंकित मूल्य $= ₹\left(x \times \frac{130}{100}\right) = ₹\frac{13x}{10}$.

III से, विक्रय-मूल्य = अंकित मूल्य का 90%

$\therefore$ I तथा III से, विक्रय-मूल्य $= ₹\left(\frac{13x}{10} \times \frac{90}{100}\right) = ₹\frac{117x}{100}$.

लाभ $= ₹\left(\frac{117x}{100} - x\right) = ₹\frac{17x}{100}$.

$\therefore$ I तथा III से, लाभ% ज्ञात किया जा सकता है.

अत: II निरर्थक है.

$\therefore$ सही उत्तर (*b*) है.

20. II से, क्रय-मूल्य = ₹ 1500.

I से, लाभ % = 10·5%.

I तथा II से, वि०मू० = क्रय मूल्य का 110·5%

$= ₹\left(1500 \times \frac{110 \cdot 5}{100}\right) = ₹ 1657 \cdot 50$.

बट्टा = 15%

$\therefore$ अंकित मूल्य $= ₹\left(1657 \cdot 50 \times \frac{100}{85}\right) = ₹ 1950$.

I तथा II से उत्तर प्राप्त होता है तथा III निरर्थक है.

III से, अंकित मूल्य = क्रय-मूल्य का 130%.

II तथा III से, अंकित मूल्य $= ₹\left(1500 \times \frac{130}{100}\right)$

$= ₹ 1950$.

$\therefore$ II तथा III से उत्तर प्राप्त होता है तथा I निरर्थक है.

अत: I तथा III निरर्थक हैं.

$\therefore$ सही उत्तर (*b*) है.

14 अनुपात तथा समानुपात (RATIO AND PROPORTION)

सामान्य नियम

(i) $\frac{a}{b}$ को a तथा b का अनुपात कहते हैं तथा इसे लिखते हैं, $a : b$.

(ii) अनुपात $a : b$ में a को प्रथम पद तथा b को द्वितीयपद कहते हैं.

(iii) किसी अनुपात के प्रत्येक पद को एक ही अशून्य संख्या से गुणा अथवा भाग करने पर अनुपात नहीं बदलता.

जैसे: (i) $3 : 4 = \frac{3}{4} = \frac{3\times5}{4\times5} = \frac{15}{20} = 15 : 20$. (ii) $25 : 30 = \frac{25}{30} = \frac{25\div5}{30\div5} = \frac{5}{6} = 5 : 6$.

(iv) **समानुपात:** दो अनुपातों की बराबरी को समानुपात कहते हैं.
जैसे: $2 : 5 = 6 : 15$ को हम लिखेंगे $2 : 5 :: 6 : 15$.

(v) यदि $a : b :: c : d$ हो, तो हम a तथा d को बाहरी राशियाँ तथा b और c को माध्यमिक राशियाँ कहते हैं.

बाहरी राशियों का गुणनफल = माध्यमिक राशियों का गुणनफल

(vi) **मध्यानुपाती:** a तथा b का मध्यानुपाती $= \sqrt{ab}$.

(vii) **चतुर्थानुपाती** तीन राशियों a, b, c का चतुर्थानुपाती x हो, तो

$\boldsymbol{a : b :: c : x}$ अर्थात् $(a \times x) = (b \times c) \Leftrightarrow x = \frac{(b\times c)}{a}$.

(viii) **तृतीयानुपाती:** माना a तथा b का तृतीयानुपाती x है, तब $\boldsymbol{a : b :: b : x \Leftrightarrow (a \times x) = b^2 \Leftrightarrow x = \frac{b^2}{a}}$.

(ix) **मिश्र अनुपात:** $(a : b)$ तथा $(c : d)$ का मिश्र अनुपात $= (ac : bd)$.

(x) **अनुपातों की तुलना:** यदि $\frac{a}{b} > \frac{c}{d}$ हो, तो हम कहते हैं कि $(a : b) > (c : d)$.

(xi) यदि $\frac{a}{b} = \frac{c}{d}$ हो, तो $\frac{a+b}{a-b} = \frac{c+d}{c-d}$.

(xii) किसी राशि M को $a : b$ में बाटँने पर:

पहला भाग $= \left\{M \times \frac{a}{(a+b)}\right\}$, दूसरा भाग $= \left\{M \times \frac{b}{(a+b)}\right\}$.

(xiii) किसी राशि M को $a : b : c$ में बाटँने पर:

प्रथम भाग $= \left\{M \times \frac{a}{(a+b+c)}\right\}$, दूसरा भाग $= \left\{M \times \frac{b}{(a+b+c)}\right\}$

तथा, तृतीय भाग $= \left\{M \times \frac{c}{(a+b+c)}\right\}$.

(xiv) **समानुपाती:** यदि $x = ky$, जहाँ k अचर हो, तो हम कहते हैं कि x, y के समानुपाती है. इसे लिखते हैं, $x \propto y$.

(xv) **विलोमानुपाती:** यदि $x = \frac{k}{y}$, जहाँ k अचर हो, तो हम कहते हैं कि x, y के विलोमानुपाती है. इसे लिखते हैं, $x \propto \frac{1}{y}$

साधित उदाहरण

प्रश्न 1. यदि $a : b = 4 : 7$ तथा $b : c = 5 : 9$ हो, तो ज्ञात कीजिए:
(i) $a : b : c$ (ii) $a : c$

हल: (i) $a : b = 4 : 7$ तथा $b : c = 5 : 9$

$\Rightarrow a : b = 4 : 7$ तथा $b : c = 5 \times \frac{7}{5} : 9 \times \frac{7}{5} = 7 : \frac{63}{5} \Rightarrow a : b : c = 4 : 7 : \frac{63}{5} = 20 : 35 : 63.$

(ii) $a : b = 4 : 7$ तथा $b : c = 5 : 9 \Rightarrow \frac{a}{b} = \frac{4}{7}$ तथा $\frac{b}{c} = \frac{5}{9} \Rightarrow \frac{a}{c} = \left(\frac{a}{b} \times \frac{b}{c}\right) = \left(\frac{4}{7} \times \frac{5}{9}\right) = \frac{20}{63} \Rightarrow a : c = 20 : 63.$

प्रश्न 2. यदि $a : b = 8 : 15$, $b : c = 5 : 8$ तथा $c : d = 4 : 5$ हो, तो $a : d$ ज्ञात कीजिए.

हल: $\frac{a}{d} = \left(\frac{a}{b} \times \frac{b}{c} \times \frac{c}{d}\right) = \left(\frac{8}{15} \times \frac{5}{8} \times \frac{4}{5}\right) = \frac{4}{15} \Leftrightarrow a : d = 4 : 15.$

प्रश्न 3. यदि m का 15% = n का 20% हो, तो $m : n$ क्या होगा?

हल: m का $\frac{15}{100} = n$ का $\frac{20}{100} \Leftrightarrow \frac{3m}{20} = \frac{n}{5} \Leftrightarrow \frac{m}{n} = \left(\frac{1}{5} \times \frac{20}{3}\right) = \frac{4}{3} \Leftrightarrow m : n = 4 : 3.$

प्रश्न 4. यदि $a : b = 5 : 7$ हो, तो $(3a + 5b) : (5a - 2b)$ ज्ञात कीजिए.

हल: स्पष्ट है कि $\frac{a}{b} = \frac{5}{7}$.

$$\therefore \quad \frac{(3a+5b)}{(5a-2b)} = \frac{3\left(\frac{a}{b}\right)+5}{5\left(\frac{a}{b}\right)-2}$$ (अंश तथा हर को b से भाग देने पर)

$$= \frac{3\times\frac{5}{7}+5}{5\times\frac{5}{7}-2} = \frac{\left(\frac{15}{7}+5\right)}{\left(\frac{25}{7}-2\right)} = \left(\frac{50}{7}\times\frac{7}{11}\right) = \frac{50}{11}.$$

अत: $(3a + 5b) : (5a - 2b) = 50 : 11.$

प्रश्न 5. यदि $(x + y) : (x - y) = 4 : 1$ हो, तो $(x^2 + y^2) : (x^2 - y^2) = ?$

हल: $\frac{x+y}{x-y} = \frac{4}{1} \Leftrightarrow x + y = 4x - 4y \Leftrightarrow 3x = 5y \Leftrightarrow x = \frac{5}{3}y$

$$\therefore \quad \frac{(x^2+y^2)}{(x^2-y^2)} = \frac{\left(\frac{25y^2}{9}+y^2\right)}{\left(\frac{25y^2}{9}-y^2\right)} = \frac{(34y^2/9)}{(16y^2/9)} = \frac{34}{16} = \frac{17}{8}.$$

अत: $(x^2 + y^2) : (x^2 - y^2) = 17 : 8.$

प्रश्न 6. यदि $(a + b) : (b + c) : (c + a) = 6 : 7 : 8$ हो तथा $a + b + c = 14$ हो, तो c का मान क्या होगा?

हल: माना $a + b = 6k$, $b + c = 7k$ तथा $c + a = 8k$.

तब, जोड़ने पर: $2(a + b + c) = 21k \Rightarrow k = \frac{28}{21} = \frac{4}{3}$.

$\therefore \quad (a + b) = \left(6\times\frac{4}{3}\right) = 8.$ अत: $c = (a + b + c) - (a + b) = (14 - 8) = 6.$

प्रश्न 7. (2 : 3), (4 : 7), (5 : 8) में कौन-सा सबसे बड़ा है?

हल: $\frac{2}{3} = 0{\cdot}666,\ \frac{4}{7} = 0{\cdot}571$ तथा $\frac{5}{8} = 0{\cdot}625.$

स्पष्ट है कि इनमें से सबसे बड़ा 0·666 है.

अत: दिये गये अनुपातों में 2 : 3 सबसे बड़ा है.

प्रश्न 8. ₹ 675 को *A* तथा *B* में 5 : 4 के अनुपात में बाँटियें.

हल: दिये गये अनुपात में पदों का योग = (5 + 4) = 9.

$\therefore$ *A* का भाग = ₹$\left(675\times\frac{5}{9}\right)$ = ₹ 375.

B का भाग = ₹$\left(675\times\frac{4}{9}\right)$ = ₹ 300.

प्रश्न 9. ₹ 952 को *A, B, C* में 37 : 18 : 13 के अनुपात में बाँटियें.

हल: अनुपात के पदों का योग = (37 + 18 + 13) = 68.

$\therefore$ *A* का भाग = ₹$\left(952\times\frac{37}{68}\right)$ = ₹ 518.

B का भाग = ₹$\left(952\times\frac{18}{68}\right)$ = ₹ 252.

C का भाग = ₹$\left(952\times\frac{13}{68}\right)$ = ₹ 182.

प्रश्न 10. एक थैली में ₹ 1, 50 पै० तथा 25 पै० के सिक्के 5 : 9 : 25 के अनुपात में हैं. यदि थैली में कुल धन ₹ 1008 हो, तो विभिन्न पकार के सिक्को की संख्या ज्ञात कीजिए.

हल: माना ₹ 1, 50 पै० तथा 25 पै० के सिक्कों की संख्या क्रमश: $5x, 9x$ तथा $25x$ हैं.

तब $\left(5x+\frac{50}{100}\times 9x+\frac{25}{100}\times 25x\right) = 1008 \Leftrightarrow \left(5x+\frac{9x}{2}+\frac{25x}{4}\right) = 1008 \Leftrightarrow (20x + 18x + 25x) = 4032$

$$\Leftrightarrow 63x = 4032 \Leftrightarrow x = 64.$$

$\therefore$ ₹ 1 के सिक्कों की संख्या = $5x = (5 \times 64) = 320.$

50 पै० के सिक्कों की संख्या = $9x = (9 \times 64) = 576.$

25 पै० के सिक्कों की संख्या = $25x = (25 \times 64) = 1600.$

प्रश्न 11. एक थैली में ₹ 1, 50 पै० तथा 10 पै० के सिक्के हैं. इनमें से ₹ 1 तथा 50 पै० के सिक्कों का अनुपात 2 : 5 है तथा 50 पै० एवं 10 पै० के सिक्कों का अनुपात 4 : 9 है. यदि थैली में कुल धन ₹ 1125 हो, तो प्रत्येक पकार के सिक्कों की संख्या ज्ञात कीजिए.

हल: $A : B = 2 : 5$ तथा $B : C = 4 : 9 \Rightarrow A : B = 8 : 20$ तथा $B : C = 20 : 45.$

$\therefore \quad A : B : C = 8 : 20 : 45.$

माना ₹ 1, 50 पै० तथा 10 पै० के सिक्कों की संख्या क्रमश: $8x, 20x, 45x$ है.

$$\therefore \quad (8x \times 1) + \left(20x\times\frac{50}{100}\right) + \left(45x\times\frac{10}{100}\right) = 1125$$

$$\Leftrightarrow \quad 8x + 10x + \frac{9x}{2} = 1125 \Leftrightarrow (16x + 20x + 9x) = 2250 \Leftrightarrow 45x = 2250 \Leftrightarrow x = 50.$$

$\therefore$ ₹ 1 के सिक्कों की संख्या = $8x = (8 \times 50) = 400.$

50 पै० के सिक्कों की संख्या = $20x = (20 \times 50) = 1000.$

25 पै० के सिक्कों की संख्या = $45x = (45 \times 50) = 2250.$

प्रश्न 12. ₹ 5000 को 10 पुरुषों, 5 स्त्रियों तथा 10 लड़कों में इस प्रकार बाँटा गया है कि 2 पुरुषों का भाग = 5 लड़कों का भाग तथा 1 स्त्री का भाग = 3 लड़कों का भाग. इसमें से प्रत्येक पुरुष, स्त्री व लड़के का भाग ज्ञात कीजिए.

हल: माना प्रत्येक लड़क का भाग = ₹ x.

प्रत्येक पुरुष का भाग = ₹$\left(\frac{5x}{2}\right)$ तथा प्रत्येक स्त्री का भाग = ₹$(3x)$.

$\therefore \quad \left(10\times\frac{5x}{2}+5\times3x+10\times x\right) = 5000 \Leftrightarrow 50x = 5000 \Leftrightarrow x = 100.$

अतः प्रत्येक पुरुष का भाग = ₹$\left(\frac{5}{2}\times100\right)$ = ₹ 250.

प्रत्येक स्त्री का भाग = ₹(3 × 100) = ₹ 300.

प्रत्येक लडके का भाग = ₹ 100.

प्रश्न 13. ₹ 3740 को तीन भागों में इस पकार बाँटिये कि पहले का आधा, दूसरे का एक-तिहाई तथा तीसरे का छठा भाग बराबर हों.

हल: माना $\frac{1}{2}A = \frac{1}{3}B = \frac{1}{6}C = K$. तब, $A = 2K, B = 3K$ तथा $C = 6K$.

$\therefore \quad A : B : C = 2K : 3K : 6K = 2 : 3 : 6.$

अतः पहला भाग = ₹$\left(3740\times\frac{2}{11}\right)$ = ₹ 680.

दूसरा भाग = ₹$\left(3740\times\frac{3}{11}\right)$ = ₹ 1020.

तीसरा भाग = ₹$\left(3740\times\frac{6}{11}\right)$ = ₹ 2040.

प्रश्न 14. ₹ 846 को ऐसे दो भागों में विभक्त कीजिए कि प्रथम भाग का पाँचवा भाग तथा द्वितीय भाग का आठवाँ भाग 3 : 4 के अनुपात में हों.

हल: माना अभीष्ट भाग A तथा B हैं. तब $\frac{A}{5} : \frac{B}{8} = 3 : 4 \Leftrightarrow 8A : 5B = 3 : 4$

$\therefore \quad \frac{8A}{5B} = \frac{3}{4} \Leftrightarrow \frac{A}{B} = \left(\frac{3}{4}\times\frac{5}{8}\right) = \frac{15}{32}$. अतः $A : B = 15 : 32$.

$\therefore \quad A =$ ₹$\left(846\times\frac{15}{47}\right)$ = ₹ 270 तथा $B =$ ₹$\left(846\times\frac{32}{47}\right)$ = ₹ 576.

प्रश्न 15. ₹ 12540 को A, B, C में इस पकार बाँटिये कि A को B तथा C के कुल भाग का $\frac{3}{7}$ मिले तथा B को A तथा C के कुल भाग का $\frac{2}{9}$ मिले.

हल: $A : (B + C) = 3 : 7 \Rightarrow A$ का भाग = ₹$\left(12540\times\frac{3}{10}\right)$ = ₹ 3762.

$B : (A + C) = 2 : 9 \Rightarrow B$ का भाग = ₹$\left(12540\times\frac{2}{11}\right)$ = ₹ 2280.

प्रश्नमाला 14

निम्नलिखित में से प्रत्येक प्रश्न में ठीक उत्तर को चिह्नांकित (✓) कीजिए:

1. यदि $A : B = 3 : 4$ तथा $B : C = 8 : 9$ हो, तो $A : C = ?$ **(एस०एस०सी० परीक्षा, 2010)**

(a) 1 : 3 (b) 3 : 2
(c) 2 : 3 (d) 1 : 2

2. यदि $3A = 5B$ तथा $2B = 3C$ हो, तो $A : C = ?$

(a) 2 : 5 (b) 5 : 2
(c) 5 : 3 (d) 3 : 5

3. यदि $A : B = 3 : 4, B : C = 5 : 7$ तथा $C : D = 8 : 9$ हो, तो $A : D = ?$ **(एस०एस०सी० परीक्षा, 2015)**

(a) 3 : 7 (b) 7 : 3
(c) 10 : 21 (d) 21 : 10

4. यदि $x : y = 3 : 4, y : z = 5 : 6$ तथा $z : w = 2 : 3$ हो, तो $x : w = ?$ **(होटल मैनेजमैन्ट परीक्षा, 2014)**

(a) 1 : 1 b) 5 : 3

(c) 7 : 3 (d) 5 : 12

5. यदि $A : B = 7 : 9$ तथा $B : C = 5 : 4$ हो, तो $A : B : C =$? (एम०बी०ए० परीक्षा, 2014)

(a) 7 : 45 : 36 (b) 28 : 36 : 35
(c) 35 : 45 : 36 (d) इनमें से कोई नहीं

6. यदि $a : b = 2 : 3$ तथा $b : c = 5 : 7$ हो, तो $a : b : c =$? (होटल मैनेजमैन्ट परीक्षा, 2014)

(a) 2 : 3 : 7 (b) 2 : 5 : 7
(c) 2 : 15 : 7 (d) 10 : 15 : 21
(e) इनमें से कोई नहीं

7. यदि $\frac{1}{3}A = \frac{1}{4}B = \frac{1}{5}C$ हो, तो $A : B : C =$? (एम०बी०ए० परीक्षा, 2015)

(a) 4 : 3 : 5 (b) 3 : 4 : 5
(c) 5 : 4 : 3 (d) 20 : 15 : 12

8. यदि $a : b = \frac{2}{9} : \frac{1}{3}, b : c = \frac{2}{7} : \frac{5}{14}$ तथा $d : c = \frac{7}{10} : \frac{3}{5}$ हो, तो $a : b : c : d =$? (एस०एस०सी० परीक्षा, 2013)

(a) 4 : 6 : 7 : 9 (b) 8 : 12 : 15 : 7
(c) 16 : 24 : 30 : 35 (d) 30 : 35 : 24 : 16

9. यदि $p : q = 3 : 4, r : s = 8 : 5$ तथा $x : y = 5 : 3$ हो, तो $psx : qry =$? (एम०सी०ए० परीक्षा, 2015)

(a) 16 : 25 (b) 25 : 32
(c) 2 : 1 (d) 25 : 32

10. यदि $a : b = 5 : 7$ तथा $c : d = 2a : 3b$ हो, तो $ac : bd =$? (एस०एस०सी० परीक्षा, 2015)

(a) 10 : 21 (b) 10 : 19
(c) 50 : 147 (d) 50 : 151

11. यदि $\frac{a}{b} = \frac{4}{5}$ तथा $\frac{b}{c} = \frac{15}{16}$ हो, तो $\frac{c^2 - a^2}{c^2 + a^2} =$? (एम०बी०ए० परीक्षा, 2015)

(a) $\frac{1}{7}$ (b) $\frac{3}{4}$
(c) $\frac{7}{25}$ (d) इनमें से कोई नहीं

12. यदि $a : b = b : c$ हो, तो $a^4 : b^4 =$? (एम०बी०ए० परीक्षा, 2015)

(a) $b^2 : ac$ (b) $c^2 : a^2$
(c) $a^2 : c^2$ (d) $ac : b^2$

13. यदि $x : y = 3 : 4$ हो, तो $(7x + 3y) : (7x - 3y) =$? (एस०एस०सी० परीक्षा, 2015)

(a) 4 : 3 (b) 5 : 2
(c) 11 : 3 (d) 37 : 19

14. यदि $x : y = 5 : 4$ हो, तो $(2x + 3y) : (3y - 2x) =$? (एम०बी०ए० परीक्षा, 2015)

(a) 3 : 1 (b) 3 : 7
(c) 9 : 4 (d) 11 : 1

15. यदि $x : y :: 5 : 2$ हो, तो $(8x + 9y) : (8x + 2y) =$? (एस०एस०सी० परीक्षा, 2011)

(a) 22 : 29 (b) 26 : 61
(c) 29 : 22 (d) 61 : 22

16. यदि $\frac{x}{5} = \frac{y}{8}$ हो, तो $(x + 5) : (y + 8) =$?

(a) 3 : 5 (b) 13 : 8
(c) 8 : 5 (d) 5 : 8

17. यदि $x : y = 2 : 1$ हो, तो $(x^2 - y^2) : (x^2 + y^2) =$?

(a) 5 : 3 (b) 3 : 5
(c) 3 : 1 (d) 1 : 3

18. यदि $x : y = 3 : 2$ हो, तो $(2x^2 + 3y^2) : (3x^2 - 2y^2) =$? (एस०एस०सी० परीक्षा, 2012)

(a) 5 : 3 (b) 6 : 5
(c) 12 : 5 (d) 30 : 19

19. यदि $\frac{a}{3} = \frac{b}{4} = \frac{c}{7}$ हो, तो $\frac{(a+b+c)}{c} =$?

(a) 7 (b) $\frac{1}{7}$
(c) 2 (d) $\frac{1}{2}$

20. 14 और 56 का तृतीयानुपाती ज्ञात कीजिए। [एसएससी जीडी 05/03/2024 (Shift-01)]

(a) 220 (b) 218 (c) 212 (d) 224

21. $(a + b)(a - b)^3$ $(a + b)^3(a - b)$ का माध्यानुपाती है। [एसएससी सीजीएल 25/07/2023 (Shift-04)]

(a) $(a + b)^2 (a - b)$ (b) $(a + b)^2 (a - b)^2$
(c) $(a + b)(a - b)^2$ (d) $a^2 - b^2$

22. वह छोटी से छोटी धनात्मक संख्या कौन-सी है जिसे 2 और 3 में से घटाए जाने पर उनका तृतीय अनुपात 4 होगा? [एसएससी सीजीएल 26/07/2023 (Shift-04)]

(a) 1 (b) 2 (c) 4 (d) 3

23. यदि $3x^2$ और $4xy$ का तृतीयानुपाती 48 है, तो y का धनात्मक मान ज्ञात कीजिए। [एसएससी सीजीएल 27/07/2023 (Shift-02)]

(a) 3 (b) 5 (c) 2 (d) 4

24. 7 और 63 का तृतीयानुपाती क्या है? [एसएससी सीजीएल 27/07/2023 (Shift-03)]

(a) 576 (b) 567 (c) 441 (d) 625

25. A, (B + 18) के अनुक्रमानुपाती है और B = 36 होने पर A = 108 होता है। A का मान ज्ञात कीजिए जब B = 68 हो।

[एसएससी सीजीएल 19/07/2023 (Shift-01)]

(*a*) 75 (*b*) 86 (*c*) 127 (*d*) 172

26. यदि 42, 36 और 35 किसी अनुपात के पहले तीन पद हैं, तो चौथा पद है: [एसएससी सीपीओ 03/10/2023 (Shift-01)]

(*a*) 27 (*b*) 28 (*c*) 30 (*d*) 32

27. 9.61 और 3.61 का माध्य आनुपातिक क्या है?

[एसएससी एमटीएस 01/09/2023 (Shift-01)]

(*a*) 3.17 (*b*) 5.89 (*c*) 4.87 (*d*) 6.78

28. 58 का $\frac{7}{5}$ + 139.2 का $\frac{3}{8}$ = ?

[एसबीआई-जूनि. एसोसिएट (प्री.) परीक्षा, 2016]

(*a*) 133.4 (*b*) 137.2 (*c*) 127.8 (*d*) 131.6

29. 3024 का $\frac{3}{7}$ का $\frac{5}{4}$ = ?

(*a*) 920 (*b*) 940 (*c*) 960 (*d*) 1620

[एसबीआई-जूनि. एसोसिएट (प्री.) परीक्षा, 2016]

30. 50 पैसे : ₹4 को सरलतम रूप में व्यक्त कीजिए।

[ईएसआईसी-यूडीसी परीक्षा, 2016]

(*a*) 1 : 8 (*b*) 5 : 4 (*c*) 4 : 5 (*d*) 8 : 1

31. 25 और 30 का तीसरा समानुपाती ज्ञात कीजिए।

[भारतीय रेलवे ग्रेड 'डी' परीक्षा, 2014]

(*a*) 36 (*b*) 32 (*c*) 34 (*d*) 38

32. एक मिश्रण में सीरप और पानी का अनुपात 3 : 1 है, तो इस मिश्रण में सीरप का प्रतिशत है–

[एसएससी-सीएचएसएल (10+2) परीक्षा, 2015]

(*a*) 75% (*b*) 25% (*c*) $66\frac{2}{3}$% (*d*) $33\frac{1}{3}$%

33. यदि $a^2+b^2+c^2-ab-bc-ca=0$ तो $a:b:c$ है–

[एसएससी-सीएचएसएल (10+2) परीक्षा, 2015]

(*a*) 1 : 1 : 2 (*b*) 1 : 1 : 1

(*c*) 1 : 2 : 1 (*d*) 2 : 1 : 1

34. एक संख्या का 80% दूसरी संख्या के $\frac{4}{5}$ के बराबर है। पहली संख्या और दूसरी संख्या के बीच का क्रमशः अनुपात क्या है?

[(यूआईआईसीएल) सहायक (ऑनलाइन) परीक्षा, 2015]

(*a*) 3 : 4 (*b*) 3 : 5

(*c*) 5 : 3 (*d*) इनमें से कोई नहीं

35. 103, 135, 110 और 144 में से प्रत्येक में कौन-सी संख्या जोड़ी जाए कि परिणामी संख्याएँ समानुपात में हों?

[एसएससी सीजीएल टियर-II सीबीई परीक्षा, 2018]

(*a*) 12 (*b*) 15 (*c*) 9 (*d*) 6

36. दो पूर्ण संख्याओं का अनुपात 5 : 7 है। निम्नलिखित में से कौन सा उनका योग हो सकता है?

(*a*) 54 (*b*) 60 (*c*) 46 (*d*) 68

37. 6 और 12 का तीसरा समानुपाती ज्ञात कीजिए।

[एसएससी सीजीएल टियर-II सीबीई परीक्षा, 2018]

(*a*) 18 (*b*) 9 (*c*) 24 (*d*) 15

38. यदि P : Q = 5 : 2, तो (2P – 3Q) : (3P – 5Q) बराबर है–

[एसएससी एमटीएस परीक्षा, 2019]

(*a*) 5 : 6 (*b*) 2 : 7 (*c*) 4 : 5 (*d*) 3 : 4

39. यदि A : B = 2 : 3 और B – A = 28 है, तो (B + A) का मान क्या है?

[एसएससी एमटीएस परीक्षा, 2019]

(*a*) 120 (*b*) 150 (*c*) 130 (*d*) 140

40. एक संख्या के वर्ग का उसके घन के व्युत्क्रम से अनुपात $\frac{243}{16807}$ है। संख्या क्या है?

[एसएससी सीएचएसएल (10+2) टियर-I परीक्षा, 2019]

(*a*) $\frac{2}{7}$ (*b*) $\frac{7}{3}$ (*c*) $\frac{3}{7}$ (*d*) $\frac{5}{7}$

41. 7 : 13 के अनुपात के प्रत्येक पद में कितना जोड़ा जाए कि परिणामी अनुपात 2 : 3 हो जाए?

(*a*) 3 (*b*) 4 (*c*) 5 (*d*) 8

(दिल्ली अधीनस्थ सेवा चयन बोर्ड स्टेनोग्राफर ग्रेड-III परीक्षा, 2017)

42. दो पूर्ण संख्याएँ जिनका योग 56 है, ... के अनुपात में नहीं हो सकतीं।

(दिल्ली अधीनस्थ सेवा चयन बोर्ड स्टेनोग्राफर ग्रेड-III परीक्षा, 2017)

(*a*) 1 : 6 (b) 1 : 3 (*c*) 1 : 2 (*d*) 1 : 7

43. दो संख्याएँ x और y, 8 : 9 के अनुपात में हैं और उनका योग 34 है। तो x है– (एनसीएचएम जेईई 2021)

(*a*) 10 (*b*) 12 (*c*) 14 (*d*) 16

44. एक थैली में ₹ 1, 50 पै० तथा 25 पै० के कुल 378 सिक्के है. यदि इनके मूल्यों का अनुपात 13 : 11 : 7 हो, तो 50 पैसे के कितने सिक्के हैं? (एस०एस०सी० परीक्षा, 2013)

(*a*) 128 (*b*) 132

(*c*) 133 (*d*) 136

45. एक थैली में 25 पै०, 10 पै० तथा 5 पै० के सिक्के 1 : 2 : 3 के अनुपात में हैं. यदि थैली में कुल धन ₹ 30 हो, तो थैली में 5 पैसे के कितने सिक्के हैं? (होटल मैनेजमैन्ट परीक्षा, 2013)

(*a*) 50 (*b*) 100

(*c*) 150 (*d*) 200

46. तीन कक्षाओं में छात्रों का अनुपात 2 : 3 : 5 है. प्रत्येक कक्षा में 20 छात्र बढ़ा देने पर यह अनुपात 4 : 5 : 7 हो जाता है. आरम्भ में तीनों कक्षाओं में कुल कितना छात्र थे?

(एस०एस०सी० परीक्षा, 2010)

(*a*) 90 (*b*) 100

(*c*) 120 (*d*) इनमें से कोई नहीं

47. एक विद्यालय में लड़के तथा लड़कियों का अनुपात 4 : 1 है. यदि इनमें से 75% लड़के तथा 70% लड़कियाँ छात्रवृत्ति प्राप्त करते हों, तो कितने प्रतिशत विद्यार्थियों को छात्रवृत्ति नहीं मिलती? (एस०एस०सी० परीक्षा, 2013)

(*a*) 26% (*b*) 28%
(*c*) 50% (*d*) 75%

48. एक विद्यालय में भौतिकी, रसायन तथा जीव-विज्ञान में छात्र 4 : 3 : 5 के अनुपात में हैं. इनमें क्रमशः 50%, 25% तथा 10% की वृद्धि होने पर इनका नया अनुपात क्या होगा?
(*a*) 24 : 13 : 17 (*b*) 24 : 15 : 22
(*c*) 18 : 11 : 13 (*d*) ज्ञात नहीं किया जा सकता

49. एक कम्पनी ₹ 20 प्रति किग्रा० की चाय को ₹ 25 प्रति किग्रा० की चाय के साथ 5 : 4 के अनुपात में मिलाकर मिश्रण को ₹ 23 प्रति किग्रा० की दर से बेचती है. इससे कम्पनी को मिलता है? **(मैनेजमैन्ट परीक्षा, 2015)**
(*a*) 3·5% लाभ (*b*) 5% लाभ
(*c*) 5% लाभ (*d*) न लाभ, न हानि

50. ₹ 126 प्रति किग्रा० तथा ₹ 135 प्रति किग्रा० की चाय को तीसरी प्रकार की चाय के साथ 1 : 1 : 2 के अनुपात में मिलाने पर इस मिश्रण का मूल्य ₹ 153 प्रति किग्रा० हो जाता है. तीसरी प्रकार की चाय का भाव प्रति किग्रा० कितना है?
(*a*) ₹ 169·50 (*b*) ₹ 170
(*c*) ₹ 175·50 (*d*) ₹ 180

51. सतीश और मनोज की आय का अनुपात 7 : 8 है. सतीश की आय में 20% वृद्धि तथा मनोज की आय में 10% कमी होने पर इनकी आय का अनुपात क्या होगा? **(बैंक पी० ओ० परीक्षा, 2014)**
(*a*) 3 : 4 (*b*) 6 : 7
(*c*) 7 : 6 (*d*) ज्ञात नहीं किया जा सकता
(*e*) इनमें से कोई नहीं

52. एक खेल में भाग लेने वाले लड़के तथा लड़कियों का अनुपात 5 : 4 है. यदि इनमें लड़कियों की संख्या 212 हो, तो लड़कों की संख्या कितनी है?
(*a*) 251 (*b*) 256
(*c*) 263 (*d*) 265

53. 60 लीटर मिश्रण में दूध और पानी का अनुपात 2 : 1 है. इसमें कितना पानी और मिलाया जाये कि यह अनुपात 1 : 2 हो जाये? **(एम०बी०ए० परीक्षा, 2013)**
(*a*) 20 लीटर (*b*) 30 लीटर
(*c*) 40 लीटर (*d*) 60 लीटर

54. दो बर्तनों *A* तथा *B* में दूध और पानी के मिश्रण क्रमशः 5 : 3 तथा 2 : 3 के अनुपात में हैं. इन मिश्रणों को किस अनुपात में मिलाया जाये कि नये मिश्रण में आधा दूध तथा आधा पानी हो? **(एम०बी०ए० परीक्षा, 2016)**
(*a*) 2 : 5 (*b*) 3 : 5
(*c*) 4 : 5 (*d*) 7 : 3

55. दूध और पानी के 20 लीटर मिश्रण में दूध और पानी का अनुपात 5 : 3 है. इसमें 4 लीटर घोल के बदले दूध डाल दिये जाने पर नये मिश्रण में दूध और पानी का अनुपात क्या होगा?
(*a*) 2 : 1 (*b*) 4 : 3
(*c*) 7 : 3 (*d*) 8 : 3

56. 85 किग्रा० मिश्रण में दूध और पानी का अनुपात 27 : 7 है. इसमें कितना पानी और मिलाया जाये कि यह अनुपात 3 : 1 हो जाये?
(*a*) 5 किग्रा० (*b*) 6·5 किग्रा०
(*c*) 7·25 किग्रा० (*d*) 8 किग्रा०

57. तीन बर्तनों के आयतन का अनुपात 3 : 4 : 5 है. ये दूध और पानी के मिश्रणों से भरे हैं तथा इनमें दूध और पानी का अनुपात क्रमशः (4 : 1), (3 : 1) तथा (5 : 2) है. इन सब घोलों को एक चौथे बर्तन में उलट दिया जाता है. इस बर्तन में दूध और पानी का अनुपात क्या होगा?
(*a*) 4 : 1 (*b*) 151 : 48
(*c*) 157 : 53 (*d*) 5 : 2

58. दो समान गिलास $\frac{1}{3}$ भाग तथा $\frac{1}{4}$ भाग दूध से भरे हैं. इन्हें ऊपर तक पानी से भर देने के बाद दोनों गिलासों के मिश्रण को एक टब में ऊँडेल दिया गया. इस मिश्रण में दूध और पानी का अनुपात क्या होगा?
(*a*) 7 : 5 (*b*) 7 : 17
(*c*) 9 : 21 (*d*) 11 : 23

59. एक त्रिभुज की भुजायें $\frac{1}{2} : \frac{1}{3} : \frac{1}{4}$ के अनुपात में हैं तथा इसकी परिमिति 104 सेमी० है. सबसे बड़ी भुजा की लम्बाई कितनी है?
(*a*) 52 सेमी० (*b*) 48 सेमी०
(*c*) 32 सेमी० (*d*) 26 सेमी०

60. 200 ग्राम धातु में जस्ते तथा ताँबे का अनुपात 5 : 3 है. इसमें कितना ताँबा और मिलाया जाये कि यह अनुपात 3 : 5 हो जाये? **(एस०एस०सी० परीक्षा, 2012)**
(*a*) $\frac{1}{200}$ ग्राम (*b*) 66 ग्राम
(*c*) 72 ग्राम (*d*) $133\frac{1}{3}$ ग्राम

61. एक धातु में जस्ते तथा ताँबे का अनुपात 5 : 8 है तथा दूसरी धातु में यह अनुपात 5 : 3 है. दोनों धातुओं की बराबर बराबर मात्रा पिघलाने पर बने मिश्रण में जस्ते तथा ताँबे का अनुपात क्या होगा? **(एम०बी०ए० परीक्षा, 2016)**
(*a*) 25 : 24 (*b*) 3 : 8
(*c*) 103 : 105 (*d*) 105 : 103

62. धातु *A* का 60 किग्रा० धातु *B* के 100 किग किग्रा० के साथ मिलाया गया. यदि धातु *A* में शीशे तथा टिन का अनुपात 3 : 2 हो तथा धातु *B* में टिन तथा ताँबे का अनुपात 1 : 4 हो, तो नई धातु में टिन कितना होगा?
(*a*) 36 किग्रा० (*b*) 44 किग्रा०
(*c*) 53 किग्रा० (*d*) 80 किग्रा०

63. आईसक्रीम की एक दुकान पर किसी शुक्रवार को वनीला तथा चाकलेट की ब्रिक्री का अनुपात 2 : 3 था. यदि वनीला 4 और बिक जाती हो इनका अनुपात 3 : 4 हो जाता. उस दिन कितनी

वनीला बिकी? **(मैनेजमैन्ट परीक्षा, 2014)**

(a) 32 (b) 35 (c) 42 (d) 48

64. दिया है कि x^2, y^3 के समानुपाती है. यदि $x = 6$ तो $y = 3$ हो, तो निम्न में से ठीक सम्बन्ध कौन-सा होगा? **(एम०सी०ए० परीक्षा, 2015)**

(a) $3x^2 = 4y^3$ (b) $3x^2 = 2y^3$
(c) $3y^2 = 6x^3$ (d) $5x^2 = 3y^3$

65. दिया है कि x, y^2 के विलोमानुपाती है. जब $x = 1$ तो $y = 2$. यदि $y = 6$ हो, तो x का मान क्या होगा? **(सी०डी०एस० परीक्षा, 2013)**

(a) $\frac{1}{9}$ (b) $\frac{1}{3}$ (c) 3 (d) 9

66. सोना पानी से 19 गुना भारी है तथा ताँबा पानी से 9 गुना भारी है. इन्हें किस अनुपात में मिलाया जाये कि ऐसी धातु प्राप्त हो जो पानी से 16 गुना भारी है? **(एस०एस०सी० परीक्षा, 2013)**

(a) 4 : 5 (b) 5 : 4 (c) 3 : 7 (d) 7 : 3

67. जैसे भिन्न $\frac{3}{14}$ को $\frac{10}{7}$ के प्रतिधारण करता है, वैसे ही $\frac{1}{15}$ के लिए समान अनुपात किसके बराबर है?

(a) $\frac{1}{65}$ (b) 100 (c) $\frac{1}{100}$ (d) $\frac{1}{10}$

(दिल्ली मेट्रो रेल कॉर्पोरेशन सी.आर.ए. परीक्षा, 2017)

68. यदि $A : B = \frac{2}{3} : \frac{4}{5}$ और $B : C = \frac{5}{4} : \frac{2}{3}$ तो $A : C$ का मान कितना है? **(दिल्ली मेट्रो रेल कॉर्पोरेशन सी.आर.ए. परीक्षा, 2017)**

(a) 102 : 13 (b) 125 : 48
(c) 46 : 45 (d) 48 : 125

69. A, B के मुकाबले तीन गुना तेज है और B, C के मुकाबले दो गुना तेज है। जो यात्रा C, 74 मिनट में तय करता है, उसे B को कितना समय लगेगा?

(a) 18 मिनट (b) 27 मिनट
(c) 37 मिनट (d) 36 मिनट

(दिल्ली मेट्रो रेल कॉर्पोरेशन सी.आर.ए. परीक्षा, 2017)

70. किसी विद्यालय में, 10 प्रतिशत लड़कों की संख्या लड़कियों के $\frac{1}{4}$ वें के बराबर है। विद्यालय में लड़कों और लड़कियों का अनुपात कितना है?

(दिल्ली मेट्रो रेल कॉर्पोरेशन सी.आर.ए. परीक्षा, 2017)

(a) 5 : 3 (b) 3 : 5
(c) 5 : 2 (d) 2 : 5

71. डुग्गाबटी प्रतिमाह अपनी मासिक आय का 24 प्रतिशत किराया अदायगी में एवं 30 प्रतिशत भाग घरेलू सामग्री के क्रय पर खर्च करता है। शेष धनराशि को वह सावधिक जमा तथा जीवन बीमा में क्रमशः 9 : 7 के अनुपात में निवेश करता है। यदि वह एक वर्ष में सावधिक जमा में कुल ₹ 1,24,200 जमा करता है तो वह एक वर्ष में किराया पर कितना व्यय करता है?

(a) ₹ 1,24,200 (b) ₹ 1,10,400
(c) ₹ 1,17,600 (d) ₹ 1,24,500
(e) ₹ 1,15,200

(आई.बी.पी.एस. बैंक क्लर्क सी.डब्लू.ई. मुख्य परीक्षा, 2017)

72. बर्तन A में सेब के रस एवं पानी के x लीटर में रस एवं पानी का अनुपात क्रमशः 5 : 1 तथा बर्तन B के x लीटर मिश्रण में आम के रस एवं पनी का अनुपात क्रमशः 2 : 1 है। बर्तन A एवं B में से प्रत्येक से 30 लीटर मिश्रण निकालकर बर्तन C में मिला दिया गया। यदि बर्तन C में से 12 लीटर मिश्रण निकाल लिया गया तो बर्तन C में पानी की परिणामी मात्रा क्या है? (लीटर में)

(आई.बी.पी.एस. बैंक क्लर्क सी.डब्लू.ई. मुख्य परीक्षा, 2017)

(a) 15 (b) 6 (c) 3 (d) 9
(e) 12

73. A और B की मासिक आय का अनुपात 11 : 13 है और उनके व्यय का अनुपात 9 : 11 है। यदि वे दोनों प्रतिमाह ₹ 4,000 की बचत करते हैं, तो उनकी आय (₹ में) का अंतर ज्ञात कीजिए। **[एसएससी सीजीएल परीक्षा, 2022]**

(a) 4,000 (b) ₹ 2,500 (c) ₹ 3,000 (d) ₹ 3,200

74. A, B और C तीनों ₹ 10,500 की राशि को आपस में क्रमशः 5 : 7 : 9 के अनुपात में विभाजित करते हैं। यदि प्रत्येक को ₹ 500 अधिक मिलते हैं, तो A, B और C की राशियों का अनुपात क्या होगा? **[एसएससी सीजीएल परीक्षा, 2022]**

(a) 5 : 7 : 9 (b) 3 : 4 : 5 (c) 7 : 9 : 11 (d) 5 : 6 : 7

75. एक आदमी अपनी मासिक आय का एक भाग खर्च करता है और एक भाग की बचत करता है। उसके व्यय का उसकी बचत से अनुपात 16 : 3 है। यदि उसकी मासिक आय ₹ 28500 है, तो उसकी मासिक बचत की राशि कितनी है? **(एनसीएचएम जेईई 2021)**

(a) ₹ 4,000 (b) ₹ 4,500 (c) ₹ 5,000 (d) ₹ 5,500

76. शराब और पानी का 120 लीटर मिश्रण है। अल्कोहल का पानी से अनुपात 7 : 5 है। एक दुकानदार पानी की एक निश्चित मात्रा मिलाता है ताकि अल्कोहल का पानी से अनुपात 5 : 6 हो जाए। पानी की नई मात्रा, मिश्रण में पानी की मूल मात्रा का कितना प्रतिशत है? **(एमएच-सीईटी 2020)**

(a) 68% (b) 75% (c) 60% (d) 78%

77. ₹ 10000 को अमर, अकबर और एंथोनी के बीच इस प्रकार विभाजित किया जाना है कि यदि ₹ 200, 300 और 500 उनके संबंधित शेयरों से घटाए जाते हैं, तो उनका पैसा 3, 5 और 7 के अनुपात में होगा। अकबर का शेयर (₹ 10000 में) ज्ञात करें। **(एचएसईई पेपर 2020)**

(a) ₹ 3000 (b) ₹ 2800 (c) ₹ 3300 (d) 3500

78. एक बर्तन में 90 लीटर जूस है। बर्तन से 15 लीटर जूस निकाला जाता है और बर्तन में 35 लीटर पानी डाला जाता है।

बर्तन में परिणामी मिश्रण में पानी और रस के बीच संबंधित अनुपात क्या है? **(आरबीआई सहायक प्रारंभिक 2020)**

(*a*) 2 : 15 (*b*) 7 : 15 (*c*) 3 : 5 (*d*) 8 : 15

79. एक निश्चित राशि आदिल और कैरी के बीच क्रमशः 7 : 6 के अनुपात में बाँटी जाती है। यदि आदिल का आधा हिस्सा कैरी के कुल हिस्से से ₹ 850 कम है, तो धनराशि कितनी थी? **(आरबीआई सहायक प्रारंभिक 2020)**

(*a*) ₹ 4880 (*b*) ₹ 4120 (*c*) ₹ 4420 (*d*) ₹ 53480

80. एक जार में तरल A और B का X लीटर मिश्रण, क्रमशः 2 : 3 के अनुपात में है। जार में मिश्रण में छह लीटर प्रत्येक तरल पदार्थ- A और B मिलाए गए, जिसके परिणामस्वरूप द्रव A की मात्रा, द्रव B की मात्रा से 18 लीटर कम थी। X का मान क्या है? **(एलआईसी एएओ प्री. 2019)**

(*a*) 100 (*b*) 75 (*c*) 90 (*d*) 80

81. एक सर्कस में प्रवेश टिकटों की कीमत में 4 : 7 के अनुपात में वृद्धि हुई, जबकि सर्कस में आने वालों की संख्या में 15 : 7 के अनुपात में कमी आई। कुल संग्रह किस अनुपात में बढ़ा या घटा है? **(एमएटी सितंबर 2019)**

(*a*) 15 : 14 में घटा (*b*) 15 : 14 में बढ़ा
(*c*) 15 : 19 में बढ़ा (*d*) 15 : 13 में घटा

82. रोहन और सुमित के वेतन का अनुपात 7 : 8 है। दोनों के वेतन में 5% की वृद्धि होती है। वृद्धि के बाद, सुमित का वेतन ₹ 42,000 है। रोहन का पुराना वेतन क्या था? **(एमएटी मई 2019)**

(*a*) ₹ 4,000 (*b*) ₹ 35,000
(*c*) ₹ 36,750 (*d*) ₹ इनमें से कोई नहीं

83. दो संख्याएँ 9 : 11 के अनुपात में हैं। यदि हम पहली संख्या में 5 जोड़ते हैं और दूसरी संख्या में से 5 घटाते हैं, तो प्राप्त नई संख्याएँ बराबर होती हैं। संख्याओं का योग ज्ञात कीजिए। **(एमएटी मई 2018)**

(*a*) 100 (*b*) 80 (*c*) 90 (*d*) 120

84. दो संख्याएँ A और B, 5 : 2 के अनुपात में हैं। यदि प्रत्येक संख्या में 4 जोड़ दिया जाए तो यह अनुपात 9 : 4 हो जाता है। यदि प्रत्येक मूल संख्या में से 5 घटा दिया जाए, तो A और B का अनुपात होगा– **[एसएससी सीएचएसएल (10+2) टियर-I परीक्षा, 2019]**

(*a*) 3 : 1 (*b*) 8 : 3 (*c*) 7 : 2 (*d*) 4 : 1

85. तीन संख्याएँ $\frac{1}{2}:\frac{2}{3}:\frac{3}{4}$. के अनुपात में हैं। सबसे बड़ी और सबसे छोटी संख्या का अंतर 27 है। तीन संख्याओं में सबसे छोटी संख्या है– **[एसएससी सीएचएसएल (10+2) टियर-II परीक्षा, 2019]**

(*a*) 40 (*b*) 81 (*c*) 69 (*d*) 54

86. 78 को दो भागों में इस प्रकार विभाजित किया जाता है कि पहले भाग के चार गुने और दूसरे भाग के पाँच गुने के बीच का अनुपात 14 : 15 है। पहला भाग है– **[एसएससी एमटीएस (गैर-तकनीकी) स्टाफ परीक्षा, 2019]**

(*a*) 42 (*b*) 36 (*c*) 30 (*d*) 48

87. दो संख्याओं का अनुपात 3 : 5 है। यदि पहली में आठ और दूसरी में सात जोड़ा जाए, तो अनुपात 2 : 3 हो जाता है। प्रत्येक में 6 जोड़ने पर अनुपात क्या होगा? **[एसएससी सीएपीएफ एसआई, दिल्ली पुलिस एसआई और सीआईएसएफ एएसआई परीक्षा, 2019]**

(*a*) 5 : 9 (*b*) 5 : 7 (*c*) 7 : 9 (*d*) 9 : 14

88. यदि चयनित और अचयनित का अनुपात 19 : 17 था, तो कितने आवेदकों ने नौकरी के लिए आवेदन किया था। यदि 1,200 कम ने आवेदन किया होता और 800 कम चयनित होते, तो चयनित और अचयनित का अनुपात 1 : 1 होता। ज्ञात कीजिये कुल कितने आवेदकों ने पहले आवेदन किया था? **[एसएससी सीजीएल टियर-II सीबीई परीक्षा, 2018]**

(*a*) 6000 (*b*) 7200 (*c*) 8400 (*d*) 4800

89. यदि एक टिकट की कीमत 8 : 11 के अनुपात में बढ़ने से बेचे गए टिकटों की संख्या 23 : 21 के अनुपात में कम हो जाती है, तो राजस्व में वृद्धि (₹ में) क्या है यदि टिकट की कीमत में वृद्धि से पहले राजस्व ₹ 36,800 था? **[एसएससी सीजीएल टियर-II सीबीई परीक्षा, 2018]**

(*a*) 21250 (*b*) 9400 (*c*) 7850 (*d*) 12850

90. एक फन पार्क में प्रवेश टिकट में 7 : 9 के अनुपात में वृद्धि की गई, जिसके कारण ग्राहकों की संख्या 13 : 11 के अनुपात में गिर गया। नया दैनिक संग्रह (₹ में) क्या है, यदि मूल्य वृद्धि से पहले दैनिक संग्रह ₹ 2,27,500 था? **[एसएससी सीजीएल टियर-II सीबीई परीक्षा, 2018]**

(*a*) 237500 (*b*) 247500 (*c*) 232500 (*d*) 242500

91. एक युद्ध से पहले एक सेना में टैंकों का विमानों से अनुपात 5 : 3 था। युद्ध के दौरान 1000 टैंकों को नष्ट कर दिया गया और 800 विमानों को नष्ट कर दिया गया। टैंकों का विमानों से अनुपात 2 : 1 हो गया। युद्ध के बाद टैंकों की संख्या कितनी है? **[एसएससी सीजीएल टियर-II सीबीई परीक्षा, 2018]**

(*a*) 2000 (*b*) 1000 (*c*) 3000 (*d*) 4000

92. जब 21, 22, 60 और 64 प्रत्येक में से x घटाया जाता है, तो इस क्रम में प्राप्त संख्याएँ समानुपात में होती हैं। $(x + 1)$ और $(7x + 8)$ के बीच औसत अनुपात क्या है?

(*a*) 27 (*b*) 18 (*c*) 24 (*d*) 21

[एसएससी एमटीएस (गैर-तकनीकी) स्टाफ परीक्षा, 2019]

93. ₹ 11550 को X, Y और Z के बीच इस प्रकार विभाजित किया जाना है कि X को Y का $\frac{4}{5}$ और Y को Z का $\frac{2}{3}$ प्राप्त हो। Z को X (₹ में) से कितना अधिक मिलता है? **[एसएससी सीजीएल टियर-2 सीबीई परीक्षा, 2018]**

(*a*) 7200 (*b*) 1800 (*c*) 1170 (*d*) 2450

94. एक पर्स में ₹ 34.5, 1 रुपये, 50 पैसे और 10 पैसे के सिक्कों के 6 : 9 : 10 के अनुपात में हैं। 10 पैसे के सिक्कों की संख्या ज्ञात कीजिए।

(*a*) 10 (*b*) 30 (*c*) 20 (*d*) 40

[एसएससी सीजीएल टियर-II सीबीई परीक्षा, 2018]

95. एक बॉक्स में ₹ 5, ₹ 2 और ₹ 1 के सिक्के हैं और उनके मूल्य क्रमशः 15 : 4 : 2 के अनुपात में हैं। यदि कुल 112 सिक्के हैं, तो डिब्बे में ₹ 2 के कितने सिक्के हैं?

(*a*) 32 (*b*) 48 (*c*) 64 (*d*) 24

[एसएससी सीएचएसएल (10+2) टीयर-1 सीबीई परीक्षा, 2018]

96. एक थैले में 2 रुपये, 1 रुपये और 50 पैसे के सिक्कों की संख्या का अनुपात 3 : 4 : 5 है। यदि बैग में कुल राशि ₹250 है, तो 1 रुपये के कितने सिक्के हैं?

[एसएससी एमटीएस परीक्षा, 2019]

(*a*) 70 (*b*) 100 (*c*) 60 (*d*) 80

97. P, Q और R प्रकार की प्रत्येक वस्तु की कीमत क्रमशः 200, 300 और 400 है। सुरेश ₹2000 में प्रत्येक प्रकार की वस्तु 1 : 2 : 3 के अनुपात में खरीदता है। उसने Q प्रकार की कितनी वस्तुएँ खरीदीं? **[एसएससी कांस्टेबल (जीडी) परीक्षा, 2019]**

(*a*) 2 (*b*) 3 (*c*) 5 (*d*) 4

98. पवन और सुनील की मासिक आय का अनुपात 4 : 3 है और उनके मासिक व्यय का अनुपात 3 : 2 है। यदि पवन और सुनील प्रति माह क्रमशः ₹4000 और ₹6000 बचाते हैं, तो उनकी मासिक आय का योग कितना है?

[एसएससी एमटीएस परीक्षा, 2019]

(*a*) ₹60000 (*b*) ₹70000 (*c*) ₹50000 (*d*) ₹36000

99. A और B की मासिक आय क्रमशः 12000 और 8000 है। उनके मासिक व्यय का अनुपात 5 : 3 है। यदि वे प्रत्येक माह समान बचत करते हैं, तो A और B की प्रति माह बचत कितनी है?

(*a*) ₹2000 (*b*) ₹1500 (*c*) ₹800 (*d*) ₹1000

[एसएससी एमटीएस (गैर-तकनीकी) स्टाफ परीक्षा, 2019]

100. एक कार्यालय सुबह 10 बजे खुलता है और शाम 5 बजे बंद होता है। लंच अंतराल 30 मिनट का होता है। दोपहर के भोजन के अंतराल का कार्यालय समय की कुल अवधि का अनुपात है–**[एसएससी सीजीएल टियर-I सीबीई परीक्षा, 2016]**

(*a*) 1 : 7 (*b*) 1 : 14 (*c*) 7 : 1 (*d*) 14 : 1

101. दो विषयों, अंग्रेजी और हिंदी में संजय के परीक्षा अंक 7 : 11 के अनुपात में हैं। यदि उसे अंग्रेजी की तुलना में हिंदी में 20 अंक अधिक मिले, तो अंग्रेजी में उसके अंक कितने हैं?

[एसएससी सीजीएल टियर-II सीबीई परीक्षा, 2018]

(*a*) 35 (*b*) 55 (*c*) 45 (*d*) 65

102. रिजवान के पास एक बॉक्स है जिसमें उसने लाल और नीले कंचे रखे हैं। लाल कंचे और नीले कंचे 5 :4 के अनुपात में थे। 5 लाल कंचे खोने के बाद, अनुपात 10 :9 हो गया। अब उसके पास कितने कंचे हैं?

[एसएससी सीजीएल टियर-2 सीबीई परीक्षा, 2018]

(*a*) 81 (*b*) 86 (*c*) 76 (*d*) 91

103. मेज और कुर्सी की कीमत का अनुपात 9 : 4 है। मेज की कीमत कुर्सी की कीमत से 1250 रुपये अधिक है। कुर्सी की कीमत (₹ में) क्या है?

(*a*) 1000 (*b*) 1200 (*c*) 800 (*d*) 1500

[एसएससी सीएचएसएल (10+2) टीयर-I सीबीई परीक्षा, 2018]

104. यह निर्णय लिया गया कि ₹780 की राशि को P, Q और R में 1 : 2 : 3 के अनुपात में विभाजित किया जाना चाहिए। लेकिन गलती से, इसे $\frac{1}{2}:\frac{1}{3}:\frac{1}{4}$. के अनुपात में विभाजित कर दिया गया। इस गलती के कारण Q के शेयर में कितनी हानि हुई?

[एसएससी, सीएपीएफएस, एनआईए, एसएसएफ कांस्टे. (जीडी) और असम राइफल्स राइफलमैन (जीडी) परीक्षा, 2019]

(*a*) ₹30 (*b*) ₹40 (*c*) ₹20 (*d*) ₹10

105. चयनित और अचयनित उम्मीदवारों का अनुपात 14 : 25 था। यदि 35 कम उम्मीदवारों ने आवेदन किया होता और 10 कम उम्मीदवारों का चयन किया जाता, तो चयनित उम्मीदवारों का अचयनित उम्मीदवारों से अनुपात 3 :5 होता। नौकरी के लिए आवेदन करने वाले उम्मीदवारों की संख्या कितनी है?

(*a*) 200 (*b*) 175 (*c*) 275 (*d*) 195

[एसएससी एमटीएस (गैर-तकनीकी) स्टाफ परीक्षा, 2019]

106. रेने और सोम के मासिक वेतन के बीच संबंधित अनुपात 5 :3 है। रेने अपने मासिक वेतन में से $\frac{1}{6}$ किराए के रूप में, $\frac{1}{5}$ अपनी माँ को, 30% शिक्षा ऋण के रूप में देती है और 25% विविध व्यय के लिए अलग से रखती है। शेष ₹ 5000 वह बचत के रूप में रखती है। सोम का मासिक वेतन क्या है?

[आईबीपीएस-आरआरबी अधिकारी ग्रेड 'बी' परीक्षा, 2015]

(*a*) ₹21000 (*b*) ₹24000

(*c*) ₹27000 (*d*) ₹36000

निर्देशः नीचे दिए गए प्रत्येक प्रश्न में एक प्रश्न और उसके नीचे दो कथन I और II दिए गए हैं। आपको यह तय करना है कि कथनों में दिया गया आँकड़ा प्रश्न का उत्तर देने के लिए पर्याप्त है या नहीं। उत्तर दें–

(*a*) कथन I में दिया गया आँकड़ा अकेले प्रश्न का उत्तर देने के लिए पर्याप्त है जबकि कथन II में दिया गया आँकड़ा अकेले प्रश्नों का उत्तर देने के लिए पर्याप्त नहीं है।

(*b*) कथन II में दिया गया आँकड़ा अकेले प्रश्न का उत्तर देने के लिए पर्याप्त है जबकि कथन I में दिया गया आँकड़ा अकेले प्रश्न का उत्तर देने के लिए पर्याप्त नहीं है।

(*c*) अकेले कथन I या अकेले कथन II में दिया गया आँकड़ा प्रश्न का उत्तर देने के लिए पर्याप्त है।

(*d*) कथन I और II दोनों में दिया गया आँकड़ा प्रश्न का उत्तर देने

के लिए पर्याप्त नहीं है।

(*e*) कथन I और II दोनों में दिया गया आँकड़ा प्रश्न का उत्तर देने के लिए पर्याप्त है।

107. शहर A की जनसंख्या कितनी है?

I. शहर A में पुरुषों और महिलाओं की जनसंख्या का अनुपात 27 : 23 है और उनकी आबादी के बीच का अंतर 100000 है।

II. शहर A की जनसंख्या शहर B की जनसंख्या का 80% है। शहर A और शहर B की जनसंख्या का अंतर 312500 है।

[आईडीबीआई बैंक कार्यकारी अधिकारी परीक्षा, 2015]

108. एक स्कूल के लड़कों के 4/7 और लड़कियों के 6/11 ने मैराथन में भाग लिया। यदि भाग लेने वाले छात्रों की संख्या 208 है, जिनमें से 124 लड़के हैं, तो स्कूल में छात्रों की कुल संख्या कितनी है? [एनआईसीएल-एएओ परीक्षा, 2015]

(*a*) 359 (*b*) 411 (*c*) 371 (*d*) 377

109. पिया और सोम का मासिक वेतन 5 : 4 के अनुपात में है। वह अपने मासिक वेतन से $\frac{3}{5}$ अपनी माँ को देती है, 15% अपनी बहन की ट्यूशन फीस के लिए, 18% ऋण के लिए देती है, और वह शेष राशि, जो ₹ 2100 है, से खरीदारी करती है। सोम का मासिक वेतन कितना है?

[आईबीपीएस-आरआरबी ऑफिसर ग्रेड 'बी' परीक्षा, 2015]

(*a*) ₹ 25000 (*b*) ₹ 30000 (*c*) ₹ 15000 (*d*) ₹ 24000

110. स्मिता अपने कार्यालय में 6 घंटे काम करती है और काजल अपने कार्यालय में 7 घंटे 30 मिनट तक काम करती है। उनके कार्य के घंटों का अनुपात ज्ञात कीजिए।

[ईएसआईसी-यूडीसी परीक्षा, 2016]

(*a*) 3 : 5 (*b*) 4 : 5 (*c*) 6 : 7 (*d*) 5 : 4

111. एक थैले में क्रमश: 5 : 8 : 3 के अनुपात में 50 पैसे, 25 पैसे और 10 पैसे के सिक्के हैं, जिनका कुल मूल्य 144 रुपये है। 50 पैसे के सिक्कों की संख्या ज्ञात कीजिए।

[ईएसआईसी-यूडीसी परीक्षा, 2016]

(*a*) 163 (*b*) 175 (*c*) 200 (*d*) 150

112. राज और सूरज ने मिलकर पानी की एक बोतल खरीदी जिसमें 2 लीटर पानी था। राज ने इसका $\frac{1}{4}$ भाग पी लिया। बाकी पानी सूरज ने पी लिया। सूरज द्वारा उपयोग किए गए पानी की मात्रा ज्ञात कीजिए। [ईएसआईसी-यूडीसी परीक्षा, 2016]

(*a*) 1.5 लीटर (*b*) 0.5 लीटर

(*c*) 2.5 लीटर (*d*) 2 लीटर

113. एक फिल्म 3 दिनों-सोमवार, मंगलवार और बुधवार-के लिए प्रदर्शित की गई थी। सोमवार, मंगलवार और बुधवार को दर्शकों की संख्या के बीच संबंधित अनुपात 2 : 3 : 5 था और तीन दिनों के लिए शुल्क लिया गया मूल्य क्रमश: 2 : 3 : 4 के अनुपात में था। यदि मंगलवार और बुधवार को अर्जित राशि के बीच का अंतर ₹ 8800 था। तीनों दिनों में अर्जित कुल राशि कितनी थी? [सीईटी-महाराष्ट्र (एमबीए), 2016]

(*a*) ₹ 24800 (*b*) ₹ 27500 (*c*) ₹ 26400 (*d*) ₹ 22820

114. दो संख्याएँ A और B इस प्रकार हैं कि A के 6% और B के 4% का योग A के 7% और B के 11% के योग का दो-पाँचवाँ है, तो अनुपात A:B है।

[एसएससी एमटीएस 01/09/2023 (Shift-01)]

(*a*) 3:7 (*b*) 5:8 (*c*) 1:8 (*d*) 1:7

115. 1650 छात्रों के एक स्कूल में लड़कों की संख्या का लड़कियों की संख्या से अनुपात 6:5 है। यदि 124 नए लड़कों को प्रवेश दिया जाता है और कुछ नई लड़कियों को प्रवेश दिया जाता है, तो अनुपात 4:3 में बदल जाता है। नव प्रवेशित लड़कियों का नए प्रवेशित लड़कों से अनुपात क्या है?

[एसएससी एमटीएस 13/09/2023 (Shift-01)]

(*a*) 3:4 (*b*) 62:9 (*c*) 4:3 (*d*) 9:62

116. 53 रुपये की राशि A, B और C के बीच विभाजित की जाती है कि A को B को B से 7 रुपये अधिक मिलते हैं और B को C से 8 रुपये अधिक मिलते हैं, तो उनके हिस्सों का अनुपात है: [एसएससी जीडी 26/02/2024 (Shift-01)]

(*a*) 25:18:10 (*b*) 6:7:8 (*c*) 1:4:9 (*d*) 5:8:3

उत्तरमाला

1. (c)	2. (b)	3. (c)	4. (d)	5. (c)	6. (d)	7. (b)	8. (c)	9. (b)	10. (c)	11. (c)	12. (c)
13. (c)	14. (d)	15. (c)	16. (d)	17. (b)	18. (d)	19. (c)	20. (d)	21. (b)	22. (c)	23. (a)	24. (b)
25. (d)	26. (c)	27. (b)	28. (a)	29. (d)	30. (a)	31. (a)	32. (a)	33. (b)	34. (d)	35. (c)	36. (b)
37. (c)	38. (c)	39. (d)	40. (c)	41. (c)	42. (c)	43. (d)	44. (b)	45. (c)	46. (b)	47. (a)	48. (b)
49. (a)	50. (c)	51. (c)	52. (d)	53. (d)	54. (c)	55. (c)	56. (a)	57. (c)	58. (b)	59. (b)	60. (d)
61. (d)	62. (b)	63. (a)	64. (a)	65. (a)	66. (d)	67. (c)	68. (b)	69. (c)	70. (c)	71. (e)	72. (e)
73. (a)	74. (b)	75. (b)	76. (a)	77. (c)	78. (b)	79. (c)	80. (c)	81. (a)	82. (b)	83. (a)	84. (a)
85. (d)	86. (a)	87. (d)	88. (b)	89. (b)	90. (b)	91. (a)	92. (c)	93. (d)	94. (b)	95. (a)	96. (d)
97. (a)	98. (b)	99. (a)	100. (b)	101. (a)	102. (c)	103. (a)	104. (c)	105. (d)	106. (d)	107. (c)	108. (c)
109. (d)	110. (b)	111. (d)	112. (a)	113. (c)	114. (c)	115. (d)	116. (a)				

दिये गये प्रश्नों के हल

1. $\frac{A}{B}=\frac{3}{4}$ तथा $\frac{B}{C}=\frac{8}{9}$. अतः $\frac{A}{C}=\left(\frac{A}{B}\times\frac{B}{C}\right)=\left(\frac{3}{4}\times\frac{8}{9}\right)=\frac{2}{3}$.

$\therefore\quad A:C=2:3.$

2. $\frac{A}{B}=\frac{5}{3}$ तथा $\frac{B}{C}=\frac{3}{2}$. अतः $\frac{A}{C}=\left(\frac{A}{B}\times\frac{B}{C}\right)=\left(\frac{5}{3}\times\frac{3}{2}\right)=\frac{5}{2}$.

$\therefore\quad A:C=5:2.$

3. $\frac{A}{B}=\frac{3}{4},\frac{B}{C}=\frac{5}{7}$ तथा $\frac{C}{D}=\frac{8}{9}$

$\Rightarrow\quad \frac{A}{D}=\left(\frac{A}{B}\times\frac{B}{C}\times\frac{C}{D}\right)=\left(\frac{3}{4}\times\frac{5}{7}\times\frac{8}{9}\right)=\frac{10}{21}$

$\Rightarrow\quad A:D=10:21.$

4. $\frac{x}{y}=\frac{3}{4},\frac{y}{z}=\frac{5}{6},\frac{z}{w}=\frac{2}{3}$

$\Rightarrow\quad \frac{x}{w}=\left(\frac{x}{y}\times\frac{y}{z}\times\frac{z}{w}\right)=\left(\frac{3}{4}\times\frac{5}{6}\times\frac{2}{3}\right)=\frac{5}{12}$

$\Rightarrow\quad x:w=5:12.$

5. $\frac{A}{B}=\frac{7}{9}=\left(\frac{7}{9}\times\frac{5}{5}\right)=\frac{35}{45}$ तथा $\frac{B}{C}=\frac{5}{4}=\frac{5\times9}{4\times9}=\frac{45}{36}$

$\Rightarrow\quad A:B=35:45$ तथा $B:C=45:36$

$\Rightarrow\quad A:B:C=35:45:36.$

6. $\frac{a}{b}=\frac{2}{3}=\frac{2\times5}{3\times5}=\frac{10}{15},\frac{b}{c}=\frac{5}{7}=\frac{5\times3}{7\times3}=\frac{15}{21}$

$\Rightarrow\quad a:b=10:15$ तथा $b:c=15:21$

$\Rightarrow\quad a:b:c=10:15:21.$

7. माना $\frac{1}{3}A=\frac{1}{4}B=\frac{1}{5}C=K$. तब, $A=3K, B=4K$ तथा $C=5K$.

$\therefore\quad A:B:C=3K:4K:5K=3:4:5.$

8. $\frac{a}{b}=\left(\frac{2}{9}\times\frac{3}{1}\right)=\frac{2}{3},\frac{b}{c}=\left(\frac{2}{7}\times\frac{14}{5}\right)=\frac{4}{5}$

तथा $\frac{d}{c}=\left(\frac{7}{10}\times\frac{5}{3}\right)=\frac{7}{6}$.

$\Rightarrow\quad \frac{a}{b}=\frac{2}{3},\frac{b}{c}=\frac{4}{5}$ तथा $\frac{c}{d}=\frac{6}{7}$

$\Rightarrow\quad a:b=2:3, b:c=4:5$ तथा $c:d=6:7$

$\Rightarrow\quad a:b=16:24,\ b:c=24:30$ तथा $c:d=30:35$

$\Rightarrow\quad a:b:c:d=16:24:30:35.$

9. $\frac{psx}{qry}=\frac{p}{q}.\frac{s}{r}.\frac{x}{y}=\left(\frac{3}{4}\times\frac{5}{8}\times\frac{5}{3}\right)=\frac{25}{32}$

$\Rightarrow\quad (psx:qry)=25:32.$

10. $\frac{a}{b}=\frac{5}{7},\frac{c}{d}=\frac{2a}{3b}=\left(\frac{2}{3}\times\frac{a}{b}\right)=\left(\frac{2}{3}\times\frac{5}{7}\right)=\frac{10}{21}$

$\Rightarrow\quad \left(\frac{a}{b}\times\frac{c}{d}\right)=\left(\frac{5}{7}\times\frac{10}{21}\right)=\frac{50}{147}\Rightarrow(ac:bd)=(50:147).$

11. $\frac{a}{c}=\left(\frac{a}{b}\times\frac{b}{c}\right)=\left(\frac{4}{5}\times\frac{15}{16}\right)=\frac{3}{4}$. माना $a=3K$ तथा $c=4K$.

तब, $\frac{c^2-a^2}{c^2+a^2}=\frac{16K^2-9K^2}{16K^2+9K^2}=\frac{7K^2}{25K^2}=\frac{7}{25}$.

12. $\frac{a}{b}=\frac{b}{c}\Leftrightarrow b^2=ac\Leftrightarrow \frac{a^4}{b^4}=\frac{a^4}{a^2c^2}=\frac{a^2}{c^2}\Leftrightarrow(a^4:b^4)=(a^2:c^2).$

13. माना $x=3K$ तथा $y=4K$.

तब, $\frac{7x+3y}{7x-3y}=\frac{21K+12K}{21K-12K}=\frac{33K}{9K}=\frac{11}{3}$.

$\therefore\quad (7x+3y):(7x-3y)=11:3.$

14. माना $x=5K$ तथा $y=4K$. तब,

$\frac{2x+3y}{3y-2x}=\frac{10K+12K}{12K-10K}=\frac{22K}{2K}=\frac{11}{1}$.

$\therefore\quad (2x+3y):(3y-2x)=11:1.$

15. माना $x=5K$ तथा $y=2K$. तब,

$\frac{8x+9y}{8x+2y}=\frac{40K+18K}{40K+4K}=\frac{58K}{44K}=\frac{29}{22}$.

$\therefore\quad (8x+9y):(8x+2y)=29:22.$

16. माना $\frac{x}{5}=\frac{y}{8}=K$. तब, $x=5K$ तथा $y=8K$.

$\therefore\quad \frac{(x+5)}{(y+8)}=\frac{5K+5}{8K+8}=\frac{5(K+1)}{8(K+1)}=\frac{5}{8}$.

अतः $(x+5):(y+8)=5:8.$

17. माना $x=2K$ तथा $y=K$. तब, $\frac{x^2-y^2}{x^2+y^2}=\frac{4K^2-K^2}{4K^2+K^2}=\frac{3K^2}{5K^2}=\frac{3}{5}$.

$\therefore\quad (x^2-y^2):(x^2+y^2)=3:5.$

18. माना $x=3K$ तथा $y=2K$. तब,

$\frac{2x^2+3y^2}{3x^2-2y^2}=\frac{18K^2+12K^2}{27K^2-8K^2}=\frac{30K^2}{19K^2}=\frac{30}{19}$.

$\therefore\quad (2x^2+3y^2):(3x^2-2y^2)=30:19.$

19. माना $\frac{a}{3}=\frac{b}{4}=\frac{c}{7}=K$. तब, $a=3K, b=4K$ तथा $c=7K$.

$\therefore\quad \frac{(a+b+c)}{c}=\frac{(3K+4K+7K)}{7K}=\frac{14K}{7K}=2.$

अतः $\frac{(a+b+c)}{c}=2.$

20. माना तीन संख्याएँ x, y, z हैं

$\Rightarrow\quad \frac{x}{y}=\frac{y}{z}$

$\Rightarrow\quad x=\frac{y^2}{z}$

जहाँ, x = 14, y = 56

$z=56^2/14=224$

21. माध्य समानुपात $=\sqrt{ab}$

$=\sqrt{(a+b)\times(a-b)^3\times(a+b)^3\times(a-b)}=(a+b)^2(a-b)^2$

22. विकल्प (a) द्वारा 2 और 3 में से 1 घटाने पर हम पाते हैं, तीसरा अनुपात = 4

23. a और b का तीसरा अनुपात $=\frac{b^2}{a}$

$\Rightarrow \dfrac{4xy \times 4xy}{3x^2} = 48 \quad \Rightarrow \quad y^2 = 9$

$\therefore \quad y = 3$

24. तीसरा समानुपात

$= \dfrac{(63)^2}{7} = \dfrac{63 \times 63}{7} = 567$

25. $A \propto (B + 18)$

A = k (B + 18), जहां k स्थिरांक है

108 = k (36 + 18)

$\Rightarrow \quad k = 2$

अब,

A = 2 × (68 + 18)

= 2 × 86 = 172

26. माना चौथा पद x है

42 : 36 = 35 : x

$\Rightarrow \quad \dfrac{42}{36} = \dfrac{35}{x}$

$\Rightarrow \quad x = 30$

27. माध्य आनुपातिक $= \sqrt{ab}$

$= \sqrt{9.61 \times 3.61}$

= 3.1 × 1.9

= 5.89

28. दिया है 58 का $\dfrac{7}{5}$ + 139.2 का $\dfrac{3}{8}$ = ?

$\dfrac{7}{5} \times 58 + \dfrac{3}{8} \times 139.2$

= 81.2 + 52.2 = 133.4

29. दिया है 3024 का $\dfrac{5}{4}$ का $\dfrac{3}{7}$ = ?

$\dfrac{3}{7} \times \dfrac{5}{4} \times 3024 = 1620$

30. ₹ 1 = 100 पैसे

₹ 4 = 400 पैसे

आवश्यक अनुपात

= 50 पैसा : 400 पैसे

= 1 : 8

31. माना तीसरा समानुपात x है।

$\Rightarrow 25 : 30 :: 30 : x$

$\Rightarrow 25 \times x = 30 \times 30$

$\Rightarrow x = \dfrac{30 \times 30}{25} = 36$

32. मिश्रण में सीरप और पानी का अनुपात = 3 : 1

सीरप की मात्रा $= \dfrac{3}{4}$

पानी की मात्रा $= \dfrac{1}{4}$

सीरप का प्रतिशत $\dfrac{3}{4} \times 100 = 75\%$

33. $a^2 + b^2 + c^2 - ab - bc - ca = 0 \quad \ldots(i)$

समीकरण (i) को 2 से गुणा करने पर हमें प्राप्त होता है

$\Rightarrow 2a^2 + 2b^2 + 2c^2 - 2ab - 2bc - 2ca = 0$

$\Rightarrow (a^2 + b^2 - 2ab) + (b^2 + c^2 - 2bc) + (c^2 + a^2 - 2ca) = 0$

$\{ (a+b)^2 = a^2 + b^2 + 2ab \}$

$\Rightarrow (a-b)^2 + (b-c)^2 + (c-a)^2 = 0$

[यदि $x^2 + y^2 + z^2 = 0$ तब $x = 0, y = 0, z = 0$]

$\therefore a - b = 0 \Rightarrow a = b$

$b - c = 0 \Rightarrow b = c$

$c - a = 0 \Rightarrow c = a$

$\therefore a = b = c$

$\therefore a : b : c = 1 : 1 : 1$

34. माना पहली संख्या x और दूसरी संख्या y है।

प्रश्न के अनुसार x का 80% = y का $\dfrac{4}{5}$

$\Rightarrow \dfrac{80 \times x}{100} = \dfrac{4 \times y}{5} \Rightarrow \dfrac{4x}{5} = \dfrac{4y}{5} \Rightarrow x : y = 1 : 1$

35. माना x को जोड़ा गया

$\therefore 103 + x : 135 + x :: 110 + 2 : 144 + x$

$\dfrac{103 + x}{135 + x} = \dfrac{110 + x}{144 + x}$

विकल्प से यदि 9 जोड़ा जाता है

बायाँ पक्ष से $= \dfrac{112}{144} = \dfrac{7}{9}$

दायाँ पक्ष $= \dfrac{119}{153} = \dfrac{7}{9}$

$\therefore$ उत्तर है विकल्प (c)

36. यह 12 का गुणक होना चाहिए 12

तो केवल वह मान जो सूट करता है = 60

इसलिए विकल्प (*b*) है।

37. $6 : 12 :: 12 : c$

$6c = 12 \times 12$

$c = \dfrac{12 \times 12}{6} = 24$

38. $P : Q = 5 : 2$

$\dfrac{2P - 3Q}{3P - 5Q} = \dfrac{10 - 6}{15 - 10} = \dfrac{4}{5} = 4 : 5$

39. $3x - 2x = 28$

$\therefore \quad x = 28$

$B + A = 3x + 2x = 5x = 140$

40. $\dfrac{\frac{x^2}{1}}{x^3} = \dfrac{243}{16807}$

$x^5 = \dfrac{243}{16807} = \dfrac{3^5}{7^5} = \left(\dfrac{3}{7}\right)^5 \Rightarrow x = \dfrac{3}{7}$

41. दिए गए विकल्पों से, $7 + 5 = 12; 13 + 5 = 18$

परिणमी अनुपात $= \dfrac{12}{18} = \dfrac{2}{3}$

अतः अभीष्ट उत्तर = 5

42. दिए गए विकल्पों से,
$1 : 2$ का आनुपातिक योग $= 1 + 2 = 3$
56 संख्या 3 से विभाज्य नहीं है।

43. कुल $= 34$
$x : y = 8 : 9$
$\therefore x = \frac{8}{17} \times 34 = 16$

44. माना ₹ $13x$, ₹ $11x$ तथा ₹ $7x$ मूल्य क्रमशः ₹ 1, 50 पै० तथा 25 पै० के सिक्कों में हैं. तब इन सिक्कों की संख्या क्रमशः $(13x \times 1), (11x \times 2)$ तथा $(7x \times 4)$ है.
$\therefore \quad 13x + 22x + 28x = 378 \Leftrightarrow 63x = 378 \Leftrightarrow x = 6.$
अतः 50 पै० के सिक्कों की संख्या $= (22 \times 6) = 132.$

45. माना थैली में 25 पै०, 10 पै० तथा 5 पै० के सिक्कों की संख्या क्रमशः x, $2x$ तथा $3x$ हैं. तब, इनका कुल मूल्य
$= ₹\left(x \times \frac{25}{100}\right) + \left(2x \times \frac{10}{100}\right) + \left(3x \times \frac{5}{100}\right) = \frac{60x}{100}.$
$\therefore \quad \frac{60x}{100} = 30 \Leftrightarrow x = \frac{(30 \times 100)}{60} = 50.$
अतः 5 पै० के सिक्कों की संख्या $= (3 \times 50) = 150.$

46. माना आरम्भ में छात्रों की संख्या $2x$, $3x$ तथा $5x$ थी.
$(2x + 20) : (3x + 20) : (5x + 20) = 4 : 5 : 7.$
अतः $\frac{2x+20}{3x+20} = \frac{4}{5} \Leftrightarrow 10x + 100 = 12x + 80$
$\Leftrightarrow 2x = 20 \Leftrightarrow x = 10.$
अतः आरम्भ में कुल छात्रों की संख्या $= 10x = (10 \times 10) = 100.$

47. माना विद्यालय में $4x$ लड़के तथा x लड़कियाँ हैं.
इनमें से 25% लड़कों तथा 30% लड़कियों को छात्रवृत्ति नहीं मिलती.
छात्रवृत्ति न मिलने वालों की संख्या $= \left(4x \times \frac{25}{100}\right) + \left(x \times \frac{30}{100}\right) = \frac{13x}{10}.$
अभीष्ट % $= \left(\frac{13x}{10} \times \frac{1}{5x} \times 100\right)\% = 26\%.$

48. माना भौतिकी, रसायन तथा जीव विज्ञान में क्रमशः $4x$, $3x$, $5x$ छात्र हैं. तब, वृद्धि होने पर इनकी संख्या क्रमशः ($4x$ का 150%), ($3x$ का 125%) तथा ($5x$ का 110%)
अर्थात् $\left(4x \times \frac{150}{100}\right) = 6x, \left(3x \times \frac{125}{100}\right) = \frac{15x}{4}$
तथा $\left(5x \times \frac{110}{100}\right) = \frac{11x}{2}.$
$\therefore$ अभीष्ट अनुपात $= 6x : \frac{15x}{4} : \frac{11x}{2} = 24 : 15 : 22.$

49. माना पहले प्रकार की 5 किग्रा० चाय दूसरे प्रकार की 4 किग्रा० चाय के साथ मिलाई जाती है. तब
क्र० मूल्य $=$ ₹$[(5 \times 20) + (4 \times 25)]$ = ₹ 200,
वि० मू० $=$ ₹(9×23) = ₹ 207.
$\therefore$ लाभ % $= \left(\frac{7}{200} \times 100\right)\% = 3.5\%.$

50. माना तीनों प्रकार की चाय क्रमशः 1, 1 तथा 2 किग्रा० मिलाई जाती हैं तथा तीसरे प्रकार की चाय का भाव ₹ x प्रति किग्रा० है. तब,
$(1 \times 126) + (1 \times 135) + (2 \times x) = (153 \times 4)$
$\Leftrightarrow 261 + 2x = 612 \Leftrightarrow 2x = (612 - 261) = 351 \Leftrightarrow x = 175.50.$
$\therefore$ तीसरी प्रकार की चाय का भाव = ₹ 175.50 प्रति किग्रा०.

51. माना सतीश और मनोज की आय क्रमशः $7x$ तथा ₹ $8x$ है.
सतीश की नई आय $= 7x$ का 120% $=$ ₹$\left(7x \times \frac{120}{100}\right) =$ ₹$\frac{42x}{5}.$
मनोज की नई आय $= 8x$ का 90% $=$ ₹$\left(8x \times \frac{90}{100}\right) =$ ₹$\frac{36x}{5}.$
अभीष्ट अनुपात $= \frac{42x}{5} : \frac{36x}{5} = 7 : 6.$

52. माना लड़कों की संख्या $= 5x$. तब, लड़कियों की संख्या $= 4x$.
$\therefore \quad 4x = 212 \Leftrightarrow x = 53.$
अतः लड़कों की संख्या $= (5 \times 53) = 265.$

53. दिये गये मिश्रण में दूध की मात्रा $= \left(60 \times \frac{2}{3}\right)$ लीटर $= 40$ लीटर
तथा पानी $= 20$ लीटर.
माना x लीटर पानी और मिलाया जाये. तब,
$\frac{40}{20+x} = \frac{1}{2} \Leftrightarrow 20 + x = 80 \Leftrightarrow x = 60.$
अतः पानी की डाले जानी वाली मात्रा $= 60$ लीटर.

54. माना अभीष्ट अनुपात $= x : 1$.
पहले मिश्रण के x लीटर में दूध $= \frac{5x}{8}$ ली० तथा पानी $= \frac{3x}{8}$ ली०.
दूसरे मिश्रण के 1 लीटर में दूध $= \frac{2}{5}$ ली० तथा पानी $= \frac{3}{5}$ ली०.
$(x + 1)$ लीटर मिश्रण में दूध $= \left(\frac{5x}{8} + \frac{2}{5}\right)$ ली० $= \frac{(25x+16)}{40}$ ली०.
$(x + 1)$ लीटर मिश्रण में पानी $= \left(\frac{3x}{8} + \frac{3}{5}\right)$ ली०
$= \frac{(15x+24)}{40}$ ली०.
$\therefore \quad \frac{25x+16}{40} = \frac{15x+24}{40} \Leftrightarrow 25x + 16 = 15x + 24$
$\Leftrightarrow 10x = 8 \Leftrightarrow x = \frac{4}{5}.$
अतः अभीष्ट अनुपात $= \frac{4}{5} : 1 = 4 : 5.$

55. 16 लीटर मिश्रण में दूध $= \left(16 \times \frac{5}{8}\right)$ ली० $= 10$ ली० तथा पानी $= 6$ लीटर.
नये मिश्रण में दूध $= (10 + 4)$ ली० $= 14$ ली० तथा पानी $= 6$ लीटर.
$\therefore$ अभीष्ट अनुपात $= 14 : 6 = 7 : 3.$

56. दिये मिश्रण में दूध की मात्रा $= \left(85 \times \frac{27}{34}\right)$ किग्रा० $= \frac{135}{2}$ किग्रा०
तथा पानी $= \frac{35}{2}$ किग्रा०.
माना पानी की अभीष्ट मात्रा $= x$ किग्रा०.
तब, $\frac{\left(\frac{135}{2}\right)}{\left(\frac{35}{2} + x\right)} = \frac{3}{1} \Leftrightarrow 3\left(\frac{35}{2} + x\right) = \frac{135}{2}$
$\Leftrightarrow 3x = 15 \Leftrightarrow x = 5.$

अतः पानी की अभीष्ट मात्रा = 5 किग्रा०.

57. माना इन बर्तनों के आयतन क्रमशः $3x$, $4x$ तथा $5x$ लीटर है.
चौथे बर्तन में दूध की मात्रा

$$= \left[\left(3x \times \frac{4}{5}\right) + \left(4x \times \frac{3}{4}\right) + \left(5x \times \frac{5}{7}\right)\right] \text{ ली०}$$

$$= \left(\frac{12x}{5} + 3x + \frac{25x}{7}\right) \text{ ली०} = \frac{314x}{35} \text{ ली०.}$$

चौथे बर्तन में पानी की मात्रा

$$= \left[\left(3x \times \frac{1}{5}\right) + \left(4x \times \frac{1}{4}\right) + \left(5x \times \frac{2}{7}\right)\right] \text{ ली०}$$

$$= \left(\frac{3x}{5} + x + \frac{10x}{7}\right) \text{ ली०} = \frac{106x}{35} \text{ ली०.}$$

$\therefore$ अभीष्ट अनुपात $= \frac{314x}{35} : \frac{106x}{35} = 314 : 106 = 157 : 53.$

58. पहले गिलास में दूध $= \frac{x}{3}$ तथा पानी $= \frac{2x}{3}$.

दूसरे गिलास में दूध $= \frac{x}{4}$ तथा पानी $= \frac{3x}{4}$.

मिश्रण में दूध तथा पानी का अनुपात $= \left(\frac{x}{3} + \frac{x}{4}\right) : \left(\frac{2x}{3} + \frac{3x}{4}\right)$

$= (7x : 17x) = 7 : 17.$

59. भुजाओं का अनुपात $= \frac{1}{2} : \frac{1}{3} : \frac{1}{4} = 6 : 4 : 3.$

माना ये भुजायें $6x$, $4x$ तथा $3x$ सेमी० हैं. तब $6x + 4x + 3x = 104$
$\Leftrightarrow 13x = 104 \Leftrightarrow x = 8.$
अतः सबसे बड़ी भुजा = (6×8) सेमी० = 48 सेमी०.

60. दी गई धातु में जस्ता $= \left(200 \times \frac{5}{8}\right)$ ग्राम = 125 ग्राम तथा ताँबा = 75 ग्राम.

माना इसमें x ग्राम ताँबा और मिलाया जाये. तब $\frac{125}{75 + x} = \frac{3}{5}$

$\Leftrightarrow 3(75 + x) = 625 \Leftrightarrow 3x = 400 \Leftrightarrow x = 133\frac{1}{3}$ ग्राम.

अतः ताँबे की अभीष्ट मात्रा $= 133\frac{1}{3}$ ग्राम.

61. पहली धातु के 1 ग्राम में जस्ता $= \frac{5}{13}$ ग्राम तथा ताँबा $= \frac{8}{13}$ ग्राम.

दूसरी धातु के 1 ग्राम में जस्ता $= \frac{5}{8}$ ग्राम तथा ताँबा $= \frac{3}{8}$ ग्राम.

नई धातु के 2 ग्राम में जस्ता $= \left(\frac{5}{13} + \frac{5}{8}\right) = \frac{105}{104}$ ग्राम तथा

ताँबा $= \left(\frac{8}{13} + \frac{3}{8}\right) = \frac{103}{104}$ ग्राम.

$\therefore$ अभीष्ट अनुपात $= \frac{105}{104} : \frac{103}{104} = 105 : 103.$

62. टिन की अभीष्ट मात्रा $= \left[\left(60 \times \frac{2}{5}\right) + \left(100 \times \frac{1}{5}\right)\right]$ किग्रा०

= 44 किग्रा०.

63. माना उस दिन इनकी ब्रिक्री क्रमशः $2x$ तथा $3x$ थी.

$\frac{2x + 4}{3x} = \frac{3}{4} \Leftrightarrow 8x + 16 = 9x \Leftrightarrow x = 16.$

अतः वनीला की ब्रिक्री $= (2 \times 16) = 32.$

64. माना $x^2 = Ky^3$. इसमें $x = 6, y = 3$ रखने पर, $K = \frac{6 \times 6}{3 \times 3 \times 3} = \frac{4}{3}$.

$\therefore \quad x^2 = \frac{4}{3} y^3 \Leftrightarrow 3x^2 = 4y^3.$

65. दिया है $x \propto \frac{1}{y^2}$. माना $x = \frac{K}{y^2}$, जहाँ K अचर है.

$x = 1$ तथा $y = 2$ रखने पर $K = 4$. अतः $x = \frac{4}{y^2}$.

$y = 6 \Rightarrow x = \frac{4}{36} = \frac{1}{9}$.

66. माना 1 ग्राम सोने के साथ x ग्राम ताँबा मिलाने पर नई धातु का $(1 + x)$ ग्राम प्राप्त होता है.

$1G = 19W$, $1C = 9W$, धातु $= 16W$.

1 ग्राम सोना + x ग्राम ताँबा = $(1 + x)$ ग्राम धातु

$\Rightarrow \quad 19W + 9x\,W = (1 + x) \times 16W$

$\Rightarrow \quad x = \frac{3W}{7W} = \frac{3}{7}$

$\Rightarrow$ सोने तथा ताँबे का अनुपात $= 1 : \frac{3}{7} = 7 : 3.$

67. भिन्न $= x$, (माना)

$\therefore \quad x \times \frac{10}{7} = \frac{1}{15} \times \frac{3}{14} = \frac{1}{70} \Rightarrow x = \frac{1}{70} \times \frac{7}{10} = \frac{1}{100}$

68. $A : B = \frac{2}{3} : \frac{4}{5} = 10 : 12$; $B : C = \frac{5}{4} : \frac{2}{5} = 25 : 8$

$\therefore \quad \frac{A}{C} = \frac{A}{B} \times \frac{B}{C} = \frac{10}{12} \times \frac{25}{8} = \frac{125}{48}$

69. A : B = 3 : 1
B : C = 2 : 1
$\therefore$ अतः A : B : C = 6 : 2 : 1

70. विद्यालय में, लड़को की संख्या $= a$

और लड़कियों की संख्या $= b$ (माना)

$\therefore \quad \frac{10a}{100} = \frac{b}{4} \Rightarrow \frac{a}{10} = \frac{b}{4} \Rightarrow \frac{a}{b} = \frac{10}{4} = 5 : 2$

71. सावधिक जमा एवं जीवन बीमा में खर्च का प्रतिशत
$= 100 - 54 = 46\%$

डुग्गाबटी की मासिक आय = ₹x (माना)

सावधिक जमा में मासिक निवेश = ₹$\left(\frac{124200}{12}\right)$ = ₹10350

प्रश्नानुसार, $x \times \frac{46}{100} \times \frac{9}{10} = 10350$

$\Rightarrow \quad x = \frac{10350 \times 100 \times 16}{46 \times 9}$ = ₹40000

किराया भुगतान का वार्षिक व्यय = ₹$\left(\frac{24}{100} \times 40000 \times 12\right)$

= ₹115200

72. बर्तन A में, 30 लीटर मिश्रण में,

सेब के रस की मात्रा $= \frac{5\times30}{6}$ लीटर = 25लीटर

बर्तन A में, पानी की मात्रा $= \frac{1}{6}\times30$ लीटर = 5 लीटर

बर्तन B में, 30 लीटर मिश्रण में

आम के रस की मात्रा$= \frac{2}{3}\times30 = 20$ लीटर

बर्तन B में, पानी की मात्रा $= \frac{1}{3}\times30 = 10$ लीटर

बर्तन C में, पानी की मात्रा $= 10+5 = 15$ लीटर

स्वरस की मात्रा $= 25+20 = 45$ लीटर

स्वरस : पानी $= 45:15 = 3:1$

12 लीटर मिश्रण में, पानी की मात्रा$= \frac{1}{4}\times12 = 3$ लीटर

$\therefore$ बर्तन C में पानी की मात्रा $= 15-3 = 12$

73. माना A और B की मासिक आय क्रमशः ₹ $11x$ और $13x$ है और उनका व्यय क्रमशः $9y$ और $11y$ है।
अब प्रश्न के अनुसार,
$11x-9y = 13x-11y$
$\Rightarrow 2y = 2x$
$\Rightarrow x = y$
अब, A की बचत $= 11x-9y = 4000$
$\Rightarrow 11x-9x = 4000$ $[\because x = y]$
$\Rightarrow 2x = 4000$
$\Rightarrow x =$ ₹ $2000 = y$
$\therefore$ अभीष्ट अंतर $= 13x-11x = 2x =$ ₹ 4000

74. माना A, B, C ₹ 10,500 को क्रमशः ₹ $5x$, ₹ $7x$ और $9x$ में विभाजित करते हैं।
अब प्रश्न के अनुसार,
$\Rightarrow 5x - 7x + 9x = 10,500$
$\Rightarrow 21x = 10,500 \Rightarrow x =$ ₹ 500
अब, A की राशि $= 5x + 500 = 5\times500 + 500 =$ ₹ 3,000
B की राशि $= 7x + 500 =$ ₹ 4,000
C की राशि $=$ ₹ 5,000
$\therefore$ अभीष्ट अंतर $= 3:4:5$

75. कुल आय = ₹ 28500
$\therefore$ मासिक बचत $= \frac{3}{19}\times28500 =$ ₹ 4500

76. कुल मिश्रण = 120 लीटर
शराब $= \frac{7}{12}\times120 = 70$ लीटर
पानी $= \frac{5}{12}\times120 = 50$ लीटर
माना x लीटर पानी मिलाया जाता है, तो प्रश्न के अनुसार,
$\frac{70}{50+x} = \frac{5}{6} \Rightarrow 6\times70 = 5(50+x)$
$420 = 250 + 5x$
$5x = 420 - 250 = 170$
$x = \frac{170}{5} = 34$ लीटर
$\therefore$ अभीष्ट% $= \frac{34}{50}\times100 = 68\%$

77. कुल योग = ₹ 10000
कटौती $= 200 + 300 + 500 =$ ₹ 1000
$\therefore$ शुद्ध राशि $= 10000 - 1000 =$ ₹ 9000
शेयरों का अनुपात $= 3:5:7$
नई राशि में अकबर का हिस्सा $= \frac{5}{15}\times9000 =$ ₹ 3000
अकबर की यह राशि 300 घटाकर है
$\therefore$ अकबर की कुल रकम $= 3000 + 300 =$ ₹ 3300

78. जूस की बची मात्रा $= 90 - 15 = 75$ लीटर
डाला गया पानी = 35 लीटर
$\therefore$ आवश्यक अनुपात $= 35:75 = 7:15$

79. माना आदिल का हिस्सा $= 7k$
$\therefore$ कैरी का हिस्सा $= 6k$
आदिल के हिस्से का आधा $= \frac{7k}{2}$ 3.5
$\therefore 6k - 3.5k = 850$
$2.5k = 850$
$k = \frac{850}{2.5} = 340$
$\therefore$ कुल योग $= 6\times340 + 7\times340 = 13\times340 =$ ₹ 4420

80. A की मात्रा $= \frac{2}{5}x$
B की मात्रा $= \frac{3}{5}x$
प्रश्न के अनुसार,
$\left(\frac{3}{5}x+6\right)-\left(\frac{2}{5}x+6\right) = 18$
$\frac{3}{5}x+6-\frac{2}{5}x-6 = 18$
$\frac{3}{5}x-\frac{2}{5}x = 18$
$\Rightarrow \frac{x}{5} = 18 \Rightarrow x = 90$

81. माना पुराना प्रवेश टिकट $= 4a$
$\therefore$ नया प्रवेश टिकट $= 7a$
आगंतुकों की पुरानी संख्या $= 15b$
आगंतुकों की नई संख्या $= 8b$
पुराना संग्रह $= 4a\times15b = 60\ ab$
नया संग्रह $= 7a\times8b = 56\ ab$
इसलिए, घटे हुए संग्रह का अनुपात $60\ ab : 56\ ab$ है
$= 60:56 = 15:14$

82. रोहन का वेतन $= 7k$
सुमित का वेतन $= 8k$
वेतन का नया अनुपात $= 1.05\times7k : 1.05\times8k$
$= 7.35\ k : 8.40\ k$
$\therefore 8.40\ k = 42000$

$\therefore\ k = \frac{42000}{8.4} = 5000$

∴ रोहन का पुराना वेतन $= 7k = 7 \times 5000 =$ ₹ 35000

83. माना संख्याएँ क्रमश: $9x$ और $11x$ हैं

$\therefore\ 9x + 5 = 11x - 5$

$2x = 10$

$\Rightarrow\ x = 5$

∴ संख्याओं का योग $= 9x + 11x = 20x = 20 \times 5 = 100$

84. माना $A = 5x$

$B = 2x$

प्रश्न के अनुसार,

$$\frac{5x+4}{2x+4} = \frac{9}{4}$$

क्रॉस गुणन द्वारा हम प्राप्त करते हैं,

$4(5x + 4) = 9(2x + 4)$

$20x + 16 = 18x + 36$

$20x - 18x = 36 - 16$

$2x = 20$

$x = 10$

$A = 5 \times 10 = 50$

$B = 2 \times 10 = 20$

आवश्यक अनुपात $= \frac{50-5}{20-5} = \frac{45}{15} = \frac{3}{1} = 3:1$

85. संख्याओं का अनुपात $\frac{1}{2}:\frac{2}{3}:\frac{3}{4}$

$= \frac{6:8:9}{12} = 6:8:9$

$9x - 6x = 27$

$3x = 27$

$\Rightarrow\ x = 9$

सबसे छोटी संख्या $= 6x = 6 \times 9 = 54$

86. माना पहला भाग $= x$ है।

दूसरा भाग $= y$

प्रश्न के अनुसार,

$\frac{4x}{5y} = \frac{14}{15} \Rightarrow \frac{x}{y} = \frac{14 \times 5}{15 \times 4} = \frac{70}{60} = \frac{7}{6}$

∴ पहला भाग $= 78 \times \frac{7}{13} = 42$

87. माना पहली संख्या $= 3x$

∴ दूसरी संख्या $= 5x$

प्रश्नानुसार, $\frac{3x+8}{5x+7} = \frac{2}{3}$

$9x + 24 = 10x + 14 \quad \Rightarrow \quad x = 10$

∴ संख्या 30 और 50 हैं

∴ आवश्यक अनुपात $= \frac{30+6}{50+6} = \frac{36}{56} = \frac{9}{14} = 9:14$

88. मान लीजिए चयनित $= 19x$

अचयनित $= 17x$

∴ आवेदित $= 36x$

नया आवेदित $= 36x - 1200$

नया चुना गया $= 19x - 800$

नया अचयनित $x = (36x - 1200) - (19x - 800) = 17x - 400$

$\therefore\ \frac{19x-800}{17x-400} = \frac{1}{1}$

$19x - 800 = 17x + 400$

$19x - 17x = 800 - 400$

$2x = 400$

$x = 200$

कुल $= 19x + 17x = 36x = 36 \times 200 = 7200$

89. माना मूल्य $= 8x$

नई कीमत $= 11x$

पुरानी बिक्री $= 23y$

नई बिक्री $= 21y$

पुराना राजस्व $= 8x \times 23y = 184xy$

प्रश्नों के अनुसार,

$184xy = 36800$

$xy = \frac{3800}{184} = 200$

अत: राजस्व में वृद्धि $= 11x \times 21y - 8x \times 23y$

$= 231xy - 184xy = 47xy = 47 \times 200 =$ ₹9400

90. माना पुराना मूल्य $= 7x$

नई कीमत $= 9x$

ग्राहकों की पुरानी संख्या $= 13y$

ग्राहकों की नयी संख्या $= 11y$

पुराना संग्रह $= 7x \times 13y = 91xy$

$91xy = 227500$

$xy = \frac{227500}{91} = 2500$

∴ नया संग्रह $= 9x \times 11y$

$= 99xy = 99 \times 2500 = 247500$

91. माना टैंक $= 5x$

विमान $= 3x$

प्रश्न के अनुसार,

$\therefore\ \frac{5x-1000}{3x-800} = \frac{2}{1}$

$5x - 1000 = 6x - 1600$

$\Rightarrow x = 600$

∴ युद्ध के बाद टैंकों की संख्या $= 5x - 1000$

$= 5 \times 600 - 1000 = 2000$

92. $\frac{21-x}{22-x} = \frac{60-x}{64-x}$

$(21 - x)(64 - x) = (60 - x)(22 - x)$

$1344 - 21x - 64x + x^2 = 1320 - 60x - 22x + x^2$

$1344 - 1320 = 85x - 82x$

$24 = 3x$

$\Rightarrow\ x = 8$

$\therefore \quad x + 8 = 8 + 1 = 9$

$7x + 8 = 64$

$\therefore 9 : b :: b : 64$

$b^2 = 9 \times 64$

$b = \sqrt{9 \times 64} = 3 \times 8 = 24$

93. माना z को मिलता है $= k$

y को मिलता है $= \frac{2}{3}k$

x को मिलता है $\frac{4}{5}$ का $\frac{2}{3}k = \frac{8}{15}k$

अत: $z : y : x$ का अनुपात

$k : \frac{2}{3}k : \frac{8}{15}k = 15 : 10 : 8$

आवश्यक अंतर $= 15 \times 350 - 8 \times 350 = 350 \times 7 = 2450$

94. कुल योग $= 34.5$

संख्याओं का अनुपात $= 6 : 9 : 10$

$\therefore$ मूल्यों का अनुपात $= 6 \times 100 : 9 \times 50 : 10 \times 10$
$= 600 : 450 : 100 = 60 : 45 : 10 = 12 : 9 : 2$

$\therefore$ 10 पैसे के सिक्कों का मूल्य $= \frac{2}{23} \times 34.5 = 2 \times 1.5 = ₹3$

10 पैसे के सिक्कों की संख्या $= 3 \times 10 = 30$

95. कुल सिक्के $= 112$

मूल्यों का अनुपात $= 15 : 4 : 2$

$\therefore$ संख्याओं का अनुपात $= \frac{15}{5} : \frac{4}{2} : \frac{2}{1} = 3 : 2 : 2$

$\therefore$ ₹2 के सिक्के $= \frac{2}{7} \times 112 = 32$

96. कुल मूल्य $= ₹250$

संख्याओं का अनुपात $= 3 : 4 : 5$

$\therefore$ मूल्यों का अनुपात $= 3 \times 2 : 4 \times 1 : 5 \times \frac{1}{2}$

$= 6 : 4 : \frac{5}{2} = 12 : 8 : 5$

₹1 सिक्के की 8 मूल्य $= \frac{8}{25} \times 250 = ₹80$

$\therefore$ ₹1 सिक्के की संख्या $= 80$

97. $200 \times k + 300 \times 2k + 400 \times 3k = ₹2000$

$200k + 600k + 1200k = ₹2000$

$2000k = ₹2000 \Rightarrow k = 1$

$\therefore$ Q प्रकार हैं $2 \times 1 = 2$

98. $4x - 3y = 4000$

$x - 2y = 6000$

x और y के लिए हल करने पर, हमें प्राप्त होता है

$x = ₹10000$

कुल आय $= 4x + 3x = 7x = ₹70000$

99. $12000 - 5y = 8000 - 3y$

$12000 - 8000 = 5y - 3y$

$2y = 4000$

$y = 2000$

100. कुल कार्यालय समय $= 7 \times 60 - 30 = 420 - 30 = 390$ मिनट

लंच टाइम $= 30$ मिनट

$\therefore$ आवश्यक अनुपात $= 30 : 420 = 1 : 14$

101. $11x - 7x = 20$

$4x = 20$

$\Rightarrow \quad x = 5$

$\therefore$ अंग्रेजी प्राप्तांक $= 7x = 7 \times 5 = 35$

102. माना लाल कंचे $= 5x$

नीले कंचे $= 4x$

$\therefore \quad \frac{5x - 5}{4x} = \frac{10}{9}$

$45x - 45 = 40x$

$5x = 45 \Rightarrow x = 9$

अब कंचों की संख्या $= 5x - 5 + 4x = 9x - 5$

$81 - 5 = 76$

103. $9x - 4x = 1250$

$5x = 1250$

$x = 250$

$\therefore$ कुर्सी की कीमत $= 4x = 4 \times 250 = 1000$

104. Q का वास्तविक हिस्सा $= \frac{2}{6} \times 780 = ₹260$

$P : Q : R$ के नए शेयर $= \frac{1}{2} : \frac{1}{5} : \frac{1}{4}$

$\frac{6 : 4 : 3}{12} = 6 : 4 : 3$

Q का हिस्सा (नया) $\frac{4}{13} \times 780 = ₹240$

$\therefore$ नुकसान $= 260 - 240 = 20$

105. माना चयनित $= 14x$

$\therefore$ अचयनित $= 25x$

$\therefore$ कुल आवेदित $= 14x + 25x = 39x$

नया आवेदित $= 39x - 35$

$$\frac{14x - 10}{39x - 35 - 14x + 10} = \frac{3}{5}$$

$$\frac{14x - 10}{25x - 25} = \frac{3}{5}$$

$70x - 50 = 75x - 75$

$\Rightarrow \quad 5x - 25$

$x = 5$

$\therefore$ आवेदितों की संख्या $= 14x + 25x = 39x$
$= 39 \times 5 = 195$

106. माना रेने और सोम का मासिक वेतन क्रमश: $5a$ और $3a$ है।

रेने द्वारा खर्च किए गए पैसे

$= \left(5a \text{ का } \frac{1}{6} + 5a \text{ का } \frac{1}{5} + 5a \text{ का} + 30\% + 5a \text{ का } 25\%\right)$

दी गई जानकारी के अनुसार

$\Rightarrow 5a - \left[5a \times \frac{1}{6} + 5a \times \frac{1}{5} + 5a \times \frac{3}{10} + \frac{5a}{4}\right] = 5000$

$\Rightarrow 5a-\left[\frac{5a}{6}+a+\frac{3a}{2}+\frac{5a}{4}\right]=5000$

$\Rightarrow 5a-\left(\frac{55a}{12}\right)=5000$

$\Rightarrow 60a-55a=60000 \Rightarrow a=12000$

सोम का वेतन $= 3 \times 12000 = 36000$

107. **कथन I:**

बता दें कि शहर में पुरुषों और महिलाओं की जनसंख्या क्रमशः $27x$ और $23x$ है और दिया गया है।

$27x - 23x = 100000$

$4x = 100000$

$x = 25000$

शहर A में पुरुषों की जनसंख्या $= 25000 \times 27 = 675000$

शहर A में महिलाओं की जनसंख्या $= 25000 \times 23 = 575000$

कुल जनसंख्या = 12,50,000

कथन II:

A की जनसंख्या = शहर B का $\frac{80}{100}$

A और B की जनसंख्या के बीच अंतर

$\Rightarrow$ B – A = 3,12,500

$B \times \frac{20}{100} = 3,12,500$

B की जनसंख्या = 15,62,500

A की जनसंख्या = 12,50,000

कथन I या कथन II में दिया गया आँकड़ा अकेले प्रश्न का उत्तर देने के लिए पर्याप्त है।

अतः कथन C सही है।

108. मैराथन में भाग लेने वाले छात्रों की संख्या = 208

मैराथन में भाग लेने वाले लड़कों की संख्या = 124

दी गई जानकारी के अनुसार लड़कों की संख्या का $\frac{4}{7} = 124$

कुल लड़के $= \frac{124 \times 7}{4} = 217$

माना स्कूल में लड़कियों की कुल संख्या x है।

मैराथन में भाग लेने वाली लड़कियों की संख्या $= 208 - 124 = 84$

लड़कियों की संख्या

$\therefore x$ का $\frac{6}{11} = 84 \Rightarrow x = \frac{84 \times 11}{6} = 154$

स्कूल में कुल विद्यार्थी $= 217 + 154 = 371$

109. माना पिया और सोम का मासिक वेतन क्रमशः $5a$ और $4a$ है।

तो पिया द्वारा उसकी माँ को दिया गया पैसा $= 5a \times \frac{3}{5} = 3a$

पिया द्वारा बहन की ट्यूशन फीस के रूप में दिया गया पैसा

$= 5a$ का 15% $= \frac{15 \times 5a}{100} = \frac{75a}{100}$ $0.75a$

पिया द्वारा ऋण के लिए दिया गया धन

$= 5a$ का 18% $= \frac{18 \times 5a}{100} = \frac{90a}{100} = 0.9a$

$\therefore$ दिया गया कुल धन $= 3a + 0.75a + 0.90a = 4.65a$

$\therefore$ शेष राशि $= 5a - 4.65 = 0.35a$

पिया के पास शेष राशि = ₹ 2100

$0.35a = 2100$

$\therefore \frac{35a}{100} = 2100$

$\Rightarrow a = \frac{2100 \times 100}{35}$

a = ₹ 6000

$\therefore$ सोम का मासिक वेतन $= 4a = 4 \times 6000$ = ₹ 24000

110. स्मिता के काम के घंटे = 6 घंटे

काजल के काम के घंटे = 7 घंटे 30 मिनट

$= 7\frac{1}{2}$ घंटे

आवश्यक अनुपात $= 6 : 7\frac{1}{2} = 6 : \frac{15}{2}$

$= 12 : 15 = 4 : 5$

111. 50 पैसे, 25 पैसे और 10 पैसे के सिक्कों की संख्या का अनुपात = 5 : 8 : 3

उनके मूल्यों का अनुपात $= \frac{5}{2} : \frac{8}{4} : \frac{3}{10}$

2, 4 और 10 का ल.स.प. = 20

$= \left(\frac{5}{2} \times 20\right) : \left(\frac{8}{4} \times 20\right) : \left(\frac{3}{10} \times 20\right) = 50 : 40 : 6$

अनुपात की पदों का योग $= 50 + 40 + 6 = 96$

$\therefore$ 50 पैसे के सिक्कों का मूल्य $= \frac{50}{96} \times 144 = 75$

$\therefore$ 50 पैसे के सिक्कों की संख्या $= 75 \times 2 = 150$

112. बोतल में पानी की मात्रा = 2 लीटर

राज द्वारा पीया हुआ जल $= \frac{1}{4}$ भाग

सूरज द्वारा पीया गया जल $= \frac{3}{4}$ भाग

सूरज द्वारा पीया गया जल $= \frac{3}{4} \times 2 = 1.5$ लीटर

113. माना सोमवार, मंगलवार और बुधवार को दर्शकों की संख्या क्रमशः $2p, 3p$ और $5p$ है।

माना सोमवार, मंगलवार और बुधवार को लिया गया मूल्य क्रमशः $2q, 3q$ और $4q$ है।

प्रश्न के अनुसार,

$4q \times 5p \times 3p = 8800$

$20\,pq - 9\,pq = 8800$

$\Rightarrow 11pq = 8800 \Rightarrow pq = 800$

अब, तीनों दिनों में अर्जित कुल राशि

$= 4\,pq + 9\,pq + 20\,pq$

$= 4 \times 800 + 9 \times 800 + 20 \times 800$

= ₹ (3200 + 7200 + 16000)

= ₹ 26400

114. $0.06A + 0.04B = \frac{2}{5}(0.07A + 0.11B)$

$0.06A + 0.04B = 0.028A + 0.044B$

$\frac{A}{B} = \frac{1}{8}$

तो, अनुपात A:B = 1:8 है।

115. मान लीजिए

$6x + 5x = 1650$

$\Rightarrow \quad x = 150$

$\therefore$ लड़कों की संख्या = 150×6 = 900

लड़कियों की संख्या = 150×5 = 750

नये प्रवेश के बाद

लड़के = 900+124 = 1024

$\Rightarrow \quad 4x = 1024$

$x = 256$

$\therefore$ लड़कियों की संख्या = 256×3 = 768

$\therefore$ नव प्रवेशित लड़कियाँ = 768-750 = 18

$\therefore$ अभीष्ट अनुपात = 18:124

= 9:62

116. माना C को एक धनराशि मिलती है,

फिर, B = a + 8

A = x + 15

अब, प्रश्नानुसार

$\Rightarrow \quad a + a + 8 + a + 15 = 53$

$\Rightarrow \quad 3a + 23 = 53$

$\Rightarrow \quad 3a = 30$

$\Rightarrow \quad a = 10$

$\therefore \quad C = a = 10$

$\Rightarrow \quad B = a + 8 = 10 + 8 = 18$

$\Rightarrow \quad A = a + 15 = 10 + 15 = 25$

$\therefore$ अभीष्ट अनुपात = 25 : 18 : 10

15 साझा (PARTNERSHIP)

आवश्यक तथ्य एवं सूत्र

(*i*) **साझा:** दो या दो से अधिक व्यापारियों द्वारा धन लगाकर, मिलकर व्यापार करने को साझा कहते हैं तथा इसमें सम्मिलित प्रत्येक व्यक्ति को साझीदार (Partner) कहते हैं.

(*ii*) **पूँजी:** साझीदारों द्वारा लगाये गये धन को पूँजी कहते हैं.

(*iii*) **लाभ का साझीदारों में वितरण:**
प्रत्येक वर्ष (या पहले से तय की गई समयावधि) के अन्त में व्यापार में होने वाले लाभ या हानि को: {(प्रत्येक साझीदार की पूँजी) × (पूँजी लगी रहने का समय)} के अनुपात में साझीदारों में बाँटा जाता है.

उदाहरण: माना A की पूँजी ₹ x, p महीने के लिए निवेशित है तथा B की पूँजी ₹ y, q महीने के लिए निवेशित है. तब, लाभ में $A : B = (xp) : (yq)$.

साधित उदाहरण

प्रश्न 1. *A, B, C* ने मिलकर साझे में एक व्यापार आरम्भ किया तथा क्रमशः ₹ 360000, ₹ 378000 तथा ₹ 414000 लगाये. वर्ष के अन्त में कुल ₹ 384000 के लाभ में से *C* को कितना धन मिलेगा?

हल: A, B, C की पूँजियों का अनुपात $= 360000 : 378000 : 414000 = 360 : 378 : 414 = 20 : 21 : 23$.

इन पदों का योग $= (20 + 21 + 23) = 64$.

कुल लाभ = ₹ 384000.

इस लाभ में C का भाग $= ₹\left(384000 \times \frac{23}{64}\right) = ₹\ 138000$.

प्रश्न 2. *A, B, C* ने मिलकर साझे में एक व्यापार आरम्भ किया. *A* ने ₹ 32000 4 माह के लिए लगाये, *B* ने ₹ 51000 3 माह के लिए लगाये तथा *C* ने ₹ 27000 5 माह के लिए लगाये. यदि वर्ष के अन्त में कुल लाभ ₹ 12480 हो, तो *A* का भाग इसमें से कितना होगा?

हल: A, B, C की पूँजियों का अनुपात $= (32000 \times 4) : (51000 \times 3) : (27000 \times 5) = (128 : 153 : 135)$.

इन पदों का योग $= (128 + 153 + 135) = 416$.

कुल लाभ = ₹ 12480.

$\therefore$ A का भाग $= ₹\left(12480 \times \frac{128}{416}\right) = ₹\ 3840$.

प्रश्न 3. *A, B, C* मिलकर एक व्यापार आरम्भ करते हैं. *A* पूरे वर्ष के लिए ₹ 20000 लगाता है. *B* पहले ₹ 30000 लगाता है, परन्तु 4 माह के बाद ₹ 10000 और लगाता है. *C* पहले ₹ 40000 लगाता है, परन्तु 9 माह बाद ₹ 10000 निकाल लेता है. वर्ष के अन्त में ₹ 84750 के लाभ में से *B* का भाग कितना होगा?

हल: A, B, C की पूँजियों का अनुपात

$= (20000 \times 12) : (30000 \times 4 + 40000 \times 8) : (40000 \times 9 + 30000 \times 3)$

$= (240000 : 440000 : 450000) = (240 : 440 : 450) = (24 : 44 : 45)$

इन पदों का योग $= (24 + 44 + 45) = 113$.

कुल लाभ = ₹ 84750.

$\therefore$ B का भाग $= ₹\left(84750 \times \frac{44}{113}\right) = ₹\ 33000$.

प्रश्न 4. A, B, C मिलकर एक व्यापार आरम्भ करते हैं. आरम्भ में इनकी पूँजियों का अनुपात $\frac{1}{2}:\frac{1}{3}:\frac{1}{5}$ है. चार माह बाद, B अपनी आधी पूँजी निकाल लेता है. वर्ष के अन्त में ₹ 4150 के कुल लाभ में से, B का भाग क्या होगा?

हल: प्रारम्भ में A, B, C की पूँजियों का अनुपात $= \frac{1}{2}:\frac{1}{3}:\frac{1}{5} = 15:10:6$.

माना प्रारम्भ में A, B, C ने क्रमशः ₹ $15x$, ₹ $10x$ तथा ₹ $6x$ लगाये.

तब, $A:B:C = (15x \times 12):(10x \times 4 + 5x \times 8):(6x \times 12)$

$= 180x : 80x : 72x = 45:20:18.$

अनुपात पदों का योग $= (45+20+18) = 83$.

कुल लाभ = ₹ 4150.

$\therefore$ B का भाग = ₹$\left(4150 \times \frac{20}{83}\right)$ = ₹ 1000.

प्रश्न 5. A तथा B ने मिलकर व्यापार आरम्भ किया तथा 4 : 5 के अनुपात में धन लगाया. तीन माह बाद A ने अपनी पूँजी का $\frac{1}{4}$ भाग तथा B ने अपनी पूँजी का $\frac{1}{5}$ भाग वापिस ले लिया. व्यापार आरम्भ करने के 10 माह बाद ₹ 76000 के लाभ में से A का भाग कितना होगा?

हल: माना आरम्भ में A की पूँजी = ₹ $4x$ तथा B की पूँजी = ₹ $5x$.

A तथा B की पूँजियों का अनुपात $= \left[(4x \times 3) + \left\{\left(4x - \frac{1}{4} \times 4x\right) \times 7\right\}\right] : \left\{(5x \times 3) + \left(5x - \frac{1}{5} \times 5x\right) \times 7\right\}$

$= (12x + 21x):(15x + 28x) = 33x : 43x = 33:43.$

इन पदों का योग $= (33+43) = 76$.

कुल लाभ = ₹ 76000.

इस लाभ में A का भाग = ₹$\left(76000 \times \frac{33}{76}\right)$ = ₹ 33000.

प्रश्न 6. A, B, C ने मिलकर एक व्यापार आरम्भ किया. कुल पूँजी का $\frac{1}{3}$ भाग A ने लगाया तथा B ने उतनी पूँजी लगाई, जितनी A तथा C ने मिलकर लगाई. वर्ष के अन्त में ₹ 23520 के लाभ में से C का भाग कितना होगा?

हल: माना कुल पूँजी = ₹ x. तब,

A की पूँजी = ₹$\frac{x}{3}$, B की पूँजी = ₹$\frac{x}{2}$,

C की पूँजी = ₹$\left[x - \left(\frac{x}{3} + \frac{x}{2}\right)\right]$ = ₹$\frac{x}{6}$.

A, B, C की पूँजियों का अनुपात $= \frac{x}{3}:\frac{x}{2}:\frac{x}{6} = 2x : 3x : x = 2:3:1.$

कुल लाभ = ₹ 23520.

इस लाभ में C का भाग = ₹$\left(23520 \times \frac{1}{6}\right)$ = ₹ 3920.

प्रश्न 7. तीन ग्वाले A, B, C मिलकर एक चरागाह ₹ 2660 किराये पर लेते हैं. A अपनी 18 भैंसे, 4 महीने चराता है; B अपनी 16 भैंसें, 6 महीने चराता है तथा C अपनी 14 भैंसें, 7 महीने चराता है. B को कितना किराया देना होगा?

हल: A, B, C की खपत का अनुपात $= (18 \times 4):(16 \times 6):(14 \times 7) = (72:96:98) = (36:48:49).$

इन पदों का योग $= (36+48+49) = 133$.

कुल किराया = ₹ 2660.

किराये में B का भाग = ₹$\left(2660 \times \frac{48}{133}\right)$ = ₹ 960.

प्रश्नमाला 15 A

नीचे दिये गये प्रत्येक प्रश्न में ठीक उत्तर को चिह्नांकित (✓) कीजिए:

1. तीन साझीदारों A, B तथा C ने एक व्यापार में क्रमशः ₹ 10200, ₹ 13800 तथा ₹ 19200 लगाये. वर्ष के अन्त में प्राप्त ₹ 50400 के कुल लाभ में से B का भाग कितना होगा?

(a) ₹ 11900 (b) ₹ 22400
(c) ₹ 16600 (d) इनमें से कोई नहीं

2. तीन साझीदारों A, B, C ने एक व्यापार में क्रमशः ₹ 26000, ₹ 34000 तथा ₹ 10000 लगाये. वर्ष के अन्त में प्राप्त ₹ 3500 के कुल लाभ में से B का भाग कितना होगा? (होटल मैनेजमैंट परीक्षा, 2014)

(a) ₹ 1200 (b) ₹ 1500
(c) ₹ 1700 (d) ₹ 1900

3. तीन साझीदारों A, B, C ने मिलकर एक व्यापार में ₹ 50000 निवेशित किये. यदि A ने B से ₹ 4000 अधिक लगाये हों तथा B ने C से ₹ 5000 अधिक लगाये हों, तो वर्ष के अन्त में ₹ 35000 के कुल लाभ में से A को कितना धन मिलेगा? (मैनेजमैंट परीक्षा, 2015)

(a) ₹ 8400 (b) ₹ 11900
(c) ₹ 13600 (d) ₹ 14700

4. आलोक ने ₹ 75000 लगाकर एक व्यापार आरम्भ किया. तीन माह बाद चन्दन ₹ 60000 लगाकर साझीदार बन गया. वर्ष के अन्त में कुल ₹ 16000 के लाभ में से चन्दन का भाग कितना होगा?

(a) ₹ 5000 (b) ₹ 6000
(c) ₹ 8000 (d) ₹ 9600

5. A, B, C ने मिलकर साझे में एक व्यापार आरम्भ किया. A ने ₹ 5000 2 माह के लिए, B ने ₹ 6000 3 माह के लिए तथा C ने ₹ 4000 5 माह के लिए लगाये. कुल ₹ 960 के लाभ में से A का भाग कितना होगा? (बी०बी०एस० परीक्षा, 2014)

(a) ₹ 360 (b) ₹ 400
(c) ₹ 200 (d) ₹ 280

6. A तथा B ने मिलकर एक व्यापार आरम्भ किया तथा क्रमशः ₹ 12000 तथा ₹ 16000 लगाये. 8 माह बाद C भी ₹ 15000 लगाकर व्यापार में साझीदार हो गया. 2 वर्ष बाद ₹ 45600 के कुल लाभ में से C का भाग कितना होगा? (रेलवे परीक्षा, 2012)

(a) ₹ 12000 (b) ₹ 14400
(c) ₹ 19200 (d) ₹ 21200

7. अमन ने ₹ 40000 लगाकर एक व्यापार आरम्भ किया. 6 माह बाद सामन्त ₹ 60000 लगाकर तथा उसके 3 माह बाद रचित ₹ 50000 लगाकर साझीदार हो गया. 2 वर्ष बाद इनके लाभ का अनुपात क्या होगा? (बैंक पी० ओ० परीक्षा, 2014)

(a) 5 : 8 : 9 (b) 25 : 32 : 36
(c) 36 : 32 : 25 (d) इनमें से कोई नहीं

8. कमल ने ₹ 9000 लगाकर एक व्यापार आरम्भ किया. इसके 5 माह बाद समीर ₹ 8000 लगाकर साझीदार हो गया. वर्ष के अन्त में ₹ 6970 के लाभ में से समीर का भाग कितना होगा? (एम०बी०ए० परीक्षा, 2014)

(a) ₹ 1883·78 (b) ₹ 2380
(c) ₹ 3690 (d) ₹ 3864

9. A तथा B ने क्रमशः ₹ 5000 तथा ₹ 4500 लगाकर एक व्यापार आरम्भ किया. चार माह बाद A ने अपनी आधी पूँजी वापिस ले ली तथा B ने उसी समय अपनी एक-तिहाई पूँजी वापिस ले ली. इसी समय, C कुल ₹ 7000 लगाकर व्यापार में साझीदार हो गया. वर्ष के अन्त में ₹ 4140 के लाभ में से C का भाग कितना होगा? (बैंक पी० ओ० परीक्षा, 2013)

(a) ₹ 1780 (b) ₹ 1680
(c) ₹ 1860 (d) ₹ 1880

10. A तथा B दो साझीदारों ने एक व्यापार में 4 : 5 के अनुपात में पूँजी लगाई. 3 माह बाद A ने अपनी पूँजी का 1/4 भाग तथा B ने अपनी पूँजी का 1/5 भाग वापिस ले लिया. 10 माह बाद कुल ₹ 760 के लाभ में से A का भाग कितना होगा? (ओरियन्टल बीमा परीक्षा, 2013)

(a) ₹ 330 (b) ₹ 360
(c) ₹ 380 (d) ₹ 430

11. A ने ₹ 4500 लगाकर एक व्यापार आरम्भ किया तथा कुल समय बाद B अपने ₹ 3000 लगाकर इसमें साझीदार हो गया. वर्ष के अन्त में कुल लाभ को इनमें 2 : 1 के अनुपात में बाँट दिया गया. B व्यापार में कितने महीने तक साझीदार रहा?

(a) 3 महीने (b) 7 महीने
(c) 8 महीने (d) 9 महीने

12. A तथा B ने क्रमशः ₹ 50000 तथा ₹ 60000 लगाकर एक व्यापार आरम्भ किया. x माह बाद C भी ₹ 70000 लगाकर व्यापार में साझीदार हो गया. यदि B वर्ष के अन्त से x माह पहले छोड़ दे तथा वर्ष के अन्त में इनके लाभांश 20 : 18 : 21 के अनुपात में हों, तो x का मान क्या होगा?

(a) 3 (b) 6
(c) 8 (d) 9

13. A, B, C मिलकर एक चरागाह किराये पर लेते हैं. इनमें A अपनी 10 गाय 7 महीने तक, B अपनी 12 गाय 5 महीने तक तथा C अपनी 15 गाय 3 महीने तक चराते हैं. यदि इस चरागाह का कुल किराया ₹ 1750 हो, तो C को किराये के अपने भाग के कितने रुपये देने होंगे?

(a) ₹ 450 (b) ₹ 500
(c) ₹ 550 (d) ₹ 600

14. A, B, C ने एक कार ₹ 1040 में किराये पर ली तथा इसे क्रमशः 7, 8 तथा 11 घण्टे तक प्रयोग किया. इसमें से B द्वारा दिया गया किराया कितना है?

(a) ₹ 280 (b) ₹ 320
(c) ₹ 360 (d) ₹ 440

15. साझे के एक व्यापार में A कुल पूँजी का $\frac{1}{6}$ भाग, $\frac{1}{6}$ समय के लिए; B कुल पूँजी का $\frac{1}{3}$ भाग, $\frac{1}{3}$ समय के लिए तथा C, पूँजी का शेष भाग पूरे समय के लिए निवेशित करता है. ₹ 4600 के कुल लाभ में से B का भाग कितना होगा?

(a) ₹ 650 (b) ₹ 800
(c) ₹ 960 (d) ₹ 1000

16. A, B, C मिलकर व्यापार आरम्भ करते हैं तथा अपनी पूँजियाँ $\frac{1}{2}:\frac{1}{3}:\frac{1}{4}$ के अनुपात में लगाते हैं. दो माह बाद A अपनी आधी पूँजी वापिस ले लेता है. यदि 1 वर्ष बाद ₹ 3780 का लाभ हो, तो इसमें B का भाग कितना होगा?

(a) ₹ 1290 (b) ₹ 1440
(c) ₹ 1560 (d) ₹ 1680

17. A, B, C ने एक व्यापार में $\frac{7}{2}:\frac{4}{3}:\frac{6}{5}$ के अनुपात में धन लगाया. चार माह के बाद A ने अपनी पूँजी में 50% की वृद्धि कर दी. यदि वर्ष के अन्त में कुल लाभ ₹ 43200 हो, तो इसमें से B का भाग कितना होगा?

(जीवन बीमा निगम परीक्षा, 2013)

(a) ₹ 4200 (b) ₹ 4800
(c) ₹ 7200 (d) ₹ 8000

18. A, B, C मिलकर एक व्यापार आरम्भ करते हैं. आरम्भ में केवल A ही कुल धन लगाता है तथा 6 माह बाद B, A से दुगुना धन लगाता है. 8 माह बाद C, A से तिगुना धन लगाता है. यदि वार्षिक लाभ ₹ 27000 हो, तो इसमें से C को कितना धन मिलेगा?

(a) ₹ 8625 (b) ₹ 9000
(c) ₹ 10800 (d) ₹ 11250

19. सचिन ने ₹ 50000 लगाकर एक व्यापार आरम्भ किया. 6 माह बाद ₹ 80000 लगाकर नितिन इस व्यापार में साझी हो गया. तीन वर्ष बाद ₹ 24500 के कुल लाभ में से सचिन का भाग कितना होगा? (बैंक पी० ओ० परीक्षा, 2013)

(a) ₹ 9423 (b) ₹ 10250
(c) ₹ 12500 (d) ₹ 14000
(e) इनमें से कोई नहीं

20. एक व्यापार में लगे धन में A तथा C के धनों का अनुपात 2 : 1 है, जबकि A और B के धनों का अनुपात 3 : 2 है. यदि 1 वर्ष के बाद कुल लाभ ₹ 157300 हो तो इसमें से B का भाग कितना होगा?

(a) ₹ 24200 (b) ₹ 36300
(c) ₹ 48400 (d) ₹ 72600

21. A तथा B एक व्यापार में साझीदार हैं. A कुल पूँजी का $\frac{1}{4}$ भाग 15 माह के लिए निवेशित करता है तथा B को कुल लाभ का $\frac{2}{3}$ भाग मिलता है. B का धन कितने समय के लिए निवेश किया गया? (एस०एस०सी० परीक्षा, 2010)

(a) 6 माह (b) 9 माह
(c) 10 माह (d) 1 वर्ष

22. रंजना ने ₹ 75000 लगाकर व्यापार आरम्भ किया. तीन माह बाद शैलजा ₹ 125000 लगाकर साझीदार बन गई तथा इसके छ: माह बाद बीना ₹ 150000 लगाकर साझीदार बन गई. व्यापार आरम्भ होने के 3 साल बाद प्राप्त लाभ को रंजना, शैलजा तथा बीना में किस अनुपात में बाँटा जायेगा?

(a) 18 : 28 : 27 (b) 35 : 54 : 55
(c) 36 : 55 : 54 (d) इनमें से कोई नहीं

23. A, B, C ने मिलकर एक व्यापार साझे में आरम्भ किया. इसमें A ने ₹ 6500 6 माह के लिए, B ने ₹ 8400 5 माह के लिए तथा C ने ₹ 10000 3 माह के लिए निवेश किये. इसमें A को काम करने हेतु लाभ का 5% मिला. कुल ₹ 7400 के लाभ में से C का भाग कितना होगा?

(एम०बी०ए० परीक्षा, 2012)

(a) ₹ 1900 (b) ₹ 2660
(c) 2800 #0 (d) ₹ 2840

24. A तथा B ने मिलकर साझे में एक व्यापार आरम्भ किया तथा 14 : 15 के अनुपात में पूँजी लगाई. यदि उनके वार्षिक लाभांश का अनुपात 7 : 6 हो तथा A ने अपना धन 10 महीने के लिए निवेशित किया हो, तो B ने अपना धन कितने महीने के लिए निवेश किया?

(a) 6 महीने (b) 7 महीने
(c) 8 महीने (d) 9 महीने

25. एक व्यापार में तीन साझीदारों के लाभ का अनुपात 5 : 7 : 8 है. इनका धन क्रमश: 14 महीने, 8 महीने तथा 7 महीने के लिए निवेशित रहा. इनकी पूँजियों का अनुपात क्या है?

(a) 5 : 7 : 8 (b) 20 : 49 : 64
(c) 38 : 28 : 21 (d) इनमें से कोई नहीं

26. A तथा B ने मिलकर व्यापार आरम्भ किया तथा 3 : 2 के अनुपात में अपनी पूँजियाँ लगाई. कुल लाभ का 5% दान कर देने के बाद A का भाग ₹ 855 हो, तो कुल लाभ कितना है?

(a) ₹ 1425 (b) ₹ 1500
(c) ₹ 1537·50 (d) ₹ 1576

27. A ने ₹ 3500 लगाकर एक व्यापार आरम्भ किया तथा 5 माह के बाद B भी कुल धन लगाकर A के साथ साझीदार हो गया. एक वर्ष के बाद प्राप्त लाभ को उनमें 2 : 3 के अनुपात में बाँट दिया गया. व्यापार में B द्वारा निवेशित धन कितना है?

(एस०एस०सी० परीक्षा, 2010)

(a) ₹ 7500 (b) ₹ 8000
(c) ₹ 8500 (d) ₹ 9000

28. A ने ₹ 85000 लगाकर एक व्यापार प्रारम्भ किया. कुल महीने बाद B भी ₹ 42500 लगाकर व्यापार में साझीदार हो गया. एक वर्ष के बाद प्राप्त लाभ को उनमें 3 : 1 के अनुपात में बाँट दिया गया. B का धन कितने महीने तक निवेशित रहा?

(a) 4 महीने (b) 5 महीने

(c) 6 महीने (d) 8 महीने

29. A ने ₹ 21000 लगाकर एक व्यापार आरम्भ किया तथा कुल महीने बाद B ₹ 36000 लगाकर साझीदार हो गया. यदि वर्ष के अंत में लाभ में दोनों का भाग बराबर हो, तो व्यापार आरम्भ होने के कितने महीने बाद B साझीदार बना?

(a) 3 महीने (b) 4 महीने
(c) 5 महीने (d) 6 महीने

30. A तथा B ने मिलकर व्यापार प्रारम्भ किया. इसमें A का निवेश B के निवेश से तिगुना है तथा A के निवेश की अवधि B के निवेश की अवधि से दुगुनी है. यदि वर्ष के अन्त में कुल लाभ में से B का भाग ₹ 4000 हो, तो कुल लाभ कितना है?

(a) ₹ 16000 (b) ₹ 20000
(c) ₹ 24000 (d) ₹ 28000

31. A तथा B ने मिलकर एक व्यापार आरम्भ किया. वर्ष के अन्त में प्राप्त लाभ को उन्होंने 2 : 3 के अनुपात में बाँट लिया. यदि A ने ₹ 40000 निवेश किया हो, तो B का निवेश कितना है?

(a) ₹ 45000 (b) ₹ 50000
(c) ₹ 60000 (d) ₹ 80000

32. एक व्यापार में मनिक तथा रौनक दो साझीदार थे. मनिक ने ₹ 20000 6 माह के लिए व्यापार में लगाये जबकि रौनक ने अपना धन पूरे वर्ष के लिए निवेश किया. यदि ₹ 9000 के कुल वार्षिक लाभ में से मनिक को ₹ 6000 मिले हों, तो रौनक ने कितना धन निवेश किया?

(a) ₹ 4000 (b) ₹ 5000
(c) ₹ 6000 (d) ₹ 10000

33. अमन ने ₹ 70000 लगाकर एक व्यापार आरम्भ किया. छः माह बाद राखी भी ₹ 105000 लगाकर साझीदार हो गई तथा इसके भी छः माह बाद सागर ₹ 1·4 लाख लगाकर साझीदार हो गया. तीन वर्ष बाद अमन, राखी तथा सागर को कुल लाभ किस अनुपात में बाँटा जायेगा?

(बैंक पी० ओ० परीक्षा, 2013)

(a) 7 : 6 : 10 (b) 12 : 15 : 16
(c) 42 : 55 : 56 (d) इनमें से कोई नहीं

34. यदि 4(A की पूँजी) = 6(B की पूँजी) = 10(C की पूँजी), तब ₹ 4650 के कुल लाभ में से C का भाग कितना है?

(a) ₹ 465 (b) ₹ 900
(c) ₹ 1550 (d) ₹ 2250

35. एक व्यापार में A, B, C साझीदार हैं. यदि A की पूँजी का दुगुना, B की पूँजी के तिगुने के बराबर हो तथा B की पूँजी, C की पूँजी का चार गुना हो, तो ₹ 16500 के कुल वार्षिक लाभ में से B का भाग कितना है?

(a) ₹ 4000 (b) ₹ 6000
(c) ₹ 7500 (d) ₹ 6600

36. A तथा B ने क्रमशः ₹ 16000 तथा ₹ 12000 लगाकर व्यापार आरम्भ किया. 3 माह बाद A ने ₹ 5000 निकाल लिये जबकि B ने ₹ 5000 और लगा दिये. इसके 3 माह बाद, C भी ₹ 21000 लगाकर व्यापार में साझीदार हो गया. एक वर्ष बाद, ₹ 26400 के लाभ में से B का भाग, C के भाग से कितना अधिक होगा?

(a) ₹ 2400 (b) ₹ 3000
(c) ₹ 3600 (d) ₹ 4800

37. A, B, C एक कार्य को ₹ 1650 में करने का ठेका लेते हैं. A तथा B ने मिलकर कुल कार्य का $\frac{7}{11}$ भाग किया तथा शेष कार्य C ने किया. इस धन में से C का भाग कितना होगा?

(a) ₹ 720 (b) ₹ 640
(c) ₹ 600 (d) ₹ 840

38. चार ग्वाले एक चरागाह किराये पर लेते हैं. A अपनी 24 गाय, 3 महीने चराता है; B अपनी 10 गाय, 5 महीने चराता है; C अपनी 35 गाय, 4 महीने चराता है तथा D अपनी 21 गाय, 3 महीने चराता है. यदि कुल किराये में से A का भाग ₹ 1440 हो, तो चरागाह का कुल किराया कितना है?

(a) ₹ 6000 (b) ₹ 6400
(c) ₹ 6500 (d) ₹ 5760

39. A तथा B ने मिलकर व्यापार आरम्भ किया. A ने ₹ 3600 8 माह के लिए निवेश किये तथा B कुल पूँजी लगाकर 6 माह तक व्यापार में रहा. अन्त में B को कुल लाभ का $\frac{15}{31}$ भाग मिला. B ने कितना धन लगाया?

(a) ₹ 4200 (b) ₹ 3900
(c) ₹ 3500 (d) ₹ 4500

40. A तथा B मिलकर 6 : 5 के अनुपात में पूँजी लगाकर व्यापार आरम्भ करते हैं. 7 माह बाद, A अपनी सारी पूँजी निकाल लेता है, जबकि B अपनी आधी पूँजी निकाल लेता है. यदि अन्त में मिले लाभ के भागों का अनुपात 4 : 5 हो, तो B का धन कितने समय तक व्यापार में लगा रहा?

(a) 12 माह (b) 9 माह
(c) 14 माह (d) इनमें से कोई नहीं

41. A, B एवं C ने क्रमशः 2 : 3 : 4 के अनुपात में निवेश से एक व्यापार आरंभ किया। आरंभ से 6 माह पश्चात् A, B एवं C ने अतिरिक्त धनराशि का निवेश किया जिसके पश्चात् उनका कुल निवेश क्रमशः 3 : 2 : 1 हो गया। यदि वार्षिक लाभ में B एवं C के लाभांश का अनुपात 8 : 9 हो एवं A तथा B के लाभांश का अन्तर ₹ 200 हो तो वार्षिक लाभ क्या था? (आई.बी.पी.एस. बैंक क्लर्क सी.डब्लू.ई. मुख्य परीक्षा, 2017)

(a) ₹ 4800 (b) ₹ 5000
(c) ₹ 6000 (d) ₹ 2000
(e) दिए गए विकल्पों से अन्य

42. A, ₹ 3500 के निवेश से एक व्यवसाय आरंभ करता है। आरंभ से 6 माह बाद, ₹ Bx,के निवेश से A का साझेदार बन जाता है। यदि कुल वार्षिक लाभ ₹ 7600 हो एवं A का लाभांश ₹ 5600 हो, तो B, का मान क्या है∴

(NIACL सहायक प्रारंभिक परीक्षा, 2017)

(a) 4000 (b) 2750
(c) 4500 (d) 3600
(e) दिए गए विकल्पों के अलावा

43. A और B दोनों मिलकर एक उद्यम शुरू करते हैं जिसमें A सक्रिय भागीदार के रूप में कार्य करता है। A इसमें

₹ 4000 का निवेश करता है और 8 महीने बाद फिर ₹2000 निवेश करता है। B इसमें ₹5000 रुपए निवेश करता है लेकिन 9 महीने बाद इसमें से ₹2000 निकाल लेता है। सक्रिय भागीदार होने के नाते A लाभ में से भत्ते के रूप में प्रतिमाह 100 रुपए लेता है। यदि वर्ष में ₹6700 का लाभ हुआ है तो B का शेयर क्या होगा?

(एस.एस.सी. संयुक्त स्नातक स्तर ग्रेड-टियर-II (सी.बी.ई.) परीक्षा, 2017)

(a) ₹3350 (b) ₹3250
(c) ₹2700 (d) ₹2800

44. तीन साझेदारों ने एक व्यवसाय में लाभ को 9 : 8 : 11 के अनुपात में बांटा। उन्होंने अपनी पूंजी क्रमशः 4 महीने, 6 महीने और 18 महीने के लिए निवेश की थी। उनकी पूंजी का अनुपात क्या था? **[एसएससी सीजीएल परीक्षा, 2022]**

(a) 27 : 48 : 22 (b) 81 : 48 : 22
(c) 81 : 16 : 66 (d) 27 : 16 : 66

45. A और B ने 3 : 5 के अनुपात में धन निवेश करके एक व्यवसाय शुरू किया। कुछ महीनों के बाद A व्यवसाय से बाहर हो गया और उसने अपना धन वापस ले लिया। वर्ष के अंत में उन्हें 2 : 5 के अनुपात में लाभ प्राप्त हुआ। A ने कितने महीनों के बाद अपना धन वापस लिया था?

[एसएससी सीजीएल परीक्षा, 2022]

(a) 6 (b) 9 (c) 7 (d) 8

46. तीन साझेदारों X, Y और Z ने क्रमशः ₹ 40,000, ₹ 38,000 और ₹ 30,000 का निवेश करके अपना व्यवसाय शुरू किया। 6 महीने के बाद, X और Z ने क्रमशः ₹ 20,000 और ₹ 15,000 का अतिरिक्त निवेश किया, जबकि Y ने ₹ 8,000 निकाल लिए। वर्ष के अंत में अर्जित ₹ 38,880 के कुल लाभ में Y का हिस्सा (₹ में) ज्ञात कीजिए।

[एसएससी सीजीएल परीक्षा, 2022]

(a) 10,950 (b) 10,200 (c) 10,880 (d) 9,800

47. A काम कर रहा है, और B एक बिजनेस में सुप्त साझेदार पार्टनर है। A ₹ 12000 और B ₹ 20000 डालता है। A को प्रबंधन के लिए लाभ का 10% प्राप्त होता है, शेष को उनकी पूंजी के अनुपात में विभाजित किया जाता है। ₹ 9600 के कुल लाभ में से A को प्राप्त धन होगा– **(एमएच-सीईटी 2020)**

(a) ₹ 3240 (b) ₹ 3600 (c) ₹ 4200 (d) ₹ 4840

48. A ने ₹ 50000 के साथ एक व्यवसाय शुरू किया। तीन महीने के बाद B, ₹ 60000 के निवेश के साथ जुड़ जाता है और A अपनी पूंजी में से ₹ 10000 निकाल लेता है। तीन महीने बाद, B ₹ 20000 और ले आया। वर्ष के अंत में, A और B के बीच लाभ का अनुपात क्या होना चाहिए?

(सीएमएटी पेपर 2021)

(a) 22 : 15 (b) 13 : 22 (c) 17 : 22 (d) 15 : 22.

49. A और B क्रमशः ₹ 3600 और ₹ 4200 का निवेश करके एक साझेदारी में प्रवेश करते हैं। साझेदारी के अंत में, उन्हें ₹ 1500 का कुल लाभ प्राप्त हुआ। यदि A ने B से 2 महीने कम के लिए निवेश किया और उनके द्वारा प्राप्त लाभ के बीच का अंतर ₹ 300 है, तो B के निवेश की अवधि ज्ञात कीजिए।

(आईबीपीएस क्लर्क प्रारंभिक 2019)

(a) 12 महीने (b) 10 महीने
(c) 9 महीने (d) 7 महीने

50. दो मित्र पिंकी और रिंकी ने क्रमशः ₹ 6000 और ₹ 9000 की राशि का निवेश करके एक साझेदारी में प्रवेश किया और उनके निवेश की अवधि का अनुपात 2 : 3 है। यदि रिंकी का लाभ हिस्सा ₹ 45, 000 है, तो पिंकी का लाभ हिस्सा ज्ञात करें। **(आईबीपीएस पीओ प्रारंभिक 2019)**

(a) ₹ 24, 000 (b) ₹ 20, 000 (c) ₹ 18, 000 (d) ₹ 28, 000

51. यदि A ने साधारण ब्याज की किसी ब्याज दर पर ₹ 12000 का निवेश किया और B ने 3 महीने बाद उसी ब्याज दर पर ₹ 16000 का निवेश किया, यदि A, 2 महीने पूरा होने से पहले छोड़ देता है, तो 1 महीने के बाद B के लाभ का हिस्सा क्या होगा? वर्ष यदि कुल लाभ ₹ 22000 है?

(आईबीपीएस आरआरबी ग्रामीण 2019)

(a) 10000 (b) 14000 (c) 12000 (d) 8000

52. A, B और C कुल ₹ 21, 600 का निवेश करके एक छोटा व्यवसाय शुरू करते हैं। A ने B से ₹ 1200 अधिक निवेश किया, C ने B के निवेश से ₹ 1200 कम निवेश किया। यदि प्राप्त कुल वार्षिक लाभ ₹ 9900 था, तो लाभ में B का हिस्सा कितना था? **(एलआईसी सहायक प्रारंभिक 2019)**

(a) ₹ 3000 (b) ₹ 1800 (c) ₹ 3600 (d) ₹ 3300

53. डेविड और जूली ने एक साझेदारी की और क्रमशः 780,000 और 60,000 का निवेश किया। 7 महीने बाद, डेविड ने 710, 000 रुपये निकाले। जूली ने 9 महीने बाद 75000 रुपये की अतिरिक्त पूंजी का निवेश किया। वर्ष के अंत में, कुल लाभ 81060 था। डेविड का लाभ का हिस्सा ज्ञात कीजिए।

(एलआईसी एएओ प्री 2019)

(a) ₹ 69720 (b) ₹ 10860
(c) ₹ 69270 (d) ₹ 48760

54. अजय ने ₹ 50, 000 के निवेश के साथ एक व्यवसाय शुरू किया। रोहित 3 महीने बाद उसके साथ जुड़ गया, और उसने ₹ 50, 000 का निवेश भी किया। यदि वर्ष के अंत में कुल लाभ ₹ 7000 था, तो अजय का हिस्सा लाभ में कितना था?

(एमएटी 2019)

(a) ₹ 4000 (b) ₹ 3000
(c) ₹ 5000 (d) इनमें से कोई नहीं

55. A, B और C ने प्रारंभ में ₹ 30,000, ₹ 25,000 और ₹ 20,000 निवेश करके एक व्यवसाय शुरू किया। 3 महीने बाद, B ने ₹ 5000 का और निवेश किया। 1 वर्ष के बाद लाभ का अनुपात क्या होगा? **(एमएटी 2018)**

(a) 2 : 2 : 1 (b) 24 : 23 :16

(*c*) 24 : 23 : 1 (*d*) 5 : 5 : 4

56. नितिन और मोहित ने प्रारंभ में ₹ 50, 000 प्रत्येक का निवेश करके एक व्यवसाय शुरू किया। 4 महीने बाद, नितिन को ₹ 10, 000 निकालने थे। यदि वर्ष के अंत में कुल लाभ ₹ 20, 000 था, तो नितिन का हिस्सा कितना है?

(*a*) ₹ 10,000 (*b*) ₹ 10,714 (*c*) ₹ 9286 (*d*) ₹ 8489

57. दो व्यवसायी A और B एक व्यवसाय में 5 : 8 के अनुपात में निवेश करते हैं। उन्होंने अपने अर्जित लाभ का 30% पुन: व्यवसाय में निवेश करने का निर्णय लिया। बचा हुआ मुनाफा वे आपस में बांट लेते थे। यदि लाभ में A का हिस्सा 87500 रुपये था, तो व्यापार ने कितना लाभ (₹ में) किया?

[एसएससी सीजीएल टियर-2 सीबीई परीक्षा, 2018]

(*a*) 227000 (*b*) 250000 (*c*) 375000 (*d*) 325000

58. A और B एक व्यवसाय में 4 : 5 के अनुपात में निवेश करते हैं। 10 महीने बाद B अपना निवेश वापस लेने के बाद व्यवसाय छोड़ देता है। पहले वर्ष में व्यवसाय ने ₹49000 का लाभ कमाया। इस लाभ में B का हिस्सा (₹ में) क्या है?

[एसएससी सीजीएल टियर-2 सीबीई परीक्षा, 2018]

(*a*) 25000 (*b*) 20000 (*c*) 18000 (*d*) 22000

59. A, B और C एक व्यापार में 3 : 6 : 5 के अनुपात में निवेश करते हैं। A और C कार्यशील साझेदार हैं। केवल B सुप्त साझेदार है। इसलिए, उसका हिस्सा $\frac{3}{4}$वां होगा जो कि अगर वह एक कार्यशील साझेदार होता। यदि वे ₹ 50, 000 का लाभ कमाते हैं, जिनमें से आधे को व्यापार में फिर से निवेश किया जाता है और शेष आधे को भागीदारों के बीच वितरित किया जाता है, तो C को कितना (₹ में) प्राप्त होता है?

[एसएससी सीजीएल टियर-2 सीबीई परीक्षा, 2018]

(*a*) 20000 (*b*) 6000 (*c*) 10000 (*d*) 9000

60. A ने 1800 रुपये की पूँजी से एक व्यवसाय शुरू किया। 4 महीने बाद B ₹3600 के साथ शामिल हो गया। व्यवसाय शुरू होने के 6 महीने बाद C ₹1200 के साथ शामिल हो गया। यदि वर्ष के अंत में अर्जित कुल लाभ ₹1760 है, तो A का हिस्सा (₹ में) क्या है?

[एसएससी सीएचएसएल (10+2) टीयर-1 सीबीई परीक्षा, 2018]

(*a*) 540 (*b*) 660 (*c*) 840 (*d*) 720

61. S, T और U ने क्रमश: ₹4200, ₹6300 और ₹8400 का निवेश करके एक व्यवसाय शुरू किया। S ने 3 महीने बाद व्यवसाय छोड़ दिया। व्यवसाय शुरू होने के 6 महीने बाद T ने छोड़ दिया और U एक वर्ष तक व्यवसाय में बना रहा। एक वर्ष के अंत में कुल लाभ ₹6000 है। U का हिस्सा क्या है (₹ में) लाभ में?

[एसएससी सीएचएसएल (10+2) टीयर-1 सीबीई परीक्षा, 2018]

(*a*) 4200 (*b*) 3200 (*c*) 4000 (*d*) 3600

62. A और B बराबर राशि का निवेश करके एक व्यवसाय शुरू करते हैं। चार महीने बाद, C ₹ 3.5 लाख रुपये निवेश करके उनके साथ जुड़ जाता है। व्यवसाय में अपना निवेश वापस लेने से B, C के शामिल होने के 4 महीने बाद व्यवसाय छोड़ देता है। वर्ष के अंत में व्यापार में ₹ 62400 का लाभ होता है जिसमें से A अपने लाभ के हिस्से के रूप में ₹ 24,000 एकत्र करता है। C को उसके लाभ के हिस्से के रूप में कितना (₹ में) भुगतान किया जाना चाहिए?

[एसएससी सीजीएल टियर-2 सीबीई परीक्षा, 2018]

(*a*) 16000 (*b*) 32000 (*c*) 22400 (*d*) 27800

63. A और B एक व्यवसाय में 3 : 7 के अनुपात में निवेश करते हैं। व्यवसाय 1 वर्ष में ₹60,000 का लाभ कमाता है। वे लाभ का 40% निवेश करने के बाद शेष लाभ को वितरित करने का निर्णय लेते हैं। A को कितना मिलेगा (₹ में)?

[एसएससी सीजीएल टियर-2 सीबीई परीक्षा, 2018]

(*a*) 25200 (*b*) 15600 (*c*) 10800 (*d*) 20400

64. X ₹60000 के साथ एक व्यवसाय शुरू करता है। 6 महीने बाद Y ₹100000 के साथ X से जुड़ता है। 2 वर्ष बाद X और Y के लाभ का अनुपात क्या होगा?

[एसएससी सीएचएसएल (10+2) टियर-2 पुन: परीक्षा, 2018]

(*a*) 16 : 15 (*b*) 4 : 5 (*c*) 8 : 9 (*d*) 14 : 15

65. एक व्यवसाय में A और B के निवेश का अनुपात 14 : 15 है और एक वर्ष के अंत में उनके लाभ का अनुपात 2 : 5 है। यदि A ने 3 महीने के लिए पैसा निवेश किया, तो कितने के लिए समय (महीनों में) B ने अपना पैसा निवेश किया?

(*a*) 7 (*b*) 6 (*c*) 5 (*d*) 9

[एसएससी सीजीएल टियर-2 सीबीई परीक्षा, 2018, 2019]

66. A, B और C ने 2 : 3 : 5 के अनुपात में अपनी पूँजी निवेश की। A, B और C ने जिन महीनों के लिए निवेश किया उनका अनुपात 4 : 2 : 3 है। यदि C को लाभ का हिस्सा मिलता है, जो A की तुलना में ₹1,47,000 अधिक है, तो लाभ में B का हिस्सा है–

(*a*) ₹ 1,26,000 (*b*) ₹ 1,68,000
(*c*) ₹ 1,05,000 (*d*) ₹ 1,89,000

[एसएससी सीजीएल टियर-2 सीबीई परीक्षा, 2018, 2019]

67. A, B और C, $\frac{2}{3}:\frac{3}{5}:\frac{5}{6}$ के अनुपात में पूँजी के साथ एक साझेदारी में प्रवेश करते हैं, 8 महीने के बाद, A अपनी पूँजी में 25% की वृद्धि करता है। यदि वर्ष के अंत में अर्जित कुल लाभ ₹5,820 है, तो लाभ में C का हिस्सा है–

(*a*) ₹2,250 (*b*) ₹2,350 (*c*) ₹2,050 (*d*) ₹2,450

[एसएससी सीएपीएफ एसआई दिल्ली पुलिस एसआई और सीआईएसएफ एएसआई परीक्षा, 2019]

68. A और B ने 18 : 7 के संबंधित अनुपात में प्रारंभिक निवेश के साथ एक व्यवसाय शुरू किया। व्यवसाय शुरू होने के चार महीने बाद, A ने ₹ 2000 अधिक निवेश किया और B ने ₹ 7000 अधिक निवेश किया। एक वर्ष के अंत में, यदि लाभ

क्रमशः 2 : 1 के अनुपात में उनके बीच वितरित किया गया, तो कुल प्रारंभिक निवेश कितना था जिसके साथ A और B ने व्यवसाय शुरू किया?

[आईबीपीएस-आरआरबी अधिकारी ग्रेड 'बी' परीक्षा, 2015]

(*a*) ₹ 50000 (*b*) ₹ 25000
(*c*) ₹ 150000 (*d*) ₹ 75000

69. अनिल, कमल और विनी ने एक व्यवसाय में क्रमशः ₹ 8000, ₹ 4000 और ₹ 8000 का निवेश किया। अनिल छह महीने बाद चला गया। यदि आठ महीने बाद ₹ 4005 का लाभ होता है, तो कमल का हिस्सा कितना होगा?

[आरबीआई जीआर. 'बी' (फेज 1) परीक्षा, 2015]

(*a*) ₹ 800 (*b*) ₹ 890 (*c*) ₹ 500 (*d*) ₹ 900

70. A ₹ 28,000 का निवेश करके एक व्यवसाय शुरू करता है। 2 महीने के बाद, B ₹ 20,000 के साथ जुड़ता है और एक और दो महीने के बाद C ₹ 18,000 के साथ जुड़ता है। व्यवसाय की शुरुआत से 10 महीनों के अंत में, यदि B ₹ 2,000 और C वापस ले लेता है और ₹ 2,000 को वापस ले लेता है, तो किस अनुपात में लाभ को वर्ष के अंत में A, B और C के बीच वितरित किया जाना चाहिए?

[आईबीपीएस -बैंक एसपीएल। अधिकारी (आईटी) परीक्षा, 2015]

(*a*) 12 : 7 : 5 (*b*) 12 : 9 : 5
(*c*) 12 : 6 : 3 (*d*) 14 : 7 : 5

71. एक व्यवसाय में, B व्यवसाय की शुरुआत से 6 महीने बाद A द्वारा निवेश की गई आधी राशि का निवेश करता है, C व्यापार में B के निवेश के दो बार के बराबर राशि के साथ शामिल होता है। व्यवसाय की शुरुआत से 8 महीने बाद B व्यवसाय से पूरी तरह से वापस ले लेता है। यदि वर्ष के अंत में, लाभ में C का हिस्सा ₹ 2460 था, तो उस वर्ष प्राप्त कुल लाभ क्या था?

(यूआईआईसीएल)-असिस्टेंट (ऑनलाइन) परीक्षा 2015]

(*a*) ₹ 11200 (*b*) ₹ 9600 (*c*) ₹ 9020 (*d*) ₹ 12000

72. A, B और C ने क्रमशः ₹ 15,400, ₹ 18,200 और ₹ 12,600 का निवेश करके एक साझेदारी में प्रवेश किया। B ने 6 महीने के बाद छोड़ दिया। यदि 8 महीने के बाद, ₹ 28,790 का लाभ था, तो लाभ में C का हिस्सा क्या है?

[एनआईसीएल -एएओ परीक्षा, 2015]

(*a*) ₹ 8712 (*b*) ₹ 9432 (*c*) ₹ 8352 (*d*) ₹ 8568

73. A और B ने क्रमशः ₹ 2400 और ₹ 3600 निवेश करके एक व्यवसाय शुरू किया। व्यवसाय की शुरुआत से चौथे महीने के अंत में, C 'X' के साथ जुड़ गया। व्यवसाय शुरू होने के 8 महीने बाद, B ने ₹ 600 वापस ले लिए। यदि ₹ 22500 के वार्षिक लाभ में C का हिस्सा ₹ 8000 है, तो C ने व्यवसाय में कितनी राशि निवेश की थी?

[सीईटी–महाराष्ट्र (एमबीए) परीक्षा, 2016]

(*a*) ₹ 7200 (*b*) ₹ 5800 (*c*) ₹ 4000 (*d*) ₹ 4800

74. प्रिया ने ₹57,000 के निवेश के साथ एक व्यवसाय शुरू किया और 6 महीने बाद सोनी ₹95,000 के निवेश से उसके साथ जुड़ गई। यदि एक वर्ष के अंत में लाभ ₹22,000 है, तो सोनी का लाभ का हिस्सा कितना है?

(a) ₹12,000 (b) ₹10,000
(c) ₹15,000 (d) ₹11,000
(e) None of these/ इनमें से कोई नहीं

75. एक व्यवसाय में A ने 15000 रुपए का निवेश किया और B ने (15000 + Y) रुपए का निवेश किया। 4 महीने के बाद B ने अपने निवेश का 40% निकाल लिया। यदि वर्ष के अंत में अर्जित कुल लाभ 4700 रुपए है और B का लाभ हिस्सा 2200 रुपए है। 2Y का मूल्य ज्ञात कीजिए।

(a) 6000 (b) 3000 (c) 2000 (d) 1000
(e) 5000

76. चार सदस्यों A, B, C और D के एक परिवार में, उनके बीच ₹50,000 विभाजित किए गए थे। A ने राशि का 2/3 भाग लिया, B ने शेष राशि का 1/5 भाग लिया, और शेष को C और D के बीच क्रमशः 2 :3 के अनुपात में विभाजित किया गया। C को अपने हिस्से के रूप में (लगभग) कितनी राशि प्राप्त हुई?

(a) ₹5,334 (b) ₹5,000
(c) ₹6,000 (d) ₹7,000
(e) None of these/इनमें से कोई नहीं

77. सचिन और कोहली ने एक व्यवसाय में निवेश करने का निर्णय लिया है। उन्होंने अपनी पूँजी का निवेश 5 :3 के अनुपात किया है। हालाँकि, अगले वर्ष सचिन ने व्यवसाय में 40% और पूँजी का निवेश किया और कोहली ने अपनी पूँजी का 20% वापस ले लिया। यदि दूसरे वर्ष के अंत में सचिन को लाभ के रूप में ₹4000 रुपये मिलते हैं, तो कोहली द्वारा अर्जित लाभ ज्ञात कीजिए।

(a) ₹1500 (b) ₹1800 (c) ₹3050 (d) ₹1780
(e) ₹2100

78. राजेश ने ₹10,000 को दो अलग-अलग निवेश योजनाओं, A और B में क्रमशः 8% और 10% की साधारण ब्याज दरों पर विभाजित करके निवेश किया। यदि 2 वर्षों में अर्जित कुल ब्याज ₹1,680 है, तो स्कीम A में निवेश की गई राशि है:

[एसएससी सीपीओ 03/10/2023 (Shift-01)]

(a) ₹8.000 (b) ₹2,000 (c) ₹6,000 (d) ₹4,000

79. A और B के बीच का अनुपात 6:5 है, B और C के बीच का अनुपात 2:3 है। A और C के बीच का अनुपात क्या है?

[एसएससी जीडी 26/02/2024 (Shift-01)]

(a) 3:2 (b) 5:3 (c) 5:4 (d) 4:5

80. श्री नवीन ने 6% स्टॉक में 95 पर ₹19,000 का निवेश किया। उन्हें मिलने वाला वार्षिक लाभांश ज्ञात कीजिए।

[एसएससी जीडी 26/02/2024 (Shift-01]

(a) ₹600 (b) ₹1,000 (c) ₹1,200 (d) ₹1,500

उत्तरमाला

1. (d)	2. (c)	3. (d)	4. (b)	5. (c)	6. (a)	7. (d)	8. (b)	9. (b)	10. (a)	11. (d)	12. (a)
13. (d)	14. (b)	15. (b)	16. (b)	17. (d)	18. (b)	19. (e)	20. (c)	21. (c)	22. (c)	23. (a)	24. (c)
25. (b)	26. (b)	27. (d)	28. (d)	29. (c)	30. (d)	31. (c)	32. (b)	33. (b)	34. (b)	35. (b)	36. (c)
37. (c)	38. (c)	39. (d)	40. (c)	41. (a)	42. (e)	43. (c)	44. (b)	45. (d)	46. (c)	47. (c)	48. (c)
49. (c)	50. (b)	51. (c)	52. (d)	53. (a)	54. (a)	55. (b)	56. (c)	57. (d)	58. (a)	59. (c)	60. (b)
61. (c)	62. (c)	63. (c)	64. (b)	65. (a)	66. (a)	67. (a)	68. (a)	69. (b)	70. (a)	71. (c)	72. (a)
73. (d)	74. (b)	75. (a)	76. (a)	77. (b)	78. (a)	79. (d)	80. (c)				

दिये गये प्रश्नों के हल

1. A, B, C की पूँजियों का अनुपात $= 10200 : 13800 : 19200 = 17 : 23 : 32$.

   अनुपात पदों का योग $= (17 + 23 + 32) = 72$.

   B का भाग $= ₹\left(\frac{23}{72} \times 50400\right) = ₹\ 16100$.

2. A, B, C की पूँजियों का अनुपात $= 26000 : 34000 : 10000 = 13 : 17 : 5$.

   अनुपात पदों का योग $= (13 + 17 + 5) = 35$.

   B का भाग $= ₹\left(\frac{17}{35} \times 3500\right) = ₹\ 1700$.

3. माना C की पूँजी $= ₹\ x$. तब, B की पूँजी $= ₹\ (x + 5000)$.

   A की पूँजी $= ₹(x + 9000)$.

   $\therefore\quad x + (x + 5000) + (x + 9000) = 50000$.

   $\Leftrightarrow 3x + 14000 = 50000 \Leftrightarrow 3x = 36000 \Leftrightarrow x = 12000$.

   अतः A की पूँजी $= ₹\ 21000$, B की पूँजी $= ₹\ 17000$ तथा C की पूँजी $= ₹\ 12000$.

   A, B, C की पूँजियों का अनुपात $= 21000 : 17000 : 12000 = 21 : 17 : 12$.

   अनुपात पदों का योग $= (21 + 17 + 12) = 50$.

   A का भाग $= ₹\left(35000 \times \frac{21}{50}\right) = ₹14700$.

4. आलोक तथा चन्दन की पूँजियों का अनुपात

   $= (75000 \times 12) : (60000 \times 9) = 900000 : 540000 = 5 : 3$.

   चन्दन का भाग $= ₹\left(16000 \times \frac{3}{8}\right) = ₹\ 6000$.

5. A, B, C की पूँजियों का अनुपात

   $= (5000 \times 2) : (6000 \times 3) : (4000 \times 5)$

   $= (10000 : 18000 : 20000) = 5 : 9 : 10$.

   कुल लाभ $= ₹\ 960$.

   A का भाग $= ₹\left(960 \times \frac{5}{24}\right) = ₹200$.

6. A, B, C की पूँजियों का अनुपात

   $= (12000 \times 24) : (16000 \times 24) : (15000 \times 16)$

   $= 288000 : 384000 : 240000 = 6 : 8 : 5$.

   कुल लाभ $= ₹\ 45600$.

   C का भाग $= ₹\left(45600 \times \frac{5}{19}\right) = ₹\ 12000$.

7. अमन, सामन्त तथा रचित की पूँजियों का अनुपात

   $= (40000 \times 24) : (60000 \times 18) : (50000 \times 15)$

   $= (960000 : 1080000 : 750000)$

   $= 32 : 36 : 25$.

   अतः इनके लाभ का अनुपात $= 32 : 36 : 25$.

8. कमल तथा समीर के भागों का अनुपात

   $= (9000 \times 12) : (8000 \times 7) = (108000 : 56000) = 27 : 14$.

   समीर का भाग $= ₹\left(6970 \times \frac{14}{41}\right) = ₹\ 2380$.

9. A की पूँजी $= ₹[(5000 \times 4) + (2500 \times 8)] = ₹\ 40000$.

   B की पूँजी $= ₹\left[(4500 \times 4) + \left(4500 \times \frac{2}{3} \times 8\right)\right] = ₹\ 42000$.

   C की पूँजी $= ₹(7000 \times 8) = ₹\ 56000$.

   $A : B : C = 40000 : 42000 : 56000 = 20 : 21 : 28$.

   कुल लाभ $= ₹\ 4140$.

   C का भाग $= ₹\left(4140 \times \frac{28}{69}\right) = ₹\ 1680$.

10. माना आरम्भ में A की पूँजी $= ₹\ 4x$ तथा B की पूँजी $= ₹\ 5x$.

    3 माह बाद A की पूँजी $= ₹\left[4x - \left(4x \times \frac{1}{4}\right)\right] = ₹\ 3x$.

    3 माह बाद B की पूँजी $= ₹\left[5x - \left(5x \times \frac{1}{5}\right)\right] = ₹\ 4x$.

    $A : B = [(4x \times 3) + (3x \times 7)] : [(5x \times 3) + (4x \times 7)]$

    $= (12x + 21x) : (15x + 28x) = 33x : 43x = 33 : 43$.

    लाभ में A का भाग $= ₹\left(760 \times \frac{33}{76}\right) = ₹\ 330$.

11. माना B व्यापार में x महीने रहा.

    तब, इनकी पूँजियों का अनुपात $= (4500 \times 12) : (3000 \times x)$

    $\frac{54000}{3000x} = \frac{2}{1} \Leftrightarrow 6000x = 54000 \Leftrightarrow x = 9$ महीने.

    अतः B व्यापार में 9 महीने साझीदार रहा.

12. A की कुल पूँजी $= ₹(50000 \times 12) = ₹\ 600000$.

    B की कुल पूँजी $= 60000 \times ₹(12 - x)$.

    C की कुल पूँजी $= 70000 \times ₹(12 - x)$.

    $A : B = 20 : 18 \Leftrightarrow \frac{600000}{60000 \times (12 - x)} = \frac{20}{18}$

    $\Leftrightarrow 10\ (12 - x) = 9 \times 10 \Leftrightarrow (12 - x) = 9 \Leftrightarrow x = 3$.

13. A, B, C का किराये के भागों का अनुपात
$= (10 \times 7) : (12 \times 5) : (15 \times 3) = 70 : 60 : 45 = 14 : 12 : 9.$
कुल किराया = ₹ 1750.
B का भाग = ₹$\left(1750 \times \frac{12}{35}\right)$ = ₹ 600.

14. A, B, C के किराये के भागों का अनुपात $= 7 : 8 : 11.$
B का भाग = ₹$\left(1040 \times \frac{8}{26}\right)$ = ₹ 320.

15. माना A, ₹$\frac{x}{6}$, $\frac{y}{6}$ माह के लिए निवेश करता है.
B, ₹$\frac{x}{3}$, $\frac{y}{3}$ माह के लिए निवेश करता है.
तथा C, $\left\{x - \left(\frac{x}{6} + \frac{x}{3}\right)\right\}$ अर्थात् ₹$\frac{x}{2}$, y माह के लिए निवेश करता है.
$A : B : C = \left(\frac{x}{6} \times \frac{y}{6}\right) : \left(\frac{x}{3} \times \frac{y}{3}\right) : \left(\frac{x}{2} \times y\right) = \frac{xy}{36} : \frac{xy}{9} : \frac{xy}{2}$
$= 1 : 4 : 18.$
B का भाग = ₹$\left(4600 \times \frac{4}{23}\right)$ = ₹ 800.

16. माना आरम्भ में A, B, C की पूँजी क्रमशः ₹$\frac{x}{2}$, ₹$\frac{x}{3}$ तथा ₹$\frac{x}{4}$ हैं.
तब, $A : B : C = \left(\frac{x}{2} \times 2 + \frac{x}{4} \times 10\right) : \left(\frac{x}{3} \times 12\right) : \left(\frac{x}{4} \times 12\right)$
$= \frac{7x}{2} : 4x : 3x = 7 : 8 : 6.$
अतः B का भाग = ₹$\left(3780 \times \frac{8}{21}\right)$ = ₹ 1440.

17. माना आरम्भ में A, B, C ने क्रमशः ₹$\frac{7x}{2}$, ₹$\frac{4x}{3}$ तथा ₹$\frac{6x}{5}$ लगाये.
तब, $A : B : C = \left(\frac{7x}{2} \times 4 + \frac{150}{100} \times \frac{7x}{2} \times 8\right) : \left(\frac{4x}{3} \times 12\right) : \left(\frac{6x}{5} \times 12\right)$
$= \left(56x : 16x : \frac{72x}{5}\right) = 280 : 80 : 72 = 35 : 10 : 9.$
अतः B का भाग = ₹$\left(43200 \times \frac{10}{54}\right)$ = ₹ 8000.

18. माना A, B, C द्वारा क्रमशः ₹ x, ₹ $2x$, ₹ $3x$ लगाये गये.
$A : B : C = (x \times 12) : (2x \times 6) : (3x \times 4) = 1 : 1 : 1.$
अतः C का भाग = ₹$\left(27000 \times \frac{1}{3}\right)$ = ₹ 9000.

19. सचिन तथा नितिन की पूँजियों का अनुपात
$= (50000 \times 36) : (80000 \times 30) = 1800000 : 2400000$
$= 180 : 240 = 3 : 4.$
सचिन का भाग = ₹$\left(24500 \times \frac{3}{7}\right)$ = ₹ 10500.

20. माना A का धन = ₹ $3x$ तथा B का धन = ₹ $2x$.
यदि A का धन ₹ $2x$ है, तो C का धन = ₹ x.
यदि A का धन ₹ $3x$ है, तो C का धन = ₹ $\left(\frac{x}{2x} \times 3x\right)$ = ₹$\frac{3x}{2}$.
$\therefore \quad A : B : C = 3x : 2x : \frac{3x}{2} = 6x : 4x : 3x = 6 : 4 : 3.$
B का भाग = ₹$\left(157300 \times \frac{4}{13}\right)$ = ₹ 48400.

21. माना A की पूँजी = ₹$\frac{x}{4}$ 15 माह के लिए तथा
B की पूँजी = ₹$\frac{3x}{4}$ y माह के लिए.
तब, $A : B = \left(\frac{x}{4} \times 15\right) : \left(\frac{3x}{4} \times y\right) = (5 : y).$
A का भाग : B का भाग $= \frac{1}{3}z : \frac{2}{3}z = 1 : 2.$
अतः $\frac{5}{y} = \frac{1}{2} \Leftrightarrow y = 10.$

22. रंजना, शैलजा तथा बीना के भागों का अनुपात
$= (75000 \times 36) : (125000 \times 33) : (150000 \times 27)$
$= (75 \times 36) : (125 \times 33) : (150 \times 27) = 36 : 55 : 54.$

23. A को काम करने के लिए मिला पारिश्रमिक = (₹ 7400 का 5%)
= ₹$\left(7400 \times \frac{5}{100}\right)$ = ₹ 370.
शेष लाभ = ₹(7400 – 370) = ₹ 7030.
A, B, C की पूँजियों का अनुपात
$= (6500 \times 6) : (8400 \times 5) : (10000 \times 3) = 39000 : 42000 : 30000$
$= 13 : 14 : 10.$
C का भाग = ₹$\left(7030 \times \frac{10}{37}\right)$ = ₹1900.

24. माना A का धन = ₹ $14x$ तथा B का धन = ₹ $15x$.
माना B का धन y महीने तक निवेशित रहा.
तब, $\frac{(14x) \times 10}{(15x) \times y} = \frac{7}{6} \Leftrightarrow 105y = 840 \Leftrightarrow y = 8.$
अतः B का धन 8 महीने तक निवेशित रहा.

25. माना इनके द्वारा निवेशित धन क्रमशः ₹ x, ₹ y तथा ₹ z हैं.
तब $14x : 8y : 7z = 5 : 7 : 8.$
अब, $\frac{14x}{8y} = \frac{5}{7} \Leftrightarrow 40y = 98x \Leftrightarrow y = \frac{98x}{40} = \frac{49x}{20}.$
तथा $\frac{14x}{7z} = \frac{5}{8} \Leftrightarrow 35z = 112x \Leftrightarrow z = \frac{112x}{35} = \frac{16x}{5}.$
$\therefore \quad x : y : z = x : \frac{49x}{20} : \frac{16x}{5} = 20 : 49 : 64.$

26. माना कुल लाभ = ₹ x.
दान देने के बाद, शेष धन = ₹x का 95% = ₹$\left(\frac{95x}{100}\right)$ = ₹$\left(\frac{19x}{20}\right)$.
इस धन में A का भाग = ₹$\left(\frac{19x}{20} \times \frac{3}{5}\right)$ = ₹$\frac{57x}{100}$.
$\therefore \quad \frac{57x}{100} = 855 \Leftrightarrow x = \left(\frac{855 \times 100}{57}\right)$ = ₹1500.
अतः कुल लाभ = ₹1500.

27. माना B द्वारा निवेशित धन = ₹ x. तब,

$$\frac{(3500 \times 12)}{(x \times 7)} = \frac{2}{3} \Leftrightarrow 14x = 3500 \times 12 \times 3 \Leftrightarrow x = \frac{(3500 \times 12 \times 3)}{14}$$

= ₹ 9000.

28. माना B का धन x महीने तक निवेशित रहा.

तब, $\frac{85000 \times 12}{42500 \times x} = \frac{3}{1} \Leftrightarrow 1275x = 10200 \Leftrightarrow x = \frac{10200}{1275}$

= 8 महीने.

29. माना B का धन x महीने निवेशित रहा.

तब, $(21000 \times 12) = (36000 \times x) \Leftrightarrow x = \left(\frac{21000 \times 12}{36000}\right)$

= 7 महीने.

अतः B, व्यापार आरम्भ होने के 5 महीने बाद साझीदार बना.

30. माना B का निवेश ₹ x y महीने के लिए है.

तब, A का निवेश ₹ $3x$ $2y$ महीने के लिए है.

अत $A : B = \frac{(3x)(2y)}{xy} = 6 : 1.$

(B का लाभ) : (कुल लाभ) = (1 : 7).

माना कुल लाभ = ₹ z. तब, $\frac{4000}{z} = \frac{1}{7} \Leftrightarrow z = 28000.$

अतः कुल लाभ = ₹ 28000.

31. माना B का निवेश = ₹ x.

तब, $\frac{40000}{x} = \frac{2}{3} \Leftrightarrow x = \left(\frac{40000 \times 3}{2}\right)$ = ₹ 60000.

32. माना रौनक द्वारा निवेशित धन = ₹ x.

मनिक का लाभांश = ₹ 6000, रौनक का लाभांश = ₹ (9000 – 6000) = ₹ 3000.

$\therefore \quad \frac{(20000 \times 6)}{(x \times 12)} = \frac{6000}{3000} \Leftrightarrow 24x = 120000 \Leftrightarrow x = 5000.$

अतः रौनक द्वारा निवेशित धन = ₹ 5000.

33. अमन, राखी तथा सागर के निवेश का अनुपात

$= (70000 \times 36) : (105000 \times 30) : (140000 \times 24)$

$= (70 \times 6) : (105 \times 5) : (140 \times 4)$

$= 420 : 525 : 560 = 12 : 15 : 16.$

34. माना 4(A की पूँजी) = 6(B की पूँजी) = 10(C की पूँजी) = ₹ x.

तब, A की पूँजी = ₹$\frac{x}{4}$, B की पूँजी = ₹$\frac{x}{6}$,

C की पूँजी = ₹$\frac{x}{10}$.

A, B, C की पूँजियों का अनुपात = $\frac{x}{4} : \frac{x}{6} : \frac{x}{10} = 15 : 10 : 6.$

कुल लाभ = ₹ 4650.

C का भाग = ₹$\left(4650 \times \frac{6}{31}\right)$ = ₹ 900.

35. माना C की पूँजी = ₹ x, तब B की पूँजी = ₹ $4x$.

2 × (A की पूँजी) = ₹ (3 × 4x) ⇒ A की पूँजी = ₹ $6x$.

$\therefore \quad A : B : C = 6x : 4x : x = 6 : 4 : 1.$

कुल लाभ = ₹ 16500.

इसमें B का भाग = ₹$\left(16500 \times \frac{4}{11}\right)$ = ₹ 6000.

36. A की पूँजी = ₹[(16000 × 3) + (11000 × 9)] = ₹ 147000.

B की पूँजी = ₹[(12000 × 3) + (17000 × 9)] = ₹ 189000.

C की पूँजी = ₹(21000 × 6) = ₹ 126000.

A, B, C की पूँजियों का अनुपात = 147000 : 189000 : 126000 = 147 : 189 : 126 = 7 : 9 : 6.

लाभ में B का भाग = ₹$\left(26400 \times \frac{9}{22}\right)$ = ₹ 10800.

लाभ में C का भाग = ₹$\left(26400 \times \frac{6}{22}\right)$ = ₹ 7200.

अभीष्ट अन्तर = ₹(10800 – 7200) = ₹ 3600.

37. C का कार्य = $\left(1 - \frac{7}{11}\right) = \frac{4}{11}.$

$\therefore \quad (A + B) : C = \frac{7}{11} : \frac{4}{11} = 7 : 4.$

अतः C का भाग = ₹$\left(1650 \times \frac{4}{11}\right)$ = ₹ 600.

38. किराये का A, B, C, D का अनुपात

$= (24 \times 3) : (10 \times 5) : (35 \times 4) : (21 \times 3) = 72 : 50 : 140 : 63.$

अनुपात पदों का योग = (72 + 50 + 140 + 63) = 325.

माना चरागाह का कुल किराया = ₹ x.

तब, A का भाग = $\left(x \times \frac{72}{325}\right) \Leftrightarrow \frac{72x}{325} = 1440 \Leftrightarrow x = \frac{(1440 \times 325)}{72}$

= ₹ 6500.

अतः चरागाह का कुल किराया = ₹ 6500.

39. B का भाग = $\frac{15}{31}$, A का भाग = $\left(1 - \frac{15}{31}\right) = \frac{16}{31}.$

$A : B = \frac{16}{31} : \frac{15}{31} = 16 : 15.$

माना B द्वारा लगाया गया धन = ₹ x.

$$\frac{(3600 \times 8)}{(x \times 6)} = \frac{16}{15} \Leftrightarrow 96x = (3600 \times 8 \times 15) \Leftrightarrow x = \frac{(3600 \times 8 \times 15)}{96}$$

= ₹ 4500.

40. माना आरम्भ में A तथा B की पूँजी क्रमशः ₹ $6x$ तथा ₹ $5x$ थी.

माना B का धन $(7 + y)$ महीने तक व्यापार में रहा.

तब, $\frac{6x \times 7}{(5x \times 7) + \left(\frac{5x}{2} \times y\right)} = \frac{4}{5} \Leftrightarrow \frac{84}{70 + 5y} = \frac{4}{5}$

$\Leftrightarrow 280 + 20y = 420 \Leftrightarrow 20y = 140 \Leftrightarrow y = 7.$

अतः B का धन (7 + 7) महीने अर्थात् 14 महीने व्यापार में रहा.

41. A, B एवं का एक व्यापार में आरंभिक निवेश

⇒ ₹ $2x$, ₹ $3x$ एवं ₹ $4x$

छह माह बाद A, B एवं C का निवेश

$\Rightarrow$ ₹$3y$, ₹$2y$ एवं ₹y

A, B एवं C की एक माह के लिए कुल पूँजी का अनुपात

$= (2x \times 6 + 3y \times 6) : (3x \times 6 + 2y \times 6) : (4x \times 6 + y \times 6)$

$= (2x + 3y) : (3x + 2y) : (4x + y)$

अनुपात पदों का योग $= 2x + 3y + 3x + 2y + 4x + y$

$= 9x + 6y$

अगर कुल वार्षिक लाभ $= r$ रुपए हो तो B का लाभांश

$= \frac{3x+2y}{9x+6y} \times r$

C का लाभांश $= \frac{4x+y}{9x+6y} \times r$

$\Rightarrow \frac{3x+2y}{9x+6y} \times \frac{9x+6y}{4x+y} = \frac{8}{9} \Rightarrow \frac{3x+2y}{4x+y} = \frac{8}{9}$

$\Rightarrow 32x + 8y = 27x + 18y$

$\Rightarrow 32x - 27x = 18y - 8y \Rightarrow 5x = 10y$

$\Rightarrow x = 2y ...(i)$

पुनः, B का लाभांश $- A$ का लाभांश = ₹ 200

$\Rightarrow \left(\frac{3x+2y}{9x+6y} - \frac{2x+3y}{9x+6y}\right) r = 200$

$\Rightarrow \left(\frac{6x+2y}{18x+6y} - \frac{4x+3y}{18x+6y}\right) r = 200$

$\Rightarrow \left(\frac{8y}{24y} - \frac{7y}{24y}\right) r = 200 \quad \Rightarrow \frac{r}{24} = 200$

$\Rightarrow r = 24 \times 200 = 4800$ रुपए

42. A एवं B की 1 माह के लिए समतुल्य पूंजी का अनुपात

$= 3500 \times 12 : 6x = 7000 : x$

अनुपात पदों का योग $= x + 7000$

कुल वार्षिक लाभ = ₹ 7600

$\therefore$ A का लाभांश $= \frac{7000}{x+7000} \times 7600$

प्रश्नानुसार, $\frac{7000 \times 7600}{x+7000} = 5600$

$\Rightarrow x + 7000 = \frac{7000 \times 7600}{5600} = 9500$

$\Rightarrow x = 9500 - 7000 = 2500$ रुपए

43. A और B की 1 माह के लिए कुल पूंजी का अनुपात

$= (4000 \times 8 + 6000 \times 4) : (5000 \times 9 + 3000 \times 3)$

$= (32000 + 24000) : (45000 + 9000)$

$= 56000 : 54000 = 28 : 27$

अनुपात पदों का योग $= 28 + 27 = 55$

A सक्रिय साझेदार है।

A को प्राप्त वार्षिक भत्ता = ₹ 1200

वर्ष में 6700 रुपए का लाभ हुआ है।

शेष लाभ = ₹$(6700 - 1200)$ = ₹ 5500

$\therefore$ B का शेयर = ₹$\left(\frac{27}{55} \times 5500\right)$ = ₹ 2700

44. माना पूँजियों का अनुपात $= x : y : z$

अब, $\frac{4 \times x}{y \times 6} = \frac{9}{8} \Rightarrow \frac{x}{y} = \frac{27}{16}$

अब, $\frac{y \times 6}{x \times 18} = \frac{8}{11} \Rightarrow \frac{y}{z} = \frac{24}{11}$

$x : y = 27 : 16;\ y : z = 24 : 11$

अब, $x : y : z = 81 : 48 : 22$

45. मान लीजिए A, x महीने के बाद वापस ले लेता है।

अब प्रश्न के अनुसार,

$\frac{3 \times x}{5 \times 12} = \frac{2}{5} \Rightarrow x = 8$ महीने

46. x, y और z के निवेश का अनुपात

$= 40{,}000 \times 6 + 60{,}000 \times 6 : 38{,}000 \times 6 + 30{,}000 \times 6 : 30{,}000 \times 6 + 45{,}000 \times 6$

$= 240 + 360 : 228 + 180 : 180 + 270$

$= 600 : 408 : 450 = 300 : 204 : 225$

अब, y का हिस्सा $= \frac{204}{729} \times 38{,}880 = \frac{7931520}{729}$ ₹ 10880

47. कुल लाभ = ₹ 9600

प्रबंधन के लिए A द्वारा प्राप्त लाभ = 9600 का 10% = ₹ 960

शेष लाभ = 9600 – 960 = ₹ 8640

इसे पूँजी के अनुपात में विभाजित किया जाना है।

A की पूँजी का अनुपात : B की पूँजी = 12000 : 20000 = 3 : 5

$\therefore$ A का हिस्सा $= \frac{3}{8} \times 8640 = 3240$

$\therefore$ A का कुल लाभ = 3240 + 960 = ₹ 4200

48. A की पूँजी का अनुपात : B की पूँजी

$= [50000 \times 3 + 40000 \times 9] : [60000 \times 3 + 80000 \times 6]$

$= 510000 : 660000 = 51 : 66 = 17 : 22$

A का पूँजी अनुपात = लाभ अनुपात

$\therefore$ लाभ अनुपात = 17 : 22

49. माना A का लाभ $= P_A$

B का लाभ $= P_B$

$\therefore P_B + P_A = 1500$ ...(i)

$P_B - P_A = 300$ ...(ii)

(i) और (ii) को हल करने पर, हमें प्राप्त होता है।

$P_B = 900\ P_A = 600$

माना A का समय $= t$

$B = t + 2$ का समय

A का पूँजी अनुपात = लाभ अनुपात

$\therefore \frac{3600 \times t}{4200(t+2)} = \frac{600}{900} = \frac{2}{3}$

$\frac{3600t}{4200t + 8400} = \frac{2}{3}$

$10800t = 8400t + 16800$

$10800t - 8400t = 16800$

$2400t = 16800$

$t = \frac{16800}{2400} = 7$ m

B का समय $= 7 + 2 = 9$ महीने

50. पूँजियों का अनुपात $= 6000 \times 2t : 9000 \times 3k$

$= 12000\ k : 27000\ k$

$= 12 : 27 = 4 : 9$

$\therefore$ लाभ अनुपात $= 4 : 9$

$9x = 45000$

$\Rightarrow \quad x = 5000$

$\therefore$ पिंकी का लाभ हिस्सा $= 4x$

$= 4 \times 5000$

$=$ ₹ 20000

51. पूँजी का अनुपात $= 12000 \times 10 : 16000 \times 9$

$= 120000 : 144000$

$= 120 : 144$

$= 5 : 6$

लाभ का अनुपात $= 5 : 6$

$\therefore B$ का लाभ $= \frac{6}{11} \times 22000 =$ ₹ 12000

52. B का निवेश $= x$

A का निवेश $= x + 1200$

C का निवेश $= x - 1200$

$x + 1200 + x + x - 1200 = 21600$

$3x = 21600 \Rightarrow x =$ ₹ 7200

$\therefore B$ का निवेश $=$ ₹ 7200

A का निवेश $=$ ₹ 8400

C का निवेश $=$ ₹ 6000

$\therefore$ A : B : C के निवेश का अनुपात $= 8400 : 7200 : 6000$

$= 84 : 72 : 60 = 7 : 6 : 5$

$\therefore B$ का हिस्सा $= \frac{6}{18} \times 9900 =$ ₹ 3300

53. डेविड और जूली का पूँजी अनुपात

$= (780000 \times 7 + 70000 \times 5) : (60000 \times 9 + 135000 \times 3)$

$= (5460000 + 350000) : (540000 + 405000)$

$= 5810000 : 945000$

$= 5810 : 945 = 1162 : 189$

$\therefore$ लाभ अनुपात $= 1162 : 189$

$\therefore$ डेविड का लाभ $= \frac{1162}{1351} \times 81060$

$= 69720$

54. अजय और रोहित का पूँजी अनुपात

$= 50000 \times 12 : 50000 \times 9$

$= 12 : 9$

$= 4 : 3$

$\therefore$ अजय का लाभ $= \frac{4}{7} \times 7000$

$=$ ₹ 4000

55. A : B : C का पूँजी अनुपात

$= [(30000 \times 12) : (25000 \times 3 + 30000 \times 9)] : (20000 \times 12)$

$= 360000 : 345000 : 240000$

$= 360 : 345 : 240$

$= 24 : 23 : 16$

$\therefore$ लाभ अनुपात $= 24 : 23 : 16$

56. नितिन का पूँजी अनुपात : मोहित

$= (50000 \times 4 + 40000 \times 8) : (50000 \times 12)$

$= 520000 : 600000 = 52 : 60 = 13 : 15$

$\therefore$ नितिन का लाभ $= \frac{13}{28} \times 20000 \approx 9286$

57. लाभ का हिस्सा $= 5 : 8$

तो A को $\frac{5}{13}$ मिलता है

$\therefore$ लाभ का $\frac{5}{13}$ साझा किया $= 87500$

$\therefore$ लाभ का बंटवारा $\frac{8x + 10x}{2} = 227500$

साझा किया गया यह लाभ कुल का 70% है।

तो कुल 70% = 227500

$\therefore$ कुल $= \frac{227500}{70} \times 100 =$ ₹325000

58. पूँजी का अनुपात $= (4 \times 12) : (5 \times 10)$

$= 48 : 50 = 24 : 25$

$\therefore$ B का हिस्सा $= \frac{25}{49} \times 49000 =$ ₹25000

59. पूँजी A : B : C का अनुपात $= 3 : 6 \times \frac{3}{4} : 5$

$= 3 : \frac{9}{2} : 5 = 6 : 9 : 10$

वितरित किया जाने वाला लाभ = ₹ 25000

तो, C का हिस्सा $= 25000 \times \frac{10}{25} =$ ₹ 10000

60. लाभ = ₹ 1760

A : B : C की पूँजी का अनुपात

$= (1800 \times 12) : (3600 \times 8) : (1200 \times 6)$

$= 21600 : 28800 : 7200$

$= 216 : 288 : 72$

$= 3 : 4 : 1$

$\therefore$ लाभ में A का हिस्सा $= 1760 \times \frac{3}{8} = 220 \times 3 =$ ₹ 660

61. S : T : U की पूँजी का अनुपात

$= (4200 \times 3 : 6300 \times 6 : 8400 \times 12)$

$= 12600 : 37800 : : 100800$

$= 126 : 378 : 1008$

$= 1 : 3 : 8$

लाभ में U का हिस्सा $\frac{8}{12} \times 6000 = ₹4000$

62. A : B : C की पूँजी का अनुपात $= x \times 12 : x \times 8 : 3.5 \times 8$

$= 12x : 8x : 28 = 3x : 2x : 7$

$\therefore \quad \frac{3x}{3x+2x+7} \times 62400 = 24000$

$\frac{3x}{5x+7} = \frac{24000}{62400}$

$\Rightarrow \quad x = 2.5$ लाख

$\Rightarrow$ C का हिस्सा $= \frac{7}{5x+7} \times 62400$

$= \frac{7}{2.5 \times 5 + 7} \times 62400 = \frac{7}{19.5} \times 62400 = 22400$

63. वितरित किया जाने वाला लाभ = 60000 का 60%

$= \frac{60}{100} \times 60000 = 36000$

$\therefore$ A का हिस्सा $= \frac{3}{10} \times 36000 = ₹10800$

64. आवश्यक अनुपात $= 60000 \times 24 : 10000 \times 18$

$= 1440000 : 180000 = 144 : 180 = 4 : 5$

65. $\frac{14k \times 3}{15k \times t} = \frac{2}{5}$

$\therefore \quad t = \frac{14 \times 3 \times 5}{15 \times 2} = 7$

66. माना निवेश $= 2x : 3x : 5x$

समय $= 4y : 2y : 3y$

$\therefore$ लाभ का अनुपात $= 8xy : 6xy : 15xy$

साथ ही $15xy - 8xy = 147000$

$7xy = 147000$

$xy = 21000$

$\therefore$ B का हिस्सा $= 6xy = 6 \times 21000$

$= ₹ 1,26,000$

67. निवेश का अनुपात $= \frac{2}{3} : \frac{3}{5} : \frac{5}{6} = \frac{20 : 18 : 25}{30}$

पूँजी का अनुपात

$= (20 \times 8 + 25 \times 4) : (18 \times 12) : (25 \times 12)$

$= (160 + 100) : 216 : 300$

$= 260 : 216 : 300$

$= 65 : 54 : 75$

$\therefore$ C का हिस्सा $= \frac{75}{194} \times 5820 = ₹2250$

68. माना A और B का प्रारंभिक निवेश $18x$ और $7x$ है। व्यवसाय शुरू होने के चार महीने बाद, A प्रत्येक आठ महीनों के लिए ₹ 2000 और निवेश करता है। फिर A का कुल निवेश

$= 18x \times 4 + (18x + 2000) \times 8$

$= 72x + 144x + 16000$

$= 216x + 16000$

चार महीने के बाद, व्यापार की शुरुआत से, B प्रत्येक आठ महीनों के लिए ₹ 7000 और निवेश करता है।

B द्वारा कुल निवेश

$= 7x \times 4 + (7x + 7000) \times 8$

$= 28x + 56x + 56000$

$= 84x + 56000$

प्रश्नों के अनुसार,

$\frac{216x + 16000}{84x + 56000} = \frac{2}{1}$

$\Rightarrow 216x + 16000 = 168x + 112000$

$\Rightarrow 216x - 168x = 112000 - 16000$

$48x = 96000$

$\Rightarrow x = \frac{96000}{48} = 2000$

A और B का कुल प्रारंभिक निवेश

$= (18 + 7) \times 2000 = ₹ 50000$

69. अनिल : कमल : विनी के लाभ का अनुपात

$= (8000 \times 6) : (4000 \times 8) : (8000 \times 8)$

$= 48000 : 32000 : 64000$

$= 48 : 32 : 64$

$= 3 : 2 : 4$

$\therefore$ कमल का हिस्सा $= ₹ \left(4005 \times \frac{2}{9}\right) = ₹ 890$

70. A, 12 महीने के लिए पैसा निवेश करता है।

B, 10 महीने के लिए पैसा निवेश करता है।

C, 8 महीने के लिए पैसा निवेश करता है।

A से B से C के लाभ का अनुपात

$= 28000 \times 12 : 20000 \times 8 + 18000 \times 2 : 18000 \times 6 + 16000 \times 2$

$= 28 \times 12 \times 1000 : (160 + 36) \times 1000 : (108 + 32) \times 1000$

$= 28 \times 12 : 160 + 36 : 108 + 32$

$= 336 : 196 : 140$

$= 12 : 7 : 5$

71. माना B का निवेश ₹ x है।

$\therefore$ A का निवेश = ₹ $2x$

$\therefore$ C का निवेश = ₹ $2x$

A, 12 महीने के लिए पैसा निवेश करता है।

B, 8 महीने के लिए पैसा निवेश करता है।

C, 6 महीने के लिए पैसा निवेश करता है।

1 महीना के लिए A, B और C की समतुल्य पूँजी का अनुपात

$= 2x \times 12 : x \times 8 : 2x \times 6 = 6 : 2 : 3$

अनुपात की शर्तों का योग

$= 6 + 2 + 3 = 11$

यदि वर्ष के अंत में कुल लाभ ₹ a, तो

c का हिस्सा $= \frac{3a}{11} = 2460$

$\Rightarrow 3a = 2460 \times 11$

$\Rightarrow a = \frac{2460 \times 11}{3} = ₹ 9020$

72. A का 8 महीने के लिए निवेश = ₹ 15400

B का 6 महीने के लिए निवेश = ₹ 18200

C का 8 महीने के लिए निवेश = ₹ 12600

A, B और C के हिस्से का अनुपात

$= 15400 \times 8 : 18200 \times 6 : 12600 \times 8$

$= 154 \times 8 : 182 \times 6 : 126 \times 8$

$= 44 : 39 : 36$

अनुपात की शर्तों का योग $= 44 + 39 + 36 = 119$

C का हिस्सा $= ₹ \left(\frac{36}{119} \times 28790\right) = ₹ 8710$

$\approx ₹ 8712$

73. A, 12 महीने के लिए ₹ 2400 का निवेश करता है।

B, 8 महीने के लिए ₹ 3600 निवेश करता है।

और ₹ 3000 4 महीने के लिए

C ₹ X को 8 महीने के लिए निवेश करता है।

A, B और C के लाभ का अनुपात

= A का लाभ : B का लाभ : C का लाभ

$= 2400 \times 12 : (3600 \times 8) + (3000 \times 4) : X \times 8$

$= 28800 : 40800 : 8X = 3600 : 5100 : X$

C का दिया गया लाभ = ₹ 8000

A, B और C का कुल लाभ = ₹ 22,500

$\therefore \frac{X \times 22500}{3600 + 5100 + X} \Rightarrow \frac{X \times 22500}{8700 + X} = 8000$

$\Rightarrow 22500X = 69600000 + 8000X$

$\Rightarrow 14500X = 69600000$

$\Rightarrow X = ₹ 4800$

74. प्रिया और सोनी द्वारा निवेश की गई राशि

$\Rightarrow (57000 \times 12) : (95000 \times 6)$

$\Rightarrow (57 \times 2) : (95 \times 1)$

$\Rightarrow 6 : 5$

लाभ में सोनी का हिस्सा:

$= \left(\frac{22000}{11}\right) \times 5 = 10,000$

75. A का लाभ $= 4700 - 2200 = 2500$

A का कुल लाभ $= 15000 \times 12$

$\Rightarrow 180000$

B का कुल लाभ

$= (15000 + Y) \times 4 + (15000 + Y) \times 60\% \times 8$

$\Rightarrow 60000 + 4Y + 72000 + \frac{24Y}{5}$

$\Rightarrow 132000 + \frac{24Y}{5}$

A और B द्वारा लाभ शेयरों का अनुपात

$= 180000 : 132000 + \frac{44Y}{6}$

$\Rightarrow \frac{25000}{22000} = \frac{180000}{\left(132000 + \frac{44Y}{5}\right)}$

$\Rightarrow \frac{25}{2} = \frac{180000}{\left(12000 + \frac{4Y}{5}\right)}$

$\Rightarrow 300000 + 20Y = 360000$

$\Rightarrow 60000 = 20Y$

$\Rightarrow 2Y = 6000$

76. A's का हिस्सा $= 50,000 \times \frac{2}{3} = ₹33333.33$

B's का हिस्सा $= \frac{1}{5} \times (50,000 - 33333.33)$

$\frac{1}{5} \times 16666.67 = ₹3333.33$

$\therefore$ C : D = 2 : 3

$\therefore$ C's का हिस्सा $= \frac{2}{5} \times (1666.67 - 3333.33)$

$= \frac{2}{5} \times 13333.34 = 5,333.33 \approx ₹5,334$ (लगभग)

77. सचिन का निवेश

$500 \times 12 + 700 \times 12 = 12\,(1200)$

कोहली का निवेश

$300 \times 12 + 240 \times 12 = 12\,(540)$

⇒ निवेश का अनुपात = 60 : 27 = 20 : 9

अब, कोहली का निवेश $= \frac{4000}{20} \times 9 = ₹1800$

78.

A	B
8%	$10\% = 10,000 \times \frac{8}{10} = 800$
8%	(8 + 2)%
8%	$8\% = \frac{1680}{2} = 840$

अंतर = 840 - 800 = 40

$2 \rightarrow 40$

$1 \rightarrow \frac{40}{2} \times 100 = 2000$

अब, योजना A में निवेश की गई राशि

= 10,000 – 2000 = 8000

79. A : B = 6 : 5

B : C = 2 : 3

A : B : C = 12 : 10 : 15

$\therefore$ A : C = 12 : 15 = 4 : 5

80. शेयरों की संख्या $= \frac{19000}{95} = 200$

$\therefore$ वार्षिक लाभांश

$= 200 \times \frac{6}{100} \times 100 = 1200$

प्रश्नमाला 15B

निर्देश: प्रश्न संख्या *1* से *5* तक प्रत्येक में एक कथन/प्रश्न तथा दो कथन *I* तथा *II* दिये गये हैं. इन कथनों को पढ़कर इनका उत्तर:

(a) दीजिए यदि दिये गये प्रश्न का उत्तर देने के लिए *I* पर्याप्त हो तथा *II* पर्याप्त न हो;

(b) दीजिए यदि दिये गये प्रश्न का उत्तर देने के लिए *II* पर्याप्त हो तथा *I* पर्याप्त न हो;

(c) दीजिए यदि दिये गये प्रश्न का उत्तर देने के लिए *I* भी पर्याप्त हो तथा *II* भी पर्याप्त हो;

(d) दीजिए यदि दिये गये प्रश्न का उत्तर देने के लिए *I* तथा *II* दोनों मिलकर भी पर्याप्त न हो;

(e) दीजिए यदि दिये गये प्रश्न का उत्तर *I* तथा *II* दोनों मिलाकर बना हो

1. ₹ 9000 के लाभ में से जस्सी को कितना धन मिलेगा?

(बैंक पी० ओ० परीक्षा, 2014)

I. कुल ₹ 8400 के निवेश में से जस्सी ने ₹ 1680 का निवेश किया.

II. शीला तथा जैनी ने मिलकर ₹ 2500 का निवेश किया.

2. A तथा B मिलकर व्यापार आरम्भ करते हैं. ₹ 20000 के वार्षिक लाभ में से A का भाग कितना होगा?

I. A ने ₹ 50000 का निवेश किया.

II. B ने 8 माह बाद अपना आधा धन निकाल लिया.

3. A तथा B ने मिलकर एक वर्ष के लिये व्यापार किया. एक वर्ष के अन्त में ₹ 23800 के कुल लाभ में से A का भाग कितना है?

I. B ने A से 12½% अधिक धन निवेश किया.

II. A ने ₹ 120000 का निवेश किया.

4. राहुल, अनुराग तथा विवेक ने मिलकर व्यापार आरम्भ किया. लाभ इनमें किस अनुपात में बाँटा जायेगा?

I. राहुल को कुल लाभ का एक-चौथाई मिला.

II. राहुल तथा विवेक ने मिलकर कुल लागत का 75% निवेश किया.

5. रवि, गगन और नितिन एक व्यापार में साझीदार हैं. एक वर्ष बाद लाभ में से गगन का भाग कितना होगा?

I. रवि, गगन और नितिन के निवेश 2 : 4 : 7 के अनुपात में हैं.

II. लाभ में नितिन का भाग ₹ 8750 है.

निर्देश (प्रश्न 6–9) : नीचे दिये गये प्रत्येक प्रश्न में प्रश्न के साथ तीन कथन दिये गये हैं. आपको ज्ञात करना है कि इस प्रश्न के उत्तर के लिए कौन-कौन से कथन आवश्यक हैं.

6. एक साझे के व्यापार में R का भाग कितना है?

I. Q ने ₹ 80000 लगाकर व्यापार आरम्भ किया.

II. R इसमें 3 माह बाद साझीदार हो गया.

III. P इसमें 4 माह बाद ₹ 120000 लगाकर साझीदार हो गया तथा उसे लाभ में से ₹ 6000 मिले.

(*a*) I, II, III तीनों
(*b*) केवल I तथा III
(*c*) केवल II तथा III
(*d*) I, II, III से भी उत्तर संभव नहीं
(*e*) इनमें से कोई नहीं

7. 1 वर्ष बाद P तथा Q के लाभ में कितना अन्तर है?

I. P ने ₹ 80000 का निवेश किया तथा 6 माह बाद ₹ 20000 वापिस ले लिये.

II. Q व्यापार आरम्भ होने के 4 माह बाद सम्मिलित हो गया.

III. अन्तिम छः महीनों में P का धन Q के धन का 80% था.

(*a*) केवल I तथा II (*b*) केवल II तथा III
(*c*) I, II, III तीनों (*d*) आँकड़े अपर्याप्त
(*e*) इनमें से कोई नहीं

8. A, B, C ने मिलकर ₹ 15000 की लागत से व्यापार आरम्भ किया तथा वर्ष के अन्त में कुल ₹ 3000 लाभ कमाया. इस लाभ में A का भाग कितना है?

I. A की लागत B की लागत का $\frac{3}{2}$ गुना है.

II. B की लागत C की लागत का दुगुना है.

III. A की लागत C की लागत का तीन गुना है.

(*a*) केवल I तथा II (*b*) केवल II तथा III
(*c*) I, II, III तीनों (*d*) तीनों में से कोई दो
(*e*) इनमें से कोई नहीं

9. नितिन, रोहित और कुनाल एक व्यापार में साझीदार थे. वर्ष के अन्त में रोहित का लाभ में कितना भाग है?

I. कुनाल ने 9 माह के लिए ₹ 8000 लगाये, उसका लाभ रोहित के लाभ का $\frac{3}{2}$ गुना है तथा उसकी लागत नितिन की लागत का चार गुना है.

II. नितिन और रोहित ने 1 वर्ष के लिए 1 : 2 के अनुपात में पूँजी लगाई.

III. वर्ष के अन्त में कुल लाभ ₹ 1000 हुआ.

(*a*) केवल I तथा II
(*b*) केवल I तथा III
(*c*) तीनों कथनों से भी उत्तर प्राप्त नहीं किया जा सकता
(*d*) I, II, III तीनों
(*e*) इनमें से कोई नहीं

उत्तरमाला

1. (*a*) **2.** (*d*) **3.** (*a*) **4.** (*e*) **5.** (*e*) **6.** (*d*) **7.** (*d*) **8.** (*d*) **9.** (*d*)

दिये गये प्रश्नों के हल

1. I से, जस्सी का भाग $= ₹\left(9000 \times \frac{1680}{8400}\right)$.

अत: केवल I से उत्तर प्राप्त होता है, केवल II से उत्तर प्राप्त नहीं होगा.

$\therefore$ सही उत्तर (*a*) है.

2. चूँकि B की पूँजी ज्ञात नहीं है, अत: दोनों कथनों से भी उत्तर प्राप्त नहीं होगा.

$\therefore$ सही उत्तर (*d*) है.

3. कुल वार्षिक लाभ $= ₹\ 23800$.

I. माना A की लागत $= ₹\ x$. तब,

B की लागत $= ₹\left(x \text{ का } \frac{225}{2}\%\right) = \left(\frac{9x}{8}\right)$.

$\therefore \quad A : B = x : \frac{9x}{8} = 8 : 9$.

अत: A का भाग $= ₹\left(23800 \times \frac{8}{17}\right) = ₹\ 11200$.

$\therefore$ केवल I से उत्तर प्राप्त होगा.

II से, A की लागत $= ₹\ 120000$.

यह उत्तर के लिए पर्याप्त नहीं. अत: I से उत्तर प्राप्त होता है परन्तु II उत्तर के लिए पर्याप्त नहीं.

$\therefore$ सही उत्तर (*a*) है.

4. I माना कुल लागत $= ₹\ x$. तब, $R = ₹\frac{x}{4}$.

II से, $R + V = (x \text{ का } 75\%) = ₹\left(x \times \frac{75}{100}\right) = ₹\frac{3x}{4}$.

$\therefore \quad V = ₹\left(\frac{3x}{4} - \frac{x}{4}\right) = ₹\frac{x}{2}$.

$\therefore \quad A = x - ₹\left(\frac{x}{4} + \frac{x}{2}\right) = \frac{x}{4}$.

$\therefore \quad R : A : V = \frac{x}{4} : \frac{x}{4} : \frac{x}{2} = 1 : 1 : 2$.

अत: उत्तर प्राप्त करने हेतु I तथा II दोनों चाहियें.

$\therefore$ सही उत्तर (*e*) है.

5. I से, $R : G : N = 2 : 4 : 7$.

II से, $N = ₹\ 8750$.

I तथा II से, $G = \left(8750 \times \frac{4}{7}\right) = 5000$.

अत: उत्तर प्राप्त करने हेतु I तथा II दोनों चाहियें.

$\therefore$ सही उत्तर (*e*) है.

6. I, II, III से, $P : Q : R = (120000 \times 8) : (80000 \times 12) : (x \times 9)$.

चूँकि R की लागत ज्ञात नहीं है, अत: दिये गये आँकड़े अपर्याप्त हैं.

$\therefore$ सही उत्तर (*d*) है.

7. I से, P की लागत $= (80000 \times 6 + 60000 \times 6) = ₹\ 840000$ 1 माह के लिए.

II तथा III से, Q की लागत = (₹ 60000 का 80%), आठ माह के लिए

$= ₹\left(60000 \times \frac{80}{100} \times 8\right)$ 1 माह के लिए

$= ₹\ 384000$ 1 माह के लिए

$\therefore \quad P : Q = 840000 : 384000 = 35 : 16$.

लेकिन कुल लाभ नहीं दिया गया है. अत: आंकड़ें अपर्याप्त हैं.

$\therefore$ सही उत्तर (*d*) है.

8. माना C की लागत $= ₹\ x$.

I तथा II से, $C = ₹\ x \quad B = ₹\ 2x$ तथा

$A = ₹\left(\frac{3}{2} \times 2x\right) = ₹\ 3x$.

II तथा III से, $C = ₹\ x$, $B = 2x$ तथा $A = ₹\ 3x$.

I तथा III से, $C = ₹\ x$, $A = ₹\ 3x$,

$B = ₹\left(\frac{2}{3} \times 3x\right) = ₹\ 2x$.

$\therefore \quad A : B : C = 3x : 2x : x = 3 : 2 : 1$.

अत: A का भाग $= ₹\left(3000 \times \frac{3}{6}\right) = ₹\ 1500$.

$\therefore$ तीनों में से कोई भी दो से उत्तर प्राप्त होगा.

$\therefore$ सही उत्तर (*d*) है.

9. I तथा II से,

$K = (8000 \times 9)$ एक माह के लिए $= ₹\ 72000$ 1 माह के लिए;

$N = \left(\frac{1}{4} \times 8000 \times 12\right)$ एक माह के लिए $= ₹\ 24000$ 1 माह के लिए; $R = ₹\ 48000$ 1 माह के लिए.

$\therefore \quad K : N : R = 72000 : 24000 : 48000 = 3 : 1 : 2$.

III से, कुल लाभ $= ₹\ 1000$.

$\therefore$ रोहित का भाग $= ₹\left(1000 \times \frac{2}{6}\right) = ₹\ 333\frac{1}{3}$.

$\therefore$ सही उत्तर (*d*) है.

16 मिश्रण (MIXTURE)

सामान्य नियम

बहुधा एक सस्ती तथा दूसरी महँगी वस्तु को एक विशेष अनुपात में मिलाकर एक नया मिश्रण प्राप्त किया जाता है.
मिश्रण के एक इकाई माप के क्रय-मूल्य को औसत मूल्य कहते हैं.
माना सस्ती वस्तु की एक इकाई का क्रय-मूल्य = ₹ c;
महँगी वस्तु की एक इकाई का क्रय-मूल्य = ₹ d; तथा
एक इकाई मिश्रण का औसत मूल्य = ₹ m.
तब, **(सस्ती वस्तु की मात्रा) : (महँगी वस्तु की मात्रा) = $(d - m) : (m - c)$**

मिश्रण का नियम:

1 इकाई सस्ती वस्तु का क्रय-मूल्य (c) 1 इकाई महँगी वस्तु का क्रय-मूल्य (d)

1 इकाई मिश्रण का क्रय मूल्य (m)

$(d - m)$ $(m - c)$

(सस्ती वस्तु की मात्रा) : (महँगी वस्तु की मात्रा) = $(d - m) : (m - c)$.

एक विशेष नियम:

माना किसी बर्तन में एक द्रव की x इकाई है. इनमें से y इकाई निकाल कर इसके स्थान पर इतनी ही मात्रा में पानी डाल दिया जाता है. फिर नई मिश्रण से y इकाई निकाल कर इतनी ही मात्रा में पानी डाल दिया जाता है.

इस क्रिया को n बार करने पर अन्त में इस मिश्रण में शुद्ध द्रव = $\left\{x\left(1 - \frac{y}{x}\right)^n\right\}$ इकाई

साधित उदाहरण

प्रश्न 1. ₹ 56 प्रति किग्रा० की चाय, ₹ 82 प्रति किग्रा० की चाय के साथ किस अनुपात में मिलाई जाये कि मिश्रण का क्रय मूल्य ₹ 67 प्रति किग्रा० हो जाये?

हल: मिश्रण नियम द्वारा:

(1 किग्रा० सस्ती चाय का क्र०-मूल्य) (1 किग्रा० महँगी चाय का क्र०-मूल्य)

₹ 56 ₹ 82

औसत मूल्य
₹ 67

15 11

∴ सस्ती चाय की मात्रा : महँगी चाय की मात्रा = 15 : 11.

प्रश्न 2. ₹ 24.20 प्रति किग्रा० के कितने चावल, ₹ 18.50 प्रति किग्रा० वाले 70 किग्रा० चावल में मिलाये जायें कि मिश्रण को ₹ 23 प्रति किग्रा० बेचने से 15% लाभ हो?

हलः 1 किग्रा० मिश्रण का विक्रय-मूल्य = ₹ 23, लाभ = 15%.

1 किग्रा० मिश्रण का क्रय-मूल्य $= ₹\left(\frac{100}{115}\times 23\right) = ₹\ 20.$

अब मिश्रण नियम द्वाराः

(1 किग्रा० सस्ते चावल का क्र०-मूल्य) (1 किग्रा० महँगे चावल का क्र०-मूल्य)

₹(18.50) ₹(24.20)

औसत मूल्य

₹ (20)

4.20 1.50

$\therefore$ सस्ते चावल की मात्रा : महंगे चावल की मात्रा = 420 : 150 = 14 : 5.

माना मंहगे चावल की अभीष्ट मात्रा = x किग्रा०.

तब, $\frac{70}{x} = \frac{14}{5}$ अर्थात $x = \frac{70\times 5}{14} = 25$ किग्रा०.

प्रश्न 3. दूध तथा पानी किस अनुपात में मिलाया जाये कि मिश्रण को क्रय-मूल्य पर भी बेचने से $16\frac{2}{3}\%$ लाभ हो?

हलः माना 1 किग्रा० दूध का क्रय-मूल्य = ₹ 1 तब,

1 किग्रा० मिश्रण का विक्रय-मूल्य = ₹ 1, लाभ $= 16\frac{2}{3}\%$

$\therefore$ 1 किग्रा० मिश्रण का क्रय-मूल्य $= ₹\left[\frac{100}{\left(100+\frac{50}{3}\right)}\times 1\right] = ₹\frac{6}{7}.$

अब मिश्रण नियम द्वाराः

1 किग्रा० दूध का क्रय-मूल्य 1 किग्रा० पानी का क्रय-मूल्य

₹1 ₹ 0

औसत मूल्य

$\left(₹\frac{6}{7}\right)$

$\frac{6}{7}$ $\frac{1}{7}$

$\therefore$ दूधः पानी $= \frac{6}{7} : \frac{1}{7} = 6 : 1.$

प्रश्न 4. एक व्यक्ति के पास कुल ₹ 120000 थे. इनमें से कुछ रुपये उसने 14% वार्षिक दर पर तथा शेष 18% वार्षिक दर पर उधार दिये. यदि 1½ वर्ष बाद उसे कुल ब्याज ₹ 27900 मिला हो, तो भिन्न-भिन्न दरों पर उसने कितना-कितना धन उधार दिया?

हलः ₹ 120000 पर $\frac{3}{2}$ वर्ष का ब्याज = ₹ 27900.

$\therefore$ ब्याज की वार्षिक औसत दर $= \left(27900 \times \frac{2}{3} \times \frac{1}{120000} \times 100\right)\% = \frac{31}{2}\%.$

अब, मिश्रण नियम द्वारा:

प्रथम धन की दर (14%) | दूसरे धन की दर (18%)

औसत दर $\left(\frac{31}{2}\%\right)$

$\frac{5}{2}$ | $\frac{3}{2}$

(14% पर दिया गया धन) : (18% पर दिया गया धन) $= \frac{5}{2} : \frac{3}{2} = 5 : 3.$

$\therefore$ 14% पर दिया गया धन $= ₹\left(120000 \times \frac{5}{8}\right) = ₹\ 75000.$

तथा 18% पर दिया गया धन $= ₹(120000 - 75000) = ₹\ 45000.$

प्रश्न 5. एक व्यापारी के पास 6 क्विंटल चीनी थी. इसमें से उसने कुछ चीनी 7% लाभ पर तथा शेष 17% लाभ पर बेची. सारी चीनी पर यदि उसे कुल 11% लाभ हुआ हो, तो उसने 17% लाभ पर कितनी चीनी बेची?

हल: मिश्रण नियम द्वारा:

पहली ब्रिकी पर लाभ (7%) | दूसरी ब्रिकी पर लाभ (17%)

औसत दर (11%)

6 | 4

$\therefore$ पहली बिक्री की चीनी की मात्रा : दूसरी बिक्री की चीनी की मात्रा $= 6 : 4 = 3 : 2.$

$\therefore$ 17% लाभ पर बेची गई चीनी की मात्रा $= \left(600 \times \frac{2}{5}\right)$ किग्रा॰ $= 240$ किग्रा॰.

अब मिश्रण के नियम द्वारा:

पहले मिश्रण के 1 लीटर का क्र॰-मू॰ $\left(₹\frac{7}{10}\right)$ | दूसरे मिश्रण के 1 लीटर का क्र॰-मू॰ $\left(₹\frac{8}{13}\right)$

औसत दर $\left(₹\frac{42}{65}\right)$

$\frac{2}{65}$ | $\frac{\ }{130}$

$\therefore$ अभीष्ट अनुपात $= \frac{2}{65} : \frac{7}{130} = 4 : 7.$

प्रश्न 6. एक व्यक्ति ने 90 किमी० दूरी 9 घण्टे में तय की. इसमें से उसने कुछ दूरी 8 किमी० प्रति घण्टा की दर से पैदल तथा शेष दूरी 17 किमी० प्रति घण्टा की दर से साईकिल द्वारा तय की. पैदल तय की गई दूरी कितनी है?

हल: 1 घण्टे में तय की गई औसत दूरी $= \left(\frac{90}{9}\right)$ किमी० = 10 किमी०.

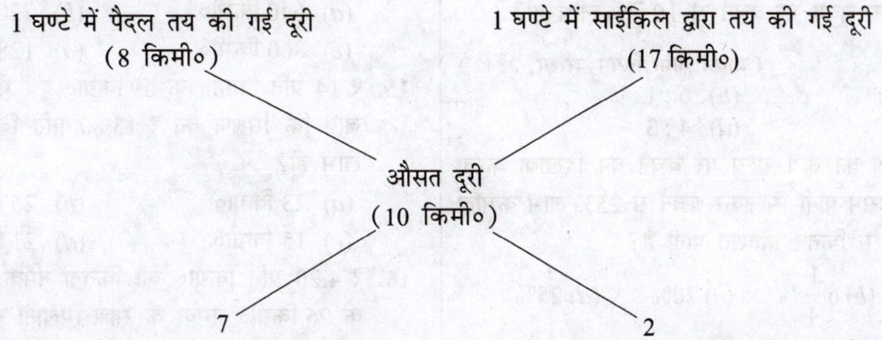

∴ पैदल तय की गई दूरी : साईकिल द्वारा तय की गई दूरी = 7 : 2.

अतः पैदल तय की गई दूरी $= \left(90 \times \frac{7}{9}\right)$ किमी० = 70 किमी०.

प्रश्न 7. तीन प्रकार के गेहूँ जिनके क्रय मूल्य क्रमशः ₹ 4.80, ₹ 5.76 तथा ₹ 6.96 प्रति किग्रा० हैं, किस अनुपात में मिलाये जायें कि मिश्रण का मूल्य ₹ 5.64 प्रति किग्रा० हो जाये?

हल: माना तीन प्रकार के गेहूँ क्रमशः A, B, C हैं.

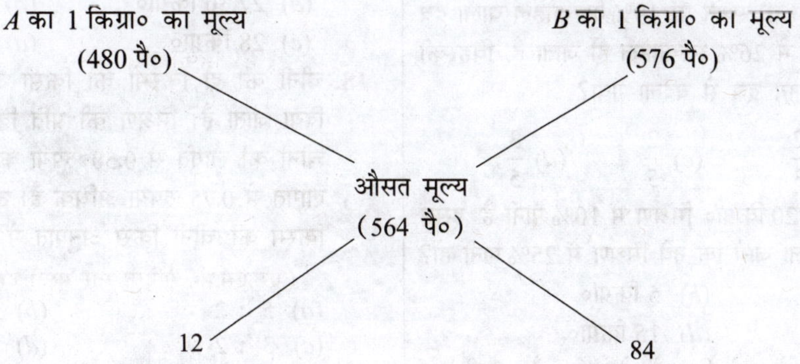

∴ $A : B = 12 : 84 = 1 : 7$.

प्रश्नमाला 16

दिये गये प्रत्येक प्रश्न में ठीक उत्तर को चिह्नांकित (✓) कीजिये:

1. एक पंसारी को ₹ 15 प्रति किलो के साथ ₹ 20 प्रति किलो के गेहूँ किस अनुपात में मिलाने चाहिए कि मिश्रण का मूल्य ₹ 16.50 प्रति किग्रा० हो जाये? **(रेलवे परीक्षा, 2013)**

(*a*) 3 : 7 (*b*) 5 : 7
(*c*) 7 : 3 (*d*) 7 : 5

2. ₹ 7.20 प्रति किग्रा० के चावल को ₹ 5.70 प्रति किग्रा० के चावल के साथ किस अनुपात में मिलाया जाये कि मिश्रण का मूल्य ₹ 6.30 प्रति किग्रा० हो जाये? **(इ०गा०वि०वि० परीक्षा, 2013)**

(*a*) 1 : 3 (*b*) 2 : 3
(*c*) 3 : 4 (*d*) 4 : 5

3. ₹ 62 प्रति किग्रा० की चाय को ₹ 72 प्रति किग्रा० की चाय के साथ किस अनुपात में मिलाया जाये कि मिश्रण का मूल्य ₹ 64.50 प्रति किग्रा० हो जाये?

(*a*) 3 : 1 (*b*) 3 : 2
(*c*) 4 : 3 (*d*) 5 : 3

4. ₹ 12 प्रति लीटर के दूध के साथ पानी किस अनुपात में मिलाया जाये कि मिश्रण का मूल्य ₹ 8 प्रति लीटर हो जाये?

(*a*) 1 : 2 (*b*) 2 : 1
(*c*) 2 : 3 (*d*) 3 : 2

5. ₹ 60 प्रति किग्रा० की चाय को ₹ 65 प्रति किग्रा० की चाय के साथ किस अनुपात में मिलाया जाये कि मिश्रण को ₹ 68.20 प्रति किग्रा० की दर से बेचने पर 10% लाभ हो?

(एस०एस०सी० परीक्षा, 2014)

(*a*) 3 : 2 (*b*) 3 : 4
(*c*) 3 : 5 (*d*) 4 : 5

6. दूध के साथ पानी किस अनुपात में मिलाया जाये कि मिश्रण को दूध के क्रय मूल्य पर बेचने से $16\frac{2}{3}$% लाभ हो?

(जीवन बीमा निगम परीक्षा, 2013)

(*a*) 1 : 6 (*b*) 6 : 1
(*c*) 2 : 3 (*d*) 4 : 3

7. एक ग्वाला दूध को क्रय-मूल्य पर बेचने का दिखावा करता है, परन्तु वह इसमें पानी मिलाकर बेचने से 25% लाभ कमाता है. इस मिश्रण में कितने प्रतिशत पानी है?

(*a*) 4% (*b*) $6\frac{1}{4}$% (*c*) 20% (*d*) 25%

8. एक व्यापारी के पास 1000 किग्रा० चीनी है. इसके कुछ भाग को वह 8% लाभ पर तथा शेष को 18% लाभ पर बेच देता है. इससे उसे कुल चीनी पर 14% लाभ होता है. 18% लाभ पर कितनी चीनी बेची गई?

(*a*) 400 किग्रा० (*b*) 560 किग्रा०
(*c*) 600 किग्रा० (*d*) 640 किग्रा०

9. विहस्की से भरे एक गिलास में 40% अल्कोहल है. इसमें विहस्की के कुछ भाग के स्थान पर 19% अल्कोहल वाला द्रव बदल देने से नये द्रव में 26% अल्कोहल हो जाता है. विहस्की के कितने भाग को नये द्रव से बदला गया?

(*a*) $\frac{1}{3}$ (*b*) $\frac{2}{3}$ (*c*) $\frac{2}{5}$ (*d*) $\frac{3}{5}$

10. सिप्रिट तथा पानी के 20 किग्रा० मिश्रण में 10% पानी है. इसमें कितना पानी और डाला जाये कि नये मिश्रण में 25% पानी हो?

(*a*) 4 किग्रा० (*b*) 5 किग्रा०
(*c*) 8 किग्रा० (*d*) 15 किग्रा०

11. दो बर्तनों *A* तथा *B* में रखे मिश्रणों में दूध और पानी का अनुपात क्रमशः 5 : 3 तथा 2 : 3 है. इन दोनों मिश्रणों को किस अनुपात में मिलाया जाये कि नये मिश्रण में आधा दूध तथा आधा पानी हो?

(*a*) 10 : 9 (*b*) 9 : 10 (*c*) 5 : 2 (*d*) 4 : 5

12. एक कनस्तर में दो द्रव *A* तथा *B*, 7 : 5 के अनुपात में हैं. इसमें से 9 लीटर मिश्रण निकाल कर उसके स्थान पर द्रव *B* भर देने के बाद *A* तथा *B* का अनुपात 7 : 9 हो जाता है. प्रारम्भ में कनस्तर में द्रव *A* कितने लीटर था?

(*a*) 25 लीटर (*b*) 21 लीटर
(*c*) 20 लीटर (*d*) 10 लीटर

13. एक व्यक्ति ने ₹ 42000 ब्याज पर उधार दिये. इसमें से उसने कुछ धन 9% वार्षिक दर से तथा शेष धन 10% वार्षिक दर से ब्याज पर दिये. यदि 1½ वर्ष बाद कुल ब्याज ₹ 5925 मिला हो, तो 9% ब्याज पर कितना धन दिया गया?

(*a*) ₹ 17000 (*b*) ₹ 22000
(*c*) ₹ 25000 (*d*) ₹ 27500

14. एक व्यक्ति ने 2000 किमी० दूरी 18 घण्टे में कुछ बस द्वारा तथा शेष रेल द्वारा तय की. यदि बस की चाल 72 किमी० प्रति घण्टा तथा रेल की चाल 160 किमी० प्रति घण्टा हो, तो बस द्वारा तय की गई दूरी कितनी है?

(*a*) 640 किमी० (*b*) 720 किमी०
(*c*) 860 किमी० (*d*) 1280 किमी०

15. ₹ 14 प्रति किग्रा० के 69 किग्रा० दूध में कितना पानी मिलाया जाये कि मिश्रण को ₹ 13.80 प्रति किग्रा० बेचने पर 20% लाभ हो?

(*a*) 23 किग्रा० (*b*) 25 किग्रा०
(*c*) 15 किग्रा० (*d*) 21 किग्रा०

16. ₹ 4.20 प्रति किग्रा० का कितना नमक ₹ 2.40 प्रति किग्रा० के 25 किग्रा० नमक के साथ मिलाना चाहिये कि मिश्रण को ₹ 4 प्रति किग्रा० बेचने पर 25% लाभ हो?

(*a*) 18 किग्रा० (*b*) 20 किग्रा०
(*c*) 16 किग्रा० (*d*) 15.6 किग्रा०

17. एक बाल्टी में 40 किग्रा० दूध था. इसमें से 4 किग्रा० दूध निकाल कर उसके स्थान पर पानी भर दिया गया. यह क्रिया इसके बाद दो बार दोहराई गई. अन्त में बने मिश्रण में दूध की मात्रा कितनी है?

(*a*) 27.36 किग्रा० (*b*) 26.34 किग्रा०
(*c*) 28 किग्रा० (*d*) 29.16 किग्रा०

18. चीनी की दो किस्मों को किसी अनुपात में एक साथ मिला दिया जाता है। मिश्रण की प्रति किग्रा लागत उच्च कोटि की चीनी की लागत से 0.50 रुपया कम है और घटिया चीनी की लागत से 0.75 रुपया अधिक है। उच्च कोटि की चीनी घटिया किस्म की चीनी किस अनुपात में मिलाई गई है?

(एस.एस.सी. मैट्रिक स्तर मल्टी टास्किंग स्टाफ परीक्षाए 2017)

(*a*) 5 : 2 (*b*) 2 : 3
(*c*) 3 : 2 (*d*) 5 : 1

19. एक पंसारी को ₹ 15 और ₹ 20 प्रति किलोग्राम की दो किस्मों को किस अनुपात में मिलाना चाहिए ताकि ₹ 16.50 प्रति किलोग्राम का मिश्रण प्राप्त हो सके? (आरआरबी, 2018)

(*a*) 3 : 7 (*b*) 5 : 7 (*c*) 7 : 3 (*d*) 7 : 5

20. वह अनुपात ज्ञात कीजिए जिसमें ₹ 7.20 किग्रा चावल को ₹ 5.70 किग्रा चावल के साथ मिलाकर ₹ 6.30 प्रति किग्रा मूल्य का मिश्रण तैयार किया जाए।

(*a*) 1 : 3 (*b*) 2 : 3 (*c*) 3 : 4 (*d*) 4 : 5

21. ₹ 62 प्रति किग्रा की चाय को ₹ 72 प्रति किग्रा की चाय के साथ किस अनुपात में मिलाया जाना चाहिए ताकि मिश्रण का मूल्य ₹ 64.50 प्रति किग्रा हो जाए?

(*a*) 3 : 1 (*b*) 3 : 2 (*c*) 4 : 3 (*d*) 5 : 3

22. ₹ 8 प्रति लीटर का मिश्रण प्राप्त करने के लिए ₹ 12 प्रति लीटर वाले दूध में पानी किस अनुपात में मिलाया जाना चाहिए?

(*a*) 1 : 2 (*b*) 2 : 1 (*c*) 2 : 3 (*d*) 3 : 2

23. मिश्रधातु A और B में कॉपर और जिंक का अनुपात क्रमशः 3:4 और 5:9 है। A और B को 2:3 के अनुपात में लिया जाता है और एक नई मिश्र धातु C बनाने के लिए पिघलाया जाता है। C में तांबे का जस्ता से अनुपात क्या है?

(एसएससी सीजीएल टियर II सीबीई परीक्षा, 2019)

(*a*) 8 : 13 (*b*) 3 : 5 (*c*) 9 : 11 (*d*) 27 : 43

24. ₹ 30 प्रति किग्रा की चीनी को ₹ 45 रुपये प्रति किग्रा की चीनी के साथ किस अनुपात में मिलाया जाए कि मिश्रण को ₹ 42 प्रति किग्रा की दर से बेचने पर 20% का लाभ हो?

(एसएससी सीजीएल टियर-I सीबीई परीक्षा, 2017)

(*a*) 2 : 1 (*b*) 2 : 3 (*c*) 5 : 2 (*d*) 3 : 7

25. ₹ 240 प्रति किग्रा की चाय को ₹ 280 प्रति किग्रा की चाय में किस अनुपात में मिलाया जाए कि मिश्रण को ₹ 324 प्रति किग्रा की दर से बेचने पर 20% का लाभ हो?

(एसएससी सीजीएल टीयर I सीबीई परीक्षा, 2017)

(*a*) 1 : 1 (*b*) 1 : 2 (*c*) 1 : 3 (*d*) 1 : 4

26. ₹ 84 प्रति किग्रा मूल्य के गेहूँ की कितनी मात्रा (किग्रा में) को 60 रु प्रति किग्रा वाले 81 किग्रा गेहूँ में मिलाया जाना चाहिए ताकि मिश्रण को ₹ 75.9 प्रति किग्रा पर बेचने पर 15% का लाभ हो?

(एसएससी सीजीएल (10 + 2) टीयर I सीबीई परीक्षा, 2018)

(*a*) 27 (*b*) 20.5 (*c*) 22.75 (*d*) 24

27. एक ड्रम में 80 लीटर इथेनॉल है, इस तरल में से 20 लीटर निकालकर पानी से बदल दिया जाता है। इस मिश्रण का 20 लीटर फिर से निकाल दिया जाता है और पानी से बदल दिया जाता है। इस ड्रम में अब कितना पानी (लीटर में) है?

(एसएससी सीजीएल टियर-II सीबीई परीक्षा, 2018)

(*a*) 45 (*b*) 40 (*c*) 35 (*d*) 44

28. एक दूधवाले ने दूध में कुछ पानी मिलाया ताकि मिश्रण को लागत मूल्य पर बेचकर 25% का लाभ प्राप्त किया जा सके। पानी और दूध का अनुपात क्रमशः है-

[एसएससी-सीएचएसएल (10 + 2) परीक्षा, 2015]

(*a*) 5 : 4 (*b*) 4 : 5 (*c*) 1 : 5 (*d*) 1 : 4

29. 20 लीटर मिश्रण में दूध और पानी का अनुपात 3 : 1 है। फिर मिश्रण में दूध की कितनी मात्रा मिलानी है ताकि दूध और पानी का अनुपात 4 : 1 हो जाए?

[एसएससी-सीएचएसएल (10 + 2) परीक्षा, 2015]

(*a*) 7 लीटर (*b*) 4 लीटर (*c*) 5 लीटर (*d*) 6 लीटर

30. एक बर्तन में अंगूर, अनानास और केले के रस का मिश्रण क्रमशः 4 : 6 : 5 के अनुपात में है। इस मिश्रण में से 15 लीटर निकाल लिया जाता है और बर्तन में 8 लीटर अंगूर का रस और 2 लीटर अनानास का रस मिला दिया जाता है। यदि अंगूर के रस की परिणामी मात्रा अनानास के रस की परिणामी मात्रा से 10 लीटर कम है, तो बर्तन में मिश्रण की प्रारंभिक मात्रा कितनी थी? (लीटर में)

[आईबीपीएस-बैंक पीओ/एमटी (प्री.) परीक्षा, 2015]

(*a*) 120 (*b*) 150 (*c*) 105 (*d*) 135

31. मिश्रण में दूध और पानी का क्रमशः अनुपात 4 : 3 है। यदि इस मिश्रण में 6 लीटर पानी मिलाया जाता है, तो दूध और पानी का क्रमशः अनुपात 8 : 7 हो जाता है। मूल मिश्रण में दूध की मात्रा कितनी है?

[आईबीपीएस-आरआरबी कार्यालय सहायक (ऑनलाइन) परीक्षा, 2015]

(*a*) 36 लीटर (*b*) 84 लीटर
(*c*) 48 लीटर (*d*) इनमें से कोई नहीं

32. 35 किग्रा A प्रकार का चंदन पाउडर, जिसकी कीमत ₹ 614 प्रति किलोग्राम है, को B प्रकार के चंदन पाउडर की एक निश्चित मात्रा के साथ मिलाया गया, जिसकी कीमत ₹ 695 प्रति किलोग्राम है, फिर मिश्रण को ₹ 767 रुपये प्रति किलोग्राम की दर से बेचा गया और 18% का लाभ हुआ। मिश्रण में B प्रकार के चंदन पाउडर की मात्रा (किग्रा में) कितनी थी?

[आईबीपीएस-बैंक स्पे. अधिकारी (आईटी) परीक्षा, 2015]

(*a*) 24 (*b*) 28 (*c*) 32 (*d*) 36

33. दूध और पानी के 30 लीटर मिश्रण में दूध और पानी के 7:3 के अनुपात में कितने लीटर पानी मिलाया जाना चाहिए, ताकि परिणामी मिश्रण में 40% पानी हो?

[एसएससी-जूनियर एसोसिएट्स (प्री.) परीक्षा, 2016]

(*a*) 5 (*b*) 2 (*c*) 3 (*d*) 8

34. 48 लीटर के मिश्रण में दूध और पानी का अनुपात 3 : 1 है। मिश्रण से 10 लीटर मिश्रण निकाला जाता है और फिर इसमें 20 लीटर पानी मिलाया जाता है। दूध और पानी के बीच अंतिम अंतर ज्ञात कीजिए।

(*a*) 2 (*b*) 4 (*c*) 3 (*d*) 1
(*e*) इनमें से कोई नहीं

35. 150 लीटर मिश्रण A में 40% पानी है। X लीटर मिश्रण निकाला गया (मिश्रण A का 20%) और बर्तन B में डाला गया जिसमें X लीटर पानी पहले से मौजूद है, तो बर्तन B में अंतिम मिश्रण में दूध और पानी की मात्रा के बीच अंतर ज्ञात करें।

(*a*) 22 लीटर (*b*) 24 लीटर
(*c*) 18 लीटर (*d*) 28 लीटर
(*e*) इनमें से कोई नहीं

36. बर्तन A में $(2x + 360)$ लीटर दूध और पानी का मिश्रण 7 : 5 के अनुपात में है और बर्तन B में 200 लीटर दूध और पानी का मिश्रण 3 : 2 के अनुपात में है। यदि बर्तन A और B को एक साथ मिला दिया जाए, तो दूध और पानी का अनुपात 47 : 33 हो जाता है। x का मान ज्ञात कीजिए।

(*a*) 80 (*b*) 100 (*c*) 120 (*d*) 125
(*e*) 150

निर्देश: नीचे दी गई जानकारी के आधार पर प्रश्नों के उत्तर दें।

एक लम्ब वृत्तीय बेलनाकार बर्तन दूध और पानी के मिश्रण से भरा हुआ है। मिश्रण में दूध और पानी की मात्रा क्रमशः 5: 3 के अनुपात में है। कुल दिए गए मिश्रण का x मिली बेचा जाता है और शुद्ध दूध

के x मिली के साथ बदल दिया जाता है। परिणामी मिश्रण में दूध की परिणामी मात्रा से पानी की मात्रा का अनुपात क्रमशः 75 : 13 है। पहले बेचे गए मिश्रण की मात्रा, बर्तन में दिए गए मिश्रण की मूल मात्रा से 104 मिली कम थी।

37. यदि प्रारंभिक मिश्रण का 0.25x मिली बेचा जाता है और 0.75x मिली शुद्ध दूध और 0.05x मिली पानी बर्तन में मिलाया जाता है, तो दिए गए बर्तन में परिणामी मिश्रण की अंतिम कुल मात्रा ज्ञात करें।

(a) 332 मिली (b) 342 मिली
(c) 352 मिली (d) 362 मिली
(e) 372 मिली

38. यदि दिए गए बर्तन की त्रिज्या और ऊँचाई क्रमशः 3.5 सेमी और 10 सेमी है, तो दी गई प्रक्रिया के अंत में बर्तन का कितना भाग खाली होगा?

(a) 99 मिली (b) 110 मिली
(c) 121 मिली (d) 132 मिली
(e) 143 मिली

39. ₹45 प्रति किग्रा के मूल्य वाली चावल की किस्म के साथ एक निश्चित मूल्य वाली चावल की एक दूसरी किस्म 3: 2 के अनुपात में मिलाई जाती है। यदि इस प्रकार बने मिश्रण का मूल्य ₹50 प्रति किग्रा है, तो दूसरे किस्म के चावल के प्रति किग्रा मूल्य की गणना करें।

[एसएससी सीजीएल 17/07/2023 (Shift-03)]

(a) ₹57 (b) ₹57.5 (c) ₹58 (d) ₹58.5

40. यदि ₹100 और ₹150 प्रति किग्रा मूल्य वाली दो प्रकार की दालों 'x' और 'y' को 7 : 20 के अनुपात में मिलाया जाता है, तो दालों के इस मिश्रण का प्रति किग्रा मूल्य (₹में) (निकटतम रुपये तक सही) क्या होगा?

[एसएससी सीजीएल 18/07/2023 (Shift-02)]

(a) 137 (b) 135 (c) 134 (d) 136

41. ₹126 प्रति किग्रा और ₹135 प्रति किग्रा मूल्य वाले चावल को एक तीसरी किस्म के चावल के साथ 11:2 के अनुपात में मिलाया जाता है। यदि मिश्रण का मूल्य 153 प्रति किग्रा है, तो तीसरी किस्म के चावल का प्रति किग्रा मूल्य (₹ में) क्या होगा? [एसएससी सीजीएल 21/07/2023 (Shift-02)]

(a) 182.5 (b) 195.5 (c) 175.5 (d) 133.5

42. ₹35 प्रति किग्रा और ₹38 प्रति किग्रा के चावलों को एक तीसरी किस्म के साथ 2: 1: 2 के अनुपात में मिलाया जाता है। यदि मिश्रण का मूल्य ₹42 प्रति किग्रा है, तो तीसरी किस्म के चावल का प्रति किग्रा मूल्य क्या है?

[एसएससी सीजीएल 25/07/2023 (Shift-03)]

(a) ₹52 (b) ₹53 (c) ₹54 (d) ₹51

43. एक 40 लीटर मिश्रण में 25% अल्कोहल और 75% पानी है। यदि मिश्रण में 10 लीटर पानी मिलाया जाता है, तो नए मिश्रण में अल्कोहल का प्रतिशत क्या होगा?

[एसएससी सीजीएल 25/07/2023 (Shift-04)]

(a) 27% (b) 18% (c) 20% (d) 25%

44. एक बर्तन में तरल भरा जाता है, जिसमें से 5 भाग जल और 11 भाग चाशनी है। मिश्रण के कितने भाग को निकाल कर जल से प्रतिस्थापित कर देना चाहिए ताकि मिश्रण में चाशनी और जल 3 : 2 के अनुपात में हो जाए?

[एसएससी सीजीएल 26/07/2023 (Shift-01)]

(a) $\frac{14}{45}$ (b) $\frac{27}{35}$ (c) $\frac{36}{65}$ (d) $\frac{7}{55}$

45. रिनी ने दो रंगों C_1, और C_2 को 2:3 के अनुपात में मिलाया है। यदि रंग C_1, का मूल्य ₹500 प्रति इकाई है और वह दोनों रंगों के मिश्रण को ₹650 प्रति इकाई की दर से बेचती है जिस पर उसे न तो कोई लाभ होता है और न ही कोई हानि, तो दूसरे रंग, अर्थात् C_2 का प्रति इकाई मूल्य (₹ में) क्या है? [एसएससी सीजीएल 27/07/2023 (Shift-01)]

(a) 750 (b) 725 (c) 760 (d) 765

46. 137.75 डॉलर प्रति किलोग्राम मूल्य के चावल का मिश्रण प्राप्त करने के लिए एक किराने वाले को क्रमशः 128 और 143 प्रति किलोग्राम कीमत वाले चावल की दो किस्मों को किस अनुपात में मिलाना चाहिए?

[एसएससी एमटीएस 01/09/2023 (Shift-01)]

(a) 12:5 (b) 7:13 (c) 5:4 (d) 6:7

47. ₹30 प्रति किग्रा लागत वाला मिश्रण प्राप्त करने के लिए 15 किग्रा 25 प्रति किग्रा गेहूं को 10 किग्रा अन्य प्रकार के गेहूँ के साथ मिलाया जाता है। महँगे गेहूँ का मूल्य (प्रति किग्रा) ज्ञात कीजिए।

[एसएससी एमटीएस 13/09/2023 (Shift-01)]

(a) ₹37.5 (b) ₹32.5 (c) ₹35.5 (d) ₹30.5

48. 80 लीटर क्षमता वाली एक बोतल में 7:3 के अनुपात में अल्कोहल और स्पिरिट है। मिश्रण में कितनी स्पिरिट को मिलाया जाना चाहिए, ताकि अल्कोहल और स्पिरिट का अनुपात 2:1 हो जाए?

[एसएससी जीडी 05/03/2024 (Shift-01)]

(a) 5 लीटर (b) 8 लीटर (c) 10 लीटर (d) 4 लीटर

उत्तरमाला

1. (c)	2. (b)	3. (a)	4. (b)	5. (a)	6. (b)	7. (c)	8. (c)	9. (b)	10. (a)
11. (d)	12. (b)	13. (c)	14. (b)	15. (c)	16. (b)	17. (d)	18. (c)	19. (c)	20. (b)
21. (a)	22. (a)	23. (d)	24. (a)	25. (c)	26. (a)	27. (c)	28. (d)	29. (c)	30. (d)
31. (c)	32. (b)	33. (a)	34. (b)	35. (b)	36. (c)	37. (c)	38. (c)	39. (b)	40. (a)
41. (c)	42. (d)	43. (c)	44. (d)	45. (a)	46. (b)	47. (a)	48. (d)		

दिये गये प्रश्नों के हल

1. मिश्रण-नियम द्वारा:

प्रथम प्रकार के 1 किग्रा॰ गेहूँ का क्रय मूल्य (₹ 15) — दूसरी प्रकार के 1 किग्रा॰ गेहूँ का क्रय मूल्य (₹ 15)

औसत मूल्य (₹ 16.50)

3.50 — 1.50

अभीष्ट अनुपात = 3.50 : 1.50 = 35 : 15 = 7 : 3.

2. मिश्रण-नियम द्वारा:

प्रथम प्रकार के 1 किग्रा॰ चावल का क्रय मूल्य (720 पै॰) — दूसरी प्रकार के 1 किग्रा॰ चावल का क्रय मूल्य (570 पै॰)

औसत मूल्य (₹ 630)

60 — 90

अभीष्ट अनुपात = 60 : 90 = 2 : 3.

3. मिश्रण-नियम द्वारा:

प्रथम प्रकार के 1 किग्रा॰ चाय का क्रय मूल्य (6200 पै॰) — दूसरी प्रकार के 1 किग्रा॰ चाय का क्रय मूल्य (7200 पै॰)

औसत मूल्य (6450 पै॰)

750 — 250

अभीष्ट अनुपात = 750 : 250 = 3 : 1.

4. मिश्रण-नियम द्वारा:

1 किग्रा॰ दूध का क्रय मूल्य (₹1 2) — 1 किग्रा॰ पानी का क्रय मूल्य (₹ 0)

औसत मूल्य (₹ 8)

8 — 4

दूध और पानी का अनुपात = 8 : 4 = 2 : 1.

5. 1 किग्रा॰ मिश्रण का वि॰मू॰ = ₹ 68.20, लाभ अर्जित = 10%.

1 किग्रा॰ मिश्रण का क्र॰मू॰ $= ₹\left(\frac{100}{110} \times 68{\cdot}20\right) = ₹\ 62.$

1 किग्रा॰ सस्ती चाय का क्रय मूल्य (₹ 60) — 1 किग्रा॰ मंहगी चाय का क्रय मूल्य (₹ 65)

औसत मूल्य (₹ 62)

3 — 2

∴ अभीष्ट अनुपात = 3 : 2.

6. माना 1 लीटर दूध का क्रय-मूल्य = ₹ 1.

1 लीटर मिश्रण का वि॰मू॰ = ₹ 1, लाभ $= \frac{50}{3}\%.$

1 लीटर मिश्रण का क्र॰मू॰ $= ₹\left(100 \times \frac{3}{350} \times 1\right) = ₹\frac{6}{7}.$

मिश्रण नियम द्वारा:

1 लीटर दूध का क्रय मूल्य (₹12) — 1 लीटर पानी का क्रय मूल्य (₹12)

औसत मूल्य $\left(₹\frac{6}{7}\right)$

$\frac{6}{7}$ — $\frac{1}{7}$

दूध : पानी $= \frac{6}{7} : \frac{1}{7} = 6 : 1.$

7. माना 1 लीटर दूध का क्रय-मूल्य = ₹ 1.

तब, 1 लीटर मिश्रण का विक्रय-मूल्य = ₹ 1, अर्जित लाभ = 25%.

1 लीटर मिश्रण का क्रय-मूल्य $= ₹\left(\frac{ü}{ü} \times 1\right) = ₹\frac{4}{5}.$

मिश्रण नियम द्वारा:

1 लीटर दूध का क्रय मूल्य (₹ 1) — 1 लीटर पानी का क्रय मूल्य (₹ 0)

औसत मूल्य $\frac{4}{5}$

$\frac{4}{5}$ — $\frac{1}{5}$

दूध : पानी $= \frac{4}{5} : \frac{1}{5} = 4 : 1.$

मिश्रण में पानी की प्रतिशतता $= \left(\frac{1}{5} \times 100\right)\% = 20\%.$

8. मिश्रण-नियम द्वारा:

प्रथम भाग पर लाभ % 8% — दूसरे भाग पर लाभ % 18%

औसत लाभ % 14%

4 — 6

अभीष्ट अनुपात $= 4 : 6 = 2 : 3$.

दूसरे प्रकार की चीनी की मात्रा $= \left(1000 \times \frac{3}{5}\right)$ किग्रा०

$= 600$ किग्रा०.

9. मिश्रण-नियम द्वारा:

पहले गिलास में अल्कोहल (40%) — दूसरे गिलास में अल्कोहल (19%)

औसत अल्कोहल 26%

7 — 14

पहले गिलास की मात्रा: दूसरे गिलास की मात्रा $= 7 : 14 = 1 : 2$.

अत: विहस्की का बदला गया भाग $= \frac{2}{3}$.

10. दिये गये मिश्रण में पानी की मात्रा

$= \left(20 \times \frac{10}{100}\right)$ किग्रा० $= 2$ किग्रा०.

माना डाले जाने वाले पानी की मात्रा $= x$ किग्रा०. तब,

$\frac{(2+x)}{(20+x)} \times 100 = 25 \Leftrightarrow \frac{2+x}{20+x} = \frac{1}{4}$

$\Leftrightarrow 8 + 4x = 20 + x \Leftrightarrow 3x = 12 \Leftrightarrow x = 4$.

$\therefore$ पानी की अभीष्ट मात्रा $= 4$ किग्रा०.

11. माना A में दूध $= \frac{5}{8}$ लीटर, B में दूध $= \frac{2}{5}$ लीटर,

C में दूध $= \frac{1}{2}$ लीटर.

माना 1 लीटर दूध का क्रय-मूल्य $=$ ₹ 1.

A में 1 लीटर मिश्रण का क्रय मूल्य $\left(₹\,\frac{5}{8}\right)$ — B में 1 लीटर मिश्रण का क्रय मूल्य $\left(₹\,\frac{2}{5}\right)$

औसत मूल्य ₹ $\frac{1}{2}$

$\frac{1}{10}$ — $\frac{1}{8}$

$A : B = \frac{1}{10} : \frac{1}{8} = 4 : 5$.

12. माना प्रारम्भ में A तथा B क्रमश: $7x$ लीटर तथा $5x$ लीटर थे.

9 लीटर मिश्रण में A की मात्रा $= \left(9 \times \frac{7}{12}\right)$ लीटर $= \frac{21}{4}$ लीटर.

9 लीटर मिश्रण में B की मात्रा $= \left(9 \times \frac{5}{12}\right)$ लीटर $= \frac{15}{4}$ लीटर.

शेष मिश्रण में A की मात्रा $= \left(7x - \frac{21}{4}\right)$ लीटर

तथा B की मात्रा $= \left(5x - \frac{15}{4}\right)$ लीटर.

अब, शेष में द्रव B भरने पर

A की मात्रा $= \left(7x - \frac{21}{4}\right)$ लीटर,

B की मात्रा $= \left(5x - \frac{15}{4} + 9\right)$ लीटर.

$$\therefore \quad \frac{7x - \frac{21}{4}}{5x + \frac{21}{4}} = \frac{7}{9} \Leftrightarrow 63x - \frac{189}{4} = 35x + \frac{147}{4}$$

$$\Leftrightarrow 28x = \frac{147}{4} + \frac{189}{4} \Leftrightarrow 28x = \frac{336}{4} = 84 \Leftrightarrow x = \frac{84}{28} = 3.$$

$\therefore$ प्रारम्भ में कनस्तर में द्रव A की मात्रा $= (7 \times 3)$ लीटर

$= 21$ लीटर.

13. औसत दर $= \left(5925 \times \frac{2}{3} \times 100 \times \frac{1}{42000}\right)\%$ वार्षिक

$= \frac{395}{42}\%$ वार्षिक.(9% पर धन) : (10% पर धन) $= \frac{25}{42} : \frac{17}{42}$

पहली दर (9%) — दूसरी दर (10%)

औसत दर $\frac{395}{42}\%$

$\frac{25}{42}$ — $\frac{17}{42}$

$= 25 : 17$.

$\therefore$ 9% पर दिया गया धन $=$ ₹$\left(42000 \times \frac{25}{42}\right) =$ ₹ 25000.

14.

बस की चाल प्रति घण्टा 72 किमी० — रेल की चाल प्रति घण्टा 160 किमी०

औसत चाल $\frac{1000}{9}$

$\frac{440}{9}$ — $\frac{352}{9}$

(बस द्वारा लिया गया समय) : (रेल द्वारा लिया गया समय)

$= \frac{440}{9} : \frac{352}{9} = 5 : 4$.

$\therefore$ बस द्वारा लिया गया समय $= \left(18 \times \frac{5}{9}\right)$ घण्टे $= 10$ घण्टे.

10 घण्टे में बस द्वारा तय की गई दूरी $= (72 \times 10)$ किमी०

$= 720$ किमी०.

15. मिश्रण का मूल्य प्रति किग्रा० $=$ ₹ 13.80, लाभ $= 20\%$.

$\therefore$ औसत मूल्य $=$ ₹$\left(\frac{100}{120} \times 13{\cdot}80\right) =$ ₹ 11.50.

अब मिश्रण नियम द्वारा:

1 किग्रा० दूध का क्रय मूल्य (₹ 14)   1 किग्रा० पानी का क्रय मूल्य (0)

औसत मूल्य

11.50

11.50   2.50

$\therefore$ दूध की मात्रा : पानी की मात्रा $= 11.50 : 2.50 = 115 : 25 = 23 : 5$.

माना पानी की अभीष्ट मात्रा $= x$ किग्रा०.

तब, $\frac{69}{x} = \frac{23}{5} \Leftrightarrow 69 \times 5 = 23 \times x \Leftrightarrow x = \frac{69 \times 5}{23} = 15$ किग्रा०.

16. 1 किग्रा० मिश्रण का विक्रय-मूल्य = ₹ 4, लाभ अर्जित = 25%.

1 किग्रा० मिश्रण का क्रय-मूल्य $= ₹\left(\frac{100}{125} \times 4\right) = ₹\frac{16}{5}$.

1 किग्रा० सस्ते नमक का क्रय मूल्य $\left(₹\frac{12}{5}\right)$ 1 किग्रा० सस्ते नमक का क्रय मूल्य $\left(₹\frac{21}{5}\right)$

औसत मूल्य

$\left(\frac{16}{5}\right)$

$\frac{5}{5}$ $\frac{4}{5}$

(सस्ते नमक की मात्रा) : (महंगे नमक की मात्रा) $= \frac{5}{5} : \frac{4}{5} = 5 : 4$.

5 किग्रा० सस्ते नमक के साथ महंगे नमक की मात्रा = 4 किग्रा०.

25 किग्रा० सस्ते नमक के साथ महंगे नमक की मात्रा

$= \left(\frac{4}{5} \times 25\right)$ किग्रा० = 20 किग्रा०.

17. **सूत्र:** यदि x इकाई दूध में प्रत्येक बार y इकाई निकालकर पानी से स्थानान्तरण कर दिया जाये तथा यह क्रिया इसके बाद $(n-1)$ बार दोहराई गई हो, तो n बार क्रिया के बाद दूध की मात्रा

$= \left[x\left(1 - \frac{y}{x}\right)^n\right]$ इकाई.

$\therefore$ दूध की अभीष्ट मात्रा $= 40\left(1 - \frac{4}{40}\right)^3$ किग्रा०

$= \left(40 \times \frac{9}{10} \times \frac{9}{10} \times \frac{9}{10}\right)$ किग्रा० = 29.16 किग्रा०.

18. माना, मिश्रण का माध्य मूल्य $= a$ ₹/किग्रा

$\therefore$ घटिया किस्म का मूल्य $= (a - 0.75)$ ₹/किग्रा

उच्च कोटि का मूल्य $= (a + 0.5)$ ₹/किग्रा.

मिश्रण के नियम द्वारा,

$a + 0.5$ $a - 0.75$

a

$a - a + 0.75 = 0.75$ $a + 0.5 - a = 0.5$

$\therefore$ अभीष्ट अनुपात $= 0.75 : 0.5 = 3 : 2$

19. मिश्रण के नियम से:

प्रथम प्रकार की 1 किग्रा. दाल की कीमत ₹15   दूसरी तरह की 1 किग्रा. दाल की कीमत ₹20

औसत कीमत

₹16.50

3.50   1.50

$\therefore$ आवश्यक अनुपात $= 3.50 : 1.50 = 35 : 15 = 7 : 3$.

20. मिश्रण के नियम से:

पहली तरह के 1 किग्रा. चावल की लागत 720 p दूसरी तरह के 1 किग्रा. चावल की लागत 570 p

औसत कीमत

630 p

60   90

$\therefore$ आवश्यक अनुपात $= 60 : 90 = 2 : 3$.

21. मिश्रण के नियम से:

पहली तरह के 1 किग्रा. चाय की लागत 6200 p दूसरी तरह के 1 किग्रा. चाय की लागत 7200 p

औसत कीमत

6450 p

750   250

$\therefore$ आवश्यक अनुपात $= 750 : 250 = 3 : 1$.

22. मिश्रण के नियम से:

1 लीटर पानी का क्रय मूल्य 0   1 लीटर दूध का क्रय मूल्य ₹12

औसत कीमत

₹8

4   8

पानी और दूध का अनुपात $= 4 : 8 = 1 : 2$.

23. मिश्र धातु A में

कॉपर $= \frac{3}{7} \times 2 = \frac{6}{7}$

जिंक $= \frac{4}{7} \times 2 = \frac{8}{7}$

मिश्र धातु B में

ताँबा $= \frac{5}{14} \times 3 = \frac{15}{14}$

जिंक $= \frac{9}{14} \times 3 = \frac{27}{14}$

अनुपात $= \left(\frac{6}{7} + \frac{15}{14}\right) : \left(\frac{8}{7} + \frac{27}{14}\right) = \frac{27}{14} : \frac{43}{14} = 27 : 43$

24. मिश्रण का मूल्य $= \frac{42}{1.2} =$ ₹ 35 किग्रा

I   II

30   45

35

10 : 5

$= 2 : 1$

25. मिश्रण का क्रय मूल्य $= \frac{324}{1.2} =$ ₹ 2.70 किग्रा

I   II

240   280

270

10 : 30

$= 1 : 3$

26. मिश्रण का क्रय मूल्य $= \frac{75.9}{1.15} =$ ₹ 66

I   II

84   60

66

6 : 18

$\therefore$ I : II का अनुपात $= 1 : 3$

अत: $3x = 81$

$\Rightarrow x = 27$ किग्रा

27. बचा हुआ इथेनाल $= 80\left(1 - \frac{20}{80}\right)\left(1 - \frac{20}{80}\right)$

$= 80 \times \frac{3}{4} \times \frac{3}{4} = 45$

$\therefore$ पानी की उपस्थिति $= 80 - 45 = 35$ लीटर

28. 1 लीटर दूध का क्रय मूल्य = ₹ 100

$\therefore$ ₹ 125 लीटर में बिका मिश्रण

$= \frac{125}{100} = \frac{5}{4}$ लीटर

$\therefore$ मिश्रण की मात्रा $= \frac{5}{4}$ लीटर

$\therefore$ दूध की मात्रा = 1 लीटर

$\therefore$ पानी की मात्रा $= \frac{5}{4} - 1 = \frac{1}{4}$ लीटर

$\therefore$ आवश्यक अनुपात $= \frac{1}{4} : 1 = 1 : 4$

29. 20 लीटर मिश्रण में।

दूध की मात्रा $\Rightarrow \frac{3}{4} \times 20 = 15$ लीटर

पानी की मात्रा $\Rightarrow \frac{1}{4} \times 20 = 5$ लीटर

माना दूध की मात्रा x लीटर है।

प्रश्न के अनुसार,

$$\frac{15 + x}{5} = \frac{4}{1}$$

$\Rightarrow 15 + x = 4 \times 5 \Rightarrow x = 20 - 15 = 5$ लीटर

30. माना मिश्रण में अंगूर, अनानास और केले के रस की मात्रा क्रमश: $4x$, $6x$ और $5x$ है।

बर्तन में रस की कुल प्रारंभिक मात्रा

$= 4x + 6x + 5x = 15x$ लीटर

15 लीटर रस में,

अंगूर का रस = 4 लीटर

अनन्नास का रस = 6 लीटर

केले का रस = 5 लीटर

अंगूर के रस की परिणामी मात्रा अनानास के रस की परिणामी मात्रा से 10 लीटर कम है।

$\Rightarrow (6x - 6 + 2) - (4x - 4 + 8) = 10$

$\Rightarrow 6x - 4 - 4x - 4 = 10 \Rightarrow 2x - 8 = 10$

$\Rightarrow 2x = 10 + 8 = 18 \Rightarrow x = 9$

$\therefore$ मिश्रण की आरंभिक मात्रा $= 15x$

$= 15 \times 9 = 135$ लीटर

31. माना आरंभिक मिश्रण में दूध और पानी की मात्रा क्रमश: $4x$ और $3x$ लीटर है।

पानी की मात्रा $= 3x$ लीटर

6 लीटर पानी मिलाने पर, हमें मिलता है

$\frac{4x}{3x + 6} = \frac{8}{7}$

$\Rightarrow 28x = 24x + 48 \Rightarrow 28x - 24x = 48$

$\Rightarrow 4x = 48 \Rightarrow x = \frac{48}{4} = 12$

$\therefore$ दूध की आवश्यक मात्रा

$= 4x = 4 \times 12 = 48$ लीटर

32. मिश्रण का क्रय मूल्य

$= \frac{\text{विक्रय मूल्य}}{(100 + \text{लाभ \%})} \times 100 = \frac{767}{118} \times 100 =$ ₹ 650

मिश्रण के नियम से:

चंदन पाउडर   चंदन पाउडर

टाइप A   **टाइप B**

614   **695**

650

$695 - 650 = 45$ $650 - 614 = 36$

अनुपात = 5 : 4

∴ A प्रकार की चंदन की मात्रा = 35 किग्रा

∴ $5x = 35$ किग्रा

∴ $x = 7$ किग्रा

इस प्रकार B प्रकार की चंदन की मात्रा = 7 × 4 = 28 किग्रा

33. मिश्रण की कुल मात्रा = 30 लीटर

मिश्रण में दूध की मात्रा = $\frac{7}{7+3} \times 30$ लीटर = 21 लीटर

और मिश्रण में पानी की मात्रा = $\frac{3}{7+3} \times 30$ लीटर = 9 लीटर

माना 'a' लीटर पानी मिलाया

तब $(30+a) \times \frac{40}{100} = 9 + a$

या $120 + 4a = 90 + 10a$

या $120 - 90 = 10a - 4a$

$30 = 6a$

$\Rightarrow a = 5$

अत: मिश्रण में 5 लीटर पानी मिलाया गया।

34. माना मिश्रण में दूध और पानी की मात्रा क्रमशः $3x$ और x है

अत: दूध की मा = $\frac{3x}{4x} \times 48$ लीटर = 36 लीटर

पानी की मात्रा = (48 − 36) लीटर =12 लीटर

मिश्रण से निकाली गई दूध की मात्रा = 10 × $\frac{3}{4}$ = 7.5 लीटर

मिश्रण में निकाले गए पानी की मात्रा = 10 × $\frac{1}{4}$ = 2.5 लीटर

मिश्रण में दूध की नई मात्रा = 36 − 7.5 = 28.5 लीटर

मिश्रण में पानी की नई मात्रा = (12 − 2.5) = 9.5 लीटर

नया अनुपात = 28.5 : 9.5 + 20 = 28.5:29.5

∵ आवश्यक अंतर = 29.5 − 28.5 = 1

35.

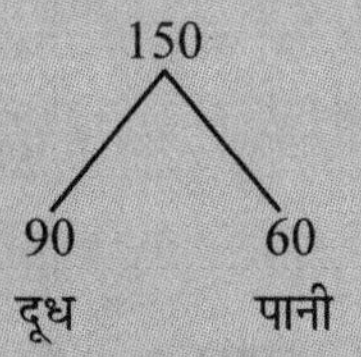

वह भाग जो मिश्रण से निकाला जाता है

$= 150 \times \frac{20}{100} = 30$ लीटर

पोत B में

पानी की मात्रा = $30 + 60 \times \frac{20}{100} = 30 + 12 = 42$

दूध की मात्रा = $90 \times \frac{20}{100} = 18$

∴ आवश्यक अंतर = 42 – 18 = 24 लीटर

36. बर्तन में दूध की मात्रा A = $\frac{7}{12} \times (2x + 360)$

बर्तन में पानी की मात्रा B = $\frac{5}{12} \times (2x + 360)$

बर्तन में दूध की मात्रा A = $\frac{3}{5} \times 200 = 120$

बर्तन में पानी की मात्रा B = $\frac{2}{5} \times 200 = 80$

अब, प्रश्न के अनुसार

$$\frac{\frac{7}{12} \times (2x+360) + 120}{\frac{5}{12} \times (2x+360) + 80} = \frac{47}{33}$$

$$\Rightarrow \frac{14x + 2520 + 1440}{10x + 1800 + 960} = \frac{47}{33} \Rightarrow \frac{14x + 3960}{10x + 2760} = \frac{47}{33}$$

$\Rightarrow 270x + 129720 = 462x + 130680$

$\Rightarrow 8x = 960 \Rightarrow x = 120$

37.

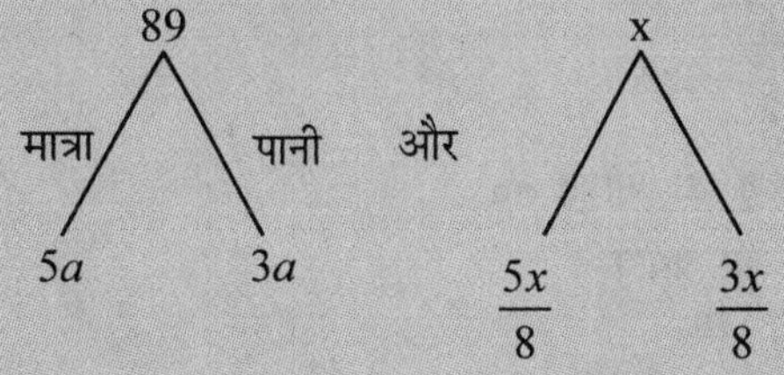

अब, प्रश्न के अनुसार

$$\frac{5x - \frac{5x}{8} + x}{3a - \frac{3x}{8}} = \frac{17}{13}$$

$$\Rightarrow \frac{40a + 3x}{24a - 3x} = \frac{75}{13}$$

$\Rightarrow 520a + 30a = 1800a - 225x$

$\Rightarrow 264x = 1280a \Rightarrow a = \frac{264x}{1280}$

अब हमारे पास है $8a - x = 104$ [दिया गया]

$\Rightarrow \frac{8 \times 264x}{1280} - x = 104$

$\Rightarrow x = 160$

$\therefore$ Q = $\frac{264 \times 160}{1280} = 33$

∴ प्रारंभिक मिश्रण = $8a = 264$

अब,

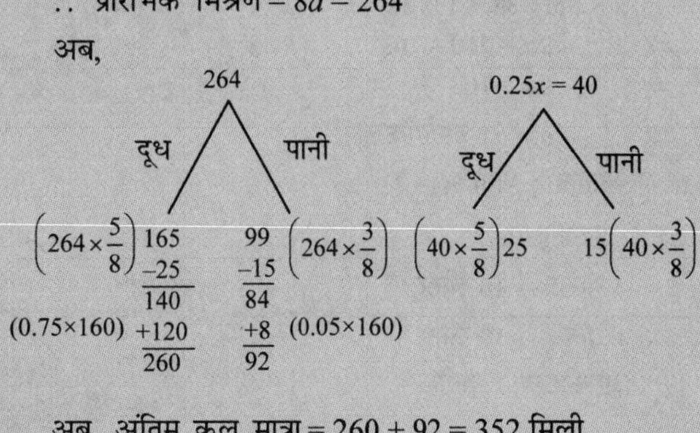

अब, अंतिम कुल मात्रा = 260 + 92 = 352 मिली.

38. बेलनाकार बर्तन का आयतन $= \pi r^2 h$

$= \frac{22}{7} \times 3.5 \times 3.5 \times h = 385$

बर्तन का खाली भाग = 385 = 385 – 264 = 121 मिली.

39. माना दूसरी गुणवत्ता वाले चावल की कीमत = a

चावल-I चावल-II
45 a

50

(a – 50) 5
3 : 2

अब, $\frac{a-50}{a} = \frac{3}{2}$

$\Rightarrow$ 2a – 100 = 15

$\therefore a = \frac{115}{2} = 57.5$

40. माना मिश्रण की कीमत = a

एलीगेशन का प्रयोग-

100 150
a
7 : 20

$\Rightarrow a = \frac{100 \times 7 + 150 \times 20}{(7+20)}$

$= \frac{700+3000}{27} = \frac{3700}{27} = 137$

41. माना चावल की तीसरी किस्म का मूल्य = ₹a किलो

प्रश्नानुसार,

$\frac{126 \times 1 + 135 \times 1 + a \times 2}{1+1+2} = 153$

126 + 135 + 2a = 612

2a = 612 – 261

$a = \frac{351}{2} = 175.5$

42. माना चावल की तीसरी किस्म का मूल्य = ₹a किलो

$\frac{2 \times 35 + 1 \times 38 + 2 \times a}{2+1+2} = 42$

2 × 35 + 38 × 1 + 2a = 5 × 42

$\Rightarrow 2a = 210 - 108$

$\Rightarrow 2a = 102$

$\Rightarrow a = 51$ रुपये/किलो

43. अल्कोहल : पानी = 1 : 3

अब, प्रश्नानुसार

4 यूनिट → 10 लीटर

∴ 1 यूनिट → 10 लीटर

अल्कोहल पानी

10L 30L
+10L
10L 40L

∴ आवश्यक अल्कोहल %

$= \frac{10}{50} \times 100 = 20\%$

44. माना a मिश्रण बदला जाता है

अब, प्रश्नानुसार

$\frac{11}{16} \times a = \frac{3}{5} = a = \frac{48}{55}$

∴ मिश्रण का वह भाग जिसे पानी से बदल दिया गया $= \frac{7}{55}$

45.
C-I C-II
500 a

650

(a-650) 150
2 : 3

∴ 2 इकाई = 2 × 50 = 100

$\Rightarrow a - 650 = 100$

$a =$ ₹750

46.
12.8 14.3

137.75

5.25 9.75
7 13

47. मान लीजिए 10 किलो की कीमत है

गेहूँ = a/किलो

अब, प्रश्नानुसार

15×25 + 10 × a = 25 × 30

$\Rightarrow 375 + 10a = 750$

$\Rightarrow 10a = 375$

$\Rightarrow a = 37.5$

48. बोतल की क्षमता = 80 लीटर

प्रारंभ में, शराब और स्पिरिट का अनुपात 7 : 3 है।

इसके अलावा, स्पिरिट का अनुपात 2 : 1 हो जाता है

बोतल में अल्कोहल की मात्रा = 80×10 = 56 लीटर

बोतल में स्पिरिट की मात्रा = 80 – 56 = 24 लीटर

अब, 'a' लीटर स्पिरिट डालें

$\therefore \frac{56}{24+z} = \frac{2}{1}$

$\Rightarrow 56 = 2 \times (24 + x)$

$\Rightarrow 56 = 48 + 2x$

$\Rightarrow 2x = 8$

$\Rightarrow x = 4$ लीटर

17 मिश्र समानुपात (COMPOUND PROPORTION)

सामान्य नियम

त्रैराशिक विधि (CHAIN RULE): यदि चार राशियाँ समानुपाती हों तथा इनमें से तीन राशियाँ ज्ञात हों, तो चौथी राशि को x मान कर समानुपात के गुण का प्रयोग करके इसका मान ज्ञात करते हैं.

$$(a : b) :: (c : x) \Leftrightarrow (a \times x) = (b \times c) \Leftrightarrow x = \frac{(b \times c)}{a}.$$

सीधा अनुपात: यदि दो राशियाँ इस प्रकार हों कि एक राशि के घटने (या बढ़ने) पर दूसरी राशि भी उसी अनुपात में घटे (या बढ़े), तो ये राशियाँ सीधे अनुपात में कहलाती हैं.

विलोमानुपात: यदि दो राशियाँ इस प्रकार हों कि एक राशि के घटने (या बढ़ने) पर दूसरी राशि भी उसी अनुपात में बढ़े (या घटे), तो ये राशियाँ विलोमानुपात में कहलाती हैं.

मिश्र समानुपात: ऐसे समानुपात को जिसमें दो से अधिक अनुपात हों, मिश्र समानुपात कहते हैं.

इस प्रकार के प्रश्नों में त्रैराशिक विधि को बार-बार दोहराते हैं.

साधित उदाहरण

प्रश्न 1. यदि 15 कलमों का मूल्य ₹ 234 हो, तो 35 कलमों का मूल्य क्या होगा?

हल: माना अभीष्ट मूल्य = ₹ x. तब, **(अधिक कलम, अधिक मूल्य) [सीधा अनुपात]**

$$\therefore \quad 15 : 35 :: 234 : x \Leftrightarrow (15 \times x) = (35 \times 234) \Leftrightarrow x = \frac{(35 \times 234)}{15} = 546.$$

अत: 35 कलमों का मूल्य = ₹ 546.

प्रश्न 2. यदि 36 आदमी किसी काम को 25 घण्टे में समाप्त करें, तो 15 आदमी इस काम को कितने समय में समाप्त करेंगे?

हल: माना अभीष्ट घण्टे = x. तब **(कम आदमी, अधिक घण्टे) [विलोमानुपात]**

$$\therefore \quad 15 : 36 :: 25 : x \Leftrightarrow (15 \times x) = (36 \times 25) \Leftrightarrow x = \frac{(36 \times 25)}{15} = 60.$$

अत: 15 आदमी इस काम को 60 दिन में समाप्त करेंगे.

प्रश्न 3. यदि 35 व्यक्ति, 49 मीटर लम्बी दीवार को 3 दिन में बना सकें, तो 20 व्यक्ति, 6 दिन में ऐसी कितनी लम्बी दीवार बना सकेंगे?

हल: हमें दीवार की लम्बाई ज्ञात करनी है, अत: प्रत्येक पद की तुलना लम्बाई से करेंगे.

कम व्यक्ति, कम लम्बाई (सीधा अनुपात)

अधिक दिन, अधिक लम्बाई (सीधा अनुपात)

माना अभीष्ट लम्बाई = x मीटर.

$$\begin{matrix} \text{व्यक्ति} & 35 : 20 \\ \text{दिन} & 3 : 6 \end{matrix}\Bigg\} :: 49 : x$$

$$\therefore (35 \times 3 \times x) = (20 \times 6 \times 49) \Leftrightarrow x = \frac{(20 \times 6 \times 49)}{(35 \times 3)} = 56.$$

अत: अभीष्ट लम्बाई = 56 मीटर.

प्रश्न 4. यदि 12 बढ़ई, 6 घण्टे प्रतिदिन कार्य करके 24 दिन में 460 कुर्सियाँ बना सकें, तो 18 बढ़ई 8 घण्टे प्रतिदिन कार्य करके 36 दिन में कितनी कुर्सियाँ बना सकेंगे?

हल: हमें कुर्सियों की संख्या ज्ञात करनी है, अत: प्रत्येक पद की तुलना कुर्सियों की संख्या से करेंगे.

अधिक बढ़ई, अधिक कुर्सियाँ **(सीधा अनुपात)**

अधिक घण्टे प्रतिदिन, अधिक कुर्सियाँ **(सीधा अनुपात)**

अधिक दिन, अधिक कुर्सियाँ **(सीधा अनुपात)**

माना कुर्सियों की अभीष्ट संख्या $= x$.

$$\left.\begin{array}{lccc} \text{बढ़ई} & 12 & : & 18 \\ \text{घण्टे प्रतिदिन} & 6 & : & 8 \\ \text{दिन} & 24 & : & 36 \end{array}\right\} :: 460 : x$$

$$\therefore \quad (12 \times 6 \times 24 \times x) = (18 \times 8 \times 36 \times 460) \Leftrightarrow x = \frac{(18\times8\times36\times460)}{(12\times6\times24)} = 1380.$$

अत: कुर्सियों की अभीष्ट संख्या $= 1380$.

प्रश्न 5. यदि 15 व्यक्ति 9 घण्टे प्रतिदिन कार्य करके एक खेत की फसल को 16 दिन में काट सकें, तो 18 व्यक्ति 8 घण्टे प्रतिदिन कार्य करके इस फसल को कितने दिन में काट सकेंगे?

हल: माना अभीष्ट दिनों की संख्या $= x$.

अधिक व्यक्ति, कम दिन **(विलोमानुपात)**

कम घण्टे प्रतिदिन, अधिक दिन **(विलोमानुपात)**

$$\left.\begin{array}{lccc} \text{व्यक्ति} & 18 & : & 15 \\ \text{घण्टे प्रतिदिन} & 8 & : & 9 \end{array}\right\} :: 16 : x$$

$$\therefore \quad (18 \times 8 \times x) = (15 \times 9 \times 16) \Leftrightarrow x = \frac{(15\times9\times16)}{(18\times8)} = 15.$$

अत: अभीष्ट दिनों की संख्या $= 15$.

प्रश्न 6. यदि 18 जिल्दसाज, 10 दिन में, 900 प्रस्तकों पर जिल्द चढ़ायें, तो 660 पुस्तकों पर, 12 दिन में, कितने जिल्दसाज जिल्द चढ़ा सकेंगे?

हल: माना अभीष्ट जिल्दसाजों की संख्या $= x$.

अधिक व्यक्ति, कम जिल्दसाज **(विलोमानुपात)**

कम पुस्तकें, कम जिल्दसाज **(सीधा अनुपात)**

$$\left.\begin{array}{lccc} \text{दिन} & 12 & : & 10 \\ \text{पुस्तकें} & 900 & : & 660 \end{array}\right\} :: 18 : x$$

$$\therefore \quad (12 \times 900 \times x) = (10 \times 660 \times 18) \Leftrightarrow x = \frac{10\times660\times18}{12\times900} = 11 \text{ जिल्दसाज}.$$

प्रश्न 7. यदि 35 घोड़ों के लिए 54 किग्रा० अनाज 21 दिन के लिए पर्याप्त हो, तो 28 घोड़ों के लिए 72 किग्रा० अनाज कितने दिनों के लिए पर्याप्त होगा?

हल: माना अभीष्ट दिनों की संख्या $= x$.

अधिक अनाज, अधिक दिन **(सीधा अनुपात)**

कम घोड़े, अधिक दिन **(विलोमानुपात)**

$$\left.\begin{array}{lccc} \text{अनाज} & 54 & : & 72 \\ \text{घोड़े} & 28 & : & 35 \end{array}\right\} :: 21 : x$$

$$\therefore \quad (54 \times 28 \times x) = (72 \times 35 \times 21) \Leftrightarrow x = \frac{72\times35\times21}{54\times28} = 35 \text{ दिन}.$$

प्रश्न 8. एक ठेकेदार ने कोई काम 46 दिन में पूरा करने का ठेका लिया तथा 117 आदमी काम पर लगाये जिनमें से प्रत्येक 8 घण्टे प्रतिदिन काम करता है. 33 दिन में 4/7 कार्य पूर्ण हुआ. कितने आदमी और लगाये जायें जिससे कि प्रत्येक 9 घन्टे प्रतिदिन काम करे तथा काम समय पर पूरा हो जाये?

हल: 33 दिन बाद शेष कार्य $= \left(1 - \frac{4}{7}\right) = \frac{3}{7}$ तथा शेष समय $= (46 - 33)$ दिन $= 13$ दिन.

अब मान लिया कुल आदमी लगाये जायें $= x$.

कम काम, कम आदमी **(सीधा अनुपात)**

कम दिन, अधिक आदमी **(विलोमानुपात)**

अधिक (प्रतिदिन) घंटे, कम आदमी **(विलोमानुपात)**

$$\left.\begin{array}{lccc} \text{काम} & 4/7 & : & 3/7 \\ \text{दिन} & 13 & : & 33 \\ \text{घंटे/दिन} & 9 & : & 8 \end{array}\right\} :: 117 : x$$

$$\therefore \quad \left(\frac{4}{7}\times 13\times 9\times x\right) = \left(\frac{3}{7}\times 33\times 8\times 117\right) \Leftrightarrow x = \left(\frac{3\times 33\times 8\times 117}{4\times 13\times 9}\right) = 198.$$

अतिरिक्त आदमी $= (198 - 117) = 81$.

प्रश्न 9. एक किले में 850 ग्राम प्रति व्यक्ति प्रति दिन की दर से 3300 सैनिकों की 32 दिन की खाद्य सामग्री थी. सात दिन के बाद कुछ और सैनिक आने से तथा प्रत्येक को 825 ग्राम प्रतिदिन देने से शेष सामग्री केवल 17 दिन में समाप्त हो गई. किले में कितने सैनिक और आ गये?

हल: 850 ग्राम प्रति व्यक्ति देने से 3300 सैनिकों की शेष सामग्री $(32 - 7) = 25$ दिन की थी.

माना नये सैनिकों की अभीष्ट संख्या $= x$.

तब $(3300 + x)$ सैनिकों को 825 ग्राम प्रति व्यक्ति देने पर सामग्री 17 दिन चली.

कम राशन प्रति व्यक्ति, अधिक व्यक्ति **(विलोमानुपात)**

कम दिन, अधिक व्यक्ति **(विलोमानुपात)**

$$\left.\begin{array}{lccc} \text{राशन} & 825 & : & 850 \\ \text{दिन} & 17 & : & 25 \end{array}\right\} :: 3300 : (3300 + x)$$

$$\therefore \quad 825\times 17\times (3300 + x) = 850\times 25\times 3300 \Leftrightarrow (3300 + x) = \frac{850\times 25\times 3300}{825\times 17} = 5000.$$

$$\Leftrightarrow x = (5000 - 3300) = 1700.$$

अत: नये सैनिकों की संख्या $= 1700$.

प्रश्नमाला 17

निम्नलिखित प्रश्नों में से प्रत्येक में ठीक उत्तर को चिह्नांकित (✓) कीजिए:

1. यदि 4·5 मीटर लम्बी लोहे की एक समांग छड़ का भार 17·1 किग्रा० हो, तो इसी प्रकार की 12 मीटर लम्बी छड़ का भार क्या होगा?

(*a*) 51·2 किग्रा० (*b*) 53 किग्रा०
(*c*) 45·6 किग्रा० (*d*) 56 किग्रा०

2. एक मानचित्र में यदि 0·8 सेमी०, 8·8 किमी० वास्तविक दूरी को प्रदर्शित करे, तो 80·5 सेमी० कितनी वास्तविक दूरी को व्यक्त करेगा?

(*a*) 805 किमी० (*b*) 885·5 किमी०
(*c*) 644 किमी० (*d*) इनमें से कोई नहीं

3. यदि 438 सन्तरों का मूल्य ₹ 1384·08 हो, तो 8 दर्जन सन्तरों का मूल्य लगभग कितने रुपये होगा?

(*a*) ₹ 250 (*b*) ₹ 300
(*c*) ₹ 400 (*d*) ₹ 500

4. यदि x मीटर लम्बी तार का मूल्य ₹ d हो, तो इसी दर से y मीटर लम्बी ऐसी तार का मूल्य क्या होगा? **(एम०बी०ए० परीक्षा, 2012)**

(*a*) ₹ $\frac{xy}{d}$ (*b*) ₹ xd
(*c*) ₹ yd (*d*) ₹ $\frac{y\times d}{x}$

5. किसी समय झंडे में लगी 17·5 मीटर ऊँची छड़ की परछाई 40·25 मीटर है. उसी समय 28·75 मीटर लम्बी परछाई कितनी ऊँची इमारत की होगी?

(*a*) 10 मीटर (*b*) 12·5 मीटर
(*c*) 17·5 मीटर (*d*) 21·25 मीटर

6. एक व्यक्ति $\frac{5}{8}$ कार्य को 10 दिन में समाप्त करता है. इस दर से पूरे कार्य को समाप्त करने में उसे कितने दिन और लगेंगे? **(एम०एम०बी०ए० परीक्षा, 2013)**

(*a*) 5 दिन (*b*) 6 दिन
(*c*) 7 दिन (*d*) 7½ दिन

7. एक हथकरघा मशीन प्रति सैकण्ड 0·128 मीटर कपड़ा बनाती है. 25 मीटर लम्बा कपड़ा बुनने में यह लगभग कितने सैकण्ड लेगी? **(एम०बी०ए० परीक्षा, 2013)**

(*a*) 178 (*b*) 195
(*c*) 204 (*d*) 488

8. यदि 80 व्यक्ति, 64 मीटर लम्बी खाई 16 दिन में खोद सकें,

तो 60 व्यक्ति ऐसी ही 18 मीटर लम्बी खाई को कितने दिन में खोद सकेंगे?

(a) 4 दिन (b) 6 दिन
(c) 10 दिन (d) 12 दिन

9. यदि 6 मजदूरों का 15 दिन का वेतन ₹ 700 हो, तो 9 मजदूरों का 12 दिन का वेतन कितना होगा?
(एस०एस०सी० परीक्षा, 2010)

(a) ₹ 700 (b) ₹ 840
(c) ₹ 900 (d) ₹ 1050

10. यदि 39 मजदूर 5 घण्टे प्रतिदिन कार्य करके एक सड़क की मरम्मत 12 दिन में कर सकें, तो 30 मजदूर 6 घण्टे प्रतिदिन कार्य करके इस सड़क की मरम्मत कितने दिनों में पूरी कर सकेंगे?

(a) 10 दिन (b) 13 दिन
(c) 14 दिन (d) 15 दिन

11. यदि 7 औरतें 7 झाड़ुओं से 7 मंजिलों को 7 घण्टे में साफ करें तो 3 औरतें, 3 झाड़ुओं से 3 मंजिलों को साफ करने में कितने घण्टे लेंगी?
(मैनेजमैन्ट परीक्षा, 2011)

(a) $\frac{7}{3}$ घण्टे (b) 3 घण्टे
(c) 7 घण्टे (d) $\frac{49}{3}$ घण्टे

12. यदि 7 मकड़ी 7 दिन में 7 जाले बुनें, तो 1 मकड़ी, 1 जाल कितने दिन में बनायेगी?
(रेलवे परीक्षा, 2013)

(a) 1 दिन (b) $\frac{7}{2}$ दिन
(c) 7 दिन (d) 49 दिन

13. यदि 24 आदमी 7 घण्टे प्रतिदिन कार्य करके किसी काम को 27 दिन में समाप्त करें तो 14 आदमी 9 घण्टे प्रतिदिन कार्य करके इस काम को कितने दिन में समाप्त करेंगे?
(रेलवे परीक्षा, 2012)

(a) 28 दिन (b) 30 दिन
(c) 32 दिन (d) 36 दिन
(e) इनमें से कोई नहीं

14. 30 व्यक्ति, 6 घण्टे प्रतिदिन कार्य करके 24 दिन में 1500 खिलौने बनाते हैं. कितने दिन में 18 व्यक्ति, 8 घण्टे प्रतिदिन कार्य करके 1800 खिलौने बनायेंगे?
(आई०आई०टी० परीक्षा, 2014)

(a) 18 दिन (b) 36 दिन
(c) 45 दिन (d) इनमें से कोई नहीं

15. यदि 600 आदमी, 405 मीटर लम्बी, 5·5 मीटर चौड़ी तथा 4 मीटर गहरी नहर को आधा घण्टे में खोदें, तो 2500 आदमी 6 घण्टे में 10 मीटर चौड़ी तथा 8 मीटर गहरी कितनी लम्बी नहर खोदेंगे?
(मैनेजमैन्ट परीक्षा, 2011)

(a) $2694\frac{1}{3}$ मीटर (b) 4082 मीटर
(c) $5568\frac{3}{4}$ मीटर (d) 6452 मीटर

16. यदि 17 मजदूर, 8 घण्टे प्रतिदिन कार्य करके 26 मीटर लम्बी खाई 18 दिन में खोदें, तो कितने मजदूर और लगाये जायें जो 9 घण्टे प्रतिदिन कार्य करके ऐसी ही 39 मीटर लम्बी खाई 6 दिन में खोद सकें?

(a) 34 (b) 51
(c) 68 (d) 85

17. यदि x आदमी, x घण्टे प्रतिदिन कार्य करके, x इकाई कार्य, x दिन में समाप्त करें, तो y आदमी, y घण्टे प्रतिदिन कार्य करके, y दिन में कितने इकाई कार्य करेंगे?

(a) $\frac{x^2}{y^3}$ (b) $\frac{x^3}{y^2}$
(c) $\frac{y^2}{x^3}$ (d) $\frac{y^3}{x^2}$

18. यदि 4 परीक्षक, 5 घण्टे प्रतिदिन कार्य करके, 8 दिन में कुछ उत्तर पुस्तिकायें जाँचें, तो 2 परीक्षक इससे दुगुनी उत्तर-पुस्तिकायें 20 दिन में जाँचने के लिए कितने घण्टे प्रतिदिन कार्य करेंगे?
(एम०बी०ए० परीक्षा, 2013)

(a) 6 घण्टे (b) $7\frac{1}{2}$ घण्टे
(c) 8 घण्टे (d) 9 घण्टे

19. 7 आदमी अथवा 10 औरतें 100 मीटर लम्बी दीवार 10 दिन में बनाते हैं. 14 आदमी तथा 20 औरतें मिलकर 600 मीटर लम्बी दीवार कितने दिन में बनायेंगे?
(एस०एस०सी० परीक्षा, 2013)

(a) 15 दिन (b) 20 दिन
(c) 25 दिन (d) 30 दिन

20. 3 आदमी अथवा 6 लड़के, 7 घण्टे प्रतिदिन कार्य करके एक काम को 10 दिन में समाप्त कर सकते हैं. इससे दुगुने काम को 6 आदमी तथा 2 लड़के, 8 घण्टे प्रतिदिन कार्य करके कितने दिन में समाप्त करेंगे?
(जनरल बीमा परीक्षा, 2013)

(a) 6 दिन (b) $7\frac{1}{2}$ दिन
(c) $8\frac{1}{2}$ दिन (d) 9 दिन

21. यदि 5 इंजन, 9 घण्टे प्रतिदिन कार्यरत रहने पर, 6 मीट्रिक टन कोयले की खपत करें, तो 8 इंजन, 10 घण्टे प्रतिदिन कार्यरत रह कर, कितने कोयले की खपत करेंगे, जबकि पहली प्रकार के 3 इंजन उतनी खपत करते हैं, जितनी कि दूसरी प्रकार के 4 इंजन?

(a) $3\frac{1}{8}$ मी० टन (b) $6\frac{12}{25}$ मी० टन
(c) 8 मी० टन (d) $8\frac{8}{9}$ मी० टन

22. एक निश्चित लम्बाई की रस्सी 14 सेमी० त्रिज्या के बेलन की परिधि पर 70 बार लपेटी जा सकती है. यह रस्सी 20 सेमी० त्रिज्या के बेलन पर कितनी बार लपेटी जायेगी?

(*a*) 40 बार (*b*) 49 बार
(*c*) 100 बार (*d*) इनमें से कोई नहीं

23. किसी टंकी का $\frac{3}{5}$ भाग 1 मिनट में भर जाता है. शेष भाग को भरने के लिए कितना समय और चाहिए?
(*a*) 30 सै० (*b*) 40 सै०
(*c*) 36 सै० (*d*) 24 सै०

24. कुछ व्यक्ति एक कार्य को 12 दिन में समाप्त कर सकते हैं. इससे दुगुने व्यक्ति, इससे आधे कार्य को कितने दिन में करेंगे?
(*a*) 6 दिन (*b*) 12 दिन
(*c*) 4 दिन (*d*) 3 दिन

25. 60 व्यक्तियों को कोई कार्य 62 दिन में समाप्त करना था. उन्होंने 32 दिन तक मिलकर कार्य किया तथा कार्य का $\frac{2}{3}$ भाग समाप्त कर लिया. शेष कार्य को समाप्त करने हेतु कितने व्यक्तियों की आवश्यकता होगी?
(*a*) 30 (*b*) 32
(*c*) 36 (*d*) 40

26. एक व्यक्ति प्रतिदिन 9 घण्टे आराम करके एक निश्चित दूरी 50 दिन में तय कर लेता है. यदि वह दुगुना आराम करे, दुगुना तेज चले, तब वह दुगुनी दूरी कितने दिन में तय करेगा?
(*a*) $112\frac{1}{2}$ दिन (*b*) 125 दिन
(*c*) 225 दिन (*d*) 250 दिन

27. एक सैनिक शिविर में 500 सैनिकों के लिए 27 दिन की खाद्य सामग्री थी. 3 दिन बाद 300 सैनिक और आ गये. शेष सामग्री कितने दिनों के लिए पर्याप्त होगी?
(*a*) 15 दिन (*b*) 16 दिन
(*c*) $17\frac{1}{2}$ दिन (*d*) 18 दिन

28. एक शिविर में ठहरे सैनिकों के लिए एक निश्चित अवधि के लिए खाद्य सामग्री थी. दस दिन बाद इनमें से $\frac{1}{5}$ सैनिकों के छोड़कर जाने पर ज्ञात हुआ कि शेष सामग्री उतने ही दिन और चलेगी जितने दिन के लिए आरम्भ में निश्चित की गई थी. वह निश्चित अवधि कितने दिन की थी?
(*a*) 15 दिन (*b*) 25 दिन
(*c*) 35 दिन (*d*) 50 दिन

29. एक ठेकेदार ने किसी कार्य को 40 दिन में पूरा करने का ठेका लिया. उसने आरम्भ में 100 व्यक्ति कार्य पर लगाये तथा 35 दिन बाद 100 व्यक्ति और लगाकर समय पर कार्य पूर्ण कर दिया. यदि वह अतिरिक्त व्यक्ति कार्यरत नहीं करता तो ठीक समय से कितने दिन बाद कार्य समाप्त होता?
(*a*) 3 (*b*) 5
(*c*) 6 (*d*) 9

30. एक ठेकेदार ने कोई कार्य 38 दिन में समाप्त करने का ठेका लिया तथा 30 व्यक्ति काम पर लगाये. 25 दिन बाद उसने 5 व्यक्ति और लगाये तथा कार्य नियत समय से 1 दिन पहले समाप्त कर दिया. यदि वह अतिरिक्त व्यक्ति नहीं लगाता तो नियत समय से कितने दिन बाद कार्य समाप्त होता?
(*a*) 1 (*b*) $1\frac{1}{2}$
(*c*) $1\frac{1}{4}$ (*d*) $1\frac{3}{4}$

31. 12 आदमी तथा 18 लड़के, $7\frac{1}{2}$ घण्टे प्रतिदिन कार्य करके किसी काम को 60 दिन में समाप्त करते हैं. यदि 1 आदमी 2 लड़कों के बराबर काम करे तो कितने लड़के 21 आदमियों के साथ मिलकर, 9 घण्टे प्रतिदिन कार्य करके, इससे दुगुने कार्य को 50 दिन में समाप्त कर सकेंगे?
(*a*) 30 (*b*) 42
(*c*) 48 (*d*) 90

32. 2 आदमी तथा 7 लड़के किसी कार्य को 14 दिन में समाप्त कर सकते हैं, जबकि 3 आदमी तथा 8 लड़के इसे 11 दिन में समाप्त कर सकते हैं. 8 आदमी तथा 6 लड़के इससे तिगुने कार्य को कितने दिन में समाप्त कर सकेंगे?
(*a*) 18 दिन (*b*) 21 दिन
(*c*) 24 दिन (*d*) 30 दिन

33. 4 आदमी तथा 6 महिलायें मिलकर किसी कार्य को 8 दिन में पूरा कर सकते हैं, जबकि 3 आदमी तथा 7 महिलायें मिलकर इस कार्य को 10 दिन में पूरा कर सकते हैं. 10 महिलायें इसे कितने दिनों में पूरा करेंगी? **(एस०एस०सी० परीक्षा, 2014)**
(*a*) 35 दिन (*b*) 40 दिन
(*c*) 45 दिन (*d*) 50 दिन

34. 5 व्यक्ति, 7 घण्टे प्रतिदिन कार्य करके एक प्रवेश-सूची 8 दिन में तैयार कर सकते हैं. इस कार्य को 4 दिन में पूरा कराने के लिए 2 व्यक्ति और सम्मिलित कर लिये जायें, तो उन्हें प्रतिदिन कितने घंटे काम करना होगा? **(एस०एस०सी० परीक्षा, 2014)**
(*a*) 8 घण्टे (*b*) 9 घण्टे
(*c*) 10 घण्टे (*d*) 12 घण्टे

35. 4 बुनकर, 4 चटाई, 4 दिनों में बुन सकते हैं. इसी गति से 8 बुनकरों द्वारा 8 दिनों में कितनी चटाइयाँ बुनी जा सकती हैं? **(एस०एस०सी० परीक्षा, 2014)**
(*a*) 4 (*b*) 8 (*c*) 12 (*d*) 16

उत्तरमाला

1. (*c*)	2. (*b*)	3. (*b*)	4. (*d*)	5. (*b*)	6. (*b*)	7. (*b*)	8. (*b*)	9. (*b*)	10. (*b*)
11. (*d*)	12. (*c*)	13. (*d*)	14. (*b*)	15. (*c*)	16. (*b*)	17. (*d*)	18. (*c*)	19. (*a*)	20. (*b*)
21. (*c*)	22. (*b*)	23. (*b*)	24. (*d*)	25. (*b*)	26. (*b*)	27. (*a*)	28. (*d*)	29. (*b*)	30. (*a*)
31. (*b*)	32. (*b*)	33. (*b*)	34. (*c*)	35. (*d*)					

दिये गये प्रश्नों के हल

1. माना अभीष्ट भार $= x$ किग्रा०.

अधिक लम्बाई, अधिक भार (सीधा अनुपात)

$4{\cdot}5 : 12 :: 17{\cdot}1 : x \Leftrightarrow 4{\cdot}5 \times x = 12 \times 17{\cdot}1$

$\Leftrightarrow x = \frac{(12 \times 17{\cdot}1)}{4{\cdot}5} = 45.6$ किग्रा०.

2. माना अभीष्ट भार $= x$ किमी०.

मानचित्र में अधिक दूरी, वास्तव में अधिक दूरी (सीधा अनुपात)

$0{\cdot}8 : 80{\cdot}5 :: 8{\cdot}8 : x \Leftrightarrow 0{\cdot}8 \times x = 80{\cdot}5 \times 8{\cdot}8$

$\Leftrightarrow x = \frac{(80{\cdot}5 \times 8{\cdot}8)}{0{\cdot}8} = 885{\cdot}5$ किग्रा०.

3. माना अभीष्ट भार $=$ ₹ x.

कम सन्तरे, कम मूल्य (सीधा अनुपात)

$438 : 96 :: 1384{\cdot}08 : x \Leftrightarrow 438 \times x = 96 \times 1384{\cdot}08$

$\Leftrightarrow x = \frac{(96 \times 1384{\cdot}08)}{438} = 304{\cdot}36 =$ ₹ 300 लगभग.

4. माना अभीष्ट मूल्य $=$ ₹ z.

अधिक लम्बाई, अधिक मूल्य (सीधा अनुपात)

$x : y :: d : z \Leftrightarrow x \times z = y \times d \Leftrightarrow z =$ ₹ $\frac{(y \times d)}{x}$.

5. माना इमारत की अभीष्ट ऊँचाई $= x$ मीटर.

कम परछाई, कम ऊँचाई (सीधा अनुपात)

$40{\cdot}25 : 28{\cdot}75 :: 17{\cdot}5 : x \Leftrightarrow 40{\cdot}25 \times x = 28{\cdot}75 \times 17{\cdot}5$

$\Leftrightarrow x = \frac{28\ 75 \times 17\ 5}{40{\cdot}25} = 12{\cdot}5$ मीटर.

6. माना अभीष्ट दिनों की संख्या $= x$.

अधिक कार्य, अधिक दिन (सीधा अनुपात)

$\frac{5}{8} : 1 :: 10 : x \Leftrightarrow \frac{5}{8} \times x = (1 \times 10) \Leftrightarrow x = \left(10 \times \frac{8}{5}\right) = 16$ दिन.

अत: उसे $(16 - 10) = 6$ दिन और लगेंगे.

7. माना अभीष्ट समय $= x$ सै०.

अधिक लम्बाई, अधिक समय (सीधा अनुपात)

$0.128 : 25 :: 1 : x \Leftrightarrow 0.128 \times x = 25 \times 1$

$\Leftrightarrow x = \frac{25}{0{\cdot}128} = \frac{25 \times 1000}{128} = 195{\cdot}3 = 195$ सै० (लगभग).

8. माना अभीष्ट दिनों की संख्या $= x$.

कम व्यक्ति, अधिक दिन (विलोमानुपात)

कम लम्बाई, कम दिन (सीधा अनुपात)

$\left.\begin{array}{l} \text{व्यक्ति } 60 : 80 \\ \text{लम्बाई } 64 : 18 \end{array}\right\} :: 16 : x$

$\therefore \quad (60 \times 64 \times x) = (80 \times 18 \times 16)$

$\Leftrightarrow x = \frac{(80 \times 18 \times 16)}{60 \times 64} = 6$ दिन.

9. माना अभीष्ट वेतन $=$ ₹ x.

अधिक मजदूर, अधिक वेतन (समानुपात)

कम दिन, कम वेतन (समानुपात)

$\left.\begin{array}{l} \text{मजदूर } 6 : 9 \\ \text{दिन } 15 : 12 \end{array}\right\} :: 700 : x$

$\therefore \quad (6 \times 15 \times x) = (9 \times 12 \times 700)$

$\Leftrightarrow x = \frac{(9 \times 12 \times 700)}{(6 \times 15)} =$ ₹ 840.

10 माना अभीष्ट दिनों की संख्या $= x$.

कम मजदूर, अधिक दिन (विलोमानुपात)

अधिक घण्टे प्रतिदिन, कम दिन (विलोमानुपात)

$\left.\begin{array}{l} \text{मजदूर } 30 : 39 \\ \text{घण्टे प्रतिदिन } 6 : 5 \end{array}\right\} :: 12 : x$

$\therefore \quad (30 \times 6 \times x) = (39 \times 5 \times 12)$

$\Leftrightarrow x = \frac{(39 \times 5 \times 12)}{(30 \times 6)} = 13$ दिन.

11. माना अभीष्ट घंटों की संख्या $= x$.

कम औरतें, अधिक घंटे (विलोमानुपात)

कम झाड़ुएँ, अधिक घंटे (विलोमानुपात)

कम मंजिल, कम घंटे (सीधा अनुपात)

$\left.\begin{array}{l} \text{औरतें } 3 : 7 \\ \text{झाड़ू } 3 : 7 \\ \text{मंजिलें } 7 : 3 \end{array}\right\} :: 7 : x$

$\therefore \quad (3 \times 3 \times 7 \times x) = (7 \times 7 \times 3 \times 7)$

$\Leftrightarrow x = \frac{(7 \times 7 \times 3 \times 7)}{(3 \times 3 \times 7)} = \frac{49}{3}$ दिन.

12. माना अभीष्ट दिनों की संख्या $= x$.

कम मकड़ी, अधिक दिन (विलोमानुपात)

कम जाल, कम दिन (सीधा अनुपात)

$\left.\begin{array}{l} \text{मकडी } 1 : 7 \\ \text{जाल } 7 : 1 \end{array}\right\} :: 7 : x$

$\therefore \quad (1 \times 7 \times x) = (7 \times 1 \times 7)$

$\Leftrightarrow 7x = 49 \Leftrightarrow x = 7$ दिन.

13. माना अभीष्ट दिनों की संख्या $= x$.

कम आदमी, अधिक दिन (विलोमानुपात)

कम घण्टे प्रतिदिन, अधिक दिन (विलोमानुपात)

$\left.\begin{array}{l} \text{आदमी } 14 : 24 \\ \text{घण्टे प्रतिदिन } 9 : 7 \end{array}\right\} :: 27 : x$

$\therefore \quad (14 \times 9 \times x) = (24 \times 7 \times 27)$

$\Leftrightarrow x = \frac{(24 \times 7 \times 27)}{(14 \times 9)} = 36$ दिन.

14. माना अभीष्ट दिनों की संख्या $= x$.

कम व्यक्ति, अधिक दिन (विलोमानुपात)

अधिक घण्टे, कम दिन (विलोमानुपात)

अधिक खिलौने, अधिक दिन (सीधा अनुपात)

$\left.\begin{array}{l} \text{व्यक्ति } 18 : 30 \\ \text{कार्य-घण्टे प्रतिदिन } 8 : 6 \\ \text{दिन } 1500 : 1800 \end{array}\right\} :: 24 : x$

$\therefore \quad (18 \times 8 \times 1500 \times x) = (30 \times 6 \times 1800 \times 24)$

$\Leftrightarrow x = \frac{(30 \times 6 \times 1800 \times 24)}{18 \times 8 \times 1500} = 36.$

अत: अभीष्ट दिनों की संख्या = 36.

15. माना अभीष्ट लम्बाई = x मीटर.

अधिक आदमी, अधिक लम्बाई **(सीधा अनुपात)**
अधिक चौड़ाई, कम लम्बाई **(विलोमानुपात)**
अधिक गहराई, कम लम्बाई **(विलोमानुपात)**
अधिक समय, अधिक लम्बाई **(सीधा अनुपात)**

$$\left.\begin{array}{rrcr} \text{आदमी} & 600 & : & 2500 \\ \text{चौड़ाई} & 10 & : & 5.5 \\ \text{गहराई} & 8 & : & 4 \\ \text{समय} & \frac{1}{2} & : & 6 \end{array}\right\} :: 405 : x$$

$$\therefore \quad \left(600\times10\times8\times\frac{1}{2}\times x\right) = (2500 \times 5.5 \times 4 \times 6 \times 405)$$

$$x = \left(2500 \times \frac{55}{10} \times 4 \times 6 \times 405 \times \frac{1}{24000}\right) = \frac{22275}{4} \text{ मीटर}$$

$$= 5568\frac{3}{4} \text{ मीटर.}$$

16. माना कुल मजदूरों की संख्या = x.

अधिक घण्टे प्रतिदिन, कम मजदूर **(विलोमानुपात)**
अधिक लम्बी खाई, अधिक मजदूर **(सीधा अनुपात)**
कम दिन, अधिक मजदूर **(विलोमानुपात)**

$$\left.\begin{array}{rrcr} \text{घण्टे प्रतिदिन} & 9 & : & 8 \\ \text{लम्बाई} & 26 & : & 39 \\ \text{दिन} & 6 & : & 18 \end{array}\right\} :: 17 : x$$

$$\therefore \quad (9 \times 26 \times 6 \times x) = (8 \times 39 \times 18 \times 17)$$

$$\Leftrightarrow x = \frac{(8\times39\times18\times17)}{(9\times26\times6)} = 68.$$

ओर लगाये गये मजदूरों की संख्या = (68 – 17) = 51.

17. माना कार्य की अभीष्ट इकाई = z.

अधिक व्यक्ति, अधिक कार्य **(सीधा अनुपात)**
अधिक कार्य घण्टे, अधिक कार्य **(सीधा अनुपात)**
अधिक दिन, अधिक कार्य **(सीधा अनुपात)**

$$\left.\begin{array}{rrcr} \text{व्यक्ति} & x & : & y \\ \text{कार्य घण्टे प्रतिदिन} & x & : & y \\ \text{दिन} & x & : & y \end{array}\right\} :: x : z$$

$$\therefore \quad (x \times x \times x \times z) = (y \times y \times y \times x) \Leftrightarrow z = \frac{y^3 x}{x^3} = \frac{y^3}{x^2}.$$

18. माना अभीष्ट घण्टे प्रतिदिन = x.

कम परीक्षक, अधिक घण्टे प्रतिदिन **(विलोमानुपात)**
अधिक दिन, कम घण्टे प्रतिदिन **(विलोमानुपात)**
अधिक उ० पुस्तिकाऐं, अधिक घण्टे प्रतिदिन **(सीधा अनुपात)**

$$\left.\begin{array}{rrcr} \text{परीक्षक} & 2 & : & 4 \\ \text{दिन} & 20 & : & 8 \\ \text{उ० पुस्तिकाऐं} & 1 & : & 2 \end{array}\right\} :: 5 : x$$

$$\therefore \quad (2 \times 20 \times 1 \times x) = (4 \times 8 \times 2 \times 5) \Leftrightarrow 40x = 320 \Leftrightarrow x = 8.$$

अत: अभीष्ट घण्टे प्रतिदिन = 8.

19. 7 आदमी ≡ 10 औरतें ⇔ 14 आदमी ≡ 20 औरतें.

∴ (14 आदमी + 20 औरतें) ≡ 20 औरतें.

माना अभीष्ट दिनों की संख्या = x.

अधिक लम्बी दीवार, अधिक दिन **(सीधा अनुपात)**
अधिक औरतें, कम दिन **(विलोमानुपात)**

$$\left.\begin{array}{rrcr} \text{लम्बाई} & 100 & : & 600 \\ \text{औरतें} & 40 & : & 10 \end{array}\right\} :: 10 : x$$

$$\therefore \quad (100 \times 40 \times x) = (600 \times 10 \times 10)$$

$$\Leftrightarrow x = \frac{600\times100}{100\times40} = 15 \text{ दिन.}$$

20. 3 आदमी ≡ 6 लड़के ⇔ 1 आदमी ≡ 2 लड़के.

∴ (6 आदमी + 2 लड़के) ≡ (12 लड़के + 2 लड़के) = 14 लड़के.

माना अभीष्ट दिनों की संख्या = x

अधिक लड़के, कम दिन **(विलोमानुपात)**
अधिक घण्टे प्रतिदिन, कम दिन **(विलोमानुपात)**
अधिक काम, अधिक दिन **(सीधा अनुपात)**

$$\left.\begin{array}{rrcr} \text{लड़के} & 14 & : & 6 \\ \text{घण्टे प्रतिदिन} & 8 & : & 7 \\ \text{काम} & 1 & : & 2 \end{array}\right\} :: 10 : x$$

$$\therefore \quad (14 \times 8 \times 1 \times x) = (6 \times 7 \times 2 \times 10)$$

$$\Leftrightarrow x = \frac{840}{112} = \frac{15}{2} = 7\frac{1}{2} \text{ दिन.}$$

21. माना अभीष्ट कोयले की खपत = x मीट्रिक टन.

अधिक इंजन, अधिक खपत **(सीधा अनुपात)**
अधिक कार्य घण्टे प्रतिदिन, अधिक खपत **(सीधा अनुपात)**
खपत दर कम, कम खपत **(सीधा अनुपात)**

माना पहले 3 इंजन 1 इकाई खपत करें, तो प्रत्येक इंजन की खपत $= \frac{1}{3}$.

इसी प्रकार, दूसरी प्रकार के प्रत्येक ईंजन की खपत $= \frac{1}{4}$.

$$\left.\begin{array}{rrcr} \text{इंजन} & 5 & : & 8 \\ \text{कार्य घण्टे} & 9 & : & 10 \\ \text{पानी का भार} & 1/3 & : & 1/4 \end{array}\right\} :: 6 : x$$

$$\therefore \quad \left(5\times9\times\frac{1}{3}\times x\right) = \left(8\times10\times\frac{1}{4}\times6\right) \Leftrightarrow x = 15x = 120$$

$\Leftrightarrow x = 8$ मीट्रिक टन.

22. माना यह रस्सी बेलन पर x बार लपेटी जा सकती है.

अधिक त्रिज्या के बेलन पर, कम बार लपेटी जायेगी (विलोमानुपात)

$20 : 14 :: 70 : x \Leftrightarrow 20x = (14 \times 70) \Leftrightarrow x = 49$ बार.

23. शेष भाग $= \left(1 - \frac{3}{5}\right) = \frac{2}{5}$.

माना शेष भाग भरने के लिए x सै० चाहिऐं. तब

कम भाग, कम समय **(सीधा अनुपात)**

$$\therefore \frac{3}{5} : \frac{2}{5} :: 60 : x \Leftrightarrow \frac{3x}{5} = \left(\frac{2}{5} \times 60\right) \Leftrightarrow x = \left(24 \times \frac{5}{3}\right) = 40 \text{ सै०.}$$

24. माना अभीष्ट दिनों की संख्या = x

अधिक व्यक्ति, कम दिन **(विलोमानुपात)**
कम कार्य, कम दिन **(सीधा अनुपात)**

$$\left.\begin{array}{rrcr} \text{लम्बाई} & 2 & : & 1 \\ \text{औरतें} & 1 & : & \frac{1}{2} \end{array}\right\} :: 12 : x$$

$\therefore \quad (2 \times 1 \times x) = \left(1 \times \frac{1}{2} \times 12\right) \Leftrightarrow 2x = 6 \Leftrightarrow x = 3$ दिन.

25. कार्य का शेष भाग $= \left(1 - \frac{2}{3}\right) = \frac{1}{3}$ तथा शेष दिन $= 30$ दिन.

माना अभीष्ट व्यक्तियों की संख्या $= x$.

कम कार्य, कम व्यक्ति **(सीधा अनुपात)**

कम दिन, अधिक व्यक्ति **(विलोमानुपात)**

$$\left.\begin{matrix} \text{कार्य } 2/3 : 1/3 \\ \text{दिन } 30 : 32 \end{matrix}\right\} :: 60 : x$$

$$\therefore \left(\frac{2}{3} \times 30 \times x\right) = \left(\frac{1}{3} \times 32 \times 60\right)$$

$\Leftrightarrow 20x = 640 \Leftrightarrow x = 32$ व्यक्ति.

26. 9 घण्टे आराम करने का अर्थ है, 15 घण्टे चलता है.

18 घण्टे आराम करने का अर्थ है, 6 घण्टे चलता है.

माना अभीष्ट दिन $= x$.

कम घण्टे चलना, अधिक दिन **(विलोमानुपात)**

अधिक तेज चलना, कम दिन **(विलोमानुपात)**

अधिक दूरी, अधिक दिन **(समानुपात)**

$$\left.\begin{matrix} \text{कार्य घण्टे } 6 : 15 \\ \text{गति } 2 : 1 \\ \text{दूरी } 1 : 2 \end{matrix}\right\} :: 50 : x$$

$\therefore \quad (6 \times 2 \times 1 \times x) = (15 \times 1 \times 2 \times 50)$

$\Leftrightarrow 12x = 1500 \Leftrightarrow x = 125$ दिन.

27. स्पष्ट है कि 500 सैनिकों के लिए 24 दिन की सामग्री थी.

800 सैनिकों के लिए माना यह सामग्री x दिन चलेगी.

अधिक सैनिक, कम दिन की सामग्री **(विलोमानुपात)**

$800 : 500 :: 24 : x \Leftrightarrow (800 \times x) = (500 \times 24)$

$\Leftrightarrow x = \frac{500 \times 24}{800} = 15$ दिन.

28. माना आरम्भ में x सैनिकों के लिए y दिन की खाद्य-सामग्री थी.

10 दिन बाद, x सैनिकों के लिए $(y - 10)$ दिन की सामग्री थी.

अब, $\left(x - \frac{x}{5}\right)$ सैनिकों के लिए y दिन की सामग्री थी.

$\therefore \quad x(y - 10) = \left(\frac{4x}{5} \times y\right) \Leftrightarrow xy - 50x = 0$

$\Leftrightarrow x(y - 50) = 0 \Leftrightarrow y = 50$ दिन.

29. $[(100 \times 35) + (200 \times 5)]$ अर्थात् 4500 व्यक्ति इस कार्य को 1 दिन में समाप्त करते हैं.

100 व्यक्ति इस कार्य को समाप्त करेंगे

$= \left(\frac{4500}{100}\right)$ दिन में $= 45$ दिन में.

अत: यह कार्य नियत समय से 5 दिन बाद समाप्त होता.

30. 25 दिन बाद, 35 व्यक्ति कार्य को समाप्त करेंगे = 12 दिन में.

शेष कार्य को 35 व्यक्ति समाप्त करते हैं = 12 दिन में.

शेष कार्य को 30 व्यक्ति समाप्त करेंगे $= \left(\frac{12 \times 35}{30}\right) = 14$ दिन में.

कुल समय $= (25 + 14) = 39$ दिन, अर्थात् नियत समय से 1 दिन बाद.

31. 1 आदमी ≡ 2 लड़के ⇔ (12 आदमी + 18 लड़के) ≡ 42 लड़के.

माना लड़कों की अभीष्ट संख्या $= x$.

(21 आदमी + x लड़के) ≡ $(42 + x)$ लड़के.

कम दिन, अधिक लड़के **(विलोमानुपात)**

अधिक घंटे प्रतिदिन, कम लड़के **(विलोमानुपात)**

अधिक कार्य, अधिक लड़के **(सीधा अनुपात)**

$$\left.\begin{matrix} \text{दिन } 50 : 60 \\ \text{कार्य घण्टे (प्रतिदिन) } 9 : 15/2 \\ \text{कार्य } 1 : 2 \end{matrix}\right\} :: 42 : (42 + x)$$

$\therefore \quad 50 \times 9 \times 1 \times (42 + x) = \left(60 \times \frac{15}{2} \times 2 \times 42\right)$

$\Leftrightarrow (42 + x) = \frac{37800}{450} = 84 \Leftrightarrow x = 42$ लड़के.

32. {(2 × 14) आदमी + (7 × 14) लड़के}

≡ {(3 × 11) आदमी + (8 × 11) लड़के}

⇔ (28 आदमी + 98 लड़के) ≡ (33 आदमी + 88 लड़के)

⇔ 5 आदमी ≡ 10 लड़के ⇔ 1 आदमी = 2 लड़के

∴ (2 आदमी + 7 लड़के) ≡ 11 लड़के तथा

(8 आदमी + 6 लड़के) ≡ 22 लड़के.

माना अभीष्ट दिनों की संख्या $= x$

अधिक लड़के, कम दिन **(विलोमानुपात)**

अधिक काम, अधिक दिन **(सीधा अनुपात)**

$$\left.\begin{matrix} \text{लड़के } 22 : 11 \\ \text{कार्य } 1 : 3 \end{matrix}\right\} :: 14 : x$$

$\therefore \quad (22 \times 1 \times x) = (11 \times 3 \times 14) \Leftrightarrow x = \frac{462}{22} = 21$ दिन.

33. {(4 × 8) आदमी + (6 × 8) महिलायें}

≡ {(3 × 10) आदमी + (7 × 10) महिलायें}

∴ 2 आदमी ≡ 22 महिलायें.

∴ (44 + 6) महिलायें काम समाप्त करती हैं = 8 दिन में.

10 महिलायें काम समाप्त करेंगी $= \left(\frac{8 \times 50}{10}\right)$ दिन में

$= 40$ दिन में.

34. माना अभीष्ट घण्टे $= x$.

अधिक व्यक्ति, कम घंटे **(विलोमानुपात)**

कम दिन, अधिक घंटे **(विलोमानुपात)**

$$\left.\begin{matrix} \text{व्यक्ति } 7 : 5 \\ \text{दिन } 4 : 8 \end{matrix}\right\} :: 7 : x \Leftrightarrow 7 \times 4 \times x = (5 \times 8 \times 7)$$

$\Leftrightarrow x = 10$ घण्टे.

35. माना अभीष्ट चटाइयों की संख्या $= x$

अधिक बुनकर, अधिक चटाइयाँ **(विलोमानुपात)**

अधिक दिन, अधिक चटाइयाँ **(सीधा अनुपात)**

$$\left.\begin{matrix} \text{बुनकर } 4 : 8 \\ \text{दिन } 4 : 8 \end{matrix}\right\} :: 4 : x$$

$\Leftrightarrow 4 \times 4 \times x = (8 \times 8 \times 4) = 16$ चटाइयाँ.

18 समय तथा कार्य (TIME AND WORK)

सामान्य नियम

(*i*) यदि A किसी कार्य को 15 दिन में समाप्त करे, तो A का 1 दिन का कार्य $= \frac{1}{15}$.

(*ii*) यदि A का 1 दिन का कार्य $\frac{1}{8}$ हो, तो A पूरे कार्य को 8 दिन में समाप्त करेगा.

(*iii*) यदि A की कार्य-क्षमता B से दुगुनी हो, तो इनकी कार्य क्षमता का अनुपात 2 : 1 है तथा इनके द्वारा किसी काम को पूरा करने में लगे समय का अनुपात 1 : 2 है.

साधित उदाहरण

प्रश्न 1. A अकेला किसी कार्य को 15 घण्टे में समाप्त कर सकता है तथा B अकेला इसी कार्य को 12 घण्टे में समाप्त कर सकता है. दोनों मिलकर इस कार्य को समाप्त करने में कितना समय लेंगे?

हल: A का 1 घण्टे का कार्य $= \frac{1}{15}$, B का 1 घण्टे का कार्य $= \frac{1}{12}$.

$(A+B)$ का 1 घण्टे का कार्य $= \left(\frac{1}{15}+\frac{1}{12}\right) = \frac{9}{60} = \frac{3}{20}$.

$\Rightarrow$ A तथा B दोनों मिलकर इस कार्य को $\frac{20}{3}$ घण्टे अर्थात् 6 घण्टे 40 मिनट में समाप्त करेंगे.

प्रश्न 2. A तथा B दोनों मिलकर एक कार्य को 16 दिन में समाप्त करते हैं, जबकि A अकेला इस कार्य को 24 दिन में समाप्त कर सकता है. B अकेला इस कार्य को कितने दिन में पूरा कर पायेगा?

हल: $(A+B)$ का 1 दिन का कार्य $= \frac{1}{16}$, A का 1 दिन का कार्य $= \frac{1}{24}$.

$\therefore$ B का 1 दिन का कार्य $= \left(\frac{1}{16}-\frac{1}{24}\right) = \frac{1}{48}$.

अत: B अकेला इस कार्य को 48 दिन में पूरा करेगा.

प्रश्न 3. A अकेला एक कार्य को 20 दिन में समाप्त कर सकता है जबकि B अकेला इस कार्य को 25 दिन में समाप्त कर सकता है. दोनों मिलकर 5 दिन कार्य करते हैं. फिर B काम छोड़कर चला जाता है. शेष कार्य को A अकेला कितने दिन में कर पायेगा?

हल: $(A+B)$ का 5 दिन का कार्य $= 5\left(\frac{1}{20}+\frac{1}{25}\right) = \frac{9}{20}$.

शेष कार्य $= \left(1-\frac{9}{20}\right) = \frac{11}{20}$.

$\frac{1}{20}$ कार्य को करने में A लेता है $= 1$ दिन.

$\frac{11}{20}$ कार्य को करने में A लेता है $= \left(20\times\frac{11}{20}\right)$ दिन $= 11$ दिन.

प्रश्न 4. A अकेला एक कार्य को 12 दिन में समाप्त कर सकता है, जबकि B अकेला इसे 15 दिन में तथा C अकेला इसे 20 दिन में समाप्त कर सकता है. तीनों मिलकर कार्य आरम्भ करते हैं. परन्तु 2 दिन बाद A कार्य छोड़कर चला जाता है तथा B

कार्य समाप्त होने से 2 दिन पहले काम छोड़ देता है. कार्य कितने दिनों में समाप्त हुआ?

हल: $(A + B + C)$ का 2 दिन का कार्य $= 2\left(\frac{1}{12}+\frac{1}{15}+\frac{1}{20}\right)=\frac{2}{5}$.

C का 2 दिन का कार्य $= \left(2\times\frac{1}{20}\right) = \frac{1}{10}$.

शेष कार्य $= 1 - \left(\frac{2}{5}+\frac{1}{10}\right)=\frac{1}{2}$.

यह कार्य B तथा C ने मिलकर किया है. माना उन्हें x दिन का समय लगा.

$(B + C)$ का 1 दिन का कार्य $= \left(\frac{1}{15}+\frac{1}{20}\right)=\frac{7}{60}$.

$\frac{7}{60} : \frac{1}{2} :: 1 : x \Leftrightarrow \frac{7}{60}x = \frac{1}{2}\times 1 \Leftrightarrow x = \left(\frac{1}{2}\times\frac{60}{7}\right) = \frac{30}{7} = 4\frac{2}{7}$.

कार्य समाप्त होने में लगा कुल समय $= \left(2+2+4\frac{2}{7}\right)$ दिन $= 8\frac{2}{7}$ दिन.

प्रश्न 5. A की कार्य-क्षमता B से दुगुनी है. अतः किसी कार्य को पूरा करने में A, B से 20 दिन कम लेता है. दोनों मिलकर इस कार्य को कितने दिन में समाप्त करेंगे?

हल: माना कार्य को समाप्त करने में B लेता है $= x$ दिन. तब, A लेगा $= (x - 20)$ दिन.

A का 1 दिन का कार्य $= \frac{1}{x-20}$ तथा B का 1 दिन का कार्य $= \frac{1}{x}$.

$\therefore \quad \frac{1}{x-20}=\frac{2}{x} \Leftrightarrow x = 2x - 40 \Leftrightarrow x = 40$.

अतः कार्य समाप्त करने में B लेता है $= 40$ दिन तथा A लेता है $= 20$ दिन.

$\therefore \quad (A + B)$ का 1 दिन का कार्य $= \left(\frac{1}{20}+\frac{1}{40}\right) = \frac{3}{40}$.

अतः दोनों मिलकर इस कार्य को $\frac{40}{3}$ दिन अर्थात् $13\frac{1}{3}$ दिन लेंगे.

प्रश्न 6. A की कार्य-क्षमता B से दुगुनी है. यदि दोनों मिलकर किसी कार्य को 21 दिन में समाप्त करें, तो A अकेला इसे कितने दिन में समाप्त करेगा?

हल: (A का 1 दिन का कार्य) : (B का 1 दिन का कार्य) $= 2 : 1$.

$(A + B)$ का 1 दिन का कार्य $= \frac{1}{21}$.

$\frac{1}{21}$ को $2 : 1$ के अनुपात में वितरित करने पर: A का 1 दिन का कार्य $= \left(\frac{1}{21}\times\frac{2}{3}\right) = \frac{2}{63}$.

अतः A अकेला इस कार्य को $\frac{63}{2}$ दिन अर्थात् $31\frac{1}{2}$ दिन में समाप्त करेगा.

प्रश्न 7. A किसी कार्य का $\frac{2}{5}$ भाग 12 दिन में कर सकता है, जबकि B इसी कार्य का $\frac{3}{4}$ भाग 15 दिन में कर सकता है. दोनों मिलकर इस कार्य को कितने दिन में समाप्त कर सकेंगे?

हल: A का 12 दिन का कार्य $= \frac{2}{5} \Rightarrow A$ का 1 दिन का कार्य $= \left(\frac{2}{5}\times\frac{1}{12}\right)=\frac{1}{30}$.

B का 15 दिन का कार्य $= \frac{3}{4} \Rightarrow B$ का 1 दिन का कार्य $= \left(\frac{3}{4}\times\frac{1}{15}\right)=\frac{1}{20}$.

$(A + B)$ का 1 दिन का कार्य $= \left(\frac{1}{30}+\frac{1}{20}\right) = \frac{1}{12}$.

अतः A तथा B मिलकर इस कार्य को 12 दिन में समाप्त करेंगे.

प्रश्नमाला 18 A

निम्नलिखित प्रश्नों में से प्रत्येक में ठीक उत्तर को चिह्नांकित (✓) कीजिए:

1. A किसी कार्य को 10 दिन में समाप्त कर सकता है, जबकि B इसे 15 दिन में समाप्त कर सकता है. दोनों मिलकर इस कार्य को कितने दिन में समाप्त कर सकेंगे? (रेलवे परीक्षा, 2013)

(a) 5 दिन (b) 6 दिन
(c) 8 दिन (d) 10 दिन

2. A तथा B मिलकर किसी कार्य को 4 दिन में समाप्त कर सकते हैं, जबकि A अकेला इस कार्य को 12 दिन में समाप्त कर सकता है. B अकेला इस कार्य को कितने दिन में समाप्त करेगा?

(a) 6 दिन (b) 8 दिन
(c) 9 दिन (d) 10 दिन

3. एक व्यक्ति एक कार्य को 5 दिन में समाप्त कर सकता है. अपने पुत्र के साथ मिलकर वह इस कार्य को 3 दिन में समाप्त कर सकता है. उसका पुत्र अकेला इस कार्य को कितने दिन में समाप्त कर सकेगा? (एस०एस०सी० परीक्षा, 2014)

(a) $6\frac{1}{2}$ दिन (b) 7 दिन
(c) $7\frac{1}{2}$ दिन (d) 8 दिन

4. A, B तथा C एक कार्य को क्रमशः 6 घण्टे, 4 घण्टे तथा 12 घण्टे में समाप्त करते हैं. तीनों मिलकर इस कार्य को कितने घण्टे में समाप्त कर सकेंगे? (बैंक पी० ओ० परीक्षा, 2014)

(a) 2 घण्टे (b) 5 घण्टे
(c) 6 घण्टे (d) 8 घण्टे

5. A अकेला एक कार्य को 16 दिन में तथा B अकेला इसे 12 दिन में समाप्त कर सकता है. A, B तथा C तीनों मिलकर इसे 4 दिन में समाप्त कर सकें, तो C अकेला इसे कितने दिन में समाप्त कर सकेगा?

(a) $9\frac{1}{5}$ दिन (b) $9\frac{2}{5}$ दिन
(c) $9\frac{3}{5}$ दिन (d) 10 दिन

6. एक पुरुष, एक स्त्री और एक लड़का मिलकर एक काम को 3 दिन में पूरा करते हैं. यदि एक पुरुष अकेला इसे 6 दिन में और एक लड़का अकेला इसे 18 दिन में पूरा करे, तो एक स्त्री अकेली इसे कितने दिन में पूरा करेगी? (एस०एस०सी० परीक्षा, 2015)

(a) 9 दिन (b) 21 दिन
(c) 24 दिन (d) 27 दिन

7. A एक कार्य का $\frac{1}{2}$ भाग 5 दिन में समाप्त करता है; B इस कार्य का $\frac{3}{5}$ भाग 9 दिन में समाप्त करता है तथा C इस कार्य का $\frac{2}{3}$ भाग 8 दिन में समाप्त कर सकता है. तीनों मिलकर इस कार्य को कितने दिन में समाप्त करेंगे? (एस०एस०सी० परीक्षा, 2015)

(a) 3 दिन (b) 4 दिन
(c) $4\frac{1}{2}$ दिन (d) 5 दिन

8. A की कार्य-क्षमता B से तिगुनी है. अतः A किसी कार्य को B से 60 दिन कम में कर लेता है. दोनों मिलकर इस कार्य को कितने दिन में समाप्त करेंगे?

(a) 20 दिन (b) $22\frac{1}{2}$ दिन
(c) 25 दिन (d) 30 दिन

9. A की कार्य क्षमता B से दुगुनी है. दोनों मिलकर एक कार्य को 14 दिन में समाप्त कर लेते हैं. A अकेला इस कार्य को कितने दिन में समाप्त करेगा?

(a) 11 दिन (b) 21 दिन
(c) 28 दिन (d) 42 दिन

10. A की कार्य-क्षमता B से दुगुनी है. B अकेला एक कार्य को 12 दिन में समाप्त करता है. दोनों मिलकर इस कार्य को कितने दिन में समाप्त करेंगे?

(a) 4 दिन (b) 6 दिन
(c) 8 दिन (d) 18 दिन

11. A तथा B मिलकर किसी कार्य को 7 दिन में समाप्त कर सकते हैं. A की कार्य क्षमता B से $1\frac{3}{4}$ गुनी है. A अकेला इस कार्य को कितने दिन में समाप्त करेगा?

(a) $9\frac{1}{3}$ दिन (b) 11 दिन
(c) $12\frac{1}{4}$ दिन (d) $16\frac{1}{3}$ दिन

12. A किसी कार्य को 9 दिन में समाप्त कर सकता है. यदि B की कार्यक्षमता A से 50% अधिक हो, तो B अकेला इस कार्य को कितने दिन में समाप्त कर सकेगा? (मैनेजमैन्ट परीक्षा, 2013)

(a) 3 दिन (b) $4\frac{1}{2}$ दिन
(c) 6 दिन (d) $13\frac{1}{2}$ दिन

13. A किसी कार्य को 21 दिन में समाप्त कर सकता है तथा B की कार्य-क्षमता A से 40% अधिक है. B अकेला इससे

आधे कार्य को कितने दिन में समाप्त करेगा?

(एस०एस०सी० परीक्षा, 2013)

(a) $7\frac{1}{2}$ दिन (b) 9 दिन

(c) 12 दिन (d) 15 दिन

14. A किसी कार्य का $\frac{2}{5}$ भाग 10 दिन में तथा B इसी कार्य का $\frac{1}{3}$ भाग 5 दिन में पूरा कर सके, तो A तथा B दोनों मिलकर इस कार्य को कितने दिन में समाप्त कर सकेंगे?

(a) $8\frac{4}{5}$ दिन (b) $9\frac{3}{8}$ दिन

(c) $9\frac{4}{5}$ दिन (d) 10 दिन

15. A एक खेत के $\frac{2}{5}$ भाग की फसल को 6 दिन में काट सकता है तथा B इस खेत के $\frac{1}{3}$ भाग की फसल को 10 दिन में काट सकता है. A तथा B दोनों मिलकर इस खेत के $\frac{4}{5}$ भाग की फसल को कितने दिनों में काटेंगे?

(एस०एस०सी० परीक्षा, 2012)

(a) 4 दिन (b) 5 दिन

(c) 8 दिन (d) 10 दिन

16. A अकेला एक कार्य को 8 दिन में समाप्त कर सकता है जबकि B अकेला इसे 12 दिन में समाप्त कर सकता है. यदि A, B तथा C तीनों मिलकर इस कार्य को 4 दिन में समाप्त कर लें तथा इसकी कुल मजदूरी ₹ 4500 हो, तो इसमें से C को कितना धन मिलेगा? (एस०एस०सी० परीक्षा, 2013)

(a) ₹ 375 (b) ₹ 750

(c) ₹ 1500 (d) ₹ 2250

17. A एक कार्य को 4 घण्टे में पूरा कर सकता है; B तथा C मिलकर इसे 3 घण्टे में पूरा कर सकते हैं, जबकि A तथा C मिलकर इसे 2 घण्टे में पूरा कर सकते हैं. B अकेला इस कार्य को कितने घण्टे में पूरा करेगा?

(एस०एस०सी० परीक्षा, 2015)

(a) 8 घण्टे (b) 10 घण्टे

(c) 12 घण्टे (d) 24 घण्टे

18. A किसी कार्य को उतने समय में कर सकता है, जितने समय में B और C मिलकर इसे समाप्त कर सकते हैं. यदि A तथा B मिलकर इसे 10 घण्टे में समाप्त करें तथा C अकेला इसे 50 घण्टे में समाप्त करे, तो B अकेला इसे कितने समय में समाप्त करेगा? (एस०एस०सी० परीक्षा, 2013)

(a) 15 घण्टे (b) 20 घण्टे

(c) 25 घण्टे (d) 30 घण्टे

19. A तथा B मिलकर एक कार्य को 30 दिन में समाप्त कर सकते हैं. जबकि B तथा C मिलकर इसे 20 दिन में और C तथा A मिलकर इसे 15 दिन में समाप्त कर सकते हैं. तीनों मिलकर इस काम को कितने दिन में समाप्त कर सकेंगे?

(एस०एस०सी० परीक्षा, 2015)

(a) 10 दिन (b) 12 दिन

(c) $12\frac{2}{3}$ दिन (d) $13\frac{1}{3}$ दिन

20. A तथा B मिलकर एक कार्य को 10 दिन में समाप्त कर सकते हैं; B तथा C मिलकर इस कार्य को 15 दिन में और C तथा A मिलकर इसे 20 दिन में समाप्त कर सकते हैं. C अकेला इस कार्य को कितने दिन में समाप्त करेगा?

(एस०एस०सी० परीक्षा, 2012)

(a) 30 दिन (b) 60 दिन

(c) 80 दिन (d) 120 दिन

21. A तथा B मिलकर एक कार्य को 30 दिन में समाप्त कर सकते हैं जबकि B और C मिलकर इसे 24 दिन में समाप्त कर सकते हैं तथा C और A मिलकर इसे 20 दिन में समाप्त कर सकते हैं. तीनों ने मिलकर 10 दिन तक कार्य किया तथा उसके बाद B और C काम छोड़कर चले गये. अब A अकेला शेष कार्य को कितने दिन में पूरा करेगा? (सी०बी०आई० परीक्षा, 2013)

(a) 18 दिन (b) 24 दिन

(c) 30 दिन (d) 36 दिन

22. A तथा B मिलकर एक कार्य को 5 दिन में समाप्त कर सकते हैं जबकि B और C मिलकर इसे 7 दिन में तथा C और A मिलकर इसे 4 दिन में समाप्त कर सकते हैं. इनमें से कौन-सा अकेला इस काम को कम से कम समय में करेगा?

(a) A (b) B

(c) C (d) आँकड़े अपर्याप्त

23. A तथा B मिलकर एक कार्य को 12 दिन में समाप्त कर सकते हैं, जबकि B तथा C इसे 16 दिन में समाप्त कर सकते हैं. पहले इस पर A ने 5 दिन कार्य किया, फिर B ने 7 दिन कार्य किया तथा शेष कार्य C ने 13 दिन में समाप्त कर लिया. C अकेला इस कार्य को कितने दिन में पूरा कर सकता है?

(a) 16 दिन (b) 24 दिन

(c) 36 दिन (d) 48 दिन

24. A अकेला एक कार्य को 12 दिन में तथा B अकेला इसे 18 दिन में समाप्त कर सकता है. दोनों ने मिलकर कार्य करना आरम्भ किया, परन्तु कार्य समाप्त होने से 3 दिन पहले A ने कार्य छोड़ दिया. पूरा कार्य कितने दिन में समाप्त हुआ?

(a) $6\frac{3}{5}$ दिन (b) 6 दिन

(c) $9\frac{1}{5}$ दिन (d) $10\frac{1}{5}$ दिन

25. A किसी कार्य को 18 दिन में समाप्त कर सकता है जबकि B इसे 15 दिन में समाप्त कर सकता है. B ने इस पर 10 दिन

कार्य किया तथा उसके बाद उसने काम करना बन्द कर दिया. शेष कार्य को A अकेला कितने दिन में समाप्त कर सकेगा?

(एस०एस०सी० परीक्षा, 2013)

(*a*) 5 दिन (*b*) $5\frac{1}{2}$ दिन
(*c*) 6 दिन (*d*) 8 दिन

26. A एक कार्य को 4 दिन में समाप्त कर सकता है; B इसे 6 दिन में समाप्त कर सकता है तथा C इसे 12 दिन में पूरा कर सकता है. A ने यह कार्य आरम्भ किया, परन्तु उसने 1 दिन बाद कार्य छोड़ दिया. शेष कार्य को B तथा C मिलकर कितने दिनों में पूरा करेंगे? **(एन०डी०ए० परीक्षा, 2015)**

(*a*) 2 दिन (*b*) 3 दिन
(*c*) 4 दिन (*d*) 6 दिन

27. A एक कार्य को 15 दिन में समाप्त कर सकता है जबकि B इस कार्य को 10 दिन में पूरा कर सकता है. दोनों ने मिलकर 2 दिन तक कार्य किया तथा उसके बाद B ने काम छोड़ दिया. शेष कार्य A ने पूरा किया. सारा कार्य कितने दिन में समाप्त हुआ? **(एस०एस०सी० परीक्षा, 2014)**

(*a*) 8 दिन (*b*) 10 दिन
(*c*) 12 दिन (*d*) 15 दिन

28. 12 पुरुष एक कार्य को 12 दिन में पूरा कर सकते हैं. यदि 6 पुरुष 6 दिन के बाद कार्य छोड़कर चले जायें, तो कार्य पूरा होने में कितने दिन और लगेंगे?

(एस०एस०सी० परीक्षा, 2015)

(*a*) 3 (*b*) 6
(*c*) 12 (*d*) 24

29. A अकेला एक कार्य को 10 दिन में समाप्त कर सकता है, जबकि B अकेला इसे 15 दिन में समाप्त कर सकता है. यदि वे एक दिन छोड़कर एक दिन बारी-बारी से काम करें तथा A आरम्भ करे, तो कार्य समाप्त होने में कितने दिन लगेंगे?

(एस०एस०सी० परीक्षा, 2013)

(*a*) 6 दिन (*b*) 12 दिन
(*c*) 13 दिन (*d*) 18 दिन

30. राम एक कार्य को 8 दिन में समाप्त कर सकता है, जबकि श्याम इसे 12 दिन में समाप्त कर सकता है. यदि वे एक दिन छोड़कर एक दिन बारी-बारी से कार्य करें तथा राम कार्य आरम्भ करे, तो कार्य समाप्त होने में कितने दिन लगेंगे?

(*a*) $9\frac{1}{3}$ दिन (*b*) $9\frac{1}{2}$ दिन
(*c*) $9\frac{1}{24}$ दिन (*d*) $10\frac{1}{3}$ दिन

31. A अकेला एक कार्य को 16 दिन में समाप्त कर सकता है जबकि B अकेला इस कार्य को 12 दिन में समाप्त कर सकता है. यदि A कार्य आरम्भ करे तथा वे एक दिन छोड़कर एक दिन बारी-बारी से काम करें, तो सारा कार्य कितने दिन में समाप्त होगा? **(एस०एस०सी० परीक्षा, 2014)**

(*a*) 12 दिन (*b*) 13 दिन
(*c*) $13\frac{3}{4}$ दिन (*d*) $13\frac{5}{7}$ दिन

32. A, B, C एक कार्य को क्रमशः 11 दिन, 20 दिन तथा 55 दिन में समाप्त कर सकते हैं. यदि A के साथ एक दिन B तथा अगले दिन C, बारी-बारी से काम करें, तो कार्य समाप्त होने में कितना समय लगेगा?

(*a*) 7 दिन (*b*) 8 दिन
(*c*) 9 दिन (*d*) 10 दिन

33. A, B, C एक कार्य को क्रमशः 20 दिन, 30 दिन तथा 60 दिन में समाप्त कर सकते हैं. यदि A लगातार कार्य करे तथा हर तीसरे दिन B तथा C भी A के साथ मिलकर कार्य करें, तो कार्य कितने दिन में समाप्त होगा? **(रेलवे परीक्षा, 2012)**

(*a*) 12 दिन (*b*) 15 दिन
(*c*) 16 दिन (*d*) 18 दिन

34. A, B, C एक कार्य को क्रमशः 24 दिन, 9 दिन तथा 12 दिन में समाप्त कर सकते हैं. B तथा C ने मिलकर कार्य आरम्भ किया परन्तु 3 दिन बाद दोनों ने काम छोड़ दिया. शेष कार्य A ने कितने दिन में पूरा किया? **(एस०एस०सी० परीक्षा, 2013)**

(*a*) 5 दिन (*b*) 6 दिन
(*c*) 10 दिन (*d*) $10\frac{1}{2}$ दिन

35. A $\frac{4}{5}$ कार्य को 20 दिन में करता है. शेष कार्य A और B मिलकर 3 दिन में समाप्त कर देते हैं. पूरे कार्य को B अकेला कितने दिन में पूरा कर सकता है?

(एस०एस०सी० परीक्षा, 2012)

(*a*) 23 दिन (*b*) 37 दिन
(*c*) $37\frac{1}{2}$ दिन (*d*) 40 दिन

36. X एक कार्य को 40 दिन में पूरा कर सकता है. उसने इस पर 8 दिन कार्य किया तथा शेष कार्य Y ने 16 दिन में समाप्त कर लिया. दोनों मिलकर इस सारे कार्य को कितने दिन में समाप्त करेंगे?

(*a*) 13 – दिन (*b*) 15 दिन
(*c*) 20 दिन (*d*) 56 दिन

37. A, B, C तीनों मिलकर एक कार्य को 10 दिन में समाप्त कर सकते है. तीनों ने मिलकर इस पर 4 दिन कार्य किया. शेष कार्य B तथा C ने मिलकर 10 दिन में पूरा कर दिया. A अकेला इस पूरे कार्य को कितने दिन में समाप्त कर सकता है?

(*a*) 15 दिन (*b*) 16 दिन
(*c*) 25 दिन (*d*) 50 दिन

38. A तथा B मिलकर एक कार्य को 30 दिन में समाप्त कर सकते हैं. A ने इस पर 16 दिन कार्य किया तथा शेष कार्य B ने 28 दिन में पूरा कर लिया. B अकेला इस कार्य को कितने दिन में समाप्त करेगा?

(*a*) 30 दिन (*b*) 40 दिन

(*c*) 60 दिन (*d*) 70 दिन

39. एक निश्चित धन से A की 21 दिन की मजदूरी अथवा B की 28 दिन की मजदूरी दी जा सकती है. इस धन से दोनों की कितने दिन की मजदूरी दी जा सकती है?

(*a*) 12 दिन (*b*) $12\frac{1}{4}$ दिन

(*c*) 14 दिन (*d*) $24\frac{1}{2}$ दिन

40. A तथा B दोनों मिलकर किसी कार्य को 12 दिन में समाप्त करते हैं तथा A अकेला इसे 20 दिन में समाप्त कर सकता है. यदि B प्रतिदिन आधा दिन काम करे, तो A और B मिलकर इस कार्य को कितने दिन में समाप्त कर सकेंगे?

(रेलवे परीक्षा, 2013)

(*a*) 10 दिन (*b*) 11 दिन

(*c*) 15 दिन (*d*) 20 दिन

41. A एक कार्य को 18 दिन में समाप्त कर सकता है तथा B इसे 15 दिन में समाप्त कर सकता है. B ने 10 दिन कार्य करके छोड़ दिया. शेष कार्य A कितने दिन में समाप्त करेगा?

(बैंक पी० ओ० परीक्षा, 2012)

(*a*) 5 दिन (*b*) $5\frac{1}{2}$ दिन

(*c*) 6 दिन (*d*) 8 दिन

42. तीन मशीनों P, Q, R में से प्रत्येक 1 लाख पुस्तकों की छपाई क्रमशः 8 घण्टे, 10 घण्टे तथा 12 घण्टे में समाप्त कर सकती हैं. तीनों मशीनों को एक साथ प्रातः 9 बजे आरम्भ किया गया तथा मशीन P को प्रातः 11 बजे बन्द कर दिया गया तथा शेष कार्य शेष दोनों मशीनों ने पूरा किया. लगभग कितने बजे छपाई का सारा कार्य पूरा हो जायेगा? **(बैंक पी० ओ० परीक्षा, 2013)**

(*a*) प्रातः 11:30 बजे (*b*) दोपहर 12 बजे

(*c*) दोपहर बाद 12:30 बजे (*d*) दोपहर बाद 1 बजे

43. A तथा B एक कार्य को क्रमशः 20 दिन तथा 15 दिन में समाप्त कर सकते हैं. उन दोनों ने मिलकर 6 दिन कार्य किया. उसके बाद B के स्थान पर C ने कार्य भार संभाल लिया तथा अगले 4 दिन में सारा कार्य समाप्त हो गया. C अकेला इस कार्य को कितने दिन में पूरा कर सकेगा?

(*a*) 30 दिन (*b*) 35 दिन

(*c*) 40 दिन (*d*) 60 दिन

44. A, B, C एक कार्य को क्रमशः 36 दिन, 54 दिन तथा 72 दिन में पूरा कर सकते हैं. तीनों ने मिलकर काम करना आरम्भ कर दिया. काम समाप्त होने से 8 दिन पहले A ने काम छोड़ दिया तथा काम समाप्त होने से 12 दिन पहले B ने काम छोड़ दिया. C ने कितने दिन कार्य किया?

(*a*) 4 दिन (*b*) 8 दिन

(*c*) 12 दिन (*d*) 24 दिन

45. A, B, C तीनों मिलकर प्रतिदिन ₹ 300 कमाते हैं. यदि A तथा C मिलकर प्रतिदिन ₹ 188 कमायें तथा B और C मिलकर प्रतिदिन ₹ 152 कमायें, तो C की प्रतिदिन की कमाई कितनी है?

(*a*) ₹ 40 (*b*) ₹ 68

(*c*) ₹ 112 (*d*) ₹ 150

46. 14 पुरुष किसी काम को 6 दिनों में पूरा करते हैं, जबकि उसी काम को 20 महिलाएं 9 दिनों में पूरा कर सकती हैं। 7 पुरुष काम शुरू करते हैं और 4 दिनों तक काम करने के बाद, उन सभी ने काम करना बंद कर दिया। बाकी बचे काम को 6 दिनों में पूरा करने के लिए, कितनी महिलाओं को काम पर लगाया जाना चाहिए?

(दिल्ली मेट्रो रेल कॉर्पोरेशन सी.आर.ए. परीक्षा, 2017)

(*a*) 25 (*b*) 35

(*c*) 20 (*d*) 30

47. 6 घंटे रोज काम करते हुए A किसी काम को 8 दिनों में पूरा कर सकता है और B उसी काम को 8 घंटे रोज काम करते हुए 7 दिनों में पूरा कर सकता है। वे साथ मिलकर रोज 7 घंटे काम करते हुए कितने समय में उस काम को पूरा कर लेंगे? **(दिल्ली मेट्रो रेल कॉर्पोरेशन सी.आर.ए. परीक्षा, 2017)**

(*a*) 6 दिन (*b*) 4 दिन

(*c*) 3 दिन (*d*) 5 दिन

48. A और B साथ मिलकर किसी काम को 40 दिनों में पूरा कर सकते हैं। वे 25 दिनों तक साथ काम करते हैं और फिर B काम छोड़कर चला जाता है। अगले 15 दिनों के बाद A बाकी बचे काम को पूरा कर देता है। A अकेला कितने दिनों में काम को पूरा कर सकता है?

(दिल्ली मेट्रो रेल कॉर्पोरेशन सी.आर.ए. परीक्षा, 2017)

(*a*) 50 दिन (*b*) 40 दिन

(*c*) 70 दिन (*d*) 60 दिन

49. 6 घंटे रोज काम करते हुए P किसी काम को 14 दिनों में पूरा कर सकता है। 8 घंटे रोज काम करते हुए Q किसी काम को 10 दिनों में पूरा कर सकता है। यदि P और Q दोनों साथ काम करते हैं तो प्रतिदिन 7 घंटे काम करते हुए वे कितने दिनों में काम पूरा कर सकते हैं?

(दिल्ली मेट्रो रेल कॉर्पोरेशन सी.आर.ए. परीक्षा, 2017)

(*a*) 8 दिन (*b*) 10 दिन

(*c*) 6 दिन (*d*) 12 दिन

50. 18 महिलाएं किसी प्रोजेक्ट को 24 दिनों में पूरा करती हैं एवं 24 पुरुष उसी प्रोजेक्ट को 15 दिन में पूरा करते हैं। 16 महिलाओं ने तीन दिन काम किया एवं छोड़ दिया। 20 पुरुषों ने अगले दो दिन काम किया एवं इसके बाद 16 महिलाएं उनके साथ शामिल हो गई। कितने दिन में वे सभी शेष काम पूरा करेंगे?

(आई.बी.पी.एस. बैंक क्लर्क सी.डब्लू.ई. मुख्य परीक्षा, 2017)

(*a*) $6\frac{1}{5}$ (*b*) $7\frac{3}{5}$ (*c*) $5\frac{2}{5}$ (*d*) $9\frac{1}{5}$

(*e*) दिए गए विकल्पों से अन्य

निर्देश: प्रश्न के बाद तीन कथन दिए गए हैं। आपको प्रश्न और तीनों कथनों में दी गई जानकारी का अध्ययन करना होगा और

तय करना होगा कि किस कथन/किन कथनों में दी गई जानकारी प्रश्न का उत्तर देने के लिए आवश्यक और पर्याप्त है।

51. Q किसी काम को कितने दिन में पूरा कर सकता है यदि P उसी काम को 8 दिन में पूरा करता है ?

I. Q, P से 60% अधिक कार्यकुशल है।

II. P एवं Q मिलकर उस काम को $3\frac{1}{13}$ दिन में पूरा कर सकते हैं।

III. P, Q से $37\frac{1}{2}$% कम दक्ष है।

(a) केवल कथन I प्रश्न का उत्तर देने के लिए पर्याप्त है।
(b) केवल कथन II प्रश्न का उत्त देने के लिए पर्याप्त है।
(c) या तो कथन I या कथन II प्रश्न का उत्तर देने के लिए पर्याप्त है।
(d) तीनों कथनों में से कोई दो कथन प्रश्न का उत्तर देने के लिए पर्याप्त हैं।
(e) या तो कथन I या कथन III प्रश्न का उत्तर देने के लिए पर्याप्त है।

52. *A* एवं *B* मिलकर एक काम 9 दिन में पूरा करते हैं। *A* अकेले उस काम को करने में *B* से 24 दिन कम समय लेता है। *B* अकेले उस काम को करने में कितने दिन का समय लेगा?

(NIACL सहायक प्रारंभिक परीक्षा, 2017)

(a) 36 (b) 42 (c) 45 (d) 54
(e) दिए गए विकल्पों के अलावा

53. प्रमोद ने 9 दिन में एक काम का $\frac{1}{4}$ भाग पूरा कर लिया है। सरोज बचा हुआ काम 27 दिन में पूरा करता है। दोनों मिलकर यह काम कितने दिन में पूरा कर सकते हैं?

(एस.एस.सी. सी.एच.एस.एल. (102) ग्रेड-टियर I (सी.बी.ई.) परीक्षा, 2017)

(a) 36 दिन (b) 18 दिन
(c) 27 दिन (d) 9 दिन

54. किसी काम को करने में *A* द्वारा लिया गया समय *A* एवं *B* द्वारा उसी काम को करने में लिए गए समय से 60% अधिक है। *C*, *B* से दोगुना दक्ष है। यदि *B* एवं *B* मिलकर उस काम को $13\frac{1}{3}$ दिन में पूरा करते हैं, तो *A* अकेले उस काम को कितने दिन में समाप्त करेगा?

(एस.बी.आइ. पी.ओ. ऑनलाइन प्रारंभिक परीक्षा, 2017)

(a) 36 (b) 24 (c) 16 (d) 28

55. *P*, 10 दिनों में कार्य का $\left(\frac{1}{4}\right)$ वाँ भाग पूरा कर सकता है। *Q*, 40 दिनों में कार्य का 40% भाग पूरा कर सकता है और *R* 13 दिनों में कार्य का $\left(\frac{1}{3}\right)$ वाँ भाग पूरा कर सकता है। सबसे पहले कौन यह कार्य समाप्त करेगा?

(एस.एस.सी. संयुक्त स्नातक स्तर ग्रेड-टियर.II (सी.बी.ई.) परीक्षा, 2017)

(a) *P* (b) *Q*
(c) *R* (d) *P* और *R* दोनों

56. A एक काम को 16 दिनों में पूरा कर सकता है और B उसे 12 दिनों में पूरा कर सकता है। उन्होंने 4 दिनों तक एक साथ मिलकर काम किया और फिर A चला गया। B ने शेष काम अकेले पूरा किया। काम को पूरा समाप्त करने के लिए B ने कुल कितने दिनों तक काम किया?

[एसएससी सीजीएल परीक्षा, 2022]

(a) 6 (b) 4 (c) 8 (d) 9

57. P और Q ने एक साथ एक काम पूरा किया और उन्हें क्रमश: 1080 और 1440 का भुगतान किया गया। यदि P पूरे कार्य को 20 दिनों में कर सकता है, तो उन्होंने एक साथ मिलकर कार्य को पूरा करने में कितने दिन का समय लिया?

[एसएससी सीजीएल परीक्षा, 2022]

(a) $6\frac{4}{7}$ (b) $6\frac{3}{7}$
(c) $8\frac{3}{7}$ (d) $8\frac{4}{7}$

58. A और B किसी काम को क्रमश: 12 दिन और 18 दिन में कर सकते हैं। उन्होंने 4 दिनों के लिए एक साथ मिलकर काम किया जिसके बाद B को C से प्रतिस्थापित कर दिया गया और शेष काम A और C द्वारा अगले 4 दिनों में पूरा किया गया। C अकेले उसी काम का 50% भाग कितने दिनों में पूरा करेगा?

[एसएससी सीजीएल परीक्षा, 2022]

(a) 24 (b) 36 (c) 21 (d) 18

59. यदि 35 आदमी एक काम को 6 दिनों में पूरा कर सकते हैं, तो 7 आदमी उसी काम का आधा हिस्सा कितने दिनों में पूरा कर सकते हैं?

[एसएससी सीजीएल परीक्षा, 2022]

(a) 60 (b) 15 (c) 30 (d) 17

60. 'A', 'B' से 40% कम कुशल है, जो उसी कार्य को 'C' से 20% कम समय में कर सकता है। यदि A और B मिलकर 80% कार्य को 12 दिनों में पूरा कर सकते हैं, तो B और C मिलकर 60% कार्य को कितने दिनों में पूरा कर सकते हैं?

[एसबीआई पीओ परीक्षा 2021]

(a) 2 दिन (b) 4 दिन (c) 6 दिन (d) 8 दिन
(e) 10 दिन

61. 12 पुरुष एक कार्य को 10 दिनों में कर सकते हैं जबकि 10 महिलाएँ उसी कार्य को 18 दिनों में कर सकती हैं। 4 पुरुष और 6 महिलाएँ मिलकर उसी कार्य को कितने दिनों में कर सकते हैं?

[एसबीआई क्लर्क परीक्षा 2020]

(a) $\frac{120}{7}$ दिन (b) 24 दिन (c) $\frac{180}{13}$ दिन (d) 15 दिन
(e) 18 दिन

62. A, B और C व्यक्तिगत रूप से एक कार्य को क्रमशः 24 दिन, 15 दिन और 12 दिन में पूरा कर सकते हैं। B और C ने कार्य शुरू किया और 3 दिन कार्य किया और चले गए। शेष कार्य को पूरा करने के लिए अकेले A द्वारा आवश्यक दिनों की संख्या है: **[एसएससी सीजीएल परीक्षा 2020]**

(a) 11 (b) $15\frac{1}{2}$ (c) 18 (d) $13\frac{1}{5}$

63. A किसी कार्य को 36 दिनों में कर सकता है जबकि B उसी कार्य को 48 दिनों में कर सकता है। यदि A, x दिन कार्य करता है जबकि B, x + 2 दिन कार्य करता है तो एक-तिहाई कार्य पूरा हो जाता है। x का मान ज्ञात करें। **[आईबीपीएस पीओ प्री परीक्षा 2019]**

(a) 4 (b) 8 (c) 6 (d) 7
(e) 5

64. A अकेला किसी कार्य को 12 दिनों में कर सकता है जबकि A और B मिलकर उस कार्य को 7.5 दिनों में कर सकते हैं। यदि C उस कार्य को करने में अकेले B से 3 दिन अधिक लेता है, तो अकेले C द्वारा उस कार्य को करने में लगने वाला समय ज्ञात कीजिए? **[एसबीआई क्लर्क परीक्षा 2019]**

(a) 33 दिन (b) 30 दिन (c) 23 दिन (d) 27 दिन
(e) 28 दिन

65. 40 आदमी एक कार्य को 48 दिनों में पूरा कर सकते हैं। 64 पुरुष समान कार्य के लिए x दिनों के लिए शुरू करते हैं। x दिनों के बाद, 32 आदमी बढ़ जाते हैं, इसलिए, शेष कार्य $16\frac{2}{3}$ दिनों में पूरा हो जाता है। x खोजें। **[एसबीआई पीओ परीक्षा 2019]**

(a) 5 (b) 8 (c) 10 (d) 6
(e) इनमें से कोई नहीं

66. A, B से 40% अधिक कुशल है और दोनों मिलकर एक कार्य को $9\frac{3}{8}$ दिनों में पूरा कर सकते हैं। यदि A अकेले पहले पाँच दिन कार्य करता है और शेष कार्य B द्वारा पूरा किया जाता है, तो ज्ञात कीजिए कि कुल कार्य कितने दिनों में पूरा होगा? **[आईबीपीएस ग्रेड बी परीक्षा 2018]**

(a) $20\frac{1}{2}$ दिन (b) 16 दिन (c) $15\frac{1}{5}$ दिन (d) 20 दिन
(e) $18\frac{1}{5}$ दिन

67. पुरुषों की एक निश्चित संख्या एक कार्य को कुछ महिलाओं द्वारा लिए गए समय से छह घंटे कम में पूरा कर सकती है। एक पुरुष द्वारा एक घंटे में पूरा किया गया कार्य एक महिला द्वारा एक घंटे में पूरा किया गया कार्य है। पुरुषों की संख्या का महिलाओं की संख्या से निम्नलिखित में से कौन-सा अनुपात ऊपर दी गई शर्त को पूरा कर सकता है? **[आईबीपीएस पीओ मेन्स परीक्षा 2018]**

(i) 5 : 6 (ii) 10 : 3
(iii) 8 : 5 (iv) 10 : 7

(a) केवल (ii) (b) केवल (ii) और (iii)
(c) केवल (i) और (iii) (d) उपरोक्त सभी
(e) केवल (ii), (iii) और (iv)

68. 'A' 20 दिनों में एक कार्य पूरा कर सकता है जबकि B, 'A' से 25% अधिक कुशल है। B ने 6 दिन कार्य किया और छोड़ दिया, शेष कार्य 'C' द्वारा 15 दिनों में पूरा किया गया। ज्ञात कीजिए कि 'C' अकेले पूरे कार्य को कितने दिनों में पूरा कर सकता है? **[आईबीपीएस पीओ परीक्षा 2018]**

(a) 27 दिन (b) 21 दिन (c) 18 दिन (d) 24 दिन
(e) 30 दिन

69. A, B और C प्रत्येक अकेले कार्य करते हुए एक कार्य को क्रमशः 27, 33 और 45 दिनों में समाप्त कर सकते हैं। A 12 दिनों के लिए अकेले कार्य करना शुरू करता है, फिर B, A से कार्य लेता है और 11 दिनों तक कार्य करता है। इस स्तर पर C, B से कार्यभार लेता है और शेष कार्य को पूरा करता है। पूरा कार्य कितने दिनों में पूरा हुआ?

(a) 33 (b) 31 (c) 39 (d) 35
(e) 37 **[एसबीआई पीओ परीक्षा 2018]**

70. 4 पुरुष और 3 महिलाएँ किसी कार्य को 6 दिनों में पूरा करते हैं, और 5 पुरुष और 7 महिलाएँ उसी कार्य को 4 दिनों में पूरा कर सकते हैं। 1 आदमी और 1 औरत इस कार्य को करने में कितना समय लेंगे? **[एसबीआई क्लर्क परीक्षा 2018]**

(a) $22\frac{2}{7}$ (b) $25\frac{1}{2}$ (c) $5\frac{1}{7}$ (d) $12\frac{7}{22}$
(e) इनमें से कोई नहीं

71. 56 कर्मचारी एक कार्य को 14 दिनों में पूरा कर सकते हैं। यदि कार्य को 8 दिनों में पूरा करना है, तो कितने अतिरिक्त श्रमिकों की आवश्यकता होगी? **[आईबीपीएस आरआरबी पीओ परीक्षा 2018]**

(a) 36 (b) 48 (c) 44 (d) 42
(e) 32

72. 18 पुरुष एक परियोजना को 30 दिनों में पूरा कर सकते हैं और 16 महिलाएँ उसी परियोजना को 36 दिनों में पूरा कर सकती हैं। 15 पुरुष कार्य करना शुरू करते हैं और 9 दिनों के बाद उन्हें 18 महिलाओं से बदल दिया जाता है। शेष कार्य को 18 महिलाएँ कितने दिनों में पूरा करेंगी? **[आईबीपीएस आरआरबी क्लर्क परीक्षा 2018]**

(a) 20 (b) 30 (c) 26 (d) 28
(e) 24

73. A एक परियोजना को 20 दिनों में पूरा कर सकता है और B उसी परियोजना को 30 दिनों में पूरा कर सकता है। यदि A और B एक साथ प्रोजेक्ट पर कार्य करना शुरू करते हैं और A प्रोजेक्ट पूरा होने से 10 दिन पहले कार्य छोड़ देता है, तो प्रोजेक्ट कितने दिनों में पूरा होगा? **[आईबीपीएस ग्रेड बी परीक्षा 2017]**

(a) 18 दिन (b) 27 दिन (c) 26.67 दिन (d) 16 दिन
(e) 12 दिन

74. A अकेला किसी कार्य को 24 दिनों में कर सकता है। A

द्वारा $\frac{1}{3}$ कार्य को पूरा करने में लिया गया समय B द्वारा $\frac{1}{2}$ कार्य को पूरा करने में लिए गए समय के बराबर है। A और B मिलकर उस कार्य को कितने समय में पूरा करेंगे?

(a) 9 दिन (b) 10 दिन (c) 12 दिन (d) $\frac{48}{5}$ दिन

(e) 8 दिन [आईबीपीएस पीओ परीक्षा 2017]

75. विजय और साहिल मिलकर एक कार्य को 40 दिनों में पूरा करते हैं। साहिल और रंजीत उसी कार्य को 48 दिनों में पूरा कर सकते हैं और रंजीत और विजय उसी कार्य को 60 दिनों में पूरा कर सकते हैं। तीनों एक साथ कार्य करते हुए समान कार्य को कितने दिनों में पूरा कर सकते हैं?

[एसएससी सीपीओ परीक्षा 2017]

(a) 16 (b) 24 (c) 32 (d) 38

76. रमन एक कार्य को 5 दिनों में कर सकता है, जतिन उसी कार्य को 7 दिनों में कर सकता है और सचिन उसी कार्य को 9 दिनों में कर सकता है। यदि वे एक साथ समान कार्य करते हैं और उन्हें 2860 रुपये का भुगतान किया जाता है, तो रमन का हिस्सा (₹ में) कितना है?

[एसएससी सीजीएल परीक्षा 2017]

(a) 1260 (b) 700 (c) 900 (d) 870

77. 40 आदमी एक कार्य को 15 दिनों में पूरा कर सकते हैं। 5 दिनों के बाद 20 और पुरुष उनके साथ शामिल हो जाते हैं जब वे कार्य करना शुरू करते हैं। शेष कार्य को पूरा करने के लिए उन्हें कितने दिनों की आवश्यकता होगी?

[ईएसआईसी-यूडीसी, परीक्षा 2016]

(a) $7\frac{2}{3}$ दिन (b) $6\frac{1}{5}$ दिन (c) $8\frac{1}{4}$ दिन (d) $6\frac{2}{3}$ दिन

78. A, B और C एक कार्य को क्रमशः 24, 5 और 12 दिनों में पूरा कर सकते हैं। मिलकर कार्य करते हुए उसी कार्य को में पूरा करेंगे– [एसएससी-सीएचएसएल (10+2) परीक्षा, 2015]

(a) $\frac{7}{24}$ दिन (b) $3\frac{3}{7}$ दिन (c) 4 दिन (d) $3\frac{1}{13}$ दिन

79. X 24 दिनों में एक कार्य कर सकता है। जब वह 4 दिन कार्य कर चुका तो Y उसके साथ शामिल हो गया। यदि पूरा कार्य 16 दिनों में समाप्त हो जाता है, तो Y अकेले उस कार्य को पूरा कर सकता है।

[एसएससी-सीएचएसएल (10+2) परीक्षा, 2015]

(a) 18 दिन (b) 27 दिन (c) 36 दिन (d) 42 दिन

80. 6 पुरुष एक कार्य को 12 दिनों में पूरा कर सकते हैं, 8 महिलाएँ समान कार्य को 18 दिनों में पूरा कर सकती हैं और 18 बच्चे इसे 10 दिनों में पूरा कर सकते हैं। 4 पुरुष, 12 महिलाएँ और 20 बच्चे इस कार्य को 2 दिनों तक करते हैं। यदि शेष कार्य केवल 1 दिन में पुरुषों द्वारा पूरा किया जाता है, तो कितने पुरुषों की आवश्यकता होगी?

[आरबीआई अधिकारी ग्रेड 'बी' (चरण-1) ऑनलाइन परीक्षा, 2015]

(a) 36 (b) 24 (c) 18

(d) निर्धारित नहीं किया जा सकता

81. A और B एक कार्य को 24 दिनों में पूरा कर सकते हैं। यदि A किसी कार्य को 48 दिनों में पूरा कर सकता है, तो B अकेला उस कार्य को कितने दिनों में पूरा कर सकता है?

(a) 24 (b) 40 (c) 48 (d) 42

(e) इनमें से कोई नहीं

82. P, Q और R मिलकर एक काम को $16\frac{4}{11}$ दिनों में कर सकते हैं। P और Q मिलकर उसी कार्य को 20 दिनों में कर सकते हैं। 'R' अकेले 60% काम कितने दिनों में पूरा करेगा?

(a) 51 दिन (b) 59 दिन (c) 54 दिन (d) 53 दिन

(e) 50 दिन

83. 4 पुरुष और 3 महिलाएँ एक काम को 6 दिनों में पूरा करते हैं। साथ ही, 5 पुरुष और 7 महिलाएँ उसी काम को 4 दिनों में पूरा कर सकते हैं। यदि 1 पुरुष और 1 महिला उस काम को x दिनों में पूरा करते हैं, तो 14% के मान के निकटतम पूर्ण वर्ग का मान क्या होगा?

(a) 324 (b) 225 (c) 441 (d) 625

(e) 729

84. पुरुष एक कार्य को 30 दिन में पूरा कर सकते हैं। यदि 10 पुरुष समूह को छोड़ देते हैं, तो समूह को कार्य पूरा करने में कितने दिन लगेंगे?

[एसएससी सीजीएल 27/07/2023 (Shift-03)]

(a) 40 (b) 35 (c) 45 (d) 50

85. राम किसी कार्य को 15 दिनों में, रोहन 25 दिनों में और रोहित 30 दिनों में कर सकता है। रोहन और रोहित ने 2 दिनों तक एक साथ काम किया और फिर रोहित की जगह राम ने ले ली। कार्य को कुल मिलाकर कितने दिनों में पूरा किया गया? [एसएससी सीजीएल 27/07/2023 (Shift-03)]

(a) 10 दिन (b) 8 दिन (c) 12 दिन (d) 7 दिन

86. A, B और C एक काम को क्रमशः 20 दिन, 30 दिन और 60 दिन में कर सकते हैं। यदि A प्रतिदिन कार्य करता है और हर तीसरे दिन B और C भी A के साथ कार्य करते हैं, तो कार्य कितने दिनों में पूरा होगा?

[एसएससी सीपीओ 03/10/2023 (Shift-01]

(a) 21 (b) 18 (c) 12 (d) 15

87. P, Q और R, जब व्यक्तिगत रूप से कार्य करते हैं, तो एक कार्य को क्रमशः 36 दिन, 48 दिन और 144 दिन में पूरा कर सकते हैं। P, Q और R एक साथ काम करना शुरु करते हैं। P काम पूरा होने से 12 दिन पहले काम छोड़ देता है और Q काम पूरा होने से 8 दिन पहले काम छोड़ देता है। R कार्य के आरंभ से अंत तक कार्य करता है। कार्य पूरा करने में लगने वाले दिनों की कुल संख्या निर्धारित करें। [एसएससी सीपीओ 03/10/2023 (Shift-01]

(a) 24 (b) 27 (c) 30 (d) 25

88. A और B एक काम को 4 दिनों में कर सकते हैं, B और C उसी काम को 5 दिनों में कर सकते हैं, A और C उसी काम को 10 दिनों में कर सकते हैं। यदि A, B,

C एक साथ कार्य करते हैं, तो वे कार्य को कितने दिनों में पूरा कर सकते हैं? [एसएससी एमटीएस 01/09/2023 (Shift-01]

(a) $3\frac{11}{7}$ (b) $11\frac{3}{7}$ (c) $3\frac{7}{11}$ (d) $11\frac{7}{3}$

89. A, B और C एक काम को क्रमशः 10, 15, 12 दिनों में कर सकते हैं। A और B ने प्रत्येक शेष बचे 5 दिनों के लिए बारी-बारी से काम किया। फिर C शामिल हुआ और कार्य पूरा किया। C ने शेष कार्य कितने दिनों में पूरा किया? [एसएससी एमटीएस 01/09/2023 (Shift-01]

(a) 3 (b) 1 (c) 4 (d) 2

90. A और B एक काम को 5 दिनों में कर सकते हैं, जबकि C और D उसी काम को 20 दिनों में कर सकते हैं। A. B. C और D मिलकर इसे कितने दिनों में करेंगे? [एसएससी एमटीएस 13/09/2023 (Shift-01]

(a) 3 (b) 4 (c) 5 (d) 6

91. A और B एक कार्य को क्रमशः 6 और 8 दिनों में पूरा कर सकते हैं। वे वैकल्पिक दिनों में काम करते हैं, A पहले दिन कार्य शुरू करता है। कार्य पूरा करने में उन्हें कितने दिन लगेंगे? [एसएससी एमटीएस 13/09/2023 (Shift-01]

(a) 6 (b) $6\frac{3}{4}$ (c) $6\frac{1}{2}$ (d) $6\frac{1}{4}$

92. यदि आकाश किसी कार्य को 63 दिनों में कर सकता है और दिशा उसी कार्य को 84 दिनों में कर सकती है। उन्होंने 12 दिनों तक एक साथ कार्य किया और इसके बाद दिशा ने कार्य छोड़ दिया और आकाश ने शेष कार्य पूरा किया, तो कार्य को पूरा करने के लिए आवश्यक कुल दिनों की संख्या ज्ञात कीजिए। [एसएससी जीडी 06/03/2024 (Shift-01]

(a) 40 दिन (b) 74 दिन (c) 54 दिन (d) 66 दिन

93. A, B और C किसी कार्य को क्रमशः 20 दिन, 30 दिन और 60 दिन में कर सकते हैं। यदि A प्रतिदिन कार्य करता है और प्रत्येक तीसरे दिन B और C भी A के साथ कार्य करते हैं, तो कार्य कितने दिनों में पूरा होगा? [एसएससी जीडी 26/02/2024 (Shift-01)]

(a) 21 (b) 18 (c) 12 (d) 15

उत्तरमाला

1. (b)	2. (a)	3. (c)	4. (a)	5. (c)	6. (a)	7. (b)	8. (b)	9. (b)	10. (a)
11. (b)	12. (c)	13. (a)	14. (b)	15. (c)	16. (b)	17. (c)	18. (c)	19. (d)	20. (d)
21. (a)	22. (a)	23. (b)	24. (b)	25. (c)	26. (b)	27. (c)	28. (c)	29. (b)	30. (b)
31. (c)	32. (b)	33. (b)	34. (c)	35. (c)	36. (a)	37. (c)	38. (c)	39. (a)	40. (c)
41. (c)	42. (d)	43. (c)	44. (d)	45. (a)	46. (c)	47. (b)	48. (b)	49. (c)	50. (e)
51. (d)	52. (a)	53. (b)	54. (b)	55. (c)	56. (d)	57. (d)	58. (d)	59. (b)	60. (d)
61. (d)	62. (d)	63. (c)	64. (c)	65. (a)	66. (a)	67. (e)	68. (d)	69. (a)	70. (a)
71. (d)	72. (a)	73. (a)	74. (d)	75. (c)	76. (a)	77. (d)	78. (d)	79. (c)	80. (a)
81. (c)	82. (c)	83. (a)	84. (a)	85. (a)	86. (d)	87. (b)	88. (c)	89. (d)	90. (b)
91. (b)	92. (c)	93. (d)							

दिये गये प्रश्नों के हल

1. A का 1 दिन का कार्य $= \frac{1}{10}$, B का 1 दिन का कार्य $= \frac{1}{15}$.

$(A+B)$ का 1 दिन का कार्य $= \left(\frac{1}{10}+\frac{1}{15}\right) = \frac{5}{30} = \frac{1}{6}$.

अतः दोनों मिलकर इस कार्य को 6 दिन में समाप्त करेंगे।

2. $(A+B)$ का 1 दिन का कार्य $= \frac{1}{4}$ तथा A का 1 दिन का कार्य $= \frac{1}{12}$.

$\therefore$ B का 1 दिन का कार्य $= \left(\frac{1}{4}-\frac{1}{12}\right) = \frac{2}{12} = \frac{1}{6}$.

अतः B अकेला इस कार्य को 6 दिन में समाप्त करेगा।

3. व्यक्ति का 1 दिन का कार्य $= \frac{1}{5}$. (व्यक्ति + उसके पुत्र) का 1 दिन का कार्य $= \frac{1}{3}$.

उसके पुत्र का 1 दिन का कार्य $= \left(\frac{1}{3}-\frac{1}{5}\right) = \frac{2}{15}$.

अतः उसका पुत्र अकेला उस कार्य को $\frac{15}{2}$ दिन अर्थात् $7\frac{1}{2}$ दिन में पूरा करेगा।

4. A का 1 घण्टे का कार्य $= \frac{1}{6}$, B का 1 घण्टे का कार्य $= \frac{1}{4}$ तथा C का 1 घण्टे का कार्य $= \frac{1}{12}$.

$(A+B+C)$ का 1 घण्टे का कार्य $= \left(\frac{1}{6}+\frac{1}{4}+\frac{1}{12}\right) = \frac{6}{12} = \frac{1}{2}$.

अतः तीनों मिलकर इस कार्य को 2 घण्टे में पूरा करेंगे।

5. A का 1 दिन का कार्य $= \frac{1}{16}$, B का 1 दिन का कार्य $= \frac{1}{12}$.

$(A+B+C)$ का 1 दिन का कार्य $= \frac{1}{4}$.

$\therefore$ C का 1 दिन का कार्य $= \frac{1}{4} - \left(\frac{1}{16} + \frac{1}{12}\right) = \left(\frac{1}{4} - \frac{7}{48}\right) = \frac{5}{48}$.

अत: C अकेला इस कार्य को $\frac{48}{5}$ दिन $= 9\frac{3}{5}$ दिन में समाप्त करेगा.

6. (1 पुरुष + 1 स्त्री + 1 लड़के) का 1 दिन का काम $= \frac{1}{3}$.

1 पुरुष का 1 दिन का काम $= \frac{1}{6}$,

एक लड़के का 1 दिन का काम $= \frac{1}{18}$.

1 स्त्री का 1 दिन का काम $= \frac{1}{3} - \left(\frac{1}{6} + \frac{1}{18}\right) = \left(\frac{1}{3} - \frac{4}{18}\right) = \frac{2}{18} = \frac{1}{9}$.

अत: 1 स्त्री इस काम को 9 दिन में पूरा करेगी.

7. A द्वारा कार्य समाप्त करने में लिया गया समय
$= (5 \times 2)$ दिन $= 10$ दिन.
B द्वारा कार्य समाप्त करने में लिया गया समय
$= \left(9 \times \frac{5}{3}\right)$ दिन $= 15$ दिन.

C द्वारा कार्य समाप्त करने में लिया गया समय
$= \left(8 \times \frac{3}{2}\right)$ दिन $= 12$ दिन.

A का 1 दिन का कार्य $= \frac{1}{10}$, B का 1 दिन का कार्य $= \frac{1}{15}$,

C का 1 दिन का कार्य $= \frac{1}{12}$.

$(A+B+C)$ का 1 दिन का कार्य $= \left(\frac{1}{10} + \frac{1}{15} + \frac{1}{12}\right) = \frac{15}{60} = \frac{1}{4}$.

अत: तीनों मिलकर इस कार्य को 4 दिन में समाप्त करेंगे.

8. माना B किसी कार्य को करने में x दिन लेता है. तब, A इस कार्य को करने में $(x-60)$ दिन लेता है.

B का 1 दिन का कार्य $= \frac{1}{x}$, A का 1 दिन का कार्य $= \frac{1}{(x-60)}$.

$\therefore$ $\frac{3}{x} = \frac{1}{(x-60)} \Leftrightarrow x = 3x - 180 \Leftrightarrow x = 90$.

दोनों का 1 दिन का कार्य $= \left(\frac{1}{30} + \frac{1}{90}\right) = \frac{4}{90} = \frac{2}{45}$.

अत: दोनों मिलकर इस कार्य को $\frac{45}{2}$ दिन अर्थात् $22\frac{1}{2}$ दिन में पूरा कर सकेंगे.

9. माना B किसी काम को x दिन में तथा A इसे $\frac{x}{2}$ दिन में पूरा करता है

तब, A का 1 दिन का काम $= \frac{2}{x}$ तथा

B का 1 दिन का काम $= \frac{1}{x}$.

$(A+B)$ का 1 दिन का काम $= \left(\frac{2}{x} + \frac{1}{x}\right) = \frac{3}{x}$.

$\therefore$ $\frac{3}{x} = \frac{1}{14} \Leftrightarrow x = 42$.

अत: A अकेला इस कार्य को 21 दिन में समाप्त करेगा.

10. B का 1 दिन का कार्य $= \frac{1}{12}$.

A का 1 दिन का कार्य $= \left(2 \times \frac{1}{12}\right) = \frac{1}{6}$.

$(A+B)$ का 1 दिन का कार्य $= \left(\frac{1}{6} + \frac{1}{12}\right) = \frac{3}{12} = \frac{1}{4}$.

अत: दोनों मिलकर इसे 4 दिन में समाप्त करेंगे.

11. A का 1 दिन का कार्य: B का 1 दिन का कार्य $= \frac{7}{4} : 1 = 7:4$.

माना A का 1 दिन का कार्य $= 7x$ इकाई तथा
B का 1 दिन का कार्य $= 4x$ इकाई.
तब, $7x + 4x = \frac{1}{7} \Leftrightarrow 11x = \frac{1}{7} \Leftrightarrow x = \frac{1}{77}$.

$\therefore$ A का 1 दिन का कार्य $= \left(7 \times \frac{1}{77}\right) = \frac{1}{11}$.

अत: A अकेला इस कार्य को 11 दिन में समाप्त करेगा.

12. A का 1 दिन का कार्य $= \frac{1}{9}$.

B का 1 दिन का कार्य $= \left(\frac{1}{9} \text{ का } 150\%\right) = \left(\frac{1}{9} \times \frac{150}{100}\right) = \frac{1}{6}$.

अत: B अकेला इस कार्य को 6 दिन में समाप्त करेगा.

13. A का 1 दिन का कार्य $= \frac{1}{21}$.

B का 1 दिन का कार्य $= \left(\frac{1}{21} \text{ का } 140\%\right) = \left(\frac{1}{21} \times \frac{140}{100}\right) = \frac{1}{15}$.

अत: B पूरे कार्य को 15 दिन में तथा आधे कार्य को 7½ दिन में समाप्त कर सकता है.

14. A का 10 दिन का कार्य $= \frac{2}{5}$

$\Rightarrow$ A का 1 दिन का कार्य $= \left(\frac{2}{5} \times \frac{1}{10}\right) = \frac{1}{25}$.

B का 5 दिन का कार्य $= \frac{1}{3} \Rightarrow$

B का 1 दिन का कार्य $= \left(\frac{1}{3} \times \frac{1}{5}\right) = \frac{1}{15}$.

$(A+B)$ का 1 दिन का कार्य $= \left(\frac{1}{25} + \frac{1}{15}\right) = \frac{8}{75}$.

अत: दोनों मिलकर इस कार्य को $\frac{75}{8}$ दिन अर्थात् $9\frac{3}{8}$ दिन में समाप्त करेंगे.

15. A का 6 दिन का कार्य $= \frac{2}{5}$

$\Rightarrow$ A का 1 दिन का कार्य $= \left(\frac{2}{5} \times \frac{1}{6}\right) = \frac{1}{15}$.

B का 10 दिन का कार्य $= \frac{1}{3}$

$\Rightarrow$ B का 1 दिन का कार्य $= \left(\frac{1}{3} \times \frac{1}{10}\right) = \frac{1}{30}$.

$(A + B)$ का 1 दिन का कार्य $= \left(\frac{1}{15} + \frac{1}{30}\right) = \frac{3}{30} = \frac{1}{10}$.

$\frac{1}{10}$ भाग को दोनों काटते हैं = 1 दिन में.

$\frac{4}{5}$ भाग को दोनों काटेंगे $= \left(10 \times \frac{4}{5}\right)$ दिन में = 8 दिन में.

16. A का 1 दिन का कार्य $= \frac{1}{8}$, B का 1 दिन का कार्य $= \frac{1}{12}$.

$(A + B + C)$ का 1 दिन का कार्य $= \frac{1}{4}$.

C का 1 दिन का कार्य $= \frac{1}{4} - \left(\frac{1}{8} + \frac{1}{12}\right) = \frac{1}{4} - \frac{5}{24} = \frac{1}{24}$.

A, B, C के भागों का अनुपात $= \frac{1}{8} : \frac{1}{12} : \frac{1}{24} = 3 : 2 : 1$.

C को मिला धन = ₹$\left(4500 \times \frac{1}{6}\right)$ = ₹ 750.

17. A का 1 घण्टे का कार्य $= \frac{1}{4}$, $(B + C)$ का 1 घण्टे का कार्य $= \frac{1}{3}$,

$(A + C)$ का 1 घण्टे का कार्य $= \frac{1}{2}$.

$\therefore$ C का 1 घण्टे का कार्य $= \left(\frac{1}{2} - \frac{1}{4}\right) = \frac{1}{4}$.

अत: B का 1 घण्टे का कार्य $= \left(\frac{1}{3} - \frac{1}{4}\right) = \frac{1}{12}$

$\therefore$ B अकेला इस कार्य को 12 घण्टे में समाप्त करेगा.

18. $(A + B)$ का 1 घण्टे का कार्य $= \frac{1}{10}$,

C का 1 घण्टे का कार्य $= \frac{1}{50}$.

$(A + B + C)$ का 1 घण्टे का कार्य $= \left(\frac{1}{10} + \frac{1}{50}\right) = \frac{6}{50} = \frac{3}{25}$.

A का 1 घण्टे का कार्य = $(B + C)$ का 1 घण्टे का कार्य

$\Rightarrow$ 2(A का 1 घण्टे का कार्य)

= $(A + B + C)$ का 1 घण्टे का कार्य $= \frac{3}{25}$

$\Rightarrow$ A का 1 घण्टे का कार्य $= \left(\frac{1}{2} \times \frac{3}{25}\right) = \frac{3}{50}$

$\Rightarrow$ B का 1 घण्टे का कार्य $= \left(\frac{1}{10} - \frac{3}{50}\right) = \frac{2}{50} = \frac{1}{25}$.

अत: B अकेला इस कार्य को 25 घण्टे में समाप्त करेगा.

19. $(A + B)$ का 1 दिन का कार्य $= \frac{1}{30}$, $(B + C)$ का 1 दिन का कार्य $= \frac{1}{20}$ तथा $(C + A)$ का 1 दिन का कार्य $= \frac{1}{15}$.

जोड़ने पर: $2(A + B + C)$ का 1 दिन का कार्य

$= \left(\frac{1}{30} + \frac{1}{20} + \frac{1}{15}\right) = \frac{9}{60} = \frac{3}{20}$

$\Leftrightarrow$ $(A + B + C)$ का 1 दिन का कार्य $= \left(\frac{3}{20} \times \frac{1}{2}\right) = \frac{3}{40}$

$\Leftrightarrow$ तीनों मिलकर इस कार्य को $\frac{40}{3}$ दिन अर्थात् $13\frac{1}{3}$ दिन में रागाप्त करेंगे.

20. $(A + B)$ का 1 दिन का कार्य $= \frac{1}{10}$;

$(B + C)$ का 1 दिन का कार्य $= \frac{1}{15}$ तथा

$(C + A)$ का 1 दिन का कार्य $= \frac{1}{20}$.

जोड़ने पर: $2(A + B + C)$ का 1 दिन का काय

$= \left(\frac{1}{10} + \frac{1}{15} + \frac{1}{20}\right) = \frac{13}{60}$

$\Leftrightarrow$ $(A + B + C)$ का 1 दिन का कार्य $= \left(\frac{13}{60} \times \frac{1}{2}\right) = \frac{13}{120}$.

$\Leftrightarrow$ C का 1 दिन का कार्य $= \left(\frac{13}{120} - \frac{1}{10}\right) = \frac{1}{120}$.

अत: C अकेला इस कार्य को 120 दिन में समाप्त करेगा.

21. $(A + B)$ का 1 दिन का कार्य $= \frac{1}{30}$,

$(B + C)$ का 1 दिन का कार्य $= \frac{1}{24}$;

$(C + A)$ का 1 दिन का कार्य $= \frac{1}{20}$.

$2(A + B + C)$ का 1 दिन का कार्य $= \left(\frac{1}{30} + \frac{1}{24} + \frac{1}{20}\right) = \frac{15}{120} = \frac{1}{8}$.

$\Rightarrow$ $(A + B + C)$ का 1 दिन का कार्य $= \frac{1}{16}$ तथा

A का 1 दिन का कार्य $= \left(\frac{1}{16} - \frac{1}{24}\right) = \frac{1}{48}$

$\Rightarrow$ $(A + B + C)$ का 10 दिन का कार्य $= \left(\frac{1}{16} \times 10\right) = \frac{5}{8}$.

शेष कार्य $= \left(1 - \frac{5}{8}\right) = \frac{3}{8}$.

$\frac{1}{48}$ कार्य को A करता है = 1 दिन में.

$\frac{3}{8}$ कार्य को A करेगा $= \left(48 \times \frac{3}{8}\right)$ = 18 दिन में.

22. $(A + B)$ का 1 दिन का कार्य $= \frac{1}{5}$,

$(B + C)$ का 1 दिन का कार्य $= \frac{1}{7}$ तथा

$(C+A)$ का 1 दिन का कार्य $= \frac{1}{4}$.

$2(A+B+C)$ का 1 दिन का कार्य $= \left(\frac{1}{5}+\frac{1}{7}+\frac{1}{4}\right) = \frac{83}{140}$

$\Rightarrow$ $(A+B+C)$ का 1 दिन का कार्य $= \frac{83}{280}$

A का 1 दिन का कार्य $= \left(\frac{83}{280}-\frac{1}{7}\right) = \frac{43}{280}$.

B का 1 दिन का कार्य $= \left(\frac{83}{280}-\frac{1}{4}\right) = \frac{13}{280}$.

C का 1 दिन का कार्य $= \left(\frac{83}{280}-\frac{1}{5}\right) = \frac{27}{280}$.

A, B, C द्वारा कार्य समाप्त करने में लिया गया समय क्रमश: $\frac{280}{43}$ दिन, $\frac{280}{13}$ दिन तथा $\frac{280}{27}$ दिन है,

जिनमें सबसे कम समय A ने लिया.

23. (A का 5 दिन का कार्य) + (B का 7 दिन का कार्य) + (C का 13 दिन का कार्य) = 1

$\Leftrightarrow$ $(A+B)$ का 5 दिन का कार्य $+ (B+C)$ का 2 दिन का कार्य $+ C$ का 11 दिन का कार्य = 1

$\Leftrightarrow$ $\left(\frac{1}{12}\times 5\right) + \left(\frac{1}{16}\times 2\right) + C$ का 11 दिन का कार्य = 1

$\Leftrightarrow$ C का 11 दिन का कार्य $= 1 - \left(\frac{5}{12}+\frac{1}{8}\right) = \left(1-\frac{13}{24}\right) = \frac{11}{24}$

$\Leftrightarrow$ C का 1 दिन का कार्य $= \left(\frac{11}{24}\times\frac{1}{11}\right) = \frac{1}{24}$.

अत: C अकेला इस कार्य को 24 दिन में समाप्त करेगा.

24. $(A+B)$ का 1 दिन का कार्य $= \left(\frac{1}{12}+\frac{1}{18}\right) = \frac{5}{36}$.

B का 3 दिन का कार्य $= \left(\frac{1}{18}\times 3\right) = \frac{1}{6}$. शेष कार्य $= \left(1-\frac{1}{6}\right) = \frac{5}{6}$.

$\frac{5}{36}$ कार्य $(A+B)$ करते हैं = 1 दिन में.

$\frac{5}{6}$ कार्य $(A+B)$ करते हैं $= \left(\frac{36}{5}\times\frac{5}{6}\right)$ दिन में = 6 दिन में.

25. B का 10 दिन का कार्य $= \left(\frac{1}{15}\times 10\right) = \frac{2}{3}$.

शेष कार्य $= \left(1-\frac{2}{3}\right) = \frac{1}{3}$.

$\frac{1}{18}$ कार्य करने में A लेता है = 1 दिन,

$\frac{1}{3}$ कार्य करने में A लेगा $= \left(18\times\frac{1}{3}\right)$ दिन = 6 दिन.

26. A का 1 दिन का कार्य $= \frac{1}{4}$. शेष कार्य $= \left(1-\frac{1}{4}\right) = \frac{3}{4}$.

$(B+C)$ का 1 दिन का कार्य $= \left(\frac{1}{6}+\frac{1}{12}\right) = \frac{3}{12} = \frac{1}{4}$.

$\frac{1}{4}$ कार्य $(B+C)$ करते हैं = 1 दिन में.

$\frac{3}{4}$ कार्य $(B+C)$ करेंगें $= \left(4\times\frac{3}{4}\right)$ दिन में = 3 दिन में.

27. $(A+B)$ का 2 दिन का कार्य $= 2\left(\frac{1}{15}+\frac{1}{10}\right) = \left(2\times\frac{5}{30}\right) = \frac{1}{3}$.

शेष कार्य $= \left(1-\frac{1}{3}\right) = \frac{2}{3}$.

$\frac{1}{15}$ कार्य A करता है = 1 दिन में.

$\frac{2}{3}$ कार्य A करेगा $= \left(15\times\frac{2}{3}\right)$ दिन में = 10 दिन में.

अत: कुल कार्य होने में लगा समय = (2 + 10) दिन = 12 दिन.

28. 12 पुरुषों का 1 दिन का कार्य $= \frac{1}{12}$ तथा

1 पुरुष का 1 दिन का कार्य $= \frac{1}{144}$.

12 पुरुषों का 6 दिन का कार्य $= \left(\frac{1}{12}\times 6\right) = \frac{1}{2}$.

शेष कार्य $= \left(1-\frac{1}{2}\right) = \frac{1}{2}$.

$\frac{1}{144}$ कार्य 1 पुरुष करेगा = 1 दिन में,

$\frac{1}{144}$ कार्य 6 पुरुष करेंगे $= \frac{1}{6}$ दिन में.

$\frac{1}{2}$ कार्य 6 पुरुष करेंगे $= \left(\frac{1}{6}\times 144\times\frac{1}{2}\right)$ दिन में = 12 दिन में.

29. $(A+B)$ का 2 दिन का कार्य $= \left(\frac{1}{10}+\frac{1}{15}\right) = \frac{5}{30} = \frac{1}{6}$.

$\frac{1}{6}$ कार्य करने में इन्हें लगते हैं = 2 दिन.

पूरा कार्य करने में इन्हें लगेंगे = (2 × 6) दिन = 12 दिन.

30. (राम + श्याम) का 2 दिन का कार्य $= \left(\frac{1}{8}+\frac{1}{12}\right) = \frac{5}{24}$.

इनका 8 दिन का कार्य $= \left(\frac{5}{24}\times\frac{8}{2}\right) = \frac{5}{6}$.

9 दिन का कार्य $= \left(\frac{5}{6}+\frac{1}{8}\right) = \frac{23}{24}$. शेष कार्य $= \left(1-\frac{23}{24}\right) = \frac{1}{24}$.

अब श्याम की बारी है.

श्याम $\frac{1}{12}$ कार्य को करने में लेता है = 1 दिन.

श्याम $\frac{1}{24}$ कार्य को करने में लेगा $= \left(\frac{1}{24}\times 12\right)$ दिन $= \frac{1}{2}$ दिन.

कुल समय $= 9\frac{1}{2}$ दिन.

31. $(A+B)$ का 2 दिन का कार्य $= \left(\frac{1}{16}+\frac{1}{12}\right) = \frac{7}{48}$.

$\Rightarrow$ $(A + B)$ का 12 दिन का कार्य $= \left(\frac{7}{48} \times \frac{12}{2}\right) = \frac{7}{8}$

$\Rightarrow$ शेष कार्य $= \left(1 - \frac{7}{8}\right) = \frac{1}{8}$.

A का 1 दिन का कार्य $= \frac{1}{16}$. शेष कार्य $= \left(\frac{1}{8} - \frac{1}{16}\right) = \frac{1}{16}$.

अब, B की बारी है.

$\frac{1}{12}$ कार्य करने में B लेता है = 1 दिन

$\frac{1}{16}$ कार्य करने में B लेता है $= \left(12 \times \frac{1}{16}\right)$ दिन $= \frac{3}{4}$ दिन.

कुल लगा समय $= \left(12 + 1 + \frac{3}{4}\right)$ दिन $= 13\frac{3}{4}$ दिन.

32. 2 दिन में समाप्त हुआ कार्य $= \left(\frac{2}{11} + \frac{1}{20} + \frac{1}{55}\right) = \frac{55}{220} = \frac{1}{4}$.

$\therefore$ $\frac{1}{4}$ कार्य समाप्त होता है = 2 दिन में.

पूरा कार्य समाप्त होगा $= (2 \times 4)$ दिन में = 8 दिन में.

33. 3 दिन में समाप्त हुआ कार्य $= \left(\frac{3}{20} + \frac{1}{30} + \frac{1}{60}\right) = \frac{12}{60} = \frac{1}{5}$.

$\therefore$ $\frac{1}{5}$ कार्य समाप्त होता है = 3 दिन में.

पूरा कार्य समाप्त होगा $= (3 \times 5)$ दिन में = 15 दिन में.

34. $(B + C)$ का 3 दिन का कार्य $= 3\left(\frac{1}{9} + \frac{1}{12}\right) = \left(3 \times \frac{7}{36}\right) = \frac{7}{12}$.

शेष कार्य $= \left(1 - \frac{7}{12}\right) = \frac{5}{12}$.

$\frac{1}{24}$ कार्य A करता है = 1 दिन में

$\frac{5}{12}$ कार्य A करेगा $= \left(24 \times \frac{5}{12}\right)$ दिन में = 10 दिन में.

35. A का 20 दिन का कार्य $= \frac{4}{5}$

$\Rightarrow$ A का 1 दिन का कार्य $= \left(\frac{4}{5} \times \frac{1}{20}\right) = \frac{1}{25}$.

$(A + B)$ का 3 दिन का कार्य $= \left(1 - \frac{4}{5}\right) = \frac{1}{5}$

$\Rightarrow$ $(A + B)$ का 1 दिन का कार्य $= \left(\frac{1}{5} \times \frac{1}{3}\right) = \frac{1}{15}$.

B का 1 दिन का कार्य $= \left(\frac{1}{15} - \frac{1}{25}\right) = \frac{2}{75}$.

$\therefore$ B अकेला इस कार्य को $\frac{75}{2}$ दिन अर्थात् $37\frac{1}{2}$ दिन में समाप्त करेगा.

36. X का 8 दिन का कार्य $= \left(\frac{1}{40} \times 8\right) = \frac{1}{5}$. शेष कार्य $= \left(1 - \frac{1}{5}\right) = \frac{4}{5}$.

Y का 16 दिन का कार्य $= \frac{4}{5}$

$\Rightarrow$ Y का 1 दिन का कार्य $= \left(\frac{4}{5} \times \frac{1}{16}\right) = \frac{1}{20}$.

$(X + Y)$ का 1 दिन का कार्य $= \left(\frac{1}{40} + \frac{1}{20}\right) = \frac{3}{40}$.

अत: दोनों मिलकर इस कार्य को $\frac{40}{3}$ दिन अर्थात् $13\frac{1}{3}$ दिन में समाप्त करेंगे.

37. $(A + B + C)$ का 4 दिन का कार्य $= \left(\frac{1}{10} \times 4\right) = \frac{2}{5}$.

शेष कार्य $= \left(1 - \frac{2}{5}\right) = \frac{3}{5}$.

$(B + C)$ का 10 दिन का कार्य $= \frac{3}{5}$

$\Rightarrow$ $(B + C)$ का 1 दिन का कार्य $= \left(\frac{3}{5} \times \frac{1}{10}\right) = \frac{3}{50}$.

A का 1 दिन का कार्य = {$(A + B + C)$ का 1 दिन का कार्य} – {$(B + C)$ का 1 दिन का कार्य}

$= \left(\frac{1}{10} - \frac{3}{50}\right) = \frac{2}{50} = \frac{1}{25}$.

अत: A अकेला इस कार्य को 25 दिन में समाप्त करेगा.

38. $(A + B)$ का 16 दिन का कार्य + B का 28 दिन का कार्य = 1

$\Rightarrow$ $\left(\frac{1}{30} \times 16\right)$ + B का 28 दिन का कार्य = 1

$\Rightarrow$ B का 28 दिन का कार्य $= \left(1 - \frac{16}{30}\right) = \frac{14}{30} = \frac{7}{15}$

$\Rightarrow$ B का 1 दिन का कार्य $= \left(\frac{7}{15} \times \frac{1}{28}\right) = \frac{1}{60}$.

$\therefore$ B अकेला इस कार्य को 60 दिन में समाप्त करेगा.

39. माना कुल धन = ₹ x.

A की 1 दिन की मजदूरी = ₹ $\frac{x}{21}$,

B की 1 दिन की मजदूरी = ₹ $\frac{x}{28}$.

दोनों की 1 दिन की मजदूरी = ₹ $\left(\frac{x}{21} + \frac{x}{28}\right)$

= ₹ $\frac{7x}{84}$ = ₹ $\frac{x}{12}$.

अत: इस धन से दोनों की 12 दिन की मजदूरी दी जा सकती है.

40. B का 1 दिन का कार्य $= \left(\frac{1}{12} - \frac{1}{20}\right) = \frac{2}{60} = \frac{1}{30}$.

B का $\frac{1}{2}$ दिन का कार्य $= \frac{1}{60}$.

$(A + B)$ का 1 दिन का कार्य $= \left(\frac{1}{20} + \frac{1}{60}\right) = \frac{4}{60} = \frac{1}{15}$

[$\because$ B प्रतिदिन आधे दिन कार्य करता है]

अत: A तथा B मिलकर इस कार्य को 15 दिन में समाप्त कर सकेंगे.

41. B का 10 दिन का कार्य $= \left(\frac{1}{15} \times 10\right) = \frac{2}{3}$.

शेष कार्य $= \left(1-\frac{2}{3}\right)=\frac{1}{3}$

$\frac{1}{18}$ कार्य को A करता है $= 1$ दिन में.

$\frac{1}{3}$ कार्य को A करेगा $= \left(1\times\frac{18}{1}\times\frac{1}{3}\right)$ दिन में $= 6$ दिन में.

42. $(P+Q+R)$ का 1 घण्टे का कार्य $= \left(\frac{1}{8}+\frac{1}{10}+\frac{1}{12}\right)=\frac{37}{120}$.

$(P+Q+R)$ का 2 घण्टे का कार्य $= \left(\frac{37}{120}\times 2\right)=\frac{37}{60}$.

शेष कार्य $= \left(1-\frac{37}{60}\right)=\frac{23}{60}$.

$(Q+R)$ का 1 घण्टे का कार्य $= \left(\frac{1}{10}+\frac{1}{12}\right)=\frac{11}{60}$.

$\frac{11}{60}$ कार्य दोनों समाप्त करने में समय लेते हैं $= 1$ घण्टा.

$\frac{23}{60}$ कार्य दोनों समाप्त करने में समय लेंगे $= \left(\frac{60}{11}\times\frac{23}{60}\right)$ घण्टे

$= \frac{23}{11}$ घण्टे $= 2\frac{1}{11}$ घण्टे.

अत: छपाई का कार्य लगभग दोपहर 1 बजे समाप्त होगा.

43. $(A+B)$ का 6 दिन का कार्य $= 6\left(\frac{1}{20}+\frac{1}{15}\right)=\left(6\times\frac{7}{60}\right)=\frac{7}{10}$.

शेष कार्य $= \left(1-\frac{7}{10}\right)=\frac{3}{10}$.

$(A+C)$ का 4 दिन का कार्य $= \frac{3}{10}$,

$(A+C)$ का 1 दिन का कार्य $= \left(\frac{3}{10}\times\frac{1}{4}\right)=\frac{3}{40}$.

C का 1 दिन का कार्य $= \left(\frac{3}{40}-\frac{1}{20}\right)=\frac{1}{40}$.

अत: C अकेला पूरे कार्य को 40 दिन में समाप्त करेगा.

44. माना कुल कार्य x दिन में समाप्त हुआ. तब,

$\{A$ का $(x-8)$ दिन का कार्य$\}$ + $\{B$ का $(x-12)$ दिन का कार्य$\}$ + C का x दिन का कार्य $= 1$

$\Leftrightarrow \frac{(x-8)}{36}+\frac{(x-12)}{54}+\frac{x}{72}=1$

$\Leftrightarrow 6(x-8)+4(x-12)+3x=216 \Leftrightarrow 13x=312 \Leftrightarrow x=24$.

अत: कुल कार्य 24 दिन में समाप्त हुआ.

45. B की 1 दिन की कमाई = ₹(300 – 188) = ₹ 112.

A की 1 दिन की कमाई = ₹(300 – 152) = ₹ 148.

C की 1 दिन की कमाई = ₹[300 – (112 + 148)] = ₹ 40.

46. दिया गया है,

$M_1=14$ $\quad M_2=7$

$D_1=6$ $\quad D_2=4$

$W_1=1$ $\quad W_2=?$

$\therefore \frac{M_1D_1}{W_1}=\frac{M_2D_2}{W_2} \Rightarrow 14\times 6=\frac{7\times 4}{W_2}$

$\Rightarrow W_2=\frac{7\times 4}{14\times 6}=\frac{1}{3}$

शेष काम $= 1-\frac{1}{3}=\frac{2}{3}$

दूसरी स्थिति,

$M_1=20$ $\quad M_2=?$

$D_1=9$ $\quad D_2=6$

$W_1=1$ $\quad W_2=\frac{2}{3}$

$\frac{20\times 9}{1}=\frac{M_2\times 6}{\frac{2}{3}}$

$\Rightarrow M_2\times 6=20\times 9\times\frac{2}{3}=20\times 6$

$\Rightarrow M_2=\frac{20\times 6}{6}=20$ महिलाएं

47. जब A और B दोनों प्रति दिन 1 घंटा काम करते हैं।

$\therefore$ दोनों द्वारा 1 दिन में किया गया काम $= \frac{1}{48}+\frac{1}{56}=\frac{7+6}{336}$

$= \frac{13}{336}$

जब दोनों 7 घंटे प्रतिदिन काम करते हैं, तो अभीष्ट समय

$= \frac{336}{13\times 7}=3.7$ दिन ≈ 4 दिन

48. A और B द्वारा किया गया काम $= \frac{25}{40}=\frac{5}{8}$

शेष बचा हुआ काम $= 1-\frac{5}{8}=\frac{3}{8}$ जिसे A, 15 दिन में करता है।

$\therefore$ A का अभीष्ट समय $= \frac{15\times 8}{3} = 40$ दिन

49. P और Q रोज 1 घंटा काम करते हैं। (माना)

$\therefore$ P और Q का 1दिन का काम $= \frac{1}{84}+\frac{1}{80}$

$= \frac{20+21}{1680}=\frac{41}{1680}$

जब वे प्रतिदिन 7 घंटे काम करते हैं,

तो उनका, अभीष्ट समय $= \frac{1680}{41\times 7}\approx 6$ दिन

50. दिये गये प्रश्न के अनुसार 18×24 महिलाएं $\equiv 24\times 15$ पुरुष

$\Rightarrow$ 6 महिलाएं $\equiv$ 5 पुरुष

16 महिलाएं 3 दिन काम करती हैं।

$\therefore \quad \frac{M_1D_1}{W_1} = \frac{M_2D_2}{W_2} \Rightarrow \frac{18 \times 24}{1} = \frac{16 \times 3}{W_2}$

$\Rightarrow \quad \frac{24 \times 15}{1} = \frac{20 \times 2}{W_2} \Rightarrow W_2 = \frac{20 \times 2}{24 \times 15} = \frac{1}{9}$

शेष बचा हुआ काम $= \frac{8}{9} - \frac{1}{9} = \frac{7}{9}$

20 पुरुष + 16 महिलाएं

$= (6 \times 4 + 16)$ महिलाएं $= 40$ महिलाएं

18 महिलाएं 24 दिन में 1 काम करती हैं।

$\therefore \quad \frac{M_1D_1}{W_1} = \frac{M_2D_2}{W_2} \Rightarrow \frac{18 \times 24}{1} = \frac{40D_2}{\frac{7}{9}}$

$\Rightarrow \quad 40 \times D_2 = \frac{7}{9} \times 18 \times 24$

$\Rightarrow \quad D_2 = \frac{7 \times 48}{40} = \frac{42}{5} = 8\frac{2}{5}$ दिन

51. कथन I से,

P कोई काम 160 दिन में करता है

Q उसे 100 दिन में करेगा।

$\therefore$ Q द्वारा लिया गया समय $= \frac{100}{160} \times 8 = 5$ दिन

कथन II से,

P का 1 दिन का काम $= \frac{1}{8}$

$(P+Q)$ काम को $\frac{40}{13}$ दिन में पूरा कर सकते है।

$(P+Q)$ का 1 दिन का काम $= \frac{13}{40}$

$\therefore$ Q का 1 दिन का काम $= \frac{13}{40} - \frac{1}{8} = \frac{13-5}{40} = \frac{8}{40} = \frac{1}{5}$

$\therefore$ अभीष्ट समय $= 5$ दिन

कथन III से, P, Q से $\frac{75}{2}\%$ कम दक्ष है।

यानी Q, P से $\frac{\frac{75}{2}}{100 - \frac{75}{2}} \times 100 = \frac{75}{125} \times 100 = 60\%$

अधिक दक्ष है।

कथन I और II, प्रश्न का उत्तर देने के लिए पर्याप्त है।

52. B द्वारा लिया गया समय $= a$ दिन

$\therefore$ A द्वारा लिया गया समय $= (a-24)$ दिन

$\therefore$ A और B का 1 दिन का काम $= \frac{1}{a} + \frac{1}{a-24}$

$= \frac{a-24+a}{a(a-24)} = \frac{2a-24}{a^2-24a}$

$\therefore \quad \frac{2a-24}{a^2-24a} = \frac{1}{9}$

$\Rightarrow \quad a^2 - 24a = 18a - 216$

$\Rightarrow \quad a^2 - 24a - 18a + 216 = 0$

$\Rightarrow \quad a^2 - 42a + 216 = 0$

$\Rightarrow \quad a^2 - 36a - 6a + 216 = 0$

$\Rightarrow \quad a(a-36) - 6(a-36) = 0; \ (a-36)(a-6) = 0$

$\Rightarrow \quad a = 36$ क्योंकि $a \neq 6 < 24$

अत: B काम को करने के लिए 36 दिनों का समय लेगा

53. $\because$ प्रमोद $\frac{1}{4}$ काम 9 दिन में पूरा करता है।

$\therefore$ प्रमोद द्वारा 1 काम को करने में $9 \times 4 = 36$ दिन लेगा।

$\because$ सरोज $\frac{3}{4}$ काम 27 दिन में पूरा करता है।

$\therefore$ सरोज 1 काम को करने में $\frac{27 \times 4}{3} = 36$ दिन लेगा।

दोनों का 1दिन का काम $= \frac{1}{36} + \frac{1}{36} = \frac{2}{36} = \frac{1}{18}$

$\therefore$ अभीष्ट समय =18 दिन

54. C, B से दोगुना कार्य दक्ष है।

$\therefore$ यदि B द्वारा लिया गया समय $= 2P$ दिन

C द्वारा लिया गया समय $= P$ दिन

प्रश्नानुसार, $\frac{1}{2P} + \frac{1}{P} = \frac{3}{40}$

$\Rightarrow \quad \frac{1+2}{2P} = \frac{3}{40} \quad \Rightarrow \frac{3}{2P} = \frac{3}{40}$

$\Rightarrow \quad P = 20 \Rightarrow 2P = 40$

$\therefore$ B द्वारा लिया गया समय $= 2 \times 20 = 40$ दिन यदि A द्वारा कार्य करने में लिया गया समय $= q$ दिन हो, तो

प्रश्नानुसार, $q = \left(\frac{1}{\frac{1}{q} + \frac{1}{40}} \right) \times \frac{160}{100}$

$\Rightarrow \quad q = \left(\frac{1}{\frac{40+q}{40q}} \right) \times \frac{8}{5} \quad \Rightarrow \frac{5}{8}q = \frac{40q}{40+q}$

$\Rightarrow \quad \frac{5}{8} = \frac{8}{40+} \quad \Rightarrow 40 + q = 64$

$\Rightarrow \quad q = 64 - 40 = 24$ दिन

55. $\because$ $P, \frac{1}{4}$ काम 10 दिनों में करता है।

$\therefore$ P, 1 काम $10 \times 4 = 40$ दिना में करेगा।

$\because$ Q, 40% काम 40 दिनों में करता है।

$\therefore$ Q, 100% काम $\frac{40 \times 100}{40} = 100$ दिनों में करेगा।

$\because$ $R, \frac{1}{3}$ काम 13 दिनों में करता है।

$\therefore$ R, 1 काम $13 \times 3 = 39$ दिन में करेगा।

अतः, R सबसे पहले कार्य समाप्त करेगा।

56. A और B का एक साथ 4 दिन का कार्य $= 4 \times \left(\frac{1}{16} + \frac{1}{12}\right)$

$= 4 \times \left(\frac{7}{48}\right) = \frac{7}{12}$

शेष कार्य $= 1 - \frac{7}{12} = \frac{5}{12}$

शेष कार्य को पूरा करने के लिए दिनों की संख्या

$B = \frac{5}{12} \times 12 = 5$ दिन

$\therefore$ B द्वारा लिए गए कुल दिनों की संख्या

$= 5 + 4 = 9$ दिन

57. p और q को भुगतान की गई राशि का अनुपात

$= 1080 : 1440 = 3 : 4$

अब कुल कार्य $= 20 \times 3 = 60$

$\therefore$ एक साथ कार्य को पूरा करने में लगने वाला समय

$= \frac{60}{7} = 8\frac{4}{7}$ दिन

58. A और B का 4 दिन का कार्य $= 4 \times \left(\frac{1}{12} + \frac{1}{18}\right)$

$= 4 \times \frac{5}{36} = \frac{5}{9}$

शेष कार्य $= 1 - \frac{5}{9} = \frac{4}{9}$

माना C का एक दिन का कार्य $= \frac{1}{x}$

$= 4 \times \left(\frac{1}{12} + \frac{1}{x}\right) = \frac{4}{9} \Rightarrow \frac{1}{3} + \frac{4}{x} = \frac{4}{9}$

$\Rightarrow \frac{4}{x} = \frac{4}{9} - \frac{1}{3} \Rightarrow \frac{4}{x} = \frac{1}{9}$

$\Rightarrow x = 36$ दिन

कार्य का 50% पूरा करने के लिए दिनों की संख्या

$= 36 \times \frac{50}{100} = 18$ दिन

59. हमारे पास है, $m_1 = 35, m_2 = 7, d_1 = 6$ दिन, $d_2 = ?$

अब,

$\frac{m_1 \times d_1}{w_1} = \frac{m_2 \times d_2}{w_2}$

$\Rightarrow \frac{35 \times 6}{1} = \frac{7 \times d_2}{\frac{1}{2}} \Rightarrow d_2 = 15$

60. A और B की दक्षता का अनुपात $= 60 : 100 = 3 : 5$

$\Rightarrow$ A और B द्वारा कार्य को पूरा करने में लिया गया समय $= 5 : 3$

दोबारा, B और C द्वारा कार्य को पूरा करने में लगने वाले समय का अनुपात $= 80 : 100 = 4 : 5$

$\therefore$ A, B और C द्वारा कार्य को पूरा करने में लगने वाले समय का अनुपात

$= 5 \times 4 : 3 \times 4 : 5 \times 3 = 20 : 12 : 15$

माना A अकेला उस कार्य को 20x दिनों में पूरा कर सकता है।

माना B अकेला उस कार्य को 12x दिनों में पूरा कर सकता है।

माना C अकेला उस कार्य को 15x दिनों में पूरा कर सकता है।

प्रश्न के अनुसार,

$\frac{12}{20x} + \frac{12}{12x} = \frac{80}{100}$

$\Rightarrow \frac{144 + 240}{240x} = \frac{4}{5}$

$\Rightarrow \frac{5 \times 384}{4 \times 240} = x$

$\Rightarrow x = 2$

माना y दिनों में B और C 60% कार्य पूरा कर सकते हैं।

प्रश्न के अनुसार,

$\frac{y}{12 \times 2} + \frac{y}{15 \times 2} = \frac{60}{100}$

$\Rightarrow \frac{5y + 4y}{120} = \frac{3}{5}$

$\Rightarrow y = \frac{3}{5} \times \frac{120}{9} = 8$ दिन

61. 4 आदमियों की कार्यक्षमता $= \frac{4}{12 \times 10}$

6 महिलाओं की दक्षता $= \frac{6}{10 \times 18}$

आवश्यक समय $= \frac{1}{\frac{4}{120} + \frac{6}{180}} = 15$ दिन

62. माना कि कुल कार्य 120 (24, 15, 12 का लघुत्तम समापवर्त्य) इकाई है।

$\therefore$ A की कार्यकुशलता $= \frac{120}{24} = 5$ इकाई/दिन

B की कार्यकुशलता $= \frac{120}{15} = 8$ इकाई/दिन

C की कार्यकुशलता $= \frac{120}{12} = 10$ इकाई/दिन

B और C द्वारा 3 दिनों में किया गया कार्य $= 8 \times 3 + 10 \times 3$
$= 24 + 30 = 54$ इकाई

शेष कार्य $= 120 - 54 = 66$ इकाई

अतः A शेष कार्य को इतने समय में पूरा कर सकता है
$= \frac{66}{5} = 13\frac{1}{5}$ दिन

63. A का x दिन का कार्य $= \frac{x}{36}$

B का (x + 2) दिनों का कार्य $= \frac{x+2}{48}$

प्रश्न के अनुसार,
$\frac{x}{36} + \frac{x+2}{48} = \frac{1}{3} \Rightarrow 7x + 6 = 48 \Rightarrow x = 6$

64. माना कुल कार्य = 60 इकाई (12 और 7.5 का ल.स.)
A की कार्य क्षमता = 5 इकाई/दिन
A + B की कार्य क्षमता = 8 इकाई/दिन
B की कार्य क्षमता = 3 इकाई/दिन
B अकेला उस कार्य को करने के लिए समय लेता है।
$= \frac{60}{3} = 20$ दिन
C अकेला समय लेता है = 20 + 3 = 23 दिन

65. 40 आदमियों ने उस कार्य को 48 दिनों में किया
$M_1 = 40, D_1 = 48$
दोबारा, 64 पुरुष x दिनों के लिए कार्य करते हैं और x दिनों के बाद 32 पुरुषों की वृद्धि होती है जिन्होंने शेष कार्य $16\frac{2}{3}$ दिनों में किया
$\therefore M_2 \times D_2 = 64x + 96 \times \frac{50}{3}$
हम जानते हैं कि $M_1 D_1 = M_2 D_2$
$\Rightarrow 40 \times 48 = 64x + 96 \times \frac{50}{3}$
$\Rightarrow 120 = 4x + 100 \Rightarrow x = 5$

66. माना B की दक्षता = 5x इकाई/दिन
इसलिए, A की दक्षता $= 5x \times \frac{140}{100} = 7x$ इकाई/दिन
A द्वारा 5 दिनों में किया गया कुल कार्य = 7x × 5 = 35x इकाई
$\therefore$ शेष कार्य $= \frac{225x}{2} - 35x = \frac{225x - 70x}{2}$
$= \frac{155x}{2}$
अब कुल कार्य $= (7x + 5x) \times \frac{75}{8} = \frac{225x}{2}$ इकाई
कुल आवश्यक दिन $= 5 + \frac{\frac{155x}{2}}{5x} = 5 + \frac{31}{2} = 20\frac{1}{2}$ दिन

67. माना कि m महिलाएँ कार्य को x दिनों में कर सकती हैं और n पुरुष कार्य को (x – 6) दिनों में कर सकते हैं।
तब प्रश्न के अनुसार,
n (x – 6) = mx
अब, विकल्प से
(i) 5a (x – 6) = 6ax
या, x = – 30
दिनों की ऋणात्मक संख्या संभव नहीं है।
(ii) 10a (x – 6) = 3ax
7x = 60
$\therefore x = \frac{60}{7}$ [संभावित]
(iii) 8a (x – 6) = 5ax
3x = 48
$\therefore$ x = 16 [संभावित]
(iv) 10a (x – 6) = 7ax
$\therefore$ a = 20 [रांशाबित]
इसलिए, विकल्प (ii), (iii) और (iv) संभव हैं।

68. A उस कार्य को 20 दिनों में कर सकता है।
अतः B अकेले कार्य कर सकता है
$= 20 \times \frac{4}{5} = 16$ दिन।
माना C अकेला उस कार्य को x दिनों में कर सकता है।
अब प्रश्नों के अनुसार,
$\frac{6}{16} + \frac{15}{x} = 1$
$\Rightarrow \frac{15}{x} = \frac{10}{16}$
$\Rightarrow x = \frac{15 \times 16}{10} = 24$
$\therefore$ C अकेला उस कार्य को 24 दिन में कर सकता है।

69. A द्वारा 12 दिनों में किया गया कार्य $= \frac{1}{27} \times 12 = \frac{4}{9}$
शेष कार्य $= 1 - \frac{4}{9} = \frac{5}{9}$
इसी प्रकार B द्वारा 11 दिनों में किया गया कार्य
$= \frac{1}{33} \times 11 = \frac{1}{3}$
शेष कार्य $= \frac{5}{9} - \frac{1}{3} = \frac{2}{9}$
अब, C द्वारा कार्य के भाग को पूरा करने में $\frac{2}{9}$ दिन लगते हैं।
$= \frac{2}{9} \times 45 = 10$ दिन
$\therefore$ पूरे कार्य को पूरा करने के लिए आवश्यक दिन
= 12 + 11 + 10 = 33 दिन

70. यह देखते हुए
(4M + 3W) × 6 = (5M + 7W) × 4
⇒ 24M + 18W = 20M + 28W
⇒ 4M = 10W
या $M = \frac{5}{2}W$ ...(i)
माना कार्य पूरा करने में लगा समय = x दिन
⇒ (4M + 3W) × 6 = (1M + 1W) × x
समीकरण (i) का प्रयोग करके, M का मान रखने पर, हम प्राप्त करते हैं–

$(10+3)\times 6=\left(\frac{5}{2}+1\right)\times x$

$\Rightarrow 78=\frac{7}{2}x$

$\Rightarrow x=22\frac{2}{7}$ दिन

71. 14 दिनों में 56 कर्मचारी एक कार्य पूरा करते हैं।

$\therefore$ 8 दिन में $\frac{56\times 14}{8}=98$ कर्मचारी कार्य पूरा करते हैं।

$\therefore$ अतिरिक्त कर्मचारियों की संख्या $=98-56=42$.

72. माना, $W_1=W_2=P$

हम जानते हैं कि,

$M_1D_1=M_2D_2$

$W_1=W_2$

$\frac{18M\times 30}{P}=\frac{16W\times 36}{P}$

$15M=16W$ ...(i)

माना 18 महिलाएँ शेष कार्य को पूरा करती हैं = x दिन

अत: $\frac{(15M\times 9)+(18W\times x)}{P}=\frac{16W\times 36}{P}$ ...(ii)

समीकरणों (i) और (ii) का उपयोग करके हमारे पास है।

$\frac{(16W\times 9)+(18W\times x)}{P}=\frac{16W\times 36}{P}$

$\Rightarrow 18Wy=576W-144W$

$\Rightarrow y=24$ दिन

73. A की कार्यकुशलता $=\frac{1}{20}$

B की कार्यकुशलता $=\frac{1}{30}$

माना परियोजना x दिनों में पूरी हो जाएगी।

प्रश्न के अनुसार,

$\frac{x-10}{20}+\frac{x}{30}=1$

$\Rightarrow 5x-30=60\Rightarrow x=18$ दिन

$\therefore$ परियोजना 18 दिनों में पूरी की जाएगी।

74. A 24 दिनों में 1 कार्य कर सकता है।

$\therefore$ A कर सकता है $\frac{1}{3}$ कार्य $=24\times\frac{1}{3}=8$ दिन

अभी,

A द्वारा किया गया कार्य $\frac{1}{3}$ = B द्वारा किया गया कार्य $\frac{1}{2}$

$\therefore$ B ने वह कार्य किया $=8\times 2=16$ दिन

$\therefore$ A और B ने मिलकर यह कार्य किया

$=\frac{24\times 16}{24+16}=\frac{48}{5}$ दिन

75. $(V+S)$ का एक दिन का कार्य $=\frac{1}{40}$ ...(i)

$(S+R)$ का एक दिन का कार्य $=\frac{1}{48}$ ...(ii)

$(R+V)$ का एक दिन का कार्य $=\frac{}{60}$ ...(iii)

(i), (ii) और (iii) को जोड़ने पर, हम प्राप्त करते हैं।

$2(V+S+R)=\frac{1}{40}+\frac{1}{48}+\frac{1}{60}$

$(V+S+R)=\frac{1}{2}\left(\frac{12+10+8}{480}\right)$

$(V+S+R)=\frac{1}{2}\left(\frac{1}{16}\right)$

$(V+S+R)=\frac{1}{32}$

इसलिए, विजय, साहिल और रंजीत एक साथ कार्य करते हुए कार्य को 32 दिनों में पूरा करते हैं।

76. रमन एक कार्य को 5 दिनों में कर सकता है

अत: रमन की कार्यकुशलता $=\frac{1}{5}$

जतिन उसी कार्य को 7 दिनों में कर सकता है

अत: जतिन की कार्यकुशलता $=\frac{1}{7}$

सचिन उसी कार्य को 9 दिनों में कर सकता है

अत: सचिन की कार्यकुशलता $=\frac{1}{9}$

तीनों की कार्यकुशलता एक साथ

$=\frac{1}{5}+\frac{1}{7}+\frac{1}{9}$

$=\frac{63+45+35}{315}$

$=\frac{143}{315}$ दिन

अत: सभी कार्य को पूरा कर सकते हैं $=\frac{315}{143}$ दिन

रमन का हिस्सा $=\frac{1}{5}\times\frac{315}{143}\times 2860=\frac{63}{143}\times 2860=1260$

77. 40 आदमियों द्वारा 5 दिनों में किया गया कार्य $=\frac{1}{3}$ (जैसे पूरा काम 15 दिनों में पूरा होता है तो 5 दिनों में 1/3 काम समाप्त हो जाएगा)

बचा हुआ कार्य $=1-\frac{1}{3}=\frac{2}{3}$

$\because$ 40 आदमी 1 कार्य 15 दिन में करते हैं।

60 आदमी x दिन में कार्य $\frac{2}{3}$ कर सकते हैं

$\frac{M_1D_1}{W_1}=\frac{M_2D_2}{W_2}$

$M_1=40 \quad M_2=60$

$D_1=15 \quad D_2=x$

$W_1=1 \quad W_2=\frac{2}{3}$

$\Rightarrow\frac{40\times 15}{1}=\frac{60\times x}{\frac{2}{3}}$

$\Rightarrow \frac{2}{3}(40 \times 15) = 60x$

$\Rightarrow 2 \times 40 \times 5 = 60x$

$\Rightarrow x = \frac{20}{3} = 6\frac{2}{3}$ दिन

78. A का 1 दिन का कार्य $= \frac{1}{24}$

B का एक दिन का कार्य $= \frac{1}{5}$

C का एक दिन का कार्य $= \frac{1}{12}$

$\therefore$ (A + B + C) का 1 दिन का कार्य

$= \frac{1}{24} + \frac{1}{5} + \frac{1}{12}$

24, 5 और 12 का लघुत्तम समापवर्त्य

2	24 – 5 – 12
2	12 – 5 – 6
3	6 – 5 – 3
	2 – 5 – 1

$2 \times 2 \times 3 \times 2 \times 5 = 120$

$= \frac{5+24+10}{120} = \frac{39}{120} = \frac{13}{40}$

A, B और C द्वारा एक साथ कार्य करते हुए कार्य को पूरा करने में लिया गया समय

$= \frac{40}{13} = 3\frac{1}{13}$ दिन

79. X का एक दिन का कार्य $= \frac{1}{24}$

X का 16 दिन का कार्य $= \frac{16}{24}$

माना Y अकेले कार्य को x दिनों में पूरा करता है।

Y का 12 दिन का कार्य $= \frac{12}{x}$

प्रश्न के अनुसार,

X और Y द्वारा किया गया कार्य = 1

X का 16 दिन का कार्य + Y का 12 दिन का कार्य = 1

$\Rightarrow \frac{16}{24} + \frac{12}{x} = 1 \Rightarrow \frac{2}{3} + \frac{12}{x} = 1$

$\Rightarrow \frac{12}{x} = 1 - \frac{2}{3} = \frac{1}{3}$

$\Rightarrow x = 12 \times 3 = 36$ दिन

80. 6 आदमी उस कार्य को 12 दिनों में पूरा करेंगे।

1 व्यक्ति उस कार्य को $= 6 \times 12 = 72$ दिनों में पूरा करेगा।

8 महिलाएँ दो कार्य को 18 दिनों में पूरा कर सकती हैं।

1 महिला कार्य को $= 8 \times 18 = 144$ दिनों में पूरा करेगी

18 बच्चे इस कार्य को 10 दिनों में पूरा कर सकते हैं।

1 बच्चा कार्य को $= 18 \times 10 = 180$ दिनों में पूरा करेगा

1 आदमी का 1 दिन का कार्य $= \frac{1}{72}$

1 महिला का 1 दिन का कार्य $= \frac{1}{144}$

1 बच्चे का 1 दिन का कार्य $= \frac{1}{180}$

4 पुरुष + 12 महिलाएँ + 20 बच्चों का 2 दिन का कार्य

$= 2\left(\frac{4}{72} + \frac{12}{144} + \frac{20}{180}\right)$

$= 2\left(\frac{1}{18} + \frac{1}{12} + \frac{1}{9}\right)$

18, 12 और 9 का लघुत्तम समापवर्त्य = 36

$= \frac{2(2+3+4)}{36} = \frac{1}{2}$

$\therefore$ शेष कार्य $= \frac{1}{2}$

$\therefore$ पुरुषों की अभीष्ट संख्या $= 72 \times \frac{1}{2} = 36$

81. हमारे पास, $a = 48$ दिन हैं

$b = 24$ दिन हैं

फिर, कार्य पूरा करने के लिए दिनों की संख्या

$B = \left\{\frac{a \times b}{a-b}\right\} = \left\{\frac{48 \times 24}{48-24}\right\} = 48$

82. हमारे पास है,

$\left(\frac{1}{p}\right) + \left(\frac{1}{Q}\right) + \left(\frac{1}{R}\right) = \left(\frac{11}{180}\right)$ ...(*i*)

और

$\left(\frac{1}{p}\right) + \left(\frac{1}{Q}\right) = \left(\frac{1}{20}\right)$ ...(*ii*)

समीकरण (*i*) और (*ii*) को हल करने पर, हमें मिलता है

$\frac{1}{R} = \frac{11}{180} - \frac{1}{20}$

$\Rightarrow R = 90$ दिन

$\therefore$ दिनों की आवश्यक संख्या $= 90 \times \frac{60}{100} = 54$ दिन

83. मान लीजिए M 1 आदमी की दर है

और W 1 महिला की दर होगी

अब, प्रश्न के अनुसार

$4M + 3W = \frac{1}{6}$ ...(*i*)

$5M + 7W = \frac{1}{4}$ ...(*ii*)

समीकरण (*i*) को 7 से और समीकरण (*ii*) को 3 से गुणा करने और (*i*) और (*ii*) को घटाने पर, हमें मिलता है

$13M = \frac{5}{12}$

$\Rightarrow M = \frac{5}{156}$

अब, (i) में $M = \frac{5}{156}$ डालें, हमें मिलता है

$$\frac{4\times5}{156}+3W=\frac{1}{6}$$

$$\Rightarrow 3W=\frac{1}{6}-\frac{20}{156}$$

$$\Rightarrow 3W=\frac{26-20}{156}=\frac{6}{156}$$

$$\Rightarrow W=\frac{1}{78}$$

$$M+W=\frac{5}{156}+\frac{1}{78}=\frac{5+2}{156}=\frac{7}{156}$$

अब, $(M+W)\times x=1$

$$\Rightarrow x=\frac{156}{7}$$

$$\therefore\ 14x=\frac{156}{7}\times 2=312$$

$\therefore$ निकटतम पूर्ण वर्ग $14x = 324$

84. प्रारंभ में पुरुषों की संख्या = 40

कुल कार्य = 40 × 30 = 1200 इकाई

अभीष्ट दिनों की संख्या $=\frac{1200}{30}=40$ दिन

85.

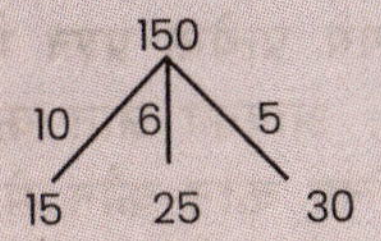

राम रोहन रोहित

रोहन और रोहित का 2 दिन का कार्य

= (6 + 5) × 2 = 22 इकाई

शेष कार्य = 150 - 22 = 128 इकाई

शेष कार्य को पूरा करने में राम और रोहन द्वारा लिए गए दिनों की संख्या

$=\frac{128}{10+6}=8$ दिन

$\therefore$ अभीष्ट दिनों की संख्या = 2 + 8 = 10 दिन

86. A का 2 दिन का काम

$$=\left(\frac{1}{20}\times2\right)=\frac{1}{10}$$

(A+B+C) का 1 दिन का काम

$$=\left(\frac{1}{20}+\frac{1}{30}+\frac{1}{60}\right)=\frac{6}{60}=\frac{1}{10}$$

3 दिन का काम

$$=\left(\frac{1}{10}+\frac{1}{10}\right)=\frac{1}{5}$$

$\therefore$ कार्य पूरा करने में लगा समय

= 3 × 5 = 15 दिन

87.

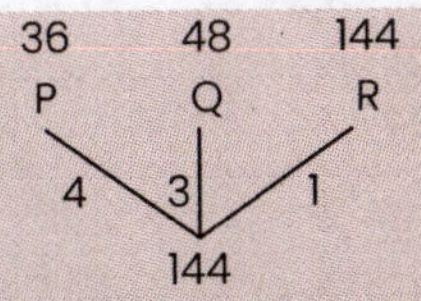

P का 12 दिन का कार्य = 4 × 12 = 48

Q का 8 दिन का कार्य = 8 × 3 = 24

(P + Q) का कार्य = 48 + 24 = 72 = अतिरिक्त कार्य

कुल कार्य = 72 + 144 = 216

कार्य पूरा करने के लिए दिनों की संख्या

$$=\frac{216}{8}=27$$

88.

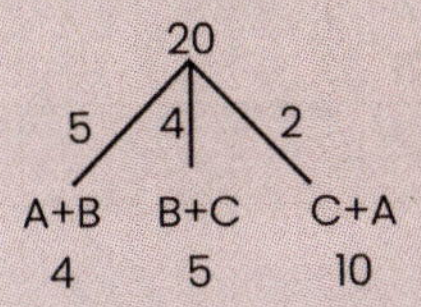

2 (A + B + C) की क्षमता = 11

$\therefore$ (A + B + C) की क्षमता $=\frac{11}{2}$

$\therefore$ कार्य पूरा करने के लिए दिनों की संख्या

$$=20\times2=3\frac{7}{11}$$

89. A का एक दिन का काम $=\frac{1}{10}$

B का एक दिन का कार्य $=\frac{1}{15}$

C का एक दिन का कार्य $=\frac{1}{12}$

(A+B) बारी-बारी से 5 दिन का काम $=\frac{5}{10}+\frac{5}{15}$

$$=\frac{1}{2}+\frac{1}{3}\qquad=\frac{5}{6}$$

$\therefore$ शेष कार्य $=1-\frac{5}{6}=\frac{1}{6}$

C द्वारा कार्य पूरा करने के दिनों की संख्या $=\frac{12}{6}=2$ दिन

90.

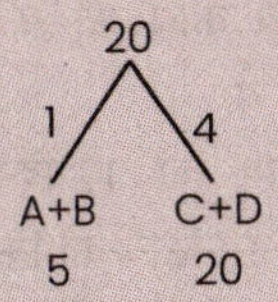

(A+B+C+D) की क्षमता = 4 + 1 = 5

$\therefore$ अभीष्ट दिनों की संख्या $=\frac{20}{5}=4$ दिन

91. A का एक दिन का काम $=\frac{1}{8}$

B का एक दिन का कार्य $=\frac{1}{6}$

(A+B) दो दिन का काम $=\frac{1}{6}+\frac{1}{8}=\frac{7}{24}$

6 दिन में किया गया कार्य $= \frac{21}{24}$

$\therefore$ शेष कार्य $= \frac{1}{8}$

शेष कार्य को पूरा करने के लिए A द्वारा आवश्यक समय $= \frac{3}{4}$

$\therefore$ संपूर्ण कार्य को पूरा करने में लगा समय

$= \frac{27}{4} = 6\frac{3}{4}$ दिन

92. आकाश और दिशा द्वारा 12 दिन का कार्य

$= \frac{12}{63} + \frac{12}{84} = \frac{4}{21} + \frac{1}{7} = \frac{4+3}{21} = \frac{7}{21} = \frac{1}{3}$

शेष कार्य $= 1 - \frac{1}{3} = \frac{2}{3}$

$\therefore$ आकाश द्वारा किया गया शेष कार्य

$\frac{2}{3} \times 21 = 42$

$\therefore$ कुल दिन = 42 + 12 = 54

93. A, B और C द्वारा एक साथ किया गया 3 दिन का कार्य

$= \frac{3}{20} + \frac{1}{30} + \frac{1}{60}$

$\frac{9+2+1}{60} = \frac{12}{60} = \frac{1}{5}$

3 दिन में पूरा हुआ $= \frac{1}{5}$ काम

1 कार्य 3×5 = 15 दिन में पूरा हुआ

प्रश्नमाला 18 B

निर्देश: प्रश्न संख्या *1* से *4* तक प्रत्येक में एक कथन/प्रश्न तथा दो कथन *I* तथा *II* दिये गये हैं. इन कथनों को पढ़कर इनका उत्तर:

(*a*) दीजिए यदि दिये गये प्रश्न का उत्तर देने के लिए *I* पर्याप्त हो तथा *II* पर्याप्त न हो;

(*b*) दीजिए यदि दिये गये प्रश्न का उत्तर देने के लिए *II* पर्याप्त हो तथा *I* पर्याप्त न हो;

(*c*) दीजिए यदि दिये गये प्रश्न का उत्तर देने के लिए *I* भी पर्याप्त हो तथा *II* भी पर्याप्त हो;

(*d*) दीजिए यदि दिये गये प्रश्न का उत्तर देने के लिए *I* तथा *II* दोनों मिलकर भी पर्याप्त न हो;

(*e*) दीजिए यदि दिये गये प्रश्न का उत्तर *I* तथा *II* दोनों को मिलाकर बना हो.

1. A तथा B मिलकर किसी कार्य को 7 दिन में समाप्त कर सकते हैं तथा B अकेला इसे 20 दिन में पूरा कर सकता है. A द्वारा कितना कार्य किया जा चुका है?

I. A तथा B ने 5 दिन कार्य किया तथा शेष कार्य A ने पूरा किया.

II. A द्वारा किये गये कार्य को B तथा C मिलकर 6 दिन में पूरा कर सकते थे.

2. B अकेला किसी कार्य को 12 दिन में पूरा कर सकता है. A, B, C तीनों मिलकर इस कार्य को कितने दिन में पूरा कर सकेंगे?

I. A तथा B मिलकर इस कार्य को 3 दिन में पूरा कर सकते हैं.

II. B तथा C मिलकर इस कार्य को 6 दिन में पूरा कर सकते हैं.

3. केवल मशीन Y को x मोमबत्तियाँ बनाने में कितना समय लगेगा?

I. मशीन X, 5 मिनट में x मोमबत्तियाँ बनाती है.

II. मशीन X तथा Y दोनों 2 मिनट में x मोमबत्तियाँ बनाती हैं.

4. क्या Y की अपेक्षा X द्वारा कार्य कराना सस्ता रहेगा?

I. X को प्रति घण्टा Y से 20% अधिक धन दिया जाता है, जबकि पूरे कार्य को समाप्त करने के लिए Y, X से 2 घण्टे अधिक लेता है.

II. X को ₹ 80 प्रति घण्टा दिया जाता है.

निर्देश (प्रश्न 5–9): नीचे दिये गये प्रत्येक प्रश्न में प्रश्न के साथ तीन कथन दिये गये हैं. आपको ज्ञात करना है कि दिये गये प्रश्न के उत्तर के लिए कौन-कौन से कथन अनिवार्य हैं.

5. कितने दिन में A तथा B मिलकर कार्य को समाप्त कर सकेंगे?

I. A अकेला इस कार्य को 30 दिन में समाप्त कर सकता है.

II. B अकेला इस कार्य को 40 दिन में समाप्त कर सकता है.

III. पूरे कार्य को समाप्त करने में B, A से 10 दिन अधिक लेता है.

(*a*) केवल I तथा II (*b*) केवल II तथा III
(*c*) केवल I तथा III (*d*) तीनों में से कोई दो
(*e*) I, II, III तीनों

6. A तथा B दोनों मिलकर कितने दिन में कार्य समाप्त कर लेंगे?

I. A अकेला इस कार्य को 8 दिन में समाप्त कर सकता है.

II. यदि A अकेला 5 दिन कार्य करे तथा B अकेला 6 दिन कार्य करे तो कार्य समाप्त हो जाता है.

III. B अकेला इस कार्य को 16 दिन में समाप्त कर सकता है.

(*a*) केवल I तथा II (*b*) केवल II तथा III
(*c*) इनमें से कोई दो (*d*) II तथा (I अथवा III)
(*e*) इनमें से कोई नहीं

7. किसी निर्माण कार्य को 10 दिन में समाप्त करने के लिए कितने मजदूर चाहिये? **(बैंक पी० ओ० परीक्षा, 2003)**

I. 20% कार्य को 8 मजदूर 8 दिन में पूरा कर सकते हैं.

II. 20 मजदूर इस कार्य को 16 दिन में समाप्त कर सकते हैं.

III. $\frac{1}{8}$ काम को 8 मजदूर 5 दिन में पूरा कर सकते हैं.

(*a*) केवल I (*b*) केवल II तथा III
(*c*) केवल III (*d*) केवल I तथा III
(*e*) तीनों में से कोई एक

8. 9 आदमी तथा 15 औरतें मिलकर कार्य को कितने दिन में समाप्त कर सकेंगे?

I. 6 आदमी तथा 5 औरतें मिलकर इस कार्य को 6 दिन में समाप्त कर सकते हैं.

II. 3 आदमी तथा 4 औरतें मिलकर इस कार्य को 10 दिन में समाप्त कर सकते हैं.

III. 18 आदमी तथा 15 औरतें मिलकर इस कार्य को 2 दिन में समाप्त कर सकते हैं.

(*a*) केवल III (*b*) I, II तथा III तीनों
(*c*) तीनों में से कोई दो (*d*) तीनों में से कोई एक
(*e*) इनमें से कोई नहीं

9. कितने दिन में 10 औरतें एक कार्य को समाप्त कर सकेंगी?

I. 10 आदमी इस कार्य को 6 दिन में समाप्त कर सकते हैं.

II. 10 आदमी तथा 10 औरतें मिलकर इस कार्य को $3\frac{3}{7}$ दिन में समाप्त कर सकते हैं.

III. यदि 10 आदमी 3 दिन कार्य करें तथा उसके बाद इनके स्थान पर 10 औरतें कार्य करें तो शेष कार्य 4 दिन में समाप्त हो जायेगा.

(*a*) तीनों में से कोई दो (*b*) केवल I तथा II
(*c*) केवल II तथा III (*d*) केवल I तथा III
(*e*) इनमें से कोई नहीं

निर्देश (प्रश्न 10–11): नीचे दिये गये प्रत्येक प्रश्न में प्रश्न के साथ तीन कथन दिये गये हैं. इनमें से निरर्थक कथन कौन-सा है?

10. *A*, *B*, *C* मिलकर किसी कार्य को कितने दिन में समाप्त कर सकेंगे?

I. *A* तथा *B* मिलकर इस कार्य को 6 दिन में समाप्त करते हैं.

II. *B* तथा *C* मिलकर इस कार्य को $3\frac{3}{4}$ दिन में समाप्त करते हैं

III. *A* तथा *C* मिलकर इस कार्य को $3\frac{1}{3}$ दिन में समाप्त करते हैं

(*a*) तीनों में से कोई एक (*b*) केवल I
(*c*) केवल II (*d*) केवल III
(*e*) तीनों कथनों में दी गई जानकारी आवश्यक है

11. 8 आदमी तथा 14 औरतें मिलकर एक खेत में कार्य करते हैं. तीन दिन तक कार्य करने के बाद 5 आदमी तथा 8 औरतें काम छोड़कर चले जाते हैं. कार्य समाप्त होने में कितने दिन और लगेंगे?

I. 19 आदमी तथा 12 औरतें मिलकर इस कार्य को 18 दिन में समाप्त कर सकते हैं.

II. 16 आदमी $\frac{2}{3}$ काम को 16 दिन में पूरा करते हैं.

III. एक दिन में 3 आदमियों द्वारा किया गया कार्य 4 औरतों द्वारा किये गये कार्य के बराबर है.

(*a*) केवल I (*b*) केवल II
(*c*) केवल III (*d*) I अथवा II अथवा III
(*e*) केवल II अथवा III

उत्तरमाला

1. (*a*) **2.** (*e*) **3.** (*e*) **4.** (*d*) **5.** (*d*) **6.** (*c*) **7.** (*e*) **8.** (*c*) **9.** (*a*) **10.** (*e*) **11.** (*d*)

दिये गये प्रश्नों के हल

1. *B* का 1 दिन का कार्य $= \frac{1}{20}$ तथा

$(A+B)$ का 1 दिन का कार्य $= \frac{1}{7}$.

I से, $(A+B)$ का 5 दिन का कार्य $= \frac{5}{7}$.

शेष कार्य $= \left(1-\frac{5}{7}\right)=\frac{2}{7}$.

$\therefore$ $\frac{2}{7}$ कार्य *A* ने किया.

II से, अभीष्ट उत्तर प्राप्त नहीं कर सकते.

$\therefore$ सही उत्तर (*a*) है.

2. *B* का 1 दिन का कार्य $= \frac{1}{12}$.

I से, $(A+B)$ का 1 दिन का कार्य $= \frac{1}{3}$.

A का 1 दिन का कार्य $= \left(\frac{1}{3} - \frac{1}{12}\right) = \frac{3}{12} = \frac{1}{4}$.

II से, $(B + C)$ का 1 दिन का कार्य $= \frac{1}{6}$.

$\therefore$ C का 1 दिन का कार्य $= \left(\frac{1}{6} - \frac{1}{12}\right) = \frac{1}{12}$.

$(A + B + C)$ का 1 दिन का कार्य $= \left(\frac{1}{4} + \frac{1}{12} + \frac{1}{12}\right) = \frac{5}{12}$.

अतः तीनों मिलकर इस कार्य को $\frac{12}{5} = 2\frac{2}{5}$ दिन में पूरा करेंगे.

$\therefore$ उत्तर प्राप्त करने हेतु I तथा II दोनों चाहियें.

$\therefore$ सही उत्तर (*e*) है.

3. I से, मशीन X, 1 मिनट में $\frac{x}{5}$ मोमबत्तियाँ बनाती है.

II से, मशीन X तथा Y, 1 मिनट में $\frac{x}{2}$ मोमबत्तियाँ बनाती हैं.

I तथा II से, मशीन Y, 1 मिनट में $\left(\frac{x}{2} - \frac{x}{5}\right) = \frac{3x}{10}$ मोमबत्तियाँ बनाती हैं.

$\frac{3x}{10}$ मोमबत्तियाँ Y मशीन बनाती है = 1 मिनट में.

x मोमबत्तियाँ Y मशीन बनायेगी

$= \left(\frac{10}{3x} \times x\right)$ मिनट में $= \frac{10}{3}$ मिनट में

$\therefore$ उत्तर प्राप्त करने हेतु I तथा II दोनों चाहिये.

$\therefore$ सही उत्तर (*e*) है.

4. माना किसी कार्य को पूरा करने के लिए X तथा Y क्रमशः x घण्टे तथा $(x + 2)$ घण्टे लेते हैं.

II से, X को ₹ 80 प्रति घण्टा दिया जाता है.

X को कुल देय धन = ₹$(80\,x)$.

I से, $X = Y$ का $120\% = \frac{120}{100}Y = \frac{6Y}{5} \Leftrightarrow Y = \frac{5}{6}X$.

$\therefore$ Y को मिलता है = ₹$\left(\frac{5}{6} \times 80\right)$ प्रति घण्टा

= ₹$\frac{200}{3}$ प्रति घण्टा.

Y को कुल देय धन $= \frac{200}{3}$ ₹$(x + 2)$.

स्पष्ट है कि $(80\,x)$ तथा $\frac{200}{3}(x + 2)$ की तुलना नहीं की जा सकती.

$\therefore$ सही उत्तर (*d*) है.

5. I से, A का 1 दिन का कार्य $= \frac{1}{30}$.

II से, B का 1 दिन का कार्य $= \frac{1}{40}$.

I तथा II से, $(A + B)$ का 1 दिन का कार्य $= \left(\frac{1}{30} + \frac{1}{40}\right) = \frac{7}{120}$.

$\therefore$ A तथा B मिलकर इस कार्य को $\frac{120}{7} = 17\frac{1}{7}$ दिन में पूरा करेंगे

अतः I तथा II से दिये गये प्रश्न का उत्तर प्राप्त हुआ.

इसी प्रकार (I तथा III) से तथा (II तथा III) से यही उत्तर प्राप्त होगा.

$\therefore$ सही उत्तर (*d*) है.

6. I से, A का 1 दिन का कार्य $= \frac{1}{8}$.

III से, B का 1 दिन का कार्य $= \frac{1}{16}$.

$(A + B)$ का 1 दिन का कार्य $= \left(\frac{1}{8} + \frac{1}{16}\right) = \frac{3}{16}$.

अतः दोनों मिलकर इस कार्य को $\frac{16}{3}$ अर्थात् $5\frac{1}{3}$ दिन में समाप्त करेंगे.

$\therefore$ I तथा III से उत्तर प्राप्त होता है.

II तथा III से, माना A अकेला इस कार्य को x दिन में समाप्त करता है.

तब, A का 1 दिन का कार्य $= \frac{1}{x}$.

$\therefore$ $\frac{5}{x} + \frac{6}{16} = 1 \Leftrightarrow \frac{5}{x} = \left(1 - \frac{6}{16}\right) = \frac{10}{16} = \frac{5}{8} \Leftrightarrow x = 8.$

$\therefore$ $(A + B)$ का 1 दिन का कार्य $= \left(\frac{1}{8} + \frac{1}{16}\right) = \frac{3}{16}$.

अतः दोनों मिलकर इस कार्य को $\frac{16}{3}$ अर्थात् $5\frac{1}{3}$ दिन में समाप्त करेंगे.

$\therefore$ II तथा III से उत्तर प्राप्त होता है.

I तथा II से, माना B अकेला इसे x दिन में समाप्त करता है.

II से, $\left(5 \times \frac{1}{8} + 6 \times \frac{1}{x}\right) = 1 \Leftrightarrow \frac{6}{x} = \left(1 - \frac{5}{8}\right) = \frac{3}{8} \Leftrightarrow x = 16.$

$(A + B)$ का 1 दिन का कार्य $= \left(\frac{1}{8} + \frac{1}{16}\right) = \frac{3}{16}$.

अतः दोनों मिलकर इस कार्य को $\frac{16}{3}$ अर्थात् $5\frac{1}{3}$ दिन में समाप्त करेंगे.

$\therefore$ I तथा II से भी उत्तर प्राप्त हुआ.

$\therefore$ सही उत्तर (*c*) है.

7. I से, $\frac{20}{100}$ अर्थात् $\frac{1}{5}$ कार्य को (8×8) मजदूर 1 दिन में करेंगे

$\Rightarrow$ पूरे कार्य को 1 दिन में करेंगे $(8 \times 8 \times 5)$ मजदूर

$\Rightarrow$ पूरे कार्य को 10 दिन में करेंगे

$= \left(\frac{8 \times 8 \times 5}{10}\right)$ मजदूर = 32 मजदूर.

II से, पूरे कार्य को 1 दिन में पूरा करेंगे $= (20 \times 16)$ मजदूर

पूरे कार्य को 10 दिन में पूरा करेंगे $= \frac{(20 \times 16)}{10}$ मजदूर = 32 मजदूर.

III से, $\frac{1}{8}$ कार्य को 1 दिन में पूरा करेंगे $= (8 \times 5)$ मजदूर

पूरे कार्य को 1 दिन में पूरा करेंगे = $(8 \times 5 \times 8)$ मजदूर

पूरे कार्य को 10 दिन में पूरा करेंगे = $\left(\frac{8 \times 5 \times 8}{10}\right)$ मजदूर = 32 मजदूर.

तीनों में से प्रत्येक से उत्तर प्राप्त होता है.

∴ सही उत्तर (*e*) है.

8. स्पष्ट है कि तीन में से दो-दो कथन लेकर समीकरण बनाकर हल किये जा सकते हैं जैसे

I तथा II से, $\left[6x + 5y = \frac{1}{6}, 3x + 4y = \frac{1}{10}\right]$ आदि.

∴ सही उत्तर (*c*) है.

9. I से, (10×6) आदमी काम को पूरा करेंगे = 1 दिन में.

∴ 1 आदमी का 1 दिन का काम = $\frac{1}{60}$ ...(*i*)

II से, $\left(10 \times \frac{24}{7}\right)$ आदमी + $\left(10 \times \frac{24}{7}\right)$ औरतें काम को पूरा करेंगे = 1 दिन में

⇒ $\left(\frac{240}{7}\right)$ आदमियों का 1 दिन का कार्य + $\left(\frac{240}{7}\right)$ औरतों का 1 दिन का कार्य = 1

⇒ $\left(\frac{240}{7} \times \frac{1}{60}\right) + \left(\frac{240}{7}\right)$ औरतों का 1 दिन का कार्य = 1 [(*i*) से]

⇒ $\left(\frac{240}{7}\right)$ औरतों का 1 दिन का कार्य = $\left(1 - \frac{4}{7}\right) = \frac{3}{7}$

⇒ 10 औरतों का 1 दिन का कार्य = $\left(\frac{3}{7} \times \frac{7}{240} \times 10\right) = \frac{1}{8}$

⇒ 10 औरतें पूरे कार्य को 8 दिन में पूरा करेंगी.

III से, (10 आदमियों का 3 दिन का कार्य) + (10 औरतों का 4 दिन का कार्य) = 1

⇒ (10×3) आदमियों का 1 दिन का कार्य + (10×4) औरतों का 1 दिन का कार्य = 1

⇒ 30 आदमियों का 1 दिन का कार्य + 40 औरतों का 1 दिन का कार्य = 1

⇒ $\left(30 \times \frac{1}{60}\right)$ + 40 औरतों का 1 दिन का कार्य = 1 [*I* से]

⇒ 40 औरतों का 1 दिन का कार्य = $\frac{1}{2}$

⇒ 10 औरतों का 1 दिन का कार्य = $\left(\frac{1}{2} \times \frac{1}{40} \times 10\right) = \frac{1}{8}$.

⇒ 10 औरतें पूरे कार्य को 8 दिन में करेंगी.

∴ (I तथा III) तथा (II और III) से उत्तर प्राप्त होगा.

∴ सही उत्तर (*a*) है.

10. I से, $(A + B)$ का 1 दिन का कार्य = $\frac{1}{6}$.

II से, $(B + C)$ का 1 दिन का कार्य = $\frac{4}{15}$.

III से, $(A + C)$ का 1 दिन का कार्य = $\frac{3}{10}$.

जोड़ने पर, $2(A + B + C)$ का 1 दिन का कार्य = $\left(\frac{1}{6} + \frac{4}{15} + \frac{3}{10}\right) = \frac{22}{30}$

⇒ $(A + B + C)$ का 1 दिन का कार्य = $\left(\frac{1}{2} \times \frac{22}{30}\right) = \frac{11}{30}$.

∴ *A*, *B*, *C* मिलकर इस कार्य को $\frac{30}{11}$ दिन में = $2\frac{8}{11}$ दिन में समाप्त करेंगे.

अत: दिये गये प्रश्न के उत्तर के लिए I, II, III तीनों अनिवार्य हैं.

∴ सही उत्तर (*e*) है.

11. स्पष्ट है कि केवल I से उत्तर प्राप्त होगा.

इसी प्रकार, केवल II से उत्तर प्राप्त होगा.

तथा, केवल III से उत्तर प्राप्त होगा.

∴ सही उत्तर (*d*) है.

19 पाईप तथा टंकी के प्रश्न (PIPES AND CISTERNS)

सामान्य नियम

(*i*) यदि एक पाईप किसी टंकी को x घण्टे में भरे, तो

पाईप का 1 घण्टे का भराव कार्य $= \frac{1}{x}$.

(*ii*) यदि एक निकासी पाईप किसी भरी टंकी को y घण्टे में खाली करे, तो

पाईप का 1 घण्टे का निकासी कार्य $= \frac{1}{y}$.

(*iii*) यदि एक पाईप खाली टंकी को x घण्टे में भरे तथा एक निकासी पाईप भरी टंकी को y घण्टे में खाली करे, तो

दोनों पाईपों का 1 घण्टे का भराव कार्य $= \left(\frac{1}{x} - \frac{1}{y}\right)$, **जबकि** $x < y$.

दोनों पाईपों का 1 घण्टे का निकासी कार्य $= \left(\frac{1}{y} - \frac{1}{x}\right)$, **जबकि** $x > y$.

साधित उदाहरण

प्रश्न 1. दो नल A तथा B एक टंकी को क्रमशः 12 घण्टे तथा 15 घण्टे में भर सकते हैं. यदि दोनों नल एक साथ खोल दिये जायें, तो खाली टंकी को भरने में कितना समय लगेगा?

हल: A का 1 घण्टे का कार्य $= \frac{1}{12}$, B का 1 घण्टे का कार्य $= \frac{1}{15}$.

$(A + B)$ का 1 घण्टे का कार्य $= \left(\frac{1}{12} + \frac{1}{15}\right) = \frac{9}{60} = \frac{3}{20}$.

दोनों नलों द्वारा टंकी को भरने में लगा समय $= \frac{20}{3}$ घण्टे $= 6$ घण्टे 40 मिनट.

प्रश्न 2. एक नल एक टंकी को 16 घण्टे में भरता है. परन्तु टंकी की तली में छेद होने के कारण टंकी 24 घण्टे में भरी जाती है. यदि टंकी पूरी भरी हो, तो छेद के कारण कितनी देर में खाली हो जायेगी?

हल: टंकी का 1 घण्टे का कार्य $= \frac{1}{16}$.

(टंकी + छेद) का 1 घण्टे का कार्य $= \frac{1}{24}$.

छेद का 1 घण्टे का कार्य $= \left(\frac{1}{24} - \frac{1}{16}\right) = \frac{(2-3)}{48} = -\frac{1}{48}$.

$\frac{1}{48}$ टंकी छेद के कारण खाली होती है $= 1$ घण्टे में.

पूरी टंकी को खाली होने में लगा समय $= 48$ घण्टे.

प्रश्न 3. दो नल A तथा B एक टंकी को क्रमशः 36 मिनट तथा 45 मिनट में भर देते हैं. पेंदी में लगा नल C, भरी टंकी को 30 मिनट में खाली कर देता है. A तथा B के खोले जाने के 7 मिनट बाद C भी खोल दिया जाता है. ज्ञात कीजिए कि टंकी के भरने में कितना समय लगेगा?

हल: 7 मिनट में टंकी का भरा गया $= 7 \times \left(\frac{1}{36}+\frac{1}{45}\right)=\frac{7}{20}$.

शेष भाग $= \left(1-\frac{7}{20}\right)=\frac{13}{20}$.

तीनों नलों का 1 मिनट का कार्य $= \left(\frac{1}{36}+\frac{1}{45}-\frac{1}{30}\right)=\frac{3}{180}=\frac{1}{60}$.

$\frac{1}{60}$ भाग भरने में लगा समय = 1 मिनट.

$\frac{13}{20}$ भाग भरने में लगा समय $= \left(1\times 60\times\frac{13}{20}\right)$ मिनट = 39 मिनट.

अत: टंकी को भरने में लगा कुल समय = (7 + 39) मिनट = 46 मिनट.

प्रश्न 4. दो नल A तथा B एक टंकी को क्रमशः 15 मिनट तथा 12 मिनट में भर सकते हैं तथा तीसरा नल C, भरी टंकी को 6 मिनट में खाली कर सकता है. पहले A तथा B, 5 मिनट तक खुले रहते हैं तथा इसके बाद C भी खोल दिया जाता है. टंकी कितनी देर में खाली हो जायेगी?

हल: $(A+B)$ द्वारा 5 मिनट में भरा गया भाग $= 5 \times \left(\frac{1}{15}+\frac{1}{12}\right) = \left(5\times\frac{9}{60}\right)=\frac{3}{4}$.

$(A+B+C)$ द्वारा 1 मिनट में खाली किया गया भाग $= \frac{1}{6}-\left(\frac{1}{15}+\frac{1}{12}\right)=\left(\frac{1}{6}-\frac{3}{20}\right)=\frac{1}{60}$.

$\frac{1}{60}$ भाग खाली होने में लगा समय = 1 मिनट.

$\frac{3}{4}$ भाग खाली होने में लगा समय $= \left(1\times 60\times\frac{3}{4}\right)$ मिनट = 45 मिनट.

प्रश्नमाला 19 A

नीचे दिये गये प्रत्येक प्रश्न में ठीक उत्तर को चिह्नांकित (✓) कीजिए:

1. दो नल A तथा B एक खाली टंकी को क्रमशः 20 मिनट तथा 30 मिनट में भर सकते है. यदि दोनों नल एक साथ खोल दिये जायें, तो टंकी को भरने में कितना समय लगेगा? **(पुलिस इन्सपैक्टर परीक्षा, 2013)**

(*a*) 50 मिनट (*b*) 25 मिनट (*c*) 15 मिनट (*d*) 12 मिनट

2. एक नल एक खाली टंकी को 8 घण्टे में भर सकता है तथा दूसरा नल भरी टंकी को 16 घण्टे में खाली कर सकता है. यदि दोनों नल एक साथ खाली टंकी में खोल दिये जायें, तो इस टंकी को भरने में कितना समय लगेगा? **(एस०एस०सी० परीक्षा, 2005)**

(*a*) 8 घण्टे (*b*) 10 घण्टे (*c*) 16 घण्टे (*d*) 24 घण्टे

3. दो पाईप एक खाली टंकी को क्रमशः 15 घण्टे तथा 12 घण्टे में भर सकते हैं, जबकि एक तीसरा पाईप इस भरी टंकी को 20 घण्टे में खाली कर सकता है. यदि खाली टंकी में तीनों पाईप एक साथ खोल दिये जायें, तो टंकी को भरने में कितना समय लगेगा? **(रेलवे परीक्षा, 2012)**

(*a*) 9 घण्टे (*b*) 10 घण्टे (*c*) 14 घण्टे (*d*) 16 घण्टे

4. एक नल एक खाली टंकी को 3½ घण्टे में भर सकता है. परन्तु, टंकी की तली में छेद होने के कारण टंकी को भरने में आधा घण्टा अधिक लगता है. भरी टंकी को यह छेद कितनी देर में खाली कर देगा? **(मैनेजमैन्ट परीक्षा, 2014)**

(*a*) 7 घण्टे (*b*) 8 घण्टे (*c*) 14 घण्टे (*d*) 28 घण्टे

5. दो नल A तथा B मिलकर एक खाली टंकी को 18 घण्टे में भर सकते हैं. यदि नल B इसे 24 घण्टे में भर सके, तो A अकेला खाली टंकी को कितने घण्टे में भर सकेगा? **(प्रोविडैन्ट फन्ड असिस्टैंट परीक्षा, 2014)**

(*a*) 48 घण्टे (*b*) 60 घण्टे (*c*) 72 घण्टे (*d*) 84 घण्टे

6. दो पाईप A तथा B एक खाली टंकी को क्रमशः 15 मिनट तथा 20 मिनट में भर सकते है. दोनों पाईप एक साथ खाली टंकी में खोल दिये जाते हैं तथा 4 मिनट बाद पाईप A को बन्द कर दिया जाता है. टंकी भरने में कुल कितना समय लगेगा? **(प्रोविडैन्ट फन्ड असिस्टैंट परीक्षा, 2012)**

(*a*) 10 मिनट 20 सै० (*b*) 11 मिनट 40 सै०
(*c*) 12 मिनट 30 सै० (*d*) 14 मिनट 40 सै०

7. एक टंकी में बना एक छेद भरी टंकी को 8 घण्टे में खाली कर देता है. एक पाईप द्वारा टंकी में 6 लीटर प्रति मिनट की दर से पानी भरता है. टंकी भरी होने पर, इस पाईप को खोल दिया जाता है, परन्तु छेद के कारण टंकी 12 घण्टे में खाली हो जाती है. भरी टंकी में कितने लीटर पानी आता है? **(होटल मैनेजमैन्ट परीक्षा, 2005)**

(*a*) 7580 (*b*) 7960 (*c*) 8290 (*d*) 8640

8. दो पाईप A तथा B एक टंकी को क्रमशः 37½ मिनट तथा 45 मिनट में भर सकते हैं. दोनों पाईप एक साथ खोल दिये जाते हैं. पाईप B को कितनी देर में बन्द कर दिया जाये कि कुल

आधे घण्टे में टंकी भर जाये?

(एस०एस०सी० परीक्षा, 2014)

(a) 5 मिनट (b) 9 मिनट (c) 10 मिनट (d) 15 मिनट

9. दो नल A तथा B एक टंकी को क्रमशः 15 घण्टे तथा 20 घण्टे में पूरा भर देते हैं तथा तीसरा नल C, भरी टंकी को 25 घण्टे में खाली कर देता है. आरम्भ में तीनों पाईप एक साथ खोल दिये जाते हैं. दस घण्टे बाद C को बन्द कर दिया जाता है. टंकी भरने में कुल कितना समय लगेगा?

(रेलवे परीक्षा, 2011)

(a) 12 घण्टे (b) 13 घण्टे (c) 16 घण्टे (d) 18 घण्टे

10. तीन नल A, B, C इकट्ठे खोल दिये जाने पर एक खाली टंकी को 6 घण्टे में भरते हैं. तीनों नल खाली टंकी में खोल दिये जाते हैं तथा 2 घण्टे बाद C को बन्द कर दिया जाता है. इसके बाद A तथा B शेष भाग को 7 घण्टे में भर देते हैं. केवल C इस खाली टंकी को कितने समय में भरेगा?

(जीवन बीमा निगम परीक्षा, 2013)

(a) 10 घण्टे (b) 12 घण्टे (c) 14 घण्टे (d) 16 घण्टे

11. दो नल A तथा B एक खाली टंकी को क्रमशः 60 मिनट तथा 40 मिनट में भर सकते हैं. यदि खाली टंकी में आधे समय के लिए B खोल दिया जाये तथा शेष समय में A तथा B खोले जायें, तो टंकी कुल कितने मिनट में भर जायेगी?

(मैट्रो रेल परीक्षा, 2013)

(a) 15 मिनट (b) 20 मिनट (c) 27·5 मिनट (d) 30 मिनट

12. दो नल A तथा B एक खाली टंकी को क्रमशः 12 मिनट तथा 15 मिनट में भर सकते हैं तथा तीसरा नल C भरी टंकी को 6 मिनट में खाली कर सकता है. पहले खाली टंकी में A तथा B खुले रहते हैं तथा 5 मिनट बाद C को भी खोल दिया जाता है. टंकी खाली होने में कितना समय लगेगा?

(एम०बी०ए० परीक्षा, 2012)

(a) 30 मिनट (b) 33 मिनट (c) 37·5 मिनट (d) 45 मिनट

13. दो नल A तथा B मिलकर एक टंकी को 6 मिनट में भर सकते हैं. यदि टंकी भरने में B, A से 5 मिनट अधिक ले तो B खाली टंकी को भरने में कितना समय लेगा?

(a) 10 मिनट (b) 15 मिनट (c) 20 मिनट (d) 11 मिनट

14. एक नल खाली टंकी को 8 घण्टे में भर देता है, परन्तु टंकी में छेद होने के कारण इसे भरने में 2 घण्टे अधिक लगते हैं. भरी टंकी को खाली करने में यह छेद कितना समय लेगा?

(होटल मैनेजमैन्ट परीक्षा, 2013)

(a) 15 घण्टे (b) 20 घण्टे (c) 24 घण्टे (d) 40 घण्टे

15. एक पाईप खाली टंकी को 3 घण्टे में भर देता है. दो निकासी पाईप भरी टंकी को क्रमशः 6 घण्टे तथा 10 घण्टे में खाली कर सकते हैं. यदि खाली टंकी में तीनों पाईप इकट्ठे खोल दिये जायें, तो टंकी भरने में कितना समय लगेगा?

(एम०बी०ए० परीक्षा, 2012)

(a) 18 घण्टे (b) 9 घण्टे (c) 16 घण्टे (d) 15 घण्टे

16. तीन नल A, B, C एक खाली टंकी को 5 घण्टे में भर देते हैं. यदि C की गति B से दुगुनी हो तथा B की गति A से दुगुनी हो, तो नल A खाली टंकी को भरने में कितना समय लेगा?

(बैंक पी० ओ० परीक्षा, 2013)

(a) 20 घण्टे (b) 25 घण्टे (c) 35 घण्टे

(d) इनमें से कोई नहीं

17. एक पाईप की गति दूसरे पाईप से तिगुनी है. यदि दोनों मिलकर खाली टंकी को 36 मिनट में भर दें, तो धीमी गति वाला पाईप इसे कितने समय में भरेगा?

(सी०बी०आई० परीक्षा, 2013)

(a) 81 मिनट (b) 108 मिनट (c) 144 मिनट (d) 192 मिनट

18. दो नल A तथा B मिलकर किसी टंकी को 4 घण्टे में भर सकते है. यदि B अकेला इस टंकी को भरने में A से 6 घण्टे अधिक ले, तो केवल A खाली टंकी को भरने में कितना समय लेगा?

(a) 1 घण्टा (b) 2 घण्टे (c) 6 घण्टे (d) 8 घण्टे

19. दो नल A तथा B मिलकर एक टंकी को उतनी ही देर में भरते हैं जितनी देर में नल C इसे भरता है. नल B इस टंकी को भरने में A से 5 घण्टे कम लेता है तथा C से 4 घण्टे अधिक लेता है. नल A इस टंकी को कितनी देर में भरेगा?

(एम०बी०ए० परीक्षा, 2012)

(a) 6 घण्टे (b) 10 घण्टे (c) 15 घण्टे (d) 30 घण्टे

20. दो पाईप एक टंकी को क्रमशः 20 मिनट तथा 24 मिनट में भर सकते हैं तथा एक निकासी पाईप टंकी को 3 गैलन प्रति मिनट की दर से खाली करता है. तीनों पाईप एक साथ कार्य करके खाली टंकी को 15 मिनट में भर देते हैं. टंकी की धारिता कितनी है?

(बैंक पी० ओ० परीक्षा, 2011)

(a) 60 गैलन (b) 100 गैलन (c) 120 गैलन (d) 180 गैलन

21. दो नल A तथा B एक टंकी को क्रमशः 6 घण्टे तथा 4 घण्टे में भरते हैं. यदि उन्हें प्रति घण्टा बारी-बारी से खोला जाये तथा A से आरम्भ करें, तो टंकी को भरने में कितना समय लगेगा?

(a) 6 घण्टे (b) $6\frac{2}{3}$ घण्टे (c) $7\frac{1}{2}$ घण्टे (d) 5 घण्टे

22. 12 बाल्टी एक टंकी को पूरा भर देती हैं, जबकि प्रत्येक बाल्टी की धारिता 13·5 लीटर है. नौ लीटर धारिता वाली कितनी बाल्टियों से यह टंकी पूरी भरेगी?

(a) 8 (b) 15 (c) 16 (d) 18

23. बाल्टी P की धारिता, बाल्टी Q की धारिता से तिगुनी है. एक खाली टंकी को भरने के लिए बाल्टी P के 60 फेरे लगते हैं. दोनों बाल्टी साथ-साथ लें, तो कितने फेरे इस टंकी को भर देंगे?

(a) 30 (b) 40 (c) 45 (d) 90

24. तीन नल A, B, C एक टंकी को क्रमशः 12 घण्टे, 15 घण्टे तथा 20 घण्टे में भरते हैं. यदि A सदैव खुला रहे तथा B और C को एक-एक घण्टे बारी बारी खोला जाये तो टंकी को भरने में कितना समय लगेगा?

(a) 7 घण्टे (b) $6\frac{2}{3}$ घण्टे (c) $7\frac{1}{2}$ घण्टे (d) 5 घण्टे

25. इनलेट A अकेले टैंक को पूरी तरह से भरने में 16 घंटे लेता है और आउटलेट B अकेले भरे हुए टैंक को पूरी तरह से खाली करने में 40 घंटे लेता है। यदि A और B को एक

साथ खोला जाता है, तो 25% भरी हुई टंकी को पूरा भरने में कितना समय (घंटों में) लगेगा?

[आरबीआई सहायक प्रारंभिक 2020]

(a) 30 (b) 15 (c) 25 (d) 20

26. यदि पाइप A और B एक टैंक को क्रमशः 15 मिनट और 20 मिनट में भर सकते हैं और पाइप C टैंक को 12 मिनट में खाली कर देता है, तो A, B और C मिलकर टैंक को पूरी तरह भरने में कितना समय लेंगे?

[आईबीपीएस आरआरबी ग्रामीण 2019]

(a) 25 मिनट (b) 30 मिनट
(c) 40 मिनट (d) 20 मिनट

27. एक पाइप किसी टंकी को 9 घंटे में भर सकता है, जबकि दूसरा पाइप उसे 12 घंटे में खाली कर सकता है। यदि दोनों पाइपों को एक साथ खोल दिया जाए, तो टंकी को भरने में कितना समय लगेगा? [एमएटी, 2019]

(a) 36 घंटे (b) 32 घंटे
(c) 28 घंटे (d) 48 घंटे

28. एक बड़े टैंकर को दो पाइप A और B क्रमशः 36 मिनट और 60 मिनट में भर सकते हैं। खाली अवस्था से टैंकर को भरने में कितने मिनट लगेंगे, यदि पहले आधे समय के लिए केवल A का उपयोग किया जाता है और दूसरे आधे समय के लिए A और B इसे एक साथ भरते हैं? [एमएटी, 2019]

(a) 26 मिनट (b) $27\frac{9}{13}$ मिनट
(c) $12\frac{4}{13}$ मिनट (d) 32 मिनट

29. A और B दो नल हैं जो एक टैंक को अलग-अलग क्रमशः 20 मिनट और 30 मिनट में भर सकते हैं। हालाकि, तल पर एक रिसाव है, जो 60 मिनट में भरे हुए टैंक को खाली कर सकता है। यदि शुरू में टंकी खाली है, तो दोनों नल टंकी को भरने में कितना समय लेंगे? रिसाव के? [एमएटी दिसंबर, 2019]

(a) 72 मीटर (b) 66 मीटर (c) 15 मीटर (d) 10 मीटर

30. एक टैंक में एक इनलेट पाइप है जो टैंक को 9 घंटे में भर सकता है, और एक आउटलेट पाइप है जो टैंक को 10 घंटे में खाली कर सकता है। टंकी खाली होने पर सुबह 8 बजे इनलेट पाइप खोला गया, लेकिन गलती से आउटलेट पाइप भी खुला रह गया। ऑपरेटर को सुबह 9 बजे पता चला कि आउटलेट पाइप खुला है और उसने उसे बंद कर दिया। टंकी कितने बजे भर जाएगी? [एमएटी मई, 2018]

(a) 5 : 54 अपराह्न (b) 5 : 24 अपराह्न
(c) 4 : 54 अपराह्न (d) 5 : 15 अपराह्न

31. पाइप A और B एक खाली टैंक को क्रमशः 6 और 8 घंटे में भर सकते हैं, जबकि पाइप C भरी हुई टंकी को 10 घंटे में खाली कर सकता है। यदि तीनों पाइपों को एक साथ खोल दिया जाए, तो टंकी कितने समय में भर जाएगी?

(एसएससी सीपीएफएस एसआई, दिल्ली पुलिस एसआई एंड सीआईएसएफ एएसआई परीक्षा, 2019)

(a) $6\frac{1}{5}$ घंटे (b) $7\frac{1}{2}$ घंटे
(c) $4\frac{4}{23}$ घंटे (d) $5\frac{5}{23}$ घंटे

32. एक टंकी का $\frac{6}{7}$ वाँ भाग तेल से भरा है। 60 लीटर तेल निकालने के बाद, टैंक $\frac{4}{5}$ वाँ भाग भर जाता है। टैंक की क्षमता (लीटर में) क्या है? (एसएससी सीएपीएफएस एएसआई एंड दिल्ली पुलिस एसआई परीक्षा, 2017)

(a) 350 (b) 700 (c) 360 (d) 1050

33. एक इनलेट पाइप किसी टैंक को 10 घंटे में भर सकता है और एक आउटलेट पाइप पूरी तरह से भरे टैंक को 20 घंटे में खाली कर सकता है। सुबह 6.30 बजे दोनों पाइप खोल दिए जाते हैं, टंकी कब भरेगी?

[एसएससी सीएचएसएल (10+2) टियर-I परीक्षा, 2019]

(a) अगले दिन 2.30 बजे (b) अगले दिन 2 बजे
(c) अगले दिन 1 बजे (d) 12.00 मध्यरात्रि

34. पाइप A एक टंकी को 6 घंटे में भर सकता है। पाइप B उसी टंकी को 8 घंटे में भर सकता है। पाइप A, B और C मिलकर समान टैंक को 12 घंटे में भर सकते हैं। फिर निम्नलिखित में से कौन सा कथन पाइप C के लिए सत्य है?

[एसएससी एमटीएस परीक्षा, 2019]

(a) यह टैंक को 4 घंटे 40 मिनट में भर सकता है
(b) यह टंकी को 4 घंटे 48 मिनट में भर सकती है
(c) यह टैंक को 4 घंटे 48 मिनट में खाली कर सकता है
(d) यह टैंक को 4 घंटे 40 मिनट में खाली कर सकता है

35. पाइप A एक खाली टैंक को 36 मिनट में भर सकता है और पाइप B भरी हुई टंकी को 45 मिनट में खाली कर सकता है। यदि दोनों पाइपों को एक साथ खोल दिया जाए, तो वह कितने समय में (घंटों में) आधा भर जाएगा?

[एसएससी एमटीएस (गैर-तकनीकी) स्टाफ परीक्षा, 2019]

(a) 2 (b) 1.5 (c) 1.25 (d) 1.75

36. दो पाइप A और B एक खाली टैंक को क्रमशः 10 घंटे और 15 घंटे में भर सकते हैं। पाइप C अकेला पूरी तरह से भरे टैंक को 12 घंटे में खाली कर सकता है। पहले दोनों पाइप A और B को खोल दिया जाता है और 5 घंटे बाद पाइप C को भी खोल दिया जाता है। टैंक को भरने में कुल कितना समय (घंटों में) लगेगा?

[एसएससी सीएपीएफ एएसआई और दिल्ली पुलिस एसआई परीक्षा, 2017]

(a) 7 (b) 5 (c) 9 (d) 8

37. तीन नल P, Q और R एक टंकी को क्रमशः 20, 30 और 40 मिनट में भर सकते हैं। यदि तीनों नलों को खोल दिया जाए, तो टंकी को पूरा भरने में कितना समय (मिनटों में) लगेगा? [एसएससी मल्टी-टास्किंग स्टाफ परीक्षा, 2017]

(*a*) $9\frac{3}{13}$ (*b*) 12 (*c*) $8\frac{1}{3}$ (*d*) 15

38. दो पाइप N और Q एक पानी की टंकी को क्रमशः 90 और 10 घंटे में भर सकते हैं। यदि उन्हें एक साथ खोल दिया जाए, तो टंकी कितने घंटे में भर जाएगी?

[एसएससी मल्टी-टास्किंग स्टाफ परीक्षा, 2017]

(*a*) 9 (*b*) 18 (*c*) 20 (*d*) 6

39. दो पाइप P और Q एक खाली टैंक को क्रमशः 25 घंटे और 20 घंटे में भर सकते हैं। पाइप R अकेले पूरी तरह से भरे टैंक को 50 घंटे में खाली कर सकता है। सबसे पहले, दोनों पाइप P और Q को खोल दिया जाता है और 8 घंटे बाद पाइप R को भी खोल दिया जाता है। टंकी को पूरी तरह से भरने में लगने वाला कुल समय (घंटों में) कितना होगा?

[एसएससी सीएचएसएल (10+2) टियर-I सीबीई परीक्षा, 2018]

(*a*) 12 (*b*) 10 (*c*) 14 (*d*) 13

40. पाइप A और B अलग-अलग एक टैंक को क्रमशः 12 घंटे और 16 घंटे में भर सकते हैं और पाइप C पूरे टैंक को 24 घंटे में खाली कर सकता है। तीनों पाइपों को एक साथ खोल दिया जाता है लेकिन 4 घंटे बाद पाइप A को बंद कर दिया जाता है। शुरू से कितने घंटे में टंकी भर जाएगी?

[डीपी सीएपीएफएस और एएसआई और (सीआईएसएफ) परीक्षा, 2019 में एसएससी एसआई]

(*a*) 24 (*b*) 28 (*c*) 30 (*d*) 32

41. पाइप A और B एक टैंक को क्रमशः एक घंटे और दो घंटे में भर सकते हैं जबकि पाइप C भरे हुए टैंक को एक घंटे और पंद्रह मिनट में खाली कर सकता है। A और C को सुबह 9 बजे एक साथ चालू किया जाता है। 2 घंटे के बाद, केवल A को बंद कर दिया जाता है और B को चालू कर दिया जाता है। टंकी कब खाली होगी?

[एसएससी सीजीएल टियर-I सीबीई परीक्षा, 2019]

(*a*) 12 : 10 अपराह्न (*b*) 11 : 30 पूर्वाह्न
(*c*) 10 : 30 पूर्वाह्न (*d*) 12 : 20 अपराह्न

42. पाइप A और B एक टैंक को क्रमशः 8 घंटे और 12 घंटे में भर सकते हैं जबकि पाइप C पूरी भरी हुई टंकी को 6 घंटे में खाली कर सकता है। A और B को 3 घंटे के लिए खोला जाता है और फिर बंद कर दिया जाता है और C को तुरंत खोल दिया जाता है। C टैंक को कितने दिनों में खाली कर देगा:

[एसएससी सीएचएसएल (10+2) टियर-I परीक्षा, 2019]

(*a*) $4\frac{1}{2}$ घंटे (*b*) $4\frac{1}{4}$ घंटे
(*c*) $3\frac{1}{2}$ घंटे (*d*) $3\frac{3}{4}$ घंटे

43. तीन पाइप A, B और C एक टंकी को क्रमशः 12, 18 और 24 मिनट में भर सकते हैं। यदि सभी पाइपों को 7 मिनट के लिए एक साथ खोल दिया जाए, तो टंकी के कुल आयतन के प्रतिशत के रूप में ऊपर से बहने वाले पानी का आयतन क्या होगा?

[एसएससी सीएपीएफ एसआई, दिल्ली पुलिस एसआई और सीआईएसएफ एएसआई परीक्षा, 2019]

(*a*) $26\frac{7}{18}$ (*b*) $23\frac{1}{3}$ (*c*) $23\frac{2}{3}$ (*d*) $26\frac{5}{18}$

44. 7 सेमी आंतरिक व्यास वाले एक बेलनाकार पाइप से पानी 5 मीटर/सेकंड की दर से बहता है। 4 मीटर × 3 मीटर × 2.31 मीटर की एक खाली आयताकार टंकी को पाइप द्वारा भरने में लगने वाला समय, मिनटों में है [सीडीएस, 2016]

(*a*) 28 (*b*) 24 (*c*) 20 (*d*) 12

45. एक आउटलेट पाइप एक टंकी को 3 घंटे में खाली कर सकता है। टंकी का $\frac{2}{3}$ वाँ भाग कितने समय में खाली हो जाएगा?

[डीएमआरसी-ग्राहक संबंध सहायक (सीआरए) परीक्षा, 2016]

(*a*) 3 घंटे (*b*) 5 घंटे
(*c*) 2 घंटे (*d*) 4 घंटे

46. दो पाइप A और B एक टैंक को क्रमशः 24 घंटे और 30 घंटे में भर सकते हैं। यदि खाली टैंक में दोनों पाइपों को एक साथ खोला जाता है, तो उन्हें भरने में कितना समय लगेगा?

[यूपीएसएससी-लोअर सबऑर्डिनेट (प्री.) परीक्षा, 2016]

(*a*) 13 घंटे 20 मिनट (*b*) 12 घंटे 10 मिनट
(*c*) 14 घंटे (*d*) 10 घंटे 5 मिनट

47. एक टैंक 7 मीटर लंबा और 4 मीटर चौड़ा है। 5 सेमी चौड़े और 4 सेमी गहरे पाइप से पानी को किस गति से प्रवाहित किया जाना चाहिए ताकि 6 घंटे 18 मिनट में टैंक में पानी का स्तर 4.5 मीटर बढ़ जाए?

[डीएमआरसी-ट्रेन ऑपरेटर (स्टेशन नियंत्रक) परीक्षा, 2016]

(*a*) 10 किमी/घंटा (*b*) 12 किमी/घंटा
(*c*) 8 किमी/घंटा (*d*) इनमें से कोई नहीं

48. दो टुकड़े A और B एक टैंक को क्रमशः 18 घंटे और 6 घंटे में भर सकते हैं। यदि दोनों पाइपों को एक साथ खोल दिया जाए, तो टंकी को भरने में कितना समय लगेगा?

[भारतीय रेलवे जीआर। 'डी' परीक्षा, 2014]

(*a*) $4\frac{1}{2}$ घंटे (*b*) 7 घंटे (*c*) 6 घंटे (*d*) 10 घंटे

49. दो पाइप एक टंकी को क्रमशः 12 घंटे और 16 घंटे में भर सकते हैं। एक तीसरा पाइप टैंक को 30 घंटे में खाली कर सकता है। यदि तीनों पाइपों को खोल दिया जाए और वे एक साथ कार्य करें, तो टंकी को भरने में कितना समय (घंटों में) लगेगा?

[यूनाइटेड इंडिया इंश्योरेंस (यूआईआईसीएल) सहायक परीक्षा, 2015]

(*a*) $10\frac{4}{9}$ (*b*) $9\frac{1}{2}$ (*c*) $8\frac{8}{9}$ (*d*) $7\frac{2}{9}$

50. एक टैंक में दो आउटलेट A और B हैं, जो एक साथ खोले जाने पर एक पूर्ण टैंक को खाली करने में 6 घंटे लगते हैं। टैंक शुरू में आधा भरा हुआ था और दोनों आउटलेट खोले गए थे। एक घंटे बाद एक इनलेट पाइप x भी खोला गया। यदि इनलेट अकेले एक खाली टैंक को 4 घंटे में भर सकता

है, तो अब टैंक को पूरी तरह से भरने में कितना समय लगेगा? (घंटों में) [सीईटी-महाराष्ट्र (एमबीए) परीक्षा, 2016]

(a) 8 (b) 7 (c) $8\frac{1}{2}$ (d) 9

51. पाईप A एक टैंक को 22 घंटे में भर सकता है, और पाइप B टैंक को 14 घंटे में 50% भर सकता है। पाइप C टैंक को 14 घंटे में खाली कर सकता है। यदि सभी पाइपों को सुबह 5 :00 बजे खोल दिया जाता है, और पाइप C को 3 घंटे के बाद बंद कर दिया जाता है, तो टैंक कितने बजे (लगभग) भर जाएगा?

(a) 5:00 PM (b) 8:00 PM (c) 7:30 PM (d) 6:00PM (e) 8:30 PM

52. एक इनलेट पाइप एक खाली टैंक को 140 घंटे में भर सकता है, जबकि एक आउटलेट पाइप पूरी तरह से भरे टैंक को 63 घंटे में खाली कर देता है। यदि 8 इनलेट पाइप और y आउटलेट पाइप एक साथ खोले जाते हैं, जब टैंक खाली होता है, तो टैंक 105 घंटे में पूरी तरह से भर जाता है। y का मान ज्ञात कीजिए।

[एसएससी सीजीएल 14/07/2023 (Shift-03)]

(a) 1 (b) 4 (c) 2 (d) 3

53. पाइप A एक खाली टैंक को 18 घंटे में भर सकता है और पाइप B उसी खाली टैंक को 24 घंटे में भर सकता है। यदि दोनों पाइपों को एक साथ खोल दिया जाए, तो खाली टैंक को भरने में उन्हें कितना समय (घंटे में) लगेगा?

[एसएससी सीजीएल 14/07/2023 (Shift-04)]

(a) $11\frac{3}{7}$ (b) $10\frac{1}{7}$ (c) $10\frac{2}{7}$ (d) $11\frac{2}{7}$

54. इनलेट पाइप A और B मिलकर एक खाली टैंक को 1.5 घंटे में भर सकते है। जब आउटलेट पाइप C अकेला खोला जाता है, तो पूरी तरह से भरे टैंक को 4.5 घंटे में खाली कर सकता है। जब केवल पाइप A और C को एक साथ खोल दिया जाता है, तो खाली टैंक 6 घंटे में भर जाता है। खाली टैंक भरने के लिए पाइप B द्वारा लिया गया समय ज्ञात करें जब उसे अकेला खोला जाता है।

[एसएससी सीजीएल 19/07/2023 (Shift-02)]

(a) 3 घंटा 30 मिनट (b) 3 घंटा 36 मिनट
(c) 3 घंटा 32 मिनट (d) 3 घंटा 40 मिनट

55. एक इनलेट पाइप एक खाली टैंक को 120 घंटे में भर सकता है, जबकि एक आउटलेट पाइप पूरी तरह से भरे टैंक को 54 घंटे में खाली कर देता है। यदि टैंक खाली होने पर 8 इनलेट पाइप और 3 आउटलेट पाइप एक साथ खोले जाते हैं, तो टैंक कितने घंटे में पूरी तरह से भर जाएगा?

[एसएससी सीजीएल 19/07/2023 (Shift-01)]

(a) 81 (b) 96 (c) 72 (d) 90

56. पाइप A एक टंकी को 12 मिनट में भर सकता है; पाइप B इसे 18 मिनट में भर सकता है, जबकि पाइप C पूरी भरी हुई टंकी को 36 मिनट में खाली कर सकता है। यदि सभी पाइपों को एक साथ खोल दिया जाए, तो खाली टंकी को पूरी तरह भरने में कितना समय लगेगा?

[एसएससी सीजीएल 20/07/2023 (Shift-04)]

(a) 7 घंटें 30 मिनट (b) 10 मिनट
(c) 9 मिनट (d) 6 मिनट

57. एक इनलेट पाइप एक खाली टैंक को $4\frac{1}{2}$ घंटे में भर सकता है, जबकि एक आउटलेट पाइप पूरी तरह से भरे टैंक को $7\frac{1}{5}$ घंटे में खाली कर देता है। टैंक शुरू में खाली है और इनलेट पाइप से शुरू होते हुए दोनों पाइप बारी-बारी से एक-एक घंटे के लिए खोले जाते हैं, जब तक कि टैंक पूरी तरह से भर न जाए। टैंक कितने घंटे में पूरा भर जाएगा?

[एसएससी सीजीएल 21/07/2023 (Shift-02)]

(a) 24 (b) $20\frac{1}{4}$ (c) $20\frac{3}{4}$ (d) $22\frac{3}{8}$

58. दो पाइप S1 तथा S2 एक खाली टंकी को अकेले कमशः 15 घंटे तथा 20 घंटे में भर सकते हैं। पाइप S3 उस पूर्ण रूप से भरी हुई टंकी को अकेले 40 घंटे में खाली कर सकता है। सबसे पहले दोनों पाइप S1 तथा S2 को खोला गया तथा 2 घंटे बाद पाइप S3 को भी खोला गया है। S3 खुलने के बाद टंकी कितने समय में पूर्ण रूप से भर जाएगी? [एसएससी सीजीएल 21/07/2023 (Shift-02)]

(a) 90/17 घंटे (b) 89/12 घंटे (c) 90/13 घंटे (d) 92/11 घंटे

59. एक पाइप किसी टंकी को 30 घंटे में भर सकता है। तली में रिसाव होने के कारण यह 50 घंटे में भरती है। पूरी तरह से भरी टंकी को खाली करने में रिसाव को कितना समय लगेगा? [एसएससी सीजीएल 24/07/2023 (Shift-02)]

(a) 60 घंटे (b) 85 घंटे (c) 70 घंटे (d) 75 घंटे

60. पाइप A और पाइप B एक साथ चालू होने पर एक टंकी को 6 मिनट में भर सकते हैं। यदि B इसे भरने में A से 5 मिनट अधिक समय लेता है, तो A और B द्वारा उस टंकी को अलग-अलग भरने में लिया गया समय क्रमशः होगा।

[एसएससी सीजीएल 26/07/2023 (Shift-02)]

(a) 15 मिनट और 10 मिनट (b) 15 मिनट और 20 मिनट
(c) 25 मिनट और 20 मिनट (d) 10 मिनट और 15 मिनट

61. पाइप A, 6 घंटे में टैंक का 50% भाग भर सकता है और पाइप B उसी टैंक को 18 घंटे में पूरी तरह से भर सकता है। यदि दोनों पाइपों को एक ही समय पर खोल दिया जाए, तो खाली टैंक कितने समय में (मिनट में) पूर्णतः भर जाएगा? [एसएससी सीजीएल 26/07/2023 (Shift-02)]

(a) 420 (b) 425 (c) 432 (d) 435

62. प्रत्येक इनलेट (प्रवेश) पाइप एक खाली टंकी को 84 घंटे में भर सकता है जबकि प्रत्येक आउटलेट (निकास) पाइप उसी टंकी को भरी हुई स्थिति से 105 घंटे में खाली कर सकता है। जब टंकी खाली होती है, तो 9 इनलेट (प्रवेश) पाइप और 10 आउटलेट (निकास) पाइप एक साथ खोले जाते हैं। कितने घंटों के बाद टंकी पूरी तरह भर जाएगी?

[एसएससी सीजीएल 26/07/2023 (Shift-02)]

(a) 84 (b) 88 (c) 80 (d) 90

उत्तरमाला

1. (d)	2. (c)	3. (b)	4. (d)	5. (c)	6. (d)	7. (d)	8. (b)	9. (a)	10. (c)
11. (d)	12. (d)	13. (b)	14. (d)	15. (d)	16. (c)	17. (c)	18. (c)	19. (c)	20. (c)
21. (d)	22. (d)	23. (c)	24. (a)	25. (d)	26. (b)	27. (a)	28. (b)	29. (c)	30. (a)
31. (d)	32. (d)	33. (a)	34. (c)	35. (b)	36. (a)	37. (a)	38. (a)	39. (a)	40. (d)
41. (d)	42. (d)	43. (a)	44. (b)	45. (c)	46. (a)	47. (a)	48. (a)	49. (c)	50. (d)
51. (b)	52. (d)	53. (c)	54. (b)	55. (d)	56. (c)	57. (c)	58. (d)	59. (d)	60. (d)
61. (c)	62. (a)								

दिये गये प्रश्नों के हल

1. $(A+B)$ का 1 मिनट का कार्य $= \left(\frac{1}{20}+\frac{1}{30}\right) = \frac{5}{60} = \frac{1}{12}$.

अत: A तथा B दोनों को एक साथ खोल दिया जाये, तो खाली टंकी 12 मिनट में भर जायेगी.

2. पहले नल का 1 घण्टे का भराव कार्य $= \frac{1}{8}$.

दूसरे नल का 1 घण्टे का निकासी कार्य $= \frac{1}{16}$.

दोनों नल एक साथ खोल देने पर 1 घण्टे का भराव कार्य $= \left(\frac{1}{8}-\frac{1}{16}\right) = \frac{1}{16}$.

अत: टंकी को भरने में लगा समय = 16 घण्टे.

3. तीनों पाईपों का 1 घण्टे का भराव कार्य $= \left(\frac{1}{15}+\frac{1}{12}-\frac{1}{20}\right) = \frac{6}{60} = \frac{1}{10}$.

अत: तीनों पाईप एक साथ खोल दिये जाने पर खाली टंकी 10 घण्टे में भर जायेगी.

4. नल द्वारा खाली टंकी को भरने में लगा समय $= \frac{7}{2}$ घण्टे.

इस नल का 1 घण्टे का भराव कार्य $= \frac{2}{7}$.

(नल + छेद) द्वारा खाली टंकी को भरने में लगा समय = 4 घण्टे.

इन दोनों का 1 घण्टे का भराव कार्य $= \frac{1}{4}$.

छेद का 1 घण्टे का निकासी कार्य $= \left(\frac{2}{7}-\frac{1}{4}\right) = \frac{1}{28}$.

अत: यह छेद भरी टंकी को 28 घण्टे में खाली कर देगा.

5. $(A+B)$ का 1 घण्टे का कार्य $= \frac{1}{18}$.

B का 1 घण्टे का कार्य $= \frac{1}{24}$.

$\therefore$ A का 1 घण्टे का कार्य $= \left(\frac{1}{18}-\frac{1}{24}\right) = \frac{1}{72}$.

अत: A अकेला खाली टंकी को 72 घण्टे में भरेगा.

6. $(A+B)$ का 1 मिनट का कार्य $= \left(\frac{1}{15}+\frac{1}{20}\right) = \frac{7}{60}$.

$(A+B)$ का 4 मिनट का कार्य $= \left(\frac{7}{60}\times 4\right) = \frac{7}{15}$.

शेष भाग $= \left(1-\frac{7}{15}\right) = \frac{8}{15}$.

दूसरे नल द्वारा $\frac{1}{20}$ भाग भरने में समय लगता है = 1 मिनट.

दूसरे नल द्वारा $\frac{8}{15}$ भाग भरने में समय लगता है

$= \left(20\times\frac{8}{15}\right)$ मिनट $= \frac{32}{3}$ मिनट = 10 मिनट 40 सै०.

टंकी भरने में लगा कुल समय = (4 मिनट + 10 मिनट 40 सै०) = 14 मिनट 40 सै०.

7. छेद का 1 घण्टे का निकासी कार्य $= \frac{1}{8}$.

(भराव पाईप + छेद) का 1 घण्टे का कार्य $= \frac{1}{12}$.

भराव पाईप का 1 घण्टे का कार्य $= \left(\frac{1}{8}-\frac{1}{12}\right) = \frac{1}{24}$.

भराव पाईप टंकी को भरने में समय लेता है = 24 घण्टे.

1 मिनट में भरा पानी = 6 लीटर.

(24×60) मिनट में भरा पानी $= (6\times 24\times 60)$ लीटर = 8640 लीटर.

8. $(A+B)$ का 1 मिनट का कार्य $= \left(\frac{2}{75}+\frac{1}{45}\right) = \left(\frac{6+5}{225}\right) = \frac{11}{225}$.

माना पाईप B को x मिनट बाद बन्द कर दिया जाये.

$(A+B)$ का x मिनट का कार्य $= \frac{11x}{225}$.

A का $(30-x)$ मिनट का कार्य $= \frac{2}{75}(30-x)$

$\therefore \quad \frac{11x}{225}+\frac{2(30-x)}{75} = 1 \Leftrightarrow 11x+6(30-x) = 225$

$\Leftrightarrow 5x = 45 \Leftrightarrow x = 9$.

अत: पाईप B को 9 मिनट बाद बन्द किया गया.

9. A, B, C का 10 घण्टे का कार्य $= \left\{\left(\frac{1}{15}+\frac{1}{20}-\frac{1}{25}\right)\times 10\right\} = \frac{23}{30}$.

शेष भाग $= \left(1-\frac{23}{30}\right) = \frac{7}{30}$.

$(A+B)$ का 1 घण्टे का कार्य $= \left(\frac{1}{15}+\frac{1}{20}\right) = \frac{7}{60}$.

$\frac{7}{60}$ भाग भरा जाता है = 1 घण्टे में.

$\frac{7}{30}$ भाग भरा जायेगा $= \left(1\times\frac{60}{7}\times\frac{7}{30}\right)$ घण्टे में = 2 घण्टे में.

कुल समय = (10 + 2) घण्टे = 12 घण्टे.

10. $(A+B+C)$ का 1 घण्टे का कार्य $= \frac{1}{6}$.

$(A+B+C)$ का 2 घण्टे का कार्य $= \left(2 \times \frac{1}{6}\right) = \frac{1}{3}$.

शेष भाग $= \left(1-\frac{1}{3}\right) = \frac{2}{3}$.

$(A+B)$ का 7 घण्टे का कार्य $= \frac{2}{3}$.

$(A+B)$ का 1 घण्टे का कार्य $= \left(\frac{2}{3} \times \frac{1}{7}\right) = \frac{2}{21}$.

C का 1 घण्टे का कार्य $= \left(\frac{1}{6}-\frac{2}{21}\right) = \frac{3}{42} = \frac{1}{14}$.

अतः C खाली टंकी को 14 घण्टे में भरेगा.

11. माना टंकी को भरने में x मिनट लगे. तब,

B का 1 मिनट का कार्य $= \frac{1}{40}$.

$\therefore$ B का $\frac{x}{2}$ मिनट का कार्य $= \left(\frac{1}{40} \times \frac{x}{2}\right) = \frac{x}{80}$.

$(A+B)$ का 1 मिनट का कार्य $= \left(\frac{1}{60}+\frac{1}{40}\right) = \frac{5}{120} = \frac{1}{24}$.

$(A+B)$ का $\frac{x}{2}$ मिनट का कार्य $= \left(\frac{1}{24} \times \frac{x}{2}\right) = \frac{x}{48}$.

$\therefore \quad \frac{x}{80}+\frac{x}{48}=1 \Leftrightarrow \frac{3x+5x}{240}=1 \Leftrightarrow \frac{x}{30}=1 \Leftrightarrow x=30.$

अतः टंकी को भरने में लगा समय = 30 मिनट.

12. 5 मिनट में $(A+B)$ से टंकी का भरा गया भाग

$= \left\{\left(\frac{1}{12}+\frac{1}{15}\right) \times 5\right\} = \left(\frac{9}{60} \times 5\right) = \frac{3}{4}$.

$(A+B+C)$ का 1 मिनट का कार्य

$= \left(\frac{1}{12}+\frac{1}{15}-\frac{1}{6}\right) = \left(\frac{5+4-10}{60}\right) = \frac{-1}{60}$.

अर्थात् तीनों एक साथ खोले जाने पर 1 मिनट में टंकी का $\frac{1}{60}$ भाग खाली हो जाता है.

$\frac{1}{60}$ भाग खाली होने में समय लगता है = 1 मिनट.

$\frac{3}{4}$ भाग खाली होने में समय लगेगा $= \left(60 \times \frac{3}{4}\right)$ मिनट

= 45 मिनट.

13. माना नल A खाली टंकी को x मिनट में भरता है.

तब, B द्वारा टंकी को भरने में लगा समय $= (x+5)$.

$\therefore \quad \frac{1}{x}+\frac{1}{(x+5)}=\frac{1}{6} \Leftrightarrow \frac{(x+5)+x}{x(x+5)}=\frac{1}{6}$

$\Leftrightarrow x^2+5x=12x+30 \Leftrightarrow x^2-7x-30=0$

$\Leftrightarrow x^2-10x+3x-30=0 \Leftrightarrow x(x-10)+3(x-10)=0$

$\Leftrightarrow (x-10)(x+3)=0 \Leftrightarrow x=10.$

अतः B खाली टंकी को 15 मिनट में भरेगा.

14. नल का 1 घण्टे का कार्य $= \frac{1}{8}$.

(नल + छेद) का 1 घण्टे का कार्य $= \frac{1}{10}$.

छेद का 1 घण्टे का कार्य $= \left(\frac{1}{10}-\frac{1}{8}\right) = \frac{-1}{40}$.

अतः छेद भरी टंकी को 40 घण्टे में खाली कर देगा.

15. भरने वाले पाईप का 1 घण्टे का कार्य $= \frac{1}{3}$.

खाली करने वाले दोनों पाईपों का 1 घण्टे का कार्य

$= \left(\frac{1}{6}+\frac{1}{10}\right) = \frac{8}{30} = \frac{4}{15}$.

तीनों पाईपों का 1 घण्टे का कार्य $= \left(\frac{1}{3}-\frac{4}{15}\right) = \frac{1}{15}$.

अतः तीनों पाईपों को एक साथ खोलने पर खाली टंकी 15 घण्टे में भरेगी.

16. माना नल A खाली टंकी को x घण्टे में भरता है.

तब, नल B इसे $\frac{x}{2}$ घण्टे में तथा नल C इसे $\frac{x}{4}$ घण्टे में भरेगा.

$\therefore \quad \frac{1}{x}+\frac{2}{x}+\frac{4}{x}=\frac{1}{5} \Leftrightarrow \frac{7}{x}=\frac{1}{5} \Leftrightarrow x=35$ घण्टे.

17. माना धीमी गति वाला पाईप खाली टंकी को x मिनट में भरता है.

तब, तेज गति वाला पाईप इसे भरने में $\frac{x}{3}$ मिनट लेगा.

$\therefore \quad \frac{1}{x}+\frac{3}{x}=\frac{1}{36} \Leftrightarrow \frac{4}{x}=\frac{1}{36} \Leftrightarrow x=144$ मिनट.

18. माना नल A खाली टंकी को भरने में x घण्टे लेता है.

तब, नल B इसे भरने में $(x+6)$ घण्टे लेगा.

$\therefore \quad \frac{1}{x}+\frac{1}{(x+6)}=\frac{1}{4} \Leftrightarrow \frac{(x+6)+x}{x(x+6)}=\frac{1}{4}$

$\Leftrightarrow x^2+6x=8x+24 \Leftrightarrow x^2-2x-24=0$

$\Leftrightarrow (x-6)(x+4)=0 \Leftrightarrow x=6 \qquad [\because x \neq -4]$

अतः नल A खाली टंकी को भरने में 6 घण्टे लेगा.

19. माना नल A खाली टंकी को x घण्टे में भरता है.

तब, B इसे $(x-5)$ घण्टे में तथा C इसे $(x-9)$ घण्टे में भरेगा.

$\therefore \quad \frac{1}{x}+\frac{1}{(x-5)}=\frac{1}{(x-9)} \Leftrightarrow \frac{(x-5)+x}{x(x-5)}=\frac{1}{x-9}$

$\Leftrightarrow (2x-5)(x-9)=x(x-5) \Leftrightarrow x^2-18x+45=0$

$\Leftrightarrow x^2-15x-3x+45=0 \Leftrightarrow x(x-15)-3(x-15)=0$

$\Leftrightarrow (x-15)(x-3)=0 \Leftrightarrow x=15. \qquad [\because x \neq 3]$

20. निकासी पाईप का 1 मिनट का कार्य

$= \frac{1}{15}-\left(\frac{1}{20}+\frac{1}{24}\right) = \frac{8-(6+5)}{120} = \frac{-1}{40}$.

टंकी के $\frac{1}{40}$ भाग का आयतन = 3 गैलन.

$\therefore$ टंकी का आयतन = (40×3) गैलन = 120 गैलन.

21. $(A+B)$ का 2 घण्टे का कार्य $= \left(\frac{1}{6}+\frac{1}{4}\right) = \frac{5}{12}$.

$(A+B)$ का 4 घण्टे का कार्य $= \left(2 \times \frac{5}{12}\right) = \frac{5}{6}$.

शेष कार्य $= \left(1-\frac{5}{6}\right) = \frac{1}{6}$.

अब, A की बारी है.

A, $\frac{1}{6}$ भाग को भरेगा = 1 घण्टे में.

अत: अभीष्ट समय = (4 + 1) घण्टे = 5 घण्टे.

22. टंकी की धारिता = (13·5 × 12) लीटर = 162 लीटर.

नई बाल्टी की धारिता = 9 लीटर.

टंकी को भरने वाली बाल्टियों की संख्या = $\frac{162}{9} = 18$.

23. माना बाल्टी P की धारिता = x लीटर. तब,

Q की धारिता = $\frac{x}{3}$ लीटर.

टंकी की धारिता = $(60\,x)$ लीटर.

दोनों बाल्टी एक साथ लेकर फेरों की संख्या

$$= \frac{60x}{\left(x+\frac{x}{3}\right)} = \left(60x \times \frac{3}{4x}\right) = 45.$$

24. $(A + B)$ का 1 घण्टे का कार्य = $\left(\frac{1}{12}+\frac{1}{15}\right) = \frac{9}{60} = \frac{3}{20}$.

$(A + C)$ का 1 घण्टे का कार्य = $\left(\frac{1}{12}+\frac{1}{20}\right) = \frac{8}{60} = \frac{2}{15}$.

2 घण्टे में भरा गया भाग = $\left(\frac{3}{20}+\frac{2}{15}\right) = \frac{17}{60}$.

6 घण्टे में भरा गया भाग = $\left(\frac{17}{60}\times\frac{1}{2}\times 6\right) = \frac{17}{20}$.

शेष भाग = $\left(1-\frac{17}{20}\right) = \frac{3}{20}$.

अब $(A + B)$ की बारी है.

$\frac{3}{20}$ भाग $(A + B)$ भरते हैं = 1 घण्टे में.

अत: अभीष्ट समय = (6 + 1) घण्टे = 7 घण्टे.

25. A और B का 1 घंटे का कार्य $= \frac{1}{16} - \frac{1}{40}$

$$= \frac{5-2}{80} = \frac{3}{80}$$

∴ दोनों मिलकर टंकी $\frac{80}{3}$ घंटें मे भरेंगे।

∴ वे शेष 75% भरेंगे

वे शेष 75% टैंक को $\frac{80}{3} = \frac{3}{4}\times\frac{80}{3} = 20$ भर देंगे।

26. A, B और C का 1 मिनट का कार्य

$$= \frac{1}{15} + \frac{1}{20} - \frac{1}{12}$$

$$= \frac{4+3-5}{60} = \frac{2}{60} = \frac{1}{30}$$

∴ टंकी 30 मिनट में भर जाएगी।

27. दोनों पाइपों का 1 घंटे का कार्य $= \frac{1}{9} - \frac{1}{12}$

$$= \frac{4-3}{36} = \frac{1}{36}$$

∴ वे टंकी को 36 घंटे में भर देंगे।

28. माना टंकी की क्षमता 36 और 60 = 180 लीटर का ल.स. है।

∴ A $\frac{180}{36} = 5$ लीटर/मिनट भरेगा

B $\frac{180}{60} = 3$ लीटर/मिनट भरेगा

माना कुल समय = t मिनट

प्रश्न के अनुसार,

$$5\times\frac{t}{2} + (5+3)\times\frac{t}{2} = 180$$

$$\frac{5t}{2} + \frac{8t}{2} = 180$$

$$\frac{5t+8t}{2} = 180$$

$$\frac{13t}{2} = 180$$

$$\therefore\ t = \frac{360}{13} = 27\frac{9}{13} \text{ मिनट}$$

29. A, B और लीक का 1 घंटे का कार्य

$$= \frac{1}{20} + \frac{1}{30} - \frac{1}{60}$$

$$= \frac{3+2-1}{60} = \frac{4}{60} = \frac{1}{15}$$

∴ टंकी 15 मिनट में भर जाएगी

30. माना टैंक की क्षमता = 9 और 10 का ल.स. = 90 लीटर

∴ इनलेट पाइप $\frac{90}{9} = 10$ लीटर/घंटे में भर जाएगा

और आउटलेट $\frac{90}{10} = 9$ लीटर/घंटे में खाली हो जाएगा।

∴ सुबह 8 बजे से 9 बजे तक टंकी भरी

= 10 − 9 = 1 लीटर

∴ शेष = 90 − 1 = 89 लीटर

∴ इनलेट पाइप को शेष टैंक को भरने में

$\frac{89}{10} = 8.9$ घंटे लगेंगे = 8 घंटे और 54 मिनट

∴ वह समय जब टंकी भर जाएगी

= सुबह 9 बजे + 8 घंटे 54 मिनट

= 5:54 अपराह्न

31. 3 पाइपों का एक घंटे का कार्य $= \frac{1}{6} + \frac{1}{8} - \frac{1}{10}$

$$= \frac{20+15-12}{120} = \frac{23}{120}$$

∴ वे टंकी को $\frac{120}{23} = 5\frac{5}{23}$ घंटे में भर देंगे।

32. माना टंकी की क्षमता = x

$$\therefore\ \frac{6}{7}x - 60 = \frac{4}{5}x$$

$$\frac{6}{7}x - \frac{4}{5}x = 60$$

$\frac{30x-28x}{35}=60$

$\frac{2x}{35}=60 \Rightarrow x=1050$

33. दोनों पाइपों का एक घंटे का कार्य $=\frac{1}{10}-\frac{1}{20}$

$=\frac{2-1}{20}=\frac{1}{20}$

$\therefore$ वे टंकी को 20 घंटे में भर देंगे।

6 : 30 बजे + 20 घंटे = 2 : 30 बजे का समय होगा।

34. $\frac{1}{6}+\frac{1}{8}+\frac{1}{x}=\frac{1}{12}$

$\frac{1}{x}=\frac{1}{12}-\frac{1}{6}-\frac{1}{8}$

$\frac{2-4-3}{24}=\frac{-5}{24}$

$\therefore$ C टंकी को $\frac{24}{5}$ घंटे अंदर खाली कर देगा।

अर्थात $4\frac{4}{5}$ घंटे = 4 घंटे 48 मिनट

35. दोनों पाइपों का 1 मिनट का कार्य $=\frac{1}{36}-\frac{1}{45}$

$\frac{5-4}{180}=\frac{1}{180}$

180 मिनट में भर जाएगा।

90 मिनट में भर जाएगा जो कि 1.5 घंटे है।

36. A और B का 5 घंटे का कार्य $=\left(\frac{1}{10}+\frac{1}{15}\right)\times 5$

$=\left(\frac{6+4}{60}\right)\times 5=\frac{10}{60}\times 5=\frac{5}{6}$

भरी जाने वाली शेष टंकी $=1-\frac{5}{6}=\frac{1}{6}$

अब $A+B+C$ का 1 घंटे का कार्य $=\frac{1}{10}+\frac{1}{15}-\frac{1}{12}$

$\frac{6+4-5}{60}=\frac{5}{60}=\frac{1}{12}$

$\therefore$ 2 घंटे और लगेंगे

$\therefore$ भरने में लगा कुल समय $=5+2=7$ घंटे।

37. P, Q और R का एक घंटे का कार्य $=\frac{1}{20}+\frac{1}{30}+\frac{1}{40}$

$\frac{6+4+3}{120}=\frac{13}{120}$

$\therefore$ वे टंकी को $\frac{120}{13}$ घंटे $=9\frac{3}{13}$ घंटे में भर देंगे।

38. दोनों पाइपों का 1 घंटे का कार्य $=\frac{1}{90}+\frac{1}{10}$

$\frac{9+1}{90}=\frac{10}{90}=\frac{1}{9}$

$\therefore$ इन्हें भरने में 9 घंटे लगेंगे।

39. P और Q का 8 घंटे का कार्य $=\left(\frac{1}{25}+\frac{1}{20}\right)\times 8$

$=\left(\frac{4+5}{100}\right)\times 8=\frac{9}{100}\times 8=\frac{18}{25}$

शेष टंकी $=1-\frac{18}{25}=\frac{7}{25}$

3 पाइपों का 1 घंटे का कार्य $=\frac{1}{25}+\frac{1}{20}-\frac{1}{50}$

$\frac{4+5-2}{500}=\frac{7}{100}$

$\therefore$ वे शेष समय को $\frac{100}{7}\times\frac{7}{25}=4$ और घंटे में भर देंगे।

$\therefore$ कुल समय $=8+4=12$ घंटे।

40. A, B, C का 4 घंटे का कार्य

$=\left(\frac{1}{12}+\frac{1}{16}-\frac{1}{24}\right)\times 4=\left(\frac{4+3-2}{48}\right)\times 4=\frac{5}{48}\times 4=\frac{5}{12}$

शेष कार्य $=1-\frac{5}{12}=\frac{7}{12}$

B और C का एक घंटे का कार्य $=\frac{1}{16}-\frac{1}{24}=\frac{1}{48}$

$\therefore$ उन्हें $48\times\frac{7}{12}=28$ घंटे और लगेंगे

$\therefore$ शुरुआत से कुल समय $=28+4=32$ घंटे

41. A और C का 2 घंटे का कार्य $=2\left(1-\frac{4}{5}\right)=\frac{2}{5}$

B और C का 2 घंटे का कार्य $=\frac{1}{2}-\frac{4}{5}=\frac{5-8}{10}=\frac{-3}{10}$

$\therefore$ वे टंकी को $\frac{10}{3}\times\frac{2}{5}=\frac{4}{3}$ घंटे

= 80 मिनट में खाली कर देंगे

अर्थात् 1 घंटा 20 मिनट

टंकी को दोपहर 12:20 बजे खाली किया जाएगा।

42. A और B के 3 घंटे का कार्य $=\left(\frac{1}{8}+\frac{1}{12}\right)\times 3$

$=\left(\frac{3+2}{24}\right)\times 3=\frac{5}{24}\times 3=\frac{5}{8}$

$\therefore$ C $\frac{5}{8}$ टैंक को खाली करेगा।

$\frac{6\times 5}{8}=\frac{30}{8}=\frac{15}{4}=3\frac{3}{4}$ घंटे

43. A, B और C का 7 मिनट का कार्य

$=\left(\frac{1}{12}+\frac{1}{18}+\frac{1}{14}\right)\times 7$

$=\left(\frac{6+4+3}{72}\right)\times 7=\frac{91}{72}$

तो अतिप्रवाह $=\frac{91}{72}-1=\frac{91-72}{72}=\frac{19}{72}$

% अतिप्रवाह $=\frac{\frac{19}{72}}{1}\times 100=\frac{19}{72}\times 100=\frac{19\times 25}{18}=\frac{475}{18}\%$

$= 26\frac{7}{18}\%$

44. एक आयताकार टैंक में पानी का आयतन

$= 400 \times 300 \times 231$ घन सेमी

बेलन का आयतन $= \pi r^2 h = \pi \times \left(\frac{7}{2}\right)^2 \times 500$

आवश्यक समय $= \frac{400 \times 300 \times 231}{\pi \times \left(\frac{7}{2}\right)^2 \times 500}$

$= \frac{400 \times 300 \times 231 \times 4 \times 7}{22 \times 49 \times 500}$

$= 1440$ सेकेंड $= 24$ मिनट

45. आउटलेट पाइप एक पूर्ण टंकी को 3 घंटे मे खाली करता है।

$\therefore$ टंकी का $\frac{2}{3}$ भाग खाली करने में लगा समय

$= \frac{2}{3} \times 3 = 2$ घंटे

46. A का 1 घंटा कार्य $= \frac{1}{24}$

B का 1 घंटा कार्य $= \frac{1}{30}$

24 और 30 का ल.स. $= 120$

A और B के एक साथ 1 घंटे का कार्य

$= \frac{1}{24} + \frac{1}{30} = \frac{5+4}{120} = \frac{9}{120} = \frac{3}{40}$

$\therefore$ टंकी को भरने में लगा कुल समय $= \frac{40}{3}$

$= 13\frac{1}{3}$ मिनट $= 13$ घंटे 20 मिनट

47. जल प्रवाह की दर $= x$ सेमी/मिनट

$\therefore$ टंकी में बहे पानी का आयतन 1 मिनट

$= 5 \times 4 \times x = 20x$ घन सेमी.

$\therefore$ 6 घंटे 18 मिनट में टैंक में बहने वाले पानी की मात्रा

यानी $(6 \times 60 + 18) = 378$ मिनट

$= 2x \times 378$ घन सेमी.

प्रश्न के अनुसार, $20x \times 378 = 700 \times 400 \times 450$

$\Rightarrow x = \left(\frac{700 \times 400 \times 450}{20 \times 378}\right)$ सेमी/मिनट

$= \left(\frac{700 \times 400 \times 450 \times 60}{100000 \times 20 \times 378}\right)$ किमी/घंटा

$= 10$ किमी/घंटा

48. A द्वारा 1 घंटे में भरा गया टैंक का भाग $= \frac{1}{18}$ भाग

B द्वारा 1 घंटे में भरा गया टैंक का भाग $= \frac{1}{6}$ भाग

पाइप A और B द्वारा 1 घंटे में टैंक का भाग भरा जाता है

$= \frac{1}{18} + \frac{1}{6}$

$= \frac{1+3}{18} = \frac{4}{18} = \frac{2}{9}$

$\therefore$ पाइप A और B द्वारा लिया गया आवश्यक समय

$= \frac{9}{2}$ घंटे $= 4\frac{1}{2}$ घंटे

49. पहला पाइप टंकी को 1 घंटे में भरता है $= \frac{1}{12}$ टैंक का हिस्सा

दूसरा पाइप टंकी को 1 घंटे में भरता है $= \frac{1}{16}$ टैंक का हिस्सा

तीसरा पाइप टंकी को 1 घंटे में खाली करता है

$= \frac{1}{30}$ टैंक का हिस्सा

जब तीनों पाइपों को एक साथ खोला जाता है, तो भाग 1 घंटे में भरी हुई टंकी की

$= \frac{1}{12} + \frac{1}{16} - \frac{1}{30}$

12, 16 और 30 का ल.स. $= 240$

$= \frac{20+15-8}{240} = \frac{27}{240}$

$\therefore$ तीनों पाइपों द्वारा लिया गया आवश्यक समय $= \frac{240}{27}$

$= \frac{80}{9} = 8\frac{8}{9}$ घंटे

50. 1 घंटे में इनलेट द्वारा भरे गए टैंक का हिस्सा $A = \frac{1}{4}$

आउटलेट A और B द्वारा एक साथ खाली किए गए टैंक का हिस्सा 1 घंटे में $= \frac{1}{6}$

माना टंकी को पूरा भरने में लगा समय $= ah$

$\therefore \left(\frac{a-1}{4}\right) - \frac{a}{6} = \frac{1}{2}$

$\Rightarrow \frac{6a-6-4a}{24} = \frac{1}{2}$

$\Rightarrow 2a - 6 = 12$

$\Rightarrow 2a = 18$

$\Rightarrow a = 9h$

51.

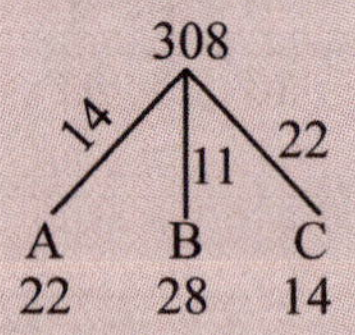

$\therefore$ पाइप A] B और C द्वारा पाइप भरने में किया गया कुल कार्य $= (14 + 11 - 22) \times 3 = 9$

$\therefore$ शेष कार्य $= 308 - 9 = 299$

अब, शेष पाइप को भरने में पाइप A और B द्वारा लिया गया समय $= \frac{299}{14+11} = \frac{299}{25} = 11\frac{24}{25}$

$\therefore$ आवश्यक समय

$= 5:00$ am + 3 hr + 11 hr + $\frac{24}{25} \times 60$

$= 5.00$ am + 14 + 1 hr. (लगभग)

$= 8.00$ pm

52.

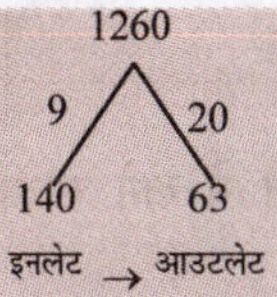

अब, प्रश्नानुसार,

$8\times 9-20\times y=\frac{1260}{105}$

$\Rightarrow \quad 72 - 20y = 12$

$\Rightarrow \quad 20y = 60$

$\therefore \quad y = 3$

53.

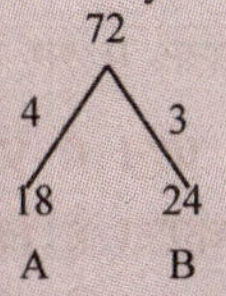

आवश्यक घंटों की संख्या

$=\frac{72}{4+3}=\frac{72}{7}=10\frac{2}{7}h$

54.

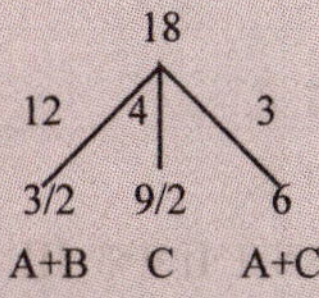

A+C की क्षमता = 3

A - 4 = 3

A = 7

B की क्षमता = 12 - 7 = 5

B द्वारा टंकी भरने में लिया गया समय

$=\frac{18}{5}=3=3$ घंटे 36 मिनट

55.

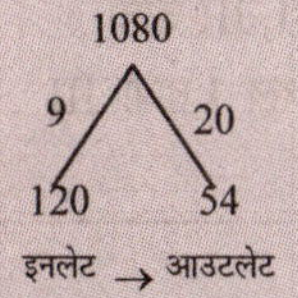

8 आउटलेट पाइप के लिए = 8 × 9 = 72

3 आउटलेट पाइप के लिए = 3 × 20 = 60

$\therefore$ कुल समय

$=\frac{1080}{72-60}=\frac{1080}{12}=90$ घंटे

56.

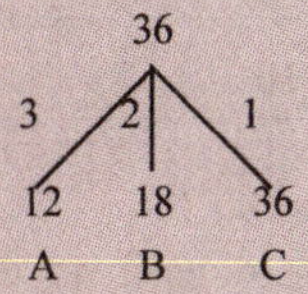

$=\frac{36}{3+2-1}=\frac{36}{4}=9$ मिनट

57.

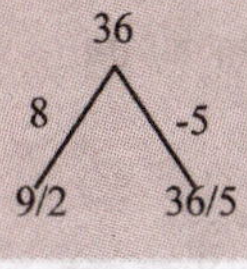

2 घंटे में टंकी का भरा गया भाग

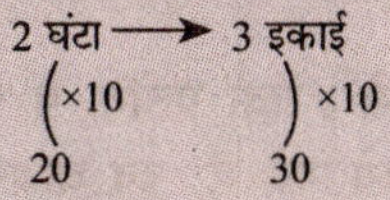

$\therefore$ अभीष्ट समय

$=20\frac{6}{8}=20\frac{3}{4}$ घंटे

58.

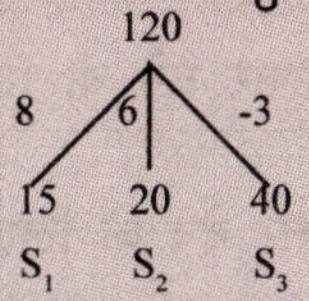

पाइप S_1 और S_2 द्वारा 2 घंटे में भरा गया टैंक का भाग = 2×(8 + 6) = 28

$\therefore$ शेष = (120 - 28) = 92

$\therefore$ अभीष्ट समय $=\frac{92}{(8+6-3)}=\frac{92}{11}$ घंटे

59.

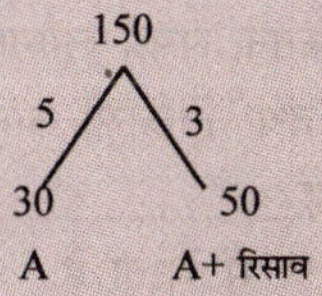

रिसाव की क्षमता = 5 - 3 = 2

टैंक खाली करने के लिए अभीष्ट समय

$=\frac{150}{2}=75$ घंटे

60.

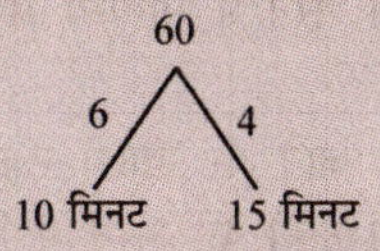

$\therefore \quad A+B=\frac{60}{10}=6$ मिनट

61.

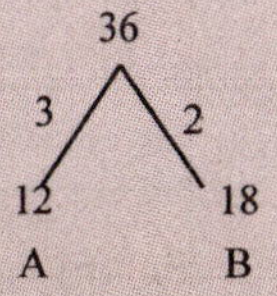

$\therefore$ अभीष्ट समय $=\frac{36}{5}\times 60=432$ मिनट

62.

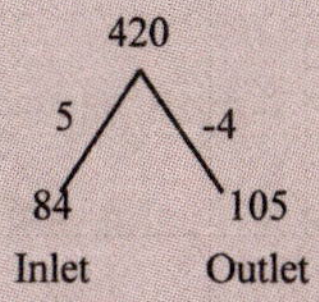

9 इनलेट पाइप और 10 आउटलेट पाइप द्वारा 1 घंटे में भरा गया टैंक का भाग

= [9×5+10×-4] = 5

$\therefore$ अभीष्ट समय $=\frac{420}{5}=84$ घंटे

प्रश्नमाला 19 B

निर्देश: प्रश्न संख्या *1* से *4* तक प्रत्येक में एक कथन/प्रश्न तथा दो कथन *I* तथा *II* दिये गये हैं. इन कथनों को पढ़कर इनका उत्तर:

(*a*) दीजिए यदि दिये गये प्रश्न का उत्तर देने के लिए *I* पर्याप्त हो तथा *II* पर्याप्त न हो;

(*b*) दीजिए यदि दिये गये प्रश्न का उत्तर देने के लिए *II* पर्याप्त हो तथा *I* पर्याप्त न हो;

(*c*) दीजिए यदि दिये गये प्रश्न का उत्तर देने के लिए *I* भी पर्याप्त हो तथा *II* भी पर्याप्त हो;

(*d*) दीजिए यदि दिये गये प्रश्न का उत्तर देने के लिए *I* तथा *II* दोनों मिलकर भी पर्याप्त न हो;

(*e*) दीजिए यदि दिये गये प्रश्न का उत्तर *I* तथा *II* दानों को मिलाकर बना हो.

1. पूरी भरी टंकी को खाली करने में कितना समय लगेगा जबकि नल *A* तथा *B* क्रमशः भराव कार्य तथा निकासी कार्य करते हैं तथा एक साथ खोल दिये जाते हैं?

I. नल *A* खाली टंकी को 16 मिनट में भरता है.

II. नल *B* भरी टंकी को 8 मिनट में खाली करता है.

2. भरी टंकी को इसकी तली में बना छेद कितनी देर में खाली कर देगा?

I. खाली टंकी को भरने में 9 घण्टे लगते हैं.

II. छेद के कारण खाली टंकी को भरने में सामान्य समय से एक घण्टा अधिक लगता है.

3. दो नल *A* तथा *B* एक साथ खोले जाने पर खाली टंकी को 6 घण्टे में भर देते हैं. केवल *A* इस टंकी को भरने में कितना समय लेगा?

I. *B* अकेला टंकी को भरने में *A* से 5 घण्टे अधिक लेता है.

II. *A* तथा *B* द्वारा खाली टंकी को भरने में लगे समय का अनुपात 2 : 3 है.

4. एक टंकी को भरने के लिए दो नल *A* तथा *B* लगे हैं. दोनों नल खाली टंकी में एक साथ खोल दिये जाते हैं, जिससे टंकी दो-तिहाई भर जाती है. तब, *A* को बन्द कर दिया जाता है. शेष टंकी को *B* अकेला कितनी देर में भरेगा?

I. नल *A*, नल *B* से तिगुना तेज है.

II. केवल नल *B* खाली टंकी को 60 मिनट में भर देता है.

निर्देश (प्रश्न 5–6): नीचे दिये गये प्रत्येक प्रश्न में प्रश्न के साथ तीन कथन दिये गये हैं. आपको ज्ञात करना है कि दिये गये प्रश्न के उत्तर के लिए कौन-कौन से कथन अनिवार्य हैं.

5. यदि दोनों नल खोल दिये जायें तो टंकी को भरने में कितने घण्टे लगेंगे? **(बैंक पी० ओ० परीक्षा, 2013)**

I. टंकी की धारिता 400 लीटर है.

II. नल *A* टंकी को 4 घण्टे में भरता है.

III. नल *B* टंकी को 6 घण्टे में भरता है.

(*a*) केवल I तथा II (*b*) केवल II तथा III
(*c*) I, II, III तीनों (*d*) तीनो में से कोई दो
(*e*) तीनों कथनों से भी उत्तर ज्ञात नहीं किया जा सकता

6. एक टंकी में दो नल *A* तथा *B* लगे हैं. यदि दोनों नल एक साथ खोल दिये जायें तो टंकी को भरने में कितना समय लगेगा?

I. *A*, *B* से 50% अधिक सक्षम है.

II. *A* अकेला टंकी को भरने में 16 घण्टे लेता है.

III. *B* अकेला टंकी को भरने में 24 घण्टे लेता है.

(*a*) केवल II तथा III (*b*) I, II, III तीनों
(*c*) केवल I तथा II (*d*) केवल I तथा III
(*e*) तीनों में से कोई दो

उत्तरमाला

1. (*a*) **2.** (*e*) **3.** (*c*) **4.** (*c*) **5.** (*b*) **6.** (*e*)

दिये गये प्रश्नों के हल

1. I से, *A* द्वारा 1 मिनट में भराव कार्य $= \frac{1}{16}$.

II से, *B* द्वारा 1 मिनट में निकासी कार्य $= \frac{1}{8}$.

$(A+B)$ द्वारा 1 मिनट में निकासी कार्य $= \left(\frac{1}{8} - \frac{1}{16}\right) = \frac{1}{16}$.

अतः भरी टंकी खाली होने में 16 मिनट लगेंगे.

∴ I तथा II दोनों से ही उत्तर प्राप्त हुआ.

∴ सही उत्तर (*a*) है.

2. I से, बिना छेद के टंकी भरने में लगा समय = 9 घण्टे.

बिना छेद के 1 घण्टे का भराव कार्य $= \frac{1}{9}$.

II से, छेद के साथ टंकी भरने में लगा समय = 10 घण्टे.

छेद के साथ 1 घण्टे का भराव कार्य $= \frac{1}{10}$.

छेद का 1 घण्टे का कार्य $= \left(\frac{1}{9} - \frac{1}{10}\right) = \frac{1}{90}$.

∴ केवल छेद भरी टंकी को 90 घण्टे में खाली कर देगा.

∴ सही उत्तर (*e*) है.

3. $(A+B)$ का 1 घण्टे का भराव कार्य $= \frac{1}{6}$.

I से, माना *A* टंकी को भरने में *x* घण्टे लेता है, तब,

B लेगा $= (x+5)$ घण्टे.

$$\therefore \quad \frac{1}{x} + \frac{1}{(x+5)} = \frac{1}{6} \Leftrightarrow \frac{(x+5)+x}{x(x+5)} = \frac{1}{6}$$

$\Leftrightarrow x^2 - 7x - 30 = 0 \Leftrightarrow (x - 10)(x + 3) = 0 \Leftrightarrow x = 10.$

$\therefore$ A अकेला खाली टंकी को 10 घण्टे में भरेगा.

II से, माना खाली टंकी को A अकेला $2x$ घण्टे में तथा B अकेला $3x$ घण्टे में भरता है. तब,

$\frac{1}{2x} + \frac{1}{3x} = \frac{1}{6} \Leftrightarrow \left(\frac{1}{2} + \frac{1}{3}\right) \cdot \frac{1}{x} = \frac{1}{6} \Leftrightarrow \frac{5}{6x} = \frac{1}{6} \Leftrightarrow x = 5.$

$\therefore$ A अकेला खाली टंकी को भरने में समय लेगा $= (2 \times 5)$ घण्टे $= 10$ घण्टे.

इस प्रकार केवल I से भी उत्तर प्राप्त होगा तथा केवल II से भी उत्तर प्राप्त होगा.

$\therefore$ सही उत्तर (c) है.

4. I से, माना B का 1 मिनट का कार्य $= \frac{1}{x}$. तब, A का 1 मिनट का कार्य $= \frac{3}{x}$.

$(A + B)$ का 1 मिनट का कार्य $= \left(\frac{1}{x} + \frac{3}{x}\right) = \frac{4}{x}$.

$(A + B)$ का 10 मिनट का कार्य $= \left(\frac{4}{x} \times 10\right) = \frac{40}{x}$.

$\therefore$ $\frac{40}{x} = \frac{2}{3} \Leftrightarrow x = 60.$

अत: B का 1 मिनट का कार्य $= \frac{1}{60}$.

$\frac{1}{60}$ भाग को B भरता है $= 1$ मिनट में.

$\frac{1}{3}$ भाग को B भरेगा $= \left(60 \times \frac{1}{3}\right) = 20$ मिनट में.

II से, B का 1 मिनट का कार्य $= \frac{1}{60}$.

$\frac{1}{60}$ भाग को B भरता है 1 मिनट में.

$\frac{1}{3}$ भाग को B भरेगा $= \left(60 \times \frac{1}{3}\right)$ मिनट में $= 20$ मिनट में.

$\therefore$ सही उत्तर (c) है.

5. II से, 1 घण्टे में A द्वारा टंकी का भरा गया भाग $= \frac{1}{4}$.

III से, 1 घण्टे में B द्वारा भरा गया भाग $= \frac{1}{6}$.

$(A + B)$ का 1 घण्टे का कार्य $= \left(\frac{1}{4} + \frac{1}{6}\right) = \frac{5}{12}$.

अत: दोनों मिलकर टंकी को $\frac{12}{5}$ घण्टे अर्थात् 2 घण्टे 24 मिनट में भरेंगे.

$\therefore$ II तथा III दोनों की आवश्यकता है.

$\therefore$ सही उत्तर (b) है.

6. माना B खाली टंकी को x घण्टे में भरता है.

तब, B का 1 घण्टे का कार्य $= \frac{1}{x}$.

I से, A का 1 घण्टे का कार्य $= \frac{1}{x}$ का 150%

$= \left(\frac{1}{x} \times \frac{150}{100}\right) = \frac{3}{2x}$.

II से, A का 1 घण्टे का कार्य $= \frac{1}{16}$.

$\therefore$ I तथा II से, $\frac{3}{2x} = \frac{1}{16} \Leftrightarrow x = 24.$

अत: B खाली टंकी को 24 घण्टे में भरता है.

$(A + B)$ का 1 घण्टे का कार्य $= \left(\frac{1}{16} + \frac{1}{24}\right) = \frac{5}{48}$.

$\therefore$ $(A + B)$ इस टंकी को $\frac{48}{5}$ घण्टे अर्थात् 9 घण्टे 36 मिनट में भरेंगे.

इस प्रकार, I तथा II रो उत्तर प्राप्त होगा.

III से, B का 1 घण्टे का कार्य $= \frac{1}{24}$.

इस प्रकार II तथा III से भी वही उत्तर प्राप्त होगा.

अब, III तथा I से, A का 1 घण्टे का कार्य $= \frac{1}{24}$ का 150% $=$ $\left(\frac{1}{24} \times \frac{150}{100}\right) = \frac{1}{16}$.

अत: III तथा I से भी वही उत्तर प्राप्त होगा.

$\therefore$ सही उत्तर (e) है.

20 समय तथा दूरी (TIME AND DISTANCE)

आवश्यक तथ्य एवं सूत्र

(i) चाल $= \dfrac{\text{दूरी}}{\text{समय}}$

(ii) दूरी = (चाल × समय)

(iii) x किमी०/घण्टा $= \left(x \times \dfrac{5}{18}\right)$ मीटर/सैकण्ड

(iv) y मीटर/सैकण्ड $= \left(y \times \dfrac{18}{5}\right)$ किमी०/घण्टा

(v) यदि A तथा B की चालों का अनुपात $\boldsymbol{a : b}$ हो, तो एक ही दूरी तय करने में इनके द्वारा लिये गये समय का अनुपात $= \boldsymbol{b : a}$.

(vi) माना कोई व्यक्ति एक निश्चित दूरी x किमी०/घण्टा की चाल से तथा इतनी ही दूरी y किमी०/घण्टा की चाल से तय करता है. तब,

पूरी यात्रा में औसत चाल $= \dfrac{2xy}{(x+y)}$ किमी०/घण्टा

साधित उदाहरण

प्रश्न 1. एक स्कूटर सवार 45 किमी०/घण्टा की चाल से 4 मिनट में कितने मीटर दूरी तय करेगा?

हल: स्कूटर सवार की चाल = 45 किमी०/घण्टा $= \left(45 \times \dfrac{5}{18}\right)$ मीटर/सैकण्ड $= \dfrac{25}{2}$ मीटर/सैकण्ड.

4 मिनट में तय की गई दूरी $= \left\{\dfrac{25}{2} \times (4 \times 60)\right\}$ मीटर = 3000 मीटर.

प्रश्न 2. एक साईकिल सवार 4 मीटर/सैकण्ड की चाल से 3 घण्टे 20 मिनट में कितने किमी० दूरी तय करेगा?

हल: साईकिल सवार की चाल = 4 मीटर/सैकण्ड $= \left(4 \times \dfrac{18}{5}\right)$ किमी०/घण्टा $= \dfrac{72}{5}$ किमी०/घण्टा.

$\dfrac{10}{3}$ घण्टे में तय की गई दूरी $= \left(\dfrac{72}{5} \times \dfrac{10}{3}\right)$ किमी० = 48 किमी०.

प्रश्न 3. एक व्यक्ति कार द्वारा नगर A से B तक 72 किमी०/घण्टा की चाल से जाता है तथा B से A तक 48 किमी०/घण्टा की चाल से वापिस लौटता है. पूरी यात्रा में उसकी औसत चाल ज्ञात करें.

हल: संक्षिप्त विधि:

पूरी यात्रा में औसत चाल $= \dfrac{2xy}{(x+y)}$ किमी०/घण्टा $= \left(\dfrac{2 \times 72 \times 48}{120}\right)$ किमी०/घण्टा = 57·6 किमी०/घण्टा.

प्रश्न 4. मैं अपने घर से कॉलिज के लिए एक निश्चित समय पर चलता हूँ. यदि मैं 5 किमी० प्रति घण्टा की चाल से चलूं तो मुझे 7 मिनट की देरी हो जाती है. परन्तु, यदि मैं 6 किमी० प्रति घण्टा की चाल से चलूं तो ठीक समय से 5 मिनट पहले पहुंचता हूँ. मेरे घर से कॉलिज की दूरी कितनी है?

हल: माना मेरे घर से कॉलिज की दूरी = x किमी०.

दोनों चालों से लगे समय में अन्तर = 12 मिनट.

$\therefore \quad \frac{x}{5} - \frac{x}{6} = \frac{12}{60} \Leftrightarrow x = 6.$

अतः मेरे घर से कॉलिज की दूरी = 6 किमी०.

प्रश्न 5. अपनी वास्तविक चाल की $\frac{5}{6}$ चाल से चलकर एक रेलगाड़ी 10 मिनट देरी से अपने गंतव्य स्थान पर पहुँचती है. वास्तविक चाल से अपनी यात्रा यह कितनी देर में तय करती है?

हल: नई चाल = वास्तविक चाल का $\frac{5}{6}$

$\Rightarrow$ नई चाल से यात्रा पूरी करने में लगा समय = वास्तविक चाल से लगे समय का $\frac{6}{5}$

$\Rightarrow$ $\frac{6}{5}$ × (वास्तविक चाल से लगा समय) – (वास्तविक चाल से लगा समय) = 10 मिनट

$\Rightarrow$ $\left(\frac{6}{5} - 1\right)$ × वास्तविक चाल से लगा समय = 10 मिनट

$\Rightarrow$ वास्तविक चाल से लगा समय = (5 × 10) मिनट = 50 मिनट.

प्रश्न 6. एक व्यक्ति को अपनी यात्रा में 7 घण्टे 20 मिनट लगते हैं. यदि वह एक तिहाई यात्रा 60 किमी० प्रति घण्टा की चाल से तय करे तथा शेष यात्रा 45 किमी० प्रति घण्टा की चाल से तय करे तो उसने कुल कितनी दूरी तय की?

हल: माना कुल यात्रा = x किमी०.

यात्रा का पहला भाग = $\frac{x}{3}$ किमी०, यात्रा का दूसरा भाग = $\frac{2x}{3}$ किमी०.

$\therefore \quad \frac{(x/3)}{60} + \frac{(2x/3)}{45} = \frac{22}{3} \Leftrightarrow \frac{x}{180} + \frac{2x}{135} = \frac{22}{3} \Leftrightarrow 11x = 3960 \Leftrightarrow x = 360.$

अतः कुल यात्रा = 360 किमी०.

प्रश्न 7. दो साईकिल सवार बराबर दूरी क्रमशः 15 किमी०/घण्टा तथा 16 किमी०/घण्टा की चाल से तय करते हैं. यह दूरी तय करने में एक को दूसरे से 16 मिनट अधिक लगते हैं. यह दूरी कितनी है?

हल: माना अभीष्ट दूरी = x किमी०. तब, $\frac{x}{15} - \frac{x}{16} = \frac{16}{60} \Leftrightarrow (16x - 15x) = 64 \Leftrightarrow x = 64.$

अतः अभीष्ट दूरी = 64 किमी०.

प्रश्न 8. एक कार 840 किमी० दूरी को एक निश्चित समान चाल से तय करती है. यदि कार की चाल 10 किमी०/घण्टा अधिक होती, तो इस दूरी को तय करने में 2 घण्टे कम लगते. कार की वास्तविक चाल ज्ञात कीजिए.

हल: माना कार की वास्तविक चाल = x किमी०/घण्टा. तब,

$$\frac{840}{x} - \frac{840}{(x+10)} = 2 \Leftrightarrow 840 \times [x + 10 - x] = 2x\,(x + 10)$$

$\Leftrightarrow x^2 + 10x - 4200 = 0 \Leftrightarrow (x + 70)(x - 60) = 0 \Leftrightarrow x = 60$ [$\because$ चाल ऋणात्मक नहीं हो सकती]

अतः कार की वास्तविक चाल = 60 किमी०/घण्टा.

प्रश्न 9. एक व्यक्ति मोटर साईकिल द्वारा एक निश्चित दूरी तय करता है. यदि वह 6 किमी०/घण्टा धीरे चलता तो उसे 8 मिनट अधिक लगते. परन्तु, यदि वह 4 किमी०/घण्टा तेज चलता तो उसे 4½ मिनट कम लगते. दूरी ज्ञात कीजिए.

हल: माना अभीष्ट दूरी = x किमी० तथा वास्तविक चाल = y किमी०/घण्टा. तब,

$$\frac{x}{(y-6)} - \frac{x}{y} = \frac{8}{60} \Leftrightarrow y\,(y - 6) = 45\,x \quad ...(i)$$

$$\frac{x}{y} - \frac{x}{(y+4)} = \frac{9}{120} \Leftrightarrow 3y\,(y + 4) = 160x \quad ...(ii)$$

(i) को (ii) से भाग देने पर: $\frac{(y-6)}{3(y+4)} = \frac{9}{32} \Leftrightarrow 27y + 108 = 32y - 192 \Leftrightarrow 5y = 300 \Leftrightarrow y = 60.$

(i) में $y = 60$ रखने पर, $45x = (60 \times 54) \Leftrightarrow x = \frac{(60 \times 54)}{45} = 72.$

अतः अभीष्ट दूरी = 72 किमी०.

प्रश्न 10. एक व्यक्ति को 40 किमी० दूरी पर स्थित एक स्थान पर पहुँचना है. वह 16 किमी० की दूरी, 4 किमी०/घण्टा की चाल से पैदल चलकर तथा शेष दूरी ताँगे द्वारा तय करता है. यदि वह 16 किमी० दूरी ताँगे से तथा शेष दूरी 4 किमी०/घण्टा की चाल से पैदल चलकर तय करता तो उसे पूरी यात्रा में 1 घण्टा अधिक लगता. ताँगे की चाल ज्ञात कीजिए.

हलः माना ताँगे की चाल $= x$ किमी०/घण्टा. तब, $\left(\frac{16}{x}+\frac{24}{4}\right)-\left(\frac{16}{4}+\frac{24}{x}\right)=1 \Leftrightarrow \frac{8}{x}=1 \Leftrightarrow x=8.$

अतः ताँगे की चाल = 8 किमी०/घण्टा.

प्रश्न 11. एक सिपाही को अपने से 100 मीटर आगे एक चोर दिखाई दिया. जैसे ही सिपाही ने उसका पीछा करना आरम्भ किया चोर ने भी भागना आरम्भ कर दिया. यदि चोर की चाल 8 किमी०/घण्टा हो तथा सिपाही की चाल 10 किमी०/घण्टा हो, तो कितने मीटर भागने केबाद चोर पकड़ा जायेगा?

हलः सिपाही की चोर के सापेक्ष चाल = (10 – 8) किमी०/घण्टा = 2 किमी०/घण्टा.

100 मीटर दूरी को सापेक्ष चाल से पूरा करने में सिपाही द्वारा लिया गया समय $=\left(\frac{1}{2000}\times 100\right)$ घण्टा $=\frac{1}{20}$ घण्टा.

$\frac{1}{20}$ घण्टे में चोर द्वारा तय की गई दूरी $=\left(8\times\frac{1}{20}\right)$ किमी० $=\left(\frac{2}{5}\times 1000\right)$ मीटर = 400 मीटर.

प्रश्न 12. एक हवाई जहाज एक वर्गाकार मैदान की चारों भुजाओं के समानान्तर क्रमशः 200 किमी०/घण्टा, 400 किमी०/घण्टा, 600 किमी०/घण्टा तथा 800 किमी०/घण्टा की चाल से घूमता है. इस मैदान के चारों ओर घूमने में उसकी औसत चाल कितनी होगी?

हलः माना वर्ग की प्रत्येक भुजा $= x$ किमी० तथा अभीष्ट औसत चाल $= y$ किमी०.

तब, $\frac{x}{200}+\frac{x}{400}+\frac{x}{600}+\frac{x}{800}=\frac{4x}{y} \Leftrightarrow \frac{25x}{2400}=\frac{4x}{y} \Leftrightarrow y=\frac{(2400\times 4)}{25}=384.$

अतः अभीष्ट औसत चाल = 384 किमी०/घण्टा.

प्रश्नमाला 20A

निम्नलिखित प्रश्नों में से प्रत्येक में ठीक उत्तर के सामने ठीक का चिह्न (✓) लगायें:

1. एक साईकिल सवार 2 मिनट 30 सैकण्ड में 750 मीटर दूरी तय करता है. उसकी चाल किमी०/घण्टा में कितनी है? **(रेलवे परीक्षा, 2012)**

(a) 16 किमी०/घण्टा (b) 18 किमी०/घण्टा
(c) 20 किमी०/घण्टा (d) $16\frac{2}{3}$ किमी०/घण्टा

2. एक कार 72 किमी०/घण्टा की चाल से जा रही है. इसकी चाल मीटर/सैकण्ड में कितनी है?

(a) 20 मीटर/सैकण्ड (b) 24 मीटर/सैकण्ड
(c) 16 मीटर/सैकण्ड (d) 18 मीटर/सैकण्ड

3. एक धावक 200 मीटर की दौड़ 24 सैकण्ड में पूरी करता है. उसकी चाल कितनी है? **(एस०एस०सी० परीक्षा, 2012)**

(a) 20 किमी०/घण्टा (b) 24 किमी०/घण्टा
(c) 28·5 किमी०/घण्टा (d) 30 किमी०/घण्टा

4. एक व्यक्ति 600 मीटर लम्बी गली को 5 मिनट में पार करता है. उसकी चाल किमी०/घण्टा में कितनी है? **(रेलवे परीक्षा, 2013)**

(a) 3·6 किमी०/घण्टा (b) 7·2 किमी०/घण्टा
(c) 8·4 किमी०/घण्टा (d) 10 किमी०/घण्टा

5. 5 किमी०/घण्टा की चाल से चलकर एक व्यक्ति एक पुल को 15 मिनट में पार कर लेता है. पुल की लम्बाई कितनी है? **(एस०एस०सी० परीक्षा, 2010)**

(a) 600 मीटर (b) 750 मीटर
(c) 1000 मीटर (d) 1250 मीटर

6. एक कार 108 किमी०/घण्टा की चाल से जा रही है. 15 सैकण्ड में यह कितनी दूरी तय करेगी? **(बैंक पी० ओ० परीक्षा, 2013)**

(a) 45 मीटर (b) 55 मीटर
(c) 450 मीटर (d) ज्ञात नहीं की जा सकती
(e) इनमें से कोई नहीं

7. 20 किमी०/घण्टा की चाल से 400 मीटर दूरी तय करने में कितना समय लगेगा?

(a) 1 मिनट 12 सैकण्ड (b) 1 मिनट 30 सैकण्ड
(c) 2 मिनट (d) 3 मिनट
(e) इनमें से कोई नहीं

8. एक रेलगाड़ी स्टेशन X से स्टेशन Y तक 20 किमी०/घण्टा की चाल से जाती है तथा वापिस स्टेशन Y से स्टेशन X तक 30 किमी०/घण्टा की चाल से आती है. पूरी यात्रा में रेलगाड़ी की औसत चाल कितनी है? **(रेलवे परीक्षा, 2010)**

(*a*) 24 किमी०/घण्टा (*b*) 25 किमी०/घण्टा
(*c*) 35 किमी०/घण्टा (*d*) 40 किमी०/घण्टा

9. एक व्यक्ति यदि 10 किमी०/घण्टा की अपेक्षा 14 किमी०/घण्टा की चाल से चलता तो 20 किमी० अधिक दूरी तय कर लेता. उसने कितनी वास्तविक दूरी तय की है?
(*a*) 50 किमी० (*b*) 56 किमी०
(*c*) 70 किमी० (*d*) 80 किमी०

10. एक किसान ने 61 किमी० की दूरी 9 घण्टे में तय की. उसने कुछ दूरी पैदल चल कर 4 किमी०/घण्टा की दर से तय की तथा शेष दूरी साईकिल द्वारा 9 किमी०/घण्टा की दर से तय की. उसने कितनी दूरी पैदल चल कर तय की?
(*a*) 14 किमी० (*b*) 15 किमी०
(*c*) 16 किमी० (*d*) 17 किमी०

11. एक व्यक्ति ने कुछ दूरी कार द्वारा 40 किमी०/घण्टा की चाल से 9 घण्टे में तय की. यदि वह 60 किमी०/घण्टा की चाल से कार चलाये तो इस दूरी को तय करने में कितना समय लगेगा? **(एस०एस०सी० परीक्षा, 2013)**
(*a*) 3 घण्टे (*b*) 4 घण्टे
(*c*) $4\frac{1}{2}$ घण्टे (*d*) 6 घण्टे

12. एक व्यक्ति को कुछ दूरी पैदल चलकर तय करनी थी. यदि वह आधी दूरी 4 किमी०/घण्टा की चाल से तथा शेष दूरी 5 किमी०/घण्टा की दर से तय करे तो उसे 9 घण्टे लगते हैं. कुल दूरी कितनी है? **(एस०एस०सी० परीक्षा, 2013)**
(*a*) 9 किमी० (*b*) 20 किमी०
(*c*) 40 किमी० (*d*) 50 किमी०

13. एक कार अपनी वास्तविक चाल की $\frac{5}{7}$ चाल से 42 किमी० की दूरी 1 घण्टा 40 मिनट 48 सैकण्ड में तय करती है. कार की वास्तविक चाल कितनी है? **(एस०एस०सी० परीक्षा, 2012)**
(*a*) $17\frac{6}{7}$ किमी०/घण्टा (*b*) 25 किमी०/घण्टा
(*c*) 30 किमी०/घण्टा (*d*) 35 किमी०/घण्टा

14. दो रेलें 342 किमी० की दूरी पर स्थित दो स्थानों से एक दूसरे की ओर क्रमशः 30 किमी०/घण्टा तथा 27 किमी०/घण्टा की चाल से एक ही समय पर चलना प्रारम्भ करती हैं. वे कितने समय बाद मिलेंगी? **(इन्दिरा गाँधी वि०वि० परीक्षा, 2014)**
(*a*) 5 घण्टे (*b*) 6 घण्टे
(*c*) 7 घण्टे (*d*) 12 घण्टे

15. मैं अपने घर से रेलवे स्टेशन पैदल जाता हूँ यदि मैं 3 किमी०/घण्टा की चाल से चलूँ तो मेरे पहुँचने से 2 मिनट पहले रेलगाड़ी छूट जाती है. यदि मैं 4 किमी०/घण्टा की चाल से चलूँ तो मैं गाड़ी के चलने से 2 मिनट पहले पहुँच जाता हूँ. मेरे घर से रेलवे स्टेशन की दूरी कितनी है? **(इन्दिरा गाँधी वि०वि० परीक्षा, 2013)**
(*a*) $\frac{3}{4}$ किमी० (*b*) $\frac{4}{5}$ किमी०
(*c*) 1 किमी० (*d*) $\frac{5}{4}$ किमी०

16. यदि एक विद्यार्थी अपने घर से $2\frac{1}{2}$ किमी०/घण्टा की चाल से चले तो अपने विद्यालय में ठीक समय से 6 मिनट देरी से पहुँचता है. यदि वह अपनी चाल 1 किमी०/घण्टा बढ़ा दे, तो वह ठीक समय से 6 मिनट पहले अपने विद्यालय पहुँच जाता है. उसके घर से विद्यालय की दूरी कितनी है? **(एस०एस०सी० परीक्षा, 2014)**
(*a*) 1 किमी० (*b*) $1\frac{1}{2}$ किमी०
(*c*) $1\frac{3}{4}$ किमी० (*d*) 2 किमी०

17. एक रेलगाड़ी 40 किमी०/घण्टा की औसत चाल से चलकर अपने गंतव्य स्थान पर ठीक समय पर पहुँच जाती है. यदि इसकी औसत चाल 35 किमी०/घण्टा हो, तो यह अपने गंतव्य स्थान पर 15 मिनट देरी से पहुँचती है. यह दूरी कितनी है? **(बैंक पी० ओ० परीक्षा, 2013)**
(*a*) 30 किमी० (*b*) 40 किमी०
(*c*) 70 किमी० (*d*) 80 किमी०

18. एक व्यक्ति 160 किमी० दूरी 64 किमी०/घण्टा की चाल से तथा 160 किमी० दूरी 80 किमी०/घण्टा की चाल से तय करता है. पूरी यात्रा में उसकी औसत चाल कितनी है? **(रेलवे परीक्षा, 2013)**
(*a*) 35·55 किमी०/घण्टा (*b*) 36 किमी०/घण्टा
(*c*) 71·11 किमी०/घण्टा (*d*) 72 किमी०/घण्टा

19. 40 किमी०/घण्टा की चाल से जाने पर एक रेलगाड़ी अपने गंतव्य स्थान पर 11 मिनट देरी से पहुँचती है. परन्तु 50 किमी०/घण्टा की चाल से जाने पर यह केवल 5 मिनट देरी से पहुँचती है. ठीक समय पर पहुँचने के लिए यह कितना समय लेगी?
(*a*) 13 मिनट (*b*) 15 मिनट
(*c*) 19 मिनट (*d*) 21 मिनट

20. एक चोर दोपहर 2·30 बजे एक कार चुरा कर 60 किमी०/घण्टा की चाल से कार चला कर भागा. कार के स्वामी को दोपहर 3 बजे कार चोरी का पता चला तथा उसने दूसरी कार द्वारा 75 किमी०/घण्टा की दर से उसका पीछा किया. वह चोर को कितने बजे पकड़ पाया? **(रेलवे परीक्षा, 2012)**
(*a*) शाम 4·30 बजे (*b*) शाम 4·45 बजे
(*c*) शाम 5 बजे (*d*) शाम 5·15 बजे

21. दो नगरों A तथा B के बीच की दूरी 330 किमी० है. एक रेलगाड़ी स्टेशन A से प्रातः 8 बजे चलकर 60 किमी०/घण्टा की चाल से B की ओर जाती है तथा दूसरी रेलगाड़ी स्टेशन B से प्रातः 9 बजे चलकर A की ओर 75 किमी०/घण्टा की चाल से जाती है. वे दोनों कितने बजे मिलेंगी?

(जीवन बीमा निगम परीक्षा, 2013)

(*a*) प्रात: 10 बजे (*b*) प्रात: 10·30 बजे
(*c*) प्रात: 11 बजे (*d*) प्रात: 11·30 बजे

22. एक व्यक्ति कुछ दूरी को 30 घण्टे में तय करता है. यदि वह अपनी चाल का $\frac{1}{15}$ वाँ भाग कम कर दे तो इतने ही समय में वह 10 किमी० कम दूरी तय करेगा. उसकी वास्तविक चाल कितनी है? **(एस०एस०सी० परीक्षा, 2012)**

(*a*) 4 किमी०/घण्टा (*b*) 5 किमी०/घण्टा
(*c*) $5\frac{1}{2}$ किमी०/घण्टा (*d*) 6 किमी०/घण्टा

23. अपने घर से दफ्तर तक अपनी वास्तविक चाल की $\frac{6}{7}$ चाल से आने में एक व्यक्ति 12 मिनट देर से पहुँचता है. इस दूरी को वास्तविक चाल से तय करने में कितना समय लगेगा? **(रेलवे परीक्षा, 2011)**

(*a*) 1 घण्टा (*b*) 1 घण्टा 12 मिनट
(*c*) 1 घण्टा 15 मिनट (*d*) 1 घण्टा 20 मिनट

24. एक व्यक्ति 50 किमी० दूरी 2 घण्टे 30 मिनट में तय करता है. इस यात्रा को $\frac{5}{6}$ घण्टे कम समय में तय करने के लिए उसे अपनी चाल में कितने किमी०/घण्टा वृद्धि करनी होगी? **(होटल मैनेजमैन्ट परीक्षा, 2012)**

(*a*) 10 (*b*) 20
(*c*) 0 (*d*) इनमें से कोई नहीं

25. एक व्यक्ति को 6 किमी० दूरी 45 मिनट में तय करनी है. यदि वह आधी दूरी दो-तिहाई समय में पूरी करे तो शेष दूरी को समय पर तय करने के लिए उसकी चाल कितनी होनी चाहिए? **(असिस्टैंट ग्रेड परीक्षा, 1997)**

(*a*) 6 किमी०/घण्टा (*b*) 8 किमी०/घण्टा
(*c*) 12 किमी०/घण्टा (*d*) 15 किमी०/घण्टा

26. एक कार की चाल में 2 किमी०/घण्टा की दर से निरन्तर वृद्धि होती जाती है. यदि पहले एक घण्टे में यह 35 किमी० चली हो, तो 12 घण्टे में इसने कुल कितनी दूरी तय की? **(बैंक पी० ओ० परीक्षा, 2013)**

(*a*) 456 किमी० (*b*) 482 किमी०
(*c*) 552 किमी० (*d*) 556 किमी०
(*e*) इनमें से कोई नहीं

27. एक रेलगाड़ी की चाल एक कार की चाल से 50% अधिक है. दोनों एक ही समय पर एक ही बिन्दु *A* से चलें तथा 75 किमी० दूरी पर स्थित दूसरे बिन्दु *B* पर एक साथ पहुँचे, क्योंकि जगह-जगह रुकने में रेलगाड़ी ने 12·5 मिनट लगाये. कार की चाल कितनी है? **(मैनेजमैन्ट परीक्षा, 2013)**

(*a*) 100 किमी०/घण्टा (*b*) 110 किमी०/घण्टा
(*c*) 120 किमी०/घण्टा (*d*) 130 किमी०/घण्टा

28. एक बस की चाल बिना रुके 54 किमी०/घण्टा है परन्तु बीच-बीच में सवारी उतारने तथा चढ़ाने के लिए जगह-जगह रुकने के कारण इसकी चाल 45 किमी०/घण्टा है. प्रत्येक घण्टे में कितने मिनट के लिए बस रुकती है?

(*a*) 9 मिनट (*b*) 10 मिनट
(*c*) 12 मिनट (*d*) 20 मिनट

29. 30 किमी० दूरी तय करने में *A*, *B* से 2 घण्टे अधिक लेता है. यदि *A* अपनी चाल दुगुनी कर दे तो इस दूरी को तय करने में वह *B* से 1 घण्टा कम लेगा. *A* की चाल कितनी है? **(मैनेजमैन्ट परीक्षा, 2013)**

(*a*) 5 किमी०/घण्टा (*b*) 6 किमी०/घण्टा
(*c*) 6·25 किमी०/घण्टा (*d*) 7·5 किमी०/घण्टा

30. एक कार नगर *A* से नगर *B* को एक अचर चाल से जाती है. यदि इस चाल में 10 किमी०/घण्टा की वृद्धि कर दें, तो इस दूरी को तय करने में पहले से एक घण्टा कम लगता है. यदि नई चाल में 10 किमी०/घण्टा की वृद्धि और कर दें, तो इस दूरी को तय करने में 45 मिनट और कम लगते हैं. दोनों नगरों के बीच की दूरी कितनी है?

(*a*) 420 किमी० (*b*) 540 किमी०
(*c*) 600 किमी० (*d*) 650 किमी०

31. 600 किमी० की उड़ान में खराब मौसम होने के कारण वायुयान की गति धीमी करनी पड़ी. पूरी उड़ान में इसकी औसत चाल 200 किमी०/घण्टा कम करनी पड़ी तथा उड़ान के समय में 30 मिनट अधिक लगे. उड़ान की अवधि कितनी है?

(*a*) 1 घण्टा (*b*) 2 घण्टे
(*c*) 3 घण्टे (*d*) 4 घण्टे

32. यदि किसी दूरी को 10 किमी०/घण्टा की अपेक्षा 14 किमी०/घण्टा की चाल से तय किया जाये तो 20 किमी० दूरी अधिक तय होती है. वास्तव में यह दूरी कितनी है? **(रेलवे परीक्षा, 2010)**

(*a*) 50 किमी० (*b*) 56 किमी०
(*c*) 70 किमी० (*d*) 80 किमी०

33. दो व्यक्ति एक ही समय पर एक ही स्थान से एक ही दिशा में क्रमश: 5 किमी०/घण्टा तथा 5·5 किमी०/घण्टा की गति से जा रहे हैं. कितने समय में उनके बीच की दूरी 8·5 किमी० होगी?

(*a*) 4 घण्टे 15 मिनट (*b*) 8 घण्टे 30 मिनट
(*c*) 16 घण्टे (*d*) 17 घण्टे

34. एक व्यक्ति बराबर दूरियाँ क्रमश: 3 किमी०/घण्टा, 4 किमी०/घण्टा तथा 5 किमी०/घण्टा की चाल से चलकर 47 मिनट लेता है. कुल दूरी कितनी है? **(रेलवे परीक्षा, 2011)**

(*a*) 2 किमी० (*b*) 3 किमी०
(*c*) 4 किमी० (*d*) 5 किमी०

35. एक कार 40 किमी०/घण्टा की गति से चलना आरम्भ करती है तथा कार की गति प्रति घण्टा 3 किमी०/घण्टा की दर से बढ़ती है. पाँच घण्टे के अन्त में कार की गति क्या होगी? **(बैंक पी० ओ० परीक्षा, 2015)**

(*a*) 46 किमी०/घण्टा (*b*) 59 किमी०/घण्टा

(*c*) 58 किमी०/घण्टा (*d*) 49 किमी०/घण्टा
(*e*) इनमें से कोई नहीं

36. एक विद्यार्थी अपने घर से 3 किमी० प्रति घण्टा की चाल से अपने स्कूल जाता है तथा 2 किमी०/घण्टा की दर से लौटता है. यदि उसे अपने घर से स्कूल जाने तथा वापिस आने में 5 घण्टे लगे, तो घर से स्कूल की दूरी कितनी है?
(एस०एस०सी० परीक्षा, 2014)
(*a*) 5 किमी० (*b*) 5·5 किमी०
(*c*) 6 किमी० (*d*) 6·5 किमी०

37. एक कार किसी विशेष दूरी का एक-तिहाई भाग 10 किमी०/घण्टा की गति से, अगला एक तिहाई भाग 20 किमी०/घण्टा की गति से तथा शेष एक-तिहाई भाग 60 किमी०/घण्टा की गति से तय करती है. पूरी यात्रा में कार की औसत चाल कितनी है?
(*a*) 18 किमी०/घण्टा (*b*) 24 किमी०/घण्टा
(*c*) 30 किमी०/घण्टा (*d*) 36 किमी०/घण्टा

38. एक व्यक्ति 600 किमी० रेल द्वारा 80 किमी०/घण्टा की चाल से, 800 किमी० समुद्री-जहाज से 40 किमी०/घण्टा की चाल से, 500 किमी० हवाई-जहाज से 400 किमी०/घण्टा की चाल से तथा 100 किमी० कार द्वारा 50 किमी०/घण्टा की चाल से यात्रा करता है. पूरी यात्रा में उसकी औसत चाल कितनी है?
(*a*) 60 किमी०/घण्टा (*b*) 62 किमी०/घण्टा
(*c*) $60\frac{5}{123}$ किमी०/घण्टा (*d*) $65\frac{5}{123}$ किमी०/घण्टा

39. एक व्यक्ति साईकिल द्वारा 10 किमी० दूरी 12 किमी०/घण्टा की औसत चाल से तथा 12 किमी० दूरी 10 किमी०/घण्टा की औसत चाल से तय करता है. पूरी दूरी तय करने में उसकी औसत चाल कितनी होगी?
(*a*) 10·4 किमी०/घण्टा (*b*) 10·8 किमी०/घण्टा
(*c*) 11 किमी०/घण्टा (*d*) 12·2 किमी०/घण्टा

40. *A*, *B* से तेज चलता है. प्रत्येक 24 किमी० की दूरी तय करता है. उनकी चालों का योग 7 किमी०/घण्टा है तथा उन दोनों द्वारा लिया गया कुल समय 14 घण्टे है. *A* की चाल कितनी है?
(*a*) 3 किमी०/घण्टा (*b*) 4 किमी०/घण्टा
(*c*) 5 किमी०/घण्टा (*d*) 7 किमी०/घण्टा

41. एक व्यक्ति स्थान *A* से *B* तक 40 किमी०/घण्टा की चाल से जाता है तथा 50% अधिक चाल से वापिस लौटता है. दोनों ओर की दूरी तय करने में उसकी औसत चाल क्या है?
(एम०बी०ए० परीक्षा, 2013)
(*a*) 36 किमी०/घण्टा (*b*) 45 किमी०/घण्टा
(*c*) 48 किमी०/घण्टा (*d*) 50 किमी०/घण्टा

42. एक व्यक्ति ने 88 किमी० की दूरी 12 घण्टे में तय की. उसने कुछ दूरी पैदल चल कर 4 किमी०/घण्टा की चाल से तथा शेष दूरी साईकिल द्वारा 9 किमी०/घण्टा की चाल से तय की. कितनी दूरी उसने पैदल चल कर तय की?
(*a*) 14 किमी० (*b*) 15 किमी०
(*c*) 16 किमी० (*d*) 17 किमी०

43. *A*, *B*, *C* तीन व्यक्ति कार द्वारा भ्रमण करते हैं. पहले *A* एक घण्टे तक 50 किमी०/घण्टा की औसत चाल से चलाता है, फिर *B*, 2 घण्टे तक 48 किमी०/घण्टा की औसत चाल से चलाता है तथा फिर *C*, 3 घण्टे तक 52 किमी०/घण्टा की औसत चाल से चलाता है. चलने के 6 घण्टे बाद ये अपने गंतव्य स्थान पर पहुँच जाते हैं. कुल यात्रा में कार की औसत चाल कितनी है?
(*a*) 50 किमी०/घण्टा (*b*) $50\frac{1}{3}$ किमी०/घण्टा
(*c*) $51\frac{1}{3}$ किमी०/घण्टा (*d*) 52 किमी०/घण्टा

44. *A*, 4 किमी०/घण्टा की चाल से पैदल चलता है. उसके चलने के 4 घण्टे बाद, 8 साईकिल द्वारा 10 किमी०/घण्टा की चाल से उसका पीछा करता है. आरम्भ से कितनी दूरी पर *B*, *A* को पकड़ लेगा?
(*a*) 16·7 किमी० (*b*) 18·6 किमी०
(*c*) 21·5 किमी० (*d*) 26·7 किमी०

45. एक व्यक्ति कुछ दूरी को पैदल तय करने तथा घोड़े पर वापिस प्रारम्भिक बिन्दु तक पहुँचने में 5 घण्टे 45 मिनट लेता है. यदि वह दोनों ओर घुड़सवारी करता तो उसे 2 घण्टे कम लगते. दोनों ओर की दूरी पैदल चल कर तय करने में उसे कितना समय लगेगा?
(*a*) 3 घण्टे 45 मिनट (*b*) 7 घण्टे 30 मिनट
(*c*) 7 घण्टे 45 मिनट (*d*) 11 घण्टे 45 मिनट

46. दो साईकिल सवार एक ही बिन्दु से एक दूसरे की विपरीत दिशाओं में चलना प्रारम्भ करते हैं. इनमें से एक उत्तर की ओर 18 किमी०/घण्टा की चाल से तथा दूसरा दक्षिण की ओर 20 किमी०/घण्टा की चाल से जाता है. कितने समय बाद वे एक दूसरे से 47·5 किमी० दूरी पर होंगे?
(*a*) $1\frac{1}{4}$ घण्टे (*b*) $2\frac{1}{4}$ घण्टे
(*c*) 2 घण्टे 23 मिनट (*d*) $2\frac{1}{2}$ घण्टे

47. एक वर्गाकार मैदान की प्रत्येक भुजा 35 मीटर लम्बी है. एक लड़का इसके चारों ओर 9 किमी० प्रति घण्टा की चाल से एक चक्कर लगाने में कितना समय लेगा?
(*a*) 50 सैकण्ड (*b*) 52 सैकण्ड
(*c*) 54 सैकण्ड (*d*) 56 सैकण्ड

48. *A* तथा *B* एक वृत्ताकार मैदान के एक निश्चित बिन्दु से प्रातः 8 बजे एक दूसरे की विपरीत दिशाओं में चलना प्रारम्भ करते हैं. यदि *A* तथा *B* की चाल क्रमशः 2 चक्कर प्रति घण्टा तथा 3 चक्कर प्रति घण्टा हो, तो प्रातः 9·30 बजे से पहले वे कितनी बार एक दूसरे को पार कर चुके होंगे?
(*a*) 5 (*b*) 6
(*c*) 7 (*d*) 8

49. *A* एक वृत्ताकार मैदान के चारों ओर एक चक्कर प्रति घण्टा की चाल से तथा *B*, 6 चक्कर प्रति घण्टा की चाल से चक्कर

लगाता है. वे प्रात: 7·30 बजे एक ही बिन्दु से एक ही दिशा में चलना प्रारम्भ करते हैं. चलने के बाद वे एक दूसरे को कितने बजे पार करेंगे?

(*a*) प्रात: 7·42 बजे (*b*) प्रात: 7·48 बजे
(*c*) प्रात: 8·10 बजे (*d*) प्रात: 8·30 बजे

50. मुकेश ने एक वर्गाकार मैदान की चार दीवारी के साथ-साथ साईकिल चलाना शीर्ष *A* से आरम्भ किया. आधा घण्टे बाद वह शीर्ष बिन्दु *A* से होकर जाने वाले विकर्ण के अन्तिम छोर पर पहुँच गया. यदि उसकी चाल 8 किमी०/घण्टा हो, तो मैदान का क्षेत्रफल कितना होगा?

(*a*) 64 वर्ग मी० (*b*) 16 वर्ग मी०
(*c*) 8 वर्ग मी० (*d*) 4 वर्ग मी०

51. *A*, *B* और *C* एक कार से यात्रा पर निकले हैं। यात्रा के पहले घंटे के दौरान *A*, 60 किमी प्रति घंटे की चाल से ड्राइव करता है। यात्रा के अगले 2 घंटे के दौरान *B*, 50 किमी प्रति घंटे की चाल से ड्राइव करता है। यात्रा के अगले 3 घंटे के दौरान *C*, 65 किमी प्रति घंटे की चाल से ड्राइव करता है। ठीक 8 घंटे के बाद वे गंतव्य तक पहुंच जाते हैं। उनकी औसत चाल कितनी थी?

(दिल्ली मेट्रो रेल कॉर्पोरेशन सी.आर.ए. परीक्षा, 2017)

(*a*) $44\frac{4}{8}$ किमी प्रति घंटा (*b*) $44\frac{3}{8}$ किमी प्रति घंटा
(*c*) $44\frac{2}{8}$ किमी प्रति घंटा (*d*) 44 किमी प्रति घंटा

52. राज अपने घर से हवाई अड्डा जाने में बस से (बगैर ठहराव के) 20 मिनट कम समय लेता है जब वह बस कुछ समय के लिए ठहरती है। बगैर ठहराव के बस की औसत चाल ठहराव के साथ बस की औसत चाल से 4 किमी./घंटा अधिक है। यदि घर से हवाई अड्डा की दूरी 60 किमी. हो, तो बगैर ठहराव के बस की चाल क्या है ? (किमी/घंटा में)

(आई.बी.पी.एस. बैंक क्लर्क सी.डब्लू.ई. मुख्य परीक्षा, 2017)

(*a*) 24 (*b*) 46 (*c*) 20 (*d*) 40
(*e*) 18

53. एक कार *y* किमी./घंटा की चाल से 30 मिनट में *x* किमी. दूरी तय करती है। वही कार समान चाल से 45 मिनट में $(x+30)$ किमी. दूरी तय करती है। *x* का मान क्या है?

(NIACL सहायक प्रारंभिक परीक्षा, 2017)

(*a*) 45 (*b*) 60 (*c*) 75 (*d*) 55
(*e*) दिए गए विकल्पों के अलावा

54. एक मिसाइल 1386 किमी./घंटा की गति से चलती है। एक सेकंड में वह कितनी दूरी तय करती है?

(एस.एस.सी. सी.एच.एस.एल. (10+2) ग्रेड-टियर-I (सी.बी.ई.) परीक्षा, 2017,

(*a*) 305 मीटर (*b*) 385 मीटर
(*c*) 372 मीटर (*d*) 325 मीटर

55. एक चोर को एक पुलिसकर्मी 400 मीटर की दूरी से रोक लेता है। पुलिसकर्मी जब चोर का पीछा करना शुरू करता है, तो चोर भी दौड़ना शुरू करता है। यह मानते हुए कि चोर की गति 5 किमी./घंटा है और पुलिसकर्मी की गति 9 किमी./घंटा है तो पुलिसकर्मी के द्वारा चोर तक पहुँचकर उसको पकड़ने से पहले चोर द्वारा तय की गई दूरी कितनी है?

(एस.एस.सी. सी.एच.एस.एल. (10+2) ग्रेड-टियर-I सी.बी.ई. परीक्षा, 2017)

(*a*) 400 मीटर (*b*) 600 मीटर
(*c*) 500 मीटर (*d*) 300 मीटर

56. दो गधे एक-दूसरे से 400 मीटर की दूरी पर खड़े हैं। पहला गधा 3मीटर/सेकंड की गति से और दूसरा गधा 2मीटर/सेकंड की गति से भाग सकता है। यदि दोनों गधे एक-दूसरे की ओर भागते हैं तो कितने समय (सेकंड में) के बाद वे एक-दूसरे से टकराएंगे?

(एस.एस.सी. संयुक्त स्नातक स्तर ग्रेड-टियर-I (सी.बी.ई.) परीक्षा, 2017,

(*a*) 60 (*b*) 80 (*c*) 400 (*d*) 40

57. यदि रमन अपनी बाइक 24 किमी/घंटा की चाल से चलाता है, तो वह अपने कार्यालय में 5 मिनट की देरी से पहुँचता है। यदि वह 30 किमी/घंटा की चाल से बाइक चलाता है, तो अपने कार्यालय 4 मिनट पहले पहुँच जाता है। वह 27 किमी/घंटा की चाल से अपने कार्यालय तक पहुँचने में कितना समय (मिनटों में) लेगा? **[एसएससी सीजीएल परीक्षा, 2022]**

(*a*) 45 (*b*) 55 (*c*) 40 (*d*) 50

58. दो शहरों के बीच की दूरी 50 किमी/घंटा की चाल से 7 घंटे में तय की जाती है। चाल (किमी/घंटा में) कितनी बढ़ानी चाहिए ताकि 2 घंटे का यात्रा समय बच जाए?

[एसएससी सीजीएल परीक्षा, 2022]

(*a*) 20 (*b*) 40 (*c*) 70 (*d*) 30

59. दो बाइकर्स A और B 75 किमी/ घंटा और 60 किमी/घंटा की गति से चलना शुरू करते हैं। क्रमश: एक-दूसरे की ओर। वे 20 मिनट बाद मिलते हैं। जब वे शुरू करते हैं तो वे एक दूसरे से कितनी दूर (किमी. में) थे?

(एसएससी सीजीएल टियर-II सीबीई परीक्षा, 2018)

(*a*) 60 (*b*) 45 (*c*) 30 (*d*) 15

60. यदि अनुज 4 किमी/घंटा की गति से चलता है, तो वह 6 मिनट देर से अपने स्कूल पहुँचता है, लेकिन यदि वह 5 किमी/घंटा की गति से चलता है, तो वह निर्धारित समय से 6 मिनट पहले पहुँचता है। उसके घर से उसके स्कूल की दूरी (कि.मी. में) कितनी है?

(एसएससी सीएचएसएल (10+2) टीयर-I सीबीई परीक्षा, 2018)

(*a*) 4 (*b*) 3 (*c*) 6 (*d*) 3.5

61. अपनी सामान्य गति से $\frac{3}{4}$ चलते हुए, एक व्यक्ति यात्रा के समय से 18 मिनट देर से अपने कार्यालय पहुँचता है। मिनटों में उसका सामान्य समय क्या है?

(एसएससी सीजीएल टियर-I सीबीई परीक्षा, 2019)

(*a*) 60 (*b*) 54 (*c*) 72 (*d*) 45

62. एक आदमी अपने घर से चलना शुरू करता है और 30

किमी/घंटा की गति से चलकर अपने कार्यालय 10 मिनट देर से पहुँचता है और 24 किमी/घंटा की गति से चलकर अपने कार्यालय 18 मिनट देरी से पहुँचता है। उसके घर से उसके कार्यालय की दूरी (किमी. में) है–

(एसएससी सीजीएल टियर-II सीबीई परीक्षा, 2018)

(a) 18 (b) 16 (c) 12 (d) 20

63. एक व्यक्ति को 30 किमी की दूरी तय करनी पड़ती है। वह पाता है कि उसने 3 घंटे 20 मिनट में $\frac{5}{6}$ दूरी तय कर ली है। किमी/घंटा में उसकी गति क्या है?

(एसएससी सीएपीएफएस एसआई, दिल्ली पुलिस एसआई और सीआईएसएफ एएसआई परीक्षा, 2020)

(a) 5.4 (b) 7.5 (c) 6.3 (d) 6

64. स्थान A और B के बीच की दूरी 144 किमी है। दो कारें एक साथ शुरू होती हैं, एक A से और दूसरी B से। यदि वे एक ही दिशा में चलती हैं, तो वे 12 घंटे बाद मिलती हैं, लेकिन यदि वे एक-दूसरे की ओर चलती हैं तो वे $\frac{9}{8}$ घंटे के बाद मिलती हैं। तेज गति से चल रही कार की गति (किमी/घंटा में) है–

(एसएससी सीजीएल टियर- I सीबीई परीक्षा, 2020)

(a) 64 (b) 60 (c) 70 (d) 72

65. 2.5 घंटे में 22 किमी की दूरी तय करने के लिए, कार की औसत गति मीटर/सेकंड में कितनी होनी चाहिए?

(एसएससी सीएचएसएल (10+2) टीयर-I सीबीई परीक्षा, 2020)

(a) 90 मीटर/सेकंड (b) 45 मीटर/सेकंड
(c) 50 मीटर/सेकंड (d) 25 मीटर/सेकंड

66. एक निश्चित यात्रा का $\frac{1}{3}$ भाग 25 किमी/घंटा की गति से तय किया जाता है। $\frac{1}{2}$ यात्रा का दूसरा भाग 45 किमी/घंटा की गति से तय किया जाता है और शेष भाग 37.5 किमी/घंटा की गति से तय किया जाता है। पूरी यात्रा के लिए औसत गति (किमी/घंटा में) क्या है?

(एसएससी सीएचएसएल (10+2) टीयर-I सीबीई परीक्षा, 2018)

(a) 37.08 (b) 34.61 (c) 43 (d) 56

67. बिना रुके एक ट्रेन 72 किमी/घंटा की औसत गति और ठहराव के साथ यात्रा करती है। यह 60 किमी/घंटा की औसत गति से यात्रा करती है। ट्रेन प्रति घंटे औसतन कितने मिनट रुकती है? (एसएससी सीजीएल टियर-I सीबीई परीक्षा, 2019)

(a) 10 (b) 12 (c) 6 (d) 8

68. एक व्यक्ति 40% दूरी 60 किमी/घंटा की गति से और शेष 40 किमी/घंटा की गति से तय करता है। पूरी यात्रा में उसकी औसत गति किमी/घंटा में कितनी है?

(एसएससी सीएचएसएल (10+2) टियर-I परीक्षा, 2019)

(a) $\frac{500}{11}$ (b) $\frac{600}{13}$ (c) $\frac{500}{13}$ (d) $\frac{600}{11}$

69. 108 किमी/घंटा की औसत गति से चलने वाली एक स्पोर्ट कार को रेसिंग ट्रैक पर एक चक्कर पूरा करने में 15 मिनट का समय लगता है। 9 मिनट में चक्कर पूरा करने के लिए कितनी गति (किमी/घंटा में) बढ़ाई जानी चाहिए?

(एसएससी एमटीएस (गैर-तकनीकी) स्टाफ परीक्षा, 2019)

(a) 180 (b) 108 (c) 72 (d) 100

70. दो ट्रेनों की गति के बीच का अनुपात 2 : 5 है। यदि पहली ट्रेन 5 घंटे में 350 किमी चलती है, तो दोनों ट्रेनों की गति (किमी/घंटा में) के बीच का अंतर है–

(एसएससी सीएचएसएल (10+2) टियर-I परीक्षा, 2019)

(a) 165 (b) 180 (c) 350 (d) 105

71. दो ट्रेनों की गति के बीच का अनुपात 2 : 5 है। यदि पहली ट्रेन 5 घंटे में 350 किमी चलती है, तो दोनों ट्रेनों की गति (किमी/घंटा में) के बीच का अंतर है–

(एसएससी एमटीएस (गैर-तकनीकी) स्टाफ परीक्षा, 2019)

(a) 270 (b) 200 (c) 225 (d) 250

72. दो रेलवे इंजनों की गति 5 : 4 के अनुपात में है। यदि वे समानांतर पटरियों पर एक ही दिशा में चलते हैं और यदि धीमा इंजन तेज इंजन से 8 किमी आगे है, जब दूसरा शुरू करता है, तो कितनी दूरी तय करेगा धीमी गति वाले इंजन को ओवरटेक करने से पहले तेज इंजन को यात्रा करनी पड़ती है?

(एसएससी सीएपीएफएस एसआई, दिल्ली पुलिस एसआई और सीआईएसएफ एएसआई परीक्षा, 2020)

(a) 48 (b) 32 (c) 40 (d) 36

73. ट्रेन A, ट्रेन B से 450 किमी की दूरी तय करने में 45 मिनट अधिक लेती है। इंजन में खराबी के कारण ट्रेन B की गति एक चौथाई कम हो जाती है, इसलिए समान यात्रा को पूरा करने में ट्रेन A की तुलना में 30 मिनट अधिक लेती है। ट्रेन A की गति क्या है (किमी/ घंटा में)?

(एसएससी सीजीएल टियर-II सीबीई परीक्षा, 2018)

(a) 90 (b) 120 (c) 100 (d) 110

74. दो ट्रेनें समान दिशा में 42 किमी/ घंटा और 84 किमी/ घंटा की गति से चल रही हैं और उनकी लंबाई क्रमश: 320 मीटर और 380 मीटर है। तेज गति वाली ट्रेन द्वारा धीमी ट्रेन को पार करने में लिया गया समय (सेकंड में) क्या है?

(एसएससी सीएचएसएल (10+2) टीयर-I सीबीई परीक्षा, 2018)

(a) 60 (b) 80 (c) 90 (d) 120

75. A और B 396 किमी दूर हैं। ट्रेन X, A से B के लिए चलती है और ट्रेन Y, B से A के लिए एक ही दिन समानांतर पटरियों पर चलती है। दोनों ट्रेनें $5\frac{1}{2}$ घंटों बाद मिलती हैं। ट्रेन Y की गति ट्रेन X की गति से 10 किमी/घंटा अधिक है। ट्रेन Y की गति (किमी/घंटा में) क्या है?

(एसएससी सीजीएल टियर-II सीबीई परीक्षा, 2019)

(a) 41 (b) 54 (c) 31 (d) 56

76. समान लंबाई की दो ट्रेनें समानांतर पटरियों पर समान दिशा में क्रमश: 54 किमी/घंटा और 42 किमी/घंटा की गति से चल

रही हैं। तेज ट्रेन दूसरी ट्रेन को 63 सेकंड में पार कर जाती है। प्रत्येक ट्रेन की लंबाई (मीटर में) क्या है?

(एसएससी सीएचएसएल (10+2) टियर-I परीक्षा, 2019)

(*a*) 90 (*b*) 81 (*c*) 105 (*d*) 210

77. ट्रेन A की गति ट्रेन B की गति से 16 किमी प्रति घंटा कम है। 384 किमी की दूरी तय करने के लिए, ट्रेन B, ट्रेन A से 4 घंटे कम समय लेती है। ट्रेन B की गति (किमी प्रति घंटे में) क्या है?

(एसएससी सीएपीएफएस एसआई, दिल्ली पुलिस एसआई और सीआईएसएफ एएसआई परीक्षा, 2020)

(*a*) 45 (*b*) 32 (*c*) 48 (*d*) 50

78. एक कार मरम्मत के बाद 72 किमी/ घंटा की गति से चलती है और मरम्मत करने से पहले 54 किमी/ घंटा की गति से चलती है। यह मरम्मत के बाद 6 घंटे में x दूरी तय करती है। मरम्मत करने से पहले $3x$ दूरी तय करने में कितना समय (घंटों में) लगेगा?

(एसएससी सीएचएसएल (10+2) टीयर-I सीबीई परीक्षा, 2018)

(*a*) 20 (*b*) 24 (*c*) 18 (*d*) 21

79. यात्रा करने वाली कार अपनी सामान्य गति का $\frac{3}{8}$वाँ हिस्सा 2 घंटे 10 मिनट में 65 किमी की दूरी तय करती है। कार की सामान्य गति ज्ञात कीजिए।

(एसएससी कांस्टेबल (जीडी) परीक्षा, 2019)

(*a*) 80 किमी/घंटा (*b*) 40 किमी/घंटा

(*c*) 160 किमी/घंटा (*d*) 120 किमी/घंटा

80. अमित ने A से B तक 80 किमी/घंटा की औसत गति से यात्रा की। उसने पहले 75% दूरी को दो-तिहाई समय में तय किया और शेष को x किमी/घंटा की स्थिर गति से तय किया। x का मान है–

(एसएससी सीएचएसएल (10+2) टियर-I परीक्षा, 2019)

(*a*) 56 (*b*) 60 (*c*) 64 (*d*) 54

81. ट्रैक मीट में दूरी के रूप में 100 गज और 100 मीटर दोनों का उपयोग किया जाता है। 100 मीटर 100 गज से कितने मीटर लंबा है?

(*a*) 0.0856 मीटर (*b*) 0.856 मीटर

(*c*) 1 मीटर (*d*) 8.56 मीटर

82. निम्नलिखित में से कौन-सी ट्रेन सबसे तेज है?

(*a*) 25 मीटर/सेकंड (*b*) 1500 मीटर/मिनट

(*c*) 90 किमी/घंटा (*d*) इनमें से कोई नहीं

83. एक व्यक्ति 600 मीटर लंबी सड़क को 5 मिनट में पार करता है। किमी प्रति घंटे में उसकी गति क्या है?

(*a*) 3.6 (*b*) 7.2 (*c*) 8.4 (*d*) 10

84. यदि करण 60 किमी प्रति घंटे की गति से यात्रा करता है और 9 घंटे में एक दूरी तय करता है, तो वह 90 किमी प्रति घंटे की गति से समान दूरी तय करने में कितना समय लेगा?

(भारतीय रेलवे ग्रेड 'डी' परीक्षा, 2014)

(*a*) 8 घंटे (*b*) 6 घंटे (*c*) 12 घंटे (*d*) 9 घंटे

85. एक बस की गति 72 किमी प्रति घंटा है। 5 सेकंड में बस द्वारा तय की गई दूरी है– (भारतीय रेलवे ग्रेड 'डी' परीक्षा, 2014)

(*a*) 50 मीटर (*b*) 74.5 मीटर

(*c*) 100 मीटर (*d*) 60 मीटर

86. एक आदमी 5 घंटे 15 मिनट की यात्रा करता है। यदि वह यात्रा का पहला भाग 60 किमी/घंटा की गति से और शेष भाग 45 किमी/घंटा की गति से तय करता है। उसके द्वारा तय की गई कुल दूरी ज्ञात कीजिए।

(एसएससी-सीएचएसएल (10 + 2) परीक्षा, 2015)

(*a*) $1028\frac{6}{7}$ किमी (*b*) 189 किमी

(*c*) 378 किमी (*d*) 270 किमी

87. अशोक स्थान A से स्थान B के लिए सुबह 8 बजे रवाना हुआ और राहुल स्थान *B* से स्थान A के लिए 10.00 पूर्वाह्न पर निकला। स्थान A और B के बीच की दूरी 637 किमी है। यदि अशोक और राहुल क्रमश: 39 किमी प्रति घंटे और 47 किमी प्रति घंटे की समान गति से यात्रा कर रहे हैं, तो वे किस समय मिलेंगे?

(आईबीपीएस-बैंक विशेष अधिकारी (आईटी) परीक्षा, 2015)

(*a*) 5 : 30 अपराह्न (*b*) 4 : 30 अपराह्न

(*c*) शाम 5 बजे (*d*) शाम 4 बजे

88. एक कार एक सेकंड में 20 मीटर जाती है। किमी/घंटा में इसकी गति ज्ञात कीजिए।

(एसएससी-सीएचएसएल (10+2) परीक्षा, 2015)

(*a*) 18 (*b*) 72 (*c*) 36 (*d*) 20

89. दो पुरुष P और Q एक ही स्थान से क्रमश: 3 किमी/घंटा और $3\frac{1}{2}$ किमी/घंटा की गति से यात्रा शुरू करते हैं। यदि वे एक ही दिशा में चलते हैं तो 4 घंटे बाद उनके बीच की दूरी कितनी है?

(आईडीबीआई-कार्यकारी अधिकारी की परीक्षा, 2015)

(*a*) 3 किमी (*b*) $2\frac{1}{2}$ किमी (*c*) 2 किमी (*d*) $\frac{1}{2}$ किमी

90. रोहन x किमी प्रति घंटे की दर से 2 घंटे 30 मिनट में एक निश्चित दूरी का $\frac{2}{3}$वाँ भाग तय करता है। वह शेष दूरी को $(x + 2)$ किमी प्रति घंटे की दर से 50 मिनट में तय करता है। कुल दूरी कितनी है?

(आरबीआई अधिकारी ग्रेड 'बी' (चरण I) परीक्षा, 2015)

(*a*) 21 किमी (*b*) 18 किमी (*c*) 16 किमी (*d*) 15 किमी

91. शाम 4 बजे बिंदु A से बिंदु B तक पहुँचने के लिए, सारा को 18 किमी प्रति घंटे की औसत गति से यात्रा करनी होगी। यदि वह 24 किमी प्रति घंटे की औसत गति से यात्रा करती

है तो वह दोपहर 3 बजे बिंदु B पर पहुँचेगी। दोपहर 2 बजे बिंदु B तक पहुँचने के लिए सारा को किस औसत गति से यात्रा करनी चाहिए?

(आईबीपीएस-बैंक पीओ/एमटी (प्री.) परीक्षा, 2015)

(*a*) 36 किमी प्रति घंटा (*b*) 28 किमी प्रति घंटा
(*c*) 25 किमी प्रति घंटा (*d*) 30 किमी प्रति घंटा

उत्तरमाला

1. (*b*)	**2.** (*a*)	**3.** (*d*)	**4.** (*b*)	**5.** (*d*)	**6.** (*c*)	**7.** (*a*)	**8.** (*a*)	**9.** (*a*)	**10.** (*c*)
11. (*d*)	**12.** (*c*)	**13.** (*d*)	**14.** (*b*)	**15.** (*b*)	**16.** (*c*)	**17.** (*c*)	**18.** (*c*)	**19.** (*c*)	**20.** (*c*)
21. (*c*)	**22.** (*b*)	**23.** (*b*)	**24.** (*a*)	**25.** (*c*)	**26.** (*c*)	**27.** (*c*)	**28.** (*b*)	**29.** (*a*)	**30.** (*a*)
31. (*a*)	**32.** (*a*)	**33.** (*d*)	**34.** (*b*)	**35.** (*e*)	**36.** (*c*)	**37.** (*a*)	**38.** (*d*)	**39.** (*b*)	**40.** (*b*)
41. (*c*)	**42.** (*c*)	**43.** (*b*)	**44.** (*d*)	**45.** (*c*)	**46.** (*a*)	**47.** (*d*)	**48.** (*c*)	**49.** (*a*)	**50.** (*d*)
51. (*b*)	**52.** (*d*)	**53.** (*b*)	**54.** (*b*)	**55.** (*c*)	**56.** (*b*)	**57.** (*c*)	**58.** (*a*)	**59.** (*b*)	**60.** (*a*)
61. (*b*)	**62.** (*b*)	**63.** (*b*)	**64.** (*c*)	**65** (*d*)	**66.** (*b*)	**67.** (*a*)	**68.** (*b*)	**69.** (*c*)	**70.** (*d*)
71. (*d*)	**72.** (*c*)	**73.** (*c*)	**74.** (*a*)	**75.** (*a*)	**76.** (*c*)	**77.** (*c*)	**78.** (*b*)	**79.** (*a*)	**80.** (*b*)
81. (*d*)	**82.** (*b*)	**83.** (*b*)	**84.** (*b*)	**85.** (*c*)	**86.** (*d*)	**87.** (*b*)	**88.** (*b*)	**89.** (*c*)	**90.** (*d*)
91. (*a*)									

दिये गये प्रश्नों के हल

1. दूरी = 750 मीटर, समय = 150 सैकण्ड.

चाल $= \left(\frac{750}{150}\right)$ मीटर/सै० $= \left(5\times\frac{18}{5}\right)$ किमी०/घण्टा

= 18 किमी०/घण्टा.

2. 72 किमी०/घण्टा $= \left(72\times\frac{5}{18}\right)$ मीटर/सैकण्ड = 20 मीटर/सैकण्ड.

3. धावक की चाल $= \left(\frac{200}{24}\right)$ मीटर/सै० $= \frac{25}{3}$ मीटर/सै०

$= \left(\frac{25}{3}\times\frac{18}{5}\right)$ किमी०/घण्टा = 30 किमी०/घण्टा.

4. दूरी = 600 मीटर, समय = (5 × 60) सैकण्ड = 300 सैकण्ड.

व्यक्ति की चाल $= \left(\frac{600}{300}\right)$ मीटर/सै० = 2 मीटर/सै०

$= \left(2\times\frac{18}{5}\right)$ किमी०/घण्टा = 7·2 किमी०/घण्टा.

5. व्यक्ति की चाल $= \left(5\times\frac{5}{18}\right)$ मीटर/सै० $= \frac{25}{18}$ मीटर/सै०.

(15 × 60) सै० में तय की गई दूरी $= \left(\frac{25}{18}\times 15\times 60\right)$ मीटर

= 1250 मीटर.

अत: पुल की लम्बाई = 1250 मीटर.

6. कार की चाल $= \left(108\times\frac{5}{18}\right)$ मीटर/सैकण्ड = 30 मीटर/सै०.

15 सैकण्ड में तय की गई दूरी = (30 × 15) मीटर = 450 मीटर.

7. चाल $= \left(20\times\frac{5}{18}\right)$ मीटर/सै० $= \frac{50}{9}$ मीटर/सै०.

400 मीटर दूरी तय करने में लगा समय $= \frac{\text{दूरी}}{\text{चाल}}$

$= \left(400\times\frac{9}{50}\right)$ सै० = 72 सैकण्ड = 1 मिनट 12 सैकण्ड.

8. औसत चाल $= \frac{2xy}{(x+y)}$ किमी०/घण्टा $= \frac{(2\times 20\times 30)}{(20+30)}$ किमी०/घण्टा

= 24 किमी०/घण्टा.

9. माना वह अभीष्ट दूरी x घण्टे में तय करता है.

तब, $14x - 10x = 20 \Leftrightarrow 4x = 20 \Leftrightarrow x = 5$.

5 घण्टे में 10 किमी०/घण्टा की दर से तय की गई दूरी

= (10 × 5) किमी० = 50 किमी०.

10. माना पैदल चली गई दूरी = x किमी०. तब, साईकिल द्वारा तय की गई दूरी = $(61 - x)$ किमी०.

$\frac{x}{4} + \frac{61-x}{9} = 9 \Leftrightarrow 9x + 4(61 - x) = 324 \Leftrightarrow 5x = 80 \Leftrightarrow x = 16$

$\therefore$ पैदल चली गई दूरी = 16 किमी०.

11. दूरी = (चाल × समय) = (40 × 9) किमी० = 360 किमी०.

60 किमी०/घण्टा की चाल से इस दूरी को तय करने में लगा समय

$= \frac{\text{दूरी}}{\text{चाल}} = \left(\frac{360}{60}\right)$ घण्टे = 6 घण्टे.

12. माना कुल दूरी = x किमी०. तब, $\frac{(x/2)}{4} + \frac{(x/2)}{5} = 9 \Leftrightarrow \frac{x}{8} + \frac{x}{10}$

$= 9 \Leftrightarrow 5x + 4x = 360 \Leftrightarrow 9x = 360 \Leftrightarrow x = 40$.

अत: कुल दूरी = 40 किमी०.

13. माना कार की वास्तविक चाल = x किमी०/घण्टा.

$\frac{5x}{7}$ किमी०/घण्टा की चाल से 42 किमी० दूरी तय करने में लगा

समय $= \frac{42}{\left(\frac{5x}{7}\right)}$ घण्टे.

परन्तु, यात्रा का समय = 1 घण्टा 40 मिनट 48 सै०

$= \left(1+\frac{40}{60}+\frac{48}{60\times60}\right)$ घण्टे $= \frac{42}{25}$ घण्टे.

$\therefore \quad \frac{42}{\left(\frac{5x}{7}\right)} = \frac{42}{25} \Leftrightarrow \frac{42\times7}{5x} = \frac{42}{25} \Leftrightarrow 5x = 175 \Leftrightarrow x = 35.$

अत: वास्तविक चाल = 35 किमी०/घण्टा.

14. माना दोनों रेलें चलने के x घण्टे बाद मिलती हैं.

तब, $30x + 27x = 342 \Leftrightarrow 57x = 342 \Leftrightarrow x = \frac{342}{57} = 6.$

अत: ये रेलें चलने के 6 घण्टे बाद मिलेंगी.

15. माना अभीष्ट दूरी $= x$ किमी०.

स्पष्ट है कि अलग-अलग चालों से जाने में समय का अन्तर = 4 मिनट.

$\therefore \quad \left(\frac{x}{3}-\frac{x}{4}\right) = \frac{4}{60} = \frac{1}{15} \Leftrightarrow 15(4x-3x)=12 \Leftrightarrow x = \frac{12}{15} = \frac{4}{5}.$

अत: अभीष्ट दूरी $= \frac{4}{5}$ किमी०.

16. माना अभीष्ट दूरी $= x$ किमी०. तब,

अलग-अलग चालों से जाने में लगे समय का अन्तर = 12 मिनट.

$\therefore \quad \frac{x}{\left(\frac{5}{2}\right)} - \frac{x}{\left(\frac{7}{2}\right)} = \frac{12}{60} \Leftrightarrow \frac{2x}{5} - \frac{2x}{7} = \frac{1}{5}$

$\Leftrightarrow 4x = \left(35\times\frac{1}{5}\right) = 7 \Leftrightarrow x = \frac{7}{4} = 1\frac{3}{4}.$

अत: अभीष्ट दूरी $= 1\frac{3}{4}$ किमी०.

17. माना अभीष्ट दूरी $= x$ किमी०. तब,

अलग-अलग चालों से जाने में लगे समय का अन्तर $= \frac{15}{60}$ घण्टे $= \frac{1}{4}$ घण्टे.

$\therefore \quad \frac{x}{35} - \frac{x}{40} = \frac{1}{4} \Leftrightarrow (8x-7x) = 70 \Leftrightarrow x = 70.$

अत: अभीष्ट दूरी = 70 किमी०.

18. **संक्षिप्त विधि:**

औसत चाल $= \frac{2xy}{(x+y)}$ किमी०/घण्टा $= \frac{(2\times64\times80)}{(64+80)}$ किमी०/घण्टा

$= \frac{640}{9}$ किमी०/घण्टा = 71·11 किमी०/घण्टा.

19. माना ठीक समय पर पहुँचने के लिए गाड़ी x मिनट लेती है. तब, 40 किमी०/घण्टा की चाल से $(x+11)$ मिनट में तय की गई दूरी = 50 किमी०/घण्टा की दर से $(x+5)$ मिनट में तय की गई दूरी.

$\therefore \quad \frac{(x+11)}{60}\times40 = \frac{(x+5)}{60}\times50 \Leftrightarrow x = 19$ मिनट.

अत: अभीष्ट समय = 19 मिनट.

20. माना चोर शाम 2·30 बजे के x घण्टे बाद पकड़ा गया. तब,

चोर द्वारा x घण्टे में तय की गई दूरी = कार मालिक द्वारा $\left(x-\frac{1}{2}\right)$ घण्टे में तय की गई दूरी

$\therefore \quad 60x = 75\left(x-\frac{1}{2}\right) \Leftrightarrow 15x = \frac{75}{2} \Leftrightarrow x = \frac{5}{2}$ घण्टे.

अत: चोर शाम 5 बजे पकड़ा गया.

21. माना वे प्रात: 8 बजे के x घण्टे बाद मिलती हैं. तब,

(पहली रेलगाड़ी द्वारा x घण्टे में तय की गई दूरी) + दूसरी रेलगाड़ी द्वारा $(x-1)$ घण्टे में तय की गई दूरी = 330 किमी०.

$\therefore \quad 60x + 75(x-1) = 330 \Leftrightarrow x = 3.$

अत: ये रेलगाड़ियाँ प्रात: 11 बजे मिलेंगी.

22. माना वास्तविक चाल $= x$ किमी०/घण्टा. तब, कुल दूरी $= 30x$ किमी०.

नई चाल $= \left(x-\frac{x}{15}\right)$ किमी०/घण्टा $= \frac{14x}{15}$ किमी०/घण्टा.

अब, 30 घण्टे में तय की गई दूरी $= (30x-10)$ किमी०.

$\therefore \quad \frac{14x}{15}\times30 = (30x-10)$

$\Leftrightarrow 28x = 30x - 10 \Leftrightarrow 2x = 10 \Leftrightarrow x = 5.$

अत: वास्तविक चाल = 5 किमी०/घण्टा.

23. नई चाल = वास्तविक चाल का $\frac{6}{7}$.

नई चाल से लिया गया समय = वास्तविक चाल से लिये गये समय का $\frac{7}{6}$

$\left(\text{वास्तविक चाल से लिये गये समय का } \frac{7}{6}\right)$

− (वास्तविक चाल से लिया गया समय) $= \frac{1}{5}$ घण्टे

$\Leftrightarrow$ वास्तविक चाल से लिये गये समय का $\frac{1}{6} = \frac{1}{5}$ घण्टे

$\Leftrightarrow$ वास्तविक चाल से लिया गया समय $= \frac{6}{5}$ घण्टे

= 1 घण्टा 12 मिनट.

24. कुल दूरी = 50 किमी०, समय $= \frac{5}{2}$ घण्टे,

चाल $= \frac{\text{दूरी}}{\text{समय}} = \frac{50}{(5/2)}$ किमी०/घण्टा = 20 किमी०/घण्टा.

अब, समय $= \left(\frac{5}{2}-\frac{5}{6}\right)$ घण्टे $= \frac{10}{6}$ घण्टे $= \frac{5}{3}$ घण्टे,

दूरी = 50 किमी०.

नई चाल $= \frac{\text{दूरी}}{\text{समय}} = \frac{50}{(5/3)}$ किमी०/घण्टा = 30 किमी०/घण्टा.

चाल में वृद्धि = 10 किमी०/घण्टा.

25. शेष दूरी = 3 किमी०, शेष समय $= \left(\frac{1}{3}\times45\right)$ मिनट

= 15 मिनट $= \frac{1}{4}$ घण्टा.

अभीष्ट चाल $= \frac{\text{दूरी}}{\text{समय}} = \frac{3}{(1/4)}$ किमी०/घण्टा = 12 किमी०/घण्टा.

26. अभीष्ट दूरी = 35 + 37 + 39 + ... 12 पदों तक.

यह एक समान्तर श्रेणी है, जिसमें $a = 35, d = 2, n = 12.$

$\therefore \quad S_n = \frac{n}{2}.[2a+(n-1)\times d] = \frac{12}{2}.[2\times35+(12-1)\times2]$

$= (6\times92) = 552$ किमी०.

27. माना कार की चाल $= x$ किमी०/घण्टा. तब,

रेलगाड़ी की चाल $= \frac{150x}{100}$ किमी०/घण्टा $= \frac{3x}{2}$ किमी०/घण्टा.

$\therefore \quad \frac{75}{x} - \frac{75}{\left(\frac{3x}{2}\right)} = \frac{12 \cdot 5}{60} \Leftrightarrow \frac{75}{x} - \frac{50}{x} = \frac{5}{24}$

$\Leftrightarrow \frac{25}{x} = \frac{5}{24} \Leftrightarrow x = \frac{(25 \times 24)}{5}$

अतः कार की चाल = 120 किमी०/घण्टा.

28. जगह जगह रुकने के कारण बस 1 घण्टे में 9 किमी० कम चलती है.

9 किमी० दूरी तय करने में लगा समय $= \left(\frac{9}{54} \times 60\right)$ मिनट $= 10$ मिनट.

अतः प्रत्येक घण्टे में बस 10 मिनट के लिए रुकती है.

29. माना A की चाल $= x$ किमी०/घण्टा. तब,

$\frac{30}{x} - \frac{30}{2x} = 3 \Leftrightarrow \frac{30}{2x} = 3 \Leftrightarrow 6x = 30 \Leftrightarrow x = 5.$

अतः A की चाल = 5 किमी०/घण्टा.

30. माना दूरी $AB = x$ किमी० तथा वास्तविक चाल $= y$ किमी०/घण्टा.

$\frac{x}{y} - \frac{x}{y+10} = 1 \Leftrightarrow x\left[\frac{(y+10)-y}{y(y+10)}\right] = 1 \Leftrightarrow y(y+10) = 10x \quad ...(i)$

तथा

$\frac{x}{y} - \frac{x}{y+20} = \frac{7}{4} \Leftrightarrow x\left[\frac{(y+20)-y}{y(y+20)}\right] = \frac{7}{4} \Leftrightarrow y(y+20) = \frac{80x}{7} \quad ...(ii)$

(i) को (ii) से भाग देने पर $\frac{y+10}{y+20} = \frac{7}{8}$

$\Leftrightarrow 8y + 80 = 7y + 140 \Leftrightarrow y = 60.$

(i) में $y = 60$ रखने पर, $x = \frac{(60 \times 70)}{10} = 420.$

अतः अभीष्ट दूरी = 420 किमी०.

31. माना उड़ान की अवधि $= x$ घण्टे. तब,

$\frac{600}{x} - \frac{600}{\left(x + \frac{1}{2}\right)} = 200 \Leftrightarrow \frac{600}{x} - \frac{1200}{2x+1} = 200$

$\Leftrightarrow 600 \times \left[\frac{1}{x} - \frac{2}{2x+1}\right] = 200$

$\Leftrightarrow \frac{(2x+1)-2x}{x(2x+1)} = \frac{1}{3} \Leftrightarrow x(2x+1) - 3 = 0$

$\Leftrightarrow 2x^2 + x - 3 = 0 \Leftrightarrow (2x+3)(x-1) = 0 \Leftrightarrow x = 1.$

$\therefore$ अभीष्ट समय = 1 घण्टा.

32. माना वास्तविक दूरी $= x$ किमी०. तब,

$\frac{x}{10} \quad \frac{x}{14} \frac{20}{} \Leftrightarrow 14x = 10x + 200 \Leftrightarrow 4x = 200 \Leftrightarrow x = 50.$

अतः वास्तविक दूरी = 50 किमी०.

33. उनके बीच की दूरी 0·5 किमी० होगी = 1 घण्टे में

उनके बीच की दूरी 8·5 किमी० होगी

$= \left(\frac{1}{0 \cdot 5} \times 8 \cdot 5\right)$ घण्टे में = 17 घण्टे में.

34. माना कुल दूरी $= 3x$ किमी०. तब, $\frac{x}{3} + \frac{x}{4} + \frac{x}{5} = \frac{47}{60}.$

$\therefore \quad (20x + 15x + 12x) = 47 \Leftrightarrow 47x = 47 \Leftrightarrow x = 1.$

अतः कुल दूरी $= (3 \times 1)$ किमी० = 3 किमी०.

35. यह एक समान्तर श्रेणी होगी जिसमें $a = 40, d = 3$ तथा $n = 6$.

पाँच घण्टे के अन्त में कार की गति $= a + (6-1)d$

$= (40 + 5 \times 3) = 55$ किमी०/घण्टा.

36. औसत चाल $= \frac{2xy}{(x+y)} = \left(\frac{2 \times 3 \times 2}{5}\right)$ किमी०/घण्टा

$= 2 \cdot 4$ किमी०/घण्टा.

5 घण्टे में तय की गई दूरी $= (2 \cdot 4 \times 5)$ किमी० = 12 किमी०.

अभीष्ट दूरी $= \left(\frac{12}{2}\right)$ किमी० = 6 किमी०.

37. माना कुल दूरी $= x$ किमी०.

कुल समय $= \left\{\frac{(x/3)}{10} + \frac{(x/3)}{20} + \frac{(x/3)}{60}\right\}$ घण्टे

$= \left(\frac{x}{30} + \frac{x}{60} + \frac{x}{180}\right)$ घण्टे $= \frac{10x}{180}$ घण्टे $= \frac{x}{18}$ घण्टे.

$\therefore$ औसत चाल $= \frac{\text{दूरी}}{\text{समय}}$

$= \frac{x}{(x/18)}$ किमी०/घण्टा = 18 किमी०/घण्टा.

38. कुल दूरी $= (600 + 800 + 500 + 100)$ किमी० = 2000 किमी०.

कुल समय $= \left(\frac{600}{80} + \frac{800}{40} + \frac{500}{400} + \frac{100}{50}\right)$ घण्टे

$= \frac{12300}{400}$ घण्टे $= \frac{123}{4}$ घण्टे.

पूरी यात्रा में औसत चाल $= \frac{2000}{\left(\frac{123}{4}\right)}$ किमी०/घण्टा

$= \frac{8000}{123}$ किमी०/घण्टा $= 65\frac{5}{123}$ किमी०/घण्टा.

39. कुल तय की गई दूरी $= (10 + 12)$ किमी० = 22 किमी०.

कुल समय $= \left(\frac{10}{12} + \frac{12}{10}\right)$ घण्टे $= \frac{122}{60}$ घण्टे $= \frac{61}{30}$ घण्टे.

$\therefore$ औसत चाल $= \frac{\text{दूरी}}{\text{समय}} = \frac{20}{\left(\frac{61}{30}\right)}$ किमी०/घण्टा

$= \left(\frac{22 \times 30}{61}\right)$ किमी०/घण्टा = 10·8 किमी०/घण्टा.

40. माना A की चाल $= x$ किमी०/घण्टा. तब,

B की चाल $= (7 - x)$ किमी०/घण्टा.

$\therefore \quad \frac{24}{x} + \frac{24}{(7-x)} = 14 \Leftrightarrow \frac{(7-x)+x}{x(7-x)} = \frac{14}{24}$

$\Leftrightarrow \frac{7}{x(7-x)} = \frac{7}{12} \Leftrightarrow \frac{1}{x(7-x)} = \frac{1}{12}$

$\Leftrightarrow 7x - x^2 = 12 \Leftrightarrow (x^2 - 7x + 12) = 0$

$\Leftrightarrow (x-4)(x-3) = 0 \Leftrightarrow x = 4$ अथवा $x = 3$.

A की चाल = 4 किमी०/घण्टा.

41. जाते समय चाल = 40 किमी०/घण्टा,
वापिसी में चाल = (40 × 150%) किमी०/घण्टा
$= \left(40 \times \frac{150}{100}\right)$ किमी०/घण्टा = 60 किमी०/घण्टा.
∴ औसत चाल $= \frac{2xy}{(x+y)} = \left(\frac{2\times 40\times 60}{100}\right)$ किमी०/घण्टा = 48 किमी०/घण्टा.

42. माना पैदल तय की गई दूरी = x किमी०. तब, साईकिल द्वारा तय की गई दूरी = $(88-x)$ किमी०.
$\frac{x}{4} + \frac{88-x}{9} = 12 \Leftrightarrow 9x + 352 - 4x = 432$
$\Leftrightarrow 5x = 80 \Leftrightarrow x = 16$
पैदल तय की गई दूरी = 16 किमी०.

43. 6 घण्टे में कुल चली गई दूरी = (50 + 48 × 2 + 52 × 3) किमी० = 302 किमी०.
कुल यात्रा में औसत चाल $= \frac{302}{6}$ किमी०/घण्टा
$= 50\frac{1}{3}$ किमी०/घण्टा.

44. माना B, A को x किमी० दूरी पर पकड़ता है. तब,
$\frac{x}{4} - \frac{x}{10} = 4 \Leftrightarrow (5x - 2x) = 80 \Leftrightarrow 3x = 80 \Leftrightarrow x = 26{\cdot}7$ किमी०.

45. माना एक ओर की दूरी = x किमी०.
(x किमी० पैदल जाने में लगा समय)
+ (x किमी० घोड़े पर जाने में लगा समय) $= \frac{23}{4}$ घण्टे
⇒ ($2x$ किमी० पैदल जाने में लगा समय)
+ ($2x$ किमी० घोड़े पर जाने में लगा समय) $= \frac{23}{2}$ घण्टे
⇒ ($2x$ किमी० पैदल जाने में लगा समय) + $\frac{15}{4}$ घण्टे $= \frac{23}{2}$ घण्टे
⇒ ($2x$ किमी० पैदल जाने में लगा समय) $= \left(\frac{23}{2} - \frac{15}{4}\right)$ घण्टे
$= \frac{31}{4}$ घण्टे = 7 घण्टे 45 मिनट.

46. एक दूसरे से (18 + 20) किमी० दूरी पर होने में लेंगे = 1 घण्टा.
एक दूसरे से 47·5 किमी० दूरी पर होने में लेंगे $= \left(\frac{1}{38} \times 47{\cdot}5\right)$ घण्टे
$= 1\frac{1}{4}$ घण्टे.

47. एक चक्कर लगाने में तय की गई दूरी = (35 × 4) मीटर = 140 मीटर.
लड़के की चाल $= \left(9 \times \frac{5}{18}\right)$ मीटर/सै० $= \frac{5}{2}$ मीटर/सै०.
अभीष्ट समय $= \frac{\text{दूरी}}{\text{समय}} = \frac{140}{(5/2)}$ सैकण्ड
$= \left(\frac{140\times 2}{5}\right)$ सैकण्ड = 56 सैकण्ड.

48. सापेक्ष चाल = (2 + 3) चक्कर प्रति घण्टे.
अतः वे एक दूसरे को प्रति घण्टा 5 बार मिलेंगे तथा हर आधा घण्टे में 2 बार.
अतः प्रातः 9·30 बजे से पहले वे एक दूसरे को 7 बार मिलेंगे.

49. चूँकि A तथा B वृत्त के चारों ओर एक ही दिशा में जा रहे हैं, तो वे पहली बार तब मिलेंगे जब उन दोनों के बीच एक पूरे चक्करर का अन्तर हो.
सापेक्ष चाल = (6 – 1) चक्कर = 5 चक्कर प्रति घण्टा.
इस दर से 1 चक्कर लगाने में लगा समय $= \frac{1}{5}$ घण्टा = 12 मिनट.
अतः वे पहली बार 7·42 बजे मिलेंगे.

50. आधे घण्टे में तय की गई दूरी = 4 किमी०.
2 × (वर्ग की भुजा) = 4 किमी० ⇔ वर्ग की भुजा = 2 किमी०.
∴ वर्ग का क्षेत्रफल = (2 × 2) वर्ग मीटर = 4 वर्ग मीटर.

51. कुल दूरी = (60 + 2 × 50 + 3 × 65) किमी.
= (60 + 100 + 195) किमी. = 355 किमी.
पूरी यात्रा में औसत चाल $= \frac{\text{कुल दूरी}}{\text{कुल समय}} = \frac{355}{8} = 44\frac{3}{8}$ किमी./घंटा

52. कुल दूरी =60 किमी.
ठहराव सहित बस की चाल = y किमी./घंटा
∴ बगैर ठहराव सहित बस की चाल = $(y+4)$ किमी./घंटा
दिये गये प्रश्न के अनुसार $\frac{60}{y} - \frac{60}{y+4} = \frac{20}{60}$
$\Rightarrow 60\left(\frac{y+4-y}{y(y+4)}\right) = \frac{1}{3} \Rightarrow 60\left(\frac{4}{y(y+4)}\right) = \frac{1}{3}$
$= 240 \times 3 = y(y+4) = 720 = y^2 + 4y$
⇒ $y = 36$ किमी./घंटा
∴ बस की अभीष्ट चाल = 40 किमी./घंटा

53. प्रश्नानुसार, $\frac{x+30}{x} = \frac{45}{30} = \frac{3}{2} \Rightarrow 3x = 2x + 60$
⇒ $x = 60$ किमी.

54. दिया गया है,
एक मिसाइल की चाल =1386 किमी./घंटा
$= \left(1386 \times \frac{5}{18}\right)$ मीटर/सेकण्ड = 385 मीटर/सेकण्ड
अतः एक सेकंड में मिसाइल 385 मीटर की दूरी तय करती है।

55. चोर एवं पुलिसकर्मी के मध्य दूरी = 400 मीटर
चोर की अपेक्षा पुलिसकर्मी की चाल
= (9–5) किमी./घंटा = 4 किमी./घंटा
$= \left(\frac{4\times 5}{15}\right)$ मीटर/सेकंड $= \frac{10}{9}$ मीटर/सेकंड
चोर को पकड़ने में लगा समय $= \left(\frac{400}{\frac{10}{9}}\right)$ सेकंड
$= \left(\frac{400\times 9}{10}\right)$ सेकंड = 360 सेकंड

$\therefore$ चोर द्वारा तय की गई दूरी = चाल × समय

$= \left(5 \times \frac{5}{18} \times 360\right)$ मीटर = 500 मीटर

56. दो गधों के बीच की दूरी = 400 मीटर

सापेक्ष चाल = (3 + 2) मीटर/सेकंड = 5 मीटर/सेकंड

$\therefore$ अभीष्ट समय $= \frac{\text{दूरी}}{\text{सापेक्ष चाल}} = \frac{400}{5} = 80$ सेकंड

57. माना रमन द्वारा तय की गई दूरी = x किमी/घंटा

अब, $\frac{x}{24} - \frac{x}{30} = \frac{9}{60}$

$\Rightarrow \frac{x}{120} = \frac{9}{60}$

$\Rightarrow x = 18$ किमी

अब, समय $= \frac{18}{27} \times 60 = 40$ मिनट

58. दूरी = गति × समय = 50 × 7 = 350 किमी

अब, समय = 5 घंटे

गति $= \frac{350}{5} = 70$ किमी/घंटा

$\therefore$ गति में वृद्धि = 70 − 50 = 20 किमी/घंटा

59. कुल दूरी $= \frac{75 \times 20}{60} + \frac{60 \times 20}{60} = 25 + 20 = 45$ किमी

60. माना दूरी = x

$\therefore \quad \frac{x}{4} - \frac{x}{5} = \frac{12}{60}$

$\frac{15x - 12x}{60} = 12$

$3x = 12$

$x = 4$ किमी

61. सामान्य गति के $\frac{3}{4}$ का अर्थ है सामान्य समय का $\frac{4}{3}$

$\therefore$ सामान्य समय का $\frac{4}{3}$ सामान्य समय का = 18

$\frac{1}{3}$ सामान्य समय = 18 × 3 = 54 मिनट

62. माना दूरी = x किमी

$\therefore \quad \frac{x}{24} - \frac{x}{30} = \frac{8}{60}$

$\frac{5x - 4x}{120} = 16$

$\Rightarrow x = 16$ किमी

63. दूरी $= \frac{5}{6} \times 30 = 25$ किमी

समय $= 3\frac{1}{3}$ h

गति $= \frac{25}{10} \times 3 = 7.5$ किमी/घंटा

64. माना कार की गति S_1 और S_2 है।

जब $S_1 > S_2$

$\therefore \quad 12S_1 - 12S_2 = 144$

$\Rightarrow \quad S_1 - S_2 = 12$ ...(*i*)

जब एक दूसरे की तरफ बढ़ते हैं।

$\frac{9}{8}S_1 + \frac{9}{8}S_2 = 144$

$S_1 + S_2 = \frac{144 \times 8}{9} \quad 128$ ...(*ii*)

(i) और (ii) को हल करने पर, हमें प्राप्त होता है।

$S_1 = 70$ और $S_2 = 58$

65. मीटर/सेकंड में गति $= \frac{225}{2.5} \times \frac{5}{18} = 25$ मीटर/सेकंड

66. माना कुल दूरी = x

औसत गति $= \frac{\text{कुल दूरी}}{\text{कुल समय}}$

$= \frac{x}{\frac{x}{3 \times 25} + \frac{x}{2 \times 45} + \frac{x}{6 \times 37.5}} = \frac{900}{26}$

$= \frac{x}{\frac{x}{75} + \frac{x}{90} + \frac{x}{225}} = \frac{x}{\frac{12x + 10x + 4x}{900}}$

$\frac{900}{26} = \frac{450}{13} = 34.61$ किमी/घंटा

67. रुकने का समय $(t) = \frac{\text{गति में समय}}{\text{मूल गति}}$

$= \frac{72 - 60}{72} = \frac{12}{72} = \frac{1}{6}$ h

$= \frac{1}{6} \times 60 = 10$ मिनट

68. माना दूरी = k

औसत गति $= \frac{\text{कुल दूरी}}{\text{कुल समय}}$

$= \frac{k}{\frac{0.4k}{60} + \frac{0.6k}{40}}$

$= \frac{k}{\frac{k}{150} + \frac{3k}{200}}$

$\frac{k}{\frac{4k + 9k}{600}} = \frac{600k}{13k} = \frac{600}{13}$

69. कार की दूरी $= 108 \times \frac{5}{18} \times 15 = 450$ मीटर

गति की अभीष्टता $= \frac{450}{9} \times \frac{18}{5} = 180$ मीटर

$\therefore$ गति में वृद्धि = 180 − 108 = 72 मीटर

70. पहली ट्रेन की गति $= \frac{350}{5} = 70$ किमी/घंटा

$\therefore\quad 2x = 70$

$x = 35$ किमी/घंटा

$\therefore$ दूसरी ट्रेन की गति $= 5x = 5 \times 35 = 175$ किमी/घंटा

$\therefore$ अंतर $= 175 - 70 = 105$ किमी/घंटा

71. पहले विमान की गति $= \dfrac{1650}{3} = 550$ किमी/घंटा

$\therefore\quad 11x = 550$

$\Rightarrow\quad x = 50$

$\therefore$ दूसरे विमान की गति $= 18 \times 50 = 900$ किमी/घंटा

$= 900 \times \dfrac{5}{18} = 250$ मीटर/सेकंड

72. माना तेज ट्रेन की गति $= 5k$

$\therefore$ धीमी ट्रेन की गति $= 4k$

$\therefore$ आपेक्षिक गति $= 5k - 4k = k$

8 किमी दूरी तय करने में लगा समय $= \dfrac{8}{k}$ घंटा

अत: $\dfrac{8}{k}$ घंटे में तेज गति से चलने वाली ट्रेन द्वारा तय की गई दूरी $= \dfrac{8}{k} \times 5k = 40$ किमी

73. माना A की गति $= a$ किमी/घंटा

B की गति $= b$ किमी/घंटा

$$\frac{450}{a} - \frac{450}{b} = \frac{45}{60} \quad \ldots(i)$$

और

$$\frac{450}{\frac{3}{4}b} - \frac{450}{a} = \frac{30}{60} \quad \ldots(ii)$$

(i) से (ii) में $\dfrac{450}{a}$ का मान रखने पर

$$\frac{4}{3} \times \frac{450}{b} - \frac{3}{4} - \frac{450}{b} = \frac{1}{2}$$

$$\frac{600}{b} - \frac{450}{b} = \frac{3}{4} + \frac{1}{2}$$

$$\frac{600}{b} - \frac{450}{b} = \frac{1}{2} + \frac{3}{4}$$

$$\frac{150}{b} = \frac{5}{4}$$

$$\Rightarrow \quad b = \frac{150 \times 4}{5} = 120$$

अब, $$\frac{450}{a} - \frac{450}{b} = \frac{3}{4}$$

$$\frac{450}{a} - \frac{450}{120} = \frac{3}{4}$$

$$\frac{450}{a} = \frac{3}{4} + \frac{450}{120}$$

$$= \frac{3}{4} + \frac{15}{4} = \frac{18}{4}$$

$$\Rightarrow \quad a = \frac{450 \times 4}{18} = \frac{1800}{18} = 100 \text{ किमी/घंटा}$$

74. आपेक्षिक गति $= 84 - 42 = 42$ किमी/घंटा

$\therefore\quad = 42 \times \dfrac{5}{18}$

$\therefore$ लिया गया समय $= \dfrac{320 + 380}{42 \times \frac{5}{18}} = \dfrac{700}{42 \times 5} \times 18 = 60$ सेकंड

75. सापेक्ष गति $= \dfrac{396}{11} \times 2 = 36 \times 2 = 72$ किमी/घंटा

माना ट्रेन X की गति $= x$ किमी/घंटा

$\therefore$ ट्रेन Y की गति $= (x + 10)$ किमी/घंटा

$\therefore\quad x + x + 10 = 72$

$2x = 62$

$x = 31$ किमी/घंटा

$\therefore$ ट्रेन Y की गति $= 31 + 10 = 41$ किमी/घंटा

76. दो ट्रेनों की कुल लंबाई $= (54 - 42) \times \dfrac{5}{18} \times 63$

$= 12 \times \dfrac{5}{18} \times 63 = 210$ मीटर

$\therefore$ प्रत्येक ट्रेन की लंबाई $= \dfrac{210}{2} = 105$ मीटर

77. माना ट्रेन A की गति $= x$ किमी/घंटा

$\therefore$ ट्रेन B की गति $= (x + 16)$ किमी/घंटा

$$\therefore \quad \frac{384}{x} - \frac{384}{x+16} = 4$$

$$\frac{96}{x} - \frac{96}{x+16} = 1$$

$$\frac{96(x+16) - 96x}{x(x+16)} = 1$$

$$96x + 1536 - 96x = x^2 + 16x$$

$$x^2 + 16x - 1536 = 0$$

$$x^2 + 48x - 32x - 1536 = 0$$

$$(x + 48)(x - 32) = 0$$

$\Rightarrow\quad x = 32$

$\therefore$ ट्रेन B की गति $= 16 + 32 = 48$ किमी/घंटा

78. $x = 72 \times 6 = 432$ किमी

$\therefore\quad 3x = 432 \times 3 = 1296$ किमी

मरम्मत से पहले का समय $= \dfrac{1296}{54} = 24$ घंटा

79. सामान्य गति का $\dfrac{3}{8} = \dfrac{65}{2\frac{1}{6}}$ किमी/घंटा

$= \dfrac{65 \times 6}{13} = 30$ किमी/घंटा

$\therefore$ सामान्य गति $= \frac{30 \times 8}{3} = 80$ किमी/घंटा

80. माना कुल समय $= t$ घंटा

$\therefore$ कुल दूरी $= 80\,t$ किमी

$\therefore$ वह 25% दूरी को $\frac{1}{3}$ समय में तय करता है।

$\therefore \quad x = \frac{80t \times \frac{1}{4}}{\frac{1}{3}t} = 60$ किमी/घंटा

81. 1 गज $= 0.9144$ मीटर

$\Rightarrow 100$ गज $= (100 \times 0.9144)$ मीटर $= 91.44$ मीटर

$\therefore$ अभीष्ट अंतर $= (100 - 91.44)$ मीटर $= 8.56$ मीटर

82. 25 मीटर/सेकंड $= \left(25 \times \frac{18}{5}\right)$ किमी/घंटा $= 9$ किमी/घंटा

और, 25 मीटर/सेकंड $= (25 \times 60)$ मीटर/मिनट

$= 1500$ मीटर/मिनट

अत: तीनों गतियाँ समान हैं।

83. गति $= \left(\frac{600}{5 \times 60}\right)$ मीटर/सेकंड $= 2$ मीटर/सेकंड

$= \left(2 \times \frac{18}{5}\right)$ मीटर/घंटा $= 7.2$ मीटर/घंटा

84. करण की गति $= 60$ किमी प्रति घंटा

समय $= 9$ घंटा

दूरी $=$ गति $\times$ समय $= 60 \times 9 = 540$ किमी

$\therefore$ 90 किमी प्रति घंटे की गति से 540 किमी की दूरी तय करने में लगा समय $= \frac{540}{90} = 6$ घंटे

85. बस की गति $= 72$ किमी प्रति घंटा

$= \left(\frac{72 \times 5}{18}\right)$ मीटर/सेकंड $= 20$ मीटर/सेकंड

माना बस द्वारा 5 सेकंड में तय की गई दूरी x है।

$\therefore$ दूरी $=$ गति $\times$ समय

$\Rightarrow x = 20 \times 5 = 100$ मीटर

86. माना तय की गई दूरी $2x$ किमी है।

समय $= \frac{\text{दूरी}}{\text{गति}}$

यात्रा के पहले आधे और दूसरे भाग को t_1 और t_2 घंटे में पूरा करने में लगने वाला समय

$\Rightarrow \frac{a}{60} = t_1$ ....(i)

$\Rightarrow \frac{a}{45} = t_2$ ....(ii)

(i) और (ii) को जोड़ने पर हम पाते हैं

$\frac{a}{60} + \frac{a}{45} = t_1 + t_2$

$\frac{a}{60} + \frac{a}{45} = 5\frac{15}{60} = 5\frac{1}{4}$

$\Rightarrow \frac{3a + 4a}{180} = \frac{21}{4}$

$\Rightarrow \quad 7a = \frac{21}{4} \times 180$

$\Rightarrow a = \frac{21 \times 180}{4 \times 7} = 135$ किमी

$\therefore$ कुल यात्रा की लंबाई $= 2 \times 135 = 270$ किमी

87. अशोक की गति $= 39$ किमी प्रति घंटा

राहुल की गति $= 47$ किमी/घंटा

स्थान A और B के बीच की दूरी $= 637$ किमी

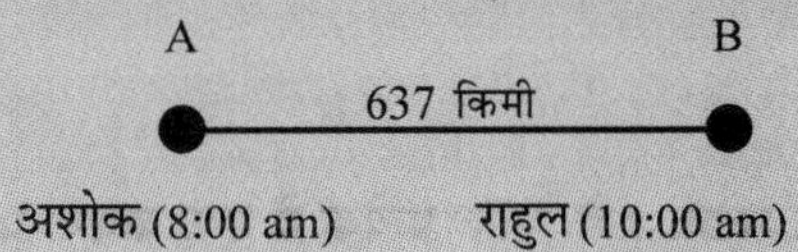

अशोक द्वारा तय की गई दूरी (सुबह 8 बजे से सुबह 10 बजे तक) में 2 घंटे $= 2 \times 39 = 78$ किमी

$\therefore$ शेष दूरी $= 637 - 78 = 559$

सापेक्ष गति $- 39 + 47 = 86$ किमी/घंटा

$\therefore$ 559 किमी चलने में लगा समय $= \frac{559}{86} = 6.5$ घंटा

इसलिए, वे $=$ (10 पूर्वाह्न $+ 6.5$) घंटे $=$ 4:30 अपराह्न पर मिलते हैं।

88. 1 मीटर/सेकंड $= \frac{18}{5}$ किमी/घंटा

कार एक सेकंड में 20 मीटर की दूरी तय करती है।

$\therefore$ 20 मीटर/सेकंड $= \frac{20 \times 18}{5} = 72$ मीटर/घंटा

89. P और Q की गति के बीच की दूरी

$= 3\frac{1}{2} - 3 = \frac{7}{2} - 3 = \frac{1}{2}$ किमी/घंटा

अत:, दूरी $=$ गति $\times$ समय

समय $= 4$ घंटे

$\Rightarrow D = \frac{1}{2} \times 4 = 2$ किमी

90. मान लीजिए कि कुल दूरी $3a$ किमी तय की जाती है

k किमी प्रति घंटे की दर से 2 घंटे 30 मिनट में $2a$ किमी की दूरी तय की।

प्रश्न के अनुसार,

गति $\times$ समय $=$ दूरी

$x \times 2\frac{30}{60} = 2a \Rightarrow x \times 2\frac{1}{2} = 2a$

$\therefore \quad x \times \frac{5}{2} = 2a \Rightarrow 5x = 4a$ ....(i)

तब, $(x + 2)$ किमी प्रति घंटे की दर से 'a' किमी की दूरी 50 मिनट में तय की जाती है।

$(x+2)\times\frac{50}{60}=a \Rightarrow (x+2)\times 5 = 6a$ ....(ii)

समीकरण (ii) को (i) से विभाजित करने पर।

$\frac{(x+2)\times 5}{5x}=\frac{6a}{4a}$

$\Rightarrow \frac{x+2}{x}=\frac{3}{2} \quad \Rightarrow \quad 3x = 2x+4$

$\Rightarrow x+4$

समीकरण (i) से

$5\times 4 = 4a$

$\rightarrow u-5$

$\therefore$ कुल दूरी $= 3a = 3\times 5 = 15$ किमी

91. समय का अंतर = 1 घंटा

बिंदु AB के बीच की दूरी $= x$ किमी

प्रश्न के अनुसार,

$\frac{x}{18}-\frac{x}{24}=1$

18 और 24 का ल.स.प. = 72

$\Rightarrow \frac{4x-3x}{72}=1 \quad \Rightarrow \quad x = 72$ किमी

72 किमी की दूरी तय करने में 18 किमी प्रति घंटे का समय लगता है।

$=\frac{72}{18}=4$ घंटा

$\therefore$ 2 घंटे में 72 किमी की दूरी तय करने की गति

$=\frac{72}{2}=36$ किमी/घंटा

प्रश्नमाला 20B

निर्देशः प्रश्न संख्या *1* से *7* तक प्रत्येक में एक कथन/प्रश्न तथा दो कथन *I* तथा *II* दिये गये हैं. इन कथनों को पढ़कर इनका उत्तरः

(a) दीजिए यदि दिये गये प्रश्न का उत्तर देने के लिए *I* पर्याप्त हो तथा *II* पर्याप्त न हो;

(b) दीजिए यदि दिये गये प्रश्न का उत्तर देने के लिए *II* पर्याप्त हो तथा *I* पर्याप्त न हो;

(c) दीजिए यदि दिये गये प्रश्न का उत्तर देने के लिए *I* भी पर्याप्त हो तथा *II* पर्याप्त हो;

(d) दीजिए यदि दिये गये प्रश्न का उत्तर देने के लिए *I* तथा *II* दोनों मिलकर भी पर्याप्त न हो;

(e) दीजिए यदि दिये गये प्रश्न का उत्तर *I* तथा *II* दोनों मिलाकर बना हो.

1. *X* अपने गंतव्य पर पहुँचने में कितना समय लेगा?

(एम०बी०ए० परीक्षा, 2012)

I. *X* तथा *Y* की चालों में 3 : 4 का अनुपात है.

II. *Y* इस गंतव्य पर पहुँचने में 36 मिनट लेता है.

2. एक रेल की सामान्य चाल कितनी है?

I. 150 किमी० दूरी पर स्थित गंतव्य स्थान पर ठीक समय पर पहुँचने के लिए इसकी चाल में 25 किमी०/घण्टा की वृद्धि की जाती है.

II. रेलगाड़ी गन्तव्य स्थान पर 30 मिनट देरी से पहुँचती है.

3. दो कस्बों को रेल लाईन से जोड़ा गया है. उनके बीच की दूरी क्या होगी?

I. मेल रेलगाड़ी की गति एक्सप्रैस रेलगाड़ी की गति से 12 किमी०/घण्टा अधिक है.

II. इस फासले को तय करने में मेल रेलगाड़ी एक्सप्रैस रेलगाड़ी से 40 मिनट कम लेती है.

4. पूरी दूरी तय करते हुए कार की औसत चाल कितनी है?

I. पूरी दूरी को कार चार बराबर भागों में क्रमशः 10 किमी०/घण्टा, 20 किमी०/घण्टा, 30 किमी०/घण्टा तथा 40 किमी०/घण्टा की चाल से तय करती है.

II. इस दूरी को तय करने में कुल 36 मिनट लगते हैं.

5. तीन कस्बे *A*, *B*, *C* एक सरल रेखा में स्थित हैं तथा *C*, *A* तथा *B* के बीच में है. *A* तथा *B* के बीच की दूरी 100 किमी० है. *A*, *C* से कितनी दूर है?

(एम०बी०ए० परीक्षा, 2013)

I. *A* तथा *B* के बीच की दूरी, *C* तथा *B* के बीच की दूरी से 25% अधिक है.

II. *A* तथा *C* के बीच की दूरी, *C* तथा *B* के बीच की दूरी का 1/4 है.

6. एक स्थान *A* से एक कार तथा एक बस एक साथ चलना आरम्भ करती हैं. दूरी *AB* कितनी है?

I. कार 60 किमी०/घण्टा की औसत चाल से *B* पर शाम 4:35 बजे पहुँचती है.

II. बस 40 किमी०/घण्टा की औसत चाल से शाम 6:15 बजे पहुँचती है.

7. दो कारें एक दूसरे की विपरीत दिशा में एक ही समय पर एक ही स्थान से चलना आरम्भ हुई. कितने समय में इन दोनों के बीच की दूरी 500 किमी० होगी?

I. दोनों की चालों का योग 135 किमी०/घण्टा है.

II. दोनों की चालों का अन्तर 25 किमी०/घण्टा है.

उत्तरमाला

1. (e) **2.** (e) **3.** (d) **4.** (a) **5.** (c) **6.** (e) **7.** (a)

दिये गये प्रश्नों के हल

1. I से, X तथा Y की चालों का अनुपात 3 : 4 है.
अत: एक ही दूरी तय करने में उनके द्वारा लिये गये समय का अनुपात 4 : 3 है.
यदि X इस दूरी को 4 मिनट में तय करता है, तो Y इसे 3 मिनट में तय करेगा.
यदि Y 3 मिनट लेता है तो X लेता है 4 मिनट.
II से, यदि Y 36 मिनट लेता है तो X लेता है $= \left(\frac{4}{3} \times 36\right)$ मिनट $= 48$ मिनट.
अत: I तथा II दोनों से अभीष्ट उत्तर प्राप्त होता है.
$\therefore$ सही उत्तर (e) है.

2. माना रेल की सामान्य चाल $= x$ किमी०/घण्टा.
सामान्य चाल से 150 किमी० दूरी तय करने में लगा समय $= \frac{150}{x}$ घण्टे.

I. बढ़ी चाल से लिया गया समय $= \frac{150}{(x+25)}$ घण्टे.

II. से, $\frac{150}{x} - \frac{150}{(x+25)} = \frac{30}{60} \Leftrightarrow \frac{1}{x} - \frac{1}{(x+25)} = \frac{1}{300}$

$\Leftrightarrow x^2 + 25x - 7500 = 0 \Leftrightarrow (x + 100)(x - 75) = 0 \Leftrightarrow x = 75.$
$\therefore$ I तथा II से उत्तर प्राप्त होगा.
$\therefore$ सही उत्तर (e) है.

3. माना दोनों स्टेशनों के बीच की दूरी $= x$ किमी०.

I. माना एक्सप्रैस रेलगाड़ी की चाल $= y$ किमी०/घण्टा.
तब, मेल रेलगाड़ी की चाल $= (y + 12)$ किमी०/घण्टा.

II. से, $\frac{x}{y} - \frac{x}{(y+12)} = \frac{40}{60}$.

स्पष्ट है कि I तथा II से भी x का मान ज्ञात नहीं किया जा सकता.
$\therefore$ सही उत्तर (d) है.

4. माना कुल दूरी $= 4x$ किमी०.

I से, कुल लिया गया समय $= \left(\frac{x}{10} + \frac{x}{20} + \frac{x}{30} + \frac{x}{60}\right)$ घण्टे

$= \frac{12x}{60}$ घण्टे $= \frac{x}{5}$ घण्टे.

चाल $= \frac{\text{दूरी}}{\text{समय}} = \frac{4x}{(x/5)}$ किमी०/घण्टा $= 20$ किमी०/घण्टा.

$\therefore$ केवल I से ही उत्तर प्राप्त होता है.
स्पष्ट है कि केवल II से दिये गये प्रश्न का उत्तर प्राप्त नहीं होता.
$\therefore$ सही उत्तर (a) है.

5. माना $AC = x$ किमी०. तब, $CB = (100 - x)$ किमी०.

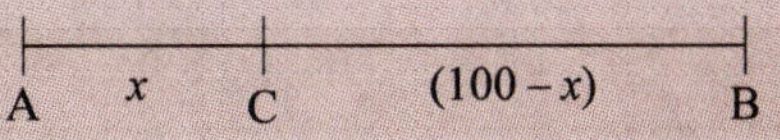

I से $AB = CB$ का 125% $\Leftrightarrow 100 = \frac{125}{100} \times (100 - x)$

$\Leftrightarrow (100 - x) = \frac{100 \times 100}{125} = 80 \Leftrightarrow x = 20$ किमी०.

$\therefore$ $AC = 20$ किमी०.
अत: केवल I से दिये गये प्रश्न का उत्तर प्राप्त होता है.

I से, $AC = \frac{1}{4}\ CB \Leftrightarrow x = \frac{1}{4}\ (100 - x)$

$\Leftrightarrow 5x = 100 \Leftrightarrow x = 20.$
$\therefore$ $AC = 20$ किमी०.
अत: केवल II से दिये गये प्रश्न का उत्तर प्राप्त होता है.
$\therefore$ सही उत्तर (c) है.

6. माना $AB = x$ किमी०.

I तथा II से, $\frac{x}{40} - \frac{x}{60} = \frac{100}{60}$

[(6 : 15 बजे शाम) – (4 : 35 बजे शाम) = 1 घण्टा 40 मिनट]
इससे x का मान ज्ञात किया जा सकता है.
$\therefore$ सही उत्तर (e) है.

7. I से, एक दूसरे के सापेक्ष चाल $= 135$ किमी०/घण्टा.

$\therefore$ अभीष्ट समय $= \frac{500}{135}$ घण्टे.

सापेक्ष चाल I से ज्ञात होती है, II से नहीं.
अत: केवल I से उत्तर प्राप्त होता है.
$\therefore$ सही उत्तर (a) है.

21 रेल सम्बन्धी प्रश्न (PROBLEM ON TRAINS)

आवश्यक तथ्य एवं सूत्र

1. (*i*) x किमी०/घण्टा $= \left(x \times \frac{5}{18}\right)$ मीटर/सैकण्ड.

(*ii*) x मीटर/सैकण्ड $= \left(x \times \frac{18}{5}\right)$ किमी०/घण्टा.

2. (*i*) a मीटर लम्बी रेलगाड़ी द्वारा खड़े व्यक्ति अथवा खम्भे अथवा पेड़ को पार करने में लगा समय = अपनी चाल से गाड़ी द्वारा a मीटर दूरी तय करने में लगा समय.

(*ii*) a मीटर लम्बी रेलगाड़ी द्वारा b मीटर लम्बी वस्तु (जैसे: प्लेटफार्म, पुल, सुरंग, खड़ी गाड़ी आदि) को पार करने में लगा समय = गाड़ी द्वारा $(a + b)$ मीटर दूरी तय करने में लगा समय.

3. (*i*) माना एक रेलगाड़ी x किमी० प्रति घण्टा की चाल से जा रही है तथा इसी दिशा में कोई दूसरी वस्तु समानान्तर मार्ग पर y किमी० प्रति घण्टा की चाल से जा रही है. तब,

गाड़ी की उस वस्तु के सापेक्ष चाल $= (x - y)$ किमी०/घण्टा.

(*ii*) माना एक रेलगाड़ी x किमी० प्रति घण्टा की चाल से जा रही है तथा इसकी विपरीत दिशा में कोई दूसरी वस्तु समानान्तर मार्ग पर y किमी० प्रति घण्टा की चाल से आ रही है. तब,

गाड़ी की उस वस्तु के सापेक्ष चाल $= (x + y)$ किमी०/घण्टा.

4. (*i*) माना a मीटर लम्बी रेलगाड़ी x मीटर/सै० की चाल से जा रही है तथा b मीटर लम्बी रेलगाड़ी इसी की दिशा में y मीटर/सै० की चाल से जा रही है. तब,

तेज गाड़ी द्वारा दूसरी गाड़ी को पार करने में लगा समय $= \left(\frac{a+b}{x-y}\right)$ सैकण्ड.

(*ii*) माना a मीटर लम्बी रेलगाड़ी x मीटर/सै० की चाल से जा रही है तथा b मीटर लम्बी रेलगाड़ी इसकी विपरीत दिशा में y मीटर/सै० की दर से जा रही है.

तब, **इन गाड़ियों द्वारा एक दूसरे को पार करने में लगा समय $= \left(\frac{a+b}{x+y}\right)$ सैकण्ड.**

5. (*i*) माना a मीटर लम्बी रेलगाड़ी x मी०/सै० की चाल से जा रही है. एक व्यक्ति गाड़ी की दिशा में ही y मी०/सै० की चाल से दौड़ा जा रहा है. तब,

इस व्यक्ति को पार करने में गाड़ी द्वारा लिया गया समय $= \frac{a}{(x-y)}$ सैकण्ड.

(*ii*) माना a मीटर लम्बी रेलगाड़ी x मीटर/सै० की चाल से जा रही है. एक व्यक्ति गाड़ी की विपरीत दिशा में y मीटर/सै० की चाल से दौड़ रहा है. तब,

इस व्यक्ति को पार करने में गाड़ी द्वारा लिया गया समय $= \frac{a}{(x+y)}$ सैकण्ड.

साधित उदाहरण

प्रश्न 1. 108 किमी०/घण्टा की चाल से जा रही 90 मीटर लम्बी रेलगाड़ी एक बिजली के खम्भे को कितनी देर में पार कर लेगी?

हल: गाड़ी की चाल $= \left(108 \times \frac{5}{18}\right)$ मीटर/सै० = 30 मीटर/सै०.

खम्भे को पार करने में लगा समय = 90 मीटर दूरी तय करने में लगा समय $= \left(\frac{90}{30}\right)$ सैकण्ड = 3 सैकण्ड.

प्रश्न 2. 490 मीटर लम्बी रेलगाड़ी 63 किमी०/घण्टा की चाल से 210 मीटर लम्बी गुफा को कितनी देर में पार कर लेगी?

हल: गाड़ी की चाल $= \left(63 \times \frac{5}{18}\right)$ मीटर/सै० $= \frac{35}{2}$ मीटर/सै०.

गुफा को पार करने में लगा समय = (490 + 210) मीटर दूरी तय करने में लगा समय

$$= \left(700 \times \frac{2}{35}\right) \text{ सैकण्ड} = 40 \text{ सैकण्ड.}$$

प्रश्न 3. एक रेलगाड़ी 120 मीटर लम्बे प्लेटफार्म को 12 सैकण्ड में तथा एक खम्भे को $2\frac{2}{5}$ सैकण्ड में पार कर जाती है. रेलगाड़ी कितने किमी० प्रति घण्टा दूरी तय करती है?

हल: माना रेलगाड़ी की लम्बाई = x मीटर. तब, $\frac{x}{\left(\frac{12}{5}\right)} = \frac{(x+120)}{12}$ [प्रत्येक रेलगाड़ी की चाल के बराबर है]

$$\Leftrightarrow \quad \frac{5x}{12} = \frac{(x+120)}{12} \Leftrightarrow 5x = x + 120 \Leftrightarrow 4x = 120 \Leftrightarrow x = 30.$$

$\therefore$ रेलगाड़ी की चाल $= \left(\frac{5x}{12}\right)$ मीटर/सै० $= \left(\frac{5 \times 30}{12}\right)$ मीटर/सै० $= \left(\frac{25}{2} \times \frac{18}{5}\right)$ किमी०/घण्टा = 45 किमी०/घण्टा.

प्रश्न 4. क्रमशः 100 मीटर तथा 120 मीटर लम्बी दो रेलगाड़ियाँ समान्तर पटरियों पर एक ही दिशा में क्रमशः 72 किमी०/घण्टा तथा 54 किमी०/घण्टा की चाल से जा रही हैं. मिलने के कितने समय बाद पहली गाड़ी दूसरी गाड़ी को पार कर जायेगी?

हल: रेलगाड़ियों की लम्बाई का योग = (100 + 120) मीटर = 220 मीटर.

तेज गाड़ी की दूसरी गाड़ी के सापेक्ष चाल = (72 − 54) किमी०/घण्टा = 18 किमी०/घण्टा

$$= \left(18 \times \frac{5}{18}\right) \text{ मीटर/सै०} = 5 \text{ मीटर प्रति सै०.}$$

पहली गाड़ी द्वारा दूसरी गाड़ी को पार करने में लगा समय $= \frac{220}{5}$ सै० = 44 सैकण्ड.

प्रश्न 5. 100 मीटर लम्बी रेलगाड़ी अपने सामने से 5 किमी०/घण्टा की चाल से आ रहे व्यक्ति को 6 सैकण्ड में पार कर जाती है. गाड़ी की चाल कितनी है?

हल: माना रेलगाड़ी की चाल = x किमी०/घण्टा.

रेलगाड़ी की व्यक्ति के सापेक्ष चाल = $(x + 5)$ किमी०/घण्टा $= \left\{(x+5) \times \frac{5}{18}\right\}$ मीटर/सै०.

$$\therefore \quad \frac{100}{\left\{(x+5) \times \frac{5}{18}\right\}} = 6 \Leftrightarrow 30(x+5) = 1800 \Leftrightarrow x + 5 = 60 \Leftrightarrow x = 55.$$

अतः रेलगाड़ी की चाल = 55 किमी०/घण्टा.

प्रश्न 6. 54 किमी०/घण्टा की चाल से जा रही एक रेलगाड़ी 20 सैकण्ड में एक प्लेटफार्म को पार कर जाती है. यही गाड़ी अपनी ही दिशा में 6 किमी०/घण्टा की चाल से भागे जा रहे व्यक्ति को 12 सैकण्ड में पार कर जाती है. रेलगाड़ी तथा प्लेटफार्म प्रत्येक की लम्बाई ज्ञात कीजिए.

हल: माना रेल की लम्बाई = x मीटर तथा प्लेटफार्म की लम्बाई = y मीटर.

व्यक्ति के सापेक्ष रेलगाड़ी की चाल = (54 − 6) किमी०/घण्टा $= \left(48 \times \frac{5}{18}\right)$ मीटर/सै० $= \frac{40}{3}$ मीटर/सै०.

रेल की लम्बाई = (सापेक्ष चाल × समय) $= \left(\frac{40}{3} \times 12\right)$ मीटर = 160 मीटर.

रेलगाड़ी की चाल $= \left(54 \times \frac{5}{18}\right)$ मीटर/सै० = 15 मीटर/सै०.

$\therefore \quad \frac{x+y}{15} = 20 \Leftrightarrow x + y = 300 \Leftrightarrow 160 + y = 300 \Leftrightarrow y = (300 - 160) = 140.$

अत: रेल की लम्बाई = 160 मीटर तथा प्लेटफार्म की लम्बाई = 140 मीटर.

प्रश्न 7. एक रेलगाड़ी 50 किमी०/घण्टा की चाल से जा रही है. इसमें बैठा एक यात्री देखता है कि समान्तर पटरी पर विपरीत दिशा से आ रही एक मालगाड़ी उसे 9 सैकण्ड में पार कर जाती है. यदि मालगाड़ी 280 मीटर लम्बी हो, तो इसकी चाल ज्ञात कीजिए.

हल: व्यक्ति के सापेक्ष रेलगाड़ी की चाल $= \left(\frac{280}{9}\right)$ मी०/सै० $= \left(\frac{280}{9} \times \frac{18}{5}\right)$ किमी०/घण्टा = 112 किमी०/घण्टा.

मालगाड़ी की चाल = (112 – 50) किमी०/घण्टा = 62 किमी०/घण्टा.

प्रश्नमाला 21A

निम्नलिखित प्रश्नों में से प्रत्येक में ठीक उत्तर के सामने चिह्न (✓) लगायें:

1. एक रेलगाड़ी 90 किमी०/घण्टा की चाल से जा रही है. इसकी चाल कितने मीटर/सैकण्ड है?
(a) 324 (b) 50
(c) 25 (d) इनमें से कोई नहीं

2. एक रेलगाड़ी 36 मीटर/सैकण्ड की चाल से जा रही है. इसकी चाल कितने किमी०/घण्टा है?
(a) 129·6 (b) 10
(c) 18 (d) 180

3. 144 किमी०/घण्टा की चाल से जा रही 100 मीटर लम्बी रेलगाड़ी एक बिजली के खम्भे को पार करने में कितना समय लेगी? (एस०एस०सी० परीक्षा, 2013)
(a) 2·5 सैकण्ड (b) 4·25 सैकण्ड
(c) 5 सैकण्ड (d) 12·5 सैकण्ड

4. 63 किमी०/घण्टा की चाल से जा रही 280 मीटर लम्बी रेलगाड़ी एक पेड़ को पार करने में कितना समय लेगी? (एस०एस०सी० परीक्षा, 2013)
(a) 15 सैकण्ड (b) 16 सैकण्ड
(c) 18 सैकण्ड (d) 20 सैकण्ड

5. 132 किमी०/घण्टा की चाल से जा रही 110 मीटर लम्बी रेलगाड़ी, 165 मीटर लम्बे प्लेटफार्म को पार करने में कितना समय लेगी? (एस०एस०सी० परीक्षा, 2013)
(a) 5 सैकण्ड (b) 7·5 सैकण्ड
(c) 10 सैकण्ड (d) 15 सैकण्ड

6. 45 किमी०/घण्टा की चाल से जा रही 360 मीटर लम्बी रेलगाड़ी 140 मीटर लम्बे पुल को पार करने में कितना समय लेगी?
(a) 40 सैकण्ड (b) 42 सैकण्ड
(c) 45 सैकण्ड (d) 48 सैकण्ड

7. 60 किमी०/घण्टा की चाल से जा रही रेलगाड़ी एक टेलीग्राफ के खम्भे को 9 सैकण्ड में पार कर जाती है. रेल की लम्बाई कितनी है? (बैंक पी०ओ० परीक्षा, 2013)
(a) 120 मीटर (b) 180 मीटर
(c) 324 मीटर (d) ज्ञात नहीं की जा सकती
(e) इनमें से कोई नहीं

8. 132 मीटर लम्बी रेलगाड़ी एक बिजली के खम्भे को 6 सैकण्ड में पार कर जाती है. इस गाड़ी की चाल कितनी है?
(a) 70 किमी०/घण्टा (b) 72 किमी०/घण्टा
(c) 79·2 किमी०/घण्टा (d) 80 किमी०/घण्टा

9. 45 किमी०/घण्टा की चाल से जा रही 130 मीटर लम्बी रेलगाड़ी एक पुल को 30 सैकण्ड में पार कर जाती है. इस पुल की लम्बाई कितनी है?
(a) 200 मीटर (b) 225 मीटर
(c) 245 मीटर (d) 250 मीटर

10. 72 किमी०/घण्टा की गति से जा रही एक मालगाड़ी 250 मीटर लम्बे प्लेटफार्म को 26 सैकण्ड में पार कर जाती है. इस मालगाड़ी की लम्बाई कितनी है? (बैंक पी०ओ० परीक्षा, 2013)
(a) 230 मीटर (b) 240 मीटर
(c) 260 मीटर (d) 270 मीटर

11. 150 मीटर लम्बी रेलगाड़ी एक 300 मीटर लम्बी गुफा को 40·5 सैकण्ड में पार कर जाती है. गाड़ी की चाल किमी० प्रति घण्टा की दर से कितनी है?
(a) 13·33 (b) 26·67
(c) 40 (d) 66·67

12. एक रेलगाड़ी 50 मीटर लम्बे प्लेटफार्म को 14 सैकण्ड में पार कर जाती है तथा प्लेटफार्म पर खड़े एक व्यक्ति को 10 सैकण्ड में. गाड़ी किस चाल से जा रही है? (एस०एस०सी० परीक्षा, 2010)
(a) 24 किमी०/घण्टा (b) 36 किमी०/घण्टा
(c) 40 किमी०/घण्टा (d) 45 किमी०/घण्टा

13. एक रेलगाड़ी तथा एक प्लेटफार्म की लम्बाइयाँ बराबर हैं. यदि 90 किमी०/घण्टा की चाल से यह रेलगाड़ी प्लेटफार्म को 1

मिनट में पार कर दे, तो रेलगाड़ी की लम्बाई कितनी है?

(*a*) 500 मीटर (*b*) 600 मीटर
(*c*) 750 मीटर (*d*) 900 मीटर

14. एक रेलगाड़ी प्लेटफार्म पर खड़े एक व्यक्ति को 8 सैकण्ड में तथा 264 मीटर लम्बे प्लेटफार्म को 20 सैकण्ड में पार कर जाती है. इस रेलगाड़ी की चाल कितनी है?

(एस०एस०सी० परीक्षा, 2014)

(*a*) 69.5 किमी०/घण्टा (*b*) 70 किमी०/घण्टा
(*c*) 79 किमी०/घण्टा (*d*) 79.2 किमी०/घण्टा

15. 300 मीटर लम्बी रेलगाड़ी एक प्लेटफार्म को 39 सैकण्ड में पार कर जाती है तथा एक सिग्नल के खम्भे को 18 सैकण्ड में. प्लेटफार्म की लम्बाई कितनी है?

(बैंक पी०ओ० परीक्षा, 2012)

(*a*) 320 मीटर (*b*) 350 मीटर
(*c*) 650 मीटर (*d*) आँकड़े पर्याप्त नहीं
(*e*) इनमें से कोई नहीं

16. एक रेलगाड़ी एक खम्भे को 15 सैकण्ड में तथा 100 मीटर लम्बे प्लेटफार्म को 25 सैकण्ड में पार कर जाती है. इसकी लम्बाई कितनी है? **(रेलवे परीक्षा, 2013)**

(*a*) 50 मीटर (*b*) 150 मीटर
(*c*) 200 मीटर (*d*) आँकड़े अपर्याप्त

17. 800 मीटर लम्बी रेलगाड़ी 78 किमी०/घण्टा की चाल से जा रही है. यह एक गुफा को 1 मिनट में पार कर जाती है. गुफा की लम्बाई कितनी है? **(एस०एस०सी० परीक्षा, 2013)**

(*a*) 130 मीटर (*b*) 360 मीटर
(*c*) 500 मीटर (*d*) 540 मीटर

18. दो रेलगाड़ियों में से प्रत्येक 100 मीटर लम्बी है. ये रेलगाड़ियाँ एक दूसरे की विपरीत दिशाओं में जाते हुए एक दूसरे को 8 सैकण्ड में पार कर जाती हैं. यदि एक रेलगाड़ी की चाल दूसरी रेलगाड़ी की चाल की दुगुनी हो, तो तेज रफ्तार वाली रेलगाड़ी की चाल कितनी है?

(*a*) 30 किमी०/घण्टा (*b*) 45 किमी०/घण्टा
(*c*) 60 किमी०/घण्टा (*d*) 75 किमी०/घण्टा

19. एक दूसरे की विपरीत दिशाओं में जा रही दो रेलगाड़ियाँ प्लेटफार्म पर खड़े एक व्यक्ति को क्रमशः 27 सैकण्ड तथा 17 सैकण्ड में पार करती हैं तथा एक दूसरे को 23 सैकण्ड में पार करती हैं. इनकी चालों का अनुपात है:

(*a*) 1 : 3 (*b*) 3 : 2
(*c*) 3 : 4 (*d*) इनमें से कोई नहीं

20. 48 किमी०/घण्टा की चाल से जा रही एक रेलगाड़ी अपने से आधी लम्बाई की रेलगाड़ी को जो इसकी विपरीत दिशा में 42 किमी०/घण्टा की चाल से आ रही है उसे 12 सैकण्ड में पार कर जाती है. यह रेलगाड़ी एक प्लेट फार्म को 45 सैकण्ड में पार कर जाती है. इस प्लेटफार्म की लम्बाई कितनी है?

(*a*) 400 मीटर (*b*) 450 मीटर
(*c*) 560 मीटर (*d*) 600 मीटर

21. दो स्टेशन *A* तथा *B* एक दूसरे से 220 किमी० दूरी पर हैं. एक रेलगाड़ी *A* से 80 किमी०/घण्टा की चाल से *B* की ओर जाती है. 30 मिनट बाद दूसरी रेलगाड़ी 100 किमी०/घण्टा की चाल से *B* से *A* की ओर जाती है. दोनों रेलगाड़ियाँ *A* से कितनी दूरी पर मिलेंगी?

(*a*) 120 किमी० (*b*) 130 किमी०
(*c*) 140 किमी० (*d*) 150 किमी०

22. दो रेलगाड़ियाँ *X* तथा *Y*, स्टेशन *A* तथा *B* से क्रमशः *B* तथा *A* की ओर एक ही समय पर चलना प्रारम्भ करती हैं. एक दूसरे को मिलने के बाद वे क्रमशः 4 घण्टे 48 मिनट तथा 3 घण्टे 20 मिनट में *B* तथा *A* पर पहुँचती हैं. यदि *X* की चाल 45 किमी०/घण्टा हो, तो *Y* की चाल कितनी है?

(*a*) 60 किमी०/घण्टा (*b*) 54 किमी०/घण्टा
(*c*) 64.8 किमी०/घण्टा (*d*) 37.5 किमी०/घण्टा

23. दो रेलगाड़ियाँ जिनकी चाल 3 : 4 के अनुपात में हैं, समान्तर पटरियों पर विपरीत दिशाओं में जा रही हैं. यदि प्रत्येक रेलगाड़ी एक खम्भे को पार करने में 3 सैकण्ड ले, तो कितने समय में वे एक दूसरे को पार कर लेंगी?

(*a*) 3 सैकण्ड (*b*) 4 सैकण्ड
(*c*) 7 सैकण्ड (*d*) 21 सैकण्ड

24. एक रेलगाड़ी अपनी ही दिशा में क्रमशः 2 किमी०/घण्टा तथा 4 किमी०/घण्टा की चाल से जा रहे दो व्यक्तियों को क्रमशः 9 सैकण्ड तथा 10 सैकण्ड में पार कर जाती है. इस रेलगाड़ी की लम्बाई कितनी है?

(*a*) 45 मीटर (*b*) 50 मीटर
(*c*) 54 मीटर (*d*) 72 मीटर

25. दो व्यक्ति क्रमशः 4.5 किमी०/घण्टा तथा 5.4 किमी०/घण्टा की चाल से उसी दिशा में जा रहे हैं जिस दिशा में रेलगाड़ी जा रही है. इन्हें पार करने में रेलगाड़ी क्रमशः 8.4 सैकण्ड तथा 8.5 सैकण्ड लेती है. रेलगाड़ी की चाल कितनी है?

(*a*) 66 किमी०/घण्टा (*b*) 72 किमी०/घण्टा
(*c*) 78 किमी०/घण्टा (*d*) 81 किमी०/घण्टा

26. एक रेलगाड़ी पटना से हावड़ा के लिए तथा दूसरी हावड़ा से पटना के लिए एक ही समय पर चलती हैं. मिलने के बाद ये रेलगाड़ियाँ क्रमशः 9 घण्टे तथा 16 घण्टे में अपने गंतव्य स्थान पर पहुँचती हैं. इनकी चालों में क्या अनुपात है?

(*a*) 2 : 3 (*b*) 4 : 3
(*c*) 6 : 7 (*d*) 9 : 16

27. एक रेलगाड़ी *A* मेरठ से शाम 4 बजे चलकर शाम 5 बजे गाजियाबाद पहुँचती है. दूसरी रेलगाड़ी *B* गाजियाबाद से शाम 4 बजे चलकर शाम 5.30 बजे मेरठ पहुँचती है. दोनों रेलगाड़ियाँ कितने बजे एक दूसरे को मिलेंगी?

(*a*) शाम 4.36 बजे (*b*) शाम 4.42 बजे
(*c*) शाम 4.48 बजे (*d*) शाम 4.50 बजे

28. दो स्टेशन *A* तथा *B* एक दूसरे से 110 किमी० दूरी पर स्थित हैं. एक रेलगाड़ी *A* से प्रातः 7 बजे *B* की ओर 20 किमी०/घण्टा की चाल से चलती है. दूसरी रेलगाड़ी उसी दिन प्रातः 8 बजे

B से *A* की ओर 25 किमी०/घण्टा की चाल से चलती है. वे किस समय मिलेंगी?

(*a*) प्रात: 9 बजे (*b*) प्रात: 10 बजे
(*c*) प्रात: 10.30 बजे (*d*) प्रात: 11 बजे

29. प्लेटफार्म पर खड़े एक व्यक्ति ने अनुभव किया कि एक रेलगाड़ी उसे 4 सैकण्ड में पार कर गई. इस गाड़ी के विपरीत दिशा में जाने वाली गाड़ी ने इस व्यक्ति को 5 सैकण्ड में पार किया. यदि दोनों गाड़ियों की लम्बाई बराबर हों, तो एक दूसरे को पार करने में ये गाड़ियाँ कितना समय लेंगी?

(*a*) $3\frac{4}{9}$ सैकण्ड (*b*) $4\frac{4}{9}$ सैकण्ड
(*c*) $5\frac{4}{9}$ सैकण्ड (*d*) $5\frac{5}{9}$ सैकण्ड

30. 120 किमी०/घण्टा की चाल से जा रही एक रेलगाड़ी *A* इसी की दिशा में समान्तर पटरी पर जा रही गाड़ी *B* को 2 मिनट में पार कर जाती है. यदि इन गाड़ियों की लम्बाई क्रमश: 100 मीटर तथा 200 मीटर हों, तो *B* की चाल कितनी है?

(*a*) 111 किमी०/घण्टा (*b*) 123 किमी०/घण्टा
(*c*) 127 किमी०/घण्टा (*d*) 129 किमी०/घण्टा

31. एक व्यक्ति ट्रेन से 70 किमी प्रति घंटे की गति से 700 किमी जाता है, पानी जहाज से 50 किमी/घंटे की गति से 900 किमी जाता है। हवाई जहाज से 500 किमी प्रति घंटे की गति से 1000 किमी और कार से 60 किमी/घंटे की गति से 150 किमी जाता है। संपूर्ण दूरी के लिए औसत गति कितनी है?

(*a*) $84\frac{12}{13}$ किमी प्रति घंटा (*b*) $84\frac{1}{13}$ किमी प्रति घंटा
(*c*) 84 किमी प्रति घंटा (*d*) $84\frac{8}{13}$ किमी प्रति घंटा

(दिल्ली मेट्रो रेल कॉर्पोरेशन सी.आर.ए. परीक्षा, 2017)

32. ट्रेन में बैठा एक आदमी जान पाता है कि वह एक मिनट में 24 टेलीफोन पोस्ट की गिनती कर सकता है। यदि उनके बीच की दूरी 60 मीटर है, तो ट्रेन किस गति से चल रही है?

(*a*) 90.4 किमी/घंटा (*b*) 86.4 किमी/घंटा
(*c*) 86 किमी/घंटा (*d*) 88.4 किमी/घंटा

(दिल्ली मेट्रो रेल कॉर्पोरेशन सी.आर.ए. परीक्षा, 2017)

33. दो ट्रेनें समांतर पटरियों पर एक ही दिशा में क्रमश: 80 किमी/घंटा और 90 किमी/घंटा की चाल से चल रहीं हैं। ट्रेनें 3 मिनट में एक दूसरे को पार करती है। यदि एक ट्रेन की लंबाई 230 मी है, तो दूसरी ट्रेन की लंबाई (मीटर में) क्या है?

[एसएससी सीजीएल परीक्षा, 2022]

(a) 300 (b) 230 (c) 270 (d) 250

34. 240 मी. लंबी एक ट्रेन 360 मी. लंबी सुरंग को 30 सेकंड में पार करती है। ट्रेन की चाल (किमी./घंटा में) क्या है?

[एसएससी सीजीएल परीक्षा, 2022]

(a) 28.8 (b) 43.2 (c) 72 (d) 60

35. 60 किमी/घंटा की गति से चलने वाली एक ट्रेन 9 सेकंड में एक खंभे को पार करती है। ट्रेन की लंबाई कितनी है?

(एनसीएचएम जेईई 2021)

(*a*) 150 मीटर (*b*) 180 मीटर (*c*) 210 मीटर (*d*) 240 मीटर

36. 350 मीटर लंबी ट्रेन 450 मीटर लंबी सुरंग को पार करने में 96 सेकंड का समय लेती है। किमी/घंटा में ट्रेन की गति क्या है?

(एनसीएचएम जेईई 2021)

(*a*) 20 (*b*) 25 (*c*) 30 (*d*) 35

37. एक ट्रेन 90 किमी प्रति घंटे की रफ्तार से एक पुल को 36 सेकंड में पार करती है। 100 मीटर छोटी एक अन्य ट्रेन उसी पुल को 45 किमी प्रति घंटे की गति से पार करती है। पुल पार करने के लिए दूसरी ट्रेन द्वारा लिया गया समय होगा:

(जेआईपीएमएटी पेपर 2021)

(*a*) 60 सेकंड (*b*) 64 सेकंड (*c*) 68 सेकंड (*d*) 72 सेकंड

38. ट्रेन A 48 किमी/घंटा की गति से यात्रा करते हुए एक ऊर्ध्वाधर खंभे को 18 सेकंड में पार करती है। ट्रेन B ऊर्ध्वाधर खंभे को 30 सेकंड में पार करती है। यदि ट्रेन B की लंबाई ट्रेन A की लंबाई से 60 मीटर अधिक है, तो ट्रेन B की गति क्या है? (किमी/घंटा में)

(एसबीआई पीओ प्री 2019)

(*a*) 36 (*b*) 45 (*c*) 54 (*d*) 63

39. 72 किमी/घंटा की गति से चल रही एक ट्रेन 18 सेकंड में 160 मीटर के प्लेटफॉर्म को पार करती है और 90 किमी/घंटा की गति से चलने वाली एक अन्य ट्रेन उसी प्लेटफॉर्म को 15 सेकंड में पार करती है। दूसरी ट्रेन की लंबाई ज्ञात कीजिए?

(आईबीपीएस आरआरबी ग्रामीण 2019)

(*a*) 160 मीटर (*b*) 180 मीटर (*c*) 140 मीटर (*d*) 215 मीटर

40. A और B स्टेशनों से, दो ट्रेनें क्रमश: 120 किमी/घंटा और 100 किमी/घंटा की गति से एक-दूसरे की ओर चलना शुरू करती हैं। जब दोनों ट्रेन आपस में मिलती हैं, तो पता चलता है कि एक ट्रेन ने दूसरी ट्रेन से 40 किमी अधिक दूरी तय की है। A और B स्टेशनों के बीच की दूरी ज्ञात कीजिए।

(एमएटी सितंबर 2019)

(*a*) 240 किमी (*b*) 200 किमी (*c*) 400 किमी (*d*) 440 किमी

41. दो रेलगाड़ियाँ विपरीत दिशाओं में समान गति से चल रही हैं। यदि प्रत्येक ट्रेन की लंबाई 80 मीटर है और वे एक दूसरे को 16 सेकंड में पार करती हैं, तो प्रत्येक ट्रेन की गति (किमी/घंटा में) क्या है?

(एसएससी सीएचएसएल (10+2) टीयर-I सीबीई परीक्षा, 2018)

(*a*) 12 (*b*) 18 (*c*) 24 (*d*) 30

42. दो स्टेशन L और M एक दूसरे से 180 किमी दूर हैं। एक ट्रेन L से M की ओर जाती है और साथ ही दूसरी ट्रेन M से L की ओर जाती है। दोनों ट्रेनें 9 घंटे बाद मिलती हैं। यदि पहली ट्रेन की गति दूसरी ट्रेन की गति से 10 किमी/घंटा अधिक है, तो धीमी ट्रेन की गति (किमी/ घंटा में) क्या है?

(एसएससी सीएचएसएल (10+2) टीयर-I सीबीई परीक्षा, 2018)

(*a*) 9 (*b*) 5 (*c*) 12 (*d*) 15

43. दो स्टेशनों A और B के बीच की दूरी 800 किमी है। एक ट्रेन X, A से शुरू होती है और 40 किमी/घंटा की गति से B की ओर बढ़ती है और दूसरी ट्रेन Y, B से शुरू होती है और A की ओर 60 किमी/घंटा की गति से चलती है। A से कितनी दूर वे एक दूसरे को पार करेगी?

(एसएससी सीजीएल टीयर- I सीबीई परीक्षा, 2019)

(*a*) 380 किमी (*b*) 320 किमी (*c*) 300 किमी (*d*) 360 किमी

44. 44 किमी/घंटा की गति से चल रही एक ट्रेन 8 किमी/ घंटा की गति से चल रहे एक व्यक्ति को पार करती है। उसी दिशा में, 15 सेकंड में यदि ट्रेन विपरीत दिशा से आ रही महिला को 10 सेकंड में पार करती है, तो महिला की गति (किमी/घंटा में) क्या है?**(एसएससी सीजीएल टियर-I सीबीई परीक्षा, 2019)**

(*a*) 10.5 (*b*) 10 (*c*) 9 (*d*) 8.5

45. एक ट्रेन 400 मीटर और 200 मीटर लंबे दो पुलों को क्रमशः 80 सेकंड और 60 सेकंड में पार करती है। ट्रेन की लंबाई (मीटर में) कितनी है?

(एसएससी मल्टी-टास्किंग स्टाफ परीक्षा, 2017)

(*a*) 200 (*b*) 400 (*c*) 350 (*d*) 720

46. 600 मीटर लंबी ट्रेन 1000 मीटर लंबे प्लेटफॉर्म को 80 सेकंड में पार करती है। रेलगाड़ी की गति (मीटर/सेकंड में) क्या है?

(एसएससी सीएपीएफएस एएसआई और दिल्ली पुलिस एसआई परीक्षा, 2017)

(*a*) 20 (*b*) 72 (*c*) 16 (*d*) 36

47. एक ट्रेन 36 किमी/घंटा की गति से चलते हुए एक प्लेटफॉर्म को 45 सेकंड में पार करती है। यदि रेलगाड़ी की लंबाई 200 मीटर हो, तो प्लेटफार्म की लंबाई (मीटर में) क्या होगी?

(एसएससी मल्टी-टास्किंग स्टाफ परीक्षा, 2017)

(*a*) 250 (*b*) 200 (*c*) 300 (*d*) 350

48. एक 400 मीटर लंबी ट्रेन 800 मीटर लंबे प्लेटफार्म को 36 सेकंड में पार करती है। ट्रेन की गति (किमी/घंटा में) क्या है? **(एसएससी मल्टी-टास्किंग स्टाफ परीक्षा, 2017)**

(*a*) 150 (*b*) 120 (*c*) 125 (*d*) 110

49. 400 मीटर लंबे स्टेशन का प्लेटफॉर्म ठीक वहीं से शुरू होता है, जहां 1.2 किमी लंबे पुल का आखिरी हिस्सा खत्म होता है। 200 मीटर लंबी और 72 किमी/घंटा की गति से यात्रा करने वाली एक ट्रेन पुल के शुरुआती बिंदु और प्लेटफॉर्म के दूर के छोर के बीच की दूरी को तय करने में कितना समय लेगी?

(एसएससी सीएचएसएल (10+2) टीयर-I सीबीई परीक्षा, 2019)

(*a*) 1.6 मिनट (*b*) 1.5 मिनट (*c*) 1.8 मिनट (*d*) 1.2 मिनट

50. एक रेलगाड़ी 12 किमी की दूरी 10 मिनट में तय करती है। यदि वह एक टेलीग्राफ पोस्ट को पार करने में 6 सेकंड का समय लेती है तो ट्रेन की लंबाई कितनी है?

(एसएससी मैट्रिक स्तर एमटीएस परीक्षा, 2017)

(*a*) 100 मीटर (*b*) 120 मीटर (*c*) 140 मीटर (*d*) 90 मीटर

51. एक ट्रेन 72 किमी/घंटा की गति से एक स्थिर खंभे को 30 सेकंड में पार करती है। 1.2 किमी लंबे पुल को पार करने में कितना समय (मिनटों में) लगता है?

(एसएससी एमटीएस (गैर-तकनीकी) स्टाफ परीक्षा, 2019)

(*a*) 2.5 (*b*) 3 (*c*) 2 (*d*) 1.5

52. एक ट्रेन एक पोल को 12 सेकंड में पार करती है और 170 मीटर लंबे पुल को 36 सेकंड में पार करती है। तो ट्रेन की गति है **(एसएससी सीजीएल टियर-I सीबीई परीक्षा, 2020)**

(*a*) 25.5 किमी प्रति घंटा (*b*) 30.75 किमी प्रति घंटा

(*c*) 10.8 किमी प्रति घंटा (*d*) 32.45 किमी प्रति घंटा

53. एक रेलगाड़ी एक खंभे को पार करने में 9 सेकंड लेती है: यदि रेलगाड़ी की गति 48 किमी प्रति घंटा है, तो रेलगाड़ी की लंबाई कितनी है **(आरआरबी समूह 'डी' परीक्षा, 2014)**

(*a*) 150 मीटर (*b*) 120 मीटर (*c*) 90 मीटर (*d*) 80 मीटर

54. दो ट्रेनें A और B से एक ही समय पर चलना शुरू करती हैं और क्रमशः 75 किमी/घंटा और 50 किमी/ घंटा की गति से एक-दूसरे की ओर बढ़ती हैं। जब दोनों बीच में एक बिंदु पर मिलती हैं, तो पाया गया कि एक ट्रेन दूसरी से 175 किमी अधिक चलती है। A और B के बीच की दूरी ज्ञात कीजिए।

(एसएससी- सीएचएसएल (10+2) परीक्षा, 2015)

(*a*) 875 किमी (*b*) 785 किमी (*c*) 758 किमी (*d*) 857 किमी

55. एक ट्रेन 500 मीटर और 250 मीटर लंबे दो पुलों को क्रमशः 100 सेकंड और 60 सेकंड में पार करती है। रेलगाड़ी की लंबाई है **(एसएससी- सीएचएसएल (10+2) परीक्षा, 2015)**

(*a*) 152 मीटर (*b*) 125 मीटर (*c*) 250 मीटर (*d*) 120 मीटर

56. ट्रेन A एक लैम्प पोस्ट को 9 सेकंड में और 700 मीटर लंबे प्लेटफार्म को 30 सेकंड में पार करती है। वही ट्रेन 800 मीटर लंबे प्लेटफार्म को पार करने में कितना समय लेगी? (कुछ सेकंडों में)

(यूआईआईसीएल) सहायक (ऑनलाइन) परीक्षा, 2015)

(*a*) 32 (*b*) 31 (*c*) 33 (*d*) 30

57. ट्रेन A 63 किमी प्रति घंटे की गति से चलते हुए 199.5 मीटर लंबे प्लेटफॉर्म को 21 सेकंड में पार कर सकती है। ट्रेन A को ट्रेन B को पूरी तरह से पार करने में कितना समय लगेगा (जिस क्षण वे मिलती हैं) ट्रेन B, जो 157 मीटर लंबी है और विपरीत दिशा में 54 किमी प्रति घंटे की गति से यात्रा कर रही है, कौन सी ट्रेन A यात्रा कर रही है? (सेकंड में)

(आईबीपीएस-आरआरबी कार्यालय सहायक (ऑनलाइन) परीक्षा, 2015)

(*a*) 16 (*b*) 18 (*c*) 12 (*d*) 10

58. 36 किमी/घंटे की गति से चल रही एक ट्रेन एक खड़े व्यक्ति को 10 सेकंड में पार करती है। 60 मीटर के एक प्लेटफॉर्म को पार करने के लिए इसके द्वारा लिया गया समय ज्ञात कीजिए।

(*a*) 10 सेकंड (*b*) 6 सेकंड

(*c*) 12 सेकंड (*d*) 16 सेकंड

(*e*) 2120 सेकंड

उत्तरमाला

1. (*c*)	**2.** (*a*)	**3.** (*a*)	**4.** (*b*)	**5.** (*b*)	**6.** (*a*)	**7.** (*e*)	**8.** (*c*)	**9.** (*c*)	**10.** (*d*)
11. (*c*)	**12.** (*d*)	**13.** (*c*)	**14.** (*d*)	**15.** (*b*)	**16.** (*b*)	**17.** (*c*)	**18.** (*c*)	**19.** (*b*)	**20.** (*a*)
21. (*a*)	**22.** (*b*)	**23.** (*a*)	**24.** (*b*)	**25.** (*d*)	**26.** (*b*)	**27.** (*a*)	**28.** (*b*)	**29.** (*b*)	**30.** (*a*)
31. (*d*)	**32.** (*b*)	**33.** (*c*)	**34.** (*c*)	**35.** (*a*)	**36.** (*c*)	**37.** (*b*)	**38.** (*a*)	**39.** (*d*)	**40.** (*d*)
41. (*b*)	**42.** (*b*)	**43.** (*b*)	**44.** (*b*)	**45.** (*b*)	**46.** (*a*)	**47.** (*a*)	**48.** (*b*)	**49.** (*b*)	**50.** (*b*)
51. (*d*)	**52.** (*a*)	**53.** (*b*)	**54.** (*a*)	**55.** (*b*)	**56.** (*c*)	**57.** (*d*)	**58.** (*d*)		

दिये गये प्रश्नों के हल

1. 90 किमी०/घण्टा $= \left(90 \times \frac{5}{18}\right)$ मीटर/सै० $= 25$ मीटर/सै०.

2. 36 मीटर/सैकण्ड $= \left(36 \times \frac{18}{5}\right)$ किमी०/घण्टा

$= \frac{648}{5}$ किमी०/घण्टा $= 129{\cdot}6$ किमी०/घण्टा.

3. गाड़ी की चाल $= \left(144 \times \frac{5}{18}\right)$ मीटर/सैकण्ड $= 40$ मीटर/सैकण्ड.

अभीष्ट समय $= \left(\frac{100}{40}\right)$ सै० $= 2{\cdot}5$ सैकण्ड.

4. गाड़ी की चाल $= \left(63 \times \frac{5}{18}\right)$ मीटर/सै० $= \frac{35}{2}$ मीटर/सैकण्ड.

अभीष्ट समय $= \left(280 \times \frac{2}{35}\right)$ सैकण्ड $= 16$ सैकण्ड.

5. गाड़ी की चाल $= \left(132 \times \frac{5}{18}\right)$ मीटर/सै० $= \frac{110}{3}$ मीटर/सैकण्ड

प्लेटफार्म को पार करने में चली गई दूरी $= (110 + 165)$ मीटर $= 275$ मीटर.

अभीष्ट समय $= \left(275 \times \frac{}{110}\right)$ सैकण्ड $= 7{\cdot}5$ सैकण्ड.

6. गाड़ी की चाल $= \left(45 \times \frac{5}{18}\right)$ मीटर/सै० $= \frac{25}{2}$ मीटर/सै०.

पुल को पार करने में चली गई दूरी $= (360 + 140)$ मीटर $= 500$ मीटर.

अभीष्ट समय $= \left(500 \times \frac{2}{25}\right)$ सैकण्ड $= 40$ सैकण्ड.

7. गाड़ी की चाल $= \left(60 \times \frac{5}{18}\right)$ मीटर/सैकण्ड $= \frac{50}{3}$ मीटर/सै०.

गाड़ी की लम्बाई = (चाल × समय) $= \left(\frac{50}{3} \times 9\right)$ मीटर $= 150$ मीटर.

8. गाड़ी की चाल $= \left(\frac{132}{6}\right)$ मीटर/सै० $= \left(22 \times \frac{18}{5}\right)$ किमी०/घण्टा

$= \frac{396}{5}$ किमी०/घण्टा $= 79{\cdot}2$ किमी०/घण्टा.

9. गाड़ी की चाल $= \left(45 \times \frac{5}{18}\right)$ मीटर/सै० $= \frac{25}{2}$ मीटर/सैकण्ड.

माना पुल की लम्बाई $= x$ मीटर.

$\therefore \quad \frac{130 + x}{\left(\frac{25}{2}\right)} = 30 \Leftrightarrow 260 + 2x = 750$

$\Leftrightarrow 2x = 490 \Leftrightarrow x = 245.$

अत: पुल की लम्बाई $= 245$ मीटर.

10. गाड़ी की चाल $= \left(72 \times \frac{5}{18}\right)$ मीटर/सै० $= 20$ मीटर/सै०.

माना मालगाड़ी की लम्बाई $= x$ मीटर.

तब, $\frac{(x + 250)}{20} = 26 \Leftrightarrow x + 250 = 520$

$\Leftrightarrow x = (520 - 250) = 270$ मीटर.

11. गाड़ी की चाल $= \left(\frac{150 + 300}{40{\cdot}5}\right)$ मीटर/सै०

$= \left(450 \times \frac{2}{81} \times \frac{18}{5}\right)$ किमी०/घण्टा $= 40$ किमी०/घण्टा.

12. माना गाड़ी की लम्बाई $= a$ मीटर तथा गाड़ी की चाल $= x$ मीटर/सै०.

$\therefore \quad \frac{a}{x} = 10 \Leftrightarrow a = 10x$

$\frac{a + 50}{x} = 14 \Leftrightarrow a + 50 = 14x \Leftrightarrow 14x - a = 50$

$\Leftrightarrow 14x - 10x = 50 \Leftrightarrow 4x = 50$

$\Leftrightarrow x = \frac{50}{4} = \frac{25}{2}.$

$\therefore$ गाड़ी की चाल $= \frac{25}{2}$ मीटर/सै०

$= \left(\frac{25}{2} \times \frac{18}{5}\right)$ किमी०/घण्टा $= 45$ किमी०/घण्टा.

13. रेलगाड़ी की चाल $= \left(90 \times \frac{5}{18}\right)$ मीटर/सै० $= 25$ मीटर/सै०.

माना रेलगाड़ी की लम्बाई = प्लेटफार्म की लम्बाई $= x$ मीटर.

$\frac{x + x}{25} = 60 \Leftrightarrow 2x = 1500 \Leftrightarrow x = 750.$

$\therefore$ रेलगाड़ी की लम्बाई $= 750$ मीटर.

14. माना रेलगाड़ी की लम्बाई $= x$ मीटर तथा रेलगाड़ी की चाल $= y$ मीटर/सै०.

तब, $x = 8y$ तथा $\frac{x + 264}{20} = y \Leftrightarrow 8y + 264 = 20y$

$\Leftrightarrow 12y = 264 \Leftrightarrow y = 22.$

$\therefore$ रेलगाड़ी की चाल = 22 मी०/सै०

$= \left(22\times\frac{18}{5}\right)$ किमी०/घण्टा

$= \frac{396}{5}$ किमी०/घण्टा = 79·2 किमी०/घण्टा.

15. गाड़ी की चाल = $\left(\frac{300}{18}\right)$ मी०/सै० = $\frac{50}{3}$ मीटर/सैकण्ड.

माना प्लेटफार्म की लम्बाई = x मीटर.

तब, $\frac{x+300}{\left(\frac{50}{3}\right)} = 39 \Leftrightarrow \frac{3(x+300)}{50} = 39$

$\Leftrightarrow (x + 300) = 650 \Leftrightarrow x = 350.$

अतः प्लेटफार्म की लम्बाई = 350 मीटर.

16. माना रेलगाड़ी की लम्बाई = x मीटर. तब,

रेलगाड़ी की चाल = $\frac{x}{15}$ मीटर/सै०.

$\therefore \frac{x+100}{\left(\frac{x}{15}\right)} = 25 \Leftrightarrow 15x + 1500 = 25x$

$\Leftrightarrow 10x = 1500 \Leftrightarrow x = 150.$

अतः रेलगाड़ी की लम्बाई = 150 मीटर.

17. रेलगाड़ी की चाल = $\left(78\times\frac{5}{18}\right)$ मीटर/सै० = $\frac{65}{3}$ मीटर/सै०.

माना गुफा की लम्बाई = x मीटर. तब, $\frac{(800+x)}{\left(\frac{65}{3}\right)} = 60.$

$\therefore 2400 + 3x = 3900 \Leftrightarrow 3x = 1500 \Leftrightarrow x = 500.$

अतः गुफा की लम्बाई = 500 मीटर.

18. माना धीमी गति वाली रेलगाड़ी की चाल = x मीटर/सैकण्ड.

तब, दूसरी रेलगाड़ी की चाल = $2x$ मीटर/सैकण्ड.

इन गाड़ियों की सापेक्ष चाल = $(x + 2x)$ मीटर/सै० = $3x$ मीटर/सैकण्ड.

$\therefore \frac{(100+100)}{8} = 3x \Leftrightarrow 24x = 200 \Leftrightarrow x = \frac{200}{24} = \frac{25}{3}.$

तेज गति वाली गाड़ी की चाल = $\frac{50}{3}$ मीटर/सै०

$= \left(\frac{50}{3}\times\frac{18}{5}\right)$ किमी०/घण्टा = 60 किमी०/घण्टा.

19. माना रेलगाड़ियों की चाल क्रमशः x मीटर/सै० तथा y मीटर/सै० हैं. तब,

पहली रेलगाड़ी की लम्बाई = $27x$ मीटर तथा

दूसरी गाड़ी की लम्बाई = $17y$ मीटर.

$\therefore \frac{(27x+17y)}{(x+y)} = 23 \Leftrightarrow 27x + 17y = 23x + 23y$

$\Leftrightarrow 4x = 6y \Leftrightarrow \frac{x}{y} = \frac{3}{2}.$

20. माना पहली रेलगाड़ी की लम्बाई = x मीटर तथा

दूसरी गाड़ी की लम्बाई = $\frac{x}{2}$ मीटर.

इन गाड़ियों की सापेक्ष चाल = (48 + 42) किमी०/घण्टा

$= \left(90\times\frac{5}{18}\right)$ मी०/सै० = 25 मी०/सै०.

$\frac{\left(x+\frac{x}{2}\right)}{25} = 12 \Leftrightarrow \frac{3x}{2} = 300 \Leftrightarrow x = 200.$

$\therefore$ पहली रेलगाड़ी की लम्बाई = 200 मीटर.

माना प्लेटफार्म की लम्बाई = y मीटर.

पहली रेलगाड़ी की चाल = $\left(48\times\frac{5}{18}\right)$ मी०/सै० = $\frac{40}{3}$ मी०/सै०.

$\therefore \frac{(200+y)}{\left(\frac{40}{3}\right)} = 45 \Leftrightarrow 200 + y = 600 \Leftrightarrow y = 400.$

अतः प्लेटफार्म की लम्बाई = 400 मीटर.

21. माना ये रेलगाड़ियाँ A से x किमी० की दूरी पर मिलेंगी. तब,

$\frac{x}{80} - \frac{(220-x)}{100} = \frac{1}{2} \Leftrightarrow 5x - 4\,(220 - x) = 200$

$\Leftrightarrow 9x = 1080 \Leftrightarrow x = 120.$

अतः दोनों रेलगाड़ियाँ A से 120 किमी० दूरी पर मिलेंगी.

22. $\frac{X \text{ की चाल}}{Y \text{ की चाल}} = \left(\frac{Y \text{ द्वारा } A \text{ तक पहुँचने में लिया गया समय}}{X \text{ द्वारा } B \text{ तक पहुँचने में लिया गया समय}}\right)^{\frac{1}{2}}$

$\Leftrightarrow \frac{45}{y} = \sqrt{\frac{10}{3}\times\frac{5}{24}} = \frac{5}{6} \Leftrightarrow y = \frac{(45\times6)}{5} = 54.$

$\therefore$ Y की चाल = 54 किमी०/घण्टा.

23. माना गाड़ियों की चाल क्रमशः $3x$ मीटर/सै० तथा $4x$ मीटर/सै० हैं.

पहली गाड़ी की लम्बाई = $(3x \times 3)$ मीटर = $9x$ मीटर.

दूसरी गाड़ी की लम्बाई = $(4x \times 3)$ मीटर = $12x$ मीटर.

गाड़ियों की आपेक्षिक चाल = $(3x + 4x)$ मीटर/सै० = $7x$ मीटर०/सै०.

एक दूसरे को पार करने में लगा समय = $\frac{(9x+12x)}{7x}$ सै० = 3 सै०.

24. 2 किमी०/घण्टा = $\left(2\times\frac{5}{18}\right)$ मी०/सै० = $\frac{5}{9}$ मीटर०/सै० तथा

4 किमी०/घण्टा = $\frac{10}{9}$ मीटर/सै०.

माना रेलगाड़ी की लम्बाई = x मीटर तथा इसकी चाल = y मीटर/सै०. तब,

$\frac{x}{\left(y-\frac{5}{9}\right)} = 9$ तथा $\frac{x}{\left(y-\frac{10}{9}\right)} = 10 \Leftrightarrow 9x = 9\,(9y - 5)$ तथा

$9x = 10\,(9y - 10)$

$\Leftrightarrow \quad 9y - 5 = x$ तथा $9x - 90y + 100 = 0$

$\Leftrightarrow \quad 9y - x = 5 \quad ...(i)$

तथा $90y - 9x = 100 \quad ...(ii)$

(i) तथा (ii) को हल करने पर, $x = 50$.

अतः रेलगाड़ी की लम्बाई = 50 मीटर.

25. 4·5 किमी०/घण्टा = $\left(\frac{9}{2}\times\frac{5}{18}\right)$ मीटर/सै०

$= \frac{5}{4}$ मीटर/सै० = 1·25 मीटर/सै०.

5·4 किमी०/घण्टा = $\left(\frac{54}{10}\times\frac{5}{18}\right)$ मीटर/सै०

$= \frac{3}{2}$ मीटर/सै० $= 1{\cdot}50$ मीटर/सै०.

माना रेलगाड़ी की चाल $= x$ मीटर/सै०. तब,

$(x - 1{\cdot}25) \times 8{\cdot}4 = (x - 1{\cdot}5) \times 8{\cdot}5 \Leftrightarrow 8{\cdot}4x - 10{\cdot}5 = 8{\cdot}5x - 12{\cdot}75$

$\Leftrightarrow 0{\cdot}1x = 2{\cdot}25 \Leftrightarrow x = \frac{2{\cdot}25}{0{\cdot}1} = 22{\cdot}5.$

$\therefore$ रेलगाड़ी की चाल $= 22{\cdot}5$ मीटर/सै० $= \left(\frac{45}{2} \times \frac{18}{5}\right)$ किमी०/घण्टा $= 81$ किमी०/घण्टा.

26. (A की चाल) : (B की चाल) $= \sqrt{b} : \sqrt{a} = \sqrt{16} : \sqrt{9} = 4 : 3.$

27. माना मेरठ से गाजियाबाद की दूरी $= x$ किमी०.

A द्वारा x किमी० दूरी तय करने में लगा समय $= 1$ घण्टा.

B द्वारा x किमी० दूरी तय करने में लगा समय $= \frac{3}{2}$ घण्टा.

$\therefore$ A की चाल $= x$ किमी०/घण्टा,

B की चाल $= \left(x \times \frac{2}{3}\right)$ किमी०/घण्टा.

माना ये गाड़ियाँ शाम 4 बजे के y घण्टे बाद मिलती हैं. तब,

$xy + \frac{2xy}{3} = x \Leftrightarrow y + \frac{2}{3}y = 1 \Leftrightarrow y = \frac{3}{5}$ घण्टे

$= \left(\frac{3}{5} \times 60\right)$ मिनट $= 36$ मिनट.

अत: दोनों गाड़ियाँ शाम 4·36 बजे मिलेंगी.

28. माना ये रेलगाडियाँ प्रात: 7 बजे से x घण्टे बाद मिलती हैं.

A द्वारा x घण्टे में तय की गई दूरी $= 20x$ किमी०.

B द्वारा $(x - 1)$ घण्टे में तय की गई दूरी $= 25(x - 1)$ किमी०.

$\therefore$ $20x + 25(x - 1) = 110 \Leftrightarrow 45x = 135 \Leftrightarrow x = 3.$

अत: दोनों रेलगाड़ियाँ प्रात: 10 बजे मिलेंगी.

29. माना प्रत्येक गाड़ी की लम्बाई $= x$ मीटर.

पहली गाड़ी की चाल $= \frac{x}{4}$ मीटर/सै० तथा

दूसरी गाड़ी की चाल $= \frac{x}{5}$ मीटर/सै०.

आपेक्षिक चाल $= \left(\frac{x}{4} + \frac{x}{5}\right)$ मीटर/सै० $= \frac{9x}{20}$ मीटर/सै०.

अभीष्ट समय $= \left(2x \times \frac{20}{9x}\right)$ सैकण्ड $= 4\frac{4}{9}$ सैकण्ड.

30. माना रेलगाड़ी B की चाल $= x$ किमी०/घण्टा.

A की B के सापेक्ष चाल $= (120 - x)$ किमी०/घण्टा

$= \left[(120 - x) \times \frac{5}{18}\right]$ मीटर/सै० $= \left(\frac{600 - 5x}{18}\right)$ मी०/सै०.

$\therefore \quad \frac{300}{\frac{(600 - 5x)}{18}} = 120 \Leftrightarrow 5400 = 72000 - 600x$

$\Leftrightarrow 600x = 66600 \Leftrightarrow x = 111.$

अत: रेलगाड़ी B की चाल $= 111$ किमी०/घण्टा.

31. तय किया गया कुल समय

$= \left(\frac{700}{70} + \frac{900}{50} + \frac{1000}{500} + \frac{150}{60}\right)$ घंटे

$= (10 + 18 + 2 + 2.5)$ घंटे $= 32.5$ घंटे

तय की गयी कुल दूरी $= (700 + 900 + 1000 + 150)$ किमी.

$= 2750$ किमी.

$\therefore$ अभीष्ट औसत गति $= \frac{\text{कुल दूरी}}{\text{कुल समय}} = \frac{2750}{32.5} = \frac{1100}{13}$

$= 84\frac{8}{13}$ किमी./घंटा

32. टेली फोन पोस्ट की अभीष्ट दूरी $= 24 \times 60 = 1440$ मीटर

$\therefore$ ट्रेन की चाल $= 1440$ मीटर/मिनट $= \left(\frac{1440}{1000} \times 60\right)$ किमी./घंटा $= 86.4$ किमी./घंटा

33. एक ही दिशा में गति $= (90 - 80) \times \frac{5}{18}$

$= 10 \times \frac{5}{18} = \frac{25}{9}$ मी./से.

माना दूसरी ट्रेन की लंबाई $= l$ मी.

अब, प्रश्न के अनुसार,

$\frac{230 + l}{25} \times 9 = 3 \times 60$

$\Rightarrow \quad 230 + l = 500$

$\Rightarrow \quad l = 500 - 230 = 270$ मी.

34. अभीष्ट गति $= \frac{240 + 360}{30} = \frac{600}{30} = 20$ मी/से.

$= 20 \times \frac{18}{5} = 72$ किमी/घंटा

35. दूरी = गति × समय $= 60 \times \frac{5}{18} \times 9 = 150$ मीटर

36. कुल दूरी $= 350 + 450 = 800$ मीटर

समय = 96 सेकंड

गति $= \frac{800}{96} \times \frac{18}{5} = 30$ किमी/घंटा

37. पहली ट्रेन की लंबाई + पुल की लंबाई

$= 90 \times \frac{5}{18} \times 36 = 900$ मीटर

$\therefore$ दूसरी ट्रेन की लंबाई + पुल $= 900 - 100 = 800$ मीटर

गति = 45 किमी/घंटा

$\therefore$ समय $= \frac{800}{45 \times 5} \times 18 = 64$ सेकंड।

38. ट्रेन A की लंबाई $= 48 \times \frac{5}{18} \times 18 = 240$ मीटर

$\therefore$ ट्रेन B की लंबाई $= 240 + 60 = 300$ मीटर

B की गति $= \frac{300}{30} \times \frac{18}{5} = 36$ किमी/घंटा

39. दूसरी ट्रेन की लंबाई + प्लेटफार्म 5 की लंबाई

$= 90 \times \frac{5}{18} \times 15 = 375$

लंबाई + 160 = 375

$\therefore$ दूसरी ट्रेन की लंबाई $= 375 - 160 = 215$ मीटर

40. माना समय = t घंटे जिसके बाद दोनों मिलते हैं

$\therefore \quad 120\,t - 100\,t = 40$

$20\,t = 40$

$t = 2h$

$\therefore \quad$ दूरी $= 120\,t + 100\,t$

$= 220\,t = 220 \times 2 = 440$ किमी

41. तय की जाने वाली दूरी = 80 + 80 = 160 मीटर

माना प्रत्येक ट्रेन की गति = x किमी/घंटा

$\therefore$ सापेक्ष गति $= x + x = 2x$ किमी/घंटा

$\therefore \quad 2x = \frac{160}{16} = 10$

$x = 5$ मीटर/सेकंड $= 5 \times \frac{18}{5} = 18$ किमी/घंटा

42. माना धीमी ट्रेन की गति = x किमी/घंटा

$\therefore$ तेज ट्रेन की गति = $(x + 10)$ किमी/घंटा

$\therefore \quad 9x + 9\,(x + 10) = 180$

$9x + 9x + 90 = 180$

$\Rightarrow \quad x = 5$ किमी/घंटा

$\therefore$ धीमी ट्रेन की गति = 5 किमी/घंटा

43. सापेक्ष गति = 40 + 60 = 100 किमी/घंटा

पार करने में लगने वाला समय $= \frac{800}{100} = 8$ घंटा

$\therefore$ A से दूरी $= 40 \times 8 = 320$ किमी

44. ट्रेन और आदमी की सापेक्ष गति = 44 – 8 = 36 किमी/घंटा

$= 36 \times \frac{5}{18} = 10$ मीटर/सकेंड

$\therefore$ ट्रेन की लंबाई $= 15 \times 10 = 150$ मीटर

क्योंकि महिलाएँ विपरीत दिशा में हैं

$\therefore$ माना महिलाओं की गति = x किमी/घंटा

$\therefore \quad (44 + x) \times \frac{5}{18}$

$= \frac{150}{10}$

$44 + x = 54$

$x = 10$ किमी/घंटा

45. माना x ट्रेन की लंबाई है

$\therefore \quad \frac{400 + x}{80} = \frac{200 + x}{60}$

$\Rightarrow \quad x = 400$ मीटर

46. तय की जाने वाली दूरी = 600 + 1000 = 1600 मीटर

समय = 80 सेकंड

$\therefore$ गति $= \frac{1600}{80} = 20$ मी/सेकंड

47. माना चबूतरे की लंबाई = x मीटर

$\therefore \quad \frac{x + 200}{45} = 36 \times \frac{5}{18}$

$\frac{x + 200}{45} = 10$

$x + 200 = 450$

$\Rightarrow \quad x = 250$ मीटर

48. तय की जाने वाली दूरी = 400 + 800 = 1200 मीटर

समय = 36 सेकंड

$\therefore$ गति $= \frac{1200}{36} \times \frac{18}{5}$ किमी/घंटा = 120 किमी/घंटा

49. तय की जाने वाली कुल दूरी = 400 + 1200 + 200

= 1800 मीटर

गति $= 72 \times \frac{5}{18} = 20$ मी/सेकंड

लिया गया समय $= \frac{1800}{20} = 90$ सेकंड = 1.5 मिनट

50. रेलगाड़ी की गति $= \frac{12000 \text{ मिनट}}{10 \times 60}$

$= \frac{12000}{600} = 20$ मीटर/सेकंड

टेलीग्राफ पोल को पार करने के लिए ट्रेन को अपनी लंबाई के बराबर दूरी तय करनी पड़ती है।

$\therefore$ रेलगाड़ी की लंबाई $= 20 \times 6 = 120$ मीटर

51. ट्रेन की लंबाई $= \frac{72 \times 5}{18} \times 30 = 600$ मीटर

तय की जाने वाली दूरी = 1200 + 600 = 1800 मीटर

रेलगाड़ी की गति $= \frac{72 \times 5}{18} = 20$ मीटर/सेकंड

$\therefore$ लिया गया समय $= \frac{1800}{20} = 90 = 1.5$ मीटर

52. माना रेलगाड़ी की लंबाई = x मीटर

$\therefore \quad \frac{x}{12} = \frac{x + 170}{36}$

$\Rightarrow \quad x = 85$ मीटर

$\therefore$ रेलगाड़ी की गति $= \frac{85}{12} \times \frac{18}{5} = \frac{51}{2} = 25.5$ किमी/घंटा

53. रेलगाड़ी द्वारा एक खम्भे को पार करने में लगा समय = 9 सेकंड

खम्भे को पार करने में तय की गई दूरी = ट्रेन की लंबाई

ट्रेन की गति = 48 किमी/घंटा

$= \left(\frac{48 \times 5}{18}\right)$ मीटर/सेकंड $= \frac{40}{3}$ मीटर/सेकंड

$\therefore$ ट्रेन की लंबाई = गति × समय $= \frac{40}{3} \times 9 = 120$ मीटर

54. मान लीजिए ट्रेन t घंटे बाद मिलती है।

ट्रेन A की गति = 75 किमी/घंटा

ट्रेन B की गति = 50 किमी/घंटा

ट्रेन A द्वारा तय की गई दूरी $= 75 \times t = 75t$

ट्रेन B द्वारा तय की गई दूरी $= 50 \times t = 50t$

दूरी = गति × समय

प्रश्न के अनुसार,

$75t - 50t = 175$

$\Rightarrow 25t = 175$

$\Rightarrow t = \frac{175}{25} = 7$ घंटे

∴ A और B के बीच की दूरी

$= 75t + 50t = 125t = 125 \times 7 = 875$ किमी.

55. माना रेलगाड़ी की लंबाई x मीटर

रेलगाड़ी की गति = $\frac{(\text{ट्रेन की लंबाई + पुल की लंबाई})}{\text{क्रॉसिंग में लगने वाला समय}}$

जानकारी के अनुसार मिलता है

$\Rightarrow \frac{x+500}{100} = \frac{x+250}{60}$

$\Rightarrow 60(x+500) = 100(x+250)$

$3(x+500) = 5(x+250)$

$\Rightarrow 5x + 1250 = 3x + 1500$

$\Rightarrow 5x - 3x = 1500 - 1250$

$\Rightarrow 2x = 250$

$\Rightarrow x = \frac{250}{2} = 125$ मीटर

56. माना रेलगाड़ी की लंबाई x मीटर है।

जब एक ट्रेन 9 सेकंड में एक प्रकाश स्तंभ को पार करती है तो तय की गई दूरी = ट्रेन की लंबाई

$\Rightarrow$ ट्रेन की गति = $\frac{x}{9}$

700 मीटर के प्लेटफॉर्म को 30 सेकंड में पार करने में तय की गई दूरी = प्लेटफॉर्म की लंबाई + ट्रेन की लंबाई

ट्रेन की गति = $\frac{x+700}{9} = \frac{x}{9} = \frac{x+700}{30}$ $\left[\because \text{गति} = \frac{\text{दूरी}}{\text{समय}}\right]$

$\Rightarrow \frac{x}{3} = \frac{x+700}{10}$

$\Rightarrow 10x = 3x + 2100$

$\Rightarrow 10x - 3x = 2100$

$\Rightarrow 7x = 2100$

$\Rightarrow x = \frac{2100}{7} = 300$ मीटर

जब प्लेटफॉर्म की लंबाई 800 मीटर हो, तो समय 800 मीटर लंबे प्लेटफार्म को पार करने के लिए 'T' को ट्रेन से ले जाया जाता है

$\frac{x}{9} = \frac{x+800}{T}$

$\Rightarrow Tx = 9x + 7200$

$\Rightarrow 300T = 2700 + 7200$

$\Rightarrow 300T = 9900$

$\Rightarrow T = \frac{9900}{300} = 33$ सेकंड

57. ट्रेन A की गति = 63 किमी प्रति घंटा = $\left(\frac{63 \times 5}{18}\right)$ मीटर/सेकंड

= 17.5 मीटर/सेकंड

ट्रेन B की गति = 54 किमी प्रति घंटा

$= \left(\frac{54 \times 5}{18}\right)$ मीटर/सेकंड = 15 मीटर/सेकंड

यदि ट्रेन A की लंबाई x मीटर हो, तो

ट्रेन की गति A

$= \frac{\text{ट्रेन की लंबाई + प्लेटफॉर्म की लंबाई}}{\text{क्रॉसिंग में लगने वाला समय}}$

$\Rightarrow 17.5 = \frac{x+199.5}{21}$

$\Rightarrow 17.5 \times 21 = x + 199.5$

$\Rightarrow 367.5 = x + 199.5$

$\Rightarrow x = 367.5 - 199.5$

$\Rightarrow 168$ मीटर

सापेक्ष गति = (ट्रेन A की गति + ट्रेन B की गति)

= (17.5 + 15) मीटर/सेकंड = 32.5 मीटर/सेकंड

∴ अभीष्ट समय

$= \frac{\text{1 ट्रेन A की लंबाई + ट्रेन B की लंबाई}}{\text{सापेक्ष गति}}$

$= \left(\frac{168+157}{32.5}\right)$ सेकंड

$= \frac{325}{32.5} = 10$ सेकंड।

58. रेल की गति = $36 \times \frac{5}{18}$

=10 मी/से. (1 किमी/घंटा = $\frac{5}{18}$ मी/से.)

लिया गया समय = 10 सेकंड

ट्रेन की लंबाई = (10 × 10) मी = 100 मी

प्लेटफार्म की लंबाई = 60 मी

कुल लंबाई = ट्रेल की लंबाई + प्लेटफार्म की लंबाई

$\Rightarrow (100 + 60)$

$\Rightarrow 160$ m

∴ लिया गया समय = $\left(\frac{100+60}{10}\right)$ से. = $\frac{160}{10}$ =16 से.

प्रश्नमाला 21B

निर्देश: प्रश्न संख्या *1* से *11* तक प्रत्येक में एक कथन/प्रश्न तथा दो कथन *I* तथा *II* दिये गये हैं. इन कथनों को पढ़कर इनका उत्तर:

(*a*) दीजिए यदि दिये गये प्रश्न का उत्तर देने के लिए *I* पर्याप्त हो तथा *II* पर्याप्त न हो;

(*b*) दीजिए यदि दिये गये प्रश्न का उत्तर देने के लिए *II* पर्याप्त हो तथा *I* पर्याप्त न हो;

(*c*) दीजिए यदि दिये गये प्रश्न का उत्तर देने के लिए *I* भी पर्याप्त हो तथा *II* भी पर्याप्त हो;

(*d*) दीजिए यदि दिये गये प्रश्न का उत्तर देने के लिए *I* तथा

II दोनों मिलकर भी पर्याप्त न हो;

(*e*) दीजिए यदि दिये गये प्रश्न का उत्तर I तथा II दोनों को मिलाकर बना हो.

1. 240 मीटर लम्बी रेलगाड़ी की चाल क्या है? **(बैंक पी०ओ० परीक्षा, 2015)**

I. रेलगाड़ी एक खम्भे को 12 सैकण्ड में पार करती है.

II. रेलगाड़ी एक प्लेटफार्म को 18 सैकण्ड में पार करती है.

2. रेलगाड़ी की चाल कितनी है? **(बैंक पी०ओ० परीक्षा, 2014)**

I. 280 मीटर लम्बी रेलगाड़ी एक बिजली के खम्भे को 18 सैकण्ड में पार कर जाती है.

II. 280 मीटर लम्बी रेलगाड़ी एक प्लेटफार्म को 45 सैकण्ड में पार कर जाती है.

3. रेलगाड़ी की चाल कितनी है? **(बैंक पी०ओ० परीक्षा, 2013)**

I. रेलगाड़ी की लम्बाई 120 मीटर है.

II. यह रेलगाड़ी 180 मीटर लम्बी खड़ी हुई रेलगाड़ी को 4 सैकण्ड में पार कर जाती है.

4. 210 मीटर लम्बी रेलगाड़ी की चाल कितनी है?

I. यह रेलगाड़ी अपनी विपरीत दिशा से आ रही 300 मीटर लम्बी रेलगाड़ी को 22 सैकण्ड में पार करती है.

II. यह रेलगाड़ी अपनी ही दिशा में 60 किमी०/घण्टा की चाल से जा रही रेलगाड़ी को 30 सैकण्ड में पार करती है.

5. रेलगाड़ी की लम्बाई कितनी है?

I. रेलगाड़ी एक खड़े हुए व्यक्ति को 9 सैकण्ड में पार कर जाती है.

II. रेलगाड़ी 240 मीटर लम्बे प्लेटफार्म को 24 सैकण्ड में पार कर जाती है.

6. एक रेलगाड़ी बिजली के खम्भे को 10 सैकण्ड में पार करती है. इस रेलगाड़ी की लम्बाई कितनी है?

I. यह रेलगाड़ी अपनी विपरीत दिशा से 80 किमी०/घण्टा की चाल से आ रही रेलगाड़ी को 22 सैकण्ड में पार कर जाती है.

II. रेलगाड़ी की चाल 108 किमी०/घण्टा है.

7. एक रेलगाड़ी अपनी विपरीत दिशा से आ रही रेलगाड़ी को x सैकण्ड में पार करती है. इसकी चाल कितनी है?

I. दोनों रेलगाड़ियों की लम्बाई समान है तथा चाल समान है.

II. एक रेलगाड़ी एक खम्भे को 5 सैकण्ड में पार कर जाती है.

8. एक रेलगाड़ी एक खम्भे को x सैकण्ड में पार करती है. इस गाड़ी की लम्बाई कितनी है?

I. यह रेलगाड़ी 100 मीटर लम्बे प्लेटफार्म को y सैकण्ड में पार करती है.

II. यह रेलगाड़ी 80 किमी०/घण्टा की गति से जा रही है.

9. एक रेलगाड़ी सिग्नल के खम्भे को 9 सैकण्ड में पार कर जाती है. इसकी चाल क्या होगी?

I. इस रेलगाड़ी की लम्बाई 90 मीटर है.

II. यह रेलगाड़ी 180 मीटर लम्बे प्लेटफार्म को 27 सैकण्ड में पार कर जाती है.

10. रेलगाड़ी X की चाल कितनी है?

I. X की अपने विपरीत जा रही रेलगाड़ी Y के सापेक्ष चाल 160 किमी०/घण्टा है.

II. रेलगाड़ी Y एक सिग्नल के खम्भे को 9 सैकण्ड में पार करती है.

11. उस रेलगाड़ी की लम्बाई कितनी है जो अपने से विपरीत दिशा में आ रही 180 मीटर लम्बी रेलगाड़ी को पार करती है?

I. इन रेलगाड़ियों की सापेक्ष चाल 180 किमी०/घण्टा है.

II. ये रेलगाड़ियाँ एक दूसरे को पार करने में 9 सैकण्ड लेती हैं.

निर्देश (प्रश्न 12-17): निम्नलिखित प्रत्येक प्रश्न के साथ तीन कथन दिये गये हैं. ज्ञात करना है कि दिये गये प्रश्न के उत्तर के लिए कौन-कौन से कथन अनिवार्य हैं.

12. रेलगाड़ी की चाल कितनी है? **(बैंक पी०ओ० परीक्षा, 2013)**

I. यह रेलगाड़ी सिग्नल के खम्भे को 18 सैकण्ड में पार करती है.

II. यह रेलगाड़ी अपनी लम्बाई के बराबर लम्बाई वाले प्लेटफार्म को 36 सैकण्ड में पार करती है.

III. इस रेलगाड़ी की लम्बाई 330 मीटर है.

(*a*) केवल I तथा II (*b*) केवल II तथा III
(*c*) केवल I तथा III (*d*) III तथा (I या II)
(*e*) तीनों में से कोई दो

13. रेलगाड़ी की चाल कितनी है? **(बैंक पी०ओ० परीक्षा, 2015)**

I. यह रेलगाड़ी एक खम्भे को 10 सैकण्ड में पार करती है.

II. रेलगाड़ी की लम्बाई 240 मीटर है.

III. यह रेलगाड़ी अपनी लम्बाई के बराबर लम्बाई वाले प्लेटफार्म को 20 सैकण्ड में पार करती है.

(*a*) केवल I तथा II (*b*) केवल II तथा III
(*c*) सभी I, II तथा III (*d*) तीन में से कोई दो
(*e*) II तथा (I अथवा III)

14. रेलगाड़ी की चाल कितनी है? **(बैंक पी०ओ० परीक्षा, 2012)**

I. यह रेलगाड़ी एक वृक्ष को 13 सैकण्ड में पार करती है.

II. यह रेलगाड़ी 250 मीटर लम्बे प्लेटफार्म को 27 सैकण्ड में पार करती है.

III. यह रेलगाड़ी अपनी ही दिशा में जा रही रेलगाड़ी को 32 सैकण्ड में पार करती है.

(*a*) केवल I तथा II (*b*) केवल II तथा III
(*c*) केवल I तथा III (*d*) तीनों में से कोई दो
(*e*) इनमें से कोई नहीं

15. रेलगाड़ी की चाल कितनी है? **(एस०बी०ए० परीक्षा, 2012)**

I. यह रेलगाड़ी 300 मीटर लम्बे प्लेटफार्म को 21 सैकण्ड में पार कर जाती है.

II. यह रेलगाड़ी एक खड़ी हुई अपने बराबर लम्बाई वाली रेलगाड़ी को 19½ सैकण्ड में पार कर जाती है.

III. यह रेलगाड़ी सिग्नल के खम्भे को $9\frac{3}{4}$ सैकण्ड में पार कर जाती है.

(*a*) केवल I तथा II
(*b*) केवल I तथा (II अथवा III)
(*c*) केवल II तथा (I अथवा III)
(*d*) केवल III तथा (I अथवा II)
(*e*) इनमें से कोई नहीं

16. रेलगाड़ी की लम्बाई कितनी है?

I. यह रेलगाड़ी एक टेलीग्राफ के खम्भे को 20 सैकण्ड में पार कर जाती है.

II. यह रेलगाड़ी 800 मीटर लम्बे प्लेटफार्म को 100 सैकण्ड में पार कर जाती है.

III. यह रेलगाड़ी 400 मीटर लम्बी गुफा को 60 सैकण्ड में पार कर जाती है.

(*a*) केवल I तथा (II अथवा III)
(*b*) केवल II तथा III
(*c*) केवल II तथा (I अथवा III)
(*d*) केवल III तथा (I अथवा II)
(*e*) तीनों में से कोई दो

17. रेलगाड़ी की चाल कितनी है?

I. यह रेलगाड़ी 3 किमी०/घण्टा की चाल से जा रहे व्यक्ति को 9 सैकण्ड में पार कर जाती है.

II. यह रेलगाड़ी 6 किमी०/घण्टा की चाल से जा रहे व्यक्ति को 10 सैकण्ड में पार कर जाती है.

III. यह रेलगाड़ी तथा दोनों व्यक्ति एक ही दिशा में जा रहे हैं.

(*a*) केवल I तथा III (*b*) केवल II तथा III
(*c*) केवल I तथा II (*d*) I, II, III तीनों
(*e*) तीनों कथनों से भी उत्तर संभव नहीं है

निर्देश: प्रश्न संख्या *18* से *20* तक प्रत्येक प्रश्न के साथ तीन कथन दिये गये हैं. आपको ज्ञात करना है कि दिये गये प्रश्न का ठीक उत्तर देने हेतु तीन में से कोई उत्तर अनावश्यक तो नहीं है. इस अनावश्यक कथन को ढूँढें.

18. रेलगाड़ी *A* अपनी विपरीत दिशा से आने वाली रेलगाड़ी *B* को पार करने में कितना समय लेगी?

I. रेलगाड़ी *A* एक सिग्नल के खम्भे को 6 सैकण्ड में पार करती है.

II. रेलगाड़ी *A* तथा *B* की चालों का अनुपात 3 : 2 है.

III. दोनों रेलगाड़ियों की लम्बाइयों का योग 500 मीटर है.

(*a*) केवल I (*b*) केवल II
(*c*) केवल III (*d*) केवल I अथवा II
(*e*) तीनों कथनों से भी दिये गये प्रश्न का हल पाना संभव नहीं है

19. दो रेलगाड़ियाँ *P* तथा *Q* गति में हैं. इनमें से *P* की लम्बाई कितनी है?

I. ये दोनों रेलगाड़ियाँ एक दूसरे को पार करने में 18 सैकण्ड लेती हैं.

II. ये दोनों रेलगाड़ियाँ एक दूसरे की विपरीत दिशा में गतिशील हैं.

III. रेलगाड़ी *Q* की लम्बाई 180 मीटर है.

(*a*) केवल I
(*b*) केवल II
(*c*) केवल III
(*d*) तीनों I, II, III आवश्यक हैं
(*e*) तीनों I, II, III से भी उत्तर पाना संभव नहीं है

20. रेलगाड़ी शहर *X* से शहर *Y* कितने बजे पहुँचेगी?

I. यह रेलगाड़ी अपनी लम्बाई 200 मीटर के बराबर लम्बाई की विपरीत दिशा से आ रही गाड़ी को 15 सैकण्ड में पार करती है.

II. यह रेलगाड़ी शहर *Y* से 558 किमी० दूरी पर स्थित शहर *X* के लिए प्रातः 7·15 बजे छूटती है.

III. 200 मीटर लम्बी रेलगाड़ी सिग्नल के खम्भे को 10 सैकण्ड में पार करती है.

(*a*) केवल I (*b*) केवल II
(*c*) केवल III (*d*) तीनों में से कोई एक
(*e*) इनमें से कोई नहीं

उत्तरमाला

1. (*a*)	**2.** (*a*)	**3.** (*e*)	**4.** (*e*)	**5.** (*e*)	**6.** (*b*)	**7.** (*d*)	**8.** (*c*)	**9.** (*a*)	**10.** (*d*)
11. (*e*)	**12.** (*d*)	**13.** (*e*)	**14.** (*a*)	**15.** (*b*)	**16.** (*e*)	**17.** (*d*)	**18.** (*e*)	**19.** (*e*)	**20.** (*a*)

दिये गये प्रश्नों के हल

1. I से, रेलगाड़ी की चाल $= \frac{\text{रेलगाड़ी की लम्बाई}}{\text{खम्भे को पार करने में लगा समय}}$

$= \frac{240}{12}$ मीटर/सै० = 20 मीटर/सै०.

II से रेलगाड़ी की चाल ज्ञात नहीं की जा सकती.

$\therefore$ सही उत्तर (*a*) है.

2. I से, रेलगाड़ी की चाल $= \frac{280}{18}$ मीटर/सै० $= \frac{140}{9}$ मीटर/सै०.

II से, रेलगाड़ी की चाल

$= \frac{(\text{गाड़ी की लम्बाई + प्लेटफार्म की लम्बाई})}{(\text{प्लेटफार्म को पार करने में लगा समय})}$,

जो कि ज्ञात नहीं किया जा सकता

क्योंकि प्लेटफार्म की लम्बाई ज्ञात नहीं है.

$\therefore$ सही उत्तर (*a*) है.

3. रेलगाड़ी की चाल

$= \dfrac{\text{दोनों गाड़ियों की लम्बाइयों का योग}}{\text{इस रेलगाड़ी द्वारा खड़ी हुई गाड़ी को पार करने में लगा समय}}$

$= \dfrac{(180+120)}{4}$ मीटर/सै० $= 75$ मीटर/सै०.

अत: दिये गये प्रश्न का उत्तर देने के लिए I तथा II दोनों आवश्यक हैं.

$\therefore$ सही उत्तर (*e*) है.

4. विपरीत दिशा से आ रही रेलगाड़ी को पार करने में लगा समय $= \dfrac{(L_1+L_2)}{(u+v)}$.

$\therefore \quad \dfrac{(210+300)}{(u+v)} = 10 \Leftrightarrow u+v = 51 \qquad ...(i)$

इस रेलगाड़ी की दिशा में जा रही रेलगाड़ी को पार करने में लगा समय $= \dfrac{(L_1+L_2)}{(u-v)}$.

$\therefore \quad \dfrac{(210+300)}{(u-v)} = 30 \Leftrightarrow u-v = 17 \qquad ...(ii)$

(*i*) तथा (*ii*) को हल करने पर u तथा v ज्ञात किये जा सकते हैं.

$\therefore$ सही उत्तर (*e*) है.

5. माना रेलगाड़ी की लम्बाई $= x$ मीटर. तब,

I से, चाल $= \dfrac{x}{9}$

II से, चाल $= \dfrac{(x+240)}{24}$.

$\therefore \quad \dfrac{x}{9} = \dfrac{(x+240)}{24} \Leftrightarrow 24x = 9x + 2160 \Leftrightarrow 15x = 2160$

$\Leftrightarrow x = 144$ मीटर.

अत: रेलगाड़ी की लम्बाई ज्ञात करने हेतु I तथा II दोनों आवश्यक हैं.

$\therefore$ सही उत्तर (*e*) है.

6. खम्भे को पार करने में लगा समय $= \dfrac{\text{रेलगाड़ी की लम्बाई}}{\text{रेलगाड़ी की चाल}}$

$\therefore$ रेलगाड़ी की लम्बाई = (चाल × समय) $= \left\{\left(108 \times \dfrac{5}{18}\right) \times 10\right\}$ मीटर $= 300$ मीटर.

अत: अभीष्ट उत्तर प्राप्त करने हेतु II पर्याप्त है.

I से उत्तर प्राप्त नहीं हो सकता.

$\therefore$ सही उत्तर (*b*) है.

7. माना प्रत्येक गाड़ी की लम्बाई $= a$ मीटर तथा प्रत्येक की चाल $= u$ मीटर.

एक दूसरे को पार करने में लगा समय $= \dfrac{2a}{2u} = \dfrac{a}{u}$.

$\therefore \quad x = \dfrac{a}{u}$.

I से, खम्भे को पार करने में लगा समय, $\dfrac{a}{u} = 5$.

अत: I तथा II दोनों से भी u ज्ञात नहीं किया जा सकता.

$\therefore$ सही उत्तर (*d*) है.

8. माना गाड़ी की लम्बाई $= a$ मीटर.

II से गाड़ी की चाल $= \left(80 \times \dfrac{5}{18}\right)$ मीटर/सै०

$= \dfrac{200}{9}$ मीटर/सै०.

खम्भे को पार करने में लगा समय $= \dfrac{a}{\left(\dfrac{200}{9}\right)}$ सै० $= \dfrac{9a}{200}$ सै०.

$\therefore \quad \dfrac{9a}{200} = x \Leftrightarrow a = \dfrac{200x}{9}$.

I से, $y = \dfrac{(a+100)}{\left(\dfrac{a}{x}\right)} = \dfrac{(a+100)}{\left(\dfrac{a}{x}\right)} = \dfrac{x(a+100)}{a} \Leftrightarrow \dfrac{a+100}{a} = \dfrac{y}{x}$.

इससे a का मान ज्ञात किया जा सकता है.

$\therefore$ सही उत्तर (*c*) है.

9. गाड़ी की चाल $= \left(\dfrac{90}{9}\right)$ मीटर/सै० $= 10$ मीटर/सै०.

अत: केवल I से ही अभीष्ट उत्तर प्राप्त हो जाता है.

गाड़ी की चाल $= \dfrac{(L+180)}{27}$, जहाँ L मीटर प्लेटफार्म की लम्बाई है, जो अज्ञात है.

अत: II से गाड़ी की चाल ज्ञात नहीं की जा सकती.

$\therefore$ सही उत्तर (*a*) है.

10. माना इन रेलगाड़ियों की लम्बाई क्रमश: a मीटर तथा b मीटर हैं तथा अपने से विपरीत दिशा में क्रमश: u मीटर/सै० तथा v मीटर/सै० की चाल से जा रही हैं. तब,

I से, $\quad u + v = 160 \qquad ...(i)$

II से, $\quad v = \dfrac{b}{9} \qquad ...(ii)$

इन दोनों समीकरणों से u का मान ज्ञात नहीं किया जा सकता.

$\therefore$ सही उत्तर (*d*) है.

11. माना इन रेलगाड़ियों की लम्बाइयाँ क्रमश: a मीटर तथा 180 मीटर हैं तथा इनकी चाल क्रमश: u मीटर/सै० तथा v मीटर/सै० हैं.

तब, I से, $u + v = \left(180 \times \dfrac{5}{18}\right)$ मीटर/सै० $= 50$ मीटर/सै०.

II से, $\dfrac{a+180}{50} = 9 \Leftrightarrow a = (450 - 180)$ मीटर $= 270$ मीटर.

अत: उत्तर प्राप्त करने हेतु I तथा II दोनों की आवश्यकता है.

$\therefore$ सही उत्तर (*e*) है.

12. माना रेलगाड़ी की चाल $= x$ मीटर/सै०.

खम्भे को पार करने में लगा समय $= \dfrac{\text{रेलगाड़ी की लम्बाई}}{\text{चाल}}$

प्लेटफार्म को पार करने में लगा समय

$= \dfrac{\text{रेलगाड़ी की लम्बाई + प्लेटफार्म की लम्बाई}}{\text{चाल}}$

III से रेलगाड़ी की लम्बाई $= 330$ मीटर.

$\therefore$ I तथा III से, $\dfrac{330}{x} = 18 \Leftrightarrow x = \dfrac{330}{18}$ मीटर/सै०

$= \dfrac{55}{3}$ मीटर/सै०

II तथा III से, $\dfrac{2 \times 330}{x} = 36 \Leftrightarrow x = \dfrac{660}{36}$ मीटर/सै०

$= \dfrac{55}{3}$ मीटर/सै०.

$\therefore$ सही उत्तर (d) है.

13. माना रेलगाड़ी की चाल $= x$ मीटर/सै०.

II तथा I से, $\dfrac{240}{x} = 10 \Leftrightarrow x = \dfrac{240}{10}$ मीटर/सै० $= 24$ मीटर/सै०.

II तथा III से, $\dfrac{(240+240)}{x} = 20 \Leftrightarrow x = \dfrac{480}{20}$ मीटर/सै०

$= 24$ मीटर/सै०.

$\therefore$ सही उत्तर (e) है.

14. माना रेलगाड़ी की चाल $= x$ मीटर/सै० तथा
रेलगाड़ी की लम्बाई $= l$ मीटर.

तब, I से, $\dfrac{l}{x} = 13 \Rightarrow l = 13x$ ...(i)

II से, $\dfrac{l + 250}{x} = 27 \Rightarrow l + 250 = 27x$ ...(ii)

(i) तथा (ii) को हल करने पर x प्राप्त किया जा सकता है.

$\therefore$ सही उत्तर (a) है.

15. माना रेलगाड़ी की चाल $= x$ मीटर/सै० तथा
रेलगाड़ी की लम्बाई $= L$ मीटर.

I से, $\dfrac{L \quad 300}{21} = x \Leftrightarrow 21x - L = 30$ ...(i)

II से, $\dfrac{2L}{x} = \dfrac{39}{2} \Leftrightarrow 39x - 4L = 0$ ...(ii)

III से, $\dfrac{L}{x} = \dfrac{39}{4} \Leftrightarrow 39x - 4L = 0$. ...(iii)

अत: (I तथा II) अथवा (I तथा III) से x का मान ज्ञात होगा.

$\therefore$ सही उत्तर (b) है.

16. माना रेलगाड़ी की लम्बाई $= L$ मीटर. तब,

I से, चाल $= \dfrac{L}{20}$ ...(i)

II से, चाल $= \dfrac{(L+800)}{100}$ ...(ii)

III से, चाल $= \dfrac{(L+400)}{60}$ ...(iii)

अब तीन समीकरणों में दो-दो लेकर L का मान ज्ञात किया जा सकता है.

$\therefore$ सही उत्तर (e) है.

17. माना रेलगाड़ी की चाल $= x$ मीटर/सै०.
माना रेलगाड़ी की लम्बाई $= L$ मीटर.
III से ज्ञात होता है कि दोनों व्यक्ति तथा रेलगाड़ी एक ही दिशा में जा रहे हैं.

I से, पहले व्यक्ति को पार करने में लगा समय

$= \dfrac{L}{\left(x - 3 \times \dfrac{5}{18}\right)}$ सै० $= \left(\dfrac{6L}{6x-5}\right)$ सै०.

$\therefore \dfrac{6L}{6x-5} = 9 \Leftrightarrow 54x - 6L = 45 \Leftrightarrow 18x - 2L = 15$ ...(i)

II से, दूसरे व्यक्ति को पार करने में लगा समय

$= \dfrac{L}{\left(x - 6 \times \dfrac{5}{18}\right)}$ सै० $= \dfrac{3L}{(3x-5)}$ सै०.

$\therefore \dfrac{3L}{3x-5} = 10 \Leftrightarrow 30x - 3L = 50$ ...(ii)

(i) तथा (ii) को हल करने पर, $x = \dfrac{55}{6}$ मीटर/सै०.

अत: दिये गये प्रश्न का उत्तर प्राप्त करने हेतु I, II तथा III तीनों आवश्यक हैं.

$\therefore$ सही उत्तर (d) है.

18. II से, माना A की चाल $= 3x$ मी०/सै० तथा
B की चाल $= 2x$ मी०/सै०.

I से, रेलगाड़ी A की लम्बाई $= (3x \times 6)$ मीटर $= 18x$ मीटर.

III से, रेलगाड़ी B की लम्बाई $= (500 - 18x)$ मीटर.

सापेक्ष चाल $= (3x + 2x)$ मी०/सै० $= 5x$ मीटर/सै०.

A द्वारा B को पार करने में लगा समय $= \dfrac{500}{5x}$ सै०.

अत: तीनों कथनों से भी दिये गये प्रश्न का उत्तर नहीं मिलता.

$\therefore$ सही उत्तर (e) है.

19. माना रेलगाड़ी P की लम्बाई $= x$ मीटर.

II से, दोनों रेलगाड़ियाँ विपरीत दिशाओं में गतिशील हैं.

III से, रेलगाड़ी Q की लम्बाई 180 मीटर है.

I से, P द्वारा Q को पार करने में लगा समय $= \dfrac{(180+x)}{\text{सापेक्ष चाल}}$.

$\therefore \dfrac{(180+x)}{\text{सापेक्ष चाल}} = 18.$

अत: I, II, III तीनों से भी उत्तर पाना संभव नहीं है.

$\therefore$ सही उत्तर (e) है.

20. III से, चाल $= \left(\dfrac{200}{10}\right)$ मी०/सै०

$= \left(20 \times \dfrac{18}{5}\right)$ किमी०/घण्टा $= 72$ किमी०/घण्टा.

II से, समय $= \left(\dfrac{558}{72}\right)$ घण्टे $= \dfrac{31}{4}$ घण्टे $= 7$ घण्टे 45 मिनट.

$\therefore$ रेलगाड़ी X पर 3 बजे शाम पहुँचेगी.

अत: I अनावश्यक है.

$\therefore$ सही उत्तर (a) है.

22 धारा एवं नाव सम्बन्धी प्रश्न (BOATS AND STREAMS)

आवश्यक तथ्य एवं सूत्र

1. माना शान्त जल में नाव का वेग $= x$ किमी०/घण्टा तथा धारा का वेग $= y$ किमी०/घण्टा.
   तब,
   (*i*) **धारा की दिशा में नाव का वेग (अर्थात् अनुप्रवाह) = $(x + y)$ किमी०/घण्टा.**
   (*ii*) **धारा की विपरीत दिशा में नाव का वेग (अर्थात् ऊर्ध्वप्रवाह) = $(x - y)$ किमी०/घण्टा.**
2. माना धारा की दिशा में नाव का वेग $= a$ किमी०/घण्टा तथा
   धारा की विपरीत दिशा में नाव का वेग $= b$ किमी०/घण्टा.
   तब,
   (*i*) **शान्त जल में नाव का वेग = $-(a + b)$ किमी०/घण्टा.**
   (*ii*) **धारा का वेग = $\frac{1}{2}(a - b)$ किमी०/घण्टा.**

साधित उदाहरण

प्रश्न 1. एक तैराक की चाल धारा की दिशा में 8 किमी०/घण्टा तथा धारा के विरुद्ध 6 किमी०/घण्टा है. शान्त जल में तैराक की चाल तथा धारा का वेग ज्ञात कीजिए.

हल: शान्त जल में तैराक की चाल $= \frac{1}{2}(8 + 6)$ किमी०/घण्टा $= 7$ किमी०/घण्टा.

धारा का वेग $= \frac{1}{2}(8 - 6)$ किमी०/घण्टा $= 1$ किमी०/घण्टा.

प्रश्न 2. एक नाविक धारा के विरुद्ध 10 किमी० जाता है तथा धारा की दिशा में 25 किमी०. उसे प्रत्येक दिशा में 5 घण्टे लगते हैं. धारा का वेग ज्ञात कीजिए.

हल: नाविक की धारा की दिशा में चाल $= \left(\frac{25}{5}\right)$ किमी०/घण्टा $= 5$ किमी०/घण्टा.

नाविक की धारा के विपरीत चाल $= \left(\frac{10}{5}\right)$ किमी०/घण्टा $= 2$ किमी०/घण्टा.

धारा का वेग $= \frac{1}{2}(5 - 2)$ किमी०/घण्टा $= 1{\cdot}5$ किमी०/घण्टा.

प्रश्न 3. एक नाविक का शान्त जल में वेग 6 किमी०/घण्टा है तथा धारा का वेग 1·5 किमी० प्रति घण्टा है. नदी में नाविक को किसी स्थान *A* से दूसरे स्थान *B* तक तथा *A* तक वापिस आने में कुल 2 घण्टे 40 मिनट लगते हैं. दूरी *AB* ज्ञात कीजिए.

हल: धारा की दिशा में चाल $= (6 + 1{\cdot}5)$ किमी०/घण्टा $= 7{\cdot}5$ किमी०/घण्टा.

धारा की विपरीत दिशा में चाल $= (6 - 1{\cdot}5)$ किमी०/घण्टा $= 4{\cdot}5$ किमी०/घण्टा.

कुल समय = 2 घण्टे 40 मिनट $= 2\frac{2}{3}$ घण्टे $= \frac{8}{3}$ घण्टे.

माना दूरी $AB = x$ किमी०. तब,

$$\frac{x}{(15/2)} + \frac{x}{(9/2)} = \frac{8}{3} \Leftrightarrow \frac{2x}{15} + \frac{2x}{9} = \frac{8}{3} \Leftrightarrow 6x + 10x = 120 \Leftrightarrow 16x = 120 \Leftrightarrow x = 7{\cdot}5.$$

अत: दूरी $AB = 7{\cdot}5$ किमी०.

प्रश्न 4. एक नदी में धारा का वेग 2 किमी०/घण्टा है. इसमें एक मोटर बोट 6 किमी० धारा के विपरीत जाकर वापिस प्रारम्भिक बिन्दु पर 33 मिनट में पहुँचती है. मोटर बोट की शान्त जल में चाल कितनी है?

हलः माना मोटर-बोट की शान्त जल में चाल $= x$ किमी०/घण्टा.

तब, धारा की दिशा में मोटर-बोट की चाल $= (x + 2)$ किमी०/घण्टा.

तथा, धारा के विपरीत मोटर-बोट की चाल $= (x - 2)$ किमी०/घण्टा.

$$\therefore \quad \frac{6}{(x+2)} + \frac{6}{(x-2)} = \frac{33}{60} \Leftrightarrow \frac{1}{(x+2)} + \frac{1}{(x-2)} = \frac{11}{120} \Leftrightarrow \frac{(x-2)+(x+2)}{(x^2-4)} = \frac{11}{120}$$

$$\Leftrightarrow 11x^2 - 44 = 240x \Leftrightarrow 11x^2 - 240x - 44 = 0$$

$$\Leftrightarrow 11x^2 - 242x + 2x - 44 = 0 \Leftrightarrow 11x(x - 22) + 2(x - 22) = 0$$

$$\Leftrightarrow (x - 22)(11x + 2) = 0 \Leftrightarrow x = 22.$$

अतः शान्त जल में मोटर-बोट की चाल = 22 किमी०/घण्टा.

प्रश्न 5. एक तैराक की शान्त जल में चाल 4·5 किमी०/घण्टा है. वह नदी के बहाव के अनुकूल एक निश्चित दूरी तय करने में जितना समय लेता है उससे दुगुना समय नदी के बहाव के विपरीत इतनी ही दूरी तय करने में लेता है. धारा का वेग ज्ञात कीजिए.

हलः माना धारा का वेग $= x$ किमी०/घण्टा तथा दूरी $= y$ किमी०.

धारा की दिशा में वेग $= (4{\cdot}5 + x)$ किमी०/घण्टा.

धारा की विपरीत दिशा में वेग $= (4{\cdot}5 - x)$ किमी०/घण्टा.

बहाव के अनुकूल जाने में लिया गया समय $= \dfrac{y}{(4{\cdot}5+x)}$ घण्टे.

बहाव के विपरीत जाने में लिया गया समय $= \dfrac{y}{(4{\cdot}5-x)}$ घण्टे.

$$\therefore \quad \frac{y}{(4{\cdot}5-x)} = \frac{2y}{(4{\cdot}5+x)} \Leftrightarrow \frac{1}{(4{\cdot}5-x)} = \frac{2}{(4{\cdot}5+x)} \Leftrightarrow 4{\cdot}5 + x = 9 - 2x \Leftrightarrow 3x = 4{\cdot}5 \Leftrightarrow x = 1{\cdot}5.$$

अतः धारा का वेग = 1·5 किमी०/घण्टा.

प्रश्न 6. एक नाव 24 किमी० धारा के विपरीत तथा 36 किमी० धारा की दिशा में 6 घण्टे में जाती है. यही नाव 36 किमी० धारा के विपरीत तथा 24 किमी० धारा की दिशा में 6½ घण्टे में जाती है. धारा का वेग कितना है?

हलः माना धारा के विपरीत नाव की चाल $= x$ किमी०/घण्टा तथा धारा की दिशा में नाव की चाल $= y$ किमी०/घण्टा.

तब, $\dfrac{24}{x} + \dfrac{36}{y} = 6$ ...(*i*)

तथा $\dfrac{36}{x} + \dfrac{24}{y} = \dfrac{13}{2}$ ...(*ii*)

(*i*) तथा (*ii*) को जोड़ने पर, $60\left(\dfrac{1}{x} + \dfrac{1}{y}\right) = \dfrac{25}{2} \Leftrightarrow \dfrac{1}{x} + \dfrac{1}{y} = \dfrac{5}{24}$ ...(*iii*)

(*ii*) में से (*i*) घटाने पर, $12\left(\dfrac{1}{x} - \dfrac{1}{y}\right) = \dfrac{1}{2} \Leftrightarrow \dfrac{1}{x} - \dfrac{1}{y} = \dfrac{1}{24}$ ...(*iv*)

(*iii*) तथा (*iv*) को जोड़ने पर, $\dfrac{2}{x} = \dfrac{6}{24} \Leftrightarrow x = 8.$

(*iii*) में $x = 8$ रखने पर, $\dfrac{1}{8} + \dfrac{1}{y} = \dfrac{5}{24} \Leftrightarrow \dfrac{1}{y} = \left(\dfrac{5}{24} - \dfrac{1}{8}\right) = \dfrac{2}{24} = \dfrac{1}{12} \Leftrightarrow y = 12.$

$\therefore$ धारा के विपरीत चाल = 8 किमी०/घण्टा, धारा की दिशा में चाल = 12 किमी०/घण्टा.

अतः धारा का वेग $= \dfrac{1}{2}(12 - 8)$ किमी०/घण्टा = 2 किमी०/घण्टा.

प्रश्नमाला 22A

निम्नलिखित प्रश्नों में से प्रत्येक में ठीक उत्तर के सामने ठीक का चिह्न (✓) लगायें:

1. एक तैराक की चाल धारा की दिशा में 13 किमी०/घण्टा तथा धारा के विपरीत 10 किमी०/घण्टा है. धारा का वेग कितना है?

(a) 11·5 किमी०/घण्टा (b) 3 किमी०/घण्टा
(c) 1·5 किमी०/घण्टा (d) इनमें से कोई नहीं

2. एक नाव धारा की दिशा में 30 किमी० की दूरी $2\frac{1}{2}$ घण्टे में तय करती है, जबकि धारा के विपरीत इतनी दूरी तय करने में $3\frac{3}{4}$ घण्टे लेती है. धारा का वेग कितना है? **(बैंक पी०ओ० परीक्षा, 2014)**

(a) 2 किमी०/घण्टा (b) $2\frac{3}{4}$ किमी०/घण्टा
(c) 10 किमी०/घण्टा (d) आँकड़े पर्याप्त नहीं
(e) इनमें से कोई नहीं

3. एक नाव धरा की विपरीत दिशा में 3 घण्टे में 3 किमी० तथा धारा की दिशा में 3 घण्टे में 15 किमी० दूरी तय करती है. धारा का वेग कितना है? **(रेलवे परीक्षा, 2014)**

(a) 4 किमी०/घण्टा (b) 6 किमी०/घण्टा
(c) 9 किमी०/घण्टा (d) इनमें से कोई नहीं

4. एक नाव धारा की दिशा में 2 घण्टे में 16 किमी० की दूरी तय करती है जबकि धारा के विपरीत इतनी दूरी तय करने में 4 घण्टे लेती है. शान्त जल में नाव की चाल कितनी है?

(a) 4 किमी०/घण्टा (b) 6 किमी०/घण्टा
(c) 8 किमी०/घण्टा (d) आँकड़े पर्याप्त नहीं
(e) इनमें से कोई नहीं **(बैंक पी०ओ० परीक्षा, 2013)**

5. एक नाव धारा के विपरीत 40 मिनट में 4 किमी० की दूरी तय करती है जबकि धारा की दिशा में यह नाव इस दूरी को 30 मिनट में पूरा कर लेती है. शान्त जल में नाव की चाल कितनी है?

(a) 5 किमी०/घण्टा (b) 6 किमी०/घण्टा
(c) 7 किमी०/घण्टा (d) 9 किमी०/घण्टा

6. एक नाव शान्त जल में 8 किमी०/घण्टा की चाल से चलती है. धारा की दिशा में यह 4 घण्टे में 48 किमी० दूरी तय करती है. धारा का वेग कितना है?

(a) 3 किमी०/घण्टा (b) 4 किमी०/घण्टा
(c) 6 किमी०/घण्टा (d) 8 किमी०/घण्टा

7. एक नदी में धारा का वेग 1 किमी०/घण्टा है. एक मोटर बोट 35 किमी० धारा के विपरीत जाती है तथा वापिस लौटकर कुल 12 घण्टे में प्रारम्भिक बिन्दु पर पहुँच जाती है. मोटर बोट की चाल शान्त जल में कितनी है? **(जीवन बीमा निगम परीक्षा, 2013)**

(a) 6 किमी०/घण्टा (b) 7 किमी०/घण्टा
(c) 8 किमी०/घण्टा (d) 8·5 किमी०/घण्टा

8. एक तैराक धारा के विपरीत $\frac{3}{4}$ किमी० दूरी $11\frac{1}{4}$ मिनट में तय करता है तथा वापिस $7\frac{1}{2}$ मिनट में प्रारम्भिक बिन्दु पर पहुँच जाता है. शान्त जल में तैराक की चाल कितनी है? **(जनरल बीमा निगम परीक्षा, 2013)**

(a) 5 किमी०/घण्टा (b) 4 किमी०/घण्टा
(c) 3 किमी०/घण्टा (d) 6 किमी०/घण्टा

9. शान्त जल में एक नाव 13 किमी०/घण्टा की चाल से जाती है. यदि धारा का वेग 4 किमी०/घण्टा हो, तो धारा के अनुकूल 68 किमी० दूरी तय करने में कितना समय लगेगा?

(a) 2 घण्टे (b) 3 घण्टे
(c) 4 घण्टे (d) 5 घण्टे
(e) इनमें से कोई नहीं **(रेलवे परीक्षा, 2013)**

10. शान्त जल में एक नाव का वेग 5 किमी०/घण्टा है. यदि धारा का वेग 1 किमी० प्रति घण्टा हो तो एक नाविक किसी स्थान तक जाकर वापिस प्रारम्भिक बिन्दु तक पहुँचने में 75 मिनट लेता है. वह स्थान प्रारम्भिक बिन्दु से कितनी दूर है? **(एम०बी०ए० परीक्षा, 2015)**

(a) 2·5 किमी० (b) 3 किमी०
(c) 4 किमी० (d) 5 किमी०

11. एक स्टीमर धारा की दिशा में दो बन्दरगाहों के बीच की दूरी 4 घण्टे में तथा धारा के विपरीत 5 घण्टे में तय करता है. यदि धारा का वेग 2 किमी०/घण्टा हो तो शान्त जल में स्टीमर की चाल कितनी होगी?

(a) 16 किमी०/घण्टा (b) 18 किमी०/घण्टा
(c) 24 किमी०/घण्टा (d) 36 किमी०/घण्टा

12. शान्त जल में एक मोटर-बोट की चाल 15 किमी०/घण्टा है. यह 30 किमी० धारा की दिशा में जाकर वापिस प्रारम्भिक बिन्दु पर पहुँचने में 4 घण्टे 30 मिनट लेती है. धारा का वेग कितना है? **(रेलवे परीक्षा, 2012)**

(a) 4 किमी०/घण्टा (b) 5 किमी०/घण्टा
(c) 6 किमी०/घण्टा (d) 10 किमी०/घण्टा

13. एक नाव किसी दूरी को धारा की विपरीत दिशा में 8 घण्टे 48 मिनट में तय करती है तथा धारा की दिशा में इस दूरी को 4 घण्टे में तय करती है. शान्त जल में नाव की चाल तथा धारा के वेग का अनुपात कितना है? **(बैंक पी०ओ० परीक्षा, 2013)**

(a) 2 : 1
(b) 3 : 2
(c) 8 : 3
(d) ज्ञात नहीं किया जा सकता
(e) इनमें से कोई नहीं

14. एक नाविक नदी में किसी बिन्दु से आरम्भ करके 48 किमी० दूरी तक जाकर वापिस प्रारम्भिक बिन्दु पर 14 घण्टे में पहुँच जाता है. जितनी देर में वह धारा की दिशा में 4 किमी० दूरी तय करती है उतनी ही देर में धारा के विपरीत 3 किमी० दूरी तय करती है. धारा का वेग कितना है?

(a) 1 किमी०/घण्टा (b) 1.5 किमी०/घण्टा
(c) 1.8 किमी०/घण्टा (d) 3·5 किमी०/घण्टा

15. शान्त जल में एक नाव की चाल 10 किमी०/घण्टा है. यह 26 किमी० धारा की दिशा में तथा 14 किमी० धारा के विपरीत तय करने में एक जैसा समय लेती है. धारा का वेग कितना है?
(a) 2 किमी०/घण्टा (b) 2·5 किमी०/घण्टा
(c) 3 किमी०/घण्टा (d) 4 किमी०/घण्टा

16. एक नाव 36 किमी० धारा की दिशा में तय करने में धारा की विपरीत दिशा में इतनी ही दूरी तय करने में लगे समय से 90 मिनट कम लेती है. यदि शान्त जल में नाव का वेग 10 किमी०/घण्टा हो, तो धारा का वेग कितना है?
(a) 2 किमी०/घण्टा (b) 2·5 किमी०/घण्टा
(c) 1·8 किमी०/घण्टा (d) 3·5 किमी०/घण्टा

17. शान्त जल में एक नाव की चाल $9\frac{1}{3}$ किमी०/घण्टा है. धारा की दिशा में एक विशेष दूरी तय करने में वह जितना समय लेती है, धारा के विपरीत उतनी ही दूरी तय करने में वह इससे तिगुना समय लेती है. धारा का वेग कितना है?
(a) $3\frac{1}{3}$ किमी०/घण्टा (b) $3\frac{1}{9}$ किमी०/घण्टा
(c) $4\frac{2}{3}$ किमी०/घण्टा (d) $4\frac{1}{2}$ किमी०/घण्टा

18. एक नाव धारा की दिशा में कुछ दूरी 1 घण्टे में तय करती है तथा धारा की विपरीत दिशा में यही दूरी $1\frac{1}{2}$ घण्टे में तय करती है. यदि धारा का वेग 3 किमी० प्रति घण्टा हो, तो शान्त जल में नाव का वेग क्या होगा? **(बैंक पी०ओ० परीक्षा, 2013)**
(a) 12 किमी०/घण्टा (b) 13 किमी०/घण्टा
(c) 14 किमी०/घण्टा (d) 15 किमी०/घण्टा
(e) इनमें से कोई नहीं

19. एक नाव कुछ दूरी धारा की दिशा में तय करने में जितना समय लेती है उससे दुगुना समय इतनी ही दूरी को धारा की विपरीत दिशा में तय करने में लगाती है. नाव की शान्त जल में चाल तथा धारा के वेग का अनुपात कितना है?
(a) 2 : 1 (b) 3 : 1
(c) 3 : 2 (d) 4 : 3

20. नदी की धारा में दो बिन्दु A तथा B एक दूसरे से एक नियत दूरी पर लिये गये हैं तथा C, AB का मध्य बिन्दु है. एक नाव धारा की दिशा में A से B तक जाकर धारा की विपरीत दिशा में वापिस लौटकर बिन्दु C पर पहुँचने में 19 घण्टे लेती है. यदि धारा का वेग 4 किमी०/घण्टा हो तथा शान्त जल में नाव की चाल 14 किमी०/घण्टा हो, तो दूरी AB कितनी है?
(a) 160 किमी० (b) 180 किमी०
(c) 200 किमी० (d) 220 किमी०

21. एक नाव धारा के विपरीत 750 मीटर दूरी तय करने में 675 सैकण्ड लेती है तथा धारा की दिशा में इतनी ही दूरी तय करने में $7\frac{1}{2}$ मिनट लेती है. शान्त जल में नाव का वेग कितना है? **(एस०एस०सी० परीक्षा, 2013)**
(a) 3 किमी०/घण्टा (b) 4 किमी०/घण्टा
(c) 5 किमी०/घण्टा (d) 6 किमी०/घण्टा

22. एक नाव धारा के विपरीत 30 किमी० तथा धारा की दिशा में 44 किमी० दूरी तय करने में 10 घण्टे लेती है. यही नाव उसी चाल से धारा के विपरीत 40 किमी० तथा धारा की दिशा में 55 किमी० दूरी तय करने में 13 घण्टे लेती है. शान्त जल में नाव की चाल कितनी है?
(a) 3 किमी०/घण्टा (b) 8 किमी०/घण्टा
(c) 11 किमी०/घण्टा (d) 12 किमी०/घण्टा

23. शान्त जल में एक नाव की चाल 9 किमी०/घण्टा है तथा धारा का वेग 1·5 किमी०/घण्टा है. यदि किसी बिन्दु से चलकर 105 किमी० दूरी तय करने के बाद यह नाव वापिस प्रारम्भिक बिन्दु पर पहुँचे तो उसे कुल कितना समय लगेगा?
(a) 16 घण्टे (b) 18 घण्टे
(c) 20 घण्टे (d) 24 घण्टे

24. एक नाव x किमी. अनुप्रवाह में तथा $(x - 5)$ किमी. ऊर्ध्वप्रवाह में सफर करने में कुल 285 मिनट का समय लेती है। यदि नाव की अनुप्रवाह चाल एवं ऊर्ध्वप्रवाह चाल का अंतर 3 किमी./घंटा हो तथा नाव की शांत जल में चाल एवं धारा की चाल का अनुपात क्रमशः 9 : 1 हो, तो x का मान क्या है?
(आई.बी.पी.एस. बैंक क्लर्क सी.डब्लू.ई. मुख्य परीक्षा, 2017)
(a) 40.4 (b) 30
(c) 20.4 (d) 34.4
(e) दिए गए विकल्पों से अन्य

25. एक नाव ऊर्ध्वप्रवाह में 75 किमी. दूरी $7\frac{1}{2}$ घंटे में तय करती है। नाव की शांत जल में चाल धारा की चाल की पांच गुनी है। यदि धारा की चाल दोगुनी हो जाय तो वह नाव अनुप्रवाह में 4 घंटे में कितनी दूरी तय करेगी?
(NIACL सहायक प्रारंभिक परीक्षा, 2017)
(a) 84 (b) 70
(c) 64 (d) 75
(e) दिए गए विकल्पों के अलावा

26. एक मोटरबोट जिसकी शांत जल में चाल 20 किमी/घंटा है, धारा की विपरीत दिशा में 24 किमी जाने में, धारा की दिशा में उतनी ही दूर जाने में लिए गए समय से 30 30 अधिक का समय लेती है। यदि शांत जल में नाव की चाल में 2 किमी/घंटा की वृद्धि हो जाती है, तो उसे धारा की दिशा में 39 किमी और धारा की विपरीत दिशा 300 किमी जाने में कितना समय लगेगा? **(एसएससी सीजीएल परीक्षा, 2022)**
(a) 2 घंटे 50 मिनट (b) 3 घंटे 10 मिनट
(c) 3 घंटे 40 मिनट (d) 2 घंटे 40 मिनट

27. शांत जल में एक नाव की गति 22 किमी/घंटा है और

धारा की गति 3 किमी/घंटा है। नाव द्वारा धारा के अनुकूल 1 घंटे 30 मिनट में तय की गई दूरी (किमी में) और 2 घंटे में धारा के प्रतिकूल उस दूरी के बीच कितना अंतर है? (आरबीआई सहायक प्रारंभिक 15-02-20200)

(a) 4 (b) 2 (c) 0.5 (d) 6

28. धारा के अनुकूल यात्रा करते समय नाव की गति 38 किमी/घंटा होती है, जबकि धारा के प्रतिकूल यात्रा करते समय यह गति 32 किमी/घंटा होती है। शांत जल में नाव की गति (किमी/घंटा में) क्या है? (एनसीएचएम जेईई 2021)

(a) 33 (b) 34 (c) 35 (d) 36

29. एक आदमी धारा के प्रतिकूल 20 किमी तैरता है और 110 मिनट में फिर से शुरुआती बिंदु पर वापस आ जाता है। यदि धारा की गति 2 किमी/घंटा है, तो शांत जल में नाव चलाने की गति है: (जेआईपीएमएटी पेपर 2021)

(a) 20 किमी/घंटा (b) 22 किमी/घंटा
(c) 24 किमी/घंटा (d) 28 किमी/घंटा

30. धारा के अनुकूल यात्रा करते समय, एक आदमी यात्रा की तुलना में 4 घंटे में 16 किमी अधिक नाव चला सकता है। धारा की गति क्या है? (आईबीपीएस क्लर्क प्रारंभिक 2019)

(a) 1.5 किमी/घंटा (b) 1 किमी/घंटा
(c) 2 किमी/घंटा (d) 1.25 किमी/घंटा

31. एक नाव को Y से Z तक धारा के अनुकूल यात्रा करने में लगने वाले समय की तुलना में X से Y तक धारा के प्रतिकूल यात्रा करने में 3 घंटे अधिक लगते हैं। नाव की धारा के अनुकूल गति 27 किमी/घंटा है और धारा के प्रतिकूल 21 किमी/घंटा है। यदि X और Y के बीच की दूरी Y और Z के बीच की दूरी से 51 किमी अधिक है, तो X और Y के बीच की दूरी (किमी में) क्या है? (एसबीआई पीओ प्रारंभिक 2019)

(a) 64 (b) 105 (b) 54 (b) 68

32. एक नाव 7 घंटे में 8 किमी धारा के प्रतिकूल और 12 किमी धारा के अनुकूल जाती है। यह 9 किमी धारा के प्रतिकूल और 18 किमी धारा के अनुकूल 9 घंटे में जाती है। स्थिर जल में नाव की गति (किमी/घंटा में) क्या है?

[एसएससी सीएचएसएल (10+2) टीयर-1 सीबीई परीक्षा, 2018]

(a) 5 (b) 4 (c) 2 (d) 3

33. एक नाव धारा के प्रतिकूल 13 घंटे में 143 किमी और धारा के अनुकूल समान दूरी 11 घंटे में तय करती है। स्थिर अवस्था में नाव की गति (किमी/घंटा में) क्या है?

[एसएससी सीएचएसएल (10+2) टीयर-1 सीबीई परीक्षा, 2018]

(a) 10 (b) 12 (c) 14 (d) 8

34. एक नाव धारा के प्रतिकूल 64 किमी 8 घंटे में और 120 किमी धारा के अनुकूल 12 घंटे में तय करती है। स्थिर जल में नाव की गति (मीटर/सेकंड में) क्या है?

[एसएससी एमटीएस (गैर-तकनीकी) स्टाफ परीक्षा, 2018]

(a) 2.5 (b) 2 (c) 3.5 (d) 3

35. एक नाव 5 घंटे में धारा के प्रतिकूल 15 किमी और धारा के अनुकूल 22 किमी जाती है। यह 20 किमी धारा के प्रतिकूल $\frac{55}{2}$ किमी $\frac{13}{2}$ घंटे में नीचे की ओर जाती है। धारा की गति (किमी/घंटा में) क्या है?

[एसएससी सीएपीएफएस एएसआई और दिल्ली पुलिस एसआई परीक्षा, 2017]

(a) 3 (b) 5 (c) 8 (d) 11

36. एक नाव की गति धारा के अनुकूल और धारा के विपरीत क्रमशः 14 किमी/घंटा और 7 किमी/घंटा है। धारा की गति (किमी/घंटा में) क्या है?

[एसएससी मल्टी-टास्किंग स्टाफ परीक्षा, 2017]

(a) 3.5 (b) 1.5 (c) 2.5 (d) 3

37. एक नाव 2 घंटे 20 मिनट में 20 किमी धारा के अनुकूल और 30 किमी धारा के प्रतिकूल जा सकती है। साथ ही, यह 49 मिनट में 10 किमी धारा के अनुकूल और 8 किमी धारा के प्रतिकूल जा सकती है। धारा के अनुकूल नाव की गति किमी/घंटा में क्या है?

(एसएससी सीएपीएफएस एसआई, दिल्ली पुलिस एसआई और सीआईएसएफ एएसआई परीक्षा, 2019)

(a) 18 (b) 20 (c) 16 (d) 24

38. शांत जल में एक नाव की गति 6 किमी/घंटा है। नाव द्वारा धारा के प्रतिकूल एक निश्चित दूरी तय करने में लिया गया समय धारा के अनुकूल समान दूरी तय करने में लिए गए समय से 3 घंटे अधिक है। यदि धारा की गति 2 किमी/घंटा है, तो नाव द्वारा तय की गई कुल दूरी (धारा के प्रतिकूल और धारा के अनुकूल) कितनी है?

[एसएससी एमटीएस (गैर-तकनीकी) स्टाफ परीक्षा, 2019]

(a) 72 किमी (b) 24 किमी (c) 48 किमी (d) 36 किमी

39. एक व्यक्ति एक घंटे 20 मिनट में धारा के प्रतिकूल 4 किमी की दूरी तय कर सकता है और केवल 24 मिनट में प्रारंभिक बिंदु पर वापस जा सकता है। शांत जल में 13 किमी नाव चलाने में उसे कितना समय (घंटों में) लगेगा?

[एसएससी सीजीएल टियर-I सीबीई परीक्षा, 2019]

(a) 2 (b) $3\frac{1}{2}$ (c) 3 (d) $2\frac{1}{2}$

40. शांत जल में एक नाव की गति 18 किमी/घंटा है और धारा की गति 6 किमी/घंटा है। कितने समय में (घंटों में) नाव धारा के प्रतिकूल 90 किमी की दूरी और धारा के अनुकूल समान दूरी तय करेगी?

[एसएससी सीजीएल टियर-2 सीबीई परीक्षा, 2018]

(a) $9\frac{1}{2}$ (b) $11\frac{1}{4}$ (c) 12 (d) 10

41. एक आदमी 10 किमी प्रति घंटे की गति से धारा के प्रतिकूल नाव चला सकता है और 18 किमी प्रति घंटे धारा के अनुकूल चला सकता है। शांत जल में आदमी की दर ज्ञात कीजिए?

[भारतीय रेलवे ग्रेड 'डी' परीक्षा, 2014]

(*a*) 14 किमी प्रति घंटे (*b*) 4 किमी प्रति घंटे

(*c*) 12 किमी प्रति घंटे (*d*) 10 किमी प्रति घंटे

42. एक आदमी को धारा के प्रतिकूल एक दूरी तय करने में धारा के अनुकूल समान दूरी तय करने में 2.2 गुना समय लगता है। यदि वह 2 घंटे 30 मिनट में धारा के अनुकूल 55 किमी नाव चला सकता है, तो शांत जल में नाव की गति क्या है?

[आईबीपीएस आरआरबी अधिकारी ग्रेड 'बी' परीक्षा, 2015]

(*a*) 40 किमी/घंटा (*b*) 8 किमी/घंटा

(*c*) 16 किमी/घंटा (*d*) 24 किमी/घंटा

43. नाव A बिंदु X से बिंदु Y तक धारा के अनुकूल यात्रा करने में नाव B द्वारा बिंदु Y से बिंदु Z तक धारा के प्रतिकूल यात्रा करने में लगने वाले समय से 3 घंटे कम समय लेती है। X और Y के बीच की दूरी 20 किमी है, जो बीच की दूरी का आधा है Y और Z. स्थिर जल में नाव B की गति 10 किमी/घंटा है और शांत जल में नाव A की गति धारा के विपरीत नाव B की गति के बराबर है। शांत जल में नाव A की गति क्या है? (धारा की गति को समान मानें।)

[आरबीआई ग्रेड 'बी' (प्रथम चरण) परीक्षा, 2015]

(*a*) 10 किमी/घंटा (*b*) 16 किमी/घंटा

(*c*) 12 किमी/घंटा (*d*) 8 किमी/घंटा

44. स्थिर पानी में नाव की गति धारा की गति से 5 गुना है, धारा के अनुकूल बिंदु A से बिंदु B तक नाव चलाने में 1.1 घंटे लगते हैं। बिंदु A और बिंदु B के बीच की दूरी 13.2 किमी है। धारा के प्रतिकूल 312 मिनट में वह कितनी दूरी (कि.मी. में) तय करेगी?

[आईबीपीएस-बैंक स्पे. अधिकारी (आईटी) परीक्षा, 2015]

(*a*) 43.2 (*b*) 48 (*c*) 41.6 (*d*) 44.8

45. एक नाव 5 घंटे में धारा के प्रतिकूल 36 किमी की यात्रा कर सकती है। यदि धारा की गति 2.4 किमी प्रति घंटा है, तो नाव को धारा के अनुकूल 78 किमी की दूरी तय करने में कितना समय लगेगा? (घंटों में)

(*a*) 5 (*b*) 6.5 (*c*) 5.5 (*d*) 8

[यूनाइटेड इंडिया इंश्योरेंस कंपनी लिमिटेड सहायक परीक्षा, 2015]

46. एक व्यक्ति स्थिर जल में 6 किमी/घंटा की गति से नाव चला सकता है और धारा की चाल 2 किमी/घंटा है। यदि व्यक्ति की धारा के प्रतिकूल तथा धारा के अनुकूल यात्रा के बीच के समय का अंतर 40 मिनट है, तब दूरी ज्ञात कीजिए।

(a) $\frac{17}{7}$ किमी (b) $\frac{16}{3}$ किमी

(c) 18 किमी (d) $\frac{18}{3}$ किमी

(e) इनमें से कोई नहीं

47. एक व्यक्ति कुल $2\frac{5}{12}$ घंटे के समय में धारा के विपरीत 20 किमी और धारा के अनुकूल 15 किमी की दूरी तय करता है। यदि धारा की गति 4 किमी/घंटा है, तो वह धारा के प्रतिकूल 64 किमी की दूरी कितने घंटों में तय कर सकता है?

(a) $5\frac{1}{3}$ (b) $4\frac{2}{3}$ (c) $5\frac{1}{2}$ (d) $4\frac{1}{4}$

(e) $4\frac{1}{5}$

48. नाव द्वारा धारा के प्रतिकूल 'x' किमी जाने और फिर एक निश्चित दूरी से वापस लौटने में लिया गया कुल समय 6 घंटे है। शांत जल में नाव की गति का धारा की गति से अनुपात क्रमशः 8 : 1 है। यदि धारा के प्रतिकूल तय की गई दूरी, धारा के अनुकूल तय की गई दूरी से 50 किमी अधिक है और नाव शांत जल में $(3x + 60)$ किमी की दूरी 12 घंटे में तय कर सकती है, तो 'x' का मान ज्ञात कीजिए?

(*a*) 120 किमी (*b*) 128 किमी

(*c*) 140 किमी (*d*) 150 किमी

(*e*) 158 किमी

49. नाव 'P' और नाव 'Q' क्रमशः 'A' और 'B' नामक दो अलग-अलग नदियों में यात्रा कर रही हैं। नाव 'P' और नाव 'Q' की धारा के अनुकूल गति क्रमशः 6 : 5 के अनुपात में है। नाव 'P' की धारा के प्रतिकूल गति, नाव 'Q' की धारा के अनुकूल गति से 8 किमी/घंटा कम है। यदि नाव 'P' धारा के प्रतिकूल 160 किमी की दूरी 5 घंटे में तय कर सकती है और यह दिया गया है कि नदी 'B', नदी 'A' की तुलना में 2 किमी/घंटा तेज बहती है, तो नाव 'Q' द्वारा धारा के प्रतिकूल समान दूरी तय करने में लिया गया समय ज्ञात कीजिये।

(*a*) 4 घंटे (*b*) 6 घंटे (c) 8 घंटे (*d*) 10 घंटे

(*e*) 12 घंटे

50. एक नाव धारा के प्रतिकूल 1 घंटे में और धारा के अनुकूल 45 मिनट में 12 किमी की दूरी तय करती है। नाव और धारा की चाल (किमी/घंटा में) ज्ञात कीजिए ।

(एसएससी- सीजीएल 25/07/2023) (Shift-2)

(*a*) 16:4 (*b*) 16:2 (*c*) 14:2 (*d*) 12:4

51. एक नाव धारा की विपरीत दिशा में एक निश्चित दूरी तय करने में 10 घंटे का समय लेती है, जबकि धारा की दिशा में उसी दूरी को तय करने में 7 घंटे का समय लेती है। नाव की चाल और जलधारा की चाल के बीच क्रमशः अनुपात क्या होगा? (एसएससी- सीजीएल 25/07/2023 (Shift-3)

(*a*) 17:5 (*b*) 3:17 (*c*) 2:17 (*d*) 17:3

52. एक नाव की प्रभावी चाल धारा के विरुद्ध दिशा में 15.2 किमी/घंटा है और धारा की दिशा में 20.8 किमी/घंटा है। नाव की गति ज्ञात कीजिए।

(एसएससी- सीजीएल 25/07/2023 (Shift-3)

(*a*) 18 किमी/घंटा (*b*) 1.8 किमी/घंटा

(*c*) 2.8 किमी/घंटा (*d*) 3 किमी/घंटा

53. एक नाव 8 घंटे में धारा के विपरीत दिशा में 20 किमी. और धारा की दिशा में 44 किमी. जाती है। 5 घंटे में, वह धारा की विपरीत दिशा में 15 किमी. और धारा की दिशा में 22 किमी. जाती है। स्थिर जल में नाव की चाल ज्ञात करें। **(एसएससी- सीजीएल 26/07/2023 (Shift-1)**

(a) 6 किमी/घंटा (b) 10 किमी/घंटा
(c) 8 किमी/घंटा (d) 7 किमी/घंटा

54. धारा की विपरीत दिशा में 144 किमी की दूरी तय करने के लिए, एक नाविक को 12 घंटे लगते हैं जबकि उसे धारा की दिशा में उतनी ही दूरी तय करने में केवल 9 घंटे लगते हैं। धारा की चाल क्या है?

(एसएससी- सीजीएल 18/07/2023 (Shift-2)

(a) 3 किमी/घंटा (b) 1 किमी/घंटा
(c) 1.5 किमी/घंटा (d) 2 किमी/घंटा

55. एक मोटरबोट की चाल और जल की धारा की चाल का अनुपात 31:6 है। मोटरबोट एक बिंदु से शुरू होती है और 4 घंटे 10 मिनट में धारा के अनुदिश एक निश्चित दूरी तय करती है। मोटरबोट द्वारा अपने प्रारंभिक बिंदु पर वापस आने में लगने वाला समय ज्ञात कीजिए।

(एसएससी- सीजीएल 20/07/2023 (Shift-4)

(a) 4 घंटे 10 मिनट (b) 5 घंटे 10 मिनट
(c) 5 घंटे 50 मिनट (d) 6 घंटे 10 मिनट

56. माना शांत पानी में नाव की गति 17 किमी/घंटा है और धारा की गति 5 किमी/घंटा है। नाव को धारा के अनुकूल 110 किमी जाने में कितना समय लगेगा?

(एसएससी- सीपीओ 03/10/2023 (Shift-1)

(a) 4.5 घंटे (b) 6 घंटे (c) 5.5 घंटे (d) 5 घंटे

57. एक नाव को बिंदु A से बिंदु B तक धारा के अनुकूल यात्रा करने में 20 घंटे लगते हैं और A और B के बीच मध्य बिंदु C पर वापस आती है। धारा की गति 5 किमी प्रति घंटा है और शांत पानी में नाव की गति 10 किमी/घंटा है। A और B के बीच की दूरी (किमी में) ज्ञात कीजिए।

(एसएससी- एमटीएस 01/09/2023 (Shift-1)

(a) 100 (b) 120 (c) 150 (d) 75

58. एक नाव धारा के विपरीत दिशा में B से A तक और धारा के अनुकूल A से B तक 3 घंटे में यात्रा करती है। यदि शांत पानी में नाव की गति 9 किमी/घंटा है और धारा की गति 3.5 किमी/घंटा है, तो A और B के बीच की दूरी है: (दो दशमलव स्थानों तक सही)

(एसएससी- एमटीएस 13/09/2023 (Shift-1)

(a) 14.46 किमी (b) 13.46 किमी
(c) 12.46 किमी (d) 11.46 किमी

59. अजय स्थिर जल में 11 किमी/घंटा की गति से अपनी नाव चला सकता है। यदि धारा की गति 7 किमी/घंटा है, तो धारा के अनुकूल 54 किमी की दूरी तय करने में कितना समय लगेगा? **(एसएससी-जीडी 05/03/2024 (Shift-1)**

(a) 4 घंटे (b) 3 घंटे (c) 2.5 घंटे (d) 2 घंटे

उत्तरमाला

1. (c)	2. (a)	3. (d)	4. (b)	5. (c)	6. (b)	7. (a)	8. (a)	9. (c)	10. (b)
11. (b)	12. (b)	13. (c)	14. (a)	15. (c)	16. (a)	17. (c)	18. (d)	19. (b)	20. (b)
21. (c)	22. (b)	23. (d)	24. (d)	25. (e)	26. (b)	27. (c)	28. (c)	29. (b)	30. (c)
31. (b)	32. (d)	33. (b)	34. (a)	35. (a)	36. (a)	37. (d)	38. (b)	39. (a)	40. (b)
41. (a)	42. (c)	43. (d)	44. (c)	45. (b)	46. (b)	47. (a)	48. (c)	49. (c)	50. (c)
51. (d)	52. (c)	53. (c)	54. (d)	55. (d)	56. (d)	57. (b)	58. (d)	59. (b)	

दिये गये प्रश्नों के हल

1. धारा का वेग $= \frac{1}{2}$ (13 – 10) किमी०/घण्टा = 1·5 किमी०/घण्टा.

2. धारा की दिशा में नाव की चाल $= \frac{30}{(5/2)}$ किमी०/घण्टा

$= \left(30\times\frac{2}{5}\right)$ किमी०/घण्टा = 12 किमी०/घण्टा.

धारा की विपरीत दिशा में नाव की चाल $= \frac{30}{(15/4)}$ किमी०/घण्टा

$= \left(30\times\frac{4}{15}\right)$ किमी०/घण्टा = 8 किमी०/घण्टा.

धारा का वेग $= \frac{1}{2}$ (12 – 8) किमी०/घण्टा = 2 किमी०/घण्टा.

3. धारा की दिशा में नाव की चाल $= \left(\frac{15}{3}\right)$ किमी०/घण्टा

= 5 किमी०/घण्टा.

धारा की विपरीत दिशा में नाव की चाल $= \left(\frac{3}{3}\right)$ किमी०/घण्टा

= 1 किमी०/घण्टा.

धारा का वेग $= \frac{1}{2}$ (5 – 1) किमी०/घण्टा = 2 किमी०/घण्टा.

4. धारा की दिशा में नाव की चाल $= \left(\frac{16}{2}\right)$ किमी०/घण्टा

= 8 किमी०/घण्टा.

धारा की विपरीत दिशा में नाव की चाल $= \left(\frac{16}{4}\right)$ किमी०/घण्टा

= 4 किमी०/घण्टा.

शान्त जल में नाव की चाल $= \frac{1}{2}$ (8 + 4) किमी०/घण्टा
= 6 किमी०/घण्टा.

5. धारा की दिशा में नाव की चाल $= \frac{4}{\left(\frac{30}{60}\right)}$ किमी०/घण्टा
= 8 किमी०/घण्टा.

धारा की विपरीत दिशा में नाव की चाल $= \frac{4}{\left(\frac{40}{60}\right)}$ किमी०/घण्टा
$= \left(4 \times \frac{3}{2}\right)$ किमी०/घण्टा = 6 किमी०/घण्टा.

शान्त जल में नाव की चाल $= \frac{1}{2}$ (8 + 6) किमी०/घण्टा
= 7 किमी०/घण्टा.

6. धारा की दिशा में नाव की चाल $= \left(\frac{48}{4}\right)$ किमी०/घण्टा
= 12 किमी०/घण्टा.

शान्त जल में नाव की चाल = 8 किमी०/घण्टा.

धारा का वेग = (12 − 8) किमी०/घण्टा = 4 किमी०/घण्टा.

7. माना शान्त जल में मोटर-बोट की चाल $= x$ किमी०/घण्टा.

तब, धारा की दिशा में वेग $= (x + 1)$ किमी०/घण्टा तथा धारा के विपरीत वेग $= (x - 1)$ किमी०/घण्टा.

$$\therefore \quad \frac{35}{(x-1)} + \frac{35}{(x+1)} = 12 \Leftrightarrow 35\left[\frac{(x+1)+(x-1)}{(x+1)(x-1)}\right] = 12$$

$$\Leftrightarrow \frac{2x}{(x^2-1)} = \frac{12}{35}$$

$$\Leftrightarrow \frac{x}{(x^2-1)} = \frac{6}{35} \Leftrightarrow 6x^2 - 35x - 6 = 0$$

$$\Leftrightarrow (6x + 1)(x - 6) = 0 \Leftrightarrow x = 6 \qquad \left[\because x \neq -\frac{1}{6}\right]$$

अत: शान्त जल में मोटर बोट की चाल = 6 किमी०/घण्टा.

8. धारा की दिशा में वेग $= \frac{\left(\frac{3}{4}\right)}{\left(\frac{15}{2} \times \frac{1}{60}\right)}$ किमी०/घण्टा
$= \left(\frac{3}{4} \times 8\right)$ किमी०/घण्टा = 6 किमी०/घण्टा.

धारा की विपरीत दिशा में वेग $= \frac{\left(\frac{3}{4}\right)}{\left(\frac{45}{4} \times \frac{1}{60}\right)}$
$= \left(\frac{3}{4} \times \frac{16}{3}\right)$ किमी०/घण्टा = 4 किमी०/घण्टा.

शान्त जल में तैराक की चाल $= \frac{1}{2}$ (6 + 4) किमी०/घण्टा
= 5 किमी०/घण्टा.

9. धारा के अनुकूल नाव का वेग = (13 + 4) किमी०/घण्टा
= 17 किमी०/घण्टा.

अभीष्ट समय $= \frac{\text{दूरी}}{\text{वेग}} = \left(\frac{68}{17}\right)$ घण्टे = 4 घण्टे.

10. धारा की दिशा में नाव का वेग = (5 + 1) किमी०/घण्टा
= 6 किमी०/घण्टा.

धारा की विपरीत दिशा में नाव का वेग = (5 − 1) किमी०/घण्टा
= 4 किमी०/घण्टा.

माना अभीष्ट दूरी $= x$ किमी०. तब,

$$\frac{x}{6} + \frac{x}{4} = \frac{75}{60} \Leftrightarrow 10x + 15x = 75 \Leftrightarrow 25x = 75 \Leftrightarrow x = 3.$$

अत: अभीष्ट दूरी = 3 किमी०.

11. माना शान्त जल में स्टीमर की चाल $= x$ किमी०/घण्टा.

तब, धारा की दिशा में स्टीमर की चाल $= (x + 2)$ किमी०/घण्टा.

तथा धारा के विपरीत स्टीमर की चाल $= (x - 2)$ किमी०/घण्टा.

$$\therefore \quad 4(x + 2) = 5(x - 2) \Leftrightarrow x = 18.$$

अत: शान्त जल में स्टीमर की चाल = 18 किमी०/घण्टा.

12. माना धारा का वेग $= x$ किमी०/घण्टा.

तब, धारा की दिशा में मोटर-बोट की चाल $= (15 + x)$ किमी०/घण्टा.

तथा, धारा के विपरीत मोटर-बोट की चाल $= (15 - x)$ किमी०/घण्टा.

$$\frac{30}{(15+x)} + \frac{30}{(15-x)} = \frac{9}{2} \Leftrightarrow \left\{\frac{1}{(15+x)} + \frac{1}{(15-x)}\right\} = \frac{9}{60}$$

$$\Leftrightarrow \frac{(15-x)+(15+x)}{(15+x)(15-x)} = \frac{3}{20} \Leftrightarrow 3(225 - x^2) = 600$$

$$\Leftrightarrow (225 - x^2) = 200 \Leftrightarrow x^2 = 25 \Leftrightarrow x = 5.$$

अत: धारा का वेग = 5 किमी०/घण्टा.

13. माना शान्त जल में नाव की चाल $= x$ किमी०/घण्टा तथा धारा का वेग $= y$ किमी०/घण्टा.

तब, धारा की विपरीत दिशा में नाव की चाल $= (x - y)$ किमी०/घण्टा.

तथा धारा की दिशा में नाव की चाल $= (x + y)$ किमी०/घण्टा.

$$\therefore \quad (x-y) \times \frac{44}{5} = (x+y) \times 4 \Leftrightarrow \left(\frac{44x}{5} - 4x\right) = \left(4y + \frac{44y}{5}\right)$$

$$\Leftrightarrow \frac{24x}{5} = \frac{64y}{5} \Leftrightarrow \frac{x}{y} = \frac{64}{24} = \frac{8}{3}$$

अत: अभीष्ट अनुपात $= x : y = 8 : 3$.

14. माना वह धारा की दिशा में 4 किमी० दूरी तय करने में समय लेता है $= x$ घण्टे.

तब, धारा की विपरीत दिशा में वह 3 किमी० दूरी तय करने में समय लेता है $= x$ घण्टे.

धारा की दिशा में चाल $= \frac{4}{x}$ किमी०/घण्टा,

धारा के विपरीत चाल $= \frac{3}{x}$ किमी०/घण्टा.

$$\frac{48}{(4/x)} + \frac{48}{(3/x)} = 14 \Leftrightarrow \frac{x}{4} + \frac{x}{3} = \frac{14}{48} \Leftrightarrow \frac{3x+4x}{12} = \frac{7}{24}$$

$$\Leftrightarrow 7x = \left(\frac{7}{24} \times 12\right) = \frac{7}{2} \Leftrightarrow x = \frac{1}{2}.$$

$\therefore$ धारा की दिशा में नाव की चाल $= \frac{4}{(1/2)}$ किमी०/घण्टा
= 8 किमी०/घण्टा.

धारा के विपरीत नाव की चाल $= \frac{3}{(1/2)}$ किमी०/घण्टा
= 6 किमी०/घण्टा.

धारा का वेग $= \frac{1}{2}$ (8 − 6) किमी०/घण्टा = 1 किमी०/घण्टा.

15. माना धारा का वेग $= x$ किमी०/घण्टा.

तब, धारा की दिशा में नाव का वेग $= (10 + x)$ किमी०/घण्टा तथा धारा के विपरीत नाव का वेग $= (10 - x)$ किमी०/घण्टा.

$\therefore \quad \frac{26}{(10+x)} = \frac{14}{(10-x)} \Leftrightarrow 26(10-x) = 14(10+x)$

$\Leftrightarrow 40x = 120 \Leftrightarrow x = 3.$

अत: धारा का वेग $= 3$ किमी०/घण्टा.

16. माना धारा का वेग $= x$ किमी०/घण्टा. तब,

धारा की दिशा में नाव का वेग $= (10 + x)$ किमी०/घण्टा.

धारा के विपरीत नाव का वेग $= (10 - x)$ किमी०/घण्टा.

$\therefore \frac{36}{(10-x)} - \frac{36}{(10+x)} = \frac{90}{60} \Leftrightarrow \frac{1}{(10-x)} - \frac{1}{(10+x)} = \left(\frac{3}{2} \times \frac{1}{36}\right)$

$\Leftrightarrow \frac{(10+x)-(10-x)}{(10-x)(10+x)} = \frac{1}{24}$

$\Leftrightarrow 100 - x^2 = 48x \Leftrightarrow x^2 + 48x - 100 = 0$

$\Leftrightarrow (x + 50)(x - 2) = 0 \Leftrightarrow x = 2.$

अत: धारा का वेग $= 2$ किमी०/घण्टा.

17. माना धारा के विपरीत नाव का वेग $= x$ किमी०/घण्टा.

तब, धारा की दिशा में नाव का वेग $= 3x$ किमी०/घण्टा.

शान्त जल में नाव की चाल $= \frac{1}{2}(3x + x)$ किमी०/घण्टा

$= 2x$ किमी०/घण्टा

$\therefore \quad 2x = \frac{28}{3} \Leftrightarrow x = \frac{14}{3}.$

$\therefore$ धारा के विपरीत नाव का वेग $= \frac{14}{3}$ किमी०/घण्टा,

धारा की दिशा में नाव का वेग $= 14$ किमी०/घण्टा.

अत: धारा का वेग $= \frac{1}{2}\left(14 - \frac{14}{3}\right)$ किमी०/घण्टा

$= \frac{14}{3}$ किमी०/घण्टा $= 4\frac{2}{3}$ किमी०/घण्टा.

18. माना शान्त जल में नाव का वेग $= x$ किमी०/घण्टा.

तब, धारा की दिशा में नाव का वेग $= (x + 3)$ किमी०/घण्टा तथा धारा के विपरीत नाव का वेग $= (x - 3)$ किमी० प्रति घण्टा.

$\therefore \quad (x+3) \times 1 = (x-3) \times \frac{3}{2} \Leftrightarrow 2x + 6 = 3x - 9 \Leftrightarrow x = 15.$

अत: शान्त जल में नाव का वेग $= 15$ किमी०/घण्टा.

19. माना धारा के विपरीत नाव की चाल $= x$ किमी०/घण्टा.

तब, धारा की दिशा में नाव की चाल $= 2x$ किमी०/घण्टा.

(शान्त जल में नाव की चाल) : (धारा का वेग)

$= \frac{1}{2}(2x+x) : \frac{1}{2}(2x-x) = \frac{3x}{2} : \frac{x}{2} = 3 : 1.$

20. धारा की दिशा में नाव की चाल $= (14 + 4)$ किमी०/घण्टा

$= 18$ किमी०/घण्टा.

धारा के विपरीत नाव की चाल $= (14 - 4)$ किमी०/घण्टा

$= 10$ किमी०/घण्टा.

माना दूरी $AB = x$ किमी० है. तब

$\frac{x}{18} + \frac{(x/2)}{10} = 19 \Leftrightarrow \frac{x}{18} + \frac{x}{20} = 19 \Leftrightarrow 10x + 9x = (19 \times 180)$

$\Leftrightarrow 19x = (19 \times 180) \Leftrightarrow x = 180.$

अत: दूरी $AB = 180$ किमी०.

21. धारा के विपरीत नाव की चाल $= \left(\frac{750}{675}\right)$ मीटर/सै०

$= \frac{10}{9}$ मीटर/सै०.

धारा की दिशा में नाव की चाल $= \left(\frac{750}{450}\right)$ मीटर/सै०

$= \frac{5}{3}$ मीटर/सै०.

शान्त जल में नाव की चाल $= \frac{1}{2}\left(\frac{5}{3} + \frac{10}{9}\right) = \frac{25}{18}$ मीटर/सै०

$= \left(\frac{25}{18} \times \frac{18}{5}\right)$ किमी०/घण्टा $= 5$ किमी०/घण्टा.

22. माना धारा के विपरीत नाव की चाल $= x$ किमी०/घण्टा तथा धारा की दिशा में चाल $= y$ किमी०/घण्टा.

तब, $\frac{30}{x} + \frac{44}{y} = 10$ ...(i)

तथा $\frac{40}{x} + \frac{55}{y} = 13$ ...(ii)

(i) तथा (ii) को जोड़ने पर $\frac{70}{x} + \frac{99}{y} = 23$ ...(iii)

(i) को (ii) में से घटाने पर $\frac{10}{x} + \frac{11}{y} = 3$ ...(iv)

(iv) को 7 से गुणा करके (iii) में से घटाने पर:

$\left(\frac{99}{y} - \frac{77}{y}\right) = 2 \Leftrightarrow \frac{22}{y} = 2 \Leftrightarrow y = 11.$

(i) में $y = 11$ रखने पर, $\frac{30}{x} + 4 = 10 \Leftrightarrow \frac{30}{x} = 6 \Leftrightarrow x = 5.$

$\therefore$ धारा के विपरीत नाव की चाल $= 5$ किमी०/घण्टा तथा धारा की दिशा में चाल $= 11$ किमी०/घण्टा.

अत: शान्त जल में नाव की चाल $= \frac{1}{2}(11 + 5)$ किमी०/घण्टा

$= 8$ किमी०/घण्टा.

23. धारा के विपरीत नाव की चाल $= (9 - 1{\cdot}5)$ किमी०/घण्टा

$= 7{\cdot}5$ किमी०/घण्टा.

धारा की दिशा में नाव की चाल $= (9 + 1{\cdot}5)$ किमी०/घण्टा

$= 10{\cdot}5$ किमी०/घण्टा.

अभीष्ट समय $= \left\{\frac{105}{(15/2)} + \frac{105}{(21/2)}\right\}$ घण्टे

$= \left\{\left(\frac{105 \times 2}{15}\right) + \left(\frac{105 \times 2}{21}\right)\right\}$ घण्टे $= 24$ घण्टे.

24. नाव की शांत जल में चाल $= 9r$ किमी./घंटा

धारा की चाल $= r$ किमी./घंटा

$\therefore$ अनुप्रवाह चाल $= 9r + r = 10r$ किमी./घंटा

ऊर्ध्वप्रवाह चाल $= 9r - r = 8r$ किमी./घंटा

प्रश्नानुसार $10r - 8r = 3$

$\Rightarrow \quad 2r = 3 \quad \Rightarrow \quad r = \frac{3}{2}$

$\therefore$ अनुप्रवाह चाल $= 10r = \left(10 \times \frac{3}{2}\right)$ किमी./घंटा

$= 15$ किमी./घंटा

ऊर्ध्वप्रवाह चाल $= 8r = \left(8 \times \frac{3}{2}\right)$ किमी./घंटा

$= 12$ किमी./घंटा

$\therefore$ दिये गए, प्रश्न के अनुसार $\frac{x}{15} + \frac{x-5}{12} = \frac{285}{60}$

$\Rightarrow \frac{4x+5x-25}{60} - 4\frac{3}{4} - \frac{19}{4} \Rightarrow \frac{9x}{60} = \frac{19}{4} + \frac{25}{60}$

$\Rightarrow \frac{3x}{20} = \frac{19}{4} + \frac{5}{12} \Rightarrow \frac{3x}{20} = \frac{57+5}{12} \Rightarrow \frac{3x}{20} = \frac{62}{12}$

$\Rightarrow x = \frac{62 \times 20}{3 \times 12} = 34.4$ किमी.

25. माना, धारा की चाल $= r$ किमी./घंटा

और शांत जल में नाव की चाल $= 5r$ किमी./घंटा

$\therefore$ ऊर्ध्वप्रवाह चाल $= 5r - r = 4r$ किमी./घंटा

$\therefore \quad 4r = 75 \div \frac{15}{2} \Rightarrow 4r = \frac{75 \times 2}{15} = 10$

$\Rightarrow r = \frac{10}{4} = \frac{5}{2}$ किमी./घंटा

अनुप्रवाह चाल $= \left(5 \times \frac{5}{2} + \frac{5}{2}\right) = \left(\frac{25}{2} + \frac{5}{2}\right)$ किमी./घंटा

$= \frac{30}{2}$ किमी./घंटा

$\therefore$ अभीष्ट दूरी $= \frac{30}{2} \times 4 = 60$ किमी.

26. माना धारा की गति $= a$ किमी/घंटा

अब प्रश्न के अनुसार,

$\frac{24}{20-x} - \frac{24}{20+x} = \frac{1}{2}$

$\Rightarrow \frac{24 \times 2x}{(20)^2 - x^2} = \frac{1}{2}$

$\Rightarrow 24 \times 4x = 400 - x^2$

$\Rightarrow x^2 + 96x - 400 = 0$

$\Rightarrow x^2 + 100x - 4x = 400 = 0$

$\Rightarrow x(x + 100) - 4(x + 100) = 0$

$\Rightarrow x(x - 4)(x + 100) = 0$

$\Rightarrow x = 4$ किमी/घंटा

और $x = -100$ (संभव नहीं)

अब आवश्यक समय $= \frac{39}{22+4} + \frac{30}{22-4}$

$= \frac{39}{26} + \frac{30}{18} = \frac{3}{2} + \frac{5}{3} = \frac{9+10}{6} = \frac{19}{6} = 3$ घंटा 10 मिनट

27. स्थिर जल में नाव की गति $= 22$ किमी/घंटा

धारा की गति $= 3$ किमी/घंटा

$\therefore$ अनुप्रवाह गति $= 22 + 3 = 25$ किमी/घंटा

दूरी का अभीष्ट अंतर $= 19 \times 2 - 25 \times 1.5$

$= 38 - 37.5 = 0.5$ किमी

28. धारा के अनुकूल गति $= 38$ किमी/घंटा

धारा के प्रतिकूल गति $= 32$ किमी/घंटा

शांत जल में नाव की गति $= \frac{1}{2}(38 + 32)$

$= \frac{1}{2} \times 70 = 35$ किमी/घंटा

29. माना स्थिर जल में नाव की गति $= x$ किमी/घंटा

अनुप्रवाह गति $= (x + 2)$ किमी/घंटा

धारा के प्रतिकूल गति $= (x - 2)$ किमी/घंटा

$\therefore \frac{20}{x+2} + \frac{20}{x-2} = \frac{110}{60}$

$\frac{20}{x+2} + \frac{20}{x-2} = \frac{11}{6}$

हल करने पर, $x = 22$ किमी/घंटा

30. माना शांत जल में नाव की गति $= x$ किमी/घंटा

धारा की गति $= y$ किमी/घंटा

प्रश्न के अनुसार,

$4(x + y) - 4(x - y) = 16$

$4x + 4y - 4x + 4y = 16$

$8y = 16 \Rightarrow y = 2$ किमी/घंटा

31. माना y और z के बीच की दूरी $= d$

$\therefore x$ और y के बीच की दूरी $= d + 51$

प्रश्न के अनुसार,

$\frac{d+51}{21} - \frac{d}{27} = 3$

$\frac{9(d+51) - 7d}{189} = 3$

$9d + 459 - 7d = 567$

$2d = 567 - 459 = 108$

$d = 54$ किमी

$\therefore x$ और y के बीच की दूरी $= 54 + 51 = 105$ किमी

32. माना x प्रतिकूल गति है और y अनुकूल गति है

$\frac{8}{x} + \frac{12}{y} = 7 \quad \ldots(i)$

$\frac{9}{x} + \frac{18}{y} = 9 \quad \ldots(ii)$

(*i*) को 3 से और (*ii*) को 2 से गुणा करने पर हम पाते हैं,

$\frac{6}{x} = 3$

$x = 2$

समीकरण (*ii*) में $x = 2$ रखने पर,

$\frac{12}{y}=3 \Rightarrow y=4$

$\therefore$ शांत जल में नाव की गति $=\frac{1}{2}(2+4)$

$=\frac{1}{2}\times 6=3$ किमी/घंटा

33. धारा के प्रतिकूल गति $=\frac{143}{13}=11$ किमी/घंटा

धारा के अनुकूल गति $=\frac{143}{11}=13$ किमी/घंटा

$\therefore$ शांत जल में नाव की गति $=\frac{1}{2}(11+13)$

$=\frac{1}{2}\times 24=12$ किमी/घंटा

34. धारा के प्रतिकूल गति $=\frac{64}{8}=8$ किमी/घंटा

अनुप्रवाह गति $=\frac{120}{12}=10$ किमी/घंटा

$\therefore$ शांत जल में नाव की गति $=\frac{1}{2}(8+10)$

$=9$ किमी/घंटा

$=9\times\frac{5}{18}=2.5$ मीटर/सेकंड

35. माना धारा के प्रतिकूल गति $=x$ किमी/घंटा

धारा के अनुकूल गति $=y$ किमी/घंटा

$\therefore \quad \frac{15}{x}+\frac{22}{y}=5 \quad ...(i)$

$\frac{20}{x}+\frac{27.5}{y}=6.5 \quad ...(ii)$

(i) को 5 से और (ii) को 4 से गुणा करने पर,

$\frac{75}{x}+\frac{110}{y}=25$

$\frac{80}{x}+\frac{110}{y}=26$

घटाने पर हमें मिलता है, $\frac{5}{x}=1$

$\Rightarrow x=5$

x का मान (i) में रखने पर, y मिलता है

$\frac{22}{y}=2$

$\Rightarrow y=11$

$\therefore$ धारा जल की गति $=\frac{1}{2}(11-5)$

$=\frac{1}{2}\times 6=3$ किमी/घंटा

36. धारा की गति $=\frac{1}{2}(14-7)=\frac{1}{2}\times 7=3.5$ किमी/घंटा

37. $\frac{20}{x}+\frac{30}{y}=\frac{7}{3} \quad ...(i)$

$\frac{10}{x}+\frac{8}{y}=\frac{49}{60} \quad ...(ii)$

(ii) को 2 से गुणा करें और (i) में से घटाने पर,

$\frac{14}{y}=\frac{21}{30}$

$y=20$ किमी/घंटा

y का मान (i) में रखने पर, हम पाते हैं,

$\frac{20}{x}+\frac{30}{20}=\frac{7}{3}$

$\frac{20}{x}=\frac{7}{3}-\frac{3}{2}$

$\frac{20}{x}=\frac{14-9}{6}=\frac{5}{6}$

$\Rightarrow x=\frac{120}{5}=24$ किमी/घंटा

38. माना दूरी d किमी है।

प्रश्न के अनुसार,

$\frac{d}{6-2}-\frac{d}{6+2}=\frac{3}{1}$

$\frac{d}{4}-\frac{d}{8}=\frac{3}{1}$

$\frac{6d-3d}{24}=3$

$3d=72$

$\Rightarrow d=24$ किमी

39. $\frac{4}{x}=1\frac{1}{3}$

$\Rightarrow x=3$ किमी/घंटा जहाँ x धारा के प्रतिकूल गति है।

इसके अलावा $\frac{4}{y}=\frac{24}{60}$

$\therefore y=10$ किमी/घंटा जहाँ y अनुप्रवाह गति है

$\therefore$ शान्त जल में नाव की गति $=\frac{1}{2}(10+3)$

$=\frac{13}{2}=6.5$ किमी/घंटा

$\therefore$ अभीष्ट समय $=\frac{13}{6.5}=2$ घंटा

40. अभीष्ट समय $=\frac{90}{18+6}+\frac{90}{18-6}$

$=\frac{90}{24}+\frac{90}{12}=3.75+7.5=11.25$ घंटा $=11\frac{1}{4}$ घंटा

41. शान्त जल में नाविक की गति

$=\frac{1}{2}$ (अनुप्रवाह गति + प्रतिकूल गति)

$=\frac{1}{2}(18+10)=\frac{28}{2}=14$ किमी/घंटा

42. धारा के अनुकूल नाव की गति

$=\frac{55}{2.2}=\frac{55\times 10}{2.5}=22$ किमी/घंटा

तो, धारा के प्रतिकूल नाव की गति

$=\frac{22}{2.2}=\frac{22\times 10}{22}=10$ किमी/घंटा

$\therefore$ स्थिर जल में नाव की गति $= \frac{22+10}{2} = 16$ किमी/घंटा

43. माना पानी में धारा की गति $= s$ किमी/घंटा

नाव A द्वारा लिया गया समय $= t_a$

और नाव B द्वारा लिया गया समय $= t_b$

बिंदु X से बिंदु Y के बीच की दूरी $= 20$ किमी

बिंदु Y से बिंदु Z के बीच की दूरी $= 40$ किमी

प्रश्न के अनुसार,

$$\frac{40}{t_b} = 10 - s \qquad ...(i)$$

$$t_a = t_b - 3$$

शांत जल में नाव A की गति

$=$ धारा के प्रतिकूल नाव B की गति $= (10 - s)$ किमी/घंटा

अतः, $t_a = 20/10 = 2$ घंटे

इसलिए, $t_b = t_a + 3 = 2 + 3 = 5$ घंटे

समीकरण (i) से

$$\frac{40}{5} = 10 - s$$

$$\Rightarrow \quad 8 = 10 - s$$

$$s = 2 \text{ किमी/घंटा}$$

स्थिर जल में नाव A की गति $= (10 - 2) = 8$ किमी/घंटा

44. माना धारा की गति x किमी प्रति घंटा है।

तो शांत जल में नाव की गति $= 5x$

$\therefore$ अनुप्रवाह गति $= (5x + x) = 6x$ किमी प्रति घंटा

उर्ध्वप्रवाह गति $= (5x - x) = 4x$ किमी प्रति घंटा

अभी,

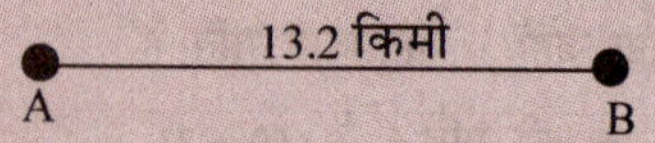

प्रश्न के अनुसार,

$$1.1 \times 6x = 13.2$$

$$\Rightarrow \quad 6.6x = 13.2$$

$$\Rightarrow x = \frac{13.2}{6.6}$$

$\therefore$ $x = 2$ किमी प्रति घंटा

$\therefore$ धारा के प्रतिकूल गति $= 4x = 4 \times 2 = 8$ किमी प्रति घंटा

$\therefore$ 312 मिनट $= 5\frac{1}{5}$ घंटा $= \frac{26}{5}$ घंटा

$\therefore$ धारा के प्रतिकूल तय की गई अभीष्ट दूरी

$=$ गति $\times$ समय

$= 8 \times \frac{26}{5} = 41.6$ किमी

45. एक नाव द्वारा 5 घंटे में तय की गई दूरी $= 36$ किमी

नाव की धारा के प्रतिकूल गति $= \frac{36}{5} = 7.2$ किमी प्रति घंटा

धारा की गति $= 2.4$ किमी प्रति घंटा

$\therefore$ स्थिर जल में नाव की गति

$= (7.2 + 2.4)$ किमी प्रति घंटा

$= 9.6$ किमी प्रति घंटा

$\therefore$ नाव की धारा के अनुकूल गति

$= (9.6 + 2.4)$ किमी प्रति घंटा

$= 12$ किमी प्रति घंटा

$\therefore$ 78 किमी की दूरी तय करने में लगा समय

$= \frac{78}{12} = 6.5$ घंटा

46. माना दूरी $= d$.

अनुप्रवाह गति $= \frac{d}{6+2}$

इसी प्रकार,

धारा के प्रतिकूल गति $= \frac{d}{6-2}$

अब, प्रश्न के अनुसार

$$\Rightarrow \frac{d}{4} - \frac{d}{8} = \frac{40}{60} \Rightarrow \frac{d}{8} = \frac{2}{3}$$

$$\Rightarrow d = \frac{16}{3} \text{ किमी.}$$

47. माना नाव की गति $=$ 'x' किमी/घंटा

धारा के अनुकूल गति $= x + 4$ किमी/घंटा

धारा के प्रतिकूल गति $= x - 4$ किमी/घंटा

अब, प्रश्न के अनुसार,

$$2\frac{5}{12} = \frac{15}{x+4} + \frac{15}{x-4}$$

$$\Rightarrow x = 16$$

$\therefore$ आवश्यक समय $= \frac{64}{(x-4)}$

$$\Rightarrow \frac{64}{(16-4)} = \frac{64}{12} = \frac{16}{3} = 5\frac{1}{3} \text{ घंटे}$$

48. माना शांत पानी और धारा में नाव की गति क्रमशः $8k$ और k है

अब, प्रश्न के अनुसार

$$\frac{x-50}{8k+k} + \frac{x}{8x-k} = 6$$

$$\Rightarrow \frac{x-50}{9k} + \frac{x}{7x} = 6$$

$$\Rightarrow 7x - 350 + 9x = 378k$$

$$\Rightarrow 16x - 350 = 378k \qquad ...(i)$$

अब हमारे पास है,

$$\frac{3x+60}{8k} = 12$$

$$\Rightarrow 3x + 60 = 96k \qquad ...(ii)$$

(i) और *(ii)* को विभाजित करने पर, हमें प्राप्त होता है

$$\frac{3x+60}{16x-350} = \frac{96}{378} = \frac{16}{63}$$

$\Rightarrow 67x = 9380$

$\Rightarrow x = 140$ किमी

49. माना नदी 'A' में धारा की गति = y किमी/घंटा है

माना नाव की शांत जल गति 'p' = x किमी/घंटा है

नाव 'P' की धारा के अनुकूल गति = $(x+y)$ किमी/घंटा

नाव 'P' की धारा के प्रतिकूल गति = $(x-y)$ किमी/घंटा

अब, प्रश्न के अनुसार,

$(x-y) = \frac{160}{5} = 32$

नाव की धारा के प्रतिकूल गति 'P' = $\frac{32 \text{ किमी}}{\text{घंटा}}$

नाव 'Q' की धारा के अनुकूल गति = $32 + 8 = 40$ किमी/घंटा

नाव 'P' की धारा के अनुकूल गति = $\left(\frac{6}{5}\right) \times 40 = 48$ किमी/घंटा

नदी 'A' में धारा की गति $= y = \frac{48-32}{2} = 8$ किमी/घंटा

नदी 'B' में धारा की गति = 8 + 2 = 10 किमी/घंटा

नाव 'Q' की शांत जल गति = 40–10 = 30 किमी/घंटा

नाव 'Q' की धारा के अनुकूल गति = 30–10 = 20 किमी/घंटा

$\therefore$ आवश्यक समय $= \frac{160}{20} = 8$ घंटे

50. धारा के अनुकूल गति

$= \frac{12}{3} \times 4 = 16$ किमी/घंटा

धारा के प्रतिकूल गति $= \frac{12}{1} = 12$ किमी/घंटा

नाव की गति $\frac{16 \quad 12}{2} = 14$ किमी/घंटा

धारा की गति $= \frac{16-12}{2} = 2$ किमी/घंटा

51. माना नाव की गति a और धारा की गति b है।

$\frac{D}{a-b} = 10 \Rightarrow D = 10(a-b)$

$\frac{D}{a+b} = 7 \Rightarrow D = 7(a+b)$

अब, $10a - 10b = 7a + 7b$

$\Rightarrow \quad 10a - 7a = 7b + 10b$

$\Rightarrow \quad 2a = 17b$

$\frac{a}{b} = \frac{17}{3} \Rightarrow a:b = 17:3$

52. धारा की गति

$= \frac{1}{2}(20.8 - 15.2) = \frac{1}{2} \times 5.6 = 2.8$ किमी/घंटा

53.

धारा के अनुकूल	धारा के प्रतिकूल	कुल समय
44 किमी	20 किमी	8 घंटे
22 किमी	15 किमी	5 घंटे

धारा के अनुकूल गति = 11 किमी/घंटा और, धारा के प्रतिकूल गति = 5 किमी/घंटा (संतुष्ट)

नाव की गति $= \frac{11+5}{2} = 8$ किमी/घंटा

54. माना नाव की गति a और धारा की गति b है।

धारा के प्रतिकूल गति $= \frac{\text{दूरी}}{\text{गति}} = \frac{144}{12} = 16$ किमी/घंटा

a – b = 12 किमी/घंटा

a + b = 16 किमी/घंटा

$\therefore \; b = \frac{(16-12)}{2} = 2$ किमी/घंटा

55. धारा के अनुकूल गति = 31 + 6 = 37 इकाई

धारा के प्रतिकूल गति = 31 – 6 = 25 इकाई

लिए गए समय का अनुपात = 25 : 37

[$\because$ दूरी स्थिर है]

$\therefore$ आवश्यक समय

$= \frac{4 \text{घंटा } 10 \text{मिनट}}{25} \times 37$

$= \frac{250 \text{ मिनट}}{25} \times 37$

= 370 मिनट = 6 घंटे 10 मिनट

56. अभीष्ट समय $= \frac{110}{(17+5)} = 5$ घंटे

57. धारा के अनुकूल गति = 10 + 5 = 15 किमी/घंटा

धारा के प्रतिकूल गति = 10 – 5 = 5 किमी

माना दूरी = D किमी

अब, प्रश्नानुसार

$\frac{D}{15} + \frac{D}{10} = 20$

$\Rightarrow \frac{5D}{30} = 20$

$\Rightarrow \quad D = 120$ किमी

58. धारा के प्रतिकूल, गति = 9-3.5

= 5.5 किमी/घंटा

धारा के अनुकूल गति = 9 + 3.5 = 12.5 किमी/घंटा

अब, प्रश्नानुसार

$\frac{D}{5.5} + \frac{D}{12.5} = 3$

$\Rightarrow \quad \frac{10(25+11)D}{1375} = 3$

$\Rightarrow \quad 10 \times \frac{36D}{1375} = 3$

$\Rightarrow \quad D = 11.46$ किमी

59. धारा के अनुकूल गति = 11 + 7 = 18 किमी/घंटा

$\therefore$ समय = 54/18 = 3 घंटे

प्रश्नमाला 22B

निर्देश: प्रश्न संख्या *1* से *6* तक प्रत्येक में एक कथन/प्रश्न तथा दो कथन *I* तथा *II* दिये गये हैं. इन कथनों को पढ़कर इनका उत्तर:

(*a*) दीजिए यदि दिये गये प्रश्न का उत्तर देने के लिए *I* पर्याप्त हो तथा *II* पर्याप्त न हो;

(*b*) दीजिए यदि दिये गये प्रश्न का उत्तर देने के लिए *II* पर्याप्त हो तथा *I* पर्याप्त न हो;

(*c*) दीजिए यदि दिये गये प्रश्न का उत्तर देने के लिए *I* भी पर्याप्त हो तथा *II* भी पर्याप्त हो;

(*d*) दीजिए यदि दिये गये प्रश्न का उत्तर देने के लिए *I* तथा *II* दोनों मिलकर भी पर्याप्त न हों;

(*e*) दीजिए यदि दिये गये प्रश्न का उत्तर *I* तथा *II* दोनों को मिलाकर बना हो.

1. नाव की स्थिर जल में चाल क्या है?
   - **I.** *A* से *B* तक धारा के अनुकूल दूरी तय करने में 2 घण्टे लगते हैं.
   - **II.** *A* से *B* तक धारा के विपरीत दूरी तय करने में 4 घण्टे लगते हैं.

2. धारा का वेग कितना है?
   - **I.** एक नाव की धारा के विपरीत तथा धारा के अनुकूल चालों का अनुपात 2 : 3 है.
   - **II.** नाव द्वारा 2 घण्टे में धारा के विपरीत तय की गई दूरी, इसके द्वारा 1 घण्टे में धारा के अनुकूल तय की गई दूरी से 4 किमी० अधिक है.

3. नाव की शान्त जल में चाल कितनी है?
   - **I.** नाव धारा के विपरीत 6 घण्टे में 48 किमी० दूरी तय करती है.
   - **II.** नाव धारा की दिशा में 4 घण्टे में उतनी ही दूरी तय करती है.

4. एक व्यक्ति की शान्त जल में चाल कितनी है?
   - **I.** धारा का वेग शान्त जल में व्यक्ति की चाल का एक-तिहाई है.
   - **II.** एक दिये गये समय में धारा के अनुकूल दूरी, उतने समय में धारा के विपरीत तय की गई दूरी से दुगुनी है.

5. एक नाविक धारा के अनुकूल *P* से *Q* तक जाने में तथा धारा के विपरीत *P* तक वापिस आने में 3 घण्टे लेता है. शान्त जल में नाव की चाल कितनी है?
   - **I.** नदी में धारा की गति 1 किमी०/घण्टा है.
   - **II.** *P* तथा *Q* के बीच की दूरी 4 किमी० है.

6. नाव की शान्त जल में चाल कितनी है?
   - **I.** धारा के अनुकूल नाव की गति, धारा के विपरीत नाव की गति से तिगुनी है.
   - **II.** नाव की शान्त जल में, धारा के विपरीत तथा धारा के अनुकूल वेगों का योग 12 किमी०/घण्टा है.

निर्देश: नीचे दिये प्रश्नों में से प्रत्येक प्रश्न के साथ तीन कथन दिये गये हैं. आपको यह निर्णय करना है कि इनमें से कौन-से कथन दिये गये प्रश्न के लिए आवश्यक हैं.

7. नाव की शान्त जल में चाल कितनी है?
   - **I.** धारा के अनुकूल नाव की चाल 12 किमी०/घण्टा है.
   - **II.** धारा के विपरीत नाव की चाल 4 किमी०/घण्टा है.
   - **III.** एक स्थान से दूसरे स्थान तक तथा उसी बिन्दु तक वापिस आने में नाव की औसत चाल 6 किमी०/घण्टा है.

   (*a*) केवल I तथा II (*b*) I, II तथा III सभी
   (*c*) III तथा (I अथवा II) (*d*) तीनों में से कोई दो
   (*e*) इनमें से कोई नहीं

8. धारा का वेग कितना है?
   - **I.** धारा के विपरीत नाव 6 घण्टे में 24 किमी० दूरी तय करती है.
   - **II.** धारा के अनुकूल नाव 3 घण्टे में 24 किमी० दूरी तय करती है.
   - **III.** नाव तथा धारा के वेग में 3 : 1 का अनुपात है.

   (*a*) इनमें से कोई दो (*b*) केवल I तथा II
   (*c*) केवल II तथा III (*d*) केवल I तथा III
   (*e*) I, II, III सभी

उत्तरमाला

1. (*d*) 2. (*e*) 3. (*e*) 4. (*d*) 5. (*e*) 6. (*b*) 7. (*d*) 8. (*a*)

दिये गये प्रश्नों के हल

1. माना $AB = x$ किमी०. तब,

I. धारा के अनुकूल चाल $= \frac{x}{2}$ किमी०/घण्टा.

II. धारा के विपरीत चाल $= \frac{x}{4}$ किमी०/घण्टा.

नाव की स्थिर जल में चाल $= \frac{1}{2}\left(\frac{x}{2} + \frac{x}{4}\right)$ किमी०/घण्टा

$= \frac{3x}{8}$ किमी०/घण्टा.

अतः I तथा II से भी उत्तर प्राप्त नहीं होता.

$\therefore$ सही उत्तर (*d*) है.

2. I. माना धारा के विपरीत चाल $= 2x$ किमी०/घण्टा तथा धारा के अनुकूल चाल $= 3x$ किमी०/घण्टा.

II. $(2 \times 3x) - (1 \times 2x) = 4 \Leftrightarrow 4x = 4 \Leftrightarrow x = 1$.

धारा के विपरीत चाल = 2 किमी०/घण्टा,

धारा के अनुकूल चाल = 3 किमी०/घण्टा.

धारा का वेग $= \frac{1}{2}(3-2)$ किमी०/घण्टा $= \frac{1}{2}$ किमी०/घण्टा.

$\therefore$ I तथा II दोनों को मिलाकर उत्तर प्राप्त हुआ.

$\therefore$ सही उत्तर (*e*) है.

3. I. धारा के विपरीत नाव की चाल $= \frac{48}{6}$ किमी०/घण्टा $= 8$ किमी०/घण्टा.

II. धारा की दिशा में नाव की चाल $= \frac{48}{4}$ किमी०/घण्टा $= 12$ किमी०/घण्टा.

शान्त जल में नाव की चाल $= \frac{1}{2}(8+12)$ किमी०/घण्टा $= 10$ किमी०/घण्टा.

$\therefore$ I तथा II दोनों को मिलाकर उत्तर प्राप्त हुआ.

$\therefore$ सही उत्तर (*e*) है.

4. माना शान्त जल में व्यक्ति की चाल $= x$ किमी०/घण्टा.

I. धारा का वेग $= \frac{x}{3}$ किमी०/घण्टा.

धारा के अनुकूल वेग$= \left(x+\frac{x}{3}\right)$ किमी०/घण्टा $= \frac{4x}{3}$ किमी०/घण्टा.

धारा के विपरीत वेग $= \left(x-\frac{x}{3}\right)$ किमी०/घण्टा $= \frac{2x}{3}$ किमी०/घण्टा.

माना दिया गया समय $= t$ घण्टे.

II. से, $2\left(\frac{4x}{3}\times t\right) = \left(\frac{2x}{3}\times t\right)$, जिससे x ज्ञात नहीं किया जा सकता.

$\therefore$ सही उत्तर (*d*) है.

5. I. धारा का वेग $= 1$ किमी०/घण्टा.

II. $PQ = 4$ किमी०.

माना शान्त जल में नाव का वेग $= x$ किमी०/घण्टा. तब,

$\frac{4}{(x+1)} + \frac{4}{(x-1)} = 3$. इससे x ज्ञात किया जा सकता है.

$\therefore$ सही उत्तर (*e*) है.

6. माना धारा के विपरीत नाव का वेग $= x$ किमी०/घण्टा.

I. धारा के अनुकूल नाव का वेग $= 3x$ किमी०/घण्टा.

II. से, शान्त जल में नाव का वेग $= \left(\frac{1}{2}\times 12\right)$ किमी०/घण्टा $= 6$ किमी०/घण्टा.

केवल II से उत्तर प्राप्त हो गया.

$\therefore$ सही उत्तर (*b*) है.

7. I तथा II से, नाव की शान्त जल में चाल $= \frac{1}{2}(12+4)$ किमी०/घण्टा $= 8$ किमी०/घण्टा.

II तथा III से, औसत चाल $= \frac{2xy}{x+y}$.

$\therefore \quad \frac{2\times 4\times y}{4+y} = 6 \Leftrightarrow 2y = 24 \Leftrightarrow y = 12.$

$\therefore$ अभीष्ट चाल $= \frac{1}{2}(12+4)$ किमी०/घण्टा $= 8$ किमी०/घण्टा.

इसी प्रकार I तथा III से अभीष्ट उत्तर प्राप्त होगा.

$\therefore$ सही उत्तर (*d*) है.

8. I से, धारा के विपरीत चाल $= \frac{24}{6}$ किमी०/घण्टा $= 4$ किमी०/घण्टा.

II से, धारा के अनुकूल चाल $= \frac{24}{3}$ किमी०/घण्टा $= 8$ किमी०/घण्टा.

III से: माना नाव की शान्त जल में चाल $= 3x$ किमी०/घण्टा.

तब, धारा का वेग $= x$ किमी०/घण्टा.

धारा के अनुकूल नाव की चाल $= 4x$ किमी०/घण्टा.

धारा के विपरीत नाव की चाल $= 2x$ किमी०/घण्टा.

$\therefore \quad 2x = 4 \Leftrightarrow x = 2.$

अतः धारा का वेग 2 किमी०/घण्टा है.

$\therefore$ तीनों में से किन्हीं दो से अभीष्ट उत्तर ज्ञात हो सकता है.

$\therefore$ सही उत्तर (*a*) है.

23 साधारण ब्याज (SIMPLE INTEREST)

सामान्य नियम

जब कोई व्यक्ति किसी साहूकार अथवा बैंक से रुपया उधार लेता है, तो दूसरे का धन प्रयोग करने के लिए उसे अतिरिक्त धन देना पड़ता है. इस अतिरिक्त धन को **ब्याज** कहते हैं.

उधार लिए गये धन को **मूलधन** कहते हैं.

मूलधन तथा ब्याज के योगफल को **मिश्रधन** कहते हैं.

साधारण ब्याज: जो ब्याज केवल मूलधन पर एक निश्चित अवधि के लिए एक ही दर पर लगाया जाता है, उसे साधारण ब्याज कहते हैं.

सूत्र

(*i*) $\text{सा० ब्याज} = \frac{(\text{मूल०} \times \text{दर} \times \text{समय})}{100}$ (*ii*) $\text{मू०} = \frac{(100 \times \text{सा० ब्याज})}{(\text{दर} \times \text{समय})}$

(*iii*) $\text{दर} = \frac{(100 \times \text{सा० ब्याज})}{(\text{मू०} \times \text{समय})}$ (*iv*) $\text{समय} = \frac{(100 \times \text{सा० ब्याज})}{(\text{मू०} \times \text{दर})}$

साधित उदाहरण

प्रश्न 1. ₹ 7200 पर 4% वार्षिक दर से 8 माह का साधारण ब्याज ज्ञात कीजिए।

हल: मूलधन = ₹ 7200, दर = 4% वार्षिक, समय $= \frac{8}{12}$ वर्ष $= \frac{2}{3}$ वर्ष.

$\therefore$ सा० ब्याज $= ₹\left(7200 \times \frac{4}{100} \times \frac{2}{3}\right) = ₹\ 192.$

प्रश्न 2. ₹ 1250 पर 5% वार्षिक दर से 219 दिन का साधारण ब्याज ज्ञात कीजिए.

हल: मूलधन = ₹ 1250, दर = 5% वार्षिक, समय $= \frac{219}{365}$ वर्ष $= \frac{3}{5}$ वर्ष.

$\therefore$ सा० ब्याज $= ₹\left(1250 \times \frac{5}{100} \times \frac{3}{5}\right) = ₹\ \frac{75}{2} = ₹\ 37{\cdot}50.$

प्रश्न 3. ₹ 5600 पर 4 अप्रैल 2005 से 16 जून 2005 तक का 5% वार्षिक दर से साधारण ब्याज ज्ञात कीजिए.

हल: मूलधन = ₹ 5600, दर = 5% वार्षिक.

अप्रैल मई जून

समय = (26 + 31 + 16) = 73 दिन $= \frac{73}{365}$ वर्ष $= \frac{1}{5}$ वर्ष.

$\therefore$ सा० ब्याज $= ₹\left(5600 \times \frac{5}{100} \times \frac{1}{5}\right) = ₹\ 56.$

टिप्पणी: जिस दिन धन जमा होता है वह दिन ब्याज हेतु नहीं गिना जाता. परन्तु जिस दिन धन निकाला जाता है वह दिन ब्याज हेतु गिना जाता है.

प्रश्न 4. किसी धन का सा० ब्याज की $6\frac{1}{4}$% वार्षिक दर से 3 वर्ष का मिश्रधन ₹ 6650 है. वह धन ज्ञात कीजिए.

हल: माना अभीष्ट धन = ₹ x.

तब $x+\left(x\times\frac{25}{4}\times\frac{1}{100}\times3\right)=6650\Leftrightarrow x+\frac{3x}{16}=6650$

$\Leftrightarrow \frac{19x}{16}=6650\Leftrightarrow x=\left(6650\times\frac{16}{19}\right)=5600.$

अतः अभीष्ट धन = ₹ 5600.

प्रश्न 5. किसी धन का साधारण ब्याज से 2 वर्ष का मिश्रधन ₹ 8400 तथा 3½ वर्ष का मिश्रधन ₹ 9075 हो जाता है. मूलधन तथा ब्याज की दर ज्ञात करें.

हल: $\frac{3}{2}$ वर्ष का ब्याज = ₹(9075 − 8400) = ₹ 675.

2 वर्ष का ब्याज = ₹$\left(675\times\frac{2}{3}\times2\right)$ = ₹ 900.

$\therefore$ मूलधन = ₹(8400 − 900) = ₹ 7500.

अब, ₹ 7500 का $\frac{3}{2}$ वर्ष का ब्याज 675 है.

$\therefore$ दर = $\left(100\times675\times\frac{2}{3}\times\frac{1}{7500}\right)$% वार्षिक = 6% वार्षिक.

अतः मूलधन = ₹ 7500 तथा दर = 6% वार्षिक.

प्रश्न 6. किस प्रतिशत वार्षिक साधारण ब्याज की दर से कोई धन 8 वर्ष में दुगुना हो जायेगा?

हल: माना मूलधन = ₹ x तथा दर = R% वार्षिक.

तब, मिश्रधन = ₹ $2x$.

अतः साधारण ब्याज = ₹ x.

$\therefore \left(x\times\frac{R}{100}\times8\right)=x\Leftrightarrow\frac{2R}{25}=1\Leftrightarrow R=\frac{25}{2}=12\frac{1}{2}$% वार्षिक.

प्रश्न 7. एक व्यापारी ने ₹ 45000 का ऋण दो बैंकों से लिया. एक ऋण के लिए 8% वार्षिक ब्याज दिया तथा दूसरे ऋण के लिए 12% वार्षिक. यदि पूरे वर्ष का कुल ब्याज ₹ 4440 हो, तो 8% की दर पर कितना धन लिया गया?

हल: माना 8% की दर पर लिया गया धन = ₹ x.

तब, 12% की दर पर लिया गया धन = ₹$(45000-x)$.

$$\left(x\times\frac{8}{100}\times1\right)+\left\{(45000-x)\times\frac{12}{100}\times1\right\}=4440$$

$$\Leftrightarrow \frac{2x}{25}+\frac{3(45000-x)}{25}=4440\Leftrightarrow 2x+135000-3x=111000\Leftrightarrow x=₹\ 24000.$$

अतः 8% की दर पर लिया गया धन = ₹ 24000.

प्रश्न 8. कोई धन किसी निश्चित दर पर 2 वर्ष के लिए साधारण ब्याज पर दिया गया. यदि ब्याज की दर 3% अधिक होती, तो ब्याज के ₹ 108 अधिक मिलते. मूलधन ज्ञात कीजिए.

हल: माना मूलधन = ₹ x तथा दर = R% वार्षिक. तब,

$$\left\{\frac{x\times(R+3)\times2}{100}\right\}-\left(\frac{x\times R\times2}{100}\right)=108\Leftrightarrow\frac{2xR+6x}{100}-\frac{2xR}{100}=108$$

$$\Leftrightarrow \frac{2xR+6x-2xR}{100}=108\Leftrightarrow\frac{6x}{100}=108\Leftrightarrow x=\frac{(108\times100)}{6}=1800.$$

अतः मूलधन = ₹ 1800.

प्रश्न 9. किसी धन पर एक निश्चित दर तथा समय के लिए साधारण ब्याज मूलधन का $\frac{9}{16}$ है. यदि दर तथा समय के संख्यात्मक मान समान हों, तो दर तथा समय ज्ञात कीजिए.

हल: माना मूलधन = ₹ x, दर = R% वार्षिक तथा समय = R वर्ष.

तब, $\frac{x\times R\times R}{100}=\frac{9x}{16}\Leftrightarrow R^2=\left(\frac{9}{16}\times100\right)\Leftrightarrow R=\left(\frac{3}{4}\times10\right)=7\frac{1}{2}.$

अतः दर = 7½% वार्षिक तथा समय = 7½ वर्ष.

प्रश्न 10. 3 वर्ष बाद देय ₹1092 बराबर वार्षिक किस्तों में चुकाना है. यदि साधारण ब्याज की दर 12% वार्षिक हो, तो प्रत्येक किस्त का मान ज्ञात कीजिए.

हल: माना वार्षिक किस्त का मान = ₹ x.

तब, ₹ x का 2 वर्ष का मिश्रधन + ₹ x का 1 वर्ष का मिश्रधन = ₹ x = 1092

$$\Leftrightarrow x+\left(x\times\frac{12}{100}\times2\right)+x+\left(x\times\frac{12}{100}\times1\right)+x=1092$$

$$\Leftrightarrow 3x+\frac{6x}{25}+\frac{3x}{25}=1092 \Leftrightarrow 84x=(1092\times25) \Leftrightarrow x=\frac{(1092\times25)}{84}=325.$$

अतः प्रत्येक किस्त का मान = ₹ 325.

प्रश्नमाला 23A

नीचे दिये गये प्रत्येक प्रश्न में ठीक उत्तर को चिह्नांकित (✓) कीजिए:

1. ₹ 10000 का 6% वार्षिक दर से 9 महीने का साधारण ब्याज क्या होगा?
(a) ₹ 450 (b) ₹ 475 (c) ₹ 500 (d) ₹ 645

2. साधारण ब्याज की किस वार्षिक दर से 3 वर्ष में ₹ 4500 का मिश्रधन ₹ 5400 हो जायेगा? **(रेलवे परीक्षा, 2014)**
(a) $5\frac{2}{3}\%$ (b) $6\frac{2}{3}\%$ (c) $7\frac{2}{3}\%$ (d) $8\frac{2}{3}\%$

3. किस धन का $3\frac{1}{3}\%$ वार्षिक दर से साधारण ब्याज पर 5 वर्ष में मिश्रधन ₹ 7000 हो जायेगा? **(पुलिस सब-इन्सपैक्टर परीक्षा, 2013)**
(a) ₹ 5000 (b) ₹ 6000
(c) ₹ 6300 (d) ₹ 6500

4. कोई धन साधारण ब्याज से 30 वर्ष में तिगुना हो जाता है. ब्याज की वार्षिक दर कितनी है? **(सी०डी०एस० परीक्षा, 2014)**
(a) 6% (b) $6\frac{2}{3}\%$ (c) $7\frac{1}{3}\%$ (d) 10%

5. यदि समान वार्षिक दर से समान समय के लिए ₹ x का साधारण ब्याज ₹ y हो तथा ₹ y का साधारण ब्याज ₹ z हो, तो निम्न में से सत्य कथन कौन-सा है? **(सी०डी०एस० परीक्षा, 2015)**
(a) $xyz=1$ (b) $z^2=xy$
(c) $x^2=yz$ (d) $y^2=zx$

6. कितने धन पर x% वार्षिक दर से, x वर्ष का साधारण ब्याज, ₹ x होगा?
(a) ₹ x (b) ₹ $100x$
(c) ₹ $\frac{100}{x}$ (d) ₹ $\frac{100}{x^2}$

7. किसी धन पर $7\frac{1}{2}\%$ वार्षिक दर से 15 महीने के साधारण ब्याज तथा $12\frac{1}{2}\%$ वार्षिक दर से 8 महीने के साधारण ब्याज का अन्तर ₹ 32·50 है. वह धन क्या है? **(पुलिस सब-इन्सपैक्टर परीक्षा, 2015)**
(a) ₹ 312 (b) ₹ 312·50
(c) ₹ 3120 (d) ₹ 3120·50

8. किसी धन पर 4 वर्ष का साधारण ब्याज उस धन का $\frac{1}{5}$ है. ब्याज की वार्षिक दर कितनी है?
(a) 4% (b) 5% (c) 10% (d) 12%

9. ₹ 4000 को दो भागों में साधारण ब्याज पर दिया गया. एक भाग 8% वार्षिक दर से तथा दूसरा भाग 10% वार्षिक दर से. यदि कुल वार्षिक ब्याज ₹ 352 हो, तो 8% वार्षिक दर पर कितना धन दिया गया? **(मैनेजमैन्ट परीक्षा, 2015)**
(a) ₹ 1600 (b) ₹ 1800
(c) ₹ 2400 (d) ₹ 2800

10. ₹ 5000 साधारण ब्याज की एक निश्चित दर पर तथा ₹ 4000 इस दर से 1% अधिक वार्षिक दर पर उधार दिये गये. यदि 4 वर्ष में दोनों का साधारण ब्याज समान हो तो पहला धन किस वार्षिक दर पर दिया गया? **(मैनेजमैन्ट परीक्षा, 2014)**
(a) 4% (b) 5% (c) $6\frac{2}{3}\%$ (d) 10%

11. किसी धन का साधारण ब्याज की एक विशेष दर से 3 वर्ष का मिश्रधन ₹ 4025 तथा 6 वर्ष का मिश्रधन ₹ 4550 है. ब्याज की वार्षिक दर कितनी है? **(मैनेजमैन्ट परीक्षा, 2014)**
(a) 5% (b) 4% (c) $6\frac{1}{4}\%$ (d) $8\frac{1}{3}\%$

12. किसी धन का साधारण ब्याज की एक विशेष दर से 3 वर्ष का मिश्रधन ₹ 2300 तथा 5 वर्ष का मिश्रधन ₹ 2500 है. मूलधन कितना है? **(मैनेजमैन्ट परीक्षा, 2014)**
(a) ₹ 1200 (b) ₹ 1500
(c) ₹ 1800 (d) ₹ 2000

13. साधारण ब्याज से किसी धन का 2 वर्ष का मिश्रधन ₹ 720 तथा उससे अगले 5 साल बाद ₹ 1020 हो जाता है. वह धन कितना है? **(एस०एस०सी० परीक्षा, 2014)**
(a) ₹ 500 (b) ₹ 600
(c) ₹ 700 (d) ₹ 710

14. साधारण ब्याज से किसी धन का 5 वर्ष का मिश्रधन ₹ 9800 तथा 8 वर्ष का मिश्रधन ₹ 12005 हो जाता है. ब्याज की वार्षिक दर क्या है? **(एस०एस०सी० परीक्षा, 2013)**

(*a*) 5% (*b*) 8% (*c*) 10% (*d*) 12%

15. एक व्यक्ति क्रमशः 6 वर्ष, 10 वर्ष तथा 12 वर्ष के लिए साधारण ब्याज की क्रमशः दर 10%, 12% तथा 15% पर धन लगाता है. यदि 3 वर्ष बाद प्रत्येक स्कीम से बराबर मिश्रधन मिले, तो इन मूलधनों का अनुपात क्या होगा? **(रेलवे परीक्षा, 2012)**

(*a*) 2 : 3 : 4 (*b*) 3 : 4 : 6
(*c*) 4 : 6 : 2 (*d*) 6 : 3 : 2

16. एक साहूकार को ज्ञात हुआ कि ब्याज की दर 8% से $7\frac{3}{4}\%$ होने पर उसकी वार्षिक आय में ₹ 61·50 की कमी आ गई. यह मूलधन कितना है? **(एस०एस०सी० परीक्षा, 2013)**

(*a*) ₹ 22400 (*b*) ₹ 23800
(*c*) ₹ 24600 (*d*) ₹ 26000

17. किसी धन पर 4% वार्षिक दर से 8 माह के साधारण ब्याज तथा उसी धन पर 5% वार्षिक दर से 15 माह के साधारण ब्याज का अन्तर ₹ 129 है. मूलधन क्या है? **(एस०एस०सी० परीक्षा, 2013)**

(*a*) ₹ 2400 (*b*) ₹ 2530
(*c*) ₹ 3250 (*d*) ₹ 3600

18. कोई धन साधारण ब्याज की एक विशेष दर पर $\frac{1}{4}$ वर्ष में अपने से $\frac{41}{40}$ गुना हो जाता है. ब्याज की वार्षिक दर क्या है? **(एस०एस०सी० परीक्षा, 2013)**

(*a*) 1% (*b*) 2·5%
(*c*) 5% (*d*) 10%

19. *A*, *B* को ₹ 2500 7% साधारण ब्याज की दर पर उधार देता है तथा *C* को कुछ धन इसी दर पर उधार देता है. यदि 4 वर्ष बाद *A* को कुल ब्याज ₹ 1120 मिलें, तो *C* को कितना रुपया उधार दिया गया?

(*a*) ₹ 700 (*b*) ₹ 1500
(*c*) ₹ 4000 (*d*) ₹ 6500

20. *A* ने ₹ 5000 *B* को 2 वर्ष के लिए तथा ₹ 3000 *C* को 4 वर्ष के लिए साधारण ब्याज पर उधार दिये तथा उसे कुल ब्याज ₹ 2200 मिला. ब्याज की वार्षिक दर कितनी है? **(सी०बी०आई० परीक्षा, 2013)**

(*a*) 5% (*b*) 7% (*c*) $7\frac{1}{8}\%$ (*d*) 10%

21. ₹ 2600 को दो भागों में साधारण ब्याज पर उधार दिया गया. यदि पहले भाग पर 10% वार्षिक दर से 5 वर्ष का ब्याज, दूसरे भाग पर 9% वार्षिक दर से 6 वर्ष के ब्याज के बराबर हो, तो 10% वार्षिक दर पर कितना धन दिया गया?

(*a*) ₹ 1150 (*b*) ₹ 1250
(*c*) ₹ 1350 (*d*) ₹ 1450

22. ₹ 1550 का कुछ भाग 5% वार्षिक दर पर तथा शेष भाग 8% वार्षिक दर पर उधार दिया गया तथा 3 वर्ष बाद ₹ 300 ब्याज मिला. दोनों भागों का अनुपात क्या है?

(*a*) 5 : 8 (*b*) 8 : 5
(*c*) 16 : 15 (*d*) 31 : 6

23. एक व्यक्ति ने अपने धन का $\frac{1}{3}$ भाग साधारण ब्याज की 7% वार्षिक दर पर, $\frac{1}{4}$ भाग 8% वार्षिक दर पर तथा शेष 10% वार्षिक दर पर उधार दिया. यदि उसकी इससे कुल वार्षिक आय ₹ 561 हो, तो कुल धन कितना है?

(*a*) ₹ 5400 (*b*) ₹ 6000
(*c*) ₹ 6600 (*d*) ₹ 7200

24. एक व्यक्ति ने ₹ 2600 को तीन भागों में 4%, 6%, 8% वार्षिक साधारण ब्याज पर उधार दिया. वर्ष के अन्त में प्रत्येक भाग से बराबर ब्याज मिले तो 4% की दर पर उसने कितना धन उधार दिया?

(*a*) ₹ 200 (*b*) ₹ 600
(*c*) ₹ 800 (*d*) ₹ 1200

25. ₹ 100000 को दो प्रकार के शेयरों में निवेशित किया गया. पहले भाग पर 9% वार्षिक तथा दूसरे भाग पर 11% वार्षिक साधारण ब्याज मिला. यदि कुल धन पर $9\frac{3}{4}\%$ वार्षिक ब्याज मिले, तो पहली प्रकार के शेयर में कितना धन निवेशित किया गया?

(*a*) ₹ 52500 (*b*) ₹ 62500
(*c*) ₹ 72500 (*d*) ₹ 80000

26. एक व्यक्ति ₹ 10000 को चार भागों में उधार देता है. यदि उसे ₹ 2000 पर 8% वार्षिक, ₹ 4000 पर $7\frac{1}{2}\%$ वार्षिक तथा ₹ 1400 पर $8\frac{1}{2}\%$ वार्षिक साधारण ब्याज मिले, तो शेष पर उसे कितने प्रतिशत वार्षिक ब्याज मिले कि उसकी औसत ब्याज की दर 8·13% वार्षिक हो?

(*a*) 7% (*b*) 9% (*c*) $9\frac{1}{4}\%$ (*d*) $10\frac{1}{2}\%$

27. किसी धन पर साधारण ब्याज की निश्चित दर में 2% वृद्धि करने पर वार्षिक साधारण ब्याज में ₹ 108 की वृद्धि हो जाती है. यदि समय में 2 वर्ष की वृद्धि कर दी जाती है, तो साधारण ब्याज में ₹ 180 की वृद्धि हो जाती है. मूलधन कितना है?

(*a*) ₹ 1800 (*b*) ₹ 3600
(*c*) ₹ 5400 (*d*) आँकड़े अपर्याप्त

28. साधारण ब्याज की एक निश्चित दर से धन 15 वर्ष 6 माह में तिगुना हो जाता है. यह कितने समय में दुगुना हो जायेगा?

(*a*) 6 वर्ष 3 माह (*b*) 7 वर्ष 9 माह
(*c*) 8 वर्ष 3 माह (*d*) 9 वर्ष 6 माह

29. एक निश्चित साधारण ब्याज की दर पर ₹ 1200 का 4 वर्ष का मिश्रधन ₹ 1488 हो जाता है. यदि ब्याज की दर 1% अधिक होती, तो मिश्रधन कितना होता?

(*a*) ₹ 1536 (*b*) ₹ 1632
(*c*) ₹ 1572 (*d*) इनमें से कोई नहीं

30. 3 वर्ष बाद देय ₹ 1092 के ऋण को बराबर वार्षिक किस्तों में चुकाना है. यदि ब्याज की दर 12% वार्षिक हो, तो प्रत्येक किस्त का मान क्या होगा?

(*a*) ₹ 325 (*b*) ₹ 285 (*c*) ₹ 315 (*d*) ₹ 364

31. एक व्यक्ति ने ₹ 25300 अपने तीन पुत्रों *A, B, C* में इस प्रकार वितरित किया कि 10% साधारण ब्याज की वार्षिक दर से क्रमशः 2 वर्ष, 3 वर्ष तथा 4 वर्ष बाद उनके मिश्रधन समान होंगे. *A* का भाग कितना है?

(*a*) ₹ 7800 (*b*) ₹ 8400
(*c*) ₹ 9100 (*d*) इनमें से कोई नहीं

32. कोई धन किसी निश्चित दर पर 2 वर्ष के लिए साधारण ब्याज पर दिया गया. यदि ब्याज की दर 3% अधिक होती, तो ब्याज के ₹ 108 अधिक मिलते. मूलधन कितना है?

(*a*) ₹ 1600 (*b*) ₹ 1800 (*c*) ₹ 2350 (*d*) ₹ 2500

33. किसी धन पर साधारण ब्याज की दर 10% से बढ़ाकर $12\frac{1}{2}$% कर देने पर किसी व्यक्ति की वार्षिक आय में ₹ 1250 की वृद्धि हो जाती है. वह धन कितना है?

(एस०एस०सी० परीक्षा, 2014)

(*a*) ₹ 45000 (*b*) ₹ 50000 (*c*) ₹ 60000 (*d*) ₹ 65000

34. नितिन ने कुछ धन उधार लिया जिस पर पहले 3 वर्ष तक ब्याज की दर 6% वार्षिक है, अगले 5 वर्ष के लिए 9% वार्षिक है तथा 8 वर्ष सेअधिक समय के लिए 13% वार्षिक है. यदि 11 वर्ष बाद कुल ब्याज ₹ 8160 दिया जाये, तो मूलधन कितना है?

(बैंक पी०ओ० परीक्षा, 2010)

(*a*) ₹ 8000 (*b*) ₹ 10000
(*c*) ₹ 12000 (*d*) आँकड़े अपर्याप्त

35. किसी धन का साधारण ब्याज की 5% वार्षिक दर से 4 वर्ष का मिश्रधन ₹ 504 है. इसी धन का 10% वार्षिक दर से $2\frac{1}{2}$ वर्ष का मिश्रधन क्या होगा?

(*a*) ₹ 420 (*b*) ₹ 450 (*c*) ₹ 525 (*d*) ₹ 550

36. साधारण ब्याज की वार्षिक दर 11·5% से 10% हो जाने के कारण एक व्यक्ति को एक वर्ष में ₹ 55·50 की हानि होती है. मूलधन कितना है? **(एस०एस०सी० परीक्षा, 2013)**

(*a*) ₹ 3700 (*b*) ₹ 7400 (*c*) ₹ 8325 (*d*) ₹ 11100

37. साधारण ब्याज की दर $6\frac{1}{2}$% वार्षिक से 8% वार्षिक हो जाने के कारण एक व्यक्ति की वार्षिक आय में 40·50 की वृद्धि हो जाती है. मूलधन कितना है? **(एस०एस०सी० परीक्षा, 2013)**

(*a*) ₹ 2500 (*b*) ₹ 2700 (*c*) ₹ 3000 (*d*) ₹ 3500

38. यदि कोई धनराशि साधारण ब्याज पर 8 वर्षों में तीन गुनी हो जाती है, तो यह कितने वर्षों में 5 गुनी हो जाएगी?

(दिल्ली मेट्रो रेल कॉर्पोरेशन सी.आर.ए. परीक्षा, 2017)

(*a*) 16 वर्ष (*b*) 14 वर्ष (*c*) 18 वर्ष (*d*) 12 वर्ष

39. एक धनराशि स्कीम A में साधारण ब्याज पर T वर्ष के लिए निवेशित की गई। T वर्ष पश्चात् प्राप्त धनराशि निवेशित धनराशि की दोगुनी थी। स्कीम A से कितनी धनराशि प्राप्त होगी यदि ₹ 5450 को 2T वर्षों के लिए निवेशित किया जाए?

(*a*) ₹ 16,290 (*b*) ₹ 15,500
(*c*) ₹ 15,050 (*d*) ₹ 16,350
(*e*) ₹ 16,500

40. एक निश्चित धनराशि ₹ *P* को 3 वर्ष के लिए 7% प्रतिवर्ष की दर से साधारण ब्याज पर निवेश करने पर प्राप्त ब्याज धनराशि ₹ (*P* – 1500) पर 6% प्रति वर्ष की दर से 5 वर्षों में प्राप्त साधारण ब्याज के बराबर है। *P* का मान क्या है? (₹ में) **(NIACL सहायक प्रारंभिक परीक्षा, 2017)**

(*a*) 5000 (*b*) 4500 (*c*) 4000 (*d*) 3000
(*e*) 6000

41. प्रतिवर्ष 13% की सांकेतिक ब्याज दर के अनुसार अर्द्धवार्षिक रूप में देय ब्याज की प्रभावी वार्षिक दर क्या होगी?

(एस.एस.सी. सी.एच.एस.एल. (10 + 2) ग्रेड-टियर-I (सी.बी.ई.) परीक्षा, 2017)

(*a*) 26 प्रतिशत (*b*) 26.85 प्रतिशत
(*c*) 13 प्रतिशत (*d*) 13.42 प्रतिशत

42. A ₹ 90, 000 की राशि 5% की साधारण ब्याज पर 4 वर्षों के लिए उधार लेता है। वह इसे 7% की साधारण ब्याज पर 4 वर्षों के लिए B को उधार दे देता है। उसको प्राप्त होने वाला लाभ (₹ में) ज्ञात कीजिए? **(एसएससी सीजीएल परीक्षा, 2022)**

(a) 8,000 (b) 9,000 (c) 7,500 (d) 7,200

43. कोई धनराशि कितने वर्षों में 5% साधारण ब्याज की दर से स्वयं की दोगुनी हो जाएगी? **(एनसीएचएम जेईई 2021)**

(*a*) 8 वर्ष (*b*) 12 वर्ष (*c*) 16 वर्ष (*d*) 20 वर्ष

44. 6% प्रति वर्ष की दर से। साधारण ब्याज, ₹4800 की राशि 3 वर्षों में कितना ब्याज अर्जित करेगी?

(एनसीएचएम जेईई 2021)

(*a*) ₹864 (*b*) ₹1026 (*c*) ₹1148 (*d*) ₹1124

45. कोई धनराशि 10 वर्षों में दोगुनी हो जाती है। ब्याज की प्रतिशत दर है: **(एचएसईईई परीक्षा 2020)**

(*a*) 12 (*b*) 10 (*c*) 14 (*d*) 8

46. वर्तमान धनराशि दो वर्षों में ₹800 और तीन वर्षों में ₹920 हो जाती है, तो वर्तमान राशि है: **(आईपीएम रोहतक 2020)**

(*a*) ₹420 (*b*) ₹690 (*c*) ₹560 (*d*) कोई नहीं

47. साधारण ब्याज पर उधार दी गई एक निश्चित राशि 4 वर्ष में 2400 रुपये और 6 वर्ष में 3000 रुपये हो जाती है। प्रति वर्ष ब्याज दर ज्ञात कीजिए? **(दर बीआई सहायक प्रारंभिक 2020)**

(*a*) 20% (*b*) 18% (*c*) 25% (*d*) 15%

48. एक राशि को 3.5 वर्ष के लिए साधारण ब्याज की एक निश्चित दर पर रखा गया। यदि इसे 4% अधिक दर पर रखा जाता, तो इससे ₹182 अधिक प्राप्त होते। योग है

(एमएटी सितंबर 2019)

(*a*) ₹1250 (*b*) ₹1400 (*c*) ₹1300 (*d*) कोई नहीं

49. 14% प्रति वर्ष की दर से 7 वर्षों में ₹ रुपये पर साधारण ब्याज क्या है? **(एसएससी सीएपीएफ एएसआई और दिल्ली पुलिस एसआई परीक्षा, 2017)**

(*a*) ₹6800 (*b*) ₹6812 (*c*) ₹7056 (*d*) ₹7096

50. किसी राशि पर आठ महीने के लिए 6% प्रति वर्ष की दर से साधारण ब्याज ₹340 है। योग का मान (₹ में) क्या है?

(एसएससी सीएचएसएल (10+2) टियर-I सीबीई परीक्षा, 2018)

(*a*) ₹8500 (*b*) ₹9500 (*c*) ₹8000 (*d*) ₹6800

51. साधारण ब्याज पर एक राशि 3 वर्ष में 2286 रुपये और 4 वर्ष में 2448 रुपये हो जाती है। प्रति वर्ष ब्याज की दर (प्रतिशत में) क्या है?

(*a*) 10 (*b*) 9 (*c*) 8 (*d*) 11

(एसएससी सीएचएसएल (10+2) टियर-I सीबीई परीक्षा, 2018)

52. किसी राशि पर 9 महीने के लिए 8% प्रति वर्ष की दर से साधारण ब्याज ₹270 है। योग का मान (₹ में) क्या है?

(एसएससी सीएचएसएल (10+2) टियर-I सीबीई परीक्षा, 2018)

(*a*) ₹5200 (*b*) ₹5400 (*c*) ₹4500 (*d*) ₹3600

53. साधारण ब्याज पर एक निश्चित राशि का निवेश किया गया। पाँच वर्षों में इसमें जितनी वृद्धि हुई थी, वह तीन वर्षों में हुई राशि से $1\frac{1}{4}$ गुना अधिक थी। ब्याज की प्रतिशत दर थी:

(एसएससी सीएचएसएल टियर-I सीबीई परीक्षा, 2019)

(*a*) 10% (*b*) 20% (*c*) 25% (*d*) 15%

54. A ने 31 दिसंबर 2011 को अपने मित्र B से ₹2000 की राशि इस शर्त पर उधार ली कि वह इसे एक वर्ष के बाद 8% साधारण ब्याज पर लौटा देगा। हालाँकि, A 1 जुलाई 2012 को पैसे लौटाने की स्थिति में आ जाता है। उसे B को कितनी राशि लौटानी है?

(*a*) ₹2200 (*b*) ₹2080 (*c*) ₹2088 (*d*) ₹2070

(एसएससी सीएचएसएल (10+2) टियर-I सीबीई परीक्षा, 2019)

55. ₹4000 की राशि दो भागों में, एक 8% साधारण ब्याज पर और दूसरी 10% साधारण ब्याज पर उधार दी जाती है। यदि वार्षिक ब्याज ₹352 है, तो 8% पर उधार दी गई राशि है

(*a*) ₹2900 (*b*) ₹2200 (*c*) ₹2400 (*d*) ₹3100

(एसएससी सीजीएल (10+2) टियर-II सीबीई परीक्षा, 2020)

56. एक मूलधन 7% प्रति वर्ष के साधारण ब्याज पर उधार दिया जाता है। यदि तीन वर्ष के अंत में, प्राप्त मिश्रधन ₹4,840 है, तो उधार दिया गया मूलधन ज्ञात कीजिए।

(*a*) ₹4000 (*b*) ₹5400 (*c*) ₹5000 (*d*) ₹5600

(*e*) ₹4400

57. सुनील ने x रुपए योजना A में 2 वर्ष के लिए 15% प्रति वर्ष की दर से तथा $(x + 500)$ रुपए योजना B में 2 वर्ष के लिए 12% प्रति वर्ष की दर से निवेश किए। यदि 2 वर्ष के अंत में उसे प्राप्त कुल ब्याज 4224 रुपए है तो x का मान ज्ञात कीजिए।

(*a*) 8200 (*b*) 7600 (*c*) 7200 (*d*) 7800

(*e*) इनमें से कोई नहीं

58. जब किसी राशि को 5 वर्ष के लिए 32% प्रति वर्ष साधारण ब्याज पर निवेश किया जाता है, तो अर्जित ब्याज ₹2400 होता है। वही प्रारंभिक राशि जब चक्रवृद्धि ब्याज (R +12)% प्रति वर्ष वार्षिक रूप से संयोजित चक्रवृद्धि ब्याज पर निवेश की जाती है, तो दो वर्षों के अंत में राशि ₹2535 हो जाती है। R का मान ज्ञात कीजिए।

(*a*) 18% (*b*) 22% (*c*) 26% (*d*) 15%

(*e*) 32%

59. S दो खातों में कुल ₹50,000 की धनराशि जमा करता है, जिन पर क्रमश: 8% और 12% वार्षिक दर से साधारण ब्याज प्राप्त होता है। एक वर्ष बाद उसे ब्याज के रूप में कुल ₹5,200 प्राप्त होते हैं। उसने 12% ब्याज की दर पर कितनी धनराशि खाते में जमा करवाई थी?

(एसएससी- सीजीएल 25/07/2023) (Shift-4)

(*a*) 30000 (*b*) 20000 (*c*) 32000 (*d*) 25000

60. कितने प्रतिशत वार्षिक साधारण ब्याज की दर से कोई धनराशि 16 वर्षों में स्वयं की तिगुनी हो जाएगी?

(एसएससी- सीजीएल 26/07/2023 (Shift-1)

(*a*) 11.5% (*b*) 11% (*c*) 12% (*d*) 12.5%

61. ₹21,000 की राशि पर साधारण ब्याज की दर से 3 वर्षों में अर्जित ब्याज ₹6,400 है। वार्षिक ब्याज दर ज्ञात करें।

(एसएससी- सीजीएल 26/07/2023 (Shift-2)

(*a*) $10\frac{5}{63}\%$ (*b*) $10\frac{2}{63}\%$ (*c*) $10\frac{13}{63}\%$ (*d*) $10\frac{10}{63}\%$

62. 5% की वार्षिक साधारण ब्याज दर पर 2 वर्षों में देय 1,100 का वर्तमान मूल्य कितना होगा?

(एसएससी- सीजीएल 26/07/2023 (Shift-3)

(*a*) ₹3,000 (*b*) ₹2,000

(*c*) ₹1,000 (*d*) ₹1,500

63. एक धनराशि पर साधारण ब्याज की दर से 3 वर्ष में प्राप्त मिश्रधन ₹1200 और 4 वर्ष में प्राप्त मिश्रधन ₹1.350 है। वह धनराशि ज्ञात करें। **(एसएससी- सीजीएल 26/07/2023 (Shift-3)**

(*a*) ₹650 (*b*) ₹850 (*c*) ₹450 (*d*) ₹750

64. ₹27,000 पर $14\frac{2}{3}\%$ प्रति वर्ष की दर से 8 महीने का साधारण ब्याज ज्ञात कीजिए। **(एसएससी- सीजीएल 27/07/2023 (Shift-1)**

(*a*) 2600 (*b*) 2630 (*c*) 2610 (*d*) 2640

65. किसी राशि पर 4% की वार्षिक दर से 6 वर्षों का साधारण ब्याज, उसी राशि पर 11 वर्षों के साधारण ब्याज से ₹7,500 कम है। वह राशि ज्ञात कीजिए।

(एसएससी- सीजीएल 27/07/2023 (Shift-02)

(*a*) ₹38,000 (b) ₹37,500

(c) ₹237,000 (d) ₹238,500

66. दिशा ने प्रति वर्ष साधारण ब्याज पर 9 वर्षों के लिए 20,000 की राशि का निवेश किया और कुल 33,500 की राशि प्राप्त की। ब्याज दर क्या है? **(एसएससी- एमटीएस 01/09/2023 (Shift-1)**

(*a*) 1.8% (*b*) 8.5% (*c*) 7.5% (*d*) 9%

67. 11% प्रति वर्ष साधारण ब्याज पर निवेश की गई ₹2000 की राशि, कितने वर्षों में ₹3100 हो जाएगी?

(एसएससी- एमटीएस 03/09/2023 (Shift-1)

(a) 3 (b) 4 (c) 2 (d) 5

68. साधारण ब्याज की किस प्रतिशत वार्षिक दर पर एक निश्चित धनराशि 5 वर्षों में दोगुनी हो जाएगी?

(एसएससी- जीडी 26/02/2024 (Shift-1)

(a) 20% (b) 25% (c) 30% (d) 10%

69. एक व्यक्ति किसी निश्चित राशि को 30 प्रतिशत की वार्षिक दर से साधारण ब्याज पर उधार देता है। 5 वर्षों में ब्याज, उधार दी गई राशि से 3200 रुपये अधिक हो जाता है। उधार दी गई राशि क्या है?

(एसएससी- जीडी 05/03/2024 (Shift-1)

(a) ₹6400 (b) ₹5600 (c) ₹4800 (d) ₹3200

उत्तरमाला

1. (a)	2. (b)	3. (b)	4. (b)	5. (d)	6. (c)	7. (c)	8. (b)	9. (c)	10. (a)
11. (a)	12. (d)	13. (b)	14. (d)	15. (d)	16. (c)	17. (d)	18. (d)	19. (b)	20. (d)
21. (c)	22. (c)	23. (c)	24. (d)	25. (b)	26. (b)	27. (d)	28. (b)	29. (a)	30. (a)
31. (c)	32. (b)	33. (b)	34. (a)	35. (c)	36. (a)	37. (b)	38. (a)	39. (d)	40. (a)
41. (d)	42. (d)	43. (d)	44. (a)	45. (b)	46. (c)	47. (c)	48. (c)	49. (d)	50. (a)
51. (b)	52. (c)	53. (b)	54. (b)	55. (c)	56. (a)	57. (c)	58. (a)	59. (a)	60. (d)
61. (d)	62. (c)	63. (d)	64. (d)	65. (b)	66. (c)	67. (d)	68. (a)	69. (a)	

दिये गये प्रश्नों के हल

1. सा० ब्याज $= ₹\left(10000\times6\times\frac{9}{12}\times\frac{1}{100}\right) = ₹\ 450.$

2. सा० ब्याज $= ₹(5400-4500) = ₹\ 900.$

$\therefore$ दर $= \left(\frac{100\times900}{4500\times3}\right)\%$ वार्षिक $= 6\frac{2}{3}\%$ वार्षिक.

3. माना धन $= ₹\ x.$ तब, मिश्रधन $= ₹\left\{x+\left(x\times\frac{10}{3}\times5\times\frac{1}{100}\right)\right\}$

$= ₹\left(x+\frac{x}{6}\right) = ₹\frac{7}{6}.$

$\therefore \quad \frac{7x}{6} = 7000 \Leftrightarrow x = \left(7000\times\frac{6}{7}\right) = ₹\ 6000.$

4. माना मूलधन $= ₹\ x.$ तब, मिश्रधन $= ₹\ 3x.$

$\therefore$ सा० ब्याज $= ₹\ 2x$, समय = 30 वर्ष, दर $= R\%$ (माना).

तब, $\frac{x\times R\times30}{100}=2x \Leftrightarrow R=\left(\frac{100\times2}{30}\right)\%$ वार्षिक

$= 6\frac{2}{3}\%$ वार्षिक.

5. माना दर $= R\%$ वार्षिक, समय $= T$ वर्ष.

$\frac{x\times R\times T}{100} = y$ तथा $\frac{y\times R\times T}{100} = z$

$\Leftrightarrow \quad y\times\frac{y\times R\times T}{100} = z\times\frac{x\times R\times T}{100} \Leftrightarrow y^2 = zx.$

6. $\frac{P\times R\times T}{100} =$ ब्याज $\Leftrightarrow P = ₹\frac{100\times \text{ब्याज}}{R\times T} = \frac{100\times x}{x\times x} = ₹\frac{100}{x}$

7. माना धन $= ₹\ x.$ तब,

$\left(x\times\frac{15}{2}\times\frac{15}{12}\times\frac{1}{100}\right)-\left(x\times\frac{25}{2}\times\frac{8}{12}\times\frac{1}{100}\right) = 32{\cdot}50$

$\Leftrightarrow \quad \frac{15x}{160}-\frac{x}{12}=\frac{3250}{100} \Leftrightarrow \frac{45x-40x}{480}=\frac{65}{2}$

$\Leftrightarrow \quad 10x = (65\times480) \Leftrightarrow x = (65\times48) = ₹\ 3120.$

8. माना धन $= ₹\ x.$ तब, साधारण ब्याज $= ₹\frac{x}{5}.$

दर $= \frac{100\times \text{सा० ब्याज}}{\text{समय}\times\text{मू०}} = \left(100\times\frac{x}{5}\times\frac{1}{4\times x}\right)\%$ वार्षिक

$= 5\%$ वार्षिक.

9. माना 8% वार्षिक दर पर धन $= ₹\ x.$

तब, 10% वार्षिक दर पर धन $= ₹(4000-x).$

$\frac{x\times8\times1}{100}+\frac{(4000-x)\times10\times1}{100} = 352 \Leftrightarrow 8x+40000-10x$

$= 35200 \Leftrightarrow 2x = 4800 \Leftrightarrow x = ₹\ 2400.$

$\therefore$ 8% वार्षिक दर पर धन $= ₹\ 2400.$

10. माना पहले धन पर ब्याज की दर $= x\%$ वार्षिक.

तब, $\left(5000\times\frac{x}{100}\times4\right) = \left\{4000\times\frac{(x+1)}{100}\times4\right\}$

$\Leftrightarrow 5x = 4x+4 \Leftrightarrow x = 4\%$ वार्षिक.

11. 3 वर्ष का सा० ब्याज $= ₹(4550-4025) = ₹525.$

मूलधन $= ₹(4025-525) = ₹\ 3500.$

ब्याज की दर $= \left(\frac{100\times525}{3500\times3}\right)\%$ वार्षिक $= 5\%$ वार्षिक.

12. 2 वर्ष का सा० ब्याज $= ₹(2500-2300) = ₹\ 200.$

3 वर्ष का सा० ब्याज $= ₹\left(\frac{200}{2}\times3\right) = ₹\ 300.$

मूलधन $= ₹(2300-300) = ₹\ 2000.$

13. 5 वर्ष का सा० ब्याज $= ₹(1020-720) = ₹\ 300.$

2 वर्ष का सा० ब्याज $= ₹\left(300\times\frac{2}{5}\right) = ₹\ 120.$

मूलधन $= ₹(720-120) = ₹\ 600.$

14. 3 वर्ष का सा० ब्याज $= ₹(12005-9800) = ₹\ 2205.$

5 वर्ष का सा० ब्याज $= ₹\left(2205\times\frac{5}{3}\right) = ₹\ 3675.$

$\therefore$ मूलधन $= ₹(9800-3675) = ₹\ 6125.$

अत: दर $= \left(\frac{100\times3675}{6125\times5}\right)\% = 12\%$ वार्षिक.

15. माना मूलधन क्रमश: ₹ x, ₹ y तथा ₹ z हैं.

तब, $\frac{x\times6\times10}{100} = \frac{y\times10\times12}{100} = \frac{z\times12\times15}{100} = K$ (माना)

$\Leftrightarrow\ x = \frac{5K}{3},\ y = \frac{5K}{6}$ तथा $z = \frac{5K}{9}$

$\Leftrightarrow\ x:y:z = \frac{5K}{3}:\frac{5K}{6}:\frac{5K}{9} = 6:3:2.$

16. माना मूलधन = ₹ x. तब, $\left(\frac{x\times8\times1}{100}\right) - \left(x\times\frac{31}{4}\times\frac{1}{100}\right) = 61{\cdot}50$

$\Leftrightarrow\ \frac{2x}{25} - \frac{31x}{400} = 61{\cdot}50 \Leftrightarrow (32x-31x) = (61{\cdot}50\times400)$

$\Leftrightarrow x = ₹\ 24600.$

17. माना मूलधन = ₹ x. तब, $\left(x\times\frac{5}{100}\times\frac{15}{12}\right) - \left(x\times\frac{4}{100}\times\frac{8}{12}\right) = 129$

$\Leftrightarrow \frac{x}{16} - \frac{2x}{75} = 129 \Leftrightarrow \frac{(75x-32x)}{1200} = 129$

$\Leftrightarrow x = \left(\frac{129\times1200}{43}\right) = ₹\ 3600.$

18. माना मूलधन = ₹ x. तब, मिश्रधन = ₹ $\frac{41x}{40}$.

$\therefore\ x + \left(x\times\frac{1}{4}\times\frac{R}{100}\right) = \frac{41x}{40}$

$\Leftrightarrow 1 + \frac{R}{400} = \frac{41}{40} \Leftrightarrow \frac{R}{400} = \left(\frac{41}{40}-1\right) = \frac{1}{40}$

$\Leftrightarrow R = \frac{400}{40} = 10\%$ वार्षिक.

19. माना C को ₹ x उधार दिया गया. तब,

$\left(2500\times\frac{7}{100}\times4\right) + \left(x\times\frac{7}{100}\times4\right) = 1120$

$\Leftrightarrow 700 + \frac{7x}{25} = 1120 \Leftrightarrow \frac{7x}{25} = 420 \Leftrightarrow x = \frac{(420\times25)}{7}$

$= ₹\ 1500.$

20. माना ब्याज की दर $= R\%$ वार्षिक. तब,

$\left(5000\times\frac{R}{100}\times2\right) + \left(3000\times\frac{R}{100}\times4\right) = 2200$

$\Leftrightarrow (100R+120R) = 2200 \Leftrightarrow 220R = 2200 \Leftrightarrow R = 10\%$ वार्षिक.

21. माना अभीष्ट भाग ₹ x तथा ₹$(2600-x)$ हैं.

तब, $\left(x\times\frac{10}{100}\times5\right) = \left\{(2600-x)\times\frac{9}{100}\times6\right\}$

$\Leftrightarrow \frac{x}{2} = \frac{27(2600-x)}{50} \Leftrightarrow 25x = (27\times2600) - 27x$

$\Leftrightarrow 52x = (27\times2600) \Leftrightarrow x = \frac{(27\times2600)}{52} = ₹\ 1350.$

अत: अभीष्ट धन = ₹ 1350.

22. माना 5% वार्षिक दर पर मूलधन = ₹ x.

तब, 8% वार्षिक दर पर मूलधन = ₹$(1550-x)$.

$\left(x\times\frac{5}{100}\times3\right) + \left\{(1550-x)\times\frac{8}{100}\times3\right\} = 300$

$\Leftrightarrow \frac{3x}{20} + \frac{6(1550-x)}{25} = 300 \Leftrightarrow 15x + 24\,(1550-x) = 30000$

$\Leftrightarrow (24x-15x) = (37200-30000) \Leftrightarrow x = \frac{7200}{9} = 800.$

शेष धन = ₹$(1550-800) = 750.$

अभीष्ट अनुपात $= 800:750 = 16:15.$

23. माना कुल धन = ₹ x. तब,

$\left(\frac{x}{3}\times7\times\frac{1}{100}\right) + \left(\frac{x}{4}\times\frac{8}{100}\times1\right) + \left\{x - \left(\frac{x}{3}+\frac{x}{4}\right)\times\frac{10}{100}\times1\right\} = 561$

$\Leftrightarrow \frac{7x}{300} + \frac{x}{50} + \frac{x}{24} = 561 \Leftrightarrow \frac{14x+12x+25x}{600} = 561$

$\Leftrightarrow x = \left(\frac{600\times561}{51}\right) = ₹\ 6600.$

24. माना ये भाग ₹ x, ₹ y तथा ₹$[2600-(x+y)]$ हैं. तब,

$\left(x\times\frac{4}{100}\times1\right) = \left(y\times\frac{6}{100}\times1\right) = \left[(2600-x-y)\times\frac{8}{100}\times1\right]$

$\Leftrightarrow \frac{x}{25} = \frac{3y}{50} \Leftrightarrow \frac{y}{x} = \frac{50}{3}\times\frac{1}{25} = \frac{2}{3} \Leftrightarrow y = \frac{2}{3}x$

$\therefore\ \frac{x}{25} = \frac{2\left(2600-x-\frac{2x}{3}\right)}{25} \Leftrightarrow 2\left(2600-\frac{5x}{3}\right) = x$

$\Leftrightarrow \left(x+\frac{10x}{3}\right) = 5200 \Leftrightarrow 13x = (5200\times3) \Leftrightarrow x = ₹\ 1200.$

अत: 4% की दर पर निवेशित धन = ₹ 1200.

25. माना पहले भाग में निवेशित धन = ₹ x.

दूसरे भाग में निवेशित धन = ₹$(100000-x)$.

$\left(x\times\frac{9}{100}\times1\right) + (100000-x)\times\frac{11}{100}\times1 = \left(100000\times\frac{39}{4}\times\frac{1}{100}\times1\right)$

$\Leftrightarrow \frac{9x}{100} + \frac{11(100000-x)}{100} = 9750$

$\Leftrightarrow 9x + 1100000 - 11x = 975000$

$\Leftrightarrow 2x = 125000 \Leftrightarrow x = ₹\ 62500.$

26. माना अभीष्ट दर $= R\%$ वार्षिक. तब,

$\left(2000\times\frac{8}{100}\times1\right) + \left(4000\times\frac{15}{2}\times\frac{1}{100}\right) + \left(1400\times\frac{17}{2}\times\frac{1}{100}\right)$

$+ \left(2600\times R\times\frac{1}{100}\right) = \left(\frac{813}{10000}\times10000\right)$

$\Leftrightarrow 160 + 300 + 119 + 26R = 813 \Leftrightarrow 26R = (813 - 579) = 234$

$\Leftrightarrow R = \frac{234}{26} = 9\%.$

27. माना धन = ₹ x, दर = $R\%$ वार्षिक तथा समय = t वर्ष. तब,

$$\left\{\frac{x\times(R+2)\times t}{100}\right\} - \left\{\frac{x\times R\times t}{100}\right\} = 108 \Leftrightarrow 2x\times t = 10800 \quad ...(i)$$

$$\left\{\frac{x\times R\times(t+2)}{100}\right\} - \left\{\frac{x\times R\times t}{100}\right\} = 180 \Leftrightarrow 2x\times R = 18000 \quad ...(ii)$$

स्पष्ट है कि समी० (i) तथा (ii) से x ज्ञात नहीं किया जा सकता.

28. माना धन = ₹ x. तब, सा० ब्याज = ₹ $2x$, समय = $\frac{31}{2}$ वर्ष.

अतः दर = $\left(\frac{100\times 2x}{x\times 31/2}\right)\% = \frac{400}{31}\%$ वार्षिक.

अब, मूलधन = ₹ x, दर = $\frac{400}{31}\%$ वार्षिक, सा० ब्याज = ₹ x.

$\therefore$ समय = $\left(\frac{100\times x}{x\times 400/31}\right)$ वर्ष = $\frac{31}{4}$ वर्ष = 7 वर्ष 9 माह.

29. सा० ब्याज = ₹(1488 − 1200) = ₹ 288.

दर = $\left(\frac{100\times 288}{1200\times 4}\right)\% = 6\%$ वार्षिक.

नई दर = $(6 + 1)\% = 7\%$.

इस दर पर ब्याज = ₹$\left(1200\times\frac{7}{100}\times 4\right)$ = ₹ 336.

अभीष्ट मिश्रधन = ₹(1200 + 336) = ₹ 1536.

30. माना प्रत्येक किस्त का मान = ₹ x.

₹ x का 2 वर्ष का मि० + ₹ x का 1 वर्ष का मि० + ₹ x = ₹ 1092.

$$\Leftrightarrow \left(x+\frac{x\times 12\times 2}{100}\right) + \left(x+\frac{x\times 12\times 1}{100}\right) + x = 1092$$

$$\Leftrightarrow \frac{31x}{25} + \frac{28x}{25} + x = 1092 \Leftrightarrow 84x = (1092\times 25)$$

$$\Leftrightarrow x = \frac{(1092\times 25)}{84} = ₹\ 325.$$

31. माना A, B, C के भाग क्रमशः ₹ x, ₹ y तथा ₹ z हैं.

तब, $\left(x+\frac{x\times 2\times 10}{100}\right) = \left(y+\frac{y\times 3\times 10}{100}\right) = z + \frac{(z\times 4\times 10)}{100}$

$$\Leftrightarrow \frac{6x}{5} = \frac{13y}{10} = \frac{7z}{5} = K \Leftrightarrow x = \frac{5K}{6},\ y = \frac{10K}{13}$$

तथा $z = \frac{5K}{7}$.

$$\therefore \quad x : y : z = \frac{5K}{6} : \frac{10K}{13} : \frac{5K}{7} = 91 : 84 : 78.$$

अतः A का भाग = ₹$\left(25300\times\frac{91}{253}\right)$ = ₹ 9100.

32. माना मूलधन = ₹ x तथा दर = $R\%$ वार्षिक.

तब, $\frac{x\times(R+3)\times 2}{100} - \frac{x\times R\times 2}{100} = 108$

$= \Leftrightarrow \frac{2xR + 6x - 2xR}{100} 108$

$\Leftrightarrow 6x = (108\times 100) \Leftrightarrow x = \frac{(108\times 100)}{6} = 1800.$

अतः मूलधन = ₹ 1800.

33. माना मूलधन = ₹ x.

तब, $\left(x\times\frac{25}{2}\times\frac{1}{100}\right) - \left(\frac{x\times 10\times 1}{100}\right) = 1250 \Leftrightarrow 25x - 20x$

$= 250000 \Leftrightarrow 5x = 250000 \Leftrightarrow x = ₹\ 50000.$

34. माना मूलधन = ₹ x. तब,

$$\left(\frac{x\times 6\times 3}{100}\right) + \left(\frac{x\times 9\times 5}{100}\right) + \left(\frac{x\times 13\times 3}{100}\right) = 8160$$

$\Leftrightarrow (18x + 45x + 39x) = 816000$

$\Leftrightarrow 102x = 816000 \Leftrightarrow x = ₹\ 8000.$

35. माना मूलधन = x. तब,

$$\left(x+\frac{x\times 5\times 4}{100}\right) = 504 \Leftrightarrow \left(x+\frac{x}{5}\right) = 504$$

$$\Leftrightarrow \frac{6x}{5} = 504 \Leftrightarrow x = \left(504\times\frac{5}{6}\right) = ₹\ 420.$$

इस धन पर 10% वार्षिक दर से $\frac{5}{2}$ वर्ष का ब्याज

= ₹$\left(420\times 10\times\frac{5}{2}\times\frac{1}{100}\right)$ = ₹ 105.

अतः अभीष्ट मिश्रधन = ₹(420 + 105) = ₹ 525.

36. माना मूलधन = ₹ x.

तब, $\left(x\times\frac{23}{2}\times 1\times\frac{1}{100}\right) - \left(x\times\frac{10}{100}\times 1\right) = 55{\cdot}50$

$$\Leftrightarrow \frac{23x}{200} - \frac{x}{10} = 55{\cdot}50 \Leftrightarrow (23x - 20x) = (55{\cdot}50\times 200)$$

$\Leftrightarrow 3x = 11100 \Leftrightarrow x = ₹\ 3700.$

37. माना मूलधन = ₹ x.

तब, $\left(x\times\frac{8}{100}\times 1\right) - \left(x\times\frac{13}{2}\times\frac{1}{100}\right) = 40{\cdot}50$

$$\Leftrightarrow \frac{2x}{25} - \frac{13x}{200} = 40{\cdot}50$$

$\Leftrightarrow (16x - 13x) = 8100 \Leftrightarrow 3x = 8100 \Leftrightarrow x = ₹\ 2700.$

38. अगर मूलधन = ₹ p तो 8 वर्ष में ब्याज = ₹ $2p$

अतः 16 वर्ष में ब्याज = ₹ $4p$

39. माना, दर = $R\%$

पहली स्थिति, माना, मूलधन = ₹ P

ब्याज = ₹ P

समय = T वर्ष

$$\therefore \quad \text{दर} = \frac{\text{ब्याज}\times 100}{\text{मूलधन}\times\text{समय}}$$

$$\Rightarrow \quad R = \frac{100}{T} \quad ...(i)$$

दूसरी स्थिति; दिया गया है, समय = $2T$ वर्ष

मूलधन = ₹ 5450

$\therefore$ ब्याज $= \frac{\text{मूल धन} \times \text{समय} \times \text{दर}}{100} = \frac{5450 \times 2T \times 100}{T \times 100}$
$= ₹ 10900$

$\therefore$ धनराशि $= ₹(10900 + 5450) = ₹ 16350$

40. साधारण ब्याज $= \frac{\text{मूलधनन} \times \text{समय} \times \text{दर}}{100}$

दिये गए प्रश्न के अनुसार $\frac{P \times 3 \times 7}{100} = \frac{(P - 1500) \times 5 \times 6}{100}$

$\Rightarrow 21P = 30P - 45000 \Rightarrow 30P - 21P = 45000$

$\Rightarrow 9P = 45000 \Rightarrow P = \frac{45000}{9} = ₹ 5000$

41. दिया गया है।

दर =13% प्रति वर्ष

$\therefore$ दर $= \frac{13}{2}$ प्रति अर्द्ध वर्ष

प्रभावी वार्षिक दर $= \left(\frac{13}{2} + \frac{13}{2} + \frac{13 \times 13}{400}\right)\%$

$= (13 + 0.4225)\% \approx 13.42\%$

42. $\therefore$ साधारण ब्याज $= \frac{\text{मूलधन} \times \text{दर} \times \text{समय}}{100}$

$= \frac{90000 \times 4 \times 5}{100} = ₹ 18000$

अब, $r = 7\%$, $t = 4$ वर्ष

साधारण ब्याज $= \frac{90000 \times 7 \times 4}{100} = ₹ 25200$

$\therefore$ लाभ $= 25200 - 18000 = ₹ 7200$

43. मान लीजिए मूलधन = P, साधारण ब्याज = P

दर = 5%

समय $= \frac{100 \times P}{P \times 5} = 20$ वर्ष

44. मूलधन = ₹4800, दर = 6%, समय = 3 वर्ष

साधारण ब्याज $= \frac{4800 \times 6 \times 3}{100} = ₹864$

45. मूलधन = P, साधारण ब्याज = P, समय = 10 वर्ष

दर % $= \frac{P \times 100}{P \times 10} = 10\%$

46. 1 वर्ष के लिए साधारण ब्याज $= 920 - 800 = ₹120$

2 वर्ष के लिए साधारण ब्याज $= 2 \times 120 = ₹240$

$\therefore$ मूलधन $= 800 - 240 = ₹560$

47. 2 वर्ष के लिए साधारण ब्याज $= 3000 - 2400 = ₹600$

1 वर्ष के लिए साधारण ब्याज = ₹300

4 वर्ष के लिए साधारण ब्याज $= 4 \times 300 = ₹1200$

$\therefore$ मूलधन $= 2400 - 1200 = ₹1200$

साधारण ब्याज = ₹1200

समय = 4 वर्ष

$\therefore$ दर $= \frac{1200 \times 100}{1200 \times 4} = 25\%$

48. माना मूलधन = P

मूल दर = R

फिर, $\left[\frac{P \times (R+4) \times 3.5}{100}\right] - \left[\frac{P \times R \times 3.5}{100}\right] = 182$

3.5 PR + 14 P – 3.5 PR = 18200

14 P = 18200

$\Rightarrow P = \frac{18200}{14} = ₹1300$

49. साधारण ब्याज $= \frac{7200 \times 14 \times 7}{100} = ₹7056$

50. मूलधन $= \frac{340 \times 100}{\frac{8}{12} \times 6} = \frac{340 \times 100}{4} = ₹8500$

51. 1 वर्ष के लिए साधारण ब्याज $= 2448 - 2286 = ₹162$

3 वर्ष के लिए साधारण ब्याज $= 162 \times 3 = ₹486$

$\therefore$ मूलधन $= 2286 - 486 = ₹1800$

$\therefore$ दर $= \frac{162 \times 100}{1800 \times 1} = 9\%$

52. मूलधन $= \frac{270 \times 100}{\frac{9}{12} \times 8} = \frac{270 \times 100}{6} = ₹4500$

53. माना 3 वर्ष बाद राशि = 400

5 वर्ष बाद की राशि $= \frac{5}{4} \times 400 = ₹500$

अत: 2 वर्ष का ब्याज $= 500 - 400 = ₹100$

1 वर्ष के लिए साधारण ब्याज = ₹50

3 वर्ष के लिए साधारण ब्याज = ₹150

मूलधन $= 400 - 150 = ₹250$

दर % $= \frac{150 \times 100}{250 \times 3} = 20\%$

54. मूलधन (P) = ₹ 2000, $r = 8\%$

समय (T) = 31 + 29 + 31 + 30 + 31 + 30 + 1 = 183 दिन

साधारण ब्याज $= \frac{PRT}{100} = \frac{2000 \times 8 \times 183}{366 \times 100}$ ($\because$ लीप वर्ष)

$= ₹80$

$\therefore$ राशि $= 2000 + 80 = ₹2080$

55. 8% = x पर योग

10% = y पर योग

$8\%x + 10\%y = 352$ ...(i)

साथ ही $x + y = 4000$ ...(ii)

(i) और (ii) को हल करने पर हम पाते हैं

$x = ₹2400, \quad y = ₹1600$

56. माना, योग = ₹P

अब, प्रश्न के अनुसार,

साधारण ब्याज $= \frac{P \times R \times T}{100}$

$4840 - P = \frac{P \times 7 \times 3}{100}$

$\Rightarrow 484000 - 100P = 21P$

$\Rightarrow 21P = 484000$

$\Rightarrow P = ₹4000$

57. माना सुनील द्वारा निवेश की गई राशि:
योजना A = x
योजना B = $x + 500$
अब, प्रश्न के अनुसार,

$$\left\{\frac{(x \times 15 \times 2)}{100}\right\} + \left[\left\{\frac{(x+500) \times 12 \times 2}{100}\right\}\right] = 4224$$

$$\Rightarrow \left\{\frac{30x}{100}\right\} + \left[\frac{\{24x + 12000\}}{100}\right] = 4224$$

$$\Rightarrow \left\{\frac{30x}{100}\right\} + \left\{\frac{24x}{100}\right\} = 4224 - 120$$

$$\Rightarrow \frac{54x}{100} = 4104$$

$$\Rightarrow x = \frac{410400}{54} = 7200$$

58. हमारे पास है,
S.I. = ₹2400, R = 32%, T = 5 वर्ष

$\therefore$ P = $\frac{S.I. \times 100}{R \times T} = \frac{2400 \times 100}{32 \times 5} = ₹1500$

अब,

$$A = p\left(1 + \frac{r}{100}\right)^n$$

$$\Rightarrow 2535 = 1500\left(1 + \frac{R+12}{100}\right)^2$$

$$\Rightarrow 1.69 = \left(1 + \frac{R+12}{100}\right)^2$$

दोनों पक्षों का वर्गमूल निकालने पर हमें प्राप्त होता है

$$1.3 = 1 + \frac{R+12}{100}$$

$$\Rightarrow 0.3 = \frac{R+12}{100} \Rightarrow R = 30 - 12 = 18\%$$

59.

A	B
8%	8% + 4%

ब्याज $= 50000 \times \frac{8}{100} = 4000$

अब, B का 4% = 5200 – 4000
B = ₹30000

60. साधारण ब्याज = $\frac{\text{मूलधन} \times \text{दर} \times \text{समय}}{100}$

$$2 = \frac{1 \times \text{दर} \times 16}{100}$$

$\Rightarrow$ दर = 12.5%

61. साधारण ब्याज = $\frac{\text{मूलधन} \times \text{दर} \times \text{समय}}{100}$

$$\Rightarrow 6400 = \frac{21000 \times \text{दर} \times 3}{100}$$

$$\Rightarrow \text{दर} = \frac{640}{63} = 10\frac{10}{63}\%$$

62. दो साल में
कुल साधारण ब्याज = (5 × 2) = 10%
अब, प्रश्नानुसार
110% = ₹1100
$\Rightarrow$ 1% = ₹10
$\Rightarrow$ वर्तमान मूल्य = 100 × 10 = ₹1000

63. 1 वर्ष के लिए
= ₹1350 – ₹1200 = ₹150
3 वर्ष के लिए साधारण ब्याज = 150 × 3 = ₹450
$\therefore$ अभीष्ट राशि = ₹1200 = ₹450 = ₹750

64. साधारण ब्याज = $\frac{\text{मूलधन} \times \text{दर} \times \text{समय}}{100}$

साधारण ब्याज $= \frac{27000 \times 44}{100 \times 3} = \frac{8}{12} = ₹2640$

65. $\frac{\text{मूलधन} \times 11 \times 4}{100} = \frac{\text{मूलधन} \times 6 \times 4}{100} = 7500$

$\frac{\text{मूलधन} \times 20}{100} = ₹7500$

$\Rightarrow$ मूलधन = ₹37500

66. $A = \text{मूलधन} + \frac{\text{मूलधन} \times \text{दर} \times \text{समय}}{100}$

$$33,500 = \frac{20,000 \times 9 \times \text{दर}}{100} + 20,000$$

$\Rightarrow$ 13,500 = 1800 दर
$\Rightarrow$ दर = 7.5%

67. $A = \text{मूलधन} + \frac{\text{मूलधन} \times \text{दर} \times \text{समय}}{100}$

$$3100 = 2000 + \frac{2000 \times 11 \times \text{समय}}{100}$$

$\Rightarrow$ 1100 = 220 समय
$\Rightarrow$ समय = 5 वर्ष

68. मान लीजिए P मूल राशि है और r ब्याज दर है।
अब, प्रश्नानुसार
$\Rightarrow$ 2 = मूलधन + (मूलधन × दर × समय)/100
$\Rightarrow$ P = (मूलधन × दर × 5)/100
$\Rightarrow$ 1 = (दर × 5)/100
$\Rightarrow$ दर = 20%

69. हमारे पास है
साधारण ब्याज = मूलधन + 3200
(मूलधन×30×5)/100 = मूलधन + 3200
$\Rightarrow$ 1.5 मूलधन = मूलधन + 3200
$\Rightarrow$ 0.5 मूलधन = 3200
$\Rightarrow$ मूलधन = 3200/0.5
$\Rightarrow$ = 6400

प्रश्नमाला 23B

निर्देश: प्रश्न संख्या 1 से 6 तक प्रत्येक में एक कथन/प्रश्न तथा दो कथन I तथा II दिये गये हैं. इन कथनों को पढ़कर इनका उत्तर:

(a) दीजिए यदि दिये गये प्रश्न का उत्तर देने के लिए I पर्याप्त हो तथा II पर्याप्त न हो;

(b) दीजिए यदि दिये गये प्रश्न का उत्तर देने के लिए II पर्याप्त हो तथा I पर्याप्त न हो;

(c) दीजिए यदि दिये गये प्रश्न का उत्तर देने के लिए I भी पर्याप्त हो तथा II भी पर्याप्त हो;

(d) दीजिए यदि दिये गये प्रश्न का उत्तर देने के लिए I तथा II दोनों मिलकर भी पर्याप्त न हों;

(e) दीजिए यदि दिये गये प्रश्न का उत्तर I तथा II दोनों को मिलाकर बना हो.

1. साधारण ब्याज की दर कितने प्रतिशत वार्षिक है? **(बैंक पी० ओ० परीक्षा, 2013)**
   I. कुल साधारण ब्याज ₹ 4000 है.
   II. यह धन 4 वर्ष के लिए निवेशित था.

2. किसी धन पर साधारण ब्याज ₹ 50 है. धन कितना है? **(बैंक पी० ओ० परीक्षा, 2013)**
   I. ब्याज की दर 10% वार्षिक है.
   II. इस धन पर 10 वर्ष का साधारण ब्याज प्राप्त किया गया है.

3. X ने कितना धन निवेश किया?
   I. ब्याज की दर $4\frac{7}{8}\%$ से $5\frac{1}{8}\%$ वार्षिक हो जाने से उसकी वार्षिक आय में ₹ 25 की वृद्धि हुई.
   II. इस धन को 8% वार्षिक दर से $12\frac{1}{2}$ वर्ष के लिए निवेशित किये जाने पर यह धन दुगुना हो जाता है.

4. आनन्द ने दीपक को साधारण ब्याज की कितनी वार्षिक दर पर ब्याज दिया?
   I. आनन्द ने दीपक से ₹ 8000 चार वर्ष के लिए उधार लिया.
   II. आनन्द ने 2 वर्ष बाद कुल ₹ 8800 देकर उधार चुकता कर दिया.

5. एक व्यक्ति ने दो साहूकारों से कुल ₹ 24000 उधार लिया. एक भाग पर $7\frac{1}{2}\%$ वार्षिक दर से तथा दूसरे भाग पर 9% वार्षिक दर से उधार लिया. प्रत्येक दर पर कितना धन उधार लिया गया?
   I. एक वर्ष बाद दोनों धनों से कुल साधारण ब्याज का योग ₹ 2025 है.
   II. एक धन पर ब्याज, दूसरे धन पर प्राप्त ब्याज से दुगुना है.

6. कितना धन ब्याज पर दिया गया?
   I. 7 वर्ष बाद कुल सा० ब्याज ₹ 7000 प्राप्त हुआ.
   II. 5 वर्ष बाद मिश्रधन मूलधन से दुगुना हो गया.

निर्देश (प्रश्न 7–8): नीचे दिये गये प्रत्येक प्रश्न में प्रश्न के साथ तीन कथन दिये गये हैं. आपको निर्णय करना है कि प्रश्न का उत्तर प्राप्त करने हेतु किन-किन कथनों की आवश्यकता होगी.

7. मूलधन कितना है?
   I. साधारण ब्याज से 3 वर्ष का मिश्रधन ₹ 690 हो जाता है.
   II. साधारण ब्याज से 5 वर्ष का मिश्रधन ₹ 750 हो जाता है.
   III. ब्याज की दर 5% वार्षिक है.
   (a) केवल I तथा III
   (b) केवल II तथा III
   (c) केवल I तथा II
   (d) (केवल I तथा III) अथवा (केवल II तथा III)
   (e) इनमें से कोई दो

8. कितने समय में साधारण ब्याज से कोई धन तिगुना हो जायेगा?
   I. 4 वर्ष का साधारण ब्याज मूलधन का आधा है.
   II. ब्याज की दर $12\frac{1}{2}\%$ वार्षिक है.
   III. साधारण ब्याज से 8 वर्ष में धन दुगुना हो जायेगा.
   (a) तीनों में से कोई एक (b) तीनों में से कोई दो
   (c) I, II तथा III तीनों (d) केवल II तथा III
   (e) केवल I तथा II

उत्तरमाला

1. (d) 2. (e) 3. (a) 4. (e) 5. (c) 6. (e) 7. (e) 8. (a)

दिये गये प्रश्नों के हल

1. हम जानते हैं कि $R = \frac{100 \times \text{सा० ब्याज}}{(\text{मू०} \times \text{समय})}$

I से, सा० ब्याज = ₹ 4000.

II से, समय = 4 वर्ष.

$\therefore \quad R = \left(\frac{100 \times 4000}{\text{मू०} \times 4}\right).$

स्पष्ट है कि R ज्ञात नहीं किया जा सकता.

अतः सही उत्तर (d) है.

2. दिया है: साधारण ब्याज = ₹ 50.

I से, $R = 10\%$ वार्षिक

II से, $T = 10$ वर्ष

$\therefore \quad \text{मूलधन} = \frac{(100 \times \text{सा० ब्याज})}{R \times T} = \frac{100 \times 50}{10 \times 10} = ₹\ 50.$

अत: I तथा II से अभीष्ट उत्तर प्राप्त हुआ.

अत: सही उत्तर (*e*) है.

3. माना X ने x का निवेश किया. तब,

I से: $R_1 = \frac{39}{8}\%$ तथा $R_2 = \frac{41}{8}\%$

ब्याज में वृद्धि = ₹ 25

$$\Leftrightarrow \left(x \times 1 \times \frac{41}{8} \times \frac{1}{100}\right) - \left(x \times 1 \times \frac{39}{8} \times \frac{1}{100}\right) = 25$$

$\Leftrightarrow (41x - 39x) = (800 \times 25) \Leftrightarrow 2x = (800 \times 25)$

$\Leftrightarrow x =$ ₹ 10000.

$\therefore$ केवल I से उत्तर प्राप्त हो गया.

II से, सा० ब्याज = ₹ x, $R = 8\%$ तथा $T = \frac{25}{2}$ वर्ष.

$$\therefore \quad P = \left(\frac{100 \times x}{8 \times 25} \times 2\right) = x.$$

अत: II से उत्तर प्राप्त नहीं हुआ.

अत: सही उत्तर (*a*) है.

4. माना ब्याज की दर $R\%$ वार्षिक है.

I से, मू० = ₹ 8000 तथा समय = 4 वर्ष.

II से, सा० ब्याज = ₹(8800 − 8000) = ₹ 800.

$$\therefore \quad \text{दर} = \frac{100 \times \text{सा० ब्याज}}{(\text{मू०} \times \text{समय})} = \left(\frac{100 \times 800}{8000 \times 4}\right)\% = 2{\cdot}5\% \text{ वार्षिक.}$$

$\therefore$ अभीष्ट उत्तर प्राप्त करने हेतु I तथा II दोनों चाहियें.

अत: सही उत्तर (*e*) है.

5. माना $7\frac{1}{2}\%$ वार्षिक दर पर मू० = ₹ x.

तब, 9% वार्षिक दर पर मू० = ₹$(24000 - x)$.

I से, कुल ब्याज = ₹ 2025.

$$\therefore \left(x \times 1 \times \frac{15}{2} \times \frac{1}{100}\right) + \left\{(24000 - x) \times 1 \times \frac{9}{100}\right\} = 2025$$

इससे x का मान ज्ञात हो जायेगा.

II से, $(24000 - x)$ पर ब्याज = 2 × (₹ x पर ब्याज)

$$\Leftrightarrow (24000 - x) \times \frac{9}{100} \times 1 = \left(2 \times x \times \frac{15}{2} \times \frac{1}{100}\right).$$

इससे भी x का मान ज्ञात हो जायेगा.

अत: सही उत्तर (*c*) है.

6. माना मूलधन = ₹ x.

I से, साधारण ब्याज = ₹ 7000, समय = 7 वर्ष.

II से, मू० + 5 वर्ष का सा० ब्याज = 2 × मू०

$\Leftrightarrow$ मू० = 5 वर्ष का सा० ब्याज

7 वर्ष का सा० ब्याज = ₹ 7000.

5 वर्ष का सा० ब्याज = ₹$\left(\frac{7000}{7} \times 5\right)$ = ₹ 5000.

$\therefore$ I तथा II दोनों से ही उत्तर प्राप्त हो सकेगा.

अत: सही उत्तर (*e*) है.

7. स्पष्ट है कि तीनों में से प्रत्येक से उत्तर प्राप्त किया जा सकता है.

अत: सही उत्तर (*e*) है.

8. माना मूलधन = ₹ x. तब, साधारण ब्याज = ₹$(3x - x)$ = ₹ $2x$.

I से: जब $T = 4$ वर्ष तो सा० ब्याज = ₹$\frac{x}{2}$.

$$\therefore \quad R = \frac{100 \times \text{सा० ब्याज}}{(\text{मू०} \times \text{समय})} = \left(100 \times \frac{x}{2} \times \frac{1}{x} \times \frac{1}{4}\right)\% = 12\frac{1}{2}\% \text{ वार्षिक.}$$

अब, मू० = ₹ x, सा० ब्याज = ₹ $2x$, दर = $\frac{25}{2}\%$ वार्षिक.

$$\therefore \text{समय} = \frac{100 \times \text{सा० ब्याज}}{(\text{मू०} \times \text{समय})} = \left(\frac{100 \times 2x}{x \times 25} \times 2\right) = 16 \text{ वर्ष.}$$

$\therefore$ केवल I से उत्तर प्राप्त हो गया.

II से, $R = \frac{25}{2}\%$ वार्षिक. अत: समय

$$= \left(\frac{100 \times 2x}{x \times 25}\right) \text{ वर्ष} = 16 \text{ वर्ष.}$$

$\therefore$ केवल II से उत्तर प्राप्त हो गया.

III से, $R = 5\%$ वार्षिक. अत: समय = $\left(\frac{100 \times 2x}{x \times 5}\right)$ = 40 वर्ष.

$\therefore$ केवल III से अभीष्ट उत्तर प्राप्त होता है.

अत: सही उत्तर (*a*) है.

24 चक्रवृद्धि ब्याज (COMPOUND INTEREST)

सामान्य नियम

चक्रवृद्धि ब्याज: कभी-कभी उधार दिये गये धन को चुकता करने के लिए एक निश्चित अवधि तय कर ली जाती है जो कि प्राय: वार्षिक, छमाही अथवा तिमाही होती है. इस अवधि के बाद मूलधन तथा ब्याज को जोड़ने पर बना मिश्रधन अगली अवधि के लिए मूलधन बन जाता है. प्रत्येक अवधि के लिए यही क्रिया दोहराई जाती है. अन्त में बना मिश्रधन चक्रवृद्धि-मिश्रधन कहलाता है.

चक्रवृद्धि ब्याज = (चक्रवृद्धि मिश्रधन) − (मूलधन).

सूत्र

माना मूलधन = ₹ P, दर = R% वार्षिक तथा समय = n वर्ष. तब,

1. यदि ब्याज वार्षिक देय हो, तो मिश्रधन $= P\left(1+\frac{R}{100}\right)^n$.

2. यदि ब्याज छमाही देय हो तो, दर = $\frac{R}{2}$% प्रति छमाही तथा समय = $2n$ छमाही.

   चक्रवृद्धि मिश्रधन $= P\left(1+\frac{R}{2\times100}\right)^{2n}$.

3. यदि ब्याज तिमाही देय हो, तो दर = $\frac{R}{4}$% प्रति तिमाही तथा समय = $4n$ तिमाही.

   चक्रवृद्धि मिश्रधन $= P\left(1+\frac{R}{4\times100}\right)^{4n}$.

4. यदि ब्याज वार्षिक हो तथा ब्याज की दर पहले वर्ष R_1%, दूसरे वर्ष R_2% तथा तीसरे वर्ष R_3% हो, तो

   3 वर्ष बाद चक्रवृद्धि मिश्रधन $= P\left(1+\frac{R_1}{100}\right)\times\left(1+\frac{R_2}{100}\right)\times\left(1+\frac{R_3}{100}\right)$.

5. यदि समय एक परिमेय संख्या हो, जैसे $3\frac{2}{5}$ वर्ष. तब,

   $3\frac{2}{5}$ वर्ष बाद चक्रवृद्धि मिश्रधन $= P\left(1+\frac{R}{100}\right)^3\times\left(1+\frac{2}{5}\cdot\frac{R}{100}\right)$.

6. **n वर्ष बाद देय किसी धन x का वर्तमान मूल्य** $= \dfrac{x}{\left(1+\frac{R}{100}\right)^n}$.

साधित उदाहरण

प्रश्न 1. ₹ 33750 का $6\frac{2}{3}$% वार्षिक दर से 3 वर्ष का चक्रवृद्धि ब्याज ज्ञात कीजिए.

हल: यहाँ $P=$ ₹ 33750, $R=\frac{20}{3}$% वार्षिक तथा $n=3$ वर्ष.

$\therefore$ चक्रवृद्धि मिश्रधन $= P \times \left(1+\frac{R}{100}\right)^n = ₹\left\{33750 \times \left(1+\frac{20}{3\times100}\right)^3\right\}$

$= ₹\left(33750\times\frac{16}{15}\times\frac{16}{15}\times\frac{16}{15}\right) = ₹\ 40960.$

अतः चक्रवृद्धि ब्याज = ₹(40960 – 33750) = ₹ 7210.

प्रश्न 2. ₹ 16000 का 5% वार्षिक दर से 1 वर्ष का चक्रवृद्धि ब्याज ज्ञात कीजिए, जबकि ब्याज प्रति छमाही देय हो.

हल: यहाँ $P = ₹\ 16000$, $R = \left(\frac{5}{2}\right)$% वार्षिक तथा $n = 2$ छमाही.

$\therefore$ चक्रवृद्धि मिश्रधन $= \left\{P\times\left(1+\frac{R}{100}\right)^n\right\} = ₹\left\{16000\times\left(1+\frac{5}{2\times100}\right)^2\right\}$

$= ₹\left(16000\times\frac{41}{40}\times\frac{41}{40}\right) = ₹\ 16810.$

अतः चक्रवृद्धि ब्याज = ₹(16810 – 16000) = ₹ 810.

प्रश्न 3. ₹ 125000 का 8% वार्षिक दर से 9 माह का चक्रवृद्धि ब्याज ज्ञात कीजिए, जबकि ब्याज तिमाही देय हो.

हल: यहाँ $P = ₹\ 125000$, $R = \left(\frac{8}{4}\right)$% प्रति तिमाही तथा $n = 3$ तिमाही.

$\therefore$ चक्रवृद्धि मिश्रधन $= \left\{P\times\left(1+\frac{R}{100}\right)^n\right\} = ₹\left\{125000\times\left(1+\frac{2}{100}\right)^3\right\}$

$= ₹\left(125000\times\frac{51}{50}\times\frac{51}{50}\times\frac{51}{50}\right) = ₹\ 132651.$

अतः चक्रवृद्धि ब्याज = ₹(132651 – 125000) = ₹ 7651.

प्रश्न 4. ₹ 25000 का 3 वर्ष बाद चक्रवृद्धि ब्याज क्या होगा, जबकि ब्याज की दर पहले, दूसरे तथा तीसरे वर्ष क्रमशः 4%, 5% तथा 6% वार्षिक हो.

हल: यहाँ $P = ₹\ 25000$, $R_1 = 4\%$, $R_2 = 5\%$, $R_3 = 6\%$ तथा $n = 3$ वर्ष.

$\therefore$ चक्रवृद्धि मिश्रधन $= P\times\left(1+\frac{R_1}{100}\right)\times\left(1+\frac{R_2}{100}\right)\times\left(1+\frac{R_3}{100}\right)$

$= ₹\left\{25000\times\left(1+\frac{4}{100}\right)\times\left(1+\frac{5}{100}\right)\times\left(1+\frac{6}{100}\right)\right\}$

$= ₹\left(25000\times\frac{26}{25}\times\frac{21}{20}\times\frac{53}{50}\right) = ₹\ 28938.$

अतः चक्रवृद्धि ब्याज = ₹ (28938 – 25000) = ₹ 3938.

प्रश्न 5. ₹ 3000 का 10% वार्षिक दर से 2 वर्ष 4 मास का चक्रवृद्धि ब्याज ज्ञात कीजिए जबकि ब्याज वार्षिक देय हो.

हल: यहाँ $P = ₹\ 3000$, $R = 10\%$ वार्षिक तथा $n = 2\frac{4}{12}$ वर्ष.

$\therefore$ चक्रवृद्धि मिश्रधन $= P\times\left(1+\frac{R}{100}\right)^2\times\left(1+\frac{4/12\times R}{100}\right)$

$= ₹\left\{3000\times\left(1+\frac{10}{100}\right)^2\times\left(1+\frac{4/12\times10}{100}\right)\right\} = ₹\left(3000\times\frac{11}{10}\times\frac{11}{10}\times\frac{31}{30}\right) = ₹\ 3751.$

अतः चक्रवृद्धि ब्याज = ₹ (3751 – 3000) = ₹ 751.

प्रश्न 6. किसी धन का 5% वार्षिक दर से 3 वर्ष का चक्रवृद्धि ब्याज तथा साधारण ब्याज का अन्तर ₹ 61 हो, तो धन ज्ञात कीजिए.

हलः माना अभीष्ट धन = ₹ x.

₹ x पर 3 वर्ष का चक्रवृद्धि ब्याज $= ₹\left[\left\{x \times \left(1+\frac{5}{100}\right)^3\right\} - x\right]$

$= ₹\left[\left(x \times \frac{21}{20} \times \frac{21}{20} \times \frac{21}{20}\right) - x\right] = ₹\left(\frac{9261x}{8000} - x\right) = ₹\left(\frac{1261x}{8000}\right).$

₹ x पर 3 वर्ष का साधारण ब्याज $= ₹\left(x \times \frac{5}{100} \times 3\right) = ₹\frac{3x}{20}.$

$\therefore \frac{1261x}{8000} - \frac{3x}{20} = 61 \Leftrightarrow 61x = (61 \times 8000) \Leftrightarrow x = 8000.$

अतः अभीष्ट धन = ₹ 8000.

प्रश्न 7. किसी धन का 10% वार्षिक दर से 2 वर्ष का चक्रवृद्धि ब्याज ₹ 420 है. इस धन का इसी दर पर इतने ही समय का साधारण ब्याज क्या होगा?

हलः माना अभीष्ट धन = ₹ x. तब

$$\left\{x \times \left(1+\frac{10}{100}\right)^2 - x\right\} = 420 \Leftrightarrow \left(x \times \frac{11}{10} \times \frac{11}{10}\right) - x = 420 \Leftrightarrow \frac{(121x - 100x)}{100} = 420 \Leftrightarrow x = \frac{(420 \times 100)}{21} = 2000.$$

$\therefore$ मूलधन = ₹ 2000, दर = 10% वार्षिक तथा समय = 2 वर्ष.

अतः साधारण ब्याज $= ₹\left(2000 \times \frac{10}{100} \times 2\right) = ₹\ 400.$

प्रश्नमाला 24A

नीचे दिये गये प्रत्येक प्रश्न में ठीक उत्तर को चिह्नांकित (✓) कीजिए:

1. ₹ 25000 पर 12% वार्षिक दर से 3 वर्ष का चक्रवृद्धि ब्याज क्या होगा? **(बैंक पी०ओ० परीक्षा, 2013)**
(a) ₹ 9000·30 (b) ₹ 10123·20
(c) ₹ 10483·20 (d) ₹ 9720
(e) इनमें से कोई नहीं

2. आनन्द ने निशा से ₹ 15000, 12% वार्षिक दर से चक्रवृद्धि ब्याज पर उधार लिये. इस ऋण को चुकता करने के लिए आनन्द को 2 वर्ष बाद कितना धन देना होगा? **(बैंक पी०ओ० परीक्षा, 2014)**
(a) ₹ 18600 (b) ₹ 18618
(c) ₹ 18816 (d) ₹ 18869

3. ₹ 16000 का 3 वर्ष का चक्रवृद्धि ब्याज क्या होगा जबकि ब्याज की दर पहले वर्ष 5%, दूसरे वर्ष 6% तथा तीसरे वर्ष $6\frac{1}{4}$% वार्षिक हो?
(a) ₹ 2385 (b) ₹ 2921
(c) ₹ 2941 (d) ₹ 3131

4. ₹ 11200 का 10% वार्षिक दर से $1\frac{1}{2}$ वर्ष का चक्रवृद्धि ब्याज क्या होगा, जबकि ब्याज वार्षिक दय हो?
(a) ₹ 1765·40 (b) ₹ 1747
(c) ₹ 1736 (d) ₹ 1680

5. ₹ 20480 का $6\frac{1}{4}$% वार्षिक दर से 2 वर्ष 73 दिन का चक्रवृद्धि ब्याज क्या होगा?
(a) ₹ 2929 (b) ₹ 3131
(c) ₹ 3636 (d) ₹ 3240

6. रमेश ने कुल ₹ 27000 दो भागों में क्रमशः 8% वार्षिक तथा 9% वार्षिक चक्रवृद्धि ब्याज पर उधार दिये तथा दो वर्ष बाद कुल ₹ 4818·30 ब्याज के रूप में प्राप्त किये. उसने कितना धन 8% वार्षिक दर पर उधार दिया?
(a) ₹ 12000 (b) 13500
(c) ₹ 15000 (d) ज्ञात नहीं किया जा सकता
(e) इनमें से कोई नहीं **(बैंक पी०ओ० परीक्षा, 2013)**

7. एक पेड़ की ऊँचाई में प्रतिवर्ष $\frac{1}{8}$ गुना वृद्धि हो जाती है. यदि पेड़ की वर्तमान ऊँचाई 64 सेमी० हो, तो 2 वर्ष बाद इसकी ऊँचाई कितनी होगी?
(a) 76 सेमी० (b) 80 सेमी०
(c) 81 सेमी० (d) 84 सेमी०

8. ₹ 1000 पर 10% वार्षिक दर से 4 वर्ष का चक्रवृद्धि ब्याज तथा साधारण ब्याज का अन्तर क्या होगा?
(a) ₹ 31 (b) ₹ 32·10
(c) ₹ 40·40 (d) ₹ 64·10
(e) इनमें से कोई नहीं **(बैंक पी०ओ० परीक्षा, 2012)**

9. समीर ने ₹ 15000 एक वर्ष के लिए 10% वार्षिक दर पर उधार दिये. यदि ब्याज प्रति छमाही संयोजित हो, तो वर्ष के अन्त में उसे कितना धन मिलेगा?

(*a*) ₹ 16500 (*b*) ₹ 16525·50
(*c*) ₹ 16537·50 (*d*) ₹ 18150
(*e*) इनमें से कोई नहीं **(बैंक पी०ओ० परीक्षा, 2013)**

10. ₹ 15625 पर 9 माह का 16% वार्षिक दर से तिमाही देय चक्रवृद्धि ब्याज कितना होगा? **(रेलवे परीक्षा, 2012)**

(*a*) ₹ 1941 (*b*) ₹ 1951 (*c*) ₹ 1961 (*d*) ₹ 1851

11. ₹ 1200 का 1 वर्ष में 10% वार्षिक दर से चक्रवृद्धि ब्याज तथा साधारण ब्याज का अन्तर कितना होगा, जबकि चक्रवृद्धि ब्याज छमाही देय हो? **(रेलवे परीक्षा, 2012)**
(*a*) ₹ 2·50 (*b*) ₹ 3 (*c*) ₹ 3·75 (*d*) ₹ 4
(*e*) इनमें से कोई नहीं

12. किसी धन पर 5% वार्षिक दर से 3 वर्ष का साधारण ब्याज ₹ 1200 है. इतने ही धन पर इसी दर से तथा इतने ही समय में चक्रवृद्धि ब्याज कितना होगा?
(*a*) ₹ 1260 (*b*) ₹ 1380
(*c*) ₹ 1381 (*d*) ₹ 1261

13. कितने समय में ₹ 30000 का 7% वार्षिक दर से चक्रवृद्धि ब्याज ₹ 4347 हो जायेगा? **(जीवन बीमा निगम परीक्षा, 2013)**

(*a*) 2 वर्ष (*b*) $2\frac{1}{2}$ वर्ष (*c*) 3 वर्ष (*d*) 4 वर्ष

14. चक्रवृद्धि ब्याज की किस दर से 2 वर्ष में ₹ 1200 का चक्रवृद्धि मिश्रधन ₹ 1348·32 हो जायेगा?
(*a*) 6% (*b*) 6·5% (*c*) 7% (*d*) 7·5%

15. कितने वर्ष में ₹ 1600 का चक्रवृद्धि मिश्रधन 10% वार्षिक दर से ₹ 1852·20 हो जायेगा, जबकि ब्याज प्रति छमाही संयोजित होता रहे? **(रेलवे परीक्षा, 2011)**

(*a*) 1 वर्ष (*b*) $1\frac{1}{2}$ वर्ष (*c*) $1\frac{3}{4}$ वर्ष (*d*) 2 वर्ष

16. ₹ 5000 पर 4% वार्षिक दर से $1\frac{1}{2}$ वर्ष के चक्रवृद्धि ब्याजों में क्या अन्तर होगा जबकि ब्याज क्रमशः वार्षिक तथा छमाही देय हो? **(एस०एस०सी० परीक्षा, 2010)**
(*a*) ₹ 2·04 (*b*) ₹ 3·06
(*c*) ₹ 4·80 (*d*) ₹ 8·30

17. चक्रवृद्धि ब्याज से किसी धन का मिश्रधन 2 वर्ष में ₹ 9680 तथा 3 वर्ष में ₹ 10648 हो जाता है. ब्याज की वार्षिक दर क्या है? **(पुलिस सब-इन्सपैक्टर परीक्षा, 2015)**
(*a*) 5% (*b*) 8% (*c*) 10% (*d*) 15%

18. चक्रवृद्धि ब्याज से किसी धन का मिश्रधन 3 वर्ष में ₹ 800 तथा 4 वर्ष में ₹ 840 है. ब्याज की वार्षिक दर क्या है?

(*a*) $2\frac{1}{2}$% (*b*) 4% (*c*) 5% (*d*) $6\frac{2}{3}$%

19. किसी धन पर 5% वार्षिक दर से 3 वर्ष का चक्रवृद्धि ब्याज ₹ 252·20 है. इतने ही धन पर इसी दर से इतने ही समय का साधारण ब्याज क्या होगा?
(पुलिस सब-इन्सपैक्टर परीक्षा, 2013)

(*a*) ₹ 220 (*b*) ₹ 240
(*c*) ₹ 245 (*d*) ₹ 250

20. किसी धन पर 5% वार्षिक दर से 2 वर्ष का चक्रवृद्धि ब्याज ₹ 328 है. इतने ही धन पर इसी दर से इतने ही समय का साधारण ब्याज क्या होगा?
(पुलिस सब-इन्सपैक्टर परीक्षा, 2015)

(*a*) ₹ 325 (*b*) ₹ 326
(*c*) ₹ 320 (*d*) ₹ 322

21. किसी धन पर 4% वार्षिक दर से 2 वर्ष का चक्रवृद्धि ब्याज तथा साधारण ब्याज का अन्तर ₹ 80 है. यह धन कितना है? **(पुलिस सब-इन्सपैक्टर परीक्षा, 2015)**
(*a*) ₹ 5000 (*b*) ₹ 10000
(*c*) ₹ 32000 (*d*) ₹ 50000

22. किसी धन पर 4% वार्षिक दर से 2 वर्ष का चक्रवृद्धि ब्याज तथा साधारण ब्याज का अन्तर ₹ 1 है. यह धन कितना है?
(एस०एस०सी० परीक्षा, 2013)
(*a*) ₹ 625 (*b*) ₹ 630
(*c*) ₹ 640 (*d*) ₹ 650

23. किसी राशि पर 8% चक्रवृद्धि ब्याज की दर से पहले वर्ष का ब्याज ₹ 48 है. दूसरे वर्ष का ब्याज क्या होगा?
(*a*) ₹ 48 (*b*) ₹ 51·84
(*c*) ₹ 56·48 (*d*) ₹ 96

24. वह मूलधन कितना है जिसका दूसरे वर्ष का चक्रवृद्धि ब्याज 10% वार्षिक दर से ₹ 132 है?
(*a*) ₹ 1000 (*b*) ₹ 1200
(*c*) ₹ 1320 (*d*) इनमें से कोई नहीं

25. कम से कम पूर्ण वर्षों की संख्या कितनी है जिनमें कोई धन 20% वार्षिक चक्रवृद्धि ब्याज की दर से दुगुने से ज्यादा हो जाये?
(*a*) 3 (*b*) 4
(*c*) 5 (*d*) 6

26. जब कोई धन 2 वर्ष में $6\frac{1}{2}$% वार्षिक रूप से गणना करने पर ₹ 5772 हो जाता है, तो उसका मूलधन क्या है?
(*a*) ₹ 5189 (*b*) ₹ 5389
(*c*) ₹ 5289 (*d*) ₹ 5089
(दिल्ली मेट्रो रेल कॉर्पोरेशन सी.आर.ए. परीक्षा, 2017)

27. डॉ. दुआ ने *A* और *B* दो योजनाओं में धन निवेश किया, जिसमें क्रमशः 8 प्रतिशत और 9 प्रतिशत प्रति वर्ष की दर से चक्रवृद्धि ब्याज मिलता है। यदि दोनों योजनाओं के जरिए 2 वर्षों में प्राप्त ब्याज की कुल राशि ₹ 4818.30 थी और निवेश की गई कुल राशि ₹ 27,000 थी, तो योजना *A* में कितनी राशि निवेश की गई थी?
(दिल्ली मेट्रो रेल कॉर्पोरेशन सी.आर.ए. परीक्षा, 2017)
(*a*) ₹ 12,000 (*b*) ₹ 14,000
(*c*) ₹ 16,000 (*d*) ₹ 13,000

निर्देश: प्रश्न के बाद तीन कथन दिए गए हैं। आपको प्रश्न और तीनों कथनों में दी गई जानकारी का अध्ययन करना होगा और तय करना होगा कि किस कथन/किन कथनों में दी गई जानकारी प्रश्न का उत्तर देने के लिए आवश्यक और पर्याप्त है।

28. प्रतिवर्ष ब्याज की दर क्या है?

I. धनराशि चक्रवृद्धि ब्याज की दर से 2 वर्ष में 9331.20 रुपए हो जाती है।

II. ब्याज की समान दर पर 2 वर्षों में चक्रवृद्धि ब्याज एवं साधारण ब्याज का अंतर ₹ 51.20 है।

III. निवेशित धनराशि ₹ 8000 है।

(*a*) केवल कथन I एवं III प्रश्न का उत्तर देने के लिए पर्याप्त हैं।
(*b*) केवल कथन I एवं II प्रश्न का उत्तर देने के लिए पर्याप्त हैं।
(*c*) केवल कथन II तथा या तो कथन I या कथन III प्रश्न का उत्तर देने के लिए पर्याप्त हैं।
(*d*) केवल कथन III तथा या तो कथन I या कथन II प्रश्न का उत्तर देने के लिए पर्याप्त हैं।
(*e*) तीनों कथनों में से कोई दो कथन प्रश्न का उत्तर देने के लिए पर्याप्त हैं।

29. एक निश्चित धनराशि पर 20% प्रतिवर्ष की दर से 2 वर्षों में वार्षिक रूप से संयोजित चक्रवृद्धि ब्याज ₹ 1496 है। समान धनराशि पर 11% प्रतिवर्ष की दर से 3 वर्षों में कितना साधारण ब्याज प्राप्त होगा?

(NIACL सहायक प्रारंभिक परीक्षा, 2017)

(*a*) ₹ 1164 (*b*) ₹ 1096
(*c*) ₹ 1122 (*d*) ₹ 1024
(*e*) दिए गए विकल्पों के अलावा

30. एक राशि में 8 वर्षों में साधारण ब्याज पर 40 प्रतिशत की वृद्धि होती है। उसी दर पर 2 वर्षों में ₹ 30000 का चक्रवृद्धि ब्याज (₹ में) कितना होगा?

(एस.एस.सी. सी.एच.एस.एल. (10+2) ग्रेड-टियर-I सी.बी.ई. परीक्षा, 2017)

(*a*) 6150 (*b*) 7687.5
(*c*) 4612.5 (*d*) 3075

31. किसी धनराशि पर 2 वर्ष के लिए 15% की दर पर चक्रवृद्धि ब्याज ₹ 3225 मिलता है। मूल राशि क्या होगी?

(एस.एस.सी. संयुक्त स्नातक स्तर ग्रेड-टियर-II (सी.बी.ई.) परीक्षा, 2017)

(*a*) ₹ 10000 (*b*) ₹ 20000
(*c*) ₹ 15000 (*d*) ₹ 32250

32. वार्षिक रूप से संयोजित ₹ 3000 की राशि x% चक्रवृद्धि ब्याज दर पर 3 वर्ष में ₹ 3993 हो जाती है। x का मान बताइए।

(एस.एस.सी. संयुक्त स्नातक स्तर ग्रेड-टियर-II (सी.बी.ई.) परीक्षा, 2017)

(*a*) 10 (*b*) 8
(*c*) 5 (*d*) $3\frac{1}{3}$

33. कोई राशि वार्षिक रूप से चक्रवृद्धि होने वाली 10% वार्षिक ब्याज दर पर 4 वर्ष के लिए जमा की जाती है। 2 वर्ष के अंत में और 4 वर्ष के अंत में मिलने वाले ब्याज के बीच का अंतर ₹5,052 है। वह राशि (₹ में) ज्ञात कीजिए।

(एसएससी सीजीएल परीक्षा, 2022)

(*a*) 20,000 (*b*) 10,164 (*c*) 30,820 (*d*) 25,500

34. वह धनराशि पर 10% वार्षिक ब्याज की दर से 4 वर्षों में प्राप्त साधारण ब्याज ₹3200 है। यदि ब्याज वार्षिक रूप से चक्रवृद्धि होता है, तो समान राशि पर समान अवधि में समान ब्याज से पर प्रात्य मिश्रधन ज्ञात कीजिए।

(एसएससी सीजीएल परीक्षा, 2022)

(*a*) 11,217.80 (*b*) 11,172.80
(*c*) 11,127.80 (*d*) 11,712.80

35. ₹66,300 को A और B के बीच इस प्रकार विभाजित करें कि A को 8 वर्ष बाद प्राप्त होने वाली राशि, 10 वर्षों के बाद B को प्राप्त होने वाली राशि के बराबर हो; जबकि ब्याज की दर वार्षिक रूप से चक्रवृद्धि होने वाली 10% वार्षिक है।

(एसएससी सीजीएल परीक्षा, 2022)

(*a*) A = ₹35,200, B = ₹31,100
(*b*) A = ₹35,520, B = ₹30,810
(*c*) A = ₹37,000, B = ₹29,300
(*d*) A = ₹36,300, B = ₹30,000

36. ₹62,500 की राशि पर प्रत्येक 8 माह में चक्रवृद्धि होने वाली 12% वार्षिक ब्याज दर से दो वर्षों में प्राप्त चक्रवृद्धि ब्याज (₹ में) कितना होगा? **(एसएससी सीजीएल परीक्षा, 2022)**

(*a*) 13,428 (*b*) 18,342
(*c*) 16,232 (*d*) 16,548

37. एक निश्चित राशि चक्रवृद्धि ब्याज की एक निश्चित दर पर उधार दी जाती है। यह 2 वर्षों में अपने मूल्य से 1.44 गुना बढ़ जाती है। यदि उसी राशि को उसी दर पर साधारण ब्याज पर उधार दिया जाता है, तो वह कितने वर्षों में स्वयं की दोगुनी हो जाएगी? **(जेआईपीएमएटी परीक्षा 2021)**

(*a*) 3 वर्ष (*b*) 4 वर्ष (*c*) 5 वर्ष (*d*) 6 वर्ष

38. एक कंपनी अपने ग्राहकों को अवगत करती है कि एक निश्चित चक्रवृद्धि ब्याज दर पर, किसी के द्वारा जमा की गई राशि 3 वर्ष में 8 गुना हो जाएगी . यदि समान राशि समान चक्रवृद्धि ब्याज दर पर जमा की जाती है, तो कितने वर्षों में यह 16 गुना हो जाएगी? **(सीएमएटी परीक्षा 2021)**

(*a*) 4 वर्ष (*b*) 3.5 वर्ष (*c*) 3 वर्ष (*d*) 4.5 वर्ष

39. ₹25,000 पहले वर्ष के लिए 3%, दूसरे वर्ष के लिए 4% और तीसरे वर्ष के लिए 5% चक्रवृद्धि ब्याज पर उधार लिया जाता है। 3 वर्ष बाद भुगतान की जाने वाली राशि ज्ञात कीजिए।

(सीएमएटी परीक्षा 2021)

(*a*) ₹28,117 (*b*) ₹28,118 (*c*) ₹28,120 (*d*) ₹28,119

40. मान लीजिए कि राम और श्याम के पास प्रत्येक के पास ₹1000 हैं। राम अपना पैसा 10% के साधारण ब्याज के साथ एक बैंक में जमा करता है जबकि श्याम 10% के चक्रवृद्धि ब्याज के साथ ऐसा ही करता है। यदि ब्याज की वार्षिक गणना

की जाती है, तो चार वर्षों के बाद उनकी निकासी राशि के बीच का अंतर (निकटतम पूर्णांक तक पूर्णांकित) होगा:

(एचएसईई पेपर 2021)

(*a*) ₹50 (*b*) ₹64 (*c*) ₹150 (*d*) ₹750

41. दो वर्ष के लिए 10% चक्रवृद्धि ब्याज की दर से एक निश्चित मूल राशि ली जाती है और राशि 605 हो जाती है। मूल राशि है– **(एचएसईई पेपर 2020)**

(*a*) ₹450 (*b*) ₹500 (*c*) ₹550 (*d*) ₹530

42. रूमी ने योजना *X* में 2 वर्ष के लिए 20% प्रति वर्ष चक्रवृद्धि ब्याज (वार्षिक रूप से संयोजित) पर एक निश्चित राशि का निवेश किया। वह 2 वर्ष के लिए 15% प्रति वर्ष साधारण ब्याज पर योजना *Y* में भी समान राशि का निवेश करती है। यदि योजना *X* और *Y* से अर्जित ब्याज में अंतर ₹350 है, तो राशि क्या थी? **(एलआईसी एएओ प्री 2019)**

(*a*) ₹2000 (*b*) ₹1200 (*c*) ₹2500 (*d*) ₹4000

43. 2 वर्ष के लिए चक्रवृद्धि ब्याज पर 20% प्रति वर्ष की दर से उधार दी गई राशि से 482 रुपये अधिक प्राप्त होंगे यदि ब्याज अर्द्धवार्षिक रूप से देय होता है। यदि यह वार्षिक रूप से देय होता है, योग है: **(एमएटी 2019)**

(*a*) ₹10,000 (*b*) ₹20,000 (*c*) ₹40,000 (*d*) ₹50,000

44. कम से कम वर्षों की संख्या जिसमें 19% p.a. पर धन की राशि। चक्रवृद्धि ब्याज दोगुने से अधिक होगा–

(एसएससी मल्टी-टास्किंग स्टाफ परीक्षा, 2017)

(*a*) 3 वर्ष (*b*) 4 वर्ष (*c*) 5 वर्ष (*d*) 2 वर्ष

45. ₹12500 पर 12% वार्षिक दर से 2 वर्ष के लिए चक्रवृद्धि ब्याज (₹ में) क्या है?

(एसएससी सीएपीएफएस एएसआई और दिल्ली पुलिस एसआई ऑनलाइन परीक्षा, 2017)

(*a*) 3000 (*b*) 2980 (*c*) 3050 (*d*) 3180

46. ₹80000 पर 1 वर्ष में 40% प्रति वर्ष की दर से अर्जित चक्रवृद्धि ब्याज त्रैमासिक रूप से कितना है?

(एसएससी सीजीएल टियर-II सीबीई परीक्षा, 2020)

(*a*) 28317 (*b*) 37128 (*c*) 18732 (*d*) 21387

47. ब्याज की दर (% में) क्या है यदि किसी निश्चित राशि पर 3 वर्षों के लिए अर्जित साधारण ब्याज ₹6000 है और 2 वर्षों के लिए अर्जित चक्रवृद्धि ब्याज ₹4160 है?

(एसएससी सीजीएल टियर-II सीबीई परीक्षा, 2018)

(*a*) 9 (*b*) 8 (*c*) 12 (*d*) 6

48. प्रतिवर्ष चक्रवृद्धि ब्याज की किस दर पर ₹1800 की राशि दो वर्षों में ₹2178 हो जाएगी?

(एसएससी कांस्टेबल (जीडी) परीक्षा, 2019)

(*a*) 11% (*b*) 12% (*c*) 10% (*d*) 13%

49. दो वर्ष के लिए ₹25000 की राशि पर 12% प्रति वर्ष की दर से चक्रवृद्धि ब्याज (₹1 के निकटतम) क्या होगा, यदि ब्याज 8-मासिक रूप से संयोजित होता है?

(एसएससी सीजीएल टियर-I सीबीई परीक्षा, 2019)

(*a*) ₹6394 (*b*) ₹6439 (*c*) ₹6493 (*d*) ₹6349

50. यदि कोई राशि चक्रवृद्धि ब्याज पर 5 वर्ष में दुगुनी हो जाती है, तो कितने वर्षों में वह आठ गुनी हो जाएगी?

(एसएससी सीएपीएफ एएसआई और दिल्ली पुलिस एसआई ऑनलाइन परीक्षा, 2017)

(*a*) 10 (*b*) 20 (*c*) 15 (*d*) 30

51. चक्रवृद्धि ब्याज पर एक राशि 7 वर्ष में दुगुनी हो जाती है। कितने वर्षों में वही राशि 16 गुना हो जाएगी?

(एसएससी मल्टी-टास्किंग स्टाफ परीक्षा, 2017)

(*a*) 21 (*b*) 28 (*c*) 35 (*d*) 19

52. चक्रवृद्धि ब्याज की एक निश्चित दर पर ₹2500 की राशि 2 वर्षों में ₹8100 हो जाती है। 4 वर्ष बाद योग (₹ में) क्या होगा?

(एसएससी सीएचएसएल (10+2) टीयर-I सीबीई परीक्षा, 2018)

(*a*) 29824 (*b*) 36284 (*c*) 41624 (*d*) 26244

53. यदि एक राशि चक्रवृद्धि ब्याज पर चार वर्षों में ₹2190 और पाँच वर्षों में ₹2409 हो जाती है, जब ब्याज वार्षिक रूप से संयोजित होता है, तो ब्याज की वार्षिक दर है–

(एसएससी सीजीएल टियर-I सीबीई परीक्षा, 2019)

(*a*) 8% (*b*) 10% (*c*) 9% (*d*) 11%

54. चक्रवृद्धि ब्याज (वार्षिक संयोजित) पर निवेश की गई राशि पहले वर्ष के अंत में ₹750 और दूसरे वर्ष के अंत में ₹900 हो जाती है। राशि क्या है? **(एसएससी एमटीएस परीक्षा, 2019)**

(*a*) ₹700 (*b*) ₹625 (*c*) ₹600 (*d*) ₹650

55. साधारण ब्याज पर 8 वर्षों में एक राशि में 40% की वृद्धि होती है। उसी दर पर 2 वर्ष बाद ₹30000 का चक्रवृद्धि ब्याज (रुपये में) क्या होगा?

(एसएससी सीएचएसएल (10+2) टीयर-I सीबीई परीक्षा, 2020)

(*a*) 6150 (*b*) 7687.5 (*c*) 4612.5 (*d*) 3075

56. 2 वर्ष के लिए 12% प्रति वर्ष की दर से चक्रवृद्धि ब्याज और साधारण ब्याज के बीच का अंतर ₹18 है। ₹*x* का मूल्य क्या है? **(एसएससी सीजीएल टियर-I सीबीई परीक्षा, 2019)**

(*a*) 1250 (*b*) 1280 (*c*) 1340 (*d*) 1300

57. ₹155 में तीन वर्षों के लिए 10% प्रति वर्ष की दर से चक्रवृद्धि ब्याज और साधारण ब्याज के बीच का अंतर। राशि (₹ में) है–

(एसएससी सीएचएसएल (10+2) टीयर-I सीबीई परीक्षा, 2019)

(*a*) 5500 (*b*) 6000 (*c*) 6600 (*d*) 5000

58. ₹20000 की राशि को 15 महीने के लिए 10% प्रति वर्ष के ब्याज पर अर्द्धवार्षिक रूप से संयोजित किया जाता है। 15 महीने के अंत में प्रतिशत लाभ, एक दशमलव स्थान तक सही क्या है?

(एसएससी एसआई दिल्ली पुलिस सीएपीएफएस और एएसआई (सीआईएसएफ) परीक्षा, 2019)

(*a*) 12.5% (*b*) 13.6% (*c*) 13.0% (*d*) 13.4%

59. ₹1000 की राशि तीन वर्षों के लिए चक्रवृद्धि ब्याज (वार्षिक रूप से संयोजित) पर निवेश की जाती है। यदि ब्याज की दर पहले दो वर्षों के लिए 10% प्रति वर्ष और तीसरे वर्ष के लिए 50% प्रति वर्ष है, तो ब्याज क्या होगा?

(एसएससी एमटीएस (गैर-तकनीकी) स्टाफ परीक्षा, 2019)

(a) ₹612 (b) ₹655 (c) ₹815 (d) ₹756

60. 18% प्रति वर्ष चक्रवृद्धि ब्याज पर दिए गए धन की राशि ₹ 960 अधिक प्राप्त होगी जब ब्याज 2 वर्ष के लिए वार्षिक देय होने की तुलना में अर्द्धवार्षिक रूप से देय होता है–
[एसएससी सीएचएसएल (10+2) परीक्षा, 2015]
(a) ₹ 60,000 (b) ₹ 30,000
(c) ₹ 40,000 (d) ₹ 50,000

61. किस राशि पर 5% प्रति वर्ष की दर से 2 वर्ष के साधारण ब्याज और चक्रवृद्धि ब्याज के बीच का अंतर ₹ 63 के बराबर होगा? **[एसएससी सीएचएसएल (10 + 2) परीक्षा, 2015]**
(a) ₹ 24600 (b) ₹ 24800 (c) ₹ 25200 (d) ₹ 25500

62. प्रति वर्ष चक्रवृद्धि ब्याज की किस दर से ₹ 1200 की राशि 2 वर्षों में ₹ 1348.32 हो जाएगी?
[एसएससी सीएचएसएल (10+2) परीक्षा, 2015]
(a) 7.5% (b) 6.5% (c) 7% (d) 6%

63. एक निश्चित धनराशि पर 2 वर्षों के लिए 10% प्रति वर्ष की दर से चक्रवृद्धि ब्याज ₹ 525 है। समान राशि पर दोगुने समय के लिए प्रति वर्ष आधी दर पर साधारण ब्याज है?
[आरबीआई ग्रेड 'बी' (चरण I) परीक्षा, 2015]
(a) ₹ 1000 (b) ₹ 500 (c) ₹ 200 (d) ₹ 800

64. शशि के पास एक निश्चित राशि थी। उसने कुल धन का $\frac{2}{3}$ भाग योजना A में 6 वर्ष के लिए निवेश किया और शेष धन उसने योजना B में 2 वर्ष के लिए निवेश किया। योजना A 12% p.a. की दर से साधारण ब्याज प्रदान करती है और योजना B 10% p.a. की दर से चक्रवृद्धि ब्याज (वार्षिक रूप से संयोजित) प्रदान करती है। यदि दोनों योजनाओं से प्राप्त कुल ब्याज ₹ 2,750 है, तो उसके द्वारा योजना A और योजना B में एक साथ निवेश की गई कुल राशि कितनी थी? (अनुमानित मूल्य)
[आईबीपीएस-बैंक स्पे. अधिकारी (आईटी) परीक्षा, 2015]
(a) ₹ 4500 (b) ₹ 4200 (c) ₹ 4050 (d) ₹ 5000

65. एक निश्चित राशि पर 3 वर्ष के लिए 5% प्रति वर्ष की दर से चक्रवृद्धि ब्याज और साधारण ब्याज के बीच का अंतर ₹ 122 है। निवेश की गई राशि ज्ञात कीजिए। **[आईबीपीएस आरआरबी कार्यालय सहायक (ऑनलाइन) परीक्षा, 2015]**
(a) ₹ 10000 (b) ₹ 12000 (c) ₹ 16000 (d) ₹ 20000

66. ₹ 5000 पर 1 वर्ष के लिए 4% प्रति वर्ष की दर से वार्षिक और अर्द्धवार्षिक संयोजित चक्रवृद्धि ब्याज के बीच का अंतर क्या है? **[एसएससी-जूनियर एसोसिएट्स (प्री.) परीक्षा, 2016]**
(a) 2 (b) 3 (c) 4
(d) इनमें से कोई नहीं

67. ₹10,000 पर 20% वार्षिक दर से चक्रवृद्धि ब्याज ₹4,641 है। यदि चक्रवृद्धि अर्धवार्षिक रूप से की गई हो, तो मूलधन कितने वर्षों के लिए निवेश किया गया?
[एसएससी सीजलएजल 26/10/2023]
(a) 2 (b) 3 (c) 4 (d) 6

68. जोनाथन ने 3 साल पहले 5 साल की अवधि के लिए 10% वार्षिक चक्रवृद्धि ब्याज पर एक धनराशि उधार ली थी, अवधि के अंत में भुगतान की जाने वाली राशि ₹1,61,051 थी। हालाँकि, कोई पूर्व-भुगतान जुर्माना नहीं है और जोनाथन को अब कुछ बोनस भुगतान प्राप्त हुआ है, जिसके साथ उसने अपना कर्ज चुकाने का फैसला किया है। जोनाथन को अपना कर्ज चुकाने के लिए अब कितना भुगतान करना होगा?
[एसएससी सीपीओ 03/10/2023 (Shift-01)]
(a) ₹1.33,000 (b) ₹1,32,900
(c) ₹1,33,100 (d) ₹4.21,33,200

69. गीता ने अपने बैंक खाते में एक निश्चित धनराशि जमा की, जो 3 वर्षों में 5% प्रति वर्ष की दर से ₹27,783 हो गई, ब्याज वार्षिक रूप से संयोजित किया गया। उसने कितनी राशि जमा की? **[एसएससी जीडी 01/09/2023 (Shift-01)]**
(a) ₹25,500 (b) ₹25,000 (c) ₹26,000 (d) ₹24,000

70. किस राशि पर 5% प्रति वर्ष की दर से 3 वर्षों के लिए साधारण ब्याज और चक्रवृद्धि ब्याज (वार्षिक चक्रवृद्धि) के बीच का अंतर ₹15.25 होगा?
[एसएससी एमटीएस 13/09/2023 (Shift-01)]
(a) ₹2,500 (b) ₹1,000 (c) ₹4,000 (d) ₹2,000

71. यदि ब्याज अर्धवार्षिक रूप से संयोजित किया जा रहा है, तो ज्ञात कीजिए कि 40 प्रतिशत वार्षिक चक्रवृद्धि ब्याज की दर से 2 वर्ष में कितनी राशि 51840 रुपये होगी?
[एसएससी जीडी 05/03/2024 (Shift-01)]
(a) ₹25000 (b) ₹15000 (c) ₹20000 (d) ₹30000

72. 8% वार्षिक चक्रवृद्धि ब्याज की दर से कितने वर्षों में ₹40000 की धनराशि 46656 रुपये हो जाएगी?
[एसएससी जीडी 29/02/2024 (Shift-01)]
(a) 5 (b) 2 (c) 4 (d) 3

उत्तरमाला

1. (b)	2. (c)	3. (b)	4. (c)	5. (a)	6. (a)	7. (c)	8. (d)	9. (c)	10. (b)
11. (b)	12. (d)	13. (a)	14. (a)	15. (b)	16. (a)	17. (c)	18. (c)	19. (b)	20. (c)
21. (d)	22. (a)	23. (b)	24. (b)	25. (b)	26. (d)	27. (a)	28. (e)	29. (c)	30. (d)
31. (a)	32. (a)	33. (a)	34. (d)	35. (d)	36. (c)	37. (c)	38. (a)	39. (d)	40. (b)
41. (b)	42. (c)	43. (b)	44. (b)	45. (d)	46. (b)	47. (b)	48. (c)	49. (c)	50. (c)
51. (b)	52. (d)	53. (b)	54. (b)	55. (d)	56. (a)	57. (d)	58. (c)	59. (c)	60. (d)
61. (c)	62. (d)	63. (b)	64. (d)	65. (c)	66. (a)	67. (a)	68. (c)	69. (d)	70. (d)
71. (a)	72. (b)								

दिये गये प्रश्नों के हल

1. चक्रवृद्धि ब्याज $= ₹\left\{25000 \times \left(1+\frac{12}{100}\right)^3 - 25000\right\}$

$= ₹\left\{\left(25000 \times \frac{28}{25} \times \frac{28}{25} \times \frac{28}{25}\right) - 25000\right\}$

$= ₹\left(\frac{175616}{5} - 25000\right) = ₹\frac{50616}{5} = ₹ 10123{\cdot}20.$

2. अभीष्ट धन $= ₹\left\{15000 \times \left(1+\frac{12}{100}\right)^2\right\}$

$= ₹\left(15000 \times \frac{28}{25} \times \frac{28}{25}\right) = ₹ 18816.$

3. चक्रवृद्धि ब्याज

$= ₹\left[\left\{16000 \times \left(1+\frac{5}{100}\right) \times \left(1+\frac{6}{100}\right) \times \left(1+\frac{25}{4 \times 100}\right)\right\} - 16000\right]$

$= ₹\left\{\left(16000 \times \frac{21}{20} \times \frac{53}{50} \times \frac{17}{16}\right) - 16000\right\}$

$= ₹(18921 - 16000) = ₹ 2921.$

4. चक्रवृद्धि ब्याज

$= ₹\left[\left\{11200 \times \left(1+\frac{10}{100}\right) \times \left(1+\frac{½ \times 10}{100}\right)\right\} - 11200\right]$

$= ₹\left\{\left(11200 \times \frac{11}{10} \times \frac{21}{20}\right) - 11200\right\}$

$= ₹(12936 - 11200) = ₹ 1736.$

5. मूलधन $= ₹ 20480$, दर $= \frac{25}{4}\%$ वार्षिक तथा समय $= 2\frac{73}{365}$ वर्ष $= 2\frac{1}{5}$ वर्ष.

$\therefore$ चक्रवृद्धि ब्याज

$= ₹\left\{20480 \times \left(1+\frac{25}{4 \times 100}\right)^2 \times \left(1+\frac{\frac{1}{5} \times \frac{25}{4}}{100}\right) - 20480\right\}$

$= ₹\left\{\left(20480 \times \frac{17}{16} \times \frac{17}{16} \times \frac{81}{80}\right) - 20480\right\}$

$= ₹(23409 - 20480) = ₹2929.$

6. माना पहला भाग $= ₹\, x$. तब, दूसरा भाग $= (27000 - x)$.

$\left\{x \times \left(1+\frac{8}{100}\right)^2 - x\right\} + \left\{(27000-x) \times \left(1+\frac{9}{100}\right)^2 - (27000-x)\right\}$

$= 4818{\cdot}30$

$\Leftrightarrow \left(x \times \frac{27}{25} \times \frac{27}{25} - x\right) + (27000-x) \times \left[\left(\frac{109}{100}\right)^2 - 1\right]$

$= 4818{\cdot}30$

$\Leftrightarrow \frac{(729x - 625x)}{625} + (27000-x) \times \frac{1881}{10000} = 4818{\cdot}30$

$\Leftrightarrow \frac{104x}{625} - \frac{1881x}{10000} + 5078{\cdot}70 = 4818{\cdot}30$

$= \Leftrightarrow \frac{1881x}{10000} - \frac{104x}{625}\ 260{\cdot}40$

$\Leftrightarrow (1881 - 1664)x = 2604000$

$\Leftrightarrow 217x = 2604000 \Leftrightarrow x = 12000.$

अत: अभीष्ट धन $= ₹ 12000.$

7. पेड़ की वर्तमान ऊँचाई = 64 सेमी॰,

वार्षिक वृद्धि % $= \left(\frac{1}{8} \times 100\right)\% = \frac{25}{2}\%$ तथा समय = 2 वर्ष.

अभीष्ट ऊँचाई $= \left\{64 \times \left(1+\frac{25}{2 \times 100}\right)^2\right\}$ सेमी॰

$= \left(64 \times \frac{9}{8} \times \frac{9}{8}\right)$ सेमी॰ = 81 सेमी॰.

8. साधारण ब्याज $= ₹\left(1000 \times \frac{10}{100} \times 4\right) = ₹ 400.$

चक्रवृद्धि ब्याज $= ₹\left\{1000 \times \left(1+\frac{10}{100}\right)^4 - 1000\right\}$

$= ₹\left\{\left(1000 \times \frac{11}{10} \times \frac{11}{10} \times \frac{11}{10} \times \frac{11}{10}\right) - 1000\right\}$

$= ₹\frac{4641}{10} = ₹464{\cdot}10.$

अभीष्ट अन्तर $= ₹(464{\cdot}10 - 400) = ₹64{\cdot}10.$

9. मूलधन $= ₹ 15000$, दर $= \left(\frac{10}{2}\right)\%$ प्रति छमाही तथा समय = 2 छमाही.

$\therefore$ अभीष्ट धन $= ₹\left\{15000 \times \left(1+\frac{5}{100}\right)^2\right\}$

$= ₹\left(15000 \times \frac{21}{20} \times \frac{21}{20}\right) = ₹\frac{33075}{2} = ₹16537.50.$

10. मूलधन $= ₹ 15625$, दर $= \left(\frac{16}{4}\right)\%$ प्रति तिमाही तथा समय = 3 तिमाही.

$\therefore$ चक्रवृद्धि ब्याज $= ₹\left\{15625 \times \left(1+\frac{4}{100}\right)^3 - 15625\right\}$

$= ₹\left\{\left(15625 \times \frac{26}{25} \times \frac{26}{25} \times \frac{26}{25}\right) - 15625\right\}$

$= ₹(17576 - 15625) = ₹ 1951.$

11. साधारण ब्याज $= ₹\left(1200 \times \frac{10}{100} \times 1\right) = ₹ 120.$

अब, मूलधन $= ₹ 1200$, दर $= \left(\frac{10}{2}\right)\%$ प्रति छमाही तथा समय = 2 छमाही.

$\therefore$ चक्रवृद्धि ब्याज $= ₹\left\{1200 \times \left(1+\frac{5}{100}\right)^2 - 1200\right\}$

$= ₹\left\{\left(1200 \times \frac{21}{20} \times \frac{21}{20}\right) - 1200\right\}$

$= ₹(1323 - 1200) = ₹ 123.$

अभीष्ट अन्तर $= ₹(123 - 120) = ₹ 3.$

12. माना अभीष्ट धन = ₹ x. तब,

$$\left(x \times \frac{5}{100} \times 3\right) = 1200 \Leftrightarrow x = \left(1200 \times \frac{20}{3}\right) = ₹\ 8000.$$

अब, मूलधन = ₹ 8000, दर = 5% वार्षिक तथा समय = 3 वर्ष.

$$\therefore \quad \text{चक्रवृद्धि ब्याज} = ₹\left\{8000 \times \left(1 + \frac{5}{100}\right)^3 - 8000\right\}$$

$$= ₹\left\{\left(8000 \times \frac{21}{20} \times \frac{21}{20} \times \frac{21}{20}\right) - 8000\right\}$$

$$= ₹(9261 - 8000) = ₹1261.$$

13. चक्रवृद्धि मिश्रधन = ₹(30000 + 4347) = ₹34347.

माना अभीष्ट समय = n वर्ष.

$$\text{तब,} \quad 30000 \times \left(1 + \frac{7}{100}\right)^n = 34347$$

$$\Leftrightarrow \left(\frac{107}{100}\right)^n = \frac{34347}{30000} = \frac{11449}{10000} = \left(\frac{107}{100}\right)^2 \Leftrightarrow n = 2.$$

अत: अभीष्ट समय = 2 वर्ष.

14. माना ब्याज की दर = R% वार्षिक. तब,

$$1200 \times \left(1 + \frac{R}{100}\right)^2 = 1348{\cdot}32$$

$$\Leftrightarrow \left(1 + \frac{R}{100}\right)^2 = \frac{1348{\cdot}32}{1200} = \frac{134832}{120000} = \frac{11236}{10000}$$

$$\Leftrightarrow \left(1 + \frac{R}{100}\right)^2 = \left(\frac{106}{100}\right)^2 \Leftrightarrow 1 + \frac{R}{100} = \frac{106}{100} \Leftrightarrow R = 6.$$

अत: ब्याज की दर = 6% वार्षिक.

15. मूलधन = ₹ 1600, दर = $\left(\frac{10}{2}\right)$% प्रति छमाही,

चक्रवृद्धि मिश्रधन = ₹ 1852·20.

माना समय = n वर्ष = $(2n)$ छमाही.

$$\therefore \quad 1600 \times \left(1 + \frac{5}{100}\right)^{2n} = 1852{\cdot}20$$

$$\Leftrightarrow \left(\frac{21}{20}\right)^{2n} = \frac{185220}{160000} = \frac{9261}{8000} = \left(\frac{21}{20}\right)^3$$

$$\Leftrightarrow 2n = 3 \Leftrightarrow n = \frac{3}{2} \text{ वर्ष} = 1\frac{1}{2} \text{ वर्ष}.$$

16. वार्षिक देय चक्रवृद्धि ब्याज

$$= ₹\left\{5000 \times \left(1 + \frac{4}{100}\right) \times \left(1 + \frac{2}{100}\right) - 5000\right\}$$

$$= ₹\left\{\left(5000 \times \frac{26}{25} \times \frac{51}{50}\right) - 5000\right\} = ₹(5304 - 5000) = ₹\ 304$$

$$\text{छमाही देय चक्रवृद्धि ब्याज} = ₹\left\{5000 \times \left(1 + \frac{2}{100}\right)^3 - 5000\right\}$$

$$= ₹\left\{\left(5000 \times \frac{51}{50} \times \frac{51}{50} \times \frac{51}{50}\right) - 5000\right\}$$

$$= ₹(5306{\cdot}04 - 5000) = ₹\ 306{\cdot}04.$$

अभीष्ट अन्तर = ₹(306·04 − 304) = ₹ 2·04.

17. ₹ 9680 पर 1 वर्ष का ब्याज = ₹(10648 − 9680) = ₹ 968.

$$\therefore \quad \text{ब्याज की दर} = \left(\frac{968 \times 100}{9680 \times 1}\right)\% \text{ वार्षिक} = 10\% \text{ वार्षिक}.$$

18. ₹ 800 पर 1 वर्ष का ब्याज = ₹(840 − 800) = ₹ 40.

$$\therefore \quad \text{ब्याज की दर} = \left(\frac{40 \times 100}{800 \times 1}\right)\% \text{ वार्षिक} = 5\% \text{ वार्षिक}.$$

19. माना अभीष्ट धन = ₹ x तब,

$$\text{चक्रवृद्धि ब्याज} = ₹\left\{x \times \left(1 + \frac{5}{100}\right)^3 - x\right\}$$

$$= ₹\left\{\left(x \times \frac{21}{20} \times \frac{21}{20} \times \frac{21}{20}\right) - x\right\}$$

$$= ₹\left(\frac{9261x}{8000} - x\right) = ₹\frac{1261x}{8000}.$$

$$\therefore \quad \frac{1261x}{8000} = 252{\cdot}20$$

$$\Leftrightarrow x = \left(\frac{252{\cdot}20 \times 8000}{1261}\right) = \left(\frac{25220 \times 8000}{1261 \times 100}\right) = ₹1600.$$

$$\text{अत: साधारण ब्याज} = ₹\left(1600 \times \frac{5}{100} \times 3\right) = ₹\ 240.$$

20. माना अभीष्ट धन = ₹ x. तब,

$$\text{चक्रवृद्धि ब्याज} = ₹\left\{x \times \left(1 + \frac{5}{100}\right)^2 - x\right\}$$

$$= ₹\left\{\left(x \times \frac{21}{20} \times \frac{21}{20}\right) - x\right\} = ₹\frac{41x}{400}.$$

$$\therefore \quad \frac{41x}{400} = 328 \Leftrightarrow x = \left(\frac{328 \times 400}{41}\right) = ₹\ 3200.$$

$$\text{अत: साधारण ब्याज} = ₹\left(3200 \times \frac{5}{100} \times 2\right) = ₹\ 320.$$

21. माना अभीष्ट धन = ₹ x. तब,

$$\text{चक्रवृद्धि ब्याज} = \left\{x \times \left(1 + \frac{4}{100}\right)^2 - x\right\}$$

$$= ₹\left\{\left(x \times \frac{26}{25} \times \frac{26}{25}\right) - x\right\} = ₹\frac{51x}{625}.$$

$$\text{साधारण ब्याज} = ₹\left(x \times \frac{4}{100} \times 2\right) = ₹\frac{2x}{25}.$$

$$(\text{च० ब्याज}) - (\text{साधारण ब्याज}) = ₹\left(\frac{51x}{625} - \frac{2x}{25}\right) = ₹\frac{x}{625}.$$

$$\therefore \quad \frac{x}{625} = 80 \Leftrightarrow x = (625 \times 80) = ₹\ 50000.$$

22. माना अभीष्ट धन = ₹ x तब,

$$\text{चक्रवृद्धि ब्याज} = ₹\left\{x \times \left(1 + \frac{4}{100}\right)^2 - x\right\}$$

$$= ₹\left\{\left(x \times \frac{26}{25} \times \frac{26}{25}\right) - x\right\} = ₹\frac{51x}{625}.$$

$$\text{साधारण ब्याज} = ₹\left(x \times \frac{4}{100} \times 2\right) = ₹\frac{2x}{25}.$$

$$(\text{चक्रवृद्धि ब्याज}) - (\text{साधारण ब्याज}) = ₹\left(\frac{51x}{625} - \frac{2x}{25}\right) = ₹\frac{x}{625}.$$

$\therefore \quad \frac{x}{625} = 1 \Leftrightarrow x = ₹625.$

23. दूसरे वर्ष का ब्याज = (₹ 48 + ₹ 48 का 1 वर्ष का ब्याज)

$= ₹\left(48 + \frac{48 \times 8 \times 1}{100}\right) = ₹\ 51{\cdot}84.$

24. माना मूलधन = ₹ x. तब,
दूसरे वर्ष का चक्रवृद्धि ब्याज = (2 वर्ष का मिश्रधन) – (1 वर्ष का मिश्रधन)

$$\therefore \quad \left\{x \times \left(1 + \frac{10}{100}\right)^2\right\} - \left\{x \times \left(1 + \frac{10}{100}\right)\right\} = 132$$

$$\Leftrightarrow \left(x \times \frac{11}{10} \times \frac{11}{10}\right) - \left(x \times \frac{11}{10}\right) = 132 \Leftrightarrow \left(\frac{121x}{100} - \frac{11x}{10}\right) = 132$$

$\Leftrightarrow 11x = (132 \times 100) \Leftrightarrow x = 1200.$

25. माना $P \times \left(1 + \frac{20}{100}\right)^n > 2P$. तब, $\left(\frac{6}{5}\right)^n > 2$

$\Leftrightarrow \left(\frac{6}{5} \times \frac{6}{5} \times \frac{6}{5} \times \frac{6}{5}\right)$ अत: $n = 4.$

26. माना, मूलधन ₹ P

दिया गया है, मिश्रधन = ₹ 5712, दर= $\frac{13}{2}\%$,

समय =2 वर्ष

$\therefore$ मिश्रधन=मूलधन $\left(1 + \frac{\text{दर}}{100}\right)^{\text{समय}}$

$\Rightarrow 5772 = \left(1 + \frac{13}{200}\right)^2 \Rightarrow 5772 = P\left(\frac{200 + 13}{200}\right)^2$

$\Rightarrow 5772 = P\left(\frac{213}{200}\right)^2 \Rightarrow P = \frac{5772 \times 200 \times 200}{213 \times 213}$

= ₹ 5089

27. माना, स्कीम A में निवेश = ₹ P

स्कीम B में निवेश = ₹ $(27000 - P)$

चक्रवृद्धि ब्याज $= P\left[\left(1 + \frac{R}{100}\right)^T - 1\right]$

प्रश्नानुसार,

$$P\left[\left(1 + \frac{8}{100}\right)^2 - 1\right] + (27000 - P)\left[\left(1 + \frac{9}{100}\right)^2 - 1\right] = 4818.30$$

$\Rightarrow P[(1.08)^2 - 1] + (27000 - P)[(1.09)^2 - 1] = 4818.30$

$\Rightarrow P(1.1664 - 1) + (27000 - P)(1.1881 - 1) = 4818.30$

$\Rightarrow 0.1664P + 27000 \times 0 - 1881 - 0.1881P = 4818.30$

$\Rightarrow -0.0217P + 5078.7 = 4818.3$

$\Rightarrow 0.0217P = 5078.7 - 4818.3$

$\Rightarrow 0.0217P = 260.4$

$\Rightarrow P = \frac{260.4}{0.0217} = ₹12000$

28. कथन I एवं III से, दिया है, $A = ₹9331.20$,

$P = ₹\ 8000$, $T = 2$ वर्ष, दर $= r\%$

$A = P\left(1 + \frac{r}{100}\right)^T$

$\Rightarrow 9331.20 = 8000\left(1 + \frac{r}{100}\right)^2$

$\Rightarrow \frac{9331.2}{8000} = \left(1 + \frac{r}{100}\right)^2$

$\Rightarrow \frac{11664}{10000} = \left(1 + \frac{r}{100}\right)^2 \Rightarrow \left(\frac{108}{100}\right)^2 = \left(1 + \frac{r}{100}\right)^2$

$\Rightarrow 1 + \frac{r}{100} = \frac{108}{100} \quad \Rightarrow \frac{r}{100} = \frac{108}{100} - 1 = \frac{8}{100}$

$\Rightarrow$ r = 8% प्रति वर्ष

$\Rightarrow$ कथन I एवं II से, $9331.20 = P\left(1 + \frac{r}{100}\right)^2$ ....(i)

और अंतर $= C.I. - S.I. = \frac{\text{Pr}^2}{10000}$

$\Rightarrow 51.20 = \frac{\text{Pr}^2}{10000}$....(ii)

समीकरण $(i) \div (ii)$ से, $\frac{933.12}{51.2} = 10000\frac{\left(1 + \frac{r}{100}\right)^2}{r^2}$

$\Rightarrow (13.5R)^2 - (100)^2\left(1 + \frac{r}{100}\right)^2$

$\Rightarrow 13.5R = 100\left(1 + \frac{r}{100}\right)$

$\Rightarrow 13.5R = 100 + r \quad \Rightarrow 12.5r = 100$

$\Rightarrow r = \frac{100}{12.5} = 8\%$ प्रति वर्ष

समीकरण II एवं III से, अंतर $= \frac{\text{Pr}^2}{10000}$

$\Rightarrow 51.2 = \frac{8000 \times r}{10000} \quad \Rightarrow 8r^2 = 51.2 \times 10 = 512$

$\Rightarrow r^2 = \frac{512}{8} = 64 \quad \Rightarrow r = \sqrt{64} = 8\%$ प्रति वर्ष

अत: तीनों कथनों में से कोई दो कथन प्रश्न का उत्तर देने के लिए पर्याप्त है।

29. माना, मूलधन= P रुपए दिया है, चक्रवृद्धि ब्याज = ₹1496, दर $(R) = 20\%$, समय $(T) = 2$ वर्ष

चक्रवृद्धि ब्याज $= P\left[\left(1 + \frac{R}{100}\right)^T - 1\right]$

$\Rightarrow 1496 = P\left[\left(1 + \frac{20}{100}\right)^2 - 1\right]$

$$\Rightarrow 1496 = P\left[\left(1+\frac{1}{5}\right)^2 - 1\right]$$

$$\Rightarrow 1496 = P\left[\left(\frac{6}{5}\right)^2 - 1\right] \Rightarrow 1496 = P\left(\frac{36}{25} - 1\right)$$

$$\Rightarrow 1496 = P\left(\frac{36-25}{25}\right) = \frac{11P}{25}$$

$$\Rightarrow P = \frac{1496 \times 25}{11} = ₹3400$$

$\therefore$ साधारण ब्याज $= \frac{PRT}{100} = \frac{3400 \times 3 \times 11}{100} = ₹\,1122$

30. पहली स्थिति, प्रश्नानुसार, अगर मूलधन =100 रुपए, तो ब्याज = ₹ 40

$\therefore$ दर = $\frac{\text{ब्याज} \times 100}{\text{मूल धन} \times \text{समय}} = \frac{40 \times 100}{100 \times 8} = 5\%$ प्रति वर्ष

दूसरी स्थिति, दिया है, मूलधन = ₹ 30000, दर = 5%, समय =2 वर्ष

$\therefore$ मिश्रधन =मूलधन $\left(1+\frac{\text{दर}}{100}\right)^{\text{समय}} = 30000\left(1+\frac{5}{100}\right)^2$

$$= 30000\left(1+\frac{2}{20}\right)^2$$

$$= 30000\left(\frac{20+1}{20}\right)^2 = 30000 \times \frac{21}{20} \times \frac{21}{20} = ₹33075$$

$\therefore$ चक्रवृद्धि ब्याज = (33075 – 30000) = ₹ 3075

31. दिया गया है, चक्रवृद्धि ब्याज = ₹ 3225, $T = 2$ वर्ष, $R = 15\%$

माना, मूलधन = $₹P$

$\therefore$ चक्रवृद्धि ब्याज $= P\left[\left(1+\frac{R}{100}\right)^T - 1\right]$

$$\Rightarrow 3225 = P\left[\left(1+\frac{15}{100}\right)^2 - 1\right]$$

$$\Rightarrow 3225 = P\left[\left(1+\frac{3}{20}\right)^2 - 1\right]$$

$$\Rightarrow 3225 = P\left[\left(\frac{23}{20}\right)^2 - 1\right] \Rightarrow 3225 = P\left(\frac{529}{400} - 1\right)$$

$$\Rightarrow 3225 = P\left(\frac{529-400}{400}\right)$$

$$\Rightarrow 3225 = P \times \frac{129}{400} \Rightarrow P = \frac{3225 \times 400}{129}$$

= ₹ 10000

32. दिया गया है, मूलधन = ₹ 3000, मिश्रधन = ₹ 3993, दर = $x\%$, समय = 3 वर्ष

$\therefore$ मिश्रधन = मूलधन $\left(1+\frac{\text{दर}}{100}\right)^{\text{समय}}$

$$\Rightarrow 3993 = 3000\left(1+\frac{x}{100}\right)^3 \Rightarrow \frac{3993}{3000} = \left(1+\frac{x}{100}\right)^3$$

$$\Rightarrow \frac{1331}{1000} = \left(1+\frac{x}{100}\right)^3 \Rightarrow \left(\frac{11}{10}\right)^3 = \left(1+\frac{x}{100}\right)^3$$

$$\Rightarrow 1+\frac{x}{100} = \frac{11}{10} \Rightarrow \frac{x}{100} = \frac{11}{10} - 1 = \frac{1}{10}$$

$\Rightarrow x = \frac{1}{10} \times 100 = 10\%$ प्रतिवर्ष

33. मान लीजिए योग = ₹ x

2 वर्षों के लिए क्रमिक दर

$= 10 + 10 + 1 = 21\%$

2 वर्षों के अंत में अर्जित ब्याज $= \frac{21x}{100}$

3 वर्षों के लिए क्रमिक दर $= 10 + 21 + \frac{10 \times 21}{100} = 33.1$

4 वर्षों के लिए क्रमिक दर

$$= 10 + 33.1 + \frac{10 \times 33.1}{100} = 46.41\%$$

4 साल के अंत में अर्जित ब्याज $= \frac{46.41x}{100}$

अब प्रश्न के अनुसार,

$$\frac{46.41x}{100} - \frac{21x}{100} = 5082$$

$$\Rightarrow \frac{25.41x}{100} = 5082$$

$$\Rightarrow x = \frac{5082 \times 100}{25.41} = ₹20{,}000$$

34. हमारे पास है, $r = 10\%$

S.I. = 3200, $t = 4$ वर्ष

$$\because S.I. = \frac{p \times r \times t}{100}$$

$$\Rightarrow 3200 = \frac{p \times 10 \times 4}{100}$$

$\Rightarrow p = ₹\,8{,}000$

अब राशि, जब वार्षिक रूप से संयोजित होती है।

$$\because A = p\left[\left(1+\frac{r}{100}\right)^t\right] = 8{,}000\left[\left(1+\frac{1}{100}\right)^4\right]$$

$$= 8{,}000\left[\left(\frac{11}{10}\right)^4\right] = 8{,}000 \times \left[\frac{14641}{10000}\right]$$

$$= 8{,}000 \times \frac{14641}{10{,}000} = ₹11712.80$$

35. माना A की राशि $= ₹x$

B की राशि $= ₹(66{,}300 - x)$

अब प्रश्न के अनुसार,

$$x\left(1+\frac{10}{100}\right)^8=(66,300-x)\left(1+\frac{10}{100}\right)^{10}$$

$$\Rightarrow x=(66,300-x)\left(1+\frac{10}{100}\right)^2$$

$$\Rightarrow x=(66,300-x)\left(\frac{11}{10}\right)^2$$

$$\Rightarrow 100x=(66,300-x)121$$

$$\Rightarrow 100x=8022300-121x$$

$$\Rightarrow 221x=8022300$$

$$\Rightarrow x=\frac{8022300}{221}=36,300$$

$\therefore$ A राशि = 36,300

B की राशि = 66,300 – 36,300 = 30,000

36. 8 महीनों के लिए $r=\frac{12\quad 8}{12}=8\%$ (8 महीने)

$t=\frac{24}{8}=3$ महीने

अब, चक्रवृद्धि ब्याज $=P\left[\left(1+\frac{r}{100}\right)^t-1\right]$

$$=62,500\left[\left(1+\frac{8}{100}\right)^3-1\right]$$

$$=62,500\left[\left(\frac{27}{25}\right)^3-1\right]$$

$$=62,500\left[\left(\frac{19683-15625}{15625}\right)\right]$$

$$=62,500\left[\frac{4058}{1525}\right]=\quad 16,232$$

37. माना मूलधन = P

A = 1.44 P

$$\therefore\quad 1.44\text{ P}=P\left(1+\frac{r}{100}\right)^2$$

$$\Rightarrow\quad 1.44=\left(1+\frac{r}{100}\right)^2$$

$$\Rightarrow\quad 1+\frac{r}{100}=1.2$$

$$\Rightarrow\quad \frac{r}{100}=0.2$$

$r=20\%$

अब P = P

साधारण ब्याज = P

$r=20\%$

$$\therefore\quad t=\frac{P\times 100}{P\times 20}=5 \text{ वर्ष}$$

38. $\text{A}=\left(1+\frac{r}{100}\right)^t$

$$\Rightarrow\quad 8\text{P}=P\left(1+\frac{r}{100}\right)^3$$

$$\Rightarrow\quad 8=\left(1+\frac{r}{100}\right)^3$$

$$\Rightarrow\quad 1+\frac{r}{100}=2$$

$$\Rightarrow\quad \frac{r}{100}=1$$

$$\Rightarrow\quad r=100\%$$

$$\therefore\quad 16\text{P}=P\left(1+\frac{100}{100}\right)^t$$

$$\Rightarrow\quad 16=2^t$$

$$\Rightarrow\quad 2^t=2^4$$

$$\Rightarrow\quad t=4$$

39. P = 25000

$$\therefore\quad \text{A}=25000\left(1+\frac{3}{100}\right)\left(1+\frac{4}{100}\right)\left(1+\frac{5}{100}\right)$$

= 25000 × 1.03 × 1.04 × 1.05 = ₹28119

40. राम की राशि $=1000+1000\times\frac{10\times 4}{100}$

= 1000 + 400 = 1400

राम की राशि $=1000\left(1+\frac{10}{100}\right)^4$

$=1000\times(1.1)^4=1000\times 1.4641=1464.10$

$\therefore$ आवश्यक अंतर = 1464.10 – 1400

$=64.10\approx 64$

41. $\text{A}=P\left(1+\frac{r}{100}\right)^t$

$$\Rightarrow 605=P\left(1+\frac{10}{100}\right)^2$$

$$\Rightarrow 605=\frac{121}{100}\text{ P}\quad\Rightarrow\quad \text{P}=\frac{605\times 100}{121}=₹500$$

42. माना मूलधन = P

$$\therefore\left[P\left(1+\frac{20}{100}\right)^2-P\right]-\left[\frac{P\times 15\times 2}{100}\right]=350$$

$$\left[\frac{36}{25}P-P\right]-\frac{3}{10}\text{P}=350$$

$$\Rightarrow\quad \frac{11}{25}P-\frac{3}{10}P=350$$

$$\Rightarrow\quad \frac{22P-15P}{50}=350$$

$$\Rightarrow\quad \frac{7P}{50}=350$$

$$\Rightarrow\quad \text{P}=\frac{350\times 50}{7}=₹2500$$

43. $P=\left(1+\frac{10}{100}\right)^4-P\left(1+\frac{20}{100}\right)^2=482$

$\Rightarrow$ $P(1.1)^4-P(1.2)^2=482$

$\Rightarrow$ $1.4641\,P-1.44\,P=482$

$\Rightarrow$ $0.0241\,P=482$

$P=\frac{482}{241}\times 10000=₹20000$

44. $A=P\left(1+\frac{r}{100}\right)^t.$

$\Rightarrow\quad 2P=P\left(1+\frac{r}{100}\right)^t$

$(1.19)^3=1.68<2$

$(1.19)^4>2$

$\therefore\quad t=4$ वर्ष

45. $A=P\left(1+\frac{r}{100}\right)^t=12500\left(1+\frac{12}{100}\right)^2$

$=12500\left(\frac{28}{25}\right)^2=12500\times\frac{784}{625}$

$=20\times 784=15680$

$\therefore$ चक्रवृद्धि ब्याज $=15680-12500=3180$

46. तिमाही में भाव $\frac{1}{4}$ हो जाता है और समय 4 गुना हो जाता है।

$A=80000\left(1+\frac{10}{100}\right)^4=80000\times\left(\frac{11}{10}\right)^4$

$=80000\times\frac{14641}{10000}=117128$

$\therefore$ चक्रवृद्धि ब्याज $=117128-80000=₹37128$

47. 3 साल का साधारण ब्याज = 6000

$\therefore$ 1 वर्ष का साधारण ब्याज = 2000

2 वर्ष के लिए साधारण ब्याज = 4000

2 वर्ष के लिए चक्रवृद्धि ब्याज = 4160

प्रथम वर्ष का चक्रवृद्धि ब्याज और साधारण ब्याज समान है

$\therefore$ दूसरे वर्ष चक्रवृद्धि ब्याज के ₹2000 पर है।

$\therefore\quad r\%=\frac{160\times 100}{2000\times 1}=8\%$

48. $2178=1800\left(1+\frac{r}{100}\right)^2$

$\Rightarrow\frac{2178}{1800}=\left(1+\frac{r}{100}\right)^2$

$\Rightarrow\frac{121}{100}=\left(1+\frac{r}{100}\right)^2$

$\Rightarrow\frac{11}{10}=\left(1+\frac{r}{100}\right)$

$\Rightarrow\frac{11}{10}-1=\frac{r}{100}$

$\Rightarrow\quad r=10\%$

49. ब्याज के रूप में 8 मासिक चक्रवृद्धि होती है

$t=\frac{24}{8}=3$

$r=\frac{12}{\frac{12}{8}}=8\%$

$A=25000\left(1+\frac{8}{100}\right)^3=31493$

$\therefore$ चक्रवृद्धि ब्याज $=31493-25000=₹6493$

50. $A=P\left(1+\frac{r}{100}\right)^t=P\left(1+\frac{r}{100}\right)^t$

$2P=P\left(1+\frac{r}{100}\right)^5$

$\Rightarrow\quad\left(1+\frac{r}{100}\right)^5=2$

अब $8P=P\left(1+\frac{r}{100}\right)^t$

$8=\left(1+\frac{r}{100}\right)^t$

$2\times 2\times 2=\left(1+\frac{r}{100}\right)^t$

$\left(1+\frac{r}{100}\right)^5\left(1+\frac{r}{100}\right)^5\left(1+\frac{r}{100}\right)^5=\left(1+\frac{r}{100}\right)^t$

$\left(1+\frac{r}{100}\right)^{15}=\left(1+\frac{r}{100}\right)^t\quad\Rightarrow\quad t=15$ वर्ष

51. $2P=P\left(1+\frac{r}{100}\right)^7$

$\left(1+\frac{r}{100}\right)^7=2$

$\therefore\quad 16P=P\left(1+\frac{r}{100}\right)^t$

$16=\left(1+\frac{r}{100}\right)^t$

$2\times 2\times 2\times 2=\left(1+\frac{r}{100}\right)^t$

$\left(1+\frac{r}{100}\right)^{28}=\left(1+\frac{r}{100}\right)^t$

$\Rightarrow\quad t=28$ वर्ष

52. $8100=2500\left(1+\frac{r}{100}\right)^2$

$\frac{8100}{2500}=\left(1+\frac{r}{100}\right)^2$

$\frac{9}{5}=\left(1+\frac{r}{100}\right)$

अब 4 वर्ष बाद योग

$2500\left(1+\frac{r}{100}\right)^4$

$2500\times\frac{9}{5}\times\frac{9}{5}\times\frac{9}{5}\times\frac{9}{5}=26244$

53. पाँचवें वर्ष के लिए ब्याज = 2409 – 2190 = ₹219

यह ₹ 2190 पर है

$\therefore\ r\%=\frac{219}{2190}\times100=10\%$

54. 900 – 750 = ₹ 150

यह ₹150 रुपये का ब्याज ₹ 750 रुपये पर है

$\therefore$ दर % $=\frac{150}{750}\times100=20\%$

$\therefore\ 1.2\,P=750$

$\therefore\ P=\frac{750}{1.2}=$ ₹625

55. 8 साल में 40% यानी 5% सालाना

$A=30000\left(1+\frac{5}{100}\right)^2=\frac{30000\times441}{400}=33075$

$\therefore$ चक्रवृद्धि ब्याज = 33075 – 30000 = ₹3075

56. चक्रवृद्धि ब्याज $=x\left[\left(1+\frac{12}{100}\right)^2-1\right]$

$=x\,[(1.12)^2-1]$

$=x\,[1.2544-1]=x\times0.2544=0.2544\,x$

साधारण ब्याज $=\frac{x\times12\times2}{100}=0.24\,x$

चक्रवृद्धि ब्याज – साधारण ब्याज $=0.2544\,x-24\,x=0.0144\,x$

$0.0144\,x=18$

$x=\frac{18}{0.0144}=\frac{18}{144}\times10000=$ ₹1250

57. माना मूलधन $=x$

चक्रवृद्धि ब्याज $=x\left[\left(1+\frac{10}{100}\right)^3-1\right]$

$=x\,[(1.1)^3-1]=x\,[1.331-1]=x\,[0.331]=0.331x$

साधारण ब्याज $=\frac{x\times10\times3}{100}=0.300\,x$

$\therefore$ चक्रवृद्धि ब्याज – साधारण ब्याज $=0.331x-0.300x$
$=0.031x$

$\therefore\ 0.031x=155$

$x=\frac{155}{0.031}=\frac{155}{31}\times1000=$ ₹ 5000

58. दर अर्द्धवार्षिक और समय $\frac{15}{12}=\frac{5}{4}$ वर्ष

$\therefore\ \frac{5}{2}$ आधा वर्ष

$\therefore\ A=20000\left(1+\frac{5}{100}\right)^2\left(1+\frac{\frac{5}{2}}{100}\right)^1$

$=20000\times\frac{441}{400}\times\frac{41}{40}=$ ₹22601

$\therefore$ ब्याज = 2601

$\therefore$ आवश्यक % $=\frac{2601}{20000}\times100\approx13\%$

59. $A=1000\left(1+\frac{10}{100}\right)^2\left(1+\frac{50}{100}\right)^1$

$=1000\times\frac{121}{100}\times\frac{3}{2}=1815$

$\therefore$ चक्रवृद्धि ब्याज = 1815 – 1000 = ₹ 815

60. ब्याज दर = 18%

समय = 2 वर्ष

जब ब्याज अर्द्धवार्षिक रूप से देय हो।

फिर, ब्याज की दर = 9% प्रति छमाही।

समय = 4 आधा वर्ष

माना मूलधन ₹ x है

$\therefore$ चक्रवृद्धि ब्याज $=x\left[\left(1+\frac{R}{100}\right)^T-1\right]$

$=x\left[\left(1+\frac{9}{100}\right)^4-1\right]$

$=x\left[\left(\frac{109}{100}\right)^4-1\right]$

$=x\,[1.4116-1]=$ ₹ $0.4116x$

प्रश्न के अनुसार,

$=x\left[\left(1+\frac{18}{100}\right)^2-1\right]$

$=x\left[\left(\frac{118}{100}\right)^2-1\right]$

$=x\left[(1.18)^2-1\right]$

$=x\,(1.3924-1)=$ ₹ $0.3924\,x$

प्रश्न के अनुसार,

$0.4116\,x-0.3924\,x=960$

$\Rightarrow0.0192\,x=960\quad\Rightarrow x=\frac{960}{0.0192}$

$x=\frac{960\times10000}{192}=$ ₹ 50,000

अत: कुल धनराशि = ₹ 50,000

61. समय = 2 वर्ष

ब्याज की दर = 5% प्रतिवर्ष

प्रश्न के अनुसार,

$P\left[\left(1+\frac{r}{100}\right)^n-1\right]-\frac{P\times r\times t}{100}=63$

$$P\left[\left(1+\frac{5}{100}\right)^2-1\right]-\frac{P\times5\times2}{100}=63$$

$$\Rightarrow P\left[\left(1+\frac{5}{100}\right)^2-1\right]-\frac{10P}{100}=63$$

$$\Rightarrow P\left[\left(\frac{105}{100}\right)^2-1\right]-\frac{10P}{100}=63$$

$$\Rightarrow P\left(\frac{11025-10000}{10000}\right)-\frac{10P}{100}=63$$

$$\Rightarrow \frac{1025P}{10000}-\frac{10P}{100}=63$$

$$\Rightarrow \frac{1025P-1000P}{10000}=63$$

$\Rightarrow 25P =$ ₹ 630000

$\Rightarrow P=\frac{630000}{25}=$ ₹ 25200

अत: राशि = ₹ 25200

62. दी गई राशि = ₹ 1348.32
मूलधन = ₹ 1200
और समय = 2 वर्ष

$$A=P\left(1+\frac{R}{100}\right)^T$$

$$\Rightarrow 1348.32=1200\left(1+\frac{R}{100}\right)^2$$

$$\Rightarrow \frac{1348.32}{1200}=\left(1+\frac{R}{100}\right)^2$$

$$\Rightarrow \frac{134832}{120000}=\left(1+\frac{R}{100}\right)^2$$

$$\Rightarrow \frac{11236}{10000}=\left(1+\frac{R}{100}\right)^2$$

$$\Rightarrow \left(\frac{106}{100}\right)^2=\left(1+\frac{R}{100}\right)^2$$

$\Rightarrow 1+\frac{6}{100}=1+\frac{R}{100} \Rightarrow R = 6\%$ प्रति वर्ष

63. माना धन का योग ₹ P है

तब $\left[P\left(1+\frac{R}{100}\right)^t-P\right]=CI$

$$\left[P\left(1+\frac{10}{100}\right)^2-P\right]=525$$

$$\Rightarrow \left(\frac{11}{10}\right)^2-1=525 \Rightarrow P\left(\frac{121}{100}-1\right)=525$$

$\Rightarrow P\left(\frac{21}{100}\right)=525 \Rightarrow P=\left(\frac{525\times100}{21}\right)=$ ₹ 2500

$\therefore$ धन का योग = ₹ 2500

उसी राशि पर ₹ 2500 पर 4 (दोगुने समय) वर्षों के लिए 5% की दर से साधारण ब्याज (प्रति वर्ष प्रतिशत की आधी दर) है

तो, साधारण ब्याज = ₹ $\left(\frac{2500\times5\times4}{100}\right)=$ ₹ 500

64. माना शशि द्वारा निवेशित कुल धनराशि ₹ x है।
योजना A में 12% प्रति वर्ष की दर से 6 वर्ष के लिए साधारण ब्याज पर निवेश किया गया।

$\therefore x$ का $\frac{2}{3}\times\frac{12\times6}{100}=\frac{48x}{100}$ ...(i)

योजना B में 10% प्रति वर्ष की दर से 2 वर्ष के लिए चक्रवृद्धि ब्याज पर निवेश किया गया।

$$\Rightarrow \frac{x}{3}\left(1+\frac{10}{100}\right)^2-\frac{x}{3}=\frac{7x}{100}$$

दी गई जानकारी के अनुसार हम प्राप्त करते हैं

$$\Rightarrow \frac{48x}{100}+\frac{7x}{100}=2750$$

$$55x=2750\times100$$

$$x=\frac{2750\times100}{55}$$

$x =$ ₹ 5000

65. ब्याज दर = 5% प्रतिशत प्रति वर्ष

यदि समय 3 वर्ष है तो चक्रवृद्धि ब्याज – साधारण ब्याज

$$=P\left[\left(\frac{R}{100}\right)^3+3\left(\frac{R}{100}\right)^2\right]$$

$$\Rightarrow 122=P\left[\left(\frac{5}{100}\right)^3+3\left(\frac{5}{100}\right)^2\right]$$

$$\Rightarrow 122=P\left(\frac{125}{1000000}+\frac{75}{10000}\right)$$

$$\Rightarrow 122=P\left[\frac{125+7500}{1000000}\right]$$

$$\Rightarrow 122=P\left[\frac{7525}{1000000}\right]$$

$\Rightarrow P=\frac{122\times1000000}{7625}=$ ₹ 16000

66. ब्याज अर्द्धवार्षिक रूप से संयोजित $=5000\left(1+\frac{2}{100}\right)^2$

$=5000\left(\frac{102}{100}\right)^2=5000(1.02)^2$ ...(*i*)

जैसा कि हम जानते हैं $A=P\left(1+\frac{R}{100}\right)^t$

वार्षिक रूप से संयोजित ब्याज $=5000\left(1+\frac{4}{100}\right)^1$

$=5000\left(\frac{104}{100}\right)=5000(1.04)$ ...(*ii*)

(*i*) और (*ii*) से

आवश्यक अंतर $=5000(1.02)^2-5000(1.04)^1$

$=5000(1.0404)-5000(1.04)$

$=5202-5200=$ ₹ 2

67. दर (अर्धवार्षिक)

मूलधन	राशि
10000 :	14641
↓ :	↓
104 :	114

$\therefore$ अभीष्ट वर्ष $= \frac{4}{2} = 2$ वर्ष

68.

मूलधन	राशि
$(10)^3$:	$(11)^3$
1000 :	1331

161057

अब,

$$\text{मूलधन} = \frac{161051 \times 1000}{1331}$$

$= 121000$

अब, जोनाथन को भुगतान की जाने वाली अंतिम राशि = 11 × 12100 = ₹133100

69. $\text{राशि} = \text{मूलधन}\left(1+\frac{\text{दर}}{100}\right)^n$

$$\Rightarrow \quad 27,783 = \text{मूलधन}\left(1+\frac{5}{100}\right)^3$$

$$\Rightarrow \quad 27,783 = \text{मूलधन}\left(\frac{105}{100}\right)^3$$

$$\Rightarrow \quad 27,783 = \text{मूलधन}\frac{21}{20}\times\frac{21}{20}\times\frac{21}{20}$$

$\Rightarrow$ मूलधन = 3 × 20 × 20 × 20 = `24,000

70. चक्रवृद्धि ब्याज = साधारण ब्याज = मूलधन

$$\left(1+\frac{\text{दर}}{100}\right)^3 - \text{मूलधन} - \frac{\text{मूलधन} \times \text{दर} \times \text{समय}}{100}$$

$$15.25 = \text{मूलधन}\left(1+\frac{5}{100}\right)^3 - \text{मूलधन} - \frac{\text{मूलधन}\times 5\times 3}{100}$$

$$\Rightarrow \quad 15.25 = \frac{9261\text{मूलधन}}{8000} - \text{मूलधन} - \frac{3\text{मूलधन}}{20}$$

$$\Rightarrow \quad 15.25 = \frac{9261\text{मूलधन} - 8000\text{मूलधन} - 1200\text{मूलधन}}{8000}$$

$$\Rightarrow \quad 15.25 = \frac{61\text{मूलधन}}{8000}$$

$\Rightarrow$ मूलधन = 25 × 80 = ₹2000

71. चक्रवृद्धि राशि = ₹51840

$\Rightarrow$ 51840 = मूलधन $\times(1+40/200)^{(2\times2)}$

$\Rightarrow$ मूलधन = $51840/(1.2)^4$ = ₹25000

72. हमारे पास है

$46656 = 40000\ (1+8/100)$

$\Rightarrow \quad (1+8/100)^n = 46656/40000$

$\Rightarrow \quad (1+2/25)^n = 729/625$

$\Rightarrow \quad (27/25)^n = 729/625$

यहां से हम ये कह सकते हैं

$n = 2$ वर्ष

प्रश्नमाला 24B

निर्देश: प्रश्न संख्या *1* से *7* तक प्रत्येक में एक कथन/प्रश्न तथा दो कथन *I* तथा *II* दिये गये हैं. इन कथनों को पढ़कर इनका उत्तर:

(*a*) दीजिए यदि दिये गये प्रश्न का उत्तर देने के लिए *I* पर्याप्त हो तथा *II* पर्याप्त न हो;

(*b*) दीजिए यदि दिये गये प्रश्न का उत्तर देने के लिए *II* पर्याप्त हो तथा *I* पर्याप्त न हो;

(*c*) दीजिए यदि दिये गये प्रश्न का उत्तर देने के लिए *I* भी पर्याप्त हो तथा *II* भी पर्याप्त हो;

(*d*) दीजिए यदि दिये गये प्रश्न का उत्तर देने के लिए *I* तथा *II* दोनों मिलकर भी पर्याप्त न हों;

(*e*) दीजिए यदि दिये गये प्रश्न का उत्तर *I* तथा *II* दोनों को मिलाकर बना हो.

1. चक्रवृद्धि ब्याज की दर क्या है?
(बैंक पी०ओ० परीक्षा, 2013)
I. मूलधन 4 वर्ष के लिए निवेश किया गया.
II. कुल ब्याज ₹ 1491 था.

2. 2 वर्ष बाद चक्रवृद्धि ब्याज कितना था?
I. 1 वर्ष का इसी दर पर सा०ब्याज ₹ 1020 है तथा ब्याज की दर 12% वार्षिक है.
II. निवेशित धन ₹ 8500 है.

3. 5 वर्ष बाद कुल चक्रवृद्धि ब्याज कितना होगा?
I. मूलधन ₹ 20000 है.
II. 5 वर्ष बाद कुल साधारण ब्याज ₹ 4000 होगा.

4. 3 वर्ष बाद कुल चक्रवृद्धि ब्याज कितना होगा?
(बैंक पी०ओ० परीक्षा, 2013)
I. मूलधन ₹ 1000 तथा 1 वर्ष का ब्याज ₹ 100 है.
II. ₹ 1000 पर 2 वर्ष का चक्रवृद्धि ब्याज तथा साधारण ब्याज का अन्तर ₹ 10 है.

5. ब्याज की वार्षिक दर कितने प्रतिशत है?
(बैंक पी०ओ० परीक्षा, 2014)
I. ₹ 20000 का चक्रवृद्धि ब्याज ₹ 7848 है.
II. ₹ 18750 का 3 वर्ष का साधारण ब्याज ₹ 10125 है.

6. कोई धन 3 वर्ष के लिए ब्याज पर दिया गया. एक ही दर पर चक्रवृद्धि ब्याज तथा साधारण ब्याज का अन्तर क्या होगा?
I. ब्याज की दर 8% वार्षिक है.
II. कुल साधारण ब्याज ₹ 1200 है.

7. ब्याज की दर क्या है?

I. कुल चक्रवृद्धि ब्याज ₹ 2522 है.

II. एक ही दर पर 2 वर्ष का चक्रवृद्धि ब्याज तथा साधारण ब्याज का अन्तर ₹ 40 है.

(*a*) केवल I (*b*) केवल I तथा II

(*c*) केवल II तथा III (*d*) केवल I तथा III

(*e*) इनमें से कोई तीन

निर्देश (प्रश्न 8–11): नीचे दिये गये प्रत्येक प्रश्न में प्रश्न के साथ तीन कथन दिये गये हैं. इस प्रश्न का उत्तर ज्ञात करने हेतु इन तीन कथनों में से कौन-कौन से कथन अनिवार्य हैं?

8. ब्याज की दर कितने प्रतिशत वार्षिक है?

(बैंक पी०ओ० परीक्षा, 2012)

I. साधारण ब्याज से कोई धन 5 वर्ष में दुगुना हो जाता है.

II. किसी धन पर 2 वर्ष में चक्रवृद्धि ब्याज तथा साधारण ब्याज का अन्तर ₹ 400 है.

III. वार्षिक साधारण ब्याज ₹ 2000 है.

(*a*) केवल I (*b*) केवल II तथा III

(*c*) I, II, III सभी (*d*) तीनों में से कोई दो

(*e*) केवल I या (केवल II तथा III)

9. कोई धन चक्रवृद्धि ब्याज पर उधार दिया गया. ब्याज की दर क्या है?

I. इस धन का 2 वर्ष बाद मिश्रधन ₹ 5290 हो जाता है.

II. इस धन का 3 वर्ष बाद मिश्रधन ₹ 6083·50 हो जाता है.

III. यह धन ₹ 4000 है.

(*a*) केवल I तथा II (*b*) केवल II तथा III

(*c*) केवल II तथा III (*d*) तीनों में से कोई दो

(*e*) इनमें से कोई नहीं

10. ₹ 5000 पर 2 वर्ष का चक्रवृद्धि ब्याज क्या होगा?

I. इतने ही धन पर इसी दर से 5 वर्ष का साधारण ब्याज ₹ 2000 है.

II. 1 वर्ष का साधारण ब्याज तथा चक्रवृद्धि ब्याज बराबर है.

III. 10 वर्ष में चक्रवृद्धि ब्याज से धन दुगुने से अधिक हो जाता है.

(*a*) केवल I (*b*) केवल I तथा II

(*c*) केवल II तथा III (*d*) केवल I तथा III

(*e*) इनमें से कोई नहीं

11. कोई धन चक्रवृद्धि ब्याज से कितने वर्ष में 16 गुना हो जायेगा?

I. यह धन 4 वर्ष में दुगुना हो जाता है.

II. यह धन 12 वर्ष में आठ गुना हो जाता है.

III. यह धन 8 वर्ष में चार गुना हो जाता है.

(*a*) केवल I (*b*) केवल I तथा II

(*c*) केवल II तथा III (*d*) केवल I तथा III

(*e*) इनमें से कोई तीन

निर्देश (प्रश्न 12–14): नीचे दिये गये प्रत्येक प्रश्न में एक प्रश्न के साथ तीन कथन दिये गये हैं. आपको जाँच करनी है कि इस प्रश्न का उत्तर किसी एक कथन से अथवा किन्हीं दो कथनों से अथवा सभी तीन कथनों से संभव है. जिस कथन अथवा जिन कथनों की आवश्यकता नहीं है वहीं प्रश्न का उत्तर होगा.

12. किसी धन पर 4 वर्ष के अन्त में चक्रवृद्धि ब्याज तथा साधारण ब्याज का अन्तर कितना होगा?

I. ब्याज की दर 5% वार्षिक है.

II. इस धन पर 8 वर्ष के अन्त में ₹ 2000 साधारण ब्याज प्राप्त होगा.

III. 2 वर्ष के अन्त में चक्रवृद्धि ब्याज तथा साधारण ब्याज का अन्तर ₹ 12·50 है.

(*a*) केवल II

(*b*) केवल III

(*c*) केवल II अथवा III

(*d*) I, II, III तीनों आवश्यक हैं

(*e*) इनमें से कोई नहीं

13. 3 वर्ष बाद कुल चक्रवृद्धि ब्याज कितना होगा?

I. इस धन पर उसी दर से उतने समय के लिए साधारण ब्याज ₹ 4500 है.

II. ब्याज की दर 10% वार्षिक है.

III. 3 वर्ष के लिए चक्रवृद्धि ब्याज, साधारण ब्याज से ₹ 465 अधिक है.

(*a*) केवल I तथा II (*b*) केवल II तथा III

(*c*) केवल I तथा III (*d*) केवल II अथवा III

(*e*) तीनों में से कोई दो

14. ब्याज की वार्षिक दर प्रतिशत क्या है?

I. 2 वर्ष के अन्त में चक्रवृद्धि मिश्रधन ₹ 11025 हो जाता है.

II. 2 वर्ष के अन्त में साधारण ब्याज से मिश्रधन ₹ 11000 हो जाता है.

III. कुल निवेशित धन ₹ 10000 है.

(*a*) केवल I अथवा II

(*b*) केवल II अथवा III

(*c*) केवल I अथवा III

(*d*) केवल I अथवा II अथवा III

(*e*) I, II, III तीनों की आवश्यकता है

उत्तरमाला

1. (*d*) **2.** (*a*) **3.** (*e*) **4.** (*c*) **5.** (*b*) **6.** (*e*) **7.** (*e*) **8.** (*e*) **9.** (*d*) **10.** (*a*)
11. (*e*) **12.** (*c*) **13.** (*d*) **14.** (*d*)

दिये गये प्रश्नों के हल

1. माना मूलधन = ₹ P तथा दर = R% वार्षिक. तब,

च० ब्याज $= P \times \left\{\left(1+\frac{R}{100}\right)^4 - 1\right\}$

$\Rightarrow P \times \left\{\left(1+\frac{R}{100}\right)^4 - 1\right\} = 1491.$

स्पष्ट है कि इससे अभीष्ट उत्तर प्राप्त नहीं हुआ.

∴ सही उत्तर (d) है.

2. I से, सा० ब्याज = ₹ 1020, दर = 12% वार्षिक तथा समय = 1 वर्ष.

∴ मूलधन, $P = ₹\left(\frac{100 \times 1020}{12 \times 1}\right) = ₹\ 8500.$

∴ 2 वर्ष का चक्रवृद्धि ब्याज $= ₹\left\{8500 \times \left(1+\frac{12}{100}\right)^2 - 8500\right\}$

II से, केवल मूलधन तथा समय ज्ञात है.

अत: चक्रवृद्धि ब्याज ज्ञात नहीं किया जा सकता.

∴ सही उत्तर (a) है.

3. दिया है: समय = 5 वर्ष.

I से, मूलधन = ₹ 20000.

II से, साधारण ब्याज = ₹ 4000.

माना ब्याज की दर = R% वार्षिक.

∴ $R = \left(\frac{100 \times 4000}{20000 \times 5}\right)$% वार्षिक = 4% वार्षिक.

∴ च० ब्याज $= ₹\left(20000 \times \left\{\left(1+\frac{4}{100}\right)^5 - 1\right\}\right).$

अत: I तथा II दोनों से उत्तर प्राप्त होगा.

∴ सही उत्तर (e) है.

4. I से, मू० = ₹ 1000 तथा 1 वर्ष का सा० ब्याज = ₹ 100.

∴ दर $= \frac{100 \times \text{सा० ब्याज}}{\text{मू०} \times \text{समय}} = \left(\frac{100 \times 100}{1000 \times 1}\right)$% वार्षिक

= 10% वार्षिक.

इस प्रकार, मू० = ₹ 1000, समय = 3 वर्ष तथा दर = 10% वार्षिक.

इससे चक्रवृद्धि मिश्रधन ज्ञात किया जा सकता है.

II से, मूलधन = ₹ 1000.

2 वर्ष का चक्र० ब्याज तथा सा० ब्याज का अन्तर = ₹ 10.

∴ $1000 \times \left\{\left(1+\frac{R}{100}\right)^2 - 1\right\} - \left(\frac{100 \times R \times 2}{100}\right) = 10.$

इससे R ज्ञात करके च० ब्याज ज्ञात किया जा सकता है.

∴ केवल I तथा केवल II अभीष्ट उत्तर के लिए प्रत्येक पर्याप्त है.

∴ सही उत्तर (c) है.

5. माना ब्याज की दर = R% वार्षिक.

I से: मू० = ₹ 20000, चक्रवृद्धि ब्याज = ₹ 7848.

स्पष्ट है कि समय तथा दर दोनों अज्ञात हैं.

∴ R ज्ञात नहीं किया जा सकता.

II से, मू० = ₹ 18750, समय = 3 वर्ष, सा० ब्याज = ₹ 10125.

∴ दर $= \left(\frac{100 \times 10125}{18750 \times 3}\right)$% वार्षिक.

∴ सही उत्तर (b) है.

6. दिया है: समय = 3 वर्ष.

I से, R = 8% वार्षिक.

II से, सा०ब्याज = ₹ 1200.

अब, मू० = ₹ 5000, दर 8% वार्षिक तथा समय = 3 वर्ष.

∴ चक्र०ब्याज तथा सा०ब्याज का अन्तर ज्ञात किया जा सकता है.

∴ सही उत्तर (e) है.

7. I से, 3 वर्ष का चक्र०ब्याज = ₹ 2522.

II से, 2 वर्ष का चक्र० ब्याज तथा सा० ब्याज का अन्तर ₹ 40 है.

∴ $P\left[\left(1+\frac{R}{100}\right)^3 - 1\right] = 2522$ ...(i)

$P\left[\left(1+\frac{R}{100}\right)^2 - 1\right] - \frac{P \times R \times 2}{100} = 40$ ...(ii)

(i) को (ii) से भाग देने पर:

$$\frac{\left\{\left(1+\frac{R}{100}\right)^3 - 1\right\}}{\left(1+\frac{R}{100}\right)^2 - 1 - \frac{R}{50}} = \frac{2522}{40}$$

$$\Leftrightarrow \frac{\frac{R^3}{(100)^3} + \frac{3R^2}{(100)^2} + \frac{3R}{100}}{R^2} \times (100)^2 = \frac{1261}{20}$$

$$\Leftrightarrow \frac{R}{100} + \frac{300}{R} = \frac{1201}{20} \Leftrightarrow R^2 - 6005R + 30000 = 0$$

$$\Leftrightarrow (R - 6000)\,(R - 5) = 0 \Leftrightarrow R = 5.$$

अत: R प्राप्त करने के लिए I तथा II दोनों की आवश्यकता होगी.

∴ सही उत्तर (e) है.

8. I से, $\frac{P \times R \times 5}{100} = P \Leftrightarrow R = 20.$

II से, $P\left(1+\frac{R}{100}\right)^2 - P - \frac{(P \times R \times 2)}{100} = 400$

$\Leftrightarrow PR^2 = 4000000$

III से, $\frac{(P \times R \times 1)}{100} = 2000 \Rightarrow PR = 200000.$

∴ $\frac{PR^2}{PR} = \frac{4000000}{200000} \Rightarrow R = 20.$

अत: केवल I अथवा (केवल II तथा III) से दिये प्रश्न का उत्तर प्राप्त होगा.

∴ सही उत्तर (e) है.

9. I से, $P\left(1+\frac{R}{100}\right)^2 = 5290$ ...(i)

II से, $P\left(1+\frac{R}{100}\right)^3 = 6083{\cdot}50$ ...(ii)

भाग देने पर: $\left(1+\frac{R}{100}\right) = \frac{608350}{529000} = \frac{23}{20}$

$\Leftrightarrow \frac{R}{100} = \left(\frac{23}{20}-1\right) = \frac{3}{20} \Leftrightarrow R = \left(\frac{3}{20}\times 100\right) = 15.$

अत: I तथा II से उत्तर प्राप्त होगा.

III से, $P = 4000$.

P का मान (i) में रखने से R प्राप्त होगा.

P का मान (ii) में रखने से R प्राप्त होगा.

∴ (I तथा II) या (I तथा III) या (II तथा III) सभी से दिये गये प्रश्न का उत्तर प्राप्त होगा.

∴ सही उत्तर (d) है.

10. यहाँ मू० = ₹ 5000 तथा समय = 2 वर्ष.

I से, ₹ 5000 का 5 वर्ष का सा० ब्याज ₹ 2000 है.

∴ $\frac{5000\times R\times 5}{100} = 2000 \Leftrightarrow R = 8.$

अत: केवल I से दिये गये प्रश्न का उत्तर प्राप्त हो गया.

∴ सही उत्तर (a) है.

11. I से, $P\left(1+\frac{R}{100}\right)^4 = 2P \Leftrightarrow \left(1+\frac{R}{100}\right)^4 = 2$ ...(i)

I से, $P\left(1+\frac{R}{100}\right)^{12} = 8P \Leftrightarrow \left(1+\frac{R}{100}\right)^{12} = 8$ ...(ii)

III से, $P\left(1+\frac{R}{100}\right)^8 = 4P \Leftrightarrow \left(1+\frac{R}{100}\right)^8 = 4$ ...(iii)

माना धन 16 गुना n वर्ष में हो जाता है. तब,

$$P\left(1+\frac{R}{100}\right)^n = 16P \Leftrightarrow \left(1+\frac{R}{100}\right)^n = 16$$

(iv) के साथ (i), (ii), (iii) में से कोई एक लेकर n का मान ज्ञात किया जा सकता है.

∴ सही उत्तर (e) है.

12. I तथा II से, दर, सा० ब्याज तथा समय ज्ञात है.

∴ मूलधन $= \frac{(100 \times \text{सा० ब्याज})}{(\text{दर} \times \text{समय})}$

$= ₹\frac{(100\times 2000)}{(5\times 8)} = ₹\ 5000.$

अब इससे 4 वर्ष का चक्रवृद्धि ब्याज तथा साधारण ब्याज का अन्तर ज्ञात किया जा सकता है.

इस दशा में III निरर्थक है.

I से दर ज्ञात है तथा III से मूलधन ज्ञात करने के लिए

$P\left[\left(1+\frac{5}{100}\right)^2 - 1\right] - \frac{(P\times 5\times 2)}{100} = \frac{25}{2}$ का प्रयोग करेंगे.

इससे 4 वर्ष के चक्रवृद्धि ब्याज तथा सा० ब्याज का अन्तर ज्ञात कर सकते हैं.

∴ सही उत्तर (c) है.

13. I से, 3 वर्ष का सा० ब्याज = ₹ 4500.

II से, दर = 10% वार्षिक.

III से, (चक्र० ब्याज) − (सा० ब्याज) = ₹ 465.

I तथा III से, चक्र० ब्याज = ₹(465 + 4500).

∴ II निरर्थक है.

I तथा II से, मू० $= ₹\frac{(100\times 4500)}{(10\times 3)} = ₹\ 15000.$

अब, ₹ 15000 का 10% वार्षिक दर से 3 वर्ष का चक्र० ब्याज ज्ञात कर सकेंगे.

∴ III निरर्थक है.

अत: II अथवा III निरर्थक हैं.

∴ सही उत्तर (d) है.

14. I से, 2 वर्ष का चक्रवृद्धि मिश्रधन = ₹ 11025.

II से, 2 वर्ष बाद सा० ब्याज से मिश्रधन = ₹ 11000 .

III से, मूलधन = ₹ 10000.

II तथा III से, मू० = ₹ 10000,

सा० ब्याज = ₹(11000 − 10000) = ₹ 1000 तथा समय = 2 वर्ष.

∴ दर $= \frac{(100 \times \text{सा० ब्याज})}{(\text{मू०} \times \text{समय})}$

$= \frac{(100\times 1000)}{(10000\times 2)} = 5\%$ वार्षिक.

अत: I निरर्थक है.

I तथा III से, $10000\times\left(1+\frac{R}{100}\right)^2 = 11025$. इससे R ज्ञात कर सकते हैं.

∴ II निरर्थक है.

I तथा II से, $P\left(1+\frac{R}{100}\right)^2 = 11025$ ...(i)

$P\left\{1+\frac{2\times R}{100}\right\} = 11000$ ...(ii)

(i) को (ii) से भाग देने पर $\frac{\left(1+\frac{R}{100}\right)^2}{\left(1+\frac{R}{50}\right)} = \frac{11025}{11000}$.

इससे R प्राप्त किया जा सकता है.

∴ III निरर्थक है.

∴ I अथवा II अथवा III निरर्थक है.

∴ सही उत्तर (d) है.

25 मिती काटा (TRUE DISCOUNT)

सामान्य नियम

मिती काटा: माना किसी कर्जदार व्यक्ति को कोई धन एक निश्चित समय के बाद वापिस देना है. परन्तु, वह इस कर्ज को अभी चुकाना चाहता है। प्रश्न उठता है कि उसे अपना कर्ज चुकाने के लिए कितना धन देना होगा. स्पष्ट है कि तय किये गये ब्याज की दर से जिस धन का मिश्रधन, देय धन हो, उतना ही धन देकर कर्ज चुकता हो जायेगा.

इस समय दिये गये धन को **तत्काल धन** कहते हैं तथा देय धन और तत्काल धन के अन्तर को **मिती-काटा** कहते हैं.

(i) **मिती काटा = (देय धन) – (तत्काल धन)**

(ii) **मिती काटा = तत्काल धन पर ब्याज.**

सूत्र

(i) **मिती काटा** $= \dfrac{(\text{तत्काल धन} \times \text{दर} \times \text{समय})}{100} = \dfrac{(\text{देय धन} \times \text{दर} \times \text{समय})}{\{100 + (\text{दर} \times \text{समय})\}}$

(ii) **तत्काल धन** $= \dfrac{(100 \times \text{मिती काटा})}{(\text{दर} \times \text{समय})} = \dfrac{(100 \times \text{देय धन})}{\{100 + (\text{दर} \times \text{समय})\}}$

(iii) **देय धन** $= \dfrac{(\text{सा० ब्याज}) \times (\text{मिती काटा})}{(\text{सा० ब्याज}) - (\text{मिती काटा})}$

(iv) **(सा० ब्याज) – (मिती काटा) = मिती काटा पर सा० ब्याज**

(iv) **चक्रवृद्धि ब्याज पर तत्काल धन** $= \dfrac{\text{देय धन}}{\left(1 + \dfrac{\text{दर}}{100}\right)^{\text{समय}}}$.

साधित उदाहरण

प्रश्न 1. 3 वर्ष बाद देय ₹ 1062 का तत्काल धन तथा मिती काटा ज्ञात करें जबकि ब्याज की दर 6% वार्षिक हो.

हल: दिया है: देय धन = ₹ 1062, समय = 3 वर्ष, दर = 6% वार्षिक.

$\therefore$ तत्काल धन $= \dfrac{100 \times \text{देय धन}}{100 + (\text{दर} \times \text{समय})} = ₹\left\{\dfrac{100 \times 1062}{100 + (6 \times 3)}\right\} = ₹\left(\dfrac{100 \times 1062}{118}\right) = ₹\ 900.$

$\therefore$ मिती काटा = (देय धन) – (तत्काल धन) = ₹(1062 – 900) = ₹ 162.

प्रश्न 2. 2 वर्ष बाद देय धन पर 5% वार्षिक दर से मिती काटा ₹ 730 है. देय धन तथा तत्काल धन ज्ञात कीजिए.

हल: मिती काटा = ₹ 730, दर = 5% वार्षिक तथा समय = 2 वर्ष.

माना देयधन = ₹ x. तब,

मिती काटा $= ₹\dfrac{x \times R \times T}{100 + (R \times T)} = \left\{\dfrac{x \times 5 \times 2}{100 + (5 \times 2)}\right\} = ₹\dfrac{x}{11}$.

$\therefore \quad \dfrac{x}{11} = 730 \Leftrightarrow x = ₹(730 \times 11) = ₹\ 8030.$

अत: देय धन = ₹ 8030 तथा तत्काल धन = ₹(8030 – 730) = ₹ 7300.

प्रश्न 3. 3 वर्ष बाद देय किसी धन पर मिती काटा ₹ 250 है तथा इसी धन पर इसी दर से इतने ही समय का साधारण ब्याज ₹ 300 है. देय धन तथा दर प्रतिशत ज्ञात कीजिए.

हल: मिती काटा = ₹ 250 तथा साधारण ब्याज = ₹ 300.

$\therefore$ देय धन = ₹ $\frac{(300\times250)}{(300-250)}$ = ₹ $\frac{(300\times250)}{50}$ = ₹ 1500.

दर = $\left(\frac{100\times300}{1500\times3}\right)$% वार्षिक = $6\frac{2}{3}$% वार्षिक.

प्रश्न 4. 6 माह बाद देय किसी धन पर 8% वार्षिक दर से मिती काटा तथा साधारण ब्याज का अन्तर ₹ 25 है. देय धन ज्ञात कीजिए.

हल: माना देय धन = ₹ x. तब,

$$\text{मिती काटा} = ₹\frac{\left(x\times8\times\frac{6}{12}\right)}{100+\left(8\times\frac{6}{12}\right)} = ₹\frac{4x}{104} = ₹\frac{x}{26}.$$

$$\text{सा० ब्याज} = ₹\left(x\times8\times\frac{6}{12}\times\frac{1}{100}\right) = ₹\frac{x}{25}.$$

$$\therefore \quad \frac{x}{25}-\frac{x}{26} = 25 \Leftrightarrow \frac{(26x-25x)}{25\times26} = 25 \Leftrightarrow x = (25\times26\times25) = 16250.$$

अत: देय धन = ₹ 16250.

प्रश्न 5. एक बिल 1 वर्ष बाद देय है. ऋणदाता आधा धन तत्काल लेकर शेष आधा धन 2 वर्ष बाद लेने को तैयार है. यदि ब्याज की दर 5% वार्षिक हो तथा इस सौदे से ₹ 40 का लाभ हो, तो देय धन ज्ञात कीजिए.

हल: माना देय धन = x तब,

$$\left\{\frac{x}{2}+\frac{(x/2\times100)}{100+(5\times2)}\right\}-\frac{(x\times100)}{100+(5\times1)} = 40 \Leftrightarrow \frac{21x}{22}-\frac{20x}{21} = \frac{x}{462}$$

$$\therefore \quad \frac{x}{462} = 40 \Leftrightarrow x = (462\times40) = 18480.$$

अत: देय धन = ₹ 18480.

प्रश्नमाला 25

निम्नलिखित प्रश्नों में से प्रत्येक में ठीक उत्तर को चिह्नांकित (✓) कीजिए:

1. 2 वर्ष बाद देय ₹ 2800 का तत्काल धन क्या होगा, जबकि ब्याज की दर 6% वार्षिक हो?

(*a*) ₹ 3360 (*b*) ₹ 2464
(*c*) ₹ 2500 (*d*) इनमें से कोई नहीं

2. 3 वर्ष बाद देय किसी धन का 8% वार्षिक दर से मिती काटा ₹ 252 है. देय धन कितना है?

(*a*) ₹ 1050 (*b*) ₹ 1302
(*c*) ₹ 798 (*d*) इनमें से कोई नहीं

3. 8 माह बाद देय किसी धन का 6% वार्षिक दर से मिती काटा ₹ 130 है. देय धन कितना है?

(*a*) ₹ 3380 (*b*) ₹ 3250
(*c*) ₹ 3120 (*d*) इनमें से कोई नहीं

4. 6 माह बाद देय ₹ 5125 पर मिती काटा ₹ 125 है. ब्याज की वार्षिक दर क्या है?

(*a*) 5% (*b*) 6%
(*c*) $6\frac{2}{3}$% (*d*) 8%

5. कुछ समय बाद देय ₹ 2580 का 6% वार्षिक दर से मिती काटा ₹ 180 है. यह धन कितने समय बाद देय है?

(*a*) 5 माह (*b*) 4 माह
(*c*) 1 वर्ष 3 माह (*d*) 1 वर्ष 4 माह

6. किसी धन पर एक निश्चित समय के लिए एक निश्चित दर पर साधारण ब्याज तथा मिती काटा क्रमश: ₹ 85 तथा ₹ 80 हैं. देय धन कितना है?

(*a*) ₹ 1360 (*b*) ₹ 1450
(*c*) ₹ 1800 (*d*) ₹ 6800

7. एक व्यक्ति ने एक घड़ी ₹ 1950 नकद में खरीद कर उसी समय 1 वर्ष बाद देय ₹ 2160 में उधार बेच दी. यदि ब्याज की दर 8% वार्षिक हो, तो उस व्यक्ति को मिलेगा:

(*a*) ₹ 210 लाभ (*b*) ₹ 50 लाभ
(*c*) ₹ 60 लाभ (*d*) ₹ 30 हानि

8. एक व्यक्ति ने एक गाय ₹ 3000 नकद में खरीद कर उसी दिन 2 वर्ष बाद देय ₹ 3660 में उधार बेच दी. यदि ब्याज की दर 10% वार्षिक हो, तो उस व्यक्ति को कितने प्रतिशत लाभ हुआ?

(a) 0% (b) 5%
(c) 7.5% (d) इनमें से कोई नहीं

9. एक व्यक्ति अपना स्कूटर बेचना चाहता है. इसके दो ग्राहक हैं. एक ग्राहक ₹ 12000 नकद देना चाहता है तथा दूसरा 8 माह बाद देय ₹ 13200 में. यदि ब्याज की दर 15% वार्षिक हो, तो बेचने वाले व्यक्ति को कौन-सा सौदा अधिक लाभप्रद है?
(a) ₹ 12000 नकद में
(b) 8 माह बाद देय ₹ 13200 में
(c) दोनों एक जैसे हैं
(d) इनमें कोई नहीं

10. $1\frac{1}{2}$ वर्ष बाद A को B के ₹ 1573 देने हैं तथा 6 माह बाद B को A के ₹ 1444·50 देने हैं. यदि ब्याज की दर 14% वार्षिक हो तथा वे दोनों तत्काल ही एक दूसरे का ऋण चुकाना चाहें, तो कौन रुपया देगा तथा कितना?
(a) A देगा ₹ 28·50 (b) B देगा ₹ 37·50
(c) A देगा ₹ 50 (d) B देगा ₹ 50

11. 1 वर्ष बाद A को B के ₹ 220 देने हैं. B चाहता है कि A उसे ₹ 110 तत्काल दे दे तथा शेष ₹ 110 2 वर्ष बाद दे दे. A इससे सहमत हो जाता है. यदि ब्याज की दर 10% वार्षिक हो, तो इससे:
(a) किसी को न लाभ होता है न हानि
(b) A को ₹ 7·34 का लाभ होता है
(c) B को ₹ 7·34 का लाभ होता है
(d) A को ₹ 1·67 की हानि होती है

12. एक दुकानदार को किसी व्यापारी को 1 वर्ष बाद देय ₹ 10028 देना है. 3 माह बाद दुकानदार अपना ऋण चुकाना चाहता है. यदि ब्याज की दर 12% वार्षिक हो, तो उसे कितना धन देना होगा?
(a) ₹ 9200 (b) ₹ 9600
(c) ₹ 9560 (d) ₹ 9025·20

13. एक निश्चित समय बाद देय ₹ 110 के बिल पर मिती काटा ₹ 10 है. इसी बिल पर इसी दर से इससे दुगुने समय के बाद देय बिल पर मिती काटा क्या होगा?
(a) ₹ 20 (b) ₹ 18·33
(c) ₹ 21·81 (d) ₹ 22

14. एक निश्चित समय बाद देय ₹ 260 के बिल पर मिती काटा ₹ 20 है. इसी दर पर आधे समय के बाद देय इसी बिल पर मिती काटा क्या होगा?
(a) ₹ 10 (b) ₹ 10·40
(c) ₹ 13 (d) ₹ 15·20

15. दो बराबर छमाही किस्तों में देय ₹ 1404 का तत्काल धन क्या होगा जबकि ब्याज की दर 8% वार्षिक हो?
(a) ₹ 1350 (b) ₹ 1500
(c) ₹ 1325 (d) ₹ 1300

16. 6 माह के अन्त में देय एक निश्चित धन पर मिती काटा ₹ 24 है तथा उसी धन पर उसी दर से 6 माह का साधारण ब्याज ₹ 25 है. ब्याज की वार्षिक दर क्या है?
(a) $8\frac{1}{3}\%$ (b) $8\frac{1}{2}\%$
(c) 8% (d) $8\frac{3}{4}\%$

17. मैंने एक साईकिल ₹ 1056 में नकद खरीदी तथा उसी दिन 6 माह बाद देय ₹ 1296 में उधार बेच दी. यदि ब्याज की दर 12% वार्षिक हो, तो मुझे कितने प्रतिशत लाभ हुआ?
(a) 11·1% (b) 12·25%
(c) 13·6% (d) 22·7%

18. दो वर्ष बाद देय ₹ 960 पर मिती काटा उतना ही है जितना कि ₹ 750 का 2 वर्ष का उसी दर से साधारण ब्याज है. ब्याज की दर क्या है?
(a) 12% (b) 14%
(c) 15% (d) $16\frac{2}{3}\%$

19. यदि ₹ 750 का 2 वर्ष का साधारण ब्याज, ₹ 810 पर उतने ही समय के लिए तथा उसी दर पर मिती काटे के बराबर हो, तो ब्याज की दर क्या होगी? **(सी०बी०आई० परीक्षा, 1997)**
(a) 4% (b) $4\frac{1}{3}\%$
(c) 5% (d) $5\frac{1}{6}\%$

20. एक व्यापारी एक वॉशिंग मशीन खरीदता है। वह इसके अंकित मूल्य पर 10% की छूट देता है और 4000 रुपये का लाभ प्राप्त करता है। यदि वह इसके अंकित मूल्य पर 20% की छूट देता है और ₹3300 का लाभ प्राप्त करता है, तो मशीन का अंकित मूल्य ज्ञात कीजिए।
(a) ₹7,000 (b) ₹9,000
(c) ₹13,000 (d) ₹10,000
(e) ₹15,000

21. सेब और संतरे के क्रय मूल्य का अनुपात 4: 5 है। यदि दुकानदार सेब को 20% के लाभ पर और संतरे को 30% के लाभ पर बेचता है और सेब तथा संतरे पर क्रमश: 20% और 35% की छूट देता है, तो सेब और संतरे के अंकित मूल्य का अनुपात कितना है?
(a) 4 : 5 (b) 3 : 5
(c) 7 : 5 (d) 11 : 9
(e) 7 : 6

22. एक वस्तु का अंकित मूल्य 50,000 है। तीन दुकानदारों में से, पहला इस पर 25% और 15% की दो क्रमिक छूट देता है। दूसरा दुकानदार 20% और 20% की दो क्रमिक छूट देता है। तीसरा दुकानदार 30% और 10% की दो क्रमिक छूट देता है। ग्राहक को किस दुकानदार से अधिक लाभ प्राप्त होगा? **(एसएससी सीजीएल 25/07/2023 (Shift-02))**
(a) पहले (b) सभी दुकानदारों से समान
(c) तीसरे (d) दूसरे

23. एक निश्चित बिल पर 40% की छूट तथा 30% की दो क्रमिक छूटों का अंतर 220 रु. था। बिल की राशि (रु. में) ज्ञात कीजिए। (एसएससी सीजीएल 25/07/2023 (Shift-02)

(*a*) 2200 (*b*) 1100
(*c*) 1000 (*d*) 2000

24. एक माइक्रोवेव ओवन का अंकित मूल्य ₹15,990 है और इसे ₹12,792 में बेचा जाता है। दी जाने वाली छूट की दर ज्ञात करें। (एसएससी सीजीएल 25/07/2023 (Shift-04)

(*a*) 25% (*b*) 20%
(*c*) 21% (*d*) 24%

25. एक दुकानदार अपना माल 18% की छूट देकर बेचता है और फिर भी 30% का लाभ कमाता है। यदि वह अंकित मूल्य पर 12% की छूट देकर अपना माल बेचता है, तो उसका लाभ प्रतिशत (2 दशमलव स्थानों तक सही) क्या होगा? (एसएससी सीजीएल 26/07/2023 (Shift-01)

(*a*) 42.62% (*b*) 35.45%
(*c*) 40.35% (*d*) 39.51%

26. 7,500 रुपये पर निम्न में से किससे अधिकतम छूट मिलेगी?
1. 5% और 5% की दो क्रमिक छूट
2. 10% की एकल छूट
3. 8% और 2% को दो क्रमिक छूट
(एसएससी सीजीएल 26/07/2023 (Shift-02)

(*a*) 2
(*b*) 1
(*c*) सभी में समान छूट मिलेगी
(*d*) 3

27. ₹55,000 के अंकित मूल्य वाली वाशिंग मशीन की बिक्री पर 10% की तीन क्रमिक छूटें उपलब्ध हैं। वाशिंग मशीन का अंतिम विक्रय मूल्य (₹ में) ज्ञात करें। (एसएससी सीजीएल 26/07/2023 (Shift-04)

(*a*) 40095 (*b*) 44000
(*c*) 40000 (*d*) 42095

28. एक रेडियो के अंकित मूल्य पर 25% की प्रारंभिक छूट देने के बाद, एक दुकानदार बट्टाकृत मूल्य पर 12% अतिरिक्त छूट देता है। यदि रेडियो का अंतिम विक्रय मूल्य ₹792 है, तो इसका अंकित मूल्य (₹ में) क्या है? (एसएससी सीजीएल 27/07/2023 (Shift-01)

(*a*) 1980 (*b*) 2330
(*c*) 1320 (*d*) 1200

29. एक लैपटॉप को 20% की छूट देने के बाद ₹54,000 में बेचा जाता है। लैपटॉप का सूची/अंकित मूल्य (₹ में) ज्ञात करें। (एसएससी सीजीएल 27/07/2023 (Shift-02)

(*a*) 69500 (*b*) 67500
(*c*) 70000 (*d*) 64800

30. ₹3,800 के अंकित मूल्य वाली एक वस्तु को y% की छूट के बाद ₹3,496 में बेचा गया। y का मान क्या था? (एसएससी सीजीएल 03/10/2023 (Shift-01)

(*a*) 7.5% (*b*) 8.5%
(*c*) 8% (*d*) 7%

31. एक एसी का अंकित मूल्य 48,000 रुपये है। दुकानदार 12% की छूट देता है और 10% का लाभ प्राप्त करता है। यदि कोई छूट नहीं दी जाती है, तब उसका लाभ प्रतिशत ज्ञात कीजिए। (एसएससी सीजीएल 06/03/2024 (Shift-01)

(*a*) 20 प्रतिशत (*b*) 26 प्रतिशत
(*c*) 24 प्रतिशत (*d*) 25 प्रतिशत

32. यदि मूल्य मद में 70% की वृद्धि की जाती है और फिर इस अंकित मूल्य पर 5% और 20% की छूट योजना की अनुमति दी जाती है। यदि मूल्य नकद में भुगतान किया जाता है और 20% की अतिरिक्त छूट की अनुमति है तो उसका लाभ प्रतिशत क्या है? (एसएससी सीजीएल 26/02/2024 (Shift-01)

(*a*) 2.25% (*b*) 4.36%
(*c*) 3.25% (*d*) 3.36%

उत्तरमाला

1. (*c*)	**2.** (*b*)	**3.** (*a*)	**4.** (*a*)	**5.** (*c*)	**6.** (*a*)	**7.** (*b*)	**8.** (*d*)	**9.** (*c*)	**10.** (*d*)
11. (*d*)	**12.** (*a*)	**13.** (*b*)	**14.** (*b*)	**15.** (*c*)	**16.** (*a*)	**17.** (*c*)	**18.** (*b*)	**19.** (*a*)	**20.** (*a*)
21. (b)	**22.** (*c*)	**23.** (*d*)	**24.** (*b*)	**25.** (*d*)	**26.** (*a*)	**27.** (*a*)	**28.** (*d*)	**29.** (*b*)	**30.** (*c*)
31. (*d*)	**32.** (*d*)								

दिये गये प्रश्नों के हल

1. $\text{तत्काल धन} = \dfrac{100 \times \text{देय धन}}{100 + (R \times T)} = ₹\dfrac{100 \times 2800}{100 + (6 \times 2)} = ₹\,2500.$

2. $\text{तत्काल धन} = \dfrac{100 \times \text{मिती काटा}}{\text{दर} \times \text{समय}} = ₹\left(\dfrac{100 \times 252}{8 \times 3}\right) = ₹\,1050.$

देय धन = (तत्काल धन) + (मिती काटा)
$= ₹(1050 + 252) = ₹\,1302.$

3. $\text{तत्काल धन} = \dfrac{100 \times \text{मिती काटा}}{\text{दर} \times \text{समय}} = ₹\dfrac{100 \times 130}{\left(6 \times \dfrac{8}{12}\right)} = ₹\,3250.$

देय धन = (तत्काल धन) + (मिती काटा)
$= ₹(3250 + 130) = ₹\,3380.$

4. ₹(5125 − 125) का $\dfrac{1}{2}$ वर्ष का ब्याज = ₹ 125.

$\therefore$ दर $= \left(\dfrac{100\times125}{5000\times1/2}\right)$% वार्षिक = 5% वार्षिक.

5. ₹(2580 – 180) का 6% वार्षिक दर से ब्याज = ₹180.

$\therefore$ समय $= \left(\dfrac{100\times180}{2400\times6}\right)$ वर्ष $= \dfrac{5}{4}$ वर्ष = 1 वर्ष 3 माह.

6. देय धन $= \dfrac{(\text{सा० ब्याज}) \times (\text{मिती काटा})}{(\text{सा० ब्याज}) - (\text{मिती काटा})}$

$= ₹\dfrac{(85\times80)}{(85-80)} = ₹\ 1360.$

7. घड़ी का क्रय मूल्य – ₹ 1950.

घड़ी का विक्रय-मूल्य = 1 वर्ष बाद देय ₹ 2160 का तत्काल धन

$= ₹\dfrac{(100\times2160)}{(100+8\times1)} = ₹\ 2000$ नकद.

$\therefore$ लाभ = ₹(2000 – 1950) = ₹50.

8. गाय का क्रय-मूल्य = ₹3000 (नकद).

गाय का विक्रय-मूल्य = 2 वर्ष बाद देय ₹ 3660 का तत्काल धन

$= ₹\dfrac{(100\times3660)}{100+(10\times2)}$

$= ₹\dfrac{(100\times3660)}{112} = ₹\ 3050.$

$\therefore$ लाभ% $= \left(\dfrac{50}{3000}\times100\right)\% = 1\dfrac{2}{3}\%.$

9. 8 माह बाद देय ₹ 13200 का तत्काल धन

$= ₹\dfrac{(100\times13200)}{100+\left(15\times\dfrac{8}{12}\right)} = ₹\ 12000.$

नकद मूल्य = ₹12000.

अत: दोनों सौदे एक जैसे हैं.

10. A पर तत्काल ऋण $= ₹\dfrac{(100\times1573)}{100+\left(14\times\dfrac{3}{2}\right)}$

$= ₹\left(\dfrac{100\times1573}{121}\right) = ₹\ 1300.$

B पर तत्काल ऋण $= ₹\dfrac{(100\times1444{\cdot}50)}{100+\left(14\times\dfrac{1}{2}\right)}$

$= ₹\dfrac{(100\times1444{\cdot}50)}{107} = ₹\ 1350.$

अत: तत्काल ऋण चुकाने के लिए B देगा ₹ 50.

11. A को देना है = 1 वर्ष बाद देय ₹ 220 का तत्काल धन

$= ₹\dfrac{(100\times220)}{100+(10\times1)} = ₹\dfrac{(100\times220)}{110} = ₹\ 200.$

A वास्तव में देता है = ₹ 110 + दो वर्ष बाद देय ₹ 110 का तत्काल धन

$= ₹\ 110 + ₹\dfrac{(100\times110)}{100+(10\times2)} = ₹\ (110 + 91{\cdot}67) = ₹\ 201{\cdot}67.$

इससे A को ₹ 1·67 की हानि होती है.

12. दुकानदार को देना होगा = 9 माह बाद देय ₹ 10028 का तत्काल धन

$= ₹\dfrac{(100\times10028)}{100+\left(12\times\dfrac{3}{4}\right)} = ₹\dfrac{(100\times10028)}{109} = ₹\ 9200.$

13. ₹(110 – 10) पर एक निश्चित समय का सा० ब्याज = ₹ 10.

₹ 100 पर दुगुने समय के लिए सा० ब्याज = ₹ 20.

₹ 120 पर मिती काटा = ₹ 20.

₹ 110 पर मिती काटा $= ₹\left(\dfrac{20}{120}\times110\right) = ₹\ 18{\cdot}33.$

14. ₹(260 – 20) पर एक निश्चित समय का सा० ब्याज = ₹ 20.

₹ 240 पर आधे समय का सा० ब्याज = ₹ 10.

₹ 250 पर मिती काटा = ₹ 10.

₹ 260 पर मिती काटा $= ₹\left(\dfrac{10}{250}\times260\right) = ₹\ 10{\cdot}40.$

15. तत्काल धन = (6 माह बाद देय ₹ 702 का तत्काल धन) + (1 वर्ष बाद देय ₹ 702 का तत्काल धन)

$= ₹\dfrac{(100\times702)}{100+\left(8\times\dfrac{1}{2}\right)} + ₹\dfrac{(100\times702)}{100+(8\times1)}$

= ₹(675 + 650) = ₹ 1325.

16. देय धन $= ₹\dfrac{(25\times24)}{(25-24)} = ₹\ 600.$

अत: ₹ 600 का 6 माह का साधारण ब्याज = ₹ 25.

$\therefore$ दर $= \left(\dfrac{100\times25}{600\times1/2}\right)$% वार्षिक $= 8\dfrac{1}{3}$% वार्षिक.

17. क्रय मूल्य = ₹ 1056.

विक्रय-मूल्य = 6 माह बाद देय ₹ 1296 का तत्काल धन

$= ₹\dfrac{(100\times1296)}{100+\left(12\times\dfrac{1}{2}\right)} = ₹\ 1200.$

$\therefore$ लाभ = ₹(1200 – 1056) = ₹ 144.

अत: लाभ % $= \left(\dfrac{144}{1056}\times100\right)\% = 13{\cdot}6\%.$

18. ₹ 750 पर साधारण ब्याज = ₹ 960 पर मिती काटा.

2 वर्ष बाद देय ₹ 960 का तत्काल धन = ₹ 750.

$\therefore$ मिती काटा = ₹(960 – 750) = ₹ 210.

अत: ₹ 750 पर 2 वर्ष का सा० ब्याज = ₹ 210.

$\therefore$ दर $= \left(\dfrac{100\times210}{750\times2}\right)$% वार्षिक = 14% वार्षिक.

19. माना अभीष्ट दर = R% वार्षिक.

तब, सा० ब्याज $= ₹\left(\dfrac{750\times2\times R}{100}\right) = ₹(15R).$

मिती काटा $= \dfrac{810\times R\times2}{100+(R\times2)}.$

$\therefore \quad \dfrac{1620R}{100+2R} = 15R \Leftrightarrow 1500R + 30R^2 = 1620R$

$\Leftrightarrow 30R^2 = 120R \Leftrightarrow R^2 - 4R = 0$

$\Leftrightarrow R(R-4) = 0 \Leftrightarrow R = 4.$

अत: अभीष्ट दर = 4%.

20. एमपी पर छूट में 100% वृद्धि का मूल्य

=10 × (4000 – 3300) = 10 × 700 = ₹7000

21. माना सेब और संतरे का सीपी क्रमशः $4x$ और $5x$ है.

सेब का M.P. $= 4x \times \frac{120}{100} \times \frac{100}{80} = 6$

संतरें का M.P. $= 5x \times \frac{130}{100} \times \frac{100}{65} = 10$

$\therefore$ आवश्यक राशन $= 6 : 10 = 3 : 5$

22. पहले दुकानदार के लिए:

नेट छूट $= 25 + 15 - \frac{25 \times 15}{100} = 36.25\%$

दूसरे दुकानदार के लिए:

नेट छूट $= 20 + 20 - \frac{20 \times 20}{100} = 36\%$

तीसरे दुकानदार के लिए:

नेट छूट $= 30 + 10 - \frac{30 \quad 10}{100} = 37\%$

इसलिए, तीसरे दुकानदार के लिए ग्राहक को अधिक लाभ मिलता है।

23. प्रश्नानुसार

$\left(30 + 30 - \frac{30 \times 30}{100}\right)\% - 40\% = ₹220$

$\Rightarrow \quad 51\% - 40\% = ₹220$

$\Rightarrow \quad 11\% = ₹220$

$\Rightarrow \quad 100\% = \frac{₹220}{11} \times 100 = ₹2000$

24.

$\therefore \quad$ छूट % $= \frac{3198}{15990} \times 100 = 20\%$

25.

अंकित मूल्य विक्रय मूल्य

82% 130%

$\therefore$ लाभ % $= \left(\frac{130 \times 88}{82}\right)\% = 139.51\%$

$\therefore$ लाभ = 39.51

26.

1. नेट छूट $= 5 + 5 - \frac{25}{100} = 10 - \frac{1}{4} = 9.75$
2. नेट छूट = 10%
3. नेट छूट $= 8 + 2 - \frac{16}{100}$

$= 10 - 0.16$

$= 9.84$

$\therefore$ (2) अधिकतम छूट मिलेगी

27. हमारे पास $10\% = \frac{1}{10}$ है

$\therefore$ विक्रय मूल्य SP $= ₹55000 \times \frac{9}{10} \times \frac{9}{10} \times \frac{9}{10}$

$= ₹40095$

28. क्रमिक छूट

$25 + 12 - \frac{25 \times 12}{100} = 37 - 3$

$= 34\%$

$\therefore$ अंकित मूल्य MP $= \frac{792}{(100 - 34)\%} \times 100 = 1200$

29. हमारे पास है

अंकित मूल्य का 80% = ₹54000

$\therefore$ अंकित मूल्य MP $= \frac{₹54000}{80} \times 100 = ₹67,500$

30. $y = \frac{3800 - 3496}{3800} \times 100 = 8\%$

31. विक्रय मूल्य = 48,000 × (1 – 0.12) = ₹42,240

लागत मूल्य = ₹42,240/1.1 = ₹38,400

लाभ% = (48000/38400 – 1) × 100 = 25%

32. माना लागत मूल्य 100 है।

NP = 170

कुल छूट = 5 + 20 – 100/100 = 25 – 1 = 24

विक्रय मूल्य = 170 × 76/100 = 129.2

नया विक्रय मूल्य = 1292 × 80/1000 = 103.36

$\therefore$ लाभ % = 3.36/100 × 100 = 3.36%

26

महाजनी बट्टा (BANKER'S DISCOUNT)

सामान्य नियम

हुण्डी द्वारा भुगतान: एक बार एक व्यापारी दूसरे व्यापारी से उधार माल खरीदता है तथा इसकी भुगतान हुण्डी द्वारा किया जाता है. हुण्डी एक प्रकार का बिल है जिसमें अंकित धनराशि को खरीदार एक निश्चित समय के अन्त में चुकाने का लिखित वायदा करता है. इस पर खरीदार अपने हस्ताक्षर करके विक्रेता को दे देता है. हुण्डी को लिखित तिथि के तीन दिन बाद बैंक से भुनाया जा सकता है. इन तीन दिनों को **रियायती दिन** कहते हैं.

यदि माल विक्रेता को हुण्डी की अवधि समाप्त होने से पहले धन चाहिए, तो वह इसे बैंकर को बेच देता है.

बैंकर देय धन पर शेष समय का ब्याज काटकर भुगतान कर देता है.

महाजनी बट्टा: देय धन पर बाकी बचे समय के लिए दिये जाने वाले ब्याज को **महाजनी बट्टा** कहते हैं.

महाजनी बट्टा = देय धन पर शेष समय के लिए ब्याज.

(महाजनी बट्टा) – (मिती काटा) – महाजनी लाभ.

सूत्र

(*i*) महाजनी बट्टा = देय धन पर शेष समय के लिए ब्याज $= \dfrac{\text{देयधन} \times \text{दर} \times \text{समय}}{100}$

(*ii*) महाजनी लाभ = (महाजनी बट्टा) – (मिती काटा) = (मिती काटा पर साधारण ब्याज) $= \dfrac{(\text{मिती काटा})^2}{\text{तत्काल धन}}$

(*iii*) देय धन $= \dfrac{(\text{महाजनी बट्टा}) \times (\text{मिती काटा})}{(\text{महाजनी बट्टा}) - (\text{मिती काटा})}$

(*iv*) मिती काटा $= \dfrac{(\text{महाजनी लाभ}) \times 100}{(\text{दर} \times \text{समय})}$

(*v*) मिती काटा $= \sqrt{\text{तत्काल धन} \times \text{महाजनी लाभ}}$

साधित उदाहरण

प्रश्न 1. ₹ 30600 का एक बिल 15 जुलाई, 2004 को 5 माह के लिए लिखा गया तथा 6 अक्तूबर, 2004 को 10% की दर से भुना लिया गया. महाजनी बट्टा, मिती काटा तथा महाजनी लाभ ज्ञात कीजिए. यह भी ज्ञात कीजिए कि विक्रेता को कितना धन मिला.

हल: देय धन = ₹ 30600.

बिल लिखे जाने की तिथि = 15 जुलाई, 2004 (5 माह के लिए)

देय तिथि = 15 दिसम्बर, 2004.

शुद्ध देय तिथि = 18 दिसम्बर, 2004.

बिल भुनाये जाने की तिथि = 6 अक्तूबर, 2004.

शेष समय = 6 अक्तूबर 2004 से 18 दिसम्बर 2004 तक

$= (25 + 30 + 18)$ दिन = 73 दिन $= \dfrac{73}{365}$ वर्ष $= \dfrac{1}{5}$ वर्ष.

महाजनी बट्टा = ₹ 30600 पर 10% वार्षिक दर से $\dfrac{1}{5}$ वर्ष का सा० ब्याज

$= ₹\left(30600 \times 10 \times \dfrac{1}{5} \times \dfrac{1}{100}\right) = ₹\ 612.$

$$\text{मिती काटा} = ₹ \frac{30600\times10\times\frac{1}{5}}{10+\left(10\times\frac{1}{5}\right)} = \left(\frac{30600\times2}{102}\right) = ₹\ 600.$$

महाजनी लाभ = (महाजनी बट्टा) − (मिती काटा) = ₹(612 − 600) = ₹ 12.

विक्रेता को मिला धन = (देय धन) − (महाजनी लाभ) = ₹(30600 − 12) = ₹ 30588.

प्रश्न 2. 6% वार्षिक दर से 6 माह बाद देय किसी धन पर मिती काटा ₹ 180 है. इसी दर पर तथा इतने ही समय के लिए महाजनी बट्टा क्या होगा?

हल: महाजनी लाभ = मिती काटा पर साधारण ब्याज $= ₹\left(180\times\frac{6}{100}\times\frac{6}{12}\right) = ₹\frac{27}{5} = ₹\ 5{\cdot}40.$

महाजनी बट्टा = (मिती काटा) + (महाजनी लाभ) = ₹(180 + 5·40) = ₹ 185·40.

प्रश्न 3. 15 माह बाद देय किसी धन का महाजनी बट्टा तथा मिती काटा क्रमश: ₹ 1300 तथा ₹ 1200 हैं. देय धन तथा दर प्रतिशत ज्ञात कीजिए.

हल: $\text{देय धन} = \frac{(\text{महाजनी बट्टा})\times(\text{मिती काटा})}{(\text{महाजनी बट्टा})-(\text{मिती काटा})} = ₹\left(\frac{1300\times1200}{1300-1200}\right) = ₹\ 15600.$

महाजनी बट्टा = देय धन पर साधारण ब्याज

∴ ₹ 15600 पर 15 माह का साधारण ब्याज = ₹ 1300.

अत: $\text{दर} = \left(\frac{100\times1300}{15600\times15/12}\right)\%\ \text{वार्षिक} = \frac{20}{3}\%\ \text{वार्षिक} = 6\frac{2}{3}\%\ \text{वार्षिक}.$

प्रश्न 4. 8 माह बाद देय धन पर मिती काटा ₹ 200 है तथा इतने ही धन पर उसी दर से 2½ वर्ष का साधारण ब्याज ₹ 780 है. देय धन तथा ब्याज की दर ज्ञात कीजिए.

हल: देय धन पर $\frac{5}{2}$ वर्ष का सा० ब्याज = ₹ 780.

∴ देय धन पर 8 माह का सा० ब्याज $= ₹\left(780\times\frac{2}{5}\times\frac{8}{12}\right) = ₹\ 208.$

अत: महाजनी बट्टा = ₹ 208 तथा मिती काटा = ₹ 200.

∴ $\text{देय धन} = \frac{(\text{महाजनी बट्टा})\times(\text{मिती काटा})}{(\text{महाजनी बट्टा})-(\text{मिती काटा})} = ₹\frac{(208\times200)}{(208-200)} = ₹\ 5200.$

परन्तु महाजनी बट्टा देय धन पर साधारण ब्याज है.

अत: ₹ 5200 पर $\frac{2}{3}$ वर्ष का साधारण ब्याज = ₹ 208.

∴ $\text{दर} = \left(\frac{100\times208}{5200\times2/3}\right)\%\ \text{वार्षिक} = 6\%\ \text{वार्षिक}.$

प्रश्न 5. ₹ 1800 पर 6% वार्षिक दर से किसी निश्चित समय का महाजनी बट्टा तथा इसी दर पर इतने ही समय के लिए ₹ 1836 पर मिती काटा बराबर हैं. समय ज्ञात कीजिए.

हल: ₹ 1800 पर साधारण ब्याज = ₹ 1836 पर मिती काटा.

∴ ₹ 1836 का वर्तमान मूल्य = ₹ 1800.

अर्थात् ₹ 1800 पर 6% वार्षिक दर से साधारण ब्याज = ₹ 36.

∴ $\text{समय} = \left(\frac{100\times36}{1800\times6}\right)\ \text{वर्ष} = \frac{1}{3}\ \text{वर्ष} = 4\ \text{माह}.$

अत: अभीष्ट समय 4 माह है.

प्रश्न 6. एक निश्चित समय बाद देय ₹ 2028 पर महाजनी बट्टा ₹ 169 है. मिती काटा तथा महाजनी लाभ ज्ञात कीजिए.

हल: $\text{देय धन} = \frac{(\text{महाजनी बट्टा}\times\text{मिती काटा})}{\text{महाजनी लाभ}}$

$\Rightarrow \quad \dfrac{\text{मिती काटा}}{\text{महाजनी लाभ}} = \dfrac{\text{देय धन}}{\text{महाजनी बट्टा}} = \dfrac{2028}{169} = \dfrac{12}{1}$

माना महाजनी लाभ = ₹ x, तब मिती काटा = ₹ $12x$.

महाजनी बट्टा = (मिती काटा) + (महाजनी लाभ) = ₹ $13x$.

$\therefore \quad 13x = 169 \Leftrightarrow x = 13.$

अतः महाजनी लाभ = ₹ 13 तथा मिती काटा = ₹(13 × 12) = ₹ 156.

प्रश्न 7. एक व्यापारी अपने 10 माह बाद देय बिल का नकद भुगतान देने में 5% काट लेता है. उसे किस दर से ब्याज मिलेगा?

हल: माना देय धन = ₹ 100. तब, काटा गया धन = ₹ 5.

बिल रखने वाले व्यापारी को अभी मिलेंगें = ₹ 95.

₹ 95 पर $\dfrac{10}{12}$ वर्ष का सा० ब्याज = ₹ 5.

$\therefore \quad \text{दर } \% = \left(\dfrac{100 \times 5}{95 \times 10/12}\right)\% = 6{\cdot}32\%.$

प्रश्न 8. एक निश्चित समय बाद देय किसी धन का वर्तमान मूल्य ₹ 28900 तथा मिती काटा ₹ 850 है. महाजनी बट्टा तथा महाजनी लाभ ज्ञात कीजिए.

हल: मिती काटा = $\sqrt{\text{तत्काल धन} \times \text{महामनी लाभ}}$

$\Rightarrow \quad \text{महाजनी लाभ} = \dfrac{(\text{मिती काटा})^2}{(\text{तत्काल धन})} = ₹\left(\dfrac{850 \times 850}{28900}\right) = ₹\ 25.$

$\Rightarrow \quad \text{महाजनी बट्टा} = (\text{मिती काटा}) + (\text{महाजनी लाभ}) = ₹(850 + 25) = ₹\ 875.$

प्रश्नमाला 26

निम्नलिखित प्रश्नों में से प्रत्येक में ठीक उत्तर को चिह्नांकित (✓) कीजिए:

1. ₹ 1620 के बिल पर मिती काटा ₹ 180 है. इस बिल पर महाजनी बट्टा क्या होगा?

(*a*) ₹ 162 (*b*) ₹ 202·50
(*c*) ₹ 204·60 (*d*) ₹ 178·20

2. 9 माह बाद देय किसी धन पर 5% वार्षिक दर से मिती काटा ₹ 240 है. महाजनी बट्टा कितना होगा?

(*a*) ₹ 249 (*b*) ₹ 231
(*c*) ₹ 243 (*d*) इनमें से कोई नहीं

3. कुछ समय बाद देय किसी धन पर महाजनी बट्टा तथा मिती काटा क्रमशः ₹ 720 तथा ₹ 600 हैं. देय धन कितना है?

(*a*) ₹ 3600 (*b*) ₹ 4320
(*c*) ₹ 5400 (*d*) ₹ 4050

4. 10 माह बाद देय किसी धन पर महाजनी बट्टा तथा मिती काटा क्रमशः ₹ 1300 तथा ₹ 1200 हैं. ब्याज की दर क्या है?

(*a*) $8\frac{1}{3}\%$ (*b*) 9%
(*c*) 10% (*d*) $9\frac{1}{11}\%$

5. $1\frac{1}{2}$ वर्ष बाद देय किसी धन पर महाजनी बट्टा ₹ 360 है तथा 2 वर्ष बाद देय इसी धन पर मिती काटा ₹ 400 है. ब्याज की दर क्या है?

(*a*) 10% (*b*) $6\frac{2}{3}\%$
(*c*) 7·5% (*d*) इनमें से कोई नहीं

6. कुछ समय बाद देय किसी धन का वर्तमान मूल्य ₹ 1600 है तथा इस पर मिती काटा ₹ 120 है. महाजनी लाभ कितना है?

(*a*) ₹ 10 (*b*) ₹ 9
(*c*) ₹ 12 (*d*) ₹ 16

7. एक निश्चित समय बाद देय किसी धन का वर्तमान मूल्य ₹ 1800 है तथा मिती काटा ₹ 90 है. महाजनी बट्टा कितना है?

(*a*) ₹ 94·50 (*b*) ₹ 95·40
(*c*) ₹ 98·80 (*d*) ₹ 108

8. एक वर्ष बाद देय किसी धन पर 5% वार्षिक दर से महाजनी लाभ ₹ 60 है. इस धन पर मिती काटा कितना होगा?

(*a*) ₹ 300 (*b*) ₹ 600
(*c*) ₹ 900 (*d*) ₹ 1200

9. 2 वर्ष बाद देय किसी धन पर 5% वार्षिक दर से महाजनी लाभ ₹ 120 है. तत्काल धन क्या होगा?

(*a*) ₹ 6000 (*b*) ₹ 8000
(*c*) ₹ 12000 (*d*) इनमें से कोई नहीं

10. 8 माह बाद देय किसी धन पर $7\frac{1}{2}\%$ वार्षिक दर से महाजनी बट्टा ₹ 210 है. मिती काटा क्या होगा?

(a) ₹ 200 (b) ₹ 205
(c) ₹ 202·50 (d) इनमें से कोई नहीं

11. 3 वर्ष बाद देय किसी धन पर 6% वार्षिक दर से महाजनी लाभ ₹ 180 है. महाजनी बट्टा कितना होगा?
(a) ₹ 1080 (b) ₹ 1000
(c) ₹ 1180 (d) इनमें से कोई नहीं

12. कुछ समय बाद देय किसी धन का वर्तमान मूल्य ₹ 576 तथा महाजनी लाभ ₹ 16 है. मिती काटा क्या होगा?
(a) ₹ 36 (b) ₹ 48
(c) ₹ 72 (d) ₹ 96

13. एक निश्चित समय बाद देय ₹ 1600 पर 6% वार्षिक दर से महाजनी बट्टा तथा उतने ही समय बाद देय ₹ 1680 पर इसी दर से मिती काटा बराबर हैं. यह समय कितना है?
(a) 6 माह (b) 8 माह
(c) 10 माह (d) 1 वर्ष 3 माह

14. 2 वर्ष बाद देय किसी धन पर महाजनी बट्टा मिती काटा का $\frac{11}{10}$ है. ब्याज की वार्षिक दर कितनी है?
(a) 11% (b) 10%
(c) 5% (d) 5.5%

15. $1\frac{1}{2}$ वर्ष बाद देय किसी धन पर महाजनी लाभ, महाजनी बट्टे का $\frac{3}{25}$ है. ब्याज की वार्षिक दर कितनी है?
(a) $5\frac{1}{5}\%$ (b) $9\frac{1}{9}\%$
(c) $8\frac{1}{8}\%$ (d) $6\frac{1}{6}\%$

16. एक निश्चित समय के बाद देय किसी बिल का वर्तमान मूल्य ₹ 1100 है तथा इस बिल पर मिती काटा ₹ 110 है. महाजनी बट्टा क्या होगा?
(a) ₹ 121 (b) ₹ 165
(c) ₹ 220 (d) इनमें से कोई नहीं

17. 2 वर्ष बाद देय किसी धन का 10% वार्षिक दर से महाजनी लाभ ₹ 160 है. देय धन क्या होगा?
(a) ₹ 4000 (b) ₹ 3600
(c) ₹ 3200 (d) ₹ 4800

18. 4 माह बाद देय किसी धन का महाजनी बट्टा तथा मिती काटा क्रमश: ₹ 515 तथा ₹ 500 हैं. ब्याज की वार्षिक दर क्या है? (मैनेजमैन्ट परीक्षा, 2014)
(a) 7% (b) 8%
(c) 9% (d) 10%

उत्तरमाला

1. (b) 2. (a) 3. (a) 4. (c) 5. (a) 6. (b) 7. (a) 8. (d) 9. (c) 10. (a)
11. (c) 12. (d) 13. (c) 14. (c) 15. (b) 16. (a) 17. (d) 18. (c)

दिये गये प्रश्नों के हल

1. तत्काल धन = ₹(1620 − 180) = ₹ 1440.
₹ 1440 पर साधारण ब्याज = ₹ 180.
₹ 1620 पर साधारण ब्याज $= ₹\left(\frac{180}{1440}\times 1620\right)$
$= ₹\frac{405}{2} = ₹\ 202{\cdot}50.$
अत: महाजनी बट्टा = ₹ 202·50.

2. महाजनी लाभ = मिती काटा पर साधारण ब्याज
$= ₹\left(240\times\frac{9}{12}\times\frac{5}{100}\right) = ₹\ 9.$
∴ महाजनी बट्टा = (मिती काटा) + (महाजनी लाभ)
= ₹(240 + 9) = ₹ 249.

3. देय धन $= \frac{(\text{महाजनी बट्टा})\times(\text{मिती काटा})}{(\text{महाजनी बट्टा})-(\text{मिती काटा})}$
$= ₹\left(\frac{720\times600}{720-600}\right) = ₹\left(\frac{720\times600}{120}\right) = ₹\ 3600.$

4. देय धन $= ₹\frac{(1300\times1200)}{(1300-1200)} = ₹\ 15600.$
₹ 15600 का 10 माह का सा० ब्याज = ₹ 1300.
∴ ब्याज की दर $= \frac{(100\times1300)}{\left(15600\times\frac{10}{12}\right)}\% = 10\%.$

5. $\frac{3}{2}$ वर्ष का महाजनी बट्टा = ₹ 360
⇔ 2 वर्ष का महाजनी बट्टा $= ₹\left(360\times\frac{2}{3}\times2\right) = ₹\ 480.$
देय धन $= \frac{(\text{महाजनी बट्टा})\times(\text{मिती काटा})}{(\text{महाजनी बट्टा})-(\text{मिती काटा})}$
$= ₹\frac{(480\times400)}{(480-400)} = ₹\frac{(480\times400)}{80} = ₹\ 2400.$
₹ 2400 का 2 वर्ष का ब्याज = ₹ 480.
∴ ब्याज की दर $= \left(\frac{100\times480}{2400\times2}\right)\% = 10\%$ वार्षिक.

6. महाजनी लाभ $= \frac{(\text{मिती काटा})^2}{\text{वर्तमान मूल्य}} = ₹\frac{(120\times120)}{1600} = ₹\ 9.$

7. महाजनी लाभ $= \frac{(\text{मिती काटा})^2}{\text{वर्तमान मूल्य}} = ₹\left(\frac{90\times90}{1800}\right) = ₹\ 4{\cdot}50.$

महाजनी बट्टा = (मिती काटा) + (महाजनी लाभ)

$= (90 + 4{\cdot}50) = ₹\ 94{\cdot}50.$

8. महाजनी लाभ, मिती काटा पर साधारण ब्याज है.

$\therefore$ मिती काटा $= ₹\left(\frac{60\times100}{5\times1}\right) = ₹\ 1200.$

9. महाजनी लाभ, मिती काटा पर साधारण ब्याज है.

$\therefore$ मिती काटा $= ₹\left(\frac{100\times120}{2\times5}\right) = ₹\ 1200.$

मिती काटा, तत्काल धन पर सा० ब्याज है.

$\therefore$ तत्काल धन $= ₹\left(\frac{100\times1200}{2\times5}\right) = ₹\ 12000.$

10. मिती काटा $= \frac{(\text{महाजनी बट्टा}) \times 100}{100 + (\text{दर} \times \text{समय})} = ₹\frac{(210\times100)}{100+\left(\frac{15}{2}\times\frac{8}{12}\right)}$

$= ₹\left(\frac{210\times100}{105}\right) = ₹\ 200.$

11. मिती काटा $= \frac{\text{महाजनी लाभ} \times 100}{100 + (\text{दर} \times \text{समय})} = ₹\left(\frac{180\times100}{6\times3}\right) = ₹\ 1000.$

महाजनी बट्टा = (मिती काटा) + (महाजनी लाभ)

$= ₹(1000 + 180) = ₹\ 1180.$

12. मिती काटा $= \sqrt{\text{वर्तमान मूल्य} \times \text{महामनी लाभ}}$

$= \sqrt{576\times16} = ₹\ 96.$

13. ₹ 1600 पर साधारण ब्याज = ₹ 1680 पर मिती काटा

$\Leftrightarrow$ ₹ 1680 का तत्काल धन = ₹ 1600.

अत: ₹ 1600 का 6% वार्षिक दर से ब्याज = ₹ 80.

$\therefore$ समय $= \left(\frac{100\times80}{1600\times6}\right)$ वर्ष $= \frac{5}{6}$ वर्ष

$= \left(\frac{5}{6}\times12\right)$ मास = 10 मास.

14. माना मिती काटा = ₹ x . तब, महाजनी बट्टा $= ₹\frac{11x}{10}.$

देय धन $= ₹\frac{\left(\frac{11x}{10}\times x\right)}{\left(\frac{11x}{10}-x\right)} = ₹\ 11x.$

अत: ₹ $11x$ पर 2 वर्ष का ब्याज $= ₹\frac{11x}{10}.$

$\therefore$ दर $= \left(\frac{100\times11x/10}{2\times11x}\right)\%$ वार्षिक = 5% वार्षिक.

15. माना महाजनी बट्टा = ₹ x. तब, महाजनी लाभ $= ₹\frac{3x}{25}.$

मिती काटा $= ₹\left(x-\frac{3x}{25}\right) = ₹\frac{22x}{25}.$

$\therefore$ देय धन $= ₹\frac{\left(x\times\frac{22x}{25}\right)}{\left(x-\frac{22x}{25}\right)} = \frac{22x}{3}.$

अत: ₹ $\frac{22x}{3}$ पर $\frac{3}{2}$ वर्ष का ब्याज = ₹ x.

$\therefore$ दर % $= \frac{(100\times x)}{\left(\frac{22x}{3}\times\frac{3}{2}\right)}\% = 9\frac{1}{9}\ \%.$

16. महाजनी लाभ $= \frac{(\text{मिती काटा})^2}{\text{वर्तमान मूल्य}} = ₹\frac{(110\times110)}{1100} = ₹\ 11.$

महाजनी बट्टा $= ₹(110 + 11) = ₹\ 121.$

17. मिती काटा $= \frac{(\text{महाजनी लाभ}) \times 100}{\text{दर} \times \text{समय}}$

$= ₹\left(\frac{160\times100}{10\times2}\right) = ₹\ 800.$

महाजनी बट्टा $= ₹(800 + 160) = ₹\ 960.$

देय धन $= \frac{(\text{महाजनी बट्टा}) \times (\text{मिती काटा})}{\text{महाजनी लाभ}}$

$= ₹\left(\frac{960\times800}{160}\right) = ₹\ 4800.$

18. देय धन $= \frac{(\text{महाजनी बट्टा}) \times (\text{मिती काटा})}{(\text{महाजनी बट्टा}) - (\text{मिती काटा})}$

$= ₹\frac{(515\times500)}{(515-500)} = ₹\frac{51500}{3}.$

$\therefore$ ₹ $\frac{51500}{3}$ पर $\frac{1}{3}$ वर्ष का सा० ब्याज ₹ 515

$\Leftrightarrow$ दर $= \left(\frac{100\times515}{\frac{51500}{3}\times\frac{1}{3}}\right)\% = 9\%$ वार्षिक.

27 क्षेत्रफल (AREA)

सूत्र

I. (i) आयत का क्षेत्रफल = (लम्बाई × चौड़ाई)

$\therefore$ लम्बाई $= \left(\dfrac{\text{क्षेत्रफल}}{\text{चौड़ाई}}\right)$, चौड़ाई $= \left(\dfrac{\text{क्षेत्रफल}}{\text{लम्बाई}}\right)$

(ii) आयत का परिमाप = 2 (लम्बाई + चौड़ाई).

II. (i) वर्ग का क्षेत्रफल = (भुजा)^2 = $\frac{1}{2}$ × (विकर्ण)^2.

(ii) वर्ग का विकर्ण = ($\sqrt{2}$ × भुजा).

III. कमरे की चार दीवारों का क्षेत्रफल = 2 × (लम्बाई + चौड़ाई) × ऊँचाई.

IV. (i) त्रिभुज का क्षेत्रफल = $\left(\frac{1}{2}\times\right.$ आधार × ऊँचाई$\left.\right)$.

(ii) त्रिभुज का क्षेत्रफल $= \sqrt{s(s-a)(s-b)(s-c)}$, जहाँ $s = \frac{1}{2}(a+b+c)$ तथा a, b, c त्रिभुज की भुजायें हैं.

(iii) समबाहु त्रिभुज का क्षेत्रफल $= \left[\frac{\sqrt{3}}{4}\times (\text{भुजा})^2\right]$.

(iv) a भुजा वाली समबाहु त्रिभुज के अन्त: वृत्त की त्रिज्या $= \frac{a}{2\sqrt{3}}$.

(v) a भुजा वाली समबाहु त्रिभुज के परिवृत्त की त्रिज्या $= \frac{a}{\sqrt{3}}$.

V. (i) समान्तर चतुर्भुज का क्षेत्रफल = (आधार × ऊँचाई).

(ii) समचतुर्भुज का क्षेत्रफल = $\frac{1}{2}$ × (विकर्णों का गुणनफल).

(iii) किसी समचतुर्भुज के विकर्णों के आधे भाग एवं समचतुर्भुज की एक भुजा, एक समकोण त्रिभुज बनाते हैं जिसका कर्ण चतुर्भुज की भुजा होती है.

VI. समलम्ब चतुर्भुज का क्षेत्रफल = $\frac{1}{2}$ × (समान्तर भुजाओं का योग) × उनके बीच की दूरी.

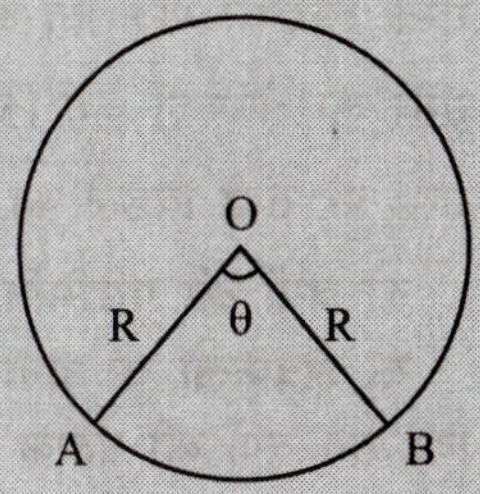

VII. (i) वृत्त का क्षेत्रफल = πR^2.

(ii) वृत्त की परिधि = $2\pi R$.

(iii) अर्द्ध-वृत्त का क्षेत्रफल = $\frac{1}{2} \times \pi R^2$.

(iv) अर्द्ध-वृत्त की परिमिति = $(\pi R + 2R)$.

(v) चाप की लम्बाई $= \frac{2\pi R\theta}{360}$.

(vi) वृत्तखण्ड AOB का क्षेत्रफल = $\frac{1}{2}$ × (चाप AB) × $R = \frac{\pi R\ \theta}{360}$.

VIII. एक चतुर्भुज के विकर्ण की लम्बाई d सेमी० है तथा इसके विपरीत शीर्षों से विकर्ण पर डाले गये लम्बों की लम्बाई p_1 तथा p_2 हैं. तब, इस चतुर्भुज का क्षेत्रफल $= \frac{1}{2}(p_1 + p_2)d$.

साधित उदाहरण

प्रश्न 1. एक आयताकार भूखण्ड की लम्बाई तथा चौड़ाई क्रमशः 15 मीटर तथा 8 मीटर है. भूखण्ड का क्षेत्रफल तथा इसके विकर्ण की लम्बाई ज्ञात कीजिए.

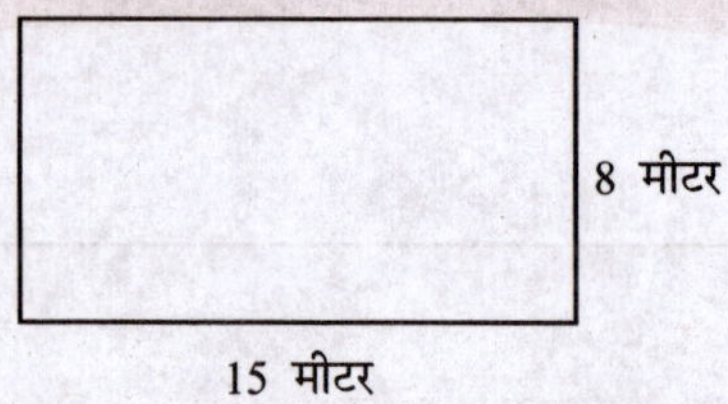

हलः भूखण्ड का क्षेत्रफल = (लम्बाई × चौड़ाई)

= (15 × 8) वर्ग मीटर

= 120 वर्ग मीटर.

भूखण्ड का विकर्ण = $\sqrt{(15)^2+8^2} = \sqrt{(225+64)} = \sqrt{289}$ = 17 मीटर.

प्रश्न 2. एक आयत की एक भुजा 16 सेमी० लम्बी है तथा इसके विकर्ण की लम्बाई 20 सेमी० है. आयत का क्षेत्रफल ज्ञात कीजिए.

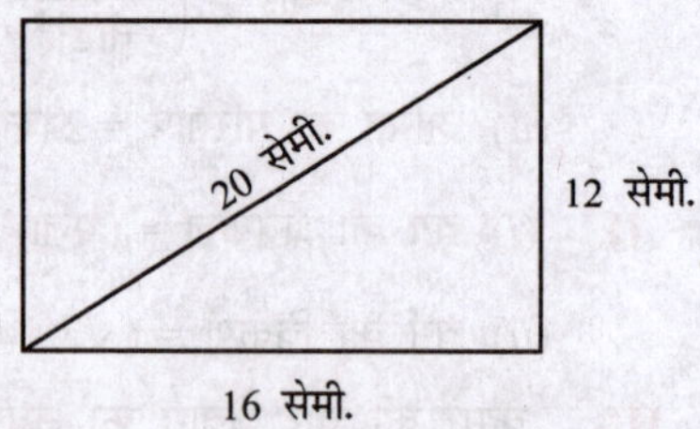

हलः आयत की दूसरी भुजा = $\sqrt{(20)^2-(16)^2}$ सेमी०

= $\sqrt{(400-256)}$ सेमी०

= $\sqrt{144}$ सेमी० = 12 सेमी०.

∴ आयत का क्षेत्रफल = (16 × 12) वर्ग सेमी०

= 192 वर्ग सेमी०.

प्रश्न 3. एक कमरा 13 मीटर लम्बा तथा 9 मीटर चौड़ा है. इसके फर्श पर 75 सेमी० चौड़ी दरी ₹ 12·50 प्रति मीटर की दर से बिछाने का खर्च क्या होगा?

हलः दरी का क्षेत्रफल = कमरे का क्षेत्रफल = (13 × 9) वर्ग मी० = 117 वर्ग मी०.

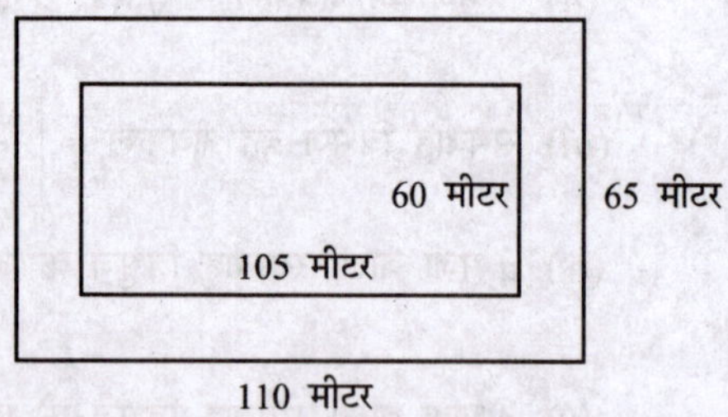

दरी की चौड़ाई = 75 सेमी० = $\frac{75}{100}$ मीटर = $\frac{3}{4}$ मीटर.

दरी की लम्बाई = $\frac{\text{क्षेत्रफल}}{\text{चौड़ाई}} = \left(117 \times \frac{4}{3}\right)$ मीटर = 156 मीटर.

दरी बिछाने का खर्च = ₹$\left(156 \times \frac{25}{2}\right)$ = ₹ 1950.

प्रश्न 4. एक आयताकार पार्क 110 मीटर लम्बा तथा 65 मीटर चौड़ा है. इसके अन्दर चारों ओर 2·5 मीटर चौड़ा रास्ता है. इस रास्ते पर ₹ 6 प्रति वर्गमीटर की दर से रोड़ी बिछाने का खर्च ज्ञात कीजिए.

हलः पार्क का क्षेत्रफल = (110 × 65) वर्ग मी० = 7150 वर्ग मी०.

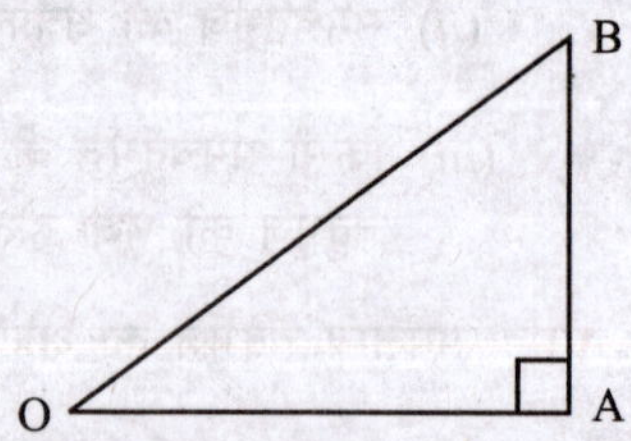

रास्ता छोड़कर पार्क की लम्बाई = [110 – (2·5 × 2)] मीटर = 105 मीटर.

रास्ता छोड़कर पार्क की चौड़ाई = [65 – (2·5 × 2)] मीटर = 60 मीटर.

रास्ता छोड़कर पार्क का क्षेत्रफल = (105 × 60) वर्ग मी० = 6300 वर्ग मीटर.

रास्ते का क्षेत्रफल = (7150 – 6300) वर्ग मीटर = 850 वर्ग मीटर.

रास्ते पर रोड़ी बिछाने का खर्च = ₹(850 × 6) = ₹ 5100.

प्रश्न 5. दो वर्गों की परिमिति क्रमशः 40 सेमी० तथा 32 सेमी० है. उस वर्ग की परिमिति क्या होगी जिसका क्षेत्रफल इन दो वर्गों के क्षेत्रफलों के अन्तर के बराबर हो?

हलः दिये गये वर्गों की प्रत्येक भुजा क्रमशः 10 सेमी० तथा 8 सेमी० है.

अभीष्ट वर्ग का क्षेत्रफल = $[(10)^2-(8)^2]$ वर्ग मी० = [(10 + 8) (10 – 8)] वर्ग मी० = 36 वर्ग मी०.

इस वर्ग की प्रत्येक भुजा = $\sqrt{36}$ सेमी० = 6 सेमी०.

अभीष्ट वर्ग की परिमिति = (4 × 6) सेमी० = 24 सेमी०.

प्रश्न 6. एक कमरा 5 मीटर 44 सेमी० लम्बा तथा 3 मीटर 74 सेमी० चौड़ा है. इसके फर्श पर कम से कम कितनी वर्गाकार टाइलें लगेंगी?

हल: कमरे का क्षेत्रफल = (544 × 374) वर्ग सेमी०.

अभीष्ट टाईल की लम्बाई = (544 सेमी०, 374 सेमी०) का म०स० = 34 सेमी०.

एक टाईल का क्षेत्रफल = (34 × 34) वर्ग सेमी०.

टाईलों की संख्या $= \left(\frac{544 \times 374}{34 \times 34}\right) = 176.$

प्रश्न 7. एक वर्ग की प्रत्येक भुजा की लम्बाई में 25% वृद्धि कर देने पर इसके क्षेत्रफल में कितने प्रतिशत वृद्धि होगी?

हल: माना वर्ग की प्रत्येक भुजा की लम्बाई $= x$ मी०. तब, इसका क्षेत्रफल $= x^2$ वर्ग मी०.

नये वर्ग की प्रत्येक भुजा की लम्बाई = (x का 125%) मी० $= \left(x \times \frac{125}{100}\right)$ मी० $= \frac{5x}{4}$ मी०.

इस वर्ग का क्षेत्रफल $= \left(\frac{5x}{4} \times \frac{5x}{4}\right)$ वर्ग मी० $= \frac{25x^2}{16}$ वर्ग मी०.

क्षेत्रफल में वृद्धि $= \left(\frac{25x^2}{16} - x^2\right)$ वर्ग मी० $= \frac{9x^2}{16}$ वर्ग मी०.

क्षेत्रफल में वृद्धि % $= \left(\frac{9x^2}{16} \times \frac{1}{x^2} \times 100\right)\% = \frac{225}{4}\% = 56\frac{1}{4}\%.$

प्रश्न 8. एक समकोण त्रिभुज के आधार की लम्बाई 12 सेमी० तथा कर्ण की लम्बाई 13 सेमी० है. इस त्रिभुज का क्षेत्रफल ज्ञात कीजिए.

हल: माना ΔOAB एक समकोण त्रिभुज है, जिसमें

आधार $OA = 12$ सेमी०, कर्ण $OB = 13$ सेमी०.

$\therefore AB^2 = (OB)^2 - (OA)^2 = (13)^2 - (12)^2 = 25 \Leftrightarrow AB = 5$ सेमी०.

अतः आधार = 12 सेमी० तथा ऊँचाई = 5 सेमी०.

$\therefore$ ΔOAB का क्षेत्रफल $= \left(\frac{1}{2} \times (\text{आधार} \times \text{ऊँचाई})\right) = \left(\frac{1}{2} \times 12 \times 5\right)$ वर्ग सेमी० = 30 वर्ग सेमी०.

प्रश्न 9. एक त्रिभुजाकार खेत का आधार इसकी ऊँचाई का तीन गुना है. यदि इस खेत की फसल काटने का खर्च ₹ 24·68 प्रति हैक्टेयर की दर से ₹ 333·18 हो, तो इसका आधार तथा ऊँचाई ज्ञात कीजिए.

हल: खेत का क्षेत्रफल $= \frac{\text{कुल खर्च}}{\text{खर्च की दर}} = \left(\frac{333 \cdot 18}{24 \cdot 68}\right)$ हैक्टेयर = 13·5 हैक्टेयर = (13·5 × 10000) वर्ग मी० = 135000 वर्ग मीटर.

माना खेत की ऊँचाई $= x$ मीटर. तब, आधार $= 3x$ मीटर.

क्षेत्रफल $= \left(\frac{1}{2} \times 3x \times x\right)$ वर्ग मीटर $= \frac{3x^2}{2}$ वर्ग मीटर.

$\therefore \quad \frac{3x^2}{2} = 135000 \Leftrightarrow x^2 = \left(135000 \times \frac{2}{3}\right) = 90000 \Leftrightarrow x = \sqrt{90000} = 300$ मीटर.

अतः आधार = 900 मीटर तथा ऊँचाई = 300 मीटर.

प्रश्न 10. एक समबाहु त्रिभुज की प्रत्येक भुजा $3\sqrt{3}$ सेमी० लम्बी है. इस त्रिभुज की ऊँचाई ज्ञात करें.

हल: दिये गये त्रिभुज का क्षेत्रफल $= \left(\frac{\sqrt{3}}{4} \times a^2\right)$ वर्ग इकाई $= \left\{\frac{\sqrt{3}}{4} \times \left(3\sqrt{3}\right)^2\right\}$ वर्ग सेमी० $= \frac{27\sqrt{3}}{4}$ वर्ग सेमी०.

तब, $\frac{1}{2}$ × आधार × ऊँचाई = क्षेत्रफल

$\Leftrightarrow \frac{1}{2} \times 3\sqrt{3} \times h = \frac{27\sqrt{3}}{4} \Leftrightarrow h = \left(\frac{27\sqrt{3}}{4} \times \frac{2}{3\sqrt{3}}\right)$ सेमी० $= \frac{9}{2}$ सेमी० $= 4\cdot5$ सेमी०.

अतः अभीष्ट ऊँचाई $= 4\cdot5$ सेमी०.

प्रश्न 11. दो त्रिभुजों के क्षेत्रफलों का अनुपात 4 : 3 है तथा उनकी ऊँचाइयों का अनुपात 3 : 4 है. इनके आधार की लम्बाइयों का अनुपात क्या होगा?

हलः माना दिये गये त्रिभुजों के आधार x इकाई तथा y इकाई हैं तथा इनकी ऊँचाइयाँ क्रमशः $3h$ तथा $4h$ इकाई हैं.

तब $\frac{\frac{1}{2} \times x \times 3h}{\frac{1}{2} \times y \times 4h} = \frac{4}{3} \Leftrightarrow \frac{x}{y} = \left(\frac{4}{3} \times \frac{4}{3}\right) = \frac{16}{9}$.

अतः आधार की लम्बाइयों का अनुपात = 16 : 9.

प्रश्न 12. एक समान्तर चतुर्भुज का आधार इसकी ऊँचाई से दुगुना है. यदि इस चतुर्भुज का क्षेत्रफल 72 वर्ग सेमी० हो, तो इसकी ऊँचाई ज्ञात कीजिए.

हलः माना ऊँचाई $= x$ सेमी०. तब, आधार $= 2x$ सेमी०.

$\therefore$ क्षेत्रफल = (आधार × ऊँचाई) $= (2x \times x)$ वर्ग सेमी० $= 2x^2$ वर्ग सेमी०

$\therefore$ $2x^2 = 72 \Leftrightarrow x^2 = 36 \Leftrightarrow x = 6$.

अतः अभीष्ट ऊँचाई = 6 सेमी०.

प्रश्न 13. एक समचतुर्भुज की प्रत्येक भुजा की लम्बाई 20 सेमी० है तथा एक विकर्ण की लम्बाई 24 सेमी० है. समचतुर्भुज का क्षेत्रफल ज्ञात कीजिए.

हलः माना समचतुर्भुज $ABCD$ में विकर्ण AC तथा BD परस्पर बिन्दु O पर काटते हैं. हम जानते हैं कि किसी समचतुर्भुज के विकर्ण परस्पर एक दूसरे को समकोण पर समद्विभाजित करते हैं.

दिया है: $AB = 20$ सेमी० तथा विकर्ण $AC = 24$ सेमी०.

माना विकर्ण $BD = 2x$ सेमी०.

$OA = \frac{1}{2} \times AC = 12$ सेमी०, $OB = \frac{1}{2} \times BD = x$ सेमी० तथा $AB = 20$ सेमी०.

$\therefore$ $OB^2 = AB^2 - OA^2 = [(20)^2 - (12)^2] \Leftrightarrow x^2 = (400 - 144) = 256$

$\Leftrightarrow x = \sqrt{256} = 16$ सेमी०.

$\therefore$ $BD = (2 \times 16)$ सेमी० $= 32$ सेमी०, $AC = 24$ सेमी०.

अतः समचतुर्भुज का क्षेत्रफल $= \left(\frac{1}{2} \times AC \times BD\right) = \left(\frac{1}{2} \times 24 \times 32\right)$ वर्ग सेमी० = 384 वर्ग सेमी०.

प्रश्न 14. एक समलम्ब चतुर्भुज की समान्तर भुजाओं की लम्बाई का अन्तर 4 सेमी० तथा इनके बीच की दूरी 19 सेमी० है. यदि समलम्ब चतुर्भुज का क्षेत्रफल 475 वर्ग सेमी० हो, तो समान्तर भुजाओं की लम्बाई ज्ञात कीजिए.

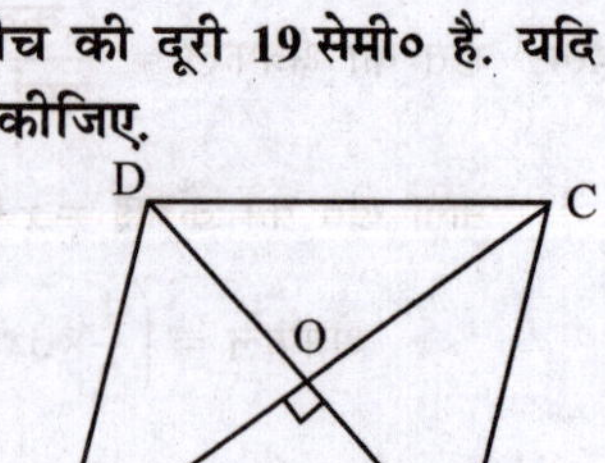

हलः माना इन भुजाओं की लम्बाई x सेमी० तथा $(x + 4)$ सेमी० हैं.

तब, समलम्ब चतुर्भुज का क्षेत्रफल $= \frac{1}{2}$ × समान्तर भुजाओं का योग × इनके बीच की दूरी

$= \left[\frac{1}{2} \times (x + x + 4) \times 19\right]$ वर्ग सेमी० $= (19x + 38)$ वर्ग सेमी०

$\therefore$ $19x + 38 = 475 \Leftrightarrow 19x = 437 \Leftrightarrow x = 23$.

अतः समान्तर भुजाओं की लम्बाई क्रमशः 23 सेमी० तथा 27 सेमी० है.

प्रश्न 15. उस रस्सी की लम्बाई ज्ञात कीजिए जिससे एक गाय को खूँटे से इस प्रकार बाँधा जाये कि यह गाय 9856 वर्ग मीटर भूमि को चर सके.

हलः स्पष्ट है कि यह गाय उस वृत्त की भूमि को चर सकती है जिसका क्षेत्रफल 9856 वर्ग मीटर है.

माना इस वृत्त की त्रिज्या R मीटर है. तब,

$$\pi R^2 = 9856 \Leftrightarrow \frac{22}{7} \times R^2 = 9856 \Leftrightarrow R^2 = \left(9856 \times \frac{7}{22}\right) = 3136$$

$\Leftrightarrow \quad R = \sqrt{3136}$ मीटर = 56 मीटर.

अत: इस रस्सी की लम्बाई = वृत्त की त्रिज्या = 56 मीटर.

प्रश्न 16. एक वृत्ताकार खेत का क्षेत्रफल 13·86 हैक्टेयर है. इस खेत के चारों ओर ₹ 5 प्रति मीटर की दर से बाड़ लगाने का खर्च क्या होगा?

हल: वृत्ताकार खेत का क्षेत्रफल = 13·86 हैक्टेयर = (13·86 × 10000) वर्ग मी॰ = 138600 वर्ग मी॰.

माना वृत्त का त्रिज्या = R मीटर.

तब, $\pi R^2 = 138600 \Leftrightarrow R^2 = \left(138600 \times \frac{7}{22}\right) = (6300 \times 7) = (7 \times 7 \times 30 \times 30)$

$\Leftrightarrow R = (7 \times 30) = 210.$

खेत की परिधि $= 2\pi R = \left(2 \times \frac{22}{7} \times 210\right)$ मीटर = 1320 मीटर.

$\therefore$ बाड़ लगाने का खर्च = ₹ (1320 × 5) = ₹ 6600.

प्रश्न 17. एक बस के पहिये का व्यास 140 सेमी॰ है. इसे 66 किमी॰/घण्टा की दर से जाने के लिए प्रति मिनट कितने चक्कर लगाने होंगे?

हल: 1 मिनट में बस द्वारा तय की गई दूरी $= \left(\frac{66 \times 1000}{60}\right)$ मीटर = 1100 मीटर.

पहिये की परिधि $= 2\pi R = \left(2 \times \frac{22}{7} \times 70\right)$ सेमी॰ $= \left(\frac{440}{100}\right)$ मीटर = 4·4 मीटर.

पहिये द्वारा प्रति मिनट लगाये गये चक्करों की संख्या $= \left(\frac{1100}{4 \cdot 4}\right) = 250.$

प्रश्नमाला 27A

नीचे दिये गये प्रत्येक प्रश्न में ठीक उत्तर के सामने ठीक का चिह्न (✓) लगायें:

1. एक त्रिभुज की भुजाओं का अनुपात 5:12:13 है और इसका परिमाप 90 सेमी है। इसका क्षेत्रफल (सेमी^{2} में) ज्ञात कीजिए।

[एसएससी सीपीओ परीक्षा, 03/10/2023 (Shift-01)]

(a) 150 (b) 270 (c) 30 (d) 60

2. उस त्रिभुज का क्षेत्रफल क्या है जिसकी भुजाएँ 12 सेमी, 13 सेमी और 5 सेमी है:

[एसएससी सीपीओ परीक्षा, 03/10/2023 (Shift-01)]

(a) 30 सेमी^{2} (b) 15 सेमी^{2}
(c) 40 सेमी^{2} (d) 70 सेमी^{2}

3. एक गोले का पृष्ठीय क्षेत्रफल 616 सेमी है, इसका व्यास ज्ञात कीजिए। (π = 22/7) लीजिए

[एसएससी एमटीएस परीक्षा, 01/09/2023 (Shift-01)]

(a) 14 सेमी (b) 2 सेमी
(c) 4 सेमी (d) 3 सेमी

4. एक घन के एक किनारे की लंबाई 3.5 सेमी है। इसका कुल पृष्ठीय क्षेत्रफल ज्ञात कीजिए।

[एसएससी एमटीएस परीक्षा, 13/09/2023 (Shift-01)]

(a) 73.5 सेमी^{2} (b) 36 सेमी^{2}
(c) 27 सेमी^{2} (d) 154 सेमी^{2}

5. यदि एक घन का आयतन 1728 सेमी^{3} है, इसके किनारे की लंबाई बराबर है:

[एसएससी जीडी परीक्षा, 26/02/2024 (Shift-01)]

(a) 12 सेमी (b) 24 सेमी
(c) 10 सेमी (d) 25 सेमी

6. एक समचतुर्भुज का परिमाप 52 मीटर है और उसका छोटा विकर्ण 10 मीटर है। बड़े विकर्ण की लंबाई है

[एसएससी जीडी परीक्षा, 05/03/2024 (Shift-01)]

(a) 12 मीटर (b) 18 मीटर
(c) 10 मीटर (d) 24 मीटर

7. एक समद्विबाहु का आधार 14 सेमी तथा परिमाप 36 सेमी है। इसका क्षेत्रफल ज्ञात कीजिए।

[ईएसआईसी-यूडीसी परीक्षा, 2016]

(a) $42\sqrt{2}$ वर्ग सेमी (b) 42 वर्ग सेमी
(c) 84 वर्ग सेमी (d) 48 वर्ग सेमी

8. उस आयत का क्षेत्रफल क्या होगा जिसका क्षेत्रफल 7 सेमी त्रिज्या वाले वृत्त के क्षेत्रफल के बराबर है?

[एसबीआई जूनियर एसोसिएट्स (प्री.) परीक्षा, 2016]

(a) 77 सेमी^{2} (b) 154 सेमी^{2} (c) 184 सेमी^{2} (d) 180 सेमी^{2}

9. यदि एक घन का कुल पृष्ठीय क्षेत्रफल 864 वर्ग सेमी है, तो घन का आयतन ज्ञात कीजिए:

[डीएमआरसी-ट्रेन ऑपरेटर/स्टेशन नियंत्रक परीक्षा, 2016]

(a) 1728 सेमी^{3} (b) 1624 सेमी^{3}

(c) 144 सेमी^{3} (d) 1684 सेमी^{3}

10. यदि एक घनाकार डिब्बे की भुजा 12 सेमी. है, तो इसका संपूर्ण पृष्ठीय क्षेत्रफल ज्ञात कीजिए।

[एसएससी सीजीएल परीक्षा, 26/07/2023 (Shift-03)]

(a) 952 सेमी^{2} (b) 864 सेमी^{2}

(c) 664 सेमी^{2} (d) 792 सेमी^{2}

11. 56 सेमी उँचाई वाले एक लम्ब वृत्तीय बेलन का वक्र पृष्ठीय क्षेत्रफल 1408 सेमी^{3} है। बेलन के आधार का व्यास का ज्ञात कीजिए।

[एसएससी सीजीएल परीक्षा, 26/07/2023 (Shift-03)]

(a) 8 मी. (b) 0.04 मी.

(c) 0.08 मी. (d) 0.008 मी.

12. दो सिलेंडरों की त्रिज्याएँ 4:5 के अनुपात में हैं और उनकी ऊँचाइयाँ 5:2 के अनुपात में हैं। उनके आयतन का अनुपात है:

[एसएससी सीपीओ परीक्षा, 03/10/2023 (Shift-01)]

(a) 9:4 (b) 2:1 (c) 9:7 (d) 8:5

13. यदि एक शंकु की ऊँचाई 7 सेमी है और वृत्ताकार आध ार का व्यास 12 सेमी है, तो इसका आयतन (पूर्णांक के निकटतम) है:

[एसएससी सीपीओ परीक्षा, 03/10/2023 (Shift-01)]

(a) 254 सेमी^{2} (b) 284 सेमी^{2}

(c) 264 सेमी^{2} (d) 274 सेमी^{2}

14. एक वृत्ताकार बगीचे की त्रिज्या 42 मीटर है। इसके चारों ओर 8 चक्कर लगाकर तय की गई दूरी (मीटर में) है: ($\pi = \frac{22}{7}$ लें) (एसएससी सीजीएल 2017)

(a) 2112 (b) 1124 (c) 3248 (d) 4262

15. यदि एक आयत की लंबाई 40% बढ़ा दी जाती है, और चौड़ाई 20% कम कर दी जाती है, तो आयत का क्षेत्रफल x% बढ़ जाता है। (एसएससी सीजीएल 2017)

(a) 16 (b) 20 (c) 8 (d) 12

16. यदि किसी वृत्त की त्रिज्या 3 से.मी. है, तो वृत्त का क्षेत्रफल वर्ग से.मी. में क्या है?

[भारतीय रेलवे ग्रेड 'डी' परीक्षा, 2014]

(a) 6π (b) 9π (c) $\frac{3\pi}{2}$ (d) $9\pi^2$

17. एक वृत्त की परिधि और व्यास का अनुपात 22 :7 है। यदि परिधि $1\frac{4}{7}$ मीटर है, तो वृत्त की त्रिज्या है–

[एसएससी-सीएचएसएल (10+2) परीक्षा, 2015]

(a) $\frac{1}{3}$ मीटर (b) $\frac{1}{2}$ मीटर (c) $\frac{1}{4}$ मीटर (d) 1 मीटर

18. एक आयताकार कालीन का क्षेत्रफल 120 वर्ग मीटर और परिमाप 46 मीटर है। इसके विकर्ण की लंबाई है–

[एसएससी-सीएचएसएल (10+2) परीक्षा, 2015]

(a) 23 मीटर (b) 13 मीटर

(c) 17 मीटर (d) 21 मीटर

19. आधार की त्रिज्या 7 सेमी और ऊँचाई 20 सेमी के साथ एक समवृत्तीय बेलन का कुल सतह क्षेत्रफल है–

[एसएससी-सीएचएसएल (10+2) परीक्षा, 2015]

(a) 900 सेमी^{2} (b) 140 सेमी^{2}

(c) 1000 सेमी^{2} (d) 1188 सेमी^{2}

20. यदि एक समचतुर्भुज के विकर्ण 12 सेमी और 16 सेमी हैं, तो समचतुर्भुज का परिमाप (सेमी में) क्या है?

(एससीसी सीपीओ 2017)

(a) 20 (b) 40 (c) 60 (d) 60

21. एक समबाहु त्रिभुज की अंत:त्रिज्या और परिक्त त्रिज्या का अनुपात क्या है? (एससीसी सीपीओ 2017)

(a) 1 : 2 (b) 1 : 3 (c) 1 : 4 (d) 3 : 2

22. यदि एक गोले का व्यास 14 से.मी. है, तो गोले का पृष्ठीय क्षेत्रफल (सेमी^{2} में) क्या है? (एसएससी सीजीएल 2017)

(a) 616 (b) 308 (c) 462 (d) 636

23. एक वृत्त की त्रिज्या 14 सेमी. है। एक अन्य वृत्त का क्षेत्रफल कितना है जिसकी त्रिज्या वास्तविक वृत्त की 1.5 गुनी है?

(आईबीपीएस पीओ प्री 2019)

(a) 1296 सेमी^{2} (b) 1386 सेमी^{2}

(c) 1352 सेमी^{2} (d) 1485 सेमी^{2}

(e) 1276 सेमी^{2}

24. यदि एक बेलन के आधार का परिमाप 66 सेमी है। यदि बेलन की ऊँचाई 0.04 मीटर है तो बेलन का आयतन ज्ञात कीजिए।

(एसबीआई पीओ 2019)

(a) 1111 सेमी^{3} (b) 1386 सेमी^{3}

(c) 2046 सेमी^{3} (d) 1186 सेमी^{3}

(e) 2002 सेमी^{3}

25. एक वृत्त की परिधि 4π से 8π होने पर, इसका क्षेत्रफल कितना हो जायेगा?

(a) आधा (b) दुगुना

(c) तिगुना (d) चौगुना

26. एक समबाहु त्रिभुज की प्रत्येक भुजा 42 सेमी० है. इनके अन्तः वृत्त का क्षेत्रफल क्या होगा? (एस०एस०सी० परीक्षा, 2014)

(a) $22\sqrt{3}$ वर्ग सेमी० (b) 231 वर्ग सेमी०

(c) 462 वर्ग सेमी० (d) 924 वर्ग सेमी०

27. एक समबाहु त्रिभुज की प्रत्येक भुजा 12 सेमी० है. इसके परिवृत्त का क्षेत्रफल क्या होगा?

(a) 42π वर्ग सेमी० (b) 48π वर्ग सेमी०

(c) 36π वर्ग सेमी० (d) 42π वर्ग सेमी०

28. एक समबाहु त्रिभुज के अन्त: वृत्त का क्षेत्रफल 154 वर्ग सेमी० है. इस त्रिभुज की परिमिति कितनी होगी?

(a) 71·5 सेमी० (b) 71·7 सेमी०

(c) 72·3 सेमी० (d) 72·7 सेमी०

29. एक समबाहु त्रिभुज का क्षेत्रफल X है तथा एक वर्ग का क्षेत्रफल Y है. यदि इन दोनों आकृतियों की परिमिति समान हो, तो निम्नलिखित में से सही कथन कौन-सा होगा?
(सी०डी०एस० परीक्षा, 2013)
(a) $X = Y$ (b) $X > Y$
(c) $X < Y$ (d) $X \le Y$

30. एक समबाहु त्रिभुज की प्रत्येक भुजा में 20% कमी करने से इसके क्षेत्रफल में कितनी कमी हो जायेगी?
(a) 36% (b) 40%
(c) 60% (d) 64%

31. किसी समान्तर चतुर्भुज की एक भुजा 18 सेमी० है तथा इस भुजा की विपरीत भुजा से दूरी 8 सेमी० है. समान्तर चतुर्भुज का क्षेत्रफल कितना है?
(a) 48 वर्ग सेमी० (b) 72 वर्ग सेमी०
(c) 100 वर्ग सेमी० (d) 144 वर्ग सेमी०

32. एक समान्तर चतुर्भुज की संगत भुजायें क्रमशः 30 मीटर तथा 14 मीटर लम्बी हैं तथा इन भुजाओं के शीर्षों को मिलाने वाले विकर्ण की लम्बाई 40 मीटर है. समान्तर चतुर्भुज का क्षेत्रफल कितना है?
(a) 168 वर्ग सेमी० (b) 336 वर्ग सेमी०
(c) 372 वर्ग सेमी० (d) 480 वर्ग सेमी०

33. किसी समान्तर चतुर्भुज का एक विकर्ण 70 सेमी० है. इस विकर्ण पर सामने के शीर्षों से डाले गये प्रत्येक लम्ब की लम्बाई 27 सेमी० है. समान्तर चतुर्भुज का क्षेत्रफल कितना है?
(a) 1800 वर्ग सेमी० (b) 1836 वर्ग सेमी०
(c) 1890 वर्ग सेमी० (d) 1980 वर्ग सेमी०

34. एक त्रिभुज तथा एक समान्तर चतुर्भुज का एक ही आधार है तथा इनके क्षेत्रफल समान हैं. यदि समान्तर चतुर्भुज की ऊँचाई 100 मीटर हो, तो त्रिभुज की ऊँचाई कितनी होगी?
(मैनेजमैन्ट परीक्षा, 2013)
(a) $10\sqrt{2}$ मीटर (b) 100 मीटर
(c) $100\sqrt{2}$ मीटर (d) 200 मीटर

35. एक समचतुर्भुज का क्षेत्रफल 150 वर्ग सेमी० है. यदि इसके एक विकर्ण की लम्बाई 10 सेमी० हो, तो दूसरे विकर्ण की लम्बाई क्या होगी? (एस०एस०सी० परीक्षा, 2014)
(a) 25 सेमी० (b) 30 सेमी०
(c) 35 सेमी० (d) 40 सेमी०

36. किसी समचतुर्भुज का एक विकर्ण दूसरे विकर्ण से दुगुना है तथा इसका क्षेत्रफल 25 वर्ग सेमी० है. इन विकर्णों की लम्बाई का योग कितना है? (एस०एस०सी० परीक्षा, 2013)
(a) 10 सेमी० (b) 12 सेमी०
(c) 15 सेमी० (d) 16 सेमी०

37. एक समचतुर्भुज की परिमिति 56 सेमी० तथा ऊँचाई 5 सेमी० है. इसका क्षेत्रफल कितना है?
(a) 64 वर्ग सेमी० (b) 70 वर्ग सेमी०
(c) 78 वर्ग सेमी० (d) 84 वर्ग सेमी०

38. एक समचतुर्भुज के विकर्णों की लम्बाई क्रमशः 24 सेमी० तथा 10 सेमी० है. इसकी परिमिति कितनी है?
(a) 52 सेमी० (b) 64 सेमी०
(c) 56 सेमी० (d) 60 सेमी०

39. किसी समचतुर्भुज की प्रत्येक भुजा 26 सेमी० लम्बी है तथा इसका एक विकर्ण 48 सेमी० लम्बा है. समचतुर्भुज का क्षेत्रफल कितना है? (रेलवे परीक्षा, 2013)
(a) 240 वर्ग सेमी० (b) 300 वर्ग सेमी०
(c) 360 वर्ग सेमी० (d) 480 वर्ग सेमी०

40. 63 मीटर भुजा वाले वर्गाकार भूखण्ड के चारों शीर्षों पर चार घोड़े इस प्रकार बांधे गये हैं कि वे ठीक एक दूसरे तक नहीं पहुँच पाते. जिस क्षेत्रफल को ये घोड़े न चर पाये हों, वह कितना है?
(a) 675·5 वर्ग मी० (b) 780·6 वर्ग मी०
(c) 758·8 वर्ग मी० (d) 850·5 वर्ग मी०

41. एक वर्ग जिसका विकर्ण $43\sqrt{2}$ मीटर है का परिमाप एक आयत के परिमाप के बराबर है। यदि आयत की लंबाई एवं चौड़ाई के मध्य अंतर 8 मीटर है, तो आयत का क्षेत्रफल क्या है? (वर्ग मीटर में)
(NIACL सहायक प्रारंभिक परीक्षा, 2017)
(a) 1362 (b) 1787
(c) 1540 (d) 1487
(e) दिए गए विकल्पों के अलावा

42. एक समकोण वृत्ताकार बेलन के वक्र पृष्ठीय क्षेत्रफल एवं आयतन के संख्यात्मक मानों का अनुपात क्रमशः 1 : 7 है। यदि बेलन के व्यास एवं उसकी ऊँचाई का अनुपात क्रमशः 7 : 5 हो, तो बेलन का कुल पृष्ठीय क्षेत्रफल क्या होगा? (वर्ग मीटर में)
(एस.बी.आइ. पी.ओ. ऑनलाइन प्रारंभिक परीक्षा, 2017)
(a) 2992 (b) 3172
(c) 2882 (d) 3576
(e) 3992

43. एक वर्गाकार खेल के मैदान का क्षेत्रफल 1127.6164 वर्ग मीटर है। यदि कोई व्यक्ति एक मिनट में $2\frac{9}{20}$ मीटर चलता है तो उसे उस मैदान की एक परिक्रमा करने में लगभग कितना समय लगेगा?
(एस.एस.सी. संयुक्त स्नातक स्तर ग्रेड-टियर-II (सी.बी.ई.) परीक्षा, 2017)
(a) 50.82 मिनट (b) 54.82 मिनट
(c) 54.62 मिनट (d) 50.62 मिनट

44. दो संकेन्द्रीय वृत्तों की त्रिज्याएँ 68 सेमी. और 22 सेमी. हैं। इन वृत्तों की परिसीमाओं द्वारा परिबद्ध की गई बंद आकृति का क्षेत्रफल बताइए।
(एस.एस.सी. संयुक्त स्नातक स्तर ग्रेड-टियर-II (सी.बी.ई.) परीक्षा, 2017)
(a) $4140\,\pi$ वर्ग सेमी. (b) $4110\,\pi$ वर्ग सेमी.
(c) $4080\,\pi$ वर्ग सेमी. (d) $4050\,\pi$ वर्ग सेमी.

45. एक वृत्ताकार मैदान को समतल करने की लागत 50 पैसे वर्ग मीटर की दर से ₹ 7700 आती है। उसके चारों और बाड़

लगाने की लागत ₹ 1.20 प्रति मीटर की दर से क्या आएगी?

$\left(\text{प्रयोग करें \% } \pi = \frac{22}{7}\right)$

(एस.एस.सी. संयुक्त स्नातक स्तर ग्रेड-टियर-II (सी.बी.ई.) परीक्षा, 2017)

(a) ₹ 132 (b) ₹ 264 (c) ₹ 525 (d) ₹ 1056

46. एक लंबवृत्तीय बेलन की ऊँचाई और कुल पृष्ठीय क्षेत्रफल क्रमशः 4 सेमी. और 8π वर्ग सेमी. है। उस बेलन के आधार की त्रिज्या बताइए।

(एस.एस.सी. संयुक्त स्नातक स्तर ग्रेड-टियर-II (सी.बी.ई.) परीक्षा, 2017)

(a) $(2\sqrt{2}-2)$ सेमी. (b) $(2-\sqrt{2})$ सेमी.

(c) 2 सेमी. (d) $\sqrt{2}$ सेमी.

47. एक आयत की लंबाई तथा चौड़ाई का योग 6 सेमी. है। एक ऐसे वर्ग की रचना की गई है जिसकी एक भुजा आयत के एक विकर्ण के बराबर है। यदि वर्ग तथा आयत के क्षेत्रफल 5 : 2 के अनुपात में हों, तो सेमी.^{2} में वर्ग का क्षेत्रफल क्या होगा?

(एस.एस.सी. संयुक्त स्नातक स्तर ग्रेड-टियर-II (सी.बी.ई.) परीक्षा, 2017)

(a) 20 (b) 10

(c) $4\sqrt{5}$ (d) $10\sqrt{2}$

48. एक समबाहु त्रिभुज के भुजा की लंबाई 8 सेमी. है। त्रिभुज के अंत:वृत्त और परिवृत्त के मध्य स्थित क्षेत्र का क्षेत्रफल क्या है?

$\left(\text{प्रयोग करें: } \pi = \frac{22}{7}\right)$

(एस.एस.सी. संयुक्त स्नातक स्तर ग्रेड-टियर-II (सी.बी.ई.) परीक्षा, 2017)

(a) $50\frac{1}{7}$ सेमी.^{2} (b) $50\frac{2}{7}$ सेमी.^{2}

(c) $75\frac{1}{7}$ सेमी.^{2} (d) $75\frac{2}{7}$ सेमी.^{2}

49. यदि चौड़ाई को स्थिर रखते हुए एक आयत की लंबाई 40% बढ़ जाती है, तो आयत का क्षेत्रफल 24 वर्ग मीटर बढ़ जाता है और मूल आयत का परिमाप 32 मीटर हो जाता है। आयत की चौड़ाई ज्ञात कीजिए। (एसबीआई क्लर्क 2020)

(a) 8.4 मीटर (b) 10 मीटर (c) 6 मीटर (d) 14 मीटर

(e) 8 मीटर

50. आयत का परिमाप उस वर्ग के परिमाप के बराबर है जिसका क्षेत्रफल 400 सेमी^{2} है और आयत की लंबाई एक वर्ग की भुजा से 40% अधिक है तो आयत का क्षेत्रफल ज्ञात कीजिए। (एसबीआई पीओ 2021)

(a) 248 सेमी^{2} (b) 420 सेमी^{2} (c) 356 सेमी^{2} (d) 336 सेमी^{2}

(e) 348 सेमी^{2}

51. एक रेस ट्रैक एक वलय के आकार का है, जिसकी भीतरी और बाहरी परिधि क्रमशः 440 और 506 मीटर है। ₹ 6/मी^{2} की दर से पटरी को समतल करने की लागत क्या है? $(\pi = \frac{22}{7})$ (एसएससी सीजीएल 2020)

(a) ₹ 18, 966 (b) ₹ 24, 832

(c) ₹ 19, 866 (d) ₹ 29, 799

52. ΔABC एक समबाहु त्रिभुज है और $AD \perp BC$, जहाँ D, BC पर स्थित है। यदि $AD = 4\sqrt{3}$ सेमी, तो ΔABC का परिमाप (सेमी में) क्या है? (एसएससी सीजीएल 2020)

(a) 27 (b) 24 (c) 30 (d) 21

53. एक आयत की लंबाई और चौड़ाई का अनुपात 4 :7 है। यदि परिमाप 88 सेमी है, तो आयत का क्षेत्रफल ज्ञात कीजिए। (आईबीपीएस पीओ प्री 2019)

(a) 414 सेमी^{2} (b) 336 सेमी^{2}

(c) 448 सेमी^{2} (d) 524 सेमी^{2}

(e) 396 सेमी^{2}

54. एक समकोण त्रिभुज के आधार और लंब भुजा का अनुपात 3 :4 है और इसका आधार 81 सेमी^{2} क्षेत्रफल वाले एक वर्ग की भुजा के बराबर है। त्रिभुज की परिधि ज्ञात कीजिए। (एसबीआई क्लर्क 2019)

(a) 30 सेमी (b) 36 सेमी (c) 33 सेमी (d) 42 सेमी

(e) 40 सेमी

55. एक त्रिभुज का परिमाप एक आयत के परिमाप के बराबर होता है। आयत की लंबाई एक वर्ग की भुजा का 75% है और आयत की लंबाई से चौड़ाई का अनुपात 3 :2 है। यदि वर्ग और आयत के परिमाप के बीच का अंतर 36 सेमी है, तो त्रिभुज का परिमाप ज्ञात करें? (एसबीआई पीओ 2019)

(a) 60 सेमी (b) 48 सेमी (c) 72 सेमी (d) 80 सेमी

(e) 96 सेमी

56. एक त्रिभुज ABC में एक वृत्त बना हुआ है। यह क्रमशः R, P और Q बिंदुओं पर AB, BC और AC भुजाओं को स्पर्श करता है। यदि AQ = 4.5 सेमी, PC = 5.5 सेमी और BR = 6 सेमी तो त्रिभुज ABC का परिमाप है: (एसएससी सीजीएल 2019)

(a) 30.5 सेमी (b) 28 सेमी

(c) 32 सेमी (d) 26.5 सेमी

57. एक खेत समलंब के आकार का है जिसकी समानांतर भुजाएँ 200 मीटर और 400 मीटर लंबी हैं, जबकि अन्य दो भुजाएँ 260 मीटर लंबी हैं। खेत का क्षेत्रफल (मी^{2} में) क्या है? (एसएससी सीपीओ 2019)

(a) 48000 (b) 52000

(c) 72000 (d) 6000

58. एक वृत्ताकार पार्क जिसका व्यास 210 मीटर है, के चारों ओर (बाहर की ओर) एक 5 मीटर चौड़ा रास्ता है। रास्ते का क्षेत्रफल (मी^{2} में) क्या है? (एसएससी सीपीओ 2019)

(*a*) 1100π (*b*) 1050π (*c*) 1075π (*d*) 1010π

59. एक आयताकार पार्क के ठीक अंदर एक आयताकार रास्ता है। रास्ते की चौड़ाई 2 सेमी है। यदि पार्क की लम्बाई में 4 सेमी की कमी कर दी जाए तो यह एक वर्ग बन जाता है। आयत का क्षेत्रफल रास्ते के क्षेत्रफल का $1\frac{1}{3}$ गुना है। ऊपर दी गई जानकारी से निम्नलिखित में से कौन-सा ज्ञात किया जा सकता है। **(आईबीपीएस पीओ मेन 2018)**

(i) रास्ते का क्षेत्रफल

(ii) पार्क की लंबाई

(iii) आयताकार पार्क के परिमाप और रास्ते के परिमाप का योग (बाहरी और आंतरिक परिमाप दोनों)

(*a*) केवल (ii) (*b*) केवल (ii) और (iii)

(*c*) केवल (i) और (iii) (*d*) उपरोक्त सभी

(*e*) केवल (iii)

60. एक समकोण त्रिभुज एक दिए गए वृत्त में खुदा हुआ है। दिए गए वृत्त का क्षेत्रफल (सेमी² में) क्या है?

I. त्रिभुज का आधार और ऊँचाई (सेमी² में) दोनों समीकरण $x^2 - 23x + 120 = 0$

II. त्रिभुज के आधार और ऊँचाई का योग 23 सेमी है।

III. समकोण त्रिभुज की ऊँचाई उसी के आधार से अधिक होती है। **(सीबीआई क्लर्क 2018)**

(*a*) III और या तो केवल I या केवल II

(*b*) सभी I, II और III

(*c*) केवल II और III

(*d*) केवल I

61. 55 मीटर लंबे और 45 मीटर चौड़े एक आयताकार भूखंड के बीच में दो कंक्रीट के चौराहे (समान चौड़ाई के) हैं- एक लंबाई के समानांतर और दूसरा चौड़ाई के समानांतर। शेष भूखंड का उपयोग घास का मैदान के रूप में किया जाता है। यदि घास का मैदान के क्षेत्रफल 1911 वर्ग मीटर है, तो प्रत्येक चौराहे की चौड़ाई कितनी है? (मीटर में) **(आईबीपीएस आरआरबी पीओ 2018)**

(*a*) 5 (*b*) 5.5 (*c*) 6 (*d*) 4

(*e*) 4.5

62. वृत्ताकार मैदान के क्षेत्रफल और वर्गाकार मैदान के क्षेत्रफल के बीच का अंतर 168 वर्ग मीटर है। वर्गाकार क्षेत्र की भुजा वृत्ताकार क्षेत्र के व्यास के बराबर है। 20 प्रति मीटर की दर से वर्गाकार खेत की बाड़ लगाने की लागत क्या है?

(*a*) ₹2,480 (*b*) ₹2,420 (*c*) ₹2,520 (*d*) ₹2,240

(*e*) ₹2,380 **(ग्रेड बी 2017)**

63. एक साइकिल के पहिए का व्यास 14 सेमी है। एक साइकिल चालक 11 किमी/घंटा की गति से एक गंतव्य तक पहुंचने में 30 मिनट का समय लेता है। यात्रा के दौरान पहिया कितने चक्कर लगाएगा? **(एससीसी सीपीओ 2017)**

(*a*) 12500 (*b*) 15000

(*c*) 17750 (*d*) 20000

64. 168 सेमी लंबे एक वृत्ताकार तार को काटकर एक आयत के रूप में मोड़ा जाता है, जिसकी भुजाओं का अनुपात 5 :7 है। आयत के विकर्ण की लंबाई (सेमी में) क्या है? **(एससीसी सीपीओ 2017)**

(*a*) $\sqrt{4127}$ (*b*) $\sqrt{3137}$ (*c*) $\sqrt{1813}$ (*d*) $\sqrt{3626}$

65. ΔABC में, भुजा BC के समानांतर एक रेखा भुजा को काटती है और बिंदु D, AB को 1 : 4 के अनुपात में विभाजित करता है। यदि ΔABC का क्षेत्रफल 200 सेमी² है, तो चतुर्भुज DEBC का क्षेत्रफल (सेमी² में) क्या है? **(एससीसी सीपीओ 2017)**

(*a*) 192 (*b*) 50 (*c*) 120 (*d*) 96

66. दी गई आकृति में PB, AB का एक-तिहाई है और BQ, BC का एक-तिहाई है। यदि BPDQ का क्षेत्रफल 20 सेमी2 है, तो (सेमी² में) ABCD का क्षेत्रफल क्या है? **(एससीसी सीपीओ 2017)**

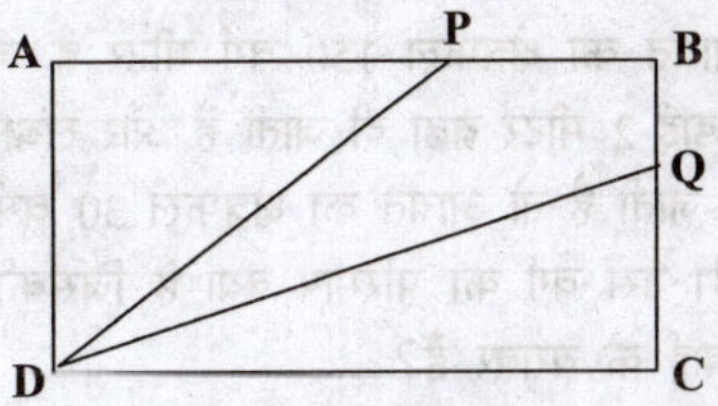

(*a*) 45 (*b*) 30 (*c*) 40 (*d*) 60

67. एक आयत का क्षेत्रफल एक वर्ग के क्षेत्रफल के बराबर है जिसका विकर्ण $12\sqrt{6}$ मीटर है। आयत की लंबाई और चौड़ाई के बीच का अंतर 6 मीटर है। आयत का परिमाप क्या है? (मीटर में)। **(आईबीपीएस आरआरबी क्लर्क 2017)**

(*a*) 160 मीटर (*b*) 80 मीटर

(*c*) 82 मीटर (*d*) 84 मीटर

(*e*) इनमें से कोई नहीं

68. एक समद्विबाहु त्रिभुज का परिमाप 32 सेमी है और प्रत्येक समान भुजा आधार के 5/6 गुने में है। त्रिभुज का क्षेत्रफल (सेमी² में) क्या है? **(एसएससी सीजीएल 2017)**

(*a*) 39 (*b*) 48

(*c*) 57 (*d*) 64

69. यदि एक समचतुर्भुज PQRS की प्रत्येक भुजा की लंबाई 8 सेमी है और ∠PQR = 120° है, तो QS की लंबाई (सेमी में) क्या है? **(एसएससी सीजीएल 2017)**

(*a*) $4\sqrt{5}$ (*b*) 6 (*c*) 8 (*d*) 12

70. एक समचतुर्भुज का एक विकर्ण दूसरे विकर्ण का 70% है। समचतुर्भुज के क्षेत्रफल का उस वर्ग से अनुपात क्या है जिसकी भुजा बड़े विकर्ण की लंबाई के समान है? **(एसएससी सीजीएल 2017)**

(*a*) 3 : 10 (*b*) 3 : 20 (*c*) 7 : 20 (*d*) 7 : 10

71. दी गई आकृति में, PQRS एक समलंब है जिसमें PM || SN, NR = 9 सेमी, PS = 12 सेमी, QM = NR और NR = SN है। समलंब का क्षेत्रफल कितना होता है? (सेमी² में) **(एसएससी सीजीएल 2017)**

(a) 170 (b) 182 (c) 189 (d) 191

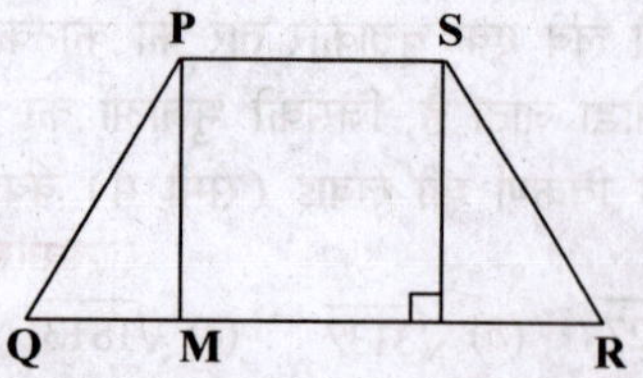

72. वर्ग में दो समान वृत्त इस प्रकार खींचे जाते हैं कि वर्ग की एक भुजा प्रत्येक वृत्त का व्यास बनाती है। यदि वर्ग का शेष क्षेत्रफल 42 सेमी^{2} है, तो वृत्त का व्यास कितना होगा?

[आईबीपीएस आरआरबी अधिकारी ग्रेड 'बी' परीक्षा, 2015]

(a) 3.5 सेमी (b) 4 सेमी (c) 14 सेमी (d) 7.5 सेमी

73. पीतल के बने चौकोर आधार पर एक प्लेट की लंबाई x c और चौड़ाई 1 मिमी है। थाली का वजन 4725 ग्राम है। यदि 1 घन सेमी पीतल का वजन 8.4 ग्राम है, तो x का मान है–

[एसएससी-सीएचएसएल (10+2) परीक्षा, 2015]

(a) 75 (b) 76 (c) 72 (d) 74

74. एक आयत का क्षेत्रफल 150 वर्ग मीटर है जब उसी आयत की चौड़ाई 2 मीटर बढ़ा दी जाती है और लंबाई 5 मीटर कम कर दी जाती है तो आयत का क्षेत्रफल 30 वर्ग मीटर कम हो जाता है। उस वर्ग का परिमाप क्या है जिसकी भुजाएँ आयत की लंबाई के बराबर हैं?

[आरबीआई अधिकारी ग्रेड 'बी' (चरण I) परीक्षा, 2015]

(a) 76 मीटर (b) 72 मीटर
(c) 120 मीटर (d) 60 मीटर

75. एक वृत्त का क्षेत्रफल है जिसकी त्रिज्या एक वर्ग का विकर्ण है जिसका क्षेत्रफल 4 वर्ग इकाई है–

(a) 16π वर्ग इकाई (b) 4π वर्ग इकाई
(c) 6π वर्ग इकाई (d) 8π वर्ग इकाई

[एसएससी-सीएचएसएल (10+2) परीक्षा, 2015]

76. एक त्रिभुज की ऊँचाई एक वर्ग के परिमाप के बराबर है जिसका विकर्ण $8\sqrt{2}$ मीटर है और उसी त्रिभुज का आधार एक वर्ग की भुजा के बराबर है जिसका क्षेत्रफल 729 वर्ग मीटर है। त्रिभुज का क्षेत्रफल कितना है? (वर्ग मीटर में)

[यूआईआईसीएल सहायक (ऑनलाइन) परीक्षा, 2015]

(a) 378 (b) 206 (c) 472 (d) 432

77. एक आयताकार भूखण्ड के चारों ओर 46000 रुपये की कुल लागत से 200 रुपये प्रति मीटर की दर से चहारदीवारी का निर्माण किया गया है। प्लॉट का क्षेत्रफल क्या है यदि भूखंड की चौड़ाई और लंबाई के बीच संबंधित अनुपात 10 : 13 है? (वर्ग मीटर में)

[यूआईआईसीएल सहायक (ऑनलाइन) परीक्षा, 2015]

(a) 3750 (b) 3250 (c) 3000 (d) 3900

78. एक वर्ग के चारों कोनों पर केंद्र लेकर समान त्रिज्या वाले चार वृत्त खींचे गए हैं। प्रत्येक वृत्त अन्य दो आसन्न वृत्तों को स्पर्श करता है। यदि वर्ग का शेष क्षेत्रफल 168 सेमी^{2} है, तो वृत्त की त्रिज्या का आकार क्या है? (सेंटीमीटर में)

[आरबीआई अधिकारी ग्रेड 'बी' (चरण I) परीक्षा, 2015]

(a) 14 (b) 1.4 (c) 35 (d) 21

79. एक आंगन 25 मीटर लंबा और 16 मीटर चौड़ा है जिसे 20 सेमी × 10 सेमी के परिमाण वाली ईंटों से पक्का किया जाना है। कुल कितनी ईंटों की आवश्यकता है? [आईबीपीएस-आरआरबी कार्यालय सहायक (ऑनलाइन) परीक्षा, 2015]

(a) 16000 (b) 18000 (c) 20000 (d) 22000

80. एक वृत्त का व्यास एक वर्ग के परिमाप के बराबर है जिसका क्षेत्रफल 3136 सेमी^{2} है। वृत्त की परिधि क्या है? [आईबीपीएस-आरआरबी कार्यालय सहायक (ऑनलाइन) परीक्षा, 2015]

(a) 352 सेमी (b) 704 सेमी
(c) 39424 सेमी (d) 1024 सेमी

81. त्रिभुज का आधार 15 सेमी और ऊँचाई 12 सेमी है। 20 सेमी आधार वाले दोगुने क्षेत्रफल वाले एक अन्य त्रिभुज की ऊँचाई है– [आईबीपीएस-आरआरबी कार्यालय सहायक (ऑनलाइन) परीक्षा, 2015]

(a) 22 सेमी (b) 20 सेमी (c) 18 सेमी (d) 10 सेमी

82. एक वृत्त की परिधि एक वर्ग के परिमाप से 10% अधिक है। यदि वृत्त और वर्ग के क्षेत्रफल के बीच का अंतर 216 सेमी^{2} है, तो वर्ग का विकर्ण कितना मापता है? (सेमी में)

[सीईटी-महाराष्ट्र (एमबीए), 2016]

(a) $14\sqrt{2}$ (b) 14 (c) 20 (d) $20\sqrt{2}$

83. 42 मीटर व्यास वाले एक वृत्ताकार पार्क के चारों ओर बाहर की ओर 3.5 मीटर चौड़ा एक रास्ता है। ₹ 4 प्रति पथ की बजरी बनाने की लागत ज्ञात कीजिए। [सीएलएटी, 2016]

(a) ₹ 2048 (b) ₹ 1652 (c) ₹ 1672 (d) ₹ 2002

निर्देश: नीचे दिए गए प्रश्न में एक प्रश्नवाचक कथन है और दो कथन I और II क्रमांकित हैं। आपको यह तय करना है कि कथनों में दिया गया डेटा प्रश्नों का उत्तर देने के लिए पर्याप्त है या नहीं। कथनों और दिए गए उत्तरों के साथ पढ़ें:

(a) यदि कथन I में दिया गया डाटा अकेले प्रश्न का उत्तर देने के लिए पर्याप्त है, जबकि कथन II में दिया गया डाटा अकेले प्रश्न का उत्तर देने के लिए पर्याप्त नहीं है।

(b) यदि कथन II में दिया गया डाटा अकेले प्रश्न का उत्तर देने के लिए पर्याप्त है, जबकि कथन I में दिया गया डाटा अकेले प्रश्न का उत्तर देने के लिए पर्याप्त नहीं है।

(c) यदि या तो केवल कथन I या कथन II में दिया गया डेटा प्रश्न का उत्तर देने के लिए पर्याप्त है।

(d) यदि कथन I और II दोनों में दिया गया डेटा एक साथ प्रश्न का उत्तर देने के लिए पर्याप्त नहीं है।

(e) यदि कथन I और II दोनों का डाटा एक साथ प्रश्न का उत्तर देने के लिए आवश्यक है।

84. वृत्त का क्षेत्रफल कितना है?

[आईबीपीएस-बैंक स्पे. अधिकारी (विपणन) परीक्षा, 2016]

I. वृत्त का परिमाप 88 सेमी है।

II. वृत्त का व्यास 28 सेमी है।

85. एक आयत के परिमाप और लंबाई का अनुपात 3 :1 है। यदि आयत का परिमाप 108 सेमी. है, तो आयत की चौड़ाई और आयत के परिमाप का अनुपात ज्ञात कीजिए।

(*a*) 1 : 6 (*b*) 1 : 4
(*c*) 3 : 5 (*d*) 4 : 7
(*e*) 2 : 5

86. एक आयत की लंबाई और चौड़ाई का अनुपात 3 :2 है। यदि चौड़ाई को समान रखते हुए लंबाई में 5 मीटर की वृद्धि की जाती है, तो आयत का नया क्षेत्रफल 2600 मीटर^2 हो जाता है। मूल आयत का परिमाप क्या है?

(*a*) 320 मी (*b*) 300 मी
(*c*) 295 मी (*d*) 200 मी
(*e*) इनमें से कोई नहीं

87. वृत्त का क्षेत्रफल 2464 सेमी^{2} है और आयत की चौड़ाई का वृत्त की त्रिज्या से अनुपात 6 :7 है। यदि वृत्त की परिधि, आयत के परिमाप के बराबर है, तो आयत का क्षेत्रफल कितना होगा?

(*a*) 1536 सेमी^{2} (*b*) 1546 सेमी^{2}
(*c*) 1556 सेमी^{2} (*d*) 1566 सेमी^{2}
(*e*) 1576 सेमी^{2}

88. 45 सेमी ऊंचे एक ठोस लंबवृत्ताकार शंकु के छिन्नक के सिरों की त्रिज्याएँ 28 सेमी और 7 सेमी हैं। यदि इस छिन्नक को पिघलाकर एक ठोस लंब वृत्ताकार बेलन बनाया जाए, जिसके आधार की त्रिज्या और ऊँचाई का अनुपात 3:5 हो, तो इस बेलन का घुमावदार सतह क्षेत्रफल (सेमी^{2} में) ज्ञात कीजिए। [π =22/7 का प्रयोग करें]

[एसएससी सीपीओ परीक्षा, 03/10/2023 (Shift-01)]

(*a*) 4580 (*b*) 4610 (*c*) 4640 (*d*) 4620

89. एक धातु के गोले का व्यास 6 सेमी है। इसे पिघलाया जाता है और एक तार में खींचा जाता है जिसका क्रॉस सेक्शन व्यास 0.4 सेमी होता है। तार की लंबाई (मीटर में) ज्ञात कीजिए।

[एसएससी एमटीएस परीक्षा, 01/09/2023 (Shift-01)]

(*a*) 18 (*b*) 9 (*c*) 12 (*d*) 10

उत्तरमाला

1. (b)	2. (a)	3. (a)	4. (a)	5. (a)	6. (d)	7. (a)	8. (b)	9. (a)	10. (b)
11. (c)	12. (d)	13. (c)	14. (a)	15. (d)	16. (b)	17. (c)	18. (c)	19. (d)	20. (b)
21. (a)	22. (a)	23. (b)	24. (b)	25. (d)	26. (c)	27. (b)	28. (d)	29. (c)	30. (a)
31. (d)	32. (b)	33. (c)	34. (d)	35. (b)	36. (c)	37. (b)	38. (a)	39. (d)	40. (d)
41. (e)	42. (a)	43. (b)	44. (a)	45. (c)	46. (a)	47. (a)	48. (b)	49. (c)	50. (d)
51. (d)	52. (b)	53. (c)	54. (b)	55. (a)	56. (c)	57. (c)	58. (c)	59. (d)	60. (d)
61. (c)	62. (d)	63. (a)	64. (d)	65. (a)	66. (d)	67. (d)	68. (b)	69. (c)	70. (c)
71. (c)	72. (c)	73. (a)	74. (d)	75. (d)	76. (d)	77. (b)	78. (a)	79. (c)	80. (b)
81. (c)	82. (d)	83. (d)	84. (c)	85. (a)	86. (d)	87. (a)	88. (d)	89. (b)	

दिये गये प्रश्नों के हल

1. माना 3 त्रिभुजों की भुजाएँ क्रमशः $5x$, $12x$ और $13x$ हैं

अब, प्रश्नानुसार

$\Rightarrow \quad 5x+12x+13x=90$

$\Rightarrow 30x=90 \quad \Rightarrow \quad x=3$

अब, $5x=15$

क्षेत्रफल $=\frac{1}{2}=$चौड़ाई $=$ ऊंचाई $=\frac{1}{2}\times 15\times 36=270$

2. Δ का क्षेत्रफल $=\frac{1}{2}\times$ आधार $\times$ ऊंचाई $=\frac{1}{2}\times 12\times 5=30$ सेमी^{2}

3. गोले का सतह क्षेत्र $=\pi 4r^2$

$616=4\times\frac{22}{7}\times r^2 \Rightarrow$ त्रिज्या $=7$

$\therefore$ व्यास $=2$ त्रिज्या $=14$ सेमी

4. कुल सतह क्षेत्र $=6a^2=6\times 3.5\times 3.5=73.5$ सेमी^{2}

5. घन का आयतन =भुजा^{3}

(भुजा)^3 = 1728 सेमी^{3}

भुजा = $\sqrt[3]{1728}$

भुजा = 12 सेमी

6. समचतुर्भुज का परिमाप $=4\times$भुजा

$4x$ भुजा = 52

भुजा = 13

अन्य विकर्ण की लम्बाई है

$=2\times\left(13^2-(10/2)^2\right)^{1/2}=2\times(169-25)^{1/2}$

$=2\times\left(144^{1/2}\right)=2\times 12=24$ मीटर

7. माना समद्विबाहु त्रिभुज की प्रत्येक बराबर भुजा x सेमी है।

एक समद्विबाहु त्रिभुज का परिमाप = 36 सेमी

$\therefore x + x + 14 = 36$

$\Rightarrow 2x = 36 - 14 = 22 = x = \frac{22}{2} = 11$ सेमी

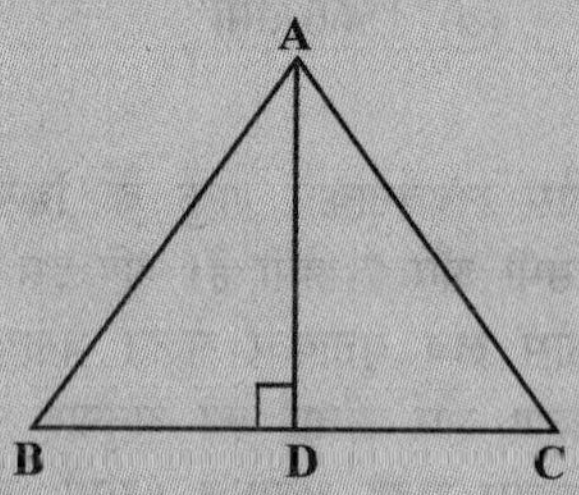

BD = DC = 7 सेमी

ΔABD से

पाइथागोरस प्रमेय का उपयोग करके

$AD = \sqrt{AB^2 - BD^2} = \sqrt{11^2 - 7^2}$

$= \sqrt{121 - 49} = \sqrt{72} = 3 \times 2\sqrt{2}$

$6\sqrt{2}$ सेमी

$\therefore \Delta$ ABC का क्षेत्रफल $= \frac{1}{2} \times BC \times AD = \frac{1}{2} \times 14 \times 6\sqrt{2}$

$= 42\sqrt{2}$ वर्ग सेमी

8. वृत्त की त्रिज्या = 7 सेमी

दिया गया आयत का क्षेत्रफल

= वृत्त का क्षेत्रफल $= \pi r^2$

$= \frac{22}{7} \times 7 \times 7 = 154$ सेमी^{2}

9. घन की प्रत्येक भुजा = a सेमी

$\therefore$ घन का कुल पृष्ठीय क्षेत्रफल = $6a^2$

$\Rightarrow 6a^2 = 864$

$\Rightarrow a^2 = \frac{864}{6} = 144 \Rightarrow a = \sqrt{144} = 12$ सेमी

$\therefore$ घन का आयतन = a^3 घन सेमी

= (12 × 12 × 12) घन सेमी = 1728 घन सेमी

खेत का क्षेत्रफल = (160 × 60) वर्ग मीटर = 9600 वर्ग मीटर.

10. कुल सतह क्षेत्र $= 6 \times (12)^2 = 6 \times 144 = 864$ सेमी^{2}

[जहाँ a = 12 सेमी]

11. लम्ब वृत्तीय बेलन का वक्र पृष्ठीय क्षेत्रफल

$2\pi rh = 1408$

$r = \frac{1408}{\pi \times 2h} = \frac{1408 \times 7}{22 \times 2 \times 56} = 4$ सेमी

व्यास $= 2r = \frac{8}{100}$ मीटर = 0.08 मीटर

12. अभीष्ट अनुपात $= \frac{\pi \times 4x \times 4x \times 5x}{\pi \times 5x \times 5x \times 2x} = 8 : 5$

13. शंकु का आयतन $= \frac{1}{3}\pi r^2 h = \frac{1}{3} \times \frac{22}{7} \times 6 \times 6 \times 7 = 264$ सेमी^{3}

14. हमारे पास है,

एक वृत्ताकार बगीचे की त्रिज्या = 42 मीटर

8 चक्कर लगाकर तय की गई दूरी

$= 8 \times 2\pi r$

$= 8 \times 2 \times \frac{22}{7} \times 42 = 2112$ मीटर

15. माना आयत की लंबाई और चौड़ाई क्रमशः l और b है।

$\therefore$ क्षेत्रफल = lb वर्ग इकाई

अब, प्रश्न के अनुसार,

$l = \frac{140}{100} l$

$b = \frac{80}{100} b$

$\therefore$ क्षेत्रफल $= l \times b = \frac{140}{100} l \times \frac{80}{100} b = \frac{112\,lb}{100}$ वर्ग इकाई

अब,

% वृद्धि $= \frac{\frac{112\,lb}{100} - lb}{lb} \times 100 = \frac{12\,lb}{100\,lb} \times 100 = 12\%$

युक्ति

हमारे पास $x = 40, y = -20$ है।

क्षेत्र के प्रतिशत में वृद्धि

$= \left(x + y + \frac{xy}{100}\right)$

$= \left(40 - 20 + \frac{40 \times -20}{100}\right)$

$= \left(40 - 20 - \frac{800}{100}\right) = 40 - 28 = 12\%$

16. दिया है: एक वृत्त की त्रिज्या = 3 सेमी

वृत्त का क्षेत्रफल $= \pi r^2 = \pi \times 3^2 = 9\pi$ वर्ग सेमी

17. दिया गया:

$\Rightarrow \frac{\text{वृत्त की परिधि}}{\text{वृत्त का व्यास}} = \frac{22}{7}$

$\Rightarrow \frac{\text{वृत्त की परिधि}}{\text{त्रिज्या का दो गुना}} = \frac{22}{7}$

$\Rightarrow \frac{1\frac{4}{7}}{2r} = \frac{22}{7} \Rightarrow \frac{\frac{11}{7}}{2r} = \frac{22}{7} \Rightarrow \frac{11}{14r} = \frac{22}{7}$

$\Rightarrow 14r \times 22 = 11 \times 7 \Rightarrow r = \frac{11 \times 7}{14 \times 22} = \frac{1}{4}$ मी

18.

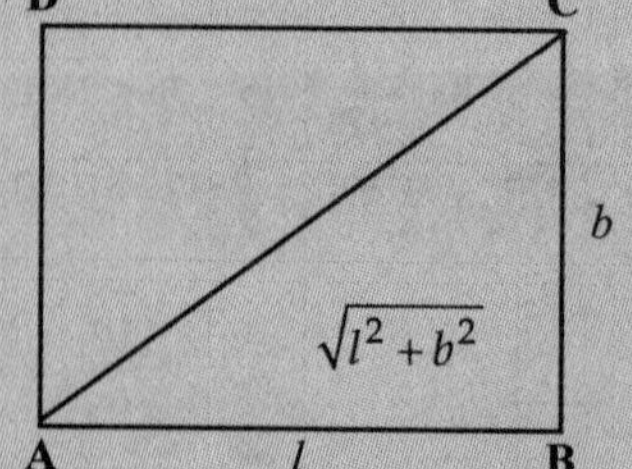

माना कालीन की लम्बाई l मीटर और चौड़ाई b मीटर है।

$\therefore$ विकर्ण $= \sqrt{l^2+b^2}$ ...(i)

प्रश्न के अनुसार,

$lb = 120$ और $2(l+b) = 46 \Rightarrow l+b) = 23$

दोनों तरफ से वर्ग करने पर

$(l+b)^2 = 23^2 \Rightarrow l^2+b^2+2lb = 529$

$\Rightarrow l^2+b^2+2\times120 = 529$

$\Rightarrow \quad l^2+b^2 = 529-240 = 289$

$\therefore \quad \sqrt{l^2+b^2} = \sqrt{289} = 17$

कालीन का विकर्ण = 17 मीटर

19. एक लम्बवृत्तीय बेलन की त्रिज्या और ऊँचाई क्रमशः 7 सेमी और 20 सेमी है।

समवृत्तीय बेलन का कुल पृष्ठीय क्षेत्रफल

$= 2\pi rh + 2\pi r^2 = 2\pi r(h+r) = 2\times\frac{22}{7}\times7(20+7)$

$= 2\times22\times27 = 1188$ वर्ग सेमी

20. हमारे पास, $OA = 16$ सेमी

$OB = 8$ सेमी

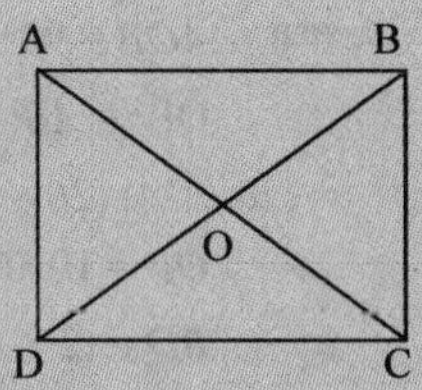

तब, पाइथागोरस प्रमेय के अनुसार

$AB = \sqrt{OA^2+OB^2}$

$= \sqrt{6^2+8^2}$

$= \sqrt{36+64} = \sqrt{100}$

$= 10$ सेमी

समचतुर्भुज का परिमाप $= 4 \times$ भुजा $= 4\times10 = 40$ सेमी

21. हम यह जानते हैं

समबाहु त्रिभुज की अंत:त्रिज्या $= \frac{\text{भुजा}}{2\sqrt3}$

समबाहु त्रिभुज की परित्रिज्या $= \frac{\text{भुजा}}{\sqrt3}$

माना समबाहु त्रिभुज की भुजा $= a$ इकाई

$\therefore$ अंत:त्रिज्या और परित्रिज्या का अनुपात

$= \frac{a}{2\sqrt3} : \frac{a}{\sqrt3} = 1:2$

22. हमारे पास है,

गोले का व्यास = 14 सेमी, त्रिज्या = 7 सेमी

सतही क्षेत्रफल $= 4\pi r^2 = 4\times\frac{22}{7}\times7\times7 = 616$ सेमी^{2}

23. दिया गया है, वृत्त की त्रिज्या = 14 सेमी

$\therefore$ दूसरे वृत्त की त्रिज्या $= 1.5\times14 = 21$ सेमी

अब, दूसरे वृत्त का क्षेत्रफल $= \pi r^2$

$= \frac{22}{7}\times21\times21 = 1386$ सेमी^{2}

24. एक बेलन के आधार का परिमाप = 66 सेमी

$2\pi r = 66$

$2\times\frac{22}{7}\times r = 66$

$r = \frac{21}{2}$ cm

ऊँचाई = 0.04 मीटर = 4 सेमी

अब बेलन का आयतन $= \pi r^2 h$

$= \frac{22}{7}\times\frac{21}{2}\times\frac{21}{2}\times4 = 1386$ सेमी^{3}

25. $2\pi R_1 = 4\pi \Leftrightarrow R_1 = 2$ तथा $2\pi R_2 = 8\pi \Leftrightarrow R_2 = 4$.

पहले क्षेत्रफल $= \pi R_1^2 = (\pi\times2^2) = 4\pi$.

बाद में क्षेत्रफल $= \pi R_2^2 = (\pi\times4^2) = 16\pi$.

अतः क्षेत्रफल पहले से चौगुना हो जायेगा।

26. अन्त: वृत्त की त्रिज्या $= \frac{a}{2\sqrt3} = \frac{42}{2\sqrt3}$ सेमी० $= 7\sqrt3$ सेमी०.

इस वृत्त का क्षेत्रफल $= \pi r^2 = \frac{22}{7}\times(7\sqrt3)^2$

$= \left(\frac{22}{7}\times49\times3\right)$ वर्ग सेमी० = 462 वर्ग सेमी०.

27. परिवृत्त की त्रिज्या $= \frac{a}{\sqrt3} = \frac{12}{\sqrt3}$ सेमी० $= 4\sqrt3$ सेमी०.

इस वृत्त का क्षेत्रफल $= \pi R^2 = (4\sqrt3)^2\times\pi = 48\pi$ वर्ग सेमी०.

28. अन्त: वृत्त की त्रिज्या $= \frac{a}{2\sqrt3}$.

अन्त: वृत्त का क्षेत्रफल $= \pi\times\left(\frac{a}{2\sqrt3}\right)^2 = \frac{\pi a^2}{12}$.

$\therefore \quad \frac{\pi a^2}{12} = 154 \Leftrightarrow a^2 = \left(154\times12\times\frac{7}{22}\right) \Leftrightarrow a = 14\sqrt3.$

त्रिभुज की परिमिति $= 3a = (3\times14\sqrt3)$ सेमी०

$= (42\times1{\cdot}732)$ सेमी० = 72.7 सेमी०.

29. माना दिये गये त्रिभुज की प्रत्येक भुजा $= a$ इकाई.

तब, इसका क्षेत्रफल $= \frac{\sqrt3}{4}a^2$ वर्ग इकाई.

त्रिभुज की नई भुजा $= (a$ का $80\%) = \left(a\times\frac{80}{100}\right) = \frac{4a}{5}$ इकाई.

नई त्रिभुज का क्षेत्रफल $= \left(\frac{\sqrt3}{4}\times\frac{16a^2}{25}\right)$ वर्ग इकाई

$= \frac{4\sqrt3a^2}{25}$ वर्ग इकाई.

क्षेत्रफल में कमी $= \sqrt3a^2\left(\frac14-\frac{4}{25}\right) = \frac{9\sqrt3a^2}{100}$ वर्ग इकाई.

क्षेत्रफल में कमी % $= \left(\frac{9\sqrt3a^2}{100}\times\frac{4}{\sqrt3a^2}\times100\right)\% = 36\%$.

30. समान्तर चतुर्भुज का क्षेत्रफल = (आधार × ऊँचाई)

= (18 × 8) वर्ग सेमी० = 144 वर्ग सेमी०.

31. माना $ABCD$ एक समान्तर चतुर्भुज है,
जिसमें $BC = 14$ मी॰, $AC = 40$ मी॰ तथा $AB = 30$ मी॰.

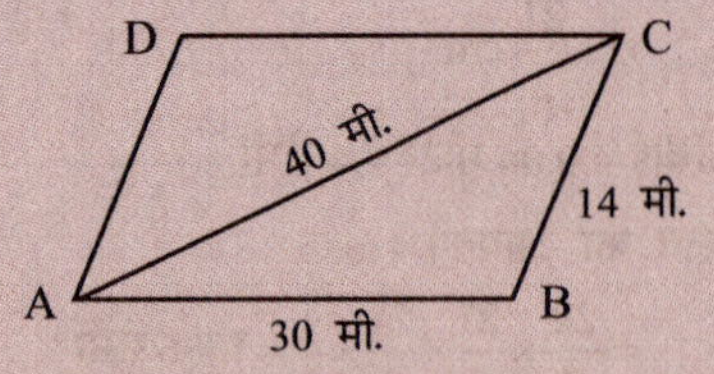

तब ΔABC में, $a = 14, b = 40$ तथा $c = 30$.

$\therefore \quad s = \frac{1}{2}(14 + 40 + 30) = 42.$

$\Leftrightarrow \quad \Delta = \sqrt{s(s-a)(s-b)(s-c)} = \sqrt{42 \times 28 \times 2 \times 12}$

$= \sqrt{14 \times 3 \times 14 \times 2 \times 2 \times 3 \times 4}$

$= (14 \times 3 \times 2 \times 2) = 168$ वर्ग मी॰.

$\Leftrightarrow$ समान्तर चतुर्भुज $ABCD$ का क्षेत्रफल

$= 2\Delta = (2 \times 168)$ वर्ग मी॰ $= 336$ वर्ग मी॰.

32. माना $ABCD$ दिया गया समान्तर चतुर्भुज है तथा माना $BL \perp AC$.
दिया है: $AC = 70$ सेमी॰ तथा $BL = 27$ सेमी॰.

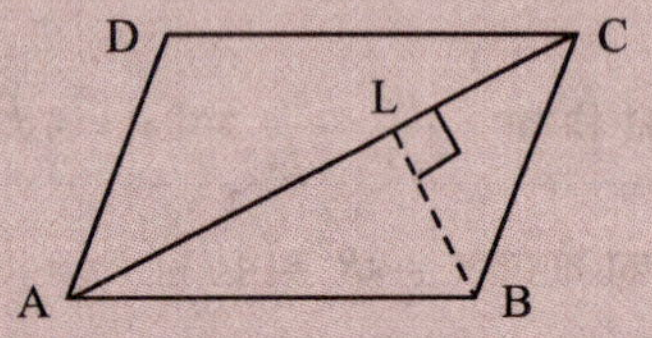

$\therefore$ चतुर्भुज $ABCD$ का क्षेत्रफल $= 2 \times \Delta ABC$ का क्षेत्रफल

$= 2 \times \frac{1}{2} \times AC \times BL$

$= (AC \times BL) = (70 \times 27)$ वर्ग सेमी॰ $= 1890$ वर्ग सेमी॰.

33. समान्तर चतुर्भुज का आधार = त्रिभुज का आधार = b मीटर (माना)
समान्तर चतुर्भुज की ऊँचाई = 100 मी॰.
माना त्रिभुज की ऊँचाई = h मीटर.
दिया है: समान्तर चतुर्भुज का क्षेत्रफल = त्रिभुज का क्षेत्रफल

$\Leftrightarrow b \times 100 = \frac{1}{2} \times b \times h \Leftrightarrow h = 200.$

अत: त्रिभुज की ऊँचाई = 200 मीटर.

34. $\frac{1}{2} \times d_1 \times d_2 = 150 \Leftrightarrow \frac{1}{2} \times 10 \times d_2 = 150 \Leftrightarrow d_2 = 30$ सेमी॰.

35. माना सम चतुर्भुज के विकर्णों की लम्बाई d_1 तथा d_2 हैं. तब, $d_2 = 2d_1$.

$\therefore \quad \frac{1}{2} \times d_1 \times d_2 = 25 \Leftrightarrow \frac{1}{2} \times d_1 \times 2d_1 = 25$

$\Leftrightarrow d_1^2 = 25 \Leftrightarrow d_1 = 5.$

अत: विकर्णों की लम्बाई का योग $= (5 + 10)$ सेमी॰ $= 15$ सेमी॰.

37. समचतुर्भुज की प्रत्येक भुजा $= \frac{56}{4}$ सेमी॰ $= 14$ सेमी॰, ऊँचाई $= 5$ सेमी॰.

क्षेत्रफल = (आधार × ऊँचाई) $= (14 \times 5)$ वर्ग सेमी॰ $= 70$ वर्ग सेमी॰.

38. $OA = \frac{1}{2} \times AC = \left(\frac{1}{2} \times 24\right)$ सेमी॰ $= 12$ सेमी॰.

$OB = \frac{1}{2} \times BD = \left(\frac{1}{2} \times 10\right)$ सेमी॰ $= 5$ सेमी॰.

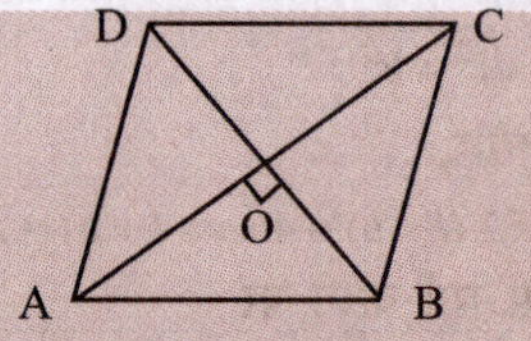

$AB^2 = OA^2 + OB^2 = (12)^2 + 5^2 = (144 + 25) = 169$

$\Leftrightarrow \quad AB = \sqrt{169} = 13$ सेमी॰.

$\Leftrightarrow$ परिमिति $= (4 \times 13)$ सेमी॰ $= 52$ सेमी॰.

39. माना समचतुर्भुज $ABCD$ के विकर्ण परस्पर बिन्दु O पर काटते हैं.

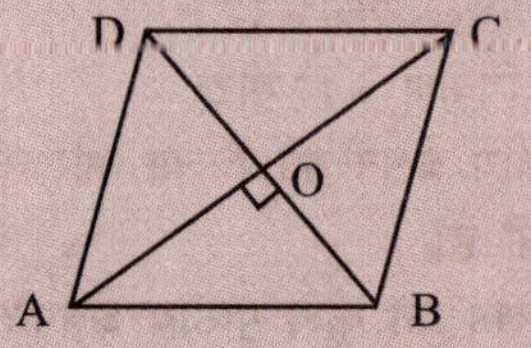

माना $AC = 48$ सेमी॰ तथा $AB = 26$ सेमी॰.

तब, $OA = \frac{1}{2} \times AC = 24$ सेमी॰, $AB = 26$ सेमी॰

तथा $\angle AOB = 90°$.

$\therefore \quad OB^2 = AB^2 - OA^2 = (26)^2 - (24)^2$

$= (26 + 24)(26 - 24) = (50 \times 2) = 100$

$\Rightarrow \quad OB = 10$ सेमी॰.

$\Rightarrow \quad BD = (2 \times OB) = (2 \times 10)$ सेमी॰ $= 20$ सेमी॰.

$\therefore \quad ABCD$ का क्षेत्रफल $= \frac{1}{2} \times AC \times BD = \left(\frac{1}{2} \times 48 \times 20\right)$

$= 480$ वर्ग सेमी॰.

40. अभीष्ट क्षेत्रफल $= \left(63 \times 63 - 4 \times \frac{1}{4} \times \frac{22}{7} \times \frac{63}{2} \times \frac{63}{2}\right)$ वर्ग मी॰

$= 850{\cdot}5$ वर्ग मी॰.

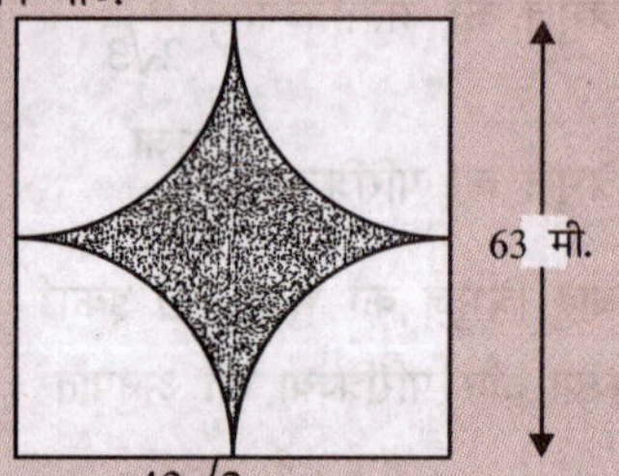

41. वर्ग की भुजा $= \frac{43\sqrt{2}}{\sqrt{2}} = 43$ मीटर

प्रश्नानुसार, वर्ग का परिमाप = आयत का परिमाप = 172 मीटर

माना, आयत की चौड़ाई $= s$ मीटर

$\therefore$ इसकी लंबाई $= (s + 8)$

$\therefore \quad 2(s + 8 + s) = 172$

$\Rightarrow \quad 2s + 8 = \frac{172}{2} = 86 \quad \Rightarrow \quad 2s = 86 - 8 = 78$

$\Rightarrow \quad s = \frac{78}{2} = 39$ मीटर

$\therefore$ लंबाई $= 39 + 8 = 47$ मीटर

$\therefore$ आयत का क्षेत्रफल

$= (\text{लम्बाई} \times \text{चौड़ाई}) = 47 \times 39 = 1833$ वर्ग मीटर

42. दिये गए प्रश्न के अनुसार, $\frac{2r}{h} = \frac{7}{5}$

$\Rightarrow \Rightarrow \frac{r}{h} = \frac{7}{10}$ माना, $r = 7y$ मीटर $h = 10y$ मीटर

$\therefore$ वक्र पृष्ठीय क्षेत्रफल $= 2\pi rh$

बेलन का आयतन $= \pi r^2 h$

$\therefore \quad \frac{2\pi \times 7y \times 10y}{\pi \times 7y \times 7y \times 10y} = \frac{1}{7}$

$\Rightarrow \quad y = 2$

$\therefore \quad r = 7 \times 2 = 14$ मीटर

$h = 10 \times 2 = 20$ मीटर

$\therefore$ कुल पृष्ठीय क्षेत्रफल $= 2\pi r(r+h)$

$= 2 \times \frac{22}{7} \times 14(14+20) = 2992$ वर्ग मीटर

43. वर्गाकार खेल के मैदान का क्षेत्रफल =1127.6164 वर्ग मीटर

वर्गाकार मैदान की भुजा $= \sqrt{1127.6164} = 33.58$ मीटर

$\therefore$ वर्गाकार मैदान का परिमाप $= (4 \times 33.58)$ मीटर

$= 134.32$ मीटर

अत: अभीष्ट समय $= \left(\frac{134.32}{\frac{49}{20}}\right)$ मिनट

$= \left(\frac{134.32 \times 20}{49}\right)$ मिनट $= 54.82$ मिनट

44. दिया है, $r_1 = 68$ सेमी.

$r_2 = 22$ सेमी.

छायांकित भाग का क्षेत्रफल $= \pi\left(r_1^2 - r_2^2\right)$

$= \pi\left(r_1 + r_2\right)(r_1 - r_2) = \pi(68+22)(68-22)$

$= \pi \times 90 \times 46 = 4140\pi$ वर्ग सेमी.

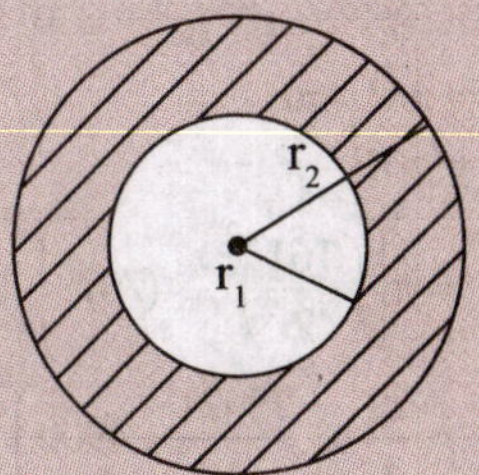

45. एक वृत्ताकार मैदान का क्षेत्रफल $= \frac{\text{कुल व्यय}}{\text{प्रति वर्ग मीटर दर}}$

$= \left(\frac{7700}{\frac{1}{2}}\right)$ वर्ग मीटर

$= (7700 \times 2)$ वर्ग मीटर $= 15400$ वर्ग मीटर

अगर मैदान की त्रिज्या $= x$ मीटर हो तो $\pi x^2 = 15400$

$\Rightarrow \quad \frac{22}{7}x^2 = 15400 \Rightarrow x^2 = \frac{15400 \times 7}{22} = 7 \times 700$

$\therefore \quad x = \sqrt{7 \times 7 \times 100} = 70$ मीटर

$\therefore$ वृत्ताकार मैदान की परिधि $= 2\pi r$ मीटर

$= 2 \times \frac{22}{7} \times 70 = 440$

$\therefore$ बाड़ लगाने का खर्चा $= ₹(440 \times 1.2) = ₹\ 528$

46. दिया गया है, बेलन की ऊँचाई = 4 सेमी.
कुल पृष्ठीय क्षेत्रफल $= 2\pi r(r+h)$

प्रश्नानुसार, $\quad 2\pi r(r+h) = 8\pi$

$\Rightarrow \quad r(r+4) = 4 \Rightarrow r^2 + 4r - 4 = 0$

$\Rightarrow \quad r = \frac{-4 \pm \sqrt{16+16}}{2} = \frac{-4 \pm \sqrt{32}}{2}$

$= \frac{-4 \pm 4\sqrt{2}}{2} = -2 + 2\sqrt{2}$ क्योंकि $r \neq -2 - 2\sqrt{2}$

47. माना, $AB = x$ सेमी.

$BC = y$ सेमी.

प्रश्नानुसार, $\quad x + y = 6 \quad \ldots(i)$

और आयत का विकर्ण $= \sqrt{x^2 + y^2} =$ वर्ग की भुजा

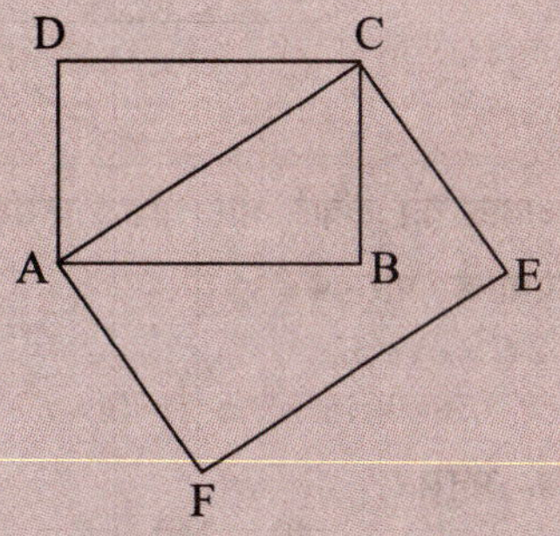

$\therefore \quad \frac{\text{वर्ग का क्षेत्रफल}}{\text{आयत का क्षेत्रफल}} = \frac{\left(\sqrt{x^2+y^2}\right)^2}{xy}$

$\Rightarrow \quad \frac{5}{2}=\frac{x^2+y^2}{xy} \quad \Rightarrow \frac{5}{4}=\frac{x^2+y^2}{2xy}$

$\Rightarrow \quad \frac{5+4}{5-4}=\frac{x^2+y^2+2xy}{x^2+y^2-2xy}$ [योगांतर निष्पति से]

$\Rightarrow \quad \frac{9}{1}=\frac{(x+y)^2}{(x-y)^2}$

$\Rightarrow \quad \frac{9}{1}=\frac{6\times 6}{(x-y)^2}$ ..[(i) से]

$\Rightarrow (x-y)^2=\frac{6\times 6}{9}=4 \quad \Rightarrow x-y=2$ ...(ii)

$\therefore$ वर्ग का क्षेत्रफल $= x^2+y^2$

$=\frac{1}{2}[(x+y)^2+(x-y)^2] \quad =\frac{1}{2}(36+4)$

$=\frac{1}{2}\times 40 = 20$ वर्ग सेमी.

48. अंत: वृत्त की त्रिज्या $=\frac{x}{2\sqrt{3}}$ सेमी.

परि वृत्त की त्रिज्या $=\frac{x}{\sqrt{3}}$ सेमी.

जहाँ $x =$ त्रिभुज की भुजा

$\therefore$ अभीष्ट क्षेत्रफल = परिवृत्त का क्षेत्रफल

अंत:वृत्त का क्षेत्रफल $=\pi\left(\left(\frac{x}{\sqrt{3}}\right)^2-\left(\frac{x}{2\sqrt{3}}\right)^2\right)$

$=\pi\left(\frac{x^2}{3}-\frac{x^2}{12}\right)=\pi\left(\frac{4x^2-x^2}{12}\right) \quad =\frac{3x^2\pi}{12}=\frac{\pi x^2}{4}$

$=\frac{22}{7}\times\frac{8\times 8}{4} \quad =\frac{352}{7}=50\frac{2}{7}$ वर्ग सेमी.^{2}

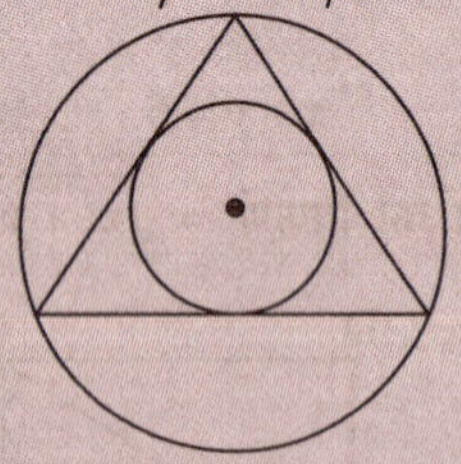

49. माना आयत की लंबाई और चौड़ाई क्रमश: l मी और b मी है।

दिया गया है, परिमाप = 32 मी

$\Rightarrow \quad 2(l+b)=32$

$\Rightarrow \quad l+b=16 \quad \Rightarrow l=16-b$

प्रश्न के अनुसार,

$l=l+l\times\frac{40}{100}=\frac{140}{100}l=\frac{7}{5}l$ m

$\therefore \quad \frac{7}{5}lb-lb=24\text{m}^2$

$\Rightarrow \quad \frac{2}{5}lb=24$

$\Rightarrow \quad lb=60$

$\Rightarrow \quad (16-b)\,b=60$

$\Rightarrow \quad 16b-b^2=60$

$\Rightarrow \quad b^2-16b+60=0$

$\Rightarrow \quad (b-10)(b-6)=0$

$\Rightarrow \quad b=6$ मीटर

50. माना आयत की लंबाई और चौड़ाई क्रमश: l सेमी और b सेमी है।

वर्ग का क्षेत्रफल = 400 सेमी^{2} [दिया गया]

$a^2=400$

$a=\sqrt{400}=20$ सेमी

अब, प्रश्न के अनुसार,

लम्बाई $= a+a\times\frac{40}{100}=\frac{140a}{100}=\frac{7}{5}\times 20=28$ सेमी

हमारे पास है,

आयत का परिमाप = वर्ग का परिमाप

$\therefore$ आयत का परिमाप $= 4\times 20$

$\Rightarrow \quad 2(l+b)=80$

$\Rightarrow \quad l+b=40$

$\Rightarrow \quad 28+b=40$

$\Rightarrow \quad b=12$ सेमी

$\therefore$ आयत का क्षेत्रफल $= l\times b$

$= 28\times 12 = 336$ सेमी^{2}

51. माना ट्रैक की बाहरी और भीतरी त्रिज्या क्रमश: R मीटर और r मीटर है।

हमारे पास है,

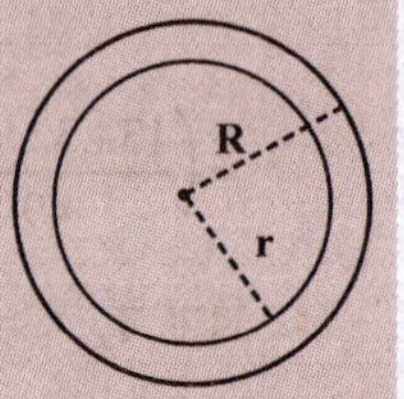

भीतरी परिधि = 440 मीटर

$\Rightarrow \quad 2\pi r = 440$

$\Rightarrow \quad 2\times\frac{22}{7}\times r=440$

$\Rightarrow \quad r = 70$ मीटर

तथा बाहरी परिधि = 506 मीटर

$\Rightarrow \quad 2\pi R = 506$

$\Rightarrow \quad 2\times\frac{22}{7}\times R=506$

$\Rightarrow \quad R=\frac{23\times 7}{2}=\frac{161}{2}$ मी

अब, रेस ट्रैक का क्षेत्रफल = ट्रैक का बाहरी क्षेत्रफल – ट्रैक का भीतरी इलाका

$=\pi R^2-\pi r^2$

$=\pi(R^2-r^2)$

$=\pi\left(\left(\frac{161}{2}\right)^2-(70)^2\right)$

$=\frac{22}{7}\times\left(\frac{25921}{4}-4900\right)$

$= \frac{22}{7} \times \left(\frac{25921 - 19600}{4}\right) = \frac{22}{7} \times \frac{6321}{4} = \frac{9933}{2}$ मी^{2}

इस प्रकार, ट्रैक को समतल करने की लागत $= \frac{9933}{2} \times 6$

$= ₹ 29799$

52. $AD = 4\sqrt{3}$ सेमी

दिया है कि ABC एक समबाहु त्रिभुज है।

$\therefore \quad AB = BC = AC$

पाइथोगोरस प्रमेय द्वारा, हम प्राप्त करते हैं

$AB^2 = AD^2 + BD^2$

$\Rightarrow \quad AD^2 = AB^2 - BD^2$

$\Rightarrow \quad (4\sqrt{3})^2 = AB^2 - \frac{BC^2}{4}$

$\Rightarrow \quad 48 = AB^2 - \frac{AB^2}{4} \quad [\because AB = BC = AC]$

$\Rightarrow \quad 48 = \frac{3}{4}AB^2$

$\Rightarrow \quad 64 = AB^2$

$\Rightarrow \quad AB = 8$ सेमी

अब, ΔABC का परिमाप $= 3 \times$ भुजा $= 3 \times 8 = 24$ सेमी

वैकल्पिक तरीका:

हमारे पास है,

$AD = 4\sqrt{3}$ सेमी

$\Rightarrow \quad \Delta ABC$ की ऊँचाई $= 4\sqrt{3}$ सेमी

$\Rightarrow \quad \frac{\sqrt{3}}{2} \times$ भुजा $= 4\sqrt{3}$

$\Rightarrow$ भुजा $= 8$ सेमी

$\therefore \quad \Delta ABC$ का परिमाप $= 3 \times$ भुजा

$= 3 \times 8 = 24$ सेमी

53. माना एक आयत की लंबाई और चौड़ाई क्रमशः $4a$ और $7a$ है।

हमारे पास है,

आयत का परिमाप $= 88$ सेमी

$\Rightarrow \quad 2 \times (4a + 7a) = 88$

$\Rightarrow \quad 2 \times 11a = 88$

$\Rightarrow \quad a = 4$ सेमी

$\therefore \quad l = 4a = 16$ सेमी

$b = 7a = 28$ सेमी

इस प्रकार, क्षेत्रफल $= l \times b = 16 \times 28 = 448$ सेमी^{2}

54. माना एक समकोण त्रिभुज के आधार और लंब भुजा का अनुपात क्रमशः $3x$ और $4x$ है।

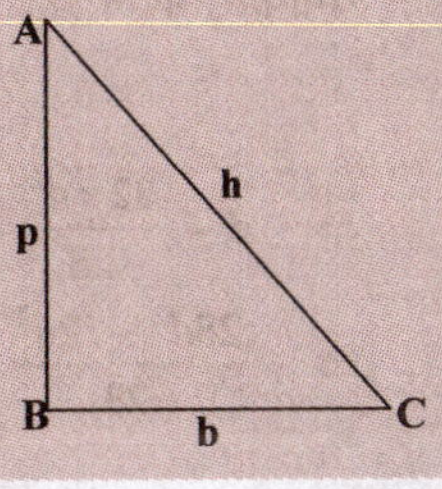

मान लें कि

वर्ग का क्षेत्रफल

$= 81$ सेमी^{2}

$\Rightarrow$ भुजा $\times$ भुजा $= 81$

$\Rightarrow$ वर्ग की भुजा $= 9$ सेमी

साथ ही, त्रिभुज का आधार = वर्ग की भुजा $= 9$ सेमी

$\Rightarrow \quad 3x = 9$

$\Rightarrow \quad x = 3$ सेमी

$\therefore \quad$ लंब $= 4x = 12$ सेमी

अब पाइथागोरस प्रमेय द्वारा

$h = \sqrt{b^2 + p^2}$

$= \sqrt{9^2 + 12^2} = \sqrt{81 + 144} = \sqrt{225} = 15$ सेमी

अब, त्रिभुज का परिमाप $= p + b + h$

$= AB + BC + AC$

$= 9 + 12 + 15 = 36$ सेमी

55. माना वर्ग की भुजा $4x$ सेमी है।

$\therefore \quad$ आयत की लम्बाई $= 4x \times \frac{3}{4} = 3x$ सेमी

चौड़ाई $= 2x$

अभी,

मान लें कि

वर्ग का परिमाप – आयत का परिमाप = 36 सेमी

$\Rightarrow 4 \times 4x - 2(3x + 2x) = 36$

$\Rightarrow 16x - 10x = 36$

$\Rightarrow 6x = 36$

$\Rightarrow x = 6$ सेमी

साथ ही, यह देखते हुए

त्रिभुज का परिमाप = आयत का परिमाप

$\Rightarrow$ त्रिभुज का परिमाप $= 2(3x + 2x)$

$= 2 \times 5x = 2 \times 5 \times 6 = 60$ सेमी

56. हमारे पास है

$AQ = 4.5$ सेमी

$AR = AQ = 4.5$ सेमी

[$\because$ वृत्त के बाहरी बिंदु से स्पर्श रेखाएँ बराबर होती हैं]

$BR = BP = 6$ सेमी

$PC = CQ = 5.5$ सेमी

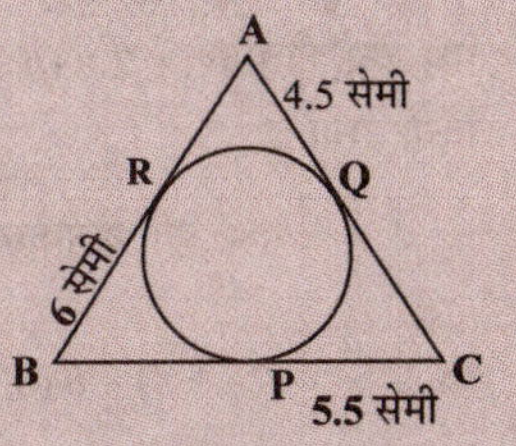

अब, $AB = AR + BR$

$= 4.5 + 6 = 10.5$ सेमी

$BC = BP + PC$

$= 6 + 5.5. = 11.5$ सेमी

$AC = AQ + QC$

$= 4.5 + 5.5 = 10$ सेमी

$\therefore \quad$ त्रिभुज का परिमाप $= 10.5 + 11.5 + 10 = 32$ सेमी

57. माना $ABCD$ समलम्ब के आकार का एक क्षेत्र है।

हमारे पास है,

$AB = EF = 200$ मीटर

$DE = FC = 100$ मीटर

$AD = BC = 260$ मीटर

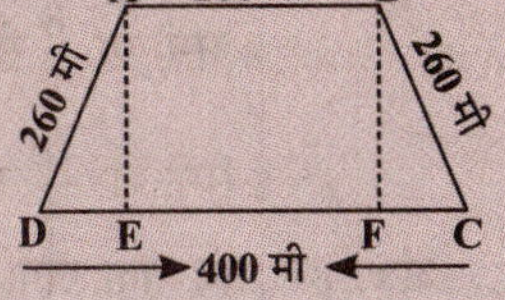

हम जानते हैं कि समलंब का क्षेत्रफल

$$= \frac{1}{2} \times \text{समांतर भुजाओं का योग} \times \text{ऊँचाई}$$

ΔADE में, पाइथागोरस प्रमेय द्वारा

$$AE = \sqrt{AD^2 - DE^2} = \sqrt{260^2 - 100^2}$$

$$= \sqrt{67600 - 10000} = \sqrt{57600} = 240 \text{ मी}$$

अब खेत का क्षेत्रफल $= \frac{1}{2} \times AE \times (AB + DC)$

$$= \frac{1}{2} \times 240 \times (200 + 400)$$

$$= \frac{1}{2} \times 240 \times 600 = 240 \times 300 = 72000 \text{ मीटर}^2$$

58. यह देखते हुए वृत्ताकार पार्क का परिमाप = 210 मीटर

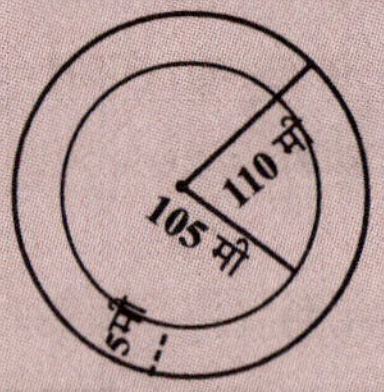

वृत्ताकार की त्रिज्या

पार्क $= \frac{210}{2} = 105$ मीटर $= r$

दिया गया है कि वृत्त के चारों ओर 5 मीटर चौड़ा पथ है।

$\therefore$ बाहरी पथ सहित वृत्ताकार पार्क की त्रिज्या

पथ = 110 मीटर = R

अब पथ का क्षेत्रफल $= \pi (R^2 - r^2)$

$$= \pi (110^2 - 105^2)$$
$$= \pi (110 + 105)(110 - 105)$$
$$= \pi (215) \times 5 = 1075\pi \text{ m}^2$$

59. माना आयत की चौड़ाई $= b$ सेमी

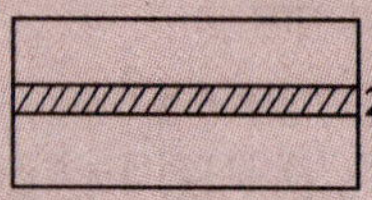

आयत की लम्बाई

$= (b + 4)$ सेमी

आयत का क्षेत्रफल = लंबाई × चौड़ाई

$$= b \times (b + 4)$$

पथ का क्षेत्रफल $= 2 \times (b + 4) = 2b + 8$

दिया गया है,

$$\frac{4}{3} \times \text{पथ का क्षेत्रफल} = \text{आयत का क्षेत्रफल}$$

$\Rightarrow \quad \frac{4}{3} \times (2b + 8) = b(b + 4)$

$\Rightarrow \quad 8b + 32 = 3b^2 + 12b$

$\Rightarrow \quad 3b^2 + 4b - 32 = 0$

$\Rightarrow \quad 3b^2 + 8b - 12b - 32 = 0$

$\Rightarrow \quad 3b(b - 4) - 8(b - 4) = 0$

$\Rightarrow \quad (3b - 8)(b - 4) = 0$

$b = 4$ सेमी या $\frac{8}{3}$ सेमी

$l = 8$ सेमी या $\frac{20}{3}$ सेमी

अब, हम सब पता लगा सकते हैं।

60. हमारे पास है,

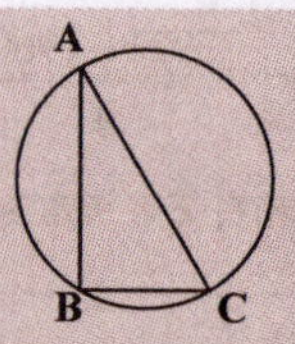

$$x^2 - 23x + 120 = 0$$
$$x^2 - 15x - 8x + 120 = 0$$
$$(x - 15)(x - 8) = 0$$
$$x = 15 \quad \text{या } 8$$

अब, $l = 15$ सेमी

$b = 8$ सेमी (या इसके विपरीत)

पाइथागोरस प्रमेय द्वारा,

$$h = \sqrt{15^2 + 8^2} = \sqrt{225 + 64} = \sqrt{289} = 17 \text{ सेमी}$$

अब हमारे पास है

वृत्त की त्रिज्या = कर्ण का आधा

$$= \frac{17}{2} = 8.5$$

$\therefore$ वृत्त का क्षेत्रफल $= \pi r^2$

$$= \frac{22}{7} \times 8.5 \times 8.5 = 227 \text{ सेमी}^2 \text{ (लगभग)}$$

इस प्रकार, केवल I दिए गए वृत्त का क्षेत्रफल ज्ञात करने के लिए पर्याप्त है।

61. माना चौराहे की चौड़ाई x मीटर है।

अब, हमारे पास आयताकार पार्क का क्षेत्रफल है

$$= (55 \times 45) \text{मीटर}^2$$

चौराहे का क्षेत्रफल $= (55 \times x + 45 \times x) - x^2$

$$= 100x - x^2$$

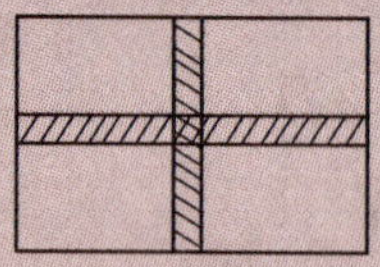

अब, लॉन का क्षेत्रफल = आयताकार पार्क का क्षेत्रफल – चौराहे का क्षेत्रफल

$\Rightarrow \quad 55 \times 45 - (100x - x^2) = 1911$

$\Rightarrow \quad 2475 - 1911 = 100x - x^2$

$\Rightarrow \quad 564 = 100x - x^2$

$\Rightarrow \quad x(100 - x) = 564 = 6 \times 94$

$\Rightarrow \quad x = 6$ मीटर

62. माना वर्ग का व्यास $= d$ मीटर

$\therefore$ त्रिज्या $= \frac{d}{2}$ मीटर

मान लीजिए

वर्गाकार खेत की भुजा = वृत्ताकार खेत का व्यास $= d$ मीटर

अब हमारे पास

वर्गाकार मैदान का क्षेत्रफल – वृत्ताकार मैदान का क्षेत्रफल

$= 168$ वर्ग मीटर $d \times d = \pi\left(\frac{d}{2}\right)^2 = 168$

$\Rightarrow \quad d^2 - \frac{22 \times d^2}{28} = 168$

$\Rightarrow \quad \frac{28d^2 - 22d^2}{28} = 168$

$\Rightarrow \quad \frac{6d^2}{28} = 168$

$\Rightarrow \quad d^2 = 28 \times 28$

$\Rightarrow \quad d = 28$ मीटर

अब,

वर्ग का परिमाप $= 4 \times$ भुजा $= 4 \times 28 = 112$ मीटर

$\therefore$ वर्गाकार खेत के चारों ओर बाड़ लगाने का व्यय $= 112 \times 20 =$ ₹ 2,240

63. दिया गया है,

साइकिल के पहिये का व्यास = 14 सेमी

$\therefore$ त्रिज्या = 7 सेमी = 0.07 मीटर

साइकिल सवार द्वारा एक चक्कर में तय की गई कुल दूरी

$= 2\pi r = 2 \times \frac{22}{7} \times 0.07 = 0.44$ मीटर

अब, साइकिल सवार द्वारा तय की गई कुल दूरी = चाल × समय

$= 11 \times \frac{30}{60} \times 1000 = 5500$ मीटर

$\therefore$ चक्करों की कुल संख्या $= \frac{5500}{0.44} = 12500$

64. माना आयत की लंबाई और चौड़ाई क्रमशः $5x$ और $7x$ है।

अब, प्रश्न के अनुसार,

वृत्ताकार तार का परिमाप = आयत का परिमाप = 168 सेमी

अब,

अपने पास,

$2(l + b) = 168$

$\Rightarrow \quad 2(5x + 7x) = 168$

$\Rightarrow \quad 2 \times 12x = 168$

$\Rightarrow \quad x = 7$ सेमी

लंबाई $= 5x = 35$ सेमी

चौड़ाई $= 7x = 49$ सेमी

आयत के विकर्ण की लंबाई

$= \sqrt{l^2 + b^2}$

$= \sqrt{35^2 + 49^2}$

$= \sqrt{1225 + 2401}$

$= \sqrt{3626}$ सेमी

65. ΔABC में

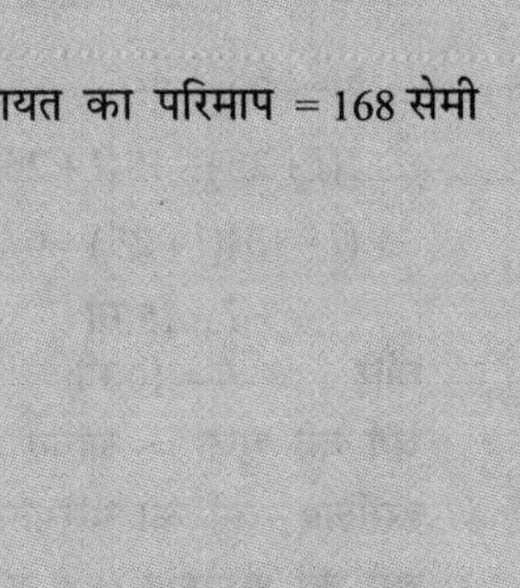

$\frac{ar(\Delta ADE)}{ar(\Delta ABC)} = \frac{AD^2}{BD^2}$

$\Rightarrow \quad \frac{ar(\Delta ADE)}{200} = \frac{1}{25}$

$\Rightarrow$ क्षेत्रफल (ΔADE)

$= 8$ सेमी²

क्षेत्रफल (चतुर्भुज $DECB$)

= क्षेत्रफल (ΔABC) – क्षेत्रफल (ΔADE)

$= 200 - 8 = 192$ सेमी²

66. हमारे पास है,

क्षेत्रफल (ΔADP) : क्षेत्रफल $(\Delta PDB) = 2 : 1$

क्षेत्रफल (ΔBDQ) : क्षेत्रफल $(\Delta QDC) = 1 : 2$

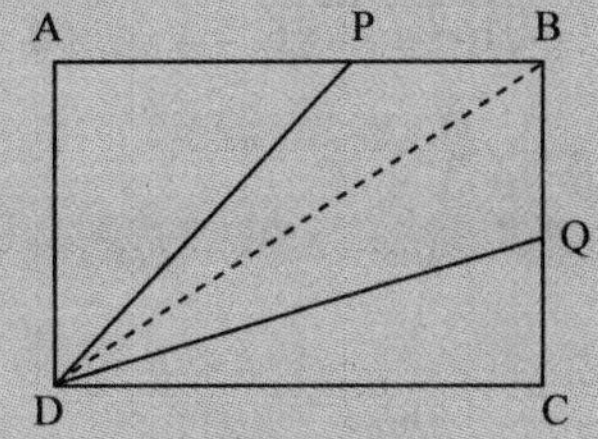

[$\because$ PB, AB का एक-तिहाई है और BQ, BC का एक-तिहाई है]

अभी, मान लें कि

क्षेत्रफल $(\Delta BPDQ) = 20$ सेमी²

$\therefore$ क्षेत्रफल (ΔPDB) = क्षेत्रफल $(\Delta BDQ) = 10$ सेमी²

अब, कुल क्षेत्रफल = क्षेत्रफल (ΔAPD) + क्षेत्रफल (ΔPDB) + क्षेत्रफल (ΔBDQ) + क्षेत्रफल (ΔQCD)

$= 20 + 10 + 10 + 20 = 60$ सेमी²

67. यह देखते हुए,

वर्ग का विकर्ण $= 12\sqrt{6}$ मीटर

$\sqrt{2} \times$ भुजा $= 12\sqrt{6}$

भुजा $= 12 \times \sqrt{3}$ मीटर

साथ ही यह भी दिया

$l - b = 6$ मीटर

[जहाँ l आयत की लम्बाई और b चौड़ाई हो]

हमारे पास है,

आयत का क्षेत्रफल = वर्ग का क्षेत्रफल

= भुजा × भुजा $= 12\sqrt{3} \times 12\sqrt{3} = 432$ मीटर²

$\Rightarrow \quad lb = 432$

अभी, $(l + b)^2 = (l - b)^2 + 4\,lb$

$= (6)^2 + 4 \times 432 = 36 + 1728 = 1764$

$\therefore l + b = 42$ मीटर

अब आयत का परिमाप $= 2 \times (l + b) = 2 \times (42) = 84$ मीटर

68. एक समद्विबाहु त्रिभुज का आधार $= x$ सेमी

समान भुजाएँ $= \frac{5}{6}x$ सेमी [दिया गया]

प्रश्न के अनुसार,

$x + \frac{5}{6}x + \frac{5}{6}x = 32 \Rightarrow \frac{16x}{6} = 32$

$\Rightarrow \quad x = 12$ सेमी

$\therefore$ आधार = 12 सेमी

समान भुजाएँ = 10 सेमी

अब, त्रिभुज का क्षेत्रफल $= \sqrt{s(s-a)(s-b)(s-c)}$

$s = 16$ सेमी

$a = 12$ सेमी

$b = c = 10$ सेमी

$\Rightarrow$ क्षेत्रफल $= \sqrt{16(16-12)(16-10)(16-10)}$

$= \sqrt{16 \times 4 \times 6 \times 6} = 4 \times 2 \times 6 = 48$ सेमी^{2}

69.

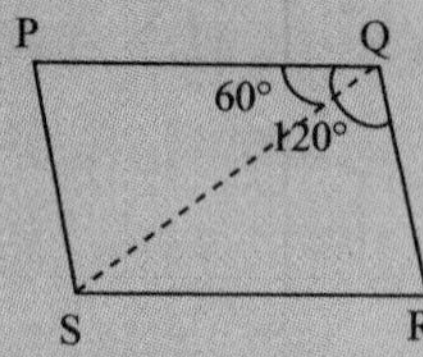

उपरोक्त चित्र से,

$\angle PSQ = \angle PQS = \angle QPS = 60°$

[$\because PQS$ एक समबाहु त्रिभुज है]

इसलिए, $QS = PQ = RS = 8$ सेमी

70. माना समचतुर्भुज का दूसरा विकर्ण $= x$ इकाई

विकर्णों में से एक $= \frac{7x}{10}$ इकाई

वर्ग की भुजा = बड़े विकर्ण की लंबाई $= x$ इकाई

$\because$ समचतुर्भुज के क्षेत्रफल का वर्ग के क्षेत्रफल से अनुपात

$$= \frac{\frac{1}{2} \times x \times \frac{7x}{10}}{x \times x} = 7:20$$

71. हमारे पास है, NR = QM = SN = 9 सेमी

PS = 12 सेमी = MN

QR = QM + MN + NR = 9 + 12 + 9 = 30 सेमी

हम जानते हैं कि समलंब का क्षेत्रफल

$= \frac{1}{2} \times$ समांतर भुजाओं का योग $\times$ ऊँचाई

$= \frac{1}{2} \times (PS + QR) \times SN = \frac{1}{2} \times 42 \times 9 = 189$ सेमी^{2}

72.

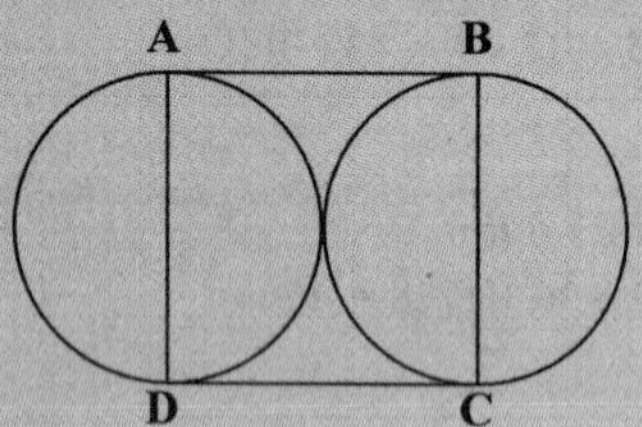

माना वर्ग की प्रत्येक भुजा की लंबाई $= 2\pi$

प्रश्न के अनुसार,

$\frac{\pi r^2}{2} + \frac{\pi r^2}{2} + 42 =$ वर्ग का क्षेत्रफल

$\Rightarrow \pi r^2 + 42 = 4r^2 \Rightarrow 4r^2 - \pi r^2 = 42$

$\Rightarrow r^2\left(4 - \frac{22}{7}\right) = 42$

$\Rightarrow r^2\left(\frac{28-22}{7}\right) = 42 \Rightarrow \frac{6r^2}{7} = 42$

$\Rightarrow \quad r^2 = \frac{42 \times 7}{6} \Rightarrow r^2 = 7 \times 7 \Rightarrow r = 7$

$\therefore \quad 2r = 14$ सेमी

73. दी गई पीतल की वर्गाकार आधार प्लेट की लंबाई और चौड़ाई x सेमी और 1 मिमी है।

वर्गाकार आधार की प्लेट का आयतन

= आधार का क्षेत्रफल × ऊँचाई

$= x^2 \times \frac{1}{10} = \frac{x^2}{10}$ घन सेमी

प्रश्न के अनुसार,

$\frac{x^2}{10} \times 8.4 = 4725 \Rightarrow x^2 = \frac{4725 \times 10}{8.4} = 5625$

$\Rightarrow \quad x = \sqrt{5625} = 75$ सेमी

74. माना आयत की लंबाई l मी और चौड़ाई b मी है

तब आयत का क्षेत्रफल $= l \times b$

$lb = 150$ मीटर^2 ....(i)

प्रश्न के अनुसार,

$(l-5) \times (b+2) = 150 - 30 = 120$

$\Rightarrow (l-5) \times (b+2) = 120$ ... (ii)

$\Rightarrow lb - 5b + 2l - 10 = 120$

$\Rightarrow 150 - 5b + 2l - 10 = 120 \Rightarrow 5b - 2l = 20$

$\Rightarrow \frac{5 \times 150}{l} - 2l^2 = 20l$

$\Rightarrow 2l^2 + 20l - 750 = 0 \Rightarrow l^2 + 10l - 375 = 0$

$\Rightarrow l(l+25) - 15(l+25) = 0$

$\Rightarrow (l-15)(l+25) = 0$

$l = 15$ मी

और $b = 10$ मी

वर्ग की भुजा = आयत की लंबाई (दिया गया है)

इसलिए, वर्ग का परिमाप $= 4 \times l = 4 \times 15 = 60$ मीटर

75. वर्ग का क्षेत्रफल = 4 वर्ग मीटर इकाई

वर्ग की भुजा $= \sqrt{4} = 2$ इकाई

वर्ग का विकर्ण $= 2\sqrt{2}$ इकाई

वृत्त की त्रिज्या $= 2\sqrt{2}$ इकाई

$\therefore$ वृत्त का क्षेत्रफल $= \pi r^2 = \pi \times \left(2\sqrt{2}\right)^2 = 8\pi$ वर्ग इकाई

76. त्रिभुज की ऊँचाई = वर्ग का परिमाप

वर्ग का विकर्ण $= 8\sqrt{2}$ मीटर

$\therefore$ वर्ग की प्रत्येक भुजा की लंबाई $= \frac{8\sqrt{2}}{\sqrt{2}} = 8$ मीटर

$\therefore$ वर्ग का परिमाप $= 4 \times 8 = 32$ मीटर = ऊँचाई

दूसरे वर्ग का क्षेत्रफल = 729

वर्ग की भुजा $= \sqrt{729} = 27$ मीटर = त्रिभुज का आधार

$\therefore$ त्रिभुज का क्षेत्रफल

$= \frac{1}{2} \times$ आधार $\times$ ऊँचाई

$= \frac{1}{2} \times 27 \times 32 = 432$ वर्ग मीटर

77. एक आयताकार भूखंड के चारों ओर चारदीवारी बनाने की कुल लागत = ₹ 46000

प्रति मीटर निर्माण की दर = ₹ 200

आयताकार भूखंड की परिधि $= \frac{46000}{200} = 230$ मीटर

माना आयताकार भूखंड की लंबाई और चौड़ाई क्रमशः $13x$ मीटर और $10x$ मीटर है।

$\therefore\ 2(13x+10x) = 230 \Rightarrow 2\times 23x = 230$

$\Rightarrow \quad x = \frac{230}{2\times 23} = 5$

$\therefore$ लम्बाई $= 13 \times 5 = 65$ मीटर

चौड़ाई $= 10 \times 5 = 50$ मीटर

$\therefore$ भूखंड का क्षेत्रफल $= 65 \times 50 = 3250$ वर्ग मीटर

78. मान लीजिए कि प्रत्येक वृत्त की त्रिज्या 'r' सेमी है।

तब वर्ग की भुजा '$2r$' सेमी होगी, जो वर्ग में चारों वृत्तों द्वारा आच्छादित है।

$$= 4\times\frac{1}{4}\times\pi r^2 = \pi r^2 \text{ सेमी}^2$$

वर्ग का क्षेत्रफल $=(2r)^2 = 4r^2$ सेमी^{2}

अब, प्रश्न के अनुसार,

चौक का बचा हुआ क्षेत्रफल

$$4r^2 - \pi r^2 = 168$$

$$r^2\left(4-\frac{22}{7}\right) = 168$$

$$r^2 \times (28-22) = 168\times 7$$

$$r^2 = \frac{168\times 7}{6} = 28\times 7 = 7\times 4\times 7$$

$$\therefore \quad r = \sqrt{7\times 7\times 4} = 7\times 2 = 14 \text{ सेमी}$$

79. आंगन की लंबाई और चौड़ाई क्रमशः 25 मीटर लंबी और 16 मीटर दी गई है।

आंगन का क्षेत्रफल = (25 × 16) वर्ग मीटर^2 = 400 वर्ग मीटर^2

ईंटों का परिमाण = 20 सेमी × 10 सेमी

ईंट की सतह का क्षेत्रफल $=\left(\frac{20\times 10}{10000}\right)$ मीटर^2

$\therefore$ ईंटों की संख्या $= \dfrac{400}{\frac{20\times 10}{10000}} = \dfrac{400\times 10000}{20\times 10} = 20000$ ईंट

80. वर्ग का क्षेत्रफल = 3136 सेमी^{2}

वर्ग की भुजा $= \sqrt{3136} = 56$ सेमी

वर्ग का परिमाप $= 4a$

$= (4\times 56)$ सेमी $= 224$ सेमी = वृत्त का व्यास

$\therefore$ वृत्त की परिधि $= \pi d$

$$\frac{22}{7}\times 224 = 704 \text{ सेमी}$$

81. त्रिभुज का आधार दिया गया है और इसकी ऊँचाई क्रमशः 15 सेमी और 12 सेमी है।

पहले त्रिभुज का क्षेत्रफल $= \frac{1}{2}$ × आधार × ऊँचाई

$= \frac{1}{2}\times 15\times 12 = 90$ वर्ग सेमी

दी गई जानकारी के अनुसार

माना त्रिभुज की ऊँचाई h सेमी है।

नए त्रिभुज का क्षेत्रफल = 180 वर्ग सेमी

आधार = 20 वर्ग सेमी

$\Rightarrow 180 = \frac{1}{2}\times 20\times h \Rightarrow h = \frac{2\times 180}{20} = 18$ सेमी

82. माना वृत्त की त्रिज्या r सेमी और वर्ग की भुजा a सेमी है। तब वृत्त की परिधि

$= 2\pi r$ और वर्ग का परिमाप $= 4a$

प्रश्न के अनुसार, $2\pi r = 4a\times\frac{110}{100}$

$$\Rightarrow \quad 2\pi r = \frac{44a}{10}$$

$$\Rightarrow \quad r = \frac{44a}{2\pi\times 10}$$

$$\Rightarrow \quad r = \frac{11a}{5\pi}$$

$$\Rightarrow \quad a = \frac{5\pi r}{11} \quad \text{....(i)}$$

साथ ही, $\pi r^2 - a^2 = 216$

$\Rightarrow \quad \pi r^2 - \frac{25\pi r^2}{121} = 216$ [समीकरण (i) से]

$$\Rightarrow \quad \frac{121\pi r^2 - 25\pi r^2}{121} = 216$$

$$\Rightarrow \quad r^2\left[121\pi - 25\pi^2\right] = 26136$$

$$\Rightarrow \quad r^2\left[121\times\frac{22}{7} - 25\times\frac{22}{7}\times\frac{22}{7}\right] = 26136$$

$$\Rightarrow \quad r^2\left[\frac{2662}{7} - \frac{12100}{49}\right] = 26136$$

$$\Rightarrow \quad r^2\left[\frac{6534}{49}\right] = 26136$$

$$\Rightarrow \quad r^2 = \frac{26136\times 49}{6534} = 196 \Rightarrow r^2 = 196$$

$\Rightarrow r = 14$ सेमी

$$\therefore \quad a = \frac{5\pi r}{11} = 5\times\frac{22}{7}\times\frac{14}{11} = 20 \text{ सेमी}$$

अतः वर्ग का विकर्ण $= \sqrt{2}a = 20\sqrt{2}$ सेमी

83.

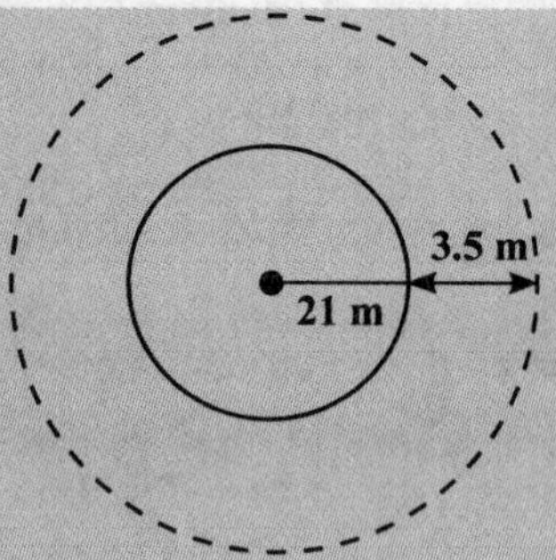

पार्क का व्यास = 42 मीटर

$\therefore$ पार्क की त्रिज्या = r_1 = 21 मीटर

पथ सहित पार्क की त्रिज्या = R_1 = 21 + 3.5 = 24.5 मीटर

$\Rightarrow$ पथ का क्षेत्रफल = $\pi(R_1)^2 - \pi(r_1)^2$

$\therefore$ पथ का क्षेत्रफल

= पथ सहित अकेले पार्क का क्षेत्रफल – पार्क का क्षेत्रफल

$= \pi\times(24.5)^2 - \pi\times(21)^2 = \pi\left[(24.5)^2-(21)^2\right]$

$= \pi[600.25-441] = \pi[15925] = \frac{159.25\times22}{7} = 500.5$ वर्ग मी

इसलिए, पथ की बजरी की लागत = 500.5 × 4 = ₹ 2002

84. कथन I से

वृत्त का परिमाप = 88 सेमी

$\Rightarrow \quad 2\pi r = 88$

$r = \frac{88\times7}{22}\times\frac{1}{2}$

$\Rightarrow \quad r = 14$

वृत्त का क्षेत्रफल = $\pi r^2 = \frac{22}{7}\times14\times14 = 616$ सेमी^{2}

कथन II से

वृत्त का व्यास = 28 सेमी

वृत्त की त्रिज्या = 14 सेमी

वृत्त का क्षेत्रफल = $\pi r^2 = \frac{22}{7}\times14\times14 = 616$ सेमी^{2}

अकेले कथन I या कथन II में दिया गया डेटा अकेले प्रश्न का उत्तर देने के लिए पर्याप्त है।

इसलिए, विकल्प (*c*) सही है।

85. माना लंबाई = l और

चौड़ाई = b

प्रश्न के अनुसार, हमारे पास है

$2(l+b) : l = 3 : 1 \Rightarrow \frac{2(l+b)}{l} = \frac{3}{1}$

$\Rightarrow \quad 2l+2b = 3l \quad \Rightarrow \quad 2b = l \quad \Rightarrow \quad \frac{l}{b} = \frac{2}{1}$

मान लीजिए, लंबाई = $2a$ और चौड़ाई a हो,

अब, $2(2a+a) = 108$

$\Rightarrow 3a = 54 \Rightarrow a = 18$

तो, चौड़ाई = 18 cm और लंबाई = 36 cm

चौड़ाई : परिधि = $\frac{18}{108}$ = 1 : 6

86. माना लंबाई = $3x$

चौड़ाई = $2x$

अब, प्रश्न के अनुसार,

$\Rightarrow (3x+5)\times2x = 2600$

$\Rightarrow 6x^2+10x = 2600$

$\Rightarrow 6x^2+10x-2600 = 0$

$\Rightarrow 3x^2+5x-1300 = 0$

$\Rightarrow 3x^2-60x+65x-1300 = 0$

$\Rightarrow 3x(x-20)+65(x-20) = 0$

$\Rightarrow (3x+65)(x-20) = 0$

$\Rightarrow x = 20$

और $x \neq \left(\frac{65}{3}\right)$ (संभव नहीं)

(लंबाई = $3x = 3\times20 = 60$

चौड़ाई = $2x = 2\times20 = 40$

$\therefore$ परिमाप = 2(60 + 40) = 200

87. माना आयत की चौड़ाई = $6x$ और वृत्त की त्रिज्या = $7x$

वृत्त का क्षेत्रफल = πr^2

$\Rightarrow 2464 = \frac{22}{7}\times7x\times7x$

$\Rightarrow x^2 = 16$

$\Rightarrow x = 4$

$\therefore$ आयत की चौड़ाई = $6x$ = 24 cm

वृत्त की त्रिज्या = $7x$ = 28 cm

$\therefore$ वृत्त की परिधि = आयत का परिमाप

$2\pi r = 2\times(l+b)$

$\Rightarrow 2\times\frac{22}{7}\times28 = 2\times(l+24) \Rightarrow 88 = l+24$

$\Rightarrow \quad l = 88-24 = 64$ cm

$\therefore$ आयत का क्षेत्रफल = $l\times b = 24\times64 = 1536$ cm^2

88. प्रश्नानुसार

छिन्नक का आयतन = लम्ब वृत्तीय बेलन का आयतन

$\frac{1}{3}\pi\left(r_1+r_2+r_1r_2\right)\times h = \pi R^2H$

$\Rightarrow \quad \frac{1}{3}(46+784+196)\times45 = 9x^2\times5x$

$\Rightarrow \quad 1029 = 3x^2 \Rightarrow x^2 = 343 \Rightarrow x = 7$ cm

$\therefore$ बेलन का वक्र पृष्ठीय क्षेत्रफल = $2\pi Rh$

$= 2\times\frac{22}{7}\times3\times7\times5\times7 = 4620$ सेमी^{2}

89. प्रश्नानुसार

गोले का आयतन = तार में प्रयुक्त धातु का आयतन

$\Rightarrow \quad \frac{4}{3}\times3\times3\times3 = 0.2\times0.2\times h$

36 = 0.04 घंटे

$h = \frac{3600}{4} = 900$ cm = 9 मीटर

[1 मीटर = 100 सेमी]

प्रश्नमाला 27B

निर्देश: प्रश्न संख्या *1* से *12* तक प्रत्येक में एक कथन/प्रश्न तथा दो कथन *I* तथा *II* दिये गये हैं. इन कथनों को पढ़कर इनका उत्तर:

(*a*) दीजिए यदि दिये गये प्रश्न का उत्तर देने के लिए *I* पर्याप्त हो तथा *II* पर्याप्त न हो;

(*b*) दीजिए यदि दिये गये प्रश्न का उत्तर देने के लिए *II* पर्याप्त हो तथा *I* पर्याप्त न हो;

(*c*) दीजिए यदि दिये गये प्रश्न का उत्तर देने के लिए *I* भी पर्याप्त हो तथा *II* भी पर्याप्त हो;

(*d*) दीजिए यदि दिये गये प्रश्न का उत्तर देने के लिए *I* तथा *II* दोनों मिलकर भी पर्याप्त न होः;

(*e*) दीजिए यदि दिये गये प्रश्न का उत्तर *I* तथा *II* दोनों को मिलाकर बना हो.

1. एक वर्ग का क्षेत्रफल क्या है? **(बैंक पी०ओ० परीक्षा, 2015)**

I. वर्ग की प्रत्येक भुजा का माप x सेमी० है.

II. वर्ग के विकर्ण की लम्बाई y सेमी० है.

2. एक मैदान का क्षेत्रफल 1600 वर्ग मीटर है. इसकी परिमिति कितनी है? **(बैंक पी०ओ० परीक्षा, 2013)**

I. यह एक पूर्ण वर्गाकार मैदान है.

II. इस मैदान के चारों ओर ₹ 20 प्रति मीटर की दर से बाड़ लगाने का खर्च ₹ 3200 है.

3. आयत का क्षेत्रफल कितना है?

I. इसकी लम्बाई तथा चौड़ाई का अनुपात 3 : 2 है.

II. आयत के क्षेत्रफल का मान इसकी परिमिति का 3.6 गुना है.

4. आयत का क्षेत्रफल कितना है? **(बैंक पी०ओ० परीक्षा, 2014)**

I. इसकी भुजाओं का अन्तर 5 सेमी है.

II. इसके विकर्ण की लम्बाई 10 सेमी० है.

5. एक वर्ग का क्षेत्रफल एक वृत्त के क्षेत्रफल के बराबर है. वृत्त की परिधि कितनी है? **(बैंक पी०ओ० परीक्षा, 2013)**

I. वर्ग के विकर्ण की लम्बाई x इंच है.

II. वर्ग की प्रत्येक भुजा की लम्बाई y इंच है.

6. वृत्त का क्षेत्रफल कितना है?

I. वृत्त की परिधि 308 मीटर है.

II. वृत्त की त्रिज्या 28 मीटर है.

7. वृत्त का क्षेत्रफल कितना है?

I. 4 सेमी० लम्बी चाप केन्द्र पर $60°$ का कोण बनाती है.

II. 5 सेमी० लम्बी जीवा केन्द्र पर $90°$ का कोण बनाती है.

8. एक आयत का क्षेत्रफल एक समकोण त्रिभुज के क्षेत्रफल के बराबर है. आयत की लम्बाई कितनी है?

I. त्रिभुज के आधार की लम्बाई 40 सेमी० है.

II. त्रिभुज की ऊँचाई 50 सेमी० है.

9. एक आयत का क्षेत्रफल एक वृत्त के क्षेत्रफल के बराबर है. इस आयत की लम्बाई कितनी है?

I. वृत्त की त्रिज्या, आयत की चौड़ाई के बराबर है.

II. आयत की परिमिति, वृत्त की परिधि से 14 सेमी० अधिक है.

10. एक वृत्ताकार मैदान के अन्दर चारों ओर ₹ 85 प्रति वर्ग मीटर की दर से फुलवाड़ी लगाने का खर्च क्या होगा?

I. मैदान का क्षेत्रफल 1386 वर्ग मी० है.

II. रास्ते की चौड़ाई 1·4 मीटर है.

11. त्रिभुज की ऊँचाई कितनी है? **(बैंक पी०ओ० परीक्षा, 2012)**

I. त्रिभुज का क्षेत्रफल आधार का 20 गुना है.

II. त्रिभुज की परिमिति 10 सेमी० भुजा वाले वर्ग की परिमिति के बराबर है.

12. ₹ 20 प्रति वर्ग फुट की दर से एक कमरे के अन्दर की दीवारों पर सफेदीकरने का खर्च क्या होगा? **(बैंक पी०ओ० परीक्षा, 2010)**

I. फर्श की परिधि 44 फुट है.

II. कमरे की ऊँचाई 12 फुट है.

निर्देश (प्रश्न 13–19): नीचे दिये हुए प्रश्नों में प्रत्येक प्रश्न के साथ तीन कथन दिये गये हैं. ज्ञात करना है कि इस प्रश्न के उत्तर के लिए कौन-कौन से कथन अनिवार्य हैं.

13. आयताकार मैदान का क्षेत्रफल कितना है? **(बैंक पी०ओ० परीक्षा, 2014)**

I. इस मैदान की परिमिति 110 मीटर है.

II. इस मैदान की लम्बाई चौड़ाई से 5 मीटर अधिक है.

III. इस मैदान की लम्बाई तथा चौड़ाई का अनुपात क्रमशः 6 : 5 है.

(*a*) केवल I तथा II
(*b*) तीनों में से कोई दो
(*c*) I, II, III तीनों
(*d*) केवल I तथा (II अथवा III)
(*e*) इनमें से कोई नहीं

14. हॉल का क्षेत्रफल कितना है? **(बैंक पी०ओ० परीक्षा, 2013)**

I. फर्श पक्का करने के सामान का मूल्य ₹ 2·50 प्रति वर्ग मीटर है.

II. फर्श पक्का करने की मजदूरी ₹ 3500 है.

III. हॉल का फर्श पक्का करने का कुल खर्च ₹ 14500 है.

(*a*) केवल I तथा II (*b*) केवल II तथा III
(*c*) I, II तथा III सभी (*d*) तीनों में से कोई दो
(*e*) इनमें से कोई नहीं

15. दिये गये आयत के विकर्ण की लम्बाई कितनी है?

I. आयत की परिमिति 34 सेमी० है.

II. लम्बाई तथा चौड़ाई का अन्तर 7 सेमी० है.

III. लम्बाई चौड़ाई से 140% अधिक है.

(*a*) तीनों में से कोई दो (*b*) I, II, III सभी

(*c*) I तथा (II अथवा III) (*d*) केवल I तथा II
(*e*) केवल II तथा III

16. दिये गये आयताकार हॉल के फर्श को पक्का कराने का क्या खर्च होगा? **(बैंक पी०ओ० परीक्षा, 2012)**

I. हॉल की लम्बाई तथा चौड़ाई का अनुपात 3 : 2 है.
II. हॉल की लम्बाई 48 मीटर है तथा फर्श पक्का कराने का खर्च ₹ 85 प्रति वर्ग मी० है.
III. हॉल की परिमिति 160 मीटर है तथा फर्श पक्का कराने का खर्च ₹ 85 प्रति वर्ग मी० है.

(*a*) केवल I तथा II (*b*) केवल II तथा III
(*c*) केवल III (*d*) I तथा (II अथवा III)
(*e*) तीनों में से कोई दो

17. समकोण त्रिभुज का क्षेत्रफल क्या होगा? **(बैंक पी०ओ० परीक्षा, 2010)**

I. त्रिभुज की परिमिति 30 सेमी० है.
II. त्रिभुज के आधार तथा ऊँचाई का अनुपात 5 : 12 है.
III. त्रिभुज का क्षेत्रफल 10 सेमी० लम्बाई के आयत के क्षेत्रफल के बराबर है.

(*a*) केवल I तथा II
(*b*) केवल II तथा III
(*c*) केवल I तथा III
(*d*) केवल III तथा (I अथवा II)
(*e*) इनमें से कोई नहीं

18. एक आयताकार घास के मैदान के चारों ओर एक रास्ता बना है. इस रास्ते की चौड़ाई कितनी है?

I. मैदान की लम्बाई तथा चौड़ाई का अनुपात 3 : 1 है.
II. रास्ते की चौड़ाई मैदान की लम्बाई का $\frac{1}{10}$ है.
III. ₹ 50 प्रति वर्ग मीटर की दर से रास्ते पर रोड़ी बिछाने का खर्च ₹ 8832 है.

(*a*) I, II तथा III तीनों (*b*) III तथा (I अथवा II)
(*c*) केवल I तथा III (*d*) केवल II तथा III
(*e*) इनमें से कोई नहीं

19. एक समद्विबाहु त्रिभुज का क्षेत्रफल कितना होगा?

I. इस समद्विबाहु त्रिभुज की परिमिति 18 मीटर है.
II. इस त्रिभुज का आधार 8 मीटर है.
III. इस त्रिभुज की ऊँचाई 3 मीटर है.

(*a*) केवल I तथा II
(*b*) केवल II तथा III
(*c*) केवल I तथा III
(*d*) केवल II तथा (I अथवा III)
(*e*) तीनों में से कोई दो

निर्देश (प्रश्न 20–23): नीचे दिये गये प्रत्येक प्रश्न में प्रश्न के साथ तीन कथन दिये गये हैं. उनमें से उस कथन अथवा उन कथनों को छाँटना है, जो निरर्थक हैं.

20. ₹ 5 प्रति वर्ग मीटर की दर से एक हॉल की दो संगत दीवारों पर जिनमें कोई दरवाजे तथा खिड़की नहीं है, रंग कराने का खर्च कितना होगा?

I. हॉल का क्षेत्रफल 24 वर्ग मीटर है.
II. हॉल की चौड़ाई, लम्बाई तथा ऊँचाई का अनुपात 4 : 6 : 5 है.
III. एक दीवार का क्षेत्रफल 30 वर्ग मीटर है.

(*a*) केवल I (*b*) केवल II
(*c*) केवल III (*d*) I अथवा III
(*e*) I, II, III तीनों चाहियें

21. दी गई आयत का क्षेत्रफल कितना है?

I. आयत की परिमिति 60 सेमी० है.
II. आयत की चौड़ाई 12 सेमी० है.
III. दो संगत भुजाओं का योग 30 सेमी० है.

(*a*) केवल I (*b*) केवल II
(*c*) केवल III (*d*) केवल I तथा II
(*e*) केवल I या III

22. एक कमरे की लम्बाई, चौड़ाई तथा ऊँचाई क्रमशः 5 मी०, 3 मी० तथा 8 मी० हैं. इस कमरे में एक दरवाजा तथा एक खिड़की है. इसकी चार दीवारों पर रंग कराने का खर्च क्या होगा?

I. रंग कराने का खर्च ₹ 25 प्रति वर्ग मीटर है.
II. खिड़की का क्षेत्रफल 2·25 वर्ग मी० है जो कि दरवाजे के क्षेत्रफल से आधा है.
III. कमरे का क्षेत्रफल 15 वर्ग मी० है.

(*a*) केवल I (*b*) केवल II
(*c*) केवल III (*d*) केवल II अथवा III
(*e*) I, II, III तीनों चाहियें

23. दिये गये समकोण त्रिभुज का क्षेत्रफल कितना है?

I. इसके कर्ण की लम्बाई 5 सेमी० है.
II. त्रिभुज की परिमिति आधार का चार गुना है.
III. त्रिभुज का एक कोण 60° है.

(*a*) केवल II
(*b*) केवल III
(*c*) केवल II या III
(*d*) II तथा III दोनों
(*e*) तीनों कथनों से भी दिये गये प्रश्न का हल संभव नहीं है

उत्तरमाला

1. (*c*)	**2.** (*c*)	**3.** (*e*)	**4.** (*e*)	**5.** (*c*)	**6.** (*c*)	**7.** (*c*)	**8.** (*d*)	**9.** (*e*)	**10.** (*e*)
11. (*a*)	**12.** (*e*)	**13.** (*b*)	**14.** (*c*)	**15.** (*a*)	**16.** (*e*)	**17.** (*a*)	**18.** (*a*)	**19.** (*d*)	**20.** (*c*)
21. (*e*)	**22.** (*c*)	**23.** (*c*)							

दिये गये प्रश्नों के हल

1. I से, वर्ग का क्षेत्रफल $= x^2$ वर्ग सेमी॰.

II से, वर्ग का क्षेत्रफल $= \frac{1}{2} y^2$ वर्ग सेमी॰.

अत: सही उत्तर (*c*) है.

2. क्षेत्रफल = 1600 वर्ग मीटर.

I से, वर्ग की प्रत्येक भुजा $= \sqrt{1600}$ मीटर = 40 मीटर.

$\therefore$ परिमिति = (40 × 4) मीटर = 160 मीटर.

अत: केवल I से ही उत्तर प्राप्त हो जाता है.

II से, परिमिति $= \frac{\text{कुल खर्च}}{\text{खर्च/मीटर}} = \left(\frac{3200}{20}\right)$ मीटर = 160 मीटर.

$\therefore$ केवल II से ही उत्तर प्राप्त हो जाता है.

अत: सही उत्तर (*c*) है.

3. I से, माना लम्बाई $= 3x$ मीटर तथा चौड़ाई $= 2x$ मीटर.

तब, क्षेत्रफल $= (6x^2)$ वर्ग मीटर.

II से, परिमिति $= 2(3x + 2x)$ मीटर $= (10x)$ मीटर.

$\therefore \quad 6x^2 = (3{\cdot}6 \times 10x) \Leftrightarrow x = \frac{(3{\cdot}6 \times 10)}{6}$ मीटर = 6 मीटर.

अत: लम्बाई = 18 मीटर तथा चौड़ाई = 12 मीटर.

अत: क्षेत्रफल = (18 × 12) वर्ग मी॰.

$\therefore$ I तथा II से उत्तर प्राप्त होता है.

अत: सही उत्तर (*e*) है.

4. I. माना आयत की भुजायें x सेमी॰ तथा $(x + 5)$ सेमी॰ हैं.

II. $d = \sqrt{(x+5)^2 + x^2} \Leftrightarrow (x+5)^2 + x^2 = (10)^2$

$\Leftrightarrow 2x^2 + 10x - 75 = 0.$

इससे x का मान ज्ञात करके भुजायें ज्ञात की जा सकती हैं तथा आयत का क्षेत्रफल ज्ञात किया जा सकता है.

$\therefore$ उत्तर ज्ञात करने हेतु I तथा II दोनों आवश्यक हैं.

अत: सही उत्तर (*e*) है.

5. I से, वृत्त का क्षेत्रफल = वर्ग का क्षेत्रफल $= \frac{1}{2}x^2$ वर्ग इंच

$\Leftrightarrow \pi R^2 = \frac{1}{2}x^2 \Leftrightarrow R = \frac{x}{\sqrt{2\pi}}.$

$\therefore$ वृत्त की परिधि $= 2\pi R$, जिसे ज्ञात किया जा सकता है.

अत: केवल I से उत्तर प्राप्त होगा.

II से, वृत्त का क्षेत्रफल = वर्ग का क्षेत्रफल $= y^2$ वर्ग इंच

$\Leftrightarrow \pi R^2 = y^2 \Leftrightarrow R = \frac{y}{\sqrt{\pi}}.$

$\therefore$ वृत्त की परिधि $= 2\pi R$, जिसे ज्ञात किया जा सकता है.

अत: केवल II से उत्तर प्राप्त होगा.

अत: सही उत्तर (*c*) है.

6. I से, $2\pi R = 308 \Leftrightarrow R = \left(308 \times \frac{1}{2} \times \frac{7}{22}\right) = 49$ सेमी॰.

इससे, वृत्त का क्षेत्रफल $= \pi R^2$ ज्ञात किया जा सकता है.

$\therefore$ केवल I से उत्तर प्राप्त किया जा सकता है.

II से, क्षेत्रफल $= \left(\frac{22}{7} \times 28 \times 28\right)$ वर्ग सेमी॰.

$\therefore$ केवल II से उत्तर प्राप्त किया जा सकता है.

अत: सही उत्तर (*c*) है.

7. I से, चाप की लम्बाई, $l = 4$ सेमी॰, $= \angle 60°$.

अब, $l = \frac{2\pi R\theta}{360}.$

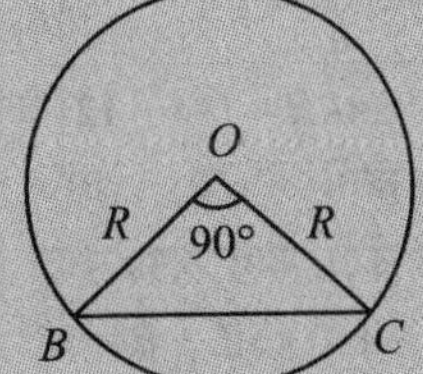

इसमें l तथा θ के मान रखकर R ज्ञात कर सकते हैं.

R ज्ञात होने पर क्षेत्रफल $= \pi R^2$ ज्ञात किया जा सकता है.

अत: केवल I से उत्तर प्राप्त किया जा सकता है.

II से, जीवा $BC = 5$ सेमी॰, $\angle BOC = 90°$

माना त्रिज्या $= R$ सेमी॰. तब, $R^2 + R^2 = 5^2 = 25 \Leftrightarrow R^2 = \frac{25}{2}.$

अत: क्षेत्रफल $= \pi R^2 = \left(\frac{22}{7} \times \frac{25}{2}\right)$ वर्ग सेमी॰.

अत: सही उत्तर (*c*) है.

8. दिया है: आयत का क्षेत्रफल = समकोण त्रिभुज का क्षेत्रफल

$\Leftrightarrow l \times b = \frac{1}{2} \times B \times H.$

I से, $B = 40$ सेमी॰

II से, $H = 50$ सेमी॰.

अब l ज्ञात करने हेतु b की जानकारी आवश्यक है. अत: दिये गये आँकड़े अपर्याप्त हैं.

अत: सही उत्तर (*d*) है.

9. माना आयत की लम्बाई $= l$ सेमी॰ तथा चौड़ाई $= b$ सेमी॰.

तब, $l \times b = \pi R^2$.

I से, $R = b$. अत: $l = \frac{\pi R^2}{b} = \frac{\pi R^2}{R} = \pi R.$

II से, $2(l + b) = 2\pi R + 14 \Leftrightarrow (l + b) = (\pi R + 7)$

$\Leftrightarrow l + R = \pi R + 7 \Leftrightarrow l = \pi R - R + 7$

$\Leftrightarrow l = l - \frac{l}{\pi} + 7 \Leftrightarrow l = 7\pi.$

$\therefore$ I तथा II से l प्राप्त होगा. अतः सही उत्तर (*e*) है.

10. I से, $\pi R^2 = 1386 \Leftrightarrow R^2 = \left(1386 \times \frac{7}{22}\right) = 441$

$\Leftrightarrow R = \sqrt{441} = 21$ मी०.

II से, $r = (21 - 1{\cdot}4)$ मी० $= 19{\cdot}6$ मी०.

$\therefore$ रास्ते का क्षेत्रफल $= \pi(R^2 - r^2)$ जो ज्ञात किया जा सकता है.

फुलवाड़ी लगाने का खर्च = ₹ (क्षेत्रफल × 85).

अतः I तथा II से उत्तर प्राप्त होगा.

अतः सही उत्तर (*e*) है.

11. I से, क्षेत्रफल = 20 × आधार $\Leftrightarrow \frac{1}{2}$ × आधार × ऊँचाई = 20 × आधार $\Leftrightarrow$ ऊँचाई = 40 सेमी०.

$\therefore$ केवल I से उत्तर प्राप्त होगा.

II से, त्रिभुज की परिमिति = 40 सेमी०.

इससे त्रिभुज की ऊँचाई ज्ञात नहीं की जा सकती, अतः क्षेत्रफल ज्ञात नहीं किया जा सकता. अतः सही उत्तर (*a*) है.

12. I से, $2\pi R = 44$.

II से, $H = 12$.

$\therefore$ क्षेत्रफल $= 2\pi RH = (44 \times 12)$ वर्ग फुट = 528 वर्ग फुट.

सफेदी कराने का खर्च = ₹(528 × 20).

अतः I तथा II से उत्तर प्राप्त होगा. अतः सही उत्तर (*e*) है.

13. I से, $2(L + B) = 110 \Leftrightarrow L + B = 55$ ...(*i*)

II से, $L = (B + 5) \Leftrightarrow L - B = 5$ ...(*ii*)

III से, $\frac{L}{B} = \frac{6}{5} \Leftrightarrow 5L - 6B = 0$ ...(*iii*)

इन समीकरणों में से दो-दो लेकर L तथा B के मान ज्ञात किया जा सकते हैं.

अतः किन्हीं दो से अभीष्ट उत्तर प्राप्त किया जा सकता है.

अतः सही उत्तर (*b*) है.

14. I. सामान का मूल्य = ₹ 2·50 प्रति वर्ग मीटर.

II. मजदूरी = ₹ 3500.

III. कुल लागत = ₹ 14500.

माना कुल क्षेत्रफल = A वर्ग मीटर.

सामान का मूल्य = (कुल लागत) – (मजदूरी)

= ₹(14500 – 3500) = ₹ 11000.

$\therefore \frac{5A}{2} = 11000 \Leftrightarrow A = \frac{(11000 \times 2)}{5} = 4400$ वर्ग मीटर.

अतः अभीष्ट उत्तर प्राप्त करने हेतु I, II, III तीनों आवश्यक हैं.

अतः सही उत्तर (*c*) है.

15. I से, $2(L + B) = 34 \Leftrightarrow L + B = 17$ ...(*i*)

II से, $(L - B) = 7$ ...(*ii*)

III से, $L = B$ का 240% $\Leftrightarrow L - \frac{240B}{100} = 0$

$\Leftrightarrow 100L - 240B = 0 \Leftrightarrow 5L - 12B = 0$ ...(*iii*)

इन समीकरणों में से दो-दो लेकर L तथा B के मान ज्ञात किये जा सकते हैं. अतः सही उत्तर (*a*) है.

16. I से, माना $L = 3x$ मीटर तथा $B = 2x$ मीटर.

II से, $L = 48$ मीटर तथा फर्श पक्का कराने का खर्च = ₹ 85 प्रति वर्ग मी०.

III से, $2(L + B) = 160 \Leftrightarrow L + B = 80$ तथा फर्श पक्का कराने का खर्च = ₹ 85/वर्ग मी०.

I तथा II से, $3x = 48 \Leftrightarrow x = 16$.

$\therefore$ $L = 48$ मी०, $B = 32$ मी०

$\Leftrightarrow$ फर्श का क्षेत्रफल = (48 × 32) वर्ग मी०.

फर्श पक्का कराने का खर्च = ₹(48 × 32 × 85).

$\therefore$ I तथा II से उत्तर प्राप्त होता है.

II तथा III से, $L = 48$ मीटर, $B = (80 - 48)$ मीटर = 32 मीटर.

इससे फर्श का क्षेत्रफल तथा इसे पक्का कराने का खर्च ज्ञात किया जा सकता है.

$\therefore$ II तथा III से उत्तर प्राप्त होता है.

III तथा I से, $3x + 2x = 80 \Leftrightarrow 5x = 80 \Leftrightarrow x = 16$.

$\therefore$ $L = (3 \times 16)$ मीटर = 48 मीटर तथा

$B = (2 \times 16)$ मीटर = 32 मीटर.

इससे फर्श का क्षेत्रफल तथा इसे पक्का कराने का खर्च ज्ञात किया जा सकता है.

$\therefore$ III तथा I से उत्तर प्राप्त होता है.

अतः सही उत्तर (*e*) है.

17. II से, आधार: ऊँचाई = 5 : 12.

माना आधार = $5x$ सेमी०. तब, ऊँचाई = $12x$ सेमी०.

$\therefore$ कर्ण की लम्बाई $= \sqrt{(5x)^2 + (12x)^2}$ सेमी० $= 13x$ सेमी०.

I से, त्रिभुज की परिमिति = 30 सेमी०.

$\therefore$ $5x + 12x + 13x = 30 \Leftrightarrow 30x = 30 \Leftrightarrow x = 1$.

अतः आधार = (5 × 1) सेमी० = 5 सेमी०,

ऊँचाई = (12 × 1) सेमी० = 12 सेमी०.

$\therefore$ त्रिभुज का क्षेत्रफल $= \left(\frac{1}{2} \times 5 \times 12\right)$ वर्ग सेमी० = 30 वर्ग सेमी०.

अतः I तथा II से उत्तर प्राप्त होता है.

स्पष्ट है कि III निरर्थक है.

अतः सही उत्तर (*a*) है.

18. III से, रास्ते का क्षेत्रफल $= \frac{8832}{50}$ वर्ग मी० $= \frac{4416}{25}$ वर्ग मी०.

II से, रास्ते की चौड़ाई $= \frac{1}{10}$ × (मैदान की लम्बाई)

I से, लम्बाई = $3x$ मीटर तथा चौड़ाई = x मी०.

रास्ते की चौड़ाई जानने हेतु I, II, III तीनों आवश्यक हैं.

अतः सही उत्तर (*a*) है.

19. II से, आधार = 8 मीटर.

I से, परिमिति = 18 मीटर.

III से, ऊँचाई = 3 मीटर.

II तथा I से, $b = 8$ तथा $a + b + a = 18$. अतः $a = 5$.

$\therefore$ त्रिभुज की भुजायें क्रमशः 8 मी०, 5 मी०, 5 मी० हैं.

इससे त्रिभुज का क्षेत्रफल ज्ञात किया जा सकता है.

II तथा III से, क्षेत्रफल $= \left(\frac{1}{2} \times 8 \times 3\right)$ वर्ग मी०.

अत: सही उत्तर (d) है.

20. II से, माना लम्बाई $= 4x$ मी०, चौड़ाई $= 6x$ मी० तथा ऊँचाई $= 5x$ मी०.

हॉल का क्षेत्रफल $= (24x^2)$ वर्ग मी०.

I से, हॉल का क्षेत्रफल $= 24$ वर्ग मी०.

I तथा II से, $24x^2 = 24 \Leftrightarrow x^2 = 1 \Leftrightarrow x = 1$.

$\therefore$ $L = 4$ मी०, $B = 6$ मी० तथा $H = 5$ मी०.

दो संगत दीवारों का क्षेत्रफल $= \{(L \times H) + (B \times H)\}$ वर्ग मी०.

इसे अब ज्ञात करके अभीष्ट खर्च ज्ञात किया जा सकता है.

$\therefore$ III निरर्थक है.

अत: सही उत्तर (c) है.

21. I तथा II से आयत की लम्बाई तथा चौड़ाई ज्ञात करके क्षेत्रफल ज्ञात किया जा सकता है. अत: III निरर्थक है.

इसी प्रकार, II तथा III से आयत की लम्बाई तथा चौड़ाई ज्ञात करके क्षेत्रफल ज्ञात किया जा सकता है. अत: I निरर्थक है.

अत: सही उत्तर (e) है.

22. II से, (खिड़की + दरवाजे) का क्षेत्रफल

$= (2{\cdot}25 + 4{\cdot}50)$ वर्ग मी० $= 6{\cdot}75$ वर्ग मी०.

चार दीवारों का क्षेत्रफल $= [2(5 + 3) \times 8]$ वर्ग मी० $= 128$ वर्ग मी०.

रंग होने वाली जगह का क्षेत्रफल $= (128 - 6{\cdot}75)$ वर्ग मी०

$= 121{\cdot}25$ वर्ग मी०.

I से, दर = ₹ 25 प्रति वर्ग मी०.

अभीष्ट खर्च = ₹$(121{\cdot}25 \times 25)$.

$\therefore$ III निरर्थक है. अत: अभीष्ट उत्तर (c) है.

23. $\frac{BC}{AC} = \cos 60° = \frac{1}{2} \Rightarrow \frac{a}{5} = \frac{1}{2} \Rightarrow a = \frac{5}{2}$ सेमी०.

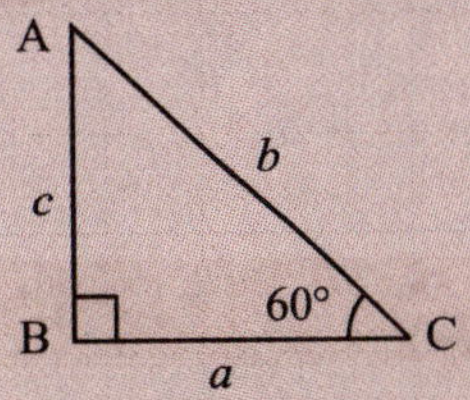

I तथा III से, $a = \frac{5}{2}$ सेमी०, $b = 5$ सेमी०, $\theta = 60°$.

$\therefore$ क्षेत्रफल $= \frac{1}{2}\, ab \sin C$.

अत: I तथा III से उत्तर प्राप्त होगा.

$\therefore$ II निरर्थक है.

II से, $a + b + c = 4a \Rightarrow b + c = 3a \Rightarrow c = (3a = 5)$.

$\therefore$ $a^2 + (3a - 5)^2 = 25$.

इससे a ज्ञात करने पर c ज्ञात हो जाता है.

ΔABC का क्षेत्रफल $= \frac{1}{2} \times a \times c$ ज्ञात किया जा सकता है.

इस प्रकार, I तथा II से क्षेत्रफल प्राप्त होगा.

अत: III निरर्थक है.

अत: सही उत्तर (c) है.

28 आयतन (VOLUME)

सामान्य नियम

घनाभ (Cuboid): ईंट, सन्दूक आदि घनाभ की आकृति के ठोस हैं. घनाभ के छः फलक होते हैं.

घन (Cube): ऐसा घनाभ है जिसकी लम्बाई, चौड़ाई तथा ऊँचाई बराबर हैं.

I. माना घनाभ की लम्बाई $= l$, चौड़ाई $= b$ तथा ऊँचाई $= h$. तब,

(i) घनाभ का आयतन $= (l \times b \times h)$ घन इकाई.

(ii) घनाभ के सम्पूर्ण पृष्ठ का क्षेत्रफल $= 2\,(lb + bh + lh)$ वर्ग इकाई.

(iii) कमरे की चार दीवारों का क्षेत्रफल $= 2\,(lb + bh + lh)$ वर्ग इकाई.

(iv) घनाभ का विकर्ण $= \sqrt{l^2 + b^2 + h^2}$ इकाई.

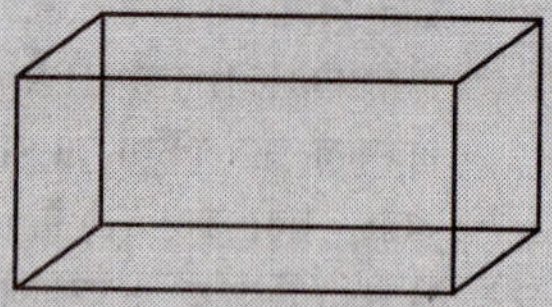

II. माना एक घन की प्रत्येक भुजा $= a$ इकाई. तब,

(i) घन का आयतन $= a^3$ घन इकाई.

(ii) घन के सम्पूर्ण पृष्ठ का क्षेत्रफल $= (6a^2)$ वर्ग इकाई.

(iii) घन का विकर्ण $= \sqrt{3}\,a$ इकाई.

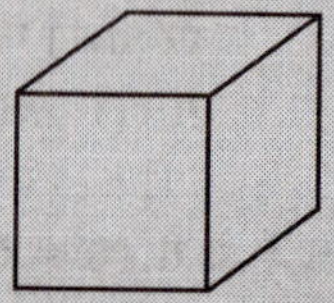

III. बेलन (Cylinder): गोल पैंसिल, गैस सिलैंडर, रोड़ रोलर आदि बेलनाकार आकृति के हैं.

माना बेलन के आधार की त्रिज्या $= r$, ऊँचाई अथवा लम्बाई $= h$. तब,

(i) बेलन का आयतन $= (\pi r^2 h)$ घन इकाई.

(ii) बेलन के वक्र-पृष्ठ का क्षेत्रफल $= (2\pi rh)$ वर्ग इकाई.

(iii) बेलन के सम्पूर्ण पृष्ठ का क्षेत्रफल $= (2\pi rh + 2\pi r^2)$ वर्ग इकाई.

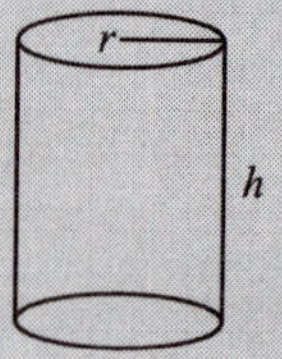

IV. शंकु (Cone): माना शंकु के आधार की त्रिज्या $= r$, ऊँचाई $= h$ तथा तिर्यक ऊँचाई $= l$. तब,

(i) $l = \sqrt{r^2 + h^2}$.

(ii) शंकु का आयतन $= \left(\frac{1}{3}\pi r^2 h\right)$ घन इकाई.

(iii) शंकु का वक्र पृष्ठ $= (\pi rl)$ वर्ग इकाई.

(iv) शंकु का सम्पूर्ण पृष्ठ $= (\pi rl + \pi r^2)$ वर्ग इकाई.

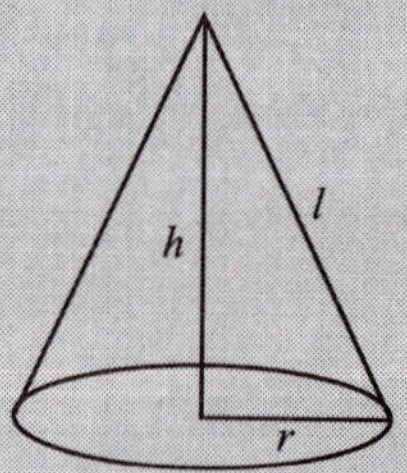

V. गोला (Sphere): फुटबाल, लोहे का गोला आदि. माना किसी गोले की त्रिज्या r है. तब,

(i) गोले का आयतन $= \left(\frac{4}{3}\pi r^3\right)$ घन इकाई.

(ii) गोले का वक्र-पृष्ठ $= (4\pi r^2)$ वर्ग इकाई.

VI. (i) अर्द्ध-गोले का आयतन $= \left(\frac{2}{3}\pi r^3\right)$ घन इकाई.

(ii) अर्द्ध-गोले का वक्र पृष्ठ $= (2\pi r^2)$ वर्ग इकाई.

(iii) अर्द्ध-गोले का सम्पूर्ण पृष्ठ $= (3\pi r^2)$ वर्ग इकाई.

साधित उदाहरण

प्रश्न 1. एक घनाभ की लम्बाई, चौड़ाई तथा ऊँचाई क्रमशः 21 सेमी०, 12 सेमी० तथा 6·5 सेमी० है. घनाभ का आयतन तथा सम्पूर्ण पृष्ठ ज्ञात कीजिए.

हलः यहाँ $l = 21$ सेमी०, $b = 12$ सेमी० तथा $h = 6{\cdot}5$ सेमी०.

(*i*) घनाभ का आयतन $= (l \times b \times h) = (21 \times 12 \times 6{\cdot}5)$ घन सेमी॰ $= 1638$ घन सेमी॰.

(*ii*) घनाभ का सम्पूर्ण पृष्ठ $= 2 \times (lb + bh + lh)$

$$= 2 \times [(21 \times 12) + (12 \times 6{\cdot}5) + (21 \times 6{\cdot}5)] \text{ वर्ग सेमी॰} = 933 \text{ वर्ग सेमी॰.}$$

प्रश्न 2. उस बड़े से बड़े बाँस की लम्बाई क्या होगी जो कि 12 मीटर लम्बे, 8 मीटर चौड़े तथा 9 मीटर ऊँचे कमरे में रखा जा सके?

हल: अभीष्ट लम्बाई = कमरे के विकर्ण की लम्बाई $= \sqrt{l^2 + b^2 + h^2} = \sqrt{(12)^2 + 8^2 + 9^2} = \sqrt{289} = 17$ मीटर.

प्रश्न 3. 24 मीटर लम्बी, 60 सेमी॰ चौड़ी तथा 8 मीटर ऊँची दीवार बनाने के लिए कितनी ईंटों की आवश्यकता होगी जबकि प्रत्येक ईंट का साइज (24 सेमी॰ × 12 सेमी॰ × 8 सेमी॰) हो तथा दीवार का 10% भाग चूना हो?

हल: दीवार का आयतन $= (2400 \times 60 \times 800)$ घन सेमी॰.

दीवार में लगी ईंटों का कुल आयतन $= \left(2400 \times 60 \times 800 \times \frac{90}{100}\right)$ घन सेमी॰.

1 ईंट का आयतन $= (24 \times 12 \times 8)$ घन सेमी॰.

ईंटों की संख्या $= \left(\frac{2400 \times 60 \times 800}{24 \times 12 \times 8} \times \frac{90}{100}\right) = 45000.$

प्रश्न 4. ऊपर से खुले एक सदूक की लम्बाई, चौड़ाई तथा ऊँचाई क्रमशः 50 सेमी॰, 40 सेमी॰ तथा 23 सेमी॰ हैं तथा इसकी दीवारों की मोटाई 3 सेमी॰ है. यदि सदूक में लगे लोहे के 1 घन सेमी॰ का भार 0·5 ग्राम हो, तो खाली सन्दूक का भार कितना है?

हल: सन्दूक में लगे लोहे का आयतन = (बाहरी आयतन) – (भीतरी आयतन)

$$= [(50 \times 40 \times 23) - (44 \times 34 \times 20)] \text{ घन सेमी॰} = 16080 \text{ घन सेमी॰.}$$

सन्दूक का भार $= \left(\frac{16080 \times 0{\cdot}5}{1000}\right)$ किग्रा॰ $= 8{\cdot}04$ किग्रा॰.

प्रश्न 5. एक घन के विकर्ण की लम्बाई $6\sqrt{3}$ सेमी॰ है. इसका आयतन तथा सम्पूर्ण पृष्ठ का क्षेत्रफल ज्ञात कीजिए.

हल: माना घन की प्रत्येक भुजा = a सेमी॰. तब, इसके विकर्ण की लम्बाई $= \sqrt{3}a$ सेमी॰.

$\therefore \quad \sqrt{3}a = 6\sqrt{3} \Leftrightarrow a = 6.$

अतः घन का आयतन $= a^3 = (6 \times 6 \times 6)$ घन सेमी॰ = 216 घन सेमी॰.

तथा घन का सम्पूर्ण पृष्ठ $= 6a^2 = (6 \times 6 \times 6)$ वर्ग सेमी॰ = 216 वर्ग सेमी॰.

प्रश्न 6. एक घन के सम्पूर्ण पृष्ठ का क्षेत्रफल 1734 वर्ग सेमी॰ है. इसका आयतन ज्ञात कीजिए.

हल: माना घन की प्रत्येक भुजा = a सेमी॰. तब, सम्पूर्ण पृष्ठ $= 6a^2$ वर्ग सेमी॰.

$$\therefore \quad 6a^2 = 1734 \Leftrightarrow a^2 = 289 = (17)^2 \Leftrightarrow a = 17.$$

अतः घन का आयतन $= a^3 = (17 \times 17 \times 17) = 4913$ घन सेमी॰.

प्रश्न 7. एक आयताकार बर्तन की लम्बाई 20 सेमी॰ तथा चौड़ाई 15 सेमी॰ है. इसमें इतना पानी है कि 15 सेमी॰ भुजा वाला घन इसमें भली प्रकार डूब सके. इस घन को पानी में पूरा डूबो देने पर पानी के स्तर में कितनी वृद्धि होगी?

हल: बर्तन की पानी के आयतन में वृद्धि = घन का आयतन $= (15 \times 15 \times 15)$ घन सेमी॰.

पानी के स्तर में वृद्धि $= \left(\frac{15 \times 15 \times 15}{20 \times 15}\right)$ सेमी॰ $= 11{\cdot}25$ सेमी॰.

प्रश्न 8. तीन ठोस घनों की भुजायें क्रमशः 1 सेमी॰, 6 सेमी॰ तथा 8 सेमी॰ लम्बी हैं. इन्हें पिघलाकर एक नया घन बनाया गया है. इस घन के सम्पूर्ण पृष्ठ का क्षेत्रफल क्या होगा?

हल: नये घन का आयतन $= [(1)^3 + (6)^3 + (8)^3]$ घन सेमी॰ = 729 घन सेमी॰.

माना इसकी प्रत्येक भुजा = a सेमी॰.

तब, $\quad a^3 = 729 = (9 \times 9 \times 9) = 9^3 \Leftrightarrow a = 9.$

अतः नये घन की प्रत्येक भुजा = 9 सेमी॰.

इस घन के सम्पूर्ण पृष्ठ का क्षेत्रफल $= 6a^2 = (6 \times 9 \times 9)$ वर्ग सेमी॰ = 486 वर्ग सेमी॰.

प्रश्न 9. यदि एक घन की प्रत्येक भुजा में 50% की वृद्धि करें, तो इसके सम्पूर्ण पृष्ठ के क्षेत्रफल में कितने प्रतिशत वृद्धि होगी?

हल: माना घन की प्रत्येक भुजा = a. तब, इसके सम्पूर्ण पृष्ठ का क्षेत्रफल $= 6a^2$. प्रत्येक भुजा में वृद्धि = 50%.

नई भुजा की लम्बाई $= a$ का $150\% = \left(a \times \frac{150}{100}\right) = \frac{3a}{2}$.

नया सम्पूर्ण पृष्ठ का क्षेत्रफल $= 6 \times \left(\frac{3a}{2}\right)^2 = \frac{27a^2}{2}$.

सम्पूर्ण पृष्ठ के क्षेत्रफल में वृद्धि $= \left(\frac{27a^2}{2} - 6a^2\right) = \frac{15a^2}{2}$.

$\therefore$ अभीष्ट वृद्धि $\% = \left(\frac{15a^2}{2} \times \frac{1}{6a^2} \times 100\right)\% = 125\%$.

प्रश्न 10. दो घनों के आयतनों का अनुपात 1 : 27 हो, तो इनके सम्पूर्ण पृष्ठों के क्षेत्रफलों का अनुपात क्या होगा?

हल: माना दिये गये घनों की भुजायें क्रमशः a तथा b हैं.

तब, इनके आयतन क्रमशः a^3 तथा b^3 होगें.

$$\therefore \quad \frac{a^3}{b^3} = \frac{1}{27} \Leftrightarrow \left(\frac{a}{b}\right)^3 = \left(\frac{1}{3}\right)^3 \Leftrightarrow \frac{a}{b} = \frac{1}{3}.$$

इनके सम्पूर्ण पृष्ठों के क्षेत्रफलों का अनुपात $= \frac{6a^2}{6b^2} = \left(\frac{a^2}{b^2}\right) = \left(\frac{a}{b}\right)^2 = \left(\frac{1}{3}\right)^2 = \frac{1}{9}$.

$\therefore$ अभीष्ट अनुपात = 1 : 9.

प्रश्न 11. एक बेलन के आधार का व्यास 7 सेमी० तथा ऊँचाई 40 सेमी० है. इस बेलन का आयतन, वक्र-पृष्ठ का क्षेत्रफल तथा सम्पूर्ण पृष्ठ का क्षेत्रफल ज्ञात कीजिए.

हल: यहाँ $r = \frac{7}{2}$ सेमी० तथा $h = 40$ सेमी०.

(*i*) बेलन का आयतन $= \pi r^2 h = \left(\frac{22}{7} \times \frac{7}{2} \times \frac{7}{2} \times 40\right)$ घन सेमी० = 1540 घन सेमी०.

(*ii*) वक्र-पृष्ठ का क्षेत्रफल $= 2\pi rh = \left(2 \times \frac{22}{7} \times \frac{7}{2} \times 40\right)$ वर्ग सेमी० = 880 वर्ग सेमी०.

(*iii*) सम्पूर्ण पृष्ठ $= (2\pi rh + 2\pi r^2) = 2\pi r(h + r) = \left[2 \times \frac{22}{7} \times \frac{7}{2} \times \left(40 + \frac{7}{2}\right)\right]$ वर्ग सेमी० = 957 वर्ग सेमी०.

प्रश्न 12. एक बेलनाकार टंकी का धारिता 1848 घन मीटर है तथा इसका व्यास 14 मीटर है. टंकी की गहराई ज्ञात कीजिए.

हल: माना टंकी की गहराई $= h$ मीटर. तब, इसका आयतन $= \pi r^2 h$ घन मीटर.

यहाँ $r = 7$ मीटर.

$\therefore \quad \frac{22}{7} \times 7 \times 7 \times h = 1848 \Leftrightarrow h = \left(1848 \times \frac{7}{22} \times \frac{1}{49}\right)$ मीटर = 12 मीटर.

अतः टंकी की गहराई = 12 मीटर.

प्रश्न 13. 2·2 घन डेसीमीटर ताँबे में से 0·5 सेमी० के व्यास की तार खींची गई है. इस तार की लम्बाई कितने मीटर होगी?

हल: माना तार की लम्बाई $= h$ मीटर. तार की त्रिज्या $= \frac{0{\cdot}5}{2}$ सेमी० $= 0{\cdot}25$ सेमी० $= \frac{0{\cdot}25}{100}$ मी०.

तार का आयतन = ताँबे का आयतन $= \frac{2{\cdot}2}{1000}$ घन मीटर.

$\therefore \quad \pi \times \left(\frac{0{\cdot}25}{100}\right)^2 \times h = \frac{2{\cdot}2}{1000} \Leftrightarrow h = \left(\frac{2{\cdot}2}{1000} \times \frac{100}{0{\cdot}25} \times \frac{100}{0{\cdot}25} \times \frac{7}{22}\right)$ मीटर = 112 मीटर.

अतः तार की अभीष्ट लम्बाई = 112 मीटर

प्रश्न 14. दो बेलनों की त्रिज्यायें 3 : 5 के अनुपात में हैं तथा इनकी ऊँचाइयों का अनुपात 2 : 3 है. इनके वक्र-पृष्ठों के क्षेत्रफलों का अनुपात क्या है?

हल: माना बेलनों की त्रिज्यायें क्रमशः $3x$, $5x$ तथा ऊँचाईयाँ $2y$, $3y$ हैं.

तब, इनके वक्र-पृष्ठों के क्षेत्रफलों का अनुपात $= \frac{2\pi \times 3x \times 2y}{2\pi \times 5x \times 3y} = \frac{2}{5}$.

अतः अभीष्ट अनुपात $= 2 : 5$.

प्रश्न 15. लोहे के बने एक खोखले पाईप की लम्बाई 1 मीटर तथा इसकी अन्दरी चौड़ाई 3 सेमी० है. यह 1 सेमी० मोटी लोहे की चादर का बना है. यदि 1 घन सेमी० लोहे का भार 21 ग्राम हो, तो इस पाईप का भार कितना है?

हल: अन्दरी त्रिज्या $= \frac{3}{2}$ सेमी० $= 1{\cdot}5$ सेमी०, बाहरी त्रिज्या $= (1{\cdot}5 + 1)$ सेमी० $= 2{\cdot}5$ सेमी०.

लोहे का आयतन $= [\pi \times (2{\cdot}5)^2 \times 100 - \pi \times (1{\cdot}5)^2 \times 100] = \frac{22}{7} \times 100 \times [(2{\cdot}5)^2 - (1{\cdot}5)^2]$ घन सेमी०

$$= \left[\frac{22}{7} \times 100 \times (2{\cdot}5 + 1{\cdot}5)(2{\cdot}5 - 1{\cdot}5)\right] = \left(\frac{22}{7} \times 100 \times 4 \times 1\right) = \frac{8800}{7} \text{ घन सेमी०.}$$

$\therefore$ पाईप का भार $= \left(\frac{8800}{7} \times \frac{21}{1000}\right)$ किग्रा० $= 26{\cdot}4$ किग्रा०.

प्रश्न 16. एक शंकु के आधार की त्रिज्या 21 सेमी० है तथा ऊँचाई 28 सेमी० है. इसकी तिर्यक ऊँचाई, आयतन, वक्र-पृष्ठ का क्षेत्रफल तथा सम्पूर्ण पृष्ठ का क्षेत्रफल ज्ञात कीजिए.

हल: यहाँ $r = 21$ सेमी० तथा $h = 28$ सेमी०.

$\therefore$ तिर्यक ऊँचाई, $l = \sqrt{r^2 + h^2} = \sqrt{(21)^2 + (28)^2} = \sqrt{1225} = 35$ सेमी०.

(*i*) शंकु का आयतन $= \frac{1}{3}\pi r^2 h = \left(\frac{1}{3} \times \frac{22}{7} \times 21 \times 21 \times 28\right)$ घन सेमी० $= 12936$ घन सेमी०.

(*ii*) वक्र-पृष्ठ का क्षेत्रफल $= \pi rl = \left(\frac{22}{7} \times 21 \times 35\right)$ वर्ग सेमी० $= 2310$ वर्ग सेमी०.

(*iii*) सम्पूर्ण पृष्ठ का क्षेत्रफल $= (\pi rl + \pi r^2) = \left(2310 + \frac{22}{7} \times 21 \times 21\right)$ वर्ग सेमी० $= 3696$ वर्ग सेमी०.

प्रश्न 17. एक शंक्वाकार तम्बू के आधार की त्रिज्या 7 मीटर तथा ऊँचाई 24 मीटर है. इसे बनाने में 1·25 मीटर चौड़ा कितना कपड़ा लगेगा?

हल: यहाँ $r = 7$ मीटर तथा $h = 24$ मीटर. तिर्यक ऊँचाई, $l = \sqrt{r^2 + h^2} = \sqrt{7^2 + (24)^2} = \sqrt{625} = 25$ मीटर.

(*i*) कपड़े का क्षेत्रफल $= \pi rl = \left(\frac{22}{7} \times 7 \times 25\right)$ वर्ग मी० $= 550$ वर्ग मीटर.

(*ii*) तम्बू को बनाने में लगे कपड़े की लम्बाई $= \frac{\text{क्षेत्रफल}}{\text{चौड़ाई}} = \frac{550}{1{\cdot}25}$ मीटर $= 440$ मीटर.

प्रश्न 18. दो लम्बवृत्तीय शंकुओं की ऊँचाइयों की अनुपात 1 : 2 है तथा इनके आधार की परिमिति का अनुपात 3 : 4 है. इनके आयतनों का अनुपात ज्ञात कीजिए.

हल: माना शंकुओं की ऊँचाई क्रमशः h तथा $2h$ है तथा आधार की त्रिज्यायें क्रमशः r तथा R हैं.

तब, $\frac{2\pi r}{2\pi R} = \frac{3}{4} \Leftrightarrow \frac{r}{R} = \frac{3}{4}$.

$\therefore$ इन शंकुओं के आयतनों का अनुपात $= \dfrac{\frac{1}{3}\pi r^2 h}{\frac{1}{3}\pi R^2 (2h)} = \frac{r^2 h}{2R^2 h} = \frac{r^2}{2R^2} = \frac{1}{2} \cdot \left(\frac{r}{R}\right)^2 = \frac{1}{2} \times \left(\frac{3}{4}\right)^2 = \frac{9}{32}$.

अतः अभीष्ट अनुपात $= 9 : 32$.

प्रश्न 19. एक बेलन तथा एक शंकु के आधार की त्रिज्याओं का अनुपात 3 : 4 है तथा इनकी ऊँचाइयों का अनुपात 2 : 3 है. इनके आयतनों का अनुपात क्या होगा?

हल: माना बेलन तथा शंकु की त्रिज्यायें क्रमशः $3r$ तथा $4r$ हैं तथा इनकी ऊँचाई क्रमशः $2h$ तथा $3h$ है.

तब, $\frac{\text{बेलन का आयतन}}{\text{शंकु का आयतन}} = \dfrac{\pi \times (3r)^2 \times 2h}{\frac{1}{3} \times \pi \times (4r)^2 \times 3h} = \frac{9}{8}$. अतः अभीष्ट अनुपात $= 9 : 8$.

प्रश्न 20. जस्ते के बने एक गोले का व्यास 18 सेमी० है. इस गोले से 4 मिमी० व्यास की तार खींची गई है. इस तार की लम्बाई कितनी है?

हल: गोले का अर्द्धव्यास = 9 सेमी०, तार का अर्द्धव्यास $= \frac{2}{10}$ सेमी० $= \frac{1}{5}$ सेमी०.

गोले का आयतन $= \frac{4}{3}\pi r^3 = \left(\frac{4}{3}\pi\times 9\times 9\times 9\right)$ घन सेमी० $= (972\pi)$ घन सेमी०.

तार का आयतन $= \pi r^2 h = \left(\pi\times\frac{1}{5}\times\frac{1}{5}\times h\right)$ घन सेमी० $= \frac{\pi h}{25}$ घन सेमी०.

$\therefore \quad \frac{\pi h}{25} = 972\pi \Leftrightarrow h = (972\times 25)$ सेमी० $= \frac{(972\times 25)}{100}$ मीटर = 243 मीटर.

अत: तार की अभीष्ट लम्बाई = 243 मीटर.

प्रश्न 21. धातु के बने दो लम्बवृत्तीय शंकुओं की ऊँचाईयाँ क्रमश: 4·1 सेमी० तथा 4·3 सेमी० हैं तथा इनके आधारों में से प्रत्येक की त्रिज्या 2·1 सेमी० है. इन्हें पिघलाकर एक गोला बनाया गया है. गोले का व्यास कितना है?

हल: गोले का आयतन = दो शंकुओं के आयतनों का योग

$$= \left[\left(\frac{1}{3}\pi\times 2\cdot1\times 2\cdot1\times 4\cdot1\right) + \left(\frac{1}{3}\pi\times 2\cdot1\times 2\cdot1\times 4\cdot3\right)\right] \text{ घन सेमी०}$$

$$= \frac{1}{3}\pi\times(2\cdot1)^2\times(4\cdot1+4\cdot3) = \frac{1}{3}\pi\times(2\cdot1)^2\times(8\cdot4) = \frac{4}{3}\pi(2\cdot1)^3 \text{ घन सेमी०}$$

माना गोले की त्रिज्या $= R$, तब, $\frac{4}{3}\pi R^3 = \frac{4}{3}\pi(2\cdot1)^3 \Leftrightarrow R = 2\cdot1$ सेमी०.

अत: गोले का व्यास $= 2R = (2\times 2\cdot1)$ सेमी० $= 4\cdot2$ सेमी०.

प्रश्न 22. एक शंकु तथा एक गोले की बराबर त्रिज्या तथा बराबर आयतन हैं. गोले के व्यास तथा शंकु की ऊँचाई का अनुपात ज्ञात कीजिए.

हल: माना प्रत्येक की त्रिज्या $= R$ तथा शंकु की ऊँचाई $= h$.

तब, $\frac{4}{3}\pi R^3 = \frac{1}{3}\pi R^2 h \Leftrightarrow \frac{R}{h} = \frac{1}{4} \Leftrightarrow \frac{2R}{h} = \frac{2}{4} = \frac{1}{2}$.

अत: गोले के व्यास तथा शंकु की ऊँचाई का अनुपात = 1 : 2.

प्रश्न 23. एक अर्द्ध-गोले की त्रिज्या 10·5 सेमी है. इसका आयतन, वक्र-पृष्ठ तथा सम्पूर्ण पृष्ठ के क्षेत्रफल ज्ञात कीजिए.

हल: अर्द्ध गोले की त्रिज्या, $r = \frac{21}{2}$ सेमी०.

(*i*) अर्द्ध गोले का आयतन $= \frac{2}{3}\pi r^3 = \left(\frac{2}{3}\times\frac{22}{7}\times\frac{21}{2}\times\frac{21}{2}\times\frac{21}{2}\right)$ घन सेमी० = 2425·5 घन सेमी०.

(*ii*) अर्द्ध गोले का वक्र-पृष्ठ $= 2\pi r^2 = \left(2\times\frac{22}{7}\times\frac{21}{2}\times\frac{21}{2}\right)$ वर्ग सेमी० = 693 वर्ग सेमी०.

(*iii*) अर्द्ध गोले का सम्पूर्ण पृष्ठ $= 3\pi r^2 = \left(3\times\frac{22}{7}\times\frac{21}{2}\times\frac{21}{2}\right)$ वर्ग सेमी० = 1039·5 वर्ग सेमी०.

प्रश्न 24. एक शंकु, एक अर्द्ध-गोला तथा एक बेलन के बराबर आधार तथा बराबर ऊँचाई हैं. इनके आयतनों का अनुपात ज्ञात कीजिए.

हल: माना प्रत्येक की त्रिज्या $= R$. अर्द्ध गोले की ऊँचाई = इसकी त्रिज्या $= R$.

अत: प्रत्येक की ऊँचाई $= R$.

इनके आयतनों का अभीष्ट अनुपात $= \left(\frac{1}{3}\pi R^2\times R\right) : \left(\frac{2}{3}\pi R^3\right) : \left(\pi R^2\times R\right) = \left(\frac{1}{3}\pi R^3\right) : \left(\frac{2}{3}\pi R^3\right) : \left(\pi R^3\right) = 1 : 2 : 3.$

अत: अभीष्ट अनुपात = 1 : 2 : 3.

प्रश्नमाला 28A

निर्देशः नीचे दिये गये प्रत्येक प्रश्न में सही उत्तर को चिह्नांकित (✓) कीजिएः

1. एक समवृत्ताकार शंकु का आयतन जो 4.2 डेसीमीटर किनारे वाले लकड़ी के घन से न्यूनतम मात्रा में लकड़ी बर्बाद करने से प्राप्त होता है
   (एसएससी-सीएचएसएल (10+2) परीक्षा, 2015)
   (a) 19404 डेसीमीटर³ (b) 194.04 डेसीमीटर³
   (c) 19.404 डेसीमीटर³ (d) 1940.4 डेसीमीटर³

2. एक नियमित चतुष्फलक के प्रत्येक किनारे की लंबाई 1 सेमी है। इसकी मात्रा है:
   (एसएससी-सीएचएसएल (10+2) परीक्षा, 2015)
   (a) $\frac{\sqrt{3}}{12}$ सेमी³ (b) $\frac{1}{4}\sqrt{3}$ सेमी³
   (c) $\frac{\sqrt{2}}{6}$ सेमी³ (d) $\frac{1}{12}\sqrt{2}$ सेमी³

3. एक अर्धगोलाकार कटोरे की त्रिज्या 6 सेमी है। कटोरे की क्षमता है $\left(\pi = \frac{22}{7} \text{ दिया है}\right)$
   (एसएससी-सीएचएसएल (10+2) परीक्षा, 2015)
   (a) 495.51 सेमी³ (b) 452.57 सेमी³
   (c) 345.53 सेमी³ (d) 422 सेमी³

4. एक घन की प्रत्येक भुजा को 25% घटाया जाता है। मूल घन और परिणामी घन के आयतनों का अनुपात ज्ञात कीजिए:
   (एसएससी-सीएचएसएल (10+2) परीक्षा, 2015)
   (a) 64 : 1 (b) 27 : 64 (c) 64 : 27 (d) 8 : 1

5. एक अर्धगोले और एक शंकु के आधार समान हैं। यदि उनकी ऊँचाई भी बराबर है, तो उनकी घुमावदार सतहों का अनुपात होगा: (एसएससी-सीएचएसएल (10+2) परीक्षा, 2015)
   (a) $\sqrt{2}$: 1 (b) 1 : $\sqrt{2}$ (c) 2 : 1 (d) 1 : 2

6. एक गोले और एक घन का पृष्ठीय क्षेत्रफल समान है। उनके आयतन के वर्गों का अनुपात है (सीडीएस, 2016)
   (a) 6 : π (b) 5 : π (c) 3 : 5 (d) 1 : 1

7. यदि एक गोले की त्रिज्या में 10% की वृद्धि की जाती है, तो आयतन में कितनी वृद्धि होगी? (सीडीएस, 2016)
   (a) 33.1% (b) 30% (c) 50% (d) 10%

8. एक गोलक की त्रिज्या 6 सेमी. है। इसे पिघलाकर 0.2 सेमी. त्रिज्या वाली एक तार बनाई गई। उस तार की लंबाई बताइए।
   (एस.एस.सी. संयुक्त स्नातक स्तर ग्रेड-टियर-II (सी.बी.ई.) परीक्षा, 2017)
   (a) 81 मीटर (b) 80 मीटर (c) 75 मीटर (d) 72 मीटर

9. एक घन में पिंड-विकर्ण की लंबाई $8\sqrt{3}$ सेमी है। घन का आयतन (सेमी.³ में) कितना है?
   (एस.एस.सी. सीजीएल परीक्षा 2022)
   (a) 512 (b) 343 (c) 216 (d) 729

10. एक ठोस अर्धगोले का कुल पृष्ठीय क्षेत्रफल 1039.5 वर्ग सेमी² है। अर्धगोले का आयतन (सेमी³ में) है: $\left(\pi = \frac{22}{7} \text{ लें}\right)$
    (एसएससी सीपीओ, 2019)
    (a) 2225.5 (b) 2530.6 (c) 2425.5 (d) 2525.6

11. एक शंकु तथा एक गोले की समान त्रिज्यायें तथा समान आयतन हैं. गोले के व्यास तथा शंकु की ऊँचाई का अनुपात क्या है?
    (a) 3 : 1 (b) 1 : 3 (c) 6 : 1 (d) 1 : 2

12. यदि एक गोले, एक बेलन तथा एक शंकु की त्रिज्यायें समान हों तथा इनके सम्पूर्ण पृष्ठ समान हों, तो इनकी ऊँचाइयों का अनुपात क्या होगा?
    (a) $2:1:2\sqrt{2}$ (b) $\sqrt{2}:1:2$
    (c) $2:1:3\sqrt{2}$ (d) $6\sqrt{2}:3\sqrt{3}:4$

13. किसी शंकु की त्रिज्या तथा ऊँचाई में से प्रत्येक को तीन गुना कर दिया जाये, तो नये शंकु तथा पुराने शंकु के आयतनों का अनुपात क्या होगा?
    (a) 3 : 1 (b) 6 : 1 (c) 9 : 1 (d) 27 : 1

14. एक अर्द्धगोले का आयतन 19404 घन सेमी० है. इसकी त्रिज्या कितनी है?
    (a) 10.5 सेमी० (b) 17.5 सेमी० (c) 21 सेमी० (d) 42 सेमी०

15. 14 सेमी० व्यास के अर्द्ध-गोले के सम्पूर्ण पृष्ठों का क्षेत्रफल कितना है?
    (a) 462 वर्ग सेमी० (b) 308 वर्ग सेमी०
    (c) 232 वर्ग सेमी० (d) 1848 वर्ग सेमी०

16. एक अर्द्ध-गोले का आयतन 155232 घन सेमी० है. इसके सम्पूर्ण पृष्ठ का क्षेत्रफल क्या होगा?
    (a) 11088 वर्ग सेमी० (b) 16632 वर्ग सेमी०
    (c) 22176 वर्ग सेमी० (d) 3696 वर्ग सेमी०

17. दो बेलनों की त्रिज्याओं का अनुपात 2 : 3 है और उनकी ऊँचाईयों का अनुपात 5 : 3 है। उनके आयतनों का अनुपात बताइए। (एस.एस.सी. संयुक्त स्नातक स्तर ग्रेड-टियर-II (सी.बी.ई.) परीक्षा, 2017)
    (a) 27 : 20 (b) 20 : 27 (c) 4 : 9 (d) 9 : 4

18. एक शंकु के आधार का व्यास 42 सेमी० है तथा इसका आयतन 12936 घन सेमी० है. इसकी तिर्यक ऊँचाई कितनी है?
    (a) 30 सेमी० (b) 42·6 सेमी० (c) 35 सेमी० (d) 67·48 सेमी०

19. यदि दो बेलनों के अर्द्धव्यास 2 : 3 के अनुपात में हों तथा इनकी ऊँचाइयाँ 5 : 3 के अनुपात में हों, तो इनके आयतनों का अनुपात कितना है? (एस०एस०सी० परीक्षा, 2015)

(*a*) 4 : 9 (*b*) 9 : 4 (*c*) 20 : 27 (*d*) 27 : 20

20. एक बेलनाकार टंकी की धारिता 246·4 लीटर है. यदि इसकी ऊँचाई 4 मीटर हो, तो इसके आधार का व्यास कितना है? **(बैंक पी०ओ० परीक्षा, 2013)**

(*a*) 1·4 सेमी० (*b*) 2·8 सेमी० (*c*) 14 सेमी० (*d*) 28 सेमी०

21. एक बेलनाकार कुएँ का व्यास 2 मीटर है. इसे 14 मीटर गहरा खोदा गया है. इसमें से निकली मिट्टी का आयतन कितना है?

(*a*) 32 घन मीटर (*b*) 36 घन मीटर
(*c*) 40 घन मीटर (*d*) 44 घन मीटर

22. एक लम्बवृत्तीय बेलन के वक्र पृष्ठ का क्षेत्रफल 2640 वर्ग सेमी० है तथा इसके आधार की परिधि 66 सेमी० है. इस बेलन का आयतन कितना है?

(*a*) 3465 घन सेमी० (*b*) 7720 घन सेमी०
(*c*) 13860 घन सेमी० (*d*) 55440 घन सेमी०

23. दो लम्बवृत्तीय बेलनों के आयतन बराबर हैं तथा उनकी ऊँचाइयों का अनुपात 1 : 3 है. इनके आधार की त्रिज्याओं का अनुपात क्या होगा?

(*a*) $1 : \sqrt{3}$ (*b*) $\sqrt{3} : 1$ (*c*) 1 : 3 (*d*) 3 : 1

24. 0·88 घन मीटर लोहे को पिघला कर लोहे की छड़ें बनाई गई हैं, जिनमें से प्रत्येक का व्यास 2 सेमी० तथा लम्बाई 7 मीटर है. ऐसी कितनी छड़ें बनेंगी?

(*a*) 400 (*b*) 392 (*c*) 616 (*d*) 2000

25. एक लम्बवृत्तीय बेलन की ऊँचाई 14 सेमी० है तथा इसके वक्र पृष्ठ का क्षेत्रफल 704 वर्ग सेमी० है. तब, इसका आयतन कितना है?

(*a*) 1408 घन सेमी० (*b*) 2816 घन सेमी०
(*c*) 5632 घन सेमी० (*d*) 9856 घन सेमी०

26. एक लम्बवृत्तीय बेलनाकार खम्भे का वक्र पृष्ठ 264 वर्ग मीटर तथा आयतन 924 घन मीटर है. इसके व्यास तथा ऊँचाई का अनुपात क्या होगा? **(एस०एस०सी० परीक्षा, 2015)**

(*a*) 3 : 7 (*b*) 7 : 3 (*c*) 6 : 7 (*d*) 7 : 6

27. एक ठोस बेलन के आधार की त्रिज्या तथा ऊँचाई का योग 37 मीटर है. यदि बेलन का सम्पूर्ण पृष्ठ का क्षेत्रफल 1628 वर्ग मीटर हो, तो इसका आयतन कितना होगा?

(*a*) 3180 घन मीटर (*b*) 4620 घन मीटर
(*c*) 5240 घन मीटर (*d*) इनमें से कोई नहीं

28. एक लम्बवृत्तीय बेलन के वक्र पृष्ठ तथा सम्पूर्ण पृष्ठ के क्षेत्रफलों का अनुपात 1 : 2 है. यदि सम्पूर्ण पृष्ठ का क्षेत्रफल 616 वर्ग सेमी० हो, तो इसका आयतन कितना होगा?

(*a*) 980 घन सेमी० (*b*) 1078 घन सेमी०
(*c*) 1232 घन सेमी० (*d*) 1848 घन सेमी०

29. एक लम्बवृत्तीय बेलन के आधार की त्रिज्या तथा ऊँचाई का अनुपात 2 : 3 है. यदि इसका आयतन 12936 घन सेमी० हो, तो इस बेलन के सम्पूर्ण पृष्ठ का क्षेत्रफल कितना है?

(*a*) 3080 वर्ग सेमी० (*b*) 38808 वर्ग सेमी०
(*c*) 25872 वर्ग सेमी० (*d*) 2587·2 वर्ग सेमी०

30. एक बेलन की त्रिज्या r है. इसके आयतन को किससे गुणा करें कि गुणनफल बेलन के वक्र-पृष्ठ के क्षेत्रफल के बराबर हो? **(सी०डी० एस० परीक्षा, 2014)**

(*a*) $2r$ (*b*) $\frac{2}{r}$ (*c*) $2r^2$ (*d*) $\frac{2}{r^2}$

31. व्यास d का एक बेलनाकार पाईप एक पानी से भरी टंकी को 40 मिनट में खाली कर देता है. व्यास $2d$ का बेलनाकार पाईप इस भरी टंकी को खाली करने में कितना समय लेगा?

(*a*) 20 मिनट (*b*) 80 मिनट
(*c*) 10 मिनट (*d*) 5 मिनट

32. किसी लम्बवृत्तीय बेलन के आधार की त्रिज्या दुगुनी करने तथा ऊँचाई आधी करने पर नये आयतन तथा पहले वाले आयतनों का अनुपात क्या होगा?

(*a*) 2 : 3 (*b*) 3 : 2 (*c*) 1 : 2 (*d*) 2 : 1

33. एक लम्बवृत्तीय बेलन की ऊँचाई 6 मीटर है. यदि दोनों वृत्तीय छोरों के क्षेत्रफलों के योग का तिगुना वक्रवृष्ठ के क्षेत्रफल के दुगुने के बराबर हो, तो इसके आधार की त्रिज्या कितनी है?

(*a*) 1 मीटर (*b*) 2 मीटर (*c*) 3 मीटर (*d*) 4 मीटर

34. एक बेलनाकार टंकी की त्रिज्या 10 मीटर तथा ऊँचाई 15 मीटर है. खाली टंकी में बेलनाकार पाईप द्वारा 5 मीटर/सै० की चाल से पानी भरा जा रहा है. यदि इस पाईप का व्यास 50 सेमी० हो, तो टंकी को भरने में कितना समय लगेगा? **(सी०डी०एस० परीक्षा, 2015)**

(*a*) 20 मिनट (*b*) 40 मिनट (*c*) 60 मिनट (*d*) 80 मिनट

35. 10 सेमी० ऊँचा तथा 4·5 सेमी० व्यास का एक लम्बवृत्तीय बेलन बनाने के लिए 1·5 सेमी० व्यास तथा 0·2 सेमी० मोटाई वाले कितने सिक्कों को पिघलाना होगा? **(एम०बी०ए० परीक्षा, 2014)**

(*a*) 450 (*b*) 460 (*c*) 470 (*d*) 480

36. एक बेलनाकार बर्तन की धारिता 25·872 लीटर है. यदि इसकी ऊँचाई इसके आधार की त्रिज्या से तिगुनी हो, तो इसके आधार का क्षेत्रफल क्या होगा? **(बैंक पी०ओ० परीक्षा, 2014)**

(*a*) 336 वर्ग सेमी० (*b*) 616 वर्ग सेमी०
(*c*) 1232 वर्ग सेमी० (*d*) ज्ञात नहीं किया जा सकता
(*e*) इनमें से कोई नहीं

37. किसी बेलन की त्रिज्या 50% कम कर देने तथा ऊँचाई में 50% वृद्धि करने पर इसके आयतन में कितने प्रतिशत कमी होगी? **(पुलिस सब-इन्सपैक्टर परीक्षा, 2013)**

(*a*) 0% (*b*) 25% (*c*) 62·5% (*d*) 75%

38. एक बेलनाकार ड्रम के आधार का व्यास 35 डेसीमीटर है तथा इसकी ऊँचाई 24 डेसीमीटर है. यह मिट्टी के तेल से भरा है. इस तेल से (25 सेमी० × 22 सेमी० × 35 सेमी०) वाले कितने कनस्तर भरे जायेंगे?

(पुलिस सब-इन्सपैक्टर परीक्षा, 2013)

(*a*) 120 (*b*) 600 (*c*) 1020 (*d*) 1200

39. एक लम्बवृत्तीय बेलन की ऊँचाई 14 सेमी० है तथा इसका

आयतन ऐसे घन के आयतन के बराबर है जिसके प्रत्येक सिरे की लम्बाई 11 सेमी० है. इस बेलन के आधार का व्यास कितना है? **(एस०एस०सी० परीक्षा, 2014)**

(*a*) 5·2 सेमी० (*b*) 5·5 सेमी० (*c*) 11 सेमी० (*d*) 22 सेमी०

40. एक लम्बवृत्तीय बेलन का आयतन ($9\pi h$) घन मीटर है, जहाँ ऊँचाई h मीटर है. इस बेलन के आधार का व्यास कितना है? **(एस०एस०सी० परीक्षा, 2014)**

(*a*) 3 मीटर (*b*) 6 मीटर (*c*) 9 मीटर (*d*) 12 मीटर

41. एक कुएँ का अन्दरी व्यास 14 मीटर है तथा इसे 10 मीटर गहरा खोदा गया है. इसमें से निकाली गई मिट्टी को चारों ओर 21 मीटर चौड़ाई तक डाला गया है. इस प्रकार बने रास्ते की ऊँचाई कितनी है?

(*a*) $\frac{1}{2}$ मीटर (*b*) $\frac{2}{3}$ मीटर (*c*) $\frac{3}{4}$ मीटर (*d*) $\frac{3}{5}$ मीटर

42. एक बेलन की ऊँचाई उसकी त्रिज्या के बराबर है. यदि बेलन का आयतन $25\frac{1}{7}$ घन सेमी० हो, तो बेलन की त्रिज्या कितनी है?

(*a*) π सेमी० (*b*) 2 सेमी० (*c*) 3 सेमी० (*d*) 4 सेमी०

43. एक बेलनाकार पाईप का आन्तरिक व्यास 7 सेमी है तथा इसमें से 2 मीटर/सै० की दर से पानी बहता है. यदि यह पाईप सदैव आधा भरा रहे, तो 10 मिनट में इसमें से कितना पानी बहेगा? **(एस०एस०सी० परीक्षा, 2013)**

(*a*) 2310 लीटर (*b*) 3850 लीटर
(*c*) 4620 लीटर (*d*) 9240 लीटर

44. चाँदी के 66 घन सेमी० को 1 मिमी० व्यास के तार के रूप में खींचा गया है. इस तार की लम्बाई कितनी होगी?

(*a*) 84 मीटर (*b*) 90 मीटर
(*c*) 168 मीटर (*d*) 336 मीटर

45. लोहे का एक खोखला बेलनाकार पाईप 21 सेमी० लम्बा है तथा इसका बाहरी व्यास 8 सेमी० है. यदि पाईप की दीवारों की मोटाई 1 सेमी० हो तथा लोहे का भार 8 ग्राम प्रति घन सेमी० हो, तो इस पाईप का भार कितना होगा? **(एस०एस०सी० परीक्षा, 2014)**

(*a*) 3·6 किग्रा० (*b*) 3·696 किग्रा०
(*c*) 36 किग्रा० (*d*) 36·9 किग्रा०

46. लोहे का एक खोखला बेलनाकार पाईप 21 सेमी० लम्बा है तथा इसका अन्दरी व्यास 11·2 सेमी० है. यदि पाईप की दीवार 0·4 सेमी० मोटी हो तो लोहे का आयतन कितना है? **(एस०एस०सी० परीक्षा, 2013)**

(*a*) 280·52 घन सेमी० (*b*) 306·24 घन सेमी०
(*c*) 310 घन सेमी० (*d*) 316 घन सेमी०

47. 2 सेमी० व्यास के एक बेलनाकार बर्तन की धारिता 61·6 घन सेमी० है. यदि इसकी ऊँचाई 40 सेमी० तथा बाहरी व्यास 16 मिमी० हो, तो इसकी धातु की मोटाई कितनी है?

(*a*) 0·2 मिमी० (*b*) 0·3 मिमी० (*c*) 1 मिमी० (*d*) 2 मिमी०

48. दो बेलनाकार बर्तनों की त्रिज्यायें क्रमश: 15 सेमी० तथा 10 सेमी० हैं और इनकी ऊँचाइयाँ क्रमश: 35 सेमी० तथा 15 सेमी० हैं. दोनों पानी से भरे हैं. यदि इन दोनों बर्तनों के पानी को 15 सेमी० ऊँचाई के बेलनाकार बर्तन में पलट देने पर वह बर्तन पूरा पानी से भर जाये तो ऐसे बर्तन की त्रिज्या क्या होगी?

(*a*) 17·5 सेमी० (*b*) 18 सेमी० (*c*) 20 सेमी० (*d*) 25 सेमी०

49. एक तार को पिघलाकर एक-तिहाई त्रिज्या की तार बनाने पर समान आयतन की तार की लम्बाई कितनी हो जायेगी?

(*a*) 3 गुनी (*b*) 2 गुनी (*c*) 6 गुनी (*d*) 9 गुनी

50. 1 सेमी० व्यास की 8 सेमी० लम्बी एक ताँबे की छड़ को पिघलाकर एक समान व्यास के 18 मीटर लम्बे तार में ढ़ाला गया है. इस तार की त्रिज्या कितनी है? **(एस०एस०सी० परीक्षा, 2015)**

(*a*) $\frac{1}{15}$ सेमी० (*b*) $\frac{1}{30}$ सेमी० (*c*) $\frac{2}{15}$ सेमी० (*d*) 15 सेमी०

51. एक लम्बवृत्तीय बेलन तथा एक गोले की त्रिज्यायें समान हैं तथा उनके आयतन समान हैं. बेलन की ऊँचाई कितनी है?

(*a*) त्रिज्या का $\frac{4}{3}$ गुना (*b*) त्रिज्या का $\frac{2}{3}$ गुना
(*c*) त्रिज्या के बराबर (*d*) व्यास के बराबर

52. एक शंकु के आधार की त्रिज्या 5 सेमी० तथा ऊँचाई 12 सेमी० है. इसकी तिर्यक ऊँचाई कितनी है? **(हरियाणा पोलिटैक्निक परीक्षा, 2013)**

(*a*) 5 सेमी० (*b*) 12 सेमी० (*c*) 13 सेमी० (*d*) 20 सेमी०

53. लकड़ी के एक गोले की त्रिज्या 15 सेमी० है. इसमें से एक शंकु काटा गया है जिसकी ऊँचाई 15 सेमी० तथा जिसके आधार का व्यास 30 सेमी० है. कितने प्रतिशत लकड़ी व्यर्थ गई है? **(एस०एस०सी० परीक्षा, 2015)**

(*a*) 25% (*b*) 40% (*c*) 50% (*d*) 75%

54. एक शंकु के आधार की त्रिज्या एवं ऊँचाई में से प्रत्येक में 100% वृद्धि करने पर इसके आयतन में कितने प्रतिशत वृद्धि होगी? **(एस०एस०सी० परीक्षा, 2013)**

(*a*) 100% (*b*) 300% (*c*) 400% (*d*) 700%

55. एक शंकु का आयतन उस गोले के आयतन के बराबर है जिसकी त्रिज्या 8 सेमी० है. यदि शंकु के आधार की त्रिज्या गोले की त्रिज्या के बराबर हो, तो शंकु की तिर्यक ऊँचाई कितनी है? **(एस०एस०सी० परीक्षा, 2014)**

(*a*) 34 सेमी० (*b*) $34\sqrt{2}$ सेमी०
(*c*) $4\sqrt{17}$ सेमी० (*d*) $8\sqrt{17}$ सेमी०

56. एक शंक्वाकार तम्बू बनाने के लिए 5 मीटर चौड़ा कितना कपड़ा चाहिए, जबकि तम्बू के आधार की त्रिज्या 7 मीटर तथा ऊँचाई 24 मीटर है? **(मैनेजमैन्ट परीक्षा, 2015)**

(*a*) 108 मीटर (*b*) 110 मीटर (*c*) 112 मीटर (*d*) 115 मीटर

57. एक लम्बवृत्तीय शंकु की त्रिज्या 7 सेमी० तथा ऊँचाई 14 सेमी० है. इसके सम्पूर्ण पृष्ठ का क्षेत्रफल कितने वर्ग सेमी० है?

(a) $154(\sqrt{2}+1)$ (b) $154(\sqrt{3}+1)$
(c) $154(\sqrt{5}+1)$ (d) इनमें से कोई नहीं

58. एक शंक्वाकार पहाड़ी की तिर्यक ऊँचाई 2·5 किमी० तथा इसके आधार का क्षेत्रफल 1·54 वर्ग किमी० है. पहाड़ी की ऊँचाई कितनी है? **(एस०एस०सी० परीक्षा, 2012)**
(a) 2·2 किमी० (b) 2·4 किमी०
(c) 3 किमी० (d) 3·11 किमी०

59. एक लम्बवृत्तीय शंकु के आधार का क्षेत्रफल 154 वर्ग सेमी० है तथा इसकी ऊँचाई 14 सेमी० है. इसके वक्र-पृष्ठ का क्षेत्रफल कितना है? **(एस०एस०सी० परीक्षा, 2012)**
(a) 11 वर्ग सेमी० (b) $154\sqrt{5}$ वर्ग सेमी०
(c) $154\sqrt{7}$ वर्ग सेमी० (d) 5324 वर्ग सेमी०

60. एक खोखले गोले का बाह्य व्यास 8 सेमी० तथा अन्दरी व्यास 4 सेमी० है. इसे पिघला कर एक शंकु बनाया गया है, जिसके आधार का व्यास 8 सेमी० है. इस शंकु की ऊँचाई कितनी है? **(रेलवे परीक्षा, 2012)**
(a) 12 सेमी० (b) 14 सेमी० (c) 15 सेमी० (d) 18 सेमी०

61. धातु के बने एक खोखले गोले का बाहरी व्यास 6 सेमी० है तथा यह $\frac{1}{2}$ सेमी० मोटे धातु से बना है. इसमें प्रयुक्त धातु का आयतन कितना है? **(एस०एस०सी० परीक्षा, 2014)**
(a) $37\frac{2}{3}$ घन सेमी० (b) $40\frac{2}{3}$ घन सेमी०
(c) $41\frac{2}{3}$ घन सेमी० (d) $47\frac{2}{3}$ घन सेमी०

62. एक गोले के सम्पूर्ण पृष्ठ का क्षेत्रफल एक घन के सम्पूर्ण पृष्ठ के बराबर है. गोले तथा घन के आयतनों का अनुपात क्या होगा?
(a) $\sqrt{\pi}:\sqrt{6}$ (b) $\sqrt{2}:\sqrt{\pi}$
(c) $\sqrt{\pi}:\sqrt{3}$ (d) $\sqrt{6}:\sqrt{\pi}$

63. एक शंक्वाकार बर्तन में भरे पानी को समान त्रिज्या वाले बेलनाकार बर्तन में उंडे़ल दिया गया है. इस बेलनाकार बर्तन की ऊँचाई 6 सेमी० है. शंक्वाकार बर्तन की ऊँचाई कितनी है?
(a) 2 सेमी० (b) 6 सेमी० (c) 18 सेमी० (d) 36 सेमी०

64. एक बेलनाकार बर्तन रेत से भरा है. इस बर्तन की त्रिज्या 18 सेमी० तथा ऊँचाई 32 सेमी० है. इसके रेत को पृथ्वी पर उलट कर खाली कर दिया गया तथा रेत को एक शंक्वाकार ढेर के रूप में परिवर्तित कर दिया गया है, जिसकी ऊँचाई 24 सेमी० है. इसके आधार की त्रिज्या कितनी है?
(a) 12 सेमी० (b) 24 सेमी० (c) 36 सेमी० (d) 48 सेमी०

65. एक शंक्वाकार बर्तन के आधार की त्रिज्या 10 सेमी० तथा ऊँचाई 48 सेमी० है. यह बर्तन पानी से लबालब भरा है. यदि इस पानी को एक बेलनाकार बर्तन में उलट दिया जाये जिसके आधार की त्रिज्या 20 सेमी० हो, तो इस बर्तन में पानी किस ऊँचाई तक भरेगा?
(a) 3.6 सेमी० (b) 4 सेमी० (c) 5.2 सेमी० (d) 5 सेमी०

66. धातु के बने एक शंकु के आधार की त्रिज्या 2.1 सेमी० तथा ऊँचाई 8.4 सेमी० है. इसे पिघला कर एक गोला बनाया गया है. इस गोले की त्रिज्या कितनी होगी?
(a) 2.1 सेमी० (b) 1.05 सेमी० (c) 1.5 सेमी० (d) 2 सेमी०

67. दो अर्द्ध-गोलाकार बर्तनों की धारिता क्रमशः 6.4 लीटर तथा 21.6 लीटर है. इनके अन्दरी वक्र-पृष्ठों के क्षेत्रफलों का अनुपात क्या होगा?
(a) 4 : 9 (b) 2 : 3 (c) $\sqrt{2}:\sqrt{3}$ (d) 16 : 81

68. जस्ते के बने 6 सेमी० त्रिज्या के अर्द्ध-गोले को पिघला कर 75 सेमी० ऊँचाई के शंकु में ढ़ाला गया है. इस शंकु के आधार की त्रिज्या कितनी है?
(a) 1.4 सेमी० (b) 2 सेमी० (c) 2.4 सेमी० (d) 4.2 सेमी०

69. एक अर्द्ध गोले तथा एक शंकु के आधार बराबर हैं. यदि इनकी ऊँचाइयाँ भी बराबर हों, तो इनके वक्र-पृष्ठों के क्षेत्रफल का अनुपात क्या होगा? **(एस०एस०सी० परीक्षा, 2012)**
(a) 1 : 2 (b) 2 : 1 (c) $1:\sqrt{}$ (d) $\sqrt{2}:1$

70. त्रिज्या r के एक अर्द्ध गोले में से अधिकतम आयतन का एक गोला काटा गया है. इस अर्द्ध गोले तथा इस गोले के आयतनों का अनुपात क्या होगा?
(a) 3 : 2 (b) 4 : 1 (c) 4 : 3 (d) 7 : 4

71. दोनो सिरों पर खुले एक खोखले बेलन का आयतन क्या होगा, यदि इसकी लंबाई 25 सेमी. है। बाह्य त्रिज्या 10 से.मी. है और मोटाई 1 से.मी. है ? (प्रयोग करें $\pi = \frac{22}{7}$)
(एस.एस.सी. सी.एच.एस.एल. (10 + 2) ग्रेड-टियर-I (सी.बी.ई.) परीक्षा, 2017)
(a) 2985.72 घन सेमी. (b) 746.43 घन सेमी.
(c) 2239.29 घन सेमी. (d) 1492.86 घन सेमी.

72. 5 सेमी. की ऊँचाई और 4 सेमी. की त्रिज्या वाला एक बेलनाकार बर्तन पूरी तरह रेत से भरा है। जब इस रेत को उड़ेला जाता है, तो यह 6 सेमी. त्रिज्या वाले एक समकोण वृत्तीय शंकु का आकार ले लेती है तो शंकु की ऊँचाई क्या होगी? ($\pi = \frac{22}{7}$ लीजिए)
(एस.एस.सी. सी.एच.एस.एल. (10 + 2) ग्रेड-टियर-I सी.बी.ई. परीक्षा, 2017)
(a) 6.67 सेमी. (b) 2.22 सेमी. (c) 3.33 सेमी. (d) 1.67 सेमी.

73. किसी लोहे के घन के तीन किनारे क्रमशः 6 सेमी., 8 सेमी. और 10 सेमी. हैं। उनको पिघलाकर एक घन बनाया गया है। तैयार किए गए उस नए घन का किनारा बताइए।
(एस.एस.सी. संयुक्त स्नातक स्तर ग्रेड-टियर-II (सी.बी.ई.) परीक्षा, 2017),
(a) 12 सेमी. (b) 14 सेमी. (c) 16 सेमी. (d) 18 सेमी.

74. एक तार की त्रिज्या को घटा कर एक-तिहाई कर दिया गया है। यदि उसका आयतन पहले जितना ही है तो उसकी लंबाई

में कितनी वृद्धि होगी? **(एस.एस.सी. संयुक्त स्नातक स्तर ग्रेड-टियर-II (सी.बी.ई.) परीक्षा, 2017)**

(a) 1.5 गुनी (b) 3 गुनी (c) 6 गुनी (d) 9 गुनी

75. 8 सेमी. भुजा वाले एक ठोस घन को 16 सेमी लंबाई, 8 सेमी. चौड़ाई और 15 सेमी ऊँचाई वाले एक आयताकार कंटेनर में गिराया जाता है जो आंशिक रूप से पानी से भरा है। यदि घन पूरी तरह से डूबा हुआ है, तो जलस्तर कितना ऊपर (सेमी में) उठेगा? **(एस.एस.सी. सीजीएल परीक्षा 2022)**

(a) 6 (b) 4 (c) 2 (d) 5

76. 8 सेमी भुजा के वर्गाकार आधार वाले एक समपिरामिड का संपूर्ण पृष्ठीय क्षेत्रफल 208 सेमी^{2} है। पिरामिड की तिर्यक ऊँचाई (सेमी में) ज्ञात कीजिए। **(एस.एस.सी. सीजीएल परीक्षा 2022)**

(a) 7 (b) 10 (c) 9 (d) 8

77. 7 सेमी. त्रिज्या और 7 सेमी ऊँचाई वाले एक ठोस शंकु को, प्रत्येक 7 सेमी की त्रिज्या वाले दो ठोस गोलों के साथ पिघलाकर 7 सेमी त्रिज्या का एक ठोस बेलन बनाया गया। बेलन का वक्र पृष्ठीय क्षेत्रफल (सेमी.^{2} में) कितना है? $\left(\pi = \frac{22}{7}\right.$ लीजिए$\left.\right)$। **(एस.एस.सी. सीजीएल परीक्षा 2022)**

(a) 2196 (b) 924 (c) 482 (d) 880

78. 22.5 मी ऊँचा तंबू एक अर्द्धगोले के ऊपर एक शंकु के छिन्नक के आकार का है। यदि छिन्नक के ऊपरी ओर निचले वृत्ताकार सिरों का व्यास क्रमशः 21 मी और 39 मी. है; तो तंबू बनाने के लिए किए गए कपड़े का क्षेत्रफल (मी^{2} में) ज्ञात कीजिए (कपड़े के अपव्यय को नजरअंदाज करते हुए उत्तर ज्ञात करें)। $\left(\pi = \frac{22}{7}\right.$ मानिए$\left.\right)$

(a) $2800\frac{2}{7}$ (b) $787\frac{2}{7}$

(c) $1635\frac{6}{7}$ (d) $2107\frac{2}{7}$

79. एक गोले को पिघलाकर ठोस बेलन में ढाला जाता है। यदि दोनों ठोसों की त्रिज्या बराबर है, तो गोले के कुल पृष्ठीय क्षेत्रफल का बेलन के कुल पृष्ठीय क्षेत्रफल से अनुपात ज्ञात कीजिए: **(आईबीपीएस पीओ, 2020)**

(a) 2 : 3 (b) 4 : 3 (c) 3 : 7 (d) 6 : 7

(e) 7 : 6

80. यदि 2 बेलनों के आधार की त्रिज्या 3 : 4 के अनुपात में है और उनकी ऊँचाई 4 : 9 के अनुपात में है, तो उनके आयतन का अनुपात है: **(एसएससी सीजीएल, 2020)**

(a) 2 : 1 (b) 1 : 4 (c) 1 : 2 (d) 4 : 1

81. आयतन 13824 सेमी^{3} के एक ठोस घन को समान आयतन वाले 8 घनों में काटा जाता है। मूल घन के पृष्ठीय क्षेत्रफल का तीन छोटे घनों के पृष्ठीय क्षेत्रफल के योग से अनुपात है: **(एसएससी सीजीएल, 2019)**

(a) 2 : 3 (b) 4 : 3 (c) 8 : 3 (d) 2 : 1

82. 10 मीटर × 8 मीटर × 6 मीटर माप वाले एक आयताकार टैंक के निर्माण के लिए कितनी लोहे की शीट (मी^{2} में) की आवश्यकता होगी, यदि टैंक के शीर्ष पर एक मीटर त्रिज्या का एक वृत्ताकार छिद्र छोड़ा जाना है? (एक दशमलव स्थान तक सही) **(एसएससी सीजीएल, 2019)**

(a) 370.4 (b) 370.8 (c) 372.9 (d) 371.6

83. एक ठोस लम्बवृत्तीय शंकु का आयतन 600πसेमी.^{3} है, और इसके आधार का व्यास 30 सेमी है। शंकु का कुल सतह क्षेत्र (सेमी^{2} में) है: **(एसएससी सीपीओ 2019)**

(a) 496π (b) 480π (c) 255π (d) 472π

84. त्रिज्या x सेमी का एक ठोस धातु का गोला पिघलाया जाता है और तब 3.5 सेमी त्रिज्या और 3 सेमी ऊँचाई वाले 126 शंकु बनाए जाते हैं। इस प्रक्रिया में सामग्री की बर्बादी नहीं होती है। x का मूल्य क्या है? **(एसएससी सीपीओ, 2019)**

(a) 10.5 (b) 7 (c) 3.5 (d) 21

85. एक लंबवृत्तीय बेलन के व्यास और ऊँचाई का अनुपात 4 : 3 है। यदि बेलन का व्यास 25% कम हो जाता है, तो इसका कुल सतह क्षेत्रफल घटकर 318.5π वर्ग मीटर हो जाता है। बेलन के आधार की परिधि कितनी होती है?

(a) 28π सेमी^{2} (b) 14π सेमी^{2}

(c) 25π सेमी^{2} (d) 7π सेमी^{2}

(e) इनमें से कोई नहीं

86. 2 सेमी, 4 सेमी और 6 सेमी त्रिज्या की तीन गोलाकार गेंदों को पिघलाकर एक नई गोलाकार गेंद बनाई जाती है। इस प्रक्रिया में 25% सामग्री का नुकसान होता है। नई गेंद की त्रिज्या (सेमी में) क्या है? **(एसएससी सीपीओ, 2017)**

(a) 6 (b) 8 (c) 12 (d) 16

87. दो शंकुओं के वक्र पृष्ठीय क्षेत्रफल का अनुपात 1 : 8 है और उनकी तिरछी ऊँचाइयों का अनुपात 1 : 4 है। दोनों शंकुओं की त्रिज्याओं का अनुपात क्या है? **(एसएससी सीपीओ, 2017)**

(a) 1 : 1 (b) 1 : 2 (c) 1 : 4 (d) 1 : 8

88. एक लम्बवृत्तीय शंकु के आधार का परिमाप 44 सेमी है। यदि शंकु की ऊँचाई 24 सेमी है, तो शंकु का घुमावदार सतह क्षेत्र (सेमी में) क्या है? **(एसएससी सीपीओ 2017)**

(a) 550 (b) 1100 (c) 2200 (d) 650

89. एक घनाभ जिसकी भुजाएँ 6 सेमी, 9 सेमी और 32 सेमी हैं, को पिघलाकर एक नया घन बनाया जाता है। घनाभ और घन के कुल पृष्ठीय क्षेत्रफल के बीच का अनुपात क्या है? **(एसएससी सीपीओ 2017)**

(a) 93 : 71 (b) 108 : 113 (c) 297 : 220 (d) 89 : 72

90. एक सम प्रिज्म का आधार एक आयत है, जिसकी लंबाई और चौड़ाई का अनुपात 3 : 2 है। यदि प्रिज्म की ऊँचाई 12 सेमी है और कुल सतह क्षेत्रफल 288 वर्ग सेमी है, तो प्रिज्म का आयतन है: **(एसएससी-सीएचएसएल (10+2) परीक्षा, 2015)**

(*a*) 291 सेमी³ (*b*) 288 सेमी³ (*c*) 290 सेमी³ (*d*) 286 सेमी³

91. एक बेलन की त्रिज्या उसकी ऊँचाई से 5 मी अधिक है। यदि बेलन का वक्र पृष्ठीय क्षेत्रफल 792 मी² है, तो बेलन का आयतन क्या है? (मी³ में)

(आईबीपीएस-बैंक विशेष अधिकारी (आईटी) परीक्षा, 2015)

(*a*) 5712 (*b*) 5244 (*c*) 5544 (*d*) 5306
(*e*) 5462

92. एक लम्ब बेलन के आधार की त्रिज्या और वक्र पृष्ठीय क्षेत्रफल क्रमशः 'r' इकाई और $4\pi rh$ वर्ग इकाई है। बेलन की ऊँचाई है: **(एसएससी-सीएचएसएल (10+2) परीक्षा, 2015)**

(*a*) $\frac{h}{2}$ इकाइयाँ (*b*) h इकाइयाँ
(*c*) $2h$ इकाइयाँ (*d*) $4h$ इकाइयाँ

93. एक अर्द्धगोलाकार कटोरे की त्रिज्या 3.5 सेमी है। इसे अंदर और बाहर भी रंगा जाना है। इसे ₹5 प्रति 10 वर्ग सेमी की दर से पेंट करने की लागत होगी:

(एसएससी-सीएचएसएल (10+2) परीक्षा, 2015)

(*a*) ₹77 (*b*) ₹100 (*c*) ₹175 (*d*) ₹50

94. यदि एक बेलन का आयतन और घुमावदार सतह का क्षेत्रफल क्रमशः 616 मी³ और 352 मी² है, तो बेलन का कुल सतह क्षेत्र (मी² में) क्या है?

(आईबीपीएस बैंक पीओ/एमटी (प्री.) परीक्षा, 2015)

(*a*) 429 (*b*) 419 (*c*) 435 (*d*) 421
(*e*) 417

95. एक लम्ब प्रिज्म का आधार एक समलंब है जिसकी दो समानांतर भुजाओं की लंबाई 10 सेमी और 6 सेमी हैं और उनके बीच की दूरी 5 सेमी है। यदि प्रिज्म की ऊँचाई 8 सेमी है, तो इसका आयतन है:

(एसएससी-सीएचएसएल (10+2) परीक्षा, 2015)

(*a*) 320 सेमी³ (*b*) 300 सेमी³
(*c*) 310 सेमी³ (*d*) 300.5 सेमी³

96. एक बेलन की त्रिज्या और ऊँचाई का योग 19 मीटर है। बेलन का कुल पृष्ठीय क्षेत्रफल 1672 मी² है, बेलन का आयतन कितना है? (मी³ में)

(आईबीपीएस-बैंक पीओ (प्री.) परीक्षा, 2015)

(*a*) 3080 (*b*) 2940 (*c*) 3220 (*d*) 2660
(*e*) 2800

97. लोहे का एक ठोस टुकड़ा आयामों (49 सेमी × 33 सेमी × 24 सेमी) के घनाभ के रूप में पिघलाया जाता है और एक ठोस गोले के रूप में ढाला जाता है। गोले की त्रिज्या है:

(*a*) 19 सेमी (*b*) 21 सेमी (*c*) 23 सेमी (*d*) 25 सेमी

(डीएमआरसी-ट्रेन ऑपरेटर (स्टेशन नियंत्रक) परीक्षा, 2016)

98. किसी अस्पताल में एक रोगी को 7 सेमी व्यास वाले एक बेलनाकार कटोरे में प्रतिदिन सूप दिया जाता है। यदि कटोरे को सूप से 4 सेमी की ऊँचाई तक भरा जाता है, तो अस्पताल को 250 रोगियों को परोसने के लिए प्रतिदिन कितना सूप तैयार करना होगा? **(क्लैट 2016)**

(*a*) 38 लीटर (*b*) 40 लीटर
(*c*) 39.5 लीटर (*d*) 35.5 लीटर

99. एक गोले की त्रिज्या एक लम्ब वृत्तीय शंकु के आधार की त्रिज्या के बराबर है और गोले का आयतन शंकु के आयतन का दोगुना है। शंकु की ऊँचाई और उसके आधार की त्रिज्या का अनुपात है **(सीडीएस, 2016)**

(*a*) 2 : 1 (*b*) 1 : 2 (*c*) 2 : 3 (*d*) 3 : 2

100. 44 सेमी लंबे और 6 सेमी चौड़े एक आयताकार कागज को लपेटकर कागज की चौड़ाई के बराबर ऊँचाई का एक बेलन बनाया जाता है। इस प्रकार लुढ़के बेलन के आधार की त्रिज्या है **(सीडीएस, 2016)**

(*a*) 3.5 सेमी (*b*) 5 सेमी (*c*) 7 सेमी (*d*) 14 सेमी

101. यदि 6 सेमी, 8 सेमी और 10 सेमी त्रिज्या वाले धातु के तीन गोलों को पिघलाकर एक गोला बनाया जाए, तो नए गोले का व्यास होगा **(सीडीएस, 2016)**

(*a*) 12 सेमी (*b*) 24 सेमी (*c*) 30 सेमी (*d*) 36 सेमी

102. यदि एक लंबवृत्तीय शंकु की ऊँचाई 200% बढ़ा दी जाए और आधार की त्रिज्या 50% कम कर दी जाए, तो शंकु का आयतन होगा: **(सीडीएस, 2016)**

(*a*) अपरिवर्तित रहता है (*b*) 25% की कमी
(*c*) 25% की वृद्धि (*d*) 50% की वृद्धि

103. जब कोई गेंद उछलती है, तो वह उस ऊँचाई से $\frac{2}{3}$ तक उठती है, जहाँ से वह गिरी थी। यदि गेंद को 36 मीटर की ऊँचाई से गिराया जाता है, तो तीसरी उछाल पर वह कितनी ऊँचाई तक उठेगी? **(सीडीएस, 2016)**

(*a*) $10\frac{1}{3}$ मीटर (*b*) $10\frac{2}{3}$ मीटर
(*c*) $12\frac{1}{3}$ मीटर (*d*) $12\frac{2}{3}$ मीटर

104. एक स्विमिंग पूल 9 मीटर चौड़ा और 12 मीटर लंबा और उथली तरफ 1 मीटर गहरा और गहरे किनारे पर 4 मीटर गहरा है। इसकी मात्रा है: **(डीएमआरसी-(सीआरए) परीक्षा, 2016)**

(*a*) 360 मीटर³ (*b*) 270 मीटर³
(*c*) 420 मीटर³ (*d*) इनमें से कोई नहीं

उत्तरमाला

1. (c)	2. (d)	3. (b)	4. (c)	5. (a)	6. (a)	7. (a)	8. (d)	9. (a)	10. (c)
11. (d)	12. (a)	13. (d)	14. (c)	15. (a)	16. (b)	17. (b)	18. (c)	19. (c)	20. (c)
21. (d)	22. (c)	23. (b)	24. (a)	25. (b)	26. (b)	27. (b)	28. (b)	29. (a)	30. (b)
31. (c)	32. (d)	33. (d)	34. (d)	35. (a)	36. (b)	37. (c)	38. (d)	39. (c)	40. (b)
41. (b)	42. (b)	43. (c)	44. (a)	45. (b)	46. (b)	47. (c)	48. (d)	49. (d)	50. (b)
51. (a)	52. (c)	53. (d)	54. (d)	55. (d)	56. (b)	57. (c)	58. (b)	59. (b)	60. (b)
61. (d)	62. (d)	63. (c)	64. (c)	65. (b)	66. (a)	67. (b)	68. (c)	69. (d)	70. (b)
71. (d)	72. (a)	73. (c)	74. (d)	75. (b)	76. (c)	77. (b)	78. (d)	79. (d)	80. (b)
81. (b)	82. (c)	83. (b)	84. (a)	85. (a)	86. (a)	87. (b)	88. (a)	89. (d)	90. (b)
91. (c)	92. (c)	93. (a)	94. (a)	95. (a)	96. (a)	97. (b)	98. (d)	99. (a)	100. (c)
101. (b)	102. (b)	103. (b)	104. (b)						

दिये गये प्रश्नों के हल

1. 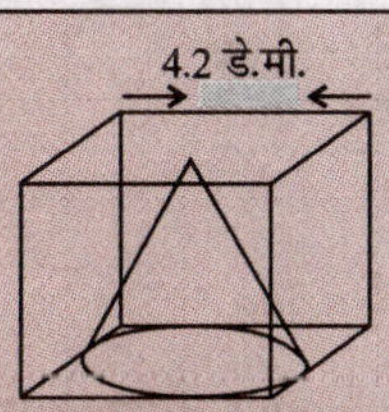

शंकु का आयतन अधिकतम होना चाहिए।

$\therefore$ शंकु के आधार की त्रिज्या = $\frac{\text{घन का किनारा}}{2} = \frac{4.2}{2} = 2.1$ डेसीमीटर

शंकु की ऊँचाई = घन का किनारा = 4.2 डेसीमीटर

$\therefore$ शंकु का आयतन = $\frac{1}{3}pr^2h$

$= \left(\frac{1}{3}\times\frac{22}{7}\times 2.1\times 2.1\times 4.2\right)$ घन डेसीमीटर

= 19.404 घन डेसीमीटर

2. सम चतुष्फलक के प्रत्येक किनारे की लंबाई = 1 सेमी

सम चतुष्फलक का आयतन

$= \frac{a^3}{6\sqrt{2}}$ घन सेमी

$= \frac{1}{6\sqrt{2}} = \frac{\sqrt{2}}{6\sqrt{2}\times\sqrt{2}}$ घन सेमी

$= \frac{\sqrt{2}}{12}$ घन सेमी

3. अर्द्धगोले कटोरे की त्रिज्या = 6 सेमी

$\therefore$ अर्धगोले का आयतन $= \frac{2}{3}\pi r^3 = \frac{2}{3}\times\frac{22}{7}\times 6\times 6\times 6$

$= \frac{9504}{21} = 452.57$ सेमी^{3}

4. माना घन की भुजा = 10 सेमी

$\therefore$ मूल आयतन = 10 × 10 × 10 = 1000 सेमी^{3}

अब, नए घन की भुजा = 10 – 10 का 25% = 7.5 सेमी

$\therefore$ नया आयतन = 7.5 × 7.5 × 7.5 = 421.875 सेमी^{3}

$\therefore$ आवश्यक अनुपात $= \frac{1000}{421.875} = \frac{1000000}{421875} = \frac{64}{27}$

= 64 : 27

5. 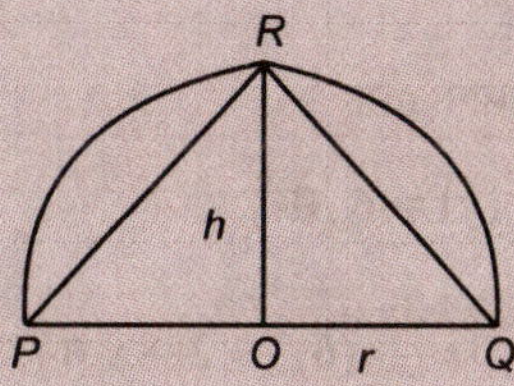

आइए

OP = OQ = OR = r

$\therefore$ OR = h = r

अर्धगोले का वक्र पृष्ठीय क्षेत्रफल = $2\pi r^2$

एक शंकु का वक्र पृष्ठीय क्षेत्रफल = πrl

जहाँ $l = \sqrt{h^2+r^2} = \sqrt{r^2+r^2} = r\sqrt{2}$

आवश्यक अनुपात $= \frac{2\pi r^2}{\pi rl} = \frac{2\pi r^2}{\pi r\cdot r\sqrt{2}}$

$= \frac{2}{\sqrt{2}} = \frac{2\times\sqrt{2}}{\sqrt{2}\times\sqrt{2}} = \frac{2\sqrt{2}}{2} = \frac{\sqrt{2}}{2} = \frac{\sqrt{2}}{1} = \sqrt{2}:1$

6. माना कि गोले की त्रिज्या R है और घन की प्रत्येक भुजा की लंबाई = a है

गोले का पृष्ठीय क्षेत्रफल = $4\pi R^2$

एक घन का पृष्ठीय क्षेत्रफल = $6a^2$

$\Rightarrow \quad 4\pi r^2 = 6a^2$

$\Rightarrow \quad \frac{R^2}{a^2} = \frac{6}{4\pi} = \frac{3}{2\pi}$

= संस्करणों के वर्ग का रेडियो

$$= \frac{\left(\frac{4}{3}\pi R^3\right)^2}{\left(a^3\right)^2} = \frac{16}{9}\left(\frac{\pi^2 \cdot R^6}{a^6}\right)$$

$$= \frac{16\pi^2}{9}\left(\frac{R^2}{a^2}\right)^3 = \frac{16}{9}\pi^2 \cdot \left(\frac{3}{2\pi}\right)^3 = \frac{16}{9}\pi^2 \times \frac{27}{8\pi^3}$$

$$= \frac{16\times 27}{9\times 8\pi} = \frac{6}{\pi} = 6 : \pi$$

7. यदि गोले की त्रिज्या R है, तो गोले का आयतन $= \frac{4}{3}\pi R^3$ है। जब गोले की त्रिज्या में 10% की वृद्धि की जाती है।

नया आयतन $= \frac{4}{3}\pi(1.1\,R)^3$

$= \frac{4}{3}\pi R^3(1.331)$

अंतर $= \frac{4}{3}\pi R^3(1.331) - \frac{4}{3}\pi R^3 = \frac{4}{3}\pi R^3(1.331-1)$

$= \frac{4}{3}\pi R^3(0.331)$

वृद्धि % $= \frac{\frac{4}{3}\pi R^3(0.331)}{\frac{4}{3}\pi R^3} \times 100 = 33.1\%$

8. दोनों स्थितियों में आयतन समान होंगे।

दिया है, गोलक की त्रिज्या $(r) = 6$ सेमी.

गोलक का आयतन $= \frac{4}{3}\pi r^3 = \frac{4}{3}\pi(6)^3 = 288\pi$ घन सेमी.

अगर तार की लंबाई $= h$ सेमी. हो, तो

$\Rightarrow \pi R^2 h = 288\pi$

$\Rightarrow (0.2)^2 \times h = 288$ ($\because$ तार की त्रिज्या = 0.2 सेमी.)

$\Rightarrow h = \frac{288}{0.04} = 7200$ सेमी. = 72 मीटर

9. घन का विकर्ण $= 8\sqrt{3}$

$\therefore$ भुजा $\times \sqrt{3} = 8\sqrt{3}$

$\therefore$ भुजा = 8 सेमी

घन का आयतन = भुजा^{3} = 8 × 8 × 8 = 512 सेमी^{3}

10. अर्धगोले का कुल पृष्ठीय क्षेत्रफल $= 3\pi r^2$

(जहाँ r = अर्धगोले की त्रिज्या)

$\Rightarrow 1039.5 = 3\pi r^2$

$\Rightarrow r^2 = \frac{1039.5}{3\pi} = \frac{1309.5\times 7}{3\times 22}$

$\Rightarrow r = \sqrt{110.25} = 10.5$ सेमी

$\therefore$ अर्धगोले का आयतन $= \frac{2}{3}\pi r^3$

$= \frac{2}{3} \cdot \frac{22}{7} \times 10.5 \times 10.5 \times 10.5 = 2425.5$ सेमी^{3}

11. $\frac{1}{3}\pi r^2 h = \frac{4}{3}\pi r^3 \Leftrightarrow \frac{2r}{h} = \frac{1}{2}$.

अतः अभीष्ट अनुपात = 1 : 2.

12. $S_1 = 4\pi R^2$, $S_2 = 2\pi RH + 2\pi R^2$,

$S_3 = \pi R\sqrt{R^2+h^2} + \pi R^2$.

$S_1 = S_2 \Rightarrow 4\pi R^2 = 2\pi RH + 2\pi R^2 \Rightarrow H = R$.

$S_1 = S_3 \Leftrightarrow 4\pi R^2 = \pi R\sqrt{R^2+h^2} + \pi R^2$

$\Leftrightarrow 4\pi R^2 = \pi R\left(\sqrt{R^2+h^2} + R\right) \Leftrightarrow 4R = \sqrt{R^2+h^2} + R$

$\Leftrightarrow 3R = \sqrt{R^2+h^2} \Leftrightarrow 9R^2 = R^2 + h^2$

$\Leftrightarrow h^2 = 8R^2 \Leftrightarrow h = 2\sqrt{2}R$.

$\therefore$ इनकी ऊँचाईयों का अनुपात $= 2R : R : 2\sqrt{2}R = 2:1:2\sqrt{2}$.

13. माना शंकु की त्रिज्या $= R$ तथा ऊँचाई $= h$. तब,

आयतन $= \frac{1}{3}\pi R^2 h = V$.

नये शंकु की त्रिज्या $= 3R$ तथा ऊँचाई $= 3h$.

अतः आयतन $= \frac{1}{3}\pi(3R)^2 \times (3h) = \frac{1}{3}\pi R^2 h \times (27) = 27V$.

$\therefore \frac{\text{नये शंकु का आयतन}}{\text{पुराने शंकु का आयतन}} = \frac{27V}{V} = \frac{27}{1}$ अर्थात् 27 : 1.

14. $\frac{2}{3}\pi R^3 = 19404 \Leftrightarrow R^3 = \left(19404 \times \frac{3}{2} \times \frac{7}{22}\right)$

$= (21)^3 \Leftrightarrow R = 21$ सेमी०.

15. अर्द्ध गोले का सम्पूर्ण पृष्ठ $= 3\pi R^2 = \left(3 \times \frac{22}{7} \times 7 \times 7\right)$

= 462 वर्ग सेमी०.

16. $\frac{2}{3}\pi R^3 = 155232 \Leftrightarrow R^3 = \left(155232 \times \frac{3}{2} \times \frac{7}{22}\right) = (42)^3$

$\Leftrightarrow R = 42$.

$\therefore$ सम्पूर्ण पृष्ठ $= 3\pi R^2 = \left(3 \times \frac{22}{7} \times 42 \times 42\right)$

= 16632 वर्ग सेमी०.

17. बेलन का अनुपात $(V) = \pi r^2 h$

$\therefore \frac{V_1}{V_2} = \frac{\pi r_1^2 h_1}{\pi r_2^2 h_2} = \left(\frac{r_1}{r_2}\right)^2\left(\frac{h_1}{h_2}\right) = \left(\frac{2}{3}\right)^2\left(\frac{5}{3}\right) = \frac{20}{27}$

18. $\frac{1}{3}\pi r^2 h = 12936 \Leftrightarrow \frac{1}{3} \times \frac{22}{7} \times 21 \times 21 \times h = 12936$

$\Leftrightarrow h = \left(\frac{12936}{22\times 21}\right) = 28$ सेमी०.

अब, $r = 21$ सेमी० तथा $h = 28$ सेमी०.

$\therefore\quad l = \sqrt{r^2+h^2} = \sqrt{(21)^2+(28)^2}$

$= \sqrt{441+784} = \sqrt{1225} = 35$ सेमी०

19. माना दिये गये बेलनों के अर्द्ध व्यास क्रमशः $2x$, $3x$ सेमी० तथा ऊँचाइयाँ क्रमशः $5y$, $3y$ सेमी० हैं.

तब, इनके आयतनों का अनुपात $= \dfrac{\pi\times(2x)^2\times5y}{\pi\times(3x)^2\times3y} = \dfrac{20\pi x^2y}{27\pi x^2y} = \dfrac{20}{27}$

अर्थात् 20 : 27.

20. टंकी का आयतन $= (246.4 \times 1000)$ घन सेमी० $= 246400$ घन सेमी०, ऊँचाई $= 400$ सेमी०.

माना टंकी के आधार की त्रिज्या r सेमी० है.

तब $\dfrac{22}{7}\times r^2\times400 = 246400 \Leftrightarrow r^2 = \left(246400\times\dfrac{7}{22}\times\dfrac{1}{400}\right)$

$= 196 \Leftrightarrow r = 14.$

अतः आधार का व्यास $= 2r$ सेमी०

$= (2 \times 14)$ सेमी० $= 28$ सेमी०.

21. कुएँ की त्रिज्या, $r = 1$ मीटर तथा गहराई, $h = 14$ मीटर.

कुएँ से निकली मिट्टी का आयतन $= \pi r^2h$

$= \left(\dfrac{22}{7}\times1\times1\times14\right)$ घन मी०

$= 44$ घन मीटर.

22. माना बेलन की त्रिज्या $= r$ सेमी०. तब, $2\pi r = 66$

$\Leftrightarrow r = \left(\dfrac{66}{2}\times\dfrac{7}{22}\right) = \dfrac{21}{2}$ सेमी०.

$2\pi rh = 2640 \Leftrightarrow 66 \times h = 2640 \Leftrightarrow h = 40.$

बेलन का आयतन $= \pi r^2h = \left(\dfrac{22}{7}\times\dfrac{21}{2}\times\dfrac{21}{2}\times 40\right)$ घन सेमी०

$= 13860$ घन सेमी०.

23. माना इनकी त्रिज्यायें क्रमशः R तथा r हैं व ऊँचाईयाँ क्रमशः h तथा $3h$ हैं.

तब $\quad \pi R^2h = \pi r^2(3h) \Leftrightarrow \left(\dfrac{R}{r}\right)^2 = 3 \Leftrightarrow \dfrac{R}{r} = \dfrac{\sqrt{3}}{1}$

अर्थात् $\sqrt{3} : 1$.

24. लोहे का आयतन $= 0.88$ घन मीटर.

एक छड़ का आयतन $= \pi R^2h = \left(\dfrac{22}{7}\times\dfrac{1}{100}\times\dfrac{1}{100}\times 7\right)$ घन मी०

$= \dfrac{11}{5000}$ घन मीटर.

छड़ों की अभीष्ट संख्या $= \dfrac{\text{लोहे का आयतन}}{\text{एक छड़ का आयतन}}$

$= \left(0{\cdot}88\times\dfrac{5000}{11}\right) = 400.$

25. $\dfrac{2\pi rh}{h} = \dfrac{704}{14} \Leftrightarrow 2\pi r = \dfrac{704}{14}$

$\Leftrightarrow r = \left(\dfrac{704}{14}\times\dfrac{1}{2}\times\dfrac{7}{22}\right) = 8$ सेमी०.

$\therefore\quad$ आयतन $= \pi r^2h = \left(\dfrac{22}{7}\times 8\times 8\times 14\right)$ घन सेमी०

$= 2816$ घन सेमी०.

26. $\dfrac{\pi r^2h}{2\pi rh} = \dfrac{924}{264} \Leftrightarrow r = \left(\dfrac{924}{264}\times2\right)$ मीटर $= 7$ मीटर.

$2\pi rh = 264 \Leftrightarrow 2 \times \dfrac{22}{7} \times 7 \times h = 264$

$\Leftrightarrow h = \dfrac{264}{44}$ मीटर $= 6$ मीटर.

अभीष्ट अनुपात $= \dfrac{2r}{h} = \dfrac{14}{6} = 7 : 3.$

27. $h + r = 37$ तथा $2\pi r(h + r) = 1628.$

$\therefore\quad 2\pi r \times 37 = 1628 \Leftrightarrow r = \left(\dfrac{1628}{2\times37}\times\dfrac{7}{22}\right) = 7$ मीटर.

अतः $\quad h = (37 - 7) = 30$ मीटर.

$\therefore\quad$ आयतन $= \pi r^2h = \left(\dfrac{22}{7}\times7\times7\times30\right)$ घन मीटर

$= 4620$ घन मीटर.

28. $\dfrac{2\pi rh}{2\pi rh+2\pi r^2} = \dfrac{1}{2} \Leftrightarrow \dfrac{2\pi rh}{2\pi r(h+r)} = \dfrac{1}{2} \Leftrightarrow \dfrac{h}{(h+r)} = \dfrac{1}{2}$

$\Leftrightarrow 2h = h + r \Leftrightarrow h = r.$

अब, $\quad 2\pi rh + 2\pi r^2 = 616 \Leftrightarrow 2\pi r(h + r) = 616 \Leftrightarrow 4\pi r^2 = 616$

$[\because\ h = r]$

$\Leftrightarrow r^2 = \left(616\times\dfrac{1}{4}\times\dfrac{7}{22}\right) = (7 \times 7) \Leftrightarrow r = 7$ सेमी०.

$\therefore\quad h = r = 7$ सेमी०.

अतः आयतन $= \pi r^2h$

$= \left(\dfrac{22}{7}\times7\times7\times7\right)$ घन सेमी० $= 1078$ घन सेमी०.

29. माना त्रिज्या $= 2r$ तथा ऊँचाई $= 3r$ सेमी० है.

तब, आयतन $= \pi \times (2r)^2 \times 3r = 12\pi r^3.$

$\therefore\quad 12\pi r^3 = 12936 \Leftrightarrow r^3 = \left(12936\times\dfrac{1}{12}\times\dfrac{7}{22}\right)$

$= (49 \times 7) = 7^3 \Leftrightarrow r = 7$ सेमी०.

अतः त्रिज्या $= (2 \times 7)$ सेमी० $= 14$ सेमी० तथा

ऊँचाई $= (3 \times 7)$ सेमी० $= 21$ सेमी०.

सम्पूर्ण पृष्ठ का क्षेत्रफल $= 2\pi rh + 2\pi r^2 = 2\pi r(h + r)$

$= \left[2\times\dfrac{22}{7}\times14\times(21+14)\right]$ वर्ग सेमी०

$= \left(\dfrac{44}{7}\times14\times35\right)$ वर्ग सेमी० $= 3080$ वर्ग सेमी०.

30. बेलन का वक्र पृष्ठ $= 2\pi rh = (\pi r^2h) \times \left(\dfrac{2}{r}\right) =$ (आयतन) $\times \dfrac{2}{r}$.

31. पहले पाईप का आयतन $= \pi\left(\frac{d}{2}\right)^2 \times h = \frac{\pi d^2 h}{4}$.

दूसरे पाईप का आयतन $= \pi d^2 h$.

अतः दूसरा पाईप एक ही समय में पहले से 4 गुना कार्य करेगा.

अतः टंकी को खाली करने में यह उससे $\frac{1}{4}$ समय लेगा.

अतः अभीष्ट समय $= \left(\frac{1}{4}\times 40\right)$ मिनट = 10 मिनट.

32. माना पहले त्रिज्या = r तथा ऊँचाई = h. तब, आयतन = $\pi r^2 h$.

नई त्रिज्या = $2r$ तथा नई ऊँचाई = $\frac{h}{2}$.

अब, आयतन $= \pi(2r)^2 \times \frac{h}{2} = 2\pi r^2 h$.

(नया आयतन) : (पहला आयतन) = 2 : 1.

33. दिया है: $3(2\pi r^2) = 2(2\pi r \times 6) \Leftrightarrow \frac{6\pi r^2}{24\pi r} = 1 \Leftrightarrow r = 4$ मीटर.

अतः अभीष्ट त्रिज्या = 4 मीटर.

34. टंकी का आयतन $= \pi r^2 h = (\pi \times 10 \times 10 \times 15)$ घन मीटर $= (1500\,\pi)$ घन मीटर.

एक मिनट में पाईप से गुजरने वाले पानी का आयतन

$= \left[\pi \times \frac{25}{100} \times \frac{25}{100} \times (5\times 60)\right]$ घन मीटर $= \left(\frac{75\pi}{4}\right)$ घन मीटर.

$\therefore$ टंकी भरने में लगा समय $= \frac{1500\pi}{\left(\frac{75\pi}{4}\right)}$ मिनट = 80 मिनट.

35. बनाये जाने वाले बेलन का आयतन $= \pi R^2 H$

$= \left(\pi \times \frac{4{\cdot}5}{2} \times \frac{4{\cdot}5}{2} \times 10\right)$ घन सेमी०.

एक सिक्के का आयतन $= \pi r^2 h$

$= \left(\pi \times \frac{1{\cdot}5}{2} \times \frac{1{\cdot}5}{2} \times 0{\cdot}2\right)$ घन सेमी०.

अतः सिक्कों की अभीष्ट संख्या

$= \left(\pi \times \frac{4{\cdot}5}{2} \times \frac{4{\cdot}5}{2} \times 10 \times \frac{1}{\pi} \times \frac{2}{1{\cdot}5} \times \frac{2}{1{\cdot}5} \times \frac{1}{0{\cdot}2}\right) = 450.$

36. माना बर्तन के आधार की त्रिज्या = r सेमी०.

तब, उसकी ऊँचाई = $3r$ सेमी०.

धारिता = बर्तन का आयतन $= \pi r^2 h$

$= (\pi \times r^2 \times 3r)$ घन सेमी० $= (3\pi r^3)$ घन सेमी०.

$\therefore \quad 3\pi r^3 = 25.872 \times 1000$

$\Leftrightarrow r^3 = \left(25872 \times \frac{1}{3} \times \frac{7}{22}\right) = (392 \times 7) = (7^3 \times 2^3)$

$\Leftrightarrow r = (7 \times 2) = 14$ सेमी०.

$\therefore$ आधार का क्षेत्रफल $= \pi r^2 = \left(\frac{22}{7} \times 14 \times 14\right) = 616$ वर्ग सेमी०.

37. माना बेलन की त्रिज्या = r सेमी० तथा ऊँचाई = h सेमी०.

तब, इसका आयतन = $\pi r^2 h$ घन सेमी०.

नई त्रिज्या = r का 50% $= \left(r \times \frac{50}{100}\right)$ सेमी० $= \frac{r}{2}$ सेमी०.

नई ऊँचाई = h का 150% $= \left(h \times \frac{150}{100}\right)$ सेमी० $= \frac{3h}{2}$ सेमी०.

अब बेलन का आयतन $= \left[\pi \times \left(\frac{r}{2}\right)^2 \times \frac{3h}{2}\right]$ घन सेमी०

$= \left(\frac{3}{8}\pi r^2 h\right)$ घन सेमी०.

आयतन में कमी $= \left(\pi r^2 h - \frac{3}{8}\pi r^2 h\right) = \left(\frac{5}{8}\pi r^2 h\right)$ घन सेमी०.

आयतन में कमी% $= \left(\frac{5}{8}\pi r^2 h \times \frac{1}{\pi r^2 h} \times 100\right)\% = 62.5\%$.

38. ड्रम के आधार की त्रिज्या $= \frac{350}{2}$ सेमी० = 175 सेमी०, ऊँचाई = 240 सेमी०.

ड्रम में तेल का आयतन $= \pi r^2 h$

$= \left(\frac{22}{7} \times 175 \times 175 \times 240\right)$ घन सेमी०

$= (22 \times 25 \times 175 \times 240)$ घन सेमी०.

एक कनस्तर का आयतन $= (25 \times 22 \times 35)$ घन सेमी०.

कनस्तरों की अभीष्ट संख्या $= \left(\frac{22\times 25\times 175\times 240}{25\times 22\times 35}\right) = 1200.$

39. घन का आयतन $= (11 \times 11 \times 11)$ घन सेमी० = 1331 घन सेमी०.

$\pi \times r^2 \times 14 = 1331$

$\Leftrightarrow r^2 = \left(1331 \times \frac{1}{14} \times \frac{7}{22}\right) = \frac{121}{4} = \left(\frac{11}{2}\right)^2 \Leftrightarrow r = \frac{11}{2}$ सेमी०.

$\therefore$ व्यास $= 2r = \left(2 \times \frac{11}{2}\right)$ सेमी० = 11 सेमी०.

40. $\pi R^2 h = 9\pi h \Leftrightarrow R^2 = 9 = 3^2 \Leftrightarrow R = 3$ मीटर.

$\therefore$ व्यास $= 2R = 6$ मीटर.

41. कुएँ से निकाली गई मिट्टी का आयतन $= \pi r^2 h = \left(\frac{22}{7} \times 7 \times 7 \times 10\right)$ घन मीटर = 1540 घन मीटर.

कुएँ के चारों ओर बने रास्ते का क्षेत्रफल $= \pi(R^2 - r^2)$

$= \frac{22}{7} \times \left[(28)^2 - 7^2\right] = \left(\frac{22}{7} \times 35 \times 21\right)$ वर्ग मी० = 2310 वर्ग मी०.

इस रास्ते की ऊँचाई $= \frac{\text{आयतन}}{\text{क्षेत्रफल}} = \frac{1540}{2310}$ मीटर $= \frac{2}{3}$ मीटर.

42. बेलन का आयतन $= \pi r^2 h \Leftrightarrow \pi r^3 = \frac{176}{7}$ $[\because h = r]$

$\Leftrightarrow r^3 = \left(\frac{176}{7} \times \frac{7}{22}\right) = 8 = 2^3 \Leftrightarrow r = 2.$

अतः बेलन की त्रिज्या = 2 सेमी०.

43. 1 सै० में बहने वाले पानी का आयतन $= \pi r^2 h$

$= \left(\frac{22}{7} \times \frac{7}{2} \times \frac{7}{2} \times 200\right)$ घन सेमी०

= 7700 घन सेमी०.

10 मिनट में बहने वाले पानी का आयतन = (7700 × 10 × 60) घन सेमी० $= \left(\frac{7700\times10\times60}{1000}\right)$ लीटर = 4620 लीटर.

44. तार का अर्द्धव्यास, $r = \left(\frac{1}{2}\times\frac{1}{10}\right)$ सेमी० $= \frac{1}{20}$ सेमी०.

$\pi r^2 h = 66 \Leftrightarrow \frac{22}{7}\times\left(\frac{1}{20}\times\frac{1}{20}\right)\times h = 66$

$\Leftrightarrow h = \left(66\times\frac{7}{22}\times20\times20\right) = 8400$ सेमी० = 84 मीटर.

45. बाहरी त्रिज्या = 4 सेमी०, अन्दरी त्रिज्या = 3 सेमी०.

लोहे का आयतन $= [\pi(R^2 - r^2)h]$

$= \left\{\frac{22}{7}\times[(4)^2-(3)^2]\times21\right\}$ घन सेमी०

$= \left(\frac{22}{7}\times7\times1\times21\right)$ घन सेमी० = 462 घन सेमी०.

∴ लोहे का भार $= \left(\frac{462\times8}{1000}\right)$ किग्रा०

$= \frac{3696}{1000}$ किग्रा० = 3.696 किग्रा०.

46. अन्दरी त्रिज्या $= \frac{11\cdot2}{2}$ सेमी० = 5.6 सेमी०,

बाहरी त्रिज्या = (5.6 + 0.4) सेमी० = 6 सेमी०.

लोहे का आयतन $= \pi(R^2 - r^2)h$

$= \left\{\frac{22}{7}\times[(6)^2-(5\cdot6)^2]\times21\right\}$ घन सेमी०

= (66 × 11.6 × 0.4) घन सेमी० = 306.24 घन सेमी०.

47. माना अन्दरी त्रिज्या = r सेमी०.

तब, $\pi r^2 h = 61.6 \Leftrightarrow \frac{22}{7}\times r^2\times40 = \frac{616}{10}$

$\Leftrightarrow r^2 = \left(\frac{616}{10}\times\frac{7}{22}\times\frac{1}{40}\right) = \left(\frac{7}{10}\right)^2 \Leftrightarrow r = \frac{7}{10}.$

∴ अन्दरी त्रिज्या = 0.7 सेमी० = 7 मिमी०,

बाहरी त्रिज्या = 8 मिमी०.

अतः धातु की मोटाई = (8 – 7) मिमी० = 1 मिमी०.

48. नये बर्तन का आयतन $= [\pi\times(15)^2\times35] + [\pi\times(10)^2\times15]$ = (9375 π) घन सेमी०.

$\therefore \pi\times R^2\times15 = 9375\pi \Leftrightarrow R^2 = 625 = (25)^2 \Leftrightarrow R = 25$ सेमी०.

49. माना प्रारम्भिक त्रिज्या = R तथा लम्बाई = h.

नई त्रिज्या $= \frac{R}{3}$ तथा नई लम्बाई = H.

$\therefore \pi R^2 h = \pi\times\left(\frac{R}{3}\right)^2\times H = \pi R^2\times\frac{H}{9} \Leftrightarrow h = \frac{H}{9} \Leftrightarrow H = 9h.$

50. छड़ की त्रिज्या $= \frac{1}{2}$ सेमी० तथा लम्बाई = 8 सेमी०.

इस छड़ का आयतन $= \pi R^2 H = \left(\pi\times\frac{1}{2}\times\frac{1}{2}\times8\right)$ घन सेमी०

= (2π) घन सेमी०.

माना तार की अभीष्ट त्रिज्या = r सेमी०.

तब, $\pi r^2\times1800 = 2\pi \Leftrightarrow r^2 = \frac{1}{900} = \left(\frac{1}{30}\right)^2 \Leftrightarrow r = \frac{1}{30}.$

अतः तार की त्रिज्या $= \frac{1}{30}$ सेमी०.

51. माना बेलन तथा गोले में से प्रत्येक की त्रिज्या = R तथा बेलन की ऊँचाई = H.

तब, $\frac{4}{3}\pi R^3 = \pi R^2 H \Leftrightarrow H = \frac{4}{3}R =$ त्रिज्या का $\frac{4}{3}$ गुना.

52. यहाँ $r = 5$ सेमी० तथा $h = 12$ सेमी०. माना तिर्यक ऊँचाई = l सेमी०.

तब, $l = \sqrt{r^2+h^2} = \sqrt{5^2+(12)^2} = \sqrt{169} = 13$ सेमी०.

53. लकड़ी के गोले का आयतन

$= \frac{4}{3}\pi R^3 = \left(\frac{4}{3}\pi\times15\times15\times15\right)$ घन सेमी०

= (4500 π) घन सेमी०.

शंकु का आयतन $= \frac{1}{3}\pi r^2 h = \left(\frac{1}{3}\pi\times15\times15\times15\right)$

= (1125 π) घन सेमी०.

व्यर्थ गई लकड़ी = (4500 π – 1125 π) = (3375 π) घन सेमी०.

व्यर्थ गई लकड़ी का % $= \left(\frac{3375\pi}{4500\pi}\times100\right)\% = 75\%.$

54. माना शंकु के आधार की त्रिज्या = R तथा ऊँचाई = H.

अतः शंकु का आयतन $= \left(\frac{1}{3}\pi R^2 H\right)$ घन इकाई.

तब, वृद्धि के बाद आधार की त्रिज्या = $2R$ तथा ऊँचाई = $2H$.

वृद्धि के बाद शंकु का आयतन

$= \frac{1}{3}\pi(2R)^2\times2H = \frac{8}{3}\pi R^2 H$ इकाई.

वृद्धि % $= \left(\frac{\frac{7}{3}\pi R^2 H}{\frac{1}{3}\pi R^2 H}\times100\right)\% = 700\%.$

55. $\frac{1}{3}\pi R^2 H = \frac{4}{3}\pi R^3 \Leftrightarrow H = 4R = (4\times8) = 32$ सेमी०.

अब, $H = 32$ सेमी० तथा $R = 8$ सेमी०.

अतः $l = \sqrt{R^2+H^2} = \sqrt{8^2+(32)^2}$

$= \sqrt{1088} = \sqrt{64\times17} = 8\sqrt{17}$ सेमी०.

56. तम्बू की त्रिज्या, $r = 7$ मीटर. ऊँचाई, $h = 24$ मीटर.

∴ तिर्यक लम्बाई, $l = \sqrt{r^2+h^2} = \sqrt{7^2+(24)^2}$

$= \sqrt{49+576} = \sqrt{625} = 25$ मीटर.

अतः तम्बू में लगे कपड़े का क्षेत्रफल $= \pi rl = \left(\frac{22}{7}\times7\times25\right)$

= 550 वर्ग मीटर.

∴ कपड़े की लम्बाई $= \frac{550}{5}$ मीटर = 110 मीटर.

57. यहाँ $r = 7$ सेमी० तथा $h = 14$ सेमी०.

$\therefore$ तिर्यक ऊँचाई, $l = \sqrt{r^2+h^2} = \sqrt{7^2+(14)^2}$

$= \sqrt{245} = 7\sqrt{5}$ सेमी०.

अत: सम्पूर्ण पृष्ठ का क्षेत्रफल $= \pi rl + \pi r^2 = \pi r(l+r)$

$= \frac{22}{7} \times 7 \times \left(7\sqrt{5}+7\right)$

$= \frac{22}{7} \times 7 \times 7 \times \left(\sqrt{5}+1\right) = 154\left(\sqrt{5}+1\right)$ वर्ग सेमी०.

58. माना आधार की त्रिज्या $= r$ किमी०.

तब, $\pi r^2 = 1.54 \Rightarrow r^2 = \left(1{\cdot}54 \times \frac{7}{22}\right)$

$= \frac{49}{100} = \left(\frac{7}{10}\right)^2 \Leftrightarrow r = \frac{7}{10}$ किमी०.

$l = 2.5$ किमी० तथा $r = 0.7$ किमी०.

$\therefore$ $h = \sqrt{l^2 - r^2} = \sqrt{(2{\cdot}5)^2 - (0{\cdot}7)^2}$

$= \sqrt{6{\cdot}25 - 0{\cdot}49} = \sqrt{5{\cdot}76} = 2.4$ किमी०.

59. $\pi r^2 = 154 \Leftrightarrow \frac{22}{7} \times r^2 = 154$

$\Leftrightarrow r^2 = \left(154 \times \frac{7}{22}\right) = 7^2 \Leftrightarrow r = 7.$

अब, $r = 7$ सेमी० तथा $h = 14$ सेमी०.

$\therefore$ $l = \sqrt{r^2+h^2} = \sqrt{7^2+(14)^2}$

$= \sqrt{49+196} = \sqrt{245} = 7\sqrt{5}$ सेमी०.

अत: वक्र पृष्ठ का क्षेत्रफल $= \pi rl$

$= \left(\frac{22}{7} \times 7 \times 7\sqrt{5}\right)$ वर्ग सेमी० $= 154\sqrt{5}$ वर्ग सेमी०.

60. $\frac{4}{3}\pi \times (4)^3 - \frac{4}{3}\pi \times (2)^3 = \frac{1}{3}\pi \times (4)^2 \times h$

$\Leftrightarrow 16h = 224 \Leftrightarrow h = 14$ सेमी०.

61. गोले की बाहरी त्रिज्या = 3 सेमी० तथा

अन्दरी त्रिज्या $= \left(3 - \frac{1}{2}\right) = \frac{5}{2}$ सेमी०.

धातु का आयतन $= \frac{4}{3}\pi \times \left[(3)^3 - \left(\frac{5}{2}\right)^3\right] = \frac{4\pi}{3} \times \left(27 - \frac{125}{8}\right)$

$= \left(\frac{4}{3} \times \frac{22}{7} \times \frac{91}{8}\right)$ घन सेमी०

$= \frac{143}{3}$ घन सेमी० $= 47\frac{2}{3}$ घन सेमी०.

62. माना गोले की त्रिज्या $= r$ तथा घन की भुजा $= a$. तब,

$4\pi r^2 = 6a^2 \Leftrightarrow \frac{r^2}{a^2} = \frac{6}{4\pi} = \frac{3}{2\pi}.$

$\therefore$ गोले तथा घन के आयतनों का अनुपात $= \frac{\frac{4}{3}\pi r^3}{a^3} = \frac{4\pi}{3} \cdot \left(\frac{r}{a}\right)^3$

$= \frac{4\pi}{3} \cdot \frac{3}{2\pi} \cdot \sqrt{\frac{3}{2\pi}} = \sqrt{\frac{6}{\pi}} = \sqrt{6} : \sqrt{\pi}.$

63. $\frac{1}{3}\pi R^2 h = \pi R^2 \times 6 \Leftrightarrow h = 18$ सेमी०.

64. $\pi \times (18)^2 \times 32 = \frac{1}{3}\pi \times R^2 \times 24 \Leftrightarrow R = 36$ सेमी०.

65. $\frac{1}{3}\pi \times (10)^2 \times 48 = \pi \times (20)^2 \times h \Leftrightarrow h = 4$ सेमी०.

66. $\frac{1}{3}\pi \times (2.1)^2 \times 8.4 = \frac{4}{3}\pi r^3 \Leftrightarrow r^3 = (2.1)^3 \Leftrightarrow r = 2.1$ सेमी०.

67. $\frac{\frac{2}{3}\pi R^3}{\frac{2}{3}\pi r^3} = \frac{6{\cdot}4 \times 1000}{21{\cdot}6 \times 1000} \Leftrightarrow \left(\frac{R}{r}\right)^3 = \frac{8}{27} = \left(\frac{2}{3}\right)^3 \Leftrightarrow \frac{R}{r} = \frac{2}{3}.$

अत: अभीष्ट अनुपात = 2 : 3.

68. $\frac{2}{3}\pi \times 6 \times 6 \times 6 = \frac{1}{3}\pi \times R^2 \times 75 \Leftrightarrow R^2 = \frac{144}{25} = \left(\frac{12}{5}\right)^2 \Leftrightarrow R = \frac{12}{5}$

$= 2.4$ सेमी०.

69. माना प्रत्येक की त्रिज्या $= R$. तब, अर्द्ध-गोले की ऊँचाई $= R$.

शंकु की ऊँचाई = अर्द्ध गोले की ऊँचाई $= R$.

शंकु की तिर्यक ऊँचाई $= \sqrt{R^2+R^2} = \sqrt{2}R.$

$\frac{\text{अर्द्ध गोले का वक्र पृष्ठ}}{\text{शंकु का वक्र-पृष्ठ}} = \frac{2\pi R^2}{\pi R \times \sqrt{2}R} = \sqrt{2}:1.$

70. अर्द्ध गोले का आयतन $= \frac{2}{3}\pi R^3$ घन इकाई.

अभीष्ट गोले का आयतन = व्यास r के गोले का आयतन

$= \frac{4}{3}\pi\left(\frac{r}{2}\right)^3 = \frac{1}{6}\pi r^3$ घन इकाई.

अभीष्ट अनुपात $= \frac{\frac{2}{3}\pi r^3}{\frac{1}{6}\pi r^3} = \left(\frac{2}{3} \times 6\right) = 4 : 1.$

71. दिया गया है।

$R = 10$ सेमी.

$r = 9$ सेमी.

$h = 25$ सेमी.

खोखले बेलन का आयतन

$= \pi\left(R^2 - r^2\right)h = \frac{22}{7}\left(10^2 - 9^2\right) \times 25$

$= \frac{22}{7}(10+9)(10-9) \times 25 = \frac{22}{7} \times 19 \times 25$

$= \frac{10450}{7}$ घन सेमी. $= 1492.86$ घन सेमी.

72. दिया गया है।

बेलनाकार बर्तन की ऊँचाई $(h) = 5$ सेमी.

बेलनाकार बर्तन की त्रिज्या $(r) = 4$ सेमी.

शंकु आकार की ऊँचाई $= H$ सेमी.

शंकु आकार की त्रिज्या $(R) = 6$ सेमी.

बेलनाकार बर्तन में रेत का आयतन $= \pi r^2 h$

$= \pi \times (4)^2 \times 5$ घन सेमी. $= 80\pi$ घन सेमी.

प्रश्नानुसार, शंकुनुमा आकार का आयतन = बेलनाकार बर्तन में रेत का आयतन $= 80\pi$ घन सेमी.

प्रश्नानुसार, $\frac{1}{3}\pi R^2 H = 80\pi$

$\Rightarrow \frac{1}{3} \times 6 \times 6 \times H = 80 \Rightarrow 12H = 80$

$\Rightarrow H = \frac{80}{12} = 6.67$ सेमी.

73. लोहे के घन के तीन किनारे क्रमशः $x_1 = 6$ सेमी., $x_2 = 8$ सेमी., $x_3 = 10$ सेमी. है।

$\therefore$ बड़े घन का आयतन $= x_1^3 + x_2^3 + x_3^3 = (6^3 + 8^3 + 10^3)$ घन सेमी. $= 1728$ घन सेमी.

$\therefore$ इसका किनारा $= \sqrt[3]{1728} = \sqrt[3]{12 \times 12 \times 12} = 12$ सेमी.

74. पहली स्थिति तार का आयतन $(V_1) = \pi r^2 h$

दूसरी स्थिति, तार का आयतन $(V_2) = \pi\left(\frac{r}{3}\right)^2 h_1$

$\because V_1 = V_2 \qquad \therefore \pi r^2 h = \frac{\pi r^2 h_1}{9}$

$\Rightarrow h_1 = 9h$ अतः तार की लम्बाई में 9 गुनी वृद्धि होगी।

75. माना कि जल स्तर का बढ़ना $= h$ सेमी

अब, प्रश्न के अनुसार,

घन का आयतन = घनाभ का आयतन

$\Rightarrow 8 \times 8 \times 8 = 16 \times 8 \times h$

$\Rightarrow h = 4$ सेमी

76. दाहिने पिरामिड का कुल पृष्ठीय क्षेत्रफल

= पार्श्व पृष्ठीय क्षेत्रफल + आधार का क्षेत्रफल

$\Rightarrow$ 208 = पार्श्व पृष्ठीय क्षेत्रफल + 8^2

$\Rightarrow$ पार्श्व पृष्ठीय क्षेत्रफल = 208 – 64 = 144 सेमी^{2}

$\Rightarrow \frac{1}{2}$ × आधार का परिमाप × तिरछी ऊँचाई = 144

$\Rightarrow \frac{1}{2} \times 4 \times 8$ × तिरछी ऊँचाई = 144

$\Rightarrow 16$ × तिरछी ऊँचाई = 144

$\Rightarrow$ तिरछी ऊँचाई = 9 सेमी

77. प्रश्न के अनुसार,

$\frac{1}{3}\pi r^2 h + 2 \times \frac{4}{3}\pi r^3 = \pi R^2 h$

$\Rightarrow \frac{\pi}{3}[7 \times 7 \times 7 + 7 \times 7 \times 7 \times 8] = \pi \times 7 \times 7 \times h$

$\Rightarrow \frac{\pi}{3} \times 49 \times 7 \times 9 = \pi \times 49 \times h$

$\Rightarrow h = 21$

अब, बेलन का वक्र पृष्ठीय क्षेत्रफल $= 2\pi Rh$

$= 2 \times \frac{22}{7} \times 7 \times 21 = 924$ सेमी^{2}.

78.

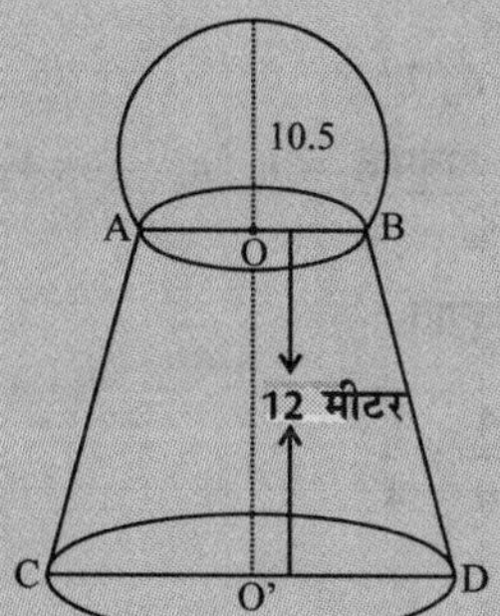

$O'D = R = \frac{39}{2}$ मी $= 19.5$ मी

$OB = r = \frac{21}{2}$ मी $= 10.5$ मी

अब, $l = \sqrt{h^2 + (R-r)^2}$

$\Rightarrow l = \sqrt{12^2 + 9^2} = \sqrt{144 + 81}$

$= \sqrt{225} = 15$

छिन्नक का पृष्ठीय क्षेत्रफल $= \pi l (R + r)$

$= \frac{22}{7} \times 15\,(19.5 + 10.5)$

$= \frac{22}{7} \times 15 \times 30$

अर्द्धगोले का पृष्ठीय क्षेत्रफल $= 2\pi r^2$

$= 2 \times \frac{22}{7} \times 10.5 \times 10.5$

अब, कपड़े का क्षेत्रफल

$= \frac{22}{7} \times 15 \times 30 + 2 \times \frac{22}{7} \times \frac{21}{2} \times \frac{21}{2}$

$= \frac{22}{7}\left[450 + \frac{441}{2}\right] = \frac{22}{7}\left[\frac{900 + 441}{2}\right]$

$= \frac{22}{7} \times \frac{1341}{2} = \frac{14751}{7} = 2107\frac{2}{7}$ मी^{2}.

79. माना कि गोले और बेलन की त्रिज्या $= r$ और बेलन की ऊँचाई $= h$ है

प्रश्न के अनुसार, गोले का आयतन = बेलन का आयतन

$\therefore \quad \frac{4}{3}\pi r^3 = \pi r^2 h$

$\Rightarrow \quad h = \frac{4}{3}r$

अब, गोले का कुल पृष्ठीय क्षेत्रफल $(A_s) = 4\pi r^2$ बेलन (A_c) $= 2\pi r\ (r + h)$

$\therefore$ आवश्यक अनुपात $= \frac{A_s}{A_c} = \frac{4pr^2}{2pr(r+h)}$

$= \frac{2r}{r+\frac{4}{3}r} = \frac{2r\times 3}{7r} = \frac{6}{7}$

$\therefore \quad A_s : A_c = 6:7$

80. दिया गया है कि बेलन का अनुपात $= r_1 : r_2 = 3:4$ है

बेलन की ऊँचाई $= h_1 : h_2 = 4:9$

$\therefore$ मात्रा का आवश्यक अनुपात

$= \frac{V_1}{V_2} = \frac{\pi r_1^2 h_1}{\pi r_2^2 h_2} = \frac{3^2\times 4}{4^2\times 9} = \frac{1}{4}$

$V_1 : V_2 = 1:4$

81. घन का आयतन $= (a^3) = 13824$ cm³

$\therefore$ घन की भुजा $(a) = \sqrt[3]{13824} = 24$ सेमी

$\therefore$ मूल घन का पृष्ठीय क्षेत्रफल $= 6a^2$

अब, घन को समान आयतन वाले 8 छोटे घनों में विभाजित किया जाता है।

$\therefore$ 8 छोटे घनों का आयतन = मूल घन का आयतन

$\Rightarrow \quad 8a_s^3 = 13824 \Rightarrow a_s^3 = 1728 \Rightarrow as = 12$

$\therefore$ आवश्यक अनुपात $\frac{6a^2}{3\,'\,6a_s^2} = \frac{24\,'\,24}{3\,'\,12\,'\,12} = \frac{4}{3} = 4:3$

82. यह देखते हुए

टंकी की लम्बाई = 10 मी

टंकी की चौड़ाई = 8 मी

टंकी की ऊँचाई = 6 मी

$\therefore$ टंकी का कुल पृष्ठीय क्षेत्रफल $= 2\ (lb + bh + lh)$

$= 2(80 + 48 + 60) = 376$ वर्ग मीटर

अब वृत्ताकार द्वार का क्षेत्रफल $= \pi r^2 = \pi$

$\therefore$ टंकी बनाने के लिए लोहे की चादर का आवश्यक क्षेत्रफल

$= 376 - \pi = 376 - 3.14 = 372.86 = 372.9$ मीटर²

83. दिया गया है कि शंकु का व्यास = 30 सेमी

$\therefore$ त्रिज्या = 15 सेमी

माना शंकु की ऊँचाई $= h$

$\therefore$ आयतन $= \frac{1}{3}\pi r^2 h$

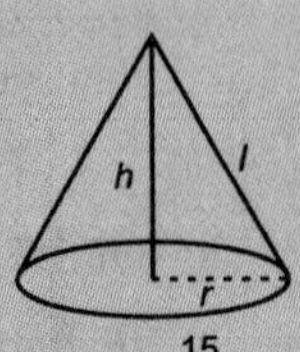

$\Rightarrow \quad 600\ \pi = \frac{1}{3}(15)^2\ \pi h$

$\Rightarrow \quad h = \frac{600\times 3}{15\times 15} = 8$ सेमी

अब शंकु की तिरछी ऊँचाई

$= \sqrt{r^2+h^2} = \sqrt{15^2+8^2} = 17$

शंकु का कुल पृष्ठीय क्षेत्रफल $= \pi r\ (l + r)$

$= (15\pi\ (17 + 15)$

$= 32 \times 15\pi = 480\pi$ सेमी²

84. दिए गए गोले की त्रिज्या $= x$ सेमी

शंकु की त्रिज्या = 3.5 सेमी

शंकु की ऊँचाई = 3 सेमी

$\therefore$ शंकु का आयतन $= \frac{1}{3}\pi r^2 h$

$= \frac{1}{3} \times \pi \times (3.5)^2 \times 3$

$= 12.25\ \pi$ सेमी³

अब प्रश्न के अनुसार,

गोले का आयतन = 126 × शंकु का आयतन

$\Rightarrow \quad \frac{4}{3}\pi x^3 = 126 \times 12.25\ \pi$

$\Rightarrow \quad x^3 = 126 \times 12.25 \times \frac{3}{4}$

$\Rightarrow \quad x^3 = \frac{7\times 27\times 7\times 7}{8} \Rightarrow x = \frac{7\times 3}{2} = \frac{21}{2}$

$= 10.5$ सेमी

85. माना बेलन का व्यास और ऊँचाई क्रमशः $4x$ और $3x$ है

$r = 2x$ मीटर

बेलन का कुल पृष्ठीय क्षेत्रफल $= 2\pi r\ (r + h)$

प्रश्न के अनुसार,

हमारे पास व्यास त्रिज्या में कमी के बाद है

$= 2x \times \frac{75}{100} = \frac{3x}{2}$

$\therefore \quad 2\pi\left[2x(2x+3x) - \frac{3x}{2}\left(\frac{3x}{2}+3x\right)\right] = 318.5\pi$

$\Rightarrow \quad 2\pi = \left[2x\times 5x - \frac{3x}{2}\times\frac{9x}{2}\right]318.5\pi$

$\Rightarrow \quad 2\pi\left(10x^2 - \frac{27x^2}{4}\right) = 318.5\pi$

$\Rightarrow \quad 2 \times \frac{13x^2}{2} = 318.5$

$\Rightarrow \quad \frac{13x^2}{2} = 318.5 \Rightarrow x^2 = 49$

$\Rightarrow \quad x = 7$ मीटर

$\Rightarrow r = 2x = 14$ मीटर।

बेलन की परिधि = $2\pi r = 2 \times \pi \times 14 = 28\pi$

86. हमारे पास $r_1 = 2$ सेमी, $r_2 = 4$ सेमी और $r_3 = 6$ सेमी है

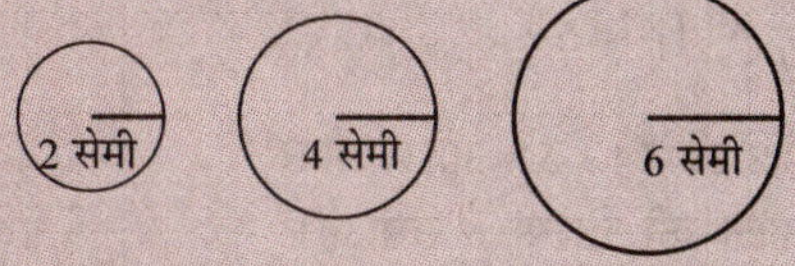

हम जानते हैं कि गोले का आयतन = $\frac{4}{3}\pi r^3$

$= \frac{4}{3}\pi\ (r_1^3 + r_2^3 + r_3^3)$

$= \frac{4}{3}\pi\ (2^3 + 4^3 + 6^3) = \frac{4}{3}\pi\ (8 + 64 + 216)$

$= \frac{4}{3}\pi r \times 288 = 384\pi$

यह देखते हुए कि सामग्री का 25% नुकसान हुआ है

इसलिए, नई गेंद का आयतन = $\frac{3}{4} \times 384\ \pi = 288\pi$

$\Rightarrow \frac{4}{3}\pi r^3 = 288\pi$

$\Rightarrow r^3 = 72 \times 3 \Rightarrow r = 6$ सेमी

87. शंकु की तिरछी ऊँचाई का अनुपात $l_1 : l_2 = 1 : 4$

माना शंकु की त्रिज्या r_1 और r_2 है

प्रश्न के अनुसार,

$\therefore \frac{\pi r_1 l_1}{\pi r_2 l_2} = \frac{1}{8} \Rightarrow \frac{r}{r} \times \frac{1}{4} = \frac{1}{8} \Rightarrow \frac{r_1}{r_2} = \frac{1}{2}$

$\therefore\ r_1 : r_2 = 1 : 2$

88. दिए गए शंकु की ऊँचाई (h) = 24 सेमी

शंकु के आधार का परिमाप = $2\pi r$

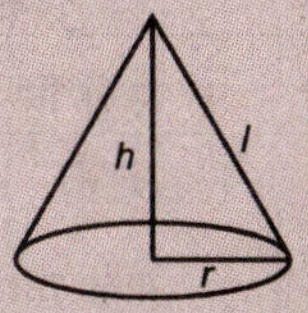

$\Rightarrow 2\pi r = 44$

$\Rightarrow r = \frac{44 \times 7}{2 \times 22} = 7$ सेमी

$\therefore$ शंकु की तिर्यक ऊँचाई (l)

$= \sqrt{7^2 + 24^2} = \sqrt{49 + 576} = \sqrt{625} = 25$ सेमी

$\therefore$ शंकु का वक्र पृष्ठीय क्षेत्रफल = πrl

$= \frac{22}{7} \times 7 \times 25. = 550$ सेमी²

89. घनाभ की भुजा = 6 सेमी, 9 सेमी और 32 सेमी

$\therefore$ घनाभ का आयतन = $6 \times 9 \times 32$

माना घन की भुजा = a सेमी

जैसा कि घनाभ घन में विधि है

अतः, घन का आयतन = घनाभ का आयतन

$\Rightarrow a^3 = 6 \times 9 \times 32 \Rightarrow a = 12$ सेमी

अब घनाभ का कुल पृष्ठीय क्षेत्रफल = $2(lb + bh + lh)$

$= 2(32 \times 9 + 9 \times 6 + 6 \times 32)$

$= 2(288 + 54 + 192) = 2 \times 534 = 1068$

और घन का कुल पृष्ठीय क्षेत्रफल = $6a^2 = 6 \times 144 = 864$

$\therefore$ आवश्यक अनुपात = $\frac{1068}{864} = 89 : 72$

90. माना आधार की लंबाई $3a$ सेमी और चौड़ाई 2 सेमी है

प्रिज्म का कुल सतह क्षेत्र

= (आधार × ऊँचाई का परिमाप) + (आधार का 2 × क्षेत्रफल)

$= 2(3a + 2a) \times 12 + 2 \times 3a \times 2a$ वर्ग सेमी

$= (120a + 12a^2)$ वर्ग सेमी

प्रश्न के अनुसार,

$120a + 12a^2 = 288$

$\Rightarrow a^2 + 10a = 24$

$\Rightarrow a^2 + 10a - 24 = 0$

$\Rightarrow a^2 + 12a - 2a - 24 = 0$

$\Rightarrow a(a + 12) - 2(a + 12) = 0$

$\Rightarrow (a - 2)\ (a + 2) = 0$

$\Rightarrow a = 2$ क्योंकि $a \neq -12$

$\therefore$ प्रिज्म का आयतन = आधार का क्षेत्रफल × ऊँचाई

$= (3a \times 2a \times 12)$ घनसेमी।

$= 72a^2 = (72 \times 2 \times 2)$ घनसेमी।

= 288 घनसेमी

91. माना बेलन की ऊँचाई x मीटर है।

तब, त्रिज्या = $(x + 5)$ मीटर

बेलन का वक्र पृष्ठीय क्षेत्रफल = $2\pi rh$

अब, $2\pi(x + 5) \times x = 792$

$2 \times \frac{22}{7} \times (x^2 + 5x) = 792$

$x^2 + 5x = \frac{792 \times 7}{44} = 126$

$\Rightarrow x^2 + 5x = 126$

$x^2 + 5x - 126 = 0$

$x^2 + 14x - 9x - 126 = 0$

$x(x + 14) - 9(x + 14) = 0$

$\therefore x = 9, -14$ (ऋणात्मक मान को नगण्य करें)

$\therefore$ बेलन की ऊँचाई = 9 मी

$\therefore$ बेलन की त्रिज्या = 9 + 5 = 14 मी

बेलन का आयतन = $\pi r^2 h$

$= \frac{22}{7} \times 14 \times 14 \times 9 = 5544$ मी³

92. आधार की त्रिज्या = r इकाई

एक लंब बेलन का वक्र पृष्ठीय क्षेत्रफल = $4\pi rh$

बेलन का वक्र पृष्ठीय क्षेत्रफल = $2\pi RH$

∴ प्रश्न के अनुसार $2\pi rH = 4\pi rh$ है

⇒ बेलन की ऊँचाई = $2h$ इकाई

93. अर्धगोलाकार कटोरे की त्रिज्या = 3.5 सेमी

कटोरे का भीतरी और बाहरी पृष्ठीय क्षेत्रफल = $4\pi r^2$

$= 4\times\frac{22}{7}\times3.5\times3.5$

= 154 वर्ग सेमी.

पेंटिंग की कुल लागत ₹5 प्रति 10 वर्ग सेमी की दर से =

$154\times\frac{5}{10} =$ ₹77

94. बेलन का आयतन = $\pi r2h$

∴ बेलन का वक्र पृष्ठीय क्षेत्रफल = $2\pi rh$

∴ $\frac{\pi r^2h}{2\pi rh} = \frac{616}{352}$

⇒ $r = \frac{2\times616}{352} = 3.5$ मी

∴ बेलन का आयतन = pr^2h = 616

⇒ $\frac{22}{7}\times3.5\times3.5\times h = 616$

⇒ $11 \times 3.5 \times h = 616$

⇒ $h = \frac{616}{11\times3.5}$ = 16 घंटे

∴ बेलन का कुल पृष्ठीय क्षेत्रफल

$= 2\pi rh + 2\pi r^2$

$= 2\pi r(h + r)$

$= 2\times\frac{22}{7}\times3.5(16+3.5)$

$= 2\times\frac{22}{7}\times3.5(19.5)$

= 22 × 19.5 = 429 वर्ग मीटर।

95. प्रिज्म की समानांतर भुजाओं की लंबाई = 10 सेमी और 6सेमी

प्रिज्म की ऊँचाई = 8 सेमी

∴ प्रिज्म का आयतन = $\frac{1}{2}(10+6)\times5\times8$

$= \frac{1}{2}\times16\times5\times8$ = 320 सेमी^{3}

96. माना बेलन की त्रिज्या r और ऊँचाई h है।

तब, $r + h = 19$ ...(i)

पुनः, बेलन का कुल पृष्ठीय क्षेत्रफल = $(2\pi rh + 2\pi r^2)$

अब, $2\pi r(h + r) = 1672$

या, $2\pi r \times 19 = 1672$

या $38\pi r = 1672$

∴ $\pi r = \frac{1672}{38} = 44$ मी

∴ $r = \frac{44\times7}{22} = 14$

∴ ऊँचाई = 19 − 14 = 5 मीटर

बेलन का आयतन = πr^2h

$= \frac{22}{7}\times14\times14\times5$

= 22 × 2 × 14 × 5 = 3080 मीटर^3

97. माना गोले की त्रिज्या r सेमी है।

∴ गोले का आयतन = घनाभ का आयतन

⇒ $\frac{4}{3}\pi r^2 = L \times b \times h$

⇒ $\frac{4}{3}\pi r^3 = 49 \times 33 \times 24$

⇒ $\frac{4}{3}\times\frac{22}{7}\times r^3 = 49 \times 33 \times 24$

⇒ $r^3 = \frac{49\times33\times24\times3\times7}{4\times22}$

⇒ $r^3 = 9261$

∴ $r = \sqrt[3]{9261} = \sqrt[3]{21\times21\times21} = 21$ सेमी.

98. कटोरे का व्यास = 7 सेमी

∴ कटोरे की त्रिज्या = $\frac{2}{7}$ सेमी.

ऊँचाई = 4 सेमी

∴ बेलनाकार कटोरे का आयतन = πr^2h

$= \frac{22}{7}\times\frac{7}{2}\times\frac{7}{2}\times4$

= 154 घन सेमी

अतः 250 रोगियों के लिए सूप की मात्रा = 154 × 250

= 38500 सेमी^{3} = 38.5 ली.

99. माना कि शंकु और गोले की त्रिज्या R है और शंकु की ऊँचाई H है।

गोले का आयतन = $\frac{4}{3}\pi r^3$

शंकु का आयतन = $\frac{1}{3}\pi r^2h$

दी गई जानकारी के अनुसार = $\frac{4}{3}\pi R^3 = 2\times\frac{1}{3}\pi R^2H$

⇒ $4R = 2h$

⇒ $\frac{H}{R} = \frac{4}{2} = 2:1$

100. आयत कागज की लम्बाई = बेलन के आधार की परिधि

यदि r बेलन की त्रिज्या है $44 = 2\pi r$

⇒ $r = \frac{44\times7}{2\times22} = 7$ सेमी

101. धातु के तीन गोलों की त्रिज्या 1 2 r, r 3r क्रमशः 6 सेमी, 8 सेमी और 10 सेमी हैं माना नए गोले की त्रिज्या R है।

$$\frac{4}{3}\pi R^3 = \frac{4}{3}\pi\left(r_1^3 + r_2^3 + r_3^3\right)$$

$$\frac{4}{3}\pi R^3 = \frac{4}{3}\pi\left(6^3 + 8^3 + 10^3\right)$$

$R^3 = (216 + 512 + 1000) = 1728$

$R = \sqrt[3]{12 \times 12 \times 12}$

$R = 12$

व्यास = 24 सेमी

102. माना एक लम्ब वृत्तीय शंकु की त्रिज्या R सेमी और ऊँचाई H सेमी है।

लम्बवृत्तीय शंकु का आयतन = $\frac{1}{3}\pi R^2 H$ घनसेंटीमीटर

जब लम्ब वृत्तीय शंकु की ऊँचाई 200% बढ़ा दी जाती है और आधार की त्रिज्या 50% कम कर दी जाती है।

नया आयतन $= \frac{1}{3}\pi\left(\frac{R}{2}\right)^2 \cdot 3H$

$= \frac{1}{3}\pi\frac{R^2 4}{4}\cdot 3H = \frac{\pi R^2 H}{4}$

अंतर = $\pi R^2 H\left(\frac{1}{3} - \frac{1}{4}\right) = \frac{1}{12}\pi R^2 H$

न्यूनता प्रतिशत = $\frac{\frac{1}{12}\pi R^2 H}{\frac{1}{3}\pi R^2 H} \times 100 = 25\% = 25\%$

103. गेंद को 36 मीटर की ऊँचाई से गिराया जाता है जब गेंद तीसरी उछाल पर ऊपर उठती है

आवश्यक ऊँचाई $= \frac{2}{3} \times \frac{2}{3} \times \frac{2}{3} \times 36$

$= \frac{32}{3} = 10\frac{2}{3}$ मीटर

104. स्विमिंग पूल की चौड़ाई की दी गई लंबाई क्रमशः 9 मीटर और 12 मीटर है।

स्विमिंग पूल का आयतन = $9 \times 12 \times \left(\frac{1+4}{2}\right)$

$= 9 \times 12 \times \frac{5}{2} = 270$ = घनमीटर।

प्रश्नमाला 28B

निर्देश: प्रश्न संख्या *1* से *10* तक प्रत्येक में एक कथन/प्रश्न तथा दो कथन *I* तथा *II* दिये गये हैं. इन कथनों को पढ़कर इनका उत्तर:

(*a*) दीजिए यदि दिये गये प्रश्न का उत्तर देने के लिए *I* पर्याप्त हो तथा *II* पर्याप्त न हो;

(*b*) दीजिए यदि दिये गये प्रश्न का उत्तर देने के लिए *II* पर्याप्त हो तथा *I* पर्याप्त न हो;

(*c*) दीजिए यदि दिये गये प्रश्न का उत्तर देने के लिए *I* भी पर्याप्त हो तथा *II* भी पर्याप्त हो;

(*d*) दीजिए यदि दिये गये प्रश्न का उत्तर देने के लिए *I* तथा *II* दोनों मिलकर भी पर्याप्त न हो;

(*e*) दीजिए यदि दिये गये प्रश्न का उत्तर *I* तथा *II* दोनों को मिलाकर बना हो.

1. लोहे के शहतीर का भार कितना है?

I. यह शहतीर 9 मीटर लम्बा, 40 सेमी॰ चौड़ा तथा 20 सेमी॰ ऊँचा है.

II. लोहे का भार 50 किग्रा॰ प्रति घन मीटर है.

2. 32 मीटर ऊँची बेलनाकार टंकी का आयतन कितना होगा? (बैंक पी॰ओ॰ परीक्षा, 2013)

I. इसके आधार का क्षेत्रफल 154 वर्ग मीटर है.

II. इसके आधार का व्यास 14 मीटर है.

3. एक घन का आयतन कितना है? (बैंक पी॰ओ॰ परीक्षा, 2013)

I. घन के प्रत्येक पृष्ठ का क्षेत्रफल 64 वर्ग मीटर है.

II. घन की प्रत्येक भुजा 8 मीटर है.

4. ऊपर से खुले एक संदुक को 50 पै॰ प्रति 100 वर्ग सेमी॰ की दर से अन्दर की सतहों पर रोगन कराने का खर्च क्या होगा?

I. सन्दूक 3 सेमी॰ मोटी लकड़ी का बना है.

II. सन्दूक की बाहरी लम्बाई, चौड़ाई तथा ऊँचाई क्रमशः 50 सेमी॰, 40 सेमी॰ तथा 23 सेमी॰ हैं.

5. एक बेलनाकार टंकी का आयतन कितना है?

I. इस टंकी के आधार की त्रिज्या, ऊँचाई से आधी है जो 28 मीटर है.

II. इस टंकी के आधार का क्षेत्रफल 616 वर्ग मीटर है तथा ऊँचाई 28 मीटर है.

6. एक बेलन का आयतन कितना है?

I. इसकी ऊँचाई इसके व्यास के बराबर है.

II. आधार की परिमिति 352 सेमी॰ है.

7. एक शंक्वाकार मकबरे को 80 पैसे प्रति वर्ग मीटर की दर से सफेदी कराने का खर्च क्या होगा?

I. मकबरे का व्यास तथा तिर्यक ऊँचाई क्रमशः 28 मी॰ तथा 50 मी॰ हैं.

II. मकबरे की ऊँचाई 48 मीटर तथा आधार का क्षेत्रफल 616 वर्ग मी॰ है.

8. एक शंकु की ऊँचाई कितनी है?

I. इस शंकु का क्षेत्रफल उस आयत के क्षेत्रफल के बराबर है जिसकी लम्बाई 33 सेमी॰ है.

II. इस शंकु के आधार का क्षेत्रफल 154 वर्ग सेमी० है.

9. क्या दिया गया आयताकार गुटका घनाकार है?

I. इस आयताकार सन्दूक के कम से कम दो फलक वर्गाकार हैं.

II. गुटके का आयतन 64 इकाई है.

10. x सेमी० त्रिज्या के एक गोले को पिघलाकर एक लम्ब-वृत्तीय बेलन में ढ़ाला जाता है. इस बेलन की ऊँचाई कितनी है?

I. बेलन का आयतन गोले के आयतन के बराबर है.

II. बेलन के आधार का क्षेत्रफल दिया गया है.

निर्देश (प्रश्न 11–13): नीचे दिये गये प्रत्येक प्रश्न में में एक प्रश्न के साथ तीन कथन दिये गये हैं. ज्ञात करना है कि इनमें से कौन-कौन सा कथन दिये गये प्रश्न के उत्तर के लिए अनिवार्य है.

11. एक बेलनाकार टंकी की धारिता कितनी है?

I. इसके आधार का क्षेत्रफल 61600 वर्ग सेमी० है.

II. टंकी की ऊँचाई इसके आधार की त्रिज्या की 1·5 गुना है.

III. इसके आधार की परिधि 880 सेमी० है.

(*a*) केवल I तथा II (*b*) केवल II तथा III

(*c*) केवल I तथा III (*d*) तीनों में से कोई दो

(*e*) केवल II तथा (I अथवा III)

12. एक ठोस धातु के शंकु को पिघलाकर एक गोले में ढ़ाला जाता है. इस गोले की त्रिज्या कितनी है?

I. शंकु के आधार की त्रिज्या 2·1 सेमी० है.

II. शंकु की ऊँचाई इसके आधार की त्रिज्या से चार गुनी है.

III. शंकु की ऊँचाई 8·4 सेमी० है.

(*a*) केवल I तथा II (*b*) केवल II तथा III

(*c*) केवल I तथा III (*d*) तीनों में से कोई दो

(*e*) I, II, III तीनों

13. शंकु का सम्पूर्ण पृष्ठ कितना है?

I. शंकु के आधार का क्षेत्रफल 154 वर्ग सेमी० है.

II. शंकु के वक्र-पृष्ठ का क्षेत्रफल 550 वर्ग सेमी० है.

III. शंकु का आयतन 1232 घन सेमी० है.

(*a*) I तथा (II अथवा III) (*b*) II तथा (I अथवा III)

(*c*) III तथा (I अथवा II) (*d*) तीनों में से कोई दो

(*e*) इनमें से कोई नहीं

उत्तरमाला

1. (*e*) **2.** (*c*) **3.** (*c*) **4.** (*e*) **5.** (*c*) **6.** (*e*) **7.** (*c*) **8.** (*d*) **9.** (*d*) **10.** (*b*)
11. (*e*) **12.** (*d*) **13.** (*a*)

दिये गये प्रश्नों के हल

1. I से, लं० = 9 मी०, चौ० = $\frac{40}{100}$ मीटर = $\frac{2}{5}$ मी०,

ऊँचाई = $\frac{20}{100}$ मी० = $\frac{1}{5}$ मी०.

$\therefore$ आयतन = $\left(9 \times \frac{2}{5} \times \frac{1}{5}\right)$ घन मी० = $\frac{18}{25}$ घन मी०.

II से, लोहे का भार = 50 किग्रा०/घन मी०.

$\therefore$ शहतीर का भार = $\left(\frac{18}{25} \times 50\right)$ किग्रा० = 36 किग्रा०.

इस प्रकार I तथा II दोनों से उत्तर प्राप्त हुआ.

अत: सही उत्तर (*e*) है.

2. दिया है, ऊँचाई = 32 मीटर.

I से, आधार का क्षेत्रफल = 154 वर्ग मी०.

$\therefore$ आयतन = (आधार का क्षेत्र० × ऊँचाई)

= (154 × 32) घन मी० = 4928 घन मी०.

अत: केवल I से दिये गये प्रश्न का उत्तर प्राप्त होता है.

II से, आधार की त्रिज्या = 7 मीटर.

$\therefore$ आयतन = $\pi r^2 h = \left(\frac{22}{7} \times 7 \times 7 \times 32\right)$ घन मीटर

= 4928 घन मीटर.

अत: केवल II से दिये गये प्रश्न का उत्तर प्राप्त होता है.

अत: सही उत्तर (*c*) है.

3. मान प्रत्येक कोर की लम्बाई = a मीटर. तब,

I से, $a^2 = 64 \Leftrightarrow a = 8$ मीटर

$\Leftrightarrow$ आयतन = (8 × 8 × 8) घन मी० = 512 घन मी०.

अत: केवल I से उत्तर प्राप्त होता है.

II से, $a = 8$ मी० $\Rightarrow$ आयतन = (8 × 8 × 8) घन मी०

= 512 घन मी०.

अत: केवल II से उत्तर प्राप्त होता है.

अत: सही उत्तर (*c*) है.

4. I से, सन्दूक की दीवार की मोटाई = 3 सेमी०.

II से, आन्तरिक लम्बाई = (50 – 6) सेमी० = 44 सेमी०,

आन्तरिक चौड़ाई = (40 – 6) सेमी० = 34 सेमी०.

आन्तरिक ऊँचाई = (23 – 3) सेमी० = 20 सेमी०.

रंग किया जाने वाला क्षेत्रफल = (चार दीवारों का क्षेत्र० + फर्श का क्षेत्र०)

= $\{2(l + b) \times h + (l \times b)\}$

= $\{2(44 + 34) \times 20 + (44 \times 34)\}$ वर्ग सेमी० = 4616 वर्ग सेमी०.

रंगाई कराने का खर्च = ₹$\left(4616 \times \frac{1}{2 \times 100}\right)$ = ₹ 23·08.

$\therefore$ I तथा II दोनों को मिलाकर उत्तर प्राप्त होता है.

अत: सही उत्तर (*e*) है.

5. I से, $h = 28$ मीटर तथा $r = 14$ मीटर.

धारिता = $\pi r^2 h$, जो ज्ञात की जा सकती है.

$\therefore$ केवल I से उत्तर प्राप्त होता है.

II से, $\pi r^2 = 616$ वर्ग मी० तथा $h = 28$ मीटर.

$\therefore$ धारिता = $(\pi r^2 h) = (616 \times 28)$ घन मी०.

अत: केवल II से उत्तर प्राप्त होता है.

अत: सही उत्तर (c) है.

6. I से, $h = 2r$.

II से, $2\pi r = 352 \Leftrightarrow r = \left(\frac{352}{2} \times \frac{7}{22}\right)$ सेमी० = 56 सेमी०.

I तथा II से, $r = 56$ सेमी० तथा $h = (2 \times 56)$ सेमी० = 112 सेमी०.

इस प्रकार हम आयतन ज्ञात कर सकते हैं.

अत: सही उत्तर (e) है.

7. I से, $r = 14$ मीटर तथा $l = 50$ मीटर.

$\therefore$ वक्र पृष्ठ $= \pi r l = \left(\frac{22}{7} \times 14 \times 50\right)$ वर्ग मीटर

= 2200 वर्ग मीटर.

सफेदी कराने का खर्च = ₹$\left(2200 \times \frac{80}{100}\right)$ = ₹ 1760.

$\therefore$ केवल I से उत्तर प्राप्त होता है.

II से, $h = 48$ मीटर, $\pi r^2 - 616$ वर्ग मीटर.

इनसे r तथा h प्राप्त करके l प्राप्त कर सकते हैं.

अब वक्र पृष्ठ $= \pi r l$.

अत: केवल II से उत्तर प्राप्त होता है.

अत: सही उत्तर (c) है.

8. II से r का मान प्राप्त होगा.

परन्तु I में आयत की चौड़ाई नहीं दी गई है.

अत: शंकु का वक्र-पृष्ठ ज्ञात नहीं किया जा सकता.

इस प्रकार, शंकु की ऊँचाई ज्ञात नहीं की जा सकती.

अत: सही उत्तर (d) है.

9. I से, l, b, h में से कोई दो बराबर हैं.

II से, $(l \times b \times h) = 64$.

I तथा II से l, b, h के संभव मान (1, 1, 64), (2, 2, 16), (4, 4, 4) हैं.

अत: ब्लाक एक घन अथवा घनाभ है.

अत: सही उत्तर (d) है.

10. स्पष्ट है कि I की आवश्यकता नहीं.

II से, बेलन के आधार की त्रिज्या ज्ञात की जा सकती है.

$\frac{4}{3}\pi x^3 = \pi r^2 h$ में x तथा r ज्ञात हैं. अत: h का मान ज्ञात किया जा सकता है.

अत: सही उत्तर (b) है.

11. धारिता $= \pi r^2 h$.

I से, $\pi r^2 = 61600$. इससे r का मान ज्ञात किया जा सकता है.

II से, $h = \frac{3r}{2}$.

$\therefore$ I तथा II से उत्तर प्राप्त होता है.

III से, $2\pi r = 880$, जिससे r प्राप्त होता है.

$\therefore$ II तथा III से उत्तर प्राप्त होता है.

अत: सही उत्तर (e) है.

12. $\frac{4}{3}\pi R^3 = \frac{1}{3}\pi r^2 h$.

अब I, II, III में से कोई दो लेकर r तथा h के मान ज्ञात किये जा सकते हैं. इससे R का मान प्राप्त किया जा सकता है.

अत: सही उत्तर (d) है.

13. शंकु का सम्पूर्ण पृष्ठ $= (\pi r l + \pi r^2)$ वर्ग सेमी०.

I से, $\pi r^2 = 154$, जिससे r प्राप्त किया जा सकता है.

II से, $\pi r l = 550$.

अत: I तथा II से उत्तर प्राप्त किया जा सकता है.

III से, $\frac{1}{3}\pi r^2 h = 1232$.

I तथा III से h का मान ज्ञात होने पर, l का मान ज्ञात किया जा सकता है.

इससे वक्र-पृष्ठ का क्षेत्रफल ज्ञात किया जा सकता है.

अत: सही उत्तर (a) है.

29 दौड़ (RACES)

सामान्य नियम

दौड़: व्यक्तियों की दौड़, घुड़दौड़, नौका-दौड़ तथा तैराकी आदि प्रतिस्पर्धायें दौड़ कहलाती हैं.

(*i*) जिस मैदान या रास्ते पर ये प्रतिस्पर्धायें होती हैं, उसे **रेस कोर्स** कहते हैं.

(*ii*) जिस स्थान से दौड़ आरम्भ होती है, उसे **प्रारम्भिक बिन्दु** कहते हैं.

(*iii*) जिस स्थान पर दौड़ समाप्त होती है, उसे **जीत-बिन्दु** कहते हैं.

(*iv*) आरम्भ में यदि *A* प्रारम्भिक बिन्दु पर हो तथा *B*, *A* से 12 मीटर आगे हो, तो हम कहते हैं कि *A*, *B* को 12 मीटर का स्टार्ट देता है.

साधित उदाहरण

प्रश्न 1. 1 किमी० की दौड़ में *A*, *B* को 28 मीटर अथवा 7 सैकण्ड से हरा देता है. इस दौड़ को पूरा करने में *A* कितना समय लेता है?

हल: स्पष्ट है कि *B*, 7 सैकण्ड में 28 मीटर दौड़ता है.

1 किमी० दौड़ने में *B* द्वारा लिया गया समय $= \left(\frac{7}{28}\times 1000\right)$ सैकण्ड = 250 सैकण्ड.

1 किमी० दौड़ने में *A* द्वारा लिया गया समय = (250 − 7) सैकण्ड = 243 सैकण्ड = 4 मिनट 3 सैकण्ड.

∴ अभीष्ट समय = 4 मिनट 3 सैकण्ड.

प्रश्न 2. *A*, 1 किमी० दौड़ में 3 मिनट 10 सैकण्ड लेता है, जबकि *B* इस दौड़ में 3 मिनट 20 सैकण्ड लेता है. *A*, *B* को कितने मीटर से हराता है?

(सब इन्सपैक्टर परीक्षा, 2007)

हल: *A*, *B* को 10 सैकण्ड से हराता है.

B द्वारा 200 सैकण्ड में तय की गई दूरी = 1000 मीटर.

B द्वारा 10 सैकण्ड में तय की गई दूरी $= \left(\frac{1000}{200}\times 10\right)$ मीटर = 50 मीटर.

अत: *A*, *B* को 50 मीटर से हराता है.

प्रश्न 3. 100 मीटर की दौड़ में *A*, 8 किमी०/घण्टा की गति से दौड़ता है. यदि *A*, *B* को 4 मीटर का आरम्भ दे तथा 15 सैकण्ड से उसे हरा दे, तो *B* की चाल ज्ञात करें.

हल: *A* की चाल = 8 किमी०/घण्टा $= \left(8\times\frac{5}{18}\right)$ मीटर/सै० $= \frac{20}{9}$ मीटर/सै०.

A द्वारा 100 मीटर दौड़ने में लिया गया समय $= \left(100\times\frac{9}{20}\right)$ सै० = 45 सै०.

B को 4 मीटर का आरम्भ दिया गया है, अत: *B*, (100 − 4) मी० = 96 मी० दौड़ता है.

96 मीटर दौड़ने में *B* द्वारा लिया गया समय = (45 + 15) सै० = 60 सै०.

B की चाल $= \frac{96}{60}$ मीटर/सै० $= \left(\frac{96}{60}\times\frac{18}{5}\right)$ किमी०/घण्टा = 5·76 किमी०/घण्टा.

प्रश्न 4. एक किमी० की दौड़ में रवि, नितिन को 400 मीटर से तथा दीपक को 200 मीटर से हरा देता है. दीपक, नितिन को कितने मीटर से हरायेगा?

(एस०एस०सी० परीक्षा, 2011)

हल: स्पष्ट है कि जितनी देर में रवि 1000 मीटर दौड़ता है, उतनी देर में नितिन दौड़ता है (1000 – 400) मी० अर्थात् 600 मीटर तथा दीपक दौड़ता है (1000 – 200) मी० अर्थात् 800 मीटर.

800 मीटर की दौड़ में दीपक नितिन को हराता है = 200 मीटर से.

1000 मीटर की दौड़ में दीपक नितिन को हराता है = $\left(\frac{200}{800}\times1000\right)$ मीटर से = 250 मीटर से.

अतः 1 किमी० की दौड़ में दीपक नितिन को 250 मीटर से हरायेगा.

प्रश्न 5. 200 मीटर की एक दौड़ में *A, B* को 20 मीटर से हरा देता है, जबकि 100 मीटर की दौड़ में *B, C* को 5 मीटर से हरा देता है. यह मानते हुए कि विभिन्न दौड़ों में *A, B, C* की अपनी चालें एक समान रहती हैं, एक किमी० की दौड़ में *A, C* को कितने मीटर से हरायेगा?
(असिस्टैंट ग्रेड परीक्षा, 2014)

हल: जितने समय में *A* 200 मीटर दौड़ेगा, उतने समय में *B* दौड़ेगा = (200 – 20) मी० = 180 मी०.

∴ जितने समय में *A* 100 मीटर दौड़ेगा, उतने समय में *B* दौड़ेगा = $\left(\frac{180}{200}\times100\right)$ मी० = 90 मी०.

जितने समय में *B* 100 मीटर दौड़ेगा, उतने समय में *C* दौड़ेगा = (100 – 5) मीटर = 95 मीटर.

जितने समय में *B* 90 मीटर दौड़ेगा, उतने समय में *C* दौड़ेगा = $\left(\frac{95}{100}\times90\right)$ मीटर = 85.5 मीटर.

∴ जितने समय में *A* 100 मीटर दौड़ेगा, उतने समय में *C* दौड़ेगा = 85.5 मीटर.

जितने समय में *A* 1000 मीटर दौड़ेगा, उतने समय में *C* दौड़ेगा = $\left(\frac{85\cdot5}{100}\times1000\right)$ मीटर = 855 मीटर.

अतः 1 किमी० की दौड़ में *A, C* को (1000 – 855) मीटर अर्थात् 145 मीटर से हराता है.

प्रश्न 6. एक किमी० दौड़ में तीन व्यक्ति *A, B, C* भाग लेते हैं. यदि *A, B* को 40 मीटर का तथा *C* को 64 मीटर का आरम्भ दे, तो *B, C* को कितने मीटर का आरम्भ दे सकता है?

हल: जितनी देर में *A* 1000 मीटर तय करता है, उतनी देर में *B*, (1000 – 40) मी० अर्थात् 960 मीटर दूरी तय करता है तथा *C*, (1000 – 64) मी० अर्थात् 936 मी० दूरी तय करता है.

जितनी देर में *B* 960 मी० दूरी तय करता है, उतनी देर में *C* तय करता है = 936 मी०.

जितनी देर में *B* 1000 मी० दूरी तय करता है, उतनी देर में *C* तय करता है = $\left(\frac{936}{960}\times1000\right)$ मी० = 975 मी०.

अतः *B, C* को (1000 – 975) मी० अर्थात् 25 मीटर का आरम्भ दे सकता है.

प्रश्नमाला 29

नीचे दिये गये प्रश्नों में से प्रत्येक प्रश्न में ठीक उत्तर को चिह्नांकित (✓) कीजिए:

1. 100 मीटर दौड़ में, *A* इस दूरी को 36 सैकण्ड में तथा *B* 45 सैकण्ड में तय करता है. इस दौड़ में *A, B* को कितने मीटर से हराता है?
   (*a*) 20 मीटर से (*b*) 25 मीटर से
   (*c*) 22·5 मीटर से (*d*) 9 मीटर से
2. एक 200 मीटर की दौड़ में *A, B* को 35 मीटर अथवा 7 सैकण्ड से हरा देता है. *A* कितनी देर में यह दौड़ पूरी करता है?
   (*a*) 40 सैकण्ड (*b*) 47 सैकण्ड
   (*c*) 33 सैकण्ड (*d*) इनमें से कोई नहीं
3. एक 300 मीटर की दौड़ में *A, B* को 22·5 मीटर अथवा 6 सैकण्ड से हरा देता है. *B* कितनी देर में दौड़ पूरी करता है?
   (*a*) 80 सैकण्ड (*b*) 86 सैकण्ड
   (*c*) 76 सैकण्ड (*d*) इनमें से कोई नहीं
4. जितनी देर में *A* 22·5 मीटर दूरी तय करता है, उतनी देर में *B*, 25 मीटर दूरी तय करता है. एक किलोमीटर की दौड़ में *B, A* को कितने मीटर से हरायेगा?
   (*a*) 25 मीटर (*b*) 50 मीटर
   (*c*) $111\frac{1}{9}$ मीटर (*d*) 100 मीटर
5. एक 500 मीटर की दौड़ में दो धावकों *A* तथा *B* की चालों का अनुपात 3 : 4 है. आरम्भ में *A, B* से 140 मीटर आगे है. इस दौड़ में *A* कितने मीटर से जीत जाता है?
   (*a*) 60 मीटर (*b*) 40 मीटर
   (*c*) 20 मीटर (*d*) 10 मीटर
6. *A, B* से $\frac{5}{3}$ गुना तेज दौड़ता है. आरम्भ में *B, A* से 80 मीटर आगे है. दौड़ का अन्तिम बिन्दु प्रारम्भिक बिन्दु से कितनी दूर है, जबकि *A* तथा *B* एक ही समय पर इस बिन्दु पर पहुँचते हैं?
   (*a*) 160 मीटर (*b*) 200 मीटर
   (*c*) 270 मीटर (*d*) 300 मीटर

7. 100 मीटर की दौड़ में A, B को 25 मीटर से तथा B, C को 4 मीटर से हराता है. इसी दौड़ में A, C को कितने मीटर से हरायेगा?

(*a*) 21 मीटर (*b*) 26 मीटर
(*c*) 28 मीटर (*d*) 29 मीटर

8. 100 मीटर की दौड़ में A, B को 10 मीटर से तथा C को 28 मीटर से हराता है. इसी दौड़ में B, C को कितने मीटर से हरा सकता है?

(*a*) 18 मीटर (*b*) 20 मीटर
(*c*) 9 मीटर (*d*) 27 मीटर

9. 100 मीटर की दौड़ में A, B को 10 मीटर से तथा C को 13 मीटर से हरा सकता है. 180 मीटर की दौड़ में B, C को कितने मीटर से हरायेगा? **(जीवन बीमा निगम परीक्षा, 2013)**

(*a*) 4·5 मीटर (*b*) 5·4 मीटर
(*c*) 5 मीटर (*d*) 6 मीटर

10. 200 मीटर की दौड़ में A, B को 31 मीटर से तथा C को 18 मीटर से हरा देता है. 350 मीटर की दौड़ में C, B को कितने मीटर से हरायेगा?

(*a*) $7\frac{4}{7}$ मीटर (*b*) $19\frac{1}{2}$ मीटर
(*c*) 25 मीटर (*d*) $22\frac{3}{4}$ मीटर

11. 100 मीटर की दौड़ में A तथा B भाग लेते हैं. A 5 किमी०/घण्टा की दर से दौड़ता है. आरम्भ में B, A से 8 मीटर आगे है, फिर भी A उसे 8 सैकण्ड में हरा देता है. ज्ञात करें कि B किस गति से दौड़ता है.

(*a*) 4·14 किमी०/घण्टा (*b*) 4·25 किमी०/घण्टा
(*c*) 4·4 किमी०/घण्टा (*d*) 5·15 किमी०/घण्टा

12. 1 किमी० की दौड़ में A, B को 100 मीटर से हराता है तथा B, C को 150 मीटर से. इसी दौड़ में A, C को कितने मीटर से हराता है? **(मैनेजमैन्ट परीक्षा, 2014)**

(*a*) 225 मीटर (*b*) 235 मीटर
(*c*) 240 मीटर (*d*) 250 मीटर

13. A, 1 किमी० दौड़ में 4 मिनट 54 सैकण्ड लेता है जबकि B इस दौड़ में 5 मिनट लेता है. आरम्भ में A से B कितने मीटर आगे खड़ा हो कि दौड़ के अन्तिम बिन्दु पर दोनों साथ-साथ पहुँचें? **(रेलवे परीक्षा, 2013)**

(*a*) 14·5 मीटर (*b*) 16 मीटर
(*c*) 18 मीटर (*d*) 20 मीटर

14. जतिन किशोर से 1·375 गुना तेज भागता है. यदि आरम्भ में किशोर जतिन से 150 मीटर आगे हो तथा दौड़ के अन्तिम बिन्दु पर दोनों साथ-साथ पहुँचें, तो अन्तिम छोर प्रारम्भिक बिन्दु से कितनी दूर है? **(एम०बी०ए० परीक्षा, 2017)**

(*a*) 330 मीटर (*b*) 440 मीटर
(*c*) 550 मीटर (*d*) इनमें से कोई नहीं

15. 200 मीटर की दौड़ को A तथा B क्रमशः 22 सै० तथा 25 सै० में पूरा करते हैं. जब A दौड़ के अन्तिम छोर पर पहुँचेगा, तो B उससे कितनी दूर होगा? **(रेलवे परीक्षा, 2014)**

(*a*) 24 मीटर (*b*) 30 मीटर
(*c*) 48 मीटर (*d*) 54 मीटर

16. 800 मीटर की दौड़ में A ने B को 15 सैकण्ड से हराया. यदि A की चाल 8 किमी० प्रति घण्टा हो, तो B की चाल कितनी होगी? **(सब इन्सपैक्टर परीक्षा, 2014)**

(*a*) $\frac{16}{27}$ किमी०/घण्टा (*b*) $1\frac{11}{16}$ किमी०/घण्टा
(*c*) $7\frac{17}{25}$ किमी०/घण्टा (*d*) $8\frac{17}{25}$ किमी०/घण्टा

17. 400 मीटर की एक दौड़ में A, B को 5 मीटर से हराता है. इसी रास्ते पर B, C से 4 मीटर से जीत जाता है. इसी रास्ते पर D, C से 16 मीटर से जीत जाता है. यदि A तथा D इस रास्ते पर दौड़ें तो कौन तथा कितने मीटर से जीतेगा? **(मैनेजमैन्ट परीक्षा, 2012)**

(*a*) A, 7·2 मीटर से (*b*) A, 8·4 मीटर से
(*c*) D, 7·3 मीटर से (*d*) D, 8·4 मीटर से

18. 100 मीटर की दौड़ में, A पूरी दूरी को 36 सेकंड में और B 45 सेकंड में तय करता है। इस दौड़ में A, B को हरा देता है

(*a*) 20 मीटर (*b*) 25 मीटर
(*c*) 22.5 मीटर (*d*) 9 मीटर

19. चार बहनें सुवर्णा, तारा, उमा और विभा ऐसा खेल खेल रही हैं कि हारने वाली प्रत्येक खिलाड़ी के पैसे को अपने हिस्से से दोगुना कर देती है। उन्होंने चार खेल खेले और प्रत्येक बहन ने वर्णमाला के क्रम में एक खेल खो दिया। चौथे गेम के अंत में, प्रत्येक बहन के पास ₹32 थे। सुवर्णा ने कितने पैसे से शुरुआत की? **[एसएससी-सीजीएल परीक्षा, 2012]**

(*a*) ₹60 (*b*) ₹34 (*c*) ₹66 (*d*) ₹28

20. एक टीम ने एक सीजन में 40 मैच खेले और उनमें से 24 में जीत हासिल की। टीम ने कितने प्रतिशत मैच खेले? **(एसएससी-सीजीएल (टियर I) परीक्षा, 2012]**

(*a*) 70% (*b*) 40% (*c*) 60% (*d*) 35%

निर्देश (21 और 24): ताश के खेल की शुरुआत में, J और B के पास मिलकर T से चार गुना अधिक पैसा था, जबकि T और B के पास मिलकर J से तीन गुना अधिक पैसा था। शाम के अंत में, J और B के पास मिलकर T से तीन गुना पैसा था, जबकि T और B के पास मिलकर J से दोगुना पैसा था, B के पास ₹200 का नुकसान हुआ।

21. खेल की शुरुआत में T के पास कुल धन का कितना अंश था? **[स्नैप, 2012]**

(*a*) $\frac{1}{3}$ (*b*) $\frac{1}{8}$ (*c*) $\frac{2}{9}$ (*d*) $\frac{1}{5}$

22. कुल धन का कितना अंश J जीत/हार गया? [स्नैप, 2012]

(a) $\frac{1}{12}$ जीता (b) $\frac{1}{6}$ खो दिया

(c) $\frac{1}{3}$ खो दिया (d) $\frac{1}{5}$ जीता

23. समान गति से d दूरी की दौड़ में, A, B को 20 मीटर से हरा सकता है, B, C को 10 मीटर से हरा सकता है और A, C को 28 मीटर से हरा सकता है, तो d, मीटर में, है [जी बी ओ परीक्षा, 2012]

(a) 50 (b) 75 (c) 100 (d) 120

24. A, B की तुलना में 123 गुना तेज दौड़ता है। यदि A, B को 80 मीटर की शुरुआत देता है, तो शुरुआती बिंदु से जीतने वाली पोस्ट कितनी दूर होनी चाहिए ताकि A और B एक ही समय में उस तक पहुंच सकें? [सीडीएस परीक्षा, 2016]

(a) 200 मीटर (b) 300 मीटर (c) 270 मीटर (d) 160 मीटर

उत्तरमाला

1. (a)	2. (a)	3. (a)	4. (d)	5. (c)	6. (b)	7. (c)	8. (b)	9. (d)	10. (c)
11. (a)	12. (b)	13. (d)	14. (c)	15. (a)	16. (c)	17. (c)	18. (a)	19. (c)	20. (c)
21. (d)	22. (a)	23. (c)	24. (a)						

दिये गये प्रश्नों के हल

1. B द्वारा (45 − 36) सै० अर्थात् 9 सै० में तय की गई दूरी

$= \left(\frac{100}{45}\times 9\right)$ मी० = 20 मी०.

अतः A, B को 20 मीटर से हराता है.

2. स्पष्ट है कि B, 35 मीटर तय करता है = 7 सैकण्ड में.

∴ B, 200 मीटर तय करता है $= \left(\frac{7}{35}\times 200\right)$ सै० में

= 40 सैकण्ड में.

अतः B दौड़ पूरी करता है = 40 सैकण्ड में.

∴ A दौड़ पूरी करता है = (40 − 7) सैकण्ड में = 33 सैकण्ड में.

3. स्पष्ट है कि B, $\frac{45}{2}$ मीटर दूरी तय करता है = 6 सैकण्ड में.

∴ B, 300 मीटर दूरी तय करेगा

$= \left(6\times\frac{2}{45}\times 300\right)$ सै० में = 80 सै० में.

4. जितनी देर में B 25 मीटर दौड़ता है,

उतनी देर में A दौड़ता है $= \frac{45}{2}$ मीटर.

जितनी देर में B 1000 मीटर दौड़ता है,

उतनी देर में A दौड़ता है $= \left(\frac{45}{2}\times\frac{1}{25}\times 1000\right)$ मीटर = 900 मीटर.

अतः B, A को 100 मीटर से हराता है.

5. जीतने के बिन्दु तक पहुँचने के लिए A को दूरी तय करनी होगी = (500 − 140) मी० = 360 मी०.

जितनी देर में A 3 मी० दूरी तय करता है, उतनी देर में B तय करता है = 4 मी०.

जितनी देर में A 360 मी० दूरी तय करता है, उतनी देर में B तय करता है $= \left(\frac{4}{3}\times 360\right)$ मीटर = 480 मीटर.

अतः जब A जीतने के बिन्दु पर पहुँचता है तब B (500 − 480) मी० = 20 मी० पीछे रह जाता है.

अतः A, 20 मीटर से जीत जाता है.

6. A तथा B की चालों का अनुपात $= \frac{5}{3} : 1$ अर्थात् 5 : 3.

अतः 5 मीटर की दौड़ में A, B से 2 मीटर अधिक दौड़ता है.

2 मीटर के अन्तर के लिए, कुल दौड़ = 5 मीटर.

80 मीटर के अन्तर के लिए, कुल दौड़ $= \left(\frac{5}{2}\times 80\right)$ मीटर = 200 मीटर.

7. $A : B = 100 : 75$ तथा $B : C = 100 : 96$.

∴ $A : C = \left(\frac{A}{B}\times\frac{B}{C}\right) = \left(\frac{100}{75}\times\frac{100}{96}\right) = \frac{100}{72} = 100 : 72.$

अतः A, C को (100 − 72) मी० अर्थात् 28 मीटर से हरा देता है.

8. $A : B = 100 : 90$ तथा $A : C = 100 : 72$.

∴ $B : C = \left(\frac{B}{A}\times\frac{A}{C}\right) = \left(\frac{90}{100}\times\frac{100}{72}\right) = \frac{90}{72}.$

जितनी देर में B 90 मीटर दौड़ता है, उतनी देर में C दौड़ता है = 72 मीटर.

जितनी देर में B 100 मीटर दौड़ता है, उतनी देर में C दौड़ता है $= \left(\frac{72}{90}\times 100\right)$ मीटर = 80 मी०.

अतः B, C को 20 मीटर से हरा सकता है.

9. $A : B = 100 : 90$, $A : C = 100 : 87$.

∴ $\frac{B}{C} = \left(\frac{B}{A}\times\frac{A}{C}\right) = \left(\frac{90}{100}\times\frac{100}{87}\right) = \frac{30}{29}.$

जितनी देर में B, 30 मीटर दौड़ता है, उतनी देर में C दौड़ता है = 29 मी०.

जितनी देर में B, 180 मीटर दौड़ता है, उतनी देर में C दौड़ता है $= \left(\frac{29}{30}\times 180\right)$ मी० = 174 मी०.

अतः B, C को (180 − 174) मी० अर्थात् 6 मीटर से हराएगा.

10. $A : B = 200 : 169$ तथा $A : C = 200 : 182$.

$\therefore \quad \frac{C}{B} = \left(\frac{C}{A} \times \frac{A}{B}\right) = \left(\frac{182}{200} \times \frac{200}{169}\right) = 182 : 169.$

जितनी देर में C 182 मीटर दूरी तय करता है, उतनी देर में B तय करता है = 169 मीटर.

जितनी देर में C 350 मीटर दूरी तय करता है, उतनी देर में B तय करता है $= \left(\frac{169}{182} \times 350\right)$ मीटर = 325 मीटर.

अत: C, B को (350 – 325) मी० = 25 मीटर से हराएगा.

11. A की चाल $= \left(5 \times \frac{5}{18}\right)$ मी०/सै० $= \frac{25}{18}$ मी०/सै०.

100 मीटर दूरी तय करने में A द्वारा लिया गया समय $= \left(100 \times \frac{18}{25}\right)$ सै० = 72 सै०.

B द्वारा 92 मीटर दूरी तय करने में लगा समय = (72 + 8) सै० = 80 सै०.

$\therefore$ B की चाल $= \left(\frac{92}{80} \times \frac{18}{5}\right)$ किमी०/घण्टा

= 4·14 किमी०/घण्टा.

12. जितनी देर में A 1 किमी० दौड़ता है, उतनी देर में B दौड़ता है = (1000 – 100) मी० = 900 मी०.

जितनी देर में B 1000 मी० दौड़ता है, उतनी देर में C दौड़ता है = 850 मी०.

जितनी देर में B 900 मी० दौड़ता है, उतनी देर में C दौड़ता है $= \left(\frac{850}{1000} \times 900\right)$ मी० = 765 मी०.

अत: A, C को (1000 – 765) मी० अर्थात् 235 मीटर से हराता है.

13. स्पष्ट है कि A, B को 6 सैकण्ड से हराता है.

B द्वारा 300 सै० में तय की गई दूरी = 1000 मीटर.

B द्वारा 6 सै० में तय की गई दूरी $= \left(\frac{1000}{300} \times 6\right)$ मीटर

= 20 मीटर.

14. माना दौड़ की कुल लम्बाई = x मीटर.

जितनी देर में जतिन x मीटर दौड़ता है, उतनी देर में किशोर दौड़ता है = $(x - 150)$ मी०.

$\therefore \quad \frac{x}{(x-150)} = \frac{1 \cdot 375}{1} \Leftrightarrow x = 1.375x - 150 \times 1.375$

$\Leftrightarrow 1.375x - x = 150 \times 1.375$

$\Leftrightarrow 0.375x = 150 \times 1.375 \Leftrightarrow x = \frac{150 \times 1 \cdot 375}{0 \cdot 375} = 550.$

अत: दौड़ की कुल लम्बाई = 550 मीटर.

15. 25 सै० में B द्वारा तय की गई दूरी = 200 मीटर.

22 सै० में B द्वारा तय की गई दूरी $= \left(\frac{200}{25} \times 22\right)$ मीटर

= 176 मीटर.

$\therefore$ B की A से दूरी = (200 – 176) मी० = 24 मीटर.

16. A की चाल = 8 किमी०/घण्टा $= \left(8 \times \frac{5}{18}\right)$ मी०/सै० $= \frac{20}{9}$ मी०/सै.

A द्वारा 800 मी० दौड़ने में लिया गया समय $= \left(800 \times \frac{9}{20}\right)$ सै०

= 360 सै०.

B द्वारा 800 मी० दौड़ने में लिया गया समय = (360 + 15) सै० = 375 सै०.

B की चाल $= \frac{800}{375}$ मी०/सै० $= \left(\frac{800}{375} \times \frac{18}{5}\right)$ किमी०/घण्टा

$= \frac{192}{25}$ किमी०/घण्टा $= 7\frac{17}{25}$ किमी०/घण्टा.

17. A दौड़ता है 400 मी० तो B दौड़ता है = 395 मीटर.

B दौड़ता है 400 मी० तो C दौड़ता है = 396 मीटर.

D दौड़ता है 400 मी० तो C दौड़ता है = 384 मीटर.

B दौड़ता है 400 मी० तो C दौड़ता है = 396 मीटर.

B दौड़ता है 395 मी० तो

C दौड़ता है $= \left(\frac{396}{400} \times 395\right)$ मी० $= \frac{(99 \times 79)}{20}$ मी०.

यदि C दौड़ता है 384 मी० तो D दौड़ता है = 400 मी०.

यदि C दौड़ता है $\frac{(99 \times 79)}{20}$ मी० तो

D दौड़ता है $= \left(\frac{400}{384} \times \frac{99 \times 79}{20}\right)$ मी० = 407·3 मी०.

स्पष्ट है कि D, A से 7·3 मीटर से जीत जाता है.

18. स्पष्ट रूप से, A, B को 9 सेकंड से हरा देता है।

B द्वारा 9 सेकंड में तय की गई दूरी। $= \left(\frac{100}{45} \times 9\right)$ मीटर = 20 मीटर.

$\therefore$ A, B को 20 मीटर से हराता है।

19.

अंत	सुवर्णा	तारा	उमा	विभा
चौथा गेम	32	32	32	32
तीसरा गेम	16	16	16	80
दूसरा गेम	8	8	72	40
पहला गेम	4	68	36	20
मूल धन	62	34	18	10

सुवर्णा ₹66 से शुरू होती है।

20. खेले गए खेलों की संख्या = 40

जीते गए खेलों की संख्या = 24

खेले गए खेलों का प्रतिशत $= \frac{24}{40} \times 100 = 60\%$

हल निर्देश (6 और 9)

J और B के पास T से 4 गुना अधिक है। इसलिए $\frac{1}{5}$ वाँ। T का कुल है।

इसी तरह, J का $\frac{1}{5}$ वाँ है और इसी तरह आगे भी।

कुल $60x$ लेना:

T के पास $12x$ है, J के पास $15x$ है तो B के पास $33x$ है। अंत में T के पास $15x$ है, J के पास $20x$ है तो B के पास $25x$ है।

21. इसलिए T के पास शुरू में $\frac{1}{5}$ है।

22. J जीता $5/60 = 1/12$

23. माना दूरी $= x$ मीटर A रन $= x$ मीटर

B दौड़ता है $= (x-20)$ मीटर. B, C को 10 मीटर से हरा सकता है।

C दौड़ता है $= (x-10)$ मीटर. A, C को 28 मीटर से हरा सकता है।

C दौड़ता है $= (x-28)$ मीटर. B रन $= x-20$

C रन $= \left(\frac{x-10}{x}\right) \times (x-20)$

'A' C को मी. $x - \left[\frac{(x-10)(x-20)}{x}\right] = 28$ मीटर से हरा सकता है

$x^2 - x^2 + 30x - 200 = 28x \qquad 30x - 200 = 28x$

$\Rightarrow \qquad 30x - 28x = 200\ 2x = 200$

$x = 100$ मीटर

24. माना B की गति $= a$ मीटर/सेकंड

A की गति $= \frac{5}{3}a$ मीटर/सेकंड

माना x दूरी है $= \frac{x \times 3}{5a} = \frac{x-80}{a}$

$\Rightarrow 3x = 5x - 400 \quad \Rightarrow 2x = 400$

$\Rightarrow x = 200$ मीटर

30 कैलेण्डर (CALENDAR)

सामान्य नियम

इस अध्याय में हम मुख्य रूप से ऐसी विधि विकसित करेंगे जिसके अंतर्गत किसी भी वर्ष के किसी भी दिन सप्ताह का कौन-सा दिन होगा, यह ज्ञात कर सकेंगे।

ध्यान देने योग्य बातें

1. **अतिरिक्त दिन (odd days):** किसी दिए हुए अन्तराल में ऐसे दिनों की संख्या जो पूर्ण-सप्ताहों की संख्या से अधिक हों, अतिरिक्त दिन कहलाते हैं.
2. **लीप वर्ष:** प्रत्येक ऐसा वर्ष (शताब्दी न हो), जो 4 से पूर्णतया विभक्त हो तथा प्रत्येक वह शताब्दी जो 400 से पूर्णतया विभक्त हो, लीप वर्ष कहलाता है. स्पष्ट है कि जो शताब्दी 400 से विभक्त न हो, लीप वर्ष नहीं होगी.
   उदाहरण:
   (i) वर्ष 1620, 1860, 1940, 1984, 1996, 2004, 2008 आदि सभी लीप वर्ष हैं.
   (ii) वर्ष 400, 800, 1200, 1600, 2000, 2400 आदि सभी लीप वर्ष हैं.
   (iii) वर्ष 1726, 1982, 1800, 2100 आदि लीप वर्ष नहीं हैं.
3. 1 साधारण वर्ष = 365 दिन तथा 1 लीप-वर्ष = 366 दिन.
4. **अतिरिक्त दिनों की गिनती करना:**
   (i) 1 साधारण वर्ष = 365 दिन = (52 सप्ताह) + (1 दिन)
   अत: 1 साधारण वर्ष में 1 अतिरिक्त दिन होता है.
   (ii) 1 लीप वर्ष = 366 दिन = (52 सप्ताह) + (2 दिन)
   अत: 1 लीप वर्ष में 2 अतिरिक्त दिन होते हैं.
   (iii) 100 वर्ष = 76 साधारण वर्ष + 24 लीप वर्ष
   = 76 अतिरिक्त दिन + (24×2) अतिरिक्त दिन
   = 124 अतिरिक्त दिन = (17 सप्ताह + 5 दिन)
   = 5 अतिरिक्त दिन.
   (iv) 100 वर्ष के अतिरिक्त दिन = 5.
   (v) 200 वर्ष के अतिरिक्त दिन = 10 अर्थात् (1 सप्ताह 3 दिन) = 3 दिन.
   (vi) 300 वर्ष के अतिरिक्त दिन = 15 अर्थात् (2 सप्ताह 1 दिन) = 1 दिन.
   (vii) 400 वर्ष के अतिरिक्त दिन = (20 + 1) = 21 अर्थात् 0.
   (viii) 800 वर्ष, 1200 वर्ष, 1600 वर्ष, 2000 वर्ष आदि के अतिरिक्त दिन = 0.

दिन	रवि	सोम	मंगल	बुध	बृह०	शुक्र	शनि
अतिरिक्त दिनों की संख्या	0	1	2	3	4	5	6

साधित उदाहरण

प्रश्न 1. 15 अगस्त 1947 को भारत देश स्वतंत्र हुआ. वह सप्ताह का कौन-सा दिन था?

हल: 15 अगस्त 1947 = (1946 वर्ष + 1 जनवरी 1947 से 15 अगस्त 1947)
1600 वर्ष में अतिरिक्त दिन = 0.

300 वर्ष में अतिरिक्त दिन = 15 दिन = (7 × 2 + 1) दिन ≡ 1 दिन.

46 वर्ष = (11 लीप वर्ष + 35 साधारण वर्ष) = (22 + 35) अति० दिन

= 57 अति० दिन = (8 × 7 + 1) अति० दिन ≡ 1 अति० दिन.

जनवरी फ० मार्च अप्रैल मई जून जुलाई अगस्त

(31 + 28 + 31 + 30 + 31 + 30 + 31 + 15) = 227 दिन = (7 × 32 + 3) दिन ≡ 3 अति० दिन.

∴ कुल अतिरिक्त दिन = (0 + 1 + 1 + 3) = 5.

अत: अभीष्ट दिन = शुक्रवार.

प्रश्न 2. 28 मार्च 2006 को सप्ताह का कौन-सा दिन था?

हल: 28 मार्च 2006 = (2005 वर्ष + 1 जनवरी 2006 से 28 मार्च 2006).

1600 वर्ष में अतिरिक्त दिन = 0.

400 वर्ष में अतिरिक्त दिन = 0.

5 वर्ष ≡ (1 लीप वर्ष + 4 सा० वर्ष) = (2 + 4) अति० दिन = 6 अति० दिन.

जनवरी फरवरी मार्च

31 + 28 + 28 = 87 दिन = (7 × 12 + 3) दिन ≡ 3 अति० दिन.

कुल अतिरिक्त दिन = (6 + 3) = 9 ≡ 2 अति० दिन.

अत: अभीष्ट दिन = मंगलवार.

प्रश्न 3. 31 मई 2020 को कौन-सा दिन होगा?

हल: 31 मई 2020 = (2019 वर्ष + 1 जनवरी 2020 से 31 मई 2020).

1600 वर्ष में अतिरिक्त दिन = 0.

400 वर्ष में अतिरिक्त दिन = 0.

19 वर्ष = (4 लीप वर्ष + 15 सा० वर्ष) ≡ (8 + 15) अति० दिन = (7 × 3 + 2) अति० दिन ≡ 2 अति० दिन.

जनवरी फरवरी मार्च अप्रैल मई

31 + 29 + 31 + 30 + 31 = 152 दिन = (7 × 21 + 5) दिन ≡ 5 अति० दिन.

कुल अतिरिक्त दिन = (2 + 5) = 7 ≡ 0 अति० दिन.

अत: अभीष्ट दिन रविवार होगा.

प्रश्न 4. सिद्ध कीजिए कि वर्ष 2006 तथा वर्ष 2017 के कैलेण्डर एक समान होंगे.

हल: अभीष्ट तथ्य सिद्ध करने हेतु हमें सिद्ध करना होगा 1 जनवरी 2017 का साप्ताहिक दिन वही होगा जो 1 जनवरी 2006 को है. इसके लिए 31 दिसम्बर 2005 तथा 31 दिसम्बर 2016 के बीच अतिरिक्त दिनों की संख्या शून्य होगी.

इस अन्तराल में 2008, 2012, 2016 लीप वर्ष होंगे.

वर्ष	2006	2007	2008	2009	2010	2011	2012	2013	2014	2015	2016
अति० दिन	1	1	2	1	1	1	2	1	1	1	2

∴ कुल अति० दिन = 14 = (7 × 2 + 0) ≡ 0.

अत: वर्ष 2006 तथा 2017 के केलेण्डर एक समान होंगे.

प्रश्न 5. मई 2006 में किस-किस दिन रविवार था?

हल: पहले हम 1 मई 2006 का दिन ज्ञात करेंगे.

2000 वर्षों में अतिरिक्त दिन = 0

5 वर्ष = (1 लीप वर्ष + 4 साधारण वर्ष) = (2 + 4) अति० दिन = 6 अति० दिन.

जनवरी फरवरी मार्च अप्रैल मई

31 + 28 + 31 + 30 + 1 = 121 दिन = (7 × 17 + 2) दिन ≡ 2 अति० दिन.

कुल अतिरिक्त दिनों की संख्या = (6 + 2) = (7 + 1) ≡ 1 अति० दिन.

∴ 1 मई 2006 को सोमवार था, अत: 7 मई को प्रथम रविवार था.

∴ मई 2006 में रविवार 7 मई, 14 मई, 21 मई तथा 28 मई को होंगे.

प्रश्नमाला 30

नीचे दिये गये प्रश्नों में से प्रत्येक के ठीक उत्तर को चिह्नांकित (✓) कीजिए:

1. निम्नलिखित में से कौन-सा वर्ष लीप-वर्ष नहीं है? **(रेलवे परीक्षा, 2011)**

(*a*) 700 (*b*) 800
(*c*) 1200 (*d*) 2000

2. मैं रोजाना मध्याह्न-भोज में 7 चपाती तथा रात्रि भोज में 8 चपाती लेता हूँ. एक लीप वर्ष में मैं कुल कितनी चपाती खाता हूँ? **(इ०गा० वि०वि० परीक्षा, 2013)**

(*a*) 450·5 दर्जन (*b*) 457·5 दर्जन
(*c*) 460·5 दर्जन (*d*) 467·5 दर्जन

3. एक लीप वर्ष में सप्ताह के कितने दिनों में प्रत्येक दिन 53 बार आता है?

(*a*) 0 (*b*) 1
(*c*) 2 (*d*) 4

4. x सप्ताह तथा x दिनों में कुल कितने दिन होते हैं? **(होटल मैनेजमैन्ट परीक्षा, 2013)**

(*a*) $7x^2$ (*b*) $8x$
(*c*) $14x$ (*d*) 7

5. p सप्ताह तथा q दिनों में कुल कितने दिन होते हैं?

(*a*) $p+q$ (*b*) pq
(*c*) $7p+q$ (*d*) $7q+p$

6. निम्नलिखित में से किस वर्ष का कैलेण्डर वर्ष 1990 के केलेण्डर जैसा है? **(एम०बी०ए० परीक्षा, 2014)**

(*a*) 1994 (*b*) 1996
(*c*) 1997 (*d*) 2000

7. निम्नलिखित में से किस वर्ष का कैलेण्डर वर्ष 2003 के कैलेण्डर जैसा है?

(*a*) 2009 (*b*) 2010
(*c*) 2012 (*d*) 2014

8. 6 मार्च 2005 को रविवार था. 6 नवम्बर 2005 को कौन-सा दिन था?

(*a*) रविवार (*b*) शनिवार
(*c*) सोमवार (*d*) मंगलवार

9. 8 फरवरी, 2005 को मंगलवार था. 8 फरवरी 2004 को कौन-सा दिन था?

(*a*) मंगलवार (*b*) सोमवार
(*c*) रविवार (*d*) बुधवार

10. किसी शताब्दी का अन्तिम दिन निम्नलिखित में से कौन-सा हो सकता है?

(*a*) मंगलवार (*b*) बृहस्पतिवार
(*c*) शनिवार (*d*) रविवार

11. आज शुक्रवार है. आज से 62 दिन बाद कौन-सा दिन होगा?

(*a*) शनिवार (*b*) सोमवार
(*c*) मंगलवार (*d*) बृहस्पतिवार

12. जनवरी 1, 2006 को रविवार था. जनवरी 1, 2010 को कौन-सा दिन होगा?

(*a*) रविवार (*b*) शनिवार
(*c*) शुक्रवार (*d*) बुधवार

13. 26 जनवरी 1950 को सप्ताह का कौन-सा दिन था?

(*a*) बृहस्पतिवार (*b*) शनिवार
(*c*) मंगलवार (*d*) सोमवार

14. 19 अक्तूबर 2000 को कौन-सा दिन था?

(*a*) मंगलवार (*b*) बृहस्पतिवार
(*c*) शुक्रवार (*d*) शनिवार

15. अप्रैल 2006 में प्रथम सोमवार किस दिनाँक को था?

(*a*) 2 अप्रैल (*b*) 3 अप्रैल
(*c*) 4 अप्रैल (*d*) 5 अप्रैल

16. एक सप्ताह का कितना भिन्नात्मक भाग 154 घंटे होगा? **(दिल्ली अधीनस्थ सेवा चयन बोर्ड स्टेनोग्राफर ग्रेड-III परीक्षा, 2017)**

(*a*) $\frac{11}{12}$ (*b*) $\frac{11}{13}$
(*c*) $\frac{7}{12}$ (*d*) $\frac{9}{13}$

17. 15 अगस्त 1947 को सप्ताह का कौन सा दिन था? **[एचएसईई, 2020]**

(*a*) शनिवार (*b*) रविवार (*c*) सोमवार (*d*) शुक्रवार

18. वर्ष 2019 के लिए कैलेंडर वर्ष (वर्षों) के लिए समान होगा **[एचएसईई, 2020]**

(*a*) 2024 (*b*) 2030 (*c*) 2037 (*d*) 2042

19. यदि परसों शनिवार है, तो कल से 4 दिन पहले कौन सा दिन था **[होटल प्रबंधन 2020]**

(*a*) शुक्रवार (*b*) रविवार (*c*) शनिवार (*d*) गुरुवार

20. यदि प्रत्येक माह के द्वितीय शनिवार एवं रविवार को अवकाश हो, तो बुधवार से प्रारंभ होने वाले 31 दिनों वाले माह में कार्य दिवसों की कुल संख्या होगी: **[क्लैट, 2019]**

(*a*) 23 (*b*) 24 (*c*) 25 (*d*) 26

21. A को ठीक से याद है कि B का जन्मदिन सितंबर के महीने में है। C को ठीक से याद है कि B का जन्मदिन 18 सितंबर के बाद है। D को ठीक से याद है कि B का जन्मदिन शुक्रवार को और 28 सितंबर से पहले है। यदि सितंबर का पहला दिन उस वर्ष बुधवार था तो B का जन्मदिन किस तारीख को है? **[इंडियन बैंक पीओ, 2018]**

(*a*) 27वें (*b*) 21वें (*c*) 19वीं (*d*) 22वें
(*e*) 24वें

22. यदि 15 अगस्त, 2017 को मंगलवार था, तो 17 सितंबर, 2017 को सप्ताह का कौन सा दिन था? [एआईएलईटी, 2020]
(*a*) रविवार (*c*) शुक्रवार (*b*) शनिवार (*d*) गुरुवार

23. वर्ष 2009 के लिए कैलेण्डर वर्ष के समान ही होगा
[डीएमआरसी-ग्राहक संबंध सहायक (सीआरए) परीक्षा, 2016]
(*a*) 2013 (*b*) 2014 (*c*) 2015 (*d*) 2016

24. एक निश्चित महीने के लिए, तीन रविवार की तिथियाँ सम संख्याएँ हैं। फिर, उस महीने की 15 तारीख को पड़ता है
[एसएससी-सीजीएल (टियर I) परीक्षा, 2012]
(*a*) गुरुवार (*b*) शुक्रवार (*c*) शनिवार (*d*) रविवार

उत्तरमाला

1. (*a*)	**2.** (*b*)	**3.** (*c*)	**4.** (*b*)	**5.** (*c*)	**6.** (*b*)	**7.** (*d*)	**8.** (*a*)	**9.** (*c*)	**10.** (*d*)
11. (*d*)	**12.** (*c*)	**13.** (*a*)	**14.** (*b*)	**15.** (*b*)	**16.** (*a*)	**17.** (*d*)	**18.** (*b*)	**19.** (*c*)	**20.** (*d*)
21. (*e*)	**22.** (*a*)	**23.** (*c*)	**24.** (*c*)						

दिये गये प्रश्नों के हल

1. 400 से पूर्णतया विभक्त होने वाली शताब्दी लीप वर्ष होती है.
अत: 700 लीप वर्ष नहीं है.

2. लीप वर्ष में कुल चपाती $= \frac{366 \times 15}{12}$ दर्जन $= \frac{915}{2}$ दर्जन
$= 457 \cdot 5$ दर्जन.

3. 364 दिन ≡ 52 सप्ताह. इनमें प्रत्येक दिन 52 बार आयेगा.
366 दिन में दो दिनों में से प्रत्येक 53 बार आयेगा.
∴ 2 दिनों में से प्रत्येक 53 बार आता है.

4. x सप्ताह x दिन $= (7x + x)$ दिन $= 8x$ दिन.

5. p सप्ताह q दिन $= 7p$ दिन $+ q$ दिन $= (7p + q)$ दिन.

6. 31 दिसम्बर 1989 के बाद अतिरिक्त दिनों की संख्या

वर्ष	1990	1991	1992	1993	1994	1995
अति० दिन	(1	1	2	1	1	1)

= 7 दिन = 0 अति० दिन.
∴ वर्ष 1996 का कैलेण्डर वर्ष 1990 के समान होगा.

7. 31 दिसम्बर 2002 के बाद अतिरिक्त दिनों की संख्या

वर्ष	2003	2004	2005	2006	2007	2008
अति० दिन	1	2	1	1	1	2
वर्ष	2009	2010	2011	2012	2013	
अति० दिन	1	1	1	2	1	

कुल अति० दिनों की संख्या = 14 दिन = 0 अति० दिन.
∴ वर्ष 2014 का कैलेण्डर वर्ष 2003 जैसा होगा.

8. हम जानते हैं कि मार्च की किसी तिथि को जो दिन होगा वही दिन उस वर्ष के नवम्बर मास की उसी तिथि को होगा.
∴ 6 नवम्बर 2005 को रविवार था.

9. वर्ष 2004 एक लीप वर्ष है. इसके अतिरिक्त दिन = 2.
∴ 8 फरवरी 2004 का दिन, 8 फरवरी 2005 के दिन से 2 दिन पहले होगा.
अत: यह दिन रविवार होगा.

10. 100 वर्ष में अतिरिक्त दिन = 5.
अत: प्रथम शताब्दी का अन्तिम दिन शुक्रवार होगा.
200 वर्ष में अतिरिक्त दिन = 10 अर्थात् 3.
अत: दूसरी शताब्दी का अन्तिम दिन बुधवार होगा.
300 वर्ष में अतिरिक्त दिन = 15 अर्थात् 1.
अत: तीसरी शताब्दी का अन्तिम दिन सोमवार होगा.
400 वर्ष में अतिरिक्त दिन = 0.
अत: चौथी शताब्दी का अन्तिम दिन रविवार होगा.
∴ किसी शताब्दी का अन्तिम दिन मंगलवार, बृहस्पतिवार अथवा शनिवार नहीं हो सकता.

11. सप्ताह का प्रत्येक दिन 7 दिन बाद आता है.
∴ 63 दिन बाद शुक्रवार होगा.
अत: 62 दिन बाद बृहस्पतिवार होगा.

12. 31 दिसम्बर 2005 को शनिवार था.
2006 से 2009 तक के अतिरिक्त दिन = 1 + 1 + 2 + 1 = 5 दिन.
∴ 31 दिसम्बर 2009 को बृहस्पतिवार होगा.
∴ 1 जनवरी, 2010 को शुक्रवार होगा.

13. 1600 वर्ष के अतिरिक्त दिन = 0.
300 वर्ष के अतिरिक्त दिन = 15 अर्थात् 1.
49 वर्ष ≡ (12 लीप वर्ष + 37 साधारण वर्ष)
= (24 + 37) अति० दिन = 5 अति० दिन.
जनवरी के अति० दिन = 5.
कुल अतिरिक्त दिन = (1 + 5 + 5) अर्थात् 4.
∴ अभीष्ट दिन = बृहस्पतिवार.

14. 1600 वर्ष के अति० दिन = 0.
300 वर्ष के अति० दिन = 15 अर्थात् 1.
99 वर्ष ≡ (24 लीप वर्ष + 75 सा० वर्ष) = (48 + 75) दिन = 123 दिन ≡ 4 अति० दिन.

जन०	फर०	मार्च	अप्रैल	मई	जून	जुलाई	अगस्त	सितम्बर	अक्तूबर
31 +	29 +	31 +	30 +	31 +	30 +	31 +	31 +	30 +	19 = 293 दिन = 6 अति० दिन.

कुल अति० दिन = (1 + 4 + 6) अर्थात् 4.
∴ अभीष्ट दिन = बृहस्पतिवार.

15. पहले ज्ञात करेंगे कि 1 अप्रैल 2006 को कौन-सा दिन था.

2000 वर्ष के अति० दिन = 0.

5 वर्ष ≡ (1 लीप वर्ष + 4 सा० वर्ष) ≡ 6 अति० दिन.

जनवरी फरवरी मार्च अप्रैल

31 + 28 + 31 + 1 = 91 दिन = 0 अति दिन.

$\therefore$ कुल अति० दिन = (0 + 6 + 0) = 6.

$\therefore$ 1 अप्रैल 2006 को शनिवार था.

अत: अप्रैल 2006 में प्रथम सोमवार 3 अप्रैल को था.

16. एक सप्ताह में 7×24 घंटे होते है।

$\therefore$ अभीष्ट उत्तर $= \dfrac{154}{7 \times 24} = \dfrac{11}{12}$

17. पूर्ण वर्ष = 1947 – 1 = 1946

1946 = 1600 + 300 + 46

1600 = 0 में विषम दिन

300 = 1

46 में (लीप + नॉन लीप) (11 + 46) = 1

(7 से भाग देने पर)

जनवरी = 3

फरवरी = 0

मार्च = 3

अप्रैल = 2

मई = 3

जून = 2

जुलाई = 3

अगस्त = 1

कुल = 19

जब हम 19 को 7 से विभाजित करते हैं, तो हमें शेषफल के रूप में 5 प्राप्त होता है, तो शुक्रवार सही जवाब है।

18. 2019 में एक ऑड दिन होगा।

2020 में 2 विषम दिन होंगे।

2021 में 1 विषम दिन और जल्द ही होगा।

तो, विषम दिन हैं 1 + 2 + 1 + 1 + 1 + 2 + 1 + 1 + 1 + 2 + 1 = 14, यानी 2029 के अंत में 7 का गुणक। इसलिए हम 2019 के कैलेण्डर का फिर से उपयोग कर सकते हैं 2030.

19. अन्तर सात दिन का हो तो शनिवार होगा।

20. पहला रविवार 5 तारीख को होगा।

अत: 5, 12, 19 और 26 को रविवार रहेगा और एक दूसरे शनिवार को 5 अवकाश रहेगा।

इसलिए कार्य दिवस 31 – 5 = 26 हैं।

21. पहला शुक्रवार 3 तारीख को है। चूंकि 18 तारीख के बाद जन्मदिन और 18 तारीख के बाद शुक्रवार 24 तारीख को ही है (क्योंकि यह सितंबर का महीना है जिसमें कुल 30 दिन होते हैं)। तो 24 उत्तर है।

22. 15 अगस्त, 2017 और 17 सितंबर, 2017 के बीच के दिन 16 + 17 = 33 हैं। जब हम 33 को 7 से विभाजित करते हैं, तो हमें शेषफल के रूप में 5 प्राप्त होता है। अत: 17 सितंबर का दिन 15 अगस्त से 5 दिन आगे होगा।

अत: मंगलवार + 5 = रविवार उत्तर होगा। इसलिए, विकल्प (*a*)।

23. 2008 एक लीप वर्ष था।

एक लीप वर्ष में दो विषम दिन होते हैं।

मान लीजिए वर्ष 2008 सोमवार से शुरू होता है।

तब 2009 का पहला दिन बुधवार था।

अब,

2010 का पहला दिन ⇒ गुरुवार

2011 का पहला दिन ⇒ शुक्रवार

2012 का पहला दिन ⇒ शनिवार

क्योंकि 2012 लीप ईयर था

2013 का पहला दिन ⇒ सोमवार

2014 का पहला दिन ⇒ मंगलवार

2015 का पहला दिन ⇒ बुधवार

इस प्रकार, वर्ष 2009 का कैलेण्डर वही था जो वर्ष 2015 का था।

24. रविवार के तीन दिन सम अंक वाले होते हैं

2, 9, 16, 23, 30 है।

तो, उस महीने की 16 तारीख को = रविवार, उस महीने की 15 तारीख शनिवार को पड़ती है।

31 घड़ी (CLOCKS)

सामान्य नियम

घड़ी का डायल प्राय: वृत्ताकार होता है जिसकी परिधि को 60 बराबर भागों में बाँटा जाता है। प्रत्येक भाग को मिनट-दूरी कहा जाता है। घड़ी में दो सूईयाँ होती हैं।। छोटी सूई घण्टे की सूई तथा बड़ी सूई मिनट की सूई कहलाती है।

कुछ विशेष तथ्य

(*i*) घण्टे की सूई 1 घण्टे में कोण बनाती है = 30°.

(*ii*) मिनट की सूई 5 मिनट में कोण बनाती है = 30°.

(*iii*) घण्टे की सूई 1 घण्टे में तय करती है = 5 मिनट की दूरी

(*iv*) मिनट की सूई 1 मिनट में तय करती है = 1 मिनट की दूरी

(*v*) प्रत्येक घण्टे में मिनट की सूई, घण्टे की सूई से 55 मिनट की अधिक दूरी तय करती है.

(*vi*) प्रत्येक घण्टे में दोनों सूई परस्पर सम्पाती होती हैं.

(*vii*) जब दोनों सूई 90° पर होती हैं, वे 15 निमट के फासले पर होती हैं. यह प्रति घण्टा दो बार होता है.

(*viii*) यदि ठीक समय 9 बजे है तथा घड़ी में उस समय 9·15 बजे हैं, तो हम कहते हैं कि घड़ी 15 मिनट तेज हैं.

(*ix*) यदि ठीक समय 8 बजे हैं तथा घड़ी में उस समय 7·45 बजे हैं, तो हम कहते हैं कि घड़ी 15 मिनट सुस्त है.

साधित उदाहरण

प्रश्न 1. जब घड़ी में समय 7·20 है तब घण्टे की सूई तथा मिनट की सूई के बीच का कोण ज्ञात कीजिए.

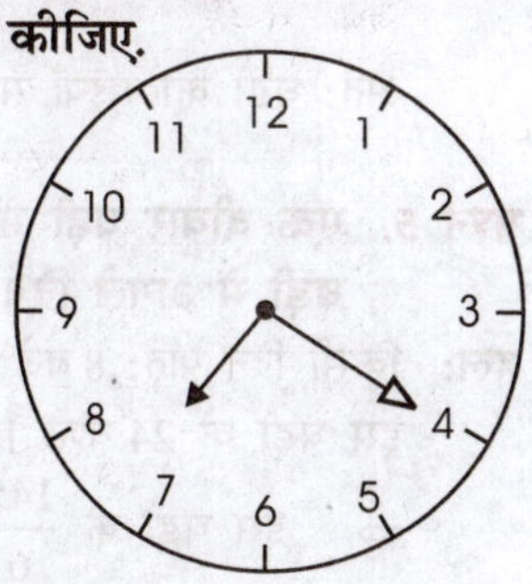

हल: घण्टे की सूई द्वारा 12 घण्टे में बनाया गया कोण = 360°.

घण्टे की सूई द्वारा $\frac{22}{3}$ घण्टे में बनाया गया कोण $= \left(\frac{360}{12} \times \frac{22}{3}\right)^\circ = 220°$.

मिनट की सूई द्वारा 60 मिनट में बनाया गया कोण = 360°.

मिनट की सूई द्वारा 20 मिनट में बनाया गया कोण $= \left(\frac{360}{60} \times 20\right)^\circ = 120°$.

अभीष्ट कोण = (220° – 120°) = 100°.

प्रश्न 2. जब घड़ी में समय 4·05 है तब घण्टे की सूई तथा मिनट की सूई के बीच का कोण ज्ञात कीजिए.

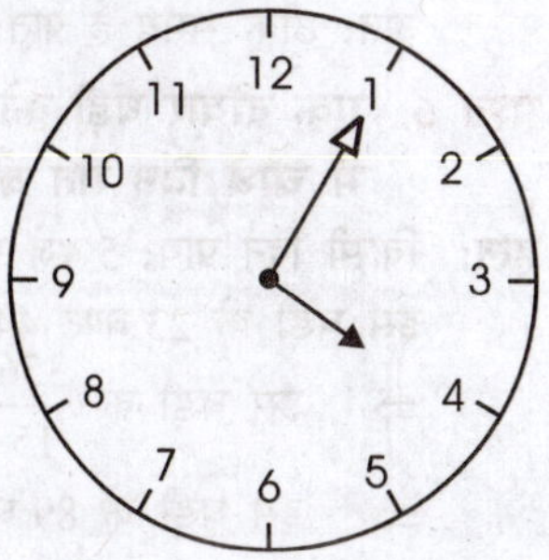

हल: घण्टे की सूई द्वारा 12 घण्टे में बनाया गया कोण = 360°.

घण्टे की सूई द्वारा $\frac{49}{12}$ घण्टे में बनाया गया कोण $= \left(\frac{360}{12} \times \frac{49}{12}\right)^\circ$

$$= \left(\frac{245}{2}\right)^\circ = 122\frac{1}{2}^\circ.$$

मिनट की सूई द्वारा 60 मिनट में बनाया गया कोण = 360°.

मिनट की सूई द्वारा 05 मिनट में बनाया गया कोण $= \left(\frac{360}{60} \times 5\right)^\circ = 30°$.

$\therefore$ अभीष्ट कोण $= \left(122\frac{1}{2}\right)^\circ - (30^\circ) = 92\frac{1}{2}^\circ$.

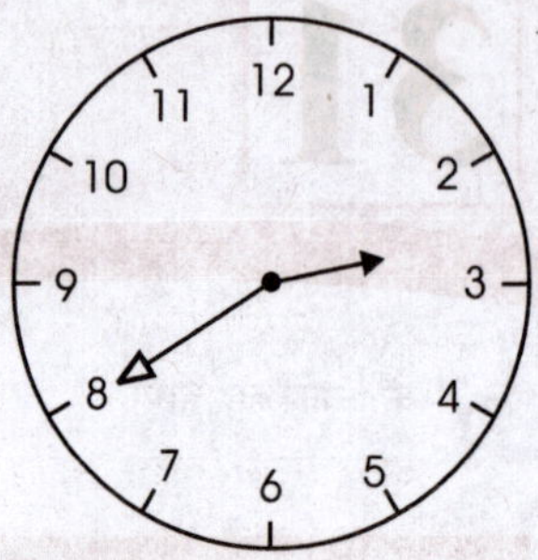

प्रश्न 3. जब घड़ी में 2·40 बजे हों तो घण्टे तथा मिनट की सूई के बीच का कोण ज्ञात कीजिए।

हल: घण्टे की सूई द्वारा 12 घण्टे में बनाया गया कोण $= 360^\circ$.

घण्टे की सूई द्वारा $\frac{8}{3}$ घण्टे में बनाया गया कोण $= \left(\frac{360}{12} \times \frac{8}{3}\right)^\circ = 80^\circ$.

मिनट की सूई द्वारा 60 मिनट में बनाया गया कोण $= 360^\circ$.

मिनट की सूई द्वारा 40 मिनट में बनाया गया कोण $= \left(\frac{360}{60} \times 40\right)^\circ = 240^\circ$.

$\therefore$ अभीष्ट कोण $= (240^\circ - 80^\circ) = 160^\circ$.

प्रश्न 4. किसी घड़ी में 8 बजे तथा 9 बजे के बीच में किस समय मिनट की सूई घण्टे की सूई के सम्पाती होगी?

(असिस्टैंट ग्रेड परीक्षा, 2004)

हल: 8 बजे, घण्टे की सूई 8 पर तथा मिनट की सूई 12 पर होगी.

अत: ये सूइयाँ 40 मिनट के अन्तराल पर हैं.

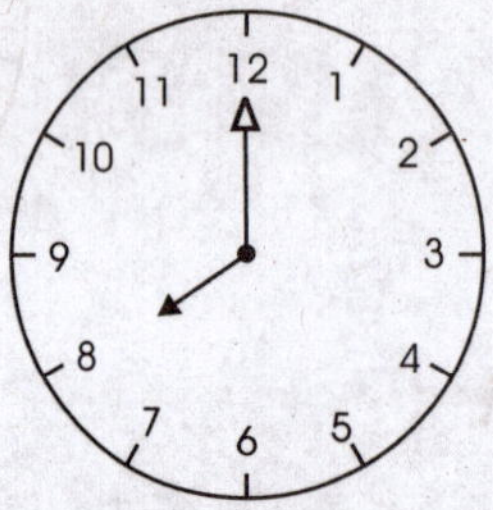

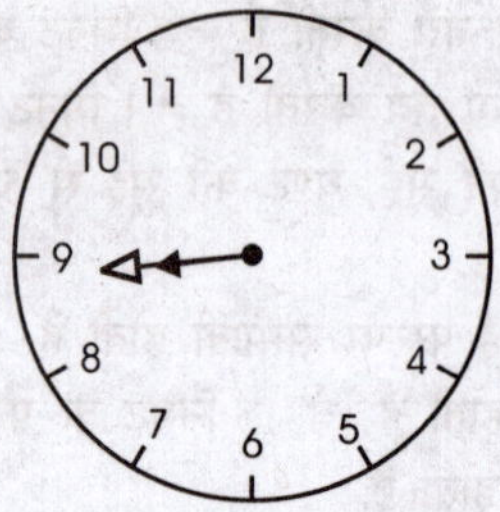

इन दोनों को एक दूसरे के सम्पाती होने के लिए मिनट की सूई को घण्टे की सूई से 40 मिनट अधिक चलना होगा.

मिनट की सूई द्वारा 55 मिनट का अन्तराल पूरा होता है = 60 मिनट में

मिनट की सूई द्वारा 40 मिनट का अन्तराल पूरा होता है

$= \left(\frac{60}{55} \times 40\right)$ मिनट में $= \frac{480}{11}$ मिनट में $= 43\frac{7}{11}$ मिनट में.

अत: घड़ी की सूइयाँ सम्पाती होंगी 8 बजकर $43\frac{7}{11}$ मिनट पर.

प्रश्न 5. एक दीवार घड़ी में प्रात: 8 बजे ठीक समय कर दिया गया. यह घड़ी 24 घण्टे में 10 मिनट आगे चलती है. जब इस घड़ी में अगले दिन दोपहर 1 बजे हों, तो इसका ठीक समय क्या होगा?

हल: किसी दिन प्रात: 8 बजे से अगले दिन दोपहर 1 बजे तक का समय = 29 घण्टे.

इस घड़ी के 24 घण्टे 10 मिनट = ठीक घड़ी के 24 घण्टे.

$\Rightarrow$ इस घड़ी के $\frac{145}{6}$ घण्टे = ठीक घड़ी के 24 घण्टे.

$\Rightarrow$ इस घड़ी के 29 घण्टे = ठीक घड़ी के $\left(24 \times \frac{6}{145} \times 29\right)$ घण्टे = ठीक घड़ी के 28 घण्टे 48 मिनट.

अत: ठीक समय है प्रात: 8 बजे से 28 घण्टे 48 मिनट आगे अर्थात् ठीक समय है प्रात: 12 बजकर 48 मिनट.

प्रश्न 6. एक दीवार घड़ी को प्रात: 5 बजे ठीक कर दिया गया। यह घड़ी 24 घण्टे में 16 मिनट सुस्त पड़ जाती है। जब इस घड़ी में चौथे दिन रात के 10 बजे हों, तो इसका ठीक समय क्या होगा?

हल: किसी दिन प्राय: 5 बजे से चौथे दिन रात के 10 बजे तक का समय = 89 घण्टे.

इस घड़ी के 23 घण्टे 44 मिनट = ठीक घड़ी के 24 घण्टे

$\Rightarrow$ इस घड़ी के $\frac{356}{15}$ घण्टे = ठीक घड़ी के 24 घण्टे

$\Rightarrow$ इस घड़ी के 89 घण्टे = ठीक घड़ी के $\left(24 \times \frac{15}{356} \times 89\right)$ घण्टे = 90 घण्टे.

अत: सही समय है रात के 11 बजे.

प्रश्न 7. ज्ञात कीजिए कि 8 बजे तथा 9 बजे के बीच किस समय घड़ी की सूइयाँ सम्पाती नहीं होंगी परन्तु एक सरल रेखा में होंगी?

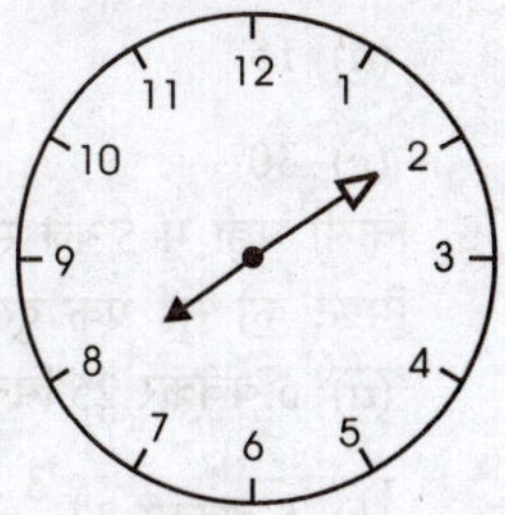

हल: 8 बजे घड़ी की छोटी सूई 8 पर तथा बड़ी सूई 12 पर होगी.

इन सूइयों के बीच में 20 मिनट का फासला है.

यदि सूइयाँ सम्पाती न हों परन्तु सरल रेखा में हों, तो इनके बीच में 30 मिनट का फासला होगा.

अत: मिनट वाली सूई को अभी घण्टे वाली सूई से (30 – 20) मिनट = 10 मिनट का और फासला तय करना होगा.

अब मिनट की सूई द्वारा 55 मिनट का अन्तराल पूरा होगा = 60 मिनट में

$\therefore$ मिनट की सूई द्वारा 10 मिनट का अन्तराल पूरा होगा = $\left(\frac{60}{55}\times 10\right)$ मिनट में = $10\frac{10}{11}$ मिनट में.

अत: घड़ी की सूइयाँ सम्पाती नहीं परन्तु सरल रेखा में होंगी = 8 बजकर $10\frac{10}{11}$ मिनट पर.

प्रश्न 8. 4 बजे तथा 4·30 बजे के बीच में कितने बजे घड़ी की सूइयाँ परस्पर लम्बवत होंगी?

हल: 4 बजे, घण्टे की सूई 4 पर तथा मिनट की सूई 12 पर होगी.

इनका अन्तराल 20 मिनट का है.

दोनों सूइयों के लम्बवत होने की स्थिति में उनके बीच का अन्तराल 15 मिनट का होना चाहिए.

4 बजे तथा 4·30 बजे के बीच दोनों सूइयों को लम्बवत् होने के लिए मिनट की सूई को (20 – 15) = 5 मिनट का और फासला तय करना होगा.

मिनट की सूई द्वारा 55 मिनट का अन्तराल पूरा होगा = 60 मिनट में.

मिनट की सूई द्वारा 5 मिनट का अन्तराल पूरा होगा = $\left(\frac{60}{55}\times 5\right)$ मिनट में = $\frac{\quad}{11}$ मिनट में.

अत: घड़ी की दोनों सूइयाँ लम्बवत् होंगी 4 बजकर $5\frac{5}{11}$ मिनट पर.

प्रश्न 9. एक दीवार घड़ी जो समान गति से तेज होती जा रही है, एक रविवार को प्रात: 8 बजे, 5 मिनट धीरे और उससे अगले रविवार को रात 8 बजे, 5 मिनट 48 सैकेण्ड तेज चलती पाई जाती है. ज्ञात कीजिये कि वह घड़ी कब ठीक समय दिखाती है.

हल: रविवार को प्रात: 8 बजे से अगले रविवार के रात 8 बजे तक का समय = 7 दिन 12 घण्टे = 180 घण्टे.

180 घण्टे में घड़ी तेज़ होती है = $\left(5+5\frac{4}{5}\right)$ मिनट = $\frac{54}{5}$ मिनट.

5 मिनट तेज़ होने में घड़ी को लगा समय = $\left(180\times\frac{5}{54}\times 5\right)$ घण्टे = 83 घण्टे 20 मिनट

= 3 दिन 11 घण्टे 20 मिनट.

इस प्रकार घड़ी ठीक समय दिखाएगी रविवार के प्रात: 8 बजे से 3 दिन 11 घण्टे 20 मिनट आगे, अर्थात् बुधवार को रात 7 बजकर 20 मिनट पर.

प्रश्नमाला 31

निम्नलिखित प्रश्नों में से प्रत्येक में ठीक उत्तर को चिह्नांकित (✓) कीजिए:

1. 3 बजकर 35 मिनट पर घण्टे तथा मिनट की सूई के बीच का कोण कितना है?

(a) $107\frac{1}{2}^\circ$ (b) 210°

(c) $102\frac{1}{2}^\circ$ (d) इनमें से कोई नहीं

2. 8 बजकर 15 मिनट पर घण्टे तथा मिनट की सूई के बीच का कोण कितना है?

(a) 90° (b) $157\frac{1}{2}^\circ$

(c) $247\frac{1}{2}^\circ$ (d) इनमें से कोई नहीं

3. 5 बजकर 12 मिनट पर घण्टे तथा मिनट की सूई के बीच का कोण कितना है?

(a) 156° (b) 72°

(c) 84° (d) 78°

4. 11 बजे घण्टे तथा मिनट की सूई के बीच कोण कितना होगा?

(*a*) 15° (*b*) $22\frac{1}{2}°$

(*c*) 30° (*d*) 36°

5. किसी घड़ी में 5 बजे से 6 बजे के बीच कितने बजे घण्टे तथा मिनट की सूई एक दूसरे के सम्पाती होंगी?

(*a*) 5 बजकर 25 मिनट

(*b*) 5 बजकर $27\frac{3}{11}$ मिनट

(*c*) 5 बजकर $26\frac{3}{11}$ मिनट

(*d*) इनमें से कोई नही

6. किसी घड़ी में 2 बजे से 3 बजे के बीच कितने बजे घण्टे तथा मिनट की सूई एक दूसरे के सम्पाती होंगी?

(*a*) 2 बजकर $10\frac{10}{11}$ मिनट पर

(*b*) 2 बजकर $10\frac{5}{11}$ मिनट पर

(*c*) 2 बजकर 10 मिनट पर

(*d*) इनमें से कोई नहीं

7. किसी घड़ी में 10 बजे तथा 11 बजे के बीच कितने बजे घण्टे तथा मिनट की सूई एक दूसरे के सम्पाती होंगी?

(*a*) 10 बजकर 50 मिनट पर

(*b*) 10 बजकर 54 मिनट पर

(*c*) 10 बजकर $54\frac{6}{11}$ मिनट पर

(*d*) इनमें से कोई नहीं

8. 9 बजे तथा 10 बजे के बीच किस समय घड़ी की दोनों सूइयां एक सीधी रेखा में होंगी. परन्तु सम्पाती नहीं?

(*a*) 9 बजकर 16 मिनट पर

(*b*) 9 बजकर $16\frac{4}{11}$ मिनट पर

(*c*) 9 बजकर $16\frac{5}{12}$ मिनट पर

(*d*) इनमें से कोई नहीं

9. 5.30 बजे तथा 6 बजे के बीच में कितने बजे घड़ी की सूइयाँ परस्पर लम्बवत् होंगी?

(*a*) 5 बजकर 43 मिनट पर

(*b*) 5 बजकर $43\frac{7}{11}$ मिनट पर

(*c*) 5 बजकर $36\frac{7}{11}$ मिनट पर

(*d*) इनमें से कोई नहीं

10. एक दिन में कितनी बार घड़ी की दोनों सूइयाँ एक दूसरे के ऊपर या एक सीधी रेखा में होती हैं?

(दिल्ली अधीनस्थ सेवा चयन बोर्ड स्टेनोग्राफर ग्रेड & III परीक्षा, 2017)

(*a*) 22 (*b*) 24

(*c*) 44 (*d*) 48

11. सुबह 10.00 बजे से 11.00 बजे के बीच घड़ी की मिनट की सूई और घंटे की सूई किस समय 180° का कोण बनाएंगी? **[आईआईएफटी, 2020]**

(*a*) 10:20 पूर्वाह्न (*b*) 10:22 पूर्वाह्न

(*c*) 10:23 पूर्वाह्न (*d*) 10:25 पूर्वाह्न

12. एक घड़ी प्रातः 5 बजे ठीक होती है। घड़ी 24 घंटे में 16 मिनट पीछे हो जाती है। घड़ी में तीसरे दिन रात के 10 बजे का सही समय क्या होगा? **[एआईएलईटी, 2020]**

(*a*) 11:15 अपराह्न (*b*) 11 अपराह्न

(*c*) दोपहर 12 बजे (*d*) दोपहर 12:30 बजे

13. एनालॉग घड़ियों की घंटे और मिनट की सूई के बारे में आप निम्नलिखित में से किस कथन को सत्य मानते हैं? **[यूसीईईडी, 2020]**

(*a*) घंटे की सूई और मिनट की सूई एक दिन में 24 बार एक-दूसरे के साथ 90 डिग्री का कोण बनाती हैं।

(*b*) घंटे की सूई और मिनट की सूई एक दिन में 24 बार से कम ओवरलैप करेगी।

(*c*) घंटे की सूई और मिनट की सूई हर आधे दिन में केवल एक बार घंटे संख्या मार्कर पर ओवरलैप होगी।

(*d*) घंटे की सूई और मिनट की सूई लगभग उतनी ही देर तक एक-दूसरे से न्यूनकोण बनाती रहेंगी, जितने दिन के दौरान वे एक-दूसरे से अधिक कोण बनाती हैं।

14. वर्तमान समय दोपहर 3 बजकर 10 मिनट है। अब से 4 घंटे 40 मिनट बाद घड़ी की घंटे की सूई और मिनट की सूई के बीच का कोण क्या होगा? **[यूसीईईडी, 2018]**

(*a*) 55 डिग्री (*b*) 65 डिग्री (*c*) 45 डिग्री (*d*) 42 डिग्री

15. घड़ी की घंटे की सूई मिनट की सूई से कितना कोण बनाती है जब समय 15 : 40 होता है? **[आईपीएम, 2020]**

(*a*) 110 डिग्री (*b*) 120 डिग्री (*c*) 125 डिग्री (*d*) 130 डिग्री

16. एक घड़ी 4 : 30 पढ़ती है। यदि मिनट की सूई पूर्व की ओर इशारा करती है, तो घंटे की सूई किस दिशा की ओर इशारा करेगी? **[निफ्ट, 2016]**

(*a*) उत्तर (*b*) उत्तर-पश्चिम

(*c*) दक्षिण-पूर्व (*d*) उत्तर-पूर्व

17. शीशे में देखने से ऐसा प्रतीत होता है कि घड़ी में 6 : 30 बज रहे हैं। वास्तविक समय क्या है? **[होटल प्रबंधन, 2019]**

(*a*) 5 : 30 (*b*) 11 : 00 (*c*) 6 : 30 (*d*) 1 : 00

18. एक घड़ी प्रातः 10 बजे लगाई गई है। घड़ी 24 घंटे में 10 मिनट तेज हो जाती है। घड़ी में अगले दिन दोपहर के 3 बजने का सही समय क्या होगा? **[एआईएलईटी, 2019]**

(*a*) दोपहर 12 : 40 बजे (*b*) दोपहर 1 : 40 बजे

(*c*) 2 : 40 अपराह्न (*d*) 2 : 48 अपराह्न

19. एक घड़ी प्रत्येक घंटे में 2 मिनट तेज हो जाती है तो दूसरी

सूई द्वारा एक मिनट में तय किया गया कोण है: [क्लैट, 2019]

(a) 360 (b) 370 (c) 390 (d) 372

20. एक घड़ी, जो समान रूप से बढ़ती है, सोमवार को दोपहर 12 बजे 3 मिनट धीमी है और अगले सोमवार को शाम 4 बजे 5 मिनट 36 सेकंड तेज है। यह किस समय सही समय दिखा रहा था? [एआईएलईटी, 2020]

(a) मंगलवार को 12 बजे (c) बुधवार दोपहर 12 बजे

(c) गुरुवार को 12 बजे (d) गुरुवार को दोपहर 12 बजे

21. घड़ी सुबह 11 बजे सही समय बता रही है। शाम को 5 बजे घंटे की सूई कितने डिग्री घूमेगी? [सेट, 2017]

(a) 240 (b) 145 (c) 160 (d) 180

22. एक दिन, अमन ने घड़ी की दर्पण छवि में समय को 4 घंटे 40 मिनट के रूप में देखा। घड़ी द्वारा दिखाया गया वास्तविक समय क्या है? [डीयूजेएटी, 2020]

(a) 8 घंटे 20 मिनट (b) 7 घंटे 40 मिनट

(c) 7 घंटे 20 मिनट (d) 8 घंटे 40 मिनट

23. जब समय 4:25 पूर्वाह्न होता है तो घड़ी की दोनों सूइयों के बीच का कोण होता है: [क्लैट, 2016]

(a) $13\frac{1}{2}°$ (b) $17\frac{1}{2}°$ (c) $14\frac{1}{2}°$ (d) $12\frac{1}{2}°$

24. 8:30 बजे, घड़ी की घंटे की सूई और मिनट की सूई का कोण बनाती हैं। [सीडीएस परीक्षा, 2016]

(a) 80° (b) 75° (c) 70° (d) 60°

25. एक घड़ी सोमवार को प्रातः 9 बजे सही समय प्रदर्शित कर रही है। यदि घड़ी 24 घंटे में 12 मिनट पीछे हो जाती है, तो वास्तविक समय जब घड़ी उसी सप्ताह के बुधवार को रात 8:30 बजे इंगित करती है [डीएमआरसी (सीआरए) परीक्षा, 2016]

(a) रात 8 बजे (b) शाम 7 बजे

(c) 9 बजे (d) 8: 59: 45 बजे

26. दो घड़ियाँ हैं, दोनों 21 जनवरी 2010 को 10 बजे रात दिखाने के लिए सेट हैं। एक घड़ी एक घंटे में 2 मिनट आगे बढ़ती है और दूसरी घड़ी एक घंटे में 5 मिनट पीछे हो जाती है। तो 22 जनवरी 2010 को शाम 4 बजे दोनों घड़ियों में कितने मिनट का अंतर है? [डीएमआरसी (सीआरए) परीक्षा, 2016]

(a) 126 मिनट (b) 136 मिनट

(c) 96 मिनट (d) 106 मिनट

27. यदि हर 64 मिनट में एक घड़ी की सूइयाँ मिलती हैं तो एक घड़ी प्रतिदिन कितना खोती है? [आईडीबीआई बैंक कार्यकारी अधिकारी परीक्षा, 2012]

(a) 37 मिनट (b) $32\frac{8}{11}$ मिनट

(c) 31 मिनट (d) इनमें से कोई नहीं

28. दीवार घड़ी 12 घंटे में 2 मिनट आगे बढ़ जाती है, जबकि टेबल घड़ी हर 36 घंटे में 2 मिनट पीछे हो जाती है। दोनों मंगलवार दोपहर 12 बजे ठीक हो गए। सही समय जब दोनों एक ही समय दिखाएंगे [एसएससी-एफसीआई ग्रेड III परीक्षा, 2012]

(a) रात में 12:30, 130 दिनों के बाद

(b) दोपहर 12 बजे, 135 दिनों के बाद

(c) 130 दिनों के बाद रात में 1:30

(d) 135 दिनों के बाद 12 मध्यरात्रि

उत्तरमाला

1. (c)	2. (b)	3. (c)	4. (c)	5. (b)	6. (a)	7. (c)	8. (b)	9. (b)	10. (c)
11. (b)	12. (b)	13. (b)	14. (b)	15. (d)	16. (d)	17. (a)	18. (d)	19. (d)	20. (c)
21. (d)	22. (c)	23. (b)	24. (b)	25. (c)	26. (a)	27. (b)	28. (b)		

दिये गये प्रश्नों के हल

1. घण्टे की सूई द्वारा 12 घण्टे में बनाया गया कोण = 360°.

घण्टे की सूई द्वारा $\frac{43}{12}$ घण्टे में बनाया गया कोण

$$= \left(\frac{360}{12} \times \frac{43}{12}\right)^\circ = 107\frac{1}{2}^\circ.$$

मिनट की सूई द्वारा 60 मिनट में बनाया गया कोण = 360°.

मिनट की सूई द्वारा 35 मिनट में बनाया गया कोण

$$= \left(\frac{360}{60} \times 35\right)^\circ = 210°.$$

$\therefore$ अभीष्ट कोण $= \left(210 - 107\frac{1}{2}\right)^\circ = 102\frac{1}{2}^\circ$.

2. घण्टे की सूई द्वारा 12 घण्टे में बनाया गया कोण = 360°.

घण्टे की सूई द्वारा $\frac{33}{4}$ घण्टे में बनाया गया कोण

$$= \left(\frac{360}{12} \times \frac{33}{4}\right)^\circ = 247\frac{1}{2}^\circ.$$

मिनट की सूई द्वारा 60 मिनट में बनाया गया कोण = 360°.

मिनट की सूई द्वारा 15 मिनट में बनाया गया कोण

$= \left(\frac{360}{60}\times 15\right)^\circ = 90^\circ.$

$\therefore$ अभीष्ट कोण $= \left(247\frac{1}{2} - 90\right)^\circ = 157\frac{1}{2}^\circ.$

3. घण्टे की सूई द्वारा 12 घण्टे में बनाया गया कोण $= 360^\circ$.

घण्टे की सूई द्वारा $\frac{26}{5}$ घण्टे में बनाया गया कोण

$= \left(\frac{360}{12}\times\frac{26}{5}\right)^\circ = 156^\circ.$

मिनट की सूई द्वारा 60 मिनट में बनाया गया कोण $= 360^\circ$.

मिनट की सूई द्वारा 12 मिनट में बनाया गया कोण

$= \left(\frac{360}{60}\times 12\right)^\circ = 72^\circ.$

$\therefore$ अभीष्ट कोण $= (156^\circ - 72^\circ) = 84^\circ.$

4. 11 बजे घण्टे की सूई 11 पर तथा मिनट की सूई 12 पर होगी.

$\therefore$ इनके बीच का कोण $= 30^\circ$.

5. 5 बजे घण्टे की सूई 5 पर तथा मिनट की सूई 12 पर होगी.

ये सूईयाँ 25 मिनट के अन्तराल पर हैं.

इन दोनों को सम्पाती होने के लिए मिनट की सूई को घण्टे की सूई से 25 मिनट अधिक चलना होगा.

मिनट की सूई द्वारा 55 मिनट का अन्तराल पूरा होता है = 60 मिनट में

मिनट की सूई द्वारा 25 मिनट का अन्तराल पूरा होता है

$= \left(\frac{60}{55}\times 25\right)$ मिनट में $= 27\frac{3}{11}$ मिनट में.

$\therefore$ दोनों सूइयों के मिलने का समय = 5 बजकर $27\frac{3}{11}$ मिनट.

6. 2 बजे घण्टे की सूई 2 पर तथा मिनट की सूई 12 पर होगी.

ये सूईया 10 मिनट के अन्तराल पर हैं.

इन दोनों को सम्पाती होने के लिए मिनट की सूई को घण्टे की सूई से दस मिनट अधिक चलना होगा.

मिनट की सूई द्वारा 55 मिनट का अन्तराल पूरा होता है = 60 मिनट में

मिनट की सूई द्वारा 10 मिनट का अन्तराल पूरा होता है

$= \left(\frac{60}{55}\times 10\right)$ मिनट में $= 10\frac{10}{11}$ मिनट में.

अत: दोनों सूईयों का सम्पाती होने का समय

= 2 बजकर $10\frac{10}{11}$ मिनट.

7. 10 बजे घण्टे की सूई 10 पर तथा मिनट की सूई 12 पर होगी.

इन्हें सम्पाती होने के लिए मिनट की सूई को घण्टे की सूई से 50 मिनट अधिक चलना होगा.

मिनट की सूई द्वारा 55 मिनट का अन्तराल पूरा होता है = 60 मिनट में

मिनट की सूई द्वारा 50 मिनट का अन्तराल पूरा होता है

$= \left(\frac{60}{55}\times 50\right)$ मिनट में $= 54\frac{6}{11}$ मिनट में.

$\therefore$ अभीष्ट समय = 10 बजकर $54\frac{6}{11}$ मिनट.

8. नौ बजे घण्टे की सूई 9 पर तथा मिनट की सूई 12 पर होगी.

इनका अन्तराल 15 मिनट का है.

एक सीधी रेखा में हों परन्तु सम्पाती न हों इसके लिए अन्तराल = 30 मिनट.

$\therefore$ मिनट की सूई को (30 – 15) मिनट = 15 मिनट का फासला तय करना होगा.

मिनट की सूई द्वारा 55 मिनट का अन्तराल पूरा होता है = 60 मिनट में

मिनट की सूई द्वारा 15 मिनट का अन्तराल पूरा होगा

$= \left(\frac{60}{55}\times 15\right)$ मिनट में $= 16\frac{4}{11}$ मिनट में.

अभीष्ट समय = 9 बजकर $16\frac{4}{11}$ मिनट.

9. पाँच बजे घण्टे की सूई 5 पर तथा मिनट की सूई 12 पर होगी.

इनका अन्तराल 25 मिनट का है.

5·30 बजे तथा 6 बजे के बीच दोनों सूईयों के लम्बवत् होने की स्थिति में मिनट की सूई घण्टे की सूई से 15 मिनट के अन्तराल से आगे होगी.

$\therefore$ मिनट की सूई को (25 + 15) = 40 मिनट का फासला और तय करना होगा.

मिनट की सूई द्वारा 55 मिनट का अन्तराल पूरा होता है = 60 मिनट में

मिनट की सूई द्वारा 40 मिनट का अन्तराल पूरा होता है

$= \left(\frac{60}{55}\times 40\right)$ मिनट में $= 43\frac{7}{11}$ मिनट में.

$\therefore$ अभीष्ट समय = 5 बजकर $43\frac{7}{11}$ मिनट.

10. एक दिन यानी 24 घंटे में घड़ी की दोनों सूइयाँ 44 बार एक सरल रेखा में होती हैं।

11. सूत्र $\theta = \left|30\,h - \frac{11}{2}m\right|$ है

या $\theta = \left|\frac{11\,m}{2} - 30\,h\right|$

जो भी सकारात्मक उत्तर देता है।

$180 = \left|30\times 10 - \frac{11}{2}m\right|$

$180 = 300 - \frac{11}{2}m$

$\frac{11}{2}m = 120$

$\Rightarrow m = \frac{240}{11}$ i.e. $21\frac{9}{11}$ m past 10.

तो 10:22 उत्तर है।

12. समय अंतराल 24 + 24 + 24 + 17 = 89 घंटे है

जैसे घड़ी 24 घंटे में 16 मिनट पीछे हो जाती है।

तो, वास्तव में यह 24 घंटे बीतने पर 16 मिनट कम दिखा रहा है।

तो, यह दिखाता है $24 - \frac{16}{60}$ घंटे जब वास्तविक समय बीता हुआ 24 घंटे है।

इसलिए, जब यह $\frac{356}{15}$ घंटे दिखा रहा है तो वास्तविक समय 24 घंटे है।

तो, जब यह 89 घंटे का संकेत दे रहा है तो वास्तविक समय है

$\frac{24 \times 15}{356} \times 89 = 90$ घंटे

यानी, 1 घंटे से अधिक, अत: 11 बजे अपराह्न उत्तर है।

13. घंटे की सूई $65\frac{5}{11}$ मिनट के बाद मिलती है, तो वे 24 बार से कम ओवर लैप करेंगे।

अत: विकल्प (*b*) सही है।

14. समय 7 : 50 है

$\therefore \quad \theta = \left|\frac{11}{2}\text{m} - 30\,\text{h}\right|$

$Q = \left|\left(\frac{11}{2} \times 50\right) - (30 \times 7)\right| = |275 - 210| = 65°$

15. $\theta = \left|\frac{11}{2}\text{m} - 30\,\text{h}\right| = \left|\frac{11}{2} \times 40 - 30 \times 3\right|$

$= |220 - 90| = 130°$

16. जैसा कि दिखाता है घंटे की सूई उत्तर और पूर्व के बीच होगी। इसलिए, उत्तर-पूर्व।

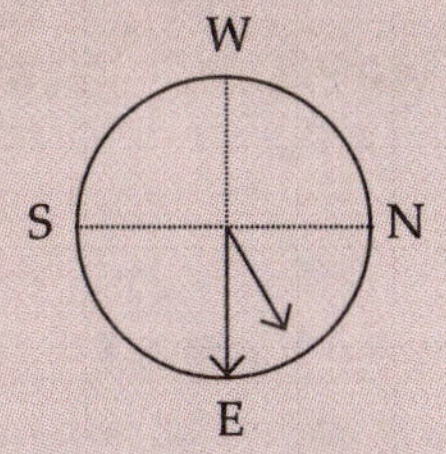

17. दर्पण प्रतिबिम्ब और वास्तविक समय के बीच का कोण ज्ञात करने की विधि यह है कि समय का योग 12 होना चाहिए।

$\therefore \quad 12 - 6:30 = 5:30$ वास्तविक समय है।

18. जब घड़ी 24 घंटे में 10 मिनट आगे बढ़ती है तो इसका मतलब है कि जब सही समय 24 घंटे बीतता है तो यह $24 + \frac{10}{60}$ घंटे का संकेत देता है

यानी, $\frac{145}{6}$ घंटे

तो अगले दिन दोपहर 3 बजे यह 29 घंटे का संकेत दे रहा है।

अत: $\frac{24\,'\,6}{145}\,, 29 = \frac{144}{5}$ घंटे बीता हुआ वास्तविक समय है

यानी, $28\frac{4}{5}$ घंटे इसका मतलब 24 घंटे से $\frac{1}{5}$ घंटे कम है।

$\frac{1}{5}$ घंटे = 12 मिनट

अत: वास्तविक समय 2 : 48 है।

19. 60 मिनट में घड़ी की बढ़त 120 सेकंड होती है

तो 1 मिनट की घड़ी में 2 सेकंड की बढ़त

60 सेकंड में यह 360° के कोण को पार कर रहा है।

एक सेकंड में यह 6° को पार कर रहा है।

इसलिए, जब वास्तविक समय 60 सेकंड है, तो यह सेकंड हैंड के लिए 62 सेकंड है, तो यह $62 \times 6 = 372°$ को कवर कर रहा है।

20. यह 172 घंटे में $3 \times 60 + 336 = 180 + 336 = 516$ सेकंड प्राप्त करता है।

यह सही समय दिखा रहा होगा जब यह 180 सेकंड हासिल करेगा

तो, 172 घंटे में 516 सेकंड का लाभ होता है

180 सेकंड $\frac{172}{516} \times 180 = 60$ घंटे में प्राप्त होते हैं

तो, यह गुरुवार की सुबह 12 बजे सही समय दिखाएगा।

21. घंटे की सूई 12 घंटे में 360° घूमती है।

अत: 6 घंटे में यह 180° घूम जाएगा।

22. छवियों और वास्तविक समय के बीच समय का योग 12 घंटे होना चाहिए।

$\therefore \quad 4:40 + 7:20 = 12$

$\therefore$ 7 घंटे 20 मिनट उत्तर है।

23. माना घड़ी की सूइयों के बीच का कोण $x°$ है।

जब समय प्रात: 4:25 हो।

[जहाँ M = मिनट और H = घंटे]

अभीष्ट कोण $= 30\left(\frac{M}{5} - H\right) - \frac{M}{2}$

$= 30\left(\frac{25}{5} - 4\right) - \frac{25}{2} = 30\left(\frac{25-20}{5}\right) - \frac{25}{2}$

$= 30\left(\frac{5}{5}\right) - \frac{25}{2} = 30 - \frac{25}{2}$

$= \frac{60-25}{2} = \frac{35}{2} = 17\frac{1}{2}°$

24. 1 घंटे में घंटे की सूई 30° का कोण बनाती है।

घंटे की सूई $8\frac{30}{60}$ घंटे में $x°$ का कोण बनाती है।

$\Rightarrow x = \left(30 \times 8\frac{1}{2}\right)° = \left(30 \times \frac{17}{2}\right) = 225°$

मिनट की सूई 1 मिनट = 6° में कोण बनाती है

मिनट की सूई 30 मिनट में कोण बनाती है $= (6 \times 30)° = 180°$

आवश्यक कोण $= 255° - 180° = 75°$

25. समयान्तराल सोमवार को प्रात: 9 बजे से बुधवार को रात्रि 8:30 बजे तक

$= (24 \times 2.5) - 0{:}30$ घंटे $= 60 - 0:30$ घंटे

$= 59$ घंटे 30 मिनट $= 59\frac{30}{60} = 59\frac{1}{2} = \frac{119}{2}$ घंटे

साथ ही 24 घंटे – 12 मिनट

= 23 घंटे 48 मिनट

$= 23 + \frac{48}{60} = 23\frac{4}{5}$ घंटे $= \frac{119}{5}$ घंटे

इस घड़ी के $\frac{119}{5}$ घंटे = सही घड़ी के 24 घंटे

$\therefore$ इस घड़ी के $\frac{119}{2}$ घंटे $= \frac{24 \times 5}{119} \times \frac{119}{2} = 60$ घंटे = 60 घंटे

$\left(60 - \frac{119}{2}\right)$ घंटे

$= \frac{120 - 119}{2}$ घंटे $= \frac{1}{2}$ घंटे = 30 मिनट

अत: सही समय रात्रि 8:30 बजे के बाद 30 मिनट है। यानी रात 9 बजे।

26. 21 जनवरी 2010 को एक घड़ी रात 10 बजे दिखाती है।

एक घड़ी 2 मिनट आगे बढ़ती है

अन्य घड़ी 5 मिनट पीछे है

रात 10 बजे से शाम 4 बजे तक का समय = 18 घंटे

$\therefore$ आवश्यक अंतर = $(2 \times 18 + 5 \times 18)$ मिनट = 126 मिनट

27. 55 मिनट के स्थान को 60 मिनट में कवर किया जाता है

60 मिनट के स्थान $\left[\frac{60}{55} \times 60\right]$ मिनट $= 65\frac{5}{11}$ मिनट में कवर किए जाते हैं

64 मिनट में नुकसान $= 65\frac{5}{11} - 64 = \frac{16}{11}$ मिनट

24 घंटे में नुकसान $= \left(\frac{16}{11} \times \frac{1}{64} \times 24 \times 60\right)$ मिनट

$= 32\frac{8}{11}$ मिनट

28. 12 दिनों के बाद, यानी 12×24 घंटों के बाद घड़ी A में 48 मिनट की वृद्धि होगी और दोपहर 12:48 बजे धीमी हो जाएगी।

12 दिनों के बाद, यानी 12×24 घंटे के बाद घड़ी B 16 मिनट ढीली हो जाएगी और 11:44 पूर्वाह्न दिखाएगी।

दोनों घड़ियां 135 दिन बाद एक ही समय दिखाएंगी

समय का अंतर तब = 720 मिनट के बीच 12 घंटे होना चाहिए।

A को 135 दिनों में 540 मिनट की वृद्धि होगी।

B 135 दिनों में 180 मिनट खो देगा कुल 720 मिनट।

आगे यदि हम केवल समय पर विचार करें तो समस्या सरल हो जाती है

36 घंटे के बाद घड़ियों द्वारा दिखाए गए समय के बीच मिनटों का कुल अंतर

$\Rightarrow$ 1 दिन में $\frac{16}{3}$ मिनट का अंतर

$\Rightarrow$ 12×60 मिनट में अंतर

$= \frac{3}{16} \times 12 \times 60 = 135$ दिन

32 शेयर तथा लाभांश (SHARES AND DIVIDEND)

आवश्यक तथ्य एवं सूत्र

किसी कारखाने अथवा कम्पनी को चलाने के लिए अत्यधिक धन की आवश्यकता होती है. कुछ लोग मिलकर भी इसे चलाना चाहें तो इतना धन इकट्ठा करना इनके सामर्थ्य से बाहर होता है. अत: कुछ लोग मिलकर एक कम्पनी बना लेते हैं तथा इस कम्पनी का चलाने हेतु इसके बारे में विस्तार से अपनी योजनाओं को जनता के सामने प्रस्तुत करते हैं तथा पब्लिक को इसमें धन लगाने के लिए आमन्त्रित करते हैं. इसके लिए निम्नलिखित तथ्यों का जानना आवश्यक है.

(*i*) **स्टॉक अथवा पूँजी:** कम्पनी चलाने हेतु जिस कुल धन की आवश्यकता होती है, उसे स्टॉक अथवा पूँजी कहते हैं.

(*ii*) **शेयर:** पूरी पूँजी को छोटी-छोटी बराबर मूल्य की इकाइयों में बाँट दिया जाता है. प्रत्येक इकाई को एक शेयर कहते हैं. जिस व्यक्ति के पास ये शेयर होते हैं उसे **शेयर-धारक** कहते हैं.

(*iii*) **लाभांश:** कम्पनी द्वारा अर्जित कुल वार्षिक लाभ में से कुछ भाग शेयर धारकों में बाँट दिया जाता है. इसे लाभांश कहते हैं. यह प्राय: प्रतिशेयर अथवा शेयरों के कुल अंकित पूँजी की प्रतिशतता के रूप में दिया जाता है.

(*iv*) **प्रत्यक्ष मूल्य अथवा अंकित मूल्य:** शेयर सर्टीफिकेट पर छपे मूल्य को उस शेयर का अंकित मूल्य कहते हैं.

(*v*) **बाजारी मूल्य:** विभिन्न कम्पनियों के शेयर, शेयर बाजार में बेचे अथवा खरीदे जाते हैं. जिस मूल्य पर कोई शेयर खरीदा अथवा बेचा जाता है उसे इस शेयर का बाजारी मूल्य कहते हैं.

(*vi*) किसी शेयर के विक्रय मूल्य को कहते हैं:

(*i*) **समतोल मूल्य,** यदि **(वि०मू०) = (अंकित मूल्य)**

(*ii*) **अवमूल्य,** यदि **(वि०मू०) < (अंकित मूल्य)**

(*iii*) **अधिमूल्य,** यदि **(वि०मू०) > (अंकित मूल्य)**

उदाहरण:

(*i*) ₹ 8 अधिमूल्य का अर्थ है, अंकित मूल्य से ₹ 8 अधिक.

(*ii*) ₹ 5 अवमूल्य का अर्थ है, अंकित मूल्य से ₹ 5 कम.

(*vii*) **दलाली:** प्राय: शेयर खरीदने तथा बेचने की प्रक्रिया किसी दलाल के माध्यम से होती है, जो कुछ धन दलाली के रूप में लेता है.

ध्यान रहे: (*i*) शेयर खरीदने पर वास्तविक क्रयमूल्य = (क्र०मू० + दलाली)

(*ii*) शेयर बेचने पर प्राप्त धन = (वि०मू० – दलाली)

ध्यान रहे: (*i*) प्रत्येक शेयर अंकित मूल्य स्थिर होता है.

(*ii*) शेयर का बाजारी मूल्य परिवर्तित होता रहता है.

(*iii*) किसी शेयर पर लाभांश उसके अंकित मूल्य पर मिलता है.

उदाहरण: ₹ 100 के, 120 पर 6% स्टॉक का अर्थ है:

(*i*) प्रत्येक शेयर का अंकित मूल्य = ₹ 100

(*ii*) प्रत्येक शेयर का विक्रय मूल्य = ₹ 120

(*iii*) 1 शेयर पर वार्षिक लाभांश = ₹ 6

(*iv*) ₹ 120 की लागत पर 1 वर्ष में आय = ₹ 6

साधित उदाहरण

प्रश्न 1. ₹ 7200 के 8% स्टॉक का 90 पर मूल्य क्या होगा?

हल: ₹ 100 के स्टॉक का मूल्य = ₹ 90.

₹ 7200 के स्टॉक का मूल्य $= ₹\left(\frac{90}{100}\times 7200\right) = ₹\ 6480.$

प्रश्न 2. ₹ 4500 के 6% स्टॉक का 4 अधिमूल्य पर मूल्य क्या होगा?

हल: ₹ 100 के स्टॉक का मूल्य = ₹(100 + 4).

₹ 4500 के स्टॉक का मूल्य = ₹$\left(\frac{\text{ü}}{100}\times 4500\right)$ = ₹ 4680.

प्रश्न 3. ₹ 6400 के 5% स्टॉक का 15 अवमूल्य पर मूल्य क्या होगा?

हल: ₹ 100 के स्टॉक का मूल्य = ₹(100 – 15).

₹ 6400 के स्टॉक का मूल्य = ₹$\left(\frac{85}{100}\times 6400\right)$ = ₹ 5440.

प्रश्न 4. ₹ 3200 का 4% स्टॉक 107 पर खरीदने के लिए कितने धन की आवश्यकता होगी, जबकि दलाली $\frac{1}{2}$% हो?

हल: ₹ 100 का स्टॉक खरीदने के लिए धन = ₹$\left(107+\frac{1}{2}\right)$ = ₹$\frac{215}{2}$.

₹ 3200 का स्टॉक खरीदने के लिए धन = ₹$\left(\frac{215}{2}\times\frac{1}{100}\times 3200\right)$ = ₹ 3440.

प्रश्न 5. ₹ 2440 का 7% स्टॉक 4 अवमूल्य पर बेचने से कितने धन की प्राप्ति होगी जबकि दलाली $\frac{1}{4}$% हो?

हल: ₹ 100 का स्टॉक बेचने पर प्राप्त धन = ₹$\left\{(100-4)-\frac{1}{4}\right\}$ = ₹$\frac{383}{4}$.

₹ 2440 का स्टॉक बेचने पर प्राप्त धन = ₹$\left(\frac{383}{4}\times\frac{1}{100}\times 2440\right)$ = ₹ 2298.

प्रश्न 6. ₹ 2500 के 106 पर 4% स्टॉक से वार्षिक आय क्या होगी?

हल: ₹ 100 के स्टॉक का मूल्य = ₹ 4.

₹ 2500 के स्टॉक से आय = ₹$\left(\frac{4}{100}\times 2500\right)$ = ₹ 100.

प्रश्न 7. 136 पर 8% स्टॉक में ₹ 6800 निवेश करने पर वार्षिक आय क्या होगी?

हल: ₹ 136 निवेश करने पर वार्षिक आय = ₹ 8.

₹ 6800 निवेश करने पर वार्षिक आय = ₹$\left(\frac{8}{136}\times 6800\right)$ = ₹ 400.

प्रश्न 8. निम्नलिखित में से किस स्टॉक में धन लगाना अधिक लाभदायक है: 105 पर $7\frac{1}{2}$% स्टॉक में अथवा 94 पर $6\frac{1}{2}$% स्टॉक में?

हल: माना प्रत्येक निवेश में निवेशित धन = ₹(105 × 94).

प्रथम स्टॉक से आय:

₹ 105 के निवेश पर वार्षिक आय = ₹$\frac{15}{2}$.

₹(105 × 94) के निवेश पर वार्षिक आय = ₹$\left(\frac{15}{2}\times\frac{1}{105}\times 105\times 94\right)$ = ₹ 705.

दूसरे स्टॉक से आय:

₹ 94 के निवेश पर वार्षिक आय = ₹$\frac{13}{2}$.

₹(105 × 94) के निवेश पर वार्षिक आय = ₹$\left(\frac{13}{2}\times\frac{1}{94}\times 105\times 94\right)$ = ₹ 682·50.

चूँकि प्रथम स्टॉक से आय अधिक है, अत: इसमें धन लगाना अधिक लाभप्रद है.

प्रश्न 9. ₹ 10 वाले 96 शेयरों का $\frac{3}{4}$ अवमूल्य पर मूल्य क्या होगा, जबकि दलाली $\frac{1}{4}$ प्रतिशेयर हो?

हल: एक शेयर का मूल्य $= ₹\left(10-\frac{3}{4}+\frac{1}{4}\right) = ₹\frac{19}{2}$.

96 शेयरों का मूल्य $= ₹\left(\frac{19}{2}\times 96\right) = ₹\,912$.

प्रश्न 10. ₹ 25 वाले 88 शेयरों से जो 5 अधिमूल्य पर प्राप्त है तथा दलाली $\frac{1}{4}$ प्रति शेयर है कितनी वार्षिक आय होगी, जबकि लाभांश की दर $4\frac{1}{2}\%$ वार्षिक हो? निवेशित धन पर कितने प्रतिशत वार्षिक ब्याज मिलता है?

हल: एक शेयर का मूल्य $= ₹\left(25+5+\frac{1}{4}\right) = ₹\frac{121}{4}$.

88 शेयरों का कुल मूल्य $= ₹\left(\frac{121}{4}\times 88\right) = ₹\,2662$.

$\therefore$ निवेशित धन = ₹ 2662.

88 शेयरों का अंकित मूल्य = ₹(88 × 25) = ₹ 2200.

₹ 100 पर वार्षिक आय $= ₹\frac{9}{2}$.

₹ 2200 पर वार्षिक आय $= ₹\left(\frac{2200}{100}\times\frac{9}{2}\right) = ₹\,99$.

वार्षिक ब्याज की दर $= \left(\frac{99}{2662}\times 100\right)\% = 3{\cdot}7\%$.

प्रश्नमाला 32

निम्नलिखित प्रश्नों में से प्रत्येक में ठीक उत्तर को चिह्नांकित (✓) कीजिए:

1. ₹ 100 के 8% स्टॉक का 4 अवमूल्य पर क्रय-मूल्य क्या होगा जबकि दलाली $\frac{1}{4}\%$ हो?

(*a*) ₹ 104·25 (*b*) ₹ 95·75
(*c*) ₹ 96·25 (*d*) ₹ 96

2. ₹ 100 के 9% स्टॉक का 5 अधिमूल्य पर क्रय-मूल्य क्या होगा, जबकि दलाली $\frac{1}{2}\%$ हो?

(*a*) ₹ 104·50 (*b*) ₹ 105·50
(*c*) ₹ 95·50 (*d*) ₹ 94·50

3. 2500 के 14% स्टॉक को ₹ 106·75 पर बेचने से कितना धन प्राप्त होगा, जबकि दलाली $\frac{1}{4}\%$ हो?

(*a*) ₹ 2675 (*b*) ₹ 2662·50
(*c*) ₹ 2843·75 (*d*) ₹ 2856·25

4. ₹ 1800 के 6% स्टॉक को 8 अवमूल्य पर बेचने से कितना धन प्राप्त होगा, जबकि दलाली $\frac{1}{4}\%$ हो?

(*a*) ₹ 1651·50 (*b*) ₹ 1660·50
(*c*) ₹ 1903·50 (*d*) ₹ 1939·50

5. 175 शेयरों से वार्षिक आय क्या होगी जबकि प्रति शेयर तिमाही लाभांश ₹ 3 हो? **(रेलवे परीक्षा, 2014)**

(*a*) ₹ 525 (*b*) ₹ 1800
(*c*) ₹ 2100 (*d*) ₹ 2400

6. ₹ 12750 में ₹ 25 बाजारी मूल्य वाले कितने शेयर खरीदे जा सकेंगे जबकि दलाली प्रति शेयर $\frac{1}{2}$ हो? **(मैनेजमैन्ट परीक्षा, 2012)**

(*a*) 450 (*b*) 500
(*c*) 550 (*d*) 600

7. ₹ 10 वाले, $\frac{3}{4}$ अवमूल्य पर 96 शेयरों का मूल्य क्या होगा जबकि दलाली प्रति शेयर $\frac{1}{4}$ हो? **(जीवन बीमा निगम परीक्षा, 2013)**

(*a*) ₹ 910 (*b*) ₹ 912
(*c*) ₹ 915 (*d*) ₹ 920

8. $4\frac{1}{2}\%$ स्टॉक में ₹ 3450 लागत लगाने पर एक व्यक्ति को ₹ 150 वार्षिक आय होती है. स्टॉक का बाजार भाव क्या है? **(एम०बी०ए० परीक्षा, 2012)**

(*a*) ₹ 103·50 (*b*) 105
(*c*) ₹ 107·50 (*d*) 100
(*e*) ₹ 112·50

9. एक व्यक्ति किसी कम्पनी के ₹ 50 वाले तथा 10% वार्षिक लाभांश वाले शेयर खरीदता है. यदि उसे उसकी लागत पर 12·5% वार्षिक आय प्राप्त हो, तो शेयर का बाजार भाव क्या है? **(एम०बी०ए० परीक्षा, 2004; जीवन बीमा निगम, 2013)**

(*a*) ₹ 37·50 (*b*) ₹ 40
(*c*) ₹ 48 (*d*) ₹ 52

10. ₹ 100 के 15% लाभांश वाले शेयर का बाजारी मूल्य ₹ 104 है तथा दलाली 1% है. ₹ 1500 वार्षिक आय प्राप्त करने हेतु इसमें कितना निवेश करना होगा?

(मैनेजमैन्ट परीक्षा, 2012)

(*a*) ₹ 10500 (*b*) ₹ 10784
(*c*) ₹ 15000 (*d*) ₹ 19642

11. ₹ 16000 के 14% लाभांश वाले शेयर, 10% अवमूल्य पर बेचने से कितना धन मिलेगा, जबकि दलाली 1·5% हो?

(इ०गा०वि०वि० परीक्षा, 2014)

(*a*) ₹ 14300 (*b*) ₹ 14384
(*c*) ₹ 14184 (*d*) ₹ 15184
(*e*) इनमें से कोई नहीं

12. एक व्यक्ति ₹ 9600 निवेश करके ₹ 100 वाले शेयर, ₹ 80 प्रति शेयर की दर से खरीदता है. इन शेयरों को ₹ 90 प्रति शेयर बेचने से उसकी कुल कितनी आय होती है?

(मैनेजमैन्ट परीक्षा, 2012)

(*a*) ₹ 1100 (*b*) ₹ 1200
(*c*) ₹ 1300 (*d*) इनमें से कोई नहीं

13. एक व्यक्ति ₹ 7500 के 10% स्टॉक को ₹105·50 की दर से बेचकर इससे प्राप्त होने वाले धन को ₹ 124·50 की दर से प्राप्त 14% स्टॉक में निवेश कर देता है तथा प्रत्येक प्रकार के क्रय-विक्रय में वह 0·5% सेवा कर देता है. इस व्यक्ति की आय में कितनी वृद्धि हुई?

(*a*) ₹ 95 (*b*) ₹ 114
(*c*) ₹ 132 (*d*) इनमें से कोई नहीं

14. ₹ 90 के 12% स्टॉक से ₹ 1200 वार्षिक आय प्राप्त करने हेतु कितने स्टॉक की आवश्यकता होगी?

(*a*) ₹ 10800 (*b*) ₹ 14400
(*c*) ₹ 10000 (*d*) ₹ 16000

15. ₹ 100 के 12% स्टॉक से लागत पर 10% ब्याज की प्राप्ति होती है. इस स्टॉक का बाजारी मूल्य कितना है?

(*a*) ₹ 112 (*b*) ₹ 120
(*c*) ₹ 110 (*d*) ₹ 83·33

16. ₹ 64 पर $16\frac{2}{3}$% स्टॉक में धन लगाने से एक व्यक्ति को ₹1500 की आय होती है. उसकी कुल लागत कितनी है?

(*a*) ₹ 9600 (*b*) ₹ 5760
(*c*) ₹ 5640 (*d*) ₹ 7500

17. ₹ 96 पर 10% स्टॉक से ₹ 650 की वार्षिक आय प्राप्त करने के लिए कितना धन निवेश करना होगा?

(*a*) ₹ 6500 (*b*) ₹ 9600
(*c*) ₹ 6240 (*d*) ₹ 6200

18. 8% स्टॉक में ₹ 1620 निवेश करने पर सन्दीप को ₹ 135 वार्षिक आय होती है. ₹ 100 के स्टॉक का बाजारी मूल्य कितना है?

(*a*) ₹ 106 (*b*) ₹ 108
(*c*) ₹ 96 (*d*) ₹ 80

19. ₹ 128 में प्राप्त 16% स्टॉक से कितने प्रतिशत वार्षिक आय होती है?

(*a*) 16% (*b*) 12%
(*c*) 12·5% (*d*) 8%

20. ₹ 97 में प्राप्त ₹ 100 के स्टॉक से ₹ 128 की आय प्राप्त करने हेतु ₹ 1552 का निवेश करना पड़ता है. इस स्टॉक पर लाभांश की दर कितनी है?

(*a*) 9·7% (*b*) 8%
(*c*) 7·5% (*d*) इनमें से कोई नहीं

21. रवि ₹ 12000 का कुछ भाग ₹ 120 पर 12% स्टॉक में तथा शेष भाग ₹ 125 पर 15% स्टॉक में लगाता है. यदि इनसे उसकी कुल वार्षिक आय ₹ 1360 हो, तो 12% स्टॉक में वह कितना धन लगाता है?

(*a*) ₹ 4500 (*b*) ₹ 5500
(*c*) ₹ 6000 (*d*) ₹ 4000

22. राकेश अपने धन का कुछ भाग ₹ 96 वाले 9% स्टॉक में तथा शेष भाग ₹ 120 वाले 12% स्टॉक में लगाता है. यदि दोनों स्टॉकों से वार्षिक लाभांश बराबर हो, तो दोनों स्टॉकों में लगे धनों का अनुपात कितना है?

(*a*) 3 : 4 (*b*) 3 : 5
(*c*) 4 : 5 (*d*) 16 : 15

23. ₹ 100 वाले $10\frac{1}{2}$% स्टॉक में ₹ 9000 लगाने पर ₹ 756 की आय होती है. इस स्टॉक का बाजार भाव क्या है, जबकि दलाली $\frac{1}{4}$% हो?

(*a*) ₹ 112·20 (*b*) ₹ 108·25
(*c*) ₹ 124·75 (*d*) ₹ 125·25

24. निम्नलिखित में से किस स्टॉक में धन लगाना लाभप्रद है: ₹ 143 पर 11% स्टॉक में अथवा ₹ 117 पर $9\frac{3}{4}$% स्टॉक में?

(*a*) ₹ 143 पर 11% स्टॉक में
(*b*) ₹ 117 पर $9\frac{3}{4}$% स्टॉक में
(*c*) दोनों बराबर लाभ देने वाले हैं

25. ₹ 96 के ₹ 100 वाले 10% स्टॉक में लगे धन के बराबर ₹ x के भाव वाले 12% स्टॉक में धन लगाने पर बराबर आय हो, तो x का मान कितना है?

(*a*) ₹ 120 (*b*) ₹ 115·20
(*c*) ₹ 125·40 (*d*) ₹ 80

26. एक व्यक्ति ने 5 अवमूल्य पर ₹ 50 वाले 20 शेयर खरीदे. यदि लाभांश की दर $13\frac{1}{2}$% वार्षिक हो, तो उसे अपने निवेश पर कितने प्रतिशत वार्षिक ब्याज मिला?

(a) $13\frac{1}{2}\%$ (b) $12\frac{1}{2}\%$
(c) $16\frac{2}{3}\%$ (d) 15%

27. एक व्यक्ति 9% लाभांश वाले ₹ 20 वाले शेयर खरीदता है तथा इस पर निवेशित धन पर उसे 12% वार्षिक धन की प्राप्ति होती है. प्रत्येक शेयर का बाजार भाव कितना है?
(a) ₹ 12 (b) ₹ 15
(c) ₹ 18 (d) ₹ 21

28. ₹100 के स्टॉक का 4 डिस्काउंट पर क्रय मूल्य, जब ब्रोकरेज $\frac{1}{4}\%$ है
(a) ₹95.75 (b) ₹96 (c) ₹96.25 (d) ₹104.25

29. 14% स्टॉक को ₹106.25 पर बेचने पर नकद प्राप्त हुआ, ब्रोकरेज $\frac{1}{4}\%$ है
(a) ₹105.50 (b) ₹106 (c) ₹106.50 (d) ₹113.75

30. ₹25 के बाजार मूल्य के कितने शेयर ₹12750 में खरीदे जा सकते हैं, ब्रोकरेज 2% है?
(a) 450 (b) 500 (c) 550 (d) 600

31. एक आदमी 128 पर 16% स्टॉक में निवेश करता है। उसके द्वारा प्राप्त ब्याज है
(a) 8% (b) 12% (c) 12.5% (d) 16%

32. ₹100 पर 13% स्टॉक ₹105 पर प्राप्त आय है
(a) ₹5 (b) ₹8 (c) ₹13 (d) ₹18

उत्तरमाला

1. (c)	**2.** (a)	**3.** (b)	**4.** (d)	**5.** (c)	**6.** (b)	**7.** (b)	**8.** (a)	**9.** (b)	**10.** (a)
11. (e)	**12.** (b)	**13.** (c)	**14.** (c)	**15.** (b)	**16.** (b)	**17.** (c)	**18.** (c)	**19.** (c)	**20.** (b)
21. (d)	**22.** (d)	**23.** (c)	**24.** (b)	**25.** (b)	**26.** (d)	**27.** (b)	**28.** (c)	**29.** (b)	**30.** (b)
31. (c)	**32.** (c)								

दिये गये प्रश्नों के हल

1. ₹ 100 के स्टॉक का क्रय-मूल्य $= ₹\left(100-4+\frac{1}{4}\right) = ₹\ 96{\cdot}25.$

2. ₹ 100 के स्टॉक का क्रय-मूल्य $= ₹\left(100+5-\frac{1}{2}\right) = ₹\ 104{\cdot}50.$

3. ₹ 100 के स्टॉक का वि०मूल्य $= ₹(106{\cdot}75 - 0{\cdot}25) = ₹\ 106{\cdot}50.$

₹ 2500 के स्टॉक का वि०मूल्य $= ₹\left(\frac{106{\cdot}50}{100} \times 2500\right)$

$= ₹\ 2662{\cdot}50.$

अत: प्राप्त धन = ₹ 2662.50.

4. ₹ 100 के स्टॉक का वि०मूल्य $= ₹\left(100+8-\frac{1}{4}\right) = ₹\ 107{\cdot}75.$

₹ 1800 के स्टॉक का वि०मूल्य $= \left(\frac{107{\cdot}75}{100} \times 1800\right) = ₹\ 1939{\cdot}50.$

अत: प्राप्त धन = ₹ 1939·50.

5. 1 शेयर से वार्षिक आय $= ₹\ (3 \times 4) = ₹\ 12.$

175 शेयरों से वार्षिक आय $= ₹(175 \times 12) = ₹\ 2100.$

6. $₹\left(25+\frac{1}{2}\right) = ₹\frac{51}{2}$ अर्थात् ₹ निवेश करने पर मिलता है 1 शेयर.

₹ 12750 निवेश करने पर मिलेंगे $\left(12750\times\frac{2}{51}\right) = 500$ शेयर.

7. 1 शेयर का मूल्य $= ₹\left(10-\frac{3}{4}+\frac{1}{4}\right) = ₹\frac{38}{4} = ₹\frac{19}{2}$.

96 शेयरों का मूल्य $= ₹\left(96\times\frac{19}{2}\right) = ₹\ 912.$

8. ₹ 150 वार्षिक आय है, तो लागत = ₹ 3450.

$₹\frac{9}{2}$ वार्षिक आय है, तो लागत $= ₹\left(\frac{3450}{150} \times \frac{9}{2}\right) = ₹\ 103{\cdot}50.$

9. माना प्रति शेयर लागत = ₹ x. तब,

₹ x का 12·5% = ₹ 50 का 10%

$$\Leftrightarrow \left(x\times\frac{25}{2\times100}\right) = \left(50\times\frac{10}{100}\right) \Leftrightarrow x = (5 \times 8) \Leftrightarrow x = 40.$$

अत: प्रति शेयर लागत = ₹ 40.

10. ₹ 15 वार्षिक आय प्राप्त करने हेतु निवेश $= ₹(104 + 1).$

₹ 1500 वार्षिक आय प्राप्त करने हेतु निवेश $= ₹\left(\frac{105}{15}\times1500\right)$

$= ₹\ 10500.$

11. ₹ 100 के शेयर का वि०मू० $= ₹(100 - 10 - 1{\cdot}50) = ₹\ 88{\cdot}50.$

₹ 16000 के शेयरों का वि०मूल्य $= ₹\left(\frac{88{\cdot}50}{100}\times16000\right)$

$= ₹14160.$

12. खरीदे गये शेयरों की संख्या $= \frac{\text{कुल निवेश}}{\text{एक शेयर का क्र०मू०}}$

$= \frac{9600}{80} = 120.$

1 शेयर पर आय $= ₹(90 - 80) = ₹\ 10.$

120 शेयरों से आय $= ₹(120 \times 10) = ₹\ 1200.$

13. ₹ 100 के स्टॉक का वि०मू० $=₹(105{\cdot}50-0{\cdot}50)=₹\ 105.$

₹ 7500 के स्टॉक का वि०मू० $=₹\left(\frac{105}{100}\times 7500\right)=₹\ 7875.$

∴ इससे प्राप्त धन = ₹ 7875.

₹ 100 के नये स्टॉक का क्र०मू० $=₹(124{\cdot}50+0{\cdot}50)=₹\ 125.$

∴ नया स्टॉक $=₹\left(\frac{100}{125}\times 7875\right)=₹\ 6300.$

पहले स्टॉक से आय $=₹\left(7500\times\frac{10}{100}\right)=₹\ 750.$

दूसरे स्टॉक से आय $=₹\left(6300\times\frac{14}{100}\right)=₹\ 882.$

आय में वृद्धि $=₹(882-750)=₹\ 132.$

14. ₹ 12 वार्षिक आय हेतु स्टॉक = ₹ 100.

₹ 1200 वार्षिक आय हेतु स्टॉक $=₹\left(\frac{100}{12}\times 1200\right)=₹\ 10000.$

15. ₹ 10 आय के लिए लागत = ₹ 100.

₹ 12 आय के लिए लागत $=₹\left(\frac{100}{10}\times 12\right)=₹\ 120.$

अत: ₹ 100 के स्टॉक का मूल्य = ₹ 120.

16. $₹\frac{50}{3}$ आय के लिए लागत = ₹ 64.

₹ 1500 आय के लिए लागत $=₹\left(64\times\frac{3}{50}\times 1500\right)=₹\ 5760.$

17. ₹ 10 की आय के लिए निवेशित धन = ₹ 96.

₹ 650 की आय के लिए निवेशित धन

$=₹\left(\frac{96}{10}\times 650\right)=₹\ 6240.$

18. ₹ 135 वार्षिक आय के लिए निवेशित धन = ₹ 1620.

₹ 8 वार्षिक आय के लिए निवेशित धन $=₹\left(\frac{1620}{135}\times 8\right)=₹\ 96.$

अत: ₹ 100 के स्टॉक का बाजारी मूल्य = ₹ 96.

19. ₹ 128 के निवेश पर वार्षिक आय = ₹ 16 .

₹ 100 के निवेश पर वार्षिक आय $=₹\left(\frac{16}{128}\times 100\right)=12{\cdot}5\%.$

अत: वार्षिक आय = 12·5%.

20. ₹ 1552 निवेश करने से आय = ₹128.

₹ 97 निवेश करने से आय $=₹\left(\frac{128}{1552}\times 97\right)=₹\ 8.$

अत: लाभांश की दर = 8%.

21. माना 12% स्टॉक में निवेशित धन = ₹ x.

तब, 15% स्टॉक में निवेशित धन $=₹(12000-x).$

तब, $\frac{12}{120}\times x+\frac{15}{125}(12000-x)=1360$

$\Leftrightarrow \frac{x}{10}+\frac{(36000-3x)}{25}=1360$

$\Leftrightarrow 5x+72000-6x=68000 \Leftrightarrow x=₹\ 4000.$

अत: अभीष्ट धन = ₹ 4000.

22. माना अभीष्ट अनुपात $=x:1.$

$\frac{9}{96}\times x=\frac{12}{120}\times 1 \Leftrightarrow x=\left(\frac{1}{10}\times\frac{96}{9}\right)=\frac{16}{15}.$

∴ अभीष्ट अनुपात $=\frac{16}{15}:1$ अर्थात् 16 : 15.

23. ₹ 756 की आय के लिए निवेश = ₹ 9000.

$₹\frac{21}{2}$ की आय के लिए निवेश $=₹\left(\frac{9000}{756}\times\frac{21}{2}\right)=₹\ 125.$

इसमें दलाली भी सम्मिलित है.

∴ ₹ 100 के स्टॉक का भाव $=₹\left(125-\frac{1}{4}\right)=₹\ 124{\cdot}75.$

24. माना प्रत्येक स्टॉक में लागत $=₹(143\times 117).$

प्रथम स्टॉक से आय $=₹\left(143\times 117\times\frac{11}{143}\right)=₹\ 1287.$

द्वितीय स्टॉक से आय $=₹\left(143\times 117\times\frac{39}{4\times 117}\right)$

$=₹\ 1394{\cdot}25.$

अत: द्वितीय स्टॉक में धन लगाना अधिक लाभप्रद है.

25. ₹ 10 की आय के लिए निवेश = ₹ 96.

₹ 12 की आय के लिए निवेश $=₹\left(\frac{96}{10}\times 12\right)=₹\ 115{\cdot}20.$

अत: $x=₹\ 115{\cdot}20.$

26. कुल निवेश $=₹(20\times 45)=₹\ 900.$

लाभांश $=₹\left(50\times 20\times\frac{27}{2}\times\frac{1}{100}\right)=₹\ 135.$

अत: ब्याज की दर $=\left(\frac{135}{900}\times 100\right)\%=15\%.$

27. 1 शेयर पर वार्षिक लाभांश $=₹\left(20\times\frac{9}{100}\right)=₹\frac{9}{5}.$

₹ 12 वार्षिक लाभांश है, तो निवेश = ₹ 100.

$₹\frac{9}{5}$ वार्षिक लाभांश है, तो निवेश $=₹\left(\frac{100}{12}\times\frac{9}{5}\right)=₹\ 15.$

अत: एक शेयर का भाव = ₹ 15.

28. सी.पी. $=₹\left(100-4+\frac{1}{4}\right)=₹\ 96.25.$

29. प्राप्त नकद = ₹ (106.25 − 0.25) = ₹106

30. प्रत्येक शेयर का सी.पी. = ₹ (25 + 25 का 2%) = ₹25.50

∴ शेयरों की संख्या $=\left(\frac{12750}{25.50}\right)=500.$

31. ₹128 के निवेश से प्राप्त आय = ₹16

₹100 के निवेश से प्राप्त आय

$=₹\left(\frac{16}{128}\times 100\right)=₹\ 12.5.$

∴ प्राप्त ब्याज = 12.5%

32. ₹100 के स्टॉक पर आय = ₹13

33 क्रमचय तथा संचय (PERMUTATIONS AND COMBINATIONS)

सामान्य नियम

I. (*i*) **क्रमचय:** कुछ दी गई वस्तुओं में से कुछ को या सभी को लेकर विभिन्न क्रमों में व्यवस्थित करने को क्रमचय कहते हैं.
उदाहरण 1. अक्षरों a, b, c में से दो-दो लेकर बनाये गये क्रमचय ab, bc, ac, ba, cb, ca हैं.
उदाहरण 2. अक्षरों a, b, c में से सभी को लेकर बनाये गये क्रमचय हैं:

$$abc, bca, cab, acb, cba, bac.$$

(*ii*) $^nP_r = n(n-1)(n-2) \ldots (n-r+1) = \dfrac{n!}{(n-r)!}$.

उदाहरण: $^7P_3 = (7 \times 6 \times 5) = 210$.

(*iii*) $^nP_n = n(n-1)(n-2) \ldots 3.2.1 = n!$

उदाहरण: $^5P_5 = 5! = (5 \times 4 \times 3 \times 2 \times 1) = 120$.

(*iv*) $0! = 1$.

(*v*) माना n वस्तुओं में से m वस्तुयें एक जैसी हैं, p वस्तुयें एक जैसी हैं. r वस्तुयें एक जैसी हैं तथा शेष सब अलग-अलग प्रकार की हैं.

तब इन वस्तुओं से बने क्रमचयों की संख्या $= \dfrac{n!}{(m!)(p!)(r!)}$.

(*vi*) n वस्तुओं में से एक बार में r लेकर बने क्रमचयों की संख्या जबकि प्रत्येक में से कोई भी कितनी बार लिया जाये $= n^r$.

(*vii*) n वस्तुओं को वृत्ताकार रूप में व्यवस्थित करने के तरीके $= (n-1)!$.

(*viii*) n फूलों से माला बनाने के कुल तरीके $= \dfrac{1}{2}(n-1)!$.

II. (*i*) **संचय:** कुछ दी गई वस्तुओं में से कुछ को या सभी को लेकर बनाये गये ग्रुपों को संचय कहते हैं.
जैसे: (*a*) A, B, C में से दो-दो एक बार लेकर बने संचय होंगें AB, BC, CA. ध्यान रहे कि AB, BA दो प्रकार के क्रमचय हैं परन्तु संचय एक ही प्रकार के हैं.
(*b*) A, B, C में से तीनों एक बार लेकर बनाने से केवल एक संचय ABC बनेगा.

(*ii*) $^nC_r = \dfrac{n!}{(r!)\times(n-r)!} = \dfrac{n(n-1)(n-2).....r \text{ पदों तक}}{r!}$.

उदाहरण: $^{11}C_4 = \dfrac{11\times10\times9\times8}{4!} = \dfrac{11\times10\times9\times8}{4\times3\times2\times1} = 330$.

(*iii*) $^nC_n = 1, {}^nC_0 = 1, 0! = 1$.

(*iv*) $^nC_p = {}^nC_q \Leftrightarrow p = q$ or $p + q = n$.

साधित उदाहरण

प्रश्न 1. निम्नलिखित में से प्रत्येक का मान ज्ञात कीजिए:
(*i*) $^{10}P_3$ (*ii*) $^{70}P_2$ (*iii*) $^6P_6$

हलः (*i*) $^{10}P_3 = 10 \times 9 \times 8$ (तीन पदों तक) = 720.

(*ii*) $^{70}P_2 = 70 \times 69$ (तीन पदों तक) = 4830.

(*iii*) $^{6}P_6 = 6! = (6 \times 5 \times 4 \times 3 \times 2 \times 1) = 720.$

प्रश्न 2. यदि $^nP_4 = 20 \times {^nP_2}$ हो, तो n का मान क्या होगा?

हलः $^nP_4 = 20 \times {^nP_2} \Leftrightarrow n(n-1)(n-2)(n-3) = 20n(n-1)$

$\Leftrightarrow (n-2)(n-3) = 20 \Leftrightarrow n^2 - 5n - 14 = 0$

$\Leftrightarrow (n-7)(n+5) = 0 \Leftrightarrow n = 7.$ $[\because n \neq -5]$

प्रश्न 3. LUCKNOW शब्द से 4 अक्षरों वाले भिन्न-भिन्न कितने शब्द बन सकते हैं, जबकि अक्षरों को दोहराया नहीं जाये?

हलः इस शब्द में 7 विभिन्न अक्षर हैं.

अभीष्ट संख्या $= {^7P_4} = {^7P_3} = (7 \times 6 \times 5) = 210.$ $\left[\because {^nC_r} = {^nC_{n-r}}\right]$

प्रश्न 4. TAMIL शब्द के सभी अक्षरों से कितने विभिन्न शब्द बन सकते हैं जबकि किसी भी शब्द में अक्षरों को दोहराया नहीं जाये?

हलः इस शब्द में 5 विभिन्न अक्षर हैं.

$\therefore$ अभीष्ट संख्या $= {^5P_5} = 5! = (5 \times 4 \times 3 \times 2 \times 1) = 120.$

प्रश्न 5. TRIANGLE शब्द के सभी अक्षरों से कितने विभिन्न शब्द बन सकते हैं जो T से आरम्भ हों तथा E में समाप्त हों तथा किसी भी शब्द में अक्षरों को दोहराया न जाये?

हलः प्रत्येक शब्द में T को आरम्भ में तथा E को अन्त में लेकर शेष 6 अक्षरों से बनने वाले क्रमचयों की संख्या

$= 6! = (6 \times 5 \times 4 \times 3 \times 2 \times 1) = 720.$

$\therefore$ अभीष्ट शब्दों की संख्या = 720.

प्रश्न 6. HEXAGON शब्द के सभी अक्षरों से कितने संभव शब्द बनेंगें जबकि स्वर एक साथ हों?

हलः दिये गये शब्द में तीन स्वर *E, A, O* हैं. इन्हें एक अक्षर मानकर (*HXGN*) + (*EAO*) अर्थात् 5 अक्षरों के शब्द बनेंगे.

इन्हें क्रमबद्ध करने के तरीके $= 5! = (5 \times 4 \times 3 \times 2 \times 1) = 120.$

E, A, O को आपस में क्रमबद्ध करने के तरीके $= 3! = 3 \times 2 \times 1 = 6.$

कुल शब्दों की अभीष्ट संख्या $= (120 \times 6) = 720.$

प्रश्न 7. GOLDEN शब्द के अक्षरों से कितने शब्द बन सकते हैं, जबकि सारे स्वर एक साथ न हों?

हलः GOLDEN शब्द में 6 अक्षर हैं जिनमें से दो स्वर *O, E* हैं.

इन्हें एक अक्षर मानकर (G L D N) + (*OE*) के 5 अक्षर हुए जिनसे 5! अर्थात् 120 शब्द बनेंगे.

O, E को आपस में क्रमबद्ध करने के तरीके $= 2! = 2.$

स्वरों को एक साथ लेने पर बने शब्दों की संख्या $= (120 \times 2) = 240.$

6 शब्दों को क्रमबद्ध करने के तरीके $= 6! = (6 \times 5 \times 4 \times 3 \times 2 \times 1) = 720.$

$\therefore$ अभीष्ट शब्दों की संख्या $= (720 - 240) = 480.$

प्रश्न 8. 5 लड़के तथा 5 लड़कियों को एक कतार में कितने प्रकार से बिठाया जा सकता है जबकि दो लड़कियाँ इकट्ठी न बैठें?

हलः हम 5 लड़कों को 5 स्थानों पर 5! तरीकों से इस प्रकार बिठा सकते हैं कि प्रत्येक दो लड़कों के बीच में स्थान खाली रहे तथा दोनों छोरों के अन्त में तथा आरम्भ में एक-एक सीट खाली रहे जैसा नीचे दिखाया गया है.

$$\times B \times B \times B \times B \times B \times$$

इन छः स्थानों पर 5 लड़कियों को बिठाने के तरीके $= {^6P_5}$.

$\therefore$ अभीष्ट तरीके $= (5!) \times {^6P_5} = (5 \times 4 \times 3 \times 2 \times 1) \times (6 \times 5 \times 4 \times 3 \times 2) = (120 \times 720) = 86400.$

प्रश्न 9. STATISTICS शब्द के अक्षरों से कितने शब्द बनेंगे? इनमें से कितने शब्दों में स्वर एक साथ होंगे?

हलः दिये गये शब्द में 10 अक्षर हैं जिनमें से S तीन बार, T तीन बार, I दो बार तथा A और C प्रत्येक एक-एक बार आता है.

$\therefore$ दिये गये शब्द के अक्षरों से बनने वाले शब्दों की संख्या

$$= \frac{10!}{(3!)(3!)(2!)} = \frac{10 \times 9 \times 8 \times 7 \times 6 \times 5 \times 4 \times 3 \times 2 \times 1}{(3 \times 2 \times 1) \times (3 \times 2 \times 1) \times 2 \times 1} = 50400.$$

स्वर एक साथ लेने परः

(STTSTCS) + (AII)

AII को एक अक्षर मान कर S तीन बार, T तीन बार, C एक बार तथा (*AII*) एक बार आता है.

इनके शब्दों की संख्या $= \dfrac{8!}{(3!)(3!)} = 1120.$

AII के शब्दों की संख्या $= \frac{3!}{2!} = 3.$

अभीष्ट शब्दों की संख्या $= (1120 \times 3) = 3360.$

प्रश्न 10. चार अंकों की कितनी संख्यायें बनेंगी जबकि किसी भी अंक की कितनी ही बार पुनरावृत्ति हो सकती है?

हल: स्पष्ट है कि हजारवें स्थान पर 0 नहीं हो सकती. यह स्थान 1 से 9 तक के किसी भी अंक से भरा जा सकता है. अत: हजारवें स्थान को भरने के 9 तरीके हैं. शेष तीन स्थानों पर 0 से 9 तक कुछ भी लिया जा सकता है. इनमें से प्रत्येक स्थान को भरने के तरीके 10 हैं.

अभीष्ट संख्याओं की संख्या $= (9 \times 10 \times 10 \times 10) = 9000.$

प्रश्न 11. 8 विभिन्न फूलों से हार कितनी प्रकार से बनाये जा सकते हैं?

हल: अभीष्ट तरीके $= \frac{1}{2} \times (8!) = \frac{1}{2} \times (8 \times 7 \times 6 \times 5 \times 4 \times 3 \times 2 \times 1) = 20160.$

प्रश्न 12. निम्नलिखित में से प्रत्येक के मान ज्ञात कीजिए:

(i) $^9C_3$ (ii) $^{56}C_{54}$ (iii) $^{40}C_{40}$

हल: (i) $^9C_3 = \frac{9\times8\times7}{3!} = \frac{9\times8\times7}{3\times2\times1} = 84.$

(ii) $^{56}C_{54} = {^{56}C_{(56-54)}} = {^{56}C_2} = \frac{56\times55}{2\times1} = 1540.$

(iii) $^{40}C_{40} = 1.$ $[\because {^nC_n} = 1]$

प्रश्न 13. यदि $^nP_r = 720$ तथा $^nC_r = 120$ हो, तो r का मान क्या होगा?

हल: हम जानते हैं कि $^nC_r = \frac{^nP_r}{r!}.$

$\therefore \quad \frac{720}{r!} = 120 \Leftrightarrow r! = \frac{720}{120} = 6 = 3!.$ अत: $r = 3.$

प्रश्न 14. 6 आदमी तथा 5 औरतों से कितनी समितियाँ बनाई जा सकती हैं जबकि प्रत्येक समिति में 3 आदमी तथा 2 औरतें हों?

हल: समितियों की अभीष्ट संख्या $= {^6C_3} \times {^5C_2} = \frac{6\times5\times4}{3!} \times \frac{5\times4}{2\times1} = 200.$

प्रश्न 15. क्रिकेट के 15 खिलाड़ियों में से टीम चुनने के कितने तरीके हैं, जबकि

(i) एक विशेष खिलाड़ी इनमें से अवश्य लिया जाना हो, तथा

(ii) एक विशेष खिलाड़ी इनमें से नहीं लिया जाना हो?

हल: (i) एक विशेष खिलाडी ले लिये जाने के बाद शेष 14 खिलाड़ियों में से 10 चुने जाने हैं.

इन्हें चुनने के तरीके $= {^{14}C_{10}} = {^{14}C_4} = {^6C_3} \times {^5C_2} = \frac{6\times5\times4}{3!} \times \frac{5\times4}{2\times1} = 1001.$

(ii) एक विशेष खिलाड़ी को अवश्य छोड़ देने पर शेष 14 में से ही 11 चुने जाने हैं.

$\therefore$ अभीष्ट तरीके $= {^{14}C_{11}} = {^{14}C_3} = \frac{14\times13\times12}{3\times2\times1} = 364.$

प्रश्न 16. 5 आदमी तथा 2 औरतों में से 3 की समिति बनानी है. ये कितनी समितियाँ बनेंगीं जबकि प्रत्येक समिति में कम से कम एक औरत अवश्य हो?

हल: हम चुन सकते हैं: (2 आदमी तथा 1 औरत) अथवा (1 आदमी तथा 2 औरतें)

$\therefore$ अभीष्ट तरीके $= \left({^5C_2} \times {^2C_1}\right) + \left({^5C_1} \times {^2C_2}\right) = \left(\frac{5\times4}{2} \times 2\right) + (5 \times 1) = 25.$

प्रश्नमाला 33

नीचे दिये प्रश्नों में से प्रत्येक में ठीक उत्तर को चिह्नांकित (✓) कीजिए:

1. $^{12}P_4$ का मान कितना है?
(*a*) 495 (*b*) 48
(*c*) 11880 (*d*) इनमें से कोई नहीं

2. $^{75}P_2$ का मान कितना है?
(*a*) 5550 (*b*) 2775
(*c*) 150 (*d*) इनमें से कोई नहीं

3. $^{6}P_6$ का मान कितना है?
(*a*) 1 (*b*) 6
(*c*) 36 (*d*) 720

4. यदि $^{n}P_4 = 56 \times {}^{(n-2)}P_2$ हो, तो n का मान है: **(भारतीय वायु सेना परीक्षा, 2012)**
(*a*) 6 (*b*) 7
(*c*) 8 (*d*) 9

5. $\dfrac{23!}{(20! \times 3!)}$ का मान कितना है? **(एम०बी०ए० परीक्षा, 2012)**
(*a*) 3 (*b*) 20
(*c*) 23 (*d*) 1770
(*e*) 1771

6. यदि $^{11}P_r = {}^{12}P_{(r-1)}$ हो, तो r का मान क्या होगा?
(*a*) 16 (*b*) 9
(*c*) 7 (*d*) 6

7. $\dfrac{1 \cdot 3 \cdot 5 \cdots (2n-1)}{2 \cdot 4 \cdot 6 \cdots (2n)} = ?$ **(एम०बी०ए० परीक्षा, 2012)**
(*a*) 2^n (*b*) $(2n-1)+(n-1)!$
(*c*) $\dfrac{(2n)!}{\{2^n.(n!)\}^2}$ (*d*) इनमें से कोई नहीं

8. $(^{10}C_4 + {}^{10}C_5)$ का मान है: **(मैनेजमैन्ट परीक्षा, 2015)**
(*a*) 462 (*b*) 465
(*c*) 466 (*d*) 469

9. 5 बच्चों के बीच 8 अलग-अलग टोपियों को बांटने के तरीकों की संख्या है: **[डीयूजेएटी, 2020]**
(*a*) 8^5 (*b*) 5^8 (*c*) $^8P_5$ (*d*) 40

10. LOGARITHMS शब्द से 4 अक्षरों वाले भिन्न-भिन्न कितने शब्द बन सकते हैं, जबकि अक्षरों को दोहराया नहीं जाये?
(*a*) 210 (*b*) 2520
(*c*) 5040 (*d*) इनमें से कोई नहीं

11. DELHI शब्द के सभी अक्षरों से कितने विभिन्न शब्द बन सकते हैं, जबकि प्रत्येक शब्द में हर अक्षर का प्रयोग एक बार ही हो?
(*a*) 120 (*b*) 60
(*c*) 90 (*d*) 25

12. 'EQUATION' शब्द के सभी अक्षरों से कितने शब्द बन सकते हैं, जबकि प्रत्येक शब्द में हर अक्षर का प्रयोग एक बार ही हो?
(*a*) 10080 (*b*) 20160
(*c*) 40320 (*d*) इनमें से कोई नहीं

13. 5 व्यक्ति, 3 खाली सीटों पर कितनी प्रकार से बैठ सकते हैं?
(*a*) 3 (*b*) 5
(*c*) 15 (*d*) 60

14. 5 बच्चे एक पंक्ति में कितनी प्रकार से खड़े किये जा सकते हैं?
(*a*) 5 (*b*) 25
(*c*) 120 (*d*) इनमें से कोई नहीं

15. 5 आदमियों तथा 4 औरतों को एक पंक्ति में इस प्रकार खड़ा करना है कि औरतें सम-स्थानों पर हों. इससे कुल कितने क्रम बन सकते है?
(*a*) 24 (*b*) 120
(*c*) 2880 (*d*) इनमें से कोई नहीं

16. विभिन्न अंकों से बनी 3 अंकों की कुल कितनी संख्यायें होंगी?
(*a*) 1000 (*b*) 999
(*c*) 512 (*d*) 648

17. 6 पत्रों को 5 लैटर-बक्सों में कितनी प्रकार से डाला जा सकता है?
(*a*) 30 (*b*) 6
(*c*) 5^6 (*d*) 6^5

18. DAUGHTER शब्द के अक्षरों से कुल कितने शब्द बनाये जा सकते हैं जबकि सारे स्वर एक साथ हों?
(*a*) 120 (*b*) 720
(*c*) 4320 (*d*) इनमें से कोई नहीं

19. DAUGHTER शब्द के अक्षरों से कुल कितने शब्द बनाये जा सकते हैं जबकि कोई भी दो स्वर साथ न हों?
(*a*) 120 (*b*) 720
(*c*) 4320 (*d*) 36000

20. BANANA शब्द के अक्षरों से कितने क्रमचय बनेंगे? **(रेलवे परीक्षा, 2018)**
(*a*) 720 (*b*) 360
(*c*) 120 (*d*) 60

21. APPLE शब्द के अक्षरों से कितने क्रमचय बनेंगे?
(*a*) 60 (*b*) 30
(*c*) 20 (*d*) इनमें से कोई नहीं

22. CORPORATION शब्द के अक्षरों को कितने तरीके से क्रमबद्ध किया जा सकता है जबकि प्रत्येक शब्द में सभी स्वर एक साथ हों? **(बैंक पी०ओ० परीक्षा, 2022)**
(*a*) 810 (*b*) 1440
(*c*) 8400 (*d*) 86400
(*e*) इनमें से कोई नहीं

23. MATHEMATICS शब्द के अक्षरों को कितने तरीके से क्रमबद्ध किया जा सकता है जबकि प्रत्येक शब्द में सभी स्वर एक साथ हों?

(*a*) 4989600 (*b*) 120960
(*c*) 10080 (*d*) इनमें से कोई नहीं

24. SIGNATURE शब्द के अक्षरों से कितने शब्द बन सकते हैं जबकि प्रत्येक शब्द में सभी स्वर एक साथ हों? **(बैंक पी०ओ० परीक्षा, 2013)**

(*a*) 810 (*b*) 1440
(*c*) 8400 (*d*) 86400
(*e*) इनमें से कोई नहीं

25. नीचे दिये शब्दों में से किस शब्द के अक्षरों से 120 क्रमचय बनेंगें?

(*a*) FRUITY (*b*) SNEEZE
(*c*) GEYSER (*d*) BOTTLE

26. LEADER शब्द के अक्षरों को कितने तरीके से क्रमबद्ध किया जा सकता है?

(*a*) 72 (*b*) 144
(*c*) 360 (*d*) 720
(*e*) इनमें से कोई नहीं

27. BOOKLET शब्द के अक्षरों को कितने तरीके से क्रमबद्ध किया जा सकता है जबकि प्रत्येक शब्द में *B* और *T* एक साथ रहें? **(बैंक पी०ओ० परीक्षा, 2012)**

(*a*) 360 (*b*) 480
(*c*) 720 (*d*) 5040
(*e*) इनमें से कोई नहीं

28. DISTANCE शब्द के अक्षरों को कितने तरीके से क्रमबद्ध किया जा सकता है जबकि सभी स्वर एक साथ हों? **(बैंक पी०ओ० परीक्षा, 2014)**

(*a*) 720 (*b*) 1440
(*c*) 4032 (*d*) 4320
(*e*) इनमें से कोई नहीं

29. CAPITAL शब्द के अक्षरों को कितने तरीके से क्रमबद्ध किया जा सकता है जबकि सभी स्वर एक साथ हों? **(बैंक पी०ओ० परीक्षा, 2014)**

(*a*) 120 (*b*) 360
(*c*) 720 (*d*) 840
(*e*) इनमें से कोई नहीं

30. DESIRE शब्द के अक्षरों को कितने तरीके से क्रमबद्ध किया जा सकता है जबकि सभी स्वर एक साथ हों? **(बैंक पी०ओ० परीक्षा, 2014)**

(*a*) 24 (*b*) 72
(*c*) 144 (*d*) 360
(*e*) इनमें से कोई नहीं

31. किसी भी प्रश्न को कम से कम 2 अंक देते हुए, एक परीक्षक 10 प्रश्नों के लिए 60 अंक निर्धारित करने के तरीकों की संख्या है **[डीयू जाट, 2020]**

(*a*) $^{40}C_{10}$ (*b*) $^{60}C_{10}$ (*c*) $^{49}C_{9}$ (*d*) $^{49}C_{10}$

32. एक तल में 10 बिंदु होते हैं। इनमें से कोई भी तीन बिंदु एक सीधी रेखा में नहीं हैं। बिंदुओं को मिलाकर कुल कितनी सीधी रेखाएँ बनाई जा सकती हैं? **[एनडीए, 2019]**

(*a*) 90 (*b*) 45 (*c*) 40 (*d*) 30

33. अंकों की पुनरावृत्ति की अनुमति नहीं होने पर 1, 2, 3, 4 और 5 अंकों का उपयोग करके कितनी तीन अंकों वाली सम संख्याएँ बनाई जा सकती हैं? **[एनडीए, 2019]**

(*a*) 36 (*b*) 30 (*c*) 24 (*d*) 12

34. एक परिवार के पुनर्मिलन के लिए विभिन्न स्थानों से पंद्रह लोग एक साथ आए। उनमें से प्रत्येक के पास प्रत्येक दूसरे व्यक्ति के लिए दो उपहार थे। जब उपहारों का आदान-प्रदान हुआ तो उन्होंने एक-दूसरे को गले लगाया। गले मिलने की संख्या और उपहारों के आदान-प्रदान की संख्या के बीच कितना अंतर है? **[यूसीईईडी, 2019]**

(*a*) 315 (*b*) 545 (*c*) 330 (*d*) 11

35. 6 गेंदबाजों और 3 विकेटकीपरों सहित 20 खिलाड़ियों से 11 खिलाड़ियों की एक क्रिकेट टीम बनानी है। ठीक 4 गेंदबाजों और 2 विकेटकीपरों वाली एक टीम बनाने के तरीकों की संख्या है: **[आईबीपीएस पीओ प्री, 2019]**

(*a*) 20790 (*b*) 6930 (*c*) 10790 (*d*) 13690
(*e*) 19670

36. 5 पुरुषों, 6 महिलाओं और 8 बच्चों का एक समूह है। एक खेल खेलने के लिए 1 पुरुष, 1 महिला और एक बच्चे का चयन किया जा रहा है। चयन कितने तरीकों से किया जा सकता है? **[आईबीपीएस पीओ प्री, 2019]**

(*a*) 480 (*b*) 240 (*c*) 120 (*d*) 360
(*e*) 480

37. शब्द CAPITAL के अक्षरों को कितने अलग-अलग तरीकों से व्यवस्थित किया जा सकता है ताकि स्वर हमेशा एक साथ आएं? **(बैंक पी.ओ. 2012)**

(*a*) 120 (*b*) 360 (*c*) 720 (*d*) 840
(*e*) इनमें से कोई नहीं

38. 8 पुरुषों तथा 10 औरतों में से 5 पुरुषों तथा 6 औरतों की कमेटी कितने तरीके से बनाई जा सकती है? **(बैंक पी०ओ० परीक्षा, 2013)**

(*a*) 266 (*b*) 5040
(*c*) 11760 (*d*) 80400
(*e*) इनमें से कोई नहीं

39. 7 पुरुषों तथा 8 औरतों में से 4 पुरुषों तथा 4 औरतों के ग्रुप कितने तरीके से बनाये जा सकते हैं? **(बैंक पी०ओ० परीक्षा, 2013)**

(*a*) 105 (*b*) 1170
(*c*) 2450 (*d*) इनमें से कोई नहीं

40. 6 लड़कों तथा 4 लड़कियों में से चार-चार बच्चों के ग्रुप कितने प्रकार से बनाये जा सकते हैं जबकि हर ग्रुप में कम से कम एक लड़का अवश्य हो? **(बैंक पी०ओ० परीक्षा, 2010)**

(*a*) 159 (*b*) 194
(*c*) 205 (*d*) 209
(*e*) इनमें से कोई नहीं

41. एक तल में 10 बिन्दु हैं. इनमें से चार बिन्दु एक रेखीय हैं.

इन बिन्दुओं में से दो-दो को मिलाने पर कितनी सरल रेखायें बनेंगी?

(*a*) 41 (*b*) 40
(*c*) 45 (*d*) 4

42. *n* भुजाओं के बहुभुज में कितने विकर्ण होंगें?

(*a*) $\frac{1}{2}n(n-1)$ (*b*) $\frac{1}{2}n(n-2)$
(*c*) $\frac{1}{2}n(n-3)$ (*d*) इनमें से कोई नहीं

43. 7 व्यंजनों तथा 4 स्वरों से, 3 व्यंजनों तथा 2 स्वरों वाले कितने शब्द बनाये जा सकते हैं?

(*a*) 210 (*b*) 120
(*c*) 330 (*d*) 25200

44. एक क्लब के 20 सदस्य हैं. ये अपना सभापति तथा उप-सभापति कितने तरीके से चुन सकते हैं? **(इ०गा०वि०वि० परीक्षा, 2013)**

(*a*) 200 (*b*) 280
(*c*) 300 (*d*) 380

45. 5 लड़कों को 8 कुर्सियों पर कितने तरीके से बिठाया जा सकता है?

(*a*) 40 (*b*) 56
(*c*) 120 (*d*) 336
(*e*) इनमें से कोई नहीं

46. एक प्रश्नपत्र में दो भाग *A* तथा *B* हैं तथा प्रत्येक भाग में 10 प्रश्न हैं. कितने तरीके से कोई छात्र भाग *A* में से 8 तथा भाग *B* में से 5 प्रश्न चुन सकता है?

(*a*) 5670 (*b*) 1890
(*c*) 11340 (*d*) इनमें से कोई नहीं

47. 17 खिलाड़ियों में एक क्रिकेट टीम का चुनाव कितने प्रकार से किया जा सकता है, जबकि इनमें 5 खिलाड़ी केवल गेंदबाज हैं तथा प्रत्येक टीम में 2 गेंदबाज होने आवश्यक हैं?

(*a*) 120 (*b*) 550
(*c*) 1100 (*d*) 2200

48. अंग्रेजी की 21 तथा हिन्दी की 19 पुस्तकों को एक अल्मारी में इस प्रकार रखना है कि हिन्दी की 2 पुस्तकें एक साथ न रहें. इसके कुल कितने तरीके हैं?

(*a*) 385 (*b*) 770
(*c*) 1540 (*d*) इनमें से कोई नहीं

49. एक पार्टी में 12 व्यक्ति थे. यदि इनमें से प्रत्येक जोड़ा एक दूसरे से हाथ मिलाये तो पार्टी में कुल हाथ मिलाने की सम्भव क्रियायें कितनी हुईं?

(*a*) 6 (*b*) 24
(*c*) 66 (*d*) इनमें से कोई नहीं

50. एक व्यक्ति के 6 मित्र हैं. कितने तरीके से वह एक या अधिक को किसी पार्टी के लिए निमन्त्रण भेज सकता है?

(*a*) 6 (*b*) 15
(*c*) 30 (*d*) 63

51. दस अलग-अलग फूलों को एक माला बनाने के लिए कितने तरीकों से एक साथ पिरोया जा सकता है कि तीन विशेष फूल हमेशा एक साथ हों? **[मैट दिसंबर, 2018]**

(*a*) 30240 (*b*) 30420
(*c*) 23400 (*d*) इनमें से कोई नहीं

52. सात पुस्तकों को इन तरीकों से व्यवस्थित करना है कि दो विशेष पुस्तकें हमेशा प्रथम और अंतिम स्थान पर हों। व्यवस्थाओं की संख्या ज्ञात कीजिए। **[मैट दिसंबर, 2020]**

(*a*) 60 (*b*) 120 (*c*) 240 (*d*) 480

53. CUSTOM के साथ कितने अलग-अलग शब्द बनाए जा सकते हैं, इस शर्त के साथ कि शब्द M से शुरू होना चाहिए? **[स्नैप, 2010]**

(*a*) 720 (*b*) 120 (*c*) 540 (*d*) 180

54. बिग बैंग थ्योरी के कलाकार उन तरीकों की संख्या का पता लगाना चाहते हैं जिनमें "ASTRONAUT" शब्द को तोड़-मरोड़ कर पेश किया जा सकता है। वे पाते हैं कि इसे एक सुलझी हुई पहेली में डालने के तरीकों की संख्या ______ है। **[स्नैप, 2018]**

(*a*) 60480 (*b*) 181440 (*c*) 362880 (*d*) 90720

55. 8 पुरुषों और 10 महिलाओं में से 5 पुरुषों और 6 महिलाओं की एक समिति कितने तरीकों से बनाई जा सकती है? **[सीएमएटी, 2020]**

(*a*) 5041 (*b*) 5040 (*c*) 11670 (*d*) 11760

56. छह शिक्षक हैं। उनमें से दो भौतिकी पढ़ाते हैं, अन्य दो रसायन विज्ञान पढ़ाते हैं और बाकी दो गणित पढ़ाते हैं। उन्हें एक पंक्ति में इस तरह खड़ा होना पड़ता है कि भौतिकी, रसायन विज्ञान और गणित के शिक्षक हमेशा एक सेट में हों। वे कितने तरीकों से कर सकते हैं, वह है: **[सीएमएटी, 2020]**

(*a*) 24 (*b*) 48 (*c*) 36 (*d*) 12

57. शब्द EXTRA के अक्षरों को कितने अलग-अलग तरीकों से व्यवस्थित किया जा सकता है ताकि स्वर कभी एक साथ न हों? **[सीएमएटी, 2020]**

(*a*) 168 (*b*) 48 (*c*) 120 (*d*) 72

58. 6 अलग-अलग रंग के प्रतीकों का उपयोग करके कितने साइन पोस्ट बनाए जा सकते हैं, जबकि उनमें से कितने साइन पोस्ट एक बार में पोस्ट किए जा सकते हैं? **[आईपीएम रोहतक, 2020]**

(*a*) 1988 (*b*) 1976 (*c*) 1966 (*d*) 1956

59. 7 टेनिस खिलाड़ियों को एक वृत्ताकार क्रम में कितने तरीकों से बैठाया जा सकता है? **[आईपीएम रोहतक, 2020]**

(*a*) 330 (*b*) 730 (*c*) 720 (*d*) 820

60. दिल्ली से मुम्बई जाने के 3 विभिन्न रास्ते हैं तथा मुम्बई से चैन्नई जाने के 4 विभिन्न रास्ते हैं. दिल्ली से चैन्नई वाया मुम्बई जाने के कुल कितने रास्ते हैं? **(मैनेजमैन्ट परीक्षा, 2023)**

(*a*) 4 (*b*) 9
(*c*) 12 (*d*) 6

उत्तरमाला

1. (c)	2. (a)	3. (d)	4. (c)	5. (e)	6. (b)	7. (c)	8. (a)	9. (b)	10. (c)
11. (a)	12. (c)	13. (d)	14. (c)	15. (c)	16. (d)	17. (c)	18. (c)	19. (d)	20. (d)
21. (a)	22. (e)	23. (b)	24. (d)	25. (b)	26. (c)	27. (c)	28. (d)	29. (b)	30. (b)
31. (c)	32. (b)	33. (c)	34. (a)	35. (a)	36. (b)	37. (b)	38. (c)	39. (c)	40. (d)
41. (b)	42. (c)	43. (d)	44. (d)	45. (e)	46. (c)	47. (d)	48. (c)	49. (c)	50. (d)
51. (a)	52. (c)	53. (b)	54. (d)	55. (d)	56. (b)	57. (d)	58. (d)	59. (c)	60. (c)

दिये गये प्रश्नों के हल

1. $^{12}P_4 = 12 \times 11 \times 10 \times 9$ (चार पदों तक) $= 11880$.

2. $^{75}P_2 = 75 \times 74$ (चार पदों तक) $= 5550$.

3. $^6P_6 = 6! = (6 \times 5 \times 4 \times 3 \times 2 \times 1) = 720$.

4. $^nP_4 = 56 \times {}^{n-2}P_2$

$\Leftrightarrow \; n(n-1)(n-2)(n-3) = 56 \times (n-2)(n-3)$

$\Leftrightarrow \; n(n-1) = 56 \Leftrightarrow n^2 - n - 56 = 0$

$\Leftrightarrow \; (n-8)(n+7) = 0 \Leftrightarrow n = 8$.

5. $\dfrac{23!}{(20! \times 3!)} = \dfrac{23 \times 22 \times 21 \times (20!)}{(20!) \times 3 \times 2 \times 1} = 1771$.

6. $^{11}P_r = {}^{12}P_{r-1} \Leftrightarrow \dfrac{11!}{(11-r)!} = \dfrac{12!}{(12-r+1)!}$

$\Leftrightarrow \dfrac{11!}{(11-r)!} = \dfrac{12 \times (11!)}{(13-r)(12-r)(11-r)!}$

$\Leftrightarrow (13-r)(12-r) = 12$

$\Leftrightarrow r^2 - 25r + 144 = 0 \Leftrightarrow (r-9)(r-16) = 0 \Leftrightarrow r = 9$.

[$\because$ जब $r > n$ होए तो ^nP_r परिभाषित नहीं होता]

7. दिया गया व्यंजक

$= \dfrac{1 \cdot 2 \cdot 3 \cdot 4 \cdot 5 \cdots (2n-1)(2n)}{\{2 \cdot 4 \cdot 6 \cdots (2n)\}^2} = \dfrac{(2n)!}{\{2^n (1 \cdot 2 \cdot 3 \cdots n)\}^2} = \dfrac{(2n)!}{\{2^n (n!)\}^2}$

8. $\left({}^{10}C_4 + {}^{10}C_5\right) = \dfrac{10 \times 9 \times 8 \times 7}{4!} + \dfrac{10 \times 9 \times 8 \times 7 \times 6}{5!}$

$= (210 + 252) = 462$.

9. व्यवस्था की संख्या $= 5^8$

10. अभीष्ट संख्या $= {}^{10}P_4 = (10 \times 9 \times 8 \times 7) = 5040$.

11. अभीष्ट संख्या $= 5! = (5 \times 4 \times 3 \times 2 \times 1) = 120$.

12. दिये गये शब्द में 8 विभिन्न अक्षर हैं.

$\therefore$ अभीष्ट संख्या $= 8! = (8 \times 7 \times 6 \times 5 \times 4 \times 3 \times 2 \times 1) = 40320$.

13. पहली सीट पर 5 में से किसी को भी बिठाया जा सकता है. अत: इस सीट को भरने के 5 तरीके हैं.

पहली सीट भरने पर दूसरी सीट पर शेष चार में से किसी को भी बिठाया जा सकता है. अत: इस सीट को भरने के 4 तरीके है.

अब तीसरी सीट पर शेष तीन में से किसी को भी बिठाया जा सकता है. अत: इसे भरने के 3 तरीके हैं.

$\therefore$ अभीष्ट तरीके $= (5 \times 4 \times 3) = 60$.

14. 5 बच्चों को एक पंक्ति में खड़े करने के कुल तरीके

$= 5! = (5 \times 4 \times 3 \times 2 \times 1) = 120$.

15. एक पंक्ति में 9 स्थानों में से 2, 4, 6, 8 वें स्थान समस्थान हैं.

इन 4 स्थानों पर 4 औरतों को बिठाने के तरीके $= {}^4P_4 = 4! = 24$.

शेष 5 स्थानों पर 5 आदमियों को बिठाने के तरीके $= {}^5P_5 = 5! = 120$.

सभी संभव तरीके $= (24 \times 120) = 2880$.

16. सैंकड़े के स्थान पर 1 से 9 तक का कोई भी अंक लिया जा सकता है. अत इस स्थान को भरने के तरीके $= 9$.

दहाई के स्थान पर 0 से 9 तक कोई भी अंक लिया जा सकता है, परन्तु सैंकड़े पर लिया गया अंक नहीं.

अत: इस स्थान को भरने के तरीके $= 9$.

इकाई के स्थान पर 0 से 9 तक कोई भी अंक लिया जा सकता है, परन्तु सैकड़ें तथा दहाई पर लिये गये अंक नहीं.

अत: इस स्थान को भरने के तरीके $= 8$.

$\therefore$ अभीष्ट तरीके $= (9 \times 9 \times 8) = 648$.

17. प्रत्येक पत्र को डालने के तरीके $= 5$.

अभीष्ट तरीके $= 5 \times 5 \times \ldots$ 6 बार $= 5^6$.

18. तीनों स्वरों को एक साथ लेकर एक अक्षर मानने पर अक्षर *D, G, H, T, R, (AUE)* होंगें, जिनकी संख्या 6 है.

इनको क्रमबद्ध करने के तरीके $= 6! = (6 \times 5 \times 4 \times 3 \times 2 \times 1) = 720$.

तीन अक्षर *A, U, E* आपस में क्रमबद्ध करने के तरीके $= 3! = 6$.

$\therefore$ कुल शब्दों की अभीष्ट संख्या $= (720 \times 6) = 4320$.

19. 8 स्वरों को क्रमबद्ध करने के कुल तरीके

$= 8! = (8 \times 7 \times 6 \times 5 \times 4 \times 3 \times 2 \times 1) = 40320$.

स्वरों के एक साथ न होने वाले शब्दों की संख्या $= (40320 - 4320) = 36000$.

20. दिये गये शब्द में 6 अक्षर हैं जिनमें तीन *A*, दो *N* तथा दो अक्षर अलग-अलग हैं.

$\therefore$ अभीष्ट क्रमचयों की संख्या $= \dfrac{6!}{(3!)(2!)} = \dfrac{6 \times 5 \times 4 \times 3 \times 2 \times 1}{(3 \times 2 \times 1) \times (2 \times 1)}$

$= 60$.

21. दिये गये शब्द में 5 अक्षर हैं जिनमें से दो *P* हैं तथा शेष अक्षर अलग-अलग हैं.

$\therefore$ अभीष्ट क्रमचयों की संख्या $= \dfrac{5!}{2!} = \dfrac{5 \times 4 \times 3 \times 2 \times 1}{2 \times 1} = 60$.

22. दिये गये शब्द में 5 स्वर OOAIO है. इन्हें एक अक्षर मान कर बने शब्द (CRPRTN) + (OOAIO) में 7 अक्षर हैं जिनमें से *R* दो बार है तथा शेष में प्रत्येक अलग-अलग है.

इनको क्रमबद्ध करने के कुल तरीके $= \frac{7!}{2!} = \frac{(7 \times 6 \times 5 \times 4 \times 3 \times 2 \times 1)}{2}$ = 2520.

OOAIO में 5 अक्षर हैं जिनमें से O तीन बार है तथा शेष एक-एक बार हैं.

इनको क्रमबद्ध करने के तरीके $= \frac{5!}{3!} = \frac{5 \times 4 \times 3 \times 2 \times 1}{3 \times 2 \times 1} = 20.$

∴ अभीष्ट तरीके = (2520 × 20) = 50400.

23. दिये गये शब्द में 4 स्वर *A, E, A, I* हैं. इन्हें एक अक्षर मानकर (MTHMTCS) + (AEAI) में 8 अक्षर हैं जिनमें से *M* दो बार, *T* दो बार तथा शेष अलग-अलग हैं.

इन्हें क्रमबद्ध करने के कुल तरीके $= \frac{8!}{(2!)(2!)} = 10080.$

AEAI में 4 अक्षर हैं जिनमें से *A* दो बार है तथा शेष एक एक बार हैं.

इनको क्रमबद्ध करने के कुल तरीके $= \frac{4!}{2!} = \frac{4 \times 3 \times 2 \times 1}{2 \times 1} = 12.$

∴ अभीष्ट तरीके = (10080 × 12) = 120960.

24. दिये गये शब्द में 4 स्वर IAUE हैं. इन्हें एक अक्षर मानकर बने शब्द (SGNTR) + (IAUE) में 6 अक्षर हैं.
इनको क्रमबद्ध करने के कुल तरीके = 6! = (6 × 5 × 4 × 3 × 2 × 1) = 720.
IAUE को क्रमबद्ध करने के तरीके = 4! = (4 × 3 × 2 × 1) = 24.
∴ शब्दों की अभीष्ट संख्या = (720 × 24) = 17280.

25. क्रमचयों की संख्याः

FRUITY → 6! = (6 × 5 × 4 × 3 × 2 × 1) = 720.

SNEEZE → $\frac{6!}{3!} = \frac{6 \times 5 \times 4 \times 3 \times 2 \times 1}{3 \times 2 \times 1} = 120.$

∴ उत्तर (*b*) सही है.

26. अभीष्ट तरीके $= \frac{6!}{2!} = \frac{6 \times 5 \times 4 \times 3 \times 2 \times 1}{2 \times 1} = 360.$

27. *B* और *T* को एक साथ लेने पर (*BT*) OOKLE बनता है.

इसमें क्रमचयों की संख्या $= \frac{6!}{2!} = (6 \times 5 \times 4 \times 3) = 360.$

BT को क्रमबद्ध करने के तरीके = 2.

∴ अभीष्ट संख्या = (360 × 2) = 720.

28. दिये गये शब्द में तीन स्वर *IAE* हैं. इन्हें एक अक्षर मानकर बने शब्द (DSTNC) + (IAE) में 6 अक्षर हैं.

इन्हें क्रमबद्ध करने के तरीके = 6! = 720, IAE को क्रमबद्ध करने के तरीके = 3! = 6.

∴ अभीष्ट तरीके = (720 × 6) = 4320.

29. दिये गये शब्द में तीन स्वर *A, I, A* हैं. इन्हें एक अक्षर मानकर (CPTL) + (AIA) में 5 अक्षर हैं.

इन्हें क्रमबद्ध करने के तरीके = 5! = 120.

AIA को क्रमबद्ध करने के तरीके $= \frac{3!}{2!} = 3.$

∴ अभीष्ट तरीके = (120 × 3) = 360.

30. DESIRE शब्द में तीन स्वर EIE हैं.
इन्हें एक अक्षर मानकर (DSR) + (EIE) में 4 अक्षर हैं.
इन्हें क्रमबद्ध करने के तरीके = 4! = 24.
EIE को क्रमबद्ध करने के तरीके $= \frac{3!}{2!} = \frac{3 \times 2 \times 1}{2 \times 1} = 3.$

∴ अभीष्ट तरीके = (24 × 3) = 72.

31. पहले 10 प्रश्नों में से प्रत्येक को 2 अंक दें।
अतः 10 × 2 = 20 अंक दिए गए हैं
अब 40 अंक प्रत्येक 10 छात्रों के बीच वितरित किए जा सकते हैं कि किसी भी छात्र के कोई भी अंक हो सकते हैं।
∴ गैर-ऋणात्मक पूर्णांक सूत्र की संख्या लागू की जाती है जो $^{n+r-1}C_{r-1}$ है
∴ $^{40+10-1}C_{10-1} = {}^{49}C_9$ उत्तर है

32. रेखाओं की संख्या $= {}^{10}C_2 = 45$

33. संख्याओं की संख्या = 2 × 4 × 3 = 24

34. बदले गए उपहारों की संख्या $= {}^{15}C_2 \times 4$
आलिंगनों की संख्या $= {}^{15}C_2$
∴ अंतर $= {}^{15}C_2 \times 4 - {}^{15}C_2 \times 1$
$^{15}C_2 \times 3 = 315$

35. आवश्यक तरीकों की संख्या $= {}^6C_4 \times {}^3C_2 \times {}^{11}C_5$
= 15 × 3 × 462 = 20790

36. आवश्यक तरीकों की संख्या $= {}^5C_1 \times {}^6C_1 \times {}^8C_1$
= 5 × 6 × 8 = 240

37. स्वरों (AIA) को एक साथ रखने पर हमें CPTL (AIA) प्राप्त होता है।
हम (AIA) को 1 अक्षर मानते हैं।
इस तरीकों, हमें 5 अक्षरों को व्यवस्थित करना है।
इन्हें $\lfloor 5 = (5 \times 4 \times 3 \times 2 \times 1)$ तरीके = 120 तरीकों से व्यवस्थित किया जा सकता है।
तरीके = 120 तरीके।
अब, (AIA) 2*A* और 11 के साथ 3 अक्षर हैं।
इन्हें आपस में $\frac{\lfloor 3}{\lfloor 2} = \frac{3 \times 2 \times 1}{2 \times 1} = 3$ तरीकों से व्यवस्थित किया जा सकता है।
∴ आवश्यक तरीकों की संख्या = (120 × 3) = 360

38. अभीष्ट तरीके $= ({}^8C_5 \times {}^{10}C_6) = ({}^8C_3 \times {}^{10}C_4)$

$= \frac{8 \times 7 \times 6}{3!} \times \frac{10 \times 9 \times 8 \times 7}{4!} = \frac{8 \times 7 \times 6}{3 \times 2 \times 1} \times \frac{10 \times 9 \times 8 \times 7}{4 \times 3 \times 2 \times 1} = 11760.$

39. अभीष्ट तरीके $= {}^7C_4 \times {}^8C_4 = {}^7C_3 \times {}^8C_4$

$= \left(\frac{7 \times 6 \times 5}{3!} \times \frac{8 \times 7 \times 6 \times 5}{4!}\right) = \left(\frac{7 \times 6 \times 5}{6} \times \frac{8 \times 7 \times 6 \times 5}{24}\right) = 2450.$

40. निम्न प्रकार के ग्रुप बनाये जा सकते हैं:

(1 लड़का तथा 3 लड़की) या (2 लड़के तथा 2 लड़की) या (3 लड़के तथा 1 लड़की) या (4 लड़के).

$\therefore$ कुल तरीके $= ({}^6C_1 \times {}^4C_3) + ({}^6C_2 \times {}^4C_2) + ({}^6C_3 \times {}^4C_1) + ({}^6C_4)$

$= ({}^6C_1 \times {}^4C_1) + ({}^6C_2 \times {}^4C_2) + ({}^6C_3 \times {}^4C_1) + ({}^6C_2)$

$= (6 \times 4) + \left(\frac{6\times5}{2} \times \frac{4\times3}{2\times1}\right) + \left(\frac{6\times5\times4}{3\times2\times1} \times 4\right) + \left(\frac{6\times5}{2\times1}\right)$

$= (24 + 90 + 80 + 15) = 209.$

41. दस बिन्दुओं में से दो-दो बिन्दु लेकर मिलाने से बनी सरल रेखाओं की संख्या $= {}^{10}C_2 = \frac{10\times9}{2\times1} = 45.$

चार बिन्दुओं में से दो-दो बिन्दु लेकर मिलाने से बनी सरल रेखाओं की संख्या $= {}^4C_2 = \frac{4\ 3}{2\ 1} = 6.$

इन चारों बिन्दुओं को मिलाने से 1 रेखा बनती है.

$\therefore$ अभीष्ट सरल रेखाओं की संख्या $= 45 - 6 + 1 = 40.$

42. n भुजाओं के बहुभुज में दो-दो शिरों को मिलाने से बनी रेखाओं की संख्या $= {}^nC_2 = \frac{1}{2}n(n-1).$

इनमें बहुभुज की n भुजायें भी सम्मिलित हैं.

$\therefore$ विकर्णों की अभीष्ट संख्या

$= \frac{1}{2}n(n-1) - n = \frac{1}{2}n^2 - \frac{3}{2}n = \frac{1}{2}n(n-3).$

43. 7 व्यंजनों तथा 4 स्वरों में से 3 व्यंजन तथा 2 स्वर छाँटने के कुल तरीके $= \left({}^7C_3 \times {}^4C_2\right) = \left(\frac{7\times6\times5}{3\times2\times1} \times \frac{4\times3}{2\times1}\right) = 210.$

चूँकि हर ग्रुप में 5 अक्षर हैं, इनसे बनने वाले शब्दों की संख्या $= 5! = (5 \times 4 \times 3 \times 2 \times 1) = 120.$

शब्दों की अभीष्ट संख्या $= (210 \times 120) = 25200.$

44. सभापति चुनने के कुल तरीके $= {}^{20}C_1 = 20$, सभापति चुने जाने पर शेष व्यक्ति $= 19.$

उप सभापति चुने जाने के कुल तरीके $= {}^{19}C_1 = 19.$

$\therefore$ अभीष्ट तरीके $= (20 \times 19) = 380.$

45. अभीष्ट तरीके $= 8 \times 7 \times 6 \times 5 \times 4 = 6720.$

46. अभीष्ट तरीके $= {}^{10}C_8 \times {}^{10}C_5 = \left({}^{10}C_2 \times {}^{10}C_5\right)$

$= \frac{10\times9}{2!} \times \frac{10\times9\times8\times7\times6}{5!} = 45\times\frac{10\times9\times8\times7\times6}{5\times4\times3\times2\times1} = 11340.$

47. अभीष्ट तरीके = (5 में से 2 गेंदबाज चुनना) × (शेष 12 में से 9 चुनना)

$= \left({}^5C_2 \times {}^{12}C_9\right) = \left({}^5C_2 \times {}^{12}C_3\right)$

$= \left(\frac{5\times4}{2\times1} \times \frac{12\times11\times10}{3\times2\times1}\right) = 2200.$

48. हिन्दी की दो पुस्तकें साथ न हों, इसके लिए हमें निम्न क्रमानुसार इन पुस्तकों को रखना होगा.

× E × E × E × .... × E ×

जहाँ E अंग्रेजी की पुस्तक का स्थान है तथा × हिन्दी की पुस्तक का. स्पष्ट है कि × वाले 22 स्थान हैं. इन स्थानों में से 19 पर हिन्दी की पुस्तक लगाने के कुल तरीके

$= {}^{22}C_{19} = {}^{22}C_3 = \frac{22\times21\times20}{3\times2\times1} = 1540.$

$\therefore$ अभीष्ट तरीके $= 1540.$

49. अभीष्ट तरीके $= {}^{12}C_2 = \frac{12\times11}{2\times1} = 66.$

50. वह 1 या 2 या 3 या 4 या 5 या 6 को निमन्त्रण भेज सकता है.

$\therefore$ अभीष्ट तरीके $= {}^6C_1 + {}^6C_2 + {}^6C_3 + {}^6C_4 + {}^6C_5 + {}^6C_6$

$= 6 + \frac{6\times5}{2} + \frac{6\times5\times4}{3\times2\times1} + \frac{6\times5}{2\times1} + 6 + 1$

$= (6 + 15 + 20 + 15 + 7)$

$= 63.$ $[\because {}^6C_4 = {}^6C_2, {}^6C_5 = {}^6C_1$ तथा ${}^6C_6 = 1]$

51. तरीकों की अभीष्ट संख्या $= 7! \times 3! = 5040 \times 6 = 30240$

52. व्यवस्थाओं की संख्या $= 5! \times 2 = 120 \times 2 = 240$

53. व्यवस्था की संख्या $= 5! = 120$

54. जैसे अक्षर A 2 गुना है और T 2 गुना है।

व्यवस्थाओं की संख्या $= \frac{9!}{2!\times2!} = \frac{362880}{4} = 90720$

55. तरीकों की संख्या $= {}^8C_5 \times {}^{10}C_6 = 56 \times 210 = 11760$

56. 3 सीटें हैं और प्रत्येक सेट को 2 तरीकों से व्यवस्थित किया जा सकता है

$\therefore$ व्यवस्था की संख्या $= 3! \times 2 \times 2 \times 2$

$= 6 \times 2 \times 2 \times 2 = 48$

57. आवश्यक संख्या में तरीके = कुल - किस स्वर में एक साथ

$= 5! - 2 \times 4! = 120 - 48 = 72$

58. व्यवस्थाओं की संख्या

$= {}^6C_1 \times 1 + {}^6C_2 \times 2! + {}^6C_3 \times 3! + {}^6C_4 \times 4!$

$+ {}^6C_5 \times 5! + {}^6C_6 \times 6!$

$= 6 + 30 + 120 + 360 + 720 + 720 = 1956$

59. वृताकार में व्यवस्था की संख्या $= (n-1)!$

$\therefore$ आवश्यक व्यवस्था $= (7-1)! = 6! = 720$

60. कुल रास्तों की अभीष्ट संख्या $= (3 \times 4) = 12.$

34 प्रायिकता (PROBABILITY)

सामान्य नियम

I. प्रयोग: ऐसी क्रिया जिसके सुपरिभाषित परिणाम हों, प्रयोग कहलाती है.

II. यादृच्छिक प्रयोग: ऐसी क्रिया जिसके सभी संभव परिणाम पहले से ही ज्ञात हों तथा इस क्रिया में परिणाम क्या होगा इसके बारे में भविष्यवाणी करना संभव न हो, यादृच्छिक प्रयोग कहलाता है.

III. प्रतिदर्श समष्टि: किसी यादृच्छिक प्रयोग में सभी संभव परिणामों के समुच्चय को प्रतिदर्श समष्टि कहते हैं. इसका प्रत्येक अवयव एक घटना (event) कहलाता है. प्रतिदर्श समष्टि को S से निरूपित करते हैं.

उदाहरण:

(*i*) एक सिक्का उछालने पर सभी संभव परिणाम (*i*) चित (*ii*) पट
प्रतिदर्श समष्टि, $S = \{H, T\}$.

(*ii*) एक पाँसे में छ: फलक होते हैं जिन पर क्रमश: 1, 2, 3, 4, 5, 6 लिखा होता है. पाँसा फेंकने पर ऊपर आने वाली संख्या ही उसका परिणाम है.
यहाँ $S = \{1, 2, 3, 4, 5, 6\}$.

(*iii*) ताश के 52 पत्तों की गड्डी से यदृछया पत्ते खींचे जाते हैं. इस गड्डी में:

(*a*) चार प्रकार हुक्म, चिड़ी, ईंट तथा पान के होते हैं. इसमें से हुक्म तथा चिड़ी का रंग काला होता है तथा ईंट और पान का रंग लाल होता है. प्रत्येक रंग के 13 पत्ते होते हैं.

(*b*) इक्का, बादशाह, बेगम, गुलाम को चित्र-पत्तों के रूप में जाना जाता है.

IV. किसी घटना E के घटने की प्रायिकता: $P(E) = \frac{n(E)}{n(S)}$, जहाँ S प्रतिदर्श समष्टि है.

साधित उदाहरण

प्रश्न 1. एक पाँसा फेंकने पर 5 आने की प्रायिकता क्या होगी?

हल: यहाँ $S = \{1, 2, 3, 4, 5, 6\}$. अत: $n(S) = 6$. यहाँ $E = \{5\}$.

$\therefore \quad P(E) = \frac{n(E)}{n(S)} = \frac{1}{6}$.

प्रश्न 2. एक पाँसा फेंकने पर सम-संख्या आने की प्रायिकता क्या होगी?

हल: यहाँ $S = \{1, 2, 3, 4, 5, 6\}$. अत: $n(S) = 6$.

$E = \{2, 4, 6\} \Rightarrow n(E) = 3$.

$\therefore \quad P(E) = \frac{n(E)}{n(S)} = \frac{3}{6} = \frac{1}{2}$.

प्रश्न 3. किसी पाँसे को फेंकने पर 5 से कम अंक आने की प्रायिकता क्या है?

हल: एक पांसा फेंकने पर $n(S) = 6$.

माना E = 5 से कम अंक आने की घटना = $\{1, 2, 3, 4\} \Rightarrow n(E) = 4$.

$\therefore \quad P(E) = \frac{n(E)}{n(S)} = \frac{4}{6} = \frac{2}{3}$.

प्रश्न 4. दो पाँसे एक साथ फेंकने पर दोनों लकों पर आने वाली संख्याओं का योग 9 होने की प्रायिकता क्या होगी?

हल: दो पाँसे फेंकने पर, $n(S) = (6 \times 6) = 36$.

$E = \{(3, 6), (4, 5), (6, 3), (5, 4)\} \Rightarrow n(E) = 4.$

$\therefore \quad P(E) = \dfrac{n(E)}{n(S)} = \dfrac{4}{36} = \dfrac{1}{9}.$

प्रश्न 5. दो सिक्कों को एक साथ उछालने पर दोनों चित आने की प्रायिकता क्या है?

हल: दो सिक्कों को एक साथ उछालने पर, $S = \{HH, HT, TH, TT\}$. अत: $n(S) = 4$.

$E = \{HH\} \Rightarrow n(E) = 1.$

$\therefore \quad P(E) = \dfrac{n(E)}{n(S)} = \dfrac{1}{4}.$

प्रश्न 6. दो सिक्कों को एक साथ उछालने पर कम से कम एक चित आने की प्रायिकता क्या होगी?

हल: यहाँ $S = \{HH, HT, TH, TT\} \Rightarrow n(S) = 4.$

$E = \{HT, TH, HH\} \Rightarrow n(E) = 3.$

$\therefore \quad P(E) = \dfrac{n(E)}{n(S)} = \dfrac{3}{4}.$

प्रश्न 7. तीन सिक्के एक साथ उछालने पर ठीक एक चित आने की प्रायिकता क्या होगी?

हल: यहाँ $S = \{HHH, HHT, HTH, THH, HTT, THT, TTH, TTT\} \Rightarrow n(S) = 8.$

$E = \{HTT, THT, TTH\} \Rightarrow n(E) = 3.$

$\therefore \quad P(E) = \dfrac{n(E)}{n(S)} = \dfrac{3}{8}.$

प्रश्न 8. अच्छी तरह से फेंटी गई ताश की गड्डी से एक पत्ता यदृछया खींचा जाता है. यह पत्ता चित्र वाला पत्ता होने की प्रायिकता क्या है?

हल: स्पष्ट है कि $n(S) = 52$.

माना E = चित्र वाला पत्ता खींचने की घटना. तब, $n(E) = 16$.

$\therefore \quad P(E) = \dfrac{n(E)}{n(S)} = \dfrac{16}{52} = \dfrac{4}{13}.$

प्रश्न 9. अच्छी प्रकार फेंटी गई 52 ताशों की गड्डी में एक पत्ता यदृछया खींचा जाता है. इस पत्ते के लाल रंग की अठ्ठी होने की प्रायिकता क्या है?

हल: स्पष्ट है कि $n(S) = 52$.

माना E = लाल रंग की अठ्ठी होने की घटना $\Rightarrow n(E) = 2$.

$\therefore \quad P(E) = \dfrac{n(E)}{n(S)} = \dfrac{2}{52} = \dfrac{1}{26}.$

प्रश्न 10. अच्छी प्रकार फेंटी गई 52 ताशों की गड्डी से 2 पत्ते यदृछया खींचे जाते हैं. इन दोनों पत्तों के बादशाह होने की प्रायिकता क्या है?

हल: यहाँ $n(S) = {}^{52}C_2$.

माना E = दो बादशाह होने की घटना $\Rightarrow n(E) = {}^4C_2$.

$\therefore \quad P(E) = \dfrac{n(E)}{n(S)} = \dfrac{{}^4C_2}{{}^{52}C_2} = \left(\dfrac{4\times3}{2\times1} \times \dfrac{2\times1}{52\times51}\right) = \dfrac{1}{221}.$

प्रश्न 11. अच्छी प्रकार फेंटी गई 52 ताशों की गड्डी से 2 पत्ते यदृछया खींचे जाते हैं. इनमें से एक बेगम तथा एक बादशाह होने की प्रायिकता क्या है?

हल: यहाँ $n(S) = {}^{52}C_2 = \dfrac{52\times51}{2\times1} = (26 \times 51).$

माना E = एक बेगम तथा एक बादशाह होने की घटना.

तब, $n(E) = ({}^4C_1 \times {}^4C_1) = (4 \times 4) = 16.$

$\therefore \quad P(E) = \dfrac{n(E)}{n(S)} = \dfrac{16}{26\times51} = \dfrac{8}{663}.$

प्रश्न 12. अच्छी प्रकार फेंटी गई 52 ताशों की गड्डी से 2 पत्ते यदृछया खींचे जाते हैं. दोनों पत्ते चिड़ी के होने की प्रायिकता क्या है?

हल: यहाँ $n(S) = {}^{52}C_2 = \dfrac{52\times51}{2\times1} = (26 \times 51).$

माना E = दोनों पत्ते चिड़ी केहोने की घटना. तब, $n(E) = {}^{13}C_2 = \frac{13\times12}{2\times1} = 78.$

$$\therefore \quad P(E) = \frac{n(E)}{n(S)} = \frac{78}{26\times51} = \frac{1}{17}.$$

प्रश्न 13. एक बक्से में 10 सफेद तथा 10 काली गेंदें हैं. इनमें से दो गेंदें यदृच्छया निकाली जाती हैं. दोनों गेंदें एक ही रंग की होने की प्रायिकता क्या है?

हल: $n(S) = 20$ गेंदों में से 2 गेंद खींचने के कुल तरीके $= {}^{20}C_2$.

माना E दोनों गेंदें एक ही रंग की होने की घटना. तब, $n(E) = ({}^{10}C_2 + {}^{10}C_2)$.

$$\therefore \quad P(E) = \frac{n(E)}{n(S)} = \frac{{}^{10}C_2 + {}^{10}C_2}{{}^{20}C_2} = \frac{\frac{10\times9}{2\times1} + \frac{10\times9}{2\times1}}{\frac{20\times19}{2\times1}} = \frac{180}{20\times19} = \frac{9}{19}.$$

प्रश्न 14. प्रथम 120 प्राकृत संख्याओं में से एकाएक एक संख्या चुनी जाती है. क्या प्रायिकता है कि चुनी गई संख्या 5 अथवा 15 का गुणज हो?

हल: यहाँ $n(S) = 120$, $E_1 = 5$ के गुणज $= \{5, 10, 15, ..., 120\}$, $E_2 = \{15, 30, 45, ..., 120\}$.

$(E_1 \cap E_2) = E_2$

$n(E_1 \cup E_2) = n(E_1) + n(E_2) - n(E_1 \cap E_2) = 24 + 8 - 8 = 24.$

प्रश्नमाला 34

निम्नलिखित प्रश्नों में से प्रत्येक में ठीक उत्तर को चिह्नांकित (✓) कीजिए:

1. ताश के 52 पत्तों की गड्डी से एक पत्ता यदृच्छया खींचा जाता है. इस पत्ते के पान का गुलाम होने की प्रायिकता कितनी है?

(a) $\frac{1}{52}$ (b) $\frac{1}{26}$

(c) $\frac{3}{52}$ (d) $\frac{1}{13}$

2. ताश के 52 पत्तों की गड्डी से एक पत्ता यदृच्छया खींचा जाता है. इस पत्ते के दहला अथवा हुक्म होने की प्रायिकता कितनी है?

(a) $\frac{1}{13}$ (b) $\frac{4}{13}$

(c) $\frac{1}{4}$ (d) $\frac{1}{17}$

3. ताश के 52 पत्तों की गड्डी से दो पत्ते यदृच्छया खींचे जाते हैं. इन दोनों पत्तों के बादशाह होने की प्रायिकता क्या है?

(एम०बी०ए० परीक्षा, 2012)

(a) $\frac{1}{15}$ (b) $\frac{25}{57}$

(c) $\frac{1}{221}$ (d) $\frac{5}{16}$

4. ताश के 52 पत्तों की गड्डी से दो पत्ते यदृच्छया खींचे जाते हैं. इन दोनों पत्तों के इक्के होने की प्रायिकता कितनी है?

(रेलवे परीक्षा, 2012)

(a) $\frac{1}{218}$ (b) $\frac{1}{221}$

(c) $\frac{2}{445}$ (d) $\frac{4}{1569}$

5. दो पांसे एक साथ फेंके जाने पर इनके ऊपर आने वाली संख्याओं का योग 9 होने की प्रायिकता क्या है?

(मैनेजमैन्ट परीक्षा, 2012)

(a) $\frac{1}{6}$ (b) $\frac{1}{8}$

(c) $\frac{1}{9}$ (d) $\frac{1}{12}$

6. दो पांसे एक साथ फेंके जाने पर प्राप्त दो संख्याओं का योग एक अभाज्य संख्या होने की प्रायिकता क्या है?

(मैनेजमैन्ट परीक्षा, 2011)

(a) $\frac{1}{2}$ (b) $\frac{1}{6}$

(c) $\frac{7}{9}$ (d) $\frac{5}{12}$

7. दो पांसे एक साथ फेंके जाने पर प्राप्त संख्याओं का गुणनफल एक समसंख्या होने की प्रायिकता क्या है?

(यू०पी०एस०सी० परीक्षा, 2012)

(a) $\frac{1}{2}$ (b) $\frac{3}{8}$

(c) $\frac{3}{4}$ (d) $\frac{5}{16}$

8. दो पांसे एक साथ फेंके जाने पर प्राप्त अंकों का योग 5 से अधिक आने की प्रायिकता क्या है?

(a) $\frac{5}{6}$ (b) $\frac{3}{4}$

(c) $\frac{25}{36}$ (d) $\frac{1}{2}$

9. एक थैली में 6 सफेद तथा 7 काली गेंदें हैं. यदि इनमें से दो गेंदें एक साथ निकाली जायें तो उनके एक ही रंग की होने की प्रायिकता क्या है? **(मैनेजमैन्ट परीक्षा, 2015)**

(a) $\frac{5}{13}$ (b) $\frac{6}{13}$

(c) $\frac{7}{13}$ (d) $\frac{6}{7}$

10. एक टोकरी में 6 लाल, 5 हरी तथा 8 नीली गेंदें हैं. इनमें से यदि चार गेंदें यदृच्छया एक साथ उठाई जायें, तो क्या प्रायिकता है कि सभी चार गेंदें लाल हों अथवा दो हरी हों? **(बैंक पी०ओ० परीक्षा, 2015)**

(a) $\frac{5}{1292}$ (b) $\frac{925}{3876}$

(c) $\frac{359}{1938}$ (d) $\frac{11}{3876}$

11. एक थैली में 2 लाल, 3 हरी तथा 2 नीली गेंदें हैं. इनमें से यदृह्या दो गेंदें निकाली जाती हैं. क्या प्रायिकता है कि दोनों निकाली गई गेंदों में से कोई भी नीली न हो? **(मैनेजमैन्ट परीक्षा, 2013)**

(a) $\frac{2}{7}$ (b) $\frac{5}{7}$

(c) $\frac{10}{21}$ (d) $\frac{11}{21}$

12. एक थैली में 13 लाल, 7 नीली तथा 6 काली गेंदें हैं. इनमें से यदृछया दो गेंदें निकाली जाती हैं. क्या प्रायिकता है कि दोनों में एक नीली तथा दूसरी लाल हो?

(a) $\frac{10}{13}$ (b) $\frac{7}{25}$

(c) $\frac{7}{50}$ (d) इनमें से कोई नहीं

13. एक थैली में 4 लाल तथा 4 काली गेंदें हैं. इनमें से यदृछया 2 गेंदें एक साथ निकाली जाती हैं. क्या प्रायिकता है कि निकाली गई गेंदें लाल हों? **(यू०पी०एस०सी० परीक्षा, 2013)**

(a) $\frac{1}{2}$ (b) $\frac{1}{4}$

(c) $\frac{3}{8}$ (d) $\frac{3}{14}$

14. एक थैली में 5 हरी, 4 पीली तथा 3 सफेद गेंदें हैं. इनमें यदृछया 3 गेंदें निकाली जाती हैं. क्या प्रायिकता है कि निकाली गई तीनों गेंदें एक ही रंग की न हों?

(a) $\frac{3}{44}$ (b) $\frac{3}{55}$

(c) $\frac{41}{44}$ (d) $\frac{52}{55}$

(e) इनमें से कोई नहीं

15. एक थैली में 2 लाल, 3 हरी तथा 2 नीली गेंदें हैं. इनमें से यदृछया 2 गेंदें निकाली जाती हैं. क्या प्रायिकता है कि निकाली गई गेंदों में से कोई भी नीली नहीं है? **(बैंक पी०ओ० परीक्षा, 2012)**

(a) $\frac{2}{7}$ (b) $\frac{5}{7}$

(c) $\frac{10}{21}$ (d) $\frac{11}{21}$

(e) इनमें से कोई नहीं

16. एक थैली में 8 लाल, 7 नीली और 6 हरी गेंदें हैं. इनमें से यदृछया एक गेंद निकाली जाती है. क्या प्रायिकता है कि निकाली गई गेंद न ही लाल हो तथा न ही हरी? **(बैंक पी०ओ० परीक्षा, 2012)**

(a) $\frac{2}{3}$ (b) $\frac{3}{4}$

(c) $\frac{7}{19}$ (d) $\frac{9}{21}$

(e) इनमें से कोई नहीं

17. एक थैली में 4 काली, 3 लाल तथा 5 हरी गेंदें हैं. इनमें से यदृछया 2 गेंदें एक साथ निकाली जाती हैं. निकाली गई दोनों गेंदों के एक ही रंग की होने की प्रायिकता क्या है?

(a) $\frac{1}{6}$ (b) $\frac{2}{11}$

(c) $\frac{47}{68}$ (d) $\frac{19}{66}$

(e) इनमें से कोई नहीं

18. एक थैली में 4 सफेद, 5 लाल, 6 नीली तथा 7 काली गेंदें हैं. इनमें से चार गेंदें यदृछया निकाली जाती हैं. क्या प्रायिकता है कि निकाली गई चारों गेंदें लाल हों?

(a) $\frac{1}{1223}$ (b) $\frac{1}{1333}$

(c) $\frac{1}{1383}$ (d) $\frac{1}{1463}$

(e) $\frac{1}{1473}$

19. A के 15 वर्ष और अधिक जीवित रहने की संभावना $\frac{7}{8}$ है तथा B के 15 वर्ष और अधिक जीवित रहने की संभावना $\frac{9}{10}$ है. दोनों के 15 वर्ष बाद जीवित रहने की संभावना कितनी है?

(मैनेजमैन्ट परीक्षा, 2013)

(*a*) $\frac{1}{5}$ (*b*) $\frac{1}{20}$

(*c*) $\frac{63}{80}$ (*d*) इनमें से कोई नहीं

20. प्रथम 120 प्राकृत संख्याओं में से एकाएक एक संख्या चुनी जाती है. क्या प्रायिकता है कि चुनी गई संख्या 5 अथवा 15 से पूर्ण विभक्त हो?

(एम०बी०ए० परीक्षा, 2012)

(*a*) $\frac{1}{5}$ (*b*) $\frac{1}{6}$

(*c*) $\frac{1}{7}$ (*d*) $\frac{1}{9}$

21. प्रथम 500 प्राकृत संख्याओं में से एकाएक एक संख्या चुनी जाती है. क्या प्रायिकता है कि चुनी गई संख्या 3 अथवा 5 से पूर्ण विभक्त हो?

(*a*) $\frac{133}{250}$ (*b*) $\frac{299}{500}$

(*c*) $\frac{233}{500}$ (*d*) इनमें से कोई नहीं

22. ताश के 52 पत्तों में से एक पत्ता यदृच्छया खींचा जाता है. क्या प्रायिकता है कि निकाला गया पत्ता चिड़ी का हो अथवा बादशाह हो?

(*a*) $\frac{17}{52}$ (*b*) $\frac{9}{26}$

(*c*) $\frac{8}{13}$ (*d*) $\frac{4}{13}$

23. 4 पुरुषों तथा 2 स्त्रियों में से 2 सदस्यों की कमेटी बनानी है. क्या प्रायिकता है कि इस कमेटी में एक स्त्री हो?

(यू०पी०एस०सी० परीक्षा, 2014)

(*a*) $\frac{1}{3}$ (*b*) $\frac{1}{4}$

(*c*) $\frac{7}{15}$ (*d*) $\frac{8}{15}$

24. तीन छात्रों को एक प्रश्न हल करने को कहा गया. इस प्रश्न को हल करने की इनकी प्रायिकता क्रमशः $\frac{1}{3}, \frac{2}{5}$ तथा $\frac{5}{12}$ है. इस प्रश्न के हल होने की प्रायिकता क्या है?

(मैनेजमैन्ट परीक्षा, 2014)

(*a*) $\frac{1}{2}$ (*b*) $\frac{1}{18}$

(*c*) $\frac{2}{5}$ (*d*) $\frac{23}{30}$

25. एक व्यक्ति तथा उसकी पत्नी एक ही पद की दो रिक्तियों के लिए साक्षात्कार देते हैं. व्यक्ति तथा उसकी पत्नी के चयनित होने की प्रायिकता क्रमशः $\frac{1}{7}$ तथा $\frac{1}{5}$ है. इन दोनों में से एक के चयनित होने की प्रायिकता क्या है?

(यू०पी०एस०सी० परीक्षा, 2014)

(*a*) $\frac{1}{5}$ (*b*) $\frac{1}{7}$

(*c*) $\frac{2}{7}$ (*d*) $\frac{11}{35}$

निर्देश: प्रश्न के बाद तीन कथन दिए गए हैं। आपको प्रश्न और तीनों कथनों में दी गई जानकारी का अध्ययन करना होगा और तय करना होगा कि किस कथन/किन कथनों में दी गई जानकारी प्रश्न का उत्तर देने के लिए आवश्यक और पर्याप्त है।

26. एक थैले में कार्डों की एक निश्चित संख्या है जिन पर क्रम से 1, 2, 3, 4, इत्यादि अंकित हैं। थैले में कितने कार्ड हैं?

I. यदि दो कार्डों को एक के बाद बगैर पुनर्स्थापन के यदृच्छया निकाला जाता है, तो प्रत्येक कार्ड पर सम संख्या अंकित रहने की प्रायिकता $\frac{7}{31}$ है।

II. विषम संख्या अंकित एवं सम संख्या अंकित कार्डों की संख्या का संगत अनुमात क्रमशः 16 : 15 है।

III. थैले में 50 से कम कार्ड हैं।

(एस.बी.आइ. पी.ओ. ऑनलाइन प्रारंभिक परीक्षा, 2017)

(*a*) केवल कथन I या कथन II एवं कथन III प्रश्नोत्तर के लिए पर्याप्त हैं।

(*b*) केवल कथन I प्रश्न का उत्तर देने के लिए पर्याप्त है।

(*c*) केवल कथन II प्रश्न का उत्तर देने के लिए पर्याप्त है।

(*d*) या तो कथन I या कथन II प्रश्न का उत्तर देने के लिए पर्याप्त है।

(*e*) कोई भी कथन प्रश्न का उत्तर देने के लिए पर्याप्त है।

27. एक थैले में 63 कार्ड (1, 2, 3, ... 63 अंकित) हैं। थैले में से दो कार्ड यदृच्छया निकाले जाते है (एक के बाद दूसरा तथा बगैर पुनः विस्थापन के)। क्या प्रायिकता है कि दोनों कार्डों की संख्याओं का योग सम संख्या हो?

(एस.बी.आइ. पी.ओ. ऑनलाइन प्रारंभिक परीक्षा, 2017)

(*a*) $\frac{11}{12}$ (*b*) $\frac{34}{63}$

(*c*) $\frac{7}{11}$ (*d*) दिए गए विकल्पों से अन्य

28. एक थैले में 8 लाल गेंदें और 7 हरी गेंदें हैं। यादृच्छिक रूप से दो गेंदें निकाली जाती हैं। एक गेंद के लाल और एक के हरे रंग की होने की प्रायिकता क्या है?

[आईबीपीएस पीओ प्री, 2019]

(a) $\frac{1}{3}$ (b) $\frac{11}{15}$ (c) $\frac{8}{15}$ (d) $\frac{2}{5}$
(e) $\frac{3}{5}$

29. ताश के 52 पत्तों की एक अच्छी तरह से फेंटी गई गड्डी में से एक पत्ता यादृच्छया निकाला जाता है। दो पान या दो ईंट के मिलने की प्रायिकता क्या है? [आईबीपीएस पीओ आरआरबी एएसटी, 2017]

(a) $\frac{3}{26}$ (b) $\frac{2}{17}$ (c) $\frac{1}{26}$ (d) $\frac{4}{13}$
(e) दिए गए विकल्पों के अलावा अन्य

30. एक कारखाने में जहाँ खिलौने बनाए जाते हैं, मशीन A, B और C कुल खिलौनों का क्रमशः 25%, 35% और 40% बनाती हैं। उनके उत्पादन में क्रमशः 5%, 4% और 2% दोषपूर्ण खिलौने हैं। यदि यादृच्छिक रूप से निकाला गया एक खिलौना दोषपूर्ण पाया जाता है, तो इसकी क्या प्रायिकता है कि यह मशीन B पर निर्मित है? [एमएटी दिसंबर, 2018]

(a) 17 (b) 28
(c) 35 (d) इनमें से कोई नहीं

31. भाई और बहन दोनों साक्षात्कार के लिए आते हैं। भाई के चयन की प्रायिकता $\frac{1}{8}$ है जबकि बहन के अस्वीकृत होने की प्रायिकता $\frac{4}{5}$ है। उनमें से केवल एक के चुने जाने की प्रायिकता क्या है? [सीएमएटी, 2020]

(a) $\frac{11}{40}$ (b) $\frac{7}{40}$ (c) $\frac{6}{40}$ (d) $\frac{9}{40}$

32. यदि ताश की गड्डी में से एक के बाद एक बिना प्रतिस्थापन के दो पत्ते यादृच्छिक रूप से निकाले जाते हैं तो इसकी क्या प्रायिकता है कि एक काले रंग का सम संख्या वाला पत्ता है और दूसरा लाल रंग का फेस कार्ड है? [एमएच सीईटी, 2018]

(a) $\frac{12}{221}$ (b) $\frac{23}{221}$ (c) $\frac{15}{338}$ (d) $\frac{63}{676}$
(e) दिए गए विकल्पों में से कोई नहीं

33. एक थैले में लाल रंग के चार कंचे और नीले रंग के पाँच कंचे हैं। दो कंचे यादृच्छिक रूप से चुने जाते हैं। क्या संभावना है कि दोनों एक ही रंग के हैं? [आरआरबी एएसटी प्री, 2020]

(a) $\frac{4}{9}$ (b) $\frac{7}{9}$ (c) $\frac{5}{9}$ (d) $\frac{2}{9}$
(e) इनमें से कोई नहीं

34. तीन निष्पक्ष पासे एक साथ फेंके जाते हैं। क्या प्रायिकता है कि उनके शीर्ष पर संख्याओं का योग कम से कम 6 है? [सीएलएटी, 2018]

(a) $\frac{5}{108}$ (b) $\frac{1}{24}$ (c) $\frac{103}{108}$ (d) $\frac{17}{18}$ (c)

35. अगले वर्ष के दौरान, कंपनी A द्वारा मोबाइल जारी करने की प्रायिकता 0.7 है। संभावना है कि मोबाइल सफल है, यह देखते हुए कि यह कंपनी A द्वारा जारी किया गया है 0.8 है। एक मोबाइल के सफल होने और कंपनी B द्वारा जारी किए जाने की प्रायिकता 0.28 है। अगले एक वर्ष के दौरान कंपनी A या कंपनी B द्वारा जारी किया गया मोबाइल सफल है। इसकी प्रायिकता ज्ञात कीजिए कि यह कंपनी A द्वारा जारी किया गया है। [सीएमएटी, 2021]

(a) $\frac{1}{3}$ (b) $\frac{1}{2}$ (c) $\frac{2}{3}$ (d) $\frac{3}{4}$

36. किसी भी दिन बाजार में ड्रैगन फ्रूट की उपलब्धता की प्रायिकता 0.5 है। एक व्यक्ति को कम से कम कितने दिनों में बाजार जाना चाहिए ताकि कम से कम एक दिन फल मिलने की प्रायिकता 0.9 से अधिक हो? [डीयू जेएटी, 2020]

(a) 2 (b) 3 (c) 4 (d) 5

37. 2 लड़कों और 2 लड़कियों के समूह से 3 सदस्यों की एक समिति बनानी है। इसकी क्या प्रायिकता है कि समिति में 2 लड़के और 1 लड़की है? [एनडीए, 2020]

(a) $\frac{2}{3}$ (b) $\frac{1}{4}$ (c) $\frac{3}{4}$ (d) $\frac{1}{2}$

38. 10 टिकट संख्या 1 से 10 की लॉटरी में दो टिकट एक साथ निकाले जाते हैं। क्या प्रायिकता है कि निकाले गए दोनों टिकटों पर अभाज्य संख्याएँ हैं? [एनडीए, 2020]

(a) $\frac{1}{15}$ (b) $\frac{1}{2}$ (c) $\frac{2}{15}$ (d) $\frac{1}{5}$

39. 52 पत्तों की एक गड्डी में से तीन पत्ते यादृच्छिक रूप से निकाले जाते हैं। 2 कार्ड के लाल रंग और 1 कार्ड के काले रंग के होने की प्रायिकता क्या है? [आईबीपीएस पीओ प्री, 2019]

(a) $\frac{13}{34}$ (b) $\frac{19}{52}$ (c) $\frac{7}{39}$ (d) $\frac{3}{43}$
(e) $\frac{25}{43}$

40. यदि किसी कंपनी के 10 डिलीवरी ट्रकों में से 5 उत्सर्जन मानकों को पूरा नहीं करते हैं और उनमें से 3 को निरीक्षण के लिए चुना जाता है, तो इसकी क्या प्रायिकता है कि चुने गए ट्रकों में से कोई भी उत्सर्जन मानकों को पूरा नहीं करेगा? [एनडीए, 2019]

(a) $\frac{1}{8}$ (b) $\frac{3}{8}$ (c) $\frac{1}{12}$ (d) $\frac{1}{4}$

41. रोनी के पास एक थैला है जिसमें 7 लाल और 9 हरी गेंदें हैं। इसमें से वह यादृच्छिक रूप से एक साथ 6 गेंदों को निकालता है। उनमें से 4 के लाल और बाकी के हरे होने की प्रायिकता है [एआईएलईटी, 2020]

(a) $\frac{24}{143}$ (b) $\frac{45}{286}$ (c) $\frac{155}{2001}$ (d) $\frac{203}{1005}$

42. एक थैले में 6 लाल गेंदें, 11 पीली गेंदें और 5 गुलाबी गेंदें हैं। यदि थैले में से एक के बाद एक दो गेंदें यादृच्छया निकाली जाती हैं, तो इसकी क्या प्रायिकता है कि पहली गेंद लाल है और दूसरी गेंद पीली है?

[आईबीपीएस आरआरबी ग्रामीण, 2019]

(a) $\frac{1}{7}$ (b) $\frac{4}{7}$ (c) $\frac{5}{7}$ (d) $\frac{6}{7}$

(e) $\frac{8}{7}$

43. एक थैले में 5 लाल, 6 काली और 5 नीली गेंदें हैं। इन गेंदों में से चार गेंदों को थैले से यादृच्छया निकाला जाता है। फिर, इसकी क्या प्रायिकता है कि एक लाल है, दो काली है और एक नीली गेंद है? [आईबीपीएस आरआरबी ग्रामीण, 2019]

(a) $\frac{75}{362}$ (b) $\frac{75}{364}$ (c) $\frac{71}{362}$ (d) $\frac{70}{363}$

(e) $\frac{5}{26}$

44. दो पासों को एक साथ उछालने पर, योग के छह आने की प्रायिकता ज्ञात कीजिए। [एलआईसी एएओ प्री, 2019]

(a) $\frac{1}{6}$ (b) $\frac{1}{9}$ (c) $\frac{5}{36}$ (d) $\frac{7}{36}$

(e) $\frac{1}{4}$

45. एक थैले में 4 सोने की पट्टियां, 5 चांदी की पट्टियां और 6 लोहे की पट्टियां हैं। 3 बैंड एक-एक करके खींचे जाते हैं। यदि पहला बैंड गोल्ड का निकलता है, तो बैग में 6 और गोल्ड बैंड जोड़े जाते हैं। दूसरे ड्रॉ के बाद कोई नया बैंड नहीं जोड़ा जाता है। प्रायिकता ज्ञात कीजिए कि खींचे गए सभी 3 बैंड सोने के बैंड के हैं। [ईपीएफओ प्री जुलाई, 2019]

(a) $\frac{9}{19}$ (b) $\frac{25}{19}$ (c) $\frac{451}{475}$ (d) $\frac{24}{475}$

(e) इनमें से कोई नहीं

46. एक थैले में 3 नीली, 2 हरी और 5 लाल गेंदें हैं। यदि चार गेंदों को यादृच्छिक रूप से निकाला जाता है, तो दो के हरे और दो के नीले होने की क्या प्रायिकता है?

[डीएमआरसी-कस्टम. संबंध सहायक (सीआरए) परीक्षा, 2016]

(a) $\frac{1}{18}$ (b) $\frac{1}{70}$ (c) $\frac{3}{5}$ (d) $\frac{1}{2}$

47. देव 6 शॉट में 3 बार लक्ष्य को हिट कर सकता है। पवन 6 शॉट में 2 बार लक्ष्य को हिट कर सकता है और लखन 4 शॉट में 4 बार लक्ष्य को हिट कर सकता है। क्या संभावना है कि कम से कम 2 शॉट निशाने पर लगे?

[डीएमआरसी-कस्टम. संबंध सहायक (सीआरए) परीक्षा, 2016]

(a) $\frac{2}{3}$ (b) $\frac{1}{3}$

(c) $\frac{1}{2}$ (d) इनमें से कोई नहीं

48. एक थैले में 10 आम हैं जिनमें से 4 एक साथ निकाल लिए जाते हैं। यदि उनमें से एक अच्छा पाया जाता है, तो दूसरे के भी अच्छे होने की प्रायिकता है

[डीएमआरसी-ट्रेन ऑपरेटर (स्टेशन नियंत्रक) परीक्षा, 2016]

(a) $\frac{1}{3}$ (b) $\frac{8}{15}$ (c) $\frac{5}{18}$ (d) $\frac{2}{3}$

49. एक थैले में 4 लाल, 5 पीली और 6 गुलाबी गेंदें हैं। दो गेंदों को यादृच्छिक रूप से निकाला जाता है। क्या प्रायिकता है कि निकाली गई गेंदों में से कोई भी पीली नहीं है?

[आईबीपीएस-बैंक पीओ/एमटी (प्री.) परीक्षा, 2015]

(a) $\frac{1}{7}$ (b) $\frac{3}{7}$ (c) $\frac{2}{7}$ (d) $\frac{5}{14}$

(e) $\frac{9}{14}$

50. एक थैले में 6 लाल गेंदें, 11 पीली गेंदें और 5 गुलाबी गेंदें हैं। यदि थैले में से दो गेंदें यादृच्छया निकाली जाती हैं तो एक के बाद एक प्रायिकता क्या है कि पहली गेंद लाल है और दूसरी गेंद पीली है?

[आईबीपीएस-बैंक पीओ (प्री.) परीक्षा, 2015]

(a) $\frac{1}{14}$ (b) $\frac{2}{7}$ (c) $\frac{5}{7}$ (d) $\frac{3}{14}$

(e) इनमें से कोई नहीं

51. एक थैले में 4 लाल गेंदें, 6 नीली गेंदें और 8 गुलाबी गेंदें हैं। एक गेंद यादृच्छिक रूप से निकाली जाती है और इसे 3 गुलाबी गेंदों से बदल दिया जाता है। इस बात की क्या प्रायिकता है निकाली गई पहली गेंद या तो लाल या नीले रंग की थी और दूसरी निकाली गई गेंद गुलाबी रंग की थी?

[सीईटी-(महाराष्ट्र (एमबीए) परीक्षा, 2016]

(a) $\frac{12}{21}$ (b) $\frac{13}{17}$ (c) $\frac{11}{30}$ (d) $\frac{13}{18}$

(e) इनमें से कोई नहीं

52. एक गड्डी में से 1 पत्ता यादृच्छिक चुना जाता है जिसमें से लाल चेहरे वाले पत्ते हटा दिए गए हैं, उठाया पत्ता एक चेहरे वाला पत्ता है। इसकी प्रायिकता ज्ञात कीजिए।

(a) 3/23 (b) 3/46
(c) 6/23 (d) 3/26
(e) इनमें से कोई नहीं

उत्तरमाला

1. (*a*)	2. (*b*)	3. (*c*)	4. (*b*)	5. (*c*)	6. (*d*)	7. (*c*)	8. (*c*)	9. (*b*)	10. (*b*)
11. (*c*)	12. (*b*)	13. (*d*)	14. (*a*)	15. (*c*)	16. (*e*)	17. (*d*)	18. (*d*)	19. (*c*)	20. (*a*)
21. (*c*)	22. (*d*)	23. (*d*)	24. (*b*)	25. (*c*)	26. (*d*)	27. (*d*)	28. (*c*)	29. (*c*)	30. (*d*)
31. (*a*)	32. (*e*)	33. (*a*)	34. (*c*)	35. (*c*)	36. (*c*)	37. (*d*)	38. (*c*)	39. (*a*)	40. (*c*)
41. (*b*)	42. (*a*)	43. (*b*)	44. (*c*)	45. (*d*)	46. (*b*)	47. (*a*)	48. (*a*)	49. (*b*)	50. (*b*)
51. (*e*)	52. (*a*)								

दिये गये प्रश्नों के हल

1. पान का गुलाम होने की प्रायिकता $= \dfrac{\text{पान के गुलामों की संख्या}}{\text{कुल पत्तों की संख्या}} = \dfrac{1}{52}$

2. दहलों की संख्या = 4, हुक्म के पत्तों की संख्या = 13.

हुक्म के दहलों की संख्या = 1.

अत: दहला अथवा हुक्म की प्रायिकता $= \dfrac{(4+13-1)}{52} = \dfrac{16}{52} = \dfrac{4}{13}$.

3. दोनों पत्तों के बादशाह होने की प्रायिकता

$$= \frac{^4C_2}{^{52}C_2} = \left(\frac{4\times3}{2\times1}\times\frac{2\times1}{52\times51}\right) = \frac{1}{221}.$$

4. दोनों पत्तों के इक्का होने की प्रायिकता

$$= \frac{C}{^{52}C_2} = \left(\frac{4\times3}{2\times1}\times\frac{2\times1}{52\times51}\right) = \frac{1}{221}.$$

5. $n(S) = (6\times6) = 36.$

$E = \{(3, 6), (4, 5), (5, 4), (6, 3)\} \Rightarrow n(E) = 4.$

$\therefore \quad P(E) = \dfrac{n(E)}{n(S)} = \dfrac{4}{36} = \dfrac{1}{9}.$

6. $n(S) = (6\times6) = 36.$

$E = \{(1, 1), (1, 2), (1, 4), (1, 6), (2, 1), (2, 3), (2, 5), (3, 2), (3, 4), (4, 1), (4, 3), (5, 2), (5, 6), (6, 1), (6, 5)\}$

$\Rightarrow \quad n(E) = \dfrac{n(E)}{n(S)} = \dfrac{15}{36} = \dfrac{5}{12}.$

7. $n(S) = (6\times6) = 36.$

$E = \{(1, 2), (1, 4), (1, 6), (2, 1), (2, 2), (2, 3), (2, 4), (2, 5), (2, 6), (3, 2), (3, 4), (3, 6), (4, 1), (4, 2), (4, 3), (4, 4), (4, 5), (4, 6), (5, 2), (5, 4), (5, 6), (6, 1), (6, 2), (6, 3), (6, 4), (6, 5), (6, 6)\}$

$\therefore \quad n(E) = 27$

$\Rightarrow \quad P(E) = \dfrac{n(E)}{n(S)} = \dfrac{27}{36} = \dfrac{3}{4}.$

8. $n(S) = (6\times6) = 36.$

$E = \{(1, 5), (1, 6), (2, 4), (2, 5), (2, 6), (3, 4), (3, 5), (3, 6), (4, 2), (4, 3), (4, 4), (4, 5), (4, 6), (5, 1), (5, 2), (5, 3), (5, 4), (5, 5), (5, 6), (6, 1), (6, 2), (6, 3), (6, 4), (6, 5), (6, 6)\}.$

$\therefore \quad n(E) = 25$

$\Rightarrow \quad P(E) = \dfrac{n(E)}{n(S)} = \dfrac{25}{36}.$

9. 13 गेंदों में से 2 गेंदें निकालने के कुल तरीके $= {^{13}C_2}$.

$\therefore$ दोनों गेंदों के एक ही रंग की होने की प्रायिकता

$$= \frac{^6C_2 + {^7C_2}}{^{13}C_2} = \frac{\dfrac{6\times5}{2\times1}+\dfrac{7\times6}{2\times1}}{\dfrac{13\times12}{2\times1}} = \frac{72}{156} = \frac{6}{13}.$$

10. (6 + 5 + 8) गेंदों में से 4 गेंदें उठाने के कुल तरीके $= {^{19}C_4}$.

अभीष्ट प्रायिकता $= \dfrac{^6C_2}{^{19}C_4} + \dfrac{^5C_2\times{^{14}C_2}}{^{19}C_4}$ z

$$= \frac{\dfrac{6\times5}{2\times1}+\dfrac{5\times4}{2\times1}\times\dfrac{14\times13}{2\times1}}{\dfrac{19\times18\times17\times16}{4\times3\times2\times1}} = \frac{925\times24}{19\times18\times17\times16} = \frac{925}{3876}.$$

11. अभीष्ट प्रायिकता $= \dfrac{^5C_2}{^7C_2} = \dfrac{5\times4}{2\times1}\times\dfrac{2\times1}{7\times6} - \dfrac{10}{21}.$

12. अभीष्ट प्रायिकता $= \dfrac{^7C_1\times{^{13}C_1}}{^{26}C_2} = \left(\dfrac{7\times13}{26\times25}\times2\times1\right) = \dfrac{7}{25}.$

13. अभीष्ट प्रायिकता $= \dfrac{^4C_2}{^8C_2} = \left(\dfrac{4\times3}{2\times1}\times\dfrac{2\times1}{8\times7}\right) = \dfrac{3}{14}.$

14. अभीष्ट प्रायिकता $= \dfrac{^5C_3+{^4C_3}+{^3C_3}}{^{12}C_3} = \dfrac{^5C_2+{^4C_1}+1}{\dfrac{12\times11\times10}{3\times2\times1}}$

$$= \left(\frac{5\times4}{2\times1}+4+1\right)\times\frac{1}{22\times10} = \frac{15\times1}{22\times10} = \frac{3}{44}.$$

15. अभीष्ट प्रायिकता $= \dfrac{^5C_2}{^7C_2} = \dfrac{5\times4}{2\times1}\times\dfrac{2\times1}{7\times6} = \dfrac{10}{21}.$

16. अभीष्ट प्रायिकता $= \dfrac{7}{21} = \dfrac{1}{3}.$

17. अभीष्ट प्रायिकता $= \dfrac{^4C_2+{^3C_2}+{^5C_2}}{^{12}C_2} = \dfrac{\left(\dfrac{4\times3}{2\times1}+3+\dfrac{5\times4}{2\times1}\right)}{\left(\dfrac{12\times11}{2\times1}\right)} = \dfrac{19}{66}$

18. अभीष्ट प्रायिकता $= \dfrac{^5C_4}{^{22}C_4} = \dfrac{^5C_1}{^{22}C_4} = \dfrac{5}{\dfrac{22\times21\times20\times19}{4\times3\times2\times1}} = \dfrac{1}{1463}$

19. अभीष्ट प्रायिकता $= \left(\dfrac{7}{8}\times\dfrac{9}{10}\right) = \dfrac{63}{80}.$

20. $n(S) = 120.$

माना $E_1 = \{5, 10, 15, 20, ..., 120\}$ तथा $E_2 = \{15, 30, 45, ..., 120\}$.

चूँकि $E_2 \subseteq E_1$, अत: $E_1 \cup E_2 = E_1$.

$\therefore$ अभीष्ट प्रायिकता $= P(E_1) = \frac{n(E_1)}{n(S)} = \frac{24}{120} = \frac{1}{5}$.

21. $n(S) = 500$.

माना $E_1 = \{3, 6, 9, ..., 498\}, E_2 = \{5, 10, 15, ..., 500\}$.

तब, $E_1 \cap E_2 = \{15, 30, 45, ..., 495\}$.

$\therefore$ $n(E_1) = \left(\frac{498}{3}\right) = 166, n(E_2) = \frac{500}{5} = 100$ तथा

$n(E_1 \cap E_2) = \frac{495}{15} = 33$.

$\Rightarrow P(E) = P(E_1) + P(E_2) - P(E_1 \cap E_2)$

$= \left(\frac{166}{500} + \frac{100}{500} - \frac{33}{500}\right) = \frac{(166+100-33)}{500} = \frac{233}{500}$.

22. $n(S) = 52$.

माना $E_1 =$ चिड़ी का पत्ता होने की घटना,

$E_2 =$ बादशाह होने की घटना.

तब, $E_1 \cap E_2 =$ चिड़ी का बादशाह होने की घटना.

$\therefore$ $P(E_1) = \frac{n(E_1)}{n(S)} = \frac{13}{52} = \frac{1}{4}, P(E_2) = \frac{n(E_2)}{n(S)} = \frac{4}{52} = \frac{1}{13}$

तथा $n(E_1 \cap E_2) = \frac{1}{52}$.

$\Rightarrow P(E_1 \cup E_2) = P(E_1) + P(E_2) - P(E_1 \cap E_2)$

$= \left(\frac{1}{4} + \frac{1}{13} - \frac{1}{52}\right) = \frac{16}{52} = \frac{4}{13}$.

23. अभीष्ट प्रायिकता $= \frac{\left({}^4C_1 \times {}^2C_1\right)}{{}^6C_2} = \frac{4\times2}{\frac{6\times5}{2\times1}} = \frac{8}{15}$.

24. प्रश्न हल होने की प्रायिकता $= \left(\frac{1}{3} \times \frac{2}{5} \times \frac{5}{12}\right) = \frac{1}{18}$.

25. $P(A) = \frac{1}{7} \Rightarrow P(\bar{A}) = \left(1 - \frac{1}{7}\right) = \frac{6}{7}$.

$P(B) = \frac{1}{5} \Rightarrow P(\bar{B}) = \left(1 - \frac{1}{5}\right) = \frac{4}{5}$.

$\therefore$ अभीष्ट प्रायिकता

$= P(A\bar{B}) + P(\bar{A}B) = P(A).P(\bar{B}) + P(\bar{A}).P(B)$

$= \left(\frac{1}{7} \times \frac{4}{5}\right) + \left(\frac{6}{7} \times \frac{1}{5}\right) = \left(\frac{4}{35} + \frac{6}{35}\right) = \frac{10}{35} = \frac{2}{7}$.

26. कथन I से, माना, थैले में कार्डों की संख्या = $2n + 1$ है।

जब कार्डों की संख्या $= 2n$

$\therefore$ सम संख्या वाले कार्ड = n

$\therefore$ अभीष्ट प्रायिकता $= \frac{{}^nC_1}{{}^{2n}C_1} \times \frac{{}^{n-1}C_1}{{}^{2n-1}C_1}$

$= \frac{n}{2n} \times \frac{n-1}{2n-1} = \frac{n-1}{4n-2} \quad \therefore \frac{n-1}{4n-2} = \frac{7}{31}$

$\Rightarrow 31n - 31 = 28n - 14 \Rightarrow 31n - 28n = 31 - 14$

$\Rightarrow 3n = 17 \Rightarrow n = \frac{17}{3}$ जो मान्य नहीं है।

जब कार्डों की संख्या $= 2n+1$

$\therefore$ सम संख्या वाले कार्ड $= n$

$\therefore$ अभीष्ट प्रायिकता $= \frac{{}^nC_1}{{}^{2n+1}C_1} \times \frac{{}^{n-1}C_1}{{}^{2n}C_1}$

$= \frac{n}{2n+1} \times \frac{n-1}{2n} = \frac{n-1}{4n+2}$

$\therefore \frac{n-1}{4n+2} = \frac{7}{31} \Rightarrow 31n - 31 = 28n + 14$

$\Rightarrow 31n - 28n = 31 + 14$

$\Rightarrow 3n = 45 \Rightarrow n = 15$, जो मान्य है

$\therefore$ कार्डों की कुल संख्या $= 2n+1 = 2\times15+1 = 31$

कथन *II* से, कार्डों की संख्या $= 16+15 = 31$

कथन *III* से, कार्डो की संख्या का पता नहीं चल पायेगा।

27. 1 से 63 तक सम संख्याएँ = 31

विषम संख्याएँ = 32

जब दोनों कार्ड विषम हों, अभीष्ट प्रायिकता

$= \frac{32}{63} \times \frac{31}{62} = \frac{16}{63}$

जब दोनों कार्ड सम हो, अभीष्ट प्रायिकता

$= \frac{31}{63} \times \frac{30}{62} = \frac{15}{63}$

दोनों कार्डों की संख्या का योग सम होगा यदि दोनों विषम हो या दोनों सम हो।

$\therefore$ अभीष्ट प्रायिकता $= \frac{16}{63} + \frac{15}{63} = \frac{31}{63}$

28. अभीष्ट प्रायिकता $= \frac{{}^8C_1 \times {}^7C_1}{{}^{15}C_2} = \frac{8\times7}{105} = \frac{8}{15}$

29. अभीष्ट प्रायिकता $= \frac{1}{52} + \frac{1}{52} = \frac{2}{52} = \frac{1}{26}$

30. यह बाये के नियम का प्रश्न है।

आवश्यक प्रायिकता $= \frac{.35\times.04}{0.25\times.05+.35\times.04+.40\times.02}$

$= \frac{140}{125+140+80} = \frac{140}{345} = \frac{28}{69}$

31. उनमें से केवल एक का चयन किया जाता है अर्थात भाई का चयन किया जाता है और बहन को अस्वीकार कर दिया जाता है या इसके विपरीत।

$\therefore$ आवश्यक प्रायिकता $= \frac{1}{8}\times\frac{4}{5}+\frac{7}{8}\times\frac{1}{5}$

$= \frac{4}{40}+\frac{7}{40}=\frac{11}{40}$

32. अभीष्ट प्रायिकता $= \frac{^{12}C_1}{^{52}C_1}\times\frac{^{8}C_1}{^{51}C_1}=\frac{8}{221}$

33. अभीष्ट प्रायिकता $= \frac{^{4}C_2+{}^{5}C_2}{^{9}C_2}$

$= \frac{6+10}{36}=\frac{16}{36}=\frac{4}{9}$

34. आवश्यक प्रायिकता = 1 – (योग 6 से कम)

6 से कम योग का अर्थ है 3, 4, 5

योग 3 = (1, 1, 1) …1 मामला

योग 4 = (1, 1, 2) (1, 2, 1) (2, 1, 1) …3 मामले

योग 5 = (1, 1, 3) (1, 3, 1) (3, 1, 1) (1, 2, 2) (2, 2, 1) (2, 1, 2) …6 मामले

$\therefore$ 6 से कम कुल मामले = 1 + 3 + 6 = 10

$\therefore$ अपेक्षित प्रायिकता $= 1-\frac{10}{216}$

$= 1-\frac{5}{108}=\frac{103}{108}$

35. अभीष्ट प्रायिकता $= \frac{0.7\times0.8}{0.7\times0.8+0.28}$

$= \frac{.56}{.84}=\frac{2}{3}$

36. आवश्यक संभावना = > .9

मतलब न मिलने की संभावना < .1 होनी चाहिए

$\therefore \frac{1}{2}\times\frac{1}{2}\times\frac{1}{2}\times\frac{1}{2}=\frac{1}{16}=0.0625$

.0625 .1 से कम है जो चौथे दिन है।

37. अभीष्ट प्रायिकता $= \frac{^{2}C_2\times{}^{2}C_1}{^{4}C_3}=\frac{2}{4}=\frac{1}{2}$

38. (1 – 10) से अभाज्य संख्याओं की संख्या = 4 (2, 3, 5, 7)

आवश्यक संभावना $= \frac{^{4}C_2}{^{10}C_2}=\frac{6}{45}=\frac{2}{15}$

39. अभीष्ट प्रायिकता $= \frac{^{26}C_2\times{}^{26}C_1}{^{52}C_3}=\frac{13}{34}$

40. अभीष्ट प्रायिकता $= \frac{^{5}C_3}{^{10}C_3}=\frac{10}{120}=\frac{1}{12}$

41. अभीष्ट प्रायिकता $= \frac{^{7}C_4\times{}^{9}C_2}{^{16}C_6}=\frac{45}{286}$

42. अभीष्ट प्रायिकता $= \frac{^{6}C_1}{^{22}C_1}\times\frac{^{11}C_1}{^{21}C_1}=\frac{6}{22}\times\frac{11}{21}=\frac{1}{7}$

43. $\frac{^{5}C_1\times{}^{6}C_2\times{}^{5}C_1}{^{16}C_4}=\frac{5\times15\times5}{5\times364}=\frac{75}{364}$

44. कुल मामले = 36

अनुकूल मामले = 5 [(1, 5) (2, 4) (5, 1) (4, 2) (3, 3)]

$\therefore$ आवश्यक प्रायिकता $= \frac{5}{36}$

45. अभीष्ट प्रायिकता $= \frac{4}{15}\times\frac{9}{20}\times\frac{8}{19}=\frac{24}{475}$

46. नीली गेंदों की संख्या = 3 गेंदें

हरी गेंदों की संख्या = 2 गेंदें

लाल गेंदों की संख्या = 5 गेंदें

बैग में कुल गेंदें = 3 + 2 + 5 = 10

कुल संभावित परिणाम = 10 गेंदों में से 4 गेंदों का चयन $= {}^{10}C_4=\frac{10!}{4!\times(10-4)!}=\frac{10\times9\times8\times7}{1\times2\times3\times4}=210$

अनुकूल परिणाम = (2 गेंदों में से 2 हरी गेंदों का चयन) × (3 नीली गेंदों में से 2 गेंदों का चयन)

$= {}^{2}C2\times{}^{3}C2$

$= 1\times3=3$

$\therefore$ आवश्यक प्रायिकता $= \frac{(\text{अनुकूल परिणाम})}{(\text{कुल संभावित परिणाम})}$

$= \frac{3}{210}=\frac{1}{70}$

47. लक्ष्य भेदने की प्रायिकता:

देव निशाना लगा सकता है $= \frac{3}{6}=\frac{1}{2}$,

लखन निशाना लगा सकता है $= \frac{4}{4}=1$

पवन निशाना लगा सकता है $= \frac{2}{6}=\frac{1}{3}$

आवश्यक संभावना है कि कम से कम 2 शॉट्र्स निशाने पर लगें

$= \frac{1}{2}\times\frac{2}{3}+\frac{1}{2}\times\frac{1}{3}+\frac{1}{2}\times\frac{1}{3}$

$= \frac{1}{3}+\frac{1}{6}+\frac{1}{6}=\frac{4}{6}=\frac{2}{3}$

48. 10 आमों में से 4 आम सड़े हुए हैं

$\therefore$ अभीष्ट प्रायिकता $= \frac{{}^6C_2}{{}^{10}C_2} = \frac{\frac{6!}{2!(6-2)!}}{\frac{10!}{2!(10-2)!}} = \frac{\frac{6!}{2!4!}}{\frac{10!}{2!\times 8!}}$

$$= \frac{\frac{6\times 5}{1\times 2}}{\frac{10\times 9}{1\times 2}} = \frac{6\times 5}{10\times 9} = \frac{1}{3}$$

49. लाल गेंदों की संख्या = 4
पीली गेंदों की संख्या = 5
गुलाबी गेंदों की संख्या = 6
गेंदों की कुल संख्या = 4 + 5 + 6 = 15
कुल संभावित परिणाम = 15 गेंदों में से 2 गेंदों का चयन

$$= {}^{15}C_2 = \frac{15!}{2!(15-2)!} = \frac{15!}{2!\times 13!} = \frac{15\times 14}{1\times 2} = 105$$

कुल अनुकूल परिणाम = 4 नारंगी और 6 गुलाबी गेंदों में से 2 गेंदों का चयन।

$${}^{10}C_2 = \frac{10!}{2!(10-2)!} = \frac{10!}{2!8!} = \frac{10\times 9}{1\times 2} = 45$$

$\therefore$ अभीष्ट प्रायिकता $= \frac{45}{105} = \frac{3}{7}$

50. लाल गेंदों की संख्या = 6
पीली गेंदों की संख्या = 11
गुलाबी गेंदों की संख्या = 5
गेंदों की कुल संख्या = 6 + 11 + 5 = 22
कुल संभावित परिणाम

$$= n(E) = {}^{22}C_2 = \frac{22!}{2!(22-2)!} = \frac{22!}{2!\times 20!}$$

$$= \frac{22\times 21}{2\times 1} = 231$$

अनुकूल परिणामों की संख्या

$$= n(s) = {}^6C_1 \times {}^{11}C_1 = 6\times 11 = 66$$

अभीष्ट प्रायिकता $= \frac{n(E)}{n(S)} = \frac{66}{231} = \frac{2}{7}$

51. लाल गेंदों की संख्या = 4
नीली गेंदों की संख्या = 6
गुलाबी गेंदों की संख्या = 8
गेंदों की कुल संख्या = 4 + 6 + 8 = 18
अभीष्ट प्रायिकता

$$= \frac{4}{18}\times\frac{11}{20} + \frac{6}{18}\times\frac{11}{20}$$

$$= \frac{11}{20}\left[\left(\frac{4}{18}+\frac{6}{18}\right)\right]$$

$$= \frac{11}{20}\times\frac{10}{18} = \frac{11}{36}$$

52. फेस कार्डों की कुल संख्या = 3 × 4 = 12
फेस कार्डों की कुल संख्या = 52
लाल चेहरे वाले कार्ड हटाने के बाद
फेस कार्डों की कुल संख्या = 2 × 3 = 6
अब, कार्डों की कुल संख्या = 52 − 6 = 46
आवश्यक संभाव्यता $= \frac{6}{46} = \frac{3}{23}$

35

त्रिकोणमिति (TRIGONOMETRY)

ऊँचाई तथा दूरी (HEIGHTS & DISTANCES)

सामान्य नियम

1. समकोण ΔABC में माना $\angle BAC = \theta$. तब,

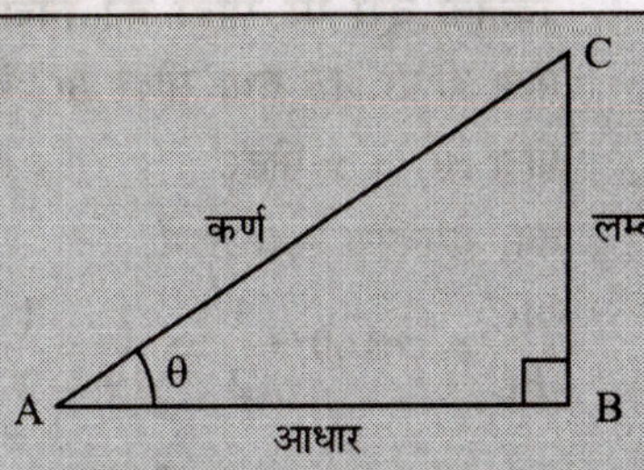

(i) $\sin\theta = \dfrac{BC}{AC} = \dfrac{\text{लम्ब}}{\text{कर्ण}}$.

(ii) $\cos\theta = \dfrac{AB}{AC} = \dfrac{\text{आधार}}{\text{कर्ण}}$.

(iii) $\tan\theta = \dfrac{BC}{AB} = \dfrac{\text{लम्ब}}{\text{आधार}}$.

(iv) $\operatorname{cosec}\theta = \dfrac{1}{\sin\theta}$ (v) $\sec\theta = \dfrac{1}{\cos\theta}$ (vi) $\cot\theta = \dfrac{1}{\tan\theta}$

2. (i) $\sin^2\theta + \cos^2\theta = 1$ (ii) $1 + \tan^2\theta = \sec^2\theta$ (iii) $1 + \cot^2\theta = \operatorname{cosec}^2\theta$

3.

	0°	30°	45°	60°	90°
$\sin\theta$	0	$\frac{1}{2}$	$\frac{1}{\sqrt{2}}$	$\frac{\sqrt{3}}{2}$	1
$\cos\theta$	1	$\frac{\sqrt{3}}{2}$	$\frac{1}{\sqrt{2}}$	$\frac{1}{2}$	0
$\tan\theta$	0	$\frac{1}{\sqrt{3}}$	1	$\sqrt{3}$	परिभाषित नहीं

4. **उन्नयन तथा अवनमन कोण:**

(i) **उन्नयन कोण:** माना OA एक क्षैतिज रेखा है तथा बिन्दु O से कोई व्यक्ति एक वस्तु B को देखता है तो $\angle AOB$ को उन्नयन कोण कहते हैं.

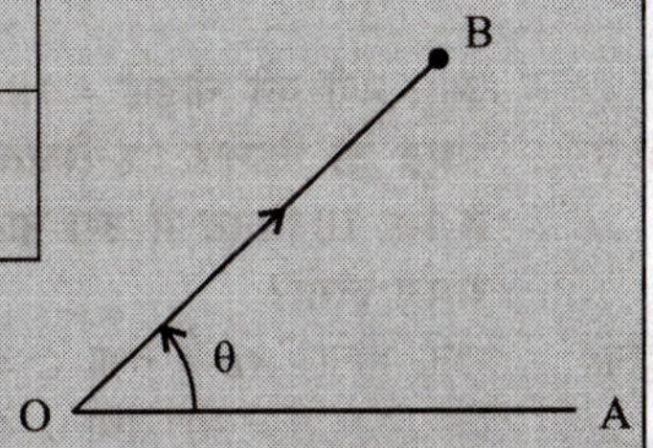

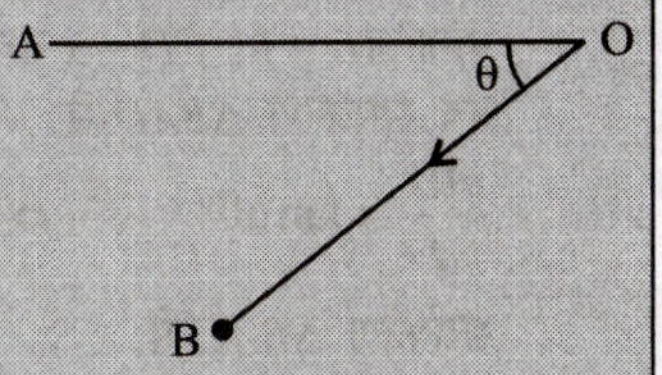

(ii) **अवनमन कोण:** माना OA एक क्षैतिज रेखा तथा बिन्दु O से नीचे की ओर रखी गई किसी वस्तु को कोई व्यक्ति देखता है तो $\angle AOB$ को अवनमन कोण कहते हैं.

साधित उदाहरण

प्रश्न 1. एक बाँस की लम्बाई $2\sqrt{3}$ मीटर है तथा किसी समय इसकी परछाई की लम्बाई 2 मीटर है. उस समय सूर्य का उन्नयन कोण क्या होगा?

हल: माना दिया गया बाँस AB है तथा इसकी परछाई AC है.

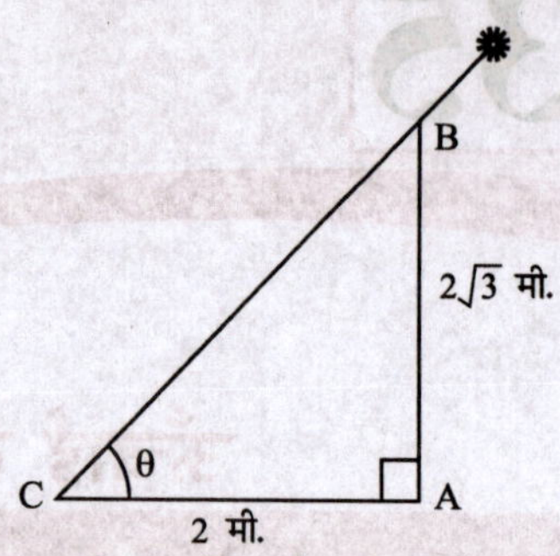

माना सूर्य का उन्नयन कोण = θ.

तब, $AB = 2\sqrt{3}$ मीटर तथा $AC = 2$ मीटर.

समकोण ΔCAB से:

$$\tan\theta = \frac{AB}{AC} = \frac{2\sqrt{3}}{2} = \sqrt{3} = \Rightarrow \theta = 60°.$$

अत: सूर्य का उन्नयन कोण = 60°.

प्रश्न 2. दीवार के सहारे टिकी हुई एक सीढ़ी जमीन से 60° कोण बनाती है. यदि सीढ़ी की लम्बाई 19 मीटर हो, तो दीवार से कितनी दूरी पर सीढ़ी का निचला सिरा टिका है?

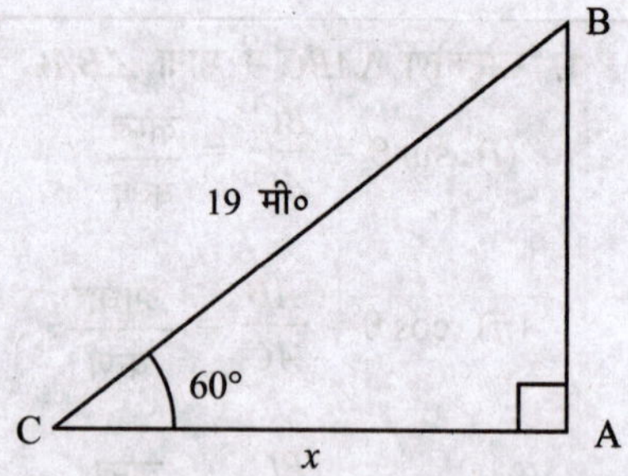

हल: माना दीवार AB तथा सीढ़ी BC है. तब, $BC =$ **19** मी०.

माना $AC = x$ मीटर.

तब, समकोण ΔACB में,

$$\frac{AC}{BC} = \cos 60° = \frac{1}{2} \Rightarrow \frac{x}{19} = \frac{1}{2} \Rightarrow x = \frac{19}{2} = \mathbf{9.5} \text{ मी०}.$$

∴ अभीष्ट दूरी = 9·5 मीटर.

प्रश्न 3. नदी के एक किनारे पर खड़ा हुआ एक व्यक्ति दूसरे किनारे पर खड़े एक वृक्ष की चोटी को देखने पर उन्नयन कोण 60° बनाता है. किनारे से 36 मीटर और अधिक दूर जाने पर यह कोण 30° का बनता है. नदी की चौड़ाई कितनी है?

हल: माना AB पेड़ है तथा AC नदी है. माना व्यक्ति C तथा D से पेड़ की चोटी को देखता है.

दिया है कि $\angle ACB = 60°$, $\angle ADB = 30°$ तथा $CD = 36$ मी०.

माना $AB = h$ तथा $AC = x$.

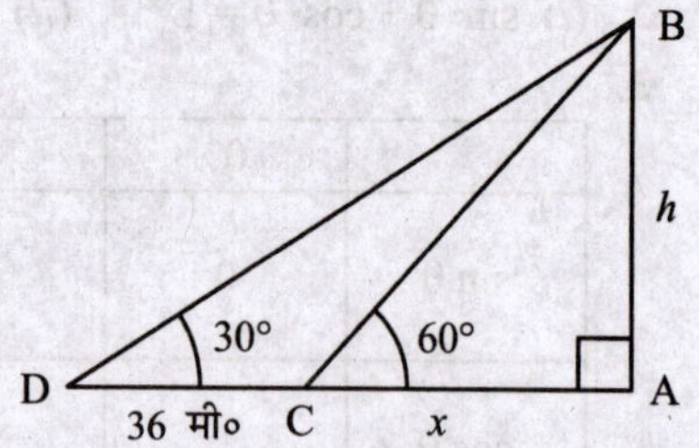

ΔBAC से $\frac{h}{x} = \tan 60° = \sqrt{3} \Rightarrow h = \sqrt{3}x.$

ΔBAD से $\frac{h}{36+x} = \tan 30° = \frac{1}{\sqrt{3}} \Rightarrow h = \frac{36+x}{\sqrt{3}}.$

$\therefore \frac{36+x}{\sqrt{3}} = \sqrt{3}x \Leftrightarrow 36 + x = 3x \Leftrightarrow 2x = 36 \Leftrightarrow x = 18.$

अत: नदी की चौड़ाई = 18 मीटर.

प्रश्न 4. समुद्र के किनारे पर स्थित एक मीनार की चोटी पर बैठा हुआ एक व्यक्ति अपनी ओर आती हुई एक नाव को देखता है कि 10 मिनट में उस नाव का अवनमन कोण 30° से 60° हो जाता है. इस बिन्दु से किनारे तक पहुँचने में नाव कितना समय लेगी?

हल: माना मीनार AB है तथा C और D दो बिन्दु ऐसे हैं कि $\angle ACB = 30°$ तथा $\angle ADB = 60°$.

माना $AB = h$, $CD = x$ तथा $AD = y$.

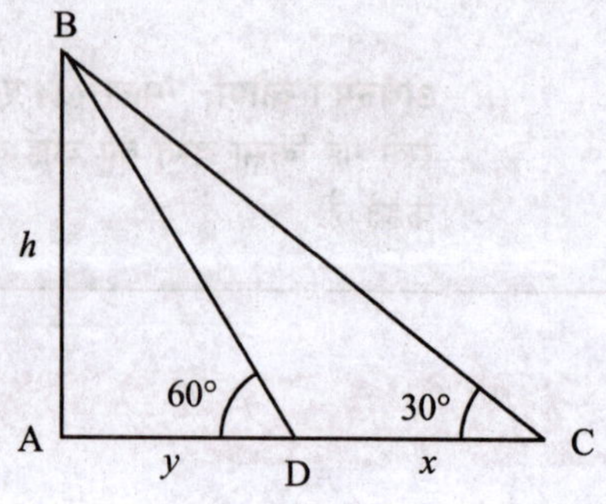

तब समकोण ΔBAD से,

$$\frac{AB}{AD} = \tan 60° = \sqrt{3} \Rightarrow \frac{h}{y} = \sqrt{3} \Rightarrow y = \frac{h}{\sqrt{3}} \quad ...(i)$$

समकोण ΔBAC से,

$$\frac{AB}{AC} = \tan 30° = \frac{1}{\sqrt{3}} \Rightarrow \frac{h}{x+y} = \frac{1}{\sqrt{3}} \Rightarrow x + y = h\sqrt{3} \quad ...(ii)$$

$$\therefore x = (x + y - y) = h\sqrt{3} - \frac{h}{\sqrt{3}} = \frac{2h}{\sqrt{3}}.$$

अब, $\frac{2h}{\sqrt{3}}$ दूरी तय करने में लगते हैं = 10 मिनट.

$\therefore \frac{h}{\sqrt{3}}$ दूरी तय करने में लगेंगे = $\left(10 \times \frac{\sqrt{3}}{2h} \times \frac{h}{\sqrt{3}}\right)$ मिनट = 5 मिनट.

प्रश्नमाला 35

नीचे दिये प्रत्येक प्रश्न में ठीक उत्तर को चिह्नांकित (✓) कीजिए:

1. किसी समय पर एक पेड़ की परछाई की लम्बाई पेड़ की लम्बाई का $\sqrt{3}$ गुना है. उस समय सूर्य का उन्नयन कोण कितना होगा? **(रेलवे परीक्षा, 2013)**

(a) 30° (b) 45°
(c) 60° (d) 90°

2. समतल भूमि पर स्थित एक मीनार 100 मीटर ऊँची है. इसकी तली में कुछ दूरी पर स्थित बिन्दु P से मीनार की चोटी का उन्नयन कोण 30° है. मीनार की तली से बिन्दु P की दूरी कितनी है? **(रेलवे परीक्षा, 2012)**

(a) 149 मीटर (b) 156 मीटर
(c) 173 मीटर (d) 200 मीटर

3. एक दीवार के साथ लगी हुई सीढ़ी का उन्नयन कोण 60° है तथा सीढ़ी के पाद की दीवार से दूरी 4·6 मीटर है. इस सीढ़ी की लम्बाई कितनी है?

(a) 2·3 मीटर (b) 4·6 मीटर
(c) 7·8 मीटर (d) 9·2 मीटर

4. 60 मीटर ऊँचे एक भवन की चोटी से एक मीनार के शीर्ष और पाद के अवनमन कोण क्रमशः 30° तथा 60° हैं. मीनार की ऊँचाई कितनी है? **(मैनेजमैन्ट परीक्षा, 2015)**

(a) 30 मीटर (b) 35 मीटर
(c) 40 मीटर (d) 45 मीटर

5. एक पर्यवेक्षक जिसकी ऊँचाई 1·6 मीटर है, एक मीनार से $20\sqrt{3}$ मीटर दूरी पर खड़ा है. मीनार की शिखर को देखने पर 30° का उन्नयन कोण बनता है. मीनार की ऊँचाई कितनी है?

(a) 21·6 मीटर (b) 23·2 मीटर
(c) 24·72 मीटर (d) इनमें से कोई नहीं

6. समुद्र में स्थित एक प्रकाशस्तम्भ के दोनों ओर से दो नावें इसकी ओर आ रही हैं. दोनों नावों से प्रकाशस्तम्भ की चोटी देखने पर क्रमशः 30° तथा 45° के उन्नयन कोण बनते हैं. यदि प्रकाशस्तम्भ की ऊँचाई 100 मीटर हो, तो दोनों नावों के बीच की दूरी कितनी है?

(a) 173 मीटर (b) 200 मीटर
(c) 273 मीटर (d) 300 मीटर

7. एक मीनार से कुछ दूरी पर स्थित किसी बिन्दु से इस मीनार की चोटी का उन्नयन कोण 30° है. इस बिन्दु से मीनार की ओर 20 मीटर दूरी तय करने पर प्राप्त बिन्दु से इस चोटी का उन्नयन कोण पहले से 15° अधिक है. मीनार की ऊँचाई कितनी है?

(a) 17·3 मीटर (b) 21·9 मीटर
(c) 27·3 मीटर (d) 30 मीटर

8. किसी बिन्दु P से एक व्यक्ति एक मीनार की चोटी को देखता है, जो 30° के उन्नयन कोण पर स्थित है. कुछ दूर मीनार की ओर चलने के बाद स्थित बिन्दु से मीनार की चोटी का उन्नयन कोण 60° है. मीनार के आधार से बिन्दु P की दूरी कितनी है?

(a) $4\sqrt{3}$ इकाई (b) 8 इकाई
(c) 12 इकाई (d) अपर्याप्त आँकड़े
(e) इनमें से कोई नहीं

9. 15 मीटर ऊँची एक मीनार के ऊपरी बिन्दु से एक बिजली के खम्भे के निचले सिरे पर 60° तथा ऊपरी सिरे पर 30° के अवनमन कोण बनते हैं. बिजली के खम्भे की ऊँचाई कितनी है?

(a) 5 मीटर (b) 8 मीटर
(c) 10 मीटर (d) 12 मीटर
(e) इनमें से कोई नहीं

10. एक मीनार के एक ही ओर दो विभिन्न बिन्दुओं A तथा B पर दो वस्तुयें रखी हैं. मीनार की चोटी से देखने पर इन वस्तुओं के अवनमन कोण क्रमशः 45° तथा 60° हैं. यदि मीनार की ऊँचाई 150 मीटर हो, तो A तथा B के बीच की दूरी कितनी है? (दिया है $\sqrt{3} = 1·732$)

(a) 63·4 मीटर (b) 76·9 मीटर
(c) 86·7 मीटर (d) 90 मीटर

11. $\sqrt{\dfrac{1+\cos\theta}{1-\cos\theta}}+\sqrt{\dfrac{1-\cos\theta}{1+\cos\theta}}$ का मान ज्ञात करें।

(दिल्ली मेट्रो रेल कॉर्पोरेशन सी.आर.ए. परीक्षा, 2017)

(a) $\operatorname{cosec}\theta$ (b) $\sec\theta$
(c) $2\operatorname{cosec}\theta$ (d) $2\sec\theta$

12. 1.6 मीटर लंबा एक प्रेक्षक किसी मीनार से $20\sqrt{3}$ मीटर की दूरी पर है। उसकी आंख से मीनार के शीर्ष का उन्नयन कोण 30 डिग्री है। मीनार की ऊंचाई कितनी है?

(दिल्ली मेट्रो रेल कॉर्पोरेशन सी.आर.ए. परीक्षा, 2017)

(a) 24.6 मीटर (b) 22.6 मीटर
(c) 23.6 मीटर (d) 21.6 मीटर

13. $\sqrt{\dfrac{1+\cos\theta}{1-\cos\theta}}$ का मान है

(दिल्ली मेट्रो रेल कॉर्पोरेशन सी.आर.ए. परीक्षा, 2017)

(a) $\operatorname{cosec}\theta-\cot\theta$ (b) $\operatorname{cosec}^2\theta+\cot^2\theta$
(c) $\operatorname{cosec}\theta+\cot\theta$ (d) $\operatorname{cosec}^2\theta-\cot^2\theta$

14. कोई व्यक्ति मीनार के ऊपर से मीनार से दूर जाते हुए, एक गतिशील बोट को देख रहा है। बोट के मीनार से 70 मीटर दूर जाने पर व्यक्ति की आंख से बोट का अवनमन कोण 60 डिग्री बनता है। 10 सेकंड के बाद, अवनमन कोण 45 डिग्री बन जाता है। यदि वह शांत जल में चल रहा है, तो बोट की अनुमानित चाल कितनी है?

(दिल्ली मेट्रो रेल कॉर्पोरेशन सी.आर.ए. परीक्षा, 2017)

(*a*) 18.4 किमी./घंटा (*b*) 49 किमी./घंटा
(*c*) 53 किमी./घंटा (*d*) 51 किमी.घंटा

15. यदि $(\sec A - \cos A)(\sec A + \cos A) = x$, तो x का मान क्या है?
(एस.एस.सी. सी.एच.एस.एल. (10+2) ग्रेड-टियर-I (सी.बी.ई.) परीक्षा, 2017),
(*a*) $\cos^2 A + \cot^2 A$ (*b*) $\sin^2 A + \tan^2 A$
(*c*) $\sin^2 A - \tan^2 A$ (*d*) $\cos^2 A - \cot^2 A$

16. यदि $\cot 3A = x$, तो x का मान क्या है?
(एस.एस.सी. सी.एच.एस.एल. (10+2) ग्रेड-टियर I (सी.बी.ई.) परीक्षा, 2017,
(*a*) $(3\cot A + \cot^3 A)/(1 + 3\cot^2 A)$
(*b*) $(3\cot A - \cot^3 A)/(1 + 3\cot^2 A)$
(*c*) $(3\cot A + \cot^3 A)/(1 - 3\cot^2 A)$
(*d*) $(3\cot A - \cot^3 A)/(1 - 3\cot^2 A)$

17. $\sin 135°$ का मान क्या है?
(एस.एस.सी. सी.एच.एस.एल. (10+2) ग्रेड-टियर-I (सी.बी.ई.) परीक्षा, 2017)
(*a*) $\frac{1}{\sqrt{2}}$ (*b*) $\frac{1}{\sqrt{2}}$
(*c*) $\frac{2}{\sqrt{3}}$ (*d*) $\frac{-2}{\sqrt{3}}$

18. यदि $\frac{1}{(1+\sin A)} + \frac{1}{(1-\sin A)} = x$, तो x का मान क्या है?
(एस.एस.सी. सी.एच.एस.एल. (10+2) ग्रेड-टियर-I (सी.बी.ई.) परीक्षा, 2017)
(*a*) $2\operatorname{cosec}^2 A$ (*b*) $2\sec^2 A$
(*c*) $2\operatorname{cosec} A$ (*d*) $2\sec A$

19. यदि $\frac{1}{(\tan A + \cot A)} = x$, तो x का मान क्या है?
(एस.एस.सी. सी.एच.एस.एल. (10+2) ग्रेड-टियर- I सी.बी.ई. परीक्षा, 2017)
(*a*) $\cos A \sin A$ (*b*) $\cos^2 A \sin^2 A$
(*c*) $\operatorname{cosec} A \sec A$ (*d*) $\operatorname{cosec}^2 A \sec^2 A$

20. $\text{Sin}\left(\frac{11\pi}{6}\right)$ का मान क्या है?
(एस.एस.सी. सी.एच.एस.एल. (10+2) ग्रेड-टियर- I सी.बी.ई. परीक्षा, 2017)
(*a*) $\frac{2}{\sqrt{3}}$ (*b*) $\frac{-2}{\sqrt{3}}$
(*c*) $\frac{-1}{2}$ (*d*) $\frac{1}{2}$

21. यदि $\sin C - \sin D = x$, तो x का मान क्या है?
(एस.एस.सी. सी.एच.एस.एल. (10+2) ग्रेड-टियर- I सी.बी.ई. परीक्षा, 2017)
(*a*) $2\sin\left[\frac{C+D}{2}\right]\cos\left[\frac{(C-D)}{2}\right]$
(*b*) $2\cos\left[\frac{C+D}{2}\right]\cos\left[\frac{(C-D)}{2}\right]$
(*c*) $2\cos\left[\frac{(C+D)}{2}\right]\sin\left[\frac{(C-D)}{2}\right]$
(*d*) $2\sin\left[\frac{(C+D)}{2}\right]\sin\left[\frac{(D-C)}{2}\right]$

22. यदि $\sec A + \tan A - a$ हो तो $\cos A$ का मान होगा।
(एस.एस.सी. संयुक्त स्नातक स्तर ग्रेड-टियर-II (सी.बी.ई.) परीक्षा, 2017)
(*a*) $\frac{a^2+1}{2a}$ (*b*) $\frac{2a}{a^2+1}$
(*c*) $\frac{a^2-1}{2a}$ (*d*) $\frac{2a}{a^2-1}$

23. यदि $\sin P + \operatorname{cosec} P = 2$ हो, तो $\sin^7 P + \operatorname{cosec}^7 P$ का मान होगा?
(एस.एस.सी. संयुक्त स्नातक स्तर ग्रेड-टियर-II (सी.बी.ई.) परीक्षा, 2017)
(*a*) 1 (*b*) 2
(*c*) 3 (*d*) 0

24. यदि $\cos x.\cos y + \sin x.\sin y = -1$ हो, तो $\cos x + \cos y$ का मान होगा।
(एस.एस.सी. संयुक्त स्नातक स्तर ग्रेड-टियर-II (सी.बी.ई.) परीक्षा, 2017)
(*a*) –2 (*b*) 1
(*c*) 0 (*d*) 2

25. व्यंजक $2(\sin^6\theta + \cos^6\theta) - 3(\sin^4\theta + \cos^4\theta) + 1$ का मान होगा।
(एस.एस.सी. संयुक्त स्नातक स्तर ग्रेड-टियर-II (सी.बी.ई.) परीक्षा, 2017)
(*a*) –1 (*b*) 0
(*c*) 1 (*d*) 2

26. यदि $\cos\theta = \frac{x^2-y^2}{x^2+y^2}$ हो तो $\cot\theta$ का मान किसके बराबर होगा? [यदि $0 \le \theta \le 90^0$]
(एस.एस.सी. संयुक्त स्नातक स्तर ग्रेड-टियर-II (सी.बी.ई.) परीक्षा, 2017)
(*a*) $\frac{2xy}{x^2-y^2}$ (*b*) $\frac{2xy}{x^2+y^2}$
(*c*) $\frac{x^2+y^2}{2xy}$ (*d*) $\frac{x^2-y^2}{2xy}$

27. $5\sqrt{3}\cos60° \tan30° - 3\cos0° + 3\cos45° + 2\sin60°$ का मान क्या होगा? एसएससी सीजीएल 25/07/2023 (Shift-03)
(a) $2\sqrt{3}$ (b) 2.5 (c) 3.5 (d) $3\sqrt{2}$

28. यदि $\frac{21\cos A + 3\sin A}{3\cos A + 4\sin A} = 2$, है, तो cot A का मान ज्ञात कीजिए। एसएससी सीजीएल 26/07/2023 (Shift-02)
(a) $\frac{9}{11}$ (b) $\frac{11}{9}$ (c) $\frac{1}{3}$ (d) $\frac{11}{10}$

29. यदि $\cos x + \sec x = \frac{7}{2\sqrt{3}}$ है. तो $\cos^2 x + \sec^2 x$ का मान ज्ञात कीजिए। एसएससी सीजीएल 26/07/2023 (Shift-03)
(a) $\frac{15}{12}$ (b) $\frac{10}{12}$ (c) $\frac{25}{10}$ (d) $\frac{25}{12}$

30. $\frac{\cos^2 15° - \sin^2 15°}{\cos^2 145° + \sin^2 145°}$ का मान ज्ञात कीजिए। एसएससी सीजीएल 26/07/2023 (Shift-03)
(a) $\frac{1}{\sqrt{3}}$ (b) $\frac{1}{1-\sqrt{3}}$ (c) $\frac{\sqrt{3}}{2}$ (d) $\frac{2}{\sqrt{3}}$

31. यदि $\tan A = \frac{3}{8}$ है, तो $\frac{3\sin A + 2\cos A}{3\sin A - 2\cos A}$ का मान क्या होगा? एसएससी सीजीएल 26/07/2023 (Shift-03)
(a) $-\frac{13}{25}$ (b) $-\frac{25}{7}$ (c) $\frac{25}{8}$ (d) $\frac{13}{21}$

32. tan4384° + cot6814° का मान ज्ञात कीजिए। एसएससी सीजीएल 26/07/2023 (Shift-03)
(a) -1 (b) 2 (c) 0 (d) 1

33. यदि A = 22.5° है, तो $(10\sqrt{2}\sin2A - 7\sqrt{2}\cos2A + 9\tan2A)$? का मान क्या होगा? एसएससी सीजीएल 26/07/2023 (Shift-04
(a) 12 (b) 15 (c) 10 (d) 6

34. $\tan\frac{\theta}{2}$ का मान क्या है? एसएससी सीजीएल 26/07/2023 (Shift-04)
(a) $\frac{\cos\theta}{1-\sin\theta}$ (b) $\frac{\sin\theta}{1-\cos\theta}$ (c) $\frac{\cos\theta}{1-\cos\theta}$ (d) $\frac{\sin\theta}{1+\cos\theta}$

35. sin600°cos750°+sin150°cos240° = ? एसएससी सीजीएल 26/07/2023 (Shift-04)
(a) $\frac{2}{3}$ (b) 1 (c) $\frac{1}{2}$ (d) -1

36. यदि 3x = secA और $\frac{3}{x} = \tan A$ है, तो $9\left(x^2 - \frac{1}{x^2}\right)$ का मान क्या है? एसएससी सीजीएल 27/07/2023 (Shift-02)
(a) 3 (b) 9 (c) 1 (d) $\frac{1}{9}$

37. यदि secA + tanA = 5 है, तो sinA किसके बराबर है? एसएससी सीजीएल 27/07/2023 (Shift-02)
(a) $\frac{5}{13}$ (b) $\frac{5}{12}$ (c) $\frac{13}{12}$ (d) $\frac{12}{13}$

38. यदि $\tan^4\theta + \tan^2\theta = 1$, तो $11(\cos^4\theta + \cos^2\theta)$ का मान क्या होगा? एसएससी सीजीएल 27/07/2023 (Shift-03)
(a) -11 (b) 8 (c) 0 (d) 11

39. निम्नलिखित का मान ज्ञात कीजिए।
$\sqrt{2\sqrt{2+\sqrt{2+2\cos8\theta}}}$
एसएससी सीजीएल 27/07/2023 (Shift-03)
(a) $2\cos\theta$ (b) $2\cos^2\theta$ (c) $\sin^2\theta$ (d) $\cos^2\theta$

40. सरल कीजिए। $\frac{\cos45°}{\sec30° + \operatorname{cosec}30°}$ एसएससी सीजीएल 01/12/2022 (Shift-01)
(a) $\frac{3\sqrt{2}+\sqrt{6}}{8}$ (b) $\frac{\sqrt{3}}{2\sqrt{2}-2\sqrt{6}}$
(c) $\frac{3\sqrt{2}-\sqrt{6}}{8}$ (d) $\frac{\sqrt{3}}{2\sqrt{6}-2\sqrt{2}}$

41. यदि θ एक न्यून कोण है और sinθ + cosecθ = 2 है, तो $\sin^5\theta + \operatorname{cosec}^5\theta$ का मान है: एसएससी सीपीओ 03/10/2023 (Shift-01)
(a) 10 (b) 2 (c) 4 (d) 5

42. यदि $\tan A = \frac{4}{3}, 0 \le A \le 90°$ है, तो sinA का मान ज्ञात कीजिए। एसएससी सीपीओ 03/10/2023 (Shift-01)
(a) $\frac{3}{5}$ (b) 1 (c) $\frac{3}{4}$ (d) $\frac{4}{5}$

43. यदि cosθ - sinθ = √2 sinθ, तो (cosθ + sinθ) है: एसएससी सीपीओ 03/10/2023 (Shift-01)
(a) -√2 cos θ (b) √2 cos θ (c) √2 tan θ (d) -√2 sin θ

44. $(\tan^2\theta + \tan^4\theta)$ का मान ज्ञात कीजिए। एसएससी सीपीओ 03/10/2023 (Shift-01)
(a) $\cot^2\theta - \tan^2\theta$ (b) $\sec^4\theta - \sec^2\theta$
(c) $\sec^2\theta - \sec^4\theta$ (d) $\sec^4\theta + \sec^2\theta$

45. किसी टावर के शीर्ष से, 10 मी ऊँची बिल्डिंग के शीर्ष का अवनमन कोण 60° है। यदि टावर और बिल्डिंग के बीच की दूरी 50√3 मी है, तो उस टावर की ऊँचाई ज्ञात कीजिए। एसएससी सीजीएल 26/10/2023
(a) 140 मी. (b) 100 मी. (c) 150 मी. (d) 160 मी.

46. 150 मी. चौड़ी एक सड़क के दोनों ओर समान ऊँचाई वाले दो खभें लगे हुए हैं। इन खभों के बीच, सड़क के एक बिंदु से खभों के उन्नयन कोण x° और y° इस प्रकार हैं कि $\tan x° = \frac{2}{5}, \tan y° = \frac{3}{5}$ तो प्रत्येक खंभे की ऊँचाई होगी: एसएससी सीजीएल 26/10/2023
(a) 39 मी. (b) 42 मी. (c) 36 मी. (d) 33 मी.

47. दूर खड़ा एक व्यक्ति 1000 मी. की ऊँचाई वाली इमारत को

देखता है। इमारत के शीर्ष और जमीन के बीच में कोण 30° है। यह व्यक्ति इमारत से लगभग कितनी दूरी (मीटर में) पर खड़ा है? एसएसी सीजीएल 17/07/2023 (Shift-04)

(*a*) 1000 (*b*) 936 (*c*) 1732 (*d*) 1542

48. 28 मी. ऊँचाई के एक ऊर्ध्वाधर खभे की छाया की लंबाई 19.2 मी. है। उसी समय पर, 52.5 मी. ऊँचाई के एक अन्य खम्भे की छाया की लंबाई ज्ञात करें।

एसएसी सीजीएल 20/07/2023 (Shift-04)

(*a*) 36 मी. (*b*) 35 मी. (*c*) 40 मी. (*d*) 30 मी.

49. एक अधूरी मीनार के आधार से 78 मी. की दूरी से अधूरी मीनार के शिखर का उन्नयन कोण 30° है। मीनार को कितना ऊँचा (मी. में) बनाया जाना चाहिए ताकि उसी बिंदु से तैयार मीनार के शिखर का उन्नयन कोण 60° हो जाए?

(एसएससी सीजीएल परीक्षा, 2022)

(*a*) $52\sqrt{3}$ (*b*) $26\sqrt{3}$ (*c*) 80 (*d*) $78\sqrt{3}$

50. A और B किसी पेड़ के एक ही तरफ स्थित दो बिंदु हैं, जिनके बीच की दूरी 50 मीटर है। इन बिन्दुओं से पेड़ की चोटी के उन्नयन कोण क्रमशः 60° और 30° है। पेड़ की ऊँचाई का 40% (मीटर में) कितना है?

(एसएससी सीजीएल परीक्षा, 2022)

(*a*) $10\sqrt{3}$ (*b*) $15\sqrt{3}$ (*c*) $5\sqrt{3}$ (*d*) $25\sqrt{3}$

51. 3.5 मी. लंबाई की एक सीढ़ी एक दीवार के शीर्ष तक पहुँचती है। यदि सीढ़ी दीवार से 60° का कोण बनाती है, तो दीवार की ऊँचाई (मी. में) क्या है?

(एसएससी सीजीएल परीक्षा, 2022)

(*a*) $\frac{7\sqrt{3}}{4}$ (*b*) 1.75 (*c*) $3.5\sqrt{3}$ (*d*) $\frac{3.5}{\sqrt{3}}$

52. एक 18 मी. लंबी सीढ़ी किसी दीवार के सहारे ऐसे टिकी हुई है कि सीढ़ी और दीवार के बीच का कोण 30° है। सीढ़ी का आधार दीवार से कितनी दूर (मीटर में) है?

(एसएससी सीजीएल परीक्षा, 2022)

(*a*) 9 (*b*) $9\sqrt{3}$ (*c*) 18 (*d*) $18\sqrt{3}$

53. यदि $x^4 - 79x^2 + 1 = 0$ है, तो $x + x^{-1}$ का मान लगभग कितना होगा? (एसएससी सीजीएल परीक्षा, 2022)

(*a*) 7 (*b*) 5 (*c*) 9 (*d*) 8

54. जब सूर्य का उन्नयन कोण 45° से 30° हो जाता है, तो समतल भूमि पर एक ऊर्ध्वाधर मीनार की छाया की लंबाई 8.4 मीटर बढ़ जाती है। मीनार की ऊँचाई (मीटर में) कितनी है?

(एसएससी सीजीएल परीक्षा, 2022)

(*a*) $4.2(\sqrt{3}+1)$ मीटर (*b*) $8.4(\sqrt{3}+3)$ मीटर
(*c*) $4.2(\sqrt{3}-1)$ मीटर (*d*) $4.2(\sqrt{3}+3)$ मीटर

55. एक मकान के ऊपर एक खंभा खड़ा है। घर की ऊंचाई 25 मीटर है। बिंदु P से घर के शीर्ष का उन्नयन कोण 45° है और P से खंभे के शीर्ष का उन्नयन कोण 60° है। बिंदु P जमीन पर है। खंभे की ऊंचाई (मीटर में) कितनी है?

[एसएससी सीजीएल टियर-2 सीबीई परीक्षा, 2018]

(*a*) $10(\sqrt{3}+1)$ (*b*) $15(\sqrt{3}+1)$
(*c*) $25(\sqrt{3}-1)$ (*d*) $20(\sqrt{3}-1)$

56. दो मीनारों P और Q के ठीक मध्य में एक बिंदु से, उनके शिखरों के उन्नयन कोण क्रमशः 30° और 60° हैं। P की ऊंचाई का Q की ऊंचाई से अनुपात है

[एसएससी सीजीएल टियर-2 सीबीई परीक्षा, 2018, 2019]

(*a*) 1 : 3 (*b*) 1 : 2 (*c*) $1:2\sqrt{3}$ (*d*) $2:3\sqrt{3}$

57. P और Q एक खंभे के दोनों ओर जमीन पर स्थित दो बिंदु हैं। P और Q से देखे गए खंभे के शीर्ष के उन्नयन कोण क्रमशः 60° और 30° हैं और उनके बीच की दूरी $84\sqrt{3}$ मीटर है। खंभे की ऊंचाई (मीटर में) कितनी है?

[एसएससी सीजीएल टियर-2 सीबीई परीक्षा, 2018]

(*a*) 63 (*b*) 73.5 (*c*) 52.5 (*d*) 60

58. एक पतंग यदि 123 मीटर की ऊँचाई पर उड़ रही हो। इससे जुड़ा धागा सीधा खिंचा हुआ है (माना लें) और समतल जमीन से 60° का कोण बनाता है। धागा की लंबाई है (पूर्ण संख्या के निकटतम):

[एसएससी सीएपीएफ एसआई, दिल्ली पुलिस एसआई और सीआईएसएफ एएसआई परीक्षा, 2020]

(*a*) 140 मीटर (*b*) 139 मीटर
(*c*) 142 मीटर (*d*) 138 मीटर

59. एक पहाड़ की चट्टान 180 मीटर ऊँची है और चट्टान के दोनों ओर दो जहाजों के अवनमन कोण 30° और 60° हैं। दोनों जहाजों के बीच की दूरी कितनी है?

[एसएससी सीएपीएफ (सीपीओ) एसआई और एएसआई, दिल्ली पुलिस परीक्षा, 2016]

(*a*) 400 मीटर (*b*) $400\sqrt{3}$ मीटर
(*c*) 415.65 मीटर (*d*) 398.6 मीटर

60. 60 मीटर ऊँचे भवन के शिखर से एक मीनार के शीर्ष और तल के अवनमन कोण क्रमशः 30° और 60° हैं। मीनार की ऊंचाई मीटर में है

[एसएससी सीजीएल टियर-1 सीबीई परीक्षा, 2016]

(*a*) 40 (*b*) 45 (*c*) 50 (*d*) 55

61. एक मीनार के शीर्ष से, उसके एक ही ओर जमीन पर स्थित दो वस्तुओं के अवनमन कोण क्रमशः 60° और 30° हैं और वस्तुओं के बीच की दूरी $400\sqrt{3}$ मीटर है। मीनार की ऊँचाई (मीटर में) है [एसएससी सीजीएल टियर-2 सीबीई परीक्षा, 2019]

(*a*) 800 (*b*) $800\sqrt{3}$ (*c*) 600 (*d*) $600\sqrt{3}$

62. एक दीवार से लगी हुई सीढ़ी का उन्नयन कोण 60° है और सीढ़ी का निचला सिरा दीवार से 4.6 मीटर की दूरी पर है। सीढ़ी की लंबाई है:

(*a*) 2.3 मीटर (*b*) 4.6 मीटर
(*c*) 7.8 मीटर (*d*) 9.2 मीटर

63. 1.6 मीटर लंबा एक पर्यवेक्षक एक टावर से $20\sqrt{3}$ मीटर दूर है। उसकी आँख से मीनार के शिखर का उन्नयन कोण 30° है। टॉवर की ऊंचाई है:

(a) 21.6 मीटर (c) 24.72 मीटर
(b) 23.2 मीटर (d) इनमें से कोई नहीं

64. एक लाइटहाउस के दोनों ओर समुद्र में दो जहाज चल रहे हैं। दो जहाजों से प्रकाशस्तंभ के शीर्ष के उन्नयन कोण क्रमशः 30° और 45° हैं। यदि लाइटहाउस 100 मीटर ऊंचा है, तो दो जहाजों के बीच की दूरी है

(a) 173 मीटर (b) 200 मीटर
(c) 273 मीटर (d) 300 मीटर

65. एक आदमी एक टावर के ऊपर से एक नाव को तेजी से टावर से दूर जाते हुए देखता है। टावर से 60 मीटर की दूरी पर नाव आदमी की आंख से 45° का अवनमन कोण बनाती है। 5 सेकंड के बाद अवनमन कोण 30° हो जाता है। नाव की अनुमानित गति क्या है, यह मानते हुए कि यह शांत जल में चल रही है?

(a) 32 किमी प्रति घंटे (b) 36 किमी प्रति घंटे
(c) 38 किमी प्रति घंटे (d) 40 किमी प्रति घंटे
(e) 42 किमी प्रति घंटे

66. किसी मीनार के एक ही ओर दो वस्तुएँ स्थित हैं। मीनार के शीर्ष से देखने पर उनके अवनमन कोण 45° और 60° हैं। यदि मीनार की ऊँचाई 150 मीटर है, तो वस्तुओं के बीच की दूरी है

(a) 63.5 मीटर (b) 76.9 मीटर
(c) 86.7 मीटर (d) 90 मीटर

67. एक टावर के आधार से 70 मीटर की दूरी पर स्थित बिंदु का अवनमन कोण 60° है। टावर की ऊंचाई है

(a) $35\sqrt{3}$ मी (b) $70\sqrt{3}$ मी
(c) $\frac{70\sqrt{3}}{3}$ मी (d) 70 मी

68. जमीन पर F के साथ TF एक टावर है। A से T का उन्नयन कोण $x°$ इस प्रकार है कि $\tan x° = \frac{2}{5}$ और $AF = 200$ मी. निकटवर्ती बिंदु B से T का उन्नयन कोण $y°$ है एवं $BF = 80$ मी है। $y°$ का मान है

[एसएससी-सीएचएसएल (10+2) परीक्षा, 2015]

(a) 75° (b) 45° (c) 60° (d) 30°

69. एक लड़का मीनार के शीर्ष पर खड़ा है और दूसरा लड़का मीनार के पाद से कुछ दूरी पर जमीन पर है, तो लड़कों के बीच उन्नयन और अवनमन का कोण क्या होगा जब दोनों एक-दूसरे को देखते हैं [क्लैट, 2016]

(a) बराबर
(b) उन्नयन कोण अधिक होगा
(c) संबंध स्थापित नहीं की जा सकती
(d) अवनमन कोण अधिक होगा

70. एक टावर के आधार से एक ही सीधी रेखा में क्रमशः m^2 और n^2 दूरी पर स्थित दो बिंदुओं P और Q से टावर के शीर्ष के उन्नयन कोण पूरक हैं। मीनार की ऊँचाई है

[सीडीएस, 2016]

(a) $(mn)^{1/2}$ (b) $mn^{1/2}$ (c) $m^{1/2}n$ (d) mn

71. एक झील के 200 मीटर ऊपर एक बिंदु से एक बादल का उन्नयन कोण 30° है और झील में इसके प्रतिबिंब का अवनमन कोण 60° है। बादल की ऊंचाई है [सीडीएस, 2016]

(a) 200 मीटर (b) 300 मीटर
(c) 400 मीटर (d) 600 मीटर

72. एक मीनार के शीर्ष से, दो वस्तुओं P और Q (मीनार के एक ही तरफ जमीन पर स्थित) के अवनमन कोण $(3-\sqrt{3})$ मीटर की दूरी पर अलग-अलग क्रमशः 45° और 60° हैं। मीनार की ऊँचाई है [सीडीएस, 2016]

(a) 200 मीटर (b) 250 मीटर
(c) 300 मीटर (d) इनमें से कोई नहीं

73. यदि एक 30 मीटर की सीढ़ी को 15 मीटर की दीवार के साथ इस तरह रखा जाता है कि यह दीवार के ठीक ऊपर पहुँचती है, तो दीवार की ऊँचाई है

[डीएमआरसी (सीआरए) परीक्षा, 2016]

(a) 45° (b) 30° (c) 60° (d) 50°

उत्तरमाला

1. (a)	2. (c)	3. (d)	4. (c)	5. (a)	6. (c)	7. (c)	8. (d)	9. (c)	10. (a)
11. (c)	12. (d)	13. (c)	14. (a)	15. (b)	16. (c)	17. (a)	18. (b)	19. (a)	20. (c)
21. (c)	22. (b)	23. (b)	24. (c)	25. (b)	26. (b)	27. (c)	28. (d)	29. (d)	30. (b)
31. (c)	32. (a)	33. (d)	34. (d)	35. (c)	36. (d)	37. (d)	38. (a)	39. (c)	40. (b)
41. (d)	42. (b)	43. (b)	44. (d)	45. (c)	46. (c)	47. (a)	48. (d)	49. (a)	50. (a)
51. (b)	52. (a)	53. (c)	54. (c)	55. (c)	56. (a)	57. (a)	58. (c)	59. (c)	60. (a)
61. (c)	62. (d)	63. (a)	64. (c)	65. (a)	66. (a)	67. (b)	68. (b)	69. (a)	70. (d)
71. (a)	72. (c)	73. (b)							

दिये गये प्रश्नों के हल

1. माना पेड़ AB की परछाई AC है।

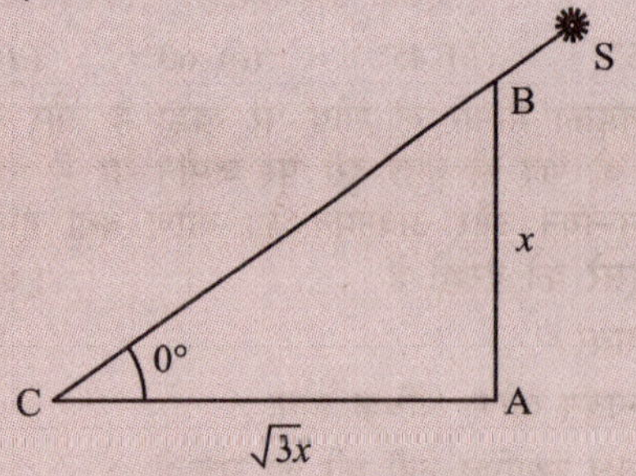

माना $AB = x$ मीटर. तब, $AC = \sqrt{3}x$ मीटर.

माना $\angle ACB = \theta°$.

$$\frac{AB}{AC} = \tan\theta \Rightarrow \tan\theta = \frac{x}{\sqrt{3}x} = \frac{1}{\sqrt{3}} \Rightarrow \theta = 30°.$$

2. माना मीनार $AB = 100$ मीटर तथा दिया गया बिन्दु C है।

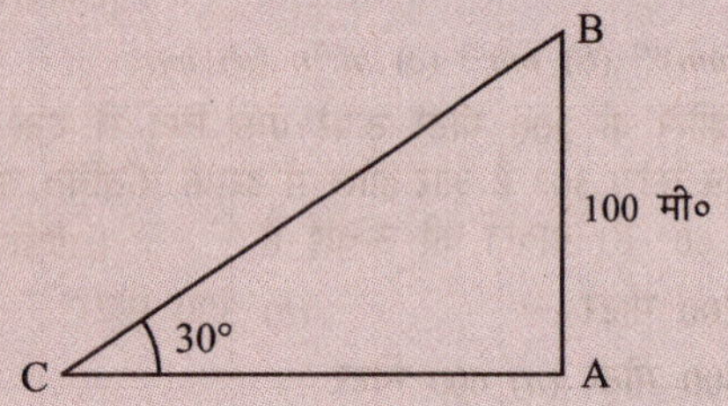

तब, $\angle ACB = = 30°$.

$$\therefore \quad \frac{AC}{AB} = \cot 30° = \sqrt{3}$$

$$\Rightarrow \quad \frac{AC}{100} = \sqrt{3} = 1{\cdot}73 \Rightarrow AC = (100 \times 1{\cdot}73) = 173 \text{ मी०}.$$

3. माना सीढ़ी AB दीवार CB के साथ सटी है।

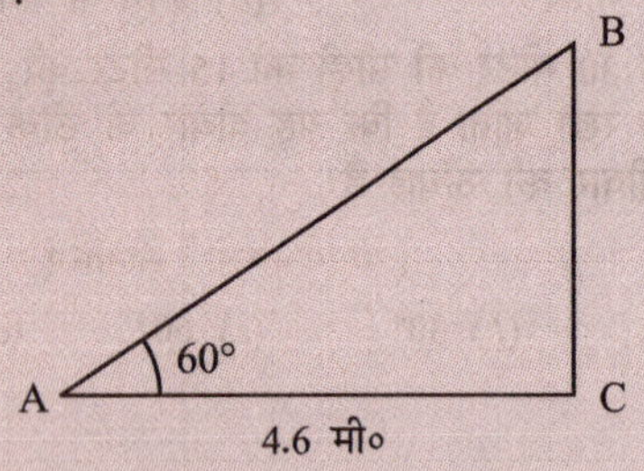

तब, $\angle CAB = 60°$ तथा $AC = 4{\cdot}6$ मीटर.

$$\text{तब,} \quad \frac{AB}{AC} = \sec 60° = 2$$

$$\Rightarrow \quad \frac{AB}{4{\cdot}6} = 2 \Rightarrow AB = 9{\cdot}2 \text{ मी०}.$$

अतः सीढ़ी की लम्बाई $= 9{\cdot}2$ मीटर.

4. माना AB भवन है तथा CD मीनार है।

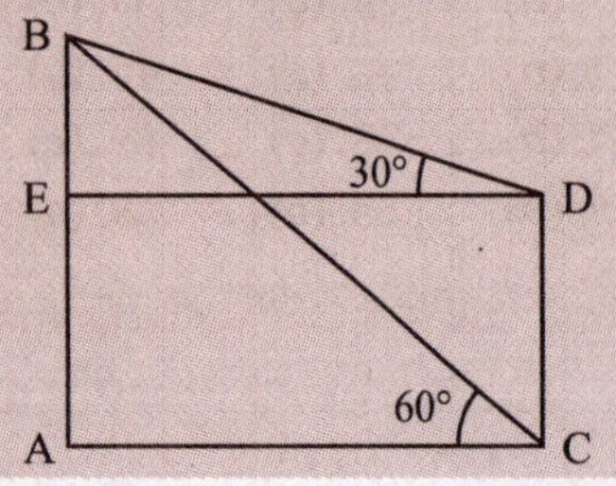

$DE \parallel AC$ खींचें. B तथा C को मिलायें.

तब, $\angle BDE = 30°$, $\angle ACB = 60°$ तथा $AB = 60$ मी०.

समकोण ΔCAB में,

$$\frac{AC}{AB} = \cot 60° = \frac{1}{\sqrt{3}} \Rightarrow \frac{AC}{60} = \frac{1}{\sqrt{3}}$$

$$\Rightarrow AC = \left(60 \times \frac{1}{\sqrt{3}}\right) = 20\sqrt{3} \text{ मीटर.}$$

$$\therefore \quad DE = AC = 20\sqrt{3} \text{ मीटर.}$$

समकोण ΔBED में $\frac{BE}{DE} = \tan 30° = \frac{1}{\sqrt{3}}$

$$\Rightarrow BE = \left(20\sqrt{3} \times \frac{1}{\sqrt{3}}\right) = 20 \text{ मीटर.}$$

$$\therefore \quad CD = AE = (AB - BE) = (60 - 20) \text{ मीटर} = 40 \text{ मीटर.}$$

5. माना AB पर्यवेक्षक है तथा CD दीवार है. $BE \perp CD$ खींचें.

तब, $AB = 1{\cdot}6$ मीटर, $BE = AC = 20\sqrt{3}$ मी०.

माना $CD = x$ मीटर.

तब, $DE = CD - CE = CD - AB = (x - 1{\cdot}6)$ मीटर.

समकोण ΔBED में, $\frac{DE}{BE} = \tan 30° = \frac{1}{\sqrt{3}}$

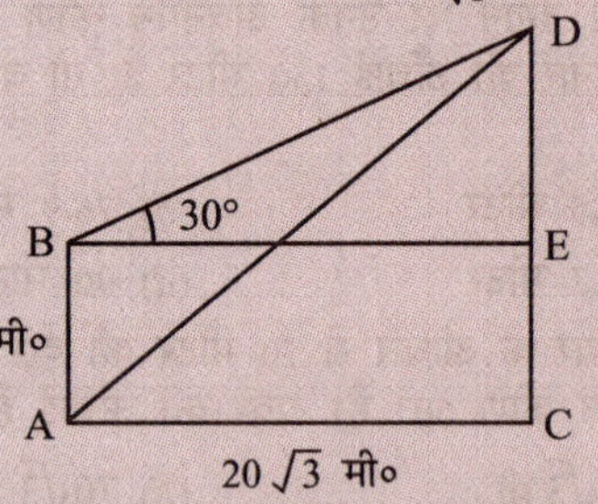

$$\Rightarrow \frac{x - 1{\cdot}6}{20\sqrt{3}} = \frac{1}{\sqrt{3}} \Rightarrow x - 1{\cdot}6 = \left(20\sqrt{3} \times \frac{1}{\sqrt{3}}\right) = 20$$

$$\Rightarrow \quad x = 21{\cdot}6 \text{ मीटर.}$$

अतः मीनार की ऊँचाई $= 21{\cdot}6$ मीटर.

6. माना AB प्रकाशस्तम्भ है तथा C एवं D दो नाव हैं।

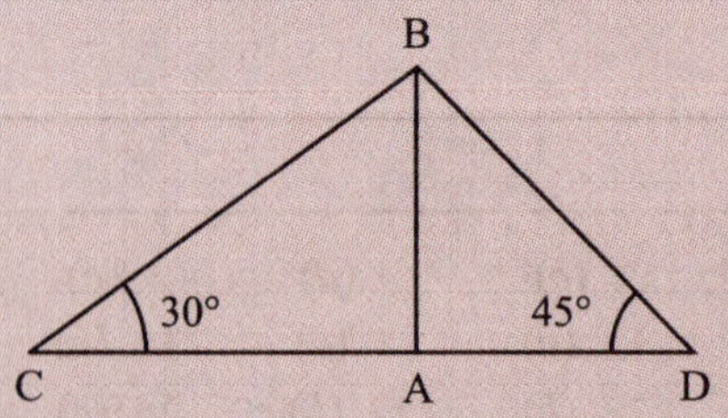

तब, $\angle ACB = 30°$, $\angle ADB = 45°$ तथा $AB = 100$ मीटर.

$$\text{अब,} \quad \frac{AC}{AB} = \cot 30° = \sqrt{3} \Rightarrow \frac{AC}{100} = 1{\cdot}73$$

$$\Rightarrow \quad AC = (1{\cdot}73 \times 100) = 173 \text{ मी०}.$$

$$\frac{AD}{AB} = \cot 45° = 1 \Rightarrow \frac{AD}{100} = 1 \Rightarrow AD = 100 \text{ मी०}.$$

$\therefore$ दोनों नावों के बीच की दूरी $= CD = AC + AD$

$= (173 + 100)$ मीटर $= 273$ मीटर.

7. माना मीनार AB है तथा दो बिन्दु C तथा D इस प्रकार हैं कि $\angle ACB = 30°$, $\angle ADB = 45°$ तथा $CD = 20$ मीटर.

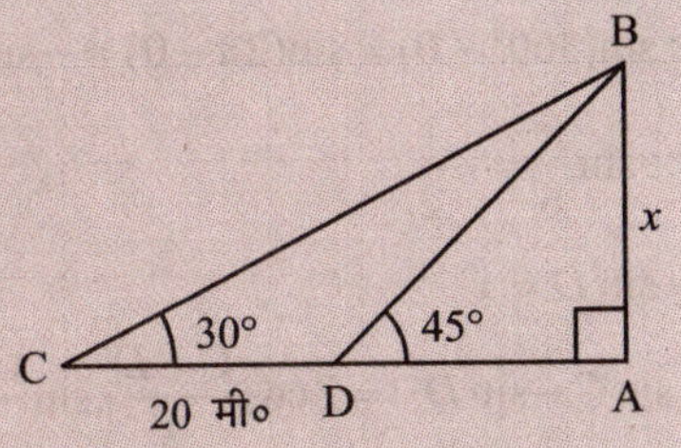

माना $AB = x$ मीटर. तब, $\frac{AD}{AB} = \cot 45° = 1$

$\Rightarrow \frac{AD}{x} = 1 \Rightarrow AD = x$ मी०.

अब समकोण ΔCAB में,

$\frac{AB}{AC} = \tan 30° = \frac{1}{\sqrt{3}} \Rightarrow \frac{x}{20+x} = \frac{1}{\sqrt{3}} \Rightarrow \sqrt{3}x = 20+x$

$\Rightarrow x = \frac{20}{(\sqrt{3}-1)} \times \frac{(\sqrt{3}+1)}{(\sqrt{3}+1)} = \frac{20\times(\sqrt{3}+1)}{2}$

$\Rightarrow x = 10 \times (\sqrt{3}+1) = (10\times 2{\cdot}73)$ मी० $= 27{\cdot}3$ मीटर.

8. माना AB एक मीनार है. P तथा Q दो बिन्दु समतल पर इस प्रकार हैं कि $\angle APB = 30°$ तथा $\angle AQB = 60°$.

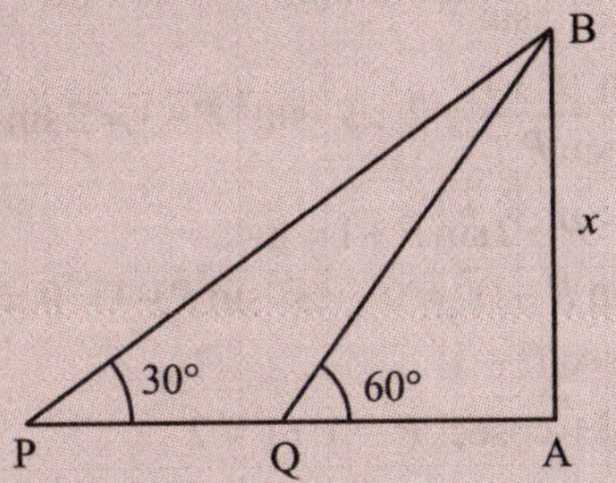

इसमें AB, AP, AQ में से कम से कम एक दूरी अवश्य दी हुई होनी चाहिए, अतः दिये गये आँकड़े अपर्याप्त हैं.

9. माना AB दी गई मीनार हैं, जबकि $AB = 15$ मीटर.

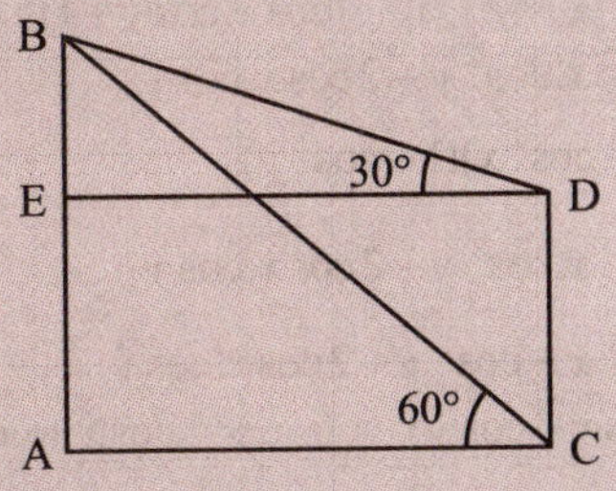

माना CD दिया गया बिजली का खम्भा है. माना $DE \perp AB$.

तब, $\angle ACB = 60°$ तथा $\angle EDB = 30°$.

माना $CD = h$ मीटर. तब, $AE = CD = h$ मीटर.

$\therefore \quad BE = (AB - AE) = (AB - CD) = (15 - h)$ मीटर.

समकोण ΔBAC से, $\frac{AC}{AB} = \cot 60° = \frac{1}{\sqrt{3}}$

$\Rightarrow \frac{AC}{15} = \frac{1}{\sqrt{3}} \Rightarrow AC = \left(15 \times \frac{1}{\sqrt{3}} \times \frac{\sqrt{3}}{\sqrt{3}}\right) = 5\sqrt{3}$ मी०.

$\therefore \quad ED = AC = 5\sqrt{3}$ मी०.

समकोण ΔBED में, $\frac{BE}{ED} = \tan 30° = \frac{1}{\sqrt{3}}$

$\Rightarrow \frac{BE}{5\sqrt{3}} = \frac{1}{\sqrt{3}} \Rightarrow BE = \left(5\sqrt{3} \times \frac{1}{\sqrt{3}}\right) = 5$ मी०.

$\therefore \quad CD = AE = (AB - BE) = (15 - 5)$ मी० $= 10$ मीटर.

10. माना मीनार $AB = 150$ मीटर, $\angle ACB = 45°$ तथा $\angle ADC = 60°$.

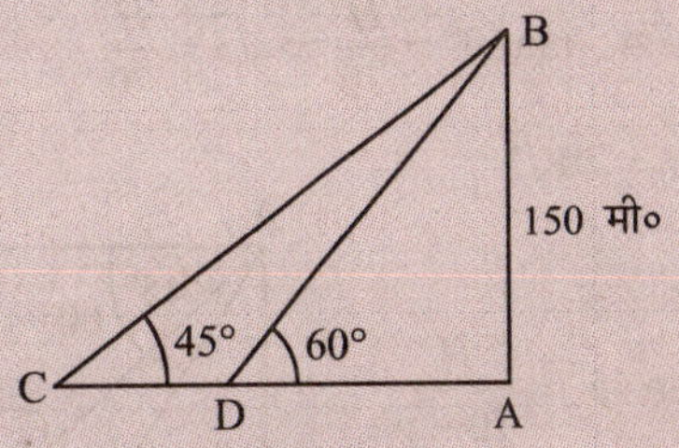

तब, $\frac{AD}{AB} = \cot 60° = \frac{1}{\sqrt{3}}$

$\Rightarrow AD = \left(150 \times \frac{1}{\sqrt{3}}\right) = \left(150 \times \frac{1}{\sqrt{3}} \times \frac{\sqrt{3}}{\sqrt{3}}\right)$ मी०

$\Rightarrow AD = 50\sqrt{3}$ मीटर.

तथा $\frac{AC}{AB} = \cot 45° = 1 \Rightarrow AC = AB = 150$ मीटर.

$\therefore \quad CD = (AC - AD) = (150 - 50\sqrt{3})$ मी०

$= (150 - 50 \times 1{\cdot}732)$ मी० $= (150 - 86{\cdot}6)$ मी० $= 63{\cdot}4$ मी०.

11. दिया गया है। $\sqrt{\frac{1+\cos\theta}{1-\cos\theta}} + \sqrt{\frac{1-\cos\theta}{1+\cos\theta}}$

$= \sqrt{\frac{(1+\cos\theta)(1+\cos\theta)}{(1-\cos\theta)(1+\cos\theta)}} + \sqrt{\frac{(1-\cos\theta)(1-\cos\theta)}{(1+\cos\theta)(1-\cos\theta)}}$

$= \sqrt{\frac{(1+\cos\theta)^2}{1-\cos^2\theta}} + \sqrt{\frac{(1-\cos\theta)^2}{1-\cos^2\theta}}$

$= \frac{1+\cos\theta}{\sqrt{\sin^2\theta}} + \frac{1-\cos\theta}{\sqrt{\sin^2\theta}} = \frac{1+\cos\theta}{\sin\theta} + \frac{1-\cos\theta}{\sin\theta}$

$= \frac{1+\cos\theta+1-\cos\theta}{\sin\theta} = \frac{2}{\sin\theta} = 2\operatorname{cosec}\theta$

12. $CD =$ प्रेक्षक $= 1.6$ मीटर

$AB =$ मीनार $= H$ मीटर

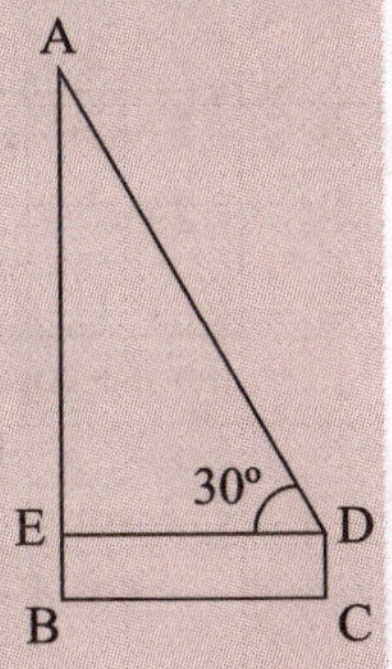

$\therefore \quad \tan 30^0 = \frac{AE}{ED}$

$\Rightarrow \frac{1}{\sqrt{3}} = \frac{H-1.6}{20\sqrt{3}}$

$\Rightarrow H - 1.6 = \frac{20\sqrt{3}}{\sqrt{3}} = 20$

$\Rightarrow H = 20 + 1.6 = 21.6$ मीटर

13. $\sqrt{\frac{1+\cos\theta}{1-\cos\theta}} = \sqrt{\frac{(1+\cos\theta)(1+\cos\theta)}{(1-\cos\theta)(1+\cos\theta)}}$

$$=\sqrt{\frac{(1+\cos\theta)^2}{1-\cos^2\theta}}=\frac{1+\cos\theta}{\sin\theta}$$

$$=\frac{1}{\sin\theta}+\frac{\cos\theta}{\sin\theta}=\text{cosec}\,\theta+\cot\theta.$$

14. $AB=$ मीनार $=H$ मीटर

$BC=70$ मीटर, $CD=y$ मीटर

ΔABC से, $\tan 60^0=\frac{H}{70}\Rightarrow\sqrt{3}=\frac{H}{70}$

$\Rightarrow\ H=70\sqrt{3}$ ...(i)

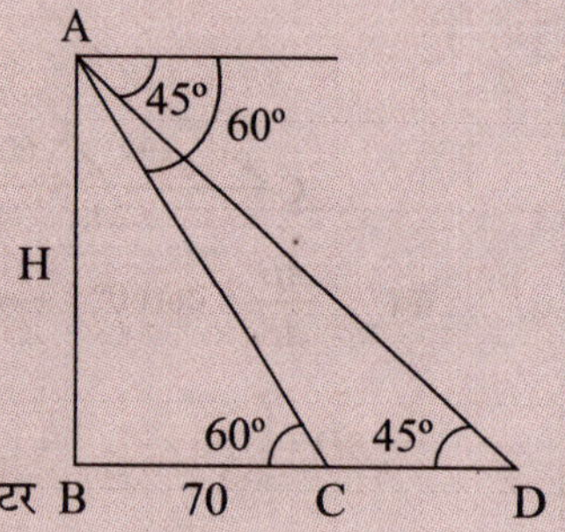

$\tan 45^0=\frac{H}{70+y}$

$\Rightarrow\ 70+y=70\sqrt{3}$

$\Rightarrow\ y=70\sqrt{3}-70$

$y=70\left(\sqrt{3}-1\right)$ मीटर

$=70(1.732-1)$ मीटर $=51.24$ मीटर

$\therefore$ अभीष्ट चाल $=\left(\frac{51.24}{10}\times\frac{18}{5}\right)$ किमी./घंटा

$=18.4$ किमी./घंटा

15. $x=(\sec A-\cos A)(\sec A+\cos A)=\sec^2 A-\cos^2 A$

$=1+\tan^2 A-(1-\sin^2 A)$

$\left[\because \text{Sec}^2 A=1+\tan^2 A \text{ और } \cos^2 A=\text{Sin}^2 A\right]$

$=1+\tan^2 A-1+\sin^2 A=\tan^2 A+\sin^2 A$

16. $x=\cot 3A=\frac{3\cot A-\cot^3 A}{1-3\cot^2 A}$

17. $\sin 135^0=\sin(180^0-45^0)=\sin 45^0=\frac{1}{\sqrt{2}}$

18. $x=\frac{1}{1+\sin A}+\frac{1}{1-\sin A}\ =\frac{1-\sin A+1+\sin A}{(1+\sin A)(1-\sin A)}$

$=\frac{2}{1-\sin^2 A}=\frac{2}{\cos^2 A}\left[\because 1-\sin^2 A=\text{Cos}^2 A\right]$

$=2\sec^2 A$

19. $\frac{1}{\tan A+\cot A}=x$

$\Rightarrow\ \frac{1}{\frac{\sin A}{\cos A}+\frac{\cos A}{\sin A}}=x\ \Rightarrow\ \frac{1}{\frac{\sin^2 A+\cos^2 A}{\sin A.\cos A}}=x$

$\Rightarrow\ x=\frac{1}{\frac{1}{\sin A.\cos A}}=\sin A.\cos A$

20. $\sin\frac{11\pi}{6}=\sin\left(2\pi-\frac{\pi}{6}\right)$

$[\because \sin(360^0-\theta)=\sin(2\pi-\theta)=-\sin\theta]$

$=-\sin\frac{\pi}{6}=-\frac{1}{2}$

21. $\sin C-\sin D=x$

$\therefore \sin C-\sin D\ =2\cos\frac{C+D}{2}.\sin\frac{C-D}{2}$

22. यदि $\sec A+\tan A=a$ हो तो $\sec A+\tan A=a$ ..(i)

$\therefore\ \ \sec^2 A-\tan^2 A=1$

$\Rightarrow(\sec A+\tan A)(\sec A-\tan A)=1$

$\Rightarrow\ \ \sec A-\tan A=\frac{1}{a}$ ....(ii)

समीकरण $(i)+(ii)$ से, $2\sec A=a+\frac{1}{a}=\frac{a^2+1}{a}$

$\Rightarrow\ \ \sec A=\frac{a^2+1}{2a}\qquad\Rightarrow\ \cos A=\frac{2a}{a^2+1}$

23. यदि $\text{Sin}\,P+\text{cosec}\,P=2$ हो, तो

$\Rightarrow\ \sin P+\frac{1}{\sin P}=2$

$\Rightarrow\ \frac{\sin^2 P+1}{\sin P}=2\ \Rightarrow\ \sin^2 P+1=2\sin P$

$\Rightarrow\ \sin^2 P-2\sin P+1=0$

$\Rightarrow\ (\sin P-1)^2=0\ \Rightarrow\ \sin P-1=0\Rightarrow\sin P=1$

$\therefore\ \ \text{cosec}\,P=1$

$\therefore\ \ \sin^7+\text{cosec}^7 P=1+1=2$

24. $\cos x.\cos y+\sin x.\sin y=-1$

$\Rightarrow\cos x.\cos y+1=-\sin x\sin y$

दोनों तरफ वर्ग करने पर,

$(\cos x.\cos y+1)^2=\sin^2 x.\sin^2 y$

$\Rightarrow\ \ \cos^2 x.\cos^2 y+2\cos x.\cos y$

$+1=(1-\cos^2 x)(1-\cos^2 y)$

$\Rightarrow\ \ \cos^2 x.\cos^2 y+2\cos x.\cos y$

$\Rightarrow\ \ \cos^2 x+\cos^2 y+2\cos x.\cos y=$

$\Rightarrow\ \ (\cos x+\cos y)^2=0\ \Rightarrow\ \ \cos x+\cos y=0$

25. व्यंजक $2(\sin^6\theta+\cos^6\theta)-3(\sin^4\theta+\cos^4\theta)+1$

$=2\{(\sin^2\theta+\cos^2\theta)^3-3\sin^2\theta$

$\cos^2\theta(\sin^2\theta+\cos^2\theta)\}-3$

$\{(\sin^2\theta+\cos^2\theta)^2-2\sin^2\theta.\cos^2\theta\}+1$

$=2(1-3\sin^2\theta.\cos^2\theta)-3(1-2\sin^2\theta.\cos^2\theta)+1$

$=2-6\sin^2\theta.\cos^2\theta-3+6\sin^2\theta.\cos^2\theta+1$

$=3-3=0$

26. दिया गया है। $\cos\theta = \frac{x^2-y^2}{x^2+y^2}$

$\therefore \quad \sin\theta = \sqrt{1-\cos^2\theta} = \sqrt{1-\frac{(x^2-y^2)^2}{(x^2+y^2)^2}}$

$= \sqrt{\frac{(x^2+y^2)-(x^2-y^2)}{(x^2+y^2)^2}}$

$= \sqrt{\frac{4x^2y^2}{(x^2+y^2)^2} = \frac{2xy}{x^2+y^2}}$

$\therefore \quad \cot\theta = \frac{\cos\theta}{\sin\theta} = \frac{x^2-y^2}{x^2+y^2} \div \frac{2xy}{x^2+y^2} = \frac{x^2-y^2}{2xy}$

27. $5\sqrt{3}\times\cos 60^\circ \cdot \tan 30 -$

$3\cos 0 + 3\cos^2 45 + 2\sin^2 60$

$= 5\sqrt{3}\times\frac{1}{2}\times\frac{1}{\sqrt{3}} - 3\times 1 + 3\times\left(\frac{1}{\sqrt{2}}\right)^2 + \frac{3}{2}$

$\left[\therefore \cos 60 = \frac{1}{2}, \tan 30 = \frac{1}{\sqrt{3}}, \cos 0 = 1,\right.$

$\left.\cos 45 = \frac{1}{\sqrt{2}}, \sin 60 = \frac{\sqrt{3}}{2}\right]$

$= \frac{5}{2} + 3 - 3 = \frac{5}{2} = 2.5$

28. $\frac{21\cos A + 3\sin A}{3\cos A + 4\sin A} = 2$

अंश और हर को sinA से विभाजित करने पर, हमें प्राप्त होता है

$\Rightarrow \quad \frac{21\cot A + 3}{3\cot A + 4} = 2$

$\Rightarrow \quad 21\cot A + 3 = 6\cot A + 8$

$\Rightarrow \quad 15\cot A = 5$

$\Rightarrow \quad \cot A = \frac{1}{3}$

29. हमारे पास है

$\cos x + \frac{1}{\cos x} = \frac{7}{2\sqrt{3}}$

$\cos^2 x + \frac{1}{\cos^2 x} = \left(\frac{7}{2\sqrt{3}}\right)^2 - 2$

$\frac{49}{12} - 2 = \frac{25}{12}$

30. हमारे पास है

$\frac{\cos^2 15^\circ - \sin^2 15^\circ}{\cos^2 145^\circ + \sin^2 145^\circ}$

$= \frac{\cos 30^\circ}{1} = \frac{\sqrt{3}}{2}$

$[\because \cos 2A = \cos^2 A - \sin^2 A]$

31. दिया है

$\tan A = \frac{3 \leftarrow \sin A}{8 \leftarrow \cos A}$

$\frac{3\sin A + 2\cos A}{3\sin A - 2\cos A}$

$= \frac{3\times 3 + 2\times 8}{3\times 3 - 2\times 8} = \frac{-25}{7}$

32. $\tan(4384^\circ) = \tan(12\times 360^\circ + 64^\circ) = \tan 64^\circ$

$\& \cot(16814^\circ) \quad = \cos(19\times 360^\circ - 26^\circ)$

$= \cot(-26^\circ) = -\cot 26^\circ$

$[\because \cot(-\theta) \ldots\ldots\ldots \cot\theta]$

$\therefore \quad \tan 4384 + \cot 6814^\circ$

$= \tan 64^\circ - \cos 26^\circ$

$= \tan 64^\circ - \cot(90^\circ - 64^\circ)$

$= \tan 64^\circ - \tan 64^\circ = 0$

33. हमारे पास $A = 22.5^\circ$ है

$10\sqrt{2}\sin 2A - 7\sqrt{2}\cos 2A + 9\tan 2A$

$= 10\sqrt{2}\times\frac{1}{\sqrt{2}} - 7\sqrt{2}\times\frac{1}{\sqrt{2}} + 9 = 12$

34. $\tan\frac{\theta}{2} = \sqrt{\frac{1-\cos A}{1+\cos A}} = \frac{\sin\theta}{1+\cos\theta}$

35. हमारे पास है

$\sin 600^\circ \cos 750^\circ + \sin 150^\circ \cos 240^\circ$

$\sin(90^\circ\times 6 + 60^\circ), \cos(190^\circ\times 8^\circ + 30^\circ)$

$+\sin(90^\circ\times 1^\circ + 60).\cos(90\times 2 - 60)$

$= -\sin 60^\circ \cdot \cos 30^\circ + \cos 60^\circ.(-\cos 60^\circ)$

$= \frac{-\sqrt{3}}{2}\times\frac{\sqrt{3}}{2} + \frac{1}{2}\times\frac{-1}{2}$

$= -\frac{3}{4} - \frac{1}{4} = -1$

36. हमारे पास है

$\sqrt{3x} = \sec A, \frac{3}{x} = \tan A$

$\therefore \ \sec^2 A - \tan^2 A = 1$

$\Rightarrow (3x)^2 - \left(\frac{3}{x}\right)^2 = 1$

$\Rightarrow 9x^2 - \frac{9}{x^2} = 1$

$\therefore\ 9\left(x^2-\dfrac{1}{x^2}\right)=1$

37. हमारे पास है

$\sec A+\tan A=5$

$\sec^2 A-\tan^2 A=1$

$(\sec A+\tan A)(\sec A-\tan A)=1$

$\sec A-\tan=\dfrac{1}{5}$ ... (i)

$\sec A+\tan A=5$ ...(ii)

(i) और (ii) को हल करने पर, हम पाते हैं

$2\sec A=\dfrac{1}{5}+5=\dfrac{26}{5}$

$\sec A=\dfrac{26}{10}=\dfrac{13}{5}$

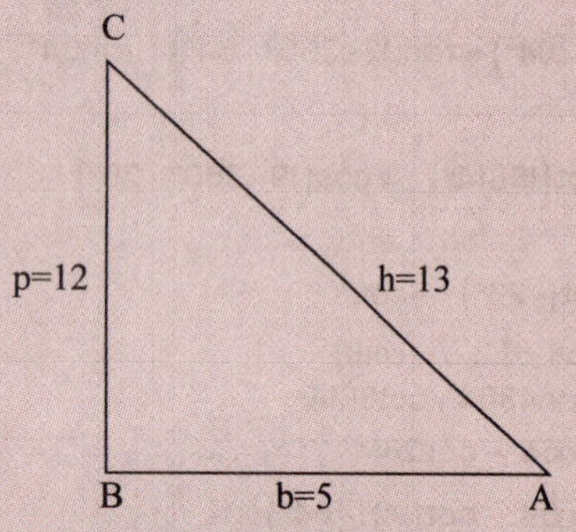

$\sin A=\dfrac{p}{h}=\dfrac{12}{13}$

38. हमारे पास है

$\tan^4\theta+\tan^2\theta=1$

$\Rightarrow\quad \tan^2\theta(\tan^2\theta+1)=1$

$\because\quad \sec^2\theta=1+\tan^2\theta$

$\therefore\quad \tan^2\theta\times\sec^2\theta=1$

$\Rightarrow\quad \dfrac{\sin^2\theta}{\cos^2\theta}\times\dfrac{1}{\cos^2\theta}=1$

$\left[\because\ \tan^2\theta=\dfrac{\sin^2\theta}{\cos^2\theta}\text{ and }\sec^2=\dfrac{1}{\cos^2\theta}\right]$

$\Rightarrow\quad \sin^2\theta=\cos^4\theta$

$\therefore\quad 11(\cos\theta+\cos\theta)$

$=11(\sin^2\theta+\cos^2\theta)$

$=11\times1=11$

39. हमारे पास है

$\sqrt{2+\sqrt{2+\sqrt{2+2\cos8\theta}}}$

$[\because \cos^2\theta=2\cos^2\theta-1$

$\cos8\theta=2\cos^2 4\theta-1$

$2\cos^2 4\theta=\cos8\theta+1]$

$=\sqrt{2+\sqrt{2+\sqrt{2(1+\cos8\theta)}}}$

$=\sqrt{2+\sqrt{2+\sqrt{2\times2\cos^2 4\theta}}}$

$=\sqrt{2+\sqrt{2+\sqrt{2+2\cos4\theta}}}$

$\because\quad \cos4\theta+1=2\cos^2 2\theta$

$=\sqrt{2+\sqrt{2(2\cos^2 2\theta)}}$

$=\sqrt{2+2\cos2\theta}$

$=\sqrt{2(1+\cos2\theta)}=\sqrt{2\times2\cos^2\theta}$

$=2\cos\theta$

40. $\dfrac{\cos45^\circ}{\sec30^\circ+\operatorname{cosec}30^\circ}$

$=\dfrac{\frac{1}{\sqrt2}}{\frac{2}{\sqrt3}+\frac{2}{1}}=\dfrac{\frac{1}{\sqrt2}}{\frac{2+2\sqrt3}{\sqrt3}}$

$\left[\because \cos45^\circ=\dfrac{1}{\sqrt2}+\sec30^\circ=\dfrac{2}{\sqrt3}\right.$

और $\left.\operatorname{cosec}30^\circ=2\right]$

$=\dfrac{1}{\sqrt2}\times\dfrac{\sqrt3}{2+2\sqrt3}$

$=\dfrac{\sqrt3}{2\sqrt2+2\sqrt6}$

$=\dfrac{\sqrt3(2\sqrt6-2\sqrt2)}{16}$

$=\dfrac{6\sqrt2-2\sqrt6}{16}=\dfrac{3\sqrt2-\sqrt6}{8}$

41. $\sin\theta+\operatorname{cosec}\theta=2$

$\sin90^\circ+\operatorname{cosec}90^\circ=2$

$\therefore\quad \theta=90^\circ$

$\sin^5\theta+\operatorname{cosec}^5\theta=2$

42. $\tan A=\dfrac{4}{3}=\dfrac{p}{b}$

$h=\sqrt{4^2+3^2}=5$

$\therefore\quad \sin A=\dfrac{p}{h}=\dfrac{4}{5}$

43. हमारे पास है

$\cos\theta-\sin\theta=\sqrt2\sin\theta$

दोनों पक्षों का वर्ग करने पर, हम पाते हैं

$\cos^2\theta+\sin^2\theta-2\cos\theta\cdot\sin\theta=2\sin^2\theta$

$\Rightarrow\quad \cos^2\theta-2\cos\theta\cdot\sin\theta=\sin^2\theta$

दोनों तरफ $\cos^2\theta$ जोड़ने पर, हमें मिलता है

$2\cos^2\theta-2\cos\theta\cdot\sin\theta=\sin^2\theta+\cos^2\theta$

$\Rightarrow\quad 2\cos^2\theta=\sin^2\theta+\cos^2\theta+2\sin\theta\cos\theta$

$\Rightarrow\quad 2\cos^2\theta=(\sin\theta+\cos\theta)^2$

$\Rightarrow\quad \sqrt{2\cos^2\theta}=\sin\theta+\cos\theta$

$\therefore\quad \sin\theta+\cos\theta=\sqrt2\cos\theta$

44. $\tan^4\theta + \tan^2\theta$

$= \tan^2\theta(1+\tan^2\theta)$

$= (\sec^2\theta - 1)(\sec^2\theta)\ [\because \tan^2\theta + 1 = \sec^2\theta]$

$= \sec^4\theta - \sec^2\theta$

45. ΔPQR में, tan 60°

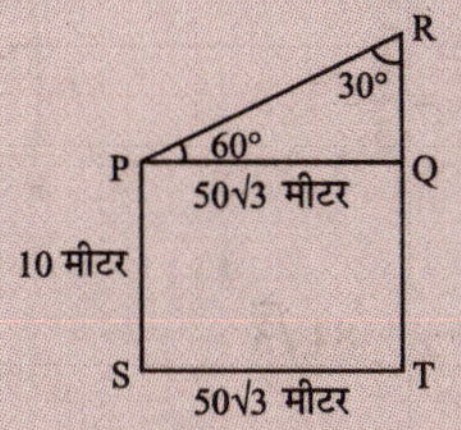

$\frac{QR}{PQ} = \frac{QR}{50\sqrt{3}}$

$\sqrt{3} = \frac{QR}{50\sqrt{3}}$

$\therefore$ QR = 150 मीटर

$\therefore$ SP = TQ = 10 मीटर

टावर की ऊँचाई = 150 + 10 = 160 मीटर

46. माना प्रत्येक स्तंभ की ऊँचाई H है और सड़क के बीच का बिंदु b है।

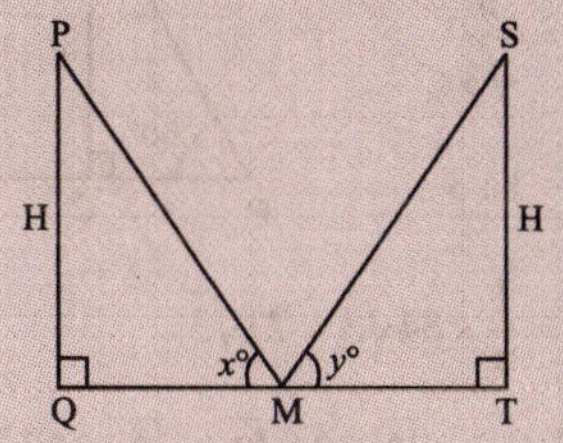

$\tan x = \frac{H}{PQ} = \frac{2\times3}{5\times3} = \frac{6}{15}$

$\tan y = \frac{H}{MT} = \frac{3\times2}{5\times2} = \frac{6}{10}$

QM + MT = 150 मीटर

25 इकाई → 150 मीटर

$\therefore$ 6 इकाई → 6 × 6 = 36 मीटर

47.

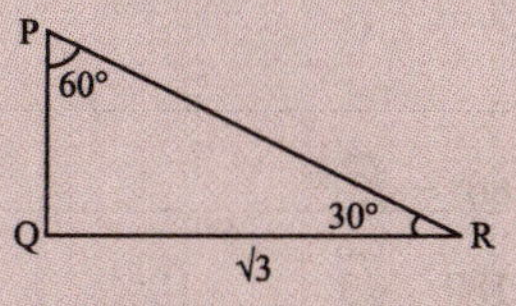

$\therefore$ 1 इकाई = 1000 मीटर

$\therefore$ $\sqrt{3}$इकाई = $\sqrt{3}\times1000$मीटर

= 1.732 × 1000 =1732 मीटर

48. छाया की लम्बाई

$= \frac{19.2}{28}\times52.5 = 36$ मीटर

48.

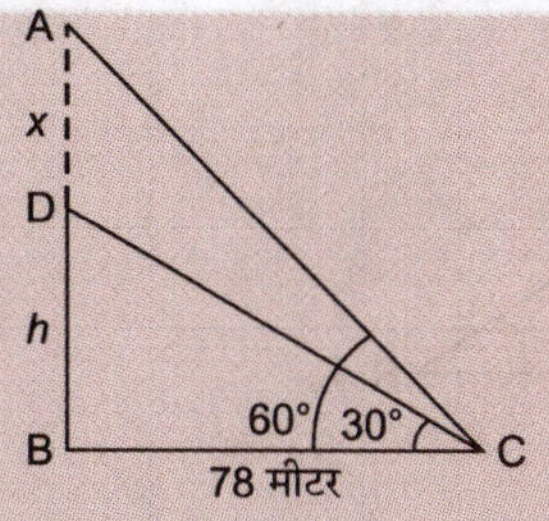

Δ DBC में,

$\tan 30° = \frac{h}{78}$

$\Rightarrow \frac{1}{\sqrt{3}} = \frac{h}{78}$ Þ $h = \frac{78}{\sqrt{3}}\cdot\frac{\sqrt{3}}{\sqrt{3}} = 26\sqrt{3}$

अब, Δ ABC में,

$\tan 60° = \frac{h+x}{78}$ Þ $\sqrt{3} = \frac{26\sqrt{3}+3}{78}$

$\Rightarrow x = 78\sqrt{3} - 26\sqrt{3} = \times 52\sqrt{3}$ मीटर

50.

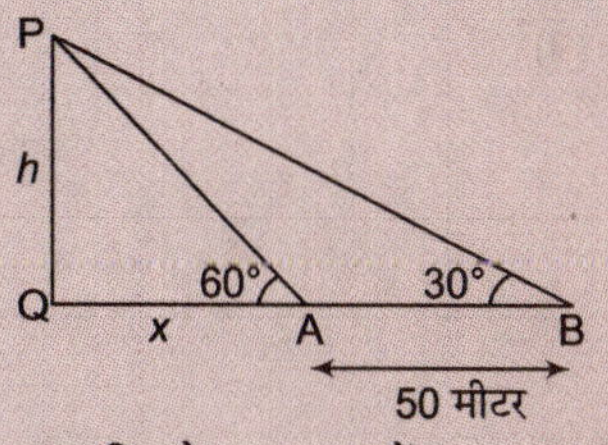

आकृति से, Δ PQA में,

$\tan 60° = \frac{h}{x}$

$\Rightarrow \sqrt{3} = \frac{h}{x} \Rightarrow h = \sqrt{3}x$

अब, Δ PQB में,

$\tan 30° = \frac{h}{x+50}$ Þ $\frac{1}{\sqrt{3}} = \frac{\sqrt{3}x}{x+50}$

$\Rightarrow 3x = x + 50 \Rightarrow x = 25$ मीटर

$\therefore h = \sqrt{3}x = 25\sqrt{3}$

अब, h का 40% $= 25\sqrt{3}\times\frac{40}{100} = 10\sqrt{3}$

51.

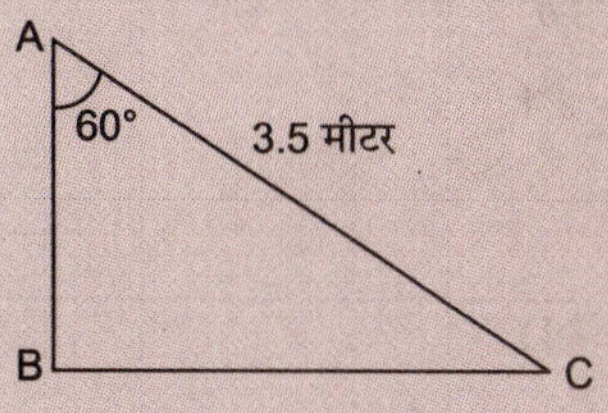

Δ ABC में,

$\cos 60° = \frac{AB}{3.5}$ Þ $\frac{1}{2} = \frac{AE}{3.5}$

$\Rightarrow AB = \frac{3.5}{2} = 1.75$ मीटर

52. 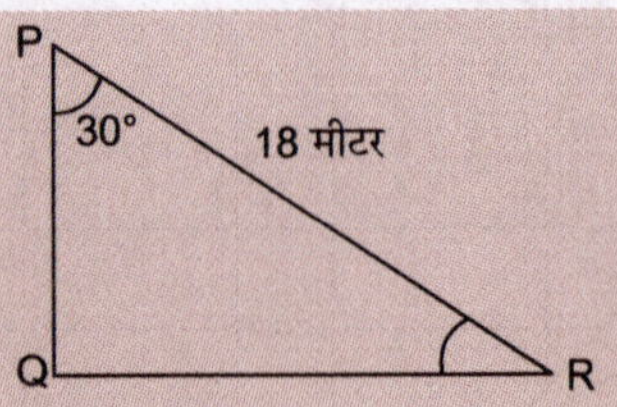

Δ PQR में,

$\sin 30° = \frac{QR}{18}$

$\Rightarrow \quad \frac{1}{2} = \frac{QR}{18}$

$\Rightarrow \quad QR = 9$ मीटर

53. $x^4 - 79x^2 + 1 = 0$

$\Rightarrow \quad x^2 + \frac{1}{x^2} = 79$

दोनों पक्षों में 2 जोड़ने पर, हमें प्राप्त होता है

$x^2 + \frac{1}{x^2} + 2 = 81$

$\Rightarrow \quad \left(x + \frac{1}{x}\right)^2 = (9)^2$

$\Rightarrow \quad x + \frac{1}{x} = 9$

54. 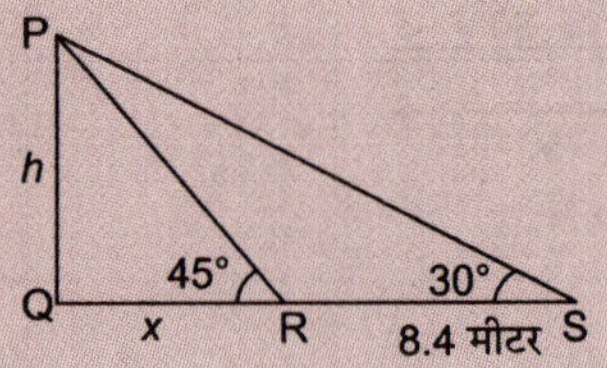

Δ PQR में,

$\tan 45° = \frac{h}{x} \Rightarrow 1 = \frac{h}{x}$

$\Rightarrow \quad h = x$

अब, Δ PQS में, ...(i)

$\tan 30° = \frac{h}{h + 8.4}$

$\Rightarrow \quad \frac{1}{\sqrt{3}} = \frac{h}{h + 8.4}$

$\Rightarrow \quad h + 8.4 = \sqrt{3}\, h$

$\Rightarrow \quad h(\sqrt{3} - 1) = 8.4$

$\Rightarrow \quad h = \frac{8.4}{\sqrt{3} - 1}$

$\Rightarrow \quad h = 4.2(\sqrt{3} - 1)$

55. Δ BCP में, $\frac{25}{x} = \tan 45° = 1$

$25 = x$

Δ ACP में

$\frac{AC}{PC} = \tan 60° = \sqrt{3}$

$\frac{(h + 25)}{25} = \sqrt{3}$

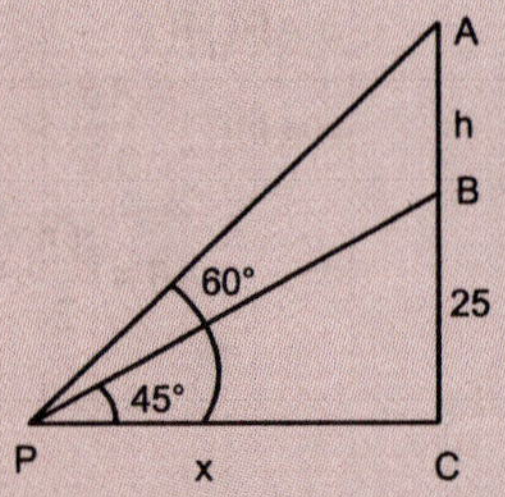

$h + 25 = 25\sqrt{3}$

$h = 25\sqrt{3} - 25 = 25(\sqrt{3} - 1)$

56. $\frac{h_1}{x} = \tan 30° = \frac{1}{\sqrt{3}}$

$\frac{h}{x} = \tan 60° = \sqrt{3}$

$\frac{h_1}{h_2} = \frac{\frac{1}{\sqrt{3}}}{\frac{\sqrt{3}}{1}} = \frac{1}{3} = 1 : 3$

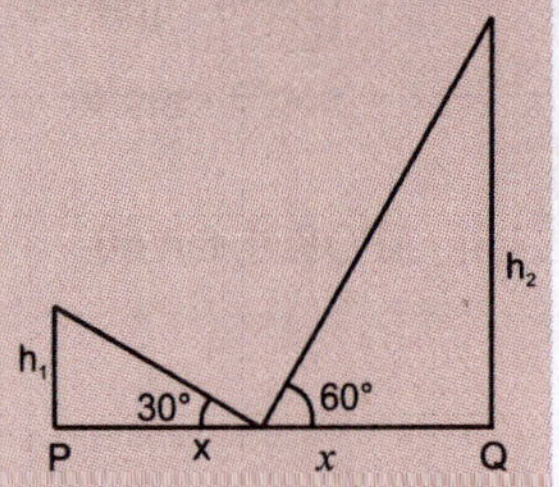

57. Given $x + y = 84\sqrt{3}$

Δ ACP में

$\frac{h}{x} = \tan 60°$

$h = x \tan 60° = x\sqrt{3}$ ...(1)

Δ ACQ में

इसलिए $\frac{h}{y} = \tan 30°$

$h = y \tan 30° = \frac{y}{\sqrt{3}}$ ...(2)

(1) और (2) से

$x\sqrt{3} = \frac{y}{\sqrt{3}}$

$\frac{x}{y} = \frac{1}{3} = 1 : 3$

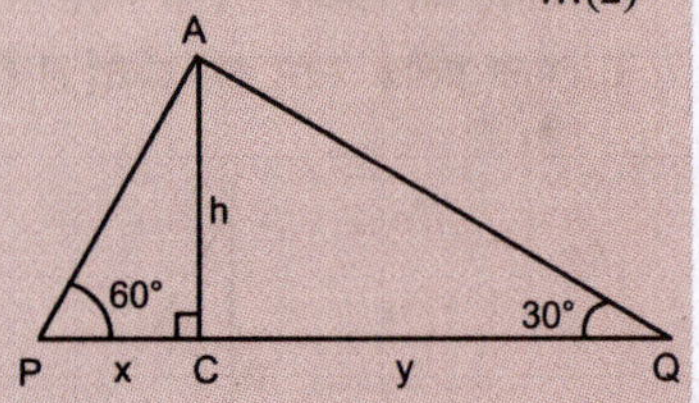

$\therefore \quad x = \frac{1}{4} \times 84\sqrt{3} = 21\sqrt{3}$

इसलिए $h = x\sqrt{3} = 21\sqrt{3} \times \sqrt{3} = 63$ मीटर

58. Δ ABP में

$\frac{123}{x} = \sin 60° = \frac{\sqrt{3}}{2}$

$x = \frac{123 \times 2}{\sqrt{3}}$

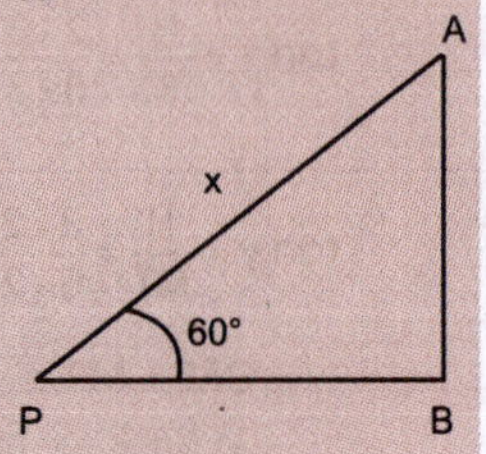

$\frac{246}{\sqrt{3}} = \frac{246}{\sqrt{3}} \times \frac{\sqrt{3}}{\sqrt{3}} = \frac{246\sqrt{3}}{3} = 82\sqrt{3} = 142.024 = 142$

59. Δ ACP में

$\frac{180}{x} = \tan 60° = \sqrt{3}$

$x = \frac{180}{\sqrt{3}} = \frac{180}{\sqrt{3}} \times \frac{\sqrt{3}}{\sqrt{3}}$

$= \frac{180\sqrt{3}}{3} = 60\sqrt{3}$

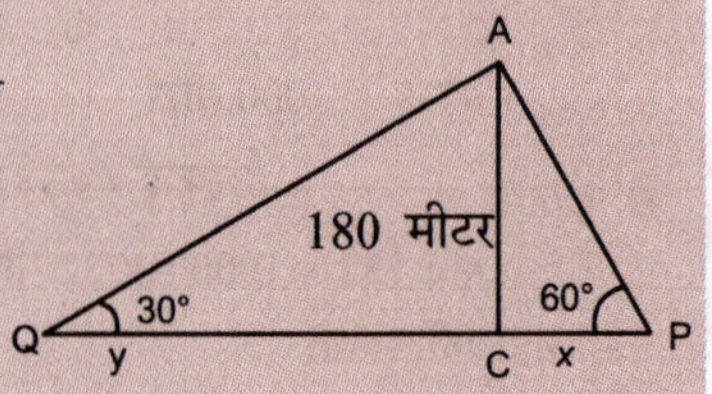

Δ ACQ में

$\frac{180}{y} = \tan 30° = \frac{1}{\sqrt{3}}$

$\Rightarrow \quad y = 180\sqrt{3}$

$x + y = 60\sqrt{3} + 180\sqrt{3} = 240\sqrt{3} = 415.65$ सेमी

60. Δ ACB में

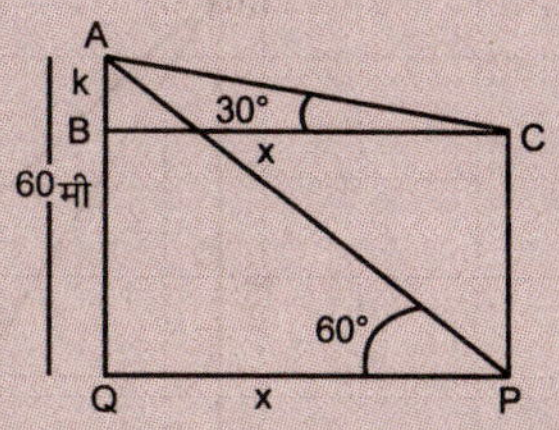

$\frac{k}{x} = \tan 30° = \frac{1}{\sqrt{3}}$

$x = k\sqrt{3}$ ...(1)

Δ APQ में

$\frac{60}{x} = \tan 60° = \sqrt{3}$

$x = \frac{60}{\sqrt{3}}$ ...(2)

(1) और (2) से

$k\sqrt{3} = \frac{60}{\sqrt{3}}$

$3k = 60$

$k = 20$

$\therefore$ मीनार की ऊँचाई CP = 60 − 20 = 40 मी

61. Δ ABC में

$\frac{h}{x} = \tan 60° = \sqrt{3}$

$h = \sqrt{3}x$ ...(1)

Δ ABP में

$\frac{h}{x + 400\sqrt{3}} = \tan 30° = \frac{1}{\sqrt{3}} = \frac{x + 400\sqrt{3}}{\sqrt{3}}$ ...(2)

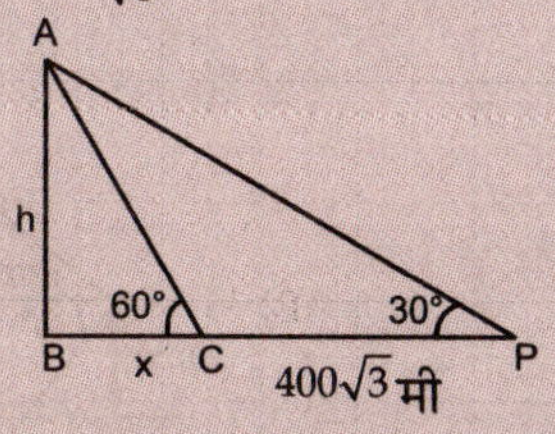

(1) और (2) से

$\sqrt{3}x = \frac{x + 400\sqrt{3}}{\sqrt{3}}$

$3x = x + 400\sqrt{3}$

$2x = 400\sqrt{3}$

$x = 200\sqrt{3}$

$\therefore \quad h = \sqrt{3}\,x = 200\sqrt{3} \times \sqrt{3} = 600$ मीटर

62. माना AB दीवार है और BC सीढ़ी है।

तब $\angle ACB = 60°$ और AC = 4.6 मीटर

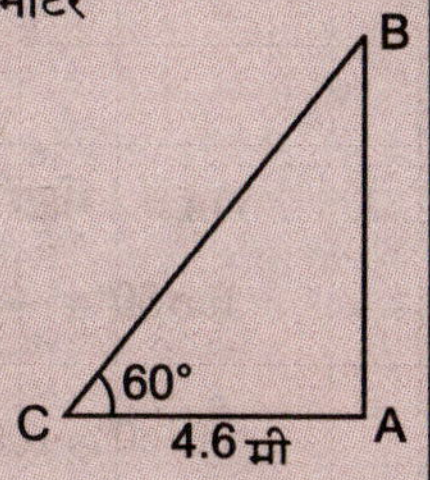

$$\frac{AC}{BC} = \cos 60° = \frac{1}{2}$$

$\Rightarrow \quad BC = 2 \times AC = (2 \times 4.6)$ मीटर

$= 9.2$ मीटर

63. माना AB प्रेक्षक है और CD मीनार है।

$BE \perp CD$ खींचे

तब, CE = AB = 1.6 मीटर,

$BE = AC = 20\sqrt{3}$ मीटर

$$\frac{DE}{BE} = \tan 30° = \frac{1}{\sqrt{3}}$$

$\Rightarrow DE = \frac{20\sqrt{3}}{\sqrt{3}}$ मीटर = 20 मीटर

$\Rightarrow \quad CD = CE + DE = (1.6 + 20)$ मीटर = 21.6 मीटर

64. मान लीजिए AB प्रकाशस्तंभ है और C और D जहाजों की स्थिति हैं तब, AB = 100 मी, $\angle ACB = 30°$ और $\angle ADB = 45°$.

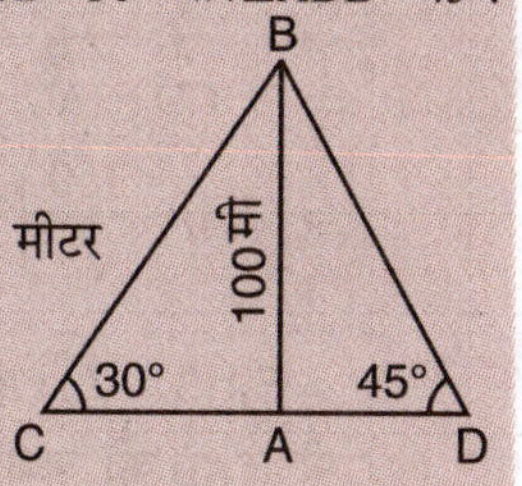

$\frac{AB}{AC} = \tan 30° = \frac{1}{\sqrt{3}}$

$\Rightarrow AC = AB \times \sqrt{3} = 100\sqrt{3}$ मीटर

$\frac{AB}{AD} = \tan 45° = 1$

$\Rightarrow \quad AD = AB = 100$ मीटर

$\Rightarrow \quad CD = (AC + AD) = (100\sqrt{3} + 100)$ मीटर

$= 100(\sqrt{3} + 1)$ मीटर

$= (100 \times 2.73)$ मीटर = 273 मीटर

65. मान लीजिए AB मीनार है और नावों की दो स्थितियाँ C और D हैं।

तब, $\angle ACB = 45°$, $\angle ADB = 30°$ और AC = 60 मीटर

माना AB = *h*.

तब, $\frac{AB}{AC} = \tan 45° = 1$

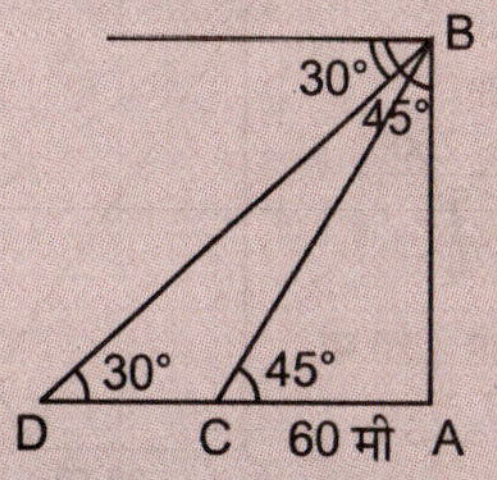

$\Rightarrow \quad AB = AC \Rightarrow h = 60$ मीटर

और $\frac{AB}{AD} = \tan 30° = \frac{1}{\sqrt{3}}$

$\Rightarrow AD = (AB \times \sqrt{3}) = 60\sqrt{3}$ मीटर

$\Rightarrow \quad CD = (AD - AC) = 60(\sqrt{3} - 1)$ मीटर

इसलिए, आवश्यक गति

$= \left[\frac{60(\sqrt{3} - 1)}{5}\right]$ m/s $= (12 \times 0.73)$ m/s

$= \left(12 \times 0.73 \times \frac{18}{5}\right)$ किमी/घंट

= 31.5 किमी/घंटे $\angle$ 32 किमी/घंटे

66. मान लिजिए AB मीनार है और C और D वस्तुएँ हैं।

तब, AB = 150 मी, ∠ACB = 45° और ∠ADB = 60°.

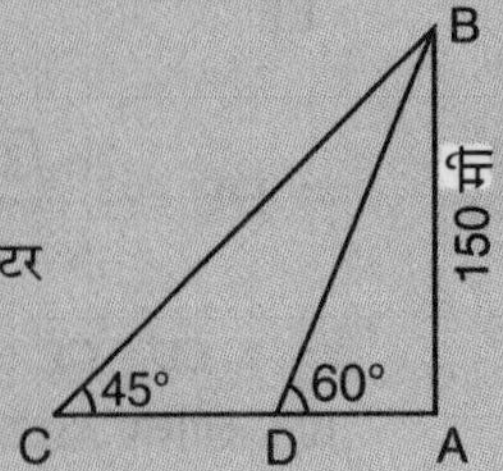

$$\frac{AB}{AD} = \tan 60° = \sqrt{3}$$

$$\Rightarrow \quad AD = \frac{AB}{\sqrt{3}} = \frac{150}{\sqrt{3}} \text{ मीटर}$$

$$\frac{AB}{AC} = \tan 45° = 1$$

$\Rightarrow$ AC – AB = 150 मीटर

$\Rightarrow$ CD = (AC – AD)

$$= \left(150 - \frac{150}{\sqrt{3}}\right) \text{ मी} = \left[\frac{150(\sqrt{3}-1)}{\sqrt{3}} \times \frac{\sqrt{3}}{\sqrt{3}}\right] \text{ मी}$$

$$= 50(3 - \sqrt{3}) \text{ मी} = (50 \times 1.27) \text{ मी} = 63.5 \text{ मी.}$$

67. मीनार AB की लंबाई = h मीटर

∠DAC = ∠ACB = 60°

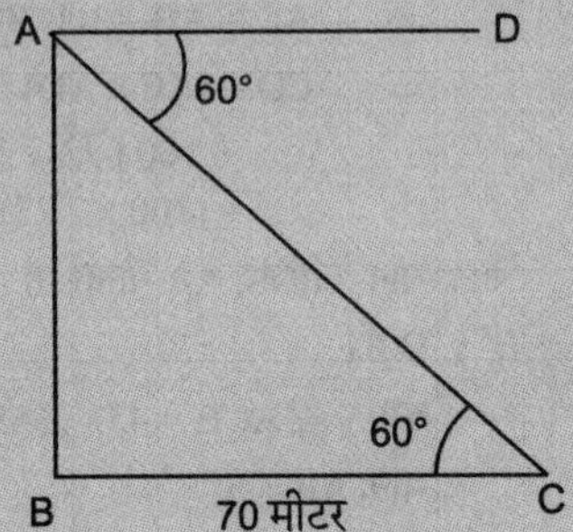

BC = 70 मीटर

ΔABC में

$$\tan 60° = \frac{AB}{BC}$$

$$\Rightarrow \sqrt{3} = \frac{h}{70}$$

$$\Rightarrow h = 70\sqrt{3} \text{ मीटर}$$

68. दिया $\tan x° = \frac{2}{5}$; AF = 200 मीटर

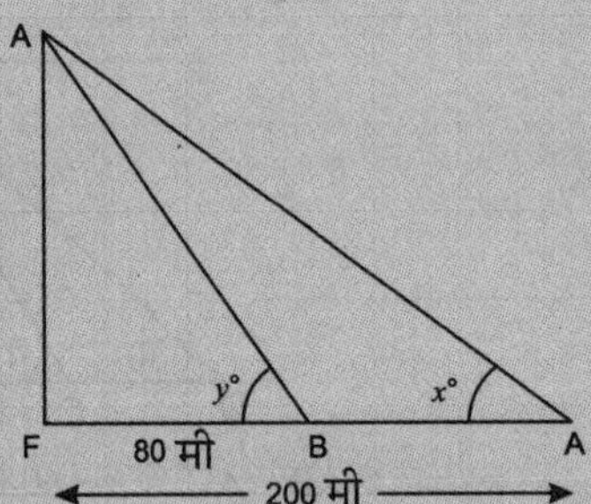

$$\Rightarrow \frac{2}{5} = \frac{TF}{AF}$$

$$\Rightarrow TF = \frac{2 \times 200}{5}$$

$\Rightarrow$ TF = 80 मी

अपने पास BF = 80 मी

$$\Rightarrow \tan y° = \frac{TF}{BF}$$

$$\Rightarrow \tan y° = \frac{80}{80}$$

$$\Rightarrow \tan y° = 1 = \tan 45°$$

$$\Rightarrow y° = 45°$$

69. यहाँ, AD, BC के समांतर है और AC एक तिर्यक रेखा है।

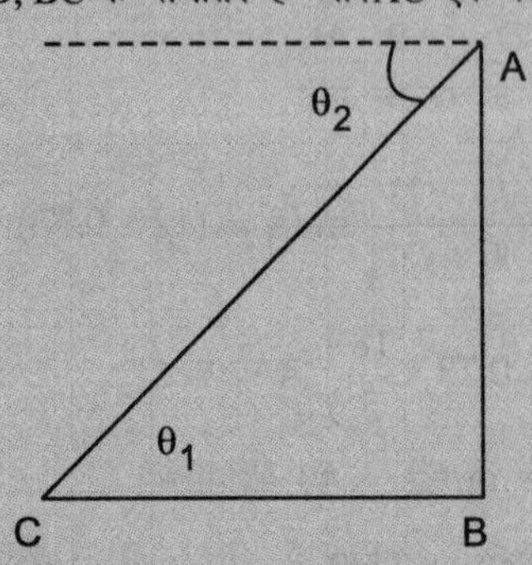

$$\Rightarrow \theta_1 = \theta_2$$

40. $\tan\theta = \frac{H}{m^2}$

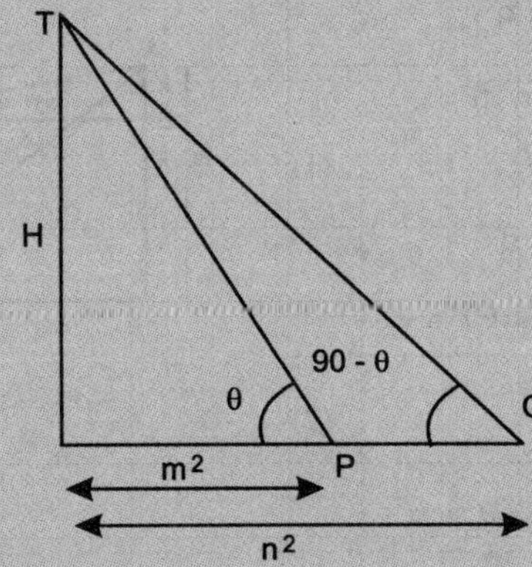

$$\tan(90° - \theta) = \frac{H}{n^2}$$

$$\Rightarrow \cot\theta = \frac{H}{n^2}$$

$$\tan\theta.\cot\theta = \frac{H}{m^2} \times \frac{H}{n^2}$$

$$\Rightarrow \frac{H}{m^2} \times \frac{H}{n^2} = 1$$

$$\Rightarrow H^2 = m^n n^2$$

$\Rightarrow$ H = mn

71. Let AC = H मीटर

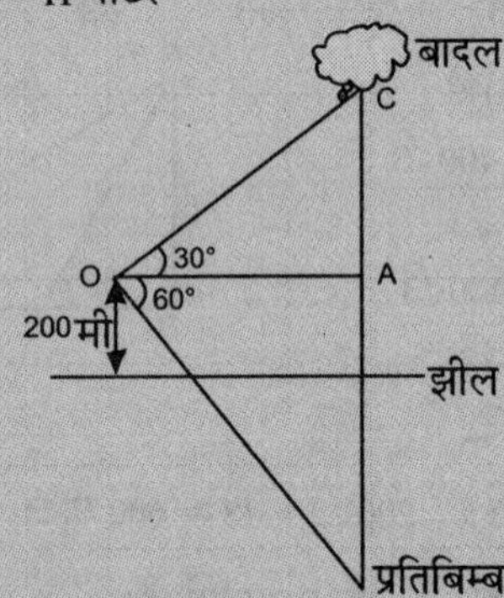

OA = a मीटर

$$\tan 30° = \frac{1}{\sqrt{3}} = \frac{H}{a}$$

$$\tan 60° = \sqrt{3} = \frac{H + 200 + 200}{a}$$

$$\Rightarrow \frac{H + 400}{\sqrt{3}H} = \sqrt{3}$$

$\Rightarrow$ H + 400 = 3H

$\Rightarrow$ 2H = 400 मीटर

$\Rightarrow$ H = 200 मीटर

झील से ऊपर बादल की ऊँचाई = 200 मीटर

72.

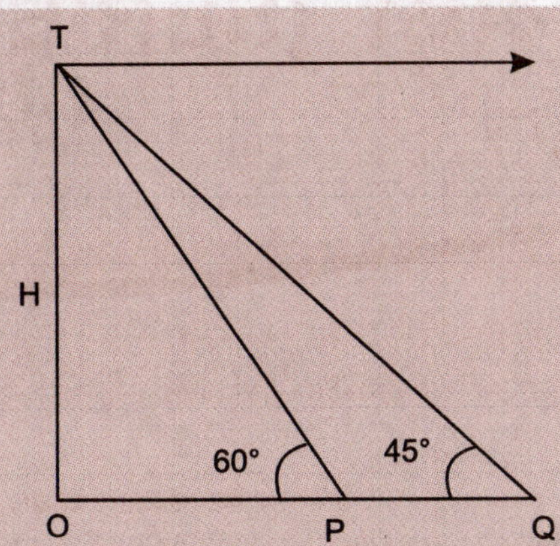

Let OP = a

$\tan 60^o = \frac{H}{a}$

$\Rightarrow H = \sqrt{3}a$

$\Rightarrow \frac{H}{\sqrt{3}} = a$ ...(i)

$\tan 45^o = 1 = \frac{H}{a + 100(3-\sqrt{3})}$

$\Rightarrow a + 100(3-\sqrt{3}) = H$

(i) से $\frac{H}{\sqrt{3}} + 100(3-\sqrt{3}) = H$

$H + 300\sqrt{3} - 300 = \sqrt{3}H$

$\Rightarrow 300\sqrt{3} - 300 = \sqrt{3}H - H$

$(\sqrt{3}-1)H = 300(\sqrt{3}-1)$

H = 300 मीटर

73. AC = 30 मीटर

AB = 15 मीटर

$\angle ACB = \theta$

$\Rightarrow \sin\theta = \frac{AB}{AC} = \frac{15}{30} = \frac{1}{2}$

$\Rightarrow \sin\theta = \sin 30^o$

$\Rightarrow \theta = 30^o$

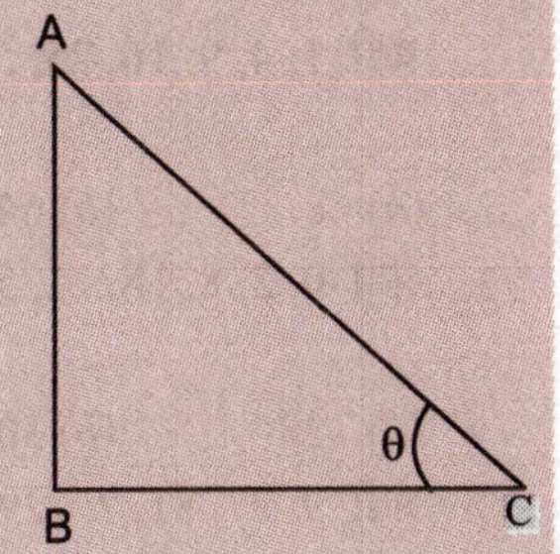

36 श्रेढ़ी (SERIES)

प्रश्नमाला 36A

नीचे दिये प्रश्नों में से प्रत्येक में ठीक उत्तर को चिह्नांकित (✓) कीजिए:

1. श्रेढ़ी 1, 4, 9, 16, 25, ... में 8 वाँ पद क्या होगा?

(मैनेजमैन्ट परीक्षा, 2013)

(*a*) 8 (*b*) 64 (*c*) 128 (*d*) 200

2. श्रेढ़ी 0, 2, 8, 18, ..., 50 में लुप्त पद क्या होगा?

(एस०एस०सी० परीक्षा, 2015)

(*a*) 28 (*b*) 30 (*c*) 32 (*d*) 36

3. श्रेढ़ी 9, 27, 81, ?, 729 में लुप्त पद क्या होगा?

(बैंक पी०ओ० परीक्षा, 2015)

(*a*) 162 (*b*) 243 (*c*) 24 (*d*) 405
(*e*) 486

4. श्रेढ़ी 1, 6, 6, 36, 216, ... में लुप्त पद क्या होगा?

(*a*) 7775 (*b*) 7776 (*c*) 7777 (*d*) 7778

5. श्रेढ़ी 15, 31, 64, 131, ... में लुप्त पद क्या होगा?

(रेलवे परीक्षा, 2016)

(*a*) 196 (*b*) 256 (*c*) 266 (*d*) 524

6. श्रेढ़ी 2, 5, 10, 14, 18, 23, 26, 32, ... में लुप्त पद क्या होगा?

(एस०एस०सी० परीक्षा, 2015)

(*a*) 33 (*b*) 34 (*c*) 36 (*d*) 37

7. श्रेढ़ी 5, 11, ?, 55, 117 में लुप्त पद क्या होगा?

(बैंक पी०ओ० परीक्षा, 2014)

(*a*) 21 (*b*) 23 (*c*) 25 (*d*) 27
(*e*) इनमें से कोई नहीं

8. श्रेढ़ी 5, 6, ?, 57, 244 में लुप्त पद क्या होगा?

(बैंक पी०ओ० परीक्षा, 2014)

(*a*) 15 (*b*) 17 (*c*) 21 (*d*) 22
(*e*) इनमें से कोई नहीं

9. श्रेढ़ी 5, 3, 4, ?, 17 में लुप्त पद क्या होगा?

(बैंक पी०ओ० परीक्षा, 2014)

(*a*) 6 (*b*) 7.5 (*c*) 8 (*d*) 8.5
(*e*) इनमें से कोई नहीं

10. श्रेढ़ी 3, 10, 32, 111, ? में लुप्त पद क्या होगा?

(बैंक पी०ओ० परीक्षा, 2014)

(*a*) 345 (*b*) 440 (*c*) 448 (*d*) 460
(*e*) इनमें से कोई नहीं

11. श्रेढ़ी 2, 3, 6, 18, ?, 1944 में लुप्त पद क्या होगा?

(बैंक पी०ओ० परीक्षा, 2014)

(*a*) 108 (*b*) 180 (*c*) 254 (*d*) 315
(*e*) इनमें से कोई नहीं

12. श्रेढ़ी 7, 8, 18, 66, ?, 1938 में लुप्त पद क्या होगा?

(बैंक पी०ओ० परीक्षा, 2014)

(*a*) 324 (*b*) 430 (*c*) 686 (*d*) 928
(*e*) इनमें से कोई नहीं

13. श्रेढ़ी 6, 42, 67, ?, 92, 96 में लुप्त पद क्या होगा?

(बैंक पी०ओ० परीक्षा, 2014)

(*a*) 67 (*b*) 70 (*c*) 77 (*d*) 82
(*e*) इनमें से कोई नहीं

14. श्रेढ़ी 3, 4, 16, 75, 364, ? में लुप्त पद क्या होगा?

(बैंक पी०ओ० परीक्षा, 2014)

(*a*) 723 (*b*) 828 (*c*) 1293 (*d*) 1945
(*e*) इनमें से कोई नहीं

15. श्रेढ़ी 0, 3, 8, 15, 24, ?, 48 में लुप्त पद क्या होगा?

(एस०एस०सी० परीक्षा, 2013)

(*a*) 30 (*b*) 35 (*c*) 36 (*d*) 39

16. श्रेढ़ी 0·004, 0·02, 0·1, ... का 5 वाँ पद क्या होगा?

(एम०सी०ए० परीक्षा, 2015)

(*a*) $\frac{1}{12}$ (*b*) 1·25 (*c*) 2·5 (*d*) 5

17. श्रेढ़ी 786, 686, 586, ... का अगला पद क्या होगा?

(रेलवे परीक्षा, 2014)

(*a*) 386 (*b*) 486 (*c*) 586 (*d*) 786

18. श्रेढ़ी 7, 8, ?, 43, 107, 232 में लुप्त पद क्या होगा?

(बैंक पी०ओ० परीक्षा, 2013)

(*a*) 12 (*b*) 16 (*c*) 20 (*d*) 24
(*e*) इनमें से कोई नहीं

19. श्रेढ़ी 3, 5, 9, 17, 33, ?, में लुप्त पद क्या होगा?

(बैंक पी०ओ० परीक्षा, 2014)

(*a*) 49 (*b*) 50 (*c*) 60 (*d*) 65

20. श्रेढ़ी 0, 7, 26, 63, ?, 215, 342 में लुप्त पद क्या होगा?

(*a*) 115 (*b*) 124 (*c*) 125 (*d*) 135

21. श्रेढ़ी 1, 3, 5, 7, 9, 11, 13, ? में लुप्त पद क्या होगा?

(*a*) 14 (*b*) 15 (*c*) 16 (*d*) 17

22. श्रेढ़ी $\frac{1}{2}, 3\frac{1}{4}, 6, 8\frac{3}{4}$, ? में लुप्त पद क्या होगा?

(a) $10\frac{1}{4}$ (b) $10\frac{3}{4}$ (c) $11\frac{1}{4}$ (d) $11\frac{1}{2}$

23. श्रेढ़ी 1, 5, 14, 30, ?, 91 में लुप्त पद क्या होगा? (एस०एस०सी० परीक्षा, 2010)

(a) 45 (b) 51 (c) 55 (d) 56

24. श्रेढ़ी 1, –1, 2, – 2, 1, –1, 2, –2, 1, ... का 507 वाँ पद क्या होगा? (एस०एस०सी० परीक्षा, 2010)

(a) –1 (b) 1 (c) –2 (d) 2

25. श्रेढ़ी 0, 2, 8, 18, ..., 50 में लुप्त पद क्या होगा? (एस०एस०सी० परीक्षा, 2010)

(a) 28 (b) 30 (c) 32 (d) 36

26. श्रेढ़ी 0, 3, 8, 15, 24, 35, ? में लुप्त पद क्या होगा? (एस०एस०सी० परीक्षा, 2010)

(a) 46 (b) 47 (c) 48 (d) 50

27. श्रेढ़ी 1, 2, 5, 26, ? में लुप्त पद क्या होगा? (एस०एस०सी० परीक्षा, 2010)

(a) 47 (b) 50 (c) 152 (d) 677

28. श्रेढ़ी $\frac{1}{2}, \frac{3}{4}, \frac{5}{8}, \frac{7}{16}$, ? में लुप्त पद क्या होगा? (एस०एस०सी० परीक्षा, 2010)

(a) $\frac{9}{24}$ (b) $\frac{10}{24}$ (c) $\frac{9}{32}$ (d) $\frac{11}{32}$

29. श्रेढ़ी 2, 5, 9, 14, 20, 27, ? में लुप्त पद क्या होगा?

(a) 28 (b) 30 (c) 34 (d) 35

30. श्रेढ़ी 2, 16, 54, ? में लुप्त पद क्या होगा? (एस०एस०सी० परीक्षा, 2014)

(a) 96 (b) 116 (c) 128 (d) 134

31. श्रेढ़ी 2, 10, 26, 50, 82, ? में लुप्त पद क्या होगा?

(a) 118 (b) 120 (c) 122 (d) 124

32. श्रेढ़ी 3, 6, 18, 72, 360, ... में लुप्त पद क्या होगा?

(a) 720 (b) 1080 (c) 1600 (d) 2160

33. श्रेढ़ी 7776, 1296, 216, ... में लुप्त पद क्या होगा?

(a) 16 (b) 21 (c) 36 (d) 108

34. श्रेढ़ी 7, 26, 63, 124, 215, 342, ? में लुप्त पद क्या होगा? (मैनेजमैन्ट परीक्षा, 2012)

(a) 391 (b) 481 (c) 511 (d) 791

35. श्रेढ़ी 28, 33, 31, 36, ... में लुप्त पद क्या होगा? (एम०बी०ए० परीक्षा, 2012)

(a) 32 (b) 34 (c) 38 (d) 40

निर्देश (36-40): निम्नलिखित प्रत्येक संख्या श्रृंखला में प्रश्न चिह्न (?) के स्थान पर कौन-सी संख्या आएगी?

36. 7 25 61 115 ? 277

(a) 197 (b) 187 (c) 181 (d) 185
(e) 197

37. 9 14 24 41 67 ?

(a) 112 (b) 104 (c) 108 (d) 96
(e) 110

38. 18 9 9 13-5 ? 67.5

(a) 33 (b) 36 (c) 21 (d) 24
(e) 27

39. 15 24 35 50 71 ?

(a) 90 (b) 108 (c) 100 (d) 98
(e) 110

40. 4 5 12 39 160 ? (NIACL सहायक प्रारंभिक परीक्षा, 2017)

(a) 845 (b) 830 (c) 820 (d) 785
(e) 805

41. निम्नलिखित श्रृंखला में गलत पद ज्ञात कीजिए।
100, 91, 81, 70, 60, 45

(a) 91 (b) 81 (c) 60 (d) 70
(e) 45

42. निम्नलिखित श्रृंखला में गलत पद ज्ञात कीजिए।
98, 128, 162, 200, 242, 266

(a) 98 (b) 266 (c) 162 (d) 128
(e) 200

43. निम्नलिखित श्रृंखला में गलत पद ज्ञात कीजिए।
64, 100, 134, 161, 180, 189

(a) 100 (b) 64 (c) 161 (d) 180
(e) 189

44. निम्नलिखित श्रृंखला में गलत पद ज्ञात कीजिए।
12, 25, 50, 150, 600, 3000

(a) 12 (b) 25 (c) 50 (d) 600
(e) 150

45. दी गई श्रृंखला में गलत पद ज्ञात कीजिए।
145, 168, 197, 224, 252, 288

(a) 197 (b) 145 (c) 252 (d) 168
(e) 224

46. निम्नलिखित संख्या श्रृंखला में प्रश्नवाचक चिह्न ष्टष्ठ के स्थान पर क्या आना चाहिए ?
300, ?, 148, 221, 441, 1101.5

(a) 115.5 (b) 150.5 (c) 149 (d) 151
(e) इनमें से कोई नहीं

47. निम्नलिखित संख्या श्रृंखला में प्रश्नवाचक चिह्न '?' के स्थान पर क्या आना चाहिए ?
25, ?, 256, 476, 745, 1050

(a) 60 (b) 100 (c) 125 (d) 65
(e) इनमें से कोई नहीं

48. निम्नलिखित संख्या शृंखला में प्रश्नवाचक चिह्न '?' के स्थान पर क्या आना चाहिए ?
68, ?, 407, 470, 496, 503
(a) 283 (b) 229 (c) 217 (d) 253
(e) इनमें से कोई नहीं

49. निम्नलिखित संख्या शृंखला में प्रश्नवाचक चिह्न '?' के स्थान पर क्या आना चाहिए ?
54, 67, 50, 63, 46, ?
(a) 33 (b) 59 (c) 63 (d) 61
(e) इनमें से कोई नहीं

50. निम्नलिखित संख्या शृंखला में प्रश्नवाचक चिह्न '?' के स्थान पर क्या आना चाहिए ?
60, ?, 63.6, 70.8, 99.6, 243.6
(a) 60.8 (b) 61.2 (c) 60.5 (d) 60.2
(e) इनमें से कोई नहीं

51. निम्नलिखित संख्या शृंखला में प्रश्नवाचक चिह्न '?' के स्थान पर क्या आना चाहिए?
15, 34, 57, 86, ?, 170
(a) 117 (b) 123 (c) 125 (d) 121
(e) इनमें से कोई नहीं

52. दी गई शृंखला में (?) के स्थान पर क्या आना चाहिए?
20, 32, 47, 57, ?, 80
(a) 72 (b) 74 (c) 78 (d) 77
(e) 79

53. दी गई शृंखला में (?) के स्थान पर क्या आना चाहिए?
500, 50, 10, 3, 1.2, ?
(a) 0.4 (b) 0.8 (c) 0.3 (d) 0.6
(e) 1.4

54. दी गई शृंखला में (?) के स्थान पर क्या आना चाहिए?
100, ?, 228, 299, 372, 451
(a) 161 (b) 163 (c) 171 (d) 164
(e) 173

55. दी गई शृंखला में (?) के स्थान पर क्या आना चाहिए?
80, ?, 117, 168, 271, 478
(a) 92 (b) 95 (c) 89 (d) 91
(e) 87

56. दी गई शृंखला में (?) के स्थान पर क्या आना चाहिए?
40, 66, 116, 198, 320, ?
(a) 480 (b) 510 (c) 490 (d) 500
(e) 495

उत्तरमाला

1. (b)	2. (c)	3. (b)	4. (b)	5. (c)	6. (b)	7. (c)	8. (e)	9. (b)	10. (d)
11. (a)	12. (a)	13. (e)	14. (d)	15. (b)	16. (c)	17. (b)	18. (b)	19. (d)	20. (b)
21. (b)	22. (d)	23. (c)	24. (d)	25. (c)	26. (c)	27. (d)	28. (c)	29. (d)	30. (c)
31. (c)	32. (d)	33. (c)	34. (c)	35. (b)	36. (b)	37. (b)	38. (e)	39. (c)	40. (e)
41. (c)	42. (b)	43. (a)	44. (a)	45. (c)	46. (c)	47. (b)	48. (a)	49. (b)	50. (b)
51. (b)	52. (b)	53. (d)	54. (a)	55. (a)	56. (c)				

दिये गये प्रश्नों के हल

1. श्रेढ़ी है, $1^2, 2^2, 3^2, 4^2, 5^2, 6^2, 7^2, 8^2$.
अतः 8वाँ पद $= 8^2 = 64$.

2. श्रेढ़ी है, $2 \times 0^2, 2 \times 1^2, 2 \times 2^2, 2 \times 3^2, 2 \times 4^2, 2 \times 5^2$.
अतः लुप्त पद $= (2 \times 4^2) = 32$.

3. श्रेढ़ी है: $3^2, 3^3, 3^4, 3^5, 3^6$.
अतः लुप्त पद $= 3^5 = 243$.

4. श्रेढ़ी है, $1, 6, 1 \times 6 = 6, 6 \times 6 = 36, 6 \times 36 = 216, 36 \times 216 = 7776$.
अतः लुप्त पद $= 7776$.

5. श्रेढ़ी है, $15, 15 \times 2 + 1, 31 \times 2 + 2, 64 \times 2 + 3, 131 \times 2 + 4 = 266$.
अतः लुप्त पद $= 266$.

6. श्रेढ़ी है, $2, 5, 2 + 8 = 10, 5 + 9 = 14, 10 + 8 = 18, 14 + 9 = 23, 18 + 8 = 26, 23 + 9 = 32, 26 + 8 = 34$.
अतः लुप्त पद $= 34$.

7. श्रेढ़ी है, $5, 5 \times 2 + 1 = 11, 11 \times 2 + 3 = 25, 25 \times 2 + 5 = 55, 55 \times 2 + 7 = 117$.
अतः लुप्त पद $= 25$.

8. श्रेढ़ी है, $5, 5 \times 1 + 1^2 = 6, 6 \times 2 + 2^2 = 16, 16 \times 3 + 3^2 = 57, 57 \times 4 + 4^2 = 244$.
अतः लुप्त पद $= 16$.

9. श्रेढ़ी है, $5, 5 \times 0{\cdot}5 + 0{\cdot}5 = 3, 3 \times 1 + 1 = 4, 4 \times 1{\cdot}5 + 1{\cdot}5 = 7{\cdot}5, 7{\cdot}5 \times 2 + 2 = 17$.
अतः लुप्त पद $= 7{\cdot}5$.

10. श्रेढ़ी है, $3, 3 \times 1 + 7 \times 1 = 10, 10 \times 2 + 6 \times 2 = 32, 32 \times 3 + 5 \times 3 = 111, 111 \times 4 + 4 \times 4 = 460$.
अतः लुप्त पद $= 460$.

11. श्रेढ़ी है, $2, 3, 2 \times 3 = 6, 3 \times 6 = 18, 6 \times 18$

= 108, 18 × 108 = 1944.

अतः लुप्त पद = 108.

12. श्रेढ़ी है, 7, 7 × 2 − 6 = 8, 8 × 3 − 6 = 18, 18 × 4 − 6 = 66, 66 × 5 − 6 = 324.

अतः लुप्त पद = 324.

13. श्रेढ़ी है, 6, $6 + 6^2 = 42$, $42 + 5^2 = 67$, $67 + 4^2 = 83$, $83 + 3^2 = 92$.

अतः लुप्त पद = 83.

14. श्रेढ़ी है, 3, $3 \times 1 + 1^3 = 4$, $4 \times 2 + 2^3 = 16$, $16 \times 3 + 3^3 = 75$, $75 \times 4 + 4^3 = 364$, $364 \times 5 + 5^3 = 1945$.

अतः लुप्त पद = 1945.

15. श्रेढ़ी है, 0 + 3 = 3, 3 + 5 = 8, 8 + 7 = 15, 15 + 9 = 24, 24 + 11 = 35.

अतः लुप्त पद = 35.

16. श्रेढ़ी है, 0·004, 0·004 × 5 = 0·02, 0·02 × 5 = 0·1, 0·1 × 5 = 0·5, 0·5 × 5 = 2·5.

अतः लुप्त पद = 2·5.

17. स्पष्ट है कि अभीष्ट पद = 486.

18. श्रेढ़ी है, 7, $7 + 1^3 = 8$, $8 + 2^3 = 16$, $16 + 3^3 = 43$, $43 + 4^3 = 107$ आदि.

अतः लुप्त पद = 16.

19. श्रेढ़ी है, 3, 3 × 2 − 1 = 5, 5 × 2 − 1 = 9, 9 × 2 − 1 = 17, 17 × 2 − 1 = 33, 33 × 2 − 1 = 65.

अतः लुप्त पद = 65.

20. श्रेढ़ी है, $1^3 - 1 = 0$, $2^3 - 1 = 7$, $3^3 - 1 = 26$, $4^3 - 1 = 63$, $5^3 - 1 = 124$.

अतः लुप्त पद = 124.

21. श्रेढ़ी है, $1^2 - 0^2 = 1$, $2^2 - 1^2 = 3$, $3^2 - 2^2 = 5$, $4^2 - 3^2 = 7$, $5^2 - 4^2 = 9$, $6^2 - 5^2 = 11$, $7^2 - 6^2 = 13$, $8^2 - 7^2 = (64 - 49) = 15$.

अतः लुप्त पद = 15.

22. श्रेढ़ी है, $\frac{1}{2}, \frac{1}{2} + \frac{11}{4} = 3\frac{1}{4}, \frac{13}{4} + \frac{11}{4} = 6, 6 + \frac{11}{4} = 8\frac{3}{4}, \frac{35}{4} + \frac{11}{4} = 11\frac{1}{2}$.

$\therefore$ लुप्त पद = $11\frac{1}{2}$.

23. श्रेढ़ी है, 1, $1 + 2^2 = 5$, $5 + 3^2 = 14$, $14 + 4^2 = 30$, $30 + 5^2 = 55$.

$\therefore$ लुप्त पद = 55.

24. 3, 6, 9, 12, वें में से प्रत्येक पद 2 होगा.

507 भी 3 से पूर्णतया विभक्त होता है. अतः 507 वाँ पद 2 होगा.

25. श्रेढ़ी है, 0, 0 + 2 = 2, 2 + 6 = 8, 8 + 10 = 18, 18 + 14 = 32, 32 + 18 = 50.

$\therefore$ अभीष्ट पद 32 है.

26. श्रेढ़ी है, $1^2 - 1 = 0$, $2^2 - 1 = 3$, $3^2 - 1 = 8$, $4^2 - 1 = 15$, $5^2 - 1 = 24$, $6^2 - 1 = 35$ तथा $7^2 - 1 = 48$.

$\therefore$ लुप्त पद 48 है.

27. 1, $1^2 + 1 = 2$, $2^2 + 1 = 5$, $5^2 + 1 = 26$, $(26)^2 + 1 = 677$.

$\therefore$ लुप्त पद 677 है.

28. $\frac{1}{2}, \frac{1+2}{2^2} = \frac{3}{4}, \frac{3+2}{2^3} = \frac{5}{8}, \frac{5+2}{2^4} = \frac{7}{16}, \frac{7+2}{2^5} = \frac{9}{32}$.

$\therefore$ लुप्त पद = $\frac{9}{32}$.

29. श्रेढ़ी है: 2, 2 + 3 = 5, 5 + 4 = 9, 9 + 5 = 14, 14 + 6 = 20, 20 + 7 = 27, 27 + 8 = 35.

$\therefore$ अभीष्ट पद = 35.

30. श्रेढ़ी है : $2 \times 1^3 = 2$, $2 \times 2^3 = 16$, $2 \times 3^3 = 54$, $2 \times 4^3 = 128$.

$\therefore$ अभीष्ट पद = 128.

31. श्रेढ़ी है, 2, 2 + 8 = 10, 10 + 16 = 26, 26 + 24 = 50, 50 + 32 = 82, 82 + 40 = 122.

$\therefore$ अभीष्ट पद = 122.

32. श्रेढ़ी है, 3, 3 × 2 = 6, 6 × 3 = 18, 18 × 4 = 72, 72 × 5 = 360, 360 × 6 = 2160.

$\therefore$ अभीष्ट पद = 2160.

33. श्रेढ़ी है: 7776, $\frac{7776}{6} = 1296$, $\frac{1296}{6} = 216$, $\frac{216}{6} = 36$.

$\therefore$ अभीष्ट पद = 36.

34. श्रेढ़ी है: $2^3 - 1 = 7$, $3^3 - 1 = 26$, $4^3 - 1 = 63$, $5^3 - 1 = 124$, $6^3 - 1 = 215$, $7^3 - 1 = 342$, $8^3 - 1 = 511$.

$\therefore$ अभीष्ट पद = 511.

35. श्रेढ़ी है, 28, 28 + 5 = 33, 33 − 2 = 31, 31 + 5 = 36, 36 − 2 = 34.

$\therefore$ अभीष्ट पद = 34.

36. $7 + (18 \times 1) = 7 + 18 = 25$

$25 + (18 \times 2) = 25 + 36 = 61$

$61 + (18 \times 3) = 61 + 54 = 115$

$115 + (18 \times 4) = 115 + 72 = 187$

$187 + (18 \times 5) = 187 + 90 = 277$

37. $9 + 5 = 14$

$14 + 10(= 5 + 5) = 24$

$24 + 17(= 10 + 7) = 41$

$41 + 26(= 17 + 9) = 67$

$67 + 67(= 26 + 11) = 104$

38. संख्या श्रृंखला का पैटर्न है:

$18 \times \frac{1}{2} = 9$

$9 \times 1 = 9$

$9 \times \frac{3}{2} = 13.5$

$13.5 \times 2 = 27$

$27 \times \frac{5}{2} = 67.5$

39. संख्या श्रृंखला का पैटर्न इस प्रकार है:

$15+9=24$

$24+11(=9+2)=35$

$35+12(=11+4)=50$

$50+21(=15+6)=71$

$71+29(=21+8)=100$

40. संख्या श्रृंखला का पैटर्न इस प्रकार है:

$(4\times1)+1=4+1=5$

$(5\times2)+2=10+2=12$

$(12\times3)+3=36+3=39$

$(39\times4)+4=156+4=160$

$(160\times5)+5=800+5=805$

41. 100, 91, 81, 70, $\boxed{58}$, 45

−9, −10, −11, −12, −13

अत:, श्रृंखला में गलत पद 60 है।

42. पैटर्न इस प्रकार है

$7^2+7^2=98$

$8^2+8^2=128$

$9^2+9^2=162$

$10^2+10^2=200$

$11^2+11^2=242$

$12^2+12^2=\boxed{288}$

अत:, श्रृंखला में गलत पद 266 है।

43. 64, $\boxed{101}$, 134, 161, 180, 189

+37, +33, +27, +19, +9

−4, −6, −8, −10

अत:, श्रृंखला में गलत पद 100 है।

44. $\boxed{25}$, 25, 50, 150, 600, 3000

25×1, 25×2, 50×3, 150×4, 600×5

अत:, श्रृंखला में गलत पद 12 है।

45. पैटर्न इस प्रकार है:

$12^2+1=145$

$13^2-1=168$

$14^2+1=197$

$15^2-1=224$

$16^2+1=\boxed{257}$

$17^2+1=288$

अत:, श्रृंखला में गलत पद 252 है।

46. 300, $\boxed{149}$, 148, 221, 441, 1101.5

×0.5−1, ×1−1, ×1.5−1, ×2−1, ×2.5−1

47. 25, $\boxed{100}$, 256, 476, 745, 1050

+75, +156, +220, +269, +305

$(+9^2)$, $(+8^2)$, $(+7^2)$, $(+6^2)$

48. 68, $\boxed{283}$, 407, 470, 496, 503

$+(6^3-1)$, $+(5^3-1)$, $+(4^3-1)$, $+(3^3-1)$, $+(2^3-1)$

49. 54, 67, 50, 63, 46, $\boxed{59}$

(+13), (−17), (+13), (−17), (+13)

50. 60, $\boxed{61.2}$, 63.2, 70.8, 99.6, 243.6

+(1.2), +(2.4), +(7.2), +28.8, 144

×2, ×3, ×4, ×5

51. 15, 34, 57, 86, $\boxed{123}$, 170

+19, +23, +39, +37, +47

+4, +6, +8, +10

52. 20, 32, 47, 57, $\boxed{74}$, 80

+12, +15, +10, +17, +6

+3, −5, +7, −11

53. 500, 50, 10, 3, 1.2, $\boxed{0.6}$

×0.1, ×0.2, ×0.3, ×0.4, ×0.5

54. 100, $\boxed{161}$, 228, 299, 372, 451

+61, +67, +71, +73, +79

+6, +4, +2, +6

55. 80, $\boxed{92}$, 117, 168, 271, 478

12, 12×2+1, 25×2+1, 51×2+1, 103×2+1

56. 40, 66, 116, 198, 320, $\boxed{490}$

26, 50, 82, 122, 170

+24, +32, +40, +48

प्रश्नमाला 36B

निर्देश: निम्नलिखित प्रत्येक प्रश्न में एक संख्या-श्रृंखला दी गई है. श्रृंखला के बाद एक अंक तथा उसके बाद (A), (B), (C), (D), (E) दिये गये हैं मूल संख्या-श्रृंखला के अनुसार दिये गये अंक से आरम्भ होने वाली श्रृंखला को पूरा करके अभीष्ट उत्तर दीजिए.

1. 7 232 488 777 1101 1462
5 (A) (B) (C) (D) (E)
(D) के स्थान पर क्या आएगा? **(बैंक पी०ओ० परीक्षा, 2015)**
(*a*) 1099 (*b*) 1505
(*c*) 988 (*d*) 1005
(*e*) इनमें से कोई नहीं

2. 16 33 67 135 271 543
4 (A) (B) (C) (D) (E)
(B) के स्थान पर क्या आएगा?
(बैंक पी०ओ० परीक्षा, 2015)
(*a*) 12 (*b*) 19
(*c*) 6·5 (*d*) 7
(*e*) इनमें से कोई नहीं

3. 640 480 600 1050 2362·5 6496.875
280 (A) (B) (C) (D) (E)
(C) के स्थान पर क्या आएगा?
(बैंक पी०ओ० परीक्षा, 2015)
(*a*) 625·75 (*b*) 950
(*c*) 459·375 (*d*) 345·5
(*e*) इनमें से कोई नहीं

4. 3 11 59 419 3779 41579
11 (A) (B) (C) (D) (E)
(B) के स्थान पर क्या आएगा?
(बैंक पी०ओ० परीक्षा, 2015)
(*a*) 419 (*b*) 67
(*c*) 129 (*d*) 179
(*e*) इनमें से कोई नहीं

5. 21 63 252 1260 7560 52920
17 (A) (B) (C) (D) (E)
(C) के स्थान पर क्या आएगा?
(बैंक पी०ओ० परीक्षा, 2015)
(*a*) 324 (*b*) 5644
(*c*) 1020 (*d*) 4980
(*e*) इनमें से कोई नहीं

6. 7 4 5 9 20 52·5
3 (A) (B) (C) (D) (E)
(C) के स्थान पर क्या आएगा?
(बैंक पी०ओ० परीक्षा, 2013)
(*a*) 2 (*b*) 4·5 (*c*) 6 (*d*) 7
(*e*) इनमें से कोई नहीं

7. 5 6 16 57 244 1245
2 (A) (B) (C) (D) (E)
(D) के स्थान पर क्या आएगा?
(बैंक पी०ओ० परीक्षा, 2013)
(*a*) 39 (*b*) 46 (*c*) 156 (*d*) 172
(*e*) इनमें से कोई नहीं

8. 3 5 9 17 33 65
7 (A) (B) (C) (D) (E)
(D) के स्थान पर क्या आएगा?
(बैंक पी०ओ० परीक्षा, 2013)
(*a*) 49 (*b*) 51 (*c*) 95 (*d*) 99
(*e*) इनमें से कोई नहीं

9. 5 8 6 10 7 12
7 (A) (B) (C) (D) (E)
(C) के स्थान पर क्या आएगा?
(बैंक पी०ओ० परीक्षा, 2013)
(*a*) 9 (*b*) 11 (*c*) 14 (*d*) 16
(*e*) इनमें से कोई नहीं

उत्तरमाला

1. (*a*) **2.** (*b*) **3.** (*c*) **4.** (*d*) **5.** (*c*) **6.** (*c*) **7.** (*d*) **8.** (*e*) **9.** (*e*)

दिये गये प्रश्नों के हल

1.
7
$+ (15)^2$ ↓
232
$+ (16)^2$ ↓
482
$+ (17)^2$ ↓
777
$+ (18)^2$ ↓
1101
$+ (19)^2$ ↓
1462

इसी प्रकार:
5
$+ (15)^2$ ↓
230 (A)
$+ (16)^2$ ↓
486 (B)
$+ (17)^2$ ↓
775 (C)
$+ (18)^2$ ↓
1099 (D)
$+ (19)^2$ ↓
1460 (E)

अत: (D) के स्थान पर 1099 आएगा. ∴ उत्तर (*a*) सही है.

2. 16 → $\times 2 + 1$ → 33 → $\times 2 + 1$ → 67 → $\times 2 + 1$ → 135 → $\times 2 + 1$ → 271 → $\times 2 + 1$ → 543

इसी प्रकार:

4 → $\times 2 + 1$ → 9 (A) → $\times 2 + 1$ → 19 (B)

$\therefore$ उत्तर (*b*) सही है.

3. 640 → $\times \frac{3}{4}$ → 480 → $\times \frac{5}{4}$ → 600 → $\times \frac{7}{4}$ → 1050 → $\times \frac{9}{4}$ → 2362·5 → $\times \frac{11}{4}$ → 6496·875

इसी प्रकार:

280 → $\times \frac{3}{4}$ → 210 (A) → $\times \frac{5}{4}$ → 262.5 (B)

262.5 (B) → $\times \frac{7}{4}$ → 459.375 (C)

$\therefore$ सही उत्तर (*c*) है.

4. 3 → $\times 3 + 2$ → 11 → $\times 5 + 4$ → 59 → $\times 7 + 6$ → 419 → $\times 9 + 8$ → 3979 → $\times 11 + 10$ → 41579

इसी प्रकार:

11 → $\times 3 + 2$ → 35 (A) → $\times 5 + 4$ → 179 (B)

$\therefore$ सही उत्तर (*d*) है.

5. 21 → $\times 3$ → 63 → $\times 4$ → 252 → $\times 5$ → 1260 → $\times 6$ → 7560 → $\times 7$ → 52920

इसी प्रकार:

17 → $\times 3$ → 51 (A) → $\times 4$ → 204 (B) → $\times 5$ → 1020 (C)

(C) के स्थान पर 1020 आएगा. $\therefore$ सही उत्तर (*c*) है.

6. 7 → $\times \frac{1}{2} + \frac{1}{2}$ → 4 → $\times 1 + 1$ → 5 → $\times \frac{3}{2} + \frac{3}{2}$ → 9 → $\times 2 + 2$ → 20

20 → $\times \frac{5}{2} + \frac{5}{2}$ → 52·5

इसी प्रकार:

3 → $\times \frac{1}{2} + \frac{1}{2}$ → 2 (A) → $\times 1 + 1$ → 3 (B) → $\times \frac{3}{2} + \frac{3}{2}$ → 6 (C)

$\therefore$ सही उत्तर (*c*) है.

7. 5 → $\times 1 + 1^2$ → 6 → $\times 2 + 2^2$ → 16 → $\times 3 + 3^2$ → 57 → $\times 4 + 4^2$ → 244 → $\times 5 + 5^2$ → 1245

इसी प्रकार:

2 → $\times 1 + 1^2$ → 3 (A) → $\times 2 + 2^2$ → 10 (B) → $\times 3 + 3^2$ → 39 (C) → $\times 4 + 4^2$ → 172 (D)

∴ (D) के स्थान पर 172 आएगा। ∴ सही उत्तर (*d*) है।

8. 3 → $\times 2 - 1$ → 5 → $\times 2 - 1$ → 9 → $\times 2 - 1$ → 17 → $\times 2 - 1$ → 33 → $\times 2 - 1$ → 65

इसी प्रकार:

7 → $\times 2 - 1$ → 13 (A) → $\times 2 - 1$ → 25 (B) → $\times 2 - 1$ → 49 (C)

49 (C) → $\times 2 - 1$ → 97 (D)

∴ (D) के स्थान पर 97 आएगा।

∴ सही उत्तर (*e*) है।

9. 5 → $+3$ → 8 → -2 → 6 → $+4$ → 10 → -3 → 7 → $+5$ → 12

इसी प्रकार:

7 → $+3$ → 10 (A) → -2 → 8 (B) → $+4$ → 12 (C)

∴ (C) के स्थान पर 12 आएगा।

∴ सही उत्तर (*e*) है।

प्रश्नमाला 36C

निर्देश: नीचे दिये गये प्रत्येक प्रश्न में त्रुटिपूर्ण संख्या ज्ञात कीजिए:

1. 2, 9, 28, 63, 126 (बैंक पी०ओ० परीक्षा, 2012)
(*a*) 2 (*b*) 9 (*c*) 28 (*d*) 63
(*e*) 126

2. 16, 24, 34, 54, 84 (रेलवे परीक्षा, 2012)
(*a*) 24 (*b*) 34 (*c*) 54 (*d*) 81
(*e*) इनमें से कोई नहीं

3. 1, 3, 10, 21, 64, 129, 256, 779 (बैंक पी०ओ० परीक्षा, 2013)
(*a*) 10 (*b*) 21 (*c*) 129 (*d*) 256
(*e*) इनमें से कोई नहीं

4. 50, 51, 47, 56, 42, 65, 29 (बैंक पी०ओ० परीक्षा, 2013)
(*a*) 42 (*b*) 47 (*c*) 51 (*d*) 56
(*e*) 65

5. 2, 3, 6, 18, 109, 1944, 209952 (बैंक पी०ओ० परीक्षा, 2013)
(*a*) 3 (*b*) 6 (*c*) 18 (*d*) 109
(*e*) 1944

6. 1, 3, 12, 25, 48 (मैनेजमैन्ट परीक्षा, 2013)
(*a*) 3 (*b*) 12 (*c*) 5 (*d*) 48

7. 24576, 6144, 1536, 386, 96, 24 (मैनेजमैन्ट परीक्षा, 2013)
(*a*) 96 (*b*) 386 (*c*) 1536 (*d*) 6144

8. 3, 4, 10, 32, 136, 685, 4116 (मैनेजमैन्ट परीक्षा, 2013)
(*a*) 10 (*b*) 32 (*c*) 26 (*d*) 55

9. 0, 1, 9, 36, 99, 225, 441 (बैंक पी०ओ० परीक्षा, 2012)
(*a*) 9 (*b*) 36 (*c*) 99 (*d*) 225
(*e*) 441

10. 2, 5, 7, 12, 19, 32, 50 (बैंक पी०ओ० परीक्षा, 2012)
(*a*) 5 (*b*) 7 (*c*) 12 (*d*) 19
(*e*) 32

11. 2, 13, 65, 271, 817, 1639, 1645
(*a*) 13 (*b*) 65 (*c*) 271 (*d*) 817
(*e*) 1639

12. 3, 4, 16, 75, 366, 1945, 11886
(बैंक पी०ओ० परीक्षा, 2012)
(*a*) 4 (*b*) 16 (*c*) 75 (*d*) 366
(*e*) 1945

13. 10, 15, 24, 35, 54, 75, 100 **(बैंक पी०ओ० परीक्षा, 2012)**
(*a*) 15 (*b*) 24 (*c*) 35 (*d*) 54
(*e*) 75

14. 1, 3, 4, 7, 11, 18, 27, 47
(*a*) 4 (*b*) 7 (*c*) 11 (*d*) 18
(*e*) 27

15. 2, 8, 32, 148, 765, 4626, 32431
(*a*) 8 (*b*) 32 (*c*) 148 (*d*) 765
(*e*) 4626

16. 2, 3, 6, 15, 45, 156·5, 630
(*a*) 3 (*b*) 6 (*c*) 15 (*d*) 45
(*e*) 156·5

17. 36, 20, 12, 8, 6, 5·5, 4·5
(*a*) 5·5 (*b*) 6 (*c*) 8 (*d*) 12
(*e*) 20

18. 1, 3, 9, 31, 128, 651, 3313
(*a*) 3 (*b*) 9 (*c*) 31 (*d*) 128
(*e*) 651

19. 5, 8, 16, 26, 50, 98, 194
(*a*) 8 (*b*) 16 (*c*) 26 (*d*) 50
(*e*) 98

20. 3, 10, 36, 172, 885, 5346, 37471
(*a*) 10 (*b*) 36 (*c*) 172 (*d*) 885
(*e*) 5346

उत्तरमाला

1. (*d*)	**2.** (*b*)	**3.** (*d*)	**4.** (*a*)	**5.** (*d*)	**6.** (*c*)	**7.** (*b*)	**8.** (*b*)	**9.** (*c*)	**10.** (*e*)
11. (*b*)	**12.** (*d*)	**13.** (*c*)	**14.** (*e*)	**15.** (*b*)	**16.** (*e*)	**17.** (*a*)	**18.** (*d*)	**19.** (*b*)	**20.** (*b*)

दिये गये प्रश्नों के हल

1. श्रेढ़ी है: $2 = 1^3 + 1, 9 = 2^3 + 1, 28 = 3^3 + 1, 63 \neq 4^3 + 1$.
अत: 63 गलत है.

2. श्रेढ़ी है: $16, 16 \times \frac{3}{2} = 24, 24 \times \frac{3}{2} \neq 36, 36 \times \frac{3}{2} = 54$.
अत: 34 गलत है.

3. श्रेढ़ी है: $1, 1 \times 2 + 1 = 3, 3 \times 3 + 1 = 10, 10 \times 2 + 1 = 21, 21 \times 3 + 1 = 64, 64 \times 2 + 1 = 129, 129 \times 3 + 1 = 388$.
अत: 256 गलत है.

4. श्रेढ़ी है: $50, 50 + 1^2 = 51, 51 - 2^2 = 47, 47 + 3^2 = 56, 56 - 4^2 = 40$.
अत: 42 गलत है.

5. श्रेढ़ी में प्रत्येक पद अपने से पहले के दो पदों के गुणनफल के बराबर है. $2, 3, 2 \times 3 = 6, 3 \times 6 = 18, 6 \times 18 = 108$.
अत: 109 गलत है.

6. श्रेढ़ी है: $1 = 1^2 - 0^2, 3 = (2^2 - 1^2), 12 = (4^2 - 2^2), 25 \neq (6^2 - 3^2)$.
अत: 25 गलत है.

7. श्रेढ़ी है: $24576, \frac{24576}{4} = 6144, \frac{6144}{4} = 1536, \frac{1536}{4} = 384$.
अत: 386 गलत है.

8. श्रेढ़ी है: $3, 4 = 3 \times 1 + 1, 10 = 4 \times 2 + 2, 32 \neq 10 \times 3 + 3$.
अत: 32 गलत है.

9. श्रेढ़ी है $0, 0 + 1^3 = 1, 1 + 2^3 = 9, 9 + 3^3 = 36, 36 + 4^3 = 100, 100 + 5^3 = 225$.
$\therefore$ 99 गलत है.

10. श्रेढ़ी है: $2, 5, 7 = 2 + 5, 12 = 7 + 5, 19 = 12 + 7, 32 \neq 19 + 22$.
$\therefore$ 32 गलत है.

11. श्रेढ़ी है: $2, 2 \times 6 + 1 = 13, 13 \times 5 + 2 = 67, 67 \times 4 + 3 = 271$.
$\therefore$ 65 गलत है.

12. श्रेढ़ी है: $3, 3 \times 1 + 1^3 = 4, 4 \times 2 + 2^3 = 16, 16 \times 3 + 3^3 = 75, 75 \times 4 + 4^3 = 364$.
$\therefore$ 366 गलत है.

13. श्रेढ़ी है: $10, 10 + 5 = 15, 15 + 9 = 24, 24 + 13 = 37 \neq 35, 37 + 17 = 54$ आदि.
$\therefore$ 35 गलत है.

14. प्रत्येक पद अपने से पहले के दो पदों के योग के बराबर है. $1, 3, 4 = 1 + 3, 7 = 3 + 4, 11 = 7 + 4, 18 = 11 + 7, 27 \neq 18 + 11$.
$\therefore$ 27 गलत है.

15. $2, 2 \times 2 + 2^2 = 8, 8 \times 3 + 3^2 = 33, 33 \times 4 + 4^2 = 148$.
$\therefore$ 32 गलत है.

16. श्रेढ़ी है: $2, 2 \times 1{\cdot}5 = 3, 3 \times 2 = 6, 6 \times 2{\cdot}5 = 15, 15 \times 3 = 45, 45 \times 3{\cdot}5 = 152{\cdot}5, 152{\cdot}5 \times 4 = 630$.
$\therefore$ 156·5 गलत है.

17. श्रेढ़ी है: $36, 36 - 16 = 20, 20 - 8 = 12, 12 - 4 = 8, 8 - 2 = 6, 6 - 1 = 5, 5 - 0{\cdot}5 = 4{\cdot}5$.
$\therefore$ 5·5 गलत है.

18. श्रेढ़ी है: $1, 1 \times 1 + 2 = 3, 3 \times 2 + 3 = 9, 9 \times 3 + 4 = 31, 31 \times 4 + 5 = 129 \neq 128$.
$\therefore$ 128 गलत है.

19. श्रेढ़ी है: $5, 5 \times 2 - 2 = 8, 8 \times 2 - 2 = 14 \neq 16, 14 \times 2 - 2 = 26, 26 \times 2 - 2 = 50$.
$\therefore$ 16 गलत है.

20. श्रेढ़ी है: $3, 3 \times 2 + 2^2 = 10, 10 \times 3 + 3^2 = 32 \neq 36, 39 \times 4 + 4^2 = 172$.
$\therefore$ 36 गलत है.

37 सारणीयन (TABULATION)

साधित उदाहरण

प्रश्न 1. **नीचे दी गई सारणी का अध्ययन कीजिए तथा इस पर आधारित प्रश्नों के उत्तर दीजिए:**

XYZ–कम्पनी (प्रा०लि०)			
वर्ष	कुल बिक्री (₹ लाख में)	सकल लाभ (₹ लाख में)	शुद्ध लाभ (₹ लाख में)
2001	351·6	155·5	54·2
2002	407·9	134·3	42·6
2003	380·1	149·9	38·9
2004	439·7	160·5	50·3
2005	485·9	203·3	65·8

(*i*) किस वर्ष में कुल बिक्री तथा सकल लाभ का अन्तर सबसे कम है?

(*a*) 2001 (*b*) 2002 (*c*) 2003 (*d*) 2004

(*ii*) वर्ष 2004 में हुई कुल बिक्री, वर्ष 2001 में हुई कुल बिक्री का कितने प्रतिशत है?

(*a*) 75% (*b*) 85% (*c*) 110% (*d*) 125%

(*iii*) किन वर्षों में अपने से पिछले वर्ष की तुलना में तीनों ही मदों अर्थात् कुल बिक्री, सकल लाभ और शुद्ध लाभ में एक साथ वृद्धि हुई?

(*a*) 2004 तथा 2005 (*b*) 2002 तथा 2004 (*c*) 2002 तथा 2003 (*d*) 2001 तथा 2002

(*iv*) पिछले वर्ष की तुलना में सकल लाभ में प्रतिशत वृद्धि किस वर्ष में अधिकतम थी?

(*a*) 2002 (*b*) 2003 (*c*) 2004 (*d*) 2005

हल: (*i*) विभिन्न वर्षों में कुल बिक्री तथा सकल लाभ का अन्तर:

वर्ष 2001 में अन्तर = ₹ (351·6 – 155·5) लाख = ₹ 196·1 लाख;

वर्ष 2002 में अन्तर = ₹ (407·9 – 134·3) लाख = ₹ 273·6 लाख;

वर्ष 2003 में अन्तर = ₹ (380·1 – 149·9) लाख = ₹ 230·2 लाख;

वर्ष 2004 में अन्तर = ₹ (439·7 – 160·5) लाख = ₹ 279·2 लाख;

वर्ष 2005 में अन्तर = ₹ (485·9 – 203·3) लाख = ₹ 282·6 लाख.

यह अन्तर सबसे कम वर्ष 2001 में है.

अत: अभीष्ट उत्तर (*a*) है.

(*ii*) माना वर्ष 2004 की बिक्री = वर्ष 2001 की बिक्री का x%.

तब, 439·7 लाख = 351·6 लाख का x%

$$\Leftrightarrow \quad 439{\cdot}7 = \left(351{\cdot}6 \times \frac{x}{100}\right) \Leftrightarrow x = \frac{439700}{3516} = 125\%.$$

अत: उत्तर (*d*) सही है.

(*iii*) स्पष्ट है कि वर्ष 2004 तथा 2005 में कुल बिक्री, सकल लाभ तथा शुद्ध लाभ तीनों में पिछले वर्ष की तुलना में वृद्धि हुई. अत: उत्तर (*a*) सही है.

(*iv*) 2003 में सकल लाभ में वृद्धि % = $\left(\frac{15{\cdot}6}{134{\cdot}3} \times 100\right)\% = 11{\cdot}6\%$.

2004 में सकल लाभ में वृद्धि % $= \left(\frac{10{\cdot}6}{149{\cdot}9} \times 100\right)\% = 7{\cdot}0\%.$

2005 में सकल लाभ में वृद्धि % $= \left(\frac{42{\cdot}8}{160{\cdot}5} \times 100\right)\% = 26{\cdot}6\%.$

इस प्रकार वर्ष 2005 में सकल लाभ में वृद्धि % अधिकतम रही.
अतः उत्तर (*d*) सही है.

प्रश्न 2. निम्नलिखित सारणी में 6 छात्रों द्वारा अलग-अलग विषयों में प्रतिशत प्राप्तांक दिये गये हैं. (बैंक पी०ओ० परीक्षा, 2005)

विषय	अंग्रजी	मराठी	गणित	समाज-शास्त्र	विज्ञान	हिन्दी
पूर्णांक	**100**	**80**	**150**	**75**	**150**	**50**
छात्र						
A	71	70	75	72	78	76
B	75	45	80	88	82	56
C	73	85	70	60	68	74
D	88	90	62	80	74	68
E	80	65	88	80	70	60
F	69	40	72	82	64	72

इस सारणी का अध्ययन करके नीचे दिये गये प्रश्नों के उत्तर दीजिए.

(*i*) सभी छात्रों का हिन्दी के प्राप्तांकों का औसत प्रतिशत लगभग कितना है?
(*a*) 68 (*b*) 62 (*c*) 76 (*d*) 79 (*e*) 72

(*ii*) विद्यार्थी *C* के सभी विषयों में प्रतिशत प्राप्तांक कितने हैं?
(*a*) 72·57% (*b*) 71·07% (*c*) 71·67% (*d*) 72·77% (*e*) इनमें से कोई नहीं

(*iii*) सभी विषयों में मिलाकर किस विद्यार्थी को सर्वाधिक अंक मिले हैं?
(*a*) *D* (*b*) *B* (*c*) *A* (*d*) *E* (*e*) इनमें से कोई नहीं

(*iv*) यदि गणित और विज्ञान में कुल उत्तीर्णांक 220 हों, तो कितने छात्र उत्तीर्ण होंगे?
(*a*) एक (*b*) दो (*c*) तीन (*d*) चार (*e*) इनमें से कोई नहीं

(*v*) कितने छात्रों को एक से अधिक विषयों में अधिकतम अंक मिले हैं?
(*a*) कोई नहीं (*b*) एक (*c*) तीन (*d*) दो (*e*) इनमें से कोई नहीं

हलः (*i*) सभी के हिन्दी में प्राप्त अंकों का योग

$= \left(\frac{76}{100} \times 50\right) + \left(\frac{56}{100} \times 50\right) + \left(\frac{74}{100} \times 50\right) + \left(\frac{68}{100} \times 50\right) + \left(\frac{60}{100} \times 50\right) + \left(\frac{72}{100} \times 50\right)$

$= (38 + 28 + 37 + 34 + 30 + 36) = 203.$

इन अंकों का कुल प्रतिशत $= \left(\frac{203}{50 \times 6} \times 100\right)\% = 67.66\% \sim 68\%.$

अतः उत्तर (*a*) सही है.

(*ii*) *C* के सभी विषयों के प्राप्तांक

$= \left(73 + \frac{85}{100} \times 80 + \frac{70}{100} \times 150 + \frac{60}{100} \times 75 + \frac{68}{100} \times 150 + \frac{74}{100} \times 50\right)$

$= (73 + 68 + 105 + 45 + 102 + 37) = 430.$

पूर्णांकों का योग $= (100 + 80 + 150 + 75 + 150 + 50) = 605.$

$\therefore$ अभीष्ट % $= \left(\frac{430}{605} \times 100\right)\% = 71{\cdot}07\%.$

अतः उत्तर (*b*) सही है.

(*iii*) A के प्राप्तांक $= \left(71+\frac{70}{100}\times80+\frac{75}{100}\times150+\frac{72}{100}\times75+\frac{78}{100}\times150+\frac{76}{100}\times50\right)$

$= (71 + 56 + 112\cdot5 + 54 + 117 + 38) = 448\cdot5.$

B के प्राप्तांक $= \left(75+\frac{45}{100}\times80+\frac{80}{100}\times150+\frac{88}{100}\times75+\frac{82}{100}\times150+\frac{56}{100}\times50\right)$

$= (75 + 36 + 120 + 66 + 128 + 28) = 448.$

C के प्राप्तांक $= \left(73+\frac{85}{100}\times80+\frac{70}{100}\times150+\frac{60}{100}\times75+\frac{68}{100}\times150+\frac{74}{100}\times50\right)$

$= (73 + 68 + 105 + 45 + 102 + 37) = 430.$

D के प्राप्तांक $= \left(88+\frac{90}{100}\times80+\frac{62}{100}\times150+\frac{80}{100}\times75+\frac{74}{100}\times150+\frac{68}{100}\times50\right)$

$= (88 + 72 + 93 + 60 + 111 + 34) = 458.$

E के प्राप्तांक $= \left(80+\frac{65}{100}\times80+\frac{88}{100}\times150+\frac{80}{100}\times75+\frac{70}{100}\times150+\frac{60}{100}\times50\right)$

$= (80 + 52 + 132 + 60 + 105 + 30) = 459.$

F के प्राप्तांक $= \left(69+\frac{40}{100}\times80+\frac{72}{100}\times150+\frac{82}{100}\times75+\frac{64}{100}\times150+\frac{72}{100}\times50\right)$

$= (69 + 32 + 108 + 61.5 + 96 + 36) = 402\cdot5.$

अत: सर्वाधिक प्राप्तांक E के हैं.

अत: उत्तर (*d*) सही है.

(*iv*) (गणित + विज्ञान) में प्राप्तांक

$A \rightarrow \left(\frac{75}{100}\times150+\frac{78}{100}\times150\right) = (112\cdot5 + 117) = 229\cdot5.$

$B \rightarrow \left(\frac{80}{100}\times150+\frac{82}{100}\times150\right) = (120 + 123) = 243.$

$C \rightarrow \left(\frac{70}{100}\times150+\frac{68}{100}\times150\right) = (105 + 102) = 207.$

$D \rightarrow \left(\frac{62}{100}\times150+\frac{74}{100}\times150\right) = (93 + 111) = 204.$

$E \rightarrow \left(\frac{88}{100}\times150+\frac{70}{100}\times150\right) = (132 + 105) = 237.$

$F \rightarrow \left(\frac{72}{100}\times150+\frac{644}{100}\times150\right) = (108 + 96) = 204.$

इनमें से तीन छात्रों के अंक 220 से अधिक हैं. अत: 3 छात्र उत्तीर्ण हुए.

अत: उत्तर (*c*) सही है.

(*v*)

छात्र	अधिकतम अंक वाले विषय
A	हिन्दी
B	समाज-शास्त्र, विज्ञान
C	कोई नहीं
D	अंग्रेजी, मराठी
E	गणित
F	कोई नहीं

अत: 2 छात्रों को एक से अधिक विषयों में अधिकतम अंक मिले हैं.

अत: उत्तर (*d*) सही है.

प्रश्न 3. निम्नलिखित सारणी में छः संस्थानों में विभिन्न पाठ्यक्रमों में विद्यार्थियों की संख्या दी गई है.

(बैंक पी०ओ० परीक्षा, 2015)

संस्थान / पाठ्यक्रम	MBA	MMS	PGDBA	DCA	MCA	ACP
GIMS	120	60	150	50	200	30
JBMS	180	120	300	30	180	00
NIBS	60	90	125	60	210	15
IIPS	90	90	140	25	190	15
ACMS	45	60	180	20	185	60
WIBS	120	90	240	35	205	00

सारणी का अध्ययन करके निम्नलिखित प्रश्नों के उत्तर दीजिये.

(*i*) निम्नलिखित में से कौन-सा कथन असत्य है?

(*a*) कुल विद्यार्थियों की संख्या अधिकतम JBMS में है.

(*b*) कुल विद्यार्थियों की संख्या किन्हीं भी दो संस्थानों में समान नहीं है.

(*c*) संस्था ACMS में सभी पाठ्यक्रमों में से MCA में विद्यार्थियों की संख्या सर्वाधिक है.

(*d*) कुछ संस्थानों में ACP पाठ्यक्रम नहीं है.

(*e*) संस्थान JBMS में PGDBA में विद्यार्थियों की संख्या सर्वाधिक है.

(*ii*) MMS पाठ्यक्रम में NIBS के विद्यार्थियों की संख्या JBMS के विद्यार्थियों की संख्या का कितने प्रतिशत है?

(*a*) $133\frac{1}{3}\%$ (*b*) 85% (*c*) 90% (*d*) 75% (*e*) इनमें से कोई नहीं

(*iii*) विभिन्न संस्थानों में विद्यार्थियों की संख्या में किस पाठ्यक्रम में कम से कम विभिन्नता है?

(*a*) MCA (*b*) MBA (*c*) ACP (*d*) DCA (*e*) इनमें से कोई नहीं

(*iv*) किस पाठ्यक्रम में विद्यार्थियों की संख्या सर्वाधिक है?

(*a*) PGDBA (*b*) MBA (*c*) MCA (*d*) MMS (*e*) इनमें से कोई नहीं

(*v*) सभी संस्थानों में ACP पाठ्यक्रम में विद्यार्थियों की कुल संख्या कितनी है?

(*a*) 220 (*b*) 140 (*c*) 130 (*d*) 150 (*e*) इनमें से कोई नहीं

हल: (*i*) कुल विद्यार्थियों की संख्या:

GIMS → 610, JBMS → 810, NIBS → 560,

IIPS → 550, ACMS → 550, WIBS → 690.

अत: कुल विद्यार्थियों की संख्या अधिकतम JBMS में है (सत्य)

कुल विद्यार्थियों की संख्या IIPS तथा ACMS में समान है.

∴ (*b*) असत्य है.

अत: उत्तर (*b*) सही है.

(*ii*) MMS में:

माना NIBS के विद्यार्थियों की संख्या = JBMS के विद्यार्थियों की संख्या का x%.

तब, $90 = 120$ का $x\% \Leftrightarrow 90 = 120 \times \frac{x}{100} \Leftrightarrow x = \frac{90\times100}{120} = 75.$

अत: उत्तर (*d*) सही है.

(*iv*) कुल विद्यार्थियों की संख्या:

MBA → 615, MMS → 510, PGDBA → 1135, DCA → 220, MCA → 1170, ACP→120.

स्पष्ट है कि PGDBA में विद्यार्थियों की संख्या सर्वाधिक है.

अत: उत्तर (*a*) सही है.

(*v*) ACP में विद्यार्थियों की संख्या = 120.

अत: उत्तर (*e*) सही है.

प्रश्न 4. निम्नलिखित सारणी में छः प्रतिष्ठानों के विभिन्न विभागों में कार्यरत महिलाओं की संख्या दी गई है.

(बैंक पी०ओ० परीक्षा, 2015)

विभाग / प्रतिष्ठान	उत्पादन	एच०आर०	आई०टी०	वित्त	विपणन	मर्चेन्डाडजिंग
P	155	250	320	405	150	50
Q	178	300	415	318	127	90
R	58	275	204	250	188	66
S	102	190	198	200	190	75
T	110	100	256	305	250	85
U	60	150	225	220	168	35

सारणी का अध्ययन करके निम्नलिखित प्रश्नों के उत्तर दीजिए:

(*i*) प्रतिष्ठान *P, Q, U* में कुल मिलाकर आई०टी० विभाग में कार्यरत महिलाओं की संख्या तथा प्रतिष्ठान *P, S, T* में कुल मिलाकर विपणन विभाग में कार्यरत महिलाओं की संख्या का क्रमशः अनुपात क्या है?

(*a*) 59 : 33 (*b*) 96 : 31 (*c*) 71 : 19 (*d*) 71 : 23 (*e*) इनमें से कोई नहीं

(*ii*) प्रतिष्ठान *Q* के उत्पादन विभाग में कार्यरत महिलाओं को मर्चेन्डाईजिंग विभाग में भेज दें तो मर्चेन्डाईजिंग विभाग में कार्यरत महिलायें कुल महिला कर्मचारियों का कितना प्रतिशत होगा?

(*a*) 19% (*b*) 26% (*c*) 11% (*d*) 23% (*e*) 15%

(*iii*) सभी प्रतिष्ठानों में वित्त विभाग में कार्यरत महिलाओं की औसत संख्या कितनी है?

(*a*) 226 (*b*) 283 (*c*) 312 (*d*) 308 (*e*) इनमें से कोई नहीं

(*iv*) प्रतिष्ठान *S* में एच०आर० विभाग में कार्यरत महिलाओं की संख्या सभी प्रतिष्ठानों में एच०आर० विभाग में कार्यरत महिलाओं की कुल संख्या का कितने प्रतिशत है?

(*a*) 13·45 (*b*) 19·16 (*c*) 21·92 (*d*) 15·02 (*e*) इनमें से कोई नहीं

(*v*) किस प्रतिष्ठान में सभी विभागों में कार्यरत महिलाओं की संख्या न्यूनतम है?

(*a*) *T* (*b*) *R* (*c*) *U* (*d*) *S* (*e*) इनमें से कोई नहीं

हल: (*i*) $(P+Q+U)$ में आई०टी० में कार्यरत महिलाओं की संख्या $= (320 + 415 + 225) = 960$.

$(P+S+T)$ में विपणन में कार्यरत महिलाओं की संख्या $= (150 + 190 + 250) = 590$.

अभीष्ट अनुपात $= 960 : 590 = 96 : 59$.

अतः उत्तर (*e*) सही है.

(*ii*) *Q* में (उत्पादन + मर्चेन्डाईजिंग) में महिला कर्मचारी $= (178 + 90) = 268$.

Q में कुल महिला कर्मचारी $= (178 + 300 + 415 + 318 + 127 + 90) = 1428$.

$$\therefore \quad \text{अभीष्ट } \% = \left(\frac{268}{1428}\times 100\right)\% = 18{\cdot}77 \simeq 19\%.$$

अतः उत्तर (*a*) सही है.

(*iii*) $$\text{अभीष्ट औसत} = \frac{(405+318+250+200+305+220)}{6} = \frac{1698}{6} = 283.$$

अतः उत्तर (*b*) सही है.

(*iv*) माना *S* में एच०आर० में महिलाओं की संख्या = एच०आर० में कुल महिलाओं की संख्या का $x\%$

तब, $190 = (250 + 300 + 275 + 190 + 100 + 150)$ का $x\%$

$$\Leftrightarrow \quad 1265 \times \frac{x}{100} = 190 \Leftrightarrow x = \left(\frac{190\times 100}{1265}\right) = 15{\cdot}02.$$

अतः अभीष्ट मान = 15·02%.

अतः उत्तर (*d*) सही है.

(*v*) विभिन्न प्रतिष्ठानों में कार्यरत महिलाओं की संख्या:

$P \to 1330,\ Q \to 1428,\ R \to 1041,\ S \to 955,\ T \to 1106,\ U \to 858.$

स्पष्ट है कि *U* में कार्यरत महिलाओं की संख्या न्यूनतम है.

अतः उत्तर (*c*) सही है.

प्रश्नमाला 37

प्रश्न 1. नीचे दी गई सारणी में 6 छात्रों द्वारा विभिन्न विषयों में प्राप्तांक दिये गये हैं. ध्यानपूर्वक इस तालिका का अध्ययन करके उसके नीचे दिये गये प्रश्नों का उत्तर दें. **(बैंक पी०ओ० परीक्षा, 2015)**

छात्र	विषय →	A	B	C	D	E	F
	पूर्णांक	75	80	120	125	150	150
P		40	52	90	88	110	120
Q		42	66	85	92	105	100
R		36	68	105	99	100	98
S		45	55	88	106	96	90
T		60	70	96	102	120	130
U		54	72	110	100	125	135

(*i*) विषय B में सभी छात्रों द्वारा प्राप्त अंकों का औसत प्रतिशत लगभग कितना है?
(*a*) 60 (*b*) 65 (*c*) 70 (*d*) 75 (*e*) 80

(*ii*) Q द्वारा सभी विषयों में मिलाकर प्राप्त अंकों का कुल कितना प्रतिशत है?
(*a*) 68·5% (*b*) 65% (*c*) 70% (*d*) 67·75% (*e*) इनमें से कोई नहीं

(*iii*) विषय A में सभी छात्रों के औसत अंक कितने हैं?
(*a*) $46\frac{1}{3}$ (*b*) $42\frac{1}{6}$ (*c*) $42\frac{1}{3}$ (*d*) $46\frac{1}{6}$ (*e*) इनमें से कोई नहीं

(*iv*) सभी छात्रों द्वारा प्राप्त F में औसत अंक कितने हैं?
(*a*) $112\frac{1}{3}$ (*b*) $112\frac{1}{6}$ (*c*) $116\frac{1}{3}$ (*d*) $116\frac{1}{6}$ (*e*) इनमें से कोई नहीं

(*v*) R द्वारा सभी विषयों में प्राप्तांक U के प्राप्तांकों का लगभग कितने प्रतिशत है?
(*a*) 82% (*b*) 84% (*c*) 85% (*d*) 87% (*e*) इनमें से कोई नहीं

प्रश्न 2. निम्नलिखित तालिका में राज्यों A, B, C, D, E की अलग-अलग महीनों में जनसंख्या (दस लाख में) दी गई है. इनका ध्यानपूर्वक अध्ययन करके नीचे दिये गये प्रश्नों का उत्तर दीजिए. **(बैंक पी०ओ० परीक्षा, 2015)**

राज्यों A, B, C, D, E की अलग-अलग महीनों में जनसंख्या (दस लाख में)

महीना / राज्य	A	B	C	D	E
जनवरी	51	167	26	210	78
फरवरी	53	168	27	222	79
मार्च	57	171	28	226	80
अप्रैल	61	180	30	228	81
मई	63	184	32	310	82
जून	63	187	33	319	84
जुलाई	64	192	34	321	85
अगस्त	65	201	35	328	87

(*i*) अगस्त तथा जनवरी में राज्य B की जनसंख्या का अन्तर कितना था?
(*a*) 34000000 (*b*) 3300000 (*c*) 3400000 (*d*) 340000 (*e*) इनमें से कोई नहीं

(*ii*) जुलाई से अगस्त में किस राज्य का जनसंख्या वृद्धि प्रतिशत न्यूनतम था?
(*a*) C (*b*) E (*c*) A (*d*) D (*e*) इनमें से कोई नहीं

(*iii*) जनवरी से अगस्त में राज्य A की जनसंख्या में लगभग प्रतिशत वृद्धि कितनी है?
(*a*) 28% (*b*) 14% (*c*) 22% (*d*) 21% (*e*) 18%

(iv) अगस्त में किन दो राज्यों की जनसंख्या के बीच अन्तर न्यूनतम था?

(a) A और C (b) C और E (c) B और D (d) E और A (e) इनमें से कोई नहीं

(v) किस राज्य की जनसंख्या सर्वाधिक है?

(a) A (b) B (c) C (d) D (e) E

प्रश्न 3. नीचे दी गई तालिका में किसी राज्य की विभिन्न आयु-वर्गों में प्रतिशत जनसंख्या दी गई है. तालिका का ध्यानपूर्वक अध्ययन करके नीचे लिखे प्रश्नों के उत्तर दीजिए.

किसी राज्य की विभिन्न आयु-वर्गों में प्रतिशत जनसंख्या

आयु-वर्ग	15 वर्ष तक	16–25	26–35	36–45	46–55	56–65	66 तथा ऊपर	कुल
प्रतिशत जनसंख्या	30%	17·75%	17·25%	14·5%	14.25%	5·12%	1·13%	100%

(i) किस आयु-वर्ग में अधिकतम जनसंख्या है?

(a) 16-25 (b) 26-35 (c) 36-45 (d) 56-65 (e) इनमें से कोई नहीं

(ii) प्रत्येक 4200 पर, 25 वर्ष से कम आयु के व्यक्ति कितने हैं?

(a) 2005 (b) 1260 (c) 746 (d) 515

(iii) यदि 36 वर्ष से कम आयु के व्यक्ति 2000 लाख हों, तो 56-65 आयु-वर्ग के कितने व्यक्ति हैं?

(a) 300·7 लाख (b) 157·5 लाख (c) 127·2 लाख (d) 593 लाख

(iv) यदि 56 वर्ष तथा इससे अधिक आयु के व्यक्ति 1 करोड़ हों, तो 16-25 तथा 46-55 आयु-वर्ग के व्यक्तियों का अन्तर कितना है?

(a) 68 लाख (b) 56 लाख (c) 284 लाख (d) 347 लाख

(v) यदि 46-55 तथा 26-35 के वर्गों का अन्तर 117·5 लाख हो, तो राज्य की कुल जनसंख्या कितनी है?

(a) 4 करोड़ (b) 3·967 करोड़ (c) 3·6 करोड़ (d) 4·6 करोड़

निर्देश (4-8): निम्न सारणी का ध्यानपूर्वक अध्ययन कीजिए एवं दिए गए प्रश्नों के उत्तर दीजिए।

दो शहरों X एवं Y में 5 चलचित्रों की रेटिंग

	शहर X		शहर Y	
चलचित्र	निर्धारकों (raters) की संख्या	प्राप्त औसत रेटिंग	निर्धारकों (raters) की संख्या	प्राप्त औसत रेटिंग
A	--	46	--	77
B	120	--	180	--
C	84	72	108	--
D	--	56	--	84
E	80	42.75	90	42

टिप्पणी: (I) कुछ डाटा अनुपलब्ध हैं जिन्हें चिह्न (--) से निर्देशित किया गया है। यदि किसी प्रश्न का उत्तर देने के लिए आवश्यक हो तो दिए गए डाटा के आधार पर उन मानों की गणना कीजिए।

(II) प्राप्त रेटिंग का कुल योग = निर्धारकों की संख्या × प्राप्त औसत रेटिंग

4. चलचित्र C के लिए शहर X एंव शहर Y से प्राप्त रेटिंग के कुल योगों का संगत अनुपात 16 : 21 है। शहर Y से चलचित्र C के लिए प्राप्त औसत रेटिंग क्या है?

(a) 73.5 (b) 72.5

(c) 75.5 (d) 75

(e) 74

5. चलचित्र D के लिए शहर X एवं शहर Y से प्राप्त रेटिंग का कुल योग समान है। शहर Y एवं शहर Z में निर्धारकों की संख्या का संगत अनुपात 4 : 5 है। शहर X में निर्धारकों की संख्या शहर Z में निर्धारकों की संख्या से कितना प्रतिशत अधिक है?

(a) 30 (b) 15

(c) 25 (d) 40

(e) दिए गए विकल्पों से अन्य

6. चलचित्र B के लिए शहर Y से प्राप्त औसत रेटिंग शहर X से प्राप्त औसत रेटिंग से 10 प्रतिशत कम है। शहर Y से प्राप्त रेटिंग का कुल योग शहर X से प्राप्त रेटिंग के कुल योग से कितना प्रतिशत अधिक है?

(a) 30 (b) 15

(c) 25 (d) 40

(e) दिए गए विकल्पों से अन्य

7. चलचित्र E के लिए, शहर X एवं शहर Y में पुरुष निर्धारकों द्वारा दी गयी औसत रेटिंग समान है एवं महिला निर्धारकों द्वारा दी गयी औसत रेटिंग भी समान है। यदि शहर X में पुरुषों

एवं महिलाओं की संख्या का अनुपात क्रमशः 5 : 3 एवं 2 : 1 हो, तो शहर X के पुरुष निर्धारकों द्वारा दी गयी औसत रेटिंग क्या है?

(*a*) 28 (*b*) 36
(*c*) 32 (*d*) 30
(*e*) दिए गए विकल्पों से अन्य

8. शहर X एवं शहर Y को मिलाकर, चलचित्र A के लिए प्राप्त औसत रेटिंग 58 है। शहर X में निर्धारकों की संख्या शहर Y में निर्धारकों की संख्या से कितना प्रतिशत अधिक है?

(आई.बी.पी.एस. बैंक क्लर्क सी.डब्लू.ई. मुख्य परीक्षा, 2017)

(*a*) $27\frac{1}{3}$ (*b*) $35\frac{2}{3}$
(*c*) $36\frac{1}{3}$ (*d*) $58\frac{1}{3}$
(*e*) दिए गए विकल्पों से अन्य

निर्देश (9-13): निम्न सारणी का सावधानीपूर्वक अध्ययन कीजिए एवं दिए गए प्रश्नों के उत्तर दीजिए।

पाँच स्टोरों *A,B,C,D* एवं *E* द्वारा पांच दिनों में बेची गयी कलमों की संख्या

स्टोर / दिन	A	B	C	D	E
सोमवार	120	135	114	130	150
मंगलवार	125	125	118	134	154
बुधवार	155	115	120	132	160
बश्हस्पतिवार	115	140	125	135	130
शुक्रवार	102	105	115	160	110

9. स्टोर *B* द्वारा सोमवार एवं बुधवार को मिलाकर बेची गयीं कलमों की संख्या तथा स्टोर *A* द्वारा इन्हीं दिनों को मिलाकर बेची गयीं कलमों की संख्या के मध्य क्रमशः क्या अनुपात है?

(*a*) 10 : 11 (*b*) 6 : 7
(*c*) 12 : 13 (*d*) 15 : 17
(*e*) दिए गए विकल्पों के अलावा

10. स्टोर द्वारा सोमवार को बेची गयीं कलमों की संख्या उसी स्टोर द्वारा शुक्रवार को बेची गयीं कलमों की संख्या से कितना प्रतिशत कम है?

(*a*) 15.5 (*b*) 12.55
(*c*) 18 (*d*) 25
(*e*) 18.75

11. यदि स्टोर *D* एवं *E* द्वारा शनिवार को बेची गयीं कलमों की संख्या बृहरगतिनार की अपेक्षा क्रमशः 20% कम एवं 10% अधिक थी, तो स्टोर *D* एवं *E* द्वारा शनिवार को बेची गयीं कलमों की कुल संख्या क्या थी?

(*a*) 310 (*b*) 251
(*c*) 242 (*d*) 276
(*e*) दिए गए विकल्पों के अलावा

12. स्टोर *C* द्वारा सोमवार, मंगलवार एवं बृहस्पतिवार को बेची गयीं कलमों की औसत संख्या क्या है?

(*a*) 120 (*b*) 118
(*c*) 117 (*d*) 121
(*e*) 119

13. स्टोर *B* एवं *E* द्वारा मंगलवार को बेची गयीं कलमों की कुल संख्या तथा इन्हीं स्टोरों द्वारा शुक्रवार को बेची गयीं कलमों की कुल संख्या के मध्य क्या अंतर है?

(NIACL सहायक प्रारंभिक परीक्षा, 2017)

(*a*) 68 (*b*) 64
(*c*) 74 (*d*) 78
(*e*) 71

निर्देश (प्रश्न *14* से *17*): नीचे दी गई तालिका का अध्ययन करें और उसके बाद आने वाले प्रश्नों के उत्तर दें।

5 अलग-अलग स्कूलों में छह अलग-अलग वर्षों में लड़कों और लड़कियों की संख्या (सैकड़ों में) नीचे दी गई है:

पाठशाला	A		B		C		D		E	
साल	लड़कों	लड़कियों	लड़कों	लड़कियों	लड़कों	लड़कियों	लड़कों	लड़कियों	लड़कों	लड़कियों
2014	3.3	3.6	5.2	3.1	5.5	4.5	2.4	1.4	6.5	6.6
2015	6.6	4.2	4.9	2.2	6.9	3.3	4.4	2.3	5.5	3.6
2016	9.3	6.9	4.7	4.2	5.8	4.9	6.4	3.3	2.7	2.4
2017	5.4	9.6	6.3	5.4	6.6	5.2	5.3	5.4	5.4	5.7
2018	8.4	12.9	7.5	5.9	8.7	6.6	12.1	5.2	6.8	6.5
2019	12.3	14.4	9.8	4.4	11.7	4.2	12.2	9.4	10.8	12.7

14. पिछले वर्ष की तुलना में वर्ष 2017 में स्कूल D में लड़कों की संख्या में लगभग कितने प्रतिशत की कमी आई है?

(*a*) 17% (*b*) 5% (*c*) 9% (*d*) 12%

15. वर्ष 2018 में स्कूल B में लड़कियों की संख्या, वर्ष 2015 में स्कूल E में छात्रों की कुल संख्या का लगभग कितना प्रतिशत है?

(*a*) 52% (*b*) 65% (*c*) 58% (*d*) 46%

16. सभी वर्षों में मिलाकर स्कूल A में लड़कियों की औसत संख्या कितनी है?

(*a*) 860 (*b*) 600 (*c*) 760 (*d*) 800

17. वर्ष 2018 में स्कूल C में लड़कों की संख्या का वर्ष 2018 में स्कूल A में लड़कियों की संख्या से अनुपात क्या है?

(*a*) 29:43 (*b*) 36:11 (*c*) 36:13 (*d*) 29:41

निर्देश (प्रश्न *18* से *22*): तालिका का ध्यानपूर्वक अध्ययन करें और नीचे दिए गए प्रश्नों के उत्तर दें:

दिया गया डेटा डेस्कटॉप और लैपटॉप की संख्या के बारे में है और चार अलग-अलग दुकानों A, B, C और D द्वारा बेचे गए हैं:

(आरबीआई सहायक (प्री) 2020)

दुकान	बेचे गए लैपटॉप की संख्या	बेचे गए डेस्कटॉप की संख्या
A	350	200
B	390	520
C	440	550
D	550	660

18. दुकान A, B और D द्वारा बेचे गए डेस्कटॉप की औसत संख्या कितनी है?

(*a*) 450 (*b*) 420 (*c*) 440 (*d*) 460

(*e*) 500

19. दुकान A, B और C द्वारा मिलाकर बेचे गए लैपटॉप की कुल संख्या कितनी है?

(*a*) 1180 (*b*) 1080 (*c*) 1160 (*d*) 1140

(*e*) 960

20. दुकान C और D द्वारा मिलाकर बेचे गए लैपटॉप की कुल संख्या और दुकान D द्वारा बेचे गए डेस्कटॉप की संख्या के बीच संबंधित अनुपात क्या है?

(*a*) 8 : 5 (*b*) 5 : 4 (*c*) 3 : 2 (*d*) 2 : 1

(*e*) 9 : 7

21. दुकान A द्वारा बेचे गए लैपटॉप की संख्या, दुकान C द्वारा बेचे गए डेस्कटॉप की संख्या से लगभग कितने प्रतिशत कम है?

(*a*) 45 (*b*) 30 (*c*) 32 (*d*) 42

(*e*) 36

22. दुकान B और D द्वारा मिलाकर बेचे गए लैपटॉप की कुल संख्या और दुकान C द्वारा बेचे गए डेस्कटॉप की संख्या के बीच कितना अंतर है?

(*a*) 460 (*b*) 390 (*c*) 330 (*d*) 420

(*e*) 340

निर्देश (प्रश्न *23* से *27*): तालिका का ध्यानपूर्वक अध्ययन करें और नीचे दिए गए प्रश्नों के उत्तर दें:

दिया गया डेटा तीन अलग-अलग महीनों: जून, जुलाई, अगस्त में दुकानों A, B, C और D द्वारा बेचे गए मोबाइल फोन की संख्या के संबंध में है।

(नाबार्ड देव सहायक, 2019)

दुकानों	जून	जुलाई	अगस्त
A	112	100	130
B	100	88	124
C	110	80	46
D	96	94	86

23. अगस्त में दुकान A और B द्वारा बेचे गए मोबाइल फोन की कुल संख्या और जून में दुकान C और D द्वारा बेचे गए मोबाइल फोन की संख्या के बीच कितना अंतर है?

(*a*) 48 (*b*) 46 (*c*) 40 (*d*) 32

(*e*) 30

24. दिए गए सभी महीनों में दुकान D द्वारा बेचे गए मोबाइलों की औसत संख्या ज्ञात कीजिए।

(*a*) 90 (*b*) 92 (*c*) 88 (*d*) 85

(*e*) 96

25. जून और जुलाई में दुकान C द्वारा बेचे गए मोबाइल फोन की कुल संख्या जुलाई और अगस्त में दुकान D द्वारा बेचे गए मोबाइल फोन की कुल संख्या का लगभग कितना प्रतिशत है?

(*a*) 106 (*b*) 91 (*c*) 122 (*d*) 115

(*e*) 101

26. अन्य दुकान E ने सितंबर में दुकान B द्वारा तीनों महीनों में बेचे गए मोबाइल फोन की तुलना में 50% अधिक मोबाइल फोन बेचे। सितंबर में दुकान E द्वारा बेचे गए मोबाइल फोन की कुल संख्या कितनी है?

(*a*) 420 (*b*) 468 (*c*) 464 (*d*) 500

(*e*) 480

27. जुलाई में दुकान A और C द्वारा बेचे गए मोबाइल फोन की कुल संख्या और अगस्त में दुकान B द्वारा बेचे गए मोबाइल फोन की कुल संख्या के बीच संबंधित अनुपात क्या है?

(*a*) 13 : 9 (*b*) 51 : 25 (*c*) 31 : 25 (*d*) 45 : 31

(*e*) 50 : 27

निर्देश (प्रश्न *28* से *32*): तालिका का अध्ययन करें और उसके बाद आने वाले प्रश्नों के उत्तर दें।

दी गई तालिका गरीबी रेखा से नीचे के छह राज्यों की प्रतिशत जनसंख्या और पुरुषों और महिलाओं के अनुपात को दर्शाती है। **(आईबीपीएस पीओ प्री, 2019)**

राज्य	गरीबी रेखा से नीचे की जनसंख्या का प्रतिशत	पुरुष और महिला का अनुपात	
		गरीबी रेखा से नीचे M : F	गरीबी रेखा से ऊपर M : F
S_1	16	4 : 3	3 : 2
S_2	18	3 : 4	5 : 7
S_3	26	2 : 3	4 : 5
S_4	28	5 : 6	1 : 2
S_5	12.5	3 : 6	6 : 5
S_6	36	4 : 5	2 : 3

28. यदि राज्य S_1 की कुल जनसंख्या 4400 है, तो राज्य S_1 में गरीबी रेखा से ऊपर महिलाओं की अनुमानित संख्या कितनी है?

(*a*) 1478 (*b*) 1487 (*c*) 1578 (*d*) 1484
(*e*) दिए गए विकल्पों के अलावा अन्य

29. यदि S_3 और S_4 राज्यों की कुल जनसंख्या मिलाकर 17000 है, तो उपर्युक्त राज्यों में गरीबी रेखा से नीचे महिलाओं की कुल संख्या कितनी है?

(*a*) 1320 (*b*) 6820
(*c*) 4850 (*d*) डेटा अपर्याप्त
(*e*) दिए गए विकल्पों के अलावा अन्य

30. यदि राज्य S_1 में गरीबी रेखा से नीचे के पुरुषों की जनसंख्या 18000 है और राज्य S_5 में 24000 है, तो राज्य S_1 की कुल जनसंख्या का राज्य S_5 से अनुपात क्या है?

(*a*) 315 : 512 (*b*) 316 : 513
(*c*) 315 : 513 (*d*) 319 : 512
(*e*) दिए गए विकल्पों के अलावा अन्य

31. यदि राज्य S_2 में गरीबी रेखा से ऊपर के पुरुषों की जनसंख्या 4100 है, तो राज्य S_2 की कुल जनसंख्या कितनी है?

(*a*) दिए गए विकल्पों के अलावा अन्य
(*b*) 12500 (*c*) 13000
(*d*) 14000 (*e*) 12000

32. यदि राज्य S_6 में गरीबी रेखा से ऊपर की महिलाओं की जनसंख्या 4800 है, तो उस राज्य में गरीबी रेखा से नीचे पुरुषों की जनसंख्या कितनी है?

(*a*) 2400 (*b*) 2000 (*c*) 2500 (*d*) 2800
(*e*) दिए गए विकल्पों के अलावा अन्य

निर्देश: निम्नलिखित जानकारी का ध्यानपूर्वक अध्ययन कीजिए और प्रश्नों के उत्तर दीजिए।

नीचे दी गई तालिका तीन अलग-अलग बीमा पॉलिसियों में इंदुमती और छुटकी के निवेश को दर्शाती है।

योजना	छुटकी द्वारा निवेशित धनराशि (रुपये में)	इंदुमती द्वारा निवेशित धनराशि (रुपये में)
LIC	29500	19500
NPS	27500	12500
ELSS	18500	24500

33. ELSS और LIC में इंदुमती के कुल निवेश का NPS और ELSS में छुटकी के कुल निवेश से अनुपात ज्ञात कीजिए।

(*a*) 20: 17 (*b*) 22: 23 (*b*) 21: 23 (*d*) 27: 29
(*e*) 21: 19

34. यदि NPS में जियान का निवेश, ELSS में छुटकी के निवेश से ₹2500 अधिक है और ELSS में जियान का निवेश, LIC में इंदुमती के निवेश से ₹3500 कम है, तो NPS और ELSS में जियान का औसत निवेश ज्ञात कीजिए।

(*a*) ₹19500 (*b*) ₹18500 (*c*) ₹16500
(*d*) ₹17500 (*e*) ₹14500

35. ELSS और NPS में छुटकी का कुल निवेश, NPS और LIC में मिलाकर इंदुमती के निवेश से कितने प्रतिशत कम या अधिक है?

(*a*) 44.25% (*b*) 43.75% (*c*) 41.25%
(*d*) 40.25% (*e*) 46.65%

36. यदि ELSS में चयन का निवेश, NPS और LIC में छुटकी के औसत निवेश का 50% है, तो ELSS में चयन का कुल निवेश ज्ञात कीजिए।

(*a*) ₹18350 (*b*) ₹14250 (*c*) ₹13930
(*d*) ₹15750 (*e*) ₹16450

37. NPS में छुटकी, NPS में इंदुमति और ELSS में छुटकी के कुल निवेश का औसत ज्ञात कीजिए।

(*a*) ₹21500 (*b*) ₹19500 (*c*) ₹17500
(*d*) ₹23500 (*e*) ₹13500

निर्देश: निम्नलिखित निर्देश पढ़ें और निम्नलिखित प्रश्न का उत्तर दें। सारणीबद्ध ग्राफ पेस्टो दुकान द्वारा बेची गई वस्तुओं की संख्या दर्शाता है।

महीने	(A,B & C) द्वारा बेची गई वस्तुओं का कीमत	कुल में से A द्वारा बेची गई वस्तु का %	C द्वारा बेची गई वस्तु
April/अप्रैल	100	20%	160
May/मई	120	25%	70
June/जून	72	50%	65

38. जून और अप्रैल महीनों में C द्वारा पेस्टो द्वारा बेची गई वस्तुओं की संख्या के बीच अंतर ज्ञात कीजिए?

(*a*) 86 (*b*) 55 (*c*) 95 (*d*) 42
(*e*) 36

महीने	(A,B & C) द्वारा बेची गई वस्तुओं का औसत	कुल में से A द्वारा बेची गई वस्तु का %	C द्वारा बेची गई वस्तु
April/अप्रैल	100	20%	96
May/मई	120	25%	14
June/जून	72	50%	66

39. यदि अप्रैल में, B द्वारा केवल 75% उत्पाद बेचे गए थे, तो अप्रैल में B के न बिकने वाले उत्पादों की संख्या ज्ञात कीजिए?

(*a*) 56 (*b*) 64 (*c*) 62 (*d*) 48
(*e*) इनमें से कोई नहीं

40. यदि जून में A द्वारा बेचे गए उत्पादों की कुल संख्या में से 25% दोषों के कारण वापस कर दिए गए, तो जून में A द्वारा बेचे गए गैर-दोषपूर्ण उत्पादों और अप्रैल में C द्वारा बेचे गए उत्पादों की संख्या का अनुपात ज्ञात कीजिए?

(*a*) 25:31 (*b*) 27:32 (*c*) 21:32 (*d*) 8:5
(*e*) इनमें से कोई नहीं

41. अप्रैल में, यदि व्यक्ति B ने दो प्रकार के उत्पाद अर्थात टीवी और रेफ्रिजरेटर 7 : 5 के अनुपात में बेचे, तो अप्रैल में बेचे गए टीवी की कुल संख्या और जून में B द्वारा बेचे गए उत्पादों की कुल संख्या के बीच अंतर ज्ञात कीजिए।

(*a*) 50 (*b*) 70 (*c*) 80 (*d*) 55
(*e*) इनमें से कोई नहीं

42. मई में B द्वारा और जून में C द्वारा बेचे गए उत्पादों की संख्या का औसत ज्ञात कीजिए?

(*a*) 116 (*b*) 120 (*c*) 118 (*d*) 124
(*e*) इनमें से कोई नहीं

43. यदि जून में B द्वारा बेचे गए उत्पादों का 1/3 हिस्सा महिलाओं को बेचा गया था, तो जून में B द्वारा पुरुषों को बेचे गए उत्पादों की संख्या और मई में A द्वारा बेचे गए उत्पादों की संख्या का योग ज्ञात करें?

(*a*) 112 (*b*) 108 (*c*) 98 (*d*) 118
(*e*) इनमें से कोई नहीं

निर्देश: नीचे दी गई जानकारी के आधार पर प्रश्नों के उत्तर दीजिए। नीचे दिया गया पहला वृत्त आलेख पाँच अलग-अलग विद्यालयों में विद्यार्थियों की कुल संख्या के प्रतिशत वितरण को दर्शाता है और नीचे दिया गया दूसरा वृत्त आलेख प्रत्येक विद्यालय में पुरुष विद्यार्थियों की कुल संख्या को दर्शाता है।

एक विद्यालय में विद्यार्थियों की कुल संख्या = विद्यालय में पुरुष विद्यार्थियों की संख्या + विद्यालय में महिला विद्यार्थियों की संख्या

सभी पाँच विद्यालयों में विद्यार्थियों की कुल संख्या = 43000

Total number of students/ विद्यार्थियों की कुल संख्या

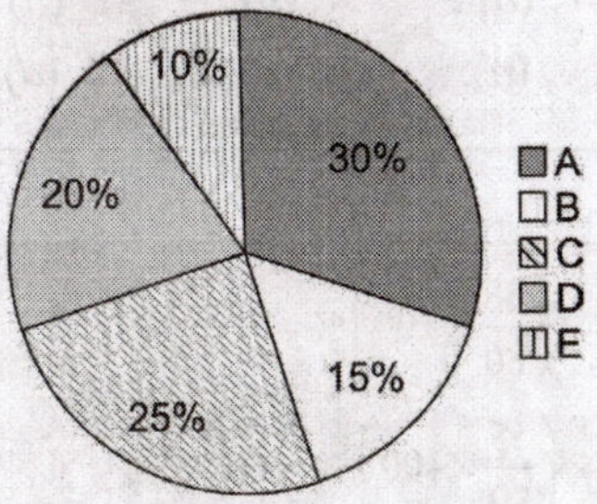

सभी पाँच स्कूलों में छात्रों की कुल संख्या = 2100

Total number of male students छात्रों की कुल संख्या

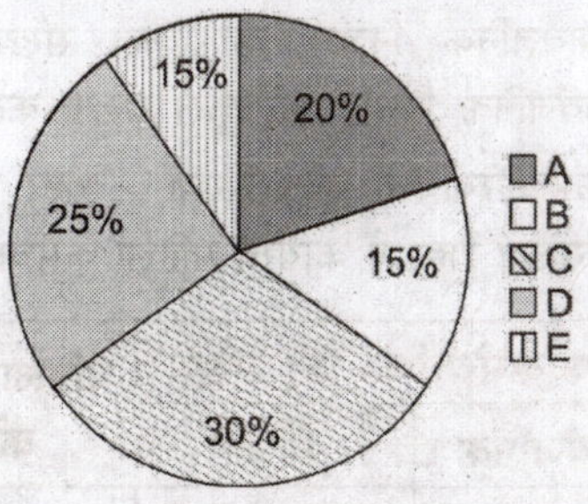

44. यदि एक अन्य विद्यालय 'Z' में विद्यार्थियों (पुरुष महिला) की कुल संख्या, विद्यालय 'D' की तुलना में 30% अधिक है तथा विद्यालय 'Z' में पुरुष और महिला विद्यार्थियों की संख्या के बीच संबंधित अनुपात क्रमशः 6: 7 है। विद्यालय 'A' और विद्यालय 'Z' में महिला विद्यार्थियों की कुल संख्या का औसत ज्ञात कीजिए।

(*a*) 726 (*b*) 736 (*c*) 746 (*d*) 756
(*e*) 766

45. यदि विद्यालय 'D' में महिला विद्यार्थियों की संख्या का (p – 15)% भाग और विद्यालय 'E' में महिला विद्यार्थियों की संख्या का (p + 10)% भाग एक 'प्रश्नोत्तरी प्रतियोगिता' के लिए चुना जाता है तथा विद्यालय 'D' और विद्यालय 'E' से 'प्रश्नोत्तरी' प्रतियोगिता के लिए चयनित महिला विद्यार्थियों की कुल संख्या का औसत 83 है, तो 'p' का मान ज्ञात कीजिए।

(*a*) 25 (*b*) 30 (*c*) 35 (*d*) 40
(*e*) 45

46. यदि विद्यालय 'C' और विद्यालय 'X' में महिला विद्यार्थियों की कुल संख्या का औसत 498 है, तो विद्यालय 'X' में महिला विद्यार्थियों की संख्या, विद्यालय 'A' में महिला विद्यार्थियों की संख्या का कितना प्रतिशत है?

(*a*) 63.33% (*b*) 64.44% (*c*) 65.55%
(*d*) 66.66% (*e*) 67.77%

47. यदि विद्यालय 'A' में पुरुष विद्यार्थियों की संख्या और विद्यालय 'E' में पुरुष विद्यार्थियों की संख्या के बीच का अंतर, विद्यालय 'C' और विद्यालय 'M' में पुरुष विद्यार्थियों की संख्या के बीच अंतर के समान है और विद्यालय 'M' में पुरुष विद्यार्थियों की संख्या, विद्यालय 'C' से अधिक है, तो विद्यालय 'M' और विद्यालय 'B' में पुरुष विद्यार्थियों की कुल संख्या का योग ज्ञात कीजिए।

(*a*) 1150 (*b*) 1155 (*c*) 1160 (*d*) 1165
(*e*) 1170

48. यदि विद्यालय 'D' और विद्यालय 'G' में विद्यार्थियों (पुरुष महिला) की कुल संख्या के अनुरूप केंद्रीय कोण 120° है, तो विद्यालय 'A' में विद्यार्थियों की कुल संख्या और विद्यालय 'G' में विद्यार्थियों की कुल संख्या के बीच अंतर ज्ञात कीजिए।

(*a*) 410 (*b*) 420 (*c*) 430 (*d*) 440
(*e*) 450

निर्देश: नीचे दी गई जानकारी के आधार पर प्रश्नों के उत्तर दीजिए। नीचे दी गई तालिका पाँच अलग-अलग शहरों में कार्यरत पुरुष कर्मचारियों (सार्वजनिक निजी) की कुल संख्या और महिला कर्मचारियों (सार्वजनिक निजी) की कुल संख्या को दर्शाती है।

एक शहर में कर्मचारियों की कुल संख्या = शहर में कार्यरत पुरुष कर्मचारियों की संख्या शहर में कार्यरत महिला कर्मचारियों की संख्या।

शहर	पुरुष कर्मचारियों की संख्या		महिला कर्मचारियों की संख्या
	सार्वजनिक	निजी	
P	$3x + 2y$	$14y$	48
Q	$8x$	$6x$	48
R	$5x$	$2x$	24
S	$12y$	81	63
T	$36y$	$28y$	48

नोट: (1) शहर 'P' और शहर 'R' से 'सार्वजनिक' क्षेत्र में कार्यरत पुरुष कर्मचारियों की कुल संख्या 70 है।

(2) शहर 'Q' और शहर 'T' से 'निजी' क्षेत्र में कार्यरत पुरुष कर्मचारियों की कुल संख्या 132 है।

49. शहर 'Q', 'R' और 'T' में कार्यरत कर्मचारियों की कुल संख्या का औसत कितना है?

(a) 120 (b) 130 (c) 140 (d) 150 (e) 160

50. यदि शहर 'P', 'S', 'T' और 'U' में कार्यरत कर्मचारियों की कुल संख्या का औसत 185 है और शहर 'U' में कार्यरत महिला कर्मचारियों की संख्या, शहर 'P' में कार्यरत पुरुष कर्मचारियों की संख्या से 25% अधिक है, तो शहर 'U' और शहर 'Q' में कार्यरत पुरुष कर्मचारियों की कुल संख्या ज्ञात कीजिए।

(a) 222 (b) 228 (c) 232 (d) 238 (e) 242

51. शहर 'P' और शहर 'Q' से निजी क्षेत्र में कार्यरत महिला कर्मचारियों की संख्या 33.33% है तथा शहर 'T' और शहर 'R' से 'सार्वजनिक' क्षेत्र में कार्यरत पुरुष कर्मचारियों की संख्या 37.5% है। तब क्रमश: शहर 'P' और शहर 'Q' से 'सार्वजनिक' क्षेत्र में कार्यरत महिला कर्मचारियों की संख्या के बीच अंतर ज्ञात कीजिए।

(a) 11 (b) 19 (c) 21 (d) 27 (e) 29

52. यदि शहर 'R' और शहर 'S' से 'सार्वजनिक' क्षेत्र में कार्यरत महिला कर्मचारियों की कुल संख्या, शहर 'P' और शहर 'Q' से 'निजी' क्षेत्र में कार्यरत पुरुष कर्मचारियों की कुल संख्या से 55.55% कम है, तो शहर 'R' और शहर 'S' से 'निजी' क्षेत्र में कार्यरत महिला कर्मचारियों की कुल संख्या ज्ञात कीजिए।

(a) 31 (b) 37 (c) 41 (d) 47 (e) CND

53. यदि शहर 'Z' में काम करने वाले कर्मचारियों (पुरुष + महिला) की कुल संख्या सभी पाँच शहरों में काम करने वाले कर्मचारियों की कुल संख्या और शहर 'Z' में काम करने वाले पुरुष कर्मचारियों (सार्वजनिक + निजी) की कुल संख्या से 60% कम है। महिला कर्मचारियों की तुलना में 8 अधिक है तो शहर 'Z' में कार्यरत पुरुष कर्मचारियों (सार्वजनिक + निजी) की कुल संख्या शहर 'T' की कुल संख्या का कितना प्रतिशत है?

(a) 80% (b) 83.33% (c) 85% (d) 86.66% (e) 88%

उत्तरमाला

1. (i) (e) (ii) (c) (iii) (d) (iv) (b) (v) (c)

2. (i) (a) (ii) (c) (iii) (a) (iv) (d) (v) (d)

3. (i) (e) (ii) (a) (iii) (b) (iv) (b) (v) (b)

4. (a)	5. (e)	6. (e)	7. (b)	8. (d)	9. (a)	10. (e)	11. (b)	12. (e)	13. (b)
14. (a)	15. (b)	16. (a)	17. (a)	18. (d)	19. (a)	20. (c)	21. (e)	22. (b)	23. (a)
24. (b)	25. (a)	26. (b)	27. (d)	28. (a)	29. (d)	30. (e)	31. (e)	32. (b)	33. (b)
34. (b)	35. (b)	36. (b)	37. (b)	38. (c)	39. (d)	40. (b)	41. (b)	42. (a)	43. (d)
44. (b)	45. (c)	46. (a)	47. (b)	48. (c)	49. (e)	50. (a)	51. (c)	52. (d)	53. (b)

दिये गये प्रश्नों के हल

1. (i) विभिन्न छात्रों के प्राप्तांक %:

$$P \rightarrow \left(\frac{52}{80} \times 100\right)\% = 65\%,$$

$$Q \rightarrow \left(\frac{66}{80} \times 100\right)\% = 82{\cdot}5\%,$$

$$R \rightarrow \left(\frac{68}{80} \times 100\right)\% = 85\%,$$

$$S \rightarrow \left(\frac{55}{80} \times 100\right)\% = 68{\cdot}75\%,$$

$$T \rightarrow \left(\frac{70}{80} \times 100\right)\% = 87{\cdot}5\%,$$

$U \to \left(\frac{72}{80} \times 100\right)\% = 90\%.$

$\therefore$ अभीष्ट औसत % $= \frac{(65+82\cdot5+85+68\cdot75+87\cdot5+90)}{6}$

$= 79\cdot79 \simeq 80.$

अतः उत्तर (*e*) सही है.

(*ii*) अभीष्ट प्रतिशतता

$= \left\{\frac{(42+66+85+92+105+100)}{(75+80+120+125+150+150)} \times 100\right\}\%$

$= \left(\frac{490}{700} \times 100\right) = 70\%.$

अतः उत्तर (*c*) सही है.

(*iii*) विषय A में सभी छात्रों के औसत अंक

$= \frac{(40+42+36+45+60+54)}{6} = \frac{277}{6} = 46\frac{1}{6}.$

अतः उत्तर (*d*) सही है.

(*iv*) विषय F में सभी छात्रों के औसत अंक

$= \frac{(120+100+98+90+130+135)}{6} = \frac{673}{6} = 112\frac{1}{6}.$

अतः उत्तर (*b*) सही है.

(*v*) R द्वारा प्राप्तांकों का योग

$= (36 + 68 + 105 + 99 + 100 + 98) = 506.$

U द्वारा प्राप्तांकों का योग

$= (54 + 72 + 110 + 100 + 125 + 135) = 596.$

माना R द्वारा प्राप्तांक $= U$ द्वारा प्राप्तांक का x%.

तब, $506 = 596$ का $\frac{x}{100} \Leftrightarrow x = \frac{506 \times 100}{596}$

$= 84.89\% = 85\%$

अतः उत्तर (*c*) सही है.

2. (*i*) अभीष्ट अन्तर $= (201000000 - 167000000) = 34000000.$

अतः उत्तर (*a*) सही है.

(*ii*) अभीष्ट वृद्धि % :

$A \to \left\{\frac{(65-64)}{64} \times 100\right\}\% = 1\cdot56\%,$

$B \to \left\{\frac{(201-192)}{192} \times 100\right\}\% = 4\cdot68\%,$

$C \to \left\{\frac{(35-34)}{34} \times 100\right\}\% = 2\cdot94\%,$

$D \to \left\{\frac{(328-321)}{321} \times 100\right\}\% = 2\cdot18\%,$

$E \to \left\{\frac{(87-85)}{85} \times 100\right\}\% = 2\cdot35\%.$

यह वृद्धि %, A में सबसे कम है.

अतः उत्तर (*c*) सही है.

(*iii*) अभीष्ट % $= \left\{\frac{(65-51)}{51} \times 100\right\}\% = \left(\frac{14}{51} \times 100\right)\%$

$= 27\cdot45\% \simeq 28\%.$

अतः उत्तर (*a*) सही है.

(*iv*) अगस्त में:

$(A \sim B) \to (201 - 65)$ दस लाख $= 1360$ लाख,

$(A \sim C) = (65 - 35)$ दस लाख $= 300$ लाख.

$(A \sim D) \to (328 - 65)$ दस लाख $= 2630$ लाख,

$(A \sim E) = (87 - 65)$ दस लाख $= 220$ लाख.

$(B \sim C) \to (201 - 35)$ दस लाख $= 1660$ लाख,

$(B \sim D) = (328 - 201)$ दस लाख $= 1270$ लाख.

$(B \sim E) \to (201 - 87)$ दस लाख $= 1140$ लाख,

$(C \sim D) = (328 - 35)$ दस लाख $= 2830$ लाख.

$(C \sim E) \to (87 - 35)$ दस लाख $= 520$ लाख,

$(D \sim E) = (328 - 87)$ दस लाख $= 2410$ लाख.

स्पष्ट है कि यह अन्तर E और A के बीच न्यूनतम है.

अतः उत्तर (*d*) सही है.

(*v*) स्पष्ट है कि राज्य D की जनसंख्या सर्वाधिक है.

अतः उत्तर (*d*) सही है.

3. (*i*) स्पष्ट है कि राज्य में 15 वर्ष से कम आयु के बच्चों की जनसंख्या अधिकतम है.

अतः उत्तर (*e*) सही है.

(*ii*) 4200 में से 25 वर्ष से कम आयु के व्यक्तियों की संख्या

$= \left\{\frac{(30+17\cdot75)}{100} \times 4200\right\} = (47\cdot75 \times 42) = 2005$ लगभग.

अतः उत्तर (*a*) सही है.

(*iii*) माना कुल जनसंख्या $= x.$

तब, $\frac{(30+17\cdot75+17\cdot25)}{100} \times x = 2000$ लाख

$\Leftrightarrow \quad x = \left(\frac{2000 \times 100}{65}\right)$ लाख $= \left(\frac{40000}{13}\right)$ लाख

$\Leftrightarrow$ आयु-वर्ग 56–65 में व्यक्तियों की संख्या

$= \left(\frac{5\cdot12}{100} \times \frac{40000}{13}\right)$ लाख $= 157\cdot5$ लाख.

अतः उत्तर (*b*) सही है.

(*iv*) माना कुल जनसंख्या $= x.$

तब, $\frac{(5\cdot12+1\cdot13)}{100} \times x = 100$ लाख

$\Leftrightarrow x = \left(\frac{100 \times 100}{6\cdot25}\right)$ लाख $= 1600$ लाख.

आयु-वर्ग 16 – 25 तथा 46 – 55 के वर्गों की जनसंख्या में अन्तर

$=$ ₹ 1600 लाख का $(17\cdot75 - 14\cdot25)\%$

$= \left(\frac{3\cdot5}{100} \times 1600\right)$ लाख $= 56$ लाख.

अतः उत्तर (*b*) सही है.

(*v*) माना कुल जनसंख्या $= x.$

तब, $\frac{(17\cdot25-14\cdot25)}{100} \times x = 117\cdot5$ लाख

$\Leftrightarrow x = \left(\frac{117\ 5 \times 100}{3}\right)$ लाख $= 396{\cdot}7$ लाख

$\Leftrightarrow x = 3{\cdot}967$ करोड़.

अत: उत्तर (*b*) सही है.

4. चलचित्र C के लिए

$\frac{\text{शहर X से प्राप्त रेटिंग का कुल योग}}{\text{शहर Y से प्राप्त रेटिंग का कुल योग}} = \frac{16}{21}$

$\Rightarrow \frac{84 \times 72}{108 \times P} = \frac{16}{21}$

$\Rightarrow 108 \times 16 \times P = 84 \times 21 \times 72$

$\Rightarrow P = \frac{84 \times 72 \times 21}{108 \times 16} = 73.5$

5. चलचित्र D के लिए, शहर X से निर्धारकों की संख्या $= p$

शहर Y से निर्धारकों की संख्या $= q$

शहर Z से निर्धारकों की संख्या $= r$

$\therefore p \times 56 = q \times 84$

$\Rightarrow \frac{p}{q} = \frac{84}{56} = \frac{6}{4} = \frac{3}{2}$

$p : q = 3 : 2 = 6 : 4$

$y : r = 4 : 5$

$\therefore$ अभीष्ट प्रतिशत $= \frac{6-5}{5} \times 100 = 20\%$

6. चलचित्र B के लिए

शहर X से प्राप्त औसत रेटिंग $= a$

शहर Y से प्राप्त औसत रेटिंग $= \frac{9a}{10}$

$\therefore$ शहर X से प्राप्त कुल रेटिंग $= 180 \times \frac{9a}{10} = 162a$

$\therefore$ अभीष्ट प्रतिशत $= \left(\frac{162a - 120a}{120a}\right) \times 100$

$= \frac{420}{12} = 35\%$

7. शहर X में, पुरुष निर्धारक = 50

महिला निर्धारक = 30

पुरुषों की औसत रेटिंग = p

महिलाओं की औसत रेटिंग = q

शहर Y में, पुरुष निर्धारक = 60

महिला निर्धारक = 30

$\therefore \frac{50p + 30q}{80} = 42.75$

$\Rightarrow 5p + 3q = 42.75 \times 8 = 342 \ldots(i)$

और $\frac{60p + 30q}{90} = 42$

$\Rightarrow 6p + 3q = 42 \times 9 = 378 \ldots(ii)$

समीकरण (*ii*) − (*i*) से,

$6p - 5p + 3q - 3q = 378 - 342$

$\Rightarrow p = 36$

8. चलचित्र A के लिए, शहर X से निर्धारक = a

शहर Y से निर्धारक = b

प्रश्नानुसार, $\frac{a \times 46 + b \times 77}{a + b} - 58$

$\Rightarrow 46a + 77b = 58x + 58y$

$\Rightarrow 58a - 46b = 77y - 58y$

$\Rightarrow 12a = 19b$

$\Rightarrow \frac{a}{b} = \frac{19}{12} \quad \Rightarrow \frac{a}{b} - 1 = \frac{19}{12} - 1$

$\Rightarrow \frac{a-b}{b} = \frac{7}{12}$

$\therefore$ अभीष्ट प्रतिशत $= \frac{7}{12} \times 100 = \frac{175}{3} = 58\frac{1}{3}\%$

9. अभीष्ट अनुपात $= (135 + 115) : (120 + 155) = 225 : 275$
$= 10 : 11$

10. अभीष्ट प्रतिशत

$= \left(\frac{160 - 130}{130}\right) \times 100 = \frac{300}{16} = 18.75$

11. शनिवार को बेची गई कलमें:

स्टोर $D \Rightarrow \frac{135 \times 80}{100} = 108$

स्टोर $E \Rightarrow \frac{130 \times 110}{100} = 143$

$\therefore$ बेची गयी कलमों की कुल संख्या $= 108 + 143 = 251$

12. अभीष्ट औसत $= \frac{114 + 118 + 125}{3} = \frac{357}{3} = 119$

13. अभीष्ट अंतर $= (125 + 154) - (105 + 110)$

$= 279 - 215 = 64$

14. % कमी $= \frac{640 - 530}{640} \times 100 = \frac{110}{640} \times 100 = 17\%$

15. इसलिए आवश्यक% =

$\frac{590}{(360 + 550)} \times 100 = \frac{590}{910} \times 100 = 65\%$

16. औसत $= \frac{\text{सभी वर्षों में स्कूल A में कुल लड़कियाँ}}{\text{वर्षों की संख्या}}$

$= \frac{360 + 420 + 690 + 960 + 1290 + 1140}{6} = \frac{5160}{6} = 860$

17. आवश्यक अनुपात = 870 : 1290 = 29 : 43

18. आवश्यक औसत $= \dfrac{\text{(दुकान A, B और D द्वारा बेचे गए डेस्कटॉप की कुल संख्या)}}{3}$

$= \dfrac{1380}{3} = 460$

19. अभीष्ट संख्या $= 350 + 390 + 440 = 1180$

20. आवश्यक अनुपात $= (440 + 550) : 660 = 990 : 660 = 3 : 2$

21. इसलिए आवश्यक%

$= \dfrac{550 - 350}{550} \times 100 = \dfrac{200}{550} \times 100 = 36.36\%$

22. हम देख सकते हैं कि दी गई श्रेणियों की बिक्री में C और D की संख्या समान है, तो B के लैपटॉप की शुद्ध बिक्री 390 है या हम नीचे दिखाए अनुसार अंतर को प्राप्त कर सकते हैं

अंतर $= 390 + 550 - 550 = 390$

23. आवश्यक अंतर $= (130 + 124) - (110 + 96) = 254 - 206 = 48$

24. दिए गए सभी महीनों में दुकान D द्वारा बेचे गए मोबाइलों की औसत संख्या $= \dfrac{(96 + 94 + 86)}{3} = \dfrac{276}{3} = 92$

25. आवश्यक% $= \dfrac{(110 + 80)}{(94 + 86)} \times 100 = \dfrac{190}{180} \times 100 = 106\%$

26. सभी महीनों में B द्वारा बेचे गए कुल मोबाइल $= 100 + 88 + 124 = 312$

तो दी गई शर्त के अनुसार सितंबर में दुकान E द्वारा बेचे गए मोबाइल फोन की संख्या

$= 312 + 312$ का 50%

$= 312 + 156 = 468$

27. जुलाई में दुकान A और C द्वारा बेचे गए कुल मोबाइल फोन: अगस्त में दुकान B द्वारा बेचे गए मोबाइल फोन की कुल संख्या

$= (100+80) : 124 = 180 : 124 = 45 : 31$

28. S_1 में गरीबी रेखा से नीचे की जनसंख्या = 16%

गरीबी रेखा से ऊपर की जनसंख्या = 84%

गरीबी रेखा से ऊपर M : F = 3 :2

अत: महिलाओं की आवश्यक संख्या

$= 0.84 \times 4400 \times \dfrac{2}{5} = 1478$

29. S_3 और S_5 की जनसंख्या के रूप में डेटा पर्याप्त नहीं है, स्वतंत्र रूप से नहीं दिया गया है।

30. गरीबी रेखा से नीचे की जनसंख्या $S_1 = 16\%$

S_3 में गरीबी रेखा से नीचे M:F का अनुपात = 4:3

माना S_1 में कुल जनसंख्या $= P_1$

तो $P_1 \times 0.16 \times \dfrac{4}{7} = 18000$

$P_1 = 18000 \times \dfrac{7}{4} \times \dfrac{100}{6} = 196875$

इसी प्रकार, यदि S में कुल जनसंख्या P_5 है, तो

$P_2 = 24000 \times \dfrac{9}{3} \times \dfrac{100}{12.5} = 576000$

अत: आवश्यक जनसंख्या $= 196875 : 576000 = 175 : 512$

31. S_2 में गरीबी रेखा से नीचे की जनसंख्या = 18%

अत: गरीबी रेखा से ऊपर की जनसंख्या = 100% – 18% = 82%

माना S_2 में कुल जनसंख्या $= P_1$

गरीबी रेखा से ऊपर अनुपात M:F = 5:7

$P_1 \times 0.82 \times \dfrac{5}{12} = 4100$

अत: $P_1 = 4100 \times \dfrac{12}{5} \times \dfrac{100}{82} = 12000$

32. गरीबी रेखा से नीचे की जनसंख्या $S_6 = 36\%$

अत: गरीबी रेखा से ऊपर की जनसंख्या = 100%–36% = 64%

माना S_6 में कुल जनसंख्या $= P_1$

S_6 में, गरीबी रेखा से ऊपर M:F = 2:3

S_6 में, गरीबी रेखा से नीचे अनुपात M:F = 4:5

$P_1 \times 0.64 \times \dfrac{3}{5} = 4800$ इसलिए $P_1 = 4800 \times \dfrac{5}{3} \times \dfrac{100}{64} = 12500$

S_6 में गरीबी रेखा के नीचे का अनुपात M:F = 4:5

अत: अभीष्ट संख्या $= 12500 \times \dfrac{36}{100} \times \dfrac{4}{9} = 2000$

33. आवश्यक अनुपात $= \dfrac{24500 + 19500}{27500 + 18500}$

$= \dfrac{44000}{46000} = 22 : 23$

34. जियान का NPS में निवेश = 2500 – 18500 = 21000

ELSS में जियान का निवेश = 19500 – 3500 = 16000

$\because$ आवश्यक औसत $= \dfrac{21000 + 16000}{2}$

$= \dfrac{37000}{2} = 18500$

35. छुटकी का ELSS और NPS में निवेश

$= 18500 + 27500 = 46000$

NPS और LIC में इंदुमती का निवेश

$= 19500 + 12500 = 32000$

$\because$ आवश्यक है $= \dfrac{46000 - 32000}{32000} \times 100$

$= \dfrac{14000}{32000} \times 100 = 43.75\%$

36. ELSS में चयन का कुल निवेश

$= \dfrac{29500 + 27500}{2} \times \dfrac{50}{100}$

$= \dfrac{57000}{2} \times \dfrac{50}{100} = ₹14250$

37. आवश्यक औसत $= \dfrac{27500 + 12500 + 18500}{3}$

$= \dfrac{58500}{3} = ₹19500$

For 38:

माह	A + B + C द्वारा बेची गई वस्तु	A द्वारा बेची गई वस्तु	B द्वारा बेची गई वस्तु	C द्वारा बेची गई वस्तु
अप्रैल	$100\times3=300$	$\frac{300\times20}{100}=60$	$300-220=80$	160
मई	$120\times3=360$	$\frac{360\times25}{100}=90$	$360-160=200$	70
जून	$72\times3=216$	$\frac{216\times50}{100}=108$	$216-173=43$	65

38. आवश्यक अंतर $= 160 - 65 = 95$

For (qn 39-43):

माह	A + B + C द्वारा बेची गई वस्तु	A द्वारा बेची गई वस्तु	B द्वारा बेची गई वस्तु	C द्वारा बेची गई वस्तु
अप्रैल	$120\times3=360$	$\frac{360\times20}{100}=72$	192	96
मई	$120\times3=360$	$\frac{360\times25}{100}=90$	166	104
जून	$72\times3=216$	$\frac{216\times50}{100}=108$	42	66

39. अप्रैल में B के न बिके उत्पादों की आवश्यक संख्या

$= 192\times\frac{25}{100}=48$

40. जून में A द्वारा बेचे गए गैर-दोषपूर्ण उत्पादों की संख्या $= 108\times\frac{75}{100}=81$

$\therefore$ आवश्यक अनुपात $= 81 : 96 = 27 : 32$

41. अप्रैल में B द्वारा बेचे गए टीवी की कुल संख्या

$= 192\times\frac{7}{12}=112$

$\therefore$ आवश्यक अंतर $= 112 - 42 = 70$

42. आवश्यक औसत $=\frac{166+66}{2}=\frac{232}{2}=116$

43. आवश्यक राशि $= 42\times\frac{2}{3}+90=118$

44. स्कूल Z में छात्रों की कुल संख्या

$= 4300\times\frac{20}{100}\times\frac{130}{100}=1118$

स्कूल Z में महिला छात्रों की संख्या

$= 1118\times\frac{7}{13}=602$

स्कूल A में महिला छात्रों की संख्या

$= 4300\times\frac{30}{100}-2100\times\frac{20}{100}$

$= 1290 - 420 = 870$

$\therefore$ आवश्यक अंतर $=\frac{602+870}{2}=\frac{1472}{2}=736$

45. स्कूल D में 'प्रश्नोत्तरी' के लिए चुनी गई महिला छात्रों की संख्या

$=\frac{(p-15)}{100}\times\left(4300\times\frac{20}{100}-2100\times\frac{25}{100}\right)$

$=\frac{p-15}{100}\times335$

स्कूल E में 'प्रश्नोत्तरी' के लिए चुनी गई महिला छात्रों की संख्या

$=\frac{p+10}{100}\times\left(4300\times\frac{10}{100}-2100\times\frac{10}{100}\right)$

$=\frac{+10}{100}\times220$

अब, प्रश्न के अनुसार

$\frac{p-15}{100}\times335+\frac{p+10}{100}\times220=83\times2$

$\Rightarrow (p-15)\times335+(p+10)\times220=16600$

$\Rightarrow 335p-5025+220p+2200=16600$

$\Rightarrow 555p=16600+2825$

$\Rightarrow 555p=19425$

$\Rightarrow p=35$

46. स्कूल 'सी' में महिला छात्रों की कुल संख्या

$= 4300\times\frac{25}{100}-2100\times\frac{30}{100}=445$

माना विद्यालय X में महिला विद्यार्थियों की संख्या $= x$

अब, प्रश्न के अनुसार

$445+x=498\times2$

$\Rightarrow x=551$

विद्यालय A में महिला विद्यार्थियों की संख्या

$= 4300\times\frac{30}{100}-\frac{2100\times20}{100}=870$

$\therefore$ आवश्यक प्रतिशत $=\frac{551}{870}\times100=63.33\%$

47. माना विद्यालय M में पुरुष छात्रों की संख्या है $=$ m

अब, प्रश्न के अनुसार

$2100\times\left(\frac{20}{100}-\frac{10}{100}\right)=m-2100\times\frac{30}{100}$

$\Rightarrow 2100\times\frac{10}{100}=m-630$

$\Rightarrow m=840$

अब, स्कूल B में पुरुष छात्रों की संख्या

$= 2100\times\frac{15}{100}=315$

$\therefore$ आवश्यक राशि $= 840 + 315 = 1155$

48. माना विद्यालय G में विद्यार्थियों की कुल संख्या है $= x$

$$\frac{860+x}{4300+x}\times 360 = 120$$

$\Rightarrow 2580 + 3x = 4300 + x$

$\Rightarrow 2x = 1720$

$\Rightarrow x = 860$

$\therefore$ आवश्यक अंतर $= 1290 - 860 = 430$

[$\therefore$ कुल संख्या विद्यालय A में विद्यार्थियों की संख्या

$= \frac{4300\times 30}{100} = 1290$]

For (49– 53)

$3x + 2y + 5x = 70$

$\Rightarrow 8x + 2y = 70$

$\Rightarrow 4x + y = 35$ ...(1)

और

$6x + 28y = 132$

$\Rightarrow 3x + 14y = 66$ ...(2)

(1) को 3 से और (2) को 14 से गुणा करने पर और (1) और (2) को घटाने पर, हमें मिलता है

$y = 3$

समीकरण (1) में $y = 3$ रखने पर हमें $x = 8$ प्राप्त होता है

49. आवश्यक औसत

$$= \frac{8x+6x+48+5x+2x+24+36y+28y+48}{3}$$

$$= \frac{21+64y+120}{3}$$

$$= \frac{168+192+120}{3} = 160$$

50. मान लीजिए शहर में कार्यरत कर्मचारियों की कुल संख्या U $=$ M

अब, प्रश्न के अनुसार

$3x + 2y + 14y + 48 + 12y + 81 + 36y + 28y + M + 63 + 48 = 185 \times 4$

$\Rightarrow 3x + 92y + 240 + m = 740$

$\Rightarrow M = 740 - 540 = 200$

अब, शहर U में कार्यरत महिला कर्मचारियों की संख्या $= (3x + 16y) \times \frac{125}{100}$

$= 72 \times \frac{125}{100} = 90$

$\therefore$ शहर U में कार्यरत पुरुष कर्मचारियों की संख्या

$= 200 - 90 = 110$

$\therefore$ पुरुष कर्मचारियों की कुल आवश्यक संख्या

$= 110 + 14x = 110 + 112 = 222$

51. शहर P से 'निजी' क्षेत्र में काम करने वाली महिला कर्मचारी

$= 36y \times \frac{33.33}{100}$

$= 36 \times 3 \times \frac{33.33}{100} = 36$ (लगभग)

शहर से 'निजी' क्षेत्र में काम करने वाली महिला कर्मचारियों की संख्या Q

$= 5x \times \frac{37.5}{100}$

$= 5 \times 8 \times \frac{37.5}{100} = 15$

$\therefore$ आवश्यक अंतर $= 36 - 15 = 21$

52. शहर 'R' और शहर 'S' से 'सार्वजनिक' क्षेत्र में काम करने वाली महिला कर्मचारियों की कुल संख्या

$= \frac{44.45}{100} \times (14y + 6x)$

$= \frac{44.45}{100} \times 90 = 40.01 \approx 40$ (लगभग)

अब महिला कर्मचारियों की संख्या आवश्यक है

$= 87 - 40 = 47$

53. शहर 'Z' में कार्यरत कर्मचारियों की कुल संख्या

$= \frac{780\times 40}{100} = 312$

अब, शहर 'Z' में कार्यरत महिला कर्मचारियों की संख्या ज्ञात कीजिए $= x$

प्रश्न के अनुसार,

$x + x + 8 = 312$

$\Rightarrow 2x = 304$

$\Rightarrow x = 152$

$\therefore$ शहर ' में महिला कर्मचारियों की संख्या $= 152$

शहर Z में पुरुष कर्मचारियों की संख्या $= 152 + 8 = 160$

$\therefore$ आवश्यक प्रतिशत $= \frac{160}{64y} \times 100$

$= \frac{160}{192} \times 100 = 83.33\%$

38 पाई-चार्ट (PIE-CHARTS)

साधित उदाहरण

प्रश्न 1. एक देश की जनसंख्या 26·25 करोड़ है. विभिन्न आयु-समूहों को नीचे दिये गये पाई-चार्ट में दिखाया गया है. इस पाई-चार्ट का ध्यानपूर्वक अध्ययन करके नीचे दिये गये प्रश्नों के उत्तर दीजिए.

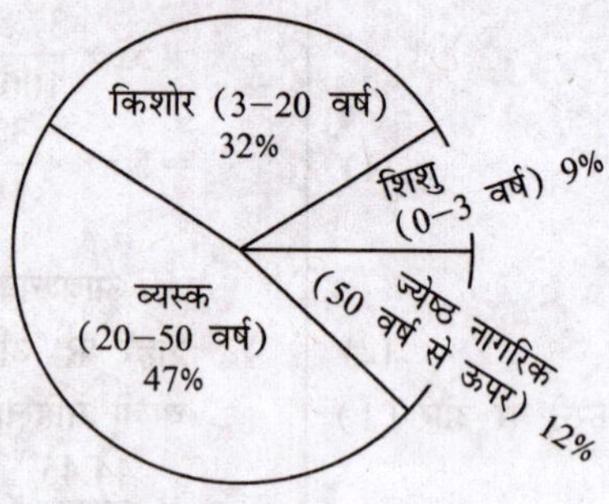

(*i*) किशोरों के लिए केन्द्रीय कोण कितना है?
(*a*) 32° (*b*) 64·8° (*c*) 115·2° (*d*) 165·6°

(*ii*) किस आयु-समूह में जनसंख्या न्यूनतम है तथा इस आयु-समूह की जनसंख्या कितनी है?
(*a*) ज्येष्ठ नागरिक, 3·15 करोड़ (*b*) शिशु, 2·36 करोड़
(*c*) ज्येष्ठ नागरिक, 2·24 करोड़ (*d*) शिशु, 1·92 करोड़

(*iii*) ऐसे आयु-समुह का केन्द्रीय कोण कितना है जिसकी जनसंख्या किसी दूसरे आयु-समूह का चौगुना है?
(*a*) 169·2° (*b*) 43·2° (*c*) 142·8° (*d*) 115·2°

(*iv*) किशोरों की जनसंख्या ज्येष्ठ नागरिकों की जनसंख्या से कितनी अधिक है?
(*a*) 3·15 करोड़ (*b*) 5·25 करोड़ (*c*) 6·55 करोड़ (*d*) 2·36 करोड़

हल: (*i*) किशोरों के लिए केन्द्रीय कोण $= \left(\frac{32}{100} \times 360\right)^\circ = 115{\cdot}2^\circ$.

अत: उत्तर (*c*) सही है.

(*ii*) शिशुओं के ग्रुप का प्रतिशत सबसे कम है. अत: आयु-समूह 0 – 3 में जनसंख्या न्यूनतम है.

शिशुओं की जनसंख्या $= 26{\cdot}25$ करोड़ का $9\% = \left(26{\cdot}25 \times \frac{9}{100}\right)$ करोड़

$= 2{\cdot}3625$ करोड़ $\simeq 2{\cdot}36$ करोड़.

अत: उत्तर (*b*) सही है.

(*iii*) स्पष्ट है कि व्यस्कों की जनसंख्या (47%), ज्येष्ठ नागरिकों की जनसंख्या (12%) का लगभग चार गुना है.

इस ग्रुप का केन्द्रीय कोण $= \left(\frac{47}{100} \times 360\right)^\circ = 169{\cdot}2^\circ$.

अत: उत्तर (*a*) सही है.

(*iv*) किशोरों की संख्या = (26·25 का 32%) करोड़.
ज्येष्ठ नागरिकों की संख्या = (26·25 का 12%) करोड़.

अन्तर $= \left(26{\cdot}25 \times \frac{32}{100} - 26{\cdot}25 \times \frac{12}{100}\right)$ करोड़

$$= 26{\cdot}25 \times \left(\frac{32}{100} - \frac{12}{100}\right) \text{ करोड़} = \left(26{\cdot}25 \times \frac{1}{5}\right) \text{ करोड़} = 5{\cdot}25 \text{ करोड़}.$$

अत: उत्तर (*b*) सही है.

प्रश्न 2. निम्नलिखित पाई-चार्टों में किसी कम्पनी में वर्ष 2004 तथा 2005 में कार्यरत कमचारियों का ब्यौरा दिया गया है. इनका ध्यानपूर्वक अध्ययन करके नीचे दिये गये प्रश्नों के उत्तर दें.

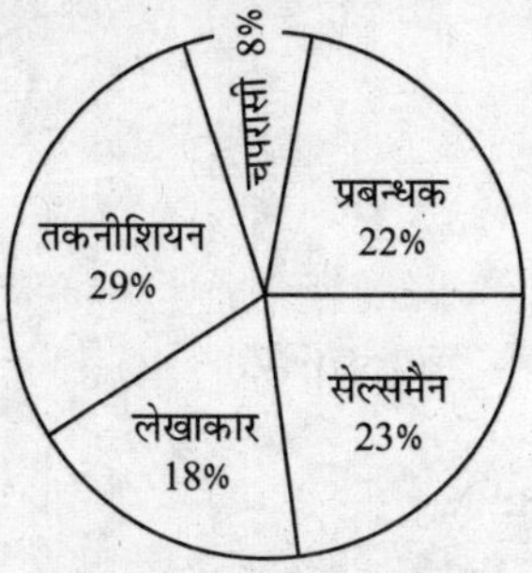

कुल कर्मचारी = 12500
वर्ष – 2004

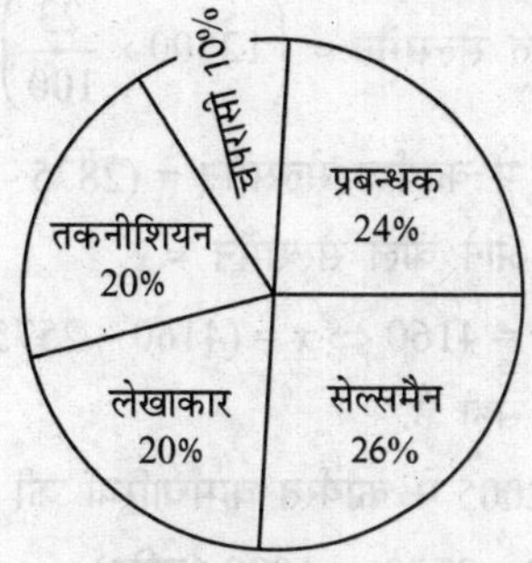

कुल कर्मचारी = 16000
वर्ष – 2005

(*i*) वर्ष 2004 तथा वर्ष 2005 में प्रबन्धकों की संख्या में कितना अन्तर था?
(*a*) 780 (*b*) 1090 (*c*) 1270 (*d*) 2750

(*ii*) 2004 से 2005 में किस प्रकार के कर्मचारियों की संख्या में कमी आई?
(*a*) लेखाकार (*b*) चपरासी (*c*) तक्नीशियन (*d*) इनमें से कोई नहीं

(*iii*) यदि वर्ष 2004 में 850 चपरासी कम्पनी में आये हों तो कितने चपरासी वर्ष 2005 में कम्पनी छोड़कर चले गये?
(*a*) 250 (*b*) 200 (*c*) 175 (*d*) 160

(*iv*) यदि वर्ष 2004 के अन्त में 300 सेल्समैन कम्पनी छोड़ कर चले गये हों, तो वर्ष 2005 में कितने सेल्समैन लगे?
(*a*) 585 (*b*) 670 (*c*) 835 (*d*) इनमें से कोई नहीं

(*v*) वर्ष 2004 तथा 2005 के बीच में किस प्रकार के कर्मचारियों की संख्या में अधिकतम परिवर्तन हुआ?
(*a*) प्रबन्धक (*b*) सेल्समैन (*c*) तक्नीशियन (*d*) इनमें से कोई नहीं

हल: (*i*) 2004 में प्रबन्धकों की संख्या $= \left(12500 \times \frac{22}{100}\right) = 2750.$

2005 में प्रबन्धकों की संख्या $= \left(16000 \times \frac{24}{100}\right) = 3840.$

अभीष्ट अन्तर = (3840 – 2750) = 1090.

अत: उत्तर (*b*) सही है.

(*ii*) वर्ष 2004 की तुलना में वर्ष 2005 में तक्नीशियनों को छोड़कर शेष सभी प्रकार के कर्मचारियों की संख्या में प्रतिशत वृद्धि हुई है.

2004 में तक्नीशियनों की संख्या $= \left(12500 \times \frac{29}{100}\right) = 3625.$

2005 में तक्नीशियनों की संख्या $= \left(16000 \times \frac{20}{100}\right) = 3200.$

$\therefore$ तक्नीशियनों की संख्या में कमी आई.

अत: उत्तर (*c*) सही है.

(*iii*) 2004 में कम्पनी में कार्यरत चपरासियों की संख्या $= \left(12500 \times \frac{8}{100}\right) = 1000.$

माना 2004 में कम्पनी छोड़कर जाने वाले चपरासी = x.

वर्ष 2005 में नये भर्ती चपरासियों की संख्या = 850.

$\therefore$ 2005 में चपरासियों की संख्या $= (1000 - x + 850) = (1850 - x).$

परन्तु, 2005 में चपरासियों की संख्या $= \left(16000 \times \frac{10}{100}\right) = 1600.$

$\therefore \quad 1850 - x = 1600 \Leftrightarrow x = (1850 - 1600) = 250.$

अत: वर्ष 2004 में 250 चपरासी छोड़कर चले गये.

अत: उत्तर (*a*) सही है.

(*iv*) 2004 में कार्यरत सेल्समैन $= \left(12500 \times \frac{23}{100}\right) = 2875.$

2004 के अन्त में कार्यरत सेल्समैन $= (2875 - 300) = 2575.$

माना 2005 में आने वाले सेल्समैन $= x.$

तब, $2575 + x = 4160 \Leftrightarrow x = (4160 - 2575) = 1585.$

अत: उत्तर (*d*) सही है.

(*v*) वर्ष 2004 से 2005 में कार्यरत कर्मचारियों की संख्या में परिवर्तन:

मैनेजर: (3840 – 2750) = 1090 (वृद्धि)

सेल्समैन: (4160 – 2875) = 1285 (वृद्धि)

लेखाकार: (3520 – 2250) = 1270 (वृद्धि)

तक्नीशियन: (3625 – 3200) = 425 (वृद्धि)

चपरासी: (1600 – 1000) = 600 (वृद्धि)

स्पष्ट है कि अधिकतम परिवर्तन सेल्समैन की संख्या में हुआ.

अत: उत्तर (*b*) सही है.

प्रश्न 3. नीचे दिये गये पाई-चार्टों में वर्ष 2004-2005 में विभिन्न मदों से औसत प्राप्तियाँ तथा विभिन्न मदों में औसत खर्च दिया गया है. इनका ध्यानपूर्वक अध्ययन करके नीचे लिखे प्रश्नों के उत्तर दीजिये.

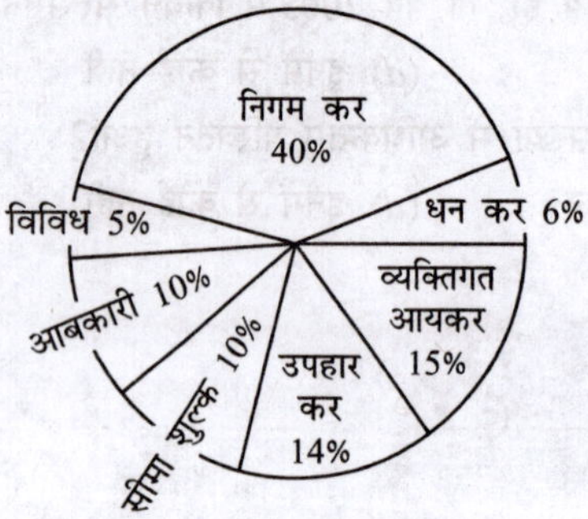

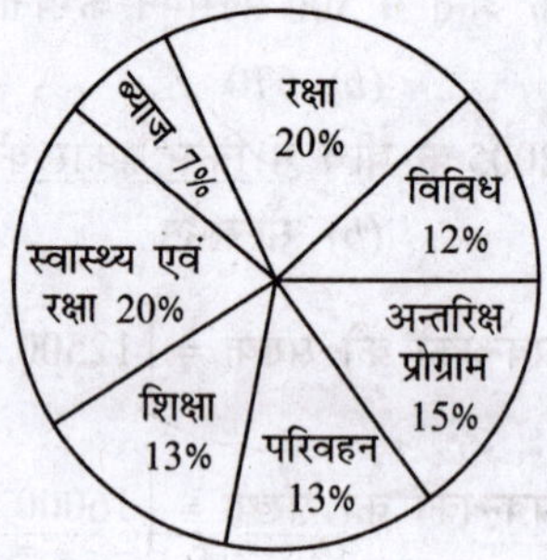

(*i*) व्यक्तिगत आयकर तथा निगम कर की प्राप्ति तथा रक्षा व्यय में क्या अनुपात है?

(*a*) 5 : 1 (*b*) 3 : 1 (*c*) 2 : 7 (*d*) 11 : 4

(*ii*) यदि उपहार कर से ₹ 4256 करोड़ की प्राप्ति हो, तो कुल प्राप्ति कितनी है?

(*a*) ₹ 29500 करोड़ (*b*) ₹ 30400 करोड़ (*c*) ₹ 31200 करोड़ (*d*) ₹ 42560 करोड़

(*iii*) यदि सरकारी ऋण पर ब्याज ₹ 2514 करोड़ हो, तो अन्तरिक्ष प्रोग्राम पर खर्च कितना होगा?

(*a*) ₹ 5387 करोड़ (*b*) ₹ 5028 करोड़ (*c*) ₹ 5141 करोड़ (*d*) ₹ 5954 करोड़

(*iv*) आबकारी तथा सीमा शुल्क दोनों को मिलाकर कुल प्राप्ति का कौन-सा भिन्नात्मक भाग होगा?

(*a*) $\frac{1}{2}$ (*b*) $\frac{1}{3}$ (*c*) $\frac{1}{4}$ (*d*) $\frac{1}{5}$

(*v*) यदि रक्षा तथा शिक्षा पर कुल व्यय ₹ 3234 करोड़ हो, तो स्वास्थ्य तथा सुरक्षा पर कुल व्यय कितना होगा?

(*a*) ₹ 1960 करोड़ (*b*) ₹ 1825 करोड़ (*c*) ₹ 2210 करोड़ (*d*) ₹ 2135 करोड़

हल: (*i*) $\frac{\text{(व्यक्तिगत आयकर + निगम कर) प्राप्ति}}{\text{रक्षा व्यय}} = \frac{(15+40)}{20} = \frac{55}{20} = \frac{11}{4}.$

$\therefore$ अभीष्ट अनुपात = 11 : 4.

अत: उत्तर (*d*) सही है.

(*ii*) माना वार्षिक प्राप्ति = ₹ x. तब, x का 14% = 4256 करोड़.

$$\therefore \quad x \times \frac{14}{100} = ₹\ 4256 \text{ करोड़} \Leftrightarrow x = \left(4256 \times \frac{100}{14}\right) = ₹\ 30400 \text{ करोड़}$$

अत: उत्तर (*b*) सही है.

(*iii*) माना अन्तरिक्ष प्रोग्राम पर खर्च = ₹ x

तब, $2514 : x = 7 : 15 \Leftrightarrow x = \frac{(2514 \times 15)}{7} = 5387$ करोड़ (लगभग).

अत: उत्तर (*a*) सही है.

(*iv*) आबकारी + सीमा शुल्क = कुल प्राप्ति का (10% + 10%) = $\left(\frac{20}{100} \times \text{कुल प्राप्ति}\right) = \frac{1}{5} \times$ कुल प्राप्ति.

अत: उत्तर (*d*) सही है.

(*v*) (रक्षा + शिक्षा) पर व्यय = कुल व्यय का 33%.

माना (स्वास्थ्य + सुरक्षा) पर व्यय = ₹ x

तब, $\quad 3234 : x = 33 : 20 \Leftrightarrow x = ₹ \frac{(3234 \times 20)}{33}$ करोड़ = ₹ 1960 करोड़

अत: उत्तर (*a*) सही है.

प्रश्न 4. नीचे दिये गये पाई-चार्ट में सात विद्यालयों के 4800 विद्यार्थियों की स्नातक कक्षाओं में प्रतिशतता दिखाई गई है. नीचे दी गई सारणी में इन विद्यार्थियों में से छात्र एवं छात्राओं का अनुपात भी दिया गया है. इनका भलीभाँति अध्ययन करके नीचे दिये गये प्रश्नों के उत्तर दीजिए.

(बैंक पी॰ओ॰ परीक्षा, 2004)

कुल विद्यार्थियों की संख्या = 4800

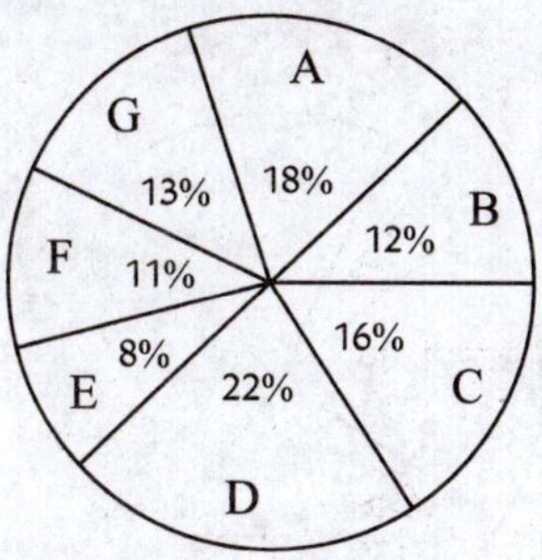

	छात्र : छात्राओं
A	7 : 9
B	5 : 4
C	5 : 7
D	6 : 5
E	3 : 5
F	7 : 4
G	7 : 5

(*i*) विद्यालय *F* में छात्रों तथा विद्यालय *E* में छात्राओं का क्रमश: अनुपात कितना है?

(*a*) 3 : 4 (*b*) 5 : 7 (*c*) 4 : 7 (*d*) 7 : 5 (*e*) इनमें से कोई नहीं

(*ii*) विद्यालय *D* में छात्राओं तथा विद्यालय *C* में छात्रों का अनुपात कितना है?

(*a*) 1 : 1 (*b*) 3 : 7 (*c*) 2 : 3 (*d*) 5 : 7 (*e*) इनमें से कोई नहीं

(*iii*) निम्नलिखित में से किन दो विद्यालयों में छात्रों की संख्या समान है?

(*a*) *A* तथा *B* (*b*) *B* तथा *C* (*c*) *A* तथा *C* (*d*) *F* तथा *G* (*e*) *C* तथा *F*

(*iv*) विद्यालय *B* के कुल विद्यार्थियों की संख्या विद्यालय *E* के कुल विद्यार्थियों का कितने प्रतिशत है?

(*a*) 150% (*b*) $66\frac{2}{3}\%$ (*c*) $33\frac{1}{3}\%$ (*d*) 120% (*e*) इनमें से कोई नहीं

(*v*) विद्यालय *D* तथा *E* की छात्राओं का अनुपात कितना है?

(*a*) 1 : 4 (*b*) 1 : 2 (*c*) 2 : 1 (*d*) 4 : 1 (*e*) इनमें से कोई नहीं

(*vi*) *E* के छात्रों की संख्या सभी विद्यालयों के विद्यार्थियों की संख्या का कितने प्रतिशत है?

(*a*) 8% (*b*) 5% (*c*) 3% (*d*) 6% (*e*) इनमें से कोई नहीं

(*vii*) *A* तथा *E* में कुल विद्यार्थियों की संख्या का अन्तर कितना है?

(*a*) 360 (*b*) 560 (*c*) 520 (*d*) 480 (*e*) इनमें से कोई नहीं

हल: (*i*) F में कुल विद्यार्थी $= \left(\frac{11}{100}\times 4800\right) = 528$, E में कुल विद्यार्थी $= \left(\frac{8}{100}\times 4800\right) = 384$.

F में छात्र $= \left(528\times\frac{7}{11}\right) = 336$, E में छात्रायें $= \left(384\times\frac{5}{8}\right) = 240$.

अभीष्ट अनुपात $= 336 : 240 = 7 : 5$.

अत: उत्तर (*d*) सही है.

(*ii*) D में कुल विद्यार्थी $= \left(4800\times\frac{22}{100}\right) = 1056$, C में कुल विद्यार्थी $= \left(4800\times\frac{16}{100}\right) = 768$.

D में छात्रायें $= \left(1056\times\frac{5}{11}\right) = 480$, C में छात्र $= \left(768\times\frac{5}{12}\right) = 320$.

अभीष्ट अनुपात $= 480 : 320 = 3 : 2$.

अत: उत्तर (*e*) सही है.

(*iii*) विद्यार्थियों की कुल संख्या:

$A \to \left(4800\times\frac{18}{100}\right) = 864$, $B \to \left(4800\times\frac{12}{100}\right) = 576$, $C \to \left(4800\times\frac{16}{100}\right) = 768$,

$F \to \left(4800\times\frac{11}{100}\right) = 528$, $G \to \left(4800\times\frac{13}{100}\right) = 624$.

छात्रों की संख्या:

$A \to \left(864\times\frac{7}{16}\right) = 378$, $B \to \left(576\times\frac{5}{9}\right) = 320$, $C \to \left(768\times\frac{5}{12}\right) = 320$,

$F \to \left(528\times\frac{7}{11}\right) = 336$, $G \to \left(624\times\frac{7}{12}\right) = 364$.

$\therefore$ B तथा C में छात्रों की संख्या एक समान है.

अत: उत्तर (*b*) सही है.

(*iv*) B के कुल विद्यार्थियों की संख्या $= \left(4800\times\frac{12}{100}\right) = 576$,

E के कुल विद्यार्थियों की संख्या $= \left(4800\times\frac{8}{100}\right) = 384$.

माना $576 = 384$ का $x\%$. तब $384 \times \frac{x}{100} = 576 \Leftrightarrow x = \frac{(576\times 100)}{384} = 150\%$.

अत: उत्तर (*a*) सही है.

(*v*) D में कुल विद्यार्थी $= \left(4800 \times \frac{22}{100}\right) = 1056$, E में कुल विद्यार्थी $= \left(4800 \times \frac{8}{100}\right) = 384$.

D में छात्रायें $= \left(1056 \times \frac{5}{11}\right) = 480$, E में छात्रायें $= \left(384 \times \frac{5}{8}\right) = 240$.

$\therefore$ अभीष्ट अनुपात $= 480 : 240 = 2 : 1$.

अत: उत्तर (*c*) सही है.

(*vi*) E में कुल विद्यार्थी $= \left(4800 \times \frac{8}{100}\right) = 384$. E में छात्रों की संख्या $= \left(384 \times \frac{3}{8}\right) = 144$.

माना $144 = 4800$ का $x\%$. तब, $4800 \times \frac{x}{100} = 144 \Leftrightarrow x = \frac{144}{48} = 3\%$.

अत: उत्तर (*c*) सही है.

(*vii*) A में कुल विद्यार्थी $= \left(4800 \times \frac{18}{100}\right) = 864$, E में कुल विद्यार्थी $= \left(4800 \times \frac{8}{100}\right) = 384$.

अभीष्ट अन्तर = (864 – 384) = 480.

अतः उत्तर (*d*) सही है.

प्रश्न 5. नीचे दिये गये पाई-चार्टों में एक पाई-चार्ट भारत से विदेश के विभिन्न देशों में जाने वालों को प्रदर्शित करता है तथा दूसरा पाई-चाट इन विदेश जाने वालों के विभिन्न आयु-वर्गों को इंगित करता है. इन पाई-चार्टों का अध्ययन करके नीचे दिये गये प्रश्नों के उत्तर दीजिए.

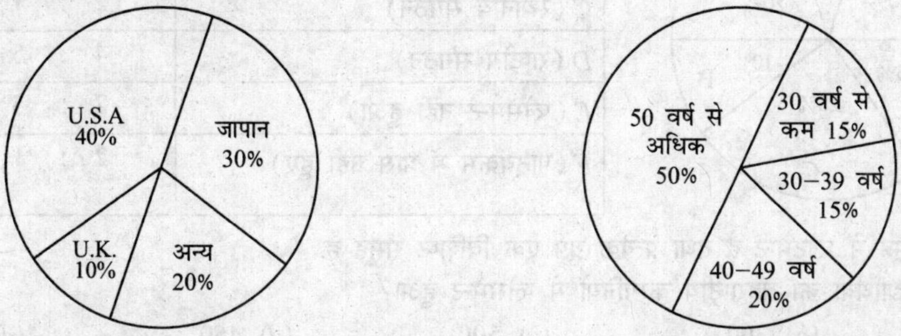

(*i*) भारत से U.S.A. जाने वालों की संख्या और भारत से 30 वर्ष से कम आयु के बाहर जाने वाले यात्रियों की संख्या में क्या अनुपात है?

(*a*) 2 : 1 (*b*) 8 : 3 (*c*) 3 : 8 (*d*) निर्धारित नहीं कर सकते

(*ii*) अन्य देशों में जाने वालों में से स्विटजरलैण्ड 25% भारतीय गये. यदि इन यात्रियों की संख्या 25 लाख हो तो इनमें से 30 से 39 वर्ष तक आयु वाले कितने यात्री विदेश गये?

(*a*) 18·75 लाख (*b*) 25 लाख (*c*) 50 लाख (*d*) 75 लाख

(*iii*) प्रश्न (*ii*) में दी गई जानकारी के आधार पर ज्ञात करें कि कितने भारतीय यात्री U.S.A. गये?

(*a*) 150 लाख (*b*) 125 लाख (*c*) 200 लाख (*d*) इनमें से कोई नहीं

(*iv*) उपर्युक्त दो प्रश्नों में दी गई जानकारी के आधार पर 50 वर्ष से अधिक आयु वाले कितने यात्री उस वर्ष U.K. गये?

(*a*) कम से कम 25 लाख (*b*) केवल 25 लाख

(*c*) कम से कम 10 लाख (*d*) ज्ञात नहीं कर सकते

हलः (*i*) भारत से USA जाने वालों की संख्या तथा 30 वर्ष से कम आयु के बाहर जाने वाले यात्रियों की संख्या का अनुपात $= \frac{40}{100} : \frac{15}{100} = 40 : 15 = 8 : 3$.

अतः उत्तर (*b*) सही है.

(*ii*) माना बाहर जाने वाले कुल यात्री = x.

अन्य देशों में जाने वालों की संख्या = x का 20%.

स्विटजरलैंड जाने वालों की संख्या = x का 20% का 25% $= \left(x \times \frac{20}{100} \times \frac{25}{100}\right) = \frac{x}{20}$.

$\therefore \quad \frac{x}{20} = 2500000 \Rightarrow x = 500$ लाख.

अतः बाहर जाने वाले कुल यात्री = 500 लाख.

30 से 39 वर्ष वाले यात्रियों की संख्या = 500 लाख का 15% $= \left(500 \text{ लाख} \times \frac{15}{100}\right) = 75$ लाख.

अतः उत्तर (*d*) सही है.

(*iii*) USA जाने वाले भारतीयों की संख्या = 500 लाख का 40% $= \left(500 \text{ लाख} \times \frac{40}{100}\right) = 200$ लाख.

अतः उत्तर (*c*) सही है.

(*iv*) 50 वर्ष से अधिक आयु वाले, UK जाने वाले भारतीयों की संख्या

$$= 500 \text{ लाख का } 10\% \text{ का } 50\% = \left(500 \text{ लाख} \times \frac{10}{100} \times \frac{50}{100}\right) = 25 \text{ लाख}.$$

अतः उत्तर (*b*) सही है.

प्रश्न 6. नीचे दिये गये पाई-चार्ट तथा सम्बद्ध सारणी का अध्ययन कीजिए तथा दिये गये प्रश्नों के उत्तर दीजिए.

3000 विद्यार्थियों का प्लेसमैन्ट

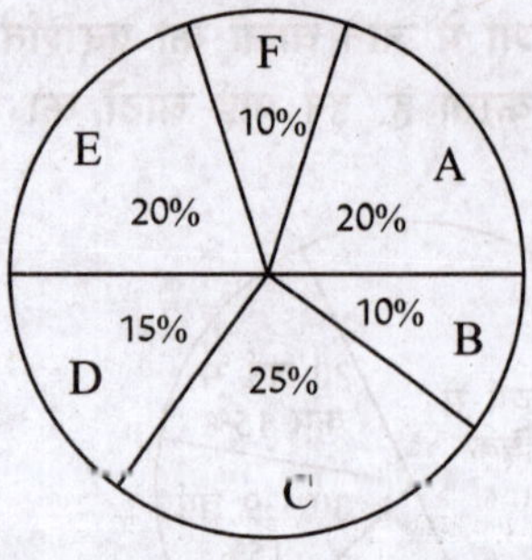

	पुरुष : महिला
A (बहुराष्ट्रीय कम्पनी)	1 : 2
B (औसत वेतन ₹ 5 लाख से अधिक)	1 : 1
C (स्थानीय संगठन)	2 : 1
D (राष्ट्रीय संगठन)	4 : 5
E (प्लेसमैन्ट नहीं हुआ)	7 : 5
F (पाठ्यक्रम में पास नहीं हुए)	2 : 1

A से F प्रत्येक समूह में प्लेटमैन्ट है तथा प्रत्येक ग्रुप एक विशिष्ट समूह है.

(*i*) कितनी महिला विद्यार्थियों का बहुराष्ट्रीय कम्पनियों में प्लेसमैन्ट हुआ?

(*a*) 200 (*b*) 300 (*c*) 500 (*d*) 450 (*e*) इनमें से कोई नहीं

(*ii*) कितने विद्यार्थी पाठ्यक्रम में पास नहीं हुए?

(*a*) 300 (*b*) 200 (*c*) 400 (*d*) 250 (*e*) इनमें से कोई नहीं

(*iii*) निम्नलिखित में से कौन-सी जानकारी सही नहीं है?

(*a*) विद्यार्थियों की अधिकांश संख्या का स्थानीय संगठनों में प्लेसमैन्ट हुआ था.

(*b*) राष्ट्रीय संगठनों में पुरुषों से अधिक महिलाओं का प्लेसमैन्ट हुआ था.

(*c*) जिनका प्लेसमैन्ट नहीं हुआ तथा जिन्होंने पाठ्यक्रम पास नहीं किया उनकी कुल संख्या 900 थी.

(*d*) महिलाओं से पुरुष विद्यार्थी अधिक थे.

(*e*) बहुराष्ट्रीय कम्पनियों में पुरुषों से अधिक महिलाओं का प्लेसमैन्ट हुआ था और पुरुषों से अधिक महिलाओं का ₹ 5 लाख से अधिक का औसत वेतन मिला था.

(*iv*) स्थानीय संगठनों और राष्ट्रीय संगठनों में कुल कितनी छात्राओं का प्लेसमैन्ट हुआ?

(*a*) 300 (*b*) 750 (*c*) 1200 (*d*) 600 (*e*) इनमें से कोई नहीं

(*v*) महिलाओं तथा पुरुषों का क्रमशः अनुपात कितना है?

(*a*) 7 : 5 (*b*) 9 : 8 (*c*) 8 : 9 (*d*) 7 : 8 (*e*) इनमें से कोई नहीं

हल: विद्यार्थियों की संख्या:

$$A \to \left(3000 \times \frac{20}{100}\right) = 600, \quad B \to \left(3000 \times \frac{10}{100}\right) = 300, \quad C \to \left(3000 \times \frac{25}{100}\right) = 750,$$

$$D \to \left(3000 \times \frac{15}{100}\right) = 450, \quad E \to \left(3000 \times \frac{20}{100}\right) = 600, \quad F \to \left(3000 \times \frac{10}{100}\right) = 300.$$

$$A \to \text{पुरुष} = \left(600 \times \frac{1}{3}\right) = 200, \text{ महिलायें} = 400. \qquad B \to \text{पुरुष} = 150, \text{ महिलायें} = 150.$$

$$C \to \text{पुरुष} = \left(750 \times \frac{2}{3}\right) = 500, \text{ महिलायें} = 250. \quad D \to \text{पुरुष} = \left(450 \times \frac{4}{9}\right) = 200, \text{ महिलायें} = 250.$$

$$E \to \text{पुरुष} = \left(600 \times \frac{7}{12}\right) = 350, \text{ महिलायें} = 250. \quad F \to \text{पुरुष} = \left(300 \times \frac{2}{3}\right) = 200, \text{ महिलायें} = 100.$$

(*i*) स्पष्ट है कि 400 महिलाओं का बहुराष्ट्रीय कम्पनी में प्लेसमैन्ट हुआ.

अतः उत्तर (*e*) सही है.

(*ii*) F से स्पष्ट है कि 300 विद्यार्थी पास नहीं हुआ.

अतः उत्तर (*a*) सही है.

(*iii*) (*a*) स्पष्ट है कि अधिकांश विद्यार्थी C में हैं. अतः उत्तर (*a*) सही है.

(*b*) राष्ट्रीय संगठनों में पुरुष = 500, महिलायें = 250. अतः उत्तर (*b*) सही है.

(*c*) जिनका प्लेसमैन्ट नहीं हुआ तथा जिन्होंने पाठ्यक्रम पास नहीं किया

$= 3000$ का $30\% = \left(3000 \times \frac{30}{100}\right) = 900.$

अतः उत्तर (*c*) सही है.

(*d*) कुल पुरुष $= (200 + 150 + 500 + 200 + 350 + 200) = 1600.$

कुल महिलायें $= (3000 - 1600) = 1400.$

$\therefore$ पुरुष महिलाओं से अधिक हैं.

अतः उत्तर (*d*) सही है.

(*e*) बहुराष्ट्रीय कम्पनियों में पुरुषों से अधिक महिलाओं का प्लेसमैन्ट हुआ था.

परन्तु ₹ 5 लाख से अधिक वेतन पाने वाले पुरुष तथा महिलायें बराबर थे. अतः (*e*) सही नहीं है.

अतः उत्तर (*e*) है.

(*iv*) स्थानीय संगठनों तथा राष्ट्रीय संगठनों में कुल छात्राओं की संख्या $= (250 + 250) = 500.$

अतः उत्तर (*e*) सही है.

(*v*) महिलाओं तथा पुरुषों का अनुपात $= 1400 : 1600 = 7 : 8.$

अतः उत्तर (*d*) सही है.

प्रश्नमाला 38

1. किसी नगर की जनसंख्या 360000 है. उसके विभिन्न व्यवसायी निम्नांकित वृत्त-चित्र में प्रदर्शित किये गये हैं. इस वृत्त-चित्र का अध्ययन करके निम्नलिखित प्रश्नों के ठीक उत्तर चुनिये.

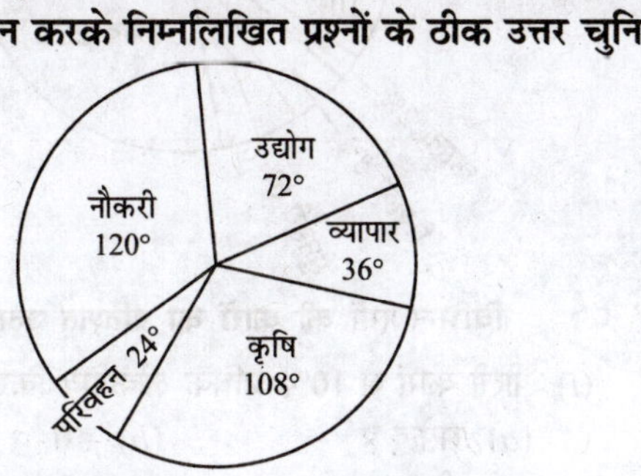

(*i*) कृषि की अपेक्षा नौकरी में कितने अधिक व्यक्ति लगे हैं?

(*a*) 12000 (*b*) 10000
(*c*) 120000 (*d*) 1200

(*ii*) कुल जनसंख्या का कितने प्रतिशत परिवहन व्यवसाय में है?

(*a*) 24% (*b*) 7·2%
(*c*) 2·4% (*d*) 6·6%

(*iii*) नौकरी तथा परिवहन में लगे व्यक्तियों की संख्या का योग निम्न व्यवसायों में से किस-किस व्यवसाय में लगे व्यक्तियों की संख्या का योग है?

(*a*) कृषि तथा परिवहन (*b*) व्यापार तथा उद्योग
(*c*) कृषि तथा व्यापार (*d*) उद्योग तथा कृषि

(*iv*) नौकरी तथा उद्योग में लगे व्यक्तियों का क्या अनुपात है?

(*a*) 3 : 4 (*b*) 2 : 3
(*c*) 5 : 3 (*d*) 3 : 5

(*v*) कृषि तथा व्यापार में लगे व्यक्तियों का उद्योग में लगे व्यक्तियों से क्या अनुपात है?

(*a*) 3 : 2 (*b*) 2 : 3
(*c*) 1 : 2 (*d*) 2 : 1

2. एक प्रकाशक द्वारा एक पुस्तक के प्रकाशन में विभिन्न मदों पर किये गये खर्च का ब्यौरा नीचे दिये गये वृत्त-चित्र में प्रदर्शित किया गया है. इस चित्र का भली भाँति अध्ययन करके नीचे दिये गये प्रश्नों के उत्तर दीजिए.

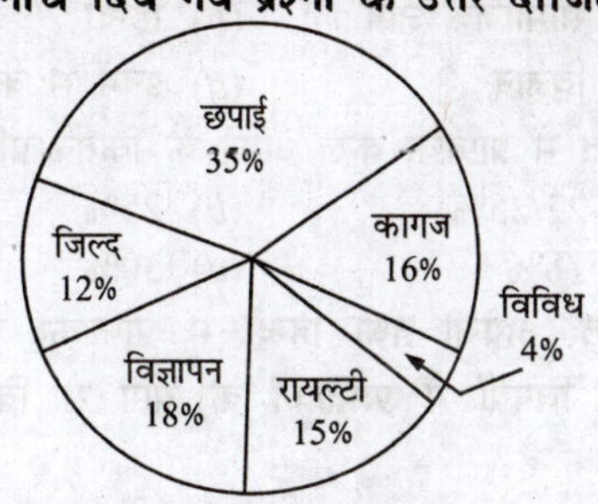

(*i*) कागज के मूल्य को प्रदर्शित करने वाले वृत्त चित्र के केन्द्रीय कोण का मान क्या होगा?

(*a*) 22·5° (*b*) 16°
(*c*) 54·8° (*d*) 57·6°

(*ii*) यदि छपाई का खर्च ₹ 175000 है तो रायल्टी कितनी है?

(*a*) ₹ 87500 (*b*) ₹ 75000
(*c*) ₹ 31500 (*d*) ₹ 63000

(*iii*) यदि विविध खर्च ₹ 60000 है, तो विज्ञापन पर खर्च कितना है?

(*a*) ₹ 90000 (*b*) ₹ 270000
(*c*) ₹ 120000 (*d*) ₹ 133330

(*iv*) यदि 5500 प्रतियाँ छापी गई हों, विविध खर्च ₹ 18480 हो तथा प्रकाशक का लाभ 25% हो, तो प्रत्येक प्रति का अंकित मूल्य क्या होगा?

(*a*) ₹ 84 (*b*) ₹ 125
(*c*) ₹ 105 (*d*) ₹ 100

(*v*) विज्ञापन खर्च से रायल्टी कितने प्रतिशत कम है?

(*a*) $6\frac{1}{4}\%$ (*b*) $16\frac{2}{3}\%$
(*c*) 20% (*d*) 15%

3. नीचे दिये गये वृत्त चित्र में एक विद्यार्थी द्वारा पाँच विभिन्न विषयों में प्राप्तांकों को प्रदर्शित किया गया है. सभी विषयों के कुल अधिकतम अंक 540 हों तो इन समंकों के आधार पर निम्न प्रश्नों के ठीक उत्तर चुनिये.

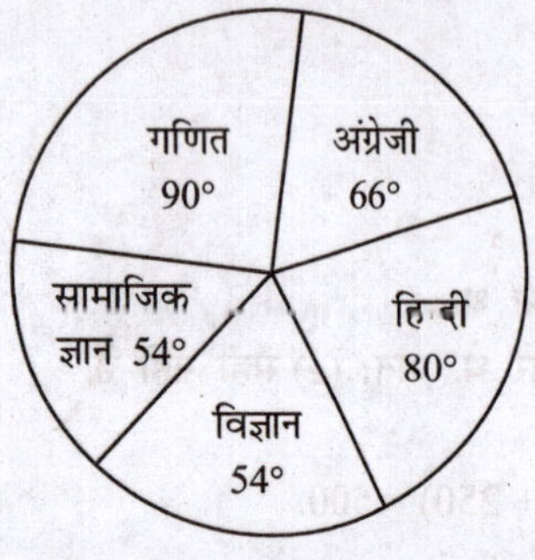

(*i*) किस विषय में विद्यार्थी ने 99 अंक प्राप्त किये?
(*a*) गणित (*b*) हिन्दी
(*c*) अंग्रेजी (*d*) किसी में भी नहीं

(*ii*) किस विषय में विद्यार्थी ने कुल अंकों के 18·33% अंक प्राप्त किये?
(*a*) सामाजिक ज्ञान (*b*) हिन्दी
(*c*) विज्ञान (*d*) इनमें से कोई नहीं

(*iii*) गणित में प्राप्तांक कुल अंकों के कितने प्रतिशत हैं?
(*a*) 22·25% (*b*) 25%
(*c*) 18% (*d*) 30%

(*iv*) गणित, अंग्रेजी तथा हिन्दी में प्राप्तांकों का योग शेष दोनों विषयों में प्राप्तांकों के योग से कितने प्रतिशक अधिक है?
(*a*) 90·3% (*b*) 58·6%
(*c*) 47·4% (*d*) 62·3%

4. नीचे दिये गये पाई-चार्ट में एक परिवार के मासिक बजट का ब्यौरा दिया गया है. इसे ध्यानपूर्वक पढ़ कर नीचे दिये गये प्रश्नों के उत्तर दें.

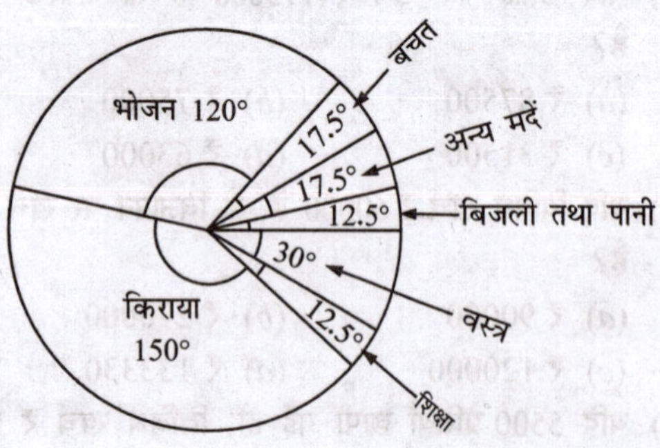

(*i*) यदि परिवार का वस्त्रों पर खर्च ₹ 1200 हो, तो परिवार का कुल मासिक बजट क्या होगा?
(*a*) ₹ 12000 (*b*) ₹ 13600
(*c*) ₹ 14400 (*d*) ₹ 15500

(*ii*) परिवार की मासिक बचत कितनी है?
(*a*) ₹ 1750 (*b*) ₹ 1500
(*c*) ₹ 900 (*d*) ₹ 700

(*iii*) मासिक किराया खर्च, भोजन पर किये गये मासिक खर्च से कितना अधिक है?
(*a*) ₹ 1200 (*b*) ₹ 3000
(*c*) ₹ 300 (*d*) ₹ 1500

(*iv*) कुल बजट का लगभग कितने प्रतिशत पानी और बिजली पर खर्च होता है?
(*a*) 5% (*b*) 17·5%
(*c*) 3·5% (*d*) 7·1%

(*v*) कुल बजट का कितना प्रतिशत भोजन तथा किराये पर खर्च होता है?
(*a*) 27% (*b*) 50%
(*c*) 75% (*d*) 25%

5. नीचे दिये गये पाई-चार्ट में विभिन्न रंगों की कारों का प्रतिशत उत्पादन प्रदर्शित किया गया है. इसका भली भाँति अध्ययन करके नीचे दिये गये प्रश्नों के उत्तर दीजिए. **(रेलवे परीक्षा, 2003)**

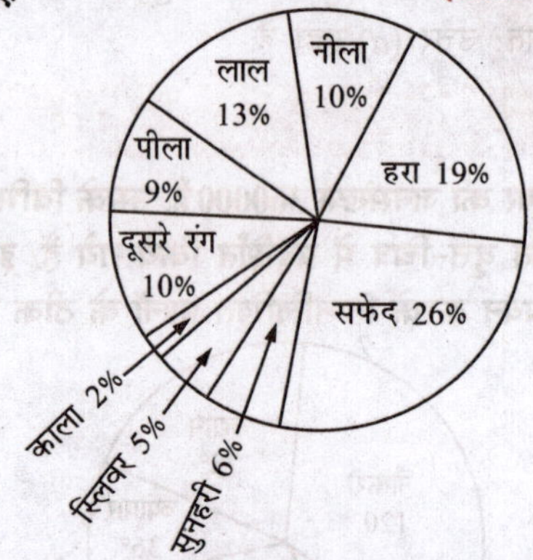

विभिन्न रंगों की कारों का प्रतिशत उत्पादन

(*i*) पीली कारों से 10% अधिक लोकप्रिय किस रंग की कार है?
(*a*) सफेद (*b*) हरा
(*c*) नीला (*d*) लाल

(*ii*) यदि कुल 55000 कारों का उत्पादन हो, तो लाल कारों का उत्पादन नीली कारों के उत्पादन से कितना अधिक है?
(*a*) 7000 (*b*) 5100
(*c*) 1250 (*d*) 1650

(*iii*) निम्नलिखित में से कौन-सा संचय कुल कारों के उत्पादन का 50% है?
(*a*) पीली, लाल, नीली, हरी
(*b*) सुनहरी, सफेद, हरी
(*c*) सिल्वर, सफेद, सुनहरी, लाल
(*d*) लाल, नीली, सफेद

(*iv*) लाल तथा सफेद कारों के संगत केन्द्रीय कोणों का अनुपात क्या है?
(*a*) 1 : 2 (*b*) 1 : 3
(*c*) 2 : 3 (*d*) 3 : 1

(*v*) नीली कारों के साथ किस रंग की कार के उत्पादन में 2% वृद्धि कर दें कि यह उत्पादन कुल उत्पादन का 25% हो जाये?
(*a*) हरा (*b*) लाल
(*c*) काला (*d*) पीला

6. नीचे दिये गये दो पाई-चार्टों में किसी कम्पनी के वर्ष 2000 तथा 2005 में विभिन्न मदों में खर्च प्रतिशत दिखाया गया है. इनका भली भाँति अध्ययन करके नीचे दिये गये प्रश्नों के उत्तर दीजिए.

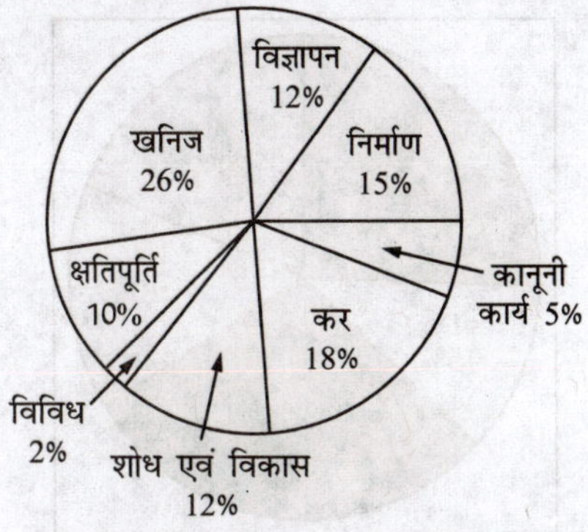

वर्ष 2000 में कुल खर्च = ₹ 506 करोड़

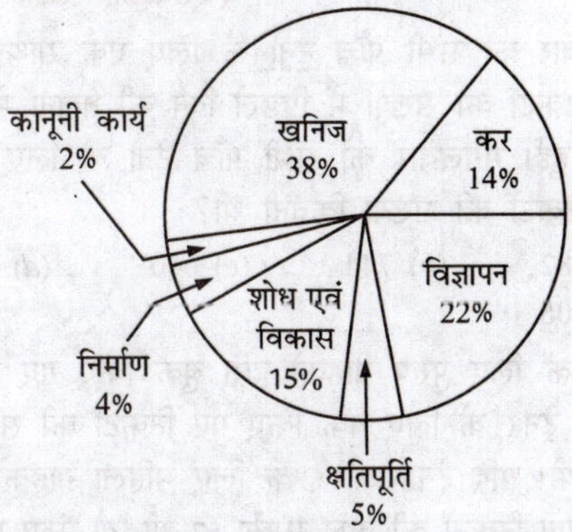

वर्ष 2005 में कुल खर्च = ₹ 1404 करोड़

(*i*) वर्ष 2000 तथा 2005 में खनिज पदार्थों पर किये गये खर्च का अनुपात है:

(*a*) 2 : 3 (*b*) 1 : 3
(*c*) 1 : 4 (*d*) 2 : 5

(*ii*) वर्ष 2000 से 2005 तक करों के खर्च में कितने प्रतिशत वृद्धि हुई?

(*a*) ₹ 105 करोड़ (*b*) ₹ 41 करोड़
(*c*) ₹ 77 करोड़ (*d*) ₹ 178 करोड़

(*iii*) वर्ष 2000 में निर्माण कार्य पर किया गया खर्च किस खर्च का 125% है?

(*a*) 2000 में विज्ञापन पर
(*b*) 2000 में कर
(*c*) 2005 में शोध एवं विकास पर
(*d*) 2000 में क्षतिपूर्ति पर

(*iv*) वर्ष 2000 से 2005 तक कम्पनी के विज्ञापन पर खर्च में लगभग कितनी वृद्धि हुई?

(*a*) ₹ 142 करोड़ (*b*) ₹ 197 करोड़
(*c*) ₹ 208 करोड़ (*d*) ₹ 248 करोड़

(*v*) वर्ष 2000 में कर, शोध एवं विकास तथा क्षतिपूर्ति में खर्च किया गया धन निम्न में से किस के बराबर है?

(*a*) 2005 में विज्ञापन पर किये गये खर्च
(*b*) 2005 में क्षतिपूर्ति पर खर्च के दुगुने
(*c*) 2005 में कर तथा शोध एवं विकास पर किये गये खर्च के 50%
(*d*) 2005 में खनिज पदार्थों पर किये गये खर्च के $\frac{1}{3}$.

7. नीचे दिये गये पाई-चार्टों में किसी वर्ष विभिन्न राज्यों से किसी प्रतियोगी परीक्षा में सम्मिलित अभ्यर्थी तथा उनमें से सफल होने वाले अभ्यर्थियों का प्रतिशत दिया गया है. इन चार्टों का ध्यानपूर्वक अध्ययन करके नीचे लिखे प्रश्नों के उत्तर दीजिए.

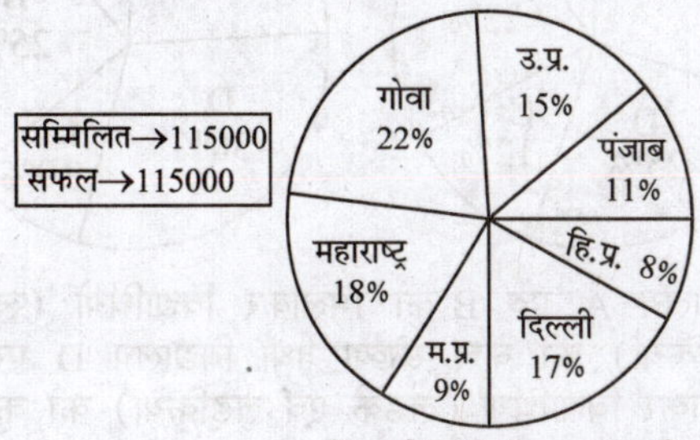

परीक्षा में सम्मिलित अभ्यर्थी

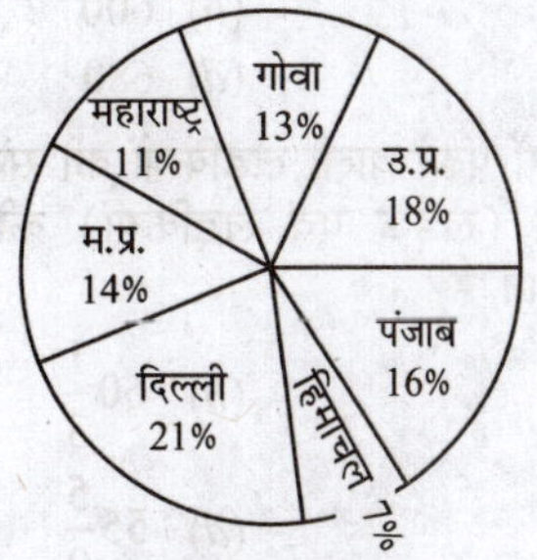

सफल अभ्यर्थी

(*i*) दिल्ली के सफल उम्मीदवारों की संख्या, गोआ के सफल उम्मीदवारों की संख्या से कितनी अधिक है?

(*a*) 1725 (*b*) 1380
(*c*) 860 (*d*) 516

(*ii*) उ०प्र० तथा म०प्र० से परीक्षा में सम्मिलित उम्मीदवारों में से कितने प्रतिशत सफल रहे?

(*a*) 75% (*b*) 50%
(*c*) 25% (*d*) 20%

(*iii*) किस राज्य से निम्नतम प्रतिशत उम्मीदवार सफल रहे?

(*a*) महाराष्ट्र (*b*) गोआ
(*c*) उ०प्र० (*d*) हि०प्र०

(*iv*) हिमाचल प्रदेश तथा मध्य प्रदेश से परीक्षा में सम्मिलित उम्मीदवारों तथा महाराष्ट एवं उ०प्र० से परीक्षा में सम्मिलित उम्मीदवारों का अनुपात क्या है?

(*a*) 17 : 33 (*b*) 17 : 27
(*c*) 13 : 27 (*d*) 11 : 13

(*v*) दिल्ली तथा म०प्र० से सफल होने वाले तथा हिमाचल प्रदेश से परीक्षा में सम्मिलित होने वालों का अनुपात कितना है?

(*a*) 111 : 160 (*b*) 37 : 40
(*c*) 21 : 32 (*d*) 17 : 27

निर्देश (8-12): निम्न पाई चार्टों का सावधानीपूर्वक अध्ययन कीजिए एवं दिए गए प्रश्नों के उत्तर दीजिए।

वर्ष 2010 में भिन्न विद्यालयों (A, B, C, D, एवं E) में स्टैण्डर्ड X में पढ़ने वाले विद्यार्थियों (लड़के एवं लड़कियाँ) की संख्या

विद्यार्थियों की कुल संख्या (लड़के + लड़कियाँ) =3000

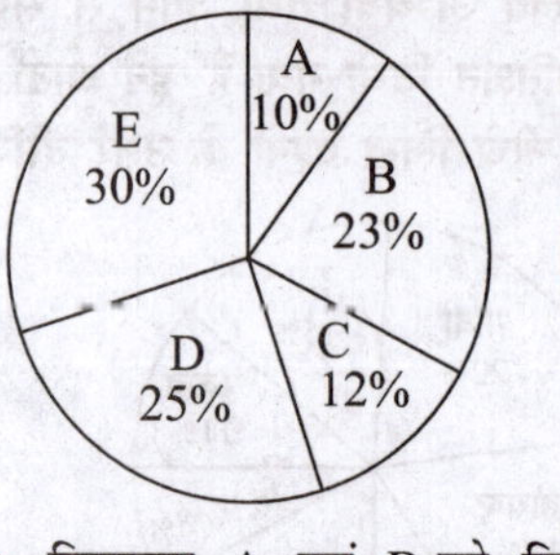

लड़कों की कुल संख्या = 1600

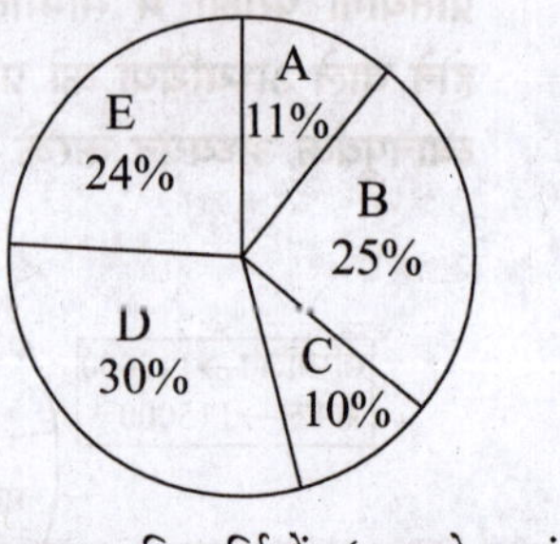

8. विद्यालय A एवं B को मिलाकर विद्यार्थियों (लड़के एवं लड़कियाँ) की कुल संख्या तथा विद्यालय D एवं E को मिलाकर विद्यार्थियों (लड़के एवं लड़कियां) की कुल संख्या के मध्य क्या अंतर है?

(*a*) 640 (*b*) 600
(*c*) 620 (*d*) 680 (*e*) 660

9. विद्यालय C में पढ़ने वाली लड़कियों की संख्या उसी विद्यालय में विद्यार्थियों (लड़के एवं लड़कियां) की कुल संख्या का कितना प्रतिशत है?

(*a*) 48 (*b*) $60\frac{1}{3}$
(*c*) 50 (*d*) $55\frac{5}{9}$
e) $42\frac{5}{8}$

10. विद्यालय A एवं B में पढ़ने वाले लड़कों की औसत संख्या क्या है?

(*a*) 280 (*b*) 288
(*c*) 272 (*d*) 248
(*e*) 278

11. विद्यालय E में पढ़ने वाली लड़कियों की संख्या उसी विद्यालय में पढ़ने वाले लड़कों की संख्या से लगभग कितना प्रतिशत अधिक है?

(*a*) 45 (*b*) 30
(*c*) 50 (*d*) 40
(*e*) 34

12. विद्यालय D में पढ़ने वाले लड़कों एवं लड़कियों की संख्या के मध्य क्रमशः क्या अनुपात है?

(आई.बी.पी.एस. बैंक क्लर्क सी.डब्लू.ई. मुख्य परीक्षा, 2017)

(*a*) 12 : 7 (*b*) 16 : 9
(*c*) 16 : 7 (*d*) 18 : 7
(*e*) 14 : 9

निर्देश (प्रश्न 13–17): पाई-चार्ट का संदर्भ लें और दिए गए प्रश्नों के उत्तर दें।

पाई-चार्ट सोमवार को पाँच ट्रेनों (A, B, C, D और E) के लिए बुक किए गए प्रथम श्रेणी के टिकटों का प्रतिशत दर्शाता है। इन पाँच ट्रेनों के लिए एक साथ बुक किए गए प्रथम श्रेणी के टिकटों की कुल संख्या 500 थी।

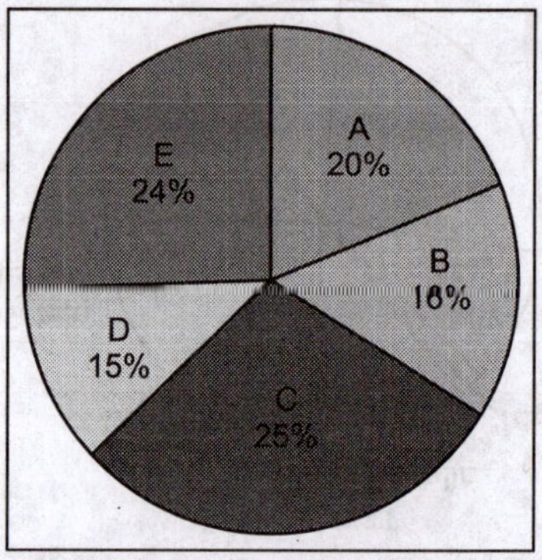

(एसबीआई पीओ प्री, 2019)

13. मंगलवार को सभी पाँच ट्रेनों के लिए एक साथ बुक किए गए टिकटों की संख्या में पिछले दिन की तुलना में 24% की वृद्धि हुई। मंगलवार को सभी पाँच ट्रेनों के लिए बुक किए गए टिकटों की संख्या कितनी थी?

(*a*) 682 (*b*) 744 (*c*) 640 (*d*) 620
(*e*) 806

14. ट्रेन A के लिए पुरुष ग्राहकों द्वारा बुक किए गए टिकटों की संख्या ट्रेन C के लिए बुक किए गए टिकटों की संख्या से 24 कम थी। यदि ट्रेन A और C के लिए महिला ग्राहकों द्वारा बुक किए गए टिकटों की कुल संख्या 57 थी, तो पुरुष ग्राहकों द्वारा ट्रेन C के लिए बुक किए गए टिकटों की संख्या कितनी थी?

(*a*) 88 (*b*) 92 (*c*) 96 (*d*) 76
(*e*) 84

15. ट्रेन D के लिए बुक किए गए कुल टिकटों में से 40% महिला ग्राहकों द्वारा बुक किए गए थे। पुरुष ग्राहकों द्वारा ट्रेन D के लिए बुक किए गए टिकटों की संख्या कितनी है?

(*a*) 36 (*b*) 42 (*c*) 48 (*d*) 45
(*e*) 30

16. ट्रेनों A, B और D के लिए बुक किए गए टिकटों की औसत संख्या कितनी है?

(*a*) 89 (*b*) 95 (*c*) 85 (*d*) 84
(*e*) 83

17. ट्रेन B के लिए बुक किए गए टिकटों की कुल संख्या के अनुरूप केंद्रीय कोण (डिग्री में) क्या है?

(*a*) 43.2 (*b*) 50.4 (*c*) 58.4 (*d*) 64.8
(*e*) 57.6

निर्देश (प्रश्न 18–22): पाई-चार्ट में डेटा एक वर्ष के लिए एक जर्मन शहर में विभिन्न व्यवसायों में लगी जनसंख्या का वर्णन करता है। जानकारी के आधार पर प्रश्नों के उत्तर दीजिए।

[स्नैप, 2017]

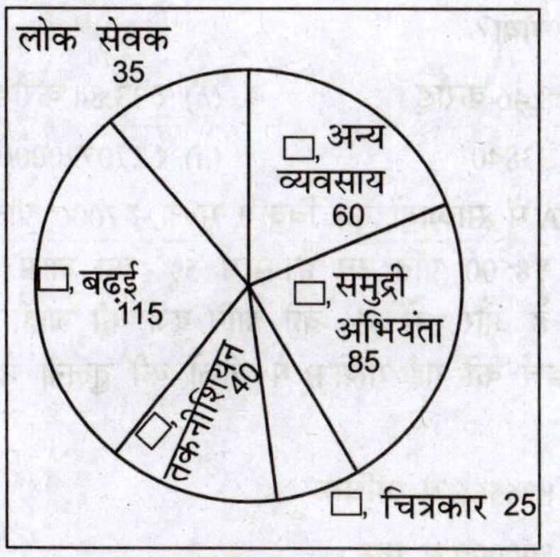

18. शहर में कितने प्रतिशत वेतनभोगी समुद्री इंजीनियरिंग में लगे हुए हैं?

(*a*) 13.6 (*b*) 19.6 (*c*) 23.6 (*d*) 8.6

19. यदि चित्रकारी में लगे व्यक्तियों की संख्या 2160 है, तो तकनीशियनों के रूप में लगे व्यक्तियों की संख्या ____________ होगी।

(*a*) 1456 (*b*) 5456 (*c*) 2458 (*d*) 3456

20. यदि बढ़ई की कुल कमाई तकनीशियनों से दोगुनी है, तो इन व्यवसायों में औसत मजदूरी का अनुपात है:

(*a*) 23:8 (*b*) 5:4 (*c*) 16:23 (*d*) 23:16

21. यदि बढ़ई वर्ग से एक वेतनभोगी की औसत कमाई तकनीशियनों से दोगुनी थी, तो इन व्यवसायों से कुल आय का अनुपात है:

(*a*) 4:3 (*b*) 5:4 (*c*) 4:5 (*d*) 23:4

22. यदि अगले वर्ष वेतन कमाने वालों की कुल संख्या में 10% की वृद्धि होती है और बढ़ईगीरी में लगे वेतन अर्जकों की संख्या में 15% की वृद्धि होती है, तो उस वर्ष के लिए पाई-चार्ट में बढ़इयों का निकटतम केंद्रीय कोण होगा:

(*a*) 120 डिग्री

(*b*) 125 डिग्री

(*c*) 130 डिग्री

(*d*) उपर्युक्त विकल्पों में से कोई भी सही नहीं है

निर्देश (प्रश्न 23-27)

वर्ष 2017 और 2018 के लिए बीपीओ में कर्मचारियों का स्थानवार वितरण नीचे दिया गया है। 2017 में कंपनी की कुल कर्मचारियों की संख्या 90,000 थी और 2018 में कर्मचारियों की संख्या में 20% की वृद्धि हुई थी, जिसमें कोई कमी नहीं थी। **(मैट, 2019)**

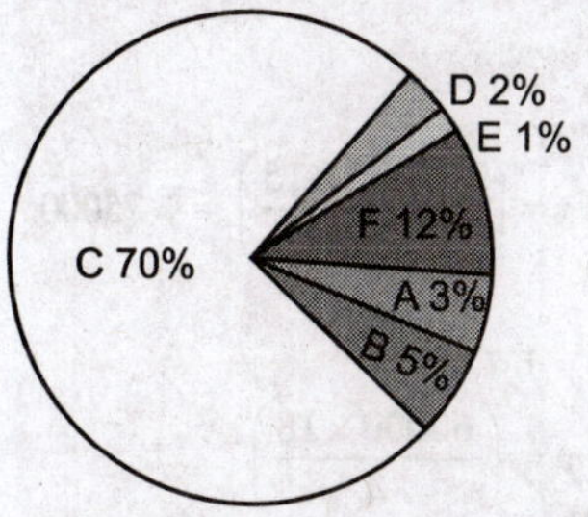

2017 में स्थान के अनुसार कर्मचारी

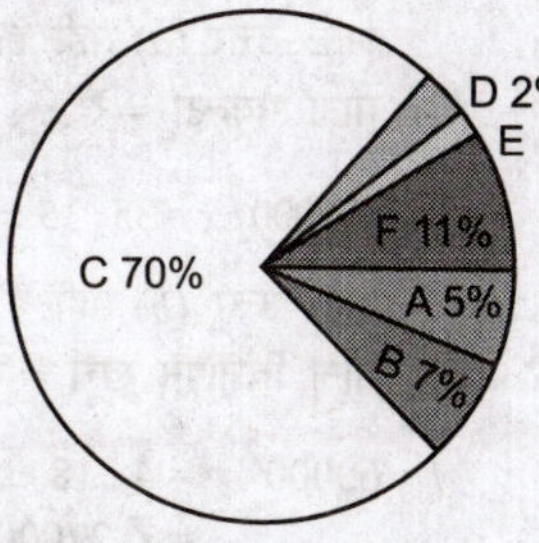

2018 में स्थान के अनुसार कर्मचारी

23. 2018 में स्थान E पर कर्मचारियों की संख्या में परिवर्तन का स्थान B पर कर्मचारियों की संख्या में परिवर्तन से अनुपात क्या है?

(*a*) $\frac{1}{2}$ (*b*) $\frac{1}{17}$ (*c*) $\frac{2}{29}$ (*d*) $\frac{35}{53}$

24. 2017 और 2018 के बीच कंपनी के स्थान C पर कर्मचारियों की संख्या में अनुमानित प्रतिशत परिवर्तन कितना है?

(*a*) 6.84% (*b*) 8.65% (*c*) 14.68% (*d*) 16.84%

25. 2017 में स्थान B पर कर्मचारियों की संख्या का 2018 से अनुपात क्या है?

(*a*) $\frac{25}{42}$ (*b*) $\frac{42}{25}$ (*c*) $\frac{41}{26}$ (*d*) $\frac{26}{41}$

26. 2018 में 20% की वृद्धि के साथ 2018 में स्थान D पर कर्मचारियों के परिवर्तन का 2018 में स्थान C पर कर्मचारियों के परिवर्तन से 2018 में 25% वृद्धि का अनुपात क्या है?

(*a*) $\frac{217}{55}$ (*b*) $\frac{205}{172}$ (*c*) $\frac{165}{4}$ (*d*) $\frac{4}{165}$

27. यदि 2018 में कंपनी की कर्मचारियों की संख्या में बिना किसी दुर्घटना के 25% की वृद्धि हुई थी, तो 2017 में स्थान A के कर्मचारियों और 2018 में स्थान F के कर्मचारियों के बीच कितना अंतर है?

(*a*) 9675 (*b*) 5600 (*c*) 7596 (*d*) 6759

निर्देश (प्रश्न 28-32): इन प्रश्नों के उत्तर देने के लिए निम्नलिखित ग्राफ का अध्ययन करें।

वर्ष 2012 में एक राज्य में 17 लाख टन सब्जी का उत्पादन हुआ। उस राज्य के छह जिलों में इसके उत्पादन की स्थिति पाई-चार्ट-I में दर्शाई गई है। किसी भी जिले में इस सब्जी के उत्पादन के लिए विभिन्न शीर्षों के तहत किए गए कुल व्यय का प्रतिशत पाई-चार्ट-II में दिखाया गया है। **[मैट, 2018]**

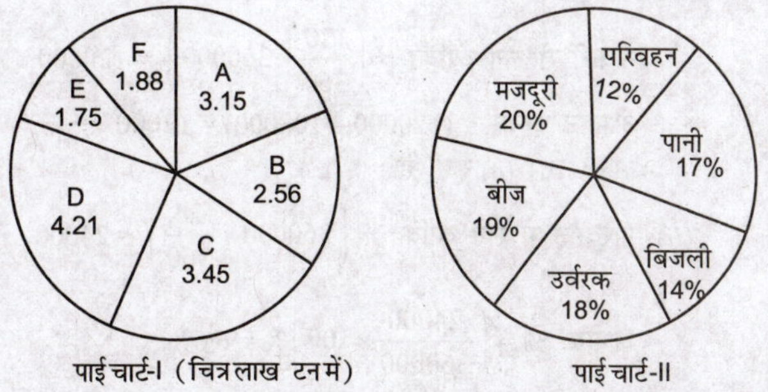

पाई चार्ट-I (चित्र लाख टन में) पाई चार्ट-II

28. जिला B में पानी के लिए मासिक खर्च जिला A में बिजली के लिए मासिक व्यय से ____________ से अधिक/कम है (कुल खर्च प्रति वर्ष 1700 रुपये प्रति टन है)।

(*a*) ₹ 82167 कम (*b*) ₹ 82167 अधिक

(*c*) ₹ 986000 कम (*d*) ₹ 1003000 कम

29. जिलों E, F और C में सब्जियों के उत्पादन के लिए किए गए कुल व्यय का अनुपात 3 : 2 : 4 है। इन जिलों में सब्जी

के उत्पादन पर प्रति टन कुल व्यय ₹5580 है। जिला F में परिवहन के लिए खर्च की गई राशि जिला E की तुलना में ____________ से अधिक/कम है।

(a) ₹11085600 से अधिक (b) ₹11085600 से कम
(c) ₹74697600 से अधिक (d) ₹74697600 से कम

30. यदि जिला D में किया गया व्यय जिला B से 20% अधिक है और जिला B में ₹950000 खर्च किए गए हैं, तो जिला D में श्रम के लिए खर्च ____________ हैं।

(a) ₹1140000 (b) ₹152000
(c) ₹228000 (d) ₹190000

31. जिले F में सब्जी की बिक्री से अर्जित लाभ 25% है। बिक्री मूल्य ₹10000 प्रति टन होने पर, उर्वरकों पर कितना पैसा खर्च किया गया?

(a) ₹8.46 करोड़ (b) ₹33.84 करोड़
(c) ₹33840 (d) ₹270720000

32. जिले A में सब्जियों का विक्रय मूल्य ₹7000 प्रति टन है और B में ₹8500 प्रति टन है। B में 5% का लाभ अर्जित किया जाता है और A में 5% की हानि दर्ज की जाती है। A में पानी पर खर्च की गई राशि B में बीजों की तुलना में अधिक/कम है।

(a) ₹826566 से अधिक
(b) ₹890000 से कम
(c) ₹8.875 करोड़ से कम
(d) ₹8.875 करोड़ से अधिक

उत्तरमाला

1.	(i) (a)	(ii) (d)	(iii) (c)	(iv) (c)	(v) (d)
2.	(i) (d)	(ii) (b)	(iii) (b)	(iv) (c)	(v) (b)
3.	(i) (c)	(ii) (d)	(iii) (b)	(iv) (c)	
4.	(i) (c)	(ii) (d)	(iii) (a)	(iv) (c)	(v) (c)
5.	(i) (b)	(ii) (d)	(iii) (c)	(iv) (a)	(v) (b)
6.	(i) (c)	(ii) (a)	(iii) (a)	(iv) (d)	(v) (c)
7.	(i) (b)	(ii) (d)	(iii) (b)	(iv) (a)	(v) (c)

8. (e) **9.** (d) **10.** (b) **11.** (e) **12.** (b) **13.** (d) **14.** (c) **15.** (d) **16.** (c) **17.** (e)
18. (c) **19.** (d) **20.** (c) **21.** (d) **22.** (a) **23.** (b) **24.** (d) **25.** (a) **26.** (d) **27.** (a)
28. (c) **29.** (b) **30.** (c) **31.** (d) **32.** (a)

दिये गये प्रश्नों के हल

1. (i) कृषि में लगे व्यक्ति $= \left(\frac{108}{360} \times 360000\right) = 108000.$

नौकरी में लगे व्यक्ति $= \left(\frac{120}{360} \times 360000\right) = 120000.$

अभीष्ट अन्तर $= (120000 - 108000) = 12000.$

अतः उत्तर (a) सही है।

(ii) परिवहन में लगे व्यक्ति $= \left(360000 \times \frac{24}{360}\right) = 24000.$

अभीष्ट % $= \left(\frac{24000}{360000} \times 100\right)\% = 6{\cdot}6\%.$

अतः उत्तर (d) सही है।

(iii) स्पष्ट है कि नौकरी तथा परिवहन को व्यक्त करने वाले कोणों का योग व्यापार और कृषि को व्यक्त करने वाले कोणों के योग के बराबर है।

अतः उत्तर (c) सही है।

(iv) नौकरी में लगे व्यक्ति $= \left(360000 \times \frac{120}{360}\right) = 120000.$

उद्योग में लगे व्यक्ति $= \left(360000 \times \frac{72}{360}\right) = 72000.$

अभीष्ट अनुपात $= 120000 : 72000 = 5 : 3.$

अतः उत्तर (c) सही है।

(v) (कृषि + व्यापार) में लगे व्यक्ति $= \left(360000 \times \frac{144}{360}\right) = 144000.$

उद्योग में लगे व्यक्ति $= \left(360000 \times \frac{72}{360}\right) = 72000.$

अभीष्ट अनुपात $= 144000 : 72000 = 2 : 1.$

अतः उत्तर (d) सही है।

2. (i) अभीष्ट कोण $= \left(\frac{16}{100} \times 360\right)^\circ = 57{\cdot}6^\circ.$

अतः उत्तर (d) सही है।

(ii) माना रायल्टी = ₹ x.

$175000 : x = 35 : 15 \Leftrightarrow x = \left(\frac{175000 \times 15}{35}\right) =$ ₹ 75000.

अतः उत्तर (b) सही है।

(iii) माना विज्ञापन खर्च = ₹ y तब,

$60000 : y = 4 : 18 \Leftrightarrow y = \left(\frac{60000 \times 18}{4}\right)$ = ₹ 270000.

अतः उत्तर (b) सही है।

(iv) $4 : 100 = 18480 : x \Leftrightarrow x = \frac{18480 \times 100}{4} = ₹\ 462000$

∴ 5500 प्रतियों का कुल अंकित मूल्य

$= ₹\left(462000 + 462000 \times \frac{25}{100}\right) = ₹\ 577500$

1 प्रति का अंकित मूल्य $= \frac{577500}{5500} = ₹\ 105.$

अत: उत्तर (c) सही है.

(v) विज्ञापन खर्च = ₹ 105 का $18\% = ₹\left(105 \times \frac{18}{100}\right)$

$= ₹\frac{189}{10} = ₹\ 18{\cdot}90$

रायल्टी = ₹ 105 का $15\% = ₹\left(105 \times \frac{15}{100}\right) = \frac{63}{4}$

$= ₹\ 15{\cdot}75$

अभीष्ट $= \left\{\frac{(18{\cdot}90 - 15{\cdot}75)}{18{\cdot}90} \times 100\right\}\%$

$= \left(\frac{3{\cdot}15}{18{\cdot}90} \times 100\right)\%$

$= \frac{50}{3}\% = 16\frac{2}{3}\%$

अत: उत्तर (b) सही है.

3. विभिन्न विषय में प्राप्तांक:

गणित $\rightarrow \left(\frac{90}{360} \times 540\right) = 135,$

अंग्रेजी $\rightarrow \left(\frac{66}{360} \times 540\right) = 99,$

हिन्दी $\rightarrow \left(\frac{80}{360} \times 540\right) = 120,$

विज्ञान $\rightarrow \left(\frac{70}{360} \times 540\right) = 105,$

सामाजिक ज्ञान $\rightarrow \left(\frac{54}{360} \times 540\right) = 81.$

(i) स्पष्ट है कि विद्यार्थी ने 99 अंक अंग्रेजी में प्राप्त किये.
अत: उत्तर (c) सही है.

(ii) अंग्रेजी में कुल अंकों का $\% = \left(\frac{99}{540} \times 100\right)\% = 18{\cdot}33\%$
अत: उत्तर (d) सही है.

(iii) गणित में प्राप्तांक $= \left(\frac{135}{540} \times 100\right)\% = 25\%.$
अत: उत्तर (b) सही है.

(iv) गणित, अंग्रेजी तथा हिन्दी के प्राप्तांकों का योग
$= (135 + 99 + 120) = 354.$
शेष दो विषयों में अंकों का योग $= (105 + 81) = 186.$
अंकों का अन्तर $= (354 - 186) = 168.$

∴ अभीष्ट प्रतिशतता $= \left(\frac{168}{354} \times 100\right)\% = 47{\cdot}4\%.$
अत: उत्तर (c) सही है.

4. (i) यदि केन्द्रीय कोण 30° है, तो खर्च = ₹ 1200.

यदि केन्द्रीय कोण 360° है, तो खर्च $= ₹\left(\frac{1200}{30} \times 360\right)$

$= ₹\ 14400.$

∴ मासिक बजट = ₹ 14400.
अत: उत्तर (c) सही है.

(ii) यदि केन्द्रीय कोण 360° है, तो खर्च = ₹ 14400.

यदि केन्द्रीय कोण 17·5° है, तो खर्च $= ₹\left(\frac{14400}{360} \times \frac{35}{2}\right)$
$= ₹\ 700.$

∴ मासिक बचत = ₹ 700.
अत: उत्तर (d) सही है.

(iii) किराये पर खर्च $= ₹\left(\frac{150}{360} \times 14400\right) = ₹\ 6000.$

भोजन पर खर्च $= ₹\left(\frac{120}{360} \times 14400\right) = ₹\ 4800.$

अन्तर $= ₹(6000 - 4800) = ₹\ 1200.$
अत: उत्तर (a) सही है.

(iv) पानी तथा बिजली पर खर्च $= ₹\left(\frac{25}{2 \times 360} \times 14400\right)$
$= ₹\ 500.$

∴ अभीष्ट प्रतिशतता $= \left(\frac{500}{14400} \times 100\right)\%$
$= 3{\cdot}47\% = 3{\cdot}5\%.$

अत: उत्तर (c) सही है.

(v) भोजन तथा किराये पर कुल खर्च $= ₹(6000 + 4800)$
$= ₹\ 10800.$

∴ अभीष्ट प्रतिशतता $= \left(\frac{10800}{14400} \times 100\right)\% = 75\%.$
अत: उत्तर (c) सही है.

5. (i) पीली कारों की प्रतिशतता = 9%.
अभीष्ट $\% = (9 + 10)\% = 19\%.$
स्पष्ट है कि 19% उत्पादन वाली कार हरी हैं.
अत: उत्तर (b) सही है.

(ii) लाल कारों की उत्पादन संख्या $= \left(55000 \times \frac{13}{100}\right) = 7150.$

नीली कारों की उत्पादन संख्या $= \left(55000 \times \frac{10}{100}\right) = 5500.$

अभीष्ट अन्तर $= (7150 - 5500) = 1650.$
अत: उत्तर (d) सही है.

(iii) (सिल्वर + सफेद + सुनहरी + लाल) कारों का प्रतिशत उत्पादन
$= (5 + 26 + 6 + 13)\% = 50\%.$
अत: उत्तर (c) सही है.

(iv) $\frac{\text{लाल कारों का केन्द्रीय कोण}}{\text{सफेद कारों का केन्द्रीय कोण}} = \frac{\text{लाल कारों का उत्पादन}}{\text{सफेद कारों का उत्पादन}}$

$= \frac{\text{लाल कारों का उत्पादन \%}}{\text{सफेद कारों का उत्पादन \%}} = \frac{13}{26} = \frac{1}{2}$

∴ अभीष्ट अनुपात = 1 : 2.
अत: उत्तर (a) सही है.

(v) (नीली कारों का उत्पादन%) + (लाल कारों का उत्पादन%)
$+ 2\% = (10\% + 13\% + 2\%) = 25\%.$
अत: उत्तर (b) सही है.

6. (i) वर्ष 2000 में खनिज पदार्थों पर खर्च = ₹ 506 करोड़ का

$26\% = ₹\left(506 \times \frac{26}{100}\right)$ करोड़ = ₹ 131·56 करोड़.

वर्ष 2005 में खनिज पदार्थों पर खर्च = ₹ 1404 करोड़ का 38%

$= ₹\left(1404 \times \frac{38}{100}\right)$ करोड़ = ₹ 533·52 करोड़

अभीष्ट अनुपात $= \frac{131·56}{533·52} = \frac{1}{4·05} = \frac{1}{4}$ (लगभग)

= 1 : 4 (लगभग).

अत: उत्तर (*c*) सही है.

(*ii*) 2000 में कर = ₹ 506 करोड़ का 18%

$= ₹\left(506 \times \frac{18}{100}\right)$ करोड़ = ₹ 91·08 करोड़.

2005 में कर = ₹ 1404 करोड़ का 14%

$= ₹\left(1404 \times \frac{14}{100}\right)$ करोड़ = ₹ 196·56 करोड़

करों में वृद्धि = ₹(196·56 – 91·08) करोड़ = ₹ 105·48 करोड़ = ₹ 105 करोड़ लगभग.

अत: उत्तर (*a*) सही है.

(*iii*) वर्ष 2000 में निर्माण पर खर्च = (₹ 506 करोड़ का 15%).

वर्ष 2005 में शोध एवं विकास पर खर्च = (₹ 1404 करोड़ का 15%).

वर्ष 2000 में विज्ञापन पर खर्च = ₹ 506 करोड़ का 12%.

$\frac{\text{वर्ष 2000 में निर्माण पर खर्च}}{\text{वर्ष 2000 में विज्ञापन पर खर्च}}$

$= \frac{₹ \text{ 506 करोड़ का 15\%}}{₹ \text{ 506 करोड़ का 12\%}} = \frac{15}{12} = 1·25 = 125\%.$

अत: उत्तर (*a*) सही है.

(*iv*) 2000 में विज्ञापन खर्च $= \left(₹ \text{506 करोड़ का } \frac{12}{100}\right)$

= ₹ 60·72 करोड़

2005 में विज्ञापन खर्च $= \left(₹ \text{1404 करोड़ का } \frac{22}{100}\right)$

= ₹ 308·88 करोड़

अन्तर = ₹(308·88 – 60·72) करोड़ = ₹ 248·16 करोड़ = ₹ 248 करोड़ (लगभग).

अत: उत्तर (*d*) सही है.

(*v*) वर्ष 2000 में (कर + शोध एवं विकास + क्षतिपूर्ति) पर खर्च = [506 करोड़ × (18% + 12% + 10%)]

$= ₹\left(506 \times \frac{40}{100}\right)$ करोड़ = ₹ 202·4 करोड़

2005 में विज्ञापन पर खर्च $= ₹\left(1404 \times \frac{22}{100}\right)$ करोड़

= ₹ 308·88 करोड़

2 × 2005 में क्षतिपूर्ति पर खर्च $= ₹\left(2 \times 1404 \times \frac{5}{100}\right)$ करोड़

= ₹ 140·40 करोड़

2005 में (कर + शोध एवं विकास) पर खर्च का 50%

$= ₹\left\{1404 \times (14+15)\% \times \frac{50}{100}\right\}$ करोड़

$= ₹\left(1404 \times \frac{29}{100} \times \frac{1}{2}\right)$ करोड़ = 203·58 करोड़

(2005 में खनिज पदार्थों पर खर्च का $\frac{1}{3}$)

$= ₹\left(1404 \times \frac{38}{100} \times \frac{1}{3}\right)$ करोड़ = 177·84 करोड़

अत: उत्तर (*c*) सही है.

7. (*i*) अभीष्ट अन्तर $= \left(17250 \times \frac{21}{100}\right) - \left(17250 \times \frac{13}{100}\right)$

$= 17250 \times \left(\frac{21}{100} - \frac{13}{100}\right) = \left(17250 \times \frac{8}{100}\right) = 1380.$

अत: उत्तर (*b*) सही है.

(*ii*) अभीष्ट % $= \left\{\frac{17250 \quad (18+14)\%}{115000 \quad (15+9)\%} \times 100\right\}\%$

$= \left\{\frac{(17250 \times 32)}{(115000 \times 24)} \times 100\right\}\% = 20\%.$

अत: उत्तर (*d*) सही है.

(*iii*) अभीष्ट प्रतिशतता:

महाराष्ट्र → $\left(\frac{\text{17250 का 11\%}}{\text{115000 का 18\%}} \times 100\right)\% = 9·17\%$

गोआ → $\left(\frac{\text{17250 का 13\%}}{\text{115000 का 22\%}} \times 100\right)\% = 8·86\%$

उ०प्र० → $\left(\frac{\text{17250 का 18\%}}{\text{115000 का 15\%}} \times 100\right)\% = 18\%$

पंजाब → $\left(\frac{\text{17250 का 16\%}}{\text{115000 का 11\%}} \times 100\right)\% = 21·82\%$

हिमाचल प्रदेश → $\left(\frac{\text{17250 का 7\%}}{\text{115000 का 8\%}} \times 100\right)\% = 13·13\%$

दिल्ली → $\left(\frac{\text{17250 का 21\%}}{\text{115000 का 17\%}} \times 100\right)\% = 18·53\%$

म०प्र० → $\left(\frac{\text{17250 का 14\%}}{\text{115000 का 9\%}} \times 100\right)\% = 23·33\%$

यह गोआ में न्यूनतम है.

अत: उत्तर (*b*) सही है.

(*iv*) अभीष्ट अनुपात $= \frac{\text{115000 का (8\%+9\%)}}{\text{115000 का (18\%+15\%)}}$

$= \frac{\text{115000 का 17\%}}{\text{115000 का 33\%}} = \frac{17}{33}$

अत: उत्तर (*a*) सही है.

(*v*) अभीष्ट अनुपात $= \frac{\text{17250 का (21\%+14\%)}}{\text{115000 का 8\%}}$

$= \frac{\text{17250 का 35\%}}{\text{115000 का 8\%}} = \frac{21}{32}.$

अत: उत्तर (*c*) सही है.

8. विद्यालय A एवं B में विद्यार्थियों की कुल संख्या = 3000 × (23 + 10)%

$= \frac{3000 \times 33}{100} = 990$ ...(*i*)

विद्यालय D एवं E में विद्यार्थियों की कुल संख्या

$= 3000 \times (25+30)\%$

$= 3000 \times \frac{55}{100} = 1650$ ...(*ii*)

(*i*) और (*ii*) का अभीष्ट अंतर = 1650 - 990 = 660

9. विद्यालय C में कुल विद्यार्थी $= \frac{3000 \times 12}{100} = 360$

विद्यालय C में कुल लड़के $\Rightarrow \frac{1600 \times 10}{100} = 160$

$\therefore$ विद्यालय C में कुल लड़कियां $\Rightarrow$ 360-160=200

$\therefore$ अभीष्ट प्रतिशत $= \frac{200}{360} \times 100 = \frac{500}{9} = 55\frac{5}{9}\%$

10. विद्यालय A और B में लड़कों की संख्या

$= 1600 \times (25+11)\% = \frac{1600 \times 36}{100} = 576$

$\therefore$ अभीष्ट औसत $= \frac{576}{2} = 288$

11. स्कूल E में कुल विद्यार्थी $= \frac{3000 \times 30}{100} = 900$

विद्यालय E में कुल लड़के $\Rightarrow \frac{1600 \times 24}{100} = 384$

$\therefore$ विद्यालय E में कुल लड़कियां $\Rightarrow$ 900-384 =516

$\therefore$ अभीष्ट प्रतिशत $= \left(\frac{516-384}{384}\right) \times 100 = \frac{13200}{384} \approx 34$

12. स्कूल D में कुल विद्यार्थी $= \frac{3000 \times 25}{100} = 750$

स्कूल D में कुल लड़के $\Rightarrow \frac{1600 \times 30}{100} = 480$

$\therefore$ स्कूल D में कुल लड़कियां $\Rightarrow 750 - 480 = 270$

$\therefore$ अभीष्ट अनुपात = 480 : 170 = 16 : 9

13. कुल वेतन वृद्धि पिछले योग का 24% यानी 500 होगी तो नया कुल

= 500 + 500 का 24% = 500 + 120 = 620

14. A और C का योग = 0.45 × 500 = 225 इसमें महिलाएं 57 हैं, इसलिए शेष 225 – 57 पुरुष हैं

तो A और C के लिए

$M_A + M_C = 168$

$M_A - M_C = 24$

हल करने पर हमें $M_A = 96$ प्राप्त होता है

15. D का योग 500 का 15% = 75 है

इसलिए D के लिए बुक करने वाले पुरुष = 75 का 60% = 45

16. ट्रेनों A, B और D के लिए बुक किए गए कुल टिकट = 500 का 51% = 255

आवश्यक औसत $= \frac{255}{3} = 85$

आवश्यक औसत $= \frac{500 \text{ का } (20\% + 16\% + 15\%)}{3}$

$= \frac{500 \text{ का} \times 51\%}{3} = \frac{255}{3} = 85$

17. आवश्यक कोण = 360 का 16% = 57.60।

ट्रेन B के लिए बुक किए गए टिकटों की कुल संख्या के अनुरूप केंद्रीय कोण = 360 का 0.16 = 57.6

18. शहर में फिर से मरीन इंजीनियरिंग में लगे वेतनभोगियों का प्रतिशत $= \frac{85}{360} \times 100 = 23.6\%$

19. पेंटिंग डिग्री में 25 और तकनीशियन डिग्री में 40 है तो 25 डिग्री = 2160

1 डिग्री $= \frac{2160}{25}$

40 डिग्री $= 2160 \times \frac{40}{25} = 3456 = 3456$

20. (मान लें कि A और B क्रमश: बढ़ई और तकनीशियन की औसत कमाई हैं। उनकी संख्या का अनुपात पाई-चार्ट में दिखाए गए डिग्री के अनुपात में होगा यानी 115 : 40 = 23 : 8 जैसा कि बढ़ई से कुल कमाई तकनीशियनों से दोगुनी है

$23a = 2 \times 8b$

$a : b = 16 : 23$

21. बढ़ई और तकनीशियनों की कुल कमाई का अनुपात

= 2 × 115 = 1 × 40 = 230 : 40 = 23 : 4

22. नया कुल पिछले का **110%** है और बढ़ई की नई संख्या पिछले की **115%** है,

अत: अभीष्ट नया कोण $= \frac{115 \text{ का } 115\%}{360 \text{ का } 110\%} \times 360$

= 120 डिग्री

23. आवश्यक अनुपात

= (108000 का 1% – 90000 का 1%) –

(108000 का 7% – 90000 का 5%)

= (1080 – 900) : (7560 – 4500) = 180 : 3060

= 1 : 17

24. % वृद्धि $= \frac{108000 \text{ का } 74\% - 90000 \text{ का } 76\%}{90000 \text{ का } 76\%} \times 100$

$= \frac{79920 - 68400}{68400} \times 100 = 16.84\%$

25. आवश्यक अनुपात = 90000 का 5% : 108000 का 7% = 4500 : 7560 = 25 : 42

26. चूँकि स्थान D की तुलना में स्थान C का हिस्सा बहुत बड़ा है, इसलिए भाजक अंश से अधिक होना चाहिए। चित्र दृश्य के अनुसार हर का मान अंश से अधिक होना चाहिए जो केवल विकल्प (*d*) में है। इसलिए उत्तर (*d*) है।

27. आवश्यक अंतर

= (1.25 × 0.11 × 90000) – (0.03 × 90000)

= 12375 – 2700 = 9675

2018 में स्थान F पर कर्मचारी

= 90000 के 11% का 125% = 12375

2017 में स्थान A पर कर्मचारी

= 90000 का 3% = 2700

अत: अंतर = 12375 – 2700 = 9675

28. आवश्यक अंतर

= 2.56 × 1700 का 17% – 1700 का 3.15 × 14%

= 739.84 – 749.7 = – 9.86 लाख

29. E में परिवहन पर खर्च की गई राशि = $\frac{3}{9}$ का 12%

× 1.75 × 5580 = 390.6 लाख

F में परिवहन पर खर्च की गई राशि = $\frac{2}{9}$ का 12%

× 1.88 × 5580 = 279.744 लाख

तो अंतर 290.6 – 279.744 = 110.856 लाख

= ₹11085600

30. जिला D में व्यय = 950000 + 950000 का 20% = 1140000

श्रम पर राशि = 1140000 का 20% = 228000

31. जिले F में कुल SP = 1.88 लाख × 10000 = 1.88×10^{10}

अत: $CP = 1.88 \times \frac{10^{10}}{1.25} = 1.504 \times 10^{10}$

खाद पर खर्च की गई राशि

= 1.504 × 1010 का 18% = ₹2707200000

32. A जिले में कुल SP = 3.15 लाख × 7000 = 2.205×10^9

अत: $CP = 2.205 \times \frac{10^9}{0.95}$ = ₹2321052631

A में पानी पर खर्च की गई राशि = 0.17 × 2321052631

= ₹394578947

जिला B में कुल SP = 2.56 लाख × 8500 = 2.176×10^9

अत: $CP = 2.176 \times \frac{10^9}{1.05}$ = ₹2072380952

बीज B पर खर्च की गई राशि = 0.19 × 2072380952

= ₹393752381

इतना आवश्यक अंतर

= 394578947 – 393752381 = ₹826566

अत: पानी पर व्यय की गई राशि बीजों की तुलना में ₹826566 अधिक है।

39 दण्ड आलेख (BAR GRAPHS)

साधित उदाहरण

प्रश्न 1. नीचे दिया गया दण्ड आलेख मार्च 2005 में पाँच कम्पनियों के रंगीन टी०वी० की माँग तथा उत्पादन को दर्शाता है. आलेख का अध्ययन कीजिए तथा निम्नलिखित प्रश्नों के उत्तर दीजिए. **(एस०एस०सी० परीक्षा, 2015)**

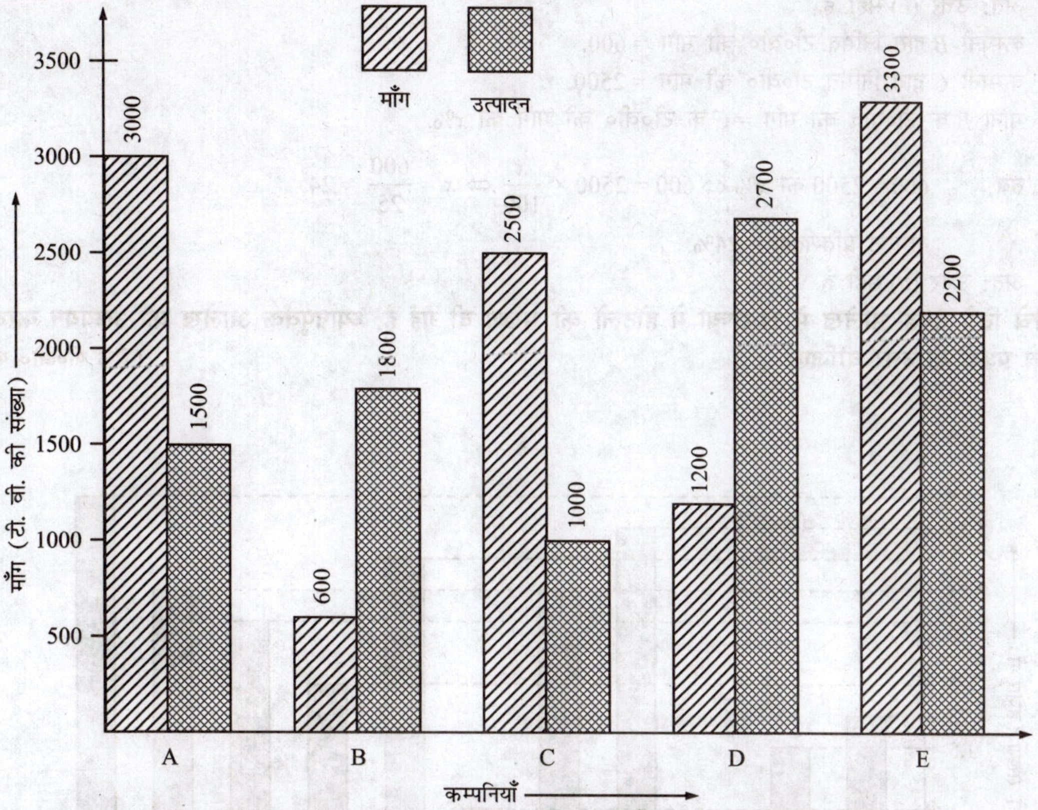

पाँच विभिन्न कम्पनियों द्वारा मार्च 2005 में रंगीन टी०वी० का उत्पादन तथा माँग

(*i*) उत्पादन की तुलना में अधिक माँग रखने वाली कम्पनियों की संख्या तथा माँग की तुलना में अधिक उत्पादन वाली कम्पनियों की संख्या का क्या अनुपात है?

(*a*) 3 : 1 (*b*) 3 : 2 (*c*) 2 : 3 (*d*) 3 : 4

(*ii*) सभी कम्पनियों द्वारा निर्मित टी०वी० औसत माँग तथा उनके औसत उत्पादन में कितना अन्तर है?

(*a*) 280 (*b*) 320 (*c*) 360 (*d*) 260

(*iii*) कम्पनी *D* द्वारा टी०वी० का उत्पादन कम्पनी *A* द्वारा उत्पादन का कितना गुना है?

(*a*) दुगुना (*b*) 1·2 गुना (*c*) 1·8 गुना (*d*) 2·1 गुना

(*iv*) कम्पनी *B* द्वारा निर्मित टी०वी० की माँग, कम्पनी *C* द्वारा निर्मित टी०वी० की माँग का कितना प्रतिशत है?

(*a*) 16% (*b*) 18% (*c*) 20% (*d*) 24%

हल: (*i*) उत्पादन की तुलना में माँग अधिक वाली कम्पनियों की संख्या = 3.

माँग की तुलना में उत्पादन अधिक वाली कम्पनियों की संख्या = 2.

अभीष्ट अनुपात = 3 : 2.

अतः उत्तर (*b*) सही है.

(*ii*) पाँचों कम्पनियों द्वारा निर्मित टी०वी० की औसत माँग

$$= \frac{(3000+600+2500+1200+3300)}{5} = \frac{10600}{5} = 2120.$$

पाँचों कम्पनियों का औसत उत्पादन $= \frac{(1500+1800+1000+2700+2200)}{5} = \frac{9200}{5} = 1840.$

$\therefore$ अभीष्ट अन्तर $= (2120 - 1840) = 280.$

अत: उत्तर (*a*) सही है.

(*iii*) माना कम्पनी D का उत्पादन $= x \times$ (कम्पनी A का उत्पादन)

$\Leftrightarrow$ $2700 = x \times 1500 \Leftrightarrow x = \frac{2700}{1500} = 1{\cdot}8.$

$\therefore$ D का उत्पादन $= A$ के उत्पादन का 1·8 गुना.

अत: उत्तर (*c*) सही है.

(*iv*) कम्पनी B द्वारा निर्मित टी०वी० की मांग = 600.

कम्पनी C द्वारा निर्मित टी०वी० की मांग = 2500.

माना B के टी०वी० की माँग $= C$ के टी०वी० की मांग का x%.

तब, $600 = 2500$ का $x\% \Leftrightarrow 600 = 2500 \times \frac{x}{100} \Leftrightarrow x = \frac{600}{25} = 24.$

$\therefore$ अभीष्ट प्रतिशतता = 24%.

अत: उत्तर (*d*) सही है.

प्रश्न 2. नीचे दिये दण्ड-आलेख में 11 राज्यों में होटलों की संख्या दी गई है. ध्यानपूर्वक आलेख का अध्ययन करके नीचे दिये गये प्रश्नों के उत्तर दीजिए: **(बैंक पी०ओ० परीक्षा, 2015)**

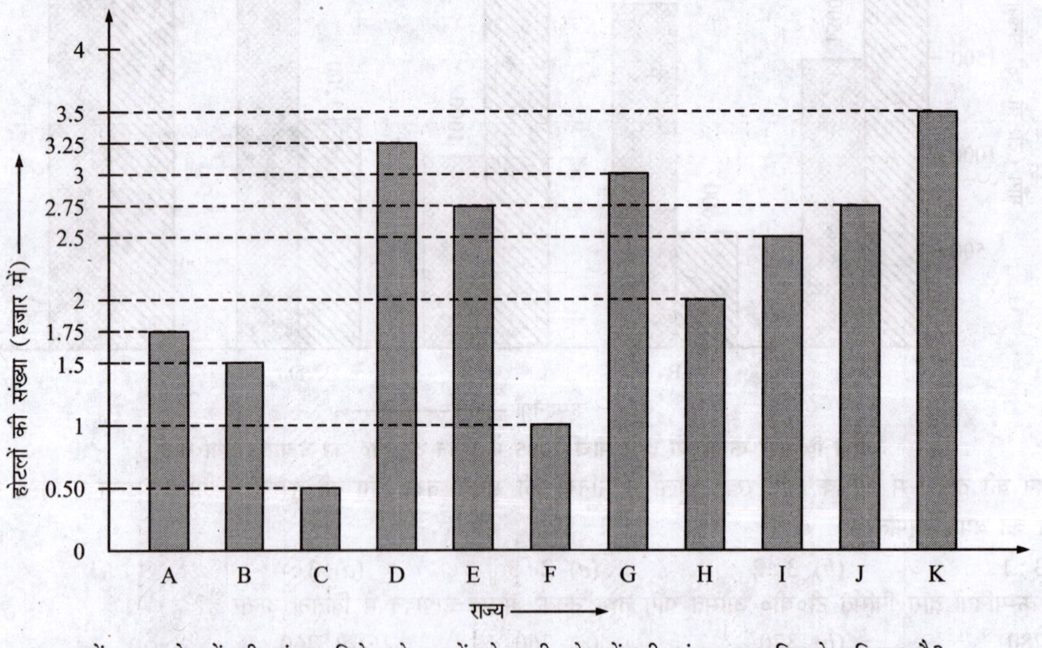

(*i*) राज्यों *B, D, F* में कुल होटलों की संख्या दिये गये राज्यों के सभी होटलों की संख्या का कितने प्रतिशत है?

(*a*) 19·6% (*b*) 23·4% (*c*) 40·8% (*d*) 32·5% (*e*) 36·4%

(*ii*) सभी राज्यों में होटलों की औसत संख्या लगभग कितनी है?

(*a*) 2500 (*b*) 3000 (*c*) 2200 (*d*) 3100 (*e*) 2010

(*iii*) राज्यों *A, D, G* में कुल होटलों की संख्या तथा राज्यों *C, H, K* में कुल होटलों की संख्या का अनुपात क्या है?

(*a*) 5 : 2 (*b*) 4 : 3 (*c*) 6 : 5 (*d*) 3 : 4 (*e*) इनमें से कोई नहीं

(*iv*) राज्य *J* के होटलों की संख्या सभी राज्यों के कुल होटलों की संख्या का कितने प्रतिशत है?

(*a*) 15·12% (*b*) 17·24% (*c*) 9·36% (*d*) 11·22% (*e*) इनमें से कोई नहीं

(*v*) राज्यों E तथा I में होटलों की संख्या का अनुपात 11 : 10 है. राज्य I में कितने होटल और हों कि यह अनुपात 11 : 13 हो जाये?

(*a*) 750 (*b*) 550 (*c*) 300 (*d*) 800 (*e*) इनमें से कोई नहीं

हल: (*i*) राज्यों B, D, F में कुल होटलों की संख्या = $(1{\cdot}5 + 3{\cdot}25 + 1)$ हजार = $(5{\cdot}75 \times 1000) = 5750$.

दिये राज्यों के सभी होटलों की संख्या

$= (1{\cdot}75 + 1{\cdot}5 + 0{\cdot}5 + 3{\cdot}25 + 2{\cdot}75 + 1 + 3 + 2 + 2{\cdot}5 + 2{\cdot}75 + 3{\cdot}5)$ हजार

$= (24{\cdot}50 \times 1000) = 24500$.

अभीष्ट प्रतिशतता $= \left(\frac{5750}{24500} \times 100\right)\% = 23{\cdot}4\%$.

(*ii*) सभी राज्यों में होटलों की औसत संख्या $= \frac{\text{कुल संख्या}}{11} = \frac{24500}{11} = 2227 \simeq 2200$.

(*iii*) राज्यों A, D, G में कुल होटलों की संख्या = $(1{\cdot}75 + 3{\cdot}25 + 3)$ हजार = 8000.

राज्यों C, H, K में कुल होटलों की संख्या = $(0{\cdot}5 + 2 + 3{\cdot}5)$ हजार = 6000.

अभीष्ट अनुपात = 8000 : 6000 = 4 : 3.

अत: उत्तर (*c*) सही है.

(*iv*) राज्य J के होटलों की संख्या = $(2{\cdot}75 \times 1000) = 2750$.

सभी राज्यों के कुल होटलों की संख्या = 24500.

अभीष्ट प्रतिशतता $= \left(\frac{2750}{24500} \times 100\right)\% = 11{\cdot}22\%$.

अत: उत्तर (*d*) सही है.

(*v*) राज्य E में होटलों की संख्या = $(2{\cdot}75 \times 1000) = 2750$.

राज्य I में होटलों की संख्या = $(2{\cdot}5 \times 1000) = 2500$.

माना राज्य I में x होटल और होने पर यह अनुपात 11 : 13 हो जाता है.

तब, $\frac{2750}{2500 + x} = \frac{11}{13} \Leftrightarrow 27500 + 11x = 35750 \Leftrightarrow 11x = 8250 \Leftrightarrow x = 750$.

अत: उत्तर (*a*) सही है.

प्रश्न 3. नीचे दिये गये दण्ड-आरेख में किसी वर्ष में 5 कम्पनियों द्वारा कम्प्यूटर्स का उत्पादन तथा माँग दर्शाई गई है. दण्ड-आरेख का अध्ययन करके नीचे दिये गये प्रश्नों के उत्तर दीजिए.

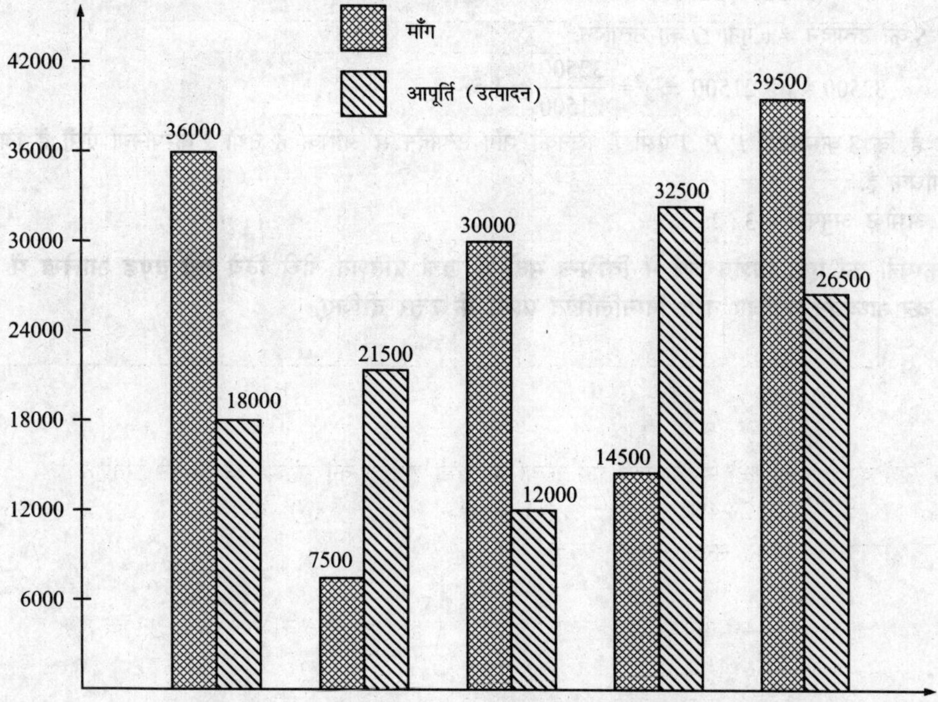

किसी विशेष वर्ष में 5 कम्पनियों की कम्प्यूटर की माँग तथा आपूर्ति

(*i*) कौन-सी एकल कम्पनी P की शेष माँग को पूरा कर सकती है?
(*a*) Q (*b*) R (*c*) S (*d*) R तथा S में से कोई एक

(*ii*) कम्पनी Q की माँग, कम्पनी R की आपूर्ति का कितना प्रतिशत है?
(*a*) 25% (*b*) 37·5% (*c*) 55% (*d*) 62·5%

(*iii*) पाँचों कम्पनियों की औसत माँग तथा औसत आपूर्ति का अन्तर कितना है?
(*a*) 2600 (*b*) 2900 (*c*) 3400 (*d*) 3700

(*iv*) कम्पनी S का उत्पादन कम्पनी Q के उत्पादन का कितने गुना है?
(*a*) 1·3 (*b*) 1·5 (*c*) 1·7 (*d*) 1·9

(*v*) ऐसी कम्पनियों की संख्या जिनकी माँग उनके उत्पादन से अधिक है तथा उन कम्पनियों की संख्या जिनका उत्पादन माँग से अधिक है, का अनुपात कितना है?
(*a*) 3 : 2 (*b*) 4 : 1 (*c*) 2 : 3 (*d*) 1 : 4

हल: (*i*) कम्पनी P के उत्पादन से अधिक माँग $= (36000 - 18000) = 18000$.

स्पष्ट है Q तथा S में से दोनों कम्पनियों में उत्पादन माँग से अधिक है.

Q के लिए अधिकता $= (21500 - 7500) = 14000$.

S के लिए अधिकता $= (32500 - 14500) = 18000$.

अत: S ही कम्पनी P की शेष माँग को पूरा कर सकती है.

(*ii*) माना Q की माँग $= R$ की आपूर्ति का $x\%$.

तब, $7500 = 12000$ का $x\% \Leftrightarrow 12000 \times \frac{x}{100} = 7500 \Leftrightarrow x = \frac{7500}{120} = 62.5$.

$\therefore$ अभीष्ट % = 62·5%.

(*iii*) पाँचों कम्पनियों की औसत माँग $= \frac{(36000+7500+30000+14500+39500)}{5} = \frac{127500}{5} = 25500$.

पाँचों कम्पनियों की औसत आपूर्ति $= \frac{(18000+21500+12000+32500+26500)}{5} = \frac{110500}{5} = 22100$.

अभीष्ट अन्तर $= (25500 - 22100) = 3400$.

(*iv*) माना S का उत्पादन $= y$ गुना Q का उत्पादन.

तब, $32500 = y \times 21500 \Leftrightarrow y = \frac{32500}{21500} \simeq 1.5$.

(*v*) स्पष्ट है कि 3 कम्पनियाँ P, R, T ऐसी हैं जिनकी माँग उत्पादन से अधिक है तथा 2 कम्पनियाँ ऐसी हैं जिनका उत्पादन माँग से अधिक है.

अत: अभीष्ट अनुपात = 3 : 2.

प्रश्न 4. किसी कम्पनी का एक विशेष वर्ष में विभिन्न मदों में खर्च प्रतिशत नीचे दिये गये दण्ड आलेख में दिखाया गया है. आलेख का अध्ययन कीजिए तथा निम्नलिखित प्रश्नों के उत्तर दीजिए.

एक कम्पनी के विभिन्न मदों में प्रतिशत खर्च

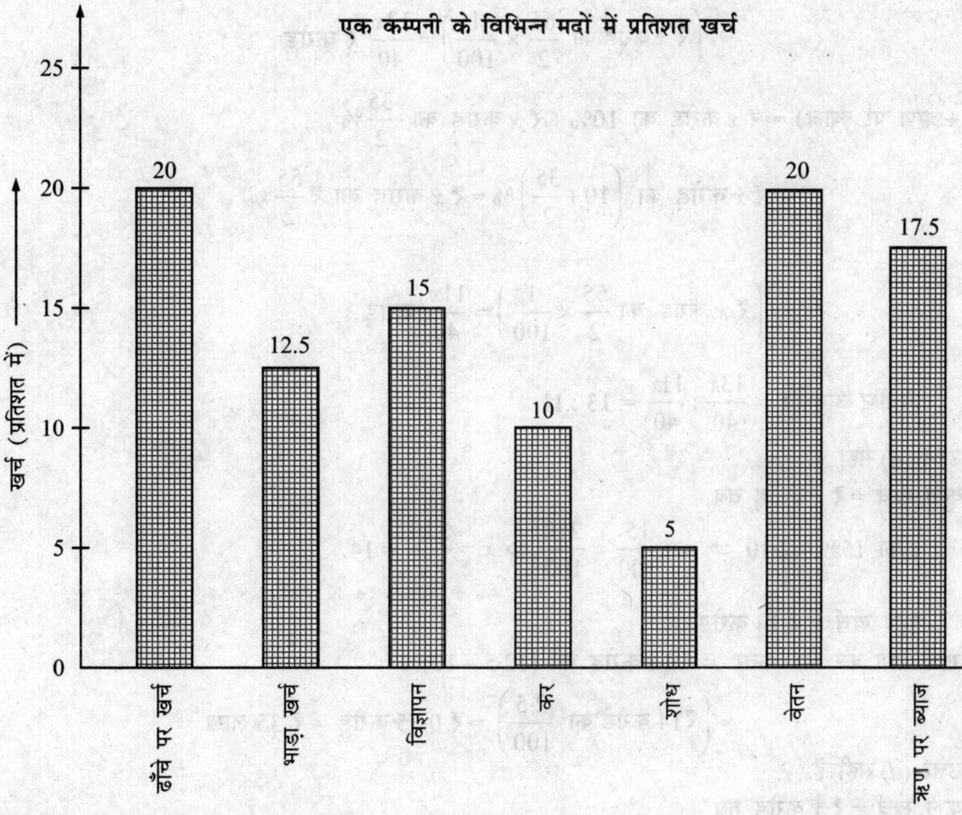

(*i*) ऋण पर ब्याज का खर्च, भाडे खर्च से कितना प्रतिशत अधिक है?

(*a*) 5% (*b*) 10% (*c*) 20% (*d*) 30% (*e*) 40%

(*ii*) ढाँचे पर खर्च तथा भाडा खर्च का योग एव् कर तथा ऋण पर ब्याज का योग, इन दोनों का अनुपात कितना है?

(*a*) 5 : 4 (*b*) 8 : 7 (*c*) 9 : 7 (*d*) 13 : 11 (*e*) ज्ञात नहीं किया जा सकता

(*iii*) यदि विज्ञापन पर खर्च ₹ 2·10 करोड़ हो तो भाड़ा खर्च तथा कर का अन्तर कितना है?

(*a*) ₹ 1·25 करोड़ (*b*) ₹ 95 लाख (*c*) ₹ 65 लाख (*d*) ₹ 35 लाख (*e*) 25 लाख

(*iv*) कम्पनी का कुल खर्च शोध पर किये गये खर्च का कितना गुना है?

(*a*) 27 (*b*) 20 (*c*) 18 (*d*) 8 (*e*) 5

(*v*) यदि ऋण पर ब्याज ₹ 2·45 करोड़ हो, तो विज्ञापन, कर तथा शोध पर कुल कितना खर्च होगा?

(*a*) ₹ 7 करोड़ (*b*) ₹ 5·4 करोड़ (*c*) ₹ 4·2 करोड़ (*d*) ₹ 3 करोड़ (*e*) ₹ 2·4 करोड़

हलः (*i*) माना कुल खर्च = ₹ x करोड़

तब, ऋण पर ब्याज = ₹ x करोड़ का 17·5% = ₹$\left(\frac{35}{2}\times\frac{1}{100}\times x\right)$ करोड़ = ₹$\frac{7x}{40}$ करोड़

भाड़ा खर्च = ₹ x करोड़ का 12·5% = ₹$\left(\frac{25}{2}\times\frac{1}{100}\times x\right)$ करोड़ = ₹$\frac{x}{8}$ करोड़

दोनों खर्चों का अन्तर = ₹$\left(\frac{7x}{40}-\frac{x}{8}\right)$ करोड़ = ₹$\frac{x}{20}$ करोड़

$\therefore$ अभीष्ट % = $\left\{\frac{(x/20)}{(x/8)}\times 100\right\}\% = \left(\frac{x}{20}\times\frac{8}{x}\times 100\right)\% = 40\%.$

अतः उत्तर (*e*) सही है.

(*ii*) माना कुल खर्च = ₹ x करोड़

(ढाँचे पर खर्च + भाड़ा खर्च) = x करोड़ का ₹$\left(20+\frac{25}{2}\right)\%$

$$= \left(₹\, x \text{ करोड़ का } \frac{65}{2} \times \frac{1}{100}\right) = \frac{13x}{40} \text{ ₹ करोड़}$$

(कर + ऋण पर ब्याज) $= ₹\, x$ करोड़ का $10\% + ₹\, x$ करोड़ का $\frac{35}{2}\%$

$$= ₹\, x \text{ करोड़ का } \left(10+\frac{35}{2}\right)\% = ₹\, x \text{ करोड़ का } ₹\frac{55}{2}\%$$

$$= \left(₹\, x \text{ करोड़ का } \frac{55}{2} \times \frac{1}{100}\right) = \frac{11x}{40} \text{ करोड़}$$

$\therefore$ अभीष्ट अनुपात $= \frac{13x}{40} : \frac{11x}{40} = 13 : 11.$

अतः उत्तर (*d*) सही है.

(*iii*) माना कुल खर्च = ₹ x करोड़ तब,

$$x \text{ का } 15\% = 2{\cdot}10 \Leftrightarrow x \times \frac{15}{100} = \frac{210}{100} \Leftrightarrow x = \frac{210}{15} = 14.$$

$\therefore$ कुल खर्च = ₹ 14 करोड़

भाड़ा खर्च तथा कर का अन्तर = ₹ 14 करोड़ का $(12{\cdot}5 - 10)\%$

$$= \left(₹14 \text{ करोड़ का } \frac{2{\cdot}5}{100}\right) = ₹\ 0{\cdot}35 \text{ करोड़ } = ₹\ 35 \text{ लाख.}$$

अतः उत्तर (*d*) सही है.

(*iv*) माना कुल खर्च = ₹ x करोड़ तब,

शोध पर खर्च $= x$ का $5\% = ₹\left(\frac{x}{20}\right)$ करोड़.

(कुल खर्च) : (शोध पर खर्च) $= x : \frac{x}{20} = 20 : 1.$

अतः कुल खर्च, शोध पर किये गये खर्च का 20 गुना है.

अतः उत्तर (*b*) सही है.

(*v*) माना कुल खर्च = ₹ x करोड़ तब,

ऋण पर ब्याज = ₹ x करोड़ का $17{\cdot}5\% = \left(₹x \text{ करोड} \times \frac{35}{2} \times \frac{1}{100}\right) = ₹\frac{7x}{40}$ करोड़

$$\therefore \quad \frac{7x}{40} = 2{\cdot}45 \Leftrightarrow x = \frac{2{\cdot}45 \times 40}{7} = 14.$$

अतः कुल खर्च = ₹ 14 करोड़.

(विज्ञापन, कर तथा शोध पर खर्च) = ₹ 14 करोड़ का $(15 + 10 + 5)\% = ₹\left(14 \times \frac{30}{100}\right)$ करोड़ = ₹ 4·2 करोड़

अतः उत्तर (*c*) सही है.

प्रश्नमाला 39

1. नीचे दिये गये दण्ड ग्राफ को ध्यानपूर्वक पढ़ें तथा उसके नीचे दिये गये प्रश्नों के उत्तर दीजिए.

(बैंक पी०ओ० परीक्षा, 2015)

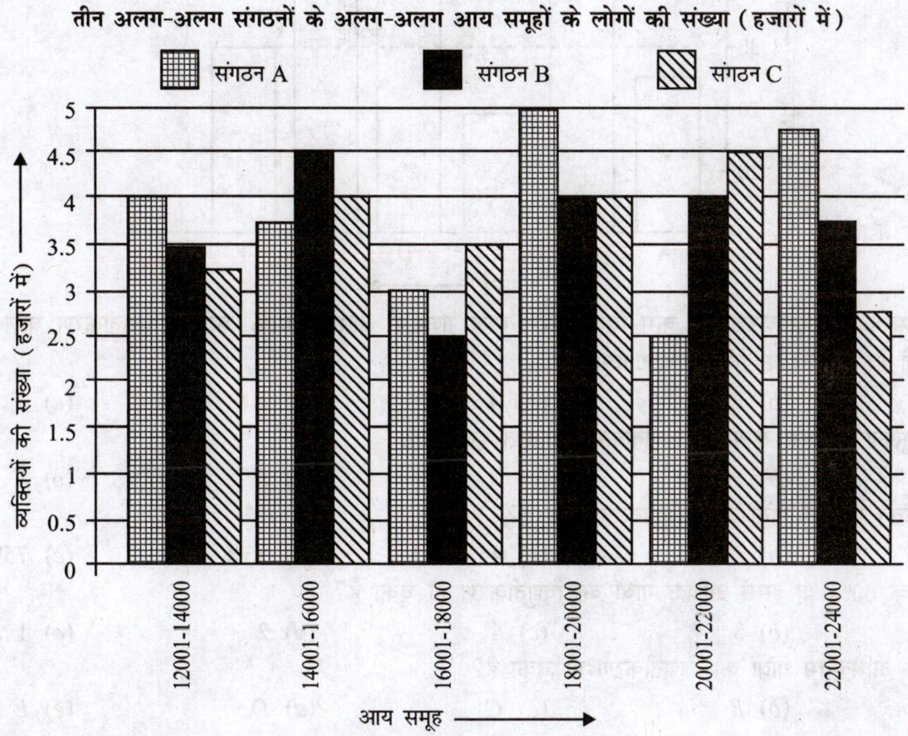

(*i*) सभी आय-समूहों को मिलाकर संगठन *C* के व्यक्तियों की कुल संख्या कितनी है?

(*a*) 22250 (*b*) 26500 (*c*) 22000 (*d*) 24000 (*e*) इनमें से कोई नहीं

(*ii*) किस आय-समूह में व्यक्तियों की संख्या सर्वाधिक है?

(*a*) 14001-16000 (*b*) 20001-22000 (*c*) 12001-14000 (*d*) 22001-24000 (*e*) इनमें से कोई नहीं

(*iii*) संगठन *B* के 12001-14000, 14001-16000 तथा 18001-20000 के आय-समूह के व्यक्तियों की कुल संख्या का संगठन *A* के उन्हीं आय समूहों के व्यक्तियों की संख्या से क्रमशः क्या अनुपात है?

(*a*) 16 : 17 (*b*) 13 : 14 (*c*) 19 : 20 (*d*) 23 : 27 (*e*) इनमें से कोई नहीं

(*iv*) 22001-24000 के आय समूह के व्यक्तियों की संख्या सभी आय-समूहों की व्यक्तियों की संख्या का लगभग कितने प्रतिशत है?

(*a*) 23% (*b*) 29% (*c*) 12% (*d*) 10% (*e*) 17%

(*v*) संगठन *C* के 16001-18000 आय समूह के व्यक्तियों की संख्या संगठन *A* तथा *B* के उसी आय समूहों की संख्या का कितने प्रतिशत है?

(*a*) 59·26% (*b*) 63·64% (*c*) 71·42% (*d*) 76·64% (*e*) इनमें से कोई नहीं

2. नीचे दिये गये दण्ड चित्र चित्र में 6 राज्यों में उन गाँवों का प्रतिशत दिया गया है जिनका विद्युतीकरण नहीं हुआ है. इसका ध्यानपूर्वक अध्ययन करके नीचे दिये गये प्रश्नों के उत्तर दीजिए.

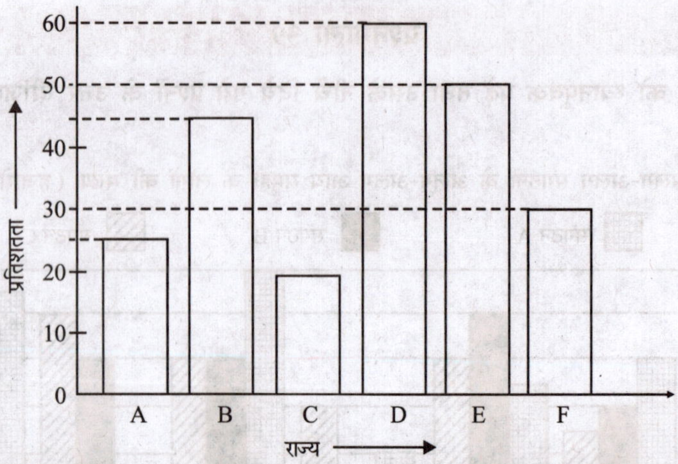

(*i*) यदि केन्द्रीय सरकार विद्युतीकरण हेतु कम-विद्युतीकरण वाले राज्य से आरम्भ करके अधिक विद्युतीकरण वाले राज्यों को वित्तीय सहायता दे, तो किस राज्य का चौथा स्थान होगा?

(*a*) C (*b*) B (*c*) A (*d*) E (*e*) F

(*ii*) राज्य *D* की तुलना में किस राज्य का विद्युतीकरण प्रतिशत दुगुना है?

(*a*) C (*b*) F (*c*) A (*d*) B (*e*) E

(*iii*) राज्य *B* में कितने प्रतिशत गांवों का विद्युतीकरण हुआ है?

(*a*) 65% (*b*) 25% (*c*) 45% (*d*) 55% (*e*) 75%

(*iv*) कितने राज्यों के 60% या इससे अधिक गांवों का विद्युतीकरण हो चुका है?

(*a*) 5 (*b*) 3 (*c*) 4 (*d*) 2 (*e*) 1

(*v*) किस राज्य के अधिकतम गांवों का विद्युतीकरण हो चुका है?

(*a*) *A* (*b*) *B* (*c*) *C* (*d*) *D* (*e*) *E*

निर्देश: निम्न ग्राफ का अध्ययन कीजिए एवं दिए गए प्रश्नों के उत्तर दीजिए।

वर्ष 2002 में एवं दिसम्बर माह में पांच पुस्तक स्टोरों द्वारा बेची गई कथा साहित्य की पुस्तकों का प्रतिशत दर्शाया गया है। सभी स्टोर या कथा साहित्य या गैर-कथा साहित्य की पुस्तकें बेचते हैं।

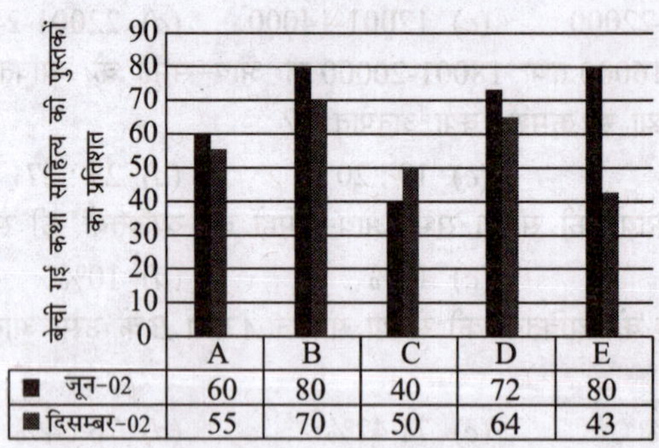

	A	B	C	D	E
■ जून-02	60	80	40	72	80
■ दिसम्बर-02	55	70	50	64	43

टिप्पणी : बेची गई कुल पुस्तकें = कथा साहित्य + गैर कथा साहित्य की पुस्तकें

3. दिसम्बर में स्टोर B द्वारा बेची गई कथा साहित्य की पुस्तकों की संख्या उसी स्टोर द्वारा जून में बेची गई तथा साहित्य की पुस्तकों से 200 अधिक थी। यदि दोनों माहों को मिलाकर स्टोर B द्वारा बेची गई पुस्तकों की कुल संख्या 2000 थी, तो स्टोर B ने दिसम्बर में कुल कितनी पुस्तकों (कथा साहित्य + गैर कथा साहित्य) का विक्रय किया?

(*a*) 2000 (*b*) 1600

(*c*) 1200 (*d*) 1800

(*e*) 1500

4. स्टोर C द्वारा जून में बेची गई पुस्तकों की कुल संख्या 1500 थी एवं दिसम्बर में 2000 थी। उस स्टोर द्वारा दोनों माहों को मिलाकर बेची गई गैर-कथा साहित्य की पुस्तकों की कुल संख्या क्या है?

(*a*) 1200 (*b*) 1720

(*c*) 1800 (*d*) 1600

(*e*) 1900

5. स्टोर D द्वारा दिए गए दोनों माहों में बेची गई कथा साहित्य की पुस्तकों की संख्या समान थी। उसी स्टोर द्वारा दिसम्बर में

बेची गई पुस्तकों की कुल संख्या जून में बेची गई पुस्तकों की कुल संख्या से कितना प्रतिशत अधिक थी?

(*a*) 16 (*b*) 18
(*c*) 10 (*d*) 12.5
(*e*) 8

6. स्टोर E द्वारा जून में बेची गई पुस्तकों की कुल संख्या 1800 थी जो, उसी स्टोर द्वारा दिसम्बर में बेची गई पुस्तकों की कुल संख्या से 25 प्रतिशत कम थी। उसी स्टोर द्वारा दोनों माहों को मिलाकर बेची गई कथा साहित्य की पुस्तकों की कुल संख्या क्या है?

(*a*) 1442 (*b*) 1620
(*c*) 1572 (*d*) 1640
(*e*) 1548

7. स्टोर A द्वारा दिसम्बर में बेची गई पुस्तकों की कुल संख्या उसी स्टोर द्वारा जून में बेची गई पुस्तकों की कुल संख्या से 60 अधिक थी। यदि दोनों माहों में स्टोर A द्वारा बेची गई कथा साहित्य की पुस्तकों की संख्या समान थी, तो स्टोर A द्वारा जून में बेची गई पुस्तकों की कुल संख्या क्या है?

(*a*) 840 (*b*) 800
(*c*) 660 (*d*) 900
(*e*) 720

(आई.बी.पी.एस. बैंक क्लर्क सी.डब्लू.ई. मुख्य परीक्षा, 2017)

निर्देशः (8-19) नीचे दिए गए दण्ड-आरेख का अध्ययन करें और सही उत्तर के सामने (✓) का निशान लगाएँ:

8. दिया गया हिस्टोग्राम किसी कक्षा के गणित की परीक्षा में छात्रों के अंकों को प्रदर्शित करता है। छात्रों की कुल संख्या 350 है। **(एएससी-सीजीएल परीक्षा, 2022)**

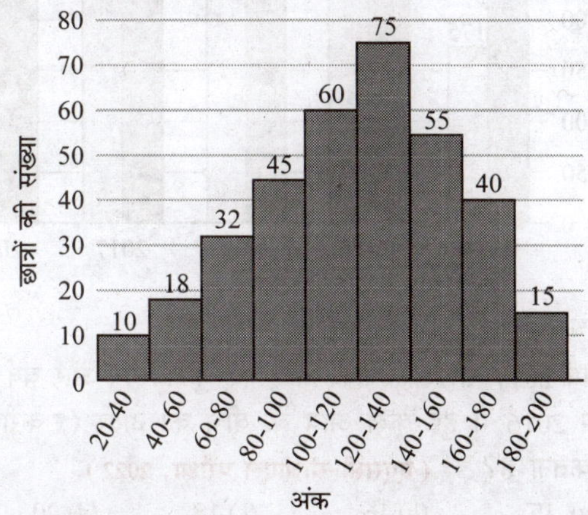

140 और उससे अधिक अंक प्राप्त करने वाले छात्रों की कुल संख्या का, 60 से 120 के बीच अंक प्राप्त करने वाले छात्रों की कुल संख्या से अनुपात कितना है?

(*a*) 11 : 9 (*b*) 9 : 11
(*c*) 110 : 137 (*d*) 137 : 110

9. निम्नांकित हिस्टोग्राम में सुबह 6 बजे से दोपहर 12 बजे तक एक कॉलोनी के निकट वाली सड़क से गुजरने वाली कारों की संख्या को दिखाया गया है।

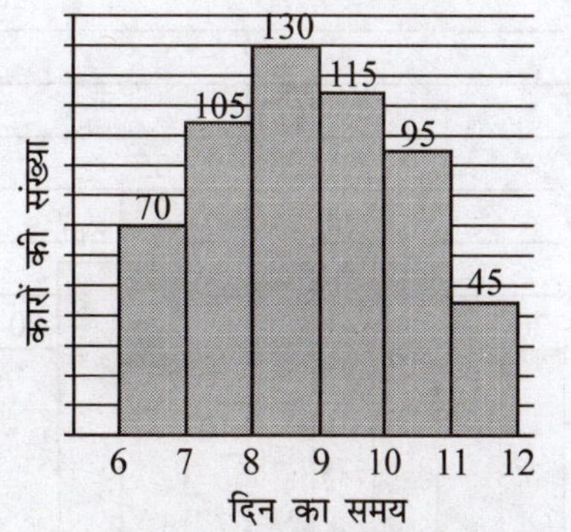

सुबह 6 बजे से सुबह 8 बजे के बीच गुजरने वाली कारों की संख्या का, सुबह 9 बजे से 11 बजे के बीच गुजरने वाली कारों की संख्या से अनुपात कितना है?

(एएससी-सीजीएल परीक्षा, 2022)

(*a*) 7 : 4 (*b*) 21 : 19
(*c*) 14 : 23 (*d*) 5 : 6

10. निम्नांकित बाद ग्राफ एक व्यावसायिक फर्म के 5 वर्षों के आय और व्यय को दर्शाता है।

लाभ = आय - व्यय।

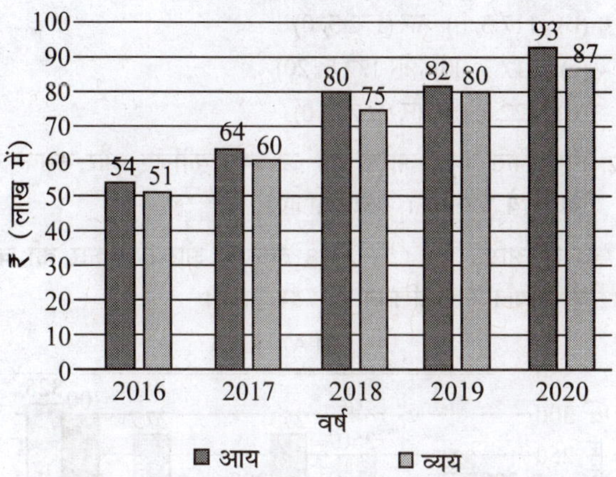

2018 की तुलना में, 2018 से 2019 तक व्यय में हुई प्रतिशत वृद्धि कितनी है? **(एएससी-सीजीएल परीक्षा, 2022)**

(*a*) $6\frac{1}{4}$ (*b*) $8\frac{3}{4}$

(*c*) $2\frac{1}{2}$ (*d*) $6\frac{2}{3}$

11. दिया गया हिस्टोग्राम एक एथलेटिक क्लब के 232 छात्रों की ऊंचाई और उनकी संख्या को दर्शाता है। हिस्टोग्राम का ध्यानपूर्वक अध्ययन करें और उसके बाद दिए गए प्रश्न का उत्तर दें। **(एएससी-सीजीएल परीक्षा, 2022)**

एथलेटिक क्लब में छात्रों की ऊँचाई और उनकी संख्या को दर्शाने वाला हिस्टोग्राम

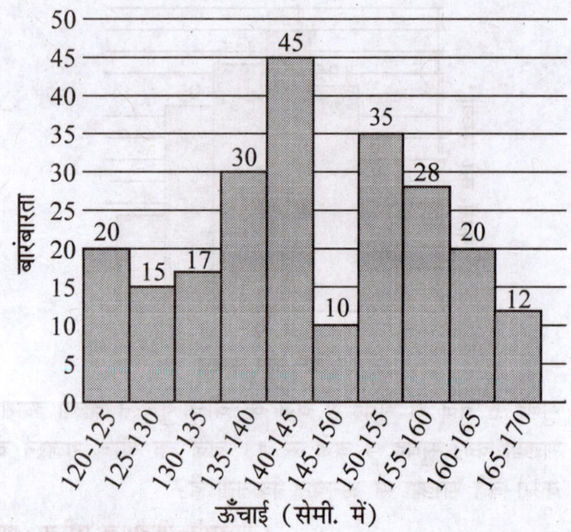

यदि हिस्टोग्राम को एक रेखा आरेख (line diagram) द्वारा प्रस्तुत किया जाना है, तो रेखा आरेख का प्रारंभिक बिंदु और अंतिम बिंदु क्या होगा?

(एसएससी-सीजीएल परीक्षा, 2022)

(a) (122.5, 20) और (167.5, 20)

(b) (117.5, 0) और (172.5, 0)

(c) (117.5, 20) और 172.5, 20)

(d) (122.5, 0) और (167.5, 0)

12. निम्नांकित दण्ड-आरेख का अध्ययन कीजिए और उसके बाद दिए गये प्रश्न का उत्तर दीजिए।

दण्ड-आरेख 2014 से 2018 तक A और B प्रकार की कारों के निर्यात (₹ मिलियन में) दर्शाता है।

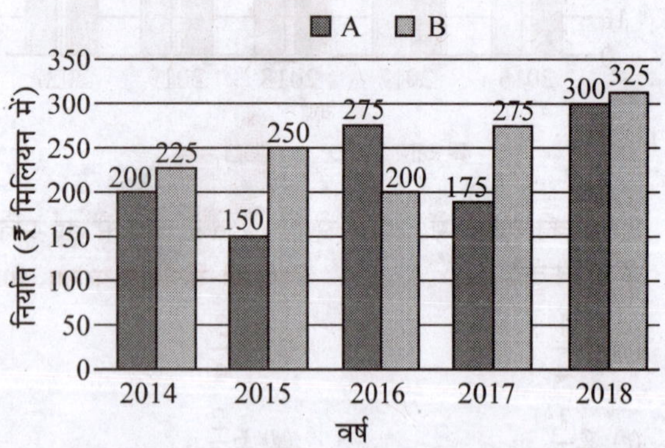

किस वर्ष में B प्रकार की कारों का निर्यात, पाँच वर्षों में A प्रकार की कारों के औसत निर्यात (प्रति वर्ष) से ₹20 मिलियन कम थी **(एसएससी-सीजीएल परीक्षा, 2022)**

(a) 2014 (b) 2015

(c) 2016 (d) 2017

13. निम्नांकित दण्ड-आरेख पाँच राज्यों A, B, C, D और E में युवाओं की संख्या (लाखों में) और रोजगार प्राप्त युवाओं की संख्या (लाखों में) को दर्शाता है।

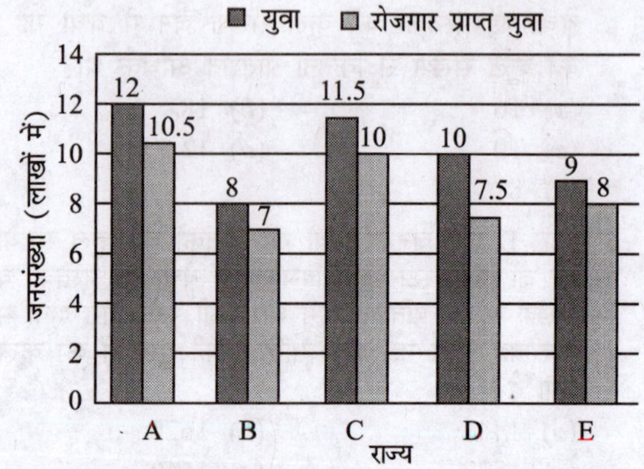

पाँच राज्यों में युवाओं की औसत संख्या क्या है?

(एसएससी-सीजीएल परीक्षा, 2022)

(*a*) 1200000 (*b*) 1025000

(*c*) 1015000 (*d*) 1010000

14. दिया गया दण्ड-आरेख 2014 से 2018 तक 5 वर्षों में किसी कंपनी के आय और व्यय (₹ करोड़ में) को दर्शाता है। दण्ड-आरेख का अध्ययन करें और उसके बाद दिए गए प्रश्न का उत्तर दें।

5 वर्षों में किसी कंपनी की आय और व्यय (₹ करोड़ में)

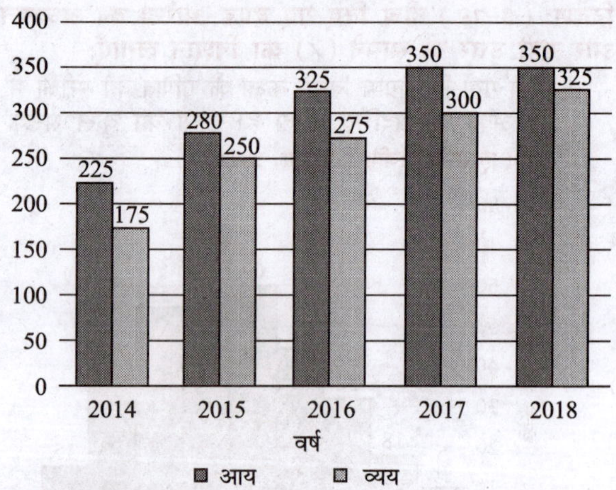

वर्ष 2017 से 2018 तक किए गए कुल व्यय और वर्ष 2015 से 2016 में हुई कुल आय के बीच का अंतर (₹ करोड़ में) कितना है? **(एसएससी-सीजीएल परीक्षा, 2022)**

(*a*) 15 (*b*) 16 (*c*) 18 (*d*) 20

15. निम्नांकित हिस्टोग्राम में सुबह 6 बजे से दोपहर 12 बजे तक एक कॉलोनी के निकटवर्ती सड़क से गुजरने वाली कारों की संख्या को दर्शाया गया है।

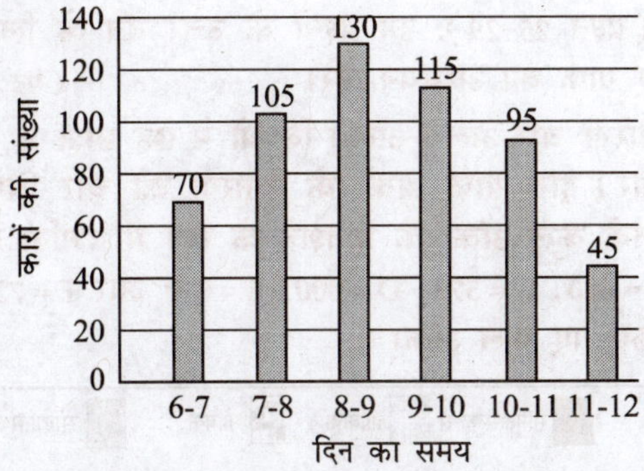

ऐसे कितने घंटे हैं जिनके दौरान कारों की संख्या सुबह 7 बजे से दोपहर 12 बजे तक गुजरने वाली कारों की औसत संख्या से कम है? **(एएससी-सीजीएल परीक्षा, 2022)**

(*a*) 7- 8, 8-9, 9-10 (*b*) 6-7, 11-12

(*c*) 6-7, 10-11, 11-12 (*d*) 0-11, 11-12

16. निम्नांकित ग्राफ का अध्ययन करें और उसके बाद दिए गए प्रश्न का उत्तर दें।

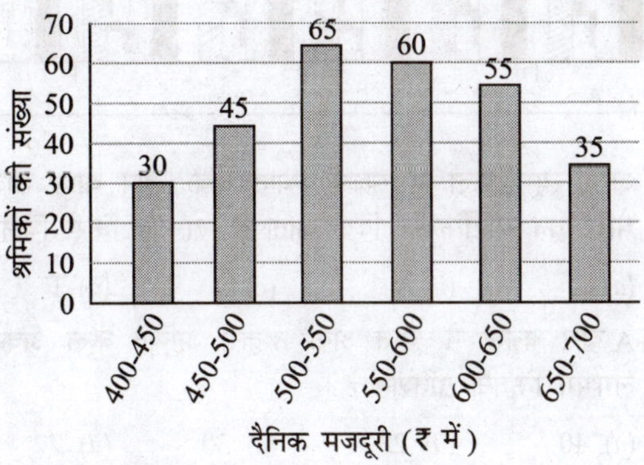

₹450 से कम दैनिक मजदूरी वाले श्रमिकों की कुल संख्या का, ₹650 और उसमें अधिक दैनिक मजदूरी वाले श्रमिकों की कुल संख्या से अनुपात क्या है?

(एएससी-सीजीएल परीक्षा, 2022)

(*a*) 1 : 4 (*b*) 3 : 5 (*c*) 5 : 7 (*d*) 6 : 7

17. निम्नांकित दण्ड-आरेख 5 राज्यों A, B, C, D, और E में युवाओं की कुल संख्या (लाखों में) और रोजगारशुदा युवाओं की संख्या (लाखों में) को दर्शाता है।

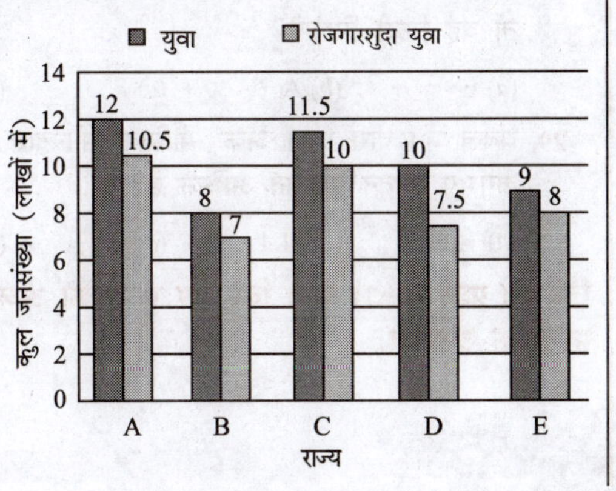

राज्य B और D में कुल मिलाकर कितने युवा (लाखों में) बेरोजगार हैं? **(एएससी-सीजीएल परीक्षा, 2022)**

(*a*) 3.25 (*b*) 4.5 (*c*) 3.5 (*d*) 4.25

18. निम्नलिखित हिस्टोग्राम का अध्ययन कीजिए और उसके बाद दिए गये प्रश्न का उत्तर दीजिए।

ग्राफ किसी स्कूल में 2018 में दसवीं कक्षा की बोर्ड परीक्षा में प्रतिशत अंक प्राप्त करने वाले छात्रों की संख्या को प्रदर्शित करता है।

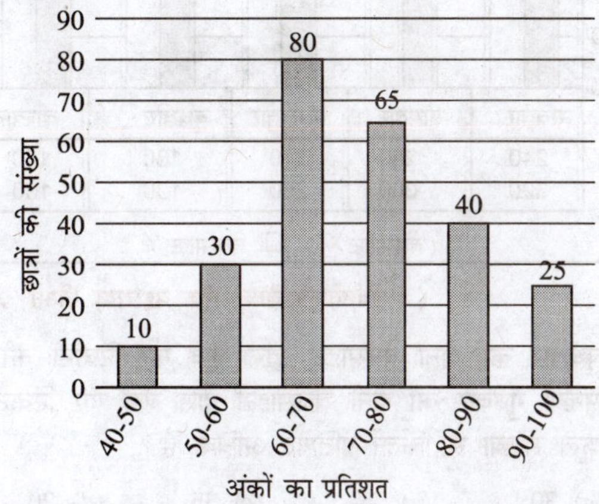

60% से कम अंक प्राप्त करने वाले छात्रों की संख्या, 80% या उससे अधिक अंक प्राप्त करने वाले छात्रों की संख्या से कितने प्रतिशत कम है?

(एएससी-सीजीएल परीक्षा, 2022)

(*a*) 37.4% (*b*) 33.5% (*c*) 38.5% (*d*) 29.7%

19. निम्नांकित दण्ड-आरेख 2014 से 2018 तक A और B प्रकार की कारों के निर्यात (₹ मिलियन में) को दर्शाता है। ग्राफ का अध्ययन करें और उसके बाद दिए गए प्रश्न का उत्तर दें।

2014 से 2018 के दौरान A और B प्रकार के कारों का निर्यात (₹ मिलियन में)।

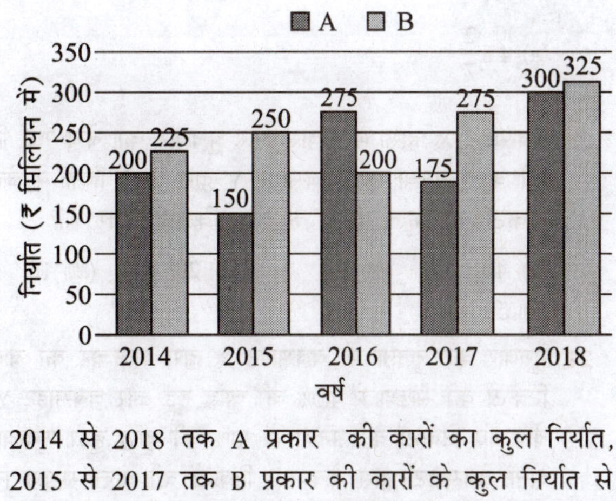

2014 से 2018 तक A प्रकार की कारों का कुल निर्यात, 2015 से 2017 तक B प्रकार की कारों के कुल निर्यात से कितने प्रतिशत अधिक है? (दशमलव के एक स्थान तक सही) **(एएससी-सीजीएल परीक्षा, 2022)**

(*a*) 44.3% (*b*) 51.7% (*c*) 50.4% (*d*) 41.3%

निर्देश (प्रश्न 20–24): ग्राफ का संदर्भ लें और दिए गए प्रश्नों के उत्तर दें।

किसी विशेष एयरलाइंस पर दिल्ली की यात्रा करने वाले लोगों को पांच दिनों में दो वेबसाइटों X और Y द्वारा बेचे गए

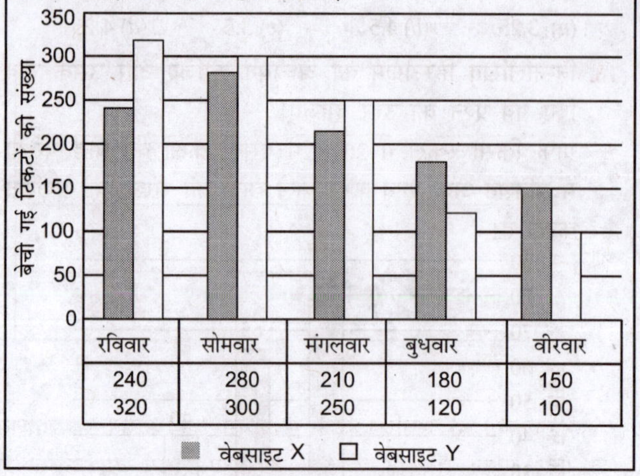

(आईबीपीएस बैंक ऑफ महाराष्ट्र पीओ, 2016)

20. बुधवार को दोनों वेबसाइटों द्वारा बेचे गए टिकटों की कुल संख्या गुरुवार को दोनों वेबसाइटों द्वारा बेचे गए टिकटों की कुल संख्या से कितने प्रतिशत अधिक है?

(*a*) 30 (*b*) 25 (*c*) 35 (*d*) 20
(*e*) 24

21. वेबसाइट Y द्वारा रविवार, सोमवार और गुरुवार को बेचे गए टिकटों की औसत संख्या कितनी है?

(*a*) 250 (*b*) 210 (*c*) 230 (*d*) 240
(*e*) 220

22. सोमवार से गुरुवार तक वेबसाइट X द्वारा बेचे गए टिकटों की संख्या में कितने प्रतिशत की कमी आई?

(*a*) $46\frac{3}{7}$ (*b*) $49\frac{2}{7}$ (*c*) $44\frac{4}{7}$ (*d*) $45\frac{2}{7}$
(*e*) $41\frac{2}{7}$

23. वेबसाइट X द्वारा मंगलवार और बुधवार को बेचे गए टिकटों की कुल संख्या और वेबसाइट Y द्वारा उन्हीं दिनों में बेचे गए टिकटों की कुल संख्या के बीच कितना अंतर है?

(*a*) 40 (*b*) 30 (*c*) 20 (*d*) 10
(*e*) 50

24. गुरुवार की तुलना में, वेबसाइट X द्वारा शुक्रवार को बेचे गए टिकटों की संख्या में 40% की वृद्धि हुई और वेबसाइट Y द्वारा बेचे गए टिकटों की संख्या में 30% की वृद्धि हुई। शुक्रवार को दोनों वेबसाइटों द्वारा बेचे गए टिकटों की कुल संख्या कितनी थी?

(*a*) 380 (*b*) 370 (*c*) 340 (*d*) 420
(*e*) 450

निर्देश (प्रश्न 25-29): इन प्रश्नों के उत्तर देने के लिए नीचे दिए गए ग्राफ का अध्ययन करें। (मैट, 2018)

दण्ड-आरेख चार अलग-अलग विषयों में छह छात्रों A, B, C, D, E और F द्वारा प्राप्त अंकों के वितरण को चार विषयों के लिए उनके कुल अंकों के प्रतिशत के रूप में दर्शाता है। A = 450, B = 600, C = 575, D = 800, E = 650 और F = 725 द्वारा प्राप्त किए गए कुल अंक।

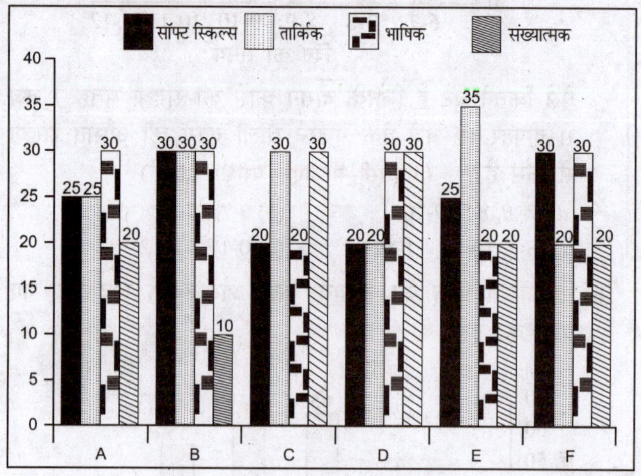

25. अगर न्यूमेरिकल में सबसे ज्यादा अंक लाने वाले छात्र को मेरिट का सर्टिफिकेट दिया जाता है, तो वह किसे मिलेगा?

(*a*) C (*b*) A (*c*) D (*d*) F

26. A द्वारा वर्बल में प्राप्त अंक, B द्वारा अर्जित कुल अंकों का लगभग कितना प्रतिशत है?

(*a*) 40 (*b*) 23 (*c*) 30 (*d*) 77

27. न्यूमेरिकल में D द्वारा प्राप्त अंक लॉजिकल में A और C द्वारा संयुक्त रूप से प्राप्त अंकों का लगभग कितना प्रतिशत है?

(*a*) 94 (*b*) 75 (*c*) 84 (*d*) 118

28. मान लें कि ग्राफ में दर्शाए गए प्रतिशत वितरण की गणना में कुछ गलतियाँ थीं, न्यूमेरिकल में प्राप्त अंकों को लॉजिकल में प्राप्त अंकों के साथ बदल दिया गया था, और सॉफ्ट स्किल में प्राप्त अंकों को वर्बल में प्राप्त अंकों के साथ बदल दिया गया था। यदि सॉफ्ट स्किल्स और न्यूमेरिकल में मिलाकर सर्वाधिक अंक प्राप्त करने वाले छात्र को छात्रवृत्ति प्रदान की जाती है, तो वह किसे मिलेगी?

(*a*) E (*b*) A (*c*) F (*d*) D

29. वर्बल में E द्वारा प्राप्त अंक, मौखिक में F द्वारा प्राप्त अंकों से लगभग कितने प्रतिशत अधिक है?

(*a*) 4.6 (*b*) 4.4 (*c*) 4 (*d*) 5

निर्देश (प्रश्न 30-34 नीचे दिए गए ग्राफ का अध्ययन करें और प्रश्नों के उत्तर दें:

दण्ड-आरेख पांच अलग-अलग कंपनियों (A, B, C, D, और E) द्वारा दो अलग-अलग महीनों (अप्रैल और मई) में बेचे गए लैपटॉप की इकाइयों को दिखाता है।

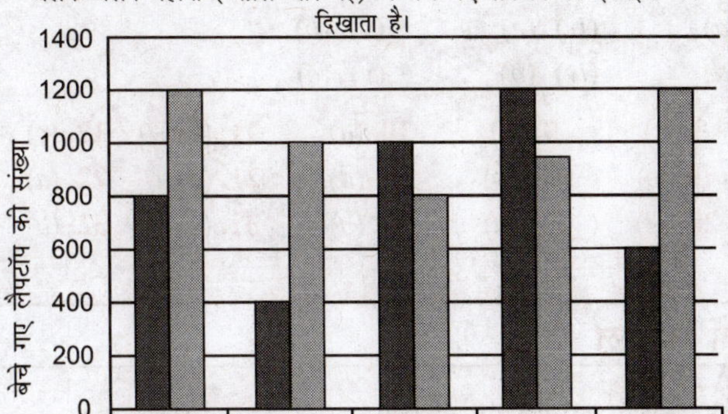

	A	B	C	D	E
अप्रैल	800	400	1000	1200	600
मई	1200	1000	800	960	1200

■ अप्रैल ■ मई

(एलआईसी एएओ प्रारंभिक, 2019)

30. कंपनी B और C द्वारा मई में बेचे गए लैपटॉप अप्रैल में कंपनी D द्वारा बेचे गए लैपटॉप से कितने प्रतिशत अधिक हैं?

(*a*) 90% (*b*) 50 (*c*) 80% (*d*) 20%

(*e*) 40%

31. अप्रैल में कंपनी A और B द्वारा बेचे गए लैपटॉप मई में कंपनी C और E द्वारा बेचे गए लैपटॉप की औसत संख्या से कितने अधिक या कम हैं?

(*a*) 400 (*b*) 1000 (*c*) 200 (*d*) 600

(*e*) 800

32. कंपनी B और E द्वारा अप्रैल में बेचे गए लैपटॉप की संख्या का मई में कंपनी C और D द्वारा बेचे गए लैपटॉप से अनुपात कितना है?

(*a*) 13 : 18 (*b*) 25 : 44 (*c*) 7 : 15 (*d*) 11 : 23

(*e*) 15 : 27

33. मई में कंपनी A, D और E द्वारा बेचे गए लैपटॉप की औसत संख्या अप्रैल में कंपनी C द्वारा बेचे गए लैपटॉप की संख्या का कितना प्रतिशत है?

(*a*) 112% (*b*) 128% (*c*) 84% (*d*) 156%

(*e*) 144%

34. मई में सभी पांच कंपनियों द्वारा बेचे गए कुल लैपटॉप अप्रैल में सभी 5 कंपनियों द्वारा बेचे गए कुल लैपटॉप से कितने प्रतिशत अधिक या कम हैं?

(*a*) 18% (*b*) 45% (*c*) 50% (*d*) 36%

(*e*) 29%

निर्देश: नीचे दी गई जानकारी के आधार पर प्रश्नों के उत्तर दें।

मिस्टर 'X' की कुल स्टॉक वैल्यू 240000 रुपए थी। नीचे दिया गया दंड आलेख उसके द्वारा पाँच अलग-अलग व्यक्तियों को बेचे गए शेयरों का प्रतिशत दर्शाता है।

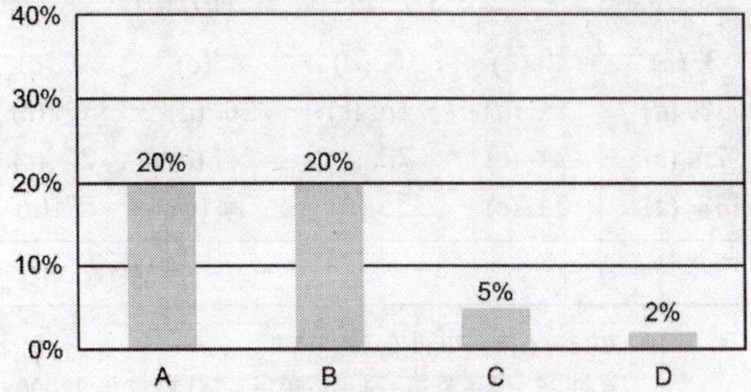

दी गई तालिका दो संबंधित वर्षों में शेयरों की कीमत में प्रतिशत वृद्धि और समान संबंधित दो वर्षों के लिए शेयरों की कीमत में समग्र प्रतिशत वृद्धि को दर्शाती है। शेयरों की बढ़ी हुई कीमत के साथ मिस्टर 'X' ने प्रत्येक व्यक्ति से कुछ रिटर्न राशि अर्जित की है।

व्यक्ति	पहले वर्ष में प्रतिशत वृद्धि	दूसरे वर्ष में प्रतिशत वृद्धि	दो वर्ष में कुल प्रतिशत वृद्धि
A	---	---	44%
B	10	---	21%
C	---	---	56.25%
D	---	---	32.25%
E	---	---	69%

35. यदि व्यक्ति 'A' और व्यक्ति 'C' के लिए दोनों वर्षों के लिए वृद्धि की दर समान है, तो दोनों व्यक्तियों द्वारा लौटाई गई राशि के बीच अंतर ज्ञात करें यदि इसकी गणना पहले वर्ष के ठीक बाद की जाती है।

(a) ₹40600 (b) ₹41600

(b) ₹42600 (d) ₹43600

(e) ₹44600

36. यदि मिस्टर 'X' द्वारा व्यक्ति 'B' से अर्जित की गई वापसी राशि का उपयोग फिर से समान मूल्य के 8 शेयर खरीदने के लिए किया जाता है, तो प्रत्येक शेयर का मूल्य ज्ञात करें।

(a) ₹7160 (b) ₹7260

(c) ₹7360 (d) ₹7460

(e) ₹7560

37. यदि व्यक्ति 'E' से मिस्टर 'X' द्वारा अर्जित की गई वापसी राशि को 3 वर्ष के लिए 10% की दर से साधारण ब्याज की एक योजना में निवेश किया जाता है, तो योजना से मिस्टर 'X' द्वारा अर्जित राशि ज्ञात कीजिए।

(a) ₹219458.4 (b) ₹239458.4

(c) ₹259458.4 (d) ₹279458.4

(e) ₹299458.4

उत्तरमाला

1.	(*i*) (*c*)	(*ii*) (*e*)	(*iii*) (*a*)	(*iv*) (*e*)	(*v*) (*b*)
2.	(*i*) (*e*)	(*ii*) (*a*)	(*iii*) (*d*)	(*iv*) (*b*)	(*v*) (*c*)

3. (*c*)	4. (*e*)	5. (*d*)	6. (*e*)	7. (*c*)	8. (*c*)	9. (*d*)	10. (*d*)	11. (*b*)	12. (*c*)
13. (*d*)	14. (*d*)	15. (*c*)	16. (*d*)	17. (*c*)	18. (*c*)	19. (*b*)	20. (*d*)	21. (*d*)	22. (*a*)
23. (*c*)	24. (*c*)	25. (*c*)	26. (*b*)	27. (*c*)	28. (*d*)	29. (*a*)	30. (*b*)	31. (*c*)	32. (*b*)
33. (*a*)	34. (*e*)	35. (*b*)	36. (*b*)	37. (*d*)					

दिये गये प्रश्नों के हल

1. (*i*) संगठन C के व्यक्तियों की संख्या

$= (3{\cdot}25 + 4 + 3{\cdot}50 + 4 + 4{\cdot}50 + 2{\cdot}75)$ हजार $= 22000$.

$\therefore$ उत्तर (*c*) सही है.

(*ii*) 12001 – 14000 के समूह के व्यक्तियों की संख्या

$= (4 + 3{\cdot}5 + 3{\cdot}25)$ हजार $= 10{\cdot}75$ हजार.

14001 – 16000 के समूह के व्यक्तियों की संख्या

$= (3{\cdot}75 + 4{\cdot}5 + 4)$ हजार $= 12{\cdot}25$ हजार.

16001 – 18000 के समूह के व्यक्तियों की संख्या

$= (3 + 2{\cdot}5 + 3{\cdot}5)$ हजार $= 9$ हजार.

18001 – 20000 के समूह के व्यक्तियों की संख्या

$= (5 + 4 + 4)$ हजार $= 13$ हजार.

20001 – 22000 के समूह के व्यक्तियों की संख्या

$= (2{\cdot}5 + 4 + 4{\cdot}5)$ हजार $= 11$ हजार.

22001 – 24000 के समूह के व्यक्तियों की संख्या

$= (4{\cdot}75 + 3{\cdot}75 + 2{\cdot}75)$ हजार $= 11{\cdot}25$ हजार.

$\therefore$ उत्तर (*e*) सही है.

(*iii*) संगठन B के इन तीन समूहों के व्यक्तियों की संख्या

$= (3{\cdot}5 + 4{\cdot}5 + 4)$ हजार $= 12$ हजार.

संगठन A के इन तीन समूहों के व्यक्तियों की संख्या

$= (4 + 3{\cdot}75 + 5)$ हजार $= 12{\cdot}75$ हजार.

अभीष्ट अनुपात $= 12 : 12{\cdot}75 = 1200 : 1275 = 16 : 17$.

$\therefore$ उत्तर (*a*) सही है.

(*iv*) सभी आय समूहों के व्यक्तियों की संख्या $= 67{\cdot}25$ हजार.

$\therefore$ अभीष्ट % $= \left(\frac{11{\cdot}25}{67{\cdot}25} \times 100\right)\% = 16{\cdot}728\%$

$= 17\%$ (लगभग)

$\therefore$ उत्तर (*e*) सही है.

(*v*) अभीष्ट % $= \left(\frac{3{\cdot}5}{5{\cdot}5} \times 100\right)\% = 63{\cdot}64\%$.

$\therefore$ उत्तर (*b*) सही है.

2. (*i*) कम से अधिक विद्युतीकरण की प्रतिशतता का क्रम है. D, E, B, F, A तथा C.

इनमें चौथा स्थान राज्य F का है.

$\therefore$ उत्तर (*e*) सही है.

(*ii*) राज्य D में 40% गांवों का विद्युतीकरण हो चुका है तथा 80% गांवों का विद्युतीकरण राज्य C में हुआ है.

.. उत्तर (*a*) सही है.

(*iii*) राज्य B में 45% गांवों का विद्युतीकरण नहीं हुआ है अर्थात् 55% गांवों का विद्युतीकरण हुआ है.

$\therefore$ उत्तर (*d*) सही है.

(*iv*) 60% या अधिक गांवों के विद्युतीकरण का अर्थ है कि 40% से कम गांवों का विद्युतीकरण नहीं हुआ. स्पष्टतया ऐसा राज्यों A, C तथा F में हैं.

$\therefore$ उत्तर (*b*) सही है.

(*v*) अधिकतम प्रतिशत गांवों के विद्युतीकरण का अर्थ है ऐसे गांवों का न्यूनतम प्रतिशत जिनका विद्युतीकरण नहीं हुआ. हुआ ऐसा राज्य C में है.

$\therefore$ उत्तर (*c*) सही है.

3. माना, स्टोर B द्वारा दिसम्बर में बेची गई साहित्य की पुस्तकों की संख्या $= a$

$\therefore$ जून में बेची गई पुस्तकों की संख्या $= (a - 200)$

$\therefore$ स्टोर B द्वारा दिसम्बर में बेची गई गैर कथा साहित्य की पुस्तकें

दिसम्बर $\Rightarrow \frac{30a}{70} = \frac{3a}{7}$

$\therefore$ स्टोर B द्वारा दिसम्बर में बेची गई गैर कथा साहित्य की पुस्तकें

$\Rightarrow \frac{20}{80}(a - 200) = \frac{a - 200}{4}$

प्रश्नानुसार, $a + a - 200 + \frac{3a}{7} + \frac{a}{4} - 50 = 2000$

$\Rightarrow 2a + \frac{3a}{7} + \frac{a}{4} = 2000 + 250$

$\Rightarrow \frac{56a + 12a + 7a}{28} = 2250$

$\Rightarrow 75a = 2250 \times 28$

$\Rightarrow a = \frac{2250 \times 28}{75} = 840$

दिसम्बर में बेची गई गैर-कथा साहित्य की पुस्तकें

$= \frac{3a}{7} = \frac{3 \times 840}{7} = 360$

$\therefore$ अभीष्ट उत्तर $= 840 + 360 = 1200$

4. जून में स्टोर C द्वारा बेची गई गैर कथा-साहित्य की पुस्तकें:

$\Rightarrow \frac{1500 \times 60}{100} = 900$

दिसम्बर माह में स्टोर C द्वारा बेची गई गैर कथा-साहित्य

की पुस्तकें $= \frac{2000}{2} = 1000$

$\therefore$ अभीष्ट उत्तर $= 900 + 1000 = 1900$

5. स्टोर D द्वारा बेची गई कुल पुस्तकें:

जून $\Rightarrow a$; दिसम्बर $\Rightarrow$

प्रश्नानुसार,

$\Rightarrow \frac{a}{b} = \frac{64}{72} = \frac{8}{9} \quad \Rightarrow \quad b \quad \frac{9a}{8}$

$\therefore$ अभीष्ट प्रतिशत $= \frac{\frac{9a}{8} - a}{\frac{8}{a} \times 100} = \frac{100}{8} = 12.5\%$

6. स्टोर E द्वारा बेची गई दोनों प्रकार की कुल पुस्तकें:

जून माह में $\Rightarrow 1800$

दिसम्बर माह में $\Rightarrow \frac{100 \times 1800}{75} = 2400$

स्टोर E द्वारा बेची गई कथा साहित्य की पुस्तकें:

जून $\Rightarrow \frac{1800 \times 30}{100} = 540$

दिसम्बर $\Rightarrow \frac{2400 \times 42}{100} = 1008$

अभीष्ट उत्तर $= 540 + 1008 = 1548$

7. स्टोर A द्वारा बेची गई कुल पुस्तकें:

जून माह में $\Rightarrow a$

दिसम्बर माह में $\Rightarrow a + 60$

प्रश्नानुसार, $\frac{60a}{100} = \frac{55}{100}(a + 60)$

$\Rightarrow 60a = 55a + 3300 \quad \Rightarrow 60a - 55a = 3300$

$\Rightarrow 5a = 3300 \quad \Rightarrow a = \frac{3300}{5} = 660$

8. अभीष्ट अनुपात $= \frac{55 + 40 + 15}{32 + 45 + 60} = \frac{110}{137} = 110 : 137$

9. अभीष्ट अनुपात $= \frac{70 + 105}{115 + 95} = \frac{175}{210} = 5 : 6$

10. अभीष्ट प्रतिशत $= \frac{80 - 75}{75} , 100$

$= \frac{5}{75} \times 100 = \frac{100}{15} = \frac{20}{3} = 6\frac{2}{3}\%$

11. हमारे पास वर्ग अंतराल है, $= 125 - 120 = 5$

[$\therefore$ वर्ग अंतराल = ऊपरी सीमा – निम्न सीमा,

मध्य बिन्दु $= \frac{5}{2} = 2.5$

प्रारंभिक बिंदु रेखा आरेख $= (120 - 2.5, 0) = (117.5, 0)$

रेखा आरेख का अंतिम बिंदु $= (170 + 2.5, 0) = (172.5, 0)$

12. हमारे पास है, A प्रकार की कारों का औसत निर्यात

$= \frac{200 + 150 + 275 + 175 + 300}{5}$

$= \frac{1100}{5} = ₹220$

इसलिए, दण्ड-आरेख से, 2016 में, B प्रकार की कारों का निर्यात A प्रकार की कारों के औसत निर्यात से ₹20 मिलियन कम है।

13. युवाओं का औसत संख्या $= \frac{12 + 8 + 11.5 + 10 + 9}{5}$

$= \frac{50.5}{5} = 10.1$ लाख $= 1010000$

14. अभीष्ट अंतर $= (300 + 325) - (280 + 325)$

$= 625 - 605 = 20$

15. सुबह 7 बजे से दोपहर 12 बजे तक चली कारों की औसत संख्या

$= \frac{105 + 130 + 115 + 95 + 45}{5} = \frac{490}{5} = 98$

6 – 7, 10 – 11 और 11 – 12 के दौरान, सुबह 7 से दोपहर 12 बजे तक चली कारों की संख्या कारों की औसत संख्या से कम गुजरी।

16. अभीष्ट अनुपात $= \frac{30}{35} = 6 : 7$

17. बेरोजगार युवाओं की आवश्यक संख्या

$= (8 - 7) + (10 - 7.5) = 1 + 2.5 = 3.5$ लाख

18. अभीष्ट प्रतिशत $= \frac{(40 + 25) - (10 + 30)}{(40 + 25)} \times 100$

$= \frac{65 - 40}{65} \times 100 = \frac{25}{65} \times 100 = 38.5\%$

19. अभीष्ट प्रतिशत

$= \frac{(200 + 150 + 275 + 175 + 300) - (250 + 200 + 275)}{(250 + 200 + 275)} \times 100$

$= \frac{1100 - 725}{725} \times 100 = \frac{375}{725} \times 100 = 51.7\%$

20. बुधवार को वेबसाइटों पर दोनों द्वारा बेचे गए टिकटों की कुल संख्या $= 180 + 120 = 300$

गुरुवार को वेबसाइटों पर दोनों द्वारा बेचे गए टिकटों की कुल संख्या $= 150 + 100 = 250$

अब, प्रश्न बनता है कि 300, 250 से कितना% अधिक है तो 250 से 50 आवश्यक% $= \frac{50}{250} \times 100 = 20\%$

21. वेबसाइट Y द्वारा रविवार, सोमवार और गुरुवार को बेचे गए टिकटों की कुल संख्या $= 320 + 300 + 100 = 720$

तो औसत $= \frac{720}{3} = 240$

22. वेबसाइट X द्वारा सोमवार को बेचे गए टिकटों की संख्या =

280

गुरुवार को वेबसाइट X द्वारा बेचे गए टिकटों की संख्या = 150

तो कमी% = $\frac{130}{280} \times 100 = \frac{325}{7}\% = 46\frac{3}{7}\%$

23. मंगलवार और बुधवार को X द्वारा बेचे गए टिकटों की कुल संख्या = 210 + 180 = 390

मंगलवार और बुधवार को Y द्वारा बेचे गए टिकटों की कुल संख्या = 250 + 120 = 370

अत: अंतर = 390 – 370 = 20

24. वेबसाइट X द्वारा शुक्रवार को बेचे गए टिकटों की संख्या = 150 + 150 का 40% = 150 + 60 = 210

वेबसाइट Y द्वारा शुक्रवार को बेचे गए टिकटों की संख्या = 100 + 100 का 30% = 100 + 30 = 130

इसलिए आवश्यक योग = 210 + 130 = 340

25. हम सीधे देख सकते हैं कि D के कुल अंक सबसे अधिक हैं और संख्यात्मक रूप से इसका प्रतिशत D के लिए अधिकतम है। इसलिए गणना करने की कोई आवश्यकता नहीं है। दृश्य-चित्र द्वारा D उच्चतम है।

26. आवश्यक% = $\frac{0.3 \times 450}{600} \times 100 = \frac{135}{6} = 22.5\% = 23\%$

27. आवश्यक% = $\frac{0.3 \times 800}{(.25 \times 450 + 0.3 \times 575)} \times 100 = \frac{240}{285} \times 100 = 84\%$

28. हम सीधे देख सकते हैं कि D के कुल अंक उच्चतम यानी 800 हैं और न्यूमेरिकल और सॉफ्ट स्किल में D के लिए नया% 50% है।

∴ D का स्कोर = 800 का 50% = 400

न्यूमेरिकल और सॉफ्ट स्किल में E और A के लिए नया % 55% है लेकिन D की तुलना में A का योग बहुत कम है

इसलिए हम E के स्कोर की जांच करेंगे जो कि 650 का 55% = 357.5 है

अत: D को छात्रवृत्ति मिलेगी

29. E द्वारा वर्बल में प्राप्त अंक = 650 का 35% = 227.5

F द्वारा वर्बल में प्राप्त अंक = 725 का 30% = 217.5

अत: अभीष्ट % = $\frac{227.5 - 217.5}{217.5} \times 100 = \frac{10}{217.5} \times 100$

$= 4.6\%$

30. मई में कंपनियों B और C द्वारा बेचे गए लैपटॉप = 1000 + 800 = 1800

अप्रैल में कंपनी D द्वारा बेचे गए लैपटॉप = 1200

तो प्रश्न बन जाता है

1800, 1200 से कितना % अधिक है

इसलिए आवश्यक% = $\frac{1800 - 1200}{1200} \times 100$

$= \frac{600}{1200} \times 100 = 50\%$

31. A और B द्वारा अप्रैल में बेचे गए लैपटॉप = 800 + 400 = 1200

मई में C और E द्वारा बेचे गए लैपटॉप की औसत संख्या = $\frac{800 + 1200}{2} = \frac{2000}{2} = 1000$

अत: अभीष्ट अंतर = 1200 – 1000 = 200

32. आवश्यक अनुपात = (400 + 600) : (800 + 960) = 1000 : 1760 = 25 : 44

33. मई में कंपनियों A, D और E द्वारा बेचे गए लैपटॉप की औसत संख्या = $\frac{(1200 + 960 + 1200)}{3} = \frac{3360}{3} = 1120$

अत: अभीष्ट % = $\frac{1120}{1000} \times 100 = 112\%$

34. मई में सभी पांचों द्वारा बेचे गए कुल लैपटॉप

= 1200 + 1000 + 800 + 960 + 1200 = 5160

अप्रैल में सभी पांचों द्वारा बेचे गए कुल लैपटॉप

= 800 + 400 + 1000 + 1200 + 600 = 4000

अब प्रश्न 5160 बन जाता है कि 4000 से कितना % अधिक है

अत: अभीष्ट % = $\frac{5160 - 4000}{4000} \times 100 = \frac{1160}{4000} \times 100 = 29\%$

(35-37) के लिए

व्यक्ति	प्रथम वर्ष में व्यक्ति % वृद्धि	दूसरे वर्ष में % वृद्धि	2 वर्षों में कुल मिलाकर % वृद्धि	Mr. X द्वारा अर्जित राशि लौटा दी गई
A	20%	20%	44%	$24000 \times \frac{20}{100} \times 48k$
B	10%	10%	21%	$24000 \times \frac{20}{100} \times 48k$
C	25%	25%	56.25	$24000 \times \frac{5}{100} \times 12k$
D	———	———	32.25	$24000 \times \frac{2}{100} \times 4.8k$
E			69%	$24000 \times \frac{53}{100} \times 127.2k$

X द्वारा E को बेचे गए स्टॉक का % = 100 – (20 + 20 + 5 + 2) = 100 – 47 = 53%

35. मान लीजिए कि A के लिए पहले और दूसरे वर्ष में प्रतिशत बढ़ता है= $x\%$

$\therefore \left(\lambda - \frac{x}{100}\right)^2 = \frac{144}{10}$

$\Rightarrow 1 - \frac{x}{100} = \frac{12}{10}$

$\Rightarrow x = 20\%$

इसी प्रकार, C के लिए पहले और दूसरे वर्ष में % वृद्धि = 25%

अब, 'A' से लौटाई गई राशि

इसी प्रकार, C के लिए पहले और दूसरे वर्ष में % वृद्धि हुई = 25%

अब, 'A' से लौटाई गई राशि

$= 48k \times \frac{120}{100} = 57.6k$

अब, 'C' से लौटाई गई राशि $= 12k \times \frac{120}{100} = 15k$

$\therefore$ आवश्यक अंतर $= 57.6k - 15k = 42.6k =$ ₹42600

36. प्रत्येक शेयर का आवश्यक मूल्य $= 48k \times \frac{121}{100} \times \frac{1}{8}$

$= 7.26k =$ ₹7260

37. E से अर्जित राशि वापस कर दी गई $= 127.2k \times \frac{169}{100}$

= ₹214968

$\therefore \text{S.I.} = \frac{P \times R \times T}{100}$ और $A = P + SI$

कहाँ P = 214968, R = 10%, T = 3 वर्षों

$\therefore$ आवश्यक राशि $= 214968 \times \frac{10}{100} \times 3 + 214968$

$= 64490.4 + 214968$

= ₹279458

40 रेखा चित्र (LINE GRAPHS)

साधित उदाहरण

प्रश्न 1. नीचे दिये गये ग्राफ में दो कम्पनियों P तथा Q के छः वर्षों के आयात तथा निर्यात का अनुपात दिया गया है. ग्राफ का ध्यानपूर्वक अध्ययन करके नीचे दिये गये प्रश्नों के उत्तर दीजिए.

P तथा Q के 6 वर्षों का (आयात) : (निर्यात)

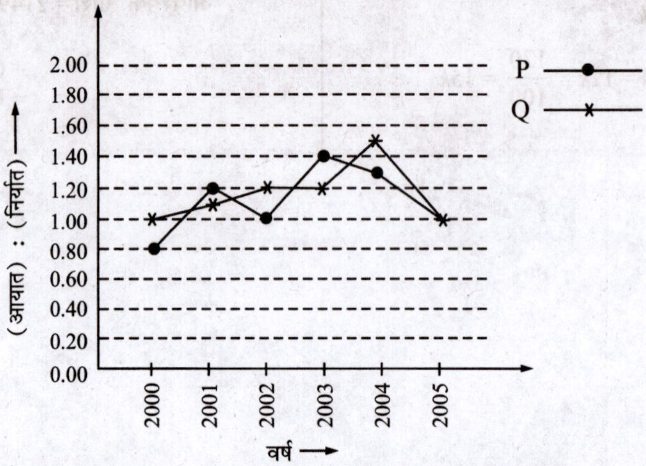

(*i*) यदि कम्पनी Q का वर्ष 2002 तथा 2003 में कुल निर्यात ₹ 24 करोड़ हो तो इस कम्पनी का इन दो वर्षों में आयात कितना था?
(*a*) ₹ 20 करोड़ (*b*) ₹ 32 करोड़ (*c*) ₹ 16 करोड़ (*d*) इनमें से कोई नहीं

(*ii*) दिये गये वर्षों में से कितने वर्षों में कम्पनी Q का आयात निर्यात से अधिक रहा?
(*a*) 2 (*b*) 4 (*c*) 3 (*d*) 1

(*iii*) यदि वर्ष 2003 में कम्पनी P का निर्यात ₹ 60 करोड़ हो, तो इस वर्ष में इस कम्पनी का आयात कितना था?
(*a*) ₹ 62 करोड़ (*b*) ₹ 70 करोड़ (*c*) ₹ 84 करोड़ (*d*) 88 करोड़

(*iv*) दिये गये वर्षों में कम्पनी Q का औसत निर्यात कितना था?
(*a*) ₹ 60 करोड़ (*b*) ₹ 70 करोड़ (*c*) ₹ 100 करोड़ (*d*) आँकड़े अपर्याप्त

(*v*) दिये गये वर्षों में कम्पनी P का निर्यात, आयात की तुलना में किस वर्ष अधिकतम रहा?
(*a*) 2001 (*b*) 2002 (*c*) 2000 (*d*) 2005

हल: (*i*) कम्पनी Q के लिए:

वर्ष 2002 में, $\frac{I_1}{E_1} = 1{\cdot}2 \Leftrightarrow I_1 = (1{\cdot}2)\,E_1$

वर्ष 2003 में, $\frac{I_2}{E_2} = 1{\cdot}2 \Leftrightarrow I_2 = (1{\cdot}2)\,E_2$

$\therefore\ (I_1 + I_2) = (1{\cdot}2)\,(E_1 + E_2) =$ ₹$(1{\cdot}2 \times 24)$ करोड़ $=$ ₹ $28{\cdot}8$ करोड़

अतः उत्तर (*d*) सही है.

(*ii*) कम्पनी Q के आयात तथा निर्यात का अनुपात 1 से अधिक वर्ष 2001, 2002, 2003 तथा 2004 में रहा.
इन वर्षों में आयात > निर्यात.
अतः उत्तर (*b*) सही है.

(*iii*) कम्पनी P के लिए वर्ष 2003 में

$\frac{I}{E} = 1{\cdot}4 \Rightarrow I = (1{\cdot}4 \times E) =$ ₹(1·4 × 60 करोड़) = ₹ 84 करोड़

अतः उत्तर (*c*) सही है.

(*iv*) दिये गए वर्षों में हमें कम्पनी *Q* के निर्यात की जानकारी नहीं है.
अतः कम्पनी *Q* का औसत निर्यात ज्ञात नहीं किया जा सकता.

(*v*) *P* का निर्यात अधिकतम तब होगा जबकि $\left(\frac{\text{आयात}}{\text{निर्यात}}\right)$ न्यूनतम हो.
यह वर्ष 2000 में है.
अतः उत्तर (*c*) सही है.

प्रश्न 2. नीचे दिये गये ग्राफ में सात वर्षों में चाय के निर्यात की मात्रा (हजार क्विंटल में) तथा उसका मूल्य (₹ करोड़ में) दिया गया है. ग्राफ का अध्ययन करें तथा निम्नलिखित प्रश्नों के उत्तर दें.

पिछले सात वर्षों में चाय के निर्यात की मात्रा तथा मूल्य

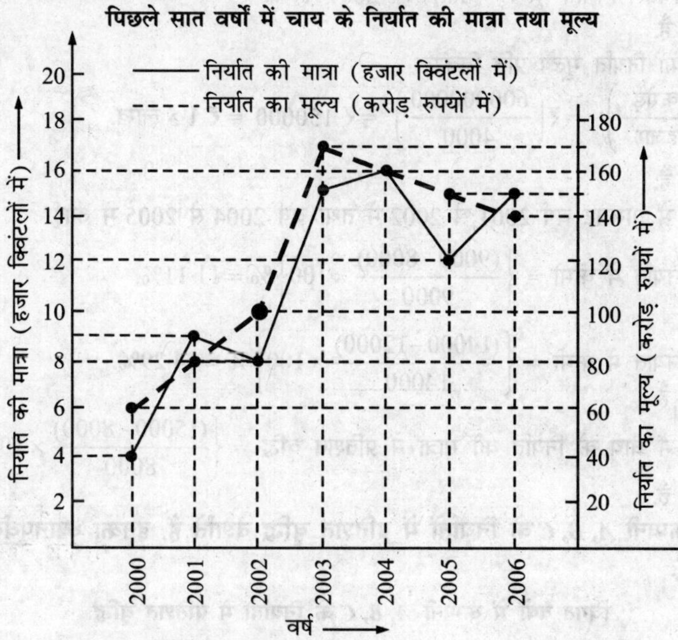

(*i*) वर्ष 2000 से 2001 में कुल निर्यात में कितनी वृद्धि हुई?
(*a*) ₹ 20 करोड़ (*b*) ₹ 2 करोड़ (*c*) ₹ 40 लाख (*d*) ₹ 40 करोड़

(*ii*) दिये गये वर्षों में से किस वर्ष प्रति क्विंटल निर्यात मूल्य न्यूनतम था?
(*a*) 2000 (*b*) 2002 (*c*) 2004 (*d*) 2005 (*e*) इनमें से कोई नहीं

(*iii*) वर्ष 2000 में चाय का प्रति क्विंटल निर्यात मूल्य कितना था?
(*a*) ₹ 150 लाख (*b*) ₹ 15 लाख (*c*) ₹ 1·5 लाख (*d*) ₹ 15000

(*iv*) दिये गये वर्षों में किस वर्ष निर्यात की मात्रा में उसके पिछले वर्ष की तुलना में गिरावट का प्रतिशत अधिकतम रहा?
(*a*) 2002 (*b*) 2003 (*c*) 2004 (*d*) 2005

(*v*) वर्ष 2002 से वर्ष 2003 में निर्यात मात्रा में कितने प्रतिशत वृद्धि हुई?
(*a*) 70% (*b*) 87·5% (*c*) 100% (*d*) 105·5%

हल: (*i*) वर्ष 2000 की तुलना में, वर्ष 2001 में कुल निर्यात में वृद्धि = ₹{(80 करोड़) – (60 करोड़)}
= ₹ 20 करोड़
अतः उत्तर (*a*) सही है.

(*ii*) विभिन्न वर्षों में प्रति क्विंटल निर्यात मूल्य:

2000 → $\frac{\text{60 करोड़}}{\text{4 हजार}}$ = ₹$\frac{600000000}{4000}$ = ₹ 150000.

2001 → $\frac{\text{80 करोड़}}{\text{9 हजार}}$ = ₹$\frac{800000000}{9000}$ = ₹ 88888·89

$$2002 \rightarrow \frac{100 \text{ करोड़}}{9 \text{ हजार}} = ₹\frac{1000000000}{8000} = ₹\ 125000$$

$$2003 \rightarrow \frac{170 \text{ करोड़}}{15 \text{ हजार}} = ₹\frac{1700000000}{15000} = ₹\ 113333 \cdot 33$$

$$2004 \rightarrow \frac{160 \text{ करोड़}}{14 \text{ हजार}} = ₹\frac{1600000000}{14000} = ₹\ 114285 \cdot 71$$

$$2005 \rightarrow \frac{150 \text{ करोड़}}{12 \text{ हजार}} = ₹\frac{1500000000}{12000}\ ₹\ 125000$$

$$2006 \rightarrow \frac{140 \text{ करोड़}}{15 \text{ हजार}} = ₹\frac{1400000000}{15000}\ ₹\ 93333 \cdot 33$$

स्पष्ट है कि प्रति क्विंटल निर्यात मूल्य न्यूनतम वर्ष 2001 में था.

अत: उत्तर (*e*) सही है.

(*iii*) वर्ष 2000 में चाय का निर्यात मूल्य प्रति क्विंटल

$$= ₹\left(\frac{60 \text{ करोड़}}{4 \text{ हजार}}\right) = ₹\left(\frac{600000000}{4000}\right) = ₹\ 150000 = ₹\ 1 \cdot 5 \text{ लाख.}$$

अत: उत्तर (*c*) सही है.

(*iv*) स्पष्ट है कि निर्यात में गिरावट वर्ष 2001 से 2002 में तथा वर्ष 2004 से 2005 में आई.

$$2001 \text{ से } 2002 \text{ में निर्यात में कमी} = \left\{\frac{(9000-8000)}{9000} \times 100\right\}\% = 11 \cdot 11\%.$$

$$2004 \text{ से } 2005 \text{ में निर्यात में कमी} = \left\{\frac{(14000-12000)}{14000} \times 100\right\}\% = 14 \cdot 29\%.$$

अत: उत्तर (*d*) सही है.

(*v*) वर्ष 2002 से 2003 में चाय के निर्यात की मात्रा में प्रतिशत वृद्धि $= \left\{\frac{(15000-8000)}{8000} \times 100\right\}\% = 87 \cdot 5\%.$

अत: उत्तर (*b*) सही है.

प्रश्न 3. नीचे दिये गये ग्राफ कम्पनी *A, B, C* के निर्यातों में प्रतिशत वृद्धि दर्शाते हैं. इनका ध्यानपूर्वक अध्ययन करके नीचे लिखे प्रश्नों के उत्तर दीजिए. **(बैंक पी०ओ० परीक्षा, 2006)**

विगत वर्षों में कम्पनी *A, B, C* के निर्यातों में प्रतिशत वृद्धि

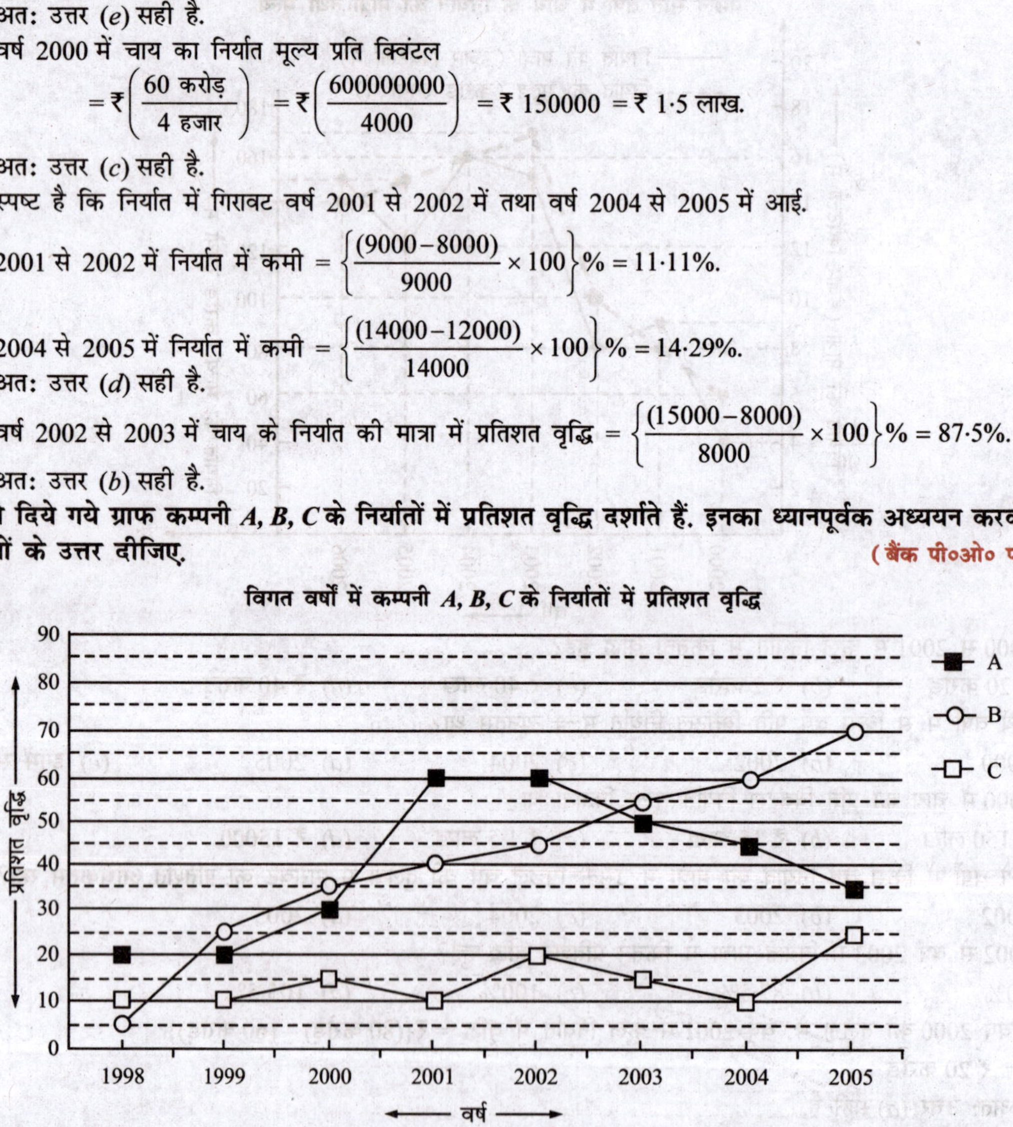

(*i*) दिये गये वर्षों में कम्पनी *A* के निर्यातों में प्रतिशत वृद्धि का औसत कितना है?

(*a*) 60 (*b*) 45 (*c*) 40 (*d*) $36\frac{2}{3}$ (*e*) इनमें से कोई नहीं

(*ii*) वर्ष 2001 में किस कम्पनी के निर्यात सर्वाधिक थे?

(*a*) *A* (*b*) *B* (*c*) *C* (*d*) निर्धारित नहीं किया जा सकता

(*e*) इनमें से कोई नहीं

(*iii*) कम्पनी C के वर्ष 2001 में निर्यात 950 हों, तो 2003 में कितने थे?

(*a*) 1311 (*b*) 1254 (*c*) 1442 (*d*) 1140 (*e*) 1268

(*iv*) दिये गये वर्षों में प्रति वर्ष पिछले वर्ष की तुलना में किस कम्पनी के निर्यातों में प्रतिशत वृद्धि सतत रही है?

(*a*) B (*b*) C (*c*) A (*d*) निर्धारित नहीं किया जा सकता

(*e*) इनमें से कोई नहीं

(*v*) यदि कम्पनी C के वर्ष 1999 में 1078 निर्यात हों, तो 1998 में निर्यात कितने थे?

(*a*) 1078 (*b*) 1185·8 (*c*) 990 (*d*) 1000 (*e*) 980

हल: (*i*) अभीष्ट औसत $= \frac{(20+20+30+60+60+50+45+35)}{8} = \frac{320}{8} = 40.$

अत: उत्तर (*c*) सही है.

(*ii*) वर्ष 2001 में कम्पनी A के निर्यातों की संख्या सर्वाधिक थी.

अत: उत्तर (*a*) सही है.

(*iii*) कम्पनी C के वर्ष 2001 में निर्यातों की संख्या = 950.

कम्पनी C के वर्ष 2002 में निर्यातों की संख्या = 950 का 120% $= \left(950 \times \frac{120}{100}\right) = 1140.$

कम्पनी C के वर्ष 2003 में निर्यातों की संख्या = 1140 का 115% $= \left(1140 \times \frac{115}{100}\right) = 1311.$

अत: उत्तर (*a*) सही है.

(*iv*) स्पष्ट है कि कम्पनी B में लगातार वृद्धि रही है.

अत: उत्तर (*a*) सही है.

(*v*) माना कम्पनी C के 1998 में निर्यातों की संख्या $= x$.

तब, 1999 में निर्यातों की संख्या $= x$ का 110%.

$$\therefore \quad x \times \frac{110}{100} = 1078 \Leftrightarrow x = \left(1078 \times \frac{100}{110}\right) = 980.$$

अत: उत्तर (*e*) सही है.

प्रश्नमाला 40

प्रश्न 1. नीचे दिये गये ग्राफ में तीन राज्यों *A, B, C* की दो-वर्ष के अन्तराल पर कुछ वर्षों में जनसंख्या (दस लाख में) दिखाई गई है. इसे ध्यानपूर्वक पढ़े तथा नीचे दिये गये प्रश्नों के उत्तर दें. (बैंक पी०ओ० परीक्षा, 2005)

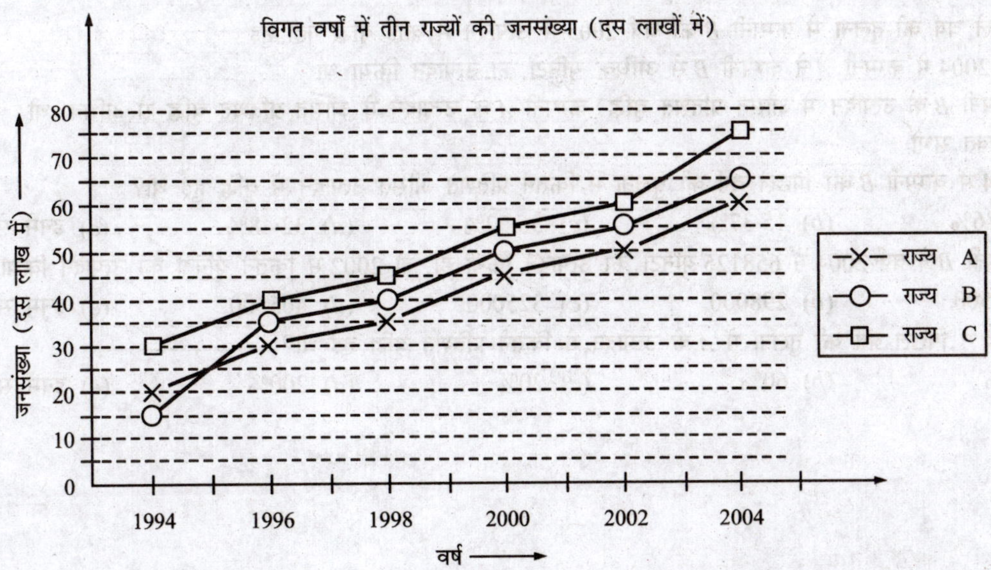

(*i*) राज्य A की जनसंख्या में निम्नलिखित में से किस वर्ष उससे दो वर्ष पहले की तुलना में वृद्धि का प्रतिशत सर्वाधिक था?

(*a*) 1996 (*b*) 1998 (*c*) 2000 (*d*) 2002 (*e*) 2004

(*ii*) दिये गये वर्षों में राज्य *C* की जनसंख्या (दस लाख में) कितनी थी?

(*a*) $50\frac{5}{6}$ (*b*) $60\frac{2}{3}$ (*c*) $55\frac{3}{5}$ (*d*) $62\frac{3}{5}$ (*e*) इनमें से कोई नहीं

(*iii*) तीनों राज्यों की वर्ष 1994 में औसत जनसंख्या तथा तीनों राज्यों की वर्ष 1998 में औसत जनसंख्या के बीच क्रमशः क्या अनुपात था?

(*a*) 1 : 2 (*b*) 2 : 3 (*c*) 12 : 23 (*d*) 13 : 25 (*e*) इनमें से कोई नहीं

(*iv*) वर्ष 1996, 1998 तथा 2000 के लिए राज्य *B* की औसत जनसंख्या तथा इन्हीं तीन वर्षों के लिए राज्य *C* की औसत जनसंख्या के बीच क्या अनुपात था?

(*a*) 5 : 7 (*b*) 25 : 28 (*c*) 7 : 9 (*d*) 15 : 19 (*e*) इनमें से कोई नहीं

(*v*) वर्ष 2000 से वर्ष 2004 तक तीनों राज्यों की कुल जनसंख्या में वृद्धि का प्रतिशत क्या था?

(*a*) $30\frac{2}{3}$ (*b*) $30\frac{1}{3}$ (*c*) $33\frac{2}{3}$ (*d*) $33\frac{1}{3}$ (*e*) इनमें से कोई नहीं

प्रश्न 2. नीचे दिये गये ग्राफ में दो संगठनों *A* तथा *B* के उत्पादन में प्रतिशत वृद्धि दिखाई गई है. इसे ध्यानपूर्वक पढ़ें तथा नीचे दिये गये प्रश्नों के उत्तर दें.

विगत वर्षों में दो अलग-अलग संगठनों के उत्पादन में प्रतिशत वृद्धि

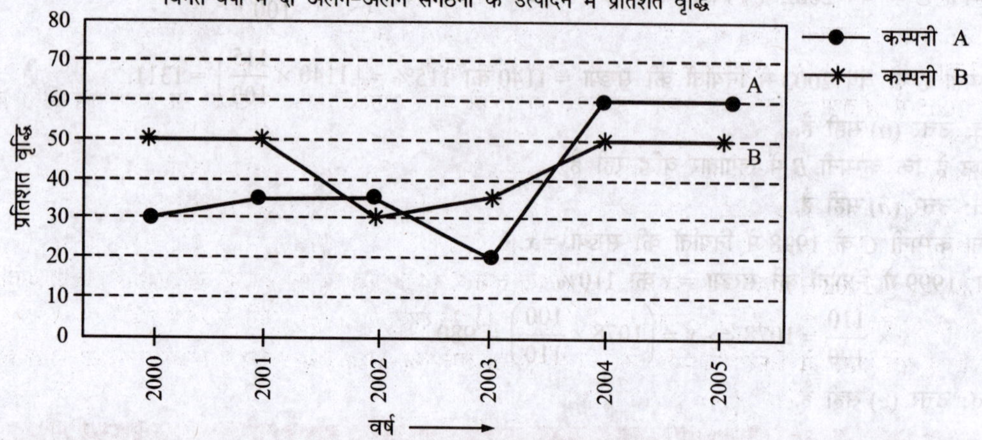

(*i*) यदि 2000 में कम्पनी *A* का उत्पादन 1·66 लाख यूनिट था, तो 2002 में उत्पादित यूनिटों की संख्या कितनी थी?

(*a*) 265145 (*b*) 302535 (*c*) 224100 (*d*) 314323 (*e*) इनमें से कोई नहीं

(*ii*) उपरोक्त ग्राफ के आधार पर निम्नलिखित में से कौन-सा कथन निश्चितरूप से सत्य है?

(*a*) वर्ष 2004 में कम्पनी *A* ने अधिकतम यूनिटों का उत्पादन किया था

(*b*) पिछले वर्ष की तुलना में कम्पनी *B* की वर्ष 2005 में उत्पादन में कोई वृद्धि नहीं हुई

(*c*) वर्ष 2004 में कम्पनी *A* ने कम्पनी *B* से अधिक यूनिटों का उत्पादन किया था

(*d*) कम्पनी *B* के उत्पादन में औसत प्रतिशत वृद्धि, कम्पनी *A* के उत्पादन में औसत प्रतिशत वृद्धि से अधिक थी

(*e*) उपरोक्त सभी

(*iii*) वर्ष 2004 में कम्पनी *B* की पिछले वर्ष की तुलना में कितने प्रतिशत औसत उत्पादन में वृद्धि हुई थी?

(*a*) 42·86% (*b*) 15·37% (*c*) 36·62% (*d*) 32·48% (*e*) इनमें से कोई नहीं

(*iv*) यदि कम्पनी *B* ने वर्ष 2004 में 658125 यूनिटों का उत्पादन किया हो, तो 2002 में कितने यूनिटों का उत्पादन किया?

(*a*) 410500 (*b*) 298000 (*c*) 325000 (*d*) 405500 (*e*) इनमें से कोई नहीं

(*v*) वर्ष 2004 में पिछले वर्ष की तुलना में *A* के उत्पादन में कितने प्रतिशत वृद्धि हुई थी?

(*a*) 30% (*b*) 60% (*c*) 20% (*d*) 200% (*e*) इनमें से कोई नहीं

प्रश्न 3. नीचे दिये गये ग्राफ में दो कम्पनियों *A* तथा *B* द्वारा पिछले 6 वर्षों में अर्जित किया गया प्रतिशत लाभ दिया गया है.

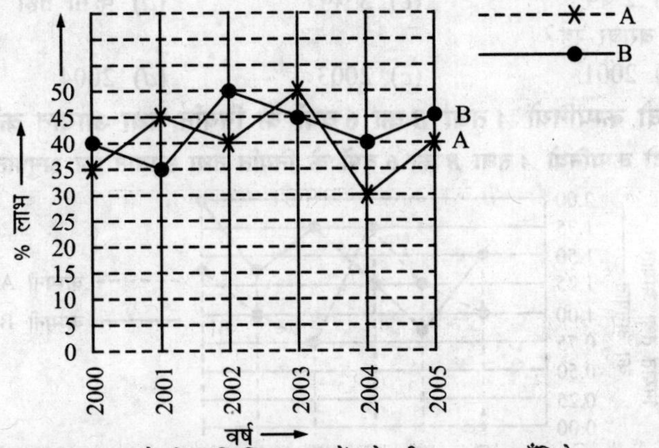

इस ग्राफ का सावधानी पूर्वक अध्ययन करके निम्नलिखित प्रश्नों के ठीक उत्तर छाँटिये.

(*i*) यदि वर्ष 2002 तथा 2003 में कम्पनी *B* की आय का अनुपात 2 : 3 हो, तो इस कम्पनी का इन दो वर्षों में व्यय का अनुपात कितना था?
(*a*) 19 : 35 (*b*) 29 : 45 (*c*) 3 : 2 (*d*) इनमें से कोई नहीं

(*ii*) यदि इन छः वर्षों में कम्पनी *A* का कुल व्यय ₹ 165 लाख हो, तो इस कम्पनी की कुल आय कितनी थी?
(*a*) 16·5 लाख (*b*) 33 लाख (*c*) 34·6 लाख (*d*) आँकड़े अपर्याप्त

(*iii*) यदि वर्ष 2005 में *A* तथा *B* का व्यय समान हो तथा दोनों की कुल आय ₹ 11·4 लाख हो तो दोनों कम्पनियों का इस वर्ष कुल व्यय कितना था
(*a*) ₹ 2 लाख (*b*) ₹ 6 लाख (*c*) ₹ 8 लाख (*d*) इनमें से कोई नहीं

(*iv*) यदि वर्ष 2004 में *A* तथा *B* के व्यय का अनुपात 3 : 4 हो तो इस वर्ष इनकी आय का अनुपात क्या होगा?
(*a*) 39 : 56 (*b*) 9 : 8 (*c*) 11 : 23 (*d*) इनमें से कोई नहीं

(*v*) यदि वर्ष 2001 तथा 2002 में *B* का व्यय क्रमशः ₹ 12 लाख तथा ₹ 14·5 लाख हो, तो इन दो वर्षों में *B* की कुल आय कितनी थी?
(*a*) ₹ 36·45 लाख (*b*) ₹ 37·95 लाख (*c*) ₹ 41·25 लाख (*d*) इनमें से कोई नहीं

प्रश्न 4. नीचे दिये गये ग्राफ में किसी कम्पनी का पिछले सात वर्ष का आय तथा व्यय का ब्यौरा दिया गया है.

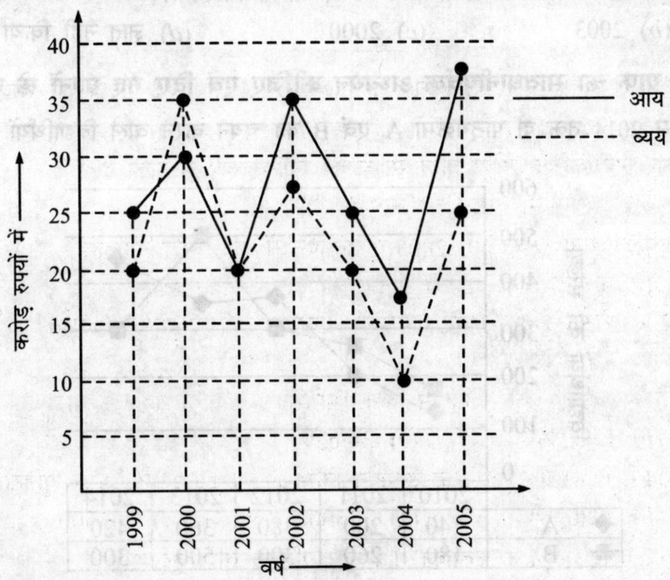

इस ग्राफ का भली भाँति अध्ययन करके नीचे दिये गये प्रश्नों के ठीक उत्तर छाँटिये.

(*i*) किस वर्ष में आय तथा व्यय में अधिकतम अन्तर था?
(*a*) 2002 (*b*) 2003 (*c*) 2005 (*d*) 2000

(*ii*) वर्ष 2002 से 2003 में खर्च में कितने प्रतिशत कमी आई?
(*a*) 26·4% (*b*) 27·3% (*c*) 28·1% (*d*) 25·8%

(*iii*) वर्ष 2001 से 2002 में आय में कितने प्रतिशत वृद्धि रही?
(*a*) 55% (*b*) 65% (*c*) 75% (*d*) 43%

(*iv*) इन सात वर्षों में से कितने वर्षों में खर्च आय से अधिक रहा?
(*a*) 1 वर्ष (*b*) 2 वर्ष (*c*) 3 वर्ष (*d*) कभी नहीं

(*v*) किस वर्ष में आय और व्यय बराबर रहे?
(*a*) 2002 (*b*) 2001 (*c*) 2003 (*d*) 2004

प्रश्न 5. नीचे दिये गये ग्राफ में दो कम्पनियों *A* तथा *B* का 6 वर्षों के निर्यात तथा आयात का अनुपात दिया गया है।

दो कम्पनियों *A* तथा *B* का 6 वर्षों के निर्यात तथा आयात का अनुपात

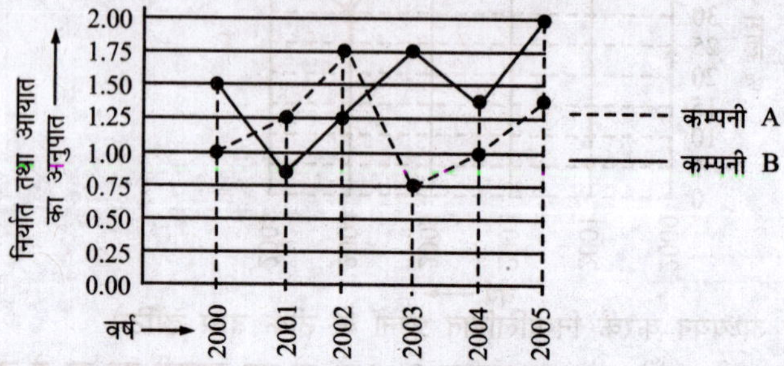

ग्राफ का ध्यानपूर्वक अध्ययन करके नीचे लिखे प्रश्नों का सही उत्तर छाँटिये।

(*i*) यदि कम्पनी *A* का वर्ष 2001 तथा 2002 में कुल निर्यात ₹ 90 करोड़ हो, तो इन दो वर्षों में कम्पनी का कुल आयात कितना था?
(*a*) ₹ 45 करोड़ (*b*) ₹ 67·50 करोड़
(*c*) ज्ञात नहीं किया जा सकता (*d*) इनमें से कोई नहीं

(*ii*) यदि वर्ष 2003 में कम्पनी *B* के आयात में 40% की वृद्धि हो, तो उस वर्ष में निर्यात तथा बढ़े हुए आयात का अनुपात क्या होगा?
(*a*) 5 : 4 (*b*) 4 : 5 (*c*) 3 : 4 (*d*) 4 : 3

(*iii*) दिये गये वर्षों में से कितने वर्षों में कम्पनी *A* का निर्यात आयात से अधिक है?
(*a*) 1 वर्ष (*b*) 2 वर्ष (*c*) 3 वर्ष (*d*) 4 वर्ष

(*iv*) यदि वर्ष 2002 में कम्पनी *B* का निर्यात ₹ 50 करोड़ हो, तो इस वर्ष में इस कम्पनी का आयात कितना था?
(*a*) ₹ 40 करोड़ (*b*) ₹ 25 करोड़ (*c*) ₹ 37·5 करोड़ (*d*) इनमें से कोई नहीं

(*v*) दिये गये वर्षों में से किस वर्ष में निर्यात तथा आयात का अन्तर अधिकतम होगा?
(*a*) 2002 (*b*) 2003 (*c*) 2000 (*d*) ज्ञात नहीं किया जा सकता

निर्देश (6-7): निम्न ग्राफ का सावधानीपूर्वक अध्ययन कीजिए एवं दिए गए प्रश्नों के उत्तर दीजिए।

वर्ष 2010 से 2014 तक दो पाठ्यक्रमों A एवं B का चयन करने वाले विद्यार्थियों की संख्या

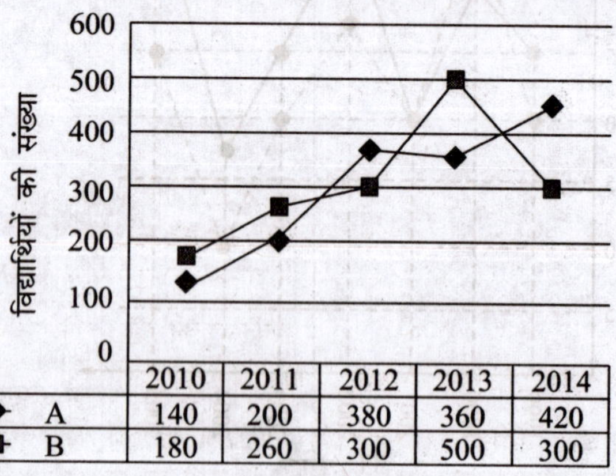

	2010	2011	2012	2013	2014
◆ A	140	200	380	360	420
■ B	180	260	300	500	300

6. वर्ष 2013 में पाठ्क्रम *B* का चयन करने वाले विद्यार्थियों की संख्या वर्ष 2013 में पाठ्यक्रम *A* का चयन करने वाले विद्यार्थियों की संख्या से कितना प्रतिशत अधिक थी?

(*a*) $45\frac{1}{6}$ (*b*) $42\frac{4}{9}$

(*c*) $38\frac{8}{9}$ (*d*) $56\frac{7}{9}$ (*e*) $62\frac{1}{9}$

7. वर्ष 2012 में पाठ्यक्रम A एवं B को मिलाकर इनका चयन करने वाले विद्यार्थियों की कुल संख्या एवं वर्ष 2014 में दोनों पाठ्यक्रमों का चयन करने वाले विद्यार्थियों की कुल संख्या के मध्य क्या अंतर है?

(*a*) 50 (*b*) 30
(*c*) 60 (*d*) 40

निर्देश (प्रश्न 8-13): दिए गए प्रश्नों के उत्तर देने के लिए ग्राफ और तालिका का संदर्भ लें।

ग्राफ चार दिनों (शनिवार, रविवार, सोमवार और मंगलवार) में आउटलेट A द्वारा बेचे गए बर्गर (शाकाहारी+ मांसाहारी) की संख्या को दर्शाता है। **[एसबीआई पीओ प्री, 2019]**

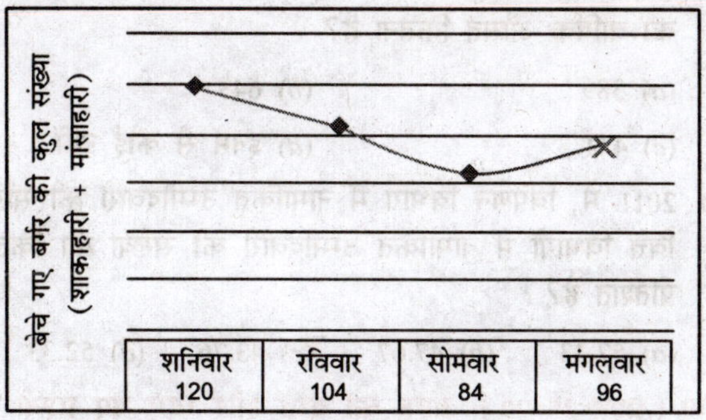

—◆— बेचे गए बर्गर की कुल संख्या (शाकाहारी + मांसाहारी)

दिन	बेचे गए बर्गर की कुल संख्या में से बेचे गए शाकाहारी बर्गर की संख्या
शनिवार	56
रविवार	48
सोमवार	40
मंगलवार	36

8. रविवार को बेचे गए बर्गर (शाकाहारी + मांसाहारी) में से लगभग कितने प्रतिशत बर्गर शाकाहारी थे?

(*a*) 46 (*b*) 36 (*c*) 41 (*d*) 52
(*e*) 32

9. शनिवार को बेचे गए शाकाहारी बर्गर की संख्या में से तीन-सातवें हिस्से को मील कॉम्बो के रूप में बेचा गया। मील कॉम्बो के हिस्से के रूप में शनिवार को बेचे गए शाकाहारी बर्गर की संख्या कितनी थी?

(*a*) 21 (*b*) 18 (*c*) 24 (*d*) 12
(*e*) 15

10. शनिवार से सोमवार तक बिकने वाले बर्गर (शाकाहारी + मांसाहारी) की संख्या में कितने प्रतिशत की कमी आई?

(*a*) 25 (*b*) 30 (*c*) 35 (*d*) 20
(*e*) 40

11. शनिवार और रविवार को मिलाकर बेचे गए मांसाहारी बर्गर की कुल संख्या कितनी है?

(*a*) 120 (*b*) 110 (*c*) 130 (*d*) 126
(*e*) 118

12. सोमवार और मंगलवार को एक साथ बेचे गए शाकाहारी बर्गर की कुल संख्या और एक ही दिन में बेचे गए मांसाहारी बर्गर की कुल संख्या के बीच संबंधित अनुपात क्या है?

(*a*) 17 : 23 (*b*) 17 : 26 (*c*) 19 : 23 (*d*) 19 : 26
(*e*) 16 : 23

13. मंगलवार को बेचे गए बर्गर (शाकाहारी + मांसाहारी) की संख्या में से, महिला ग्राहकों को बेचे गए बर्गर की संख्या और पुरुष ग्राहकों को बेचे गए बर्गर की संख्या के बीच संबंधित अनुपात 7 : 5 था। महिला ग्राहकों को बेचे गए बर्गर की संख्या कितनी थी?

(*a*) 42 (*b*) 35 (*c*) 56 (*d*) 49
(*e*) 21

निर्देश (प्रश्न 14-19): दिए गए प्रश्नों के उत्तर देने के लिए ग्राफ और तालिका का संदर्भ लें।

[एसबीआई पीओ प्री, 2019]

निम्नलिखित तालिका में छात्रों (लड़कों+ लड़कियों) की संख्या को दर्शाया गया है, जिन्होंने सोमवार और शनिवार को विभिन्न बसों (A, B और C) में एक संग्रहालय में यात्रा की।

निम्नलिखित ग्राफ संख्या या लड़कियों (छात्रों की कुल संख्या में से) को दर्शाता है, जिन्होंने एक संग्रहालय के सोमवार और शनिवार को विभिन्न बसों (A, B और C) में यात्रा की।

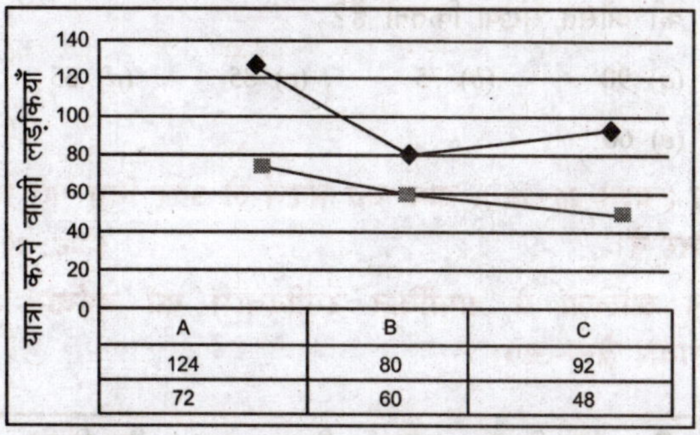

—◆— सोमवार —■— शनिवार

सोमवार को यात्रा करने वाले छात्रों (लड़कों + लड़कियों) की संख्या	बस A	बस B	बस C
	180	320	200
शनिवार को यात्रा करने वाले छात्रों (लड़के + लड़कियों) की संख्या।	124	150	90

14. शनिवार को बस A में यात्रा करने वाले लड़कों की संख्या और उसी बस में यात्रा करने वाले छात्रों (लड़कों + लड़कियों) की संख्या के बीच क्रमशः अनुपात क्या है?

(*a*) 14 : 23 (*b*) 13 : 43 (*c*) 14 : 45 (*d*) 13 : 31
(*e*) 14 : 31

15. सोमवार को सभी बसों में यात्रा करने वाले छात्रों की कुल संख्या और शनिवार को सभी बसों में यात्रा करने वाले छात्रों की कुल संख्या के बीच कितना अंतर है?

(a) 348 (b) 336 (c) 324 (d) 326

(e) 332

16. सोमवार को, बस B और C में मिलाकर यात्रा करने वाली लड़कियों की कुल संख्या, सोमवार को बस C में यात्रा करने वाले छात्रों (लड़के + लड़कियों) की संख्या का कितना प्रतिशत है?

(a) 62 (b) 52 (c) 86 (d) 60

(e) 54

17. सोमवार को बस A और B में यात्रा करने वाले लड़कों की कुल संख्या, सोमवार को समान बसों में यात्रा करने वाली लड़कियों की संख्या से लगभग कितने प्रतिशत अधिक है?

(a) 45 (b) 53 (c) 40 (d) 35

(e) 49

18. बुधवार को, बस B में यात्रा करने वाले छात्रों (लड़कों + लड़कियों) की संख्या शनिवार को उसी बस में यात्रा करने वालों की संख्या से 24% अधिक थी। बुधवार को बस B में यात्रा करने वाले छात्रों (लड़कों + लड़कियों) की संख्या कितनी है?

(a) 182 (b) 176 (c) 186 (d) 192

(e) 172

19. सोमवार और शनिवार को बस C में यात्रा करने वाले लड़कों की औसत संख्या कितनी है?

(a) 90 (b) 75 (c) 85 (d) 65

(e) 60

निर्देश (प्रश्न 20-24): ग्राफ का संदर्भ लें और दिए गए प्रश्नों के उत्तर दें। **[मैट, 2018]**

प्रबंधन कॉलेजों में नामांकित उम्मीदवारों का वर्षवार और विभागवार ब्रेक-अप।

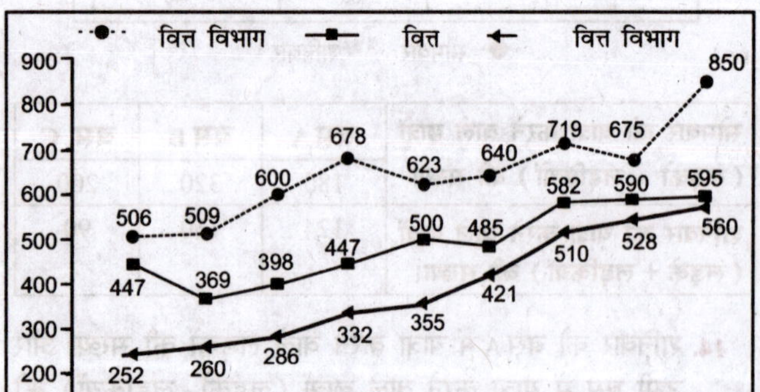

20. दी गई नौ साल की अवधि में मानव संसाधन और वित्त विभागों में नामांकित छात्रों की औसत संख्या के बीच कितना अंतर है?

(a) 153 (b) 137 (c) 113 (d) 101

21. 2009-17 की अवधि के दौरान एचआर में नामांकित उम्मीदवारों की कुल संख्या मार्केटिंग में नामांकित उम्मीदवारों की कुल संख्या से कितने प्रतिशत अधिक है?

(a) 25.23 (b) 20.60 (c) 21.12 (d) 25.94

22. वर्ष 2009 और 2013 में क्रमशः वित्त और मानव संसाधन विभागों में नामांकित उम्मीदवारों की संख्या में अंतर का अनुपात क्या है?

(a) 59 : 123 (b) 117 : 53

(c) 53 : 117 (d) इनमें से कोई नहीं

23. दी गई अवधि में मानव संसाधन विभाग में नामांकित उम्मीदवारों का वार्षिक औसत कितना है?

(a) 389 (b) 643

(c) 441 (d) इनमें से कोई नहीं

24. 2011 में, विपणन विभाग में नामांकित उम्मीदवारों की संख्या वित्त विभागों में नामांकित उम्मीदवारों की संख्या का कितना प्रतिशत है?

(a) 57.33 (b) 47.67 (c) 43.76 (d) 52.33

निर्देश (प्रश्न 25-29): ग्राफ को देखें और दिए गए प्रश्नों के उत्तर दें। **[एफसीआई, 2019]**

निम्नलिखित ग्राफ वर्ष 2017 में राज्य मोपा में छह अलग-अलग सिंगल स्क्रीन थिएटरों (A, B, C, D, E और F) में रिलीज हुई फिल्मों (बॉलीवुड + क्षेत्रीय) की संख्या को दर्शाता है।

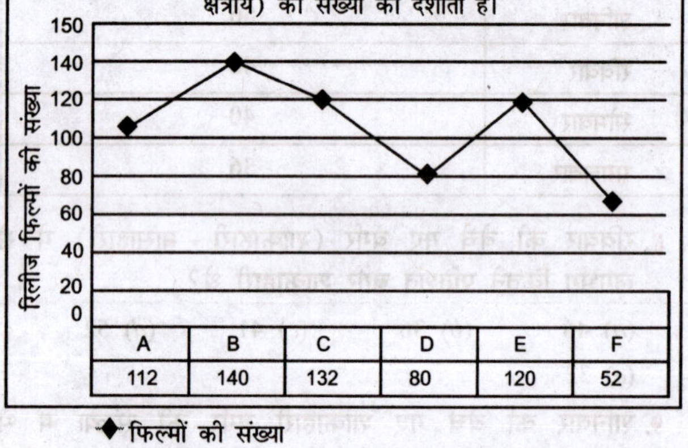

25. थिएटर F और A में रिलीज हुई फिल्मों की संख्या के बीच कितना अंतर है?

(a) 40 (b) 90 (c) 30 (d) 80

(e) 60

26. थिएटर D और E में एक साथ रिलीज हुई फिल्मों की कुल संख्या और थिएटर B में रिलीज हुई फिल्मों की संख्या के बीच संबंधित अनुपात क्या है?

(a) 8 : 7 (b) 10 : 3 (c) 10 : 9 (d) 10 : 7

(e) 9 : 7

27. थिएटर A और B में एक साथ रिलीज हुई क्षेत्रीय फिल्मों की कुल संख्या दोनों थिएटरों में एक साथ रिलीज हुई बॉलीवुड फिल्मों की कुल संख्या से 126 कम थी। थिएटर A और B में

एक साथ रिलीज होने वाली क्षेत्रीय फिल्मों की कुल संख्या कितनी है?

(*a*) 61 (*b*) 57 (*c*) 67 (*d*) 63

(*e*) 69

28. थिएटर B, C और F में रिलीज होने वाली फिल्मों की औसत संख्या कितनी है?

(*a*) 92 (*b*) 88 (*c*) 118 (*d*) 108

(*e*) 106

29. थिएटर D में रिलीज होने वाली फिल्मों की संख्या, थिएटर C में रिलीज होने वाली फिल्मों की संख्या का लगभग कितना प्रतिशत है?

(*a*) 67 (*b*) 72 (*c*) 61 (*d*) 77

(*e*) 50

निर्देश: नीचे दी गई जानकारी के आधार पर प्रश्नों के उत्तर दें।

नीचे दिया गया प्रकीर्ण आरेख तीन अलग-अलग वर्गों A, B और C में लड़कियों की संख्या (X-अक्ष) और लड़कों की संख्या (Y-अक्ष) को दर्शाता है।

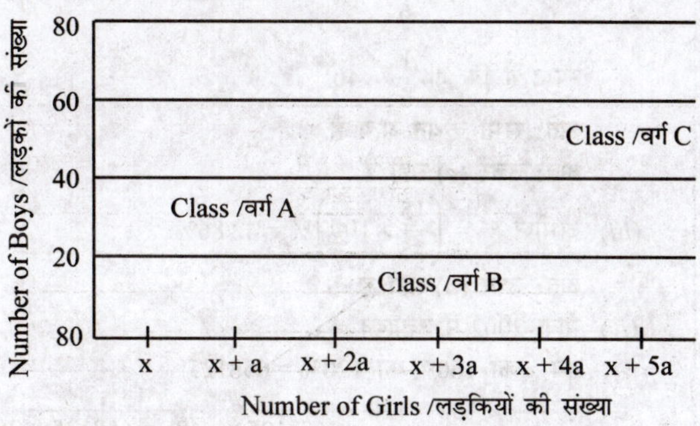

नोट: यदि कक्षा 'C' में 10 लड़कियाँ अतिरिक्त होतीं हैं, तो कक्षा 'C' से एक लड़की के चुने जाने की प्रायिकता 40% होती है।

30. यदि कक्षा 'A' में लड़कों की संख्या, समान कक्षा में लड़कियों की संख्या से 4 गुना है, तो कक्षा 'A' और कक्षा 'B' में छात्रों की कुल संख्या के बीच अंतर ज्ञात कीजिए।

(*a*) 10 (*b*) 20 (*c*) 30 (*d*) 40

(*e*) 50

31. यदि कक्षा 'D' में लड़कियों की संख्या, कक्षा 'B' की तुलना में 20% अधिक है और कक्षा 'D' में लड़कों की संख्या, कक्षा 'A' में लड़कों की संख्या के बराबर है, तो कक्षा 'D' से 2 लड़कों के चयन की प्रायिकता ज्ञात कीजिए, यदि यह दिया गया है कि कक्षा 'A' में छात्रों की कुल संख्या 50 है।

(a) 220/477 (b) 230/477

(c) 240/477 (d) 250/477

(e) 65/168

32. यदि यह दिया गया है कि कक्षा 'B' में कुल छात्रों की संख्या 40 है, तो तीनों कक्षाओं में 'कुल छात्रों की संख्या का औसत ज्ञात कीजिए।

(*a*) 30 (*b*) 36 (*c*) 45 (*d*) 54

(*e*) 60

उत्तरमाला

1.	(*i*) (*c*)	(*ii*) (*a*)	(*iii*) (*e*)	(*iv*) (*b*)	(*v*) (*d*)
2.	(*i*) (*c*)	(*ii*) (*e*)	(*iii*) (*a*)	(*iv*) (*e*)	(*v*) (*d*)
3.	(*i*) (*b*)	(*ii*) (*d*)	(*iii*) (*c*)	(*iv*) (*a*)	(*v*) (*b*)
4.	(*i*) (*c*)	(*ii*) (*b*)	(*iii*) (*c*)	(*iv*) (*a*)	(*v*) (*b*)
5.	(*i*) (*c*)	(*ii*) (*a*)	(*iii*) (*c*)	(*iv*) (*a*)	(*v*) (*d*)

6. (*c*)	**7.** (*d*)	**8.** (*a*)	**9.** (*c*)	**10.** (*b*)	**11.** (*a*)	**12.** (*d*)	**13.** (*c*)	**14.** (*c*)	**15.** (*b*)
16. (*c*)	**17.** (*a*)	**18.** (*c*)	**19.** (*b*)	**20.** (*a*)	**21.** (*d*)	**22.** (*a*)	**23.** (*d*)	**24.** (*b*)	**25.** (*e*)
26. (*d*)	**27.** (*d*)	**28.** (*d*)	**29.** (*c*)	**30.** (*a*)	**31.** (*e*)	**32.** (*e*)			

दिये गये प्रश्नों के हल

1. (*i*) राज्य A की जनसंख्या में प्रतिशत वृद्धि:

$1996 \rightarrow \left\{\frac{(25-20)}{20}\times 100\right\}\% = 25\%,$

$1998 \rightarrow \left\{\frac{(30-25)}{25}\times 100\right\}\% = 25\%,$

$2000 \rightarrow \left\{\frac{(40-30)}{30}\times 100\right\}\% = 33-\%,$

$2002 \rightarrow \left\{\frac{(50-40)}{40}\times 100\right\}\% = 251\%,$

$2004 \rightarrow \left\{\frac{(60-50)}{50}\times 100\right\}\% = 20\%,$

वृद्धि का सर्वाधिक प्रतिशत वर्ष 2000 में हुआ.
अतः उत्तर (*c*) सही है.

(*ii*) राज्य C की औसत जनसंख्या

$= \frac{(30+40+45+55+60+75)\times 10}{6}$ लाख.

$= \left(50\frac{5}{6}\right)$ (दस लाख में)

अतः उत्तर (*a*) सही है.

(*iii*) 1994 में तीनों राज्यों की औसत जनसंख्या

$= \frac{(15+20+30)\times 10}{3}$ दस लाख $= \frac{65}{3}$ दस लाख.

1998 में तीनों राज्यों की औसत जनसंख्या

$= \frac{(30+35+45)}{3}$ दस लाख $= \frac{115}{3}$ दस लाख

अभीष्ट अनुपात $= \frac{65}{3} : \frac{115}{3} = 13 : 23.$

अतः उत्तर (*e*) सही है.

(*iv*) वर्ष 1996, 1998, 2000 के लिए B की औसत जनसंख्या

$= \frac{(35+40+50)}{3}$ दस लाख $= \frac{125}{3}$ दस लाख.

वर्ष 1996, 1998, 2000 के लिए C की औसत जनसंख्या

$= \frac{(40+45+55)}{3}$ दस लाख $= \frac{140}{3}$ दस लाख.

अभीष्ट अनुपात $= \frac{125}{3} : \frac{140}{3} = 125 : 140 = 25 : 28.$

अतः उत्तर (*b*) सही है.

(*v*) वर्ष 2000 में तीनों राज्यों की औसत जनसंख्या

$= \frac{(45+50+55)}{3}$ दस लाख $= 50$ दस लाख.

वर्ष 2004 में तीनों राज्यों की औसत जनसंख्या

$= \frac{(60+65+75)}{3}$ दस लाख $= \frac{200}{3}$ दस लाख.

वृद्धि $= \left(\frac{200}{3} - 50\right)$ दस लाख $= \frac{50}{3}$ दस लाख.

$\therefore$ वृद्धि % $= \left(\frac{50}{3}\times\frac{1}{50}\times 100\right)\% = 33\frac{1}{3}\%.$

अतः उत्तर (*d*) सही है.

2. (*i*) वर्ष 2002 में कम्पनी A द्वारा उत्पादित यूनिटों की संख्या

$= 1{\cdot}66$ लाख यूनिटों का 135%

$= \left(1{\cdot}66 \times \frac{135}{100}\right)$ लाख यूनिट

$= 2{\cdot}241$ लाख यूनिट $= 224100$ यूनिट

अतः उत्तर (*c*) सही है.

(*ii*) (*a*) ग्राफ से स्पष्ट है कि वर्ष 2004 में A ने अधिकतम यूनिटों का उत्पादन किया.

(*b*) ग्राफ से स्पष्ट है कि वर्ष 2004 तथा 2005 में उत्पादन बराबर रहा.

(*c*) ग्राफ से स्पष्ट है कि वर्ष 2004 में A ने B से अधिक यूनिटों का उत्पादन किया.

(*d*) कम्पनी B के उत्पादन में औसत प्रतिशत वृद्धि

$= \frac{(50+50+30+35+50+50)}{6} = 44\frac{1}{6}.$

कम्पनी A के उत्पादन में औसत प्रतिशत वृद्धि

$= \frac{(30+35+35+20+60+60)}{6} = 40.$

स्पष्ट है कि $44\frac{1}{6} > 40.$

अतः सभी कथन सत्य हैं.
अतः उत्तर (*e*) सही है.

(*iii*) अभीष्ट % $= \left(\frac{15}{35}\times 100\right)\% = 42{\cdot}86\%.$

अतः उत्तर (*a*) सही है.

(*iv*) माना 2002 में उत्पादन $= x$.

तब x का 160% का 120% = 658125.

$\therefore \quad x \times \frac{160}{100}\times\frac{120}{100} = 658125 \Leftrightarrow 48x = 658125 \times 25$

$\Leftrightarrow x = \frac{658125\times 25}{48} = 342773.43.$

अतः उत्तर (*e*) सही है.

(*v*) अभीष्ट वृद्धि % $= \left\{\frac{(60 \text{ लाख} - 20 \text{ लाख})}{20 \text{ लाख}}\times 100\right\}\%$

$= 200\%.$

अतः उत्तर (*d*) सही है.

3. (*i*) माना B की वर्ष 2002 तथा 2003 में आय क्रमशः $2x$ तथा ₹ $3x$ थी तथा व्यय E_1 तथा E_2 था.

इन वर्षों में B का लाभ क्रमशः 50% तथा 45%.

$\therefore \quad \frac{2x - E_1}{E_1} = \frac{50}{100}$ तथा $\frac{3x - E_2}{E_2} = \frac{45}{100}.$

$\Leftrightarrow \quad 4x - 2E_1 = E_1$ तथा $60x - 20E_2 = 9E_2$

$\Leftrightarrow \quad 3E_1 = 4x$ तथा $29E_2 = 60x.$

$\Leftrightarrow \quad \frac{3E_1}{29E_2} = \frac{4x}{60x} = \frac{1}{15} \Leftrightarrow \frac{E_1}{E_2} = \frac{1}{15}\times\frac{29}{3} = \frac{29}{45}.$

$\therefore$ अभीष्ट अनुपात $= 29 : 45.$

अतः उत्तर (*b*) सही है।

(*ii*) आँकड़े अपर्याप्त।

अतः उत्तर (*d*) सही है।

(*iii*) माना वर्ष 2005 में A का व्यय = B का व्यय = ₹ x लाख.

कुल आय = ₹ 11·4 लाख

माना A की आय = ₹ y लाख

तब, B की आय = ₹ $(11{\cdot}4 - y)$ लाख.

$$\therefore \quad \frac{y-x}{x} \times 100 = 40 \text{ तथा } \frac{(11{\cdot}4-y)-x}{x} \times 100 = 45$$

$$\Leftrightarrow \quad \frac{y-x}{x} = \frac{2}{5} \text{ तथा } \frac{(11{\cdot}4-y)-x}{x} = \frac{9}{20}$$

$$\Leftrightarrow \quad 5y = 7x \text{ तथा } 228 - 20y = 29x$$

$$\Leftrightarrow \quad y = \frac{7}{5}x \text{ तथा } 228 - 20 \times \frac{7}{5}x = 29x$$

$$\Leftrightarrow \quad y = \frac{7}{5}x \text{ तथा } 57x = 228 \Leftrightarrow x = 4.$$

$\therefore$ कुल व्यय = ₹ 8 लाख

अतः उत्तर (*c*) सही है।

(*iv*) माना वर्ष 2004 में A का व्यय = ₹ $3x$ लाख तथा B का व्यय = ₹ $4x$ लाख

इनमें लाभ क्रमशः 30% तथा 40% हैं।

माना, A की आय = ₹ y_1 लाख तथा B की आय = ₹ y_2 लाख

$$\text{तब,} \quad \frac{y_1-3x}{3x} \times 100 = 30 \text{ तथा } \frac{y_2-4x}{4x} \times 100 = 40$$

$$\Leftrightarrow \quad \frac{y_1-3x}{3x} = \frac{3}{10} \text{ तथा } \frac{y_2-4x}{4x} = \frac{2}{5}$$

$$\Leftrightarrow \quad 10y_1 = 39x \text{ तथा } 5y_2 = 28x \Leftrightarrow y_1 = \frac{39x}{10}, y_2 = \frac{28x}{5}$$

$$\Leftrightarrow \quad y_1 : y_2 = \frac{39x}{10} : \frac{28x}{5} = 39 : 56.$$

अतः उत्तर (*a*) सही है।

(*v*) माना वर्ष 2001 तथा 2002 में B की आय क्रमशः ₹ x_1 लाख तथा ₹ x_2 लाख थी।

इन वर्षों में लाभ क्रमशः 35% तथा 50% था।

$$\therefore \quad \frac{(x_1-12)}{12} \times 100 = 35 \text{ तथा } \frac{(x_2-14{\cdot}5)}{14{\cdot}5} \times 100 = 50$$

$$\Leftrightarrow \quad \frac{x_1-12}{12} = \frac{7}{20} \text{ तथा } \frac{x_2-14{\cdot}5}{14{\cdot}5} = \frac{1}{2}$$

$$\Leftrightarrow 20x_1 = 324 \text{ तथा } 2x_2 = 43.5$$

$$\Leftrightarrow \quad x_1 = 16.2 \text{ लाख तथा } x_2 = 21.75 \text{ लाख.}$$

कुल आय = ₹$(16{\cdot}2 + 21{\cdot}75)$ लाख = ₹ 37·95 लाख

अतः उत्तर (*b*) सही है।

4. (*i*) दोनों ग्राफों के मध्य अधिकतम दूरी 2005 में रही।

अतः उत्तर (*c*) सही है।

(*ii*) वर्ष 2002 में खर्च = ₹ 27·5 करोड़,

वर्ष 2003 में खर्च = ₹ 20 करोड़

$$\text{खर्च में कमी \%} = \left(\frac{7{\cdot}5}{27{\cdot}5} \times 100\right)\% = 27{\cdot}3\%.$$

अतः उत्तर (*b*) सही है।

(*iii*) वर्ष 2001 में आय = ₹ 20 करोड़,

वर्ष 2002 में आय = ₹ 35 करोड़

$$\therefore \quad \text{आय में वृद्धि \%} = \left(\frac{15}{20} \times 100\right)\% = 75\%.$$

अतः उत्तर (*c*) सही है।

(*iv*) खर्च के ग्राफ का भाग आय के ग्राफ के ऊपर के वल वर्ष 2000 में रहा।

अतः के वल इस वर्ष में ही खर्च आय से अधिक रहा।

अतः उत्तर (*a*) सही है।

(*v*) स्पष्ट है कि वर्ष 2001 में आय तथा व्यय बराबर रहे।

अतः उत्तर (*b*) सही है।

5. (*i*) माना 2001 में A के निर्यात तथा आयात का अनुपात, $\frac{x_1}{y_1} = 1{\cdot}25.$

2002 में A के निर्यात तथा आयात का अनुपात, $\frac{x_2}{y_2} = 1{\cdot}75.$

$$\therefore \quad x_1 = 1{\cdot}25\, y_1 \text{ तथा } x_2 = 1{\cdot}75\, y_2$$

$$\Rightarrow (x_1 + x_2) = (1{\cdot}25y_1 + 1{\cdot}75y_2) = 90.$$

स्पष्ट है कि $(y_1 + y_2)$ का मान ज्ञात नहीं किया जा सकता।

अतः उत्तर (*c*) सही है।

(*ii*) वर्ष 2003 में B के निर्यात तथा आयात का अनुपात, $\frac{x}{y} = 1{\cdot}75.$

$$\text{अभीष्ट अनुपात} = \frac{x}{y \quad (140\%)} = \left(\frac{x}{y} \times \frac{100}{140}\right)$$

$$= \left(1{\cdot}75 \times \frac{100}{140}\right) = \frac{5}{4}$$

अतः अभीष्ट अनुपात = 5 : 4. अतः उत्तर (*a*) सही है।

(*iii*) स्पष्ट है कि A का निर्यात > आयात तभी होगा

$$\text{जबकि} \left(\frac{\text{निर्यात}}{\text{आयात}}\right) > 1 \text{ हो।}$$

ग्राफ से स्पष्ट है कि यह वर्ष 2001, 2002 तथा 2005 में है।

अतः उत्तर (*c*) सही है।

$$(iv) \quad \text{वर्ष 2002 में } B \text{ का} \left(\frac{\text{आयात}}{\text{निर्यात}}\right) = 1{\cdot}25$$

$$\Leftrightarrow \quad \frac{₹50 \text{ करोड़}}{x} = 1{\cdot}25 \Leftrightarrow x = \frac{₹50 \text{ करोड़}}{1{\cdot}25}$$

= ₹ 40 करोड़

अतः उत्तर (*a*) सही है।

(*v*) निर्यात तथा आयात का अन्तर ग्राफ से ज्ञात नहीं किया जा सकता।

अतः उत्तर (*d*) सही है।

6. $$\text{अभीष्ट प्रतिशत} = \left(\frac{500-360}{360}\right) \times 100$$

$$= \frac{140 \times 100}{360} = \frac{350}{9} = 38\frac{8}{9}$$

7. $$\text{अभीष्ट अंतर} = (420 + 300) - (380 + 300)$$

$$= 720 - 680 = 40$$

8. रविवार को बिके शाकाहारी बर्गर = 48

रविवार को बेचे गए कुल बर्गर की संख्या = 104

अत: शाकाहारी बर्गर का प्रतिशत = $\frac{48}{104} \times 100 = 46\%$

9. शनिवार को बिकने वाले शाकाहारी बर्गर की संख्या 56 है और इसका $\frac{3}{7}$ भाग आम के रूप में बेचा जाएगा।

अत: अभीष्ट संख्या = $\frac{3}{7} \times 56 = 24$

10. अभीष्ट % = $\frac{(120-84)}{120} \times 100 = \frac{36}{120} \times 100 = 30\%$

11. शनिवार को बेचे गए मांसाहारी बर्गर की कुल संख्या = 120 – 56 = 64

रविवार को बेचे गए मांसाहारी बर्गर की कुल संख्या = 104 – 48 = 56

अत: अभीष्ट संख्या 64 + 56 = 120 है

12. अभीष्ट अनुपात = (40 + 36) : (180 – 76) = 76 : 104 = 19 : 26

13. मंगलवार को बेचे गए बर्गर (शाकाहारी + मांसाहारी) की संख्या = 96

महिला ग्राहक और वह पुरुष ग्राहकों का अनुपात = 7 : 12

अत: अभीष्ट संख्या = $\frac{7}{12} \times 96 = 56$

14. शनिवार को बस A में यात्रा करने वाले छात्रों (लड़कों + लड़कियों) की संख्या = 180

शनिवार को बस A में यात्रा करने वाली लड़कियों की संख्या = 124

शनिवार को बस A में यात्रा करने वाले लड़कों की संख्या = 180 – 124 = 56

तो अनुपात 56 : 180 = 14 : 45 है

15. सोमवार को एक साथ दी गई सभी बसों में यात्रा करने वाले छात्रों की कुल संख्या = 180 + 320 + 200 = 700

शनिवार को सभी बसों में यात्रा करने वाले छात्रों की कुल संख्या = 124 + 150 + 90 = 364

अत: अभीष्ट अंतर = 700 – 364 = 336

16. सोमवार को बस B और C में यात्रा करने वाली लड़कियों की कुल संख्या = 90 + 82 = 172

जबकि सोमवार को बस C में यात्रा करने वाले छात्रों (लड़कों + लड़कियों) की कुल संख्या = 200

तो अभीष्ट % = $\frac{172}{200} \times 100 = 86\%$

17. सोमवार को बस A और B में एक साथ यात्रा करने वाली लड़कियों की कुल संख्या = 124 + 80 = 204

सोमवार को बस A और B में एक साथ यात्रा करने वाले (लड़के + लड़कियों) की कुल संख्या = 180 + 320 = 500

सोमवार को बस A और B में एक साथ यात्रा करने वाले लड़कों की कुल संख्या = 500 – 204 = 296

अब प्रश्न 204 बन जाता है कि 296 से कितना % अधिक है

तो अभीष्ट % = $\frac{92}{204} \times 100 = 45\%$

18. शनिवार को बस B में यात्रा करने वाले छात्रों (लड़कों + लड़कियों) की संख्या = 150

इसलिए बुधवार को बस B में यात्रा करने वाले छात्रों (लड़कों + लड़कियों) की संख्या = 150 + 150 का 24% = 150 + 36 = 186

19. सोमवार को बस C में यात्रा करने वाले लड़कों की संख्या = 200 – 92 = 108

शनिवार को बस C में यात्रा करने वाले लड़कों की संख्या = 90 – 48 = 42

अत: औसत = $\frac{108+42}{2} = \frac{150}{2} = 75$

20. कुल मानव संसाधन = 447 + 369 + 398 + 447 + 500 + 485 + 582 + 590 + 595 = 4413

कुल वित्त = 506 + 509 + 600 + 678 + 623 + 640 + 710 + 675 + 850 = 5791

कुल का अंतर = 5791 – 4413 = 1378

औसत का अंतर = $\frac{1378}{9} = 153$

21. कुल मानव संसाधन = 4413

मार्केटिंग का कुल = 3504

अब प्रश्न 4413 बन जाता है कि 3504 से कितना प्रतिशत अधिक है

तो $\frac{4413-3504}{3504} \times 100 = \frac{909}{3504} \times 100 = 25.94\%$ है

22. अभीष्ट अनुपात = (506 – 447) : (623 – 500) = 59 : 123

23. 2009 के दौरान मानव संसाधन में नामांकित छात्रों की कुल संख्या – 17 = 4413

इसलिए अभीष्ट औसत = $\frac{4413}{9} = 490$

मानव संसाधन का कुल = 4413

तो मानव संसाधन का औसत = $\frac{4413}{9} = 490.3 = 490$

24. दिए गए वर्ष में विपणन की संख्या 286 है और उसी वर्ष वित्त की संख्या 600 है।

तो % $\frac{286}{600} = 100 = 47.67\%$ है

25. अभीष्ट अंतर = 112 – 52 = 60

26. अभीष्ट अनुपात = (80 + 120) : 140 = 200 : 140 = 10 : 7

27. माना A और B में रिलीज हुई बॉलीवुड फिल्में = X हैं

क्षेत्रीय = y

$x + y = 252$

$x - y = 126$

$x = y + 126$

$y + 126 + y = 252$

$2y = 126$

$y = 63$

28. अभीष्ट औसत = $\frac{140+132+52}{3} = \frac{324}{3} = 108$

29. D में रिलीज हुई फिल्मों की संख्या = 80

C में रिलीज हुई फिल्मों की संख्या = 132

तो% = $\frac{80}{132} \times 100 = 61\%$

(30-32) के लिए

माना GA, BA, GB, GC, BC, क्रमशः कक्षा A, B और C में लड़कियों और लड़कों की संख्या है,

अब, प्रश्न के अनुसार,

$$\frac{G_C + 10}{G_C + B_C + 10} = 0.4$$

$$\Rightarrow \frac{G_C + 10}{G_C + 60 + 10} = 0.4$$

$$\Rightarrow \frac{G_C + 10}{G_C + 70} = \frac{4}{10}$$

$\Rightarrow 10\,G_C + 100 = 4\,G_C + 280$

$\Rightarrow 6\,G_C = 180$

$\Rightarrow G_C = 30$

$\Rightarrow x + 5a = 30$ ...(i)

30. $40 = 4\,(x + a)$

$\Rightarrow x + a = 10$ ...(ii)

(i) और (ii) से, हम पाते हैं

$a = 5$

$\therefore$ कक्षा 'A' में छात्रों की कुल संख्या

$= 40 + 10 = 50$

और कक्षा 'B' में छात्रों की कुल संख्या

$= 20 + x + 3a = 40$

$\therefore$ आवश्यक अंतर $= 50 - 40 = 10$

31. $G_A = 50 - 40 = 10 = x + a$ ....(ii)

माना कक्षा D में लड़कियों की संख्या = G_D

माना कक्षा D में लडकों की संख्या = B_D

$B_D = B_n = 40$

(i) और (ii) से

$x = 5, a = 5$

$$\therefore G_D = \frac{G_B \times 120}{100} = \frac{20 \times 120}{100} = 24$$

$\therefore$ कक्षा D में विद्यार्थियों की कुल संख्या

$= 40 + 24 = 64$

$$\therefore \text{आवश्यक संभाव्यता} = \frac{40c_2}{64c_2} = \frac{40 \times 39}{64 \times 63} = \frac{65}{168}$$

32. हमारे पास है,

$B_B + G_B = 40$

$\Rightarrow G_B = 40 - 20 = 20$

$\Rightarrow x + 3a = 20$ ...(ii)

(i) और (ii) से, हम पाते हैं

$a = 5, x = 5$

Now,

$B_A + G_A = 40 + 10 = 50$

$B_B + G_B = 20 + 20 = 40$

$B_C + G_C = 60 + 30 = 90$

$\therefore$ आवश्यक औसत = $\frac{180}{3} = 60$